CW00918599

WIELKI SŁOWNIK
polsko-angielski

THE GREAT
Polish-English
DICTIONARY

J A N   S T A N I S Ł A W S K I

WIELKI SŁOWNIK
polsko-angielski

THE GREAT
Polish-English
DICTIONARY

Z SUPLEMENTEM

Philip Wilson

P-Ż

Współpraca autorska
MAŁGORZATA SZERCHA

Okładka i karty tytułowe Liliana Soja/DIRECT DESIGN

Wydawnictwo Philip Wilson, Warszawa
01-217 Warszawa, ul. Kolejowa 21, tel.: 862 56 89, fax: 631 20 29
e-mail: pwilson@pol.pl

Druk i oprawa: Drukarnia Naukowo-Techniczna S.A.
Warszawa, ul. Mińska 65, tel. 810-50-71, fax 810-85-93
e-mail: dnt@pol.pl

ISBN 83-7236-049-9

P

P, p *sn indecl* 1. (*litera*) the letter p 2. (*głoska*) the sound p

pa *interj* bye-bye!; ta-ta!; toodle-oo!

pac[1] (*odgłos padania*) flop

pac[2] *sm reg.* large rat

paca *sf bud.* long float

pacać *zob.* **pacnąć**

pach|a *sf* 1. *anat. zool.* axilla; (*u człowieka*) armpit; **iść z kimś pod ~ę** to walk arm-in-arm with sb; **nieść coś pod ~ą** to carry sth under one's arm; **wziąć kogoś pod ~ę** to draw one's hand through sb's arm 2. (*w ubraniu*) armhole 3. *arch.* spandrel

pachciar|ka *sf pl G.* **~ek** = **pachciarz**

pachciarski *adj* tenant's; of a tenancy

pachciarstwo *sn singt* tenanting

pachciarz *sf* tenant

pachnący *adj* odorous; (sweet-)scented; fragrant (**fiołkami itd.** of violets etc.); smelling; **~ wiosną itd.** redolent of spring etc.; **silnie ~** heady

pachnąć *vi imperf rz.* = **pachnieć**

pachnidło *sn* perfume; scent

pachnie|ć *vi imperf* 1. (*wydawać woń*) to smell (**czymś** of sth); **~ć różą** <**fiołkami itd.**> to have a fragrance of roses <violets etc.>; **przyjemnie ~ć** to smell nice <good>; to be fragrant; to have a fragrant <a pleasant, sweet> smell; **to nie ~** it smells bad 2. (*nieosobowo*) **~** <**pachniało**> there is <was> a smell <a fragrance> (**perfumami itd.** of scent etc.); **tutaj nie ~** there is a bad smell here 3. *pot.* (*nęcić*) to allure; **~ mu zabawa** <**żołnierka itd.**> he has a taste for enjoyment <a soldier's life etc.> 4. *pot.* (*grozić*) to savour <to smack> (**czymś** of sth); **to ~ kryminałem** it savours of prison; **to ~ stryczkiem** it is a hanging matter; it smacks of the halter || *pot.* **ta sprawa nie ~** it is a shady business; there is something fishy about this

pachnot|ka *sf pl G.* **~ek** (*Perilla ocimoides*) a herb of the genus Perilla

pacholę † *sm* 1. *rz. lit.* (*chłopiec*) (a) youth; boy; lad; stripling; **od ~cia** from a boy; from boyhood 2. (*giermek*) shield bearer; (*paź*) page

pachołek *sm* 1. (*służący*) servant 2. (*pomocnik w magistracie itd.*) menial 3. *przen.* flunkey 4. *hist. wojsk.* soldier 5. *mar.* (*słupek*) bitt 6. *reg.* boot-jack

pachowy *adj anat.* axillary; **dołek ~** armpit

pacht † *sm singt G.* **~u** tenancy

pachwin|a *sf* 1. *anat.* groin; pope, poop; **uderzyć** <**trafić**> **kogoś w ~ę** to take sb's poop 2. = **pacha** 3. 3. *bot.* axil

pachwinow|y *adj* 1. *anat.* inguinal; *techn.* **spoina ~a** fillet weld 2. *bot.* axillary

pacierz *sm* prayer; *pl* **~e** prayers; devotions; **odmawiać ~e** to say one's prayers; **zmówić ~** to say a prayer

pacierzow|y *adj* spinal; vertebral; *anat.* **stos ~y** spine; vertebral <spinal> column; *przen.* **rdzeń ~y, kość ~a** backbone (of an institution etc.)

paciorecznik *sm bot.* (*Canna*) canna

paciorecznikowat|y *bot.* [I] *adj* cannaceous [III] *spl* **~e** (*Cannaceae*) (*rodzina*) the Cannaceae

pacior|ek *sm G.* **~ka** 1. (*dim* ↑ **pacierz**) short prayer 2. (*gałeczka*) bead 3. *pl* **~ki** (*korale*) string of beads; bead necklace

paciorkowaty *adj rz.* beady (eyes etc.); bead-like

paciorkowcowy *adj* streptococcal; streptococcic

paciorkow|iec *sm G.* **~ca** *biol. med.* streptococcus (*pl* streptococci)

paciorkowy *adj* beady; beaded

pacjent *sm*, **pacjent|ka** *sf pl G.* **~ek** patient; **~ dochodzący** <**ambulatoryjny**> extern; out-patient

pac|ka *sf pl G.* **~ek** 1. (*przyrząd murarski*) float 2. (*do zabijania much*) fly-flap

pac|nąć *v perf* **~nięty** — *rz.* **pac|ać** *v imperf pot.* [I] *vt* to smack; to slap; to hit [III] *vi* 1. (*uderzyć*) to smack <to hit> (**w coś** sth) 2. (*upaść*) to flop down; to come down with a flop; **~nąć o coś** to come bounce against sth || **~nąć farbą** <**pędzlem**> to lay on paint

pacnięcie *sn pot.* 1. ↑ **pacnąć** 2. (*stuknięcie*) (a) smack 3. (*odgłos upadku*) (a) flop

pacyficzny *adj* Pacific

pacyfikacja *sf* pacification

pacyfikacyjny *adj* pacificatory

pacyfikał *sm G.* **~u** *rel.* pax; ostulatory

pacyfikator *sm* pacifier
pacyfikować *vt imperf* to pacify
pacyfikowanie *sn* (↑ **pacyfikować**) pacification
pacyfist|a *sm* (*decl* = *sf*), **pacyfist|ka** *sf pl G.* **~ek** (a) pacifist
pacyfistyczny *adj* pacifist(ic)
pacyfizm *sm singt G.* **~u** pacifism
pacykarz *sm pot. pog.* daubster
pacykować *vi imperf pot.* to daub
pacyna *sf* = **pecyna**
pacynka *sf* hand puppet
paczenie *sn* ↑ **paczyć**
pacz|ka *sf pl G.* **~ek** 1. (*pakunek*) pack (of cigarettes etc.); bunch (of letters, books etc.); batch (of newspapers, magazines etc.); packet (of banknotes etc.); (*zawiniątko*) bundle; parcel 2. (*przesyłka pocztowa*) parcel; **posłać coś jako ~kę** to send sth by parcel post 3. (*skrzynka*) box; **~ka z węglem** coal box 4. *pot.* (*grupa ludzi*) bunch; set; crowd; gang; pack (of friends etc.); **cała ~ka** the (whole) lot (of you, of them); the whole (ca)boodle
paczkarnia *sf* packing <packaging> department
paczkować *vt imperf* to pack <to package> (goods)
paczkowanie *sn* ↑ **paczkować**
paczkownia *sf* = **paczkarnia**
paczula *sf singt* patchouli (oil)
paczusz|ka *sf pl G.* **~ek** (*dim* ↑ **paczka**) tiny parcel <bundle>
paczyć *v imperf* [I] *vt* 1. (*wykrzywiać*) to warp <to wind> (wood); to buckle (metal) 2. *przen.* to distort (a meaning etc.); to warp (sb's disposition etc.) [II] *vr* **~ się** to warp (*vi*)
paczyna *sf* a kind of oar
paćka *sf singt pot.* mash; pulp
paćkać *v imperf pot.* [I] *vt* 1. (*brudzić*) to smear; to daub; to smudge 2. *przen.* (*źle malować*) to daub [II] *vr* **~ się** to smear one's face <hands, clothes>
paćkanie *sn* ↑ **paćkać**
paćkanina *sf* 1. = **paćkanie** 2. (*obraz*) (a) daub
padacz|ka *sf pl G.* **~ek** *med.* epilepsy
padaczkowy *adj* epileptic
padać *vi imperf* — **paść** *vi perf* **padnę, padnie, padnij, padł** 1. (*przewracać się*) to fall (down); to drop; to tumble down; to sink; **padać, paść w czyjeś objęcia <komuś w objęcia>** to fall into sb's arms; **padać z nóg** to be ready to drop with fatigue; to be dead tired; **paść na fotel** to sink <*pot.* to flop> into an armchair; **paść na kolana** to go down <to fall, to drop> on one's knees; **padam do nóg!** your humble servant!; *przen.* **padać, paść na twarz** to prostrate oneself; **padać, paść plackiem** to fall flat on the ground 2. (*ginąć*) to fall (in battle etc.); (*o zwierzętach*) to die; **padać jak muchy** to die in their thousands; **paść trupem** to fall <to drop> dead; **niech trupem padnę!** strike me dead!; **paść w gruzy** to fall into ruin; *przen.* **padać, paść ofiarą czegoś** to fall a victim <a prey> to sth; **paść przy egzaminie** to fail in an examination 3. (*o fortecy itd.*) to fall (**w ręce...** into the hands of...) 4. (*spadać*) to fall; **akcent pada na ostatnią zgłoskę** the accent falls on the last syllable; **głosy padają na kogoś <na coś, przeciw czemuś>** votes are given to sb <for sth, against sth>; **los padł na mnie** it fell to my lot <share> (to do it); **podejrzenie padło na niego** suspicion fell on him 5. *meteor.* to fall; (*nieosobowo* — *jest deszcz*) **pada** it rains; the rain falls; **pada grad** it hails; **pada śnieg** it snows; the snow falls 6. *przen.* (*o chorobach*) to visit (**na kogoś** sb) 7. *przen.* (*o uczuciach*) to seize; **trwoga padła na nich** they were seized with fear 8. (*o promieniach, świetle*) to fall <to shine> (on sb, sth); to strike (**na kogoś, coś** sb, sth); to light (**na kogoś, coś** upon sb, sth) || **pada bramka** a goal is shot; **pada rozkaz** an order is given; **pada strzał** a shot is fired; **nie padło ani słowo** not a word was uttered
padający *adj* (*o świetle itd.*) incident
padal|ec *sm G.* **~ca** *zool.* (*Anguis fragilis*) blindworm; slow-worm
padani|e *sn* (↑ **padać**) (a) fall; *fiz.* incidence; **kąt ~a** angle of incidence
padlina *sf singt*, **padło** *sn singt* carrion; (*zwierzęca*) carcass; *rz.* (*ludzka*) corpse
padnięcie *sn* 1. ↑ **paść** 2. (*w odniesieniu do zwierząt*) death
padok *sm G.* **~u** paddock
pad|ół † *sm G.* **~ołu** valley; *obecnie w zwrotach: emf. żart.* **~ół płaczu <łez>** vale of tears; **na tym ~ole** here below
padyszach *sm hist.* Pad(i)shah
padź *sf* 1. (*choroba liści*) leaf cast 2. *gw.* (*substancja zbierana przez pszczoły*) honey-dew
paf *interj* flop!; slap-bang!
pagina *sf druk.* page number; folio; **żywa ~** running title <headline>
paginacja *sf singt druk.* pagination; page numbering
paginować *vt imperf druk.* to paginate; to page (a book)
paginowanie *sn* (↑ **paginować**) pagination
pag|oda *sf pl G.* **~ód** pagoda
pagodowy *adj* pagoda — (roof etc.)
pagóreczek *sm* (*dim* ↑ **pagórek**) monticule
pagór|ek *sm G.* **~ka** knoll; hummock; hillock, mound
pagórkowaty *adj* hummocky
paiż|a *sf pl G.* **~y** *hist.* shield
pajac *sm* 1. (*człowiek*) buffoon; clown 2. (*zabawka*) puppet
pajacowaty *adj* clownish
pajacyk *sm* 1. *dim* ↑ **pajac** 2. 2. (*ubranko*) baby's one-piece suit
pajączek *sm* 1. *dim* ↑ **pająk** 2. (*w hafcie*) spiderlike pattern
pająk *sm* 1. *zool.* (*Aranea*) spider; **~ morski** pycnogonid; **~ skaczący** saltigrade 2. (*żyrandol*) chandelier; girandole
pająkowaty *adj* spidery; spiderlike
pajda *sf pot.* chunk; hunch; hunk
pajęczak *sm zool.* 1. (*stawonóg*) arachnid 2. *pl* **~i** (*Arachnoidea*) (*gromada*) the arachnids
pajęczarz *sm* 1. *radio* unlicenced listener 2. (*złodziej bielizny*) stealer of washing on the line
pajęczasty *adj* spidery; gossamery
pajęcznica *sf bot.* (*Anthericum*) anthericum
pajęczy *adj* 1. (*dotyczący, zrobiony przez pająka*) spider's (web etc.) 2. *przen.* (*delikatny*) spidery
pajęczyna *sf* 1. (*siatka*) cobweb; spider's web; **~ babiego lata** gossamer 2. *przen.* gossamer

pajęczynowy *adj* cobwebby; gossamery
pajęczynów|ka *sf pl G.* **~ek** *anat.* (an) arachnoid (membrane); arachnoidea
pak[1] *sm G.* **~u** (*smoła*) pitch
pak[2] *sm G.* **~u** (*kra lodowa*) pack-ice
paka *sf* 1. (*skrzynia*) case; crate 2. (*pakiet*) big bunch 3. *pot.* (*areszt*) lock-up; clinch 4. = **paczka** 4.
pakamera *sf* packing-room
pakiet *sm G.* **~u** pack(age); bundle; bunch; batch
pakietowy *adj* **film ~** film pack
paklon *sm G.* **~u** *bot.* (*Acer campestre*) maple
pakowacz *sm* packer
pakowacz|ka *sf pl G.* **~ek** 1. = **pakowacz** 2. (*maszyna*) packing-machine
pakować *v imperf* [I] *vt* 1. (*układać do wysłania, do podróży*) to pack (one's things, one's trunk, goods etc.); **~ walizkę** to pack up 2. *pot.* (*wpychać*) to cram; to crowd; to stow; to ram; to stuff; **~ coś do kieszeni** to stuff <to shove> sth into one's pocket; **~ jedzenie w siebie** to stuff <to gorge> oneself with food; to shovel food into one's mouth; **~ komuś kulę** to lodge a bullet in sb; *przen.* **~ coś komuś do głowy** to ram sth into sb; **~ pieniądze w coś** to pour <to sink> money into sth 3. *pot.* (*kierować kogoś gdzieś siłą*) to clap (**kogoś do więzienia** sb in prison); **~ kogoś do łóżka** to pack sb off to bed; **~ kogoś do wojska** to press sb into the army [III] *vr* **~ się** 1. (*pakować rzeczy*) to pack up; to pack one's things 2. *przen.* (*pchać się*) to barge (**do pokoju itd.** into a room etc.); to get <to push one's way> (**do czegoś** into sth); (*tłoczyć się*) to crowd (**do samochodu itd.** into a car etc.)
pakowalnia *sf* = **pakownia**
pakowani|e *sn* ↑ **pakować**; **papier do ~a** wrapping paper; brown paper
pakownia *sf* packing-room; packing department
pakownica *sf* packing-machine
pakowność *sf singt* capaciousness
pakowny *adj* capacious; roomy
pakowy[1] *adj* (*odnoszący się do paku, smoły*) pitch — (box etc.)
pakowy[2] *adj* (*służący do pakowania*) wrapping — (paper etc.)
pakt *sm G.* **~u** *pl N.* **~y** pact; covenant
paktować *vi imperf* to treat (with the enemy); to negotiate
paktowanie *sn* (↑ **paktować**) negotiations
pakulan|ka *sf pl G.* **~ek** spun tow
pakulany *adj* = **pakułowy**
pakuł|y *spl G.* **~** tow; oakum
pakułowy *adj* tow — (cloth etc.)
pakunecz|ek *sm G.* **~ka** <**~ku**> *dim* ↑ **pakunek**
pakun|ek *sm G.* **~ku** 1. (*paczka*) parcel; package, (*tobołek*) bundle; *pl* **~ki** luggage; **zrobić ~ek z czegoś** to do sth up into a bundle; to make up a bundle of sth 2. (*materiał uszczelniający*) caulking; packing
pal *sm pl G.***~i** <**~ów**> pale; pile; stake; picket; *hist.* **wbicie na ~** impalement; **wbić kogoś na ~** to impale sb
pala *sf* = **palka**
palacz *sm* 1. (*robotnik*) stoker; fireman 2. (*człowiek palący tytoń*) smoker
palacz|ka *sf pl G.* **~ek** = **palacz** 2.
paladyn *sm hist.* paladin
palafit *sm G.* **~u** *archeol.* palafitte
palankin *sm G.* **~u** palanquin, palankeen
palant *sm* 1. (*gra*) a kind of baseball 2. (*podbijak*) bat
palarnia *sf* 1. (*pokój dla palących*) smoking-room; divan; **~ opium** opium den 2. (*pomieszczenie, w którym się przyrządza coś przez palenie*) roasting room; **~ kawy** coffee-roasting room
palatalizacja *sf singt język.* palatalization
palatalizować *v imperf jęz.* [I] *vt* to palatalize [III] *vr* **~ się** to be palatalized; to undergo palatalization
palatalizowanie *sn* (↑ **palatalizować**) palatalization
palatalność *sf singt jęz.* palatality
palatalny *adj jęz.* palatal
palatografi|a *sf singt GDL.* **~i** *jęz.* palatography
palatograficzny *adj jęz.* palatographic
palatogram *sm G.* **~u** *jęz.* palatogram
palatyn *sm hist.* (count) palatine; palsgrave
palatynat *sm G.* **~u** *hist.* palatinate
palatynek *sm*, **palatynka** *sf* palatine; fur tippet
paląco *adv* 1. (*gorąco*) scorchingly 2. *przen.* with fire
paląc|y [I] *adj* 1. (*gorący*) hot; scorching 2. *przen.* fiery 3. (*wywołujący uczucie pieczenia*) burning; *przen.* **~e łzy** scalding tears; **~y wstyd** burning shame 4. (*nałogowo palący tytoń*) smoking; **człowiek ~y** smoker 5. *przen.* (*naglący, pilny*) burning (question) [III] *sm* **~y** (*decl = adj*) smoker; **przedział dla ~ych** smoking-compartment
palba *sf* shooting; (gun-)fire
palcat † *sm* backsword, singlestick
palcochodność *sf singt zool.* digitigradism
palcochodny *adj zool.* digitigrade
palcować *vt vi imperf muz.* to finger
palcowanie *sn* (↑ **palcować**) (the) fingering
palcowy *adj* finger — (joint, alphabet etc.)
palców|ka *sf pl G.* **~ek** *muz.* fingering exercise
palczak *sm zool.* 1. (*rybka*) fry 2. **~ madagaskarski** (*Chiromys madagascariensis*) aye-aye
palczasto *adv* digitally
palczasty *adj* 1. (*mający palce*) digital 2. (*o liściu*) digitate
palearktyczny *adj geogr. zool.* palaearctic
pal|ec *sm G.* **~ca** 1. (*u ręki*) finger; **~ec wielki** thumb; **~ec wskazujący** forefinger; **~ec środkowy** <**serdeczny, mały**> middle <ring, little> finger; **końce ~ców** finger-tips; **miękki w ~ach** soft to the touch; **o ~ec za długi** <**za krótki**> too long <too narrow> by the width of a finger <by a finger's breadth>; **sam jak ~ec** all alone; quite lonely; **chodzić na ~cach** to walk on tiptoe; *przen.* **chodzić na ~cach koło kogoś** to be full of attentions for sb; **kiwnąć ~cem na kogoś** to beckon sb; **maczać ~ce w czymś** to have a hand in sth; to meddle with sth; **nie kiwnąć ~cem, żeby...** not to raise a finger to...; **nie tknąć kogoś ~cem** not to touch sb; **nigdy ~cem nie kiwnie** he never does a stroke of work; **patrzeć na coś przez ~ce** to wink at sth; to turn a blind eye to sth; **pokazywać kogoś ~cem** to point one's finger at sb; **to z ~ca wyssane** it's a trumped-up story; **w małym ~cu coś mieć, znać coś jak swoje pięć ~ców** to have sth at one's finger(s') ends <tips>; *przysł.* **daj mu ~ec, a on za całą rękę chwyta** give him an inch and he'll take an ell 2. (*u nogi*) toe; **gruby ~ec** big toe; **mały ~ec** little toe 3.

(*u zwierząt, ptaków*) digit 4. (*u rękawicy*) finger 5. *pl* **~ce** (*u bucika*) toes; **bucik wąski w ~cach** shoe narrow at the toes

palenie *sn* (↑ **palić**) 1. (*niecenie ognia*) burning; making a bonfire <bonfires>; **~ drzewem <węglem itd.>** burning wood <coal etc.> 2. (*oświetlanie*) lighting one's room(s) (**świec, elektryczności** with candles, electricity) 3. (*niszczenie ogniem*) burning down (**czegoś** sth); setting fire (**czegoś** to sth); setting (**czegoś** sth) on fire; cremation (**zwłok** of corpses); incineration (**śmieci** of rubbish) 4. (*rozniecanie ognia*) lighting the fire 5. (*ogrzewanie*) heating 6. (*palenie tytoniu*) smoking 7. *pot.* (*tytoń, papierosy*) tobacco; cigarettes; **pieniądze na ~** money for tobacco <for cigarettes> 8. (*uczucie pieczenia*) (a) burning (in the mouth, in the stomach); heartburn; *med.* pyrosis 9. **~ się** (*spalanie się*) burning <consumption> by fire; *przen.* **~ się do kogoś** infatuation with sb; **~ się do robienia czegoś** eagerness to do sth

palenisko *sn* hearth; grate; fire-place; **~ kotła** boiler furnace; **~ kuchenne** (kitchen) range

paleniskow|y *adj* grate — (coal etc.); **komora ~a** fire-box

paleoamerykański *adj antr.* Palaeo-American

paleoantropologi|a *sf singt GDL.* **~i** palaeoanthropology

paleoantropologiczny *adj* palaeoanthropological

paleoazjatycki *adj antr.* Palaeo-Asiatic

paleobotaniczny *adj* palaeobotanical

paleobotanik *sm* palaeobotanist

paleobotanika *sf singt* palaeobotany

paleocen *sm G.* **~u** *geol.* Palaeocene

paleoetnologi|a *sf singt GDL.* **~i** palaeoethnology

paleogen *sm G.* **~u** *geol.* palaeogene

paleograf *sm* palaeographer

paleografi|a *sf singt GDL* **~i** palaeography

paleograficzny *adj* palaeographic(al)

paleoklimatolog *sm* palaeoclimatologist

paleoklimatologi|a *sf singt GDL.* **~i** palaeoclimatology

paleoklimatyczny *adj* palaeoclimatic

paleolit *sm G.* **~u** *geol.* palaeolith

paleolityczny *adj* palaeolithic(al)

paleologi|a *sf singt GDL.* **~i** palaeology

paleologiczny *adj* palaeological

paleontolog *sm* palaeontologist

paleontologi|a *sf singt GDL.* **~i** palaeontology

paleozoiczny *adj* palaeozoic

paleozoik *sm singt G.* **~u** *geol.* Palaeozoic era

paleozoolog *sm* palaeozoologist

paleozoologi|a *sf singt GDL.* **~i** palaeozoology

palestra *sf* 1. *singt* (*adwokatura*) the bar 2. (*w starożytnej Grecji*) palaestra

paleta *sf* 1. *mal.* palette 2. *mar.* tray; pallet; platform sling

palet|ko *sn pl G.* **~ek** 1. (*liche palto*) paltry overcoat 2. (*palto dziecinne*) child's overcoat

paletnologi|a *sf singt GDL.* **~i** palaeoethnology

paliatyw *sm G.* **~u, paliatywa** *sf med.* (a) palliative

paliatywnie *adv* palliatively

paliatywny *adj* palliative

paliczek *sm anat.* phalanx; finger-joint; toe-joint

paliczkowy *adj* phalangeal

pal|ić *v imperf* [I] *vi* 1. (*rozniecać ogień*) to light a <the> fire (in the stove etc.) 2. (*grzać*) to heat (**w pokoju** a room); to fire (**w parowozie itd.** an engine etc.); to stoke (**pod kotłami itd.** a furnace etc.) 3. (*o słońcu — piec, prażyć*) to burn; to scorch 4. (*wywoływać uczucie pieczenia*) to burn <to sting> (the mouth, the tongue) 5. (*być palaczem tytoniu*) to smoke 6. (*strzelać*) to fire; to shoot; *przen.* **~ić z bicza** to crack a whip 7. (*o silniku*) to ignite (*vi*) [II] *vt* 1. (*rozpalać*) to light (a fire in the stove); **~ić ognisko** a) (*rozpalać*) to light <to make> a bonfire <a (camp-)fire> b) (*utrzymywać ogień*) to have <to keep> a bonfire <a (camp-)fire> burning; **~ić węglem <drzewem itd.>** to burn coal <wood etc.> 2. (*rozniecać ogień dla światła, oświetlać*) to light (a lamp, candle etc.); **~ić światło w pokoju <na schodach itd.>** to have a light in a room <on the stairs etc.>; to have the light on in a room <on the stairs etc.> 3. (*niszczyć ogniem*) to burn (old papers etc.); to burn (sth) down; to cremate (**zwłoki** corpses); to incinerate (**śmieci** rubbish); **~ić kogoś żywcem** to burn sb alive; *przen.* **~ić za sobą mosty** to burn one's boats; **~ sześć!, ~ was diabli!** oh, all right!; very well!; never mind! 4. (*wzniecać pożar*) to set fire (**coś** to sth); to set (sth) on fire 5. (*przyrządzać za pomocą palenia, prażyć*) to roast (**kawę** coffee); to slake (**wapno** lime); to parch (**groch** peas); to fire <to bake> (bricks etc.); **gips ~ony** plaster-stone; gypsum 6. (*używać tytoniu*) to smoke (cigarettes etc.) 7. (*o słońcu itd. — piec, prażyć*) to burn; to scorch 8. *przen.* (*o wzroku itd.*) to burn 9. (*wywoływać uczucie pieczenia*) to burn <to sting> (the mouth, the tongue); **~i go gorączka** he is in fever heat <in hot fever>; *przen.* **~i go ciekawość <wstyd, zazdrość itd.>** he is burning with curiosity <shame, envy etc.> 10. *rz.* (*odrzucać przy egzaminach*) to pluck <to plough> (students, candidates) [III] *vr* **~ić się** 1. (*płonąć*) to burn; to be on fire; **ogień się ~i** the fire is lighted; there is a fire in the stove; **~ić się żywcem** to be burnt alive; (*nieosobowo*) **~i się** there is a fire; **~i się!** fire!; *przen.* (*nie ma pośpiechu*) **nie ~i się** there's no hurry; **robota ~i mu się w rękach** he is a demon for work; he works like a house on fire; **ziemia <grunt> ~i mu się pod nogami** a) (*jest w niebezpieczeństwie*) the place is too hot for him b) (*nie chce w danym miejscu pozostać*) he is burning to leave <to be off> 2. *przen.* (*o uczuciach — płonąć*) to inflame (**w kimś** sb) 3. *przen.* (*być opanowanym przez uczucie*) to burn <to be afire> (**żądzą itd.** with desire etc.); *przen.* **~ić się do czegoś** to be anxious <eager> (**do zrobienia czegoś** to do sth); to be keen <hot> (**do czegoś** on sth); **~ić się do kogoś** to be infatuated with sb <gone on sb> 4. *przen.* (*rumienić się*) to flush 5. (*świecić*) to be alight <lighted>; to shed a <its> light; **~ąca się świeca <lampa itd.>** lighted candle <lamp etc.>; **światło się ~i** there is a light 6. *przen.* (*jaśnieć*) to shine 7. *przen.* (*płonąć intensywną barwą*) to be bright (with colour) 8. (*o zwierzęciu — odczuwać popęd płciowy*) to be in heat

palik *sm* picket; peg; stake

palikować *vt imperf ogr. roln.* to picket; to stake; *miern.* to peg

palikowanie *sn* ↑ **palikować**

palimpsest *sm G.* **~u** palimpsest

palindrom *sm G.* **~u** palindrome

palingeneza *sf singt biol. filoz. miner.* palingenesis
palinodi|a *sf GDL.* **~i** *lit.* palinode
palisada *sf* palisade; stockade
palisadować *vt imperf* to palisade; to stockade
palisadowy *adj bot.* palisade — (tissue etc.)
palisand|er *sf G.* **~ru** 1. (*drewno*) palisander, Brazilian rosewood 2. *pl* **~ry** Brazilian rosewood furniture
palisandrowy *adj* of Brazilian rosewood
palium *sn* 1. = **paliusz** 2. *hist.* (*strój koronacyjny*) coronation mantle
paliusz *sm* 1. *hist.* (*płaszcz*) palla 2. *rel.* pallium
paliwo *sn* 1. (*substancja palna*) fuel; **~ jądrowe** nuclear <atomic> fuel 2. *pot. żart.* (*tytoń*) baccy; (*papieros*) fag(s)
paliwomierz *sm techn.* fuel (level) gauge; fuel indicator
paliwow|y *adj* fuel — (consumption etc.); **pompa ~a** fuel supply pump
pal|ka *sf pl G.* **~ek** *rel.* pall
palla *sf* 1. *hist.* (*strój kobiecy*) palla 2. = **palka**
pallad *sm G.* **~u** *chem.* palladium
palladium *sn* 1. **Palladium** (*posąg*) Palladium 2. = **pallad**
palm|a *sf* 1. *bot. rel.* palm; **~a daktylowa** date-palm 2. (*znak na mundurze, czapce*) palm leaf badge; **~y akademickie** insignia of distinctions granted by the French Ministry of Education 3. † (*zwycięstwo*) victory; *obecnie w zwrotach;* **~a męczeństwa** palm of martyrdom; **~a pierwszeństwa** the palm; **oddać komuś ~ę pierwszeństwa** to yield <to assign> the palm to sb; **zdobyć ~ę zwycięstwa** to bear <to win> the palm 4. *hist.* (*rzymska jednostka miary*) palm
palmeta *sf* 1. *ogr.* espalier 2. *plast.* palmette
palmetowy *adj* 1. *ogr.* espalier — (training etc.) 2. *plast.* palmette — (design etc.)
palmiarnia *sf* palm house
palmityna *sf chem.* palmitic acid
palmitynian *sm G.* **~u** *chem.* palmitate
palmitynowy *adj* palmitic
palmow|y *adj* palm- (oil, branch etc.); *bot.* palmaceous; **aleja ~a** avenue bordered with palm-trees; *kośc.* **Palmowa Niedziela** Palm Sunday
palnąć *v perf pot.* [I] *vi* 1. (*strzelić*) to shoot; to fire; **~ sobie w łeb** to dash out <to blow out> one's brains; **~ z bata** to crack a whip 2. (*uderzyć*) to bang (**pięścią itd. o coś** on sth with one's fist etc.) [II] *vt* 1. (*powiedzieć*) to come out (**mowę itd.** with a speech etc.); **~ głupstwo** to put one's foot in it 2. (*wyznaczyć*) to fix (a price etc.) 3. (*wypić*) to have <to toss off> (a drink etc.) 4. (*przejść, przejechać*) to cover (*x* miles etc.) 5. (*uderzyć*) to biff; to hit; to strike; **~ kogoś w głowę** to give sb a rap <a crack> on the head; to fetch sb a blow on the head; **~ kogoś w twarz** to smack sb's face [III] *vr* **~ się** to come bang (**o coś** against sth)
palnięcie *sn* (↑ **palnąć**) (*uderzenie*) (a) biff; smack; crack; rap
palnik *sm* burner; *techn.* blowpipe; torch; **~ gazowy** a) (*do ogrzewania*) gas burner <jet> b) (*do oświetlenia*) gas-bracket; **~ Bunsena** Bunsen burner
palność *sf singt* combustibility
paln|y *adj* 1. (*dający się palić*) combustible; inflammable; **broń ~a** fire-arm(s) 2. *przen.* fiery
palować *vt imperf* 1. (*przytwierdzać do pala*) to moor 2. *bud.* to pile (the ground); to drive piles (**ziemię** into the ground)
palowanie *sn* 1. (↑ **palować**) *bud.* pile-driving; piling 2. (*budowla, ściana z pali*) palisade
palowy *adj* pile — (dwellings etc.)
palpitacja *sf* palpitation
paltko *sn* child's overcoat
palto *sn* coat; overcoat
paltow|y *adj* for overcoats; **wełny ~e** coatings
paluch *sm* 1. (*augment* ↑ **palec**) stubby finger 2. *anat. zool.* toe 3. (*ochraniacz na chory palec*) (finger-)stall
paludament *sm G.* **~u** *hist.* paludamentum
palusz|ek *sm* 1. *dim* ↑ **palec**; **iść <chodzić> na ~kach** to walk on tiptoe; **wejść na ~kach do pokoju** to tiptoe into a room; **wspiąć się na ~ki** to stand on tiptoe 2. (*ciastko*) kind of cracknel
palusznik *sm bot.* (*Digitaria*) crab grass
pała *sf* 1. (*kij*) staff; stick 2. *pot. szk.* bad mark; no marks 3. *pot.* (*głowa*) pate; noddle; crumpet; nut; nob 4. *przen.* (*umysł*) brain-sauce 5. *pot.* (*głupiec*) dunderhead; blockhead; silly chump 6. *wulg.* cock; rod
pałac *sm G.* **~u** 1. (*rezydencja magnacka*) palace; mansion; *przysł.* **wart Pac pałaca, a pałac Paca** one is worth the other 2. *przen.* (*mieszkańcy pałacu*) the mansion household
pałacowo *adv* palatially
pałacow|y *adj* palatial; palace — (gardens etc.); **rewolucja ~a** palace revolution
pałacyk *sm dim* ↑ **pałac**
pała|ć *vi imperf* 1. *lit.* (*być rozpalonym*) to glow; to be red hot; **~ć światłami** to be aglow with lights; **ręce mu ~ją** his hands are hot with fever; **twarz mu ~** his face is flushed; **~jący** fiery 2. *przen.* to burn (**miłością, żądzą, nienawiścią itd.** with affection, desire, hate etc.)
pałanie *sn* (↑ **pałać**) (the, a) glow
pałan|ka[1] *sf pl G.* **~ek** *hist.* 1. (*umocnienie*) entrenchment 2. (*umocniona siedziba*) entrenched stronghold 3. (*zagroda*) farmstead
pałan|ka[2] *sf pl G.* **~ek** *zool.* phalanger; *pl* **~ki** (*Phalangeridae*) (*rodzina*) the phalangers
pałasz *sm* (broad)sword; cutlass
pałaszować *v imperf pot.* [I] *vt* to dispatch <to discuss, to demolish> (a dish etc.); to eat (sth) away [II] *vi* to eat heartily; to play a good knife and fork
pałaszowanie *sn* (↑ **pałaszować**) hearty eating
pałąk *sm* 1. (*wygięty pręt*) arch; hoop; bail; (*u kosza*) handle; **zgięty w ~** arched; bent double 2. (*garda*) (hilt-)guard
pałąkowato *adv* archwise
pałąkowatość *sf singt* arching
pałąkowaty *adj* arched; bow-shaped; curved; (*o nogach*) bandy; **z ~mi nogami** bandy-legged
pałąkowy *adj* bow-shaped
pałecz|ka *sf pl G.* **~ek** 1. (*drążek*) stick; rod; wand; (*dyrygenta*) baton; **~ka do bębna** drumstick; (*u Chińczyków*) **~ki do jedzenia** chopsticks; *przen.* **magiczna ~ka** magic wand 2. (*postać bakterii*) rod-bacterium; bacillus
pałeczkowat|y [I] *adj* rod-shaped; *biol.* bacilliform [II] *spl* **~e** *biol.* (*Bacteriaceae*) (*rodzina*) the family Bacteriaceae

pałecznik *sm bot.* (*Calicium*) a lichen

pałętać się *vr imperf pot.* 1. (*włóczyć się*) to hang about 2. (*kręcić się*) to get under foot

pał|ka *sf pl G.* **~ek** 1. (*kij*) stick; staff; cudgel; club; (*pręt gumowy*) baton; truncheon; *herald.* ray 2. (*uderzenie*) stroke of the stick 3. (*drążek do bicia w bęben*) drumstick 4. (*tłuczek*) pounder 5. (*nie rozwinięte pióro ptaka*) pin-feather 6. *kulin.* (*noga ptaka*) drumstick 7. (*kwiatostan*) spike 8. = **pała** 2. 9. = **pała** 3., 4.; **szalona ~ka** madcap 10. *bot.* (*Typha*) cattail; reed-mace

pałkarz *sm* ruffianly student

pałkowat|y [I] *adj* 1. (*mający kształt pałki*) cudgel-shaped 2. *bot.* typhaceous [III] *spl* **~e** (*Typhaceae*) (*rodzina*) the Typhaceae

pałkowy *adj bot.* **pochewczak ~** (*Epichloë typhina*) a fungus

pałuba *sf* 1. (*buda u wozu*) tilt; hood 2. (*niezgrabna lalka, przen. pog. kobieta*) pudge; squab

pamfleciarz *sm*, **pamflecista** *sm* (*decl* = *sf*) pamphleteer; lampooner, lampoonist

pamflet *sm G.* **~u** lampoon

pamfletowy *adj* lampooning — (style etc.)

pamiąt|ka *sf pl G.* **~ek** 1. (*upominek*) souvenir; keepsake; token of remembrance; **~ka po kimś** remembrance of sb; sth to remember sb by 2. *przen.* (*rana, szrama itd.*) reminder; memento 3. † (*pamięć, wspomnienie*) reminiscence; *obecnie w zwrotach:* **na ~kę** for a keepsake; in remembrance (**kogoś, czegoś** of sb, sth); for old times' sake; **na ~kę wydarzenia itd.** to celebrate an event etc.; *żart.* **na wieczną (rzeczy) ~kę** in eternal memory of the event 4. † (*zabytek*) relic of the past

pamiątkarski *adj* souvenir — (shop etc.)

pamiątkarstwo *sn singt* manufacture of souvenirs

pamiątkowość *sf singt* commemorativeness; commemorative character (of an object)

pamiątkow|y *adj* commemorative; **księga ~a** visitors' book; **przedmiot ~y** memento; keepsake; (*przedmiot spadkowy*) heirloom

pamięciowo *adv* (*na pamięć*) by heart; (*z pamięci*) from memory; **przekazywać coś ~** to hand sth down by word of mouth; **rachować ~** to reckon mentally

pamięciowy *adj* mental (image, reckoning etc.); mnemonic (exercise etc.); memorial (faculty); memory — (sketch etc.)

pamię|ć *sf singt* 1. (*zdolność pamiętania*) memory; mind; **~ć do cyfr <faktów itd.>** a memory for figures <facts etc.>; **utrata ~ci** loss of memory; **jeżeli <o ile> mnie ~ć nie myli** if my memory serves me right; if I remember rightly; **liczyć w ~ci** to reckon mentally; **mam to świeżo <żywo> w ~ci** it is fresh in my mind; **przywodzić coś na ~ć** to recall sth; to bring sth back to mind; **uczcić czyjąś ~ć** to commemorate sb; to honour sb's memory; **uczyć się czegoś na ~ć** to learn sth by heart; to memorize sth; **wbić <wrazić> sobie coś w ~ć** to fix sth in one's mind; **wymazać coś z ~ci** to erase sth from one's memory; to commit sth to oblivion; **wyszło <wyleciało> mi to z ~ci** a) (*nie pamiętam*) it escapes me b) (*nie pamiętałem*) it went out of my mind; **zachować coś w ~ci** to treasure sth in one's memory; **za mojej <czyjejś> ~ci** within my <sb's> memory; **na ~ć** by heart; by rote; *przen.* **krótka <dziurawa> ~ć** bad <poor> memory 2. (*wspomnienie*) remembrance; memory; commemoration; recollection (**o czymś** of sth); **dziękuję za ~ć** thank you for your remembrance; **nieodżałowanej ~ci** lamented; **sławnej <smutnej> ~ci** of famous <of sad> memory; **świętej ~ci** a) (*przed nazwiskiem*) the late <the defunct> ... b) (*po nazwisku*) ... of blessed memory; **w dowód ~ci** in remembrance of ...; *przen.* **od świętej ~ci** for ages; *pot.* **za ~ci** while I <we> think of it; before I forget 3. † (*przytomność, świadomość*) consciousness; *obecnie w zwrocie:* **kochać (się) bez ~ci** to be madly in love

pamięta|ć *v imperf* [I] *vt* 1. (*zachować w pamięci*) to remember; to recollect; to recall (sb's name, face, a scene etc.); to bear (sth) in mind; **~ć coś jak przez sen <przez mgłę>** to have a dim <distant> recollection of sth; **~m jak dziś** I remember (it) quite clearly; *przysł.* **nie ~ wół, jak cielęciem był** he does not remember that he also was once young 2. (*nie zaniedbać*) to be careful <not to fail> (**coś zrobić** to do sth) 3. (*nie przebaczyć*) to harbour rancour (**komuś doznaną krzywdę** against sb for a wrong) 4. (*brać pod uwagę*) to bear in mind (**czyjeś przewinienie, zasługi itd.** sb's misdeeds, merits etc.); **~ją mu stare zasługi** the services he rendered long ago still live in people's memory <are not forgotten> 5. *przen.* (*o przedmiotach — pochodzić z jakichś czasów*) to have witnessed (**dawne czasy itd.** distant times etc.); **~ć lepsze czasy** to have seen better days; *żart.* **~ć króla Ćwieczka** to be as old as the rocks [II] *vi* 1. (*mieć w pamięci*) to remember; to recollect (**że się coś zrobiło <powiedziało itd.>** doing <saying etc.> sth, having done <having said etc.> sth) 2. (*nie zapomnieć*) to bear (**o czymś** sth) in mind; to keep (**o czymś** sth) in view; **~ć o sobie** to serve one's own interests; **~ć o innych** to be mindful of others; **~j żebyś,...** don't forget to ...

pamiętający *adj* mindful (**o innych itd.** of others etc.); thoughtful

pamiętanie *sn* (↑ **pamiętać**) memory <memories, recollection(s)> (**o czymś** of sth)

pamiętliwość *sf singt* 1. (*pamiętanie doznanych krzywd*) vindictiveness 2. (*zdolność pamiętania*) memory

pamiętliwy *adj* 1. (*pamiętający urazy*) vindictive; unforgiving 2. (*obdarzony dobrą pamięcią*) enjoying a good memory

pamiętnie *adv* memorably; **zapisać się ~** to be memorable <worthy of notice>

pamiętnik *sm* 1. (*wspomnienia*) diary; **pisać ~** to keep a diary 2. *pl* **~i** (*utwór literacki*) memoirs 3. (*sztambuch*) album

pamiętnikar|ka *sf pl G.* **~ek** = **pamiętnikarz**

pamiętnikarski *adj* diarist's; memoirist's; memorialist's

pamiętnikarstwo *sn singt* 1. (*pisanie pamiętników*) keeping a diary 2. (*dział literatury*) memoirism; the writing of memoirs

pamiętnikarz *sm* diarist; memoirist

pamiętnikowy *adj* diaristic

pamiętny *adj* 1 .(*godny pamięci*) memorable; (*o okresie czasu*) eventful 2. † (*pamiętający*) reminiscent (**czegoś** of sth)

pampas|y *spl G.* **~ów, pamp|y** *spl G.* **~ów** *geogr.* pampas

pan *sm GL.* **~u** *V.* **~ie** *pl N.* **~owie** 1. (*mężczyzna*) gentleman (*pl* gentlemen); **~ młody** bridegroom 2. (*forma grzecznościowa*) you; (*przy nazwisku*) Mr (*pl* Messrs); **~a** a) (*w funkcji dopełnieniowej*) you b) (*w funkcji dzierżawczej*) your(s); (*przy tytule*) **~ profesor** the professor; **~ dyrektor** the manager; **~ profesor Malinowski** Professor Malinowski, **~ dyrektor Kowalski** Mr Kowalski the <our> manager; **tak <nie>, proszę ~a** yes <no>, Sir; (*w wołaczu*) **~ie!, proszę ~a!** Sir; *pl* **~owie!** Gentlemen; *parl.* **~ie prezydencie!** Mr President; **~ie przewodniczący!** Mr Chairman; **być z kimś za ~ brat** to hob-nob with sb; to be on intimate terms with sb; **mówić komuś per ~** to mister sb; not to address sb by his first name; not to be on intimate terms with sb 3. (*władca*) lord; **~ lenny** liege (lord); **~ w każdym calu** born aristocrat 4. (*mężczyzna na czele domu, rodziny itd.*) master; **~ domu** the master of the house; **~ sytuacji** master of the situation; **~ u siebie** one's own master; **jej ~ i władca** her lord and master; *przysł.* **jaki ~ taki kram** like master like man; such carpenter such chips 5. *szk.* (*nauczyciel*) master; teacher 6. *rel.* **Pan (Bóg)** God; **Pan Jezus** Our Lord; Jesus 7. *hist.* (*dziedzic*) squire

panaceum *sn singt* panacea; nostrum; cure-all

panama *sf* 1. (*kapelusz*) Panama hat 2. *tekst.* a half-silk texture 3. † (*afera*) large-scale swindle

panamerykanizm *sm singt G.* **~u** Pan-Americanism

panamerykański *adj* Pan-American

panamski *adj* Panama — (hat etc.)

pancer|ka *sf pl G.* **~ek** *pot. wojsk.* armoured car

pancerniak *sm pot. wojsk.* tankman

pancernik *sm* 1. (*okręt*) armoured ship; (an) ironclad 2. *hist. wojsk.* cuirassier 3. *zool.* armadillo

pancern|y [I] *adj* 1. (*opancerzony*) armour-plated; armoured (brigade, car, train etc.); (*o okręcie*) armoured; armour-clad; (*o schronie itd.*) shell-proof; bomb-proof; **kasa ~a** safe; strongbox; *wojsk.* **towarzysz ~y** cuirassier 2. (*przeznaczony na pancerze*) armour-(plate) [II] **~y** *sm hist. wojsk.* cuirassier

pancerz *sm* 1. (*część zbroi*) cuirass; (*koszulka druciana*) coat of mail 2. (*osłona ze stali*) armour-plate 3. *zool.* armour; carapace; test; scutum 4. *techn.* (*osłona kabla*) armature

pancerzowi|ec *sm G.* **~ca** *zool.* malacostracan; *pl* **~ce** (*Malacostraca*) the Malacostraca

pancerzowy *adj* armour-clad

panchromatyczny *adj fot.* panchromatic

panchromazja *sf singt fot.* panchromatization

panda *sf zool.* (*Ailurus fulgens*) panda

pandanow|iec *sm G.* **~ca** *bot.* (*Pandanus*) pandanus

pandekt|a <pandekt|y> *spl G.* **~ów** *prawn.* Pandects

pandemi|a *sf singt GDL.* **~i** *med.* pandemia

pandemiczny *adj rz. lit.* pandemic

pandemonium *sn rz. lit.* pandemonium

pandur *sm hist.* pandour

panegiryczny *adj* panegyrical

panegiryk *sm G.* **~u** eulogy; panegyric

panegirysta *sm* (*decl* = *sf*) eulogist; panegyrist

panegiryzm *sm singt G.* **~u** eulogics; eulogizing; panegyrizing

pan|ek *sm G.* **~ka** *iron.* petty squire

panenteizm *sm G.* **~u** *filoz.* panentheism

paneuropeizm *sm singt G.* **~u** Pan-Europe; European Union

paneuropejski *adj* Pan-European

pan|ew *sf G.* **~wi** *techn.* pan; bushing; bowl

panew|ka *sf pl G.* **~ek** 1. *anat.* acetabulum 2. *techn.* pan; brass; bush; bearing shell 3. (*w dawnej broni palnej*) pan; *przen.* **sprawa spaliła na ~ce** the scheme misfired <flashed in the pan, miscarried, *sl.* petered out>

panewkowy *adj anat.* acetabular

pangeneza *sf singt biol.* pangenesis

pangermanizm *sm singt G.* **~u** Pan-Germanism

pangermański *adj* Pan-German(ic)

pani *sf A.* **~ą** *V.* **~** 1. (*kobieta*) lady 2. (*forma grzecznościowa*) you; (*przy nazwisku*) Mrs; **~** a) (*w funkcji dopełnieniowej*) you b) (*w funkcji dzierżawczej*) your(s); (*przy tytule*) **~ profesor** the professor; **~ profesor Kowalska** Professor Kowalska; **~ profesorowa Kwiatkowska** Mrs Kwiatkowska; **tak <nie> proszę ~** yes <no> Madam <Mrs + *nazwisko*>; (*w wołaczu*) **(proszę) ~!** Madam; Mrs + *nazwisko*; **~e i panowie!** Ladies and Gentlemen! 3. (*kobieta mająca władzę, stojąca na czele domu, szk. nauczycielka*) mistress; **~ sytuacji** mistress of the situation; (*w rodzinie*) **~ młodsza** Mrs + *imię męża*; **~ starsza** Mrs + *nazwisko* 4. (*bogaczka, arystokratka*) rich <aristocratic> lady

panichida *sf rel.* office for the dead; requiem service

panicz *sm* 1. (*syn możnego pana*) the young master; Master + *imię* 2. (*fircyk*) dandy; coxcomb; fop

panicznie *adv w zwrotach*: **bać się ~** to be in deadly fear <*sl.* in a blue funk>; **bać się ~ kogoś, czegoś** to be in deadly fear of sb, sth

paniczn|y *adj* (*powstały na skutek paniki*) panicky (decisions, measures etc.); (*pełen paniki*) panic-struck; (*o strachu*) deadly (fear); panic (terror); **mieć ~y strach przed kimś, czymś** to be in deadly fear of sb, sth; **rzucili się do ~ej ucieczki** they fled in a panic

paniczyk *sm iron. pog.* dandy; coxcomb; fop

paniczykowaty *adj* foppish

panieneczka *sf dim* ↑ **panienka**

panien|ka *sf pl G.* **~ek** girl; lass; young lady; (*forma zwracania się*) young lady!; miss!; **~ko!** young lady!; **jak przystało na ~kę** maidenly; **to niegodne ~ki** it is unmaidenlike

panienkowaty *adj* maidenlike, maidenly

panieńsk|i *adj* 1. (*dotyczący panny*) girl's; young lady's 2. (*dziewiczy*) maidenly; maidenlike; **czasy ~ie, wiek ~i** girlhood; **kwiat <wianek> ~i** virginity; **nazwisko ~ie** maiden name; **stan ~i** maidenhood 3. (*taki jak u panny*) girlish; maidenlike, maidenly; **po ~u** in maidenly fashion; maidenlike

panieństwo *sn singt* 1. (*stan panieński*) maidenhood 2. (*dziewictwo*) virginity; chastity; **ślubować ~** to take the vow of chastity

panier *sm G.* **~u** *kulin.* bread-crumbs <flour> and egg

panierować *vt imperf kulin.* to coat in bread-crumbs <flour> and egg

panierowanie *sn* ↑ **panierować**

pani|ka *sf singt* panic; scare; **poddać się <ulec> ~ce**

to panic; siać ~kę to spread panic; uciec w ~ce to flee in a panic; to stampede
panikarski *adj* 1. (*spowodowany paniką*) panicky; panic-struck 2. (*szerzący panikę*) panic-mongering
panikarstwo *sn* panic-mongering; scaremongering
panikarz *sm pog.* panic-monger; scaremonger
panin *adj*, **paniny** *adj sl.* your(s)
panislamizm *sm singt G.* ~u Pan-Islamism
paniusia *sf V.* ~u *iron.* dame; female; gossip; busy-body
pankreatyna *sf farm.* pancreatin
pan|na *sf pl G.* ~ien 1. (*dziewczyna*) girl; lass; young lady; (*kobieta niezamężna*) unmarried woman; ~na bufetowa barmaid; ~na do dzieci nurse; governess; au-pair girl; ~na do towarzystwa companion; ~na dworska maid-of-honour; ~na młoda bride; ~na na wydaniu marriageable girl; ~na sklepowa shop-girl; stara ~na spinster; old maid; została ~ną she remained single <unmarried> 2. *rel.* Najświętsza Panna the Holy Virgin 3. (*tytuł grzecznościowy*) Miss + *imię* <*nazwisko*> 4. (*sympatia, ukochana*) sweetheart 5. † (*zakonnica*) Sister; Panna Matka Mother Superior
panneau *sn plast.* panel
pannica *sf* strapping girl
panopli|a *sf pl GDL.* ~i 1. *hist.* (*uzbrojenie*) panoply 2. (*motyw dekoracyjny*) (wall-)trophy
panoplium *sn* = **panoplia 2.**
panoptikum *sn* panopticon; waxworks (exhibition)
panorama *sf* panorama
panoramicznie *adv* panoramically
panoramiczny *adj* panoramic (screen, sight etc.); film ~ cinemascope picture
panoszenie się *sn* († **panoszyć się**) lording it; ruling the roast <roost>
panoszyć się *vr imperf* 1. (*rządzić się*) to lord it; to boss; to run the show 2. *przen.* (*grasować*) to prevail; to be rife <rampant>
pan|ować *vi imperf* 1. (*królować*) to reign; to rule (nad narodem a nation, over a nation); dom ~ujący dynasty 2. (*być panem czegoś*) to be master (nad czymś of sth); (*przewodzić*) to dominate (nad narodem itd. a people <over a people> etc.); klasa ~ująca the ruling class; religia ~ująca the established <State> church 3. (*podporządkować swej woli*) to control <to command> (nad kimś, czymś sb, sth; nad sobą oneself; nad namiętnościami itd. one's passions etc.); nie ~ował nad nerwami he had lost control of himself; ~ować nad sobą w obliczu niebezpieczeństwa to keep calm in the face of danger; ~ował nad sytuacją he had the situation well in hand; nie ~ował nad swymi uczuciami he was carried away by his feelings 4. (*o ciszy itd.*) to reign (niepodzielnie supreme); (*o nastroju, pogodzie, przekonaniach itd.*) to prevail; (*o chorobach*) to be rife <prevalent> 5. (*mieć przewagę liczebną*) to prevail; to predominate; to preponderate; to reign 6. (*być położonym wyżej*) to dominate (nad miastem, okolicą itd. the town, neighbourhood etc.)
panowani|e *sn* († **panować**) 1. (*sprawowanie rządów*) rule; (*okres sprawowania rządów*) reign; rule; sztuka <umiejętność> ~a kingcraft 2. (*władanie*) mastery (nad czymś of sth); (*przewodzenie*) domination <ascendancy> (nad kimś, czymś over sb, sth) 3. (*podporządkowanie swej woli*) control <command> (nad kimś, czymś of sb, sth); jego ~e nad sytuacją his grip of the situation; ~e nad sobą self-control; self-command; self-restraint; stracić ~e nad sobą to lose one's self-control <one's nerve> 4. (*przewaga*) prevalence; predominance
panpsychizm *sm singt G.* ~u *filoz.* panpsychism
panslawista *sm* (*decl* = *sf*) Pan-Slavist
panslawistyczny *adj* Pan-Slavistic
panslawizm *sm singt G.* ~u *polit.* Pan-Slavism
pansłowiański *adj* Pan-Slavistic
pantaleon *sm G.* ~u, **pantalon**[1] *sm G.* ~u *muz.* pantaleon
pantalon[2] *sm* (*postać z komedii włoskiej*) Pantaloon
pantalonada *sf teatr* pantaloonery; buffoonery
pantałyk *sm singt G.* ~u *w zwrocie:* zbić kogoś z ~u to bowl sb over; to put sb out; to confuse <to perplex> sb
pantar|ka *sf pl G.* ~ek *zool.* (*Numida meleagris*) guinea hen
panteista *sm* (*decl* = *sf*) *filoz.* pantheist
panteistycznie *adv* pantheistically
panteistyczny *adj* pantheistic(al)
panteizm *sm singt G.* ~u *filoz.* pantheism
panteon *sm G.* ~u pantheon
pantera *sf zool.* (*Felis pardus*) leopard; panther
panterka *sf* 1. *dim* † **pantera** 2. (*bluza*) camouflage <leopard-pattern> blouse; *wojsk.* camouflage jacket
pantof|el *sm G.* ~la (*zw. pl*) 1. (*lekkie obuwie*) shoe; ~ ranny <domowy> slipper; być <siedzieć> pod czyimś ~lem to be under sb's thumb; on siedzi <żona trzyma go> pod ~lem the grey mare is the better horse; she wears the breeches 2. = **pantoflarz 1.**
pantofelek *sm* 1. *dim* † **pantofel**; *bot.* ~ Matki Boskiej lady's slipper 2. (*pochewka*) sheath 3. *zool.* (*Paramaecium*) paramecium; slipper animalcule
pantofelnik *sm bot.* (*Calceolaria*) slipperwort; calceolaria
pantoflarski *adj rz.* 1. (*odnoszący się do wyrobu pantofli*) slipper-making — (trade etc.) 2. (*odnoszący się do pantoflarza*) hen-pecked husband's — (life etc.)
pantoflarstwo *sn singt* 1. (*usposobienie*) hen-pecked husband's nature 2. † (*rzemiosło*) slipper-making; slipper manufacturing
pantoflarz *sm* 1. *pog. żart.* (*człowiek ulegający żonie*) hen-pecked husband 2. † (*rzemieślnik*) slipper manufacturer
pantoflik *sm* = **pantofelnik**
pantoflow|y *adj* slipper — (manufacturing etc.) ‖ poczta ~a a) (*rozpowszechnianie wiadomości*) gossiping b) (*wiadomość*) (a piece of) gossip; dowiedzieć się o czymś pocztą ~ą to learn <to know, to have heard of> sth from gossip
pantograf *sm G.* ~u *techn.* pantograph
pantografowy *adj* pantograph — (trolley etc.)
pantomim|a *sf* pantomime; dumb show; wyrażać coś ~ą to express sth in dumb show
pantomimiczny *adj* pantomimic(al)
pantomimika *sf singt* pantomimicry
pantomina *sf* = **pantomima**
panując|y ☐ *adj* (*przeważający*) prevailing; preva-

lent; predominant III *sm* **~y** (*decl* = *adj*) monarch; ruler; sovereign

panwia † *sf* = **panew**

panwiowy *adj* (*o blasze*) corrugated

pańsk|i *adj* 1. (*forma grzecznościowa przy zwracaniu się do mężczyzny*) your(s) 2. (*mężczyzny stojącego na czele domu, gospodarstwa itd.*) master's 3. (*władcy*) lord's 4. (*dziedzica*) squire's 5. (*o rezydencji itd. — okazały*) lordly 6. (*o postępowaniu — mężczyzny*) lordly; high-handed; (*kobiety*) ladylike; **po ~u** in lordly fashion; in a lordly manner; **z ~a** high-handedly 7. *rel.* Lord's (Day, Prayer, Supper); **roku ~iego, w roku ~im** in the year of Our Lord

pańsko *adv* in lordly fashion; in a lordly manner; **wyglądać ~** to look like a lord

pańskość *sf singt* lordliness; lordly demeanour

państewko *sn* petty state

państw|o *sn* 1. (*jednostka polityczna*) State; nation; body politic; *przen.* **~o w ~ie** a state within the state 2. (*para małżeńska*) Mr and Mrs + *nazwisko*; (*przy tytułach*) Ambassador <Minister, Professor etc.> and Mrs + *nazwisko*; (*forma grzecznościowa przy zwracaniu się do pary małżeńskiej*) you; **~o młodzi** the bride and bridegroom; the bridal pair; the newly-married couple 3. (*pan i pani domu, gospodarze*) the master and mistress; Mr and Mrs + *nazwisko* 4. (*towarzystwo*) the company; **proszę ~a!** Ladies and Gentlemen! 5. (*ludzie należący do warstwy uprzywilejowanej*) the upper classes; the high life; the rich; the smart set

państwowo *adv rz.* nationally; as a State <nation>

państwowość *sf singt* State (system); statehood

państwowotwórczy *adj* 1. (*zw. iron.*) expressing loyalty to the Government; loyal 2. *rz.* (*tworzący państwo*) state-building

państwow|y *adj* State — (laws, control, papers, railways, monopoly, school etc.); national (anthem, flag, emblem, debt etc.); **sprawy ~e** affairs of State; **służba ~a** civil service; **urzędnik ~y** civil servant; government official

państwoznawstwo *sn singt* the science of state management

pańszczy|zna *sf DL.* **~źnie** 1. *hist.* soc(c)age; villein service; corvée 2. *przen.* drudgery

pańszczyźniak *sm hist.* villein

pańszczyźnian|y I *adj* villein — (service etc.); **chłop ~y** villein; **powinność ~a** villein service III *sm* **~y** (*decl* = *adj*) villein

papa[1] *sf* tar <building> paper; **~ dachowa** roofing paper

papa[2] *sm* (*decl* = *sf*) (*ojciec*) papa; dad

pap|a[3] *sf* 1. *sl.* (*pysk*) muzzle 2. *pog.* (*twarz ludzka*) mug; **dać komuś w ~ę** to slap sb in the face; **dostać w ~ę** to get a slap in the face

papacha *sf* fur cap

papatacz *sm kulin.* kind of plum-cake

papaweryna *sf singt chem. farm.* papaverine

papcio *sm pieszcz.* daddy

papeteri|a *sf GDL.* **~i** 1. (*komplet kopert i papierów listowych*) notepaper and envelope(s) 2. † (*sklep z materiałami piśmiennymi*) stationer's shop

papier *sm G.* **~u** 1. (*produkt*) paper; **~ bezdrzewny** wood-free paper; **~ do pakowania** wrapping-paper; packing paper; brown paper; **~ gazetowy** news-print; **~ maszynowy** typewriting paper; **~ milimetrowy** graph <plotting> paper; **~ szklisty** glass paper; **~ ścierny** abrasive paper; **~ wyrzucony do kosza** waste paper; **skład ~u** stationer's shop; *przen.* **rzucić coś na ~** to commit sth to paper; to put sth down in writing 2. *pl* **~y** (*akcje, obligacje itd.*) stock; bonds; shares; securities; **rynek ~ów wartościowych** stock-market 3. *pl* **~y** (*akty, dokumenty*) papers; records; documents; **~y rodzinne** family papers; **mieć coś na papierze** a) (*nie w rzeczywistości*) to have sth on paper only b) (*w formie obowiązującego dokumentu*) to have sth in black-and-white

papier|ek *sm G.* **~ka** *pl N.* **~ki** 1. (*skrawek papieru*) paper; piece <bit, slip> of paper; *chem.* **~ek lakmusowy** litmus paper; **~ek wskaźnikowy** test-paper; indicator paper 2. (*zw. pl*) (*pismo urzędowe*) paper 3. † (*pieniądz papierowy*) bank-note

papierkowość *sf singt pog.* officialism; bureaucracy; red tape

papierkow|y *adj pog.* bureaucratic; **~a robota** paper work; red tape

papiernia *sf* paper-mill; paper factory <works>

papiernica *sf techn.* paper machine

papiernictwo *sn singt* 1. (*przemysł*) paper industry <trade> 2. (*produkcja*) paper-making; paper manufacture

papierniczy *adj* paper — (manufacture, trade etc.); paper- (mill etc.)

papiernik *sm* paper-maker; paper manufacturer

papieroplastyka *sf singt* paper-sculpture

papieros *sm* cigarette; **zapalić ~a** to smoke a cigarette; to have a smoke; **wyjść na ~a** to go out for a smoke

papierosiarz *sm*, **papierosiarka** *sf pot.* cigarette vendor

papierosowy *adj* cigarette — (smoke etc.)

papierośnica *sf* cigarette case

papierowo *adv* unnaturally; unreally; artificially

papierowość *sf singt* unnaturalness; absence of realism; artificiality

papierow|y *adj* 1. (*dotyczący papieru, wykonany z papieru*) paper- (bag, pulp etc.); paper — (money, securities etc.); **książka w ~ej okładce** (a) paper-back 2. (*mający cechy papieru*) paperlike; papery 3. (*teoretyczny*) paper — (army, promises, profits etc.) 4. *przen.* (*sztuczny*) unnatural; unreal; artificial

papierów|ka *sf pl G.* **~ek** 1. (*jabłoń i owoc*) pearmain; greening 2. *techn.* (*drewno*) pulp-wood

papieski *adj* papal; pope's

papiestwo *sn singt* 1. (*urząd, władza, okres rządów*) papacy 2. (*państwo kościelne*) Papal State

papież *sm* pope

papieżyca *sf hist.* Pope Joan

papilot *sm* curl-paper; **głowa w ~ach** head in curl-papers; **zawijać sobie ~y** to put one's hair in curl-papers

papilot|ek *sm* 1. *dim* ↑ **papilot** 2. (*miseczki z papieru*) paper wrapper; **czekoladki w ~kach** chocolates in papers

papinek *sm* molly-coddle; milksop

papirologi|a *sf singt GDL.* **~i** papyrology

papirus *sm G.* **~u** 1. (*materiał*) papyrus 2. (*zwój*) papyrus (*pl* papyri) 3. *bot.* (*Cyperus papyrus*) papyrus

papirusowy *adj* papyrus — (scroll, manuscript etc.)

papista *sm* (*decl* = *sf*), **papist|ka** *sf pl G.* **~ek** papist

papizm *sm singt G.* **~u** papism

pap|ka *sf pl G.* **~ek** (*potrawa*) pap; gruel; mash; (*gęsta masa*) paste; pulp; *górn.* slurry; **~ka papiernicza** <**drzewna**> wood-pulp

papkowaty *adj* pulpy; pasty; mashy; paplike; pultaceous

papla *sf sm* (*decl* = *sf*) *pog.* babbler; prattler; chatterbox

papl|ać *vi imperf* **~e** <**~a**> *pog.* to chatter; to prate; to babble

paplanie *sn* (↑ **paplać**) twaddle; chatter

paplanina *sf singt* = **paplanie**

papowy *adj* tar-paper — (roof etc.); **gwóźdź ~** roofing nail

pap|rać *v imperf* **~rze** *pot.* [I] *vt* 1. (*brudzić*) to mess up; to smear; to smudge; to soil 2. (*robić niechlujnie*) to bungle; *sl.* to muck (a piece of work) [II] *vr* **~rać się** 1. (*brudzić się*) to mess oneself up; to smear <to smudge, to soil> one's hands <face, clothes> 2. (*babrać się w czymś*) to do a messy job 3. (*o ptaku — trzepotać się w piasku*) to dust

papranie *sn* ↑ **paprać**

papranina *sf singt pot.* mess

paprochy *spl* fragments; particles

paprociow|iec *sm G.* **~ca** *bot.* (*Fissidens*) fissidens; *pl* **~ce** (*Fissidentaceae*) (*rodzina*) the family Fissidentaceae

paprociowy *adj* fern — (ball, green, frond etc.)

papro|ć *sf pl N.* **~cie** *bot.* (*Filix*) fern; **liść ~ci** fern frond; *przen.* **kwiat ~ci** the crock of gold

paprosz|ek *sm G.* **~ka** particle of matter

paprot|ka *sf pl G.* **~ek** *bot.* 1. (*Polypodium*) polypody; wall-fern 2. (*odmiana asparagusa*) asparagus fern

paprotkowat|y *bot.* [I] *adj* polypodiaceous [II] *spl* **~e** (*Polypodiaceae*) (*rodzina*) the Polypodiaceae

paprotnia *sf* fernery

paprotnik *sm bot.* pteridophyte; *pl* **~i** (*Pteridophyta*) the phylum Pteridophyta

papryka *sf* paprika, paprica

paprykarz *sm kulin.* Hungarian goulash

paprykować *vt imperf* to season with paprika <paprica>

paprykowy *adj* seasoned with paprika <paprica>

papu *indecl dziec.* food

Papuas *sm* (a) Papuan

papuaski *adj* Papuan

papuć *sm* (*zw. pl*) slipper; **~ wschodni** Turkish <Oriental> slipper; babouche

papuga *sf* 1. *zool.* parrot; **powtarzać coś jak ~** to parrot sth 2. *przen.* (*o człowieku*) parrot

papuzi *adj* 1. (*dotyczący papugi*) parrot's (feathers etc.); parrot — (green etc.); (*w języku naukowym*) psittacine; *wet.* **~a choroba** psittacosis; parrot disease 2. (*jaskrawy*) high-coloured; florid 3. (*żółtozielony*) parrot-green

papużka *sf* (*dim* ↑ **papuga**) little <young> parrot; *zool.* **~ falista** (*Melopsittacus undulatus*) budgerigar; Australian grass parakeet

papyrus † *sm* = **papirus**

par *sm* peer; *pl* **~owie** peerage; **żona ~a** peeress

par|a[1] *sf* 1. *fiz.* steam; vapour; (*na szkle itd.*) mist; **~a nasycona** saturated steam; **~a nienasycona** <**przegrzana**> superheated steam; steam-gas; **~a wodna** water vapour; **gotować (jarzyny itd.) na parze** to steam (vegetables etc.); **wytworzyć ~ę** to get up <to raise> steam; (*o statku, parowozie*) **pod ~ą** under steam; **pełną ~ą** at full steam; *przen.* (*z największą szybkością*) at full speed <gallop>; *przen.* **praca idzie pełną ~ą** the work is in full swing 2. (*tchnienie*) breath; **dopóki ~y w nozdrzach** as long as one draws breath; **nie puścić ~y z gęby** <**z ust**> not to breathe a word (of the secret etc.)

par|a[2] *sf* 1. (*dwie sztuki, jednostki*) pair (of shoes, horses etc.); couple; brace (of dogs, pheasants, pistols etc.); **~a sił** couple of forces; **rymowanie ~ami** rhymes in couples; **do ~y** a) (*parzysty*) even b) (*dobrany*) well-matched; **nie do ~y** a) (*nieparzysty*) odd b) (*źle dobrany*) ill-matched; **iść w parze** a) (*licować*) to hold together; to be in keeping (**z czymś** with sth) b) (*występować razem*) to go hand in hand (**z czymś** with sth); **nieszczęścia zawsze idą w parze** misfortunes never come alone; it never rains but it pours; (*nie licować*) **nie iść w parze z czymś** to be out of keeping with sth; **~ami** in pairs; in twos; two by two; **stanowić ~ę** to make a pair; (*o liściach rośliny*) **złożone ~ami** jugate 2. (*dwie osoby, dwoje zwierząt itp.*) couple; **młoda ~a** a) (*ślubna para*) bride and bridegroom; bridal pair b) (*młode małżeństwo*) newly-married couple; **łączyć się w ~y** to couple 3. (*o przedmiotach mających dwie symetryczne części*) pair (of trousers etc.) 4. (*jedna z dwóch sztuk stanowiących komplet*) companion; fellow; match; (*o przedmiotach dobranych dla symetrii itd.*) pendant; companion piece; **bucik** <**pończocha itd.**> **bez ~y** odd shoe <stocking etc.>; **dobrać do ~y** to match; **to jest ~a do tamtego** this is the companion to that

para[3] *sf* (*moneta*) para

parabaza *sf gr.* parabasis

parabellum *sn singt* an automatic pistol

parabola *sf* 1. (*przypowieść*) parable 2. (*porównanie*) parable 3. *mat.* parabola

paraboliczny *adj* 1. (*mający charakter przypowieści*) parabolical 2. (*przenośny*) parabolical 3. (*mający kształt paraboli*) parabolic

paraboloida *sf mat.* paraboloid

parać się *vr imperf* 1. (*zajmować się*) to engage (**czymś** in sth); to busy oneself <to deal> (**czymś** with sth); to be engaged in work (**czymś** on sth); (*trudnić się z amatorstwa*) to dabble (**czymś** at sth) 2. (*zmagać się*) to wrestle <to struggle, to contend> (**czymś** with sth)

parad|a *sf* 1. (*uroczystość*) ceremony; (*efektowne widowisko*) pomp; pageantry; parade; show; display; ostentation; *przen.* **i to już cała ~a** that's that; that's all; **mam 20 zł całej ~y** I've got 20 zlotys in all; **wchodzić komuś w ~ę** to thwart sb's plans; to put a spoke in sb's wheel; **zrobić coś z ~ą** to do sth in (great) style; **dla ~y** for show; for the sake of appearances; **nie od ~y** not merely for show; **to nie od ~y** that isn't just sham; **ma głowę nie od ~y** his head is screwed on the right way; **od ~y** festive (clothes etc.); **strój od ~y** one's Sunday best 2. *wojsk.* (*rewia*)

review 3. *sport szerm.* parry 4. *sport* (*w piłce nożnej*) dive
paradentoza *sf med.* paradentitis
paradnie *adv* 1. (*odświętnie, uroczyście*) in gala dress; in full uniform 2. (*z przepychem*) in great style; ostentatiously; with pomp 3. (*zabawnie*) comically; amusingly; **~ wyglądać** to look funny
paradny *adj* 1. (*odświętny*) gala (dress, uniform) 2. (*reprezentacyjny*) sumptuous; splendid; grand; (*o apartamentach, przedmiotach użytku*) state (apartments etc.) 3. (*zabawny*) funny; comic; amusing
paradoks *sm G.* **~u** paradox
paradoksalnie *adv* paradoxically
paradoksalność *sf singt* paradoxicalness, paradoxicality
paradoksalny *adj* paradoxical
paradować *vi imperf* to parade; to show off; to flaunt oneself; to peacock
paradowanie *sn* ↑ **paradować**
paradygmat *sm G.* **~u** *jęz.* paradigm
paradyz † *sm G.* **~u** *teatr* gallery
parafa *sf* initials
parafazja *sf singt med.* paraphasia
parafi|a *sf GDL.* **~i** 1. (*gmina kościelna*) parish; *przen. pot.* **każdy z innej ~i** each of a different set 2. (*kancelaria*) parish register office 3. (*kościół parafialny*) parish church 4. (*ogół parafian*) parish; congregation
parafialny *adj* parish — (church, register, register office etc.)
parafian|in *sm pl G.* **~** parishioner; *pl* **~ie** parishioners; the parish; the congregation
parafian|ka *sf pl G.* **~ek** 1. (*kobieta należąca do parafii*) parishioner 2. (*kobieta wiejska*) country woman 3. *przen.* (*kobieta nie wykształcona*) (a) provincial
parafiańsk|i *adj* parochial; **po ~u** parochially
parafiańsko *adv* parochially
parafiaństwo *sn singt* 1. (*zaściankowość*) parochialism 2. (*ludzie zaściankowi*) the parochially minded 3. (*parafianie*) the parish
parafiańszczy|zna *sf singt DL.* **~źnie** = **parafiaństwo** 1.
parafina *sf singt* paraffin
parafinować *vt imperf* to paraffin; to treat with paraffin
parafinowanie *sn* (↑ **parafinować**) treatment with paraffin
parafinowy *adj* paraffin — (candles, oil, wax etc.)
parafować *vt imperf* to initial (a document etc.); to OK, to okay; to paraph
parafowanie *sn* ↑ **parafować**
parafraza *sf lit. muz.* paraphrase; paraphrastic rendering
parafrazować *vt imperf* to paraphrase
parafrazowanie *sn* (↑ **parafrazować**) paraphrases
parageneza *sf singt miner.* paragenesis
paragnejs *sm G.* **~u** *miner.* paragneiss
paragon *sm G.* **~u** *pot.* bill of sale
paragraf *sm G.* **~u** 1. (*część ustawy, zarządzenia itd.*) clause <item> (of a statute, contract etc.) 2. (*fragment tekstu, rozdziału itd.*) section 3. (*znak drukarski*) section mark; paragraph
paralaksa *sf astr. fiz. fot.* parallax
paralaktyczny *adj* parallactic (motion, orbit etc.)
paralel|a *sf pl G.* **~i** parallel; **iść w ~i z czymś** to run parallel to <with> sth; **przeprowadzić ~ę między dwiema rzeczami** to draw a parallel between two things
paralelizm *sm G.* **~u** parallelism; **~ psychofizyczny** psychophysical parallelism
paralelnie *adv* parallelly; side by side; **iść ~ z czymś** to run parallel to <with> sth
paralelny *adj* parallel (**do czegoś** to <with> sth)
paralipomen|a *spl G.* **~ów** *lit.* paralipomena
paralityczny *adj* paralytic(al)
paralityk *sm* (a) paralytic
paralizator *sm chem.* inhibitor
paraliż *sm G.* **~u** *med.* paralysis; palsy; **~ dziecięcy** infantile paralysis; poliomyelitis; **~ postępujący** <**postępowy**> creeping paralysis; **tknąć ~em** to paralyse
paraliżować *vt imperf* 1. (*powodować paraliż*) to paralyse 2. *przen.* (*porażać*) to paralyse; to benumb; to cramp; (*o przerażeniu itd.*) to transfix; to petrify 3. (*udaremniać*) to frustrate; to neutralize
paraliżowanie *sn* (↑ **paraliżować**) paralysation
paraliżująco *adv* with a paralysing effect; **działać ~** to paralyse
paralogizm *sm G.* **~u** *lit.* paralogism
parałup|ek *sm G.* **~ka** = **paragnejs**
paramagnetyczny *adj* paramagnetic
paramagnetyzm *sm singt G.* **~u** *fiz.* paramagnetism
paramenta <**paramenty**> *spl liturg.* ornaments
parametr *sm G.* **~u** *mat. techn.* parameter
parametryczny *adj* parametric(al)
paramilitarny *adj* paramilitary
paramnezja *sf singt psych.* paramnesia
paranie się *sn* ↑ **parać się**
paranoidalny *adj* paranoidal
paranoik *sm med. psych.* paranoiac
paranoj|a *sf singt pl G.* **~i** *med. psych.* paranoia
parantel|a *sf pl G.* **~i** 1. (*związki pokrewieństwa*) relationship 2. (*krewni*) relatives 3. *pl* **~e** *przen.* affiliation
parapet *sm G.* **~u** 1. *bud.* window-sill; stool 2. (*poręcz*) rail 3. † *wojsk.* breastwork; parapet
paraplegi|a *sf singt GDL.* **~i** *med.* paraplegia
paraplegik *sm med.* (a) paraplegic
parapsychologi|a *sf singt GDL.* **~i** parapsychology; psychological research
parapsychologiczny *adj* parapsychological
parasol *sm pl G.* **~i** (*od deszczu, od słońca na plaży itd.*) umbrella; (*od słońca*) sunshade; parasol; **otworzyć ~** to put up one's umbrella <sunshade>; *żart.* **proste jak ~** as clear as a pikestaff
parasol|ka *sf pl G.* **~ek** lady's umbrella
parasolkowaty *adj* umbrella-shaped
parasolniczy *adj* umbrella-maker's
parasolnik *sm* umbrella-maker
parasolowaty *adj* umbrella-shaped
parasolowy *adj* 1. (*podobny w układzie do prętów w rozpiętym parasolu*) in the shape of an umbrella frame 2. (*służący do wyrobu parasoli*) used <for use> in umbrella making
parataksa *sf jęz.* parataxis
parataktyczny *adj* paratactic(al)
paratyfoidalny *adj* paratyphoid
paratyfus *sm G.* **~u** *med.* paratyphoid fever
paratyfusowy *adj* paratyphoid

parawan *sm G.* **~u** <*rz.* **~a**> 1. (*mebel*) screen 2. *przen.* screen; cat's-paw; **być czyimś** <**dla kogoś**> **~em, służyć komuś za ~** to be sb's cat's-paw; to act as a screen for sb

parawanik *sm dim* ↑ **parawan**

parawanowy *adj* screen — (façade, gate etc.)

parazytolog *sm* parasitologist

parazytologi|a *sf singt GDL.* **~i** parasitology

parazytologiczny *adj* parasitological

parazytyzm *sm singt G.* **~u** parasitism

parcel|a *sf pl G.* **~** <**~i**> parcel; plot; **~a budowlana** building plot <site>

parcelacja *sf* breaking up <parcelling out, cutting up, lotting out> (of land, an estate etc.)

parcelować *vt imperf* to break up <to parcel out, to cut up, to lot out> (land, an estate etc.)

parcelowanie *sn* ↑ **parcelować**

parch *sm G.* **~u** <**~a**> 1. (*choroba roślin*) scab 2. (*choroba skóry u ludzi i zwierząt*) mange; scab

parchaty *adj* scabby; mangy

parciak *sm* 1. (*płótno*) sackcloth 2. (*ubiór*) sackcloth skirt <trousers> 3. *gw.* peasant in sackcloth <wearing sackcloth garments>

parcian|ka *sf pl G.* **~ek** 1. = **parciak** 1. 2. (*ubranie*) sackcloth garment 3. (*torba*) sack 4. *pot.* (*piłka*) rag ball

parciany *adj* sackcloth — (belt etc.)

parcie *sn* 1. (*napór*) pressure; *bud. techn.* thrust; push; *bot.* **~ korzeniowe** root pressure 2. *med.* tenesmus

parcieć *vi imperf* to get spongy <pithy>

parczelina *sf bot.* (*także* **~ trójlistna**) (*Ptelea trifoliata*) hop tree

pardon † *sm singt G.* **~u** pardon; *obecnie w zwrocie*: **bez ~u** a) (*nie oszczędzając*) mercilessly b) (*nie zważając na nic*) without ceremony

pardun|y *spl G.* **~ów** *mar.* backstays

pardwa *sf zool.* (*Lagopus*) grouse; **~a alpejska** (*Lagopus mutus*) ptarmigan

paremiograf *sm jęz.* paroemiographer

paremiografi|a *sf singt GDL.* **~i** *jęz.* paroemiography

paremiolo|g *sm pl N.* **~dzy** <**~gowie**> *jęz.* paroemiologist

paremiologi|a *sf singt GDL.* **~i** *jęz.* paroemiology

parenchyma *sf bot. zool.* parenchyma

parenchymatyczny *adj* parenchymal, parenchymatic

parenetyczny *adj lit.* par(a)enetic

parenetyka *sf singt lit.* par(a)enetic literature

pareneza *sf lit.* par(a)enesis

parenteza *sf jęz. lit.* parenthesis

parerg|a *spl G.* **~ów** parerga

par|ę *num GDL.* **~u** *A.* **~ę** *I.* **~oma** (*przy męskoosobowych NA.* **~u**) a couple (of minutes etc.); one or two ...; a ... or two; two or three ...; **~ę groszy** an insignificant sum; **ładne ~ę groszy** a pretty penny; **za ~ę groszy** for a song; **~ę lat** several years; **~ę lat temu** two or three years ago; **~ę razy** once or twice; **od ~u dni** for the last few days; **przed ~u dniami** a couple <two or three> days ago

par|ędziesiąt *num GDL.* **~udziesięciu** *pot.* a score or so; **~ędziesiąt lat** some twenty years

par|ękroć *num adv GDL.* **~ukroć** two or three times

paręna|ście *num GDL.* **~stu** *pot.* a dozen or so

par|ęset *num GDL.* **~uset** a couple of hundred; two or three hundred

parfors *sm G.* **~u** the hunt; the chase

parias *sm* pariah

park *sm G.* **~u** park; **~ francuski** ornamental <laid-out> park; **~ narodowy** national park; **~ maszynowy** machinery; *wojsk.* **~ artyleryjski** artillery park

parkać się *vr imperf myśl.* to couple

parkan *sm G.* **~u** 1. (*płot*) fence; hoarding 2. (*zw. pl*) *myśl. ryb.* net

parkanie się *sn* ↑ **parkać się**

parkeryzacja *sf techn.* parkerizing

parkeryzować *vt imperf techn.* to parkerize

parkieciarz *sm* parquet layer

parkiet *sm G.* **~u** 1. (*posadzka*) parquet floor 2. (*deszczułki*) flooring blocks 3. (*miejsce do tańca*) dance floor 4. *plast.* plywood

parkietowy *adj* parquet — (floor etc.)

parking *sm G.* **~u** parking space; **~ strzeżony** car park

parkinsonizm *sm singt G.* **~u** *med.* Parkinson's disease, Parkinsonism

parkocić się *vr imperf* = **parkać się**

parkot *sm G.* **~u** *myśl.* (*okres godowy*) rut; pairing time

parko|tać *vi imperf* (*tylko 3 pers*) **~cze** <**~ta**> 1. (*wydawać odgłos przy gotowaniu się*) to bubble 2. (*terkotać*) to rattle

parkotanie *sn* (↑ **parkotać**) (*terkotanie*) rattle

parkować *v imperf* [I] *vt* to park (a car etc.) [II] *vi* to be <to get> parked

parkowanie *sn* ↑ **parkować**

parkowy *adj* park — (trees etc.)

parlament *sm G.* **~u** Parliament

parlamentariusz *sm* officer with the flag of truce

parlamentarnie *adv* in parliamentary language

parlamentarny *adj* 1. (*związany z parlamentem*) parliamentary (government, practice, language etc.) 2. *przen.* (*przyzwoity*) civil; courteous

parlamentarski *adj* (*o chorągwi*) of truce

parlamentaryzm *sm G.* **~u** parliamentarism

parlamentarz *sm* = **parlamentariusz**

parlamentarzysta *sm* (*decl* = *sf*) (*członek parlamentu*) parliamentarian

parlatorium *sn* parlour

parlować *vi imperf żart. iron.* to parleyvoo; to speak (French)

parmezan *sm G.* **~u** Parmesan cheese

parmezański *adj* Parmesan — (cheese etc.)

parnas *sm G.* **~u** 1. **Parnas** (*w mitologii greckiej*) Parnassus 2. *przen.* (*o poezji i poetach*) Parnassus

parnasista *sm* (*decl* = *sf*) *lit.* Parnassian

parnasizm *sm singt G.* **~u** *lit.* Parnassianism, Parnassism

parnik *sm* 1. *techn.* cooker 2. (*kocioł do parowania ziemniaków*) steamer; steaming plant

parno *adv* sultrily; closely; **jest ~** it is sultry; the air is close; it is stifling <muggy>

parnorosty *spl bot.* (*Hygromegathermae*) hygromegatherms

parność *sf singt* sultriness; close <stifling> air

parny *adj* sultry; close; stifling

parobcza|k *sm pl N.* **~ki** <**~cy**> 1. (*młody robotnik w gospodarstwie wiejskim*) young farm-hand; stable-boy; plough-boy 2. (*chłopak wiejski*) young rustic; swain

parob|ek *sm G.* **~ka** (a) rustic; farm-hand; ploughman

parodi|a *sf GDL.* **~i** parody; travesty; skit

parodiować *vt imperf* to parody; to travesty

parodiowanie *sn* (↑ **parodiować**) (a) parody; (a) travesty

parodiowy *adj* parodic; parodistic

parodniowy *adj* of a couple of days; a couple of days' (interval etc.)

parodos *sm G.* **~u** *teatr gr.* parodos

parodyjny *adj* parodic, parodistic

parodysta *sm* (*decl* = *sf*) parodist

parodystycznie *adv* parodistically

parodystyczny *adj* parodistic

parodystyka *sf singt* parodic <parodistic> writings

parogodzinny *adj* of a couple of hours; a couple of hours' (work etc.)

parokilometrowy *adj* of a couple <of two or three> kilometers

parokonny *adj* two-horse — (cart etc.)

parokrotnie *adv* a couple of times; two or three times; several times

parokrotny *adj* repeated once or twice <two or three times, several times>; **~ mistrz świata** several times world champion

paroksyton *sm G.* **~u** *jęz.* paroxytone

paroksytoneza *sf jęz.* paroxytonizing

paroksytoniczny *adj* paroxytone

paroksyzm *sm G.* **~u** 1. *med.* paroxysm; attack; fit; *przen.* **~ śmiechu <wściekłości itd.>** paroxysm <fit> of laughter <rage etc.> 2. *geol.* paroxysm

parol *sm G.* **~u** 1. (*tajne hasło*) countersign; password 2. † *karc.* paroli; *obecnie w zwrotach*: **zagiąć ~ na kogoś, coś** to have designs <to set one's heart> on sb, sth; (*o kobiecie*) **zagiąć ~ na kogoś** to set one's cap at sb 3. † (*słowo honoru*) word of honour

paroletni *adj* of a couple of years; of two or three years; a couple of years' (training etc.)

parolist *sm G.* **~u** *bot.* (*Zygophyllum*) zygophyllum

parolistowat|y *bot.* [I] *adj* zygophyllaceous [II] *spl* **~e** (*Zygophyllaceae*) (*rodzina*) the family Zygophyllaceae

parometrowy *adj* of a couple of metres; of two or three metres; two or three meters long; a couple of metres (interval etc.)

paromierz *sm techn.* vaporimeter; steam-flow meter

paromiesięczny *adj* of a couple of months; a couple of months' (service etc.)

parominutowy *adj* of a couple of minutes; of two or three minutes; a couple of minutes' (pause etc.)

paromorgowy *adj* of several acres

paronomazja *sf lit.* paronomasia; punning

paropokojowy *adj* of two or three rooms

parosetletni *adj* of several hundred years; (*o drzewie, budynku itd.*) several hundred years old; (*o instytucji, zwyczaju itd.*) of several hundred years' standing

parostat|ek *sm G.* **~ku** steamer; steamship; steamboat

parost|ek *sm G.* **~ka** (*zw.pl*) *myśl.* antlers

parostopniowy *adj* of several degrees

parostwo *sn hist.* peerage; rank <dignity> of peer

paroszczelny *adj* steam-tight

parotygodniowy *adj* of a couple <of two or three> weeks; a couple of weeks' (course etc.)

parotysięczny *adj* of a couple <of two or three> thousand; of several thousand

parować[1] *v imperf* [I] *vi* 1. (*zamieniać się w parę*) to evaporate; to vaporize; to volatilize 2. (*wydzielać parę*) to vaporize, to vaporise; (*o potrawach, naczyniach z potrawą itd.*) to steam; (*o roślinach, liściach*) to transpire [II] *vt* (*gotować na parze*) to steam (food); to cook (food) by steam

parować[2] *v imperf rz.* [I] *vi* to pair [II] *vr* **~ się** to pair (*vi*)

parować[3] *vi imperf* (*odbijać cios*) to parry

parowani|e[1] *sn* (↑ **parować**[1]) evaporation; vaporization; *bot.* transpiration; **ciepło ~a** evaporation heat

parowanie[2] *sn* ↑ **parować**[2]

parowanie[3] *sn* (↑ **parować**[3]) *szerm.* (a) parry; **~ z ripostą** tac-au-tac

parow|iec *sm G.* **~ca** steamer; steamboat; steamship; *handl.* (*o przesyłce, transporcie*) **~cem** per steamer

parowiekowy *adj* of a couple <of two or three> centuries; of several centuries; (*o drzewie, budynku itd.*) several hundred years old; (*o instytucji, zwyczaju itd.*) of several hundred years' standing

parowierszowy *adj* of a couple <of two or three> lines

parowina *sf gw.* puddle

parownica *sf chem.* evaporating dish

parownik *sm* 1. (*w chłodnicach*) evaporator 2. (*w farbiarstwie*) steamer 3. = **parnik** 2.

parowozownia *sf* engine-house; (circular) engine-shed; *am.* roundhouse

parowozowy *adj* engine- (driver etc.)

parow|óz *sm G.* **~ozu** engine; locomotive; **~óz manewrowy <przetokowy>** switching <shunting> engine

parow|y *adj* steam — (whistle, brake, plough etc.); steam- (engine, power etc.); **koń ~y** horsepower; **łaźnia ~a** steam-bath; Turkish bath

par|ów *sm G.* **~owu** ravine; gully

parów|ka[1] *sf pl G.* **~ek** 1. (*łaźnia*) Turkish baths 2. (*kąpiel*) Turkish bath; steam <vapour> bath

parów|ka[2] *sf pl G.* **~ek** *kulin.* sausage; wiener (wurst); *am.* frankfurt(er); hot dog

parposz *sm zool.* (*Alosa finta*) t(h)waite shad

Pars *sm hist.* Parsee

parsek *sm G.* **~u** *astr.* parsec

parsk|ać *v imperf* — **parsk|nąć** *v perf* [I] *vi* 1. (*prychać*) to snort; (*o kocie*) to spit; **~nąć śmiechem** to burst out laughing; **~ać, ~nąć rubasznym śmiechem** to guffaw 2. (*skwierczeć*) to crackle [II] *vr imperf* **~ać się** (*o tkaninie*) to fray

parskanie *sn* ↑ **parskać**

parsknięcie *sn* (↑ **parsknąć**) (a) snort; **~ śmiechem** peal of laughter; guffaw

parsyzm *sm singt G.* **~u** *rel.* Parsism

parszywie *adv pot.* lousily; horridly; **~ się czuć** to feel rotten

parszyw|iec *sm G.* **~ca** *obelż.* skunk; stinkard

parszywie|ć *vi imperf* **~je** to get the mange <the scab>

parszyw|y *adj* 1. (*mający parchy*) mangy; scabby; *przen.* **~a owca** black sheep 2. *pot.* (*podły*) lousy; rotten; measly; horrid

part[1] *sm G.* **~u** (*płótno*) pack-cloth
part[2] *sm G.* **~u** *muz.* part
partack|i *adj* bungled <botched, fudged, foozled, scamped> (piece of work); **~a robota** = **partactwo**; **po ~u** bunglingly; **zrobić coś** <**wykonać robotę**> **po ~u** to bungle <to botch, to fudge, to foozle, to scamp> a piece of work
partactwo *sn* (*zła robota*) (a) bungle <botch, fudge, foozle>; bungled <botched, fudged, foozled> piece of work
partacz *sm* bungler; botcher; tinker
partaczenie *sn* ↑ **partaczyć**
partaczyć *vt vi imperf* to bungle; to botch; to scamp; to make a mess (**coś** of sth)
partanina *sf* 1. (*byle jaka robota*) bungle; botch 2. (*dłubanina*) pottering
partenogenetyczny *adj biol.* parthenogenetic
partenogeneza *sf singt biol.* parthenogenesis
partenokarpi|a *sf singt GDL.* **~i** *bot.* parthenocarpy
parter *sm G.* **~u** 1. *bud.* ground floor; *am.* first floor; **wysoki ~** entresol; mezzanine 2. *teatr* orchestra; parterre 3. *ogr.* parterre; flower-bed
parterowy *adj* 1. (*o budynku — mający tylko parter*) one-storeyed, one-storied 2. (*znajdujący się na parterze*) ground-floor <*am.* first-floor> — (flat, rooms, windows etc.) 3. *teatr* orchestra — (stalls etc.); parquet — (circle etc.); parterre — (boxes etc.) 4. *ogr.* parterre — (flower etc.)
parti|a *sf GDL.* **~i** 1. *polit.* party 2. (*skrótowo — o Polskiej Zjednoczonej Partii Robotniczej*) the Party 3. (*grupa ludzi*) group 4. (*zespół rywalizujący z innym w grze*) side 5. (*określona ilość towaru*) consignment <portion, lot, parcel, batch, tally> (of goods) 6. (*fragment, ustęp*) passage; fragment 7. *sport* game (of tennis, billiards, cards etc.); (*w brydżu*) **jesteśmy po ~i** we are vulnerable; **obie strony po ~i** game all 8. *teatr muz.* (*rola*) part; **~a tytułowa** leading part 9. *hist.* (*oddział partyzancki*) detachment <body> of partisans 10. (*kandydat do małżeństwa*) match; **zrobić dobrą ~ę** to make a good match
partner *sm*, **partnerka** *sf* partner (**w brydżu itd.** at bridge etc.); *kino teatr* co-partner; **~ w tańcu** dancing partner
partolić *vt imperf pot.* = **partaczyć**
part|y [I] *pp* ↑ **przeć** [II] *adj med.* **bóle ~e** bearing-down pains
partycypacja *sf singt lit.* participation
partycypować *vi imperf lit.* to participate; to have a share (in sth)
partyjka *sf dim* ↑ **partia** 1., 5., 7., 9.
partyjniak *sm pot.* party member
partyjnictwo *sn singt* party strife, factionalism
partyjnik *sm* = **partyjniak**
partyjność *sf singt* 1. (*przynależność*) membership of a party 2. (*przekonania*) strong political consciousness
partyjny [I] *adj* party — (leader, spirit etc.) [II] *sm* party man; member of a party
partyka *sf gw.* chunk; slice
partykularny *adj* 1. (*zw. pl*) (*miejscowy*) regional; local 2. † (*prywatny*) private
partykularysta *sm* (*decl* = *sf*) particularist
partykularyzm *sm G.* **~u** particularism
partykularz *sm* out-of-the-way locality
partykuła *sf jęz.* particle
partytura *sf* 1. *muz.* score 2. *teatr* script
partyzana *sf hist.* partisan, partizan
partyzancki *adj* partisan's, partisans'; guer(r)illa's, guer(r)illas'; partisan <guer(r)illa> — (war, raid etc.)
partyzan|t *sm* partisan; guer(r)illa; *pl* **~ci** underground army
partyzantka *sf* 1. (*wojna*) partisan <guer(r)illa> war 2. (*oddziały partyzanckie*) underground army 3. (*kobieta*) (woman) partisan <guer(r)illa>
parudniowy *adj* = **parodniowy**
parujący *adj* vaporific, vaporous
parusetletni *adj* = **parosetletni**
paruwiekowy *adj* = **parowiekowy**
parweniusz *sm*, **parweniusz|ka** *sf* upstart; parvenu; cocktail; vulgarian; *pot.* climber; *pl* **~e** the newly rich
parweniuszostwo *sn singt* parvenuism
paryjski *adj* Parian (marble)
paryski *adj* Paris — (blue, doll, green etc.); Parisian (fashions, accent etc.); **Komuna Paryska** the Paris Commune
parytet *sm G.* **~u** 1. (*wartość waluty*) parity; par; standard; **~ złota** the gold standard; **poniżej ~u** below par; *przen.* at a discount; **powyżej ~u** above par; *przen.* at a premium; **według ~u** at par 2. (*równość*) equality (of rights)
Paryżanin *sm*, **Paryżanka** *sf* (a) Parisian
parzenica *sf reg.* embroidered design on Carpathian highlander's trousers
parzenie *sn* ↑ **parzyć**
parzonka *sf roln.* hot mash
parz|yć[1] *v imperf* [I] *vt* 1. (*przypiekać*) to burn; to scorch 2. (*wywoływać podrażnienie skóry*) to scald; to blister; (*o pokrzywie itd.*) to sting; **gazy ~ące** blistering gases 3. (*zalewać wrzątkiem*) to scald; to parboil (vegetables etc.) 4. (*otrzymywać napar*) to infuse <to brew> (tea, herbs); to percolate <to make> (**kawę** coffee) 5. (*poddawać działaniu pary*) to steam [II] *vr* **~yć się** 1. (*być parzonym*) to be <to get> burnt <scorched, scalded, blistered> 2. (*o herbacie, ziołach*) to infuse (*vi*); (*o kawie*) to percolate (*vi*) 3. (*zażywać kąpieli parowej*) to take a steam <a Turkish> bath
parzyć[2] się *vr* (*o zwierzętach*) to pair; to couple; to rut
parzydeł|ko *sn pl G.* **~ek** (*zw. pl*) *zool.* nematocyst; cnida
parzydełkow|iec *sm G.* **~ca** *zool.* coelenterate; *pl* **~ce** (*Cnidaria*) (*podtyp*) the phylum Coelenterata <Cnidaria>
parzydełkow|y *adj* nematocystic; **komórka ~a** nematocyst; cnida
parzyd|ło *sm pl G.* **~eł** *bot.* (*Aruncus sylvester*) goat's beard
parzysto *adv* in pairs; geminately
parzystokopytn|y *zool.* [I] *adj* artiodactylous [II] *spl* **~e** (*Artiodactyla*) (*rząd*) the order Artiodactyla
parzystość *sf singt* evenness (of number); even number
parzysty *adj* 1. (*o liczbie*) even 2. (*taki, którego numer kolejny dzieli się przez dwa bez reszty*) even(-numbered) 3. (*występujący parami*) twin; geminate; binate; *bot.* (*o liściu*) **trzy razy ~** tergeminate
parzyście *adv* = **parzysto**

pas[1] *sf* 1. (*szczegół ubioru*) belt; (*szeroki, ozdobny*) girdle; **~ do podwiązek** suspender; **~ myśliwski** cartridge-belt; **~ ratunkowy** life-belt; **~ rupturowy** truss; **~ rycerski** knight's belt; **~ słucki** gold sash; *przen.* **być za ~em** to be near <at hand>; to be approaching; **popuszczać ~a** to let out a reef; **zaciskać ~a** to tighten one's belt 2. (*wąski kawałek skóry, tkaniny itd.*) belt; band; fillet; strap; stripe; sling; *arch.* moulding; *ogr.* **~ lepowy** sticky band; *techn.* **~ transmisyjny** driving <conveyor> belt; *przen.* **drzeć z kogoś ~y** to flay sb alive; (*o deseniu*) **w ~y** striped 3. (*wąski, długi prostokąt*) strip <girdle> (of land, cloth, paper etc.); (*smuga*) streak; (*strefa*) zone; **ochronny ~ leśny** protective belt; **~ ciszy** doldrums; **~ górski** mountain range; **~ graniczny** frontier-line; **~ neutralny** neutral zone; **~ przybrzeżny** coastal waters; **~ startowy** runway 4. (*talia*) waist; girdle; middle (of the body); (*u spódnicy*) waist-band; **bóle w ~ie** pains in the small of the back; **być grubym** <**cienkim**> **w ~ie** to have a large <a small> waist; **kłaniać się komuś w ~** a) (*kłaniać się nisko*) to make a deep bow <deep bows> to sb b) *przen.* to bow and scrape to sb; to kowtow to sb; **po ~** waist-deep; waist-high 5. *anat.* girdle; **~ miednicowy** pelvic <hip> girdle

pas[2] *sn indecl* (*krok taneczny*) step

pas[3] *indecl karc.* no bid; *am.* pass

pasać *v imperf* [I] *vt vi* to tend (a flock); to graze (cattle) [II] *vr* **~ się** (*o bydle, owcach*) to graze <to feed> (*vi*)

pasamonictwo † *sn singt* passementerie; haberdashery

pasamonik † *sm* haberdasher

pasanie *sn* ↑ **pasać**

pasat *sm G.* **~u** (*zw. pl*) trade wind

pasatow|y *adj* trade-wind — (region etc.); **wiatry ~e** trade winds

pasaż *sm G.* **~u** 1. (*kryte przejście*) covered way 2. † (*korytarz*) corridor 3. *muz.* run; passage 4. *biol.* passage

pasażer *sm* 1. (*osoba jadąca środkiem lokomocji*) passenger 2. *sl.* (*facet*) bloke; chap; fellow 3. *pot. mar.* passenger ship; liner

pasażer|ka *sf pl G.* **~ek** = **pasażer** 1.

pasażerski *adj* passenger — (car, train etc.); **statek** <**samolot**> **~** liner

pascha *sf* 1. **Pascha** (*w obrządku Mojżeszowym*) Passover; (*u chrześcijan*) Easter 2. (*posiłek*) paschal meal; (*potrawa*) paschal dish

paschalny *adj* paschal

paschał *sm G.* **~u** paschal candle

pasecz|ek *sm G.* **~ka** *dim* ↑ **pasek**

pas|ek *sm G.* **~ka** 1. = **pas[1]** 1., 2., 3.; (*rzemyk*) thong; **~ek do ostrzenia brzytwy** strop; **~ek do zegarka** watch-bracelet; wristlet; **spodnie w drobne ~ki** pin-striped trousers; *pot.* **chodzić na czyimś ~ku** to crouch before sb; to bow submission to sb; **wodzić kogoś na ~u** to keep sb in leading-strings 2. (*naszywka*) stripe; bar 3. (*u zakonnika*) cord girdle 4. (*nieuczciwy handel*) black market; black-market traffic; profiteering; **kupić coś na ~ku** to buy sth on the black market

pasemko *sn dim* ↑ **pasmo**

paser *sm*, **paser|ka** *sf pl G.* **~ek** receiver (of stolen goods); fence; resetter

paserski *adj* receiver's

paserstwo *sn singt* receiving of stolen goods; fencing

pasiak *sm* 1. (*ludowy wyrób*) striped regional costume <cloth> 2. (*ubranie obozowe*) striped clothing of prisoners in Nazi concentration camps

pasiarnia *sf* manufactory of woven girdles

pasiasty *adj* striped; in striped design

pasibrzuch *sm pl N.* **~y** *pot.* greedy-guts; guzzler

pasiecznictwo *sn singt* bee-keeping

pasiecznik *sm* bee-keeper

pasieczny *adj* bee-keeping — (industry etc.)

pasieka *sf* apiary

pasienie *sn* ↑ **paść[2]**

pasierb *sm* 1. (*syn męża, żony*) stepson 2. *bot.* (*pęd boczny*) short shoot; *ogr.* dwarf shoot

pasierbica *sf* stepdaughter

pasikoni|k *sm zool.* (*Locusta*) grasshopper; *pl* **~ki** (*Locustidae*) (*rodzina*) the family Locustidae

pasj|a *sf* 1. (*zamiłowanie*) passion (**do czegoś** for sth); *pot.* **~ami coś lubić** to be passionately fond of sth <of doing sth> 2. (*przedmiot zamiłowania*) hobby 3. (*furia*) rage; fury; *pot.* **doprowadzić kogoś do szewskiej** <**do białej**> **~i** to drive sb wild; **doprowadzić się do białej ~i** to work oneself up into a rage <into white heat>; **doprowadzony do ~i** wild with rage 4. *rel.* the Passion (of Christ) 5. (*wizerunek Chrystusa ukrzyżowanego*) crucifix; rood 6. *muz.* passion 7. † (*gwałtowne uczucie*) passion; passionate feeling

pasjans *sm G.* **~a** <**~u**> *A.* **~a** <**~**> *pl N.* **~e** <*rz.* **~y**> solitaire; patience; **stawiać ~a** to play patience

pasjonał *sm G.* **~u** *liturg.* passional

pasjonat *sm*, **pasjonatka** *sf* madcap; hothead; wildly impulsive person

pasjonować *v imperf* [I] *vt* to fascinate; to thrill; to absorb; to excite (sb) with passion [II] *vr* **~ się** to be passionated <thrilled> (**czymś** by sth); to be passionately fond (**czymś** of sth)

pasjonujący *adj* thrilling; exciting; absorbing

paskarka *sf* = **paskarz**

paskarski *adj* profiteer's <black-market> — (traffic etc.)

paskarstwo *sn singt* profiteering; black-market traffic

paskarz *sm* profiteer; black marketeer

paskować *v imperf rz.* [I] *vt* (*rysować, wycinać, ciąć w paski*) to stripe [II] *vi* (*trudnić się paskiem*) to profiteer; to be engaged in black-market traffic

paskowanie *sn* (↑ **paskować**) stripes

paskowany [I] *pp* ↑ **paskować** *vt* [II] *adj* striped

paskud|a *sf gw.* 1. (*zło*) evil; harm; mischief; foul play; **czynić komuś ~ę** to do sb a mischief 2. *sm sf* (*człowiek bezecny*) rascal; scoundrel; pig 3. *sm sf* (*niechluj*) sloven; pig

paskudnica *sf* 1. (*brzydka osoba*) ugly-looking woman 2. (*brudas*) slut; slattern; draggle-tail 3. (*niecna osoba*) rascally <scoundrelly> woman

paskudnie *adv* 1. (*okropnie*) horridly; (*pod względem moralnym*) shamefully; disgracefully; **~ się spisać** to disgrace oneself 2. (*brzydko*) hideously; repulsively; **~ wyglądać** to look ugly 3. (*źle*) badly; **~ się czuć** to feel rotten 4. (*niepomyślnie*) nastily; vilely; wretchedly; lamentably; disastrously; cursedly 5. (*złośliwie*) maliciously

paskudnik *sm* 1. *obelż.* (*człowiek brzydki*) fright; ugly-looking person 2. *obelż.* (*brudas*) pig; sloven

3. *obelż.* (*człowiek niecny*) rascal; scoundrel; pig 4. *gw.* an indeterminate disease of cattle

paskudn|y *adj* 1. (*odrażający*) hideous; horrid; repulsive; ugly(-looking) 2. (*lichy*) dreadful; abominable; pitiful; rotten; **~a pogoda** wretched weather 3. (*przykry*) nasty; unpleasant; beastly; filthy; **te ~e dzieciska** those darned kids

paskudzenie *sn* (↑ **paskudzić**) 1. (*zanieczyszczanie*) making a mess; leaving filth behind one 2. (*partaczenie*) messing things up

paskudziarz *sm obelż.* 1. (*człowiek odrażający*) hideous <horrid, repulsive, ugly-looking> person 2. = **paskudnik** 3. 3. (*partacz*) bungler; botcher

paskudz|ić *v imperf* **~ę** *pot.* [I] *vi* 1. (*brudzić*) to make a mess; to leave filth behind one; to foul the place 2. (*partaczyć*) to mess things up [II] *vt* to mess (sth) up; to bungle; to botch [III] *vr* **~ić się** 1. (*brudzić się*) to soil <to smear> oneself <one's hands, face, clothes> 2. (*o ranie*) to fester 3. (*psuć się moralnie*) to go wrong

paskudztwo *sn pot.* 1. (*rzecz budząca wstręt*) abomination; (*o czymś do jedzenia, picia*) (nasty, horrid) stuff 2. (*obrzydliwość w sensie moralnym*) shabby <dirty, nasty> trick; shabbiness; baseness 3. (*obrzydliwość w sensie fizycznym*) eyesore; fright 4. (*zw. pl*) (*nieczystości*) filth; mess; muck

pasmanteri|a *sf GDL.* **~i** 1. (*towary*) haberdashery; narrow goods; small-wares; *am.* dry goods 2. (*sklep*) haberdasher's shop

pasmanteryjn|y *adj* haberdasher's; **wyroby ~e** = = **pasmanteria** 1.

pasmo *sn* 1. (*nici, włókna tworzące pas*) strand (of hair etc.); ply (of wool etc.); skein (of yarn, silk etc.) 2. (*nitka*) thread 3. (*pas, wstęga, smuga*) strip; band; streak; *radio* **~ częstotliwości** frequency band; **~ górskie** mountain range; *przen.* **~ nieszczęść** series of calamities; **~ przyjemności** round of pleasures; **~ wydarzeń** train of events; *lit.* **~ życia** thread of life 4. (*bandaż*) bandage

pasmowy *adj* streaked

pas|ować¹ *v imperf* [I] *vt* to fit (**coś do czegoś** sth to <on, into> sth); to adjust <to adapt> (**coś do czegoś** sth to sth) [II] *vi* 1. (*być dopasowanym*) to fit (**do czegoś** on <in, into> sth); to be adjusted <adapted> (**do czegoś** to sth); (*o przedmiotach*) **~ować do siebie** to fit together 2. (*nadawać się*) to suit (**do kogoś, czegoś** sb, sth); to be suitable (**na kogoś, coś** for sb, sth); (*być dobrze dobranym*) to match; to go well together (**do czegoś** with sth); **~ować** <**nie ~ować**> **do czegoś** to be in character <out of character> with sth; **to do ciebie ~uje** it's just like you 3. (*o ubiorze itd.*) to become (**komuś** sb); **~uje jak ulał** it fits like a glove 4. (*nieosobowo — być stosownym*) to be proper (to do sth); **nie ~ować** to be improper; **to nie ~uje** it won't do

pasować² *v imperf* [I] *vt* (*malować, rysować pasy*) to stripe ‖ **~ kogoś na rycerza** to knight <to dub> sb; **~ kogoś na mistrza** <**przywódcę itd.**> to acknowledge sb as master <leader etc.> [II] *vr* **~ się** 1. (*nadać sobie godność*) to appoint oneself (**na wodza itd.** chief etc.) 2. (*mocować się*) to wrestle; to struggle; to contend; **~ się z sobą** a) (*usiłować zapanować nad swymi uczuciami*) to struggle to control one's feelings b) (*toczyć walkę wewnętrzną*) to contend with oneself; **~ się ze śmiercią** to be struggling with death

pasować³ *vi imperf karc.* to call "no bid"; to pass

pasowanie *sn* ↑ **pasować¹,²,³**

pasowość *sf singt* striped <streaked> arrangement <disposition, design>

pasow|y *adj* belt — (**napęd itd.** drive etc.); belting — (leather, canvas etc.); **koło ~e** pulley; rigger

pasożyt *sm* 1. (*roślina, zwierzę*) parasite 2. *przen.* (*o człowieku*) sponger

pasożytnictwo *sn singt* parasitism

pasożytniczo *adv* parasitically

pasożytować *vi imperf* 1. (*być pasożytem*) to parasitize 2. (*żyć cudzym kosztem*) to sponge (**na kimś** on sb); to parasitize

pasożytowanie *sn* ↑ **pasożytować**

pass|a *sf* 1. (*okres życia*) run; **dobra** <**szczęśliwa**> **~a** run of luck; **zła ~a** run of misfortunes; **mieć dobrą** <**szczęśliwą**> **~ę** to be in luck; **mieć złą ~ę** to be down on one's luck 2. (*zw. pl*) (*ruch hipnotyzera*) pass

passus *sm G.* **~u** 1. (*ustęp tekstu*) passage 2. (*zdarzenie*) event

pasta *sf* paste; **~ do butów** boot polish; **~ do podłóg** floor polish; **~ do zębów** tooth-paste; **~ sardelowa** anchovy-paste

pastel *sm G.* **~u** 1. (*zw. pl*) (*farba*) pastel; crayon 2. (*obraz*) pastel <crayon> drawing; drawing in pastel <with crayon> 3. *zw. singt* (*technika*) pastel; (the art of) drawing with pastels <crayons>

pastelowo *adv* in pastel colours

pastelowy *adj* pastel <crayon> — (drawing etc.); pastel — (colours, shades etc.)

paster|ka *sf pl G.* **~ek** 1. (*pastuszka*) shepherdess; (*gęsi*) gooseherd; (*krów*) cowherd 2. (*kapelusz*) lady's broad-brimmed straw hat 3. *rel.* midnight mass 4. *techn.* swivel socket

pasternak *sm G.* **~u** *bot.* (*Pastinaca*) parsnip; *szk.* **figa z makiem, z ~iem** nothing doing!; you may whistle for it

pasterski *adj* shepherd's <shepherds'> (flock); pastoral (tribe, letter); **kij ~** sheep-hook

pasterstwo *sn singt* pastoral life; the tending of flocks; shepherding

pasteryzacja *sf singt* pasteurization; scalding

pasteryzacyjny *adj* pasteurizing — (implements etc.); **aparat ~** pasteurizer

pasteryzator *sm* pasteurizer

pasteryzować *vt imperf* to pasteurize; to scald

pasteryzowanie *sn* (↑ **pasteryzować**) pasteurization

pasterz *sm* 1. (*owiec*) shepherd; (*bydła*) herdsman 2. *zool.* (*Pastor roseus*) rose-coloured starling; pastor

pastewnie *adv* in respect of fodder value

pastewnik *sm G.* **~a** <**~u**> pasture; grazing ground

pastewny *adj* fodder — (crops, straw etc.); pasturable; **burak ~** mangel

pastisz *sm G.* **~u** *plast. muz. lit.* pastiche

pastor *sm* clergyman; parson; pastor; minister; *am.* preacher

pastoralny *adj* pastoral; bucolic

pastorał *sm G.* **~u** crosier, crozier

pastorał|ka *sf pl* **~ek** 1. (*utwór muzyczny*) pastorale 2. (*utwór literacki*) pastourelle 3. (*kolęda*) Christmas carol

pastorowa *sf* (*decl* = *adj*) parson's wife

pastorski *adj* parson's; ministerial
pastować *vt imperf* to polish (shoes, floors etc.); to wax (floors)
pastuch *sm* (*owiec*) shepherd; (*kóz*) goatherd; (*innych zwierząt domowych*) herdsman
pastuszek *sm* (*owiec*) shepherd boy; (*gęsi*) gooseherd; (*krów*) cowherd
pastuszka *sf* (*owiec*) shepherd girl; (*bydła*) young cowherd
pastuszy *adj* shepherd's, shepherds' (singing etc.)
pastw|a † *sf* (*zdobycz zwierza, ptaka drapieżnego, łup*) quarry; prey; *obecnie w zwrotach:* **paść** <**stać się**> **~ą czegoś** to fall a prey to sth; **rzucić** <**wydać**> **kogoś, coś na ~ę komuś, czemuś** to give sb, sth over for a prey to sb, sth; **zostawić kogoś, coś na ~ę losu** to leave sb, sth to his <its> fate; **zdany na ~ę losu** left to one's <its> fate
pastwić się *vr imperf* to be cruel (**nad kimś** to sb); to exert one's cruelty (**nad kimś, czymś** on sb, sth); to wreak one's malice <one's spite> (**nad kimś, czymś** on sb, sth); to torment <to ill-treat, to maltreat> (**nad kimś, czymś** sb, sth)
pastwienie się *sn* (↑ **pastwić się**) being cruel (**nad kimś, czymś** to sb, sth); maltreatment <ill-treatment> (**nad kimś, czymś** of sb, sth)
pastwisk|o *sn* pasture; pasturage; grass-land; **~o dla owiec** sheep-run; (*o zwierzętach*) **być na ~u** to graze; to be out at feed
pastwiskowy *adj* grazing — (rights etc.); **teren ~** = **pastwisko**
pastyl|ka *sf pl G.* **~ek** (*lek*) tablet; lozenge; troche; (*cukierek*) drop; lozenge; **~ka miętowa** peppermint drop <tablet>; **~ka od kaszlu** cough-lozenge
pasyj|ka *sf pl G.* **~ek** crucifix
pasyjny *adj* passion — (music, play etc.)
pasyw|a *spl G.* **~ów** *księgow.* liabilities
pasywacja *sf singt chem. techn.* passivation
pasywista *sm* (*decl* = *sf*) passivist
pasywizacja *sf singt* = **pasywacja**
pasywizm *sm singt G.* **~u** passivism
pasywnie *adv* passively
pasywność *sf singt* 1. (*bierność*) passiveness 2. *chem.* passivity (of metals)
pasywny *adj* passive; *chem.* **stan ~** passivity
pasza[1] *sf* 1. (*pokarm*) feeding stuff(s); fodder; provender; **~ objętościowa** bulky feed; **~ treściwa** concentrated feeding stuff; concentrate; **~ zielona** green forage 2. (*pastwisko*) pasture; pasturage
pasza[2] *sm* (*decl* = *sf*) = **basza**
paszalik *sm G.* **~u, paszałyk** *sm G.* **~u** *hist.* pashalic, pachalic
paszcz|a *sf* 1. (*otwór gębowy zwierzęcia*) mouth; muzzle; *bot.* **lwia ~a** (*Antirrhinum maius*) snapdragon 2. *przen.* (*czeluść*) jaws; abyss 3. *żart.* (*usta*) mouth; *przen.* **dostać się komuś w ~ę** to get under sb's claws; **wyrwać komuś coś z ~y** to wrench sth from sb
paszczak *sm zool.* the John Dory; *pl* **~i** (*Zeidae*) (*rodzina*) the family Zeidae
paszczęka *sf* = **paszcza**
paszkot *sm zool.* (*Turdus viscivorus*) missel-thrush
paszkwil *sm G.* **~u** lampoon; libel
paszkwilancki *adj* libellous
paszkwilant *sm* lampooner; libeller
paszkwilowy *adj* libellous
paszowy *adj* fodder <provender> — (supply etc.); feeding — (stuffs etc.)
paszport *sm G.* **~u** 1. (*dowód osobisty*) passport 2. (*certyfikat*) certificate
paszportowy *adj* passport — (office, formalities etc.)
paszteciarnia sf pastrycook's <pieman's> shop
pasztecik *sm* 1. *kulin.* patty; pastry; sausage-roll 2. *przen. iron.* = **pasztet** 2.
pasztet *sm G.* **~u** 1. *kulin.* pie 2. *przen.* (*przykrość*) ugly <sorry> business; nuisance; pretty mess; pretty kettle of fish
pasztetow|y *adj* pie — (paste, crust etc.); **kiszka ~a** liver sausage, liver-wurst
paść[1] *zob.* **padać**
paść[2] *v imperf* **pasę, pasie, pasł, pasiony** [I] *vt* 1. (*pilnować bydła*) to pasture (cattle etc.); to tend (a flock, flocks); to graze (stock) 2. (*karmić*) to feed; to fatten (one's livestock) 3. *przen.* (*nasycać*) to feed <to feast> (**oczy czymś** one's eyes on sth) [II] *vr* **~ się** 1. (*o zwierzętach — jeść*) to graze; to browse 2. (*tuczyć się*) to batten; to raven; *przen.* **~ się cudzą krzywdą** to get fat <to trade> on other people's misfortunes; to trade on people's troubles 3. *przen.* (*upajać się — o człowieku*) to feed <to feast> one's eyes (**czymś** on sth); (*o oczach*) to feast (**czymś** on sth) 4. (*być pasionym*) to be fed <fattened>
paś|ć[3] *sf* (*także pl* **~ci**) trap; snare
paśnik *sm* 1. (*pastwisko*) pasture; pasturage; grass-land 2. (*zw. pl*) (*drabinka z paszą dla zwierząt*) feeding rack
pat *sm szach.* stalemate
patałach *sm pog.* muff; duffer; botcher; bungler
patałaszyć *vi imperf pog.* to muff; to botch; to bungle
patat *sm G.* **~u** *bot.* (*Ipomoea batatas*) sweet potato
patataj *interj* bumpety-bump; *pot.* **na ~** anyhow; slapdash
patefon *sm G.* **~u** gramophone
patefonowy *adj* gramophone — (needles etc.)
patelnia sf frying pan
patena *sf kośc.* paten
patent *sm G.* **~u** 1. (*prawo korzystania z wynalazku*) patent; *przen.* warrant (**na coś** for sth) 2. † *handl.* licence 3. † *szk. mar.* brevet
patentki *spl* ribbed cotton stockings
patentować *vt imperf* 1. (*wydać, uzyskać patent na wynalazek*) to patent (an invention) 2. *techn.* to patent (steel)
patentowanie *sn* ↑ **patentować**
patentowany [I] *pp* ↑ **patentować** [II] *adj* 1. (*zabezpieczony patentem*) patented; patent (anchor, medicine etc.) 2. (*notoryczny*) perfect <unmitigated> (ass etc.); notorious
patentowy *adj* patent — (agent, office etc.)
patera *sf* epergne; plateau; tazza
paternost|er *sm indecl* 1. *pot. żart.* (*nagana*) (a) talking-to 2. *G.* **~ru** <**~ra**> *techn.* paternoster lift
patetycznie *adv* bombastically; pompously; turgidly
patetyczność *sf singt* bombast; turgidity
patetyczny *adj* bombastic; pompous; turgid; grandiloquent; **Symfonia Patetyczna** "Pathetic" Symphony
patetyzować *vi imperf* to ornament with bombast

pati|o *sn pl G.* **~ów** patio
pat|ka *sf pl G.* **~ek** tab; strap; **~ka na ramieniu** shoulder strap
patogenetyczny *adj* pathogenetic, pathogenic
patogeneza *sf med.* pathogenesis, pathogeny
patogeniczny *adj* = **patogenetyczny**
patoka *sf* 1. (*miód*) strained honey 2. (*melasa*) molasses
patolog *sm* pathologist
patologi|a *sf singt GDL.* **~i** pathology
patologicznie *adv* pathologically
patologiczność *sf singt* pathologic <morbid> condition <character> (of a symptom etc.)
patologiczn|y *adj* pathological; morbid; *przen.* morbid; **anatomia ~a** pathological anatomy
patos *sm singt G.* **~u** bombast; turgidity; grandiloquence; pathos
patriarch|a *sm* (*decl* = *sf*) *pl N.* **~owie** *G.* **~ów** patriarch
patriarchalizm *sm singt G.* **~u** patriarchalism
patriarchalnie *adv* patriarchally
patriarchalność *sf singt* patriarchal character (of a rule, system etc.)
patriarchalny *adj* patriarchal
patriarchat *sm G.* **~u** patriarchate
patriarszy *adj* patriarch's; patriarchal
patrio|ta *sm* (*decl* = *sf*) *pl N.* **~ci** *G.* **~tów**, **patriotka** *sf* patriot
patriotycznie *adv* patriotically
patriotyczny *adj* patriotic
patriotyzm *sm singt G.* **~u** patriotism; **~ lokalny** local patriotism
patroch|y *spl G.* **~ów** *myśl.* guts; entrails
patrol *sm G.* **~u** 1. (*oddział*) patrol; **~ wywiadowczy** reconnaissance party 2. (*patrolowanie*) patrol; **odbywać ~** to be on patrol; (*o policjancie*) to go one's round
patrologi|a *sf singt GDL.* **~i** *rel.* patrology
patrolować *vi imperf* to patrol; (*o policjancie*) to go one's round(s)
patrolowanie *sn* ↑ **patrolować**
patrolow|iec *sm G.* **~ca** *wojsk.* 1. *pl N.* **~ce** (*okręt, samolot*) patrol boat <plane> 2. *V.* **~cze** *pl N.* **~cy** (*żołnierz*) patroller
patrolowy *adj* patrol _ (duty etc.)
patron *sm* 1. *G.* **~a** *pl N.* **~i** <**~owie**> (*opiekun także rel.*) patron 2. *G.* **~u** *pl N.* **~y** (*szablon malarski*) stencil 3. † *G.* **~u** *pl N.* **~y** (*nabój*) cartridge(-case)
patronacki *adj* patron's; patronal
patronalny *adj* patronal
patronat *sm G.* **~u** patronage; patronate; **pod ~em...** under the auspices of...
patronimicum *sn jęz.* (a) patronimic
patronimiczny *adj* patronimic (prefix, suffix etc.)
patronimik *sm* = **patronimicum**
patronka *sf* patroness
patronować *vi imperf* to patronize (**komuś, czemuś** sb, sth)
patronowanie *sn* ↑ **patronować**
patroszenie *sn* ↑ **patroszyć**
patroszyć *vt imperf* to disembowel; to eviscerate; to paunch; to gut (a fish etc.); to draw (a fowl)
patr|y *spl G.* **~ów** *myśl.* (hare's, rabbit's) eyes
patryca *sf druk.* die; stamp
patrycjalny *adj* patrician's, patricians'; patrician
patrycjat *sm G.* **~u** patriciate
patrycjusz *sm*, **patrycjusz|ka** *sf pl G.* **~ek** (a) patrician
patrycjuszowski *adj* = **patrycjalny**
patrymonialny *adj prawn. hist.* patrimonial
patrymonium *sn prawn. hist.* patrimony
patrystyczny *adj rel.* patristic
patrystyka *sf rel.* patristics
patrz|eć *v imperf* **~y**, **~ajcie**, **patrz|yć** *v imperf* [I] *vi* 1. (*kierować wzrok*) to look (**na kogoś, coś** at sb, sth); to see (**na świat itd.** the world etc.); *bez dopełnienia:* to look on; **~eć bezmyślnie przed siebie** to stare; **~eć, gdzie coś jest** to look for <to seek> sth; **~eć komuś prosto w oczy** to look sb full <straight> in the face; **~eć na coś z perspektywy lat** to see sth in retrospect; **~eć z furią na kogoś** to glare at sb; **miło ~eć** it's a pleasure to see; **nie chcieć nawet ~eć na kogoś, coś** to hold sb, sth in contempt; **nie móc ~eć na kogoś, coś** to hate the sight of sb, sth; **żal ~eć** a sight to break your heart; *przen.* **dobrze** <**źle**> **~y mu z oczu** he looks like <he seems to be, he gives the impression of being> a good fellow <a bad egg>; **mury, które ~yły na jego młodość** the walls which had witnessed his youth; **~eć komuś na palce** <**na ręce**> to be watchful of sb; to keep a watchful eye on sb; **~eć komuś w kieszeń** <**w portfel**> to sponge on sb; **~eć na coś przez czarne** <**różowe**> **okulary** to see sth in dark colours <through rose-coloured spectacles>; **~eć na kogoś, coś jak sroka w kość** to stare at sb, sth; **~eć na kogoś** <**w kogoś**> **jak w obraz** <**w tęczę**> to look admiringly at sb; **~eć spode łba** to scowl; **~eć spod oka** to watch (sb, sth) from the corner of the eye; **~eć śmierci** <**ruinie itd.**> **w oczy** to stand face to face with death <ruin etc.>; to envisage <to confront, to face> death <ruin etc.>; **~eć wilkiem** to wear an unfriendly expression <a sour look>; **~eć z boku** to be unbiassed <unprejudiced>; **strach** <**odwaga, uczciwość itd.**> **~y mu z oczu** terror <fearlessness, honesty etc.> is written in his face; **śmierć** <**ruina itd.**> **~yła mu w oczy** death <ruin etc.> stared him in the face; **jak się ~y** first rate; **gracz jak się ~y** a first-rate player; **rychło** <**tylko**> **~eć** any moment; (*ze zdziwieniem*) **~cie!** well, well!; hullo!; just fancy!; *wojsk* **w prawo** <**w lewo**> **~!** eyes right <left>! 2. (*mieć pogląd na coś*) to view (**na coś** sth); to have views (**na jakąś sprawę** on a question); **inaczej na coś ~eć** to take a different view of sth; *przen.* **daleko** <**szeroko**> **na coś ~eć** to take long <broad> views of sth; **wysoko ~eć** to aim high 3. (*obserwować, zauważać*) to observe <to notice> (**na coś** sth); to see (**na coś** sth) 4. (*uważać za coś, traktować*) to look (**na kogoś, coś jak ...** on sb, sth as ...); to regard (**na kogoś, coś życzliwie** <**z szacunkiem, podejrzliwie itd.**> sb, sth kindly <with respect, suspicion etc.>); *przen.* **~eć na kogoś** <**na coś**> **krzywo** <**krzywym, złym okiem**> to be unfavourably disposed towards sb <to frown upon sth>; **~eć z góry na kogoś** to look down on sb; to look at sb down one's nose 5. *pot.* (*o budynku — być skierowanym*) to face <to front> (**na morze, na północ itd.** the sea, North etc.); (*o oknach, drzwiach*) to open (**na ogród, na ulicę itd.** on <into> the garden, the

street etc.) 6. *pot.* (*zważać*) to heed (**na coś** sth); to give <to pay> heed (**na coś** to sth); to take care (**żeby (nie)...** (not) to...) 7. *pot.* (*wyglądać na kogoś, coś*) to look (**na raroga** like a scarecrow) 8. *z przysłówkiem, przyimkiem lub wyrażeniem przyimkowym:* **~eć dokoła (siebie)** to look round (one); to look about one; **~eć na dół** to look down; **~eć naprzód** to look ahead; **~eć przed siebie** to look before one; to look ahead; **~eć przez coś** to look through sth; **~eć przez okno** to look through the window <out of the window>; **~eć w dół** <**w górę**> to look down <up>; **~eć w przyszłość** to look into the future; to look <to see far> ahead; **~eć za siebie** to look back <behind one> II *vt pot.* 1. (*pilnować*) to take care (**czegoś** of sth); **~ z czego żyjesz** don't <never> quarrel with your bread and butter; *pot.* **~ <~aj> swego nosa!** mind your own business! 2. (*wypatrywać*) to wait (**czegoś** for sth); to expect (**czegoś** sth); **~eć zbawienia** to expect <to await> deliverance 3. (*ubiegać się*) to seek (**spadku itd.** an inheritance etc.) III *vr* **~eć, ~yć się** = **~eć** *vi* 1.; **wszyscy (się) na ciebie ~ą** everybody is looking at you

patrzeni|e *sn* (↑ **patrzeć, patrzyć**) **bezmyślne ~e przed siebie** (a) stare; **sposób ~a** view(s); point of view; **sposób ~a na świat** outlook upon life

patrzyć *zob.* **patrzeć**

patyczkować się *vr imperf pot.* to stand on ceremony (**z kimś** with sb); to handle (**z kimś** sb) with kid gloves

patyczkowaty *adj*, **patyczkowy** *adj* thin; slender

patyk *sm* (*kijek*) stick; (*gałązka*) twig

patykowaty *adj* thin; slender

patyn|a[1] *sf singt* 1. (*śniedź*) verdigris 2. (*nalot powstający przez wieki lub sztucznie wytwarzany*) patina; *przen.* mellowness; **okryć się ~ą** to mellow; to take on a patina

patyna[2] *sf rel.* paten

patynować *v imperf* I *vt* to patinate, to patinize II *vr* **~ się** to patinate (*vi*); to become patinated; *przen.* to mellow; to take on a patina

patynowanie *sn* (↑ **patynować**) patination

paulin *sm* Paulite <Paulinite> (Father)

pauperyzacja *sf singt* pauperization

pauperyzować *vt imperf* to pauperize

pauza *sf* 1. (*przerwa*) pause; stop; intermission; interval 2. *szk.* break; interval; recess; **duża <wielka> ~** playtime; *am.* play-spell 3. *muz.* rest 4. *druk.* dash; blank

pauzować *vi imperf* to pause

pauzowanie *sn* (↑ **pauzować**) pause; stop; intermission

paw *sm G.* **~ia** *zool.* (*Pavo*) peacock; *pl* **~ie** peafowl; **chodzić jak ~** to strut; to peacock; **dumny jak ~** as proud as a peacock

pawana *sf chor. muz.* pavan(e)

paw|ąz *sm G.* **~ęza** <**~ęzu**> hay-beam <hay-pole> (to keep down the hay on the cart)

pawęż *sf* 1. = **pawąz** 2. *hist.* (*tarcza*) buckler; shield

pawężnica *sf bot.* (*Peltigera*) a peltigerous lichen

pawężnicowat|y *bot.* I *adj* peltigerous II *spl* **~e** (*Peltigeraceae*) (*rodzina*) the family Peltigeraceae

pawężnik *sm hist.* 1. (*żołnierz*) shielded warrior 2. (*rzemieślnik*) shield-maker

pawi *adj* 1. (*dotyczący pawia*) peacock's, peacocks'; peahen's, peahens'; pavonine; **~e oko** eye of a peacock's tail; *przen.* **stroić się w ~e pióra** to deck oneself with borrowed plumes; *zool.* **~e oczko** a) (*Lebistes reticulatus*) guppy, millions fish b) (*Vanessa io*) peacock butterfly 2. (*o kolorze*) peacock blue <green>

pawian *sm zool.* (*Papio cynocephalus*) baboon

pawic|a *sf zool.* 1. (*samica pawia*) peahen 2. (*motyl*) saturnid; *pl* **~e** (*Saturnidae*) (*rodzina*) the family Saturnidae

pawik *sm zool.* 1. *dim* ↑ **paw** 2. (*motyl*) (*Vanessa io*) peacock butterfly; **nastrosz ~** (*Smerinthus ocellata*) a hawk moth

pawilon *sm G.* **~u** 1. *arch. bud.* pavillion 2. *arch. bud.* (*boczne skrzydło*) annex(e); extension (**budynku** to a building) 2. † (*bandera*) flag

pawlacz *sm bud.* storage space (under the ceiling, in a corridor etc.)

pawłowizm *sm singt G.* **~u** *biol.* Pavlov's theory <method>

paza *sf techn.* groove

pazerny *adj pot.* greedy

paziostwo *sn singt* pagehood

paziowski *adj* page's

paznokciowy *adj* ungual; *bot.* (*o płatku*) unguiculate

paznok|ieć *sm G.* **~cia** nail; finger-nail; (*u nogi*) toe-nail; **lakier, nożyczki, szczoteczka do ~ci** nail-polish, nail-scissors, nail-brush; *pot.* **ani na ~ieć** not an atom; not a whit <a scrap, a crumb>

pazuch|a *sf w wyrażeniach:* **za ~ą** (*u kobiety*) in one's bosom; (*u mężczyzny*) in one's breast-pocket; concealed under one's jacket; **zza ~y** out of one's breast-pocket; from under one's jacket

pazur *sm* 1. (*u ssaków i ptaków*) claw; (*u ptaków*) talon; pounce; (*u koguta*) cockspur 2. *pot.* (*u człowieka*) nail; *przen.* **lwi ~** the stamp of genius; cachet; **ostrzyć na coś ~y** to cast covetous glances on sth; **pisać <bazgrać> jak kura ~em** to scrawl; **pokazać ~y** to bare one's claws; to show fight; **przyciąć komuś ~y** to pare sb's claws; **schować ~y** to draw in one's claws; **skakać komuś z ~ami do oczu** to fly into sb's face <at sb's throat>; **trzymać się ~ami czegoś** to hold on to sth like grim death; **wpaść w czyjeś ~y** to fall into sb's clutches; **zębami i ~ami** tooth and nail 2. *techn.* clutch; claw; fang; **~ do wyciągania gwoździ** (nail) claw

pazurczatka *sf zool.* (*Callithrix*) marmoset

pazur|ek *sm* 1. *dim* ↑ **pazur**; *dziec.* **z górki na ~ki** as fast as one's legs will carry one 2. (*grabki*) claw

pazurzasty *adj* clawed; *zool.* unguiculate

paź *sm* 1. *hist.* page; **fryzura na pazia** bob; bobbed hair; **strzyc się na pazia** to wear one's hair bobbed 2. *zool.* **~ królowej** (*Papilio machaon*) swallow-tail (butterfly)

październik *sm* October

październikowy *adj* October — (weather etc.); **Wielka Rewolucja Październikowa** The Great October Socialist Revolution

paździerz *sm* harl (of flax, hemp); boon <sheave> (of flax)

pącz|ek *sm G.* **~ka** 1. *bot.* (*zawiązek kwiatostanu*) bud; button; burgeon; **puszczać ~ki** to bud; to burgeon; **~ek liściowy** gemma; leaf-bud 2. *kulin.*

doughnut; **opływać jak ~ek w maśle** to be in the lap of luxury; to be in clover 3. *biol.* gemma

pączkować *vi imperf* 1. (*wypuszczać pączki*) to bud; to burgeon 2. (*rozmnażać się wegetatywnie*) to gemmate

pączkowanie *sn* (↑ **pączkować**) *biol.* gemmation

pączkowy *adj* bud __ (mutation etc.)

pączuszek *sm dim* ↑ **pączek**

pąk *sm* = **pączek** 1.

pąkla *sf zool.* (*Balanus*) barnacle

pąkowie *sn singt* buds

pąkowy *adj* buddy

pąs *sm G.* ~**u** 1. (*kolor*) poppy <bright> red; crimson 2. *pl* ~**y** blush; **stanąć w ~ach** to redden; to blush; to turn crimson

pąsowie|ć *vi imperf* ~**je** 1. (*lśnić kolorem pąsowym*) to redden 2. (*oblewać się rumieńcem*) to blush; to redden; to turn crimson

pąsowo *adv* bright red; crimson; **farbowany na ~** coloured red <crimson>

pąsowy *adj* bright red; crimson

pątnictwo *sn* pilgrimaging; (the) making (of) pilgrimages

pątnik † *sm* pilgrim

pchacz *sm* pusher(-tug)

pchać *v imperf* [I] *vt* 1. (*posuwać przed sobą*) to push; to shove; *techn.* to push; to impel; to propel; *sport* to put (**kulę** the weight, the stone, the shot); *pot.* **~ biedę** to keep body and soul together 2. *przen.* to urge <to egg (sb) on, to drive> (**do czegoś** <**do robienia czegoś**> (sb) somewhere <to do sth>) 3. (*wpychać*) to shove <to thrust, to cram, to stuff> (**coś do skrzyni, worka itd.** sth into a box, a sack etc.); *pot.* **~ nos w cudze sprawy** to poke one's nose into other people's affairs; **~ pieniądze w przedsiębiorstwo** to pour money into an enterprise; **~ w siebie jedzenie** to stuff oneself with food 4. *pot.* (*wysyłać*) to dispatch <to send, to rush> (**kogoś, coś gdzieś** sb, sth somewhere) [II] *vr* **~ się** 1. (*tłoczyć się*) to crowd <to push one's way, to squeeze one's way, to crush> (**do tramwaju itd.** into the tram etc.; **przez drzwi** through the door); **~ się do pokoju** <**do towarzystwa**> to barge into a room <into the midst of a company>; *pot.* **~ się drzwiami i oknami dokądś** to throng somewhere; **samo się pcha w ręce** it comes of itself 3. (*ubiegać się*) to strive (**do czegoś** for sth) 4. *pot.* (*posuwać się, iść dalej*) to go ahead

pchanie *sn* ↑ **pchać**

pchełk|a *sf* 1. *dim* ↑ **pchła** 2. *zool.* (*Phyllotreta*) flea beetle 3. *pl* ~**i** (*gra*) tiddly-winks

pchł|a *sf pl G.* **pcheł** *zool.* (*Pulex irritans*) flea; *pl* ~**y** (*Aphaniptera, Siphonaptera*) (*rząd*) the fleas; **ugryzienie ~y** flea-bite

pchnąć *v perf* [I] *vt* 1. = **pchać**; to give (sb, sth) a push <a shove> 2. (*przekłuć*) to thrust <to stab> (**kogoś sztyletem itd.** sb with a dagger etc.); to lunge (**kogoś rapierem, laską itd.** at sb with a foil, a cane etc.) [II] *vr* **~ się** to stab oneself (**sztyletem, nożem** with a dagger, a knife)

pchnięcie *sn* (↑ **pchnąć**) (a) push; (a) shove; (a) thrust; (a) lunge; **dobrze wymierzone ~** home-thrust; *sport* **~ kulą** shot-put; put (of the weight <stone>)

pean *sm G.* ~**u** *lit.* paean

pech *sm pot.* 1. (*brak szczęścia*) bad luck; misfortune; hard lines; *am.* jinx; **mieć ~a** a) (*być pechowcem*) to be unlucky b) (*doznać niepowodzenia*) to have no luck; to be out of luck; **miałem tego ~a, że zapomniałem** <**zgubiłem itd.**>**...** I had the misfortune to <I was so unfortunate as to> have forgotten <lost etc.>...; as (ill-)luck would have it I had forgotten <lost etc.>...; **to przynosi ~a** it's unlucky; it brings bad luck; **to ~!** worse luck!; too bad!; (*nie udało się*) no luck! 2. = **pak**[1]

pechow|iec *sm G.* ~**ca** *pot.* lackless chap; unlucky <ill-starred> fellow

pechowo *adv pot.* unluckily; unhappily; unsuccessfully; as ill-luck would have it; by mischance; **to się ~ składa** this is most unfortunate

pechowy *adj pot.* unlucky; ill-starred; unfortunate

pec|ka *sf pl G.* ~**ek**, **pecyna** *sf* (*grudka ziemi*) clod; (*kawałek cegły*) brick-bat

pedagog *sm* 1. (*wychowawca*) educator; (*teoretyk nauczania*) educationist 2. *hist.* (*w starożytności*) pedagogue

pedagogi|a *sf singt GDL.* ~**i** pedagogy; education

pedagogicznie *adv* pedagogically

pedagogiczny *adj* pedagogic(al); educational

pedagogika *sf* pedagogics; education

pedalarz *sm druk.* treadler

pedalizacja *sf singt muz.* pedalling

pedał[1] *sm G.* ~**u** 1. (*w pojeździe mechanicznym*) pedal; (*w maszynach*) treadle; foot-lever; **~ gazu** accelerator 2. (*w instrumentach muzycznych*) pedal 3. *druk.* treadle-press 4. *pl* ~**y** *przen. żart.* (*nogi*) trotters; stumps

pedał[2] *sm wulg.* pansy (boy); nancy; sod

pedałować *vi imperf* 1. *sport* to pedal 2. *muz.* to pedal 3. *pot. żart.* (*iść szybko*) to race; to dash; to rush

pedałowy *adj* 1. *muz.* pedal __ (board, key, coupler etc.) 2. *techn.* treadle <treadling> __ (machine etc.)

pedałów|ka *sf pl G.* ~**ek** *druk.* treadle-press

pedant *sm* pedant; prig; precisian; *pot.* square-toes; **~ na punkcie czegoś** stickler for sth; **być ~em** to dot one's i's and cross one's t's

pedanteri|a *sf singt GDL* ~**i** pedantry; priggishness; punctiliousness

pedantka *sf* = **pedant**

pedantycznie *adv* pedantically; priggishly; punctiliously; meticulously

pedantyczny *adj* pedantic; priggish; punctilious; meticulous; *pot.* square-toed

pedantyzm *sm* = **pedanteria**

ped|el *sm G.* ~**ela** <~**la**> *uniw.* apparitor; mace-bearer; beadle

pederast|a *sm* (*decl* = *sf*) p(a)ederast; homosexual; sodomite; **on jest ~ą** he is queer

pederasti|a *sf singt GDL.* ~**i** p(a)ederasty; sodomy

pediatra *sm* p(a)ediatrist, p(a)ediatrician; children's doctor

pediatri|a *sf GDL.* ~**i** *med.* 1. *singt* (*dział medycyny*) p(a)ediatrics; children's diseases 2. (*oddział szpitala*) children's ward(s)

pediatryczny *adj* p(a)ediatric

pedicure *indecl* pedicure (in a beauty parlour); chiropody (for removal of corns etc.)

pedologi|a *sf singt GDL.* ~**i** p(a)edology

pedologiczny *adj* p(a)edological

pedotryba *sm hist.* p(a)edotribe

peem *sm G.* **~u** *wojsk.* machine-carbine

peeselow|iec *sm G.* **~ca** member of the Polish Peasants' Party

Pegaz *sm mitol.* Pegasus; **dosiąść ~a** to mount one's Pegasus

pegeerowski *adj* of a state farm

pegmatyt *sm G.* **~u** *miner.* pegmatite

pegmatytowy *adj* pegmatitic

pejcz *sm* riding-whip; hunting-crop

pejoratyw *sm G.* **~u** *jęz.* (a) pejorative

pejoratywność *sf singt jęz.* pejorative character (of a word etc.)

pejoratywny *adj* pejorative

pejotl *sm G.* **~u** *farm.* peyotl

pejs *sm* (*zw.pl*) side curl

pejsachówka *sf singt* kind of plum brandy

pejsaty *adj* wearing side curls

pejzaż *sm G.* **~u** 1. (*obraz oraz widok natury*) landscape 2. (*dziedzina sztuk plastycznych*) landscape painting

pejzażowy *adj* landscape — (painting etc.)

pejzażysta *sm* (*decl* = *sf*), **pejzażyst|ka** *sf pl G.* **~ek** landscapist

pekari *indecl zool.* (*Pecari*) peccari

pekińczyk *sm* (*pies*) Pekin(g)ese; *pot.* peke

peklować *vt imperf* to pickle <to corn> (meat)

peklowanie *sn* ↑ **peklować**

peklowina *sf* corned meat

pektorał *sm G.* **~u** 1. (*krzyż*) pectoral cross 2. (*napierśnik*) pectoral

pektyna *sf biochem.* pectin

pektynowy *adj* pectic; pectinous

pela *sf* floss silk

pelagial *sm G.* **~u** *geogr.* pelagic zone

pelagianin *sm* (a) Pelagian

pelagianizm *sm G.* **~u** Pelagianism

pelagiczny *adj* pelagial; pelagic (zone, deposits etc.)

pelargoni|a *sf GDL.* **~i** *bot.* (*Pelargonium*) geranium

peleng *sm G.* **~u** *lotn. mar.* bearing

pelengator *sm lotn. mar.* course and bearing indicator

pelengować *vt imperf lotn. mar.* to take the bearings (**coś** of sth)

peleryna *sf* 1. (*zwierzchnie okrycie*) cloak 2. (*rodzaj kapy sięgającej od kołnierza do łokci*) cape 3. = **pelerynka** 2.

pelerynka *sf* 1. *dim* ↑ **peleryna** 1., 2. 2. (*w stroju damskim*) pelerine; tippet; (*w stroju kościelnym*) tippet

peleton *sm G.* **~u** *sport* group (of cyclists in a race)

pelikan *sm zool.* (*Pelecanus*) pelican; *pl* **~y** (*Pelecanidae*) (*rodzina*) the family Pelecanidae

pelisa *sf* pelisse; fur-lined coat

pelit *sm G.* **~u** *miner.* pelite

pelitowy *adj* pelitic

pellikula *sf biol.* pellicle

pelta *sf hist.* pelta

pelur *sm G.* **~u** pelure

peluszka *sf singt* field pea

pełen *zob.* **pełny**

pełgać *vi imperf* 1. (*o świetle*) to glimmer; to flicker; (*o płomieniu — przesuwać się*) to lick (**po czymś** sth) 2. *przen.* (*przejawiać się w oczach*) to twinkle; to sparkle

pełganie *sn* (↑ **pełgać**) (a) glimmer; (a) flicker; *przen.* (a) twinkle; (a) sparkle

pełni|a *sf* 1. (*faza księżyca*) full moon; (*o księżycu*) **po ~** past the full; **w ~** at the full; **twarz jak księżyc w ~** moon-face 2. (*pełność*) ful(l)ness; plenitude; **~a głosu <barwy>** richness of a voice <of a colour>; **~a zadowolenia** complete satisfaction; **w ~** a) (*całkowicie*) fully; entirely; to the full; **w ~ zasługiwać na coś** to have fully deserved sth; **w całej ~** in the full sense of the word b) (*bez zastrzeżeń*) unreservedly 3. (*szczyt*) height; climax; apogee; **lato było w ~** it was full <high> summer; **w ~ zimy** in the depth of winter 4. (*otwarte morze*) the open sea; high sea(s)

pełni|ć *vt imperf* to fulfil <to perform> (certain duties); (*zastępować*) to act (**funkcje dyrektora itd.** as manager etc.); **~ący obowiązki sekretarza itd.** acting secretary etc.; **~ć służbę <wartę>** to be on duty <on guard>; *przen.* (*o przedmiocie, izbie itd.*) **~ć obowiązki czegoś** to do duty for sth

pełnik *sm bot.* (*Trollius*) globe flower

pełno *adv* 1. (*po brzegi*) to the brim; **mieć ~ czegoś** to be full of sth; **mam ~ wody w butach** my boots are full of water 2. (*obficie*) in abundance; in great plenty; galore; no end; **na łące ~ kwiatów** the meadow abounds with flowers; **w stawie ~ ryb** the pond teems with fish; **w lasach ~ zwierzyny** the forests are full of game <teem with game>; **mam ~ interesów** I have no end of business to settle; **on ma ~ książek** he has books galore; **wszędzie tego ~** it is to be seen <you see it> everywhere; (*o człowieku*) **wszędzie go ~** you see <you will find> him here, there and everywhere 3. (*tłoczno*) no end <a crowd> (of people); **tam było ~** the place was crowded 4. (*tylko w comp i sup — całkowicie*) to the full; to the highest degree

pełnoetatowy *adj* (*o zajęciu*) full-time (job etc.)

pełnogłos *sm G.* **~u** ful(l)ness; (*wyrazistość brzmienia*) richness of sound

pełnogłos|ka *sf pl G.* **~ek** *jęz.* vowel

pełnogłoskowy *adj* vowelled; vowel-like

pełnokrwisty *adj* full-blooded

pełnokwiatowy *adj* full-blossomed

pełnoletni *adj* of age; **stać się ~m** to come of age; to become major; to attain one's majority

pełnoletnoś|ć *sf singt* majority; (*u dziewczyny*) age of consent; **dojść do ~ci, osiągnąć ~ć** to come of age; to attain one's majority

pełnometrażowy *adj* feature — (film)

pełnomocnictwo *sn* (*plenipotencja*) full powers; *prawn.* letters <warrant> of attorney; (*dokument*) letters of procuratory

pełnomocnik *sm* plenipotentiary; procurator; proxy

pełnomocny *adj* having full powers to act; plenipotentiary; **minister ~** minister plenipotentiary

pełnomorski *adj mar.* sea-worthy

pełnopłatny *adj* with full pay; **urlop ~** full-pay leave

pełnoprawny *adj* with full rights (of citizenship etc.)

pełnorejow|iec *sm G.* **~ca** *mar.* frigate

pełnorogi *adj* solid-horned; antlered

pełnoroż|ec *sm G.* **~ca** antlered animal

pełnoś|ć *sf singt* 1. = **pełnia** 2., 3. 2. (*okrągłość*) ful(l)ness; roundness; **nabrać ~ci** to fill out; to round out

pełnotłusty *adj* (*o mleku*) full <whole> (milk); (*o serze*) full-cream (cheese)

pełnowartościowy *adj* of standard value; (*o złocie, monecie*) sterling

pełnozamachowy *adj* **młot ~** sledge hammer

pełn|y [I] *adj* (*także* **pełen** *adj praed*) 1. (*napełniony*) full (**czegoś** of sth); filled (**czegoś** with sth); (*o pojeździe, środku lokomocji itd.*) full up; **oczy ~e łez** eyes brimming <suffused> with tears; **~y, pełen trzos** well-lined purse; **~y, pełen po brzegi** brim-full; chock-full; full to capacity; **brać coś ~ą garścią** to take sth by the handful; **mieć ~e ręce roboty** to have one's hands full; not to know which way to turn 2. (*niczym nie ograniczony*) absolute (power etc.); **~e morze** open sea; high sea(s) 3. (*całkowity*) full; complete; entire (satisfaction, security etc.); (*nasycony*) replete; **~e poparcie** whole-hearted support; **oddychać ~ą piersią** to breathe deep; **śpiewać ~ym głosem** to sing lustily <at the top of one's voice, of one's lungs>; **~ym głosem** openly; freely; **z ~ymi żaglami** (at) full sail 4. (*całkowicie rozwinięty*) full (steam, speed, blood, sense of a word etc.); *roln.* **~y nawóz** stable manure 5. (*mający właściwą miarę, ilość, wagę itd.*) full (measure, weight, number etc.); whole; full; (*o wydaniu, utworze*) unabridged; **~e imię i nazwisko** full name; name in full; **~e dwie godziny** two full hours; **~e mleko** whole milk; **~e pobory** full pay; **~ trzy dni** three whole <clear, solid> days; **pracować na ~ym etacie** to work full-time; (*o publikacji*) **w ~ym brzmieniu** without omissions; with no omissions; **w ~ym składzie** in force 6. (*wypełniony wewnątrz*) solid; massive 7. (*okrągły, pulchny*) full (face, figure, moon etc.) 8. (*owładnięty, przepełniony*) full (of hope, feeling etc.); instinct (**życia, dobroci itd.** with life, kindness etc.) 9. (*o kwiatach*) double (pink, daffodil etc.) [II] *adv w wyrażeniu:* **do ~a** brim-full; up to the brim

pełzacz *sm* 1. *rz.* (*ten, co pełza*) creeper 2. *przen.* (*pochlebca*) creeper; flunkey 3. *zool.* (*Certhia*) tree-creeper 4. *mar.* hank

pełzać *vi imperf* 1. (*o płazach, gadach i owadach*) to creep; (*o ludziach i zwierzętach*) to crawl 2. *przen.* (*płaszczyć się*) to creep; to fawn; to cringe 3. (*poruszać się bardzo wolno*) to creep (along) 4. *przen.* (*o czasie itd.*) to drag on <along> 5. (*o roślinach*) to creep 6. (*o mgle, dymie itd.*) to drift 7. = **pełgać**

pełzak *sm* 1. (*roślina*) creeper 2. *zool.* amoeba; *pl* **~i** (*Amoebae*) (*podrząd*) the Amoebae

pełzakowaty *adj* amoebic

pełzakowy *adj* amoeb(a)ean

pełzanie *sn* (↑ **pełzać**) (a) creep; (a) crawl; **~ szyn** rail creep

pełz|nąć *vi imperf* **~ł** 1. = **pełzać** 2. (*o kolorze — płowieć*) to fade

pełznięcie *sn* (↑ **pełznąć**) (a) crawl; (a) creep

penat|y *spl G.* **~ów** Penates

pendant *sn indecl* pendant <companion> (**do obrazu, wazonu itd.** to a picture, vase etc.)

pendent *sm G.* **~u** *wojsk.* shoulder-belt; baldric

pendentyw *sm G.* **~u** *arch.* pendentive

penelop|a *sf żart.* Penelope; **praca <robota> ~y** Penelopean task

peneplena *sf geol.* peneplain, peneplane

peneplenizacja *sf singt geol.* peneplanation

penetracja *sf singt* 1. (*przenikanie*) penetration; infiltration 2. (*wnikanie*) penetration

penetracyjny *adj* penetrative

penetrować *v imperf* [I] *vi* (*wnikać*) to penetrate [II] (*przenikać badając*) to penetrate (**coś** into sth); to examine

penetrowanie *sn* (↑ **penetrować**) penetration

penicylina *sf* penicillin

penicylinowy *adj* penicillin — (**maść itd.** ointment, salve etc.)

penitencjał *sm G.* **~u** (a) penitential

penitencjaria *sf singt GDL.* **~i** (a) penitentiary

penitencjariusz *sm* (a) penitentiary

penitencjarny *adj prawn.* penitentiary

penitent *sm*, **penitentka** *sf* (a) penitent

peniuar *sm G.* **~u** dressing-gown

pens[1] *sm* penny; **dwa, trzy itd. ~y** twopence, threepence etc.; **za jednego ~a cukierków** a pennyworth of sweets; **za sześć ~ów chleba, mięsa itd.** six pennyworth of bread, meat etc.

pens[2] *sm G.* **~u** = **pensum** 2.

pensja *sf* 1. (*wynagrodzenie*) salary; wages; **~ wystarczająca na życie** living wage(s) 2. † (*renta*) (old-age) pension 3. † (*zakład*) girls's boarding-school

pensjonariusz *sm*, **pensjonariusz|ka** *sf pl G.* **~ek** (*w pensjonacie*) (paying) guest; boarder; visitor; (*w internacie*) boarder; (*w zakładzie dobroczynności*) inmate (of an alms-house etc.)

pensjonar|ka *sf pl G.* **~ek** school-girl; boarding-school miss; *am.* bobby-soxer

pensjonarski † *adj* boarding-school girl's; schoolgirlish; missish

pensjonat *sm G.* **~u** (*w Anglii*) boarding-house; (*na kontynencie*) pension

pensjonować † *vt imperf* to pension off; to dismiss; *wojsk.* to put (sb) on the retired list

pensum *sn* 1. (*obowiązkowe godziny dydaktyczne*) obligatory teaching hours 2. (*zadana lekcja*) lesson (to be learnt); homework

pensyjny *adj* of a salary; of (sb's) wages

pentada *sf* pentad

pentagon *sm G.* **~u** 1. † *mat.* pentagon 2. **Pentagon** the Pentagon

pentagram *sm G.* **~u** pentagram

pentametr *sm G.* **~u** pentameter

pentan *sm G.* **~u** *singt chem.* pentane

pentaptyk *sm G.* **~u** *plast.* pentaptych

pentarchi|a *sf singt GDL.* **~i** *hist.* pentarchy

Pentateuch *sm G.* **~u** Pentateuch

pentatonika *sf muz.* pentatonic scale

pentlandyt *sm G.* **~u** *miner.* pentlandite

pentoda *sf radio* pentode

pentoza *sf chem.* pentose

peoni|a *sf GDL.* **~i** = **piwonia**

peowiak *sm hist.* member of the clandestine Polish military organization of 1914

Pepeer *sm G.* **~u** *hist.* Polish Workers' Party

pepe(e)row|iec *sm G.* **~ca** *hist.* member of the Polish Workers' Party

pepe(e)rowski *adj* of the Polish Workers' Party

Pepees *sm G.* **~u** *hist.* Polish Socialist Party

pepe(e)sow|iec *sm G.* **~ca** *hist.* member of the Polish Socialist Party

pepe(e)sowski *adj* of the Polish Socialist Party

pepeg|i *spl G.* **~ów** *pot.* rubber-soled shoes
peperowiec *zob.* **pepeerowiec**
peperowski *zob.* **pepeerowski**
pepesowiec *zob.* **pepeesowiec**
pepesowski *zob.* **pepeesowski**
pepesza *sf*, **pepeszka** *sf* automatic pistol
pepina *sf* a variety of apple
pepiniera † *sf* nursery (of young painters, actors etc.)
pepita *sf*, **pepitka** *sf* shepherd's plaid; dog's <hound's> tooth check
peplos *sm G.* **~u** *hist.* peplos
peplum *sn hist.* peplum
pepsyna *sf biochem. farm.* pepsin(e)
pepton *sm G.* **~u** *biochem. farm.* peptone
peptonizować *v imperf* [I] *vt* to peptonize [II] *vr* **~ się** to be converted into peptone
peptonowy *adj* peptonic
peptyd *sm G.* **~u** (*zw. pl*) *chem.* peptid(e)
peptyzacja *sf chem.* peptization
percepcja *sf* perception; the apprehensive faculty
percepcyjny *adj* perceptive
perceptywność *sf singt psych.* perceptivity
percha *sf* bee bread
percypować *vt vi imperf* to perceive; to apprehend
percypowanie *sn* (↑ **percypować**) perception; the apprehensive faculty
perć *sf reg.* mountain path
perełk|a *sf* 1. *dim* ↑ **perła** 2. *przen.* (*kropelka*) bead (of perspiration etc.) 3. *przen.* (*coś wyjątkowo wartościowego*) gem 4. *pl* **~i** *arch.* bead moulding; chaplet
perełkowanie *sn arch.* bead moulding
peremptorycznie *adv lit.* peremptorily
peremptoryczny *adj lit.* peremptory
perfekcj|a *sf singt* perfection; **do ~i** to perfection
perfektywność *sf singt jęz.* perfectivity
perfektywny *adj jęz.* perfective
perfidi|a *sf GDL.* **~i** perfidy; bad faith; double-dealing
perfidnie *adv* perfidly; with perfidy
perfidny *adj* perfidious; false-hearted; treacherous; double-dealing
perforacja *sf med. techn.* perforation
perforacyjny *adj* perforating — (machine etc.)
perforować *vt imperf* to perforate
perforowanie *sn* (↑ **perforować**) perforation
perfumeri|a *sf GDL.* **~i** perfumery; perfumer's shop
perfumowa|ć *v imperf* [I] *vt* 1. (*przesycać zapachem*) to perfume 2. (*skrapiać perfumami*) to scent; **~ny** scented [II] *vr* **~ć się** to use scent; to sprinkle oneself with scent
perfumowanie *sn* ↑ **perfumować**
perfumowy *adj* scented; fragrant
perfum|y *spl G.* **~** scent; perfume
pergamin *sm G.* **~u** 1. (*papier oraz dokument*) parchment 2. (*skóra barania*) sheepskin
pergaminnik *sm* parchment maker
pergaminowy *adj* 1. (*z pergaminu*) parchment — (paper, scroll etc.) 2. (*przypominający pergamin*) pergameneous; parchment-like
pergola *sf* pergola
perhydrol *sm G.* **~u** *farm.* perhydrol
period *sm G.* **~u** 1. *fizj.* periods; menses 2. † (*okres*) period
periodycznie *adv* periodically
periodyczność *sf singt fiz.* periodicity
periodyczny *adj* periodic (law, table, function etc.); periodical (publication etc.); recurrent (services)
periodyk *sm G.* **~u** (a) periodical; magazine
periodyzacja *sf* division into periods <stages>
periodyzować *vt imperf* to divide (sth) into periods <stages>
per|ka *sf pl G.* **~ek** *reg.* potato
perkal *sm G.* **~u** *tekst.* calico; chintz
perkalik *sm G.* **~u** *tekst.* muslin; chintz
perkalikowy *adj* muslin — (dress etc.)
perkalowy *adj* calico — (fabric etc.); chintz — (curtains etc.)
perkaty *adj* snub; **z ~m nosem** snub-nosed; pug-nosed
perko|tać *vi imperf* **~cze** <**~ta**> = **parkotać**
perkoz *sm zool.* 1. (*Podiceps*) grebe 2. *pl* **~y** (*Podicipedidae*) (*rodzina*) the family Podicipedidae
perkozica *sf* female grebe
perkusista *sm* (*decl* = *sf*) percussion; drummer
perkusja *sf singt* 1. *muz.* percussion (instruments) 2. *med.* percussion
perkusyjn|y *adj* percussive; pulsatile; **instrumenty ~e** percussion instruments
perl *sm G.* **~u** *druk.* pearl
perlica *sf* = **perliczka** 1.
perliczk|a *sf zool.* 1. (*Numida meleagris*) guinea-fowl; guinea-hen 2. *pl* **~i** (*Numididae*) (*rodzina*) the guinea-fowls
perliczy *adj* guinea-fowl's (egg etc.)
perlić *v imperf poet.* [I] *vt* 1. (*okryć niby perłami*) to pearl 2. (*nizać jak perły*) to string (beads etc.) [II] *vr* **~ się** to pearl <to bead> (*vi*); (*o szampanie itd.*) to bubble; to be pearled (**rosą itd.** with dew etc.)
perlik *sm górn.* bucking hammer
perlistość *sf singt* pearliness; pearly appearance <lustre, colour>
perlisty *adj* 1. (*srebrzysty jak perła*) pearl-like; pearly (teeth etc.); (*jasnoszary*) pearl grey 2. (*kroplisty*) in beads; (*o winie*) sparkling; **~ pot wystąpił mu na czole** beads of perspiration stood out on his forehead 3. *poet.* (*o dźwiękach*) rippling; **~ śmiech** ripples of laughter
perliście *adv* (to appear, to stand out etc.) in beads; *przen.* **śmiała się ~** her laughter rippled
perlit *sm G.* **~u** 1. *geol.* perlite 2. *techn.* pearlite
perlityczny *adj techn.* pearlitic (steel etc.)
perlon *sm G.* **~u** Perlon; *pl* **~y** Perlon stockings
per|ła *sf pl G.* **~eł** 1. (*klejnot*) pearl; **poławiacz ~eł** pearl-diver; **sznur ~eł** rope of pearls 2. *przen.* (*o kimś, czymś znakomitym*) pearl 3. *pl* **~ły** *przen.* (*krople wody, potu itd.*) beads 4. *pl* **~ły** *myśl.* pearls
perłopław|y *spl G.* **~ów** *zool.* (*Aviculidae*) (*rodzina*) the Aviculidae
perłorodn|y *adj* pearl-bearing; *zool.* **sójka ~a** (*Margaritana margaritifera*) pearl-oyster
perłow|iec *sm G.* **~ca** 1. (*masa perłowa*) mother-of-pearl; nacre 2. *geol.* perlite 3. *zool.* (*Argynnis*) fritillary
perłowo *adv* 1. (*przypominając perłę*) pearl-like 2. (*pomalowany na kolor perłowy*) painted pearl-grey; *sl.* **objechać kogoś na ~** to blow sb up; **urżnąć się na ~** to get soused
perłowoszary *adj* pearl-grey
perłow|y *adj* 1. (*przypominający perły*) pearly; **kasza ~a** pearl barley; **masa ~a** mother-of-pearl;

nacre; *bot.* **proso ~e** (*Pennisetum glaucum*) pearl millet; *przen.* **~e ząbki** pearly teeth 2. (*jasnoszary*) pearl-grey 3. (*ozdobiony perłami*) pearl — (necklace, diadem etc.); pearl-studded

perłówka *sf* 1. (*kasza*) pearl barley 2. *bot.* (*Melica*) melic grass

perm *sm singt G.* **~u** *geol.* the Permian period

permanencj|a *sf singt* permanence; **w ~i** permanently; in permanence

permanentnie *adv* 1. (*stale*) permanently 2. (*wciąż*) perpetually; for ever; unceasingly

permanentny *adj* 1. (*stały, trwały*) permanent 2. (*ciągły*) everlasting; perpetual; unceasing

permski *adj geol.* Permian

permutacja *sf lit.* permutation; transposition

permutyt *sm G.* **~u** *chem.* permutit

peron *sm G.* **~u** platform; **~ odjazdowy <przyjazdowy>** departure <arrival> platform

peronowy *adj* platform — (ticket, stall etc.)

peronów|ka *sf pl G.* **~ek** platform ticket

perora *sf* oration; peroration; harangue

perorować *vi imperf* to perorate; to declaim; to speachify; to hold forth

perorowanie *sn* (↑ **perorować**) oration; declamation; harangue

perpetuum mobile *sn indecl* perpetuum mobile

pers *sm* 1. **Pers** (*pl N.* **Persowie**) *hist.* (a) Persian 2. (*pl N.* **~y**) (*dywan*) Persian carpet <rug>

perseweracja *sf psych.* perseveration

perski *adj* Persian; **~ język** Persian; **~ dywan** Persian carpet <rug>; **proszek ~** Persian insect powder; *bot.* **~ bez** (*Syringa persica*) Persian lilac; *pot.* **~e oko** (do you) see any green (in my eye)?; **robić <puszczać, sypać> ~e oko do kogoś** to ogle sb; to wink

personali|a *spl G.* **~ów** personal data

parsonalista *sm* (*decl = sf*) *filoz.* personalist

personalistyczny *adj* personalistic

personalizm *sm G.* **~u** *filoz.* personalism

personalnie *adv* personally

personalnik *sm pot.* personnel manager <officer>

personaln|y [I] *adj* 1. (*osobowy, osobisty*) personal; **unia ~a** personal union 2. (*dotyczący spraw kadr*) personnel — (manager etc.) [II] *sm* **~y** personnel manager <officer>

personel *sm G.* **~u** staff; personnel; employees; **mieć braki w ~u** to be understaffed

personifikacj|a *sf singt* personification; embodiment; impersonation; **być ~ą czegoś** to impersonate sth

personifikować *vt imperf* to personify; to embody; to impersonate

personifikowanie *sn* (↑ **personifikować**) personification

perspektyw|a *sf* 1. (*otwarty widok*) vista; view; prospect 2. (*widoki na przyszłość*) perspective; outlook; prospect(s); **mieć coś w ~ie** to have sth in prospect <in view> 3. (*odległość czasowa*) retrospective view 4. (*w obrazie*) perspective; **~a powietrzna** aerial perspective; **skośna ~a** angular perspective; (*o rysunku*) **z dobrą <wadliwą> ~ą** in <out of> perspective

perspektywicznie *adv* in perspective; perspectively

perspektywiczność *sf singt* perspective treatment

perspektywiczn|y *adj* perspective; scenographic; **malarstwo ~e** scenography; **skala ~a** scenographic scale; **skrót ~y** foreshortening; **szkic ~y** scenograph; **widok ~y** vista

perspektywista *sm* (*decl = sf*) scenographer

perswadować *v imperf* [I] *vt* to argue (**komuś coś** with sb about sth); (to seek) to persuade (**komuś coś** sb of sth) [II] *vi* to argue (**komuś, że ...** with sb that ...); (to seek) to persuade (**komuś, że ...** sb that ...); **~ komuś, żeby coś zrobił <czegoś zaniechał>** to argue sb into doing <out of doing> sth; (to seek) to persuade sb to do sth <not to do sth>

perswadowanie *sn* (↑ **perswadować**) persuasion

perswazja *sf* persuasion; arguments; contention

persyflaż *sm G.* **~u** *lit.* persiflage

perszeron *sm zool.* percheron

perta *sf mar.* foot rope

pertraktacje *spl* negotiations; *wojsk.* parleys; **prowadzić ~** to negotiate

pertraktować *vi imperf* to negotiate; to carry on negotiations; to parley; to treat (with sb)

perturbacja *sf* 1. *lit.* (*naruszanie biegu spraw*) perturbation; (*zamieszanie*) commotion 2. *astr.* perturbation

perturbacyjny *adj astr.* perturbational

perturbować *vt imperf astr.* to perturb

peruka *sf* wig; **~ z harbajtelem** bag-wig

perukarz *sm* wig-maker

perukow|iec *sm G.* **~ca** *bot.* (*Cotinus*) smoke tree

peruwiański *adj* Peruvian; *farm.* **balsam ~** Peruvian balsam

perwersja *sf* 1. (*wynaturzenie*) perversity; perverseness 2. (*przewrotność*) waywardness

perwersyjność *sf singt* perversity

perwersyjny *adj* perverse; **osobnik ~** pervert

perydotyt *sm G.* **~u** *miner.* peridotite

peryferi|a *sf GDL.* **~i** 1. (*zewnętrzna część*) periphery 2. *pl* **~e** (*krańce miasta*) outskirts <suburbs> (of a town)

peryferyczny *adj* peripheric

peryferyjny *adj* 1. (*znajdujący się na peryferiach*) suburban 2. (*mniej ważny*) of secondary importance

peryfraza *sf lit.* periphrasis, periphrase

peryfrazować *vt vi imperf lit.* to periphrase

perygeum *sn astr.* perigee

peryhelium *sm astr.* perihelion

peryklaz *sm G.* **~u** *miner.* periclase

perykopa *sf liturg.* pericope

perypatetycki *adj*, **perypatetyczny** *adj* peripatetic

perypatetyka *sf singt filoz.* peripateticism

perypeti|a *sf GDL.* **~i** 1. (*punkt zwrotny w akcji powieściowej*) peripeteia, peripety 2. *pl* **~e** (*przejścia*) vicissitudes; ups and downs (of life etc.); incidents; mishaps

perypter *sm G.* **~u** *arch.* peripteros, periptery

peryskop *sm G.* **~u** *mar. wojsk. fot.* periscope

perystaltyczny *adj* peristaltic

perystaltyka *sf singt fizjol.* peristalsis

perystyl *sm G.* **~u** *arch.* peristyle

perz *sm G.* **~u** *bot.* 1. (*trawa*) (*Triticum*) wheat-grass 2. (*chwast*) (*także* **~ właściwy <rozłogowy>**) (*Agropyrum <Triticum> repens*) couch-grass, quitch, twitch, spear-grass

perzowisko *sn* field overgrown with couch-grass

perzyn|a *sf* 1. (*to, co zostało zniszczone pożarem*) charred ruins; ashes; **obrócić w ~ę** to lay in ashes; to reduce to ashes 2. (*żarzące się popioły*) embers

pestczak *sm bot.* drupe; stone fruit

pestecz|ka *sf pl G.* **~ek** *bot.* acinus (*pl* acini); stone (of grape etc.); pip (of apple, pear etc.)

pest|ka *sf pl G.* **~ek** 1. (*w owocu*) stone; **wyjmować ~ki z owoców** to stone fruits; *sl.* **zalać się w ~kę** to get soused 2. *pot.* (*drobnostka*) trifle

pestkow|iec *sm G.* **~ca** = **pestczak**

pestkow|y *adj* stone — (fruit etc.); **drzewo ~e** stone-fruit bearing tree

pestków|ka *sf pl G.* **~ek** noyau; persicot

pesymista *sm* (*decl* = *sf*), **pesymist|ka** *sf pl G.* **~ek** pessimist

pesymistycznie *adv* pessimistically

pesymistyczny *adj* pessimistic

pesymizm *sm singt G.* **~u** pessimism

peszyć *v imperf* [I] *vt* to disconcert; to abash; to put (sb) out of countenance; to confuse [II] *vr* **~ się** to get confused; to lose countenance; to be disconcerted <abashed>

petarda *sf* petard; torpedo

petent *sm*, **petent|ka** *sf pl G.* **~ek** suppliant; petitioner

petit *sm G.* **~u** *druk.* brevier; **drukować ~em** to print in brevier

petitowy *adj* printed in brevier

petrel *sm zool.* 1. (*ptak*) petrel; fulmar; **~ lodowy** (*Fulmarus glacialis*) arctic fulmar 2. *pl* **~e** (*Fulmarus*) (*rodzaj*) the genus Fulmarus

petrochemi|a *sf singt GDL.* **~i** petrochemistry

petrochemiczny *adj* petrochemical

petrochemikali|a *spl G.* **~ów** petrochemicals

petroglif *sm G.* **~u** *arch.* petroglyph

petrograf *sm* petrographer

petrografi|a *sf singt GDL.* **~i** *geol.* petrography

petrograficznie *adv* petrographically

petrograficzny *adj* petrographic

petryfikacja *sf* petrifaction

petryfikować *v imperf* [I] *vt* to petrify [II] *vr* **~ się** to petrify (*vi*); to become petrified

petryfikowanie *sn* (↑ **petryfikować**) petrifaction

petuni|a *sf GDL.* **~i** *bot.* (*Petunia*) petunia

petycj|a *sf* petition; **wnieść ~ę do władz** to petition the authorities

petycyjny *adj* petitionary

petyk *sm G.* **~u** reed used in basket-making

petytoryjny *adj prawn.* petitory

pew|ien[1] *adj* 1. (*jakiś*) a, an; a certain; one; *pl* **~ni** some; **człowiek w ~nym wieku** a man of a certain age; an elderly man; **~ien mój znajomy** a friend of mine; **~ien pisarz** a (certain) writer; **co ~ien czas** from time to time; at certain intervals; **~nego dnia** one day; once; *euf.* **~na część ciała** the backside 2. (*niejaki*) something of a; **to była ~na sensacja** it was something of a sensation

pewien[2] *adj praed* certain; sure; convinced

pewniak *sm pot.* 1. (*człowiek*) dependable <trustworthy, reliable> person 2. (*rzecz*) (a) certainty; *sl.* a cert

na ~a *pot.* 1. (*nieomylnie*) unfailingly; unerringly; safely; **grać na pewniaka** to play a safe <a winning> game 2. (*z całą pewnością*) for a certainty; certainly; for certain; confidently; with the utmost assurance; **wygramy na ~a** we are sure to win; **założyć się na ~a** to bet on a certainty

pewnie *adv* 1. (*w sposób zdecydowany*) resolutely; unhesitatingly; surely; confidently; with assurance; (*na mocnych nogach, podstawach*) firm(ly); steadily; **czuć się ~** to feel sure of oneself; **stać ~** to stand firmly; to be steady; **to nie stoi ~** it is unsteady 2. (*chyba*) surely; for sure; certainly; like enough; very like; as like as not; undoubtedly; **~ jesteś zmęczony** I am sure you are tired; must + *bezokolicznik Pres. Perf.*: **on już ~ przyjechał** he must have come by now 3. (*z całą pewnością*) for sure; for certain; **no ~!** certainly; of course; *pot.* you bet!; *am.* sure!; sure thing

pewnik *sm* 1. (*fakt całkowicie pewny*) (a) certainty; (a) truth 2. *filoz. mat.* axiom; truism

~iem *adv gw.* for sure

pewno *adv* = **pewnie** 2.

na ~ surely; for sure; ten to one; without fail; **przyjdź** <**napisz itd.**> **na ~** be sure <don't fail> to come <to write etc.>; **wiem o tym na ~** I know it for certain; **na ~ nie** certainly not; by no means

pewnoś|ć *sf singt* 1. (*przekonanie*) certainty; certitude; positiveness (of a fact etc.); conviction; **~ć jutra** security; **~ć siebie** self-confidence; self-assertion; assertiveness; aplomb; **mówić z ~cią** to speak with conviction; **nie tracić ~ci** <**stracić ~ć**> **siebie** to keep one's <to lose> countenance; **wiedzieć coś z ~cią** to know sth for a fact <for a certainty>; **z ~cią siebie** confidently 2. (*zdecydowanie*) resolution; confidence; assurance 3. (*niezawodność*) sureness; firmness; steadiness 4. (*wiarogodność*) reliability; trustworthiness; **nie ma co do tego ~ci** you cannot rely on it; it cannot be relied upon 5. (*bezpieczeństwo*) security; safety; safeness; **dla ~ci** to be on the safe side; to leave <leaving> nothing to chance

z ~cią certainly; surely; for sure; unquestionably; undoubtedly; no mistake; **z całą ~cią** most certainly; **z wszelką ~cią** ten to one

pewn|y *adj* 1. (*w formie orzecznikowej — niechybny*) certain; sure; inevitable; unquestionable; *karc.* **~a lewa** quick trick; **uważać coś za ~e** to take sth for granted; *pot.* **~y jak amen w pacierzu** beyond a doubt 2. (*niezawodny*) dependable; unfailing; safe 3. (*o człowieku — godny zaufania*) reliable; trustworthy; **zostawić coś w ~ych rękach** to put sth in safe hands 4. (*niewątpliwy*) certain; **to ~e, to ~a** there is no doubt about it 5. (*gwarantujący bezpieczeństwo*) safe; secure; **~ym głosem** confidently; with unfaltering voice; **~y krok** firm step; **~a ręka** steady hand; **~e oko** unerring eye 6. (*ufny*) assured; confident 7. (*przekonany*) certain; sure; convinced; **bezwzględnie ~y** positive; **~y siebie** self-confident; self-assertive; cock-sure; perky; **~y swego** convinced of being in the right; **być ~ym czegoś** to feel sure about sth; **być ~ym kogoś** to trust sb; to rely on sb; to have confidence in sb; **jestem ~y, że ...** I have every confidence that ...; I am confident that ...; **możesz być ~ym, że on będzie ...** depend upon it <rest assured> he will ...; **nie jestem ~y tego** I am not clear about that <as to that>; I don't know about that; *przen.* **nie być ~ym jutra** to be insecure <uncertain> of the future 8. *adj praed* (*bezpieczny*) sure; safe; secure

na pewne = **na pewniaka** *zob.* **pewniak**

peyotl *sm* = **pejotl**

Pezetpeer *sm G.* **~u** the Polish United Workers' Party

pezetpeerow|iec <**pezetperow|iec**> *sm G.* **~ca** member of the Polish United Workers' Party

pęca *sf myśl.* jess

pęcak <**pęczak**> *sm G.* **~u** hulled barley

pęcherz *sm* 1. (*na skórze*) blister 2. (*zbiornik moczowy*) bladder; *med.* **zapalenie ~a** cystitis; **chorować na ~** to have bladder trouble; *pot.* **nadęty ~** bladder; **latać** <**biegać**> **jak kot z ~em** a) (*biegać tu i tam*) to be restless; to bustle about b) (*usilnie zabiegać*) to put oneself out (to obtain sth) 3. (*błoniasty narząd*) bladder; (*u ryb*) **~ pławny** air-bladder; float; *anat. zool.* **~ płodowy** amnion; **~ żółciowy** gall-bladder 4. (*bańka*) bubble 5. (*dętka*) air-chamber; bladder 6. (*zbiornik na płyny*) bag; **~ z lodem** ice bag 7. *techn.* pocket; (*w metalu*) air-hole ‖ *leśn.* **~ żywiczny** pitch pocket

pęcherzow|y *adj* bladder — (complaint, trouble etc.); vesical (artery, plexus etc.); **kamienie ~e** urinary calculi; **wziernik ~y** cystoscope

pęcherzyca *sf* 1. *bot.* (*Physalis*) physalis, ground cherry 2. *singt med.* pemphigus

pęcherzyk *sm* 1. (*na ciele*) blister 2. (*narząd*) bladder; vesicle; follicle; bleb 3. (*bąbelek*) bubble 4. *techn.* blow-hole

pęcherzykowaty *adj* blistery; bladdery

pęcherzykowy *adj* vesicular; follicular; vesical

pęcina *sf* fetlock; pastern

pęcinowy *adj* fetlock — (joint etc.); pastern — (bone etc.)

pęczak *zob.* **pęcak**

pęcz|ek *sm G.* **~ka** tuft; fascicle; bunch; cluster; wisp (of straw, hay, grass etc.)

pęczkowy *adj* tufty; bunchy

pęcznie|ć *vi imperf* **~je** to swell; to bulge; to bilge; *geol.* to heave

pęcznienie *sn* (↑ **pęcznieć**) (a) swell; *geol.* (a) heave; *med.* turgescence

pęd *sm G.* **~u** 1. (*pędzenie*) velocity; speed; onward rush; scud; scamper; **masowy** <**paniczny**> **~** stampede; **nabrać ~u** to pick up speed; **odjeżdżać ~em** to whirl away; **w pędzie** at full speed; *pot.* **w te ~y** straight away 2. (*impet*) impetus; **nadać czemuś ~** to give an impetus to sth 3. (*popęd*) urge <impulse> (**do czegoś, do zrobienia czegoś** to sth, to do sth) 4. *fiz.* momentum 5. *bot.* shoot; sprout; **~ boczny** offshoot; **~ z korzenia** tiller; **puszczać** <**wypuszczać**> **~y** to shoot; to sprout

~em at full speed <gallop>

pędnia *sf techn.* (overhead) transmission; line shafting; **~ pasowa** belt transmission

pędnik *sm mar.* propeller

pędn|y *adj* motive (**energia itd.** power etc.); **materiał ~y** (motor-)fuel; **koło ~e** driving wheel; **pas ~y** drive belt

pędrak *sm* 1. *zool.* grub 2. *żart.* (*dziecko*) dot; sprat; toddler

pędzać *vt imperf* = **pędzić** *vt* 1., 3.

pędzarnia *sf ogr.* hothouse

pędz|el *sm G.* **~la** 1. (*narzędzie, przen. sposób malowania*) brush; **~el do bielenia** whitewash brush; **~el do golenia** shaving-brush; **~el do kleju** paste brush; **~el malarski** paintbrush 2. (*kępka, pęczek włosów*) tuft (of hair)

pędzelek *sm* (*dim* ↑ **pędzel**) (brush-)pencil; **~ do złoceń** tip

pędzelkowaty *adj* tufty

pędzenie *sn* 1. ↑ **pędzić** 2. (*destylowanie*) distillation

pędz|ić *v imperf* **~ę** I *vi* to run; to hurry (**dokądś** somewhere); to press on; to press <to push> forward; to rush (**dokądś** somewhere); (*jechać — o człowieku*) to ride; to drive; to tear along; to speed; to scorch (along); to rip; (*o pojeździe*) to run; to tear along; to scorch <to speed> (along); **~ić na dół** <**na górę**> **po schodach** to rush down <up> the stairs; to rush downstairs <upstairs>; **wskoczyć do ~ącego pociągu** to jump into a fast-moving train; **~ić ostatkiem** a) (*mieć na wyczerpaniu środki materialne*) to be on one's beam ends b) (*być u kresu sił*) to be exhausted <ready to drop, tired out> III *vt* 1. (*poganiać*) to drive (cattle, slaves etc.) 2. *przen.* (*spędzać*) to lead (**nędzny żywot itd.** a life of misery etc.); to spend (**czas itd.** one's time etc.) 3. (*przynaglać*) to rush (sb); to spur (sb) on 4. (*wprawiać w ruch*) to drive (**maszynę parą itd.** a machine by steam etc.); **maszyna ~ona elektrycznie** <**parą itd.**> power-driven <steam-driven etc.> machine 5. (*zmuszać do posuwania się*) to drive; (*o śniegu, chmurach, liściach itd.*) **~ony przez wiatr** wind-driven 6. (*produkować przez destylację*) to distil 7. *górn.* to dig out 8. *ogr.* to force (**rośliny w inspektach itd.** plants in hotbeds etc.)

pędziwiatr *sm pot.* harum-scarum (of a fellow); flighty chap

pędzlak *sm bot.* (*Penicillium*) a mould ot the genus Penicillium

pędzlarski *adj* brush-making — (industry)

pędzlować *vt imperf* to paint (**jodyną itd.** with iodine etc.)

pędzlowanie *sn* ↑ **pędzlować**

pęga *sf kulin.* shin of beef

pęk *sm G.* **~u** 1. (*wiązka*) tuft <tussock> (of hair etc.); bunch (of flowers, keys etc.); (*naręcze*) armful <sheaf> (of hay etc.) 2. (*kępa*) cluster (of flowers in a garden, in a meadow etc.) 3. (*plik*) packet (of letters etc.); roll <*am.* wad> (of bank-notes etc.) 4. (*tobół*) bundle (of wool, skins etc.) 5. *mat.* pencil (of rays etc.)

pęk|ać *vi imperf* — **pęk|nąć** *vi perf* **~ł** 1. (*przestawać być całym wskutek wytworzenia się szczeliny, rysy, otworu*) to crack; to split; to flaw; to rift; to cleave; to burst (open); *bot.* (*o strąkach*) to dehisce; (*o rosnącym drzewie*) to shake; **kość ~ła** the bone was fractured; **skała ~a** a rock fissures; **skóra ~a** the skin gets chapped; **wrzód ~ł** the abscess broke; *przen.* **głowa mi ~a** my head is splitting; **~ać ze śmiechu** to split one's sides with laughter; **~ać ze złości** <**z ciekawości**> to be bursting with anger <with curiosity>; **serce ~a** one's heart breaks; **uszy ~ają** it is <the noise is> ear-splitting; *pot.* **nie zrobiłbyś tego, choćbyś ~ł** you couldn't do it for nuts 2. (*przestawać być całym wskutek złamania*) to break (*vi*) 3. (*o czymś napiętym — trzasnąć*) to snap; to give way 4. (*wy-

buchać) to explode; to burst; to blow up; to go off; **bomba ~ła** a) (*o bombie*) the bomb exploded <burst> b) *przen.* (*o sensacji*) a sensation was created; **moje życzenia ~ły jak bańka mydlana** the bubble of my wishes was pricked; *pot.* **kilka butelek ~ło** we cracked several bottles

pękanie *sn* ↑ **pękać**

pękato *adv* dumpily; **~ wypchany** bulging

pękatość *sf singt* dumpiness; pursiness; (*człowieka*) rotundity

pękaty *adj* 1. (*gruby — o przedmiocie*) squat; squab(by); dumpy; spuddy; (*o garnku itd.*) pot-bellied; (*o człowieku*) rotund; squab(by); squat; pot-bellied; pursy; *pot.* podgy 2. (*wypchany*) bulgy, bulging; well-filled (purse etc.)

pęknąć *zob.* **pękać**

pęknięci|e *sn* 1. ↑ **pęknąć**; **~e opony** blow-out 2. (*miejsce pęknięte*) crack; split; fissure; crevice; cranny; chink; rift; flaw; *med.* fracture; rupture; **~a na skórze** chaps; **~e rosnącego drzewa** shake

pępawa *sf bot.* (*Crepis*) hawk's-beard

pęp|ek *sm G.* **~ka** 1. (*blizna na brzuchu*) navel; umbilicus; *przen.* **~ek świata** the hub of the universe; **zapatrzony we własny ~ek** wrapped up in oneself 2. *pot.* (*na owocu*) hilum

pępkow|y *adj* umbilical; **przepuklina ~a** omphalocele; **sznurek ~y = pępowina**

pępowina *sf* umbilical cord; navel-string

pępów|ka *sf pl G.* **~ek** *zool.* a gobiid

pępusz|ek *sm G.* **~ka** *dim* ↑ **pępek**

pęseta *sf* tweezers; nippers; pincers

pęsetka *sf dim* ↑ **pęseta**

pęta *zob.* **pęto**

pętacki *adj sl.* callow (youth)

pętacz|ka *sf pl G.* **~ek = pętak** 2.

pętaczyna *sm* (*decl = sf*) *sf* whipper-snapper; squirt

pętać *v imperf* [I] *vt* 1. (*zakładać pęta*) to hobble <to hopple, to tether> (a horse etc.) 2. (*krępować*) to fetter; to trammel; to clog [II] *vr* **~ się** 1. (*krępować siebie*) to trammel <to fetter> oneself 2. (*łazić, wałęsać się*) to hang about <*am.* around>; to slouch about; (*kręcić się*) to get in people's way

pętak *sm* 1. (*dziecko*) chit; tot 2. (*chłystek*) whipper-snapper; scrub; squirt

pętanie *sn* ↑ **pętać**

pętel|ka *sf pl G.* **~ek** knot; noose; loop; (*nic*) **guzik z ~ką** nothing at all

pętla *sf* 1. (*pierścień z taśmy, sznura itd.*) noose; loop; **~ na szyję** (hangman's) halter 2. (*zakręt rzeki, toru itd. oraz figura w akrobacji lotniczej*) loop 3. *myśl.* noose; snare 4. *mar.* knot; stirrup

pętlarz *sm* (snare-setting) poacher

pętlica *sf* 1. (*pętla*) noose; loop; **~ w ósemkę** true-love <true-lover's> knot 2. *sport* loop

pętlicowaty *adj*, **pętlicowy** *adj* loop-shaped

pęt|o *sn* 1. (*wiązadło na nogi konia itd.*) fetter; tether; **zdjąć koniowi ~a** to unfetter <to untether> a horse 2. *pl* **~a** (*kajdany*) fetters; shackles; trammels; **iść w ~a** to go into bondage; **uwolnić kogoś z ~** to unfetter <to unshackle> sb

pfe *interj* for shame!; phi!

pfu *interj* (*wyraz obrzydzenia*) faugh!; ugh!

phi *interj* (*wyraz lekceważenia*) pshaw!

pi[1] *interj* (*wyraz podziwu*) well, well!

pi[2] *gr litera* pi

piach *sm G.* **~u** *augment* ↑ **piasek**

piać *v imperf* **pieje, piał** [I] *vi* 1. (*o kogucie*) to crow 2. (*o człowieku*) to speak in a fluty voice; to squeak 3. *żart.* (*śpiewać*) to sing [II] *vt* to sing (**hymny pochwalne na cześć czyjąś, czegoś** the praises of sb, sth)

pian|a *sf* (*na płynie, ustach itd.*) froth; foam; (*z mydła*) lather; (*na gotującej się substancji*) scum; **~a na kuflu piwa** head on a glass of beer; **koń pokryty ~ą** foaming horse; **zbierać ~ę z gotującego się soku** to scum <to skim> boiling syrup

pianie *sn* ↑ **piać**; **~ koguta** cock-crow

pianino *sn* cottage piano; (an) upright (piano); **małe ~** pianette

pianissimo *indecl muz.* pianissimo

pianista *sm* (*decl = sf*), **pianist|ka** *sf pl G.* **~ek** pianist

pianistyczny *adj* pianistic; **talent ~** a talent for the piano

pianistyka *sf singt* 1. (*gra na fortepianie*) piano playing 2. (*ogół pianistów i pianistek*) the pianists

piank|a *sf* 1. *dim* ↑ **piana**; **ubijać <ucierać> coś na ~ę** to mill sth 2. (*legumina*) mousse; (*ciastko*) meringue 3. *miner.* (*także* **~a morska**) meerschaum

piankowaty *adj* frothy; spumy

piankow|y *adj* foam — (glass, rubber etc.); **kąpiel ~a** foam bath; *kulin.* **krem ~y** mousse

piano *indecl muz.* piano

pianobeton *sm G.* **~u** *bud.* foamed concrete

pianoguma *sf* foam rubber

pianola *sf* pianola

pianoszkło *sn singt bud. techn.* foam <expanded> glass

pianow|y *adj* = **piankowy; gaśnica ~a** foam extinguisher

piarg *sm G.* **~u** scree; talus

piarżysko *sn* scree-covered region <tract>

piasecznica *sf*, **piaseczniczka** *sf* sand-box

piasecznik *sm* 1. = **piasecznica** 2. *techn.* sand catcher <table>; riffle

pias|ek *sm G.* **~ku** 1. *miner.* sand; **~ek drobnoziarnisty <gruboziarnisty>** fine <coarse> sand; **~ek formierski** foundry <moulding> sand; **~ek lotny** quicksand; shifting sand; **~ek szklarski** glass sand; **~ek złotonośny** gold dust; *med.* **~ek nerkowy <pęcherzowy>** urinary sand; **budować na ~ku** to build on sand; **mieć ~ek w oczach** to have sore eyes; **nasypać komuś ~ku w oczy, zasypywać komuś oczy ~kiem** to throw dust in <to pull wool over> sb's eyes 2. *pl* **~ki** sands; sandy ground <soil, tract> 3. (*coś sypkiego, miałkiego*) sand

piaskarka *sf* 1. (*kobieta*) sand-digger 2. (*samochód*) sand-sprayer

piaskarnia *sf* = **piaskownica**

piaskarski *adj* sand-man's

piaskarz *sm* sand-man; sand-digger

piaskołaz *sm zool.* (*Mya arenaria*) soft clam

piaskować *vt imperf* 1. *rz.* (*posypywać piaskiem*) to strew (the floor etc.) with sand 2. *techn.* to sand-blast

piaskowanie *sn* ↑ **piaskować**

piaskowaty *adj* sandy

piaskowcowy *adj* sandstone — (formation etc.)

piaskow|iec *sm G.* **~ca** 1. *miner.* sandstone 2. *bot.*

(*Arenaria*) sandwort 3. *zool.* (*Crocethia alba*) sanderling

piaskownia *sf* sand-pit

piaskownica *sf* 1. (*skrzynia z piaskiem*) sand-pit 2. *sport* sand-pit 3. *bot.* (*Ammophila*) beach <marram> grass 4. *techn.* sand-box (of a locomotive etc.)

piaskowo *adv* in the colour sand; **malowany na ~** sandy-coloured

piaskow|y *adj* 1. (*dotyczący piasku*) sandy (soil, road etc.); sand — (dune, jet etc.); sand- (bag, cloud etc.); **burza ~a** sand-storm; **kąpiel ~a** sand-bath; **toczydło ~e** grindstone; **tort ~y** shortcake; **trąba ~a** sand-spout; **zegar ~y** sand-glass 2. (*mający kolor piasku*) sandy (hair etc.)

pia|sta *sf DL.* **~ście** nave (of a cart-wheel etc.); hub (of bicycle wheel); boss (of fly-wheel, of propeller etc.)

piastować *vt imperf lit.* 1. (*niańczyć*) to nurse (a child) 2. (*sprawować*) to hold (**urząd itd.** an office etc.); **~ koronę** to wear the crown

piastr *sm* piastre, piaster

piastun *sm* guardian; foster-father; **~ godności** holder of an office

piastunka *sf* dry-nurse; foster-mother

piaszczysko *sn* 1. *augment* ↑ **piasek** 2. *geol.* outwash

piaszczyst|y *adj* sandy (soil, desert etc.); sand — (dune etc.); **łacha ~a** sandbank

piąć się *vr imperf* **pnę się, pnie się, pnij się, piął się, pięła się** 1. (*posuwać się w górę*) to climb (up); to rise; (*z trudem*) to work one's way up; (*o roślinie*) to creep (up) 2. *przen.* (*dążyć do lepszej sytuacji materialnej*) to climb; to aspire (**do czegoś** to sth) 3. (*o przedmiotach — wznosić się ku górze*) to climb

piąstka *sf dim* ↑ **pięść**

piątak *sm pot.* 1. (*piąte piętro*) fifth <*am.* sixth> floor 2. (*moneta*) fiver 3. *szk.* fifth-form pupil

piąt|ek *sm G.* **~ku** Friday; **Wielki Piątek** Good Friday; **krzywić się jak środa na ~ek** to make a Friday face

piąt|ka *sf pl G.* **~ek** 1. (*cyfra*) (a) <the figure> five; **napisz ~kę** write a five <the figure five> 2. *szk.* highest <best> mark(s); full marks; very good; **zrobić coś na ~kę** to do sth perfectly 3. (*przedmiot opatrzony numerem pięć*) (bus, room, shoes, gloves etc.) N° 5 4. (*grupa osób, przedmiotów*) five; group of five (persons); the five (of them, you, us); **cała ~ka** all five (of them, us, you); **iść** <**stać**> **~kami** to walk <to stand> in fives 5. (*zaprzęg*) team of five horses 6. (*karta, domino*) cinque; the five; **~ka karo** the five of diamonds 7. (*moneta, banknot*) fiver

piątkowy[1] *adj* (*dotyczący piątku*) Friday — (concerts, broadcasts etc.); (*z ubiegłego piątku*) (last) Friday's (paper, lecture etc.); (*mający nastąpić w piątek*) (next) Friday's (ceremony etc.)

piątkowy[2] *adj* (*dotyczący piątki*) of fives

piątoklasista *sm* (*decl* = *sf*) fifth-form pupil

piąt|y [I] *num* fifth; *przen.* **~e koło u wozu** the fifth wheel (of a coach); **brak mu ~ej klepki** he has a screw loose [II] *sm* **~y** 1. (*dom, pokój itd.*) N° 5; **sąsiedzi spod ~ego** the neighbours (living) at N° 5 2. (*dzień w miesiącu*) the fifth (of the month) [III] *sf* **~a** 1. (*część*) one fifth; **trzy ~e** three fifths 2. (*godzina*) five o'clock [IV] *sn* **~e** *w wyrażeniu*: **po ~e** fifthly; in the fifth place; **znać coś ~e przez dziesiąte** to have a hazy idea of sth; **słuchać czegoś ~e przez dziesiąte** to listen to sth abstractedly

pichcenie *sn* ↑ **pichcić**

pichc|ić *vt vi imperf* **~ę** *pot. żart.* to cook

pici|e *sn* 1. ↑ **pić**; **coś do ~a** something to drink; **woda do ~a** drinking water; **zdatny do ~a** fit to drink 2. (*napój*) beverage; **dużo jadła i ~a** food and drink in plenty

pić *v imperf* **pije, pity** [I] *vt* to drink; to have <to take> (coffee, tea etc.); **~ czyjeś zdrowie** to drink sb's health; to drink to sb; **pij piwo, któreś sobie nawarzył** you must drink as you have brewed; **chcieć ~** to be thirsty [II] *vi* 1. (*upijać się nałogowo*) to tipple; to booze; to tope; **~ do kogoś** a) (*pijąc zwracać się*) to drink to sb b) *przen.* (*robić aluzje*) to allude <to refer> to sb; to hint at sb 2. (*o obuwiu, ubraniu — gnieść*) to be tight

pidżama *sf*, **piżama** *sf* pyjamas, *am.* pajamas

piec[1] *sm* 1. *bud.* stove; **~ chlebowy** oven; **~ kuchenny** kitchen stove; *pot.* **dziewczyna jak ~** strapping girl; **kobieta jak ~** woman of powerful proportions; **podpierać ~** a) (*stać pod piecem*) to stand by the stove b) (*nie być proszonym do tańca*) to sit out a dance <the dances>; to be a wallflower; **jak u Pana Boga za ~em** as snug as a bug in a rug; **z ~a na łeb** headlong 2. *techn.* furnace; kiln; **~ do wypalania cegieł** brick-kiln; **~ do wypalania wapna** lime-kiln; **~ do spalania śmieci** incinerator; cremator; refuse destructor; **~ koksowy** fire-basket; **~ do spalania zwłok** cremator

pie|c[2] *v imperf* **~kę, ~cze, ~kł, ~czony** [I] *vt* 1. *kulin.* (*wypiekać pieczywo*) to bake; (*przyrządzać mięso*) to cook <to roast> (meat); *przen.* **~c dwie pieczenie przy jednym ogniu** to kill two birds with one stone; **~c raki** to flush; to turn crimson 2. (*o słońcu itd. — palić, prażyć*) to burn; to scorch 3. (*sprawiać uczucie gorąca*) to burn; to smart; to sting; **~cze mnie w ustach** <**w gardle**> my mouth <my throat> stings; **~ką mnie oczy** my eyes smart <sting>; *przen.* **~cze mnie ciekawość** I am burning with curiosity [II] *vr* **~c się** 1. *kulin.* (*o pieczywie*) to be baking; to bake (*vi*); (*o mięsie itd.*) to be cooking <roasting> 2. (*być wystawionym na działanie gorąca*) to roast (in an oven); **~c się na słońcu** to roast under the sun

piechociarz *sm pot.* foot-slogger

piechot|a *sf* 1. *wojsk.* infantry; **pułk ~y** infantry regiment; regiment of foot 2. *gw.* a variety of beans

~ą *adv*, **na ~ę** *adv* on foot; **iść ~ą** <**na ~ę**> to go on foot; *pot.* to leg it

piechur *sm* 1. (*człowiek chodzący piechotą*) walker 2. *wojsk.* infantryman; foot soldier

piecow|y *adj* of a stove <furnace, kiln>; **rura ~a** stove-pipe

piecuch *sm* milksop; mollycoddle; *sl.* cissy

piecuchostwo *sn singt* milksoppery

piecyk *sm* 1. (*dim* ↑ **piec**) (little) stove; (*do ogrzewania*) cockle; chauffer; **~ elektryczny** <**gazowy**> electric <gas> heater 2. *pot.* (*piekarnik*) cooking oven

piecz|a *sf singt lit.* care; **mieć kogoś, coś w swojej ~y, otaczać kogoś, coś ~ą, roztaczać ~ę nad kimś, czymś** to have sb, sth in <under> one's care; to have charge of sb, sth; **powierzyć kogoś, coś czyjejś ~y** to entrust a person with the care of sb, sth; to entrust sb, sth to the care of a person

pieczara *sf* cave; cavern

pieczar|ka *sf pl G.* **~ek** *bot.* (*Psalliota <Agaricus> campestris*) mushroom

pieczarkarnia *sf* mushroom-growing cellar

pieczarkowy *adj* mushroom — (sauce etc.)

pieczęt|ka *sf pl G.* **~ek** 1. *dim* ↑ **pieczęć**; **prywatna ~ka** signet 2. (*krążek do pieczętowania*) seal; stamp; **przybić ~kę na dokumencie itd.** to seal <to stamp> a document etc.

pieczątkow|iec *sm G.* **~ca** *paleont.* sigillarid; *pl* **~ce** (*Sigillaria*) the Sigillaria

pieczeniarstwo *sn singt* cadging; scrounging; sponging

pieczeniarz *sm* cadger; scrounger; sponger

pieczeni|e *sn* ↑ **piec**; **proszek do ~a** baking-powder; **~e w żołądku** heartburn

piecze|ń *sf pl N.* **~nie** 1. (*potrawa*) roast (meat); **~ń cielęca <wołowa itd.>** roast veal <beef etc.> 2. (*część mięsa nadająca się na pieczeń*) joint

pieczęciowy *adj* sealing — (wax etc.)

pieczęć *sf* 1. (*płytka z herbem itd.*) seal 2. (*płytka z kauczuku*) seal; stamp; **przybić ~ na dokumencie itd.** to seal <to stamp> a document etc. 3. (*znak*) stamp

pieczętować *v imperf* [I] *vt* to seal; to stamp; to affix a stamp (**coś** to sth); **~ coś swoją krwią** to seal sth with one's blood [II] *vr* **~ się** to bear (**lwem, jednorogiem itd.** a lion, a unicorn etc.) in one's coat of arms

pieczętowanie *sn* ↑ **pieczętować**

pieczołowicie *adv* (*troskliwie*) solicitously; with solicitude; (*starannie*) carefully; with (great) care

pieczołowitość *sf singt* (*troskliwość*) solicitude; (*staranność*) care

pieczołowity *adj* (*troskliwy*) solicitous; (*staranny*) careful

pieczyste *sn* (*decl* = *adj*) roast; joint; meat course

pieczywo *sn singt* 1. (*wyroby piekarskie*) bread 2. (*wypiek*) baking

piedesta|ł *sm G.* **~łu** pedestal; **postawić kogoś na ~le** to set <to put> sb on a pedestal; **strącić kogoś z ~łu** to knock sb off his pedestal

pieg *sm* (*zw. pl*) freckle; *med.* ephelis (*pl* ephelides)

piegowaty *adj* freckled

piegża *sf zool.* (*Sylvia curruca*) a singing warbler

piekarnia *sf* bakery; baker's (shop)

piekarniany *adj* baker's (apprentice, oven etc.); baking — (yeast etc.)

piekarnictwo *sn singt* the baker's trade; baking

piekarnik *sm* cooking <baking, Dutch> oven; **~ gazowy** gas-oven

piekarski *adj* baker's, bakers'

piekarstwo *sn singt* the baker's trade; baking

piekarz *sm* baker

piekarzowa *sf* baker's wife

piekący *adj* 1. (*gorący — o słońcu itd.*) scorching; sweltering; broiling 2. (*bolesny*) smarting; stinging 3. (*nagły, pilny*) burning (question); urgent <pressing> (matter etc.)

piekielnica *sf* 1. (*złośnica*) hell-cat; vixen; shrew; termagant 2. *zool.* (*Alburnoides bipunctatus*) a cyprinid

piekielnie *adv pot.* (*ogromnie*) like hell; awfully; dreadfully; infernally; confoundedly

piekielnik *sm* hell-hound; devil incarnate; spitfire

piekieln|y *adj* 1. (*dotyczący piekła*) infernal; of hell; **maszyna ~a** infernal machine; **moce <siły> ~e** infernal powers; **ogień ~y** hell-fire 2. (*ogromny, niezwykły*) infernal; hellish; unearthly; confounded; **~y hałas** a hell of a noise; **~y upał** sweltering heat; **zrobić ~ą awanturę** to raise hell <Cain> 3. (*przynoszący zło*) hellish; devilish

piekiełko *sn dim* ↑ **piekło**

pieklić się *vr imperf pot.* to storm; to rage; to rampage

piek|ło *sn pl G.* **~ieł** hell; *przen.* inferno; hell upon earth; *przen.* **istne ~ło** pandemonium; hell let loose; **robić ~ło** to raise hell; **pójść <skoczyć> za kimś do ~ła <w ~ło>** to go through fire and water for sb; **robić komuś ~ło** to give sb hell; **jak w ~le** infernally; confoundedly; *pot.* **z ~ła rodem** deuced; confounded; devilish

pielenie *sn* weeding

pielesz|e *spl G.* **~y** (*także* **rodzinne <domowe> ~e**) home; one's fireside <hearth>

pielęgnacja *sf singt* (*posługi przy chorych itd.*) nursing; (*opieka*) care; **~ pochorobowa** after-care; after-treatment; **~ roślin** cultivation of plants

pielęgnacyjny *adj* of nursing; of cultivation

pielęgniar|ka *sf pl G.* **~ek** (hospital) nurse; sick-nurse; (*przy operacji*) dresser

pielęgniarsk|i *adj* nursing — (courses, practice etc.); **pomoc ~a** nursing aid

pielęgniarstwo *sn singt* nursing

pielęgniarz *sm* hospital attendant; male nurse; (*przy operacji*) dresser

pielęgnicowat|y *zool.* [I] *adj* cichlid [II] *spl* **~e** (*Cichlidae*) (*rodzina*) the family Cichlidae

pielęgnować *v imperf* [I] *vt* to nurse <to tend> (**chorych itd.** the sick etc.); to nurse <to cultivate, to cherish> (learning, the arts etc.); to care (**cerę itd.** for one's complexion etc.); **~ stare tradycje** to maintain ancient traditions [II] *vr* **~ się** to take care of oneself

pielęgnowanie *sn* (↑ **pielęgnować**) care (of the sick, of children etc.); cultivation (of plants, of learning etc.)

pielgrzym *sm* pilgrim

pielgrzymi *adj* pilgrim's (**kij itd.** staff etc.)

pielgrzym|ka *sf pl G.* **~ek** 1. (*wędrówka*) pilgrimage; **odprawić ~kę, pójść z ~ką** to go on a pilgrimage 2. (*grupa pielgrzymów*) pilgrims; group of devotees on a pilgrimage

pielgrzymować *vi imperf* to pilgrimize

pielić *vt vi imperf rz.* to weed

pielnik *sm ogr.* weed-hook, weeding-hook

pielu|cha *sf*, **pielu|szka** *sf* (baby's) napkin, *am.* diaper; **znać kogoś od ~ch** to know sb from a baby

pi-em *sm G.* **~u** *wojsk.* = **peem**

pieniactwo *sn singt lit.* pettifogging; *prawn.* barratry

pieniacz *sm* pettifogger; litigant; barrator, barrater

pieniący się *adj* 1. (*o piwie itd.*) foaming; (*o winie*) sparkling; (*o falach morskich itd.*) frothy 2. *przen.*

(*o człowieku*) foaming at the mouth

pieni|ądz *sm pl G.* **~ędzy** *I.* **~ędzmi** 1. (*moneta*) coin; *zbior.* (*środek płatniczy*) currency; money; **płacić ~ędzmi** to pay (in) cash 2. *pl* **~ądze** (*fundusze*) money; **kieszonkowe ~ądze** pocket-money; **być bez ~ędzy** a) (*cierpieć na brak gotówki*) to be out of cash <short of funds>; to be hard up <broke> b) (*być biednym*) to be impecunious; **być przy ~ądzach** to be in funds; to have ready cash; **liczyć się z ~ędzmi** to be careful how one spends one's money; **nie wiedzieć, skąd wziąć ~ądze** to be hard pushed <pressed> for money; **zbijać ~ądze** to make <to coin> money; to make pots of money; **zdobyć ~ądze** to raise money <funds>; **za marne** <**tanie**> **~ądze, za psie ~ądze** for a song; dirt-cheap; **za żadne ~ądze** not for love or money; *przen.* **brudne ~ądze** filthy lucre; **~ądze rzucone w błoto** money thrown away; **siedzieć na ~ądzach** to be rolling in money; *pot.* **ciężkie** <**grube**> **~ądze** pots of money; **ładne ~ądze** a pretty penny

pieniąż|ek *sm G.* **~ka** small coin; *pl* **~ki** *żart.* money; funds; cash

pienić *v imperf* [I] *vt* to cover with foam; to froth (up); to churn (a liquid, sea water etc.) [II] *vi* to foam; to froth [III] *vr* **~ się** 1. (*wytwarzać pianę, pokrywać się pianą*) to foam; to froth; (*o wodzie morskiej itd.* — *burzyć się*) to foam; to seethe; to churn (*vi*); (*o mydle*) to lather 2. *przen.* (*o człowieku*) to foam at the mouth; (*awanturować się*) to rage and fume; (*o gwałtownych uczuciach*) to seethe 3. (*musować*) to sparkle; to effervesce

pienie *sn* 1. (*zw. pl*) *emf.* descant; singing; song 2. † (*głos koguta*) crowing

pie|niek *sm G.* **~ńka** 1. (*część pnia ściętego drzewa*) stump; block; *przen.* **mieć na ~ńku z kimś** to have a bone <a crow> to pick with sb; to owe sb a grudge 2. (*karpa*) snag 3. (*część zęba*) snag

pienienie (się) *sn* ↑ **pienić (się)**

pieniężnie *adv* financially; **~ rzecz biorąc** in terms of money; **pomagać komuś ~** to give sb pecuniary aid

pieniężn|y *adj* 1. (*dotyczący pieniędzy*) financial (system, interests, world etc.); monetary (unit, reform etc.); pecuniary (aid, loss, difficulties etc.); money — (payment, matters etc.); **rynek ~y** money-market; **zasoby ~e** (financial) means 2. † (*bogaty*) moneyed

pienik *sm zool.* (*Aphrophora, Philaenus*) a homopteran

pienisty *adj* 1. (*pieniący się*) foaming, foamy; frothy; (*o falach morskich*) surfy 2. (*musujący*) sparkling

pienn|y *adj* standard (tree, forest etc.); **róża ~a** standard rose-tree

pień *sm G.* **pnia** 1. (*część drzewa*) trunk; stem; **~ katowski** the block; **głuchy jak ~** stone-deaf; (*o zbożu, drzewach itd.*) **na pniu** standing; *przen.* **~ genealogiczny** stock; **wyciąć w ~** to put to the sword; to exterminate 2. (*część drzewa pozostała w ziemi po ścięciu*) stump; snag 3. = **barć** 4. *geol.* stock-lode 5. *jęz.* stock; root; radical 6. *myśl.* pedicel (supporting the antler of a deer)

pieprz *sm singt G.* **~u** 1. *bot.* (*Piper*) pepper; **~ turecki** paprika; *bot.* **~ wodny** (*Polygonum hydropiper*) water-pepper 2. (*przyprawa*) pepper; **młynek do ~u** pepper mill <quern>; **ziarnko ~u** peppercorn; **suchy jak ~** as dry as tinder; **uciekać gdzie ~ rośnie** to cut and run; to make tracks; **znać się na czymś jak kura** <**koza**> **na ~u** to have no idea of a thing; *pot.* **dać komuś ~u** a) (*dać się we znaki*) to give sb beans; to put sb through it b) (*pobić*) to pepper sb; to give sb a thrashing <a hiding> 3. *przen.* pepper; piquancy

pieprzniczka *sf* pepper-castor; pepperbox

pieprznie *adv* spicily

pieprznik *sm bot.* (*Cantharellus cibarius*) chanterelle

pieprzno *adv* with plenty of pepper

pieprzny *adj* 1. (*o potrawie*) peppery 2. (*pikantny*) spicy

pieprzojad *sm zool.* (*Ramphastos*) toucan

pieprzowat|y *bot.* [I] *adj* piperaceous [II] *spl* **~e** (*Piperaceae*) (*rodzina*) the family Piperaceae

pieprzow|y [I] *adj* 1. (*dotyczący pieprzu*) pepper — (bush etc.); **mięta ~a** (*Mentha piperita*) peppermint [II] *spl* **~e** *bot.* (*Piperales*) (*rząd*) the order Piperales

pieprzówka *sf* pepper-flavoured vodka

pieprzyca *sf* 1. *bot.* (*Lepidium*) peppergrass, pepperwort 2. *singt* (*choroba jedwabników*) pebrine

pieprzyć *vt imperf* 1. (*zaprawiać potrawę*) to pepper 2. (*zaprawiać tłustymi dowcipami*) to season with spicy jokes 3. *wulg.* (*pleść od rzeczy*) to talk nonsense <rot, rubbish> 4. *wulg.* to copulate

pieprzyk *sm G.* **~a** <**~u**> 1. (*pikanteria*) pepper; spice; piquancy; ginger; **anegdota z ~iem** spicy story 2. (*plamka na skórze*) mole; beauty-spot

pierdzieć *vi imperf wulg.* to fart

piernat *sm* 1. (*materac*) feather bed 2. (*zw. pl*) *gw.* (*pościel*) bedding

piernik *sm* 1. *kulin.* honey-cake; gingerbread; *przen.* **co ma ~ do wiatraka?** what have the two things in common?; that is neither here nor there <beside the point> 2. *sl.* (*człowiek niedołężny*) old fogey <dotard>

piernikowy *adj* 1. (*odnoszący się do piernika*) of gingerbread 2. (*mający kolor piernika*) ginger-coloured; gingery

pieron *sm pl N.* **~i** <**~y**> *reg.* son of a gun; **jak jasny ~** like the dickens <the devil>; **~em** double quick; in no time

pieroński *adj dial.* deuced; damned; terrific (pain etc.)

pierożek *sm dim* ↑ **pieróg**

pier|óg *sm G.* **~oga** 1. *kulin.* ravioli 2. (*kapelusz*) three-cornered hat

pierrot *sm* pierrot

piersiast|y *adj* (*o mężczyźnie*) broad-chested; (*o kobiecie*) **~a** big-breasted

piersiow|y *adj* pectoral (muscles, fins etc.); chest — (voice etc.); **klatka ~a** chest

piersisty *adj* = **piersiasty**

pier|ś *sf pl N.* **~si** 1. *anat.* (*także pl* **~si**) chest; breast; bosom; *zool.* chest; **atleta z szeroką ~sią** broad-chested athlete; **walka ~ś w ~ś** hand to hand fighting; *boks* breast-to-breast struggle; **bić** <**uderzać**> **się w ~si** a) *rel.* to make an act of contrition b) (*czuć się winnym*) to repent; (*o koniach*) **dobiec do mety ~ś w ~ś** to finish neck and neck; **nadstawić ~si za kogoś** to stand up for sb; **oddychać pełną ~sią** a) (*głęboko*) to breathe deep b) (*swobodnie*) to breathe freely; **tulić kogoś do ~si** to press sb to one's bosom; **robić ~siami** to pant for breath; **wypiąć** <**wysunąć**> **~ś** to throw out one's chest; **zrywać ~si** to shout oneself hoarse; **po ~ś** breast-high; breast-deep 2. (*siedlisko uczuć*) breast; heart; **kamień spadł mi z ~si** it is a load off my chest; **radość rozsadza mi ~ś** my heart is ready to burst with joy; **smutek przygniata mu ~ś** he has a heavy heart 3. (*u kobiety — gruczoł mleczny*) breast; **dziecko przy ~si** suckling; **karmienie ~sią** breast-feeding; **dać ~si dziecku** to suckle <to nurse> a child; to give suck to a child; **odstawić dziecko od ~si** to wean a suckling; **ssać ~si** to suck 4. *kulin.* breast (of fowl)

pierścienic|a *sf* 1. *bot.* (*Sphaeroplea annulina*) a siphon alga 2. *zool.* (*Malacosoma neustria*) a lasiocampid moth 3. *zool.* *spl* **~e** (*Annelida*) (*typ*) the phylum Annelida

pierścieniowat|y *adj* annular; orbicular; *anat.* **chrząstka ~a** (the) cricoid, cricoid cartilage 2. *zool.* annelidan

pierścieniow|y *adj* 1. (*mający kształt pierścienia*) annular; ring-shaped; *astr.* **mgławica ~a** annular <ring> nebula; *chem.* **związek ~y** cyclic <ring> compound 2. (*zaopatrzony w pierścienie*) ringed; *techn.* **silnik ~y** slip-ring motor; **wał ~y** ring roller

pierścieniów|ka *sf pl G.* **~ek** = **pierścienica** 2.

pierście|ń *sm G.* **~nia** 1. (*klejnot*) ring 2. (*krążek*) ring; *techn.* collar; collet; ring; **pancerz z ~ni** ring-mail; ring-armour; **gonić do ~nia** to run <to ride> at the ring 3. (*koło*) ring (of faces, forts, mountains, round the eyes, on water etc.); circle; loop; hoop; *chem.* **~ń atomów** ring of atoms; *techn.* **~ń tłokowy** piston-ring 4. *astr.* halo; coil (of rope etc.) 5. (*roczny przyrost drzewa*) annual ring 6. (*zw. pl*) (*pukiel, lok*) ring(let); curl; lock (of hair) 7. *zool.* segment (of a worm etc.); somite; metamere

pierścion|ek *sm G.* **~ka** 1. (*klejnot*) ring; **~ek zaręczynowy** engagement ring; **zamienić ~ki** to exchange rings 2. *dim* ↑ **pierścień** 2., 6. 3. (*gra towarzyska*) a parlour game

pierwej *adv lit.* (*najpierw*) first; (*wcześniej*) sooner; (*przedtem*) before; **~** <**nie ~**> **nim się coś stało** before <not before> sth (had) happened; **~ było tu czyste pole** it used to be <formerly it was> an open field; **~ rzeka tu płynęła** a river flowed here

pierwiast|ek *sm* 1. (*składnik*) element 2. *chem.* (chemical) element; **~ek promieniotwórczy** radioactive element; **~ki czyste** pure elements 3. *jęz.* radical; root 4. *mat.* root; **~ek kwadratowy** <**sześcienny**> square <cubic> root; **wyciągnąć ~ek kwadratowy** <**sześcienny**> to extract the square <cubic> root

pierwiastka *sf* primipara

pierwiastkować *vt imperf mat.* to extract the root (**liczbę** of a number)

pierwiastkowani|e *sn* (↑ **pierwiastkować**) extraction of a root; **znak ~a** radical sign

pierwiastkowy *adj* 1. *jęz.* radical 2. † (*pierwotny*) primary

pierwiosn|ek *sm G.* **~ka** *bot.* (*Primula*) primrose

pierwiosnkowat|y *bot.* [I] *adj* primulaceous [II] *spl* **~e** (*Primulaceae*) (*rodzina*) the primrose family

pierwiosnkowy *adj* primrose — (yellow etc.)

pierwiośnie *sn* early spring

pierwob|ór *sm G.* **~oru** primeval forest

pierwocin|y *spl G.* **~** 1. (*początek*) origin 2. (*pierwsze plony*) first-fruits 3. (*pierwsze utwory*) early writings (of an author)

pierwodruk *sm G.* **~u** first edition

pierwokup *sm singt G.* **~u** (*także* **prawo ~u**) pre-emption

pierwopis *sm G.* **~u** original manuscript

pierworodn|y [I] *adj* 1. (*o dziecku*) first-born 2. † (*urodzony*) inborn; *obecnie w zwrocie*: **grzech ~y** original sin [II] *sm* **~y** (*decl* = *adj*) first-born (son) [III] *sf* **~a** (*decl* = *adj*) first-born (daughter)

pierworodztw|o <**pierworództw|o**> *sn singt* primogeniture; **prawo ~a** birthright

pierworód|ka *sf pl G.* **~ek** primipara

pierworys *sm G.* **~u** *techn.* original sketch <plan>

pierwotniaczy *adj* protozoan

pierwotniak *sm zool.* protozoan (*pl* protozoa)

pierwotnie *adv* originally; primarily; at first; at the start

pierwotność *sf singt* 1. (*początkowy stan*) primordiality; (*starożytność*) antiquity 2. (*prymitywność*) primitiveness

pierwotn|y *adj* 1. (*występujący w początkach*) primitive; primary; **horda ~a** primitive horde; **skały ~e** primitive <primary> rocks 2. (*prymitywny*) primitive; **las ~y** primeval forest 3. (*początkowy*) original; aboriginal

pierwowz|ór *sm G.* **~oru** 1. (*pierwotny wzór*) prototype; archetype 2. (*oryginał*) (an) original

pierwszak *sm szk.* first-form pupil

pierwszeństw|o *sn singt* priority; precedence; (*w przepisach drogowych*) right of way; **bezwzględne ~o** top priority; **dawać ~o rzeczom** <**sprawom**> **najważniejszym** to put first things first; **mieć ~o przed kimś, czymś** to take precedence of sb, sth; to have priority over sb, sth; to rank above sb, sth; to go <to come> before sb, sth; **ustąpić komuś, czemuś ~a** to yield precedence to sb, sth; *przen.* **palma ~a** the palm; **zdobyć palmę ~a** to bear the palm; **odstąpić komuś palmę ~a** to yield the palm to sb

pierwszoklasista *sm* (*decl* = *sf*) first-form pupil

pierwszoligowy *adj sport* first-league — (contest, player etc.)

pierwszomajowy *adj* of the first of May; May Day — (celebrations etc.)

pierwszoplanowy *adj* 1. (*na obrazie, w filmie itd.*) foreground — (detail etc.) 2. (*w utworze literackim*) playing a leading part 3. (*mający największe znaczenie*) all-important; of outstanding importance; crucial; chief

pierwszorzędnie *adv* excellently; splendidly; superbly; in first-rate fashion; tiptop

pierwszorzędn|y *adj* (*wybitny*) first-class <high-class> (artist, politician, expert etc.); (*o ważności, wartości, znaczeniu*) of the first rank; (*doskonały*) tiptop; *pot.* grand; corking; swell; **~a jakość** prime quality; **~a rzecz** spanker; stunner; *pot.* **~y facet** a trump; a (regular) brick

pierwsz|y [I] *num* first; **~a jakość** choice <best> quality; **~a osoba liczby pojedynczej** <**mnogiej**>

first person singular <plural>; **~e śniadanie** breakfast; **~y plan** foreground; **~y rozdział <tom itd.>** chapter <volume etc.> one; **wagon <przedział itd.> ~ej klasy** first-class coach <compartment etc.>; (*z dwu wymienionych*) **~y ... drugi ...** the former ... the latter ...; **~y lepszy** any; no matter which; a random — (example, number etc.); **~y lepszy człowiek** anybody; first comer; every Tom, Dick and Harry; (*o szufladzie itd.*) **~a od góry** top — (drawer etc.); **przyjść <przemawiać, uciekać itd.> ~y** to come <to speak, to take flight etc.> first; to be first to come <to speak, to take flight etc.>; **na ~y rzut oka** at first glance; **po ~e** first; firstly; in the first place; for one thing; **w ~ej chwili** at first; **w ~ej kolejności** first of all; first and foremost; **w ~ym rzędzie, w ~ej linii** first and foremost; **z ~ej ręki** at first hand [II] *adj* 1. (*główny, zasadniczy*) prime; chief; *mat.* prime (number); **~a pomoc (sanitarna)** first aid; (*przy stole*) **~e miejsce** the seat of honour; **to jest ~e** this <that> comes first 2. (*najznakomitszy*) outstanding; foremost; most prominent [III] *sm* **~y** (*decl = adj*) the first (of the month); **na ~ego** on the first (of the month); **od ~ego** from the first of next month [IV] *sf* **~a** (*godzina*) one o'clock; **o ~ej** at one (o'clock)

pierwszyzna *sf singt w zwrocie*: **to nie ~ dla mnie** I have been through that before; I am used to that (sort of thing)

pierzastodzielny *adj bot.* (*o liściu*) pinnate

pierzasty *adj* 1. (*porośnięty piórami*) fledged; (*opierzony*) feathered (animal); plumose 2. (*zrobiony z piór*) feather — (boa, fan etc.); (tuft etc.) of feathers 3. (*przypominający pióra*) feathery; (*o chmurach*) cirrous, cirrose 4. *bot.* pinnate(d); **dwa razy ~** bipinnate

pierzchać *vi imperf* — **pierzchnąć** *vi perf* 1. (*o wojsku itd.*) to fly; to flee; to take flight; to disperse; (*o królikach, myszach itd.*) to scamper (away, off); to scutter; to scurry 2. *przen.* (*rozwiewać się*) to vanish; to dissipate

pierzchanie *sn* (↑ **pierzchać**) flight; dispersal; scamper

pierzchliwie *adv* timidly; shyly, shily; skittishly

pierzchliwy *adj* timid; shy; skittish

pierzch|nąć *vi* **~ł** 1. *zob.* **pierzchać** 2. *imperf* (*o skórze*) to chap

pierzchnięcie *sn* (↑ **pierzchnąć**) 1. = **pierzchanie** 2. (*pękanie skóry*) chapping; chaps

pierz|e *sn* (*pióra*) feathers; (*upierzenie*) plumage; **aż ~e leciało** he <she> made the feathers fly; **ni z ~a, ni z mięsa** neither fish nor fowl; **porastać w ~e** to feather one's nest; **skubać ~e** to strip feathers

pierzeja *sf arch.* frontage

pierzenie się *sn* (↑ **pierzyć się**) (the) moult

pierzga *sf pszcz.* propolis

pierzyć się *vr* to moult

pierzyna *sf* feather bed <quilt>; eider-down

pies *sm G.* **psa** 1. *zool.* (*Canis familiaris*) dog; **~ eskimoski** husky; **~ myśliwy** sporting <hunting> dog; **~ podwórzowy <łańcuchowy>** bandog; **~ pokojowy** pet dog; **~ policyjny** police-dog; **zakład hodowli i tresury psów** kennel; *przen.* **~ na sianie (sam nie zje i drugiemu nie da)** dog in the manger; **~ z kulawą nogą** not a soul; **głodny jak ~** as hungry as a wolf; **czuć się pod psem** to feel rotten <under the weather>; **dobra psu i mucha** it's better than nothing; **jestem ~ na ...** I am partial to <fond of> ...; **ni ~ ni wydra** neither fish nor fowl; **pogoda, że psa ciężko wygnać** in weather like this you wouldn't turn out a dog; **psy na kimś wieszać** to pull sb to pieces; to brand sb with infamy; **to jest pod psem** it's no good at all; **zdechł ~** I'm <we are etc.> done for; **zejść na psy** to go to the dogs; **żyją jak ~ z kotem** they lead a dog's life; (*mnóstwo*) **jak psów** any amount; no end (of them); **psu na budę (zda się)** of no earthly use; **a ja to ~?** where do I come in?; what about me?; **a to ~?** what <how> about this?; *wulg.* **~ z nim (tańcował)!** bother the man! 2. *przen.* (*o człowieku*) cur; tyke, tike 3. *pl* **psy** *zool.* (*Canidae*) (*rodzina*) the family Canidae; **~ morski** (*Phoca vitulina*) common seal 4. *myśl.* (*o samcu lisa itd.*) dog

piesek *sm dim* ↑ **pies**; *przen.* **francuski ~** coddle; **~ do butów** bootjack

piesk|i *adj pot.* wretched; horrid (weather etc.); **~ie życie** a dog's life; **pływać po ~u <~iem>** to dog-paddle

piesko *adv pot.* wretchedly

piestrzenica *sf bot.* (*Helvella*) helvella; **~ jadalna** (*Gyromitra esculenta*) edible species of sac fungi

piestrzenicowat|y *bot.* [I] *adj* helvellaceous [II] *spl* **~e** (*Helvellaceae*) (*rodzina*) the family Helvellaceae, the sac fungi

pieszczenie *sn* ↑ **pieścić**

pieszczoch *sm*, **pieszczocha** *sf* pet; darling; fondling; cosset

pieszczony [I] *pp* ↑ **pieścić** [II] *adj* beloved

pieszczota *sf* caress; endearment; **obsypywać ~mi** to load with caresses

pieszczotka *sf* 1. = **pieszczoch** 2. (*zw. pl*) *dim* ↑ **pieszczota**

pieszczotliwie *adv* caressingly; tenderly; endearingly; wheedlesomely

pieszczotliwość *sf singt* caressing <tender, wheedlesome, cuddlesome> disposition

pieszczotliw|y *adj* caressing; tender; wheedlesome; cuddlesome; **~a nazwa** pet name; **~e słowa** soft words; soft nothings

piesz|ek *G.* **~ka** pawn

pieszo *adv* on foot; **iść ~** to walk; to leg it

piesz|y [I] *adj* 1. (*idący piechotą*) walking; foot — (passenger, traveller); *ogr.* **fasola ~a** = **piechota** 2. 2. *wojsk.* infantry — (unit etc.); foot — (soldier etc.) 3. (*o drodze, przejściu itd.*); foot — (path, bridge, way) 4. (*odbywany pieszo*) pedestrian — (traffic etc.); walking — (tour etc.); **wycieczka ~a** hike; **odbyć ~ą podróż** to walk [II] *sm* **~y** 1. (*człowiek idący pieszo*) pedestrian; walker; foot passenger <traveller>; (*w mieście*) **przejście dla ~ych** pedestrian lines; zebra crossing 2. *wojsk.* infantryman; foot-soldier

pie|ścić *v imperf* **~szczę, ~szczony** [I] *vt* 1. (*okazywać czułość*) to fondle; to caress; to pet; to hug; to embrace 2. *przen.* to cherish (a dream etc.); **~ścić oko** to delight <to gladden> the eye 3. (*otaczać przesadną dbałością*) to pamper; to coddle [II] *vr* **~ścić się** 1. = **~ścić** *vt* 1.; **~ścić się z kimś <z kotem, pieskiem itd.>** to fondle <to

caress, to pet> sb <a cat, a dog etc.> 2. *przen.* (*lubować się*) to cherish (**z marzeniem itd.** a dream etc.) 3. (*przesadnie dbać o siebie*) to coddle oneself 4. (*czulić się wzajemnie*) to bill and coo; to caress <to pet, to hug> each other 5. (*mówić dziecinnym językiem*) to babble; to use baby-talk

pieściwy *adj lit.* 1. (*czarujący*) delightful 2. (*pełen pieszczoty*) caressing

pieśniar|ka *sf pl G.* **~ek** pop singer; artiste

pieśniarstwo *sn singt* 1. (*tworzenie pieśni*) song-writing 2. (*wykonywanie pieśni*) singing of songs

pieśniarz *sm* 1. (*śpiewak*) songster 2. (*twórca*) song-writer

pieśnioksiąg *sm G.* **~u** hymn-book; song-book

pieśniowy *adj* song — (form etc.)

pieś|ń *sf pl N.* **~ni** 1. *muz.* song; *lit.* lilt; **~ń bez słów** song without words; **~ń ludowa** folk-song; **~ń miłosna** love-song; **Pieśń nad Pieśniami** Song of Songs; **~ń religijna** hymn; **~ń wojenna** war-song; *przen.* **~ń ptaków** the song of the birds 2. (*wiersz liryczny*) song; (*część poematu*) canto

piet|er *sm singt G.* **~ra** *pot. tylko w zwrotach*: **dostać <mieć> ~ra** to get <to have> the wind up; to get <to have> cold feet; **napędzić komuś ~ra** to put the wind up sb

pietrusz|ka *sf pl G.* **~ek** *bot.* (*Petroselinum*) parsley; *przen. żart.* **skrobać <siać, sprzedawać> ~kę** = **pietruszkować**

pietruszkować *vi imperf żart.* 1. (*nie być proszonym do tańca*) to sit out the dances; to be a wallflower 2. (*nie wychodzić za mąż*) to remain an old maid; to be on the shelf

pietysta *sm* (*decl* = *sf*) *rel.* Pietist

pietyzm *sm singt G.* **~u** 1. (*cześć*) piety; veneration; reverence; **z ~em** sacredly 2. *rel.* pietism

piewca *sm lit.* 1. (*sławiący pisarz*) songster; eulogist; glorifier 2. (*poeta*) singer; poet

piewik *sm zool.* (*Cicada*) cicada

piezoelektryczność *sf singt fiz.* piezoelectricity

piezoelektryczny *adj* piezoelectric

pięcie się *sn* (↑ **piąć się**) 1. (*posuwanie się w górę*) (a) climb 2. (*dążenie do lepszej sytuacji materialnej*) aspirations; climbing

pięcioaktowy *adj* five-act — (play)

pięcioarkuszowy *adj* five-sheet — (manuscript etc.)

pięcioboczny *adj* pentagonal

pięcioboista *sm* (*decl* = *sf*) *sport* pentathlete

pięciobok *sm G.* **~u** pentagon

pięciob|ój *sm G.* **~oju** *sport* pentathlon

pięciodniowy *adj* 1. (*mający pięć dni*) five-day-old 2. (*trwający pięć dni*) of five days; five-days' — (journey etc.); five-day — (period etc.); **w terminie ~m** within five days

pięciodzielny *adj bot.* pentamerous

pięciodźwięk *sm G.* **~u** *muz.* pentachord

pięciogodzinny *adj* of five hours; five-hours' — (ride etc.); five-hour — (session etc.)

pięciokąt *sm* pentagon

pięciokątny *adj* pentagonal

pięcioklasowy *adj* five-class <five-grade> — (school)

pięcioklasów|ka *sf pl G.* **~ek** five-class <five-grade> school

pięciokrotnie *adv* five times; (*o liczbie*) **podnieść się ~, podnieść liczbę ~** to quintuple

pięciokrotny *adj* 1. (*powtarzający się pięć razy, pięć razy większy*) fivefold; quintuple 2. *bot.* (*o kwiecie*) pentamerous

pięcioksi|ąg *sm G.* **~ęgu** Pentateuch

pięciokwadransowy *adj* of an hour and a quarter; an hour and a quarter's — (journey etc.)

pięciolatek *sm* (a) five-year-old (horse etc.)

pięciolat|ka *sf pl G.* **~ek** 1. (*zwierzę*) (a) five-year-old — (mare etc.) 2. (*plan gospodarczy*) five-year plan

pięcioleci|e *sn pl G.* **~** 1. (*okres*) five-year period; quinquennium 2. (*rocznica*) fifth anniversary

pięcioletni *adj* 1. (*mający pięć lat*) five-year-old — (child, animal, tree); **chłopiec ~** a boy of five 2. (*trwający pięć lat*) quinquennial; of five years' duration; five years' — (practice etc.); five-year — (periods etc.); **plan ~** five-year plan

pięciolini|a *sf GDL.* **~i** *muz.* stave, staff; **linia dopisana do ~i** le(d)ger line

pięcioliniowy *adj* staff — (notation)

pięciolistny *adj* quinquifoliate

pięciomasztowy *adj mar.* five-masted — (schooner)

pięciominutowy *adj* of five minutes; five-minutes' (delay, pause etc.); five-minute — (intervals etc.)

pięciomorgowy *adj* (farm, park etc.) of five morgen

pięciopalcowy *adj* 1. (*mający pięć palców — o ręce*) five-fingered; (*o stopie*) five-toed 2. (*wykonywany pięcioma palcami*) five-finger — (exercises etc.)

pięciopalców|ka *sf pl G.* **~ek** five-finger exercise

pięciopalczasty *adj* 1. = **pięciopalcowy** 1. 2. *bot.* (*o liściu*) quinate

pięciopłatkowy *adj* (*o kwiecie*) pentapetalous

pięciopokojowy *adj* of five rooms; five-room — (suite, office etc.)

pięciopromienny *adj* = **pięcioramienny**

pięcioraczk|i *spl G.* **~ów** quintuplets

pięcioraki *adj* fivefold; quintuple; quinary

pięcioramienny *adj* five-pointed (star)

pięciornik *sm bot.* (*Potentilla*) cinquefoil; five-leaf

pięcior|o *num G.* **~ga** five; **złożyć arkusz na <w> ~o** to fold a sheet in five

pięciostopniowy *adj* 1. (*liczący pięć stopni*) of five degrees; *muz.* (*o skali*) pentatonic 2. (*mający pięć etapów*) of five stages; five-stage — (cycle etc.)

pięciostopowy *adj* (*o wierszu*) having five metrical feet; **wiersz ~** pentameter

pięciostrzałowy *adj* five-shot — (revolver etc.)

pięciotlen|ek *sm G.* **~ku** *chem.* pentoxide

pięciowieczny *adj* 1. (*mający pięć wieków*) of five centuries; of five hundred years' standing 2. (*pochodzący z piątego wieku*) fifth-century — (building etc.)

pięciowiersz *sm* five-verse stanza

pięciowierszowy *adj* of five verses

pięciozłotowy *adj* five-zloty — (coin etc.)

pięciozłotów|ka *sf pl G.* **~ek** five-zloty coin <bank-note>

pięciusetzłotowy *adj* five-hundred-zloty — (bank-note)

pię|ć *num G.* **~ciu** *I.* **~cioma** 1. five; **mieć ~ć lat** to be five (years old); *pot.* **zaczynać od ~ciu palców** to start from scratch; **znać coś jak swoje ~ć palców** to know sth through and through; **ni w ~ć, ni w dziewięć** a) (*bez sensu*) nonsensically b) (*bez związku z całością*) a propos of nothing in particular; without rhyme or reason c) (*ni stąd, ni zowąd*) all of a sudden; (quite) abruptly; unexpectedly 2. *szk.* full marks; highest <best> mark(s)

pięćdziesi|ąt *num G.* **~ęciu** *I.* **~ęcioma** fifty; **mieć ~ąt lat** to be fifty (years old)

pięćdziesiąt|ka *sf pl G.* **~ek** 1. (*zbiór osób*) group of fifty persons; (*rzeczy*) batch of fifty objects; **cała ~ka** all fifty (of us, you, them) 2. (*moneta, banknot*) fifty-zloty <fifty-franc, fifty-dollar etc.> piece <bank-note> 3. *pot.* (*pięćdziesiąt lat*) fifty (years of age); **on już ma ~kę** <**pod ~kę**> he is already fifty <close on fifty>; **przekroczył ~kę** he is past fifty; he is in his fifties

pięćdziesiątnica *sf rel.* (*ostatnia niedziela przed Popielcem*) Quinquagesima Sunday

pięćdziesiąt|y [I] *num* fiftieth; **~e lata** the fifties [II] *sf* **~a** (*decl = adj*) one fiftieth

pięćdziesięciogroszów|ka *pl G.* **~ek** fifty-groszy coin

pięćdziesięciokilkoletni *adj* 1. (*mający pięćdziesiąt kilka lat*) fifty odd years old 2. (*trwający pięćdziesiąt kilka lat*) of fifty odd years' duration; fifty odd years' __ (service etc.)

pięćdziesięciokrotnie *adv* fiftyfold; fifty times

pięćdziesięciokrotny *adj* fiftyfold; reiterated <repeated> fifty times

pięćdziesięcioleci|e *sn pl G.* **~** 1. (*okres*) fifty-year period 2. (*rocznica*) fiftieth anniversary

pięćdziesięcioletni *adj* 1. (*mający pięćdziesiąt lat*) fifty years old; **człowiek ~** a man of fifty 2. (*trwający pięćdziesiąt lat*) of fifty years' duration; fifty years' __ (married life etc.); fifty-year __ (cycles etc.)

pięćdziesięcior|o *num G.* **~ga** fifty

pięćdziesięciozłotowy *adj* (an expense, a cost etc.) of fifty zlotys

pięćdziesięciozłotów|ka *sf pl G.* **~ek** fifty-zloty bank-note

pię|ćset *num G.* **~ciuset** five-hundred

pięćset|ka *sf pl G.* **~ek** 1. (*zbiór*) five-hundred people <objects> 2. (*banknot*) five-hundred-zloty <five-hundred-franc etc.> bank-note

pięćsetleci|e *sn pl G.* **~** quincentenary, quingentenary

pięćsetn|y *adj* five-hundredth; **~a rocznica** quincentenary

piędzik *sm zool.* (*Cheimatobia*) winter moth

pię|dź *sf* 1. (*dawna jednostka miary*) span 2. *przen.* inch; **bronić każdej ~dzi** <**walczyć o każdą ~dź**> **ziemi** to defend <to fight> every inch of ground

pięknie *adv* 1. (*przyjemnie dla oka, ucha itd.*) prettily, nicely; beautifully; (*o pogodzie*) **jest** <**było itd.**> **~** it is <was etc.> fine <lovely> (weather); it is <was etc.> a lovely <a beautiful> day; **~ będzie w nowym mieszkaniu** it will be nice <lovely> in the new flat; **to ~ świadczy o nim** it speaks well for him; **to ~ z twojej strony** it is nice of you 2. *iron.* (*okropnie*) in fine manner; **~ sobie postępujesz!** that's fine behaviour, that is!; you're a fine fellow, you are! 3. *w wyrażeniu*: **~, ale ...** that's all very well, but ...; well and good but ... 4. (*doskonale*) perfectly; splendidly; tiptop

pięknie|ć *vi imperf* **~je** to grow pretty <lovely, beautiful, (*o mężczyźnie*) handsome>

pięknış *sm* fop

piękn|o *sn singt* beauty; loveliness; **miejscowość słynąca z ~a** beauty-spot; **poczucie ~a** sense of beauty; **umiłowanie ~a** love of the beautiful

pięknobrzmiąc|y *adj* pleasant to the ear; **~e słowa** beautiful phrases

pięknoduch *sm iron.* crazy aesthete

pięknoduchostwo *sn singt iron.* exaggerated aestheticism

piękność *sf singt* 1. (*cecha fizyczna i moralna*) beauty; loveliness; (*cecha fizyczna u ludzi*) good looks; comeliness; handsomeness 2. (*piękna kobieta*) belle; (a) beauty

piękn|y [I] *adj* 1. (*odznaczający się pięknością fizyczną, moralną*) beautiful; lovely; fine; (*odznaczający się pięknością fizyczną — o kobiecie*) beautiful; lovely; pretty; good-looking; comely; handsome; (*o dziecku*) beautiful; lovely; pretty; (*o mężczyźnie*) handsome; good-looking; **literatura ~a** belles-lettres; **~a pogoda** fine <fair, sunny> weather; **~e słowa** fair words; **płeć ~a** the fair sex; **sztuki ~e** fine arts; **wystawa sztuk ~ych** art exhibition; **widzieć coś w ~ych barwach** to see sth in bright colours; **dla czyichś ~ych oczu** just for sb's good looks; **pewnego ~ego dnia** a) (*w odniesieniu do przeszłości*) one fine day b) (*w odniesieniu do przyszłości*) one of these fine days 2. (*dorodny, okazowy*) fine; splendid 3. (*pokaźny*) handsome (fortune etc.); **~y wiek** a ripe old age 4. *iron.* fine; **~e rzeczy!** fine goings-on these! [II] *sn* **~e** the beautiful; **odpłacić się komuś ~ym za nadobne** to give sb tit for tat <like for like>; to get one's own back on sb

pięściarski *adj* boxing __ (match etc.); pugilistic

pięściarstwo *sn singt* boxing; pugilism; **~ zawodowe** prize-fighting

pięściarz *sm* boxer; pugilist; **~ zawodowy** prize-fighter

pięś|ć *sf* 1. (*kułak*) fist; **grozić komuś ~cią** to shake one's fist at sb; **okładać ~ciami** to pommel; **przecierać sobie oczy ~ciami** to knuckle one's eyes; **uderzenie ~cią** a punch; **uderzyć kogoś ~cią** to punch sb; to give sb a punch; **uderzyć ~cią w stół** to thump the table; **zacisnąć ~ci** to clench one's fists; *przen.* **mieć twardą ~ć** to rule with an iron hand; **to pasuje jak ~ć do nosa** it is a bad match 2. *przen.* (*siła brutalna*) brute force; **prawo ~ci** fist law; club-law

pięt|a *sf* 1. (*część stopy*) heel; **od ~ do czubka głowy** from the sole of one's feet to the top of one's head; *przen.* **~a Achillesa** <**achillesowa**> the tendon of Achilles; **nie dorastać komuś do ~** not to be a patch on sb; **poszło mu w ~y** it stung him to the quick; *pot.* **deptać komuś po ~ach** to be at sb's heels; to tread on sb's heels; *żart.* **dusza uciekła mu w ~y** he had his heart in his boots 2. (*u pończochy, skarpetki*) heel 3. *mar.* heel (of a boom, bowsprit etc.); **~a kotwicy** the crown of the shank of an anchor

piętak *sm* (*łom*) crow-bar

piętk|a *sf* 1. *dim* ↑ **pięta**; *przen.* **gonić w ~ę** to be going daft 2. (*u bochenka, u cebuli rośliny*) heel

piętnast|ka *sf pl G.* **~ek** 1. (*liczba*) the figure fifteen; group of fifteen persons <objects> 2. (*coś oznaczonego numerem piętnaście*) (bus, tram, room etc.) N° 15

piętnastolatek *sm* 1. (*chłopiec*) boy of fifteen <fifteen years old> 2. (*zwierzę*) (a) fifteen-year-old

piętnastoleci|e *sn pl G.* ~ 1. (*okres*) period <space> of fifteen years 2. (*rocznica*) fifteenth anniversary

piętnastoletni *adj* 1. (*mający piętnaście lat*) fifteen years old; **chłopiec** ~ boy of fifteen <fifteen years old> 2. (*trwający piętnaście lat*) of fifteen years' duration; fifteen years' — (imprisonment etc.); fifteen-year — (period etc.)

piętnastominutowy *adj* (interval etc.) of fifteen minutes; fifteen minutes' — (pause etc.); fifteen-minute — (periods etc.)

piętnastowieczny *adj* of the fifteenth century

piętnast|y [I] *num* fifteenth [II] *sf* ~**a** 1. (*część*) one fifteenth (of a whole) 2. (*godzina*) three o'clock (in the afternoon); fifteen hours

piętna|ście *num G.* ~**stu** fifteen; **chłopiec ma** ~**ście lat** the boy is fifteen (years old)

piętnaścior|o *num G.* ~**ga** fifteen

piętno *sn* 1. (*znak wypalony*) brand; stigma; (*znak wyciśnięty*) mark; impress; stamp; (*ślad*) mark; **wycisnąć** ~ **na czymś** to stamp sth; to mark sth with a stamp; **wypalić** ~ **na zbrodniarzu** <**zwierzęciu**> to brand a criminal <an animal> with a red-hot iron 2. *przen.* (*cecha*) seal; stamp; hall-mark; impress; **nadać czemuś** ~ **geniuszu** to seal sth with the stamp of genius; **nosić** ~ **cierpienia** to bear the seal of suffering; **wycisnąć** ~ **na kimś, czymś** to leave its impress on sb, sth 3. (*znamię na skórze*) birth-mark

piętnować *vt imperf* 1. (*ganić*) to stigmatize; to brand; to condemn 2. (*znaczyć piętnem*) to mark; to stamp 3. (*wypalać piętno*) to brand

piętnowanie *sn* (↑ **piętnować**) (*ganienie*) stigmatization

piętnów|ka *sf pl G.* ~**ek** *zool.* (*Mamestra*) a noctuid moth

piętow|y *adj* of the heel; *anat.* **kość** ~**a** calcaneus

pięt|ro *sn pl G.* ~**er** <~**r**> 1. (*kondygnacja budynku*) storey, story; floor; **górne** ~**ra** (the) upper storeys; **mieszkanie na** ~**rze** upstair(s) flat; **na pierwszym** <**drugim itd.**> ~**rze** on the first <second etc.> floor; *am.* on the second <third etc.> floor; **na** ~**rze** upstairs 2. *geol.* horizon; stage 3. *górn.* level; stage; flat 4. *bot. leśn.* (*warstwa roślinna*) layer

piętrowo *adv* in tiers

piętrowy *adj* storeyed, storied; ~ **dom** one-storeyed house; **autobus** <**tramwaj**> ~ double-decker; *mat.* **ułamek** ~ complex <compound> fraction

piętrzenie *sn* ↑ **piętrzyć**

piętrzyć *v imperf* [I] *vt* to bank up; to heap; to pile; to accumulate; ~ **wodę** to dam up water [II] *vr* ~ **się** 1. (*wznosić się*) to rise; to tower; to accumulate (*vi*) 2. (*dźwigać*) to be heaped high (**skrzyniami itd.** with boxes etc.)

pif-paf *interj* bang, bang

pigmej *sm* pygmy, pigmy

pigmejski *adj* pygmean

pigment *sm G.* ~**u** 1. *biol. chem.* pigment 2. *fot.* carbon process

pigmentacja *sf singt biol.* pigmentation

pigmentacyjny *adj biol.* pigmentary

pigmentowany *adj* pigmented

pigmentow|y *adj* 1. *biol. chem.* pigmentary (degeneration etc.); pigment — (cell etc.) 2. *fot.* carbon (paper, tissue); **technika** ~**a** carbon process

pigmoid *sm* pygmoid

pigularz *sm iron. żart.* pill-maker

piguła *sf* ball

pigułk|ka *sf pl G.* ~**ek** 1. *farm.* pill; *przen.* **gorzka** ~**ka** a bitter pill (to swallow); **osłodzić** ~**kę, owinąć gorzką** ~**kę w opłatek** to gild the pill 2. (*kulka*) ball 3. *wojsk. żart.* pill

pigwa *sf* 1. (*owoc*) quince 2. *bot.* (*Cydonia*) quince

pigwow|iec *sm G.* ~**ca** *bot.* (*Chaenomeles japonica*) dwarf Japanese quince

pijacki *adj* drunken (brawl, company etc.); drunkard's; **z** ~**m uporem** with drunken obstinacy

pijacko *adv* drunkenly

pijaczka *sf* = **pijak**

pijaczyć się *vr imperf* to tope

pijaczyna *sm* (*decl* = *sf*), **pijaczysko** *sn sm* (*decl* = *sn*) toper; sot; drunkard

pija|ć *v imperf* [I] *vt* to drink; to take <to have> (coffee, tea etc.); **na śniadanie** ~**my kawę** we (usually) have coffee for breakfast; **on** ~**ł dużo wina** he used to drink a great deal of wine [II] *vi* to take strong drinks; to drink (to excess); to get drunk

pijak *sm* drunkard; toper; tippler

pijalnia *sf* (*w zakładzie zdrojowym*) pump-room; well-room; ~ **mleka** milk-bar

pijalny *adj* drinkable; fit to drink

pijanica [I] *sm* (*decl* = *sf*) *pog.* = **pijak** [II] *sf bot.* = **łochynia**

pijaniusieńki *adj*, **pijaniuteńki** *adj emf* ↑ **pijany**; *sl* blind drunk

pijan|y [I] *pp* ↑ **pijać** [II] *adj* 1. (*odurzony alkoholem*) drunk; tipsy; intoxicated; in liquor; the worse for drink; *pot.* screwed; *sl.* tight; ~**a biesiada** drinking-bout; ~**y śmiech** tipsy laughter; ~**y tłum** drunken crowd; ~**y wzrok** <**śpiew**> drunken gaze <singing>; ~**y jak bela** <**jak szewc**> drunk as a fiddler; dead-drunk; **po** ~**emu** under the influence of drink; **zrobić coś po** ~**emu** to do sth when tipsy <drunk> 2. *przen.* (*upojony*) elated; drunk (**szczęściem, powodzeniem itd.** with joy, with success etc.) [III] *sm* ~**y** drunken man; (a) drunk; **trzymać się czegoś jak** ~**y płotu** to cling pigheadedly to sth; to stick to sth like a leech

pijaństw|o *sn* 1. *singt* (*nałóg*) drink; drunkenness; intemperance; **oddawać się** ~**u** to be addicted to drink 2. (*pijatyka*) drinking-bout; **towarzysze** ~**a** drinking companions 3. (*nietrzeźwy stan*) intoxication; inebriation

pijar *sm* Piarist

pijarski *adj* Piarist — (order, school etc.)

pijatyk|a *sf* drinking-bout; carouse; **urządzili** ~**ę** they had a spree

pijawk|a *sf* 1. *zool.* (*Hirudo medicinalis*) leech; ~**a końska** (*Haemopis sanguisuga*) horse-leech; **przystawiać komuś** ~**i** to apply leeches to sb 2. *przen.* (*o człowieku*) blood-sucker 3. *myśl.* a variety of hunting dog

pijus *sm pot.* sot; toper

pik[1] *sm karc.* spades; **as** ~ the ace of spades

pik[2] *sm mar.* peak (of sail)

pika[1] *sf tekst.* piqué

pik|a[2] *sf* (*broń*) pike; lance; **drzewce** ~**i** pikestaff; *przen. pot.* **wsadzić komuś** ~**ę** to sting sb to the quick

pika[3] *sf lotn.* nose-dive

pikador *sm* picador

pikanteri|a *sf GDL.* **~i** 1. (*dowcip, zaostrzenie ciekawości*) piquancy; pungency; point; pointedness; zest; **dodać ~i jakiejś wiadomości** to sauce a piece of news 2. (*drastyczność*) spice; spiciness
pikantnie *adv* 1. (*zaostrzając smak*) spicily; pungently; piquantly 2. (*drastycznie*) spicily 3. (*zaostrzając ciekawość*) piquantly; pungently; pointedly
pikantny *adj* 1. (*ostry w smaku*) spicy; pungent; sharp; piquant (sauce etc.) 2. (*drastyczny*) spicy (joke etc.); salt (story etc.) 3. (*zaostrzający ciekawość*) piquant; pungent; pointed
pikfał *sm G.* **~u** *mar.* peak span <halyard>
pikieciarz *sm pot.* picket
pikielhauba *sf* spiked helmet
pikieta *sf* 1. (*straż, czujka*) picket; **~ strajkowa** picket 2. † *karc.* piquet
pikietować *vt imperf* to picket (a factory, shop etc.)
pikinier *sm hist.* pikeman
pikl|e *spl G.* **~i** pickles; pickled cucumbers <mushrooms etc.>
pikling *sm* bloater; red herring
pik|nąć *v perf* **~ięty** — **pik|ać** *v imperf* [I] *vi* to squeak [II] *vt pot.* 1. (*ukłuć*) to prick; to sting (sb) to the quick 2. (*o sercu — bić*) to beat; **coś mnie ~nęło** I scented sth; I had a presentiment of sth
piknięcie *sn* (↑ **piknąć**) (a) prick; (a) sting
piknik[1] † *sm G.* **~u** picnic
piknik[2] *sm G.* **~a** = **pyknik**
piknit *sm G.* **~u** *miner.* pycnite
piknometr *sm G.* **~u** *fiz. chem.* pycnometer
pikolak *sm pot.* buttons; page
pikot *sm G.* **~u** (*zw. pl*) picot; purl
pikować *vt imperf* 1. (*przeszywać materiał*) to quilt (**kołdrę itd.** a counterpane etc.); to tuft (**materac** a mattress) 2. *lotn.* to dive; to nose-dive 3. *ogr.* to plant out <to bed in, to prick in> (seedlings) 4. *mar.* to peak; to top (a gaff etc.)
pikowanie *sn* (↑ **pikować**) *lotn.* (a) (nose-)dive
pikowy[1] *adj* (ace, king etc.) of spades
pikowy[2] *adj mar.* **róg ~** peak
pikowy[3] *adj tekst.* piqué — (dress, waistcoat etc.)
pikrynowy *adj* picric (acid)
piktografi|a *sf GDL.* **~i** 1. (*pismo*) pictography 2. (*postać pisma obrazowego*) pictograph
piktogram *sm G.* **~u** pictogram
pikulina *sf muz.* piccolo
pilaf *sm singt* = **pilaw**
pilak *sm zool.* (*Pristiurus melanostomus*) a scylliorhinoid shark
pilarzowat|y *zool.* [I] *adj* tenthredinid [II] *spl* **~e** (*Tenthredinidae*) (*rodzina*) the family Tenthredinidae; the saw-flies
pilast|er *sm G.* **~ru** <**~ra**> *arch.* pilaster
pilastrowanie *sn arch.* pilastrade
pilastrowy *adj* pilaster — (mass, strip etc.)
pilasty *adj bud.* saw-tooth — (roof)
pilaw *sm singt G.* **~u** pilaw, pilau, pilaff
pilchy *spl zool.* (*Myoxidae*) (*rodzina*) the dormice
pilenie *sn* ↑ **pilić**
pilić *vt imperf* to urge <to press, to hasten> (sb) on
pilniczek *sm dim* ↑ **pilnik**
pilnie *adv* 1. (*dokładając starań*) diligently; assiduously; **~ pracować** to work hard 2. (*starannie*) carefully; sedulously; with application 3. (*uważnie*) closely; intently; **~ się czemuś przyglądać** to examine sth narrowly 4. (*pośpiesznie*) urgently; speedily; in all <in great> haste; **~ poszukiwany** urgently needed
pilnik *sm* file
pilnikarka *sf techn.* filing machine
pilno † *adv* = **pilnie**; *obecnie w zwrotach*: **~ mi <mu itd.>** I am <he is etc.> in a hurry; **dokąd ci tak ~?** where are you hurrying to?; *pot.* what's your hurry?
pilność *sf singt* 1. (*gorliwość*) diligence; assiduity 2. (*staranność*) care; sedulity; application 3. (*pracowitość*) industry 4. (*terminowość*) urgency
pilnować *v imperf* [I] *vt* 1. (*strzec*) to guard (**kogoś, czegoś** sb, sth); to watch (**kogoś, czegoś** sb, sth); to keep watch (**czegoś** on <over> sth); to keep an eye (**kogoś, czegoś** on sb, sth); to be on the look-out (**kogoś, czegoś** for sb, sth); **~ domu** to mind the house; **~ porządku** to maintain order; *pot.* **~ swego nosa** to mind one's (own) business 2. (*doglądać*) to look (**kogoś, czegoś** after sb, sth); to see (**kogoś, czegoś** to sb, sth); to take care (**kogoś, czegoś** of sb, sth); to tend (**chorego** an invalid) 3. (*przestrzegać*) to keep (**czegoś** to sth); to stand (**czegoś** by sth); to stick (**tekstu itd.** to the text etc.); to abide (**przepisów itd.** by the rules etc.) [II] *vr* **~ się** 1. (*uważać na siebie*) to take care of oneself; *am. pot.* to watch one's step 2. (*strzec się nawzajem*) to watch each other
pilnowanie *sn* (↑ **pilnować**) (a) watch
pilny *adj* 1. (*nagły*) urgent; pressing; importunate 2. (*pracowity*) diligent; assiduous; hard-working; industrious; **~ w nauce** studious 3. (*staranny*) careful; sedulous 4. (*czujny*) watchful; vigilant
pilock|i *adj* pilot's; **~a flaga** pilot flag
pilokarpina *sf chem.* pilocarpine
pilot *sm* 1. *lotn. mar.* pilot; **~ automatyczny** gyro-pilot; **drugi ~** co-pilot 2. (*opiekun gościa zagranicznego*) guide 3. *zool.* (*Naucrates ductor*) pilot-fish
pilotaż *sm singt G.* **~u** 1. *lotn.* pilotage; **ślepy ~** flying blind; **nauka ślepego ~u** blind-flying instruction 2. *mar.* (*umiejętność*) pilotage; (*przeprowadzanie statków*) piloting 3. *meteor.* use of pilot balloons
pilotażowy *adj* piloting — (difficulties etc.); pilotage — (dues etc.)
pilotka *sf* 1. (*kobieta-pilot*) woman pilot 2. (*czapka*) soft helmet; (*lotnika*) flying helmet
pilot|ować *vt imperf lotn. mar. sport* to pilot; **parowóz ~ujący** pilot engine
pilotowanie *sn* (↑ **pilotować**) pilotage
pilotow|y *adj* piloting — (dues etc.); **balon ~y** pilot balloon; **mapa ~a** pilot chart; **statek ~y** pilot boat
pilotów|ka *sf pl G.* **~ek** *mar.* pilot boat
pilśniar|ka *sf pl G.* **~ek** *techn.* fulling mill; fullery
pilśniarz *sm* fuller
pilśnić *vt imperf* to full (cloth)
pilśnienie *sn* ↑ **pilśnić**
pilśniowaty *adj* felty
pilśniow|y *adj* felt — (hat etc.); *bud.* **płyta ~a** hard-board
pilśń *sf singt* felt; **~ asfaltowa** asphalt felt
piła *sf* 1. (*narzędzie*) saw; **~ do metali** hack-saw; **~ ramowa** frame-saw; **~ ręczna** hand-saw; **~ tarczowa** circular <buzz> saw; **~ taśmowa** band-saw; **~ tracka** pit-saw; cleaving saw 2. *przen.*

pot. (*o człowieku*) square-toes; *am. pot.* screw 3. *przen. pot.* (*o czymś nudnym*) bore 4. (*instrument muzyczny*) musical <singing> saw 5. *zool.* (*Pristis antiquorum*) sawfish
piłeczka *sf dim* ↑ **piłka**
pił|ka[1] *sf pl G.* **~ek** 1. (*do zabaw i gier sportowych*) ball; **~ka lekarska** medicine ball; **~ka nożna** a) (*przedmiot*) football b) (*gra*) (association) football; *pot.* soccer; **~ka ręczna** handball; **~ka wodna** water polo 2. (*rzut piłką*) (pitched) ball; kick; shot
pił|ka[2] *sf pl G.* **~ek** *dim* ↑ **piła**
piłkarski *adj* football — (team, match etc.); **sport ~** football; *pot.* soccer
piłkarstwo *sn singt* 1. (*gra oraz sprawy z nią związane*) (association) football; *pot.* soccer 2. (*ogół piłkarzy*) footballers; football players
piłkarz *sm* footballer; football player
piłkowanie *sn singt bot.* serration
piłkowany *adj* (*o liściu*) serrate
piłować *v imperf* [I] *vt* 1. (*rżnąć piłą*) to saw 2. (*ścierać pilnikiem*) to file 3. *przen. pot.* (*nudzić*) to bore [II] *vi przen. pot.* (*źle grać na instrumencie*) to rasp (on a violin etc.)
piłowanie *sn* ↑ **piłować**
piłowat|y [I] *adj* 1. (*ząbkowany*) saw-toothed 2. *pot.* (*nudnawy*) boring; tedious; (*o człowieku*) square-toed [II] *spl* **~e** *zool.* (*Pristidae*) (*rodzina*) the family Pristidae
pimelit *sm G.* **~u** *miner.* pimelite
piment *sm G.* **~u** pimento; allspice
pimentow|y *adj* pimento — (oil etc.); *bot.* **drzewo ~e** (*Pimenta officinalis*) allspice-tree
pinak|iel *sm G.* **~lu** <**~la**> *arch.* pinnacle; **ozdobiony** <**zakończony, uwieńczony**> **~lem** <**~lami**> pinnacled
pinakoteka *sf* pinakotheke
pinceta *sf*, **pincetka** *sf* = **pęseta**
pinczer *sm* Doberman pinscher
pinczerek *sm dim* ↑ **pinczer**
pinda *sf wulg.* female; hussy; minx
pindaryczny *adj* Pindaric
pindrzyć się *vr imperf sl.* to rig oneself out; to bedizen oneself
pinen *sm G.* **~u** *chem.* pinene
pinez|ka *sf pl G.* **~ek** drawing-pin; *am.* thumb-tack
ping-pong *sm* ping-pong; table-tennis
pingpongista *sm* (*decl* = *sf*) ping-pong <table-tennis> player
pingpongowy *adj* ping-pong <table-tennis> — (match etc.)
pingwin *sm zool.* penguin; **kolonia ~ów** rookery
pini|a *sf GDL.* **~i** *bot.* (*Pinus pinea*) stone-pine
piniowy *adj* stone-pine — (seeds etc.)
pin|ka *sf pl G.* **~ek** *mar.* pink
piołun *sm G.* **~u** 1. *bot.* (*Artemisia absinthium*) wormwood; absinthium 2. (*wywar*) decoction of wormwood leaves; (*nalewka*) absinth-flavoured liqueur 3. *przen.* (*gorycz*) bitterness; wormwood
piołunowo *adv* bitterly
piołunowy *adj* 1. (*dotyczący piołunu*) absinthine 2. *przen.* (*pełen goryczy*) bitter
piołunówka *sf* absinth-flavoured liqueur
pion[1] *sm G.* **~u** 1. (*przyrząd*) plumb-line; (*ciężarek*) plummet 2. (*kierunek pionowy*) the perpendicular; the vertical; **do ~u** (in) true; **nie w ~ie** out of true <of the perpendicular, of the vertical> 3. (*dział instytucji itd.*) section; department 4. *bud.* (*przewód*) riser; **~ wodociągowy** riser pipe
pion[2] *sm* = **pionek** 1.
pionek *sm* 1. (*bierka szachowa*) pawn; (*w warcabach*) (draughts)man 2. *przen.* (*o człowieku*) puppet; cog
pionier *sm* pioneer; (*w ZSRR*) Young Pioneer
pionierka *sf* pioneer
pionierski *adj* pioneer — (work etc.); (*w ZSRR*) Young Pioneer — (organization, camp etc.); *bot.* pioneer — (plant, forest etc.)
pionierskość *sf*, **pionierstwo** *sn* pioneer work; pioneering
pionować *vt imperf* to plumb (a building, wall etc.)
pionowanie *sn* ↑ **pionować**
pionowo *adv* perpendicularly; vertically; **opadać ~ do czegoś** to descend sheer to sth; **postawić** <**ustawić**> **coś ~** to put sth upright <endwise, apeak>; to up-end sth; **wznosić się ~ nad czymś** to rise sheer above sth
pionowość *sf singt* perpendicularity; verticality; uprightness
pionowy *adj* (*prostopadły do podstawy*) perpendicular; vertical; (*będący w pozycji stojącej*) upright; erect; (*o skale, urwisku itd.*) sheer; (*o murze, filarze itd. — w pionie*) plumb; in true; **filar nie jest ~** the pillar is out of true
piorun *sm* thunderbolt; lightning; shaft of lightning; **burza z ~ami** thunderstorm; **~ kulisty** globe <globular> lightning; fire-ball; **pożar od ~a** fire caused by lightning; **ciskać ~ami** to storm; to thunder; **~y biły** the lightning struck again and again; **jak jasny ~** like the very dickens; like hell; **jak ~ z jasnego nieba** like a bolt from the blue; **jak rażony ~em** thunderstruck; *pot.* **do ~a!** damn it!; **niech cię ~ trzaśnie!** confound you!
piorunem *pot.* in less than no time; with lightning speed; like a shot; quick as a flash
piorunian *sm G.* **~u** *chem.* fulminate
piorunochron *sm G.* **~u** lightning-conductor, lightning-rod
piorunochronowy *adj* lightning-conductor — (installation etc.)
piorunować *vi imperf* 1. (*gromić*) to inveigh <to fulminate, to thunder> (**na kogoś, coś** against sb, sth) 2. (*kląć*) to curse; to storm; to rage
piorunow|iec *sm G.* **~ca** *miner.* fulgurite
piorunow|y *adj* 1. (*dotyczący piorunu*) lightning — (discharge etc.); **burza ~a** thunderstorm; *chem.* **kwas ~y** fulminic acid 2. *przen.* (*gwałtowny*) thunderous; (*szybki*) lightning — (blow, progress etc.) 3. (*karcący*) thundering
piorunująco *adv* 1. (*groźnie*) thunderously 2. (*gwałtownie*) like lightning; like a thunder bolt
piorunując|y *adj* 1. (*błyskawiczny*) terrific; rapid; swift; *med.* fulminant (disease); (*gwałtowny*) thundering; thunderous; **~a apopleksja** lightning apoplexy 2. (*wstrząsający*) staggering; **~e spojrzenie** withering glare; **sprawić ~e wrażenie, wywołać ~y efekt** to act like a thunderbolt
piosen|ka *sf pl G.* **~ek** song; **~ka ludowa** folk-song; **~ka miłosna** love-song; **~ka wojenna** war-song; *przen.* **stara ~ka** an old tune; **śpiewać czyjąś ~kę** to chime in with sb
piosenkarka *sf* 1. (*śpiewaczka*) pop singer; artiste 2 (*autorka*) song-writer

piosenkarski *adj* 1. (*śpiewaka, śpiewaczki*) songster's <songstress's> (talent etc.) 2. (*autora piosenek*) song-writer's — (compositions etc.)
piosenkarstwo *sn singt* 1. (*układanie piosenek*) song-writing 2. (*wykonywanie*) song singing
piosenkarz *sm* 1. (*śpiewak*) pop singer 2. (*autor*) song-writer
piosenkowy *adj* song — (form etc.)
piotrosz *sm zool.* John Dory
Piotrowin *sm singt pot. tylko w zwrocie:* **wyglądać jak ~** to look like a ghost
piórk|o *sn* 1. *dim* ↑ **pióro** 1., 2., 6., 7.; (small) feather; **~o puchowe** plumelet; plumule; **lekki jak ~o** as light as a feather; *przen.* **porosnąć, porastać w ~a** to feather one's nest; **stroić się w cudze ~a** to deck oneself in borrowed plumes 2. (*drobny przedmiot przypominający pióro ptasie*) feather; **~o klucza** bit of a key; **~o wiosła** blade of an oar 3. (*źdźbło trawy*) blade (of grass) 4. *muz.* plectrum 5. (*stalówka do szkiców*) drawing-pen
piórkowat|y *adj* feathery; *bot.* pinnate
piórkow|iec *sm G.* **~ca** *sport pot.* feather-weight (boxer)
piórkow|y *adj* 1. (*dotyczący pióra ptasiego*) of a feather; *sport* **waga ~a** feather-weight 2. (*dotyczący piórka do szkiców*) of a drawing-pen; **rysunek ~y** pen-and-ink drawing
piórnik *sm* pencil-case; pen-case
piór|o *sn* 1. (*u ptaka*) feather; (*służące do ozdoby*) plume; *pl* **~a** a) (*upierzenie*) feathers; plumage b) *przen.* (*skrzydła*) wings c) *przen.* (*kiść*) tuft; **~a pokrywowe** tectrices; **~a szyjne <grzbietowe>** hackles; *przen.* **porosnąć w ~a** to feather one's nest; **stroić się w cudze ~a** to deck oneself in borrowed plumes 2. (*narzędzie do pisania*) pen; **wieczne ~o** fountain-pen 3. *przen.* (*pisanie dzieł*) pen; **żyć z ~a** to live by one's pen 4. *przen.* (*sposób pisania*) pen; penmanship; style 5. *przen.* (*pisarz*) pen; writer 6. (*część narzędzia*) feather; **~o klucza** bit of a key; **~o steru** rudder-blade; **~o świdra** bit of a drill; **~o wiosła** blade of an oar 7. *bud. stol.* feather; tongue
piórolot|ek *sm G.* **~ka** *zool.* pterophorid; *pl* **~ki** (*Pterophoridae*) (*rodzina*) the plume moths
pióropusz *sm* 1. (*pęk piór*) panache; crest; plume 2. *przen.* (*pęk liści itd.*) tuft 3. *przen.* (*coś, co się unosi w górę w kształcie pęku piór*) plume <wreath, curl> (of smoke etc.)
pióropusznik *sm bot.* (*Matteucia*) ostrich fern
pióroskrzelc|e *spl G.* **~ów** = **pióroskrzelne** *zob.* **pióroskrzelny**
pióroskrzeln|y *zool.* ⊡ *adj* pterobranchiate ⊡⊡ *spl* **~e** (*Pterobranchia*) (*gromada*) the order Pterobranchia
piórowy *adj* feathered (wings etc.)
pipak *sm wet.* capped hock
piperazyna *sf farm.* piperazine
pipeta *sf*, **pipet|ka** *sf G.* **~ek** pipette
Pipidówka *sf iron.* small town; *am.* Podunk
pip|ka *sf pl G.* **~ek** *rz.* 1. (*fajka*) pipe 2. (*lufka*) cigarette-holder
pirack|i *adj* piratical; *przen.* **jazda ~a** road-hogging
piractwo *sn singt* 1. (*rozbójnictwo morskie*) piracy 2. *przen.* (*piracka jazda*) road-hogging
pira|ja *sf GDL.* **~i** *zool.* (*Pygocentrus piraya*) a characinid
piramida *sf archeol. mat. sport* pyramid
piramidalnie *adv* 1. (*na kształt piramidy*) pyramidally; in the shape of a pyramid 2. *przen.* (*niezwykle*) colossally
piramidalność *sf singt* pyramidal shape <form>
piramidalny *adj* 1. (*mający kształt piramidy*) pyramidal; pyramid-shaped 2. *przen.* (*niezwykły*) colossal
piramidka *sf* 1. *dim* ↑ **piramida** 2. *bil.* a billiard game
piramidon *sm singt G.* **~u** *farm.* pyramidone
pirani|a *sf GDL* **~i** = **piraja**
pirat *sm* 1. (*rozbójnik*) pirate 2. *przen.* (*o kierowcy samochodowym*) road-hog
piren *sm G.* **~u** pyrene
pirheliometr *sm G.* **~u** *fiz.* pyrheliometer
piroelektryczność *sf fiz.* pyro-electricity
piroelektryczny *adj* pyro-electric
pirofilit *sm G.* **~u** *miner.* pyrophyllite
piroga *sf* pirogue; dug-out; canoe
pirogalol *sm G.* **~u** *chem.* pyrogallol
pirogowy *adj* dug-out (canoe)
piroklastyczny *adj* pyroclastic (rocks etc.)
piroksen *sm G.* **~u** (*zw. pl*) *miner.* pyroxene
piroksylina *sf chem.* pyroxylin; gun-cotton
piroliza *sf chem.* pyrolisis; carbonization
piroluzyt *sm G.* **~u** *miner.* pyrolusite
piromani|a *sf singt GDL.* **~i** *psych.* pyromania
pirometr *sm G.* **~u** *fiz.* pyrometer
pirop *sm G.* **~u** *miner.* pyrope
piroplazma *sf wet.* red-water
pirosfera *sf geol.* pyrosphere
pirotechniczny *adj* pyrotechnic(al)
pirotechnik *sm* pyrotechnist; firework-maker
pirotechnika *sf* 1. (*nauka o stosowaniu ciepła w technice*) pyrotechny, pyrotechnics 2. (*technika wyrobu ogni sztucznych*) pyrotechnics
pirs *sm G.* **~u** *mar.* pier
piruet *sm* pirouette; **kręcić ~y** to pirouette
pirydyna *sf singt chem.* pyridine
pirydynowy *adj* pyridic
piryt *sm G.* **~u** *chem. miner.* pyrite
pirytowy *adj* pyritic (smelting etc.); pyrite — (type etc.); pyrites — (acid)
pisać *v imperf* **pisze** ⊡ *vt* 1. (*kreślić słowa*) to write; to set down in writing; **~ pod dyktando** to write at <to, from> sb's dictation; (*do stenotypistki*) **proszę ~, co powiem** take this down, will you? 2. (*tworzyć, komponować*) to write (books, poetry etc.); **~ do gazety <czasopisma>** to write for a paper <a magazine> 3. † (*opisywać*) to describe; *obecnie w przysł.*: **jak cię widzą, tak cię piszą** fine feathers make fine birds ⊡⊡ *vi* 1. (*kreślić słowa*) to write (**piórem, ołówkiem, kredą, gęsim piórem** in ink, in pencil, with chalk, with a quill); **zanim zaczął ~** before he set pen to paper; **~ jak kura pazurem** to scrawl 2. (*tworzyć, komponować*) to write 3. (*formułować myśli na piśmie*) to write; **~ po francusku <po łacinie itd.>** to write in French <in Latin etc.> 4. (*korespondować*) to write; **on nie pisze od dłuższego czasu** he has not written for a pretty long time; *przen.* **pisz do mnie na Berdyczów** I'm through with you 5. (*posługiwać się maszyną do pisania*) (*także* **~**

na maszynie) to type 6. (*o piórze itd. — nadawać się do pisania*) to write; **pióro nie chce** ~ the pen won't write [III] *vr* ~ **się** 1. (*być pisanym*) to spell; to write; **jak się to pisze?** how is it spelt?; how do you spell it?; **to się pisze dużą literą** it is written with a capital letter; **to się pisze przez** *x* it is spelt <written> with an *x* 2. (*podpisywać się*) to write <to sign> one's name; to sign oneself; to spell one's name 3. (*używać tytułu*) to write oneself (Doctor, Major, Professor etc.) 4. (*zgadzać się*) to agree (**na coś** to sth); to approve (**na coś** of sth); to subscribe (**na coś** to sth); to be game (**na coś** for sth)

pisak *sm* 1. (*w przyrządzie samopiszącym*) (autographic) recorder; (*w telegrafie*) inker 2. *pot.* (*coś do pisania*) something to write with

pisani|e *sn* (↑ **pisać**) 1. (*posługiwanie się piórem itd.*) writing; **ćwiczenia w** ~**u** writing exercises; **nauczyciel** ~**a** writing-master; **maszyna do** ~**a** typewriter; ~**e na maszynie** typewriting; **papier do** ~**a** writing-paper; **przybory do** ~**a** writing-materials; stationery 2. (*tworzenie dzieł literackich*) writing; the writing profession; penmanship; pencraft; authorship; **sposób** ~**a** manner of writing; **sztuka** ~**a** the art of writing

pisanina *sf* 1. (*nudne pisanie*) quill-driving; pen-pushing 2. (*nędzny utwór*) literary trash; slip-slop

pisan|ka *sf pl G.* ~**ek** 1. (*jajko wielkanocne*) Easter egg 2. *druk.* (*typ pisma*) script

pisankar|ka *sf pl G.* ~**ek** paintress of Easter eggs

pisankarstwo *sn singt* painting of Easter eggs

pisan|y [I] *adj* 1. (*zapisany*) written (law etc.); **litera** ~**a** script letter; ~**ymi literami** in script hand; **ręcznie** ~**y** handwritten; **to nie przy mnie** ~**e** it is above my understanding <my comprehension>; it is over my head; *przen.* **to jest jeszcze widłami na wodzie** ~**e** it is all in the air as yet 2. (*notowany*) on record 3. (*przeznaczony*) fated; **nie było mu** ~**e doczekać się ...** it was fated that he should not live to see ...; he was not destined to see ... [II] *sn* ~**e** *pot. gw.* the written word

pisarczy|k *sm pl N.* ~**kowie** <~**ki**> 1. (*kancelista*) scribe; clerk 2. = **pisarzyna**

pisar|ka *sf pl G.* ~**ek** (woman) writer; author(ess); novelist

pisarski *adj* 1. (*odnoszący się do pisarza*) writer's (work, talent, output etc.) 2. (*literacki*) literary (talent etc.); **mieć coś na warsztacie** ~**m** to have sth in course of preparation; **zdolności** ~**e** pencraft; penmanship 3. (*związany z pisaniem*) writing- (materials, table etc.); **znaki** ~**e** a) (*litery, cyfry*) characters b) (*znaki przestankowe*) punctuation marks

pisarstwo *sn singt* authorship

pisarz *sm* writer; literary man; man of letters; penman; novelist

pisarzyna *sm* (*decl* = *adj*) *pog.* hack writer; literary hack; hodman

piscyna *sf kośc.* piscina

pisemko *sn dim* ↑ **pismo** 4., 5., 6.

pisemnie *adv* in writing; in black and white

pisemn|y *adj* 1. (*odnoszący się do pisma*) clerical (error, work etc.) 2. (*wyrażony za pomocą pisma*) written (exercise, examination etc.); *prawn.* **dowody** ~**e** evidence in writing 3. (*piśmienny*) writing- (materials etc.)

pisk *sm G.* ~**u** 1. (*cienki, przenikliwy dźwięk*) squeak (of the human voice, an unoiled hinge etc.); squeal (of a child, pup etc.); peep (of mice etc.); cheep (of young birds etc.) 2. *przen.* (*narzekania*) lamentation(s)

pisklątko *sn dim* ↑ **pisklę**

pisklę *sn* 1. (*młode ptaka*) nestling; squealer; (*kurczątko*) chick; **wywodzić** ~**ta** to brood 2. *przen.* (*dzieciątko*) chick; **oni rośli razem od** ~**cia** they grew together from the cradle

pisklęcy *adj* chick's, chicks', nestling's, nestlings'; **drobiazg** ~ brood

piskliwie *adv* shrilly; stridently; squeakily

piskliwy *adj* (*o dźwięku*) shrill; strident; squeaky; (*o głosie ludzkim*) shrill; thin; piping; reedy

piskorz *sm zool.* (*Misgurnus fossilis*) thunder-fish; weather-fish; **wykręcać się jak** ~ to dodge about

piskorzowate *spl zool.* (*Cobitidae*) (*rodzina*) the family Cobitidae

pismak *sm pog.* grub; literary hack

pism|o *sn L.* **piśmie** 1. (*alfabet*) alphabet; *druk.* type; print; ~**o dla niewidomych** braille; ~**o gotyckie** black-letter type; ~**o hieroglificzne** hierogliphic writing; ~**o klinowe** cuneiform writing; ~**o nutowe** notation; ~**o obrazkowe** pictography; **dużym** <**drobnym**> ~**em drukowane** printed in large <small> type 2. (*sposób pisania, charakter pisma*) script; handwriting; hand; **on ma ładne** ~**o** he has a good handwriting; he writes a good hand 3. (*umiejętność pisania*) writing; **na piśmie** in writing; in black and white 4. (*list, dokument*) letter; message; **Pismo Święte** the Bible, the Scriptures 5. (*zw. pl*) (*utwór literacki, książka*) work; ~**a Conrada Korzeniowskiego** the writings of Conrad 6. (*czasopismo, gazeta*) paper; (a) daily; (*periodyk*) (a) periodical; magazine

pisnąć *zob.* **piszczeć**

pisowni|a *sf* spelling; orthography; ~**a fonetyczna** phonetic transcription; **podręcznik** ~ speller

pisowniany *adj*, **pisowniowy** *adj* orthographic; spelling-(book etc.); spelling — (reform etc.)

pistacja *sf* 1. *bot.* (*Pistacia*) pistachio, pistacia 2. (*owoc*) pistachio nut

pistacjow|y *adj* pistachio — (seed etc.); **drzewo** ~**e** = **pistacja** 1.; **orzeszek** ~**y** = **pistacja** 2.; **kolor** ~**y** pistachio green

pistol *sm pl G.* ~**ów** <~**i**> (*moneta*) pistole

pistolecik *sm dim* ↑ **pistolet**

pistolet *sm G.* ~**u** 1. (*broń*) pistol handgun; *am. pot.* gun; ~ **automatyczny** automatic pistol; **strzał z** ~**u** pistol-shot; **pojedynek na** ~**y** duel with pistols 2. *techn.* (*rozpylacz*) spray-gun; air-brush

pistoletowy *adj* pistol — (barrel, trigger etc.); **strzał** ~ pistol-shot

piston *sm G.* ~**u** 1. (*spłonka*) percussion cap 2. (*w instrumentach muzycznych*) piston

pistonowy *adj* percussion — (lock etc.)

pisuar *sm G.* ~**u** urinal

pisywa|ć *vt, vi imperf* to write now and then <from time to time>; ~**ć do dziennika** <**czasopisma**> to contribute to a paper <to a magazine>; **on** ~**ł do mnie** he used to write to me

pisywanie *sn* ↑ **pisywać**

piszący *sm* writer; ~ **te słowa** a) (*w książce, arty-*

kule) the present writer b) (*w liście*) the writer of this letter

piszczał|ka *sf pl G.* **~ek** 1. (*instrument muzyczny*) fife; **~ka stroikowa** <**języczkowa**> reed-pipe; **~ka pastusza** pan-pipe 2. (*część instrumentu muzycznego*) pipe; **~ka bordunowa** dud drone; **~ka organowa** organ-pipe; **~ka wargowa** flue-pipe 3. *myśl.* (*instrument do wabienia ptaków*) (decoy) pipe

piszczałkowy *adj* pipe — (pitch etc.)

piszczeć *vi imperf* **piszczy** — **pisnąć** *vi perf* **piśnie** 1. (*o człowieku, nie nasmarowanym kole itd.*) to squeak; (*o różnych przedmiotach — skrzypieć*) to screech; to creak; (*o dziecku, szczeniaku itd.*) to squeal; (*o myszach itd.*) to peep; (*o młodych ptakach itd.*) to pule; to cheep; **nie pisnął słowa** he never breathed a word; *przen.* **on aż piszczy, żeby wyruszyć** <**coś powiedzieć itd.**> he is itching to be off <to say sth etc.>; **wiedzieć co w trawie piszczy** to know which way the wind lies; **on zawsze wie, co w trawie piszczy** he can hear the grass grow; **u niego bieda aż piszczy** he can't make both ends meet 2. *przen.* (*domagać się*) to claim (**o coś** sth)

piszcz|ek *sm G.* **~ka** *hist.* fifer; piper

piszczel *sm pl N.* **~e** 1. (*kość*) tibia (*pl* tibiae); **~e pod trupią główką** crossbones 2. *techn.* blowpipe; blowing-iron

piszczelowy *adj* tibial (artery, nerve etc.)

piszczenie *sn* (↑ **piszczeć**) squeaks; squeals

piśmid|ło *sn pl G.* **~eł** *pog.* 1. (*utwór literacki*) literary trash 2. (*czasopismo*) rag

piśmiennictwo *sn* literature; literary output

piśmienniczy *adj* literary

piśmiennie *adv* in writing; in black and white

piśmienność *sf singt* literacy

piśmienny *adj* 1. (*umiejący pisać*) literate; **on jest ~** he can write 2. (*pisemny*) written (exercise, examination etc.) 3. (*do pisania*) writing-(materials etc.)

piśnięcie *sn* (↑ **pisnąć**)

pitagoreizm *sm singt G.* **~u** *filoz.* Pythagoreanism

pitagorejczyk *sm filoz.* Pythagorean

pitagorejski *adj filoz.* Pythagorean

pitekantrop *sm*, **pitekantropus** *sm antr. paleont.* pithecanthrope, pithecanthropus

piti|a *sf GDL.* **~i** = **pytia**

pitk|a † *sf* drinking-bout; *obecnie w zwrocie:* **do ~i i do bitki** game for anything; boon companion

pitny *adj* drinkable; fit to drink; **miód ~** mead

pitolić *vi imperf sl.* to tweedle <to rasp> (**na skrzypcach** on the fiddle)

pitra|sić *vt, vi imperf* **~szę** *pot. żart.* to cook

pitraszenie *sn* ↑ **pitrasić**

pityjski *adj*, **pytyjski** *adj* Pythic, Pythian

piukać *vi imperf* to pule

piure *sn indecl* (*kartofle*) mashed potatoes; (*jarzyny, owoce*) mash

pius|ka *sf pl G.* **~ek** zuchetto; calotte

piwiarni|a *sf* beerhouse; public house, *pot.* pub; *am.* beer saloon; **właściciel ~** publican

piwiarniany *adj* public-house — (atmosphere etc.)

piwko *sn* (*dim* ↑ **piwo**) (a) small beer

piwnic|a *sf* 1. (*podziemna część budynku*) basement; cellar; coal-cellar 2. *przen.* (*zasób trunków*) cellar; wine(s); **mieć dobrze zaopatrzoną ~ę** to keep a good cellar 3. (*winiarnia*) wine-cellar; (wine-)vault

piwniczka *sf dim* ↑ **piwnica**

piwniczny [I] *adj* basement — (rooms etc.); cellar-(window etc.); (*o chłodzie itd.*) cellar-like [II] *sm* = **piwniczy**

piwniczy *sm* cellarer; cellarman

piwn|y *adj* beer — (yeast etc.); **~e oczy** hazel <brown> eyes; **zapach ~y** beery smell

piw|o *sn* 1. (*napój*) beer; **jasne** <**ciemne**> **~o** pale <brown> ale; **~o beczkowe** beer on draught; **dać komuś na ~o** to give sb a tip; to tip sb; *przen.* **młode ~o burzy się** youth will have its fling; **nawarzyć komuś** <**sobie**> **~a** to get sb <oneself> into hot water <into a mess>; **sam sobie ~a nawarzył** he has only himself to thank for it <for this> 2. (*porcja piwa*) (a) beer; **dwa duże ~a** two large beers

piwoni|a *sf GDL.* **~i** *bot.* (*Paeonia*) peony; **zaczerwienić się jak ~a** to turn as red as a peony

piwosz *sm* beer bibber

piwowar *sm* brewer

piwowarski *adj* beer- (yeast etc.)

piwowarstwo *sn* brewing (industry)

pizolit *sm G.* **~u** *miner.* pisolite

piżama *zob.* **pidżama**

piżmaczek *sm bot.* (*Adoxa moschatellina*) adoxa, moschatel

piżmaczkowat|y *bot.* [I] *adj* adoxaceous [II] *spl* **~e** (*Adoxaceae*) (*rodzina*) the family Adoxaceae

piżmak *sm* = **piżmowiec** 1., 3.

piżmo *sn* musk

piżmoszczur *sm* = **piżmowiec** 1.

piżmow|iec *sm G.* **~ca** 1. *zool.* (*Fiber zibethicus*) musk-rat 2. *zool.* (*Moschus*) musk-deer 3. *pl* **~ce** *pot.* (*futro*) musk-rats

piżmowy *adj* musky (odour etc.); musk — (bag, gland etc.); *zool.* **szczur ~** = **piżmowiec** 1.; **wół ~** (*Ovibos moschatus*) musk-ox

piżmów|ka *sf pl G.* **~ek** *zool.* (*Aromia moschata*) musk beetle

plac *sm G.* **~u** 1. (*otwarty teren w mieście*) square; **~ musztry** drill-ground; parade-ground; **~ publiczny** public square; **~ sportowy** sports field 2. *wojsk.* garrison 3. (*miejsce pod budowę*) building lot <site> 4. † (*pole walki*) the field; *obecnie w zwrotach:* **~ bitwy** <**boju**> battle field; *przen.* **dotrzymać komuś ~u** to hold one's own against sb; to stand up to sb; **ustąpić z ~u** to give up the struggle; **zostać na ~u** to be left on the field; **zostać panem ~u** to be left in possession of the field

plac|ek *sm* 1. *kulin.* cake; pie; flan; crumpet; **~ek owsiany** oatcake; **~ek z jabłkami** apple-pie; apple-tart; **~ek z owocami** fruit-cake 2. *pl* **~ki** *kulin.* fried cakes 3. (*plama*) spot (on the face etc.); patch 4. *techn.* pat

~kiem *adv* flat; prone; **leżeć ~kiem** to lie prone <prostrate>; **upaść** <**paść, leżeć**> **~kiem** a) (*na płask*) to fall <to lie> flat b) *przen.* (*korzyć się*) to prostrate oneself

placenta *sf bot.* placenta

placet *sn łac.* assent; placet

plac|ka *sf pl G.* **~ek** *rz.* fly-flap

plackowaty *adj* flat; as flat as a pancake

placow|y [I] *adj* performed <done, executed> on the spot <on the site>; outdoor — (work) [II] *sn* **~e** stall-rent [III] *sm* **~y** stall-rent collector

placów|ka *sf pl G.* **~ek** 1. *wojsk.* outpost; picket 2. (*przedstawicielstwo*) agency 3. (*ośrodek, instytucja*) institution; establishment; **~ka handlowa** business establishment

placyk *sm G.* **~u** *dim* ↑ **plac**

plafon *sm G.* **~u** 1. *plast.* plafond 2. *ekon.* (*pułap*) ceiling (of prices etc.)

plafonowy *adj* plafond — (painting etc.)

plag|a *sf* 1. (*klęska*) calamity; scourge; (*o owadach*) pest 2. (*dopust*) curse; pest; **~a egipska** plague 3. † *pl* **~i** (*chłosta*) lashings

plagalny *adj muz.* plagal (cadence etc.)

plagiat *sm G.* **~u** plagiarism; **popełnić ~ z czyichś prac** to plagiarize sb's writings

plagiator *sm* plagiarist

plagiatorski *adj* plagiaristic

plagiatorstwo *sn singt* plagiarizing

plagiatowy *adj* plagiaristic

plagioklaz *sm G.* **~u** (*zw. pl*) *miner.* plagioclase

plagiować *vt imperf* to plagiarize (**kogoś** sb's works)

plajt|a *sf pot.* 1. (*bankructwo*) bankruptcy; **robić ~ę** = **plajtować** 2. *przen.* fizzle; flop; dud show

plajtować *vi imperf pot.* to go to smash; to go bankrupt

plakacista *sm* (*decl* = *sf*) poster-designer

plakat *sm G.* **~u** poster; bill; placard; **rozlepiać ~y na murze** to placard a wall

plakatować *vt, vi imperf* to placard; to post (**na murze itd.** a wall etc. with posters)

plakatowy *adj* poster — (design etc.)

plakieta *sf* plaque

plakietka *sf* (*dim* ↑ **plakieta**) plaquette

plam|a *sf* 1. (*ślad brudu, atramentu, tłuszczu itd.*) stain; blot; soil; smear; smudge; **bez ~y** unstained; spotless; soilless 2. (*znak wyodrębniający się kolorem, światłem itd.*) spot; patch; splotch; **~y przed oczami** spots before the eyes; **~y słoneczne** sun-spots; **biała ~a** a) *druk.* friar; faint impression b) *przen.* (*miejsce nie zbadane*) (a) blank; **doszukiwać się ~y na słońcu** to pick holes (in sth) 3. *mal.* blotch; patch; dab 4. (*piętno hańbiące*) blot (on sb's escutcheon); taint; blemish; tarnish; slur

plamiak *sm zool.* (*Melanogrammus aeglefinus*) haddock

plamica *sf med.* purpura, purples; peliosis

plamić *v imperf* [I] *vt* 1. (*walać*) to stain; to blot; to soil; to smear; to smudge 2. *przen.* to soil; to taint; to defile 3. (*okryć hańbą*) to stain; to tarnish; to blemish; to taint [II] *vr* **~ się** 1. (*o człowieku — walać się*) to soil one's clothes <hands, face>; (*o tkaninie itd.*) to soil <to stain> (*vi*) 2. (*okryć się hańbą*) to tarnish <to sully, to dishonour> one's name <reputation>

plam|iec *sm G.* **~ca** *zool.* (*Abraxas grossulariata*) gooseberry <magpie> moth

plamienie *sn* ↑ **plamić**

plamistość *sf singt* maculation

plamisty *adj* 1. (*pokryty plamami*) spotted; speckled; blotched; maculate 2. (*wyglądający jak plama*) patchy

plamka *sf* (*dim* ↑ **plama**) spot; smut; fleck (of soot etc.); *med.* nebula

plamkować *vt imperf fot.* to retouch <to touch up> (a photograph)

plamkowanie *sn* ↑ **plamkować**

plan *sm G.* **~u** 1. (*zamiar*) plan; scheme; design; project; **pokrzyżować komuś ~y** to cross <to frustrate, to upset, to thwart> sb's plans 2. (*program prac itd.*) plan; schedule; program(me) **~ operacyjny** plan of operation <of campaign>; **~ perspektywiczny** plan of future development; **robić coś bez ~u** to do sth at haphazard 3. (*zarys, układ*) plan; draft; lay-out; (*w powieści itd.*) plot 4. (*rysunek*) plan (of a building, town, district etc.); map; diagram; survey; sketch; **~ sytuacyjny** plan of a situation; location plan 5. (*część obrazu*) part of the view (in a picture); **drugi <dalszy, średni> ~** the middle distance; **pierwszy ~** foreground; *przen.* **być na pierwszym ~ie** to be uppermost; **wysuwać się na pierwszy ~** to come into prominence; **zejść na drugi <dalszy> ~** to recede into the background; **na drugim <dalszym> ~ie** in the background 6. *kino* location; **na ~ie** on location

plandeka *sf* tarpaulin; canvas

planet *sm G.* **~u** *roln.* planet

planet|a *sf* planet; *przen.* **istota z innej ~y** a being not of this world

planetarium *sn* planetarium; orrery

planetarny *adj* planetary (system, nebula)

planetoida *sf* (*zw.pl*) *astr.* planetoid

planetować *vt, vi roln.* to planet

planimetr *sm G.* **~u** planimeter; surface integrator

planimetri|a *sf singt GDL.* **~i** planimetry

planimetrować *vt imperf* to compute (an area) with the help of a planimeter

planimetryczny *adj* planimetric

planisfera *sf* planisphere

planista *sm* (*decl* = *sf*) planner

planistyczny *adj* planning — (board etc.)

planka *sf* = **paleta** 2.

planktolog *sm*, **planktonolog** *sm* planktologist

planktologi|a *sf*, **planktonologi|a** *sf singt GDL.* **~i** planktology, planktonology

plankton *sm G.* **~u** plankton

planktoniczny *adj* = **planktonowy**

planktonolog *zob.* **planktolog**

planktonologia *zob.* **planktologia**

planktonow|y *adj* planktonic; **sieć ~a** plankton net

planktonożerny *adj* planktonophagous

plano *indecl druk.* unfolded sheet

planować[1] *vt imperf* 1. (*układać plany*) to plan; to scheme; to map out; to make plans (**coś** for sth); (*zamierzać*) to intend; to contemplate (doing sth) 2. (*wykonywać projekty, rysunki*) to plan; to design; to draft; to schedule 3. (*niwelować*) to level

planować[2] *vi imperf lotn.* to volplane; to plane <to glide> down

planowanie[1] *sn* ↑ **planować**[1] 1. (*układanie planów*) planning; (*zamierzanie*) intention; **~ przestrzenne** town and country planning 2. *pot.* (*dział instytucji*) planning section

planowanie[2] *sn* (↑ **planować**[2]) (a) volplane

planowo *adv* 1. (*zgodnie z planem*) according to (a fixed) plan; (*o pociągu itd.*) **przybyć <przyjechać> ~** to arrive on time <*am.* on schedule>; **wykonać coś ~** to execute sth according to plan 2. (*systematycznie*) systematically; methodically

planowość *sf singt* methodicalness
planowy *adj* planned; scheduled
plansza *sf* 1. (*tablica*) large-scale illustration <drawing, photograph>; (*w książce*) full-page illustration 2. *sport* fencing floor <planche>
plant *sm G.* **~u** 1. *kolej.* railway <*am.* railroad> track; permanent way 2. *pl* **~y** (*teren spacerowy*) park
plantacj|a *sf* 1. (*uprawa*) plantation; **~a trzciny cukrowej <bawełny itd.>** sugar <cotton etc.> plantation 2. *pl* **~e** *rz.* = **plant** 2.
plantacyjny *adj* 1. (*dotyczący uprawy*) cultivation — (contract etc.) 2. (*dotyczący plant*) park — (trees, benches etc.)
plantator *sm* planter; cultivator; grower; **~ kawy <herbaty itd.>** coffee- <tea- etc.> planter
plantatorski *adj* planter's <cultivator's> — (inventory etc.)
plantować *vt imperf* 1. (*niwelować*) to surface; to level 2. (*uprawiać*) to plant <to cultivate, to grow> (tobacco etc.)
plantowanie *sn* ↑ **plantować**
plantowy [I] *adj* park — (benches etc.) [II] *sm* (*dozorca*) park guard
plask *sm G.* **~u** (*odgłos*) clap; slap; smack; pat
plaskać *zob.* **plasnąć**
plaskanie *sn* (↑ **plaskać**) claps; slaps; smacks; pats
pla|snąć *vi perf* **~śnie — plaskać** *vi imperf* 1. (*uderzyć*) to clap <to slap, to pat, to smack> (**w coś, po czymś** sth) 2. (*wydawać odgłos plaśnięcia*) to clap; to slap; to smack 3. (*upaść*) to flop down; to fall with a flop
plasować *v imperf* [I] *vt* to aim [II] *vr* **~ się** to place oneself; to take one's place <seat, position, stand>
plasowanie *sn* ↑ **plasować**
plastelina *sf singt* plasticine
plast|er *sm G.* **~ra** 1. (*przylepiec*) (sticking-)plaster; adhesive tape; **~er gorczyczny** sinapism; mustard plaster 2. (*plat*) slice (of meat etc.) 3. *pszcz.* honeycomb
plasterek *sm dim* ↑ **plaster** 1., 2.
plastron *sm G.* **~u** 1. (*dawny krawat*) neckcloth 2. (*przód koszuli*) shirt-front 3. *hist. szerm. zool.* plastron 4. *med.* peritoneal adhesion
plastyczka *sf* (woman) artist
plastycznie *adv* 1. (*pod względem plastyki*) artistically; in respect of fine arts 2. (*wypukło*) plastically 3. (*obrazowo, żywo*) plastically; in relief; vividly
plastyczność *sf singt* 1. (*wyrazistość, wypukłość konturów*) plasticity 2. (*obrazowość*) vividness 3. *biol.* (*zdolność do reagowania na warunki otoczenia*) plasticity 4. *techn.* ductility 5. *fiz. techn.* plasticity
plastyczn|y *adj* 1. (*dotyczący sztuk plastycznych*) artistic; relating to fine arts; **~a fotografia** stereoscopic photography; **sztuki ~e** fine arts 2. (*wypukły*) plastic; **mapa ~a** relief map 3. (*obrazowy, żywy*) vivid 4. *techn.* plastic; (*o metalu*) ductile; **chirurgia ~a** plastic surgery
plastyd *sm G.* **~u** *biol.* plastid
plastyfikator *sm techn.* plasticizer; softener
plastyk[1] *sm* (*artysta*) artist
plastyk[2] *sm G.* **~u** (*substancja*) (a) plastic (substance)
plastyka *sf singt* 1. (*sztuki plastyczne*) fine arts 2. (*obrazowość*) plasticity; vividness 3. (*wypukłość form*) plasticity; relief 4. *med.* plastic surgery
plastykować *vt imperf techn.* to coat with plastic
plastykowanie *sn* ↑ **plastykować**
plastykow|y *adj* plastic; **bomba ~a** plastic bomb
plaśnięcie *sn* (↑ **plasnąć**) (a) clap; (a) smack; (a) slap; (a) pat
platan *sm bot.* (*Platanus*) plane-tree
platanowy *adj* plane — (avenue etc.)
plateau *indecl geogr.* plateau
plater *sm G.* **~u** (*zw.pl*) silver plate; (*złoty*) gold plate
platerować *vt imperf* to plate; **~ niklem** to nickel-plate; **~ srebrem** to silver-plate; **~ złotem** to gold-plate
platerowanie *sn* ↑ **platerować**; **~ niklem** nickel-plating; **~ srebrem** silver-plating; **~ złotem** gold-plating
platforma *sf* 1. (*wagon kolejowy*) truck; (*wóz konny lub samochodowy*) truck; lorry; (*wóz do przewożenia maszyn itd.*) platform-carriage 2. (*część tramwaju, wagonu*) platform 3. (*płaska powierzchnia*) platform; *geogr.* platform; shelf; terrace 4. *przen.* (*podstawa współpracy politycznej, ideologicznej itd.*) platform; **wspólna ~** common policy; working basis
platfus *sm G.* **~u** 1. (*stopa*) flat-foot 2. *pot.* (*człowiek*) flat-footed fellow <chap>
platonicznie *adv* platonically
platoniczny *adj* 1. (*o miłości*) platonic; **~ kochanek** platonic lover 2. (*nierealny*) platonic; unsubstantial
platonik *sm filoz.* Platonist
platonizm *sm singt G.* **~u** *filoz.* Platonism
platończyk *sm* = **platonik**
platoński *adj* Plato's; Platonic
platyna *sf* 1. *chem.* platinum 2. *techn.* sheet slab <bar>
platynawy *adj chem.* platinous
platynit *sm G.* **~u** *techn.* platinum steel
platynoiryd *sm G.* **~u** *techn.* platiniridium
platynować *vt imperf* to platinize
platynowanie *sn* (↑ **platynować**) platinization
platynowce *spl chem.* platinum group
platynowoblond *indecl* platinum blond
platynow|y *adj* 1. (*zrobiony z platyny*) platinic; platinum — (plating etc.); **czerń ~a** platinum black 2. (*mający kolor platyny*) platinum — (blond)
plazma *sf biol. med. fiz.* plasma
plazmatyczny *adj* plasmatic; plasma — (body, cell, membrane etc.)
plazmodezma *sf* (*zw. pl*) *biol.* plasmodesm(us)
plazmodium *sn biol. zool.* plasmodium
plazmoliza *sf biol.* plasmolysis
plaża *sf* (*nad morzem*) beach; (*nad rzeką*) riverside; **dzika ~** unguarded beach
plażować *vi imperf* to lie <to sun-bathe> on the beach <on the sands, on the riverside>
plażowanie *sn* (↑ **plażować**) lying <sun-bathing> on the beach
plażowicz *sm pot.* holiday-maker on the beach
plażow|y *adj* beach — (suit, rest etc.); **pantofle ~e** sandshoes
plażówka *sf pot.* beach-suit
plądrować *vt imperf* 1. (*rabować*) to plunder <to

pillage> (**kogoś** sb, **okolicę itd.** a region etc.); to sack <to ravage, to loot> (a city) 2. (*grzebać*) to ransack (one's pockets, a drawer, a country etc.)

plądrowanie *sn* (↑ **plądrować**) plunder; pillage; sack (of a captured place)

pląs *sm G.* **~u** *żart.* leap; gambol; *pl* **~y** dance; capers

pląsać *vi imperf żart.* to dance; to gambol; to cut capers

pląsanie *sn* ↑ **pląsać**

pląsawica *sf med.* chorea; St Vitus' dance

plą|tać *v imperf* **~cze** [I] *vt* 1. (*wikłać*) to tangle; to ravel; to confuse; to complicate; to muddle up 2. *pot.* (*brać jedno za drugie*) to confuse <to mix up> (**kogoś, coś z kimś, czymś** sb, sth with sb, sth else) [II] *vr* **~tać się** 1. (*gmatwać się*) to get <to become> tangled <muddled up>; to get <to become> confused <complicated>; to tangle (*vi*); **nogi mu się ~czą** a) (*słania się*) he staggers b) (*jest pijany*) he is groggy; *przen.* **coś mi się ~tało w głowie** I had a confused idea of sth 2. (*mówić bezładnie*) to falter <to flounder> in one's speech; **język mu się ~cze** he stammers 3. *pot.* (*kręcić się*) to roam about (**koło czegoś** in the neighbourhood of sth); *przen.* (*o myśli*) to keep returning to one's head; **~tać się pod nogami** to get in the way; to get underfoot 4. (*oplątywać się*) to get tangled; to entwine (*vi*)

plątanie *sn* ↑ **plątać**

plątanina *sf singt* tangle; entanglement; ravel; confusion; muddle; mix-up

pleban † *sm* vicar

plebani|a *sf GDL.* **~i** presbytery

plebański *adj* 1. (*dotyczący plebana*) parish priest's 2. (*dotyczący plebanii*) presbytery — (grounds etc.)

plebej|ka *sf pl G.* **~ek** = **plebejusz**

plebejski *adj* plebeian

plebejstwo *sn singt* plebeianism

plebejusz *sm* (a) plebeian

plebejuszostwo *sn singt* 1. (*przynależność oraz cechy*) plebeianism 2. † (*prostactwo*) vulgarity

plebejuszowski *adj* plebeian

plebejuszowsko *adv* plebeianly; **to brzmi ~** it has a plebeian sound; it sounds vulgar

plebiscyt *sm G.* **~u** plebiscite

plebiscytowy *adj* plebiscitary

plebs *sm singt G.* **~u** 1. (*lud*) the common people; the populace 2. (*w starożytnym Rzymie*) plebs

plecak *sm* (*wojskowy*) knapsack; (*turystyczny*) rucksack; knapsack

plecakowy *adj* knapsack — (sprayer etc.)

plecenie *sn* (↑ **pleść**) plaits; wicker-work

plech *sm* = **płach**

plecha *sf bot.* thallus

plechowat|y *bot.* [I] *adj* thallophytic [II] *spl* **~e** = = **plechowce** *zob.* **plechowiec**

plechow|iec *sm G.* **~ca** *bot.* thallophyte; *pl* **~ce** (*Thallophyta*) (*typ*) the phylum Thallophyta

plechowy *adj* thallophytic

pleciak *sm gw.* wattle fence

plecion|ka *sf pl G.* **~ek** 1. (*upleciony przedmiot*) plaiting; plaitwork; braid 2. (*przeplatane pręty, wici*) basket-work; wattle, wattling; (*przeplatane druty, przewody*) braided <woven> wire 3. *pl* **~ki** (*pantofle*) plaited shoes 4. (*chałka*) plaited white bread

plecionkarski *adj* (*wyplatany*) plaited; **materiał ~** plaiting; plaitwork

plecionkarstwo *sn* plaiting

plecionkowy *adj* plaited (ornament etc.)

pleciuch *sm*, **pleciucha** *sm* (*decl* = *sf*), *sf* = **pleciuga**

pleciuga *sm* (*decl* = *sf*), *sf pot.* tattler; prattler; chatterbox; gossip

plecowy *adj* (*o locie*) inverted (flying)

plecówk|ka *sf pl G.* **~ek** *kulin.* shoulder clod

plec|y *spl G.* **~ów** 1. (*część ciała*) back; shoulders; **lot na ~ach** inverted flying; **leżeć na ~ach** to lie on one's back; **~ami do przodu** back to front; **~ami do siebie** back to back; *przen.* **chować się za czyimiś ~ami** to hide behind sb's back; **mieć giętkie ~y** to have no backbone; **pokazać komuś ~y** to turn one's back on sb 2. *przen.* (*wpływy*) backing; *pot.* backstairs influence; **mieć silne <mocne> ~y** to have a good backing; to be well backed 3. (*część ubrania, krzesła itd.*) back (of a coat, chair etc.)

pleć *vt imperf* **piele, pełł, pielony** to weed (a garden etc.)

pled *sm G.* **~u** rug; plaid

plejada *sf* pleiad; galaxy

plejstocen *sm G.* **~u** *geol.* Pleistocene

plejstoceński *adj* Pleistocenic; pleistocene — (period etc.)

pleksiglas *sm G.* **~u** *techn.* Plexiglas; perspex

plemienność *sf singt* tribalism

plemienny *adj* tribal; **ustrój ~** tribalism

plemi|ę *sn G.* **~enia** *pl N.* **~ona** tribe; **ludzkie ~ę** the human race; *pot.* **psie <sobacze, szatańskie> ~ę** rascal; rogue

plemnia *sf bot.* antheridium

plemnik *sm zool.* spermatozoon; *bot.* spermatozoid; zoosperm

plemnikotwórczy *adj biol.* spermatogenetic

plenarny *adj* plenary (session etc.)

plener *sm G.* **~u** 1. *mal.* (*przestrzeń*) the open air; **malowanie ~ów** plein-air painting 2. *teatr* outdoor scenery 3. *kino* outdoor <open-air> scene

plenerowy *adj* (*o malarstwie*) plein-air — (painting, school etc.); *kino* (*o zdjęciach*) outdoor (scenes)

plenerzysta *sm* (*decl* = *sf*) plein-air painter

plenić się *vr imperf* 1. (*mnożyć się*) to breed 2. (*o roślinach*) to exuberate

plenienie się *sn* (↑ **plenić się**) 1. (*mnożenie się*) breeding (of animals) 2. (*krzewienie się*) exuberant growth (of plants)

pleniów|ka *sf pl G.* **~ek** *zool.* (*Sciara militaris*) a sciarid

plenipotencja *sf* plenipotentiary <full> powers

plenipotent *sm* 1. (*pełnomocnik*) (a) plenipotentiary 2. *hist.* (*poseł*) Minister Plenipotentiary

plenność *sf singt* 1. (*płodność*) fertility 2. (*żyzność*) fertility; fruitfulness

plenny *adj* 1. (*płodny*) fertile 2. (*żyzny*) fertile; fruitful

plenum *sn* 1. (*ogół członków organizacji*) plenum 2. (*zebranie*) plenary assembly

pleń *sm zool.* 1. = **pleniówka** 2. (*gromady larw pleniówek*) Sciara army worms

pleochroizm *sm singt G.* **~u** *miner.* pleochroism

pleomorfizm *sm singt G.* **~u** pleomorphism

pleonastyczny *adj* pleonastic

pleonazm *sm G.* **~u** *jęz.* pleonasm

plereza *sf* drooping ostrich-plume (on old-fashioned ladies' hats)

pleszka *sf zool.* (*Phoenicurus*) redstart, starfinch

ple|ść *v imperf* **plotę, plecie, plótł, plotła, pletli, pleciony** [I] *vt* 1. (*splatać*) to plait <to braid, to interweave, to interlace> (hair, straw etc.); to weave (baskets, garlands etc.); **~cione krzesło** wicker chair 2. (*gadać*) to jabber; to blab; to talk nonsense; **~ść głupstwa <koszałki-opałki, trzy po trzy>** to wag one's tongue [II] *vr* **~ść się** 1. (*splatać się*) to be intertwined <intertwisted> 2. (*wić się*) to twist; to wind 3. (*plątać się*) to tangle; to entwine

pleśniak *sm biol.* phycomycete; *pl* **~i** (*Phycomycetes*) the Phycomycetes

pleśniaw|ki *spl G.* **~ek** *med.* aphthae

pleśnie|ć *vi perf* **~je** to mould; to go mouldy; to mildew

pleśnienie *sn* ↑ **pleśnieć**; **powodować ~ czegoś** to mildew sth

pleśniowy *adj* mouldy (growth etc.); mildew — (fungus etc.)

pleśniwy *adj* speckled bay (horse)

pleś|ń *sf* 1. (*nalot*) mould; mildew; *bot.* **~ń śniegowa** Fusarium wilt 2. *pl* **~nie** *bot.* (*Aspergillaceae*) (*rodzina*) the family Aspergillaceae

pletwa *sf* = **płetwa**

pletwiasty *adj*, **pletwowaty** *adj* = **płetwowaty**

pleuston *sm G.* **~u** *bot.* pleuston

plew|a *sf* 1. (*u zboża*) husk; *pl* **~y** chaff; *przen.* **złapać się na ~y** to be caught with chaff; **odróżniać ziarno od ~y** to sort the wheat from the chaff; to know what's what 2. (*zw. pl*) (*u traw*) glume

plewiasty *adj* 1. (*mający plewy*) husky; chaffy 2. (*podobny do plewy*) paleaceous

plewić *vt imperf rz.* = **pleć**

plewienie *sn* ↑ **plewić**

plew|ki *spl G.* **~ek** *bot.* glumes

plewkokwietny *adj bot.* glumaceous

plewowc|e *spl G.* **~ów** *bot.* (*Glumiflorae*) (*rząd*) the order Glumiflorae <Poales>

plezjozaur *sm paleont.* plesiosaurus; *pl* **~y** (*Plesiosauria*) the Plesiosauria

plik *sm* 1. *G.* **~u** (*pęk*) bundle <packet, sheaf> (of papers, letters etc.); **~ banknotów** bundle <packet, *am.* wad> of bank-notes 2. *GA.* **~a** (*klipa*) tipcat

plika *sf* = **plik 1.**

pliocen *sm G.* **~u** *geol.* Pliocene

plioceński *adj* Pliocene — (Period, system)

plisa *sf* 1. (*naszyty pas tkaniny*) frill 2. (*fałda*) pleat; fold; kilt; crease

plisować *vt imperf* to pleat; to fold; to kilt; to crease

plisowanie *sm* (↑ **plisować**) pleats; folds; kilts; creases; (*w napisie*) „~" "pleating"

plisz|ka *sf pl G.* **~ek** 1. *zool.* (*Motacilla*) wagtail; *pl* **~ki** (*Motacillidae*) (*rodzina*) the family Motacillidae 2. (*zw. pl*) (*klipa*) tipcat

plociuch *sm pot.* prater; gossip

plomb|a *sf* 1. (*ołowiany krążek*) (lead) seal; **pod ~ą** sealed 2. *dent.* filling; stopping

plombować *vt imperf* 1. (*nakładać plomby ołowiane*) to seal (goods etc.) 2. *dent.* to fill (a tooth) 3. (*wypełniać masą cementową*) to stop (a gap etc.)

plombowanie *sn* (↑ **plombować**) (a) filling; (a) stopping

plombownica *sf* sealing-tongs

plon *sm G.* **~u** 1. (*zbiór*) crop; yield 2. (*żniwo*) harvest 3. *przen.* fruits (of one's labours etc.)

ploniarka *sf zool.* (*Oscinella frit*) frit fly

plonować *vi imperf* to yield (crops); to bear fruit; to fructify

plonowanie *sn* ↑ **plonować**

ploso *sn* deep waters

ploteczk|a *sf dim* ↑ **plotka**; *pl* **~i** chit-chat; tittle-tattle

plot|ka *sf pl G.* **~ek** piece of gossip; rumour; *pl* **~ki** gossip; tales; **robić ~ki** to gossip; to tell tales

plotkara *sf augment* ↑ **plotkarka**

plotkar|ka *sf pl G.* **~ek** (a) gossip; tabby; busy-body; scandalmonger

plotkarski *adj* gossipy; scandalmongering

plotkarstwo *sn* gossip; scandalmongering

plotkarz *sm* gossip; scandalmonger; newsmonger

plotkować *vi imperf* to gossip; to tittle-tattle

plotkowanie *sn* (↑ **plotkować**) gossip

plucha *sf* bad <foul, rainy> weather

plucie *sn* (↑ **pluć**) spitting; expectoration

plu|ć *v imperf* **~je, ~ty — plunąć** *v perf* [I] *vi* to spit; to expectorate; *pot.* **~ć, ~nąć na kogoś** to snap one's fingers at sb; to hold sb in contempt; **~ć sobie w brodę, że się coś zrobiło <czegoś nie zrobiło>** to feel like kicking oneself for having done sth <for not having done sth>; **nie dać sobie ~ć w kaszę** to assert oneself [II] *vt* 1. (*wyrzucać coś z ust*) to spit (**krwią** blood) 2. *przen.* (*sypać*) to shower (**obelgami** a torrent of abuse); to rain (**gradem kul** bullets)

plug *sm zool.* (*Aphodius*) a scarabaeid

plugastwo *sn* 1. (*brudy*) squalor, squalidity; filth; grime 2. (*robactwo*) vermin 3. (*ludzie plugawi*) rabble 4. (*postępek plugawy*) (a) sordidness; (a) meanness; mean trick

plugawić *vt imperf* to defile; to taint; to pollute; to contaminate

plugawienie *sn* (↑ **plugawić**) defilement; pollution; contamination

plugawość *sf singt* squalor, squalidity; filth; grime

plugawy *adj* 1. (*ohydny*) squalid; filthy; grimy; sordid 2. (*sprośny*) foul; obscene; ribald

pluj|ka *sf pl G.* **~ek** *zool.* (*Calliphora erythrocephala*) bluebottle fly

plunąć *zob.* **pluć**

plunięcie *sn* ↑ **plunąć**

pluralista *sm* (*decl* = *sf*) *filoz.* pluralist

pluralistyczny *adj* pluralistic

pluralizm *sm singt G.* **~u** *filoz.* pluralism

plus [I] *sm* 1. *mat.* plus sign; **~ minus** more or less; approximately; something <somewhere> round ... 2. (*zaleta*) advantage; asset; **zaliczyć <zapisać> komuś coś na ~** to credit sb with sth; to give sb credit for sth; **zmienić coś in ~** to improve sth; **zmienić się in ~** to change for the better [II] *adv* besides

plusk *sm G.* **~u** 1. (*odgłos*) splash; splashing (sound); flop(ping); lop(ping); swash; swashing (sound); ripple; rippling (of water etc.) 2. (*ogon* *bobra*) beaver's tail 3. (*płetwa ogonowa ryby*) tail-fin

plu|skać *v imperf* **~ska, ~szcze — plu|snąć** *v perf* **~śnie, ~śnięty** [I] *vi* (*o cieczy — rozpryskiwać się*) to splash; to swash; to ripple; to splatter [II] *vt perf* (*wywoływać plusk*) to splash <to flop> (**do wody, błota itd.** into the water, mud etc.) [III] *vr imperf* **~skać się** to splash about; to dabble; to paddle

pluskanie *sn* (↑ **pluskać**) splash; splashing (sound); lop(ping); swash; ripple

pluskiew|ka *sf pl G.* **~ek** drawing-pin; *am.* thumb-tack

pluskol|ec *sm G.* **~cy** *zool.* (*Notonecta*) boat bug; back swimmer

pluskot *sm G.* **~u** *rz.* = **plusk 1.**

plusko|tać *vi imperf* **~ta, ~cze** to ripple; to popple

pluskotanie *sn* (↑ **pluskotać**) ripple <popple> (of water)

plusk|wa *sf pl G.* **~iew** *zool.* (*Cimex lectularius*) bed-bug, house-bug; *pl* **~wy** a) bed-bugs, house-bugs b) = **pluskwiaki** *zob.* **pluskwiak 1.**

pluskwiak *sm zool.* 1. (*różnoskrzydły*) heteropter; *pl* **~i** (*Heteroptera*) (*rząd*) the order Heteroptera 2. (*równoskrzydły*) homopteron; *pl* **~i** (*Homoptera*) (*rząd*) the order Homoptera

plusnąć *zob.* **pluskać**

plusz *sm G.* **~u** *tekst.* plush; (*o meblu*) **obity ~em** upholstered in plush

pluszcz *sm zool.* (*Cinclus cinclus*) water ouzel; ducker; *pl* **~e** (*Cinclidae*) (*rodzina*) the water ouzels

pluszowy *adj* plush _ (curtain etc.)

pluśnięcie *sn* (↑ **plusnąć**) splash; flop

plutokracja *sf* plutocracy

plutokrata *sm* (*decl* = *sf*) plutocrat

plutokratyczny *adj* plutocratic

pluton[1] *sm G.* **~u** (*w piechocie*) platoon; (*w artylerii*) section; (*w kawalerii*) troop; **~ egzekucyjny** firing squad

pluton[2] *sm singt G.* **~u** *chem.* plutonium

plutoniczny *adj* plutonic (rocks etc.)

plutonizm *sm G.* **~u** *geol.* plutonism; plutonic hypothesis

plutonowy[1] [I] *adj* platoon _ (formation etc.) [II] *sm* **~** platoon leader <commander>

plutonowy[2] *adj chem.* plutonium _ (isotope etc.)

pluwialny *adj geol.* pluvial

pluwiał *sm G.* **~u** *liturg.* pluvial

pluwiograf *sm G.* **~u** *meteor.* pluviograph

pluwiometr *sm G.* **~u** *meteor.* pluviometer

plwać † *vi vt imperf* = **pluć**

plwocina *sf* spit; spittle; expectoration; *med.* sputum

płac|a *sf* (*za pracę fizyczną*) wages; earnings; (*za pracę umysłową*) salary; **lista ~y** <**~**> pay-roll; pay-sheet; **za dobrą pracę dobra ~a** a fair day's wage for a fair day's work

płacenie *sn* (↑ **płacić**) payment

płach *sm hist. wojsk.* cuirass

płach|eć *sm G.* **~cia** piece; **~eć śniegu** big snow-flake

płachetek *sm dim* ↑ **płacheć**

płachta *sf* canvas; cloth; sheet (of linen, paper etc.); **to działa jak czerwona ~ na byka** it's like a red rag to a bull

płac|ić *vt, vi imperf* **~ę** to pay (**komuś kwotę za coś** sb a sum for sth); **~ić gotówką** <**w naturze**> to pay (in) cash <in kind>; **za dużo** <**za mało**> **~ić za coś** to overpay <to underpay> sth; *przen.* **~ić komuś pięknym za nadobne** to pay sb in his own coin; **~ić życiem za nieroztropność itd.** to pay for one's rashness etc. with one's life

płacz *sm G.* **~u** crying; weeping; tears; wail(ing); **~ nic nie pomoże** it's no use crying; *przen.* **mur ~u** wailing wall; *pot.* **a ona w ~** and she burst into tears <into a fit of weeping>; *zw. żart.* **~ i zgrzytanie zębów** weeping and gnashing of teeth; **padół** <**dolina**> **~u** this vale of tears

płaczący *adj* 1. (*o człowieku*) weeping; crying; in tears 2. *przen.* (*o drzewie — wierzbie itd.*) weeping (willow etc.)

płaczek *sm*, **płaczka** *sf* 1. (*beksa*) sniveller; cry-baby 2. (*dawniej na pogrzebie*) weeper; mourner

płaczliwie *adv* tearfully; plaintively; mournfully; in a tearful voice

płaczliwość *sf singt* tearfulness; plaintiveness; mournfulness

płaczliwy *adj* 1. (*skłonny do płaczu*) tearful; plaintive; mournful; whimpering; doleful 2. (*pobudzający do płaczu*) tearful; maudlin

pła|kać *vi imperf* **~cze** 1. (*wylewać łzy*) to cry; to weep; **~kać z bólu** to cry with pain; **~kać z radości** to cry for joy; **~kać z wściekłości** to weep from vexation; **~kać jak bóbr** to cry one's eyes out 2. (*lamentować*) to mourn (**nad kimś** for sb); **~kać nad czyimś** <**swoim**> **losem** to bewail sb's <one's> lot 3. (*skarżyć się*) to complain (**na kogoś, coś** of sb, sth)

płakanie *sn* (↑ **płakać**) tears; whimper; wail

płaksa *sf, sm* (*decl* = *sf*) sniveller; cry-baby

płaksiwy *adj pot.* snivelling <whimpering> (lad, lass etc.)

płanetnik *sm* hobgoblin; imp

płask *zob.* **na płask**

płaskawy *adj* flattish; somewhat flat

płask|i *adj* 1. (*stanowiący płaszczyznę*) flat; level; even; plane; **~a pierś** flat chest; **~a stopa** flat-foot; **bieg ~i** flat race; **dach ~i** flat roof; **figura ~a** (a) plane; **puderniczka ~a** flapjack; **ruch ~i** plane motion; **robaki ~e** the flatworms; **szkło ~e** flat-glass; **trygonometria ~a** plane trigonometry; **~i jak stół** as flat as a pancake 2. *przen.* (*banalny*) dull; insipid; unentertaining; commonplace; platitudinous

płasko *adv* 1. (*równo*) flat; flatwise; evenly 2. *przen.* (*banalnie*) dully; insipidly

płaskoden|ka *sf pl G.* **~ek** flat-bottomed boat; punt

płaskodenny *adj* flat-bottomed

płaskonos *sm* 1. *rz.* (*człowiek*) flatnose 2. *zool.* (*Spatula clypeata*) shoveller

płaskonosy *adj* flat-nosed

płaskorzeźba *sf* bas-relief, bass-relief; low relief

płaskorzeźbiony *adj* in low relief

płaskostopie *sn med.* flat-foot

płaskoszczypy *spl* flat pliers

płaskość *sf singt* 1. (*płaski kształt*) flatness; evenness 2. *przen.* (*trywialność*) dullness; insipidness

płaskownik *sm techn.* flat iron <bar>

płaskowyż *sm G.* **~u** *geogr.* table-land; plateau

płaskowzgórze *sn* = **płaskowyż**

płaskun *sm G.* **~u** *bot.* male hemp plant

płaskur *sm bot.* (*Hordeum sativum*) two-rowed barley

płaskur|ka *sf pl G.* **~ek** *roln.* (*Triticum dicoccum*) emmer

płastug|a *sf zool.* flatfish; *pl* **~i** (*Pleuronectiformes*) (*rząd*) the order Pleuronectiformes

płastugowat|y *zool.* [I] *adj* pleuronectid [II] *spl* **~e** (*Pleuronectidae*) (*rodzina*) the family Pleuronectidae

płaszcz *sm* 1. (*wierzchnie okrycie*) overcoat; (*okrycie damskie*) mantle; **~ kąpielowy** bathing-wrap; **~ nieprzemakalny** (a) waterproof; **~ wojskowy** greatcoat 2. *przen.* (*pozór*) cloak <cover> (of friendship, religion etc.) 3. *myśl.* plumage 4. *techn.* sheath; cover; casing; jacket; **~ parowy** steam jacket; **~ wodny** water jacket 5. *zool.* (*u mięczaka*) mantle, pallium 6. *geol.* mantle

płaszczący się *adj* obsequious; servile; sycophantic

płaszczenie *sn* 1. (↑ **płaszczyć**) flattening 2. **~ się** obseqiousness; servility; adulation; sycophancy

płaszcz|ka *sf pl G.* **~ek** *zool.* ray; **~ka ciernista** (*Raja clavata*) thornback; *pl* **~ki** (*Batoidei*) (*rząd*) the order Batoidei

płaszczowina *sf geol.* nappe

płaszczowinowy *adj* nappe — (thrust etc.)

płaszczow|y *adj* (*dotyczący wierzchniego okrycia*) of an overcoat; **tkaniny ~e** coatings; *zool.* **jama ~a** mantle cavity

płaszczów|ka *sf pl G.* **~ek** *tekst.* (a) coating

płaszczyć *v imperf* [I] *vt* to flatten [II] *vr* **~ się** 1. (*stawać się płaskim*) to become flat; to flatten (*vi*) 2. (*przypadać do ziemi*) to fall flat on the ground 3. (*upodlać się*) to fawn (**przed kimś** upon sb); to cringe <to grovel> (**przed kimś** to <before> sb); to truckle (**przed kimś** to sb); to adulate (**przed kimś** sb)

płaszczyk *sm* 1. *dim* ↑ **płaszcz** 1. 2. *przen.* (*pozór, pretekst*) pretence; veil; cloak; disguise; **pod ~iem cnoty** under the pretence <veil, cloak, disguise> of virtue

płaszczy|zna *sf DL.* **~źnie** 1. (*powierzchnia równa*) surface; area; expanse; sheet (of water, of snow); (*równina*) plain; (*w kamieniu*) face; (*w klejnocie*) facet; *lotn.* **~zna nośna** plane 2. *przen.* plane (of discussion etc.) 3. *mat.* plane; **~zna odniesienia** datum plane

płaszczyznowo *adv* evenly

płaszczyznowość *sf singt* evenness

płaszczyznowy *adj* plane — (angle etc.)

płat *sm G.* **~u** <**~a**> 1. (*płachta*) piece (of cloth); *przen.* patch (of snow etc.) 2. (*obszar*) area; patch; expanse 3. (*płaska warstwa*) rasher; steak; collop; slice (of meat, fruit etc.); sheet (of glass, metal etc.); layer; lamina; **odpadać, złuszczać się ~ami** to peel (off) 4. *anat.* lobe 5. *lotn.* wing <plane> (of aircraft)

płatać *vt imperf* — **płatnąć** *vt perf* 1. (*rozcinać*) to cut; (*rąbać*) to fell; (*ciąć na płaty*) to slice; to split 2. *w zwrocie*: **płatać figle** to play tricks (**komuś** on sb); to be full of mischief

płatanie *sn* ↑ **płatać**; **~ figli** the playing of tricks

płat|ek *sm* 1. (*dim* ↑ **płat**) little piece <patch> (of cloth) 2. (*w koronie kwiatowej*) petal 3. (*zw. pl*) (*kryształek lodu*) (snow-)flake; **~ek ucha** ear lap; **~ki mydlane** soap flakes; **~ki owsiane** flaked <rolled> oats; *przen.* **idzie jak z ~ka** everything is going on <working> smoothly <swimmingly, without a hitch>; things are going like clockwork; **poszło jak z ~ka** it ran on wheels

płat|ew *sf pl G.* **~wi** *bud.* purlin; bidding rafter

płatkować *vt imperf* to slice

płatkowaty *adj* flaky

płatkow|y *adj* lamellar, lamellate; **złoto ~e** gold foil

płatnąć *zob.* **płatać**

płatnerski *adj* armourer's (craft, workshop etc.)

płatnerstwo *sn singt* armourer's craft

płatnerz *sm* armourer

płatnicz|y [I] *adj* of payment; **bilans ~y** balance of payments; **środek ~y** legal tender; **zdolność ~a** solvency [II] *sm* **~y** 1. (*w administracji*) disbursing official; (*w wojsku, marynarce*) paymaster 2. (*w kawiarni*) head waiter

płatnie *adv* remuneratively; for a remuneration

płatnik *sm* 1. (*płacący*) payer 2. (*urzędnik, oficer wypłacający*) paymaster

płatnoś|ć *sf* payment; (*przesłana, przekazana należność*) remittance; *pl* **~ci** (*należne sumy*) liabilities; **termin ~ci** date of payment; **dokonać ~ci** to pay; to remit; **zapłacić w terminie ~ci** to pay (a sum) when due; to pay (a bill) at maturity

płatny *adj* 1. (*opłacony*) salaried (employee); paid <remunerated, wage-earning> (worker, agent etc.) 2. (*o pracy, usługach*) paid; **urlop ~** leave with pay 3. (*będący do zapłacenia*) payable; (*o wekslu itd.*) due

płatować *vt imperf* to slice

płatowaty *adj* layered

płatow|iec *sm G.* **~ca** *lotn.* 1. (*kadłub samolotu*) fuselage 2. (*samolot*) plane; craft

płatowy *adj med.* lobar (pneumonia etc.)

płatwa *sf* = **płatew**

pława *sf mar.* buoy; **~ bucząca** whistling-buoy; **~ dzwonowa** bell-buoy; **~ świetlna** light-buoy

pławić *v imperf* [I] *vt* (*nurzać*) to duck (a witch etc.); to drown; (*moczyć*) to soak; **~ konia** <**bydło**> to water a horse <cattle> [II] *vr* **~ się** to bathe; to wallow; to welter; **~ się we krwi** to wallow in blood; *przen.* **~ się w rozkoszy** to roll <to wallow> in luxury; **~ się w słońcu** to bask in the sun

pławienie (się) *sn* ↑ **pławić (się)**

pławik *sm* float; cork

pławikonik *sm zool.* (*Hippocampus hippocampus*) sea-horse

pławnica *sf ryb.* drift net

pławn|y *adj* 1. (*ułatwiający pływanie*) natatorial; natatory; **błona ~a** web; flipper; **pęcherz ~y** swimming-bladder 2. † (*żeglowny*) navigable

płaz *sm* 1. *G.* **~a** <**~u**> (*zwierzę*) amphibian 2. *przen.* reptile 3. (*zw. pl*) *bud.* log 4. *G.* **~u** (*szeroka strona broni siecznej*) flat (of a sword, sabre etc.); **~em go obłożył** he struck him with the flat of his sword; *przen.* **puścić coś ~em** to overlook sth; to let sth pass unnoticed; to take no notice of sth; **ujść ~em** to pass <to go by> unnoticed 5. *G.* **~u** (*uderzenie szeroką stroną szabli*) blow <struck> with the flat of a sword

płaza *sf* = **płaz** 3.

płazi *adj* amphibian's

płazi|niec *sm G.* **~ńca** *zool.* platyhelminth; *pl* **~ńce**

(*Platyhelminthes*) (*typ*) the phylum Platyhelminthes; the flatworms

płazować *vt imperf* to strike (sb) with the flat of a sword <sabre>

płazowanie *sn* ↑ **płazować**

płazowina *sf leśn.* sparsely timbered area (of a forest)

płazowy *adj* 1. (*właściwy dla płazów — zwierząt*) amphibian; *przen.* reptilian 2. (*zbudowany z płazów*) log — (cabin etc.)

płciopęd *sm G.* **~u** sex urge

płciowo *adv* sexually

płciow|y *adj* sexual (intercourse, organs, system etc.); sex — (determination, instinct, urge etc.); genital; **dojrzałość ~a** maturity

płeć *sf G.* **płci** 1. sex; **bez różnicy płci i wieku** promiscuously; **~ brzydka** the sterner sex; **~ piękna** <**nadobna**> the fair sex 2. † (*cera*) complexion

płetwa *sf* 1. (*u ryby itd.*) fin; (*w stroju płetwonurka*) swim-fin; *mar.* **~ steru** rudder-blade 2. *bud. stol.* dovetail

płetwina *sf stol.* dovetail key

płetwinowy *adj* dovetail — (key etc.)

płetwonogi *zool.* [I] *adj* web-footed; pinnipedian [II] *spl* **~e** (*rząd*) the Pinnipedia

płetwonur|ek *sm G.* **~ka** frogman

płetwowaty *adj* finny

płocha *sf* reed (of a weaver's loom)

płochacz *sm* 1. (*także* **~ pokrzywnica**) *zool.* (*Prunella*) hedge-sparrow 2. *myśl.* spaniel

płochliwie *adv* shily, shyly; timidly; skittishly

płochliwość *sf singt* shyness; timidity; skittishness

płochliwy *adj* shy; timid; skittish

płocho *adv* inconsiderately; thoughtlessly

płochopióry *adj* light-winged

płochość *sf singt* inconsiderateness; thoughtlessness

płochy *adj* 1. (*płochliwy*) shy; timid; skittish 2. (*niestały*) fickle; frivolous 3. (*lekkomyślny*) inconsiderate; thoughtless

płocioleszcz *sm zool.* (*Rutilus rutilus Abramis brama*) hybrid between the bream and the roach

płoć *sf zool.* (*Rutilus rutilus*) roach

płodnie *adv* abundantly; fruitfully; with fecundity

płodność *sf singt* 1. (*zdolność płodzenia*) fecundity; fertility 2. (*owocność*) fruitfulness 3. *przen.* fertility

płodny *adj* 1. (*obficie rodzący, dający obfity plon*) prolific; fecund; abundant; copious 2. *przen.* (*o pisarzu*) voluminous; productive 3. (*urodzajny*) fertile; fruitful

płodowy *adj* f(o)etal

płodozmian *sm G.* **~u** rotation of crops, crop rotation

płodozmienny *adj* rotating

płodzenie *sn* (↑ **płodzić**) procreation; production

płodz|ić *vt imperf* **~ę** 1. (*powodować powstanie istoty żywej*) to procreate; to beget; (*o ogierze itd.*) to sire 2. (*rodzić*) to bear; to breed; to give birth (**potomstwo** to offspring) 3. (*przynosić plon, wydawać owoce*) to generate; to produce

płomieniak *sm techn.* reverberating <air> furnace

płomienica *sf techn.* flue (tube); furnace tube

płomienicow|y *adj techn.* tubular (**kocioł** boiler); **rura ~a** = **płomienica**

płomieniów|ka *sf pl G.* **~ek** *techn.* smoke <combustion> tube

płomieniówkowy *adj techn.* tubular (**kocioł** boiler)

płomienisty *adj* 1. (*płonący*) fiery; blazing 2. (*mający kształt, barwę płomienia*) flaming; *arch.* **gotyk ~** flamboyant Gothic 3. *przen.* (*gorący, płomienny*) fiery; ardent

płomieniście *adv* with fire; ardently

płomiennie *adv* 1. (*ogniście*) with fire; ardently; passionately; fervently 2. (*jaskrawo*) gaudily; in flaming colours

płomienność *sf* 1. (*kolor*) flaming red colour 2. (*namiętność*) fieriness; ardour; passion

płomienn|y 1. (*płonący*) fiery; blazing; *techn.* **piec ~y** hearth <reverberating> furnace; *hist.* **śmierć ~a** the stake 2. (*jaskrawo czerwony*) flaming red; flaring 3. (*namiętny*) fiery; ardent; passionate; fervent

płomie|ń *sm* 1. (*język ognia*) flame; blaze; **pójść z ~niem** to be reduced to ashes; to go up in flames; **w ~niach** in flames; on fire; ablaze; **stanąć w ~niach** to burst into flame 2. *przen.* (*błysk*) flash; sparkle 3. *przen.* (*rumieniec*) flush 4. *przen.* (*namiętność*) fire; passion; ardour

płomieńczyk *sm bot. gw.* (*Ranunculus flammula*) lesser spearwort

płomyczek *sm* ↑ **płomyk**

płomyk *sm* 1. (*mały płomień*) glimmer; (*w piecu gazowym*) **stały ~ zapalający** pilot-light 2. *bot.* (*Phlox*) phlox

płomykowat|y *adj* glimmerous; **sowa ~a** = **płomykówka**

płomykowy *adj* glimmering

płomyków|ka *sf pl G.* **~ek** *zool.* (*Tyto alba*) barn owl

płonący *adj* burning; blazing; on fire; alight; ardent

płonąć *vi imperf* 1. (*palić się*) to burn; to be on fire <in flames>; (*o ogniu*) to blaze 2. *przen.* (*o człowieku — być ożywionym uczuciem*) to be inflamed; to turn red (**ze wstydu itd.** with shame etc.); **~ zemstą** to thirst for revenge 3. *przen.* (*mieć intensywną barwę*) to glow; (*o twarzy — być rozpalonym, rumienić się*) to be flushed; to flush scarlet; to colour; to redden 4. (*świecić*) to be alight; to glow; (*błyszczeć*) to shine; to sparkle

płonica *sf med.* scarlet fever; scarlatina

płoniczy *adj* scarlatinal, scarlatinous

płonić *v imperf* [I] *vt* to redden (sth); to colour (sth) red [II] *vr* **~ się** to redden (*vi*)

płonięcie *sn* (↑ **płonąć**) consumption by fire

płon|ka *sf pl G.* **~ek** 1. *bot.* (*Malus silvestris*) common apple 2. (*nie szczepione drzewo owocowe*) ungrafted fruit-tree 3. (*zw. pl*) = **płoskoń**

płonnik *sm bot.* (*Polytrichum*) haircap moss

płonność *sf singt* futility; uselessness; inutility

płonn|y *adj* 1. (*daremny*) vain; useless; of no avail, unavailing; **~e nadzieje** vain hopes; *górn.* **skała ~a** spoil; gob 2. *bot.* barren

płony *adj* = **płonny** 2.

płoskonka *sf* = **płoskoń**

płoskoń *sm*, **płoskun** *sm* (*zw. pl*) *bot.* male hemp plant

płoszczyca *sf* (*zw. pl*) *zool.* (*Nepa*) water scorpion

płoszenie *sn* ↑ **płoszyć**

płoszyć *v imperf* [I] *vt* 1. (*strasząc wywoływać ucieczkę*) to frighten <to scare> away 2. (*wzniecać popłoch*) to alarm; to startle [II] *vr* **~ się** 1. (*przestra-

szyć się) to take alarm <fright> 2. (*rozproszyć się*) to disperse (*vi*); to scamper away

płot *sm G.* **~u** (*ogrodzenie*) fence; (*ogrodzenie z desek*) hoarding

płot|ek *sm* 1. *dim* ↑ **płot** 2. *sport* hurdle; **bieg przez ~ki** hurdle-race

płot|ka *sf pl G.* **~ek** *zool.* (*Rutilus rutilus*) roach

płotkarz *sm*, **płotkarka** *sf sport* hurdler

płotow|y *adj* fence — (post etc.); *bot.* **wyka ~a** (*Vicia sepium*) a species of vetch

płowie|ć *vi imperf* **~je** 1. (*blaknąć*) to fade; to lose colour; to scorch; (*o tkaninie*) **nie ~jący** unfading; sun-fast 2. (*żółknąć*) to turn yellow

płowienie *sn* ↑ **płowieć**

płowoliliowy *adj* buff-violet

płowość *sf singt* fawn colour

płowowłosy *adj* flaxen-haired

płowożółty *adj* buff-yellow

płow|y *adj* buff; fawn; fallow; (*o włosach*) flaxen; **~a zwierzyna** fallow-deer

płoz *sm* = **płóz**

płoz|a *sf pl G.* **płóz** 1. (*zw. pl*) (*u sań*) runner 2. *pl* **~y** *lotn.* ski-undercarriage; **~a ogonowa** tail skid 3. (*deska narty*) runner 4. *techn.* skid; runner; *kolej.* **~a hamulcowa** car stop

płozić się *vr imperf* (*o roślinie*) to trail

płożąc|y się *adj* repent; procumbent; prostrate; **~a się roślina** trailer; groundling

płócien|ko *sn pl G.* **~ek** calico

płócienkowy *adj* calico — (dress etc.)

płóciennictwo *sn singt* cloth manufacture

płócienniczy *adj* cloth-manufacturing

płóciennik † *sm* linen-draper; *am.* dry-goods merchant

płócienny *adj* linen — (towel, sheets etc.); cloth — (cap, binding etc.); canvas — (sails, shoes etc.); **papier ~** rag paper

płód *sm G.* **płodu** 1. (*zarodek*) f(o)etus; embryo 2. *pl* **płody** produce; agricultural products; fruits of the earth 3. *lit.* (*także żart.*) (*dzieło*) work

płótno *sn pl G.* **płócien** 1. (*tkanina bieliźniana*) linen; cloth; (*gruba tkanina na namioty, żagle itd.*) canvas; **~ krawieckie** wigan; buckram; **~ tapicerskie** scrim; **biały jak ~** as white as a sheet; *pot.* **mieć ~ w kieszeni** to be stony-broke 2. (*tkanina do malowania olejnego*) canvas 3. (*obraz olejny*) (a) canvas

płóz *sm G.* **płozu** plough heal

płuck|o *sn* 1. *dim* ↑ **płuco** 2. *pl* **~a** *kulin.* lights

płucnica *sf bot. farm.* (*Cetraria*) Iceland moss

płucnik *sm* 1. *gw.* (*roślina*) lungwort 2. *pot.* (*lekarz*) lung specialist

płucn|y *adj* pulmonary (artery, vein etc.); lung — (trouble, fever etc.); **choroby ~e** lung-diseases

płuc|o *sn* (*zw. pl*) *anat.* lung; *pl* **~a** *kulin.* lights; **zapalenie ~** pneumonia; inflammation of the lungs; **mieć zdrowe ~a** to have good lungs <a long wind>; **zrywać sobie ~a** to shout at the top of one's lungs; *przen.* **~a miasta** the lungs of a city

płucodyszn|y *zool.* [I] *adj* pulmonate, pneumobranchiate [II] *spl* **~e** (*Pulmonata*) the Pulmonata

płucotchawka *sf* (*zw. pl*) *zool.* trachea; lung sac

płucz|ka *sf pl G.* **~ek** 1. *chem.* washer; rinsing bowl 2. *techn.* washer; washing machine; scrubber

płuczkar|ka *sf pl G.* **~ek** 1. *fot.* dipper 2. *techn.* rinsing machine

płuczkarnia *sf* = **płuczkarka** 2.

płuczkowy *adj* washing — (device etc.); **olej ~** benzol recovery oil; *górn.* **stół ~** rocker

pług *sm* plough; *am.* plow; *sport* snow-plough; **~ parowy** steam-plough; **~ śnieżny** snow-plough

pługobrona *sf* plough harrow

pługowy *adj* plough — (handle etc.)

płu|kać *vt imperf* **~cze** to rinse; *górn.* to wash (ore); **~kać gardło** a) *dosł.* to gargle one's throat b) *żart.* (*pić alkohol*) to wet one's whistle

płukani|e *sn* (↑ **płukać**) (a) rinsing; gargling; (a) gargle; (a) sluice; *med.* lavage (of an organ); **płyn do ~a** lotion

płukanka *sf* lotion; (*do gardła*) gargle

płukarz *sm techn.* washer

płuż|ek *sm G.* **~ka** 1. *dim* ↑ **pług** 2. (*spulchniacz*) earthing-up plough

płużenie *sn* ↑ **płużyć**

płużkować *vt imperf roln. ogr.* to earth up

płużkowanie *sn* ↑ **płużkować**

płużn|y *adj* = **pługowy**; *sport* **pozycja ~a** snow-plough position

płużyć *vi imperf sport* to snow-plough

płycie|ć *vi imperf* **~je** to shallow

płycina *sf bud. stol.* panel

płycinowy *adj* panelled (door)

płycizna *sf* 1. (*płytkie miejsce*) (a) shallow; shoal 2. *przen.* (*powierzchowność*) shallowness; triviality

płyn *sm G.* **~u** liquid; fluid; *med. farm.* lotion; wash; liquor; *biol.* **~ mózgowo-rdzeniowy** cerebro-spinal fluid; **~ nasienny** semen; **~ owodniowy** <**tkankowy**> amniotic <tissue> fluid

płyną|ć *vi imperf* 1. (*o płynach*) to flow; to run; (*o mgle itd.*) to drift 2. (*o czasie*) to go by; to pass; to elapse; (*o dźwiękach*) to flow; to come; to reach the ear; **słowa ~ce z głębi serca** words flowing from the bottom of the heart; heart-felt words 3. (*posuwać się w wodzie — o człowieku*) to swim; (*o rybach*) to swim; to run (**w górę rzek** up rivers); (*o statku*) to sail; to head <to be bound> (**do portu itd.** for a port etc.); (*o łodzi — zbliżać się*) to come; to approach; (*posuwać się*) to make headway <to steer its course> (**ku brzegowi itd.** towards the shore etc.); (*posuwać się utrzymując się na powierzchni wody, w powietrzu*) to float; to drift; (*o statku*) **~ć blisko** <**wzdłuż**> **brzegu** to hug <to skirt> the coast; **~ć przez morze** <**rzekę**> to cross the sea <a river> 4. *przen.* (*o wielkich ilościach pojazdów itd.*) to stream 5. (*wynikać*) to flow <to result> (**z czegoś** from sth); (*o dochodach*) to flow; to accrue 6. † (*obfitować*) to abound; *obecnie w zwrocie*: **kraina mlekiem i miodem ~ca** land flowing with milk and honey

płynięcie *sn* ↑ **płynąć**

płynnie *adv* fluently; smoothly; **mówić ~** to speak glibly

płynność *sf singt* 1. (*stan skupienia ciała fizycznego*) liquidity; fluidity 2. (*cecha ruchu, chodu*) smoothness 3. (*cecha linii, konturu itd.*) roundness 4. (*cecha stylu, wiersza itd.*) fluency; roundness; smoothness; glibness 5. (*zmienność*) fluent state; liquidness; unstability; fluctuation; **~ kapitałów** availability of capitals

płynn|y *adj* 1. (*ciekły*) liquid; fluid; (*o metalach*) molten; ~e szkło metal; ~y owoc fruit juice; **miara dla ciał ~ych** liquid measure 2. (*o ruchu, chodzie itd.*) smooth; fluent; graceful 3. (*o linii, konturach itd.*) round 4. (*o stylu, wierszu itd.*) fluent; flowing; round; smooth; glib 5. (*zmienny, niestały*) liquid; unsettled; unstable; floating; (*o funduszach, kapitałach*) liquid; available 6. *jęz.* (*o spółgłosce*) liquid

płyt|a *sf* 1. (*płaski kawał kamienia*) slab; (*tafla metalu, szkła*) plate; sheet; *fot.* plate; *bud.* (acoustic, insulating etc.) board; (*część maszyny*) plate; **~a chodnikowa** flagstone; *zbior.* flagging; **~a dentystyczna** dental plate; denture base; **~a kuchenna** plate (of kitchen range); **~a pamiątkowa** commemorative plaque; **~a pancerna** armour-plate; **~a pilśniowa** hardboard 2. (*krążek z utrwaloną muzyką, mową*) record; **muzyka z ~** recorded <gramophone> music 3. *geogr.* table-land 4. *muz.* (*część fortepianu*) wrest-block, wrest-plank

płytka *sf* (*dim* ↑ **płyta**) plate; lamella; lamina; *anat.* tabula; (*do gotowania potraw itd.*) **~ elektryczna** hot plate; cooker

płytki *adj* 1. (*o wodzie, miejscu w rzece, o naczyniu itd.*) shallow; **~ talerz** dinner plate; *przen.* **~ oddech** shallow breathing 2. (*o człowieku, umyśle*) shallow; superficial; trivial 3. (*o wypowiedzi*) pointless

płytko *adv* 1. (*nie głęboko*) not deep(ly); **spać ~** to sleep lightly 2. (*powierzchownie*) superficially; trivially

płytkomorski *adj* shallow-sea — (deposits etc.)

płytkość *sf singt* 1. (*mała głębokość*) shallowness 2. (*cecha człowieka, umysłu itd.*) shallowness; triviality; platitude

płytkowy *adj* tabular; laminated

płytoteka *sf muz.* record library

płytowy *adj* tabular; plated; laminated; *fot.* **aparat ~** plate camera; *muz.* **koncert ~** concert of recorded music

pływ *sm G.* **~u** (*zw. pl*) tide; **energia ~ów** tidal energy; **małe ~y** neap tides

pływacki *adj* swimming — (contest etc.); **basen ~** = **pływalnia**

pływactwo *sn sport* swimming

pływacz *sm bot.* (*Utricularia*) bladderwort

pływaczek *sm lotn.* float

pływaczka *sf sport* swimmer

pływa|ć *vi imperf* 1. (*posuwać się w wodzie*) to swim; *przen.* (*o potrawach*) **~ć w maśle** to swim in butter 2. (*o korku itd. — utrzymywać się na powierzchni wody*) to float; **boja ~jąca** anchor-buoy; **dok ~jący** wet <floating> dock 3. (*podróżować statkiem*) to sail (the seas); to navigate; to voyage 4. (*o statku — posuwać się po powierzchni wody*) to be afloat 5. *przen. pot.* (*wypowiadać się ogólnikowo*) to be evasive; to quibble; to prevaricate

pływak *sm* 1. (*człowiek pływający*) swimmer 2. *przen. pot.* (*człowiek mówiący ogólnikowo*) quibbler 3. (*u wędki, sieci rybackiej itd.*) float 4. (*w pojeździe mechanicznym, kotle itd.*) float 5. *zool.* (*Dytiscus*) water devil 6. *zool.* (*ptak pływający*) swimming <natatorial> bird 7. *mar.* buoy; **~ do cumowania** mooring-buoy

pływakowat|y *zool.* [I] *adj* dytiscid [II] *spl* **~e** (*Dytiscidae*) (*rodzina*) the diving beetles

pływakow|y *adj* float — (tank, valve etc.); **komora ~a** float chamber

pływalnia *sf* swimming-bath, swimming-pool

pływani|e *sn* ↑ **pływać**; **nauka ~a** swimming-lessons; *mar.* **płaszczyzna ~a** water-plane; **ruchy ~a** swimming motions

pływik *sm zool.* nauplius

pływn|y *adj* natatory (organ etc.); *zool.* **błona ~a** web; *bot.* **nasiona ~e** floating seeds; *zool.* **noga ~a (skorupiaka)** swimmeret

pływotwórczy *adj* tide-generating

pływowy *adj* tidal (wave, current etc.); tide-(gate, way etc.)

pnąc|y *adj* creeping; rambling; **rośliny ~e** creepers; climbers; **róża ~a** rambler

pnącz *sm*, **pnącze** *sn bot.* creeper; climber

pneumatofor *sm* 1. (*zw. pl*) *bot.* pneumatophore 2. *zool.* pneumatocyst; pneumatophore

pneumatoliza *sf geol.* pneumatolysis

pneumatycznie *adv* pneumatically

pneumatyczn|y *adj* pneumatic (tool, pump etc.); compressed-air — (drill, locomotive etc.); air-(spring, spade etc.); **młotek ~y** (compressed-) air hammer; **obręcz ~a** pneumatic tire <tyre>; **silnik ~y** (compressed-)air engine; **wanienka ~a** pneumatic trough; *anat. zool.* **kość ~a** air-bone

pneumatyk *sm* pneumatic tire <tyre>

pneumatyka *sm singt* pneumatics

pneumokok *sm med.* pneumococcus

pniak *sm* (*część drzewa*) stump; stub; snag; (*przedmiot użytkowy — u rzeźnika itd.*) block

po *praep* 1. (*odnosi się do tła, terenu*) along (the ground, pavement, roadway etc.); over (the floor, table, plate etc.); on (the water, grass etc.) 2. *wskazuje część ciała, ubioru itd. objętą działaniem — nie tłumaczy się:* **głaskać kogoś po twarzy** to stroke sb's face; **grzmotnąć kogoś po głowie** to punch sb's head; **całować kogoś po rękach** to kiss sb's hands; **uderzył się po kieszeni** he tapped his pocket 3. (*określa kierunek ruchu, trasę*) along (the road, river, shore etc.) 4. (*w wyrażeniach oznaczających urządzenia łączące dwa brzegi itp.*) up <down> (a ladder, the stairs, a rope etc.); along (a plank etc.); by means of (steps etc.) 5. (*wskazuje miejsce, gdzie się coś dzieje*) in (ditches, puddles, houses etc.) 6. (*wskazuje strony przedmiotu, gdzie się coś dzieje, znajduje*) on (one side... the other); at (the top, the bottom etc.) 7. (*w wyrażeniach oznaczających osoby, skupiska itd. ogarniane przez ruch, dzianie się*) round (the pubs, neighbours etc.) 8. (*oznacza kres przestrzenny*) till; as far as; up to; down to; **po kolana** knee-deep; **po uszy** up to the ears 9. (*w wyrażeniach oznaczających miarę, liczbę, wartość*) (a shilling, loaf, bottle etc.) each; (*w wyrażeniach liczbowych*) **po jednemu** one at a time; one by one; **po dwóch, trzech itd.** in twos, threes etc.; in groups of two, three etc.; two by two, three by three etc.; **po kropli** drop by drop; **po trochu** little by little 10. (*wyraża następstwo w czasie*) after; on (entering the room, opening the envelope etc.); **po czym** after which; whereupon; thereupon; then; **było po północy** it was past midnight; **po miesiącu <roku itd.>** a month <a year etc.> later; *w zdaniach bezosobowych:* **jest po kłopocie <operacji, koncercie itd.>** the trouble

<operation, concert etc.> is over; **gdy było po wszystkim <wojnie, pogrzebie itd.>** when everything <the war, the funeral etc.> was over 11. (*wyraża kres, koniec czasowy*) till (one's last breath etc.) 12. *w wyrażeniach oznaczających trwanie — nie tłumaczy się:* **po całych dniach <nocach>** all day <night> long 13. (*wskazuje cel ruchu, czynności*) for; **po co?** what for?; **po wiedzę <radę itd.>** for knowledge <advice etc.>; **iść po kogoś, coś** to go and fetch sb, sth 14. (*oznacza przejęcie czyjegoś stanu posiadania itd.*) from; **ma to po ojcu** he has it from his father 15. (*według*) by <from> (one's behaviour, the expression of one's face etc.) 16 (*w wyrażeniach oznaczających kolejność, następstwo, skalę — tworzy punkt odniesienia*) next to; **po stolicy najważniejszym miastem jest ...** next to the capital the most important city is ... 17. (*w wyrażeniach oznaczających cenę*) apiece; **po złotemu** one zloty apiece; **po ile pomarańcze?** how much are the oranges?

po- *praef tworzy czasowniki pochodne* 1. *wyraża powtarzanie czynności — czasownik z tym przedrostkiem tłumaczy się jak czasownik podstawowy, np.:* **pochwytać** to catch (**wszystkich złodziei** all the thieves; **sporo myszy itd.** quite a number of mice etc.) 2. *oznacza powtarzanie się stanu u większej liczby osób — czasownik z tym przedrostkiem tłumaczy się tak jak czasownik podstawowy, np.:* **wszyscy powariowali** they all went mad 3. *oznacza wyczerpanie danej czynności — czasownik z tym przedrostkiem tłumaczy się tak jak czasownik podstawowy, np.:* **pobielił ściany** he whitewashed the walls; **pocałował ją w usta** he kissed her on the mouth; **policzył swe pieniądze** he counted his money 4. *wyraża trwanie czynności przez pewien czas — tłumaczy się za pomocą wyrażeń:* awhile; a little; for some time; **pobolało** it hurt a little; **pobyliśmy we Włoszech** we were in Italy for some time; we spent some time in Italy 5. *oznacza rozpoczęcie czynności — czasownik z tym przedrostkiem tłumaczy się tak jak czasownik podstawowy, np.:* **poczuł ból** he felt a pain; **pojechał do domu** he went <rode, drove> home; **pokochał ją od pierwszego wejrzenia** he loved her at first sight 6. *wyraża realizację czynności w małym zakresie — tłumaczy się za pomocą wyrażeń przysłówkowych*: intermittent(ly); occasional(ly); now and then; **złamana kiedyś ręka pobolewała** the broken arm hurt now and then; **pobłyskiwało** it lightened intermittently; there were intermittent flashes of lightning; **postękiwał** he groaned now and then; he emitted an occasional groan

poadresować *vt perf* = **adresować** 1.

poakcentowy *adj jęz.* post-tonic

poawanturować się *vr perf* to make some fuss <a bit of a fuss>

pobajdurzyć *vi perf pot.* to chat a bit

pobalowy *adj* following <subsequent to> the ball

pobawić *v perf* [I] *vt* (*zająć kogoś czymś zabawnym*) to amuse [II] *vi lit.* (*pomieszkać*) to stay (some days, somewhere) [III] *vr* **~ się** 1. (*zająć się czymś zabawnym*) to amuse oneself (awhile) 2. (*pohulać*) to dissipate

pobecz|eć *v perf* **~y** [I] *vi* 1. (*o owcach, kozach itd.*) to bleat <to baa, to caterwaul, to troat> a little <awhile> 2. *pot.* (*popłakać*) to cry awhile [II] *vr* **~eć się** *pot.* to cry awhile; **omal się nie ~ałem** I was ready to cry

pobekiwać *vi imperf* 1. (*o owcy, kozie*) to keep bleating 2. *przen.* (*o trąbkach samochodowych itd.*) to keep bellowing <blaring, quacking, honking> 2. *pot.* (*popłakiwać*) to keep crying <blubbering>

pobębnić *vi perf* 1. (*uderzać w bęben*) to beat the drum awhile <a couple of times> 2. (*uderzać czymś o coś*) to drum; to thump; to tattoo

pobiała *sf* 1. (*warstwa bieli wapiennej*) whitewash 2. (*polewa wewnątrz naczynia kuchennego*) (the) tinning; tin plate 3. (*biel cynkowa*) zinc white

pobicie *sn* (↑ **pobić**) 1. (*pokonanie*) (a) beating; defeat 2. (*zadanie ciosów*) (a) beating; assault and battery 2. (*lanie*) thrashing; (a) spanking

pobi|ć *v perf* **~je, ~ty — pobijać** *v imperf* [I] *vt* 1. (*wtłoczyć*) to beat in; **~ć, ~jać beczkę** to hoop a barrel 2. *zw. perf* (*pokonać*) to beat (an adversary); (*zwyciężyć*) to defeat (an army etc.); **~ć wroga na głowę** to inflict a crushing defeat on an enemy; **~ć rekord** to beat <to break> a record 3. *perf* (*wysmagać*) to beat; to thrash <to spank> (a naughty boy); (*o gradzie*) **~ć zboże** to make havoc of <to play havoc with> the corn 4. *perf* (*pomordować*) to kill; to slaughter 5. *rz.* (*pokryć dach*) to cover (a roof) [II] *vr* **~ć się** to come to blows; **~li się** they had a fight

pobie|c *vi perf*, **pobie|gnąć** *vi perf* to run; **~gnij do apteki <po lekarza>** run over to the chemist's <run over and fetch the doctor>; **ulica ~gnie tędy** a street will run along here

pobiegać *vi perf* = **biegać** 1.

pobiegn|ąć *zob.* **pobiec**; **~ij do apteki** run over to the chemist's; **~ę po lekarza** I'll run over to fetch a doctor

pobielacz *sm* whitesmith

pobielać *zob.* **pobielić**

pobielenie *sn* ↑ **pobielić**

pobielić *vt perf* — **pobielać** *vt imperf* = **bielić** 1., 4.

pob|ierać *v imperf* — **pob|rać** *v perf* **~iorę, ~ierze** [I] *vt* 1. (*brać jako wynagrodzenie*) to receive; to get; to draw; (*brać jako przydział*) to draw (rations etc.); (*brać jako należność*) to collect; to gather (taxes etc.); to charge (**honorarium** a fee); **~ierać x złotych miesięcznie itd.** to be paid <to get> *x* zlotys a month etc.; *lit.* **~ierać naukę** to study; to go to school; to get one's education; **~ierał naukę w ...** he was taught <educated> at ... 2. (*czerpać*) to derive; (*brać próbę*) to collect (**krew** blood samples <a blood sample>); (*wchłaniać*) to absorb; to imbibe; to assimilate [II] *vr* **~ierać, ~rać się** to marry; to be married

pobieranie *sn* (↑ **pobierać**) 1. (*pobór podatków itd.*) collection (of taxes etc.) 2. (*wchłanianie*) absorption; imbibition; assimilation (of food etc.); **~ krwi** collecting blood samples; the collection of blood samples 3. **~ się** marrying

pobieżnie *adv* superficially; cursorily; perfunctorily; summarily; **~ obliczyć coś** to make a rough estimate of sth

pobieżność *sf singt* cursoriness

pobieżn|y *adj* superficial; cursory; perfunctory; summary; **~e obliczenie** rough estimate

pobijać *vt imperf* 1. *zob.* **pobić** 2. (*uderzać kilkakrotnie*) to strike; to knock; to hit

pobijak *sm techn.* mallet

poblask *sm G.* **~u** reflected light; glow; shimmer

pobliski *adj* neighbouring; nearby (village, inn etc.)

pobliż|e *sn* vicinity; neighbourhood; purlieus; **w ~u** a) (*bez rzeczownika*) in the vicinity <neighbourhood>; hard by; close by; at hand; within easy reach; thereabout(s); **zostań w ~u** stay within call b) (*z rzeczownikiem*) near (**czegoś** sth); in the proximity <within reach> of (sth)

pobłaża|ć *vi imperf* to be forbearing <tolerant, lenient> (**komuś** with sb); to indulge (**komuś** sb); to spoil (**dziecku** a child); **nie ~j dziecku** spare the rod and spoil the child

pobłażanie *sn* 1. ↑ **pobłażać** 2. (*wyrozumiałość*) forbearance; tolerance; leniency; indulgence

pobłażliwie *adv* forbearingly; tolerantly; leniently; with leniency

pobłażliwość *sf singt* = **pobłażanie** 2.

pobłażliwy *adj* forgiving; forbearing; tolerant; lenient; indulgent

pobłądz|ić *vi perf* **~ę** 1. (*zboczyć z właściwej drogi*) to lose one's way; to take the wrong way; to go astray 2. (*popełnić błąd*) to make a mistake; to be mistaken 3. (*postąpić niemoralnie*) to go wrong 4. (*powałęsać się*) to wander <to roam> about

pobłogosławić *vt vi perf* = **błogosławić** *vt vi*

pobłyskiwać *vi imperf* 1. (*błyskać co jakiś czas*) to lighten intermittently 2. (*świecić, migotać*) to gleam; to glimmer; to shine; to glitter

pobocz|e *sn pl G.* **~y** side-space; *techn.* shoulder

pobocznica *sf mat.* side; flank

pobocznie *adv* accessorily; secondarily; marginally

poboczn|y *adj* 1. (*drugorzędny*) accessory; subsidiary; ancillary; secondary; marginal; of minor importance; side — (issue, results etc.); *fonet.* **akcent ~y** secondary stress; *gram.* **zdanie ~e** subordinate clause 2. (*boczny*) side (entrance, line, street etc.)

pobojowisko *sn* 1. (*plac boju*) battle-field 2. *przen.* scene of utter confusion; shambles; **pokój wyglądał jak ~** the room was a shambles

pobok *adv praep gw.* beside

pobolewa|ć *vi perf* to ache now and then; to give occasional pains; to have occasional pains; **~ go wątroba** he has intermittent <occasional> liver pains

pobolewanie *sn* ↑ **pobolewać**

poborca *sm* tax-collector, tax-gatherer

poborowy [I] *adj* 1. (*związany z zaciągiem do wojska*) recruiting — (board, station etc.); **wiek ~** military age 2. (*dotyczący poboru — podatku*) tax-collector's (office etc.) [II] *sm* conscript; recruit

pobor|y *spl G.* **~ów** = **pobór** 7.

pobożnie *adv* piously; religiously; devoutly

pobożniś *sm*, **pobożnisia** *sf pog.* bigot

pobożność *sf singt* piety; godliness; religiousness; devoutness

pobożn|y *adj* 1. (*o człowieku*) pious; godly; devout; godfearing 2. (*o czynie, pieśni itd.*) religious; *żart.* **~e życzenie** wishful thinking

pob|ór *sm G.* **~oru** 1. (*powołanie do wojska*) conscription; recruitment; enlistment; levy 2. (*powołani do wojska*) recruits 3. (*powołanie do robót*) levy; impressment 4. (*zaopatrywanie się*) consumption 5. (*ściąganie należności*) collection (of taxes etc.) 6. (*otrzymywanie z tytułu należności*) allowance 7. *pl* **~ory** (*wynagrodzenie za pracę*) (*miesięczne*) pay; salary; (*dzienne, tygodniowe*) wages

pob|rać *v perf* **~iorę, ~ierze** [I] *vt* 1. = **pobierać** 2. (*wziąć*) to take (a number of things, from different places) [II] *vr* **~rać się** 1. = **pobierać się** 2. *tylko w zwrotach*: **~rać się za ręce** to link hands; **~rać się pod ręce** to link arms

pobranie *sn* ↑ **pobrać**; **za ~m pocztowym** cash on delivery, C.O.D.

pobratać *v perf* [I] *vt* to join (people) with ties of brotherhood; to bring together [II] *vr* **~ się** to fraternize

pobratanie (się) *sn* ↑ **pobratać (się)** fraternization

pobratymczy *adj lit.* related; kindred

pobratym|iec *sm G.* **~ca** *lit.* 1. (*człowiek związany wspólnym pochodzeniem*) kinsman 2. (*człowiek związany więzią przyjaźni*) friend

pobratymstwo *sn singt lit.* 1. (*wspólność pochodzenia*) kinship 2. (*przyjaźń*) friendship; brotherhood

pobrocz|yć *vt perf* to stain (with blood); **~ony krwią** blood-stained

pobrudzić (się) *vt* (*vr*) *perf* = **brudzić (się)**

pobruździć *vt vi perf* = **bruździć**

pobrużdżony [I] *pp* ↑ **pobruździć** [II] *adj* (*o twarzy*) furrowed; wrinkled; worn (with cares etc.)

pobryzgać *vt perf* = **bryzgać**

pobrzask *sm G.* **~u** 1. (*słabe światło*) faint light 2. (*poblask*) glow; shimmer

pobrząkać <**pobrzękać**> *v perf*, **pobrząknąć** <**pobrzęknąć**> *v perf* — **pobrząkiwać** <**pobrzękiwać**> *v imperf* [I] *vi* 1. (*pograć na instrumencie muzycznym*) to strum <to thrum, to twang> awhile (**na gitarze itd.** a guitar etc.); to thump (**na fortepianie** the piano) 2. (*o instrumencie muzycznym — wydawać dźwięki*) to twang; (*o przedmiotach metalowych — wydawać dźwięki*) to rattle; to jangle; to clank [II] *vt* (*potrząsać przedmiotem metalowym*) to rattle <to jangle, to clank> (**łańcuchem, kluczami, szabelką itd.** a chain, keys, the sabre etc.)

pobrzdąkać *vi perf* — **pobrzdąkiwać** *vi imperf pot.* = **pobrząkać** *vi*

pobrzeż|e *sn pl G.* **~y** 1. (*wybrzeże morskie*) sea-coast; sea-shore; (*brzeg rzeki*) riverside 2. (*krawędź*) fringe; outskirts

pobrzeżn|y *adj* coastal (navigation etc.); seaboard — (town etc.); **droga ~a** tow-path

pobrzęk *sm G.* **~u** rattle <jangle, clank> (of chains etc.)

pobrzękać *zob.* **pobrząkać**

pobrzękiwać *zob.* **pobrząkać**

pobrzęknąć[1] *zob.* **pobrząkać**

pobrzękną|ć[2] *vi perf* **~ł** (*spuchnąć*) to swell

pobrzmiewać *vi imperf* to sound

pobud|ka *sf pl G.* **~ek** 1. *wojsk.* reveille; (the) rouse 2. (*zw. pl*) (*bodziec*) incentive; motive; stimulant; impulse; **~ki uboczne** by-motives; **działać z ~ek osobistych** to act from <to be actuated by> personal motives

pobudliwość *sf singt* excitability; ebullience

pobudliwy *adj* excitable; ebullient

pobudować *v perf* [I] *vt* = **budować** *vt* 1. [II] *vr* **~**

się 1. = **budować** *vr* 2. 2. (*być pobudowanym*) to be built

pobudz|ać *vt imperf* — **pobudz|ić** *vt perf* **~ę** to actuate; to prompt; to incite; to stimulate; to induce; to impel; to rouse; to provoke; to move; **~ać, ~ić apetyt** to whet the appetite; **~ać, ~ić pamięć** to touch up <to jog> the memory; **środki ~ające** stimulants

pobudzająco *adv* stimulatingly; **działać ~** to act as a stimulant; to stimulate

pobudzanie *sn* ↑ **pobudzać**

pobudzenie *sn* (↑ **pobudzić**) stimulation; incitement; impulse

pobudzeniowy *adj* stimulating

pobudz|ić *vt perf* **~ę** 1. *zob.* **pobudzać** 2. (*budzić*) to wake (people) up

pobujać *vt perf* 1. (*pokołysać*) to rock (a baby) awhile 2. (*polatać swobodnie*) to roam <to knock about the world> a little 3. *pot.* (*pokłamać*) to tell stories; to fib; to pull people's legs

poburcz|eć *vi perf* **~y** to growl; to grumble

poburzowy *adj* following <subsequent to, coming after> a storm

poburzyć *vt perf* = **burzyć** *vt* 1.

pobuszować *vi perf* = **buszować** 1.

pobutwi|eć *vt perf* **~eje, ~ały** = **butwieć**

pob|yć *vi perf* **~ędę, ~ędzie, ~ądź, ~ył** to stay; to remain; to spend some time (somewhere)

pobyt *sm G.* **~u** stay; sojourn; (*chwilowe przebywanie*) visit (to a country etc.); **miejsce stałego ~u** permanent address; dwelling-place; residence; abode; **przedłużyć ~** to extend one's visit <one's stay>

pobytow|iec *sm G.* **~ca** *hist.* convict

pobytowy [I] *adj* of domicile; dwelling-(place etc.) [II] *sm hist.* convict

pocałować (się) *vt* (*vr*) *perf* = **całować (się)**

pocałowani|e *sn* (↑ **pocałować**) (a) kiss; **dała mu rękę do ~a** she held out her hand for him to kiss; *pot.* **z ~em ręki** readily; willingly; eagerly; **wezmą to z ~em ręki** they'll be (only too) glad to take it

pocałun|ek *sm G.* **~ku** (a) kiss; **dała mu usta do ~ku** she offered him her lips for a kiss; **złożyć ~ek na czymś** to kiss sth; **judaszowy ~ek** Judas kiss

pocechować *vt perf* = **cechować** 2.

pocenie się *sn* (↑ **pocić się**) perspiration

pocerować *v perf* [I] *vt* to darn (**wiele pończoch, skarpetek** many stockings, socks) [II] *vi* to do some darning

pocętkować *vt perf* = **cętkować**

pocharakteryzować *v perf* [I] *vt* to make up (**kogoś** sb's face; **aktorów** actor's faces) [II] *vr* **~ się** to make up (*vi*); to make oneself up

pochewczak *sm bot.* **~ pałkowy** (*Epichloë typhina*) a fungus

pochew|ka *sf pl G.* **~ek** *dim* ↑ **pochwa** 1. (*pokrowiec*) sheath; case 2. *anat. zool.* capsule; theca; **~ka mięśniowa** perimysium

pochichotać *vi perf* to have a giggle

pochlapać *v perf* [I] *vt* to splash (water etc.) about [II] *vr* **~ się** to splash (oneself, one's clothes)

pochlapany [I] *pp* ↑ **pochlapać** [II] *adj* splashed <bespattered> (**wodą, piwem, wapnem itd.** with water, beer, lime etc.); sloppy; **~ błotem** mud-stained; **~ atramentem** ink-stained

pochlebca *sm* flatterer; sycophant; adulator; toady

pochlebczo *adv* flatteringly

pochlebczy *adj* flattering; sycophantic; adulatory

pochlebczyni *sf* = **pochlebca**

pochlebi|ać *vt imperf* — **pochlebi|ć** *vt perf* 1. (*wyrażać się pochlebnie*) to flatter (**komuś** sb; **czyjejś próżności itd.** sb's vanity etc.); to adulate <to blandish> (**komuś** sb); **~ać, ~ć sobie** a) (*spodziewać się*) to expect b) (*mieć sobie za dobre*) to flatter oneself (**że się coś zrobiło, że się jest ...** that one has done sth, that one is ...) 2. (*podlizywać się*) to fawn (**komuś** on <upon> sb)

pochlebiający *adj* flattering; sycophantic; adulating; toadyish

pochlebienie *sn* (↑ **pochlebiać**) flattering; adulation; sycophancy; blandishments

pochlebić *zob.* **pochlebiać**

pochlebnie *adv* 1. (*dodatnio, z uznaniem*) commendably; with praise; in complimentary <flattering> terms; **mówić ~ o kimś** to speak highly <in high terms> of sb 2. (*schlebiając*) flatteringly

pochlebn|y *adj* 1. (*wyrażający ocenę dodatnią*) flattering; complimentary; approving; laudatory; **~e słowa** words of praise; **~e zdanie o kimś, czymś** high opinion of sb, sth; **mieć o kimś ~e zdanie** to think highly <*pot.* a lot> of sb; to hold sb in high esteem 2. (*schlebiający komuś*) flattering; adulatory; sycophantic; toadyish

pochlebstwo *sn* flattery; adulation; sycophancy; blandishments; soft sawder; *przen.* soft soap

pochlipywać *vi imperf* — **pochlipać** *vi perf* to snivel; to blubber

pochlubić się *vr perf* to boast (**czymś** of sth); to flatter oneself (**czymś** on sth)

pochłaniacz *sm* 1. *chem.* (*substancja*) absorbent 2. *chem.* (*aparat*) absorber; aspirator 3. *wojsk.* (*część maski przeciwgazowej*) container

pochł|aniać *vt imperf* — **pochł|onąć** *vt perf* 1. (*wchłaniać*) to absorb; (*wciągać, wsysać*) to engulf; to swallow up; *przen.* **~aniać czas <czyjąś uwagę>** to take up time <sb's attention>; **~aniać, ~onąć czyjś umysł** to preoccupy sb; **~aniać, ~onąć kogoś** to absorb <to engross> sb; **~aniać, ~onąć (liczne) ofiary (w ludziach)** to take a (heavy) toll of human life; **~aniać, ~onąć sumy, koszty** to entail expenses; **~aniać, ~onąć czyjś majątek** to consume sb's fortune 2. (*zjadać łapczywie*) to devour <to gobble up, to wolf> (one's food); *przen.* **~aniać książki** to devour books 3. *chem. fiz.* to absorb; to imbibe

pochłaniający *adj* absorbing; captivating; fascinating

pochłanianie *sn* (↑ **pochłaniać**) absorption; imbibition

pochłodni|eć *vi perf* **~eje** to grow cool; (*o wietrze*) to freshen; **~ało** it has <had> grown cool

pochłonąć *zob.* **pochłaniać**

pochłonięcie *sn* (↑ **pochłonąć**) absorption (**zawodem itd.** in one's business etc.); engrossment (**książką itd.** in a book etc.); intentness (**pracą itd.** on one's work etc.); preoccupation (**czymś** with sth)

pochłonięty [I] *pp* ↑ **pochłonąć** [II] *adj* absorbed

<engrossed, wrapped up> (**czymś** in sth); intent (**czymś** on sth); preoccupied (**czymś** with sth)

pochmurnie *adv* 1. (*niepogodnie*) cloudily; **było ~** it was cloudy; the weather was dull; the sky was overcast 2. *przen.* (*posępnie*) gloomily; dismally; sullenly

pochmurni|eć *vi imperf* **~eje** 1. (*pokrywać się chmurami*) to cloud over; **~ało** it grew cloudy; the sky clouded over 2. (*ciemnieć*) to darken; **~ało** it darkened 3. *przen.* (*posępnieć*) to darken; to scowl; **on ~ał** his face clouded over; he looked gloomy <sullen>

pochmurno *adv* = **pochmurnie**

pochmurność *sf singt* 1. (*niepogodne niebo*) cloudy weather; overcast sky 2. (*posępny wygląd*) gloomy <sullen> look <appearance>; scowl

pochmurny *adj* 1. (*pokryty chmurami*) cloudy; overcast 2. (*ciemny*) dark; gloomy 3. *przen.* (*posępny*) gloomy; sullen

pochodna *sf* (*decl = adj*) 1. (*to, co pochodzi od czegoś*) (a) derivative; offshoot; outgrowth 2. *chem.* derivative 3. *mat.* derivative; differential coefficient <quotient>

pochodni|a *sf* 1. (*smolne łuczywo*) torch; **pochód z ~ami** torch-light procession; **przy świetle ~** by torch-light 2. *astr.* facula (*pl* faculae)

pochodnik[1] *sm* (*człowiek niosący pochodnię*) link

pochodnik[2] *sm jęz.* (a) derivative

pochodnikowy *adj jęz.* derivative

pochodność *sf singt* derivation

pochodny *adj* derived; derivative; **wyraz ~** (a) derivative; offshoot

pochodowy *adj* processional

pochodzeni|e *sn* (↑ **pochodzić**) 1. (*początek*) origin; (*źródło*) derivation; provenance, provenience; source; **~e gatunków** origin of species; (*o produktach rolnych*) **obcego ~a** of foreign growth; **świadectwo ~a** certificate of origin; **towar obcego ~a** foreign product 2. (*rodowód*) descent; extraction; parentage; ancestry

pochodz|ić *vi* **~ę** 1. *perf* (*chodzić jakiś czas*) to walk about (a little, a bit); to go for a short walk; *przen.* **~ić koło czegoś** to see to sth; to make endeavours to obtain sth 2. *imperf* (*brać początek*) to originate <to come, to arise, to issue, to proceed> (**skądś** from somewhere); (*o człowieku, rodzie*) to descend; to spring; to stem 3. *imperf* (*o zabytkach, zwyczajach itd. — datować się*) to date (**z danego wieku** from a given century); to date back (**z danego wieku** to a given century)

pochopnie *adv* 1. (*prędko*) hastily; inconsiderately; precipitately; rashly 2. (*skwapliwie*) eagerly; with alacrity

pochopność *sf singt* hastiness; eagerness; alacrity

pochopny *adj* 1. (*prędki*) hasty; inconsiderate; precipitate; rash; **zbyt ~** overhasty 2. (*skwapliwy*) eager; ready; willing

pochorobow|y *adj* subsequent to a disease; **pielęgnacja ~a** after-care

pochor|ować *v perf* [I] *vi* to be ill (**jakiś czas** for some time); **~uje dzień, dwa** he will be ill a day or two [III] *vr* **~ować się** to fall <to be taken> ill; to be laid up

pochowa|ć *v perf* **~** [I] *vt* 1. (*ukryć*) to hide; to conceal; to put <to tuck> away 2. (*pogrzebać*) to bury; *przen.* **a myśmy cię ~li** we thought you were dead [III] *vr* **~ć się** to hide <to conceal> oneself; *przen.* **niech się inni ~ją** the others are nowhere near <not to be compared with ...>

pochowanie *sn* (↑ **pochować**) 1. (*ukrycie*) concealment 2. (*pogrzeb*) burial; funeral

pochow|ek <**pochów|ek**> *sm G.* **~ka** <**~ku**> burial; funeral; **bez ~ku** unburied

poch|ód *sm G.* **~odu** 1. (*marsz*) march; **zmęczony całodziennym ~odem** tired with the day's march; **wojsko w ~odzie** army on the march 2. *przen.* (*postęp*) progress (**epidemii itd.** of an epidemic etc.) 3. (*manifestacja*) march; procession; cortège; **otwierać ~ód** to head a procession; **zamykać ~ód** to bring <to close> up the rear

pochówek *zob.* **pochowek**

pochrapać *vi perf* to have a <some> sleep

pochrapywać *vi imperf* 1. (*o człowieku*) to emit a snore now and then 2. (*o koniu*) to snort 3. *żart.* (*spać*) to doze

pochrapywanie *sn* (↑ **pochrapywać**) intermittent snoring

pochryp|nąć *vi perf* **~ł** to grow hoarse; **~li od krzyku** they shouted themselves hoarse

pochrząkiwać *vi imperf* 1. (*o człowieku*) to hem (and haw); to keep clearing one's throat 2. (*o świniach*) to grunt

pochrząkiwanie *sn* (↑ **pochrząkiwać**) (*ludzi*) hemming and hawing; (*świń*) grunting; grunts

pochrz|cić *v perf* **~czę, ~cij, ~czony** [I] *vt* 1. (*dokonać chrztu*) to baptize (**wiele osób** many people) 2. *przen.* (*pokropić*) to water down (milk etc.) 3. *przen.* (*ponazywać*) to give (people) Christian names [III] *vr* **~cić się** to be baptized

pochrzęst *sm G.* **~u** 1. (*odgłos kruszenia się, ocierania*) crunching <screeching> sound 2. (*pobrzękiwanie*) clash; jangle

pochrzyn *sm G.* **~u** *bot.* (*Dioscorea*) yam

pochrzynowate *spl* (*decl = adj*) *bot.* (*Dioscoreaceae*) (*rodzina*) the family Dioscoreaceae

pochuchać *vi perf* to breathe <to blow> (**na coś** on sth; **w ręce** on one's fingers)

pochutnik *sm bot.* (*Pandanus*) pandanus

pochutnikowate *spl* (*decl = adj*) *bot.* (*Pandanaceae*) (*rodzina*) the family Pandanaceae

poch|wa *sf spl G.* **~ew** 1. (*pokrowiec na broń*) sheath; scabbard; **schować szablę do ~wy** to sheathe one's sword; **wyjąć szablę z ~wy** to unsheathe one's sword 2. (*futerał*) case 3. *anat.* vagina 4. *bot.* vagina; spathe; ocrea; envelope 5. *techn.* sheath; covering

pochwalać *vt imperf* to approve (**coś** of sth); **nie ~** to disapprove (**czegoś** of sth)

pochwalanie *sn* (↑ **pochwalać**) approval

pochwalić *v perf* [I] *vt* 1. (*dać pochwałę*) to praise; to commend; to speak in praise (**kogoś** of sb); **~ kogoś za coś** to compliment sb on sth <on having done sth> 2. (*oddać cześć*) to praise; to laud; to glorify [III] *vr* **~ się** (*popisać się*) to boast (**czymś** of sth); (*poszczycić się*) to pride oneself (**czymś** on sth); to boast (**czymś** sth)

pochwalnie *adv* with praise; commendably; **mówić ~ o kimś** to speak with praise <highly, flatteringly, in laudatory terms> of sb

pochwaln|y *adj* commendatory; laudatory; eulogistic; **słowa ~e** words of praise; **list ~y** commendatory letter

pochwał|a *sf* 1. (*uznanie*) praise; approval; eulogy; encomium; applause; *wojsk.* citation; **godny ~y** praiseworthy; laudable; **nie skąpić komuś ~, unosić się w ~ach nad kimś** to be loud in one's praises of sb; to sing <to sound> the praises of sb; **nie żałować komuś ~** to give sb unstinted praise; **szukać ~** to fish for compliments; *wojsk.* **wymieniony z ~ą w komunikacie** cited 2. *lit.* (*gatunek literacki*) eulogy

pochwiasty *adj bot.* spathous, spathaceous

pochworogie *spl* (*decl* = *adj*) *zool.* (*Cavicornia*) (*rodzina*) the Cavicornia, the bovids

pochwowaty *adj* sheathlike

pochwowy *adj* vaginal

pochwycenie *sn* (↑ **pochwycić**) seizure; arrestation; apprehension

pochwyc|ić *v perf* **~ę** [I] *vt* 1. = **chwycić** *vt* 2. (*porwać*) to lay hands (**kogoś, coś** on sb, sth); to apprehend; to seize; to arrest; (*wziąć do niewoli*) to take prisoner 3. (*postrzec*) to perceive; to catch (a sound) 4. (*pojąć*) to get <to catch> the meaning (**coś** of sth) [II] *vr* **~ić się** 1. (*ująć, dotknąć ręką*) to seize (**za rękę itd.** one's arm etc.) 2. (*dać się podejść*) to be <to get> caught

pochwytny *adj rz.* (*postrzegalny*) perceptible

pochyl|ać *v imperf* — **pochyl|ić** *v perf* [I] *vt* 1. (*nachylać*) to incline; to bend; to slant; to couch (**lancę itd.** one's lance etc.); to dip (**sztandar** a flag); **~ać, ~ić przed kimś czoło** to bow down before sb 2. *jęz.* to close (a vowel) [II] *vr* **~ać, ~ić się** 1. (*nachylać się*) to incline (*vi*); to bend (*vi*); to slant; to lean (**ku przodowi** forward); *przen.* **~ać, ~ić się na czyjąś stronę** to incline to sb's side 2. (*zniżać się*) to decline; (*o terenie*) to slope; (*o roślinie*) to droop

pochylenie *sn* (↑ **pochylić**) inclination; (a) bend; (a) slope; (a) lean; (*nachylenie masztu, komina statku*) rake

pochylić *zob.* **pochylać**

pochylnia *sf* 1. (*ześlizg, zsyp*) incline; skid; ramp; shoot, chute 2. *mar.* shipway; slipway 3. *górn.* jinney; inclined drift

pochylony [I] *pp* ↑ **pochylić** [II] *adj* oblique; slanting; at an angle; on the slant; (*o człowieku*) stooping; **~ nad czymś** leaning over sth

pochył *sm G.* **~u** *mar.* list

pochyło *adv* obliquely; with a slope; slantwise; aslant; aslope

pochyłomierz *sm bud.* inclinometer

pochyłość *sf* 1. (*położenie*) inclination; slant; slope; gradient; obliquity; declivity; fall 2. (*zbocze*) slope; incline; versant

pochył|y *adj* inclined; oblique; slanting; sloping; out of the vertical; declivous; **~a wieża pizańska** the leaning tower of Pisa; **~e pismo** cursive writing; *druk.* italics; **równia ~a** inclined plane; **staczać się po równi ~ej** to go off the straight path

pociąć *vt perf* **potnę, potnie, potnij, pociął, pocięli, pocięty** 1. (*pokrajać*) to cut up <into pieces>; (*o pile, tartaku*) to saw up 2. (*przeciąć*) to cut; (*przerzynać*) to furrow; (*poprzecinać*) to intersect 3. (*o owadach — pogryźć*) to sting 4. *reg.* (*skosić*) to mow

pociąg *sm G.* **~u** 1. *kolej.* train; **~ osobowy, pośpieszny, sanitarny, towarowy** slow, express <fast>, hospital, goods <*am.* freight> train; **wyjść do ~u** to meet (sb) at the station 2. (*skłonność*) inclination (**do czegoś** to <for> sth); disposition (**do czegoś** to sth); bent (**do czegoś** for sth); tendency (**do złodziejstwa itd.** to thieving etc.); propensity (**do kłamstwa itd.** for lying etc.); (*upodobanie*) liking (**do interesów, muzyki itd.** to business, music etc.); fondness (**do nauki, sztuk pięknych itd.** for study, art etc.); **mieć ~ do kobiet** to feel drawn to <attracted to> women; **mieć ~ do wódki <mechaniki itd.>** to be given to drink <to mechanics etc.>

pociąg|ać *v imperf* — **pociąg|nąć** *v perf* [I] *vt* 1. (*ciągnąć*) to pull (**coś** sth <at sth>); to draw; to tug (**coś** at sth; **wąsa** at one's moustache; **kogoś za rękę** sb's arm); **~ać, ~nąć kogoś za rękaw** to pull <to pluck, to twitch> sb's sleeve; **~ać, ~nąć nogą <nogami>** to shuffle one's feet; **~nął ją do siebie** he drew her to him; *przen.* **~ać, ~nąć kogoś za język** to sound <to pump> sb 2. (*rysować*) to draw (**kreskę itd.** a line etc.) 3. (*nęcić*) to attract; to appeal (**kogoś** to sb); to lure; **~ać, ~nąć kogoś swoim przykładem** to stimulate sb by one's example 4. (*wywoływać*) **~nąć za sobą** to have (**następstwa, skutki** consequences); to be attended <followed> (**następstwa, skutki** by consequences); to entail <to involve> (**wydatki, trudności itd.** expenses, difficulties etc.); to result (**coś** in sth) 5. (*powoływać, pozywać*) to summon (**kogoś do robienia czegoś** sb to do sth); to call (**kogoś do robienia czegoś** upon sb to do sth); **~ać, ~nąć kogoś do odpowiedzialności sądowej** to prosecute sb; **~nąć kogoś do odpowiedzialności za coś** to call sb to account <to bring sb to justice> for sth 6. (*malować, smarować*) to coat; to give (sth) a coating (**farbą itd.** of paint etc.) 7. (*ostrzyć*) to sharpen; to whet; **~ać, ~nąć brzytwę** to strop a razor [II] *vi* 1. (*ciągnąć*) to pull <to tug> (**za coś** sth <at sth>; **za linę, rączkę itd.** a rope, handle etc., at a rope, handle etc.); **~ać, ~nąć nosem** a) (*przy katarze, płaczu*) to snivel; to snuffle b) (*przy wąchaniu*) to sniff; **~ać, ~nąć za sznurek** (*dla spłukania muszli klozetowej*) to pull the plug; **~ać, ~nąć z butelki <z fajki>** to pull at the bottle <at one's pipe> 2. (*trwać*) to last; **niedługo ~nie** he won't last long 3. (*wodzić*) to run (**pilnikiem po metalu** a file over some metal; **grzebieniem po włosach** a comb through one's hair); to pass (**ręką po czymś** one's hand over sth) 4. (*wiać*) to blow; (*o wietrze itd. — napływać*) to come (**od rzeki itd.** from the river etc.) 5. *perf* (*pójść, udać się*) to make (**dokądś** for a place); to bend one's steps (**dokądś** towards a place)

pociągająco *adv* attractively; invitingly; alluringly; enticingly

pociągający *adj* attractive; inviting; alluring; enticing; winsome

pociąganie *sn* (↑ **pociągać**) pulls

pociągły *adj* 1. (*podłużnowaty*) oblong; (*o twarzy*) oval 2. (*smukły*) slender

pociągnąć *zob.* **pociągać**

pociągnięci|e *sn* (↑ **pociągnąć**) 1. (*ruch ciągnienia*) (a) pull; a tug; (a) pluck; **~e kogoś za rękaw** a twitch at sb's sleeve; **~e z butelki** a swig at the bottle 2. (*machnięcie*) stroke (**piórem, pędzlem** of the pen, of the brush); **jednym ~em pióra** with one stroke <scratch> of the pen 3. (*posunię-

cie w grze, w dyplomacji itd.) stroke; move; **świetne, kapitalne, genialne ~e** master-stroke; **za jednym ~em** at one go

pociągow|y *adj* 1. (*dotyczący ciągnienia*) tractive; draught- (horse); **siła ~a** tractive <traction> force <power>; **koń ~y** draught-horse; cart-horse; trace-horse; **zwierzę ~e** beast of draught <of burden> 2. (*dotyczący pociągu*) train- (guard, service etc.)

po cichu *zob.* **cichy**

poc|ić *† vt imperf* **~ę** *garb.* to sweat (hides)

pocić się *vr imperf* 1. (*wydzielać pot z siebie*) to perspire; to sweat 2. *przen.* (*trudzić się*) to exert oneself; to drudge (**nad czymś** at sth) 3. *fiz. pot.* (*o szkle, ścianie itd. — skraplać na sobie*) to sweat; (*o roślinach*) to transpire

pocie|c <**pocie|knąć**> *vi perf* **~knę, ~knie** <**~cze**>, **~kł** = **ciec** 1.

pociech|a *sf* 1. (*pocieszenie oraz źródło pocieszenia*) consolation; comfort; solace; **cała ~a w tym, że ...** it's a relief to know that ...; **czerpać** <**znajdować**> **~ę w czymś** to find <to take> comfort in sth; to derive comfort from sth 2. *†* (*zadowolenie*) satisfaction; *obecnie w zwrotach*: **mała** <**słaba**> **~a** cold comfort; **będzie z niego** <**z ciebie**> **~a** he <you> will amount to sth; **nie będzie z niego** <**z ciebie**> **~y** you will never amount to much; **będzie z tego ~a** this will do good service; **nie będzie z tego ~y** this won't do (us) much good; **mieliśmy sto ~ z niego** he made us laugh till our sides ached; he was great fun; **sto ~** no end of fun; great fun; **z łaski na ~ę** grudgingly; stingily 3. *żart.* (*dziecko*) offspring

pocieknąć *zob.* **pociec**

po ciemku *adv* in the dark; **wstawać ~** to get up before dawn

pociemni|eć *vi perf* **~eje** 1. (*stać się ciemnym*) to darken (*vi*); (*pokryć się ciemnością*) to grow dark; (*bezosobowo*) **~ało** it grew dark; the sky clouded over; **~ało mi w oczach** I was stunned 2. (*stracić żywą barwę*) to darken (*vi*); to lose its lustre

pociemnienie *sn* (↑ **pociemnieć**) darkness

pocieniować *vt perf* to shade

pociepl|eć *vi perf* **~eje** to grow warm(er); **~ało dopiero w maju** it only grew warm in May; **w pokoju ~ało** the room warmed up

pocierać *v imperf* — **potrzeć** *v perf* **potrę, potrze, potrzyj, potarł, potarty** [I] *vt* to rub (**coś** sth; **czymś o coś** sth against sth) [II] *vr* **pocierać, potrzeć się** to rub oneself; (*o Eskimosach itd.*) **pocierać, potrzeć się nosami** to rub noses

pocieranie *sn* (↑ **pocierać**) (a) rub <rubbing>

pocier|niec *sm G.* **~ńca** *zool.* (*Spinachia spinachia*) fifteen-spined stickleback

pocierpieć *vi perf* to suffer

pocierp|nąć *vi perf* **~ł** to grow numb; **skóra mi ~ła** my flesh creeped

pociesz|ać *v imperf* — **pociesz|yć** *v perf* [I] *vt* to console; to comfort; to solace; to cheer (sb) up; to afford consolation <to bring comfort, to be a comfort> (**kogoś** to sb) [II] *vr* **~ać, ~yć się** to console <to solace> oneself; to find consolation (**czymś** in sth)

pocieszająco *adv* comfortingly; by way of consolation

pocieszając|y *adj* consoling; comforting; **~a wiadomość** encouraging news; **~e słowa** words of consolation

pocieszeni|e *sn* (↑ **pocieszyć**) consolation; comfort; solace; **na ~e** by way of consolation; **nagroda ~a** consolation prize

pociesznie *adv* amusingly; comically; drolly; **~ wyglądać** to look funny

pocieszny *adj* amusing; funny; droll; comic

pocieszyciel *sm* consoler; comforter

pocieszycielka *sf* 1. = **pocieszyciel** 2. *sl. żart.* (*wódka*) source of consolation

pocieszyć *zob.* **pocieszać**

pocięgiel *sm* (shoemaker's) stirrup

pociotek *sm pot.* distant relative <relation>

pocisk *sm G.* **~u** 1. (*rzucany przedmiot*) missile; projectille 2. *wojsk.* (*część naboju*) bullet; **~ dymny** <**gazowy, smugowy**> smoke <gas, tracer> shell; **~ oświetlający** star shell; **~ przeciwpancerny** armour-piercing shot

poci|snąć *vt perf* **~śnie** — **poci|skać** *vt imperf* to press (a button, spring etc.)

pociśnięcie *sn* (↑ **pocisnąć**) (slight) pressure

pocmentarny *adj* left over from the <a> former cemetery

pocmokać *vi perf* to smack one's tongue

po co what for?; why?; (*ekspresywnie*) what's the use?; what is the good of it?; **nie ma ~** there's no need to; it's perfectly useless; **~ się martwić** <**spieszyć itd.**> there's no need to worry <to hurry etc.>; why should one worry <hurry etc.>?

po cóż *emf.* = **po co**; what on earth for?

pocukrować, pocukrzyć *vt perf* (*posypać cukrem*) to sprinkle with sugar; (*osłodzić*) to sweeten; to put some sugar (**kawę, herbatę itd.** in one's coffee, tea etc.)

pocwałować *vi perf* 1. (*o koniu, jeźdźcu*) to gallop 2. *żart.* (*o człowieku*) to run over (to a place)

po cywilnemu *zob.* **cywilny**

pocynkować *vt perf* to galvanize

pocz|ąć *† v perf* **~nę, ~nie, ~nij, ~ął, ~ęła, ~ęty** — **poczynać** *v imperf* [I] *vt* (*zacząć*) to begin; *obecnie w zwrotach*: **co ~ąć?** what can one do?; what's to be done?; **co ja ~nę?** what shall I do?; what am I to do?; **nie wiedzieć co ~ąć** to be at one's wits' end; to be at a loss what to do; *lit.* **~ynać sobie z kimś, czymś** to treat sb, sth (lightly etc.) [II] *vi* (*zajść w ciążę*) to conceive; **~ęty przez ...** sprung from the loins of ...; **~ąwszy** from (**od samego rana** early morning); **~ąwszy od przyszłego roku** from next year on; **od pierwszego ~ąwszy** (beginning) from the first of the month

począt|ek *sm G.* **~ku** 1. (*pierwszy okres*) beginning; start; outset; early stage; lead-off (in a discussion etc.); **dać ~ek czemuś** to start sth; to give rise to sth; to originate sth; **dobry ~ek to połowa wygranej** a good beginning is half the battle; **zrobić dobry ~ek** to make a good beginning; **zacząć od ~ku** a) (*bez ułatwień*) to start from scratch b) (*na nowo*) to start all over again 2. (*w przestrzeni — pierwsza część*) fore-part; near end; **od ~ku do końca** from end to end 3. (*powód, przyczyna*) rise; **mieć ~ek w czymś** to rise <to spring> from sth 4. (*źródło, geneza*) origin; **brać** <**mieć**> **~ek** to originate; to rise; to spring; (*o rzece*) to have

its source 5. *pl* **~ki** (*pierwsze wiadomości*) rudiments; ABC; initiation (**czegoś** into sth)
od ~ku a) (*z rzeczownikiem*) from the beginning (of the year, page, film etc.); **od ~ku świata** from the beginning of things b) (*bez rzeczownika*) from the beginning; from the outset; from the start; all along; **od ~ku do końca** from beginning to end; from first to last; from start to finish; **od samego ~ku** from the very beginning; right from the start
na ~ek for a start; to start with; as a beginning
na ~ku a) (*z rzeczownikiem*) at the beginning (of the chapter, of the term etc.) b) (*bez rzeczownika*) at first; in the beginning; initially
z ~kiem in the beginning <in the early part> (of the week, month, century etc.); **z ~kiem maja** <**1945 itd.**> early in May <1945 etc.>
z ~ku at first; in the beginning; at the start

początkowo *adv* at first; in the beginning; at the start; initially; at the outset; to begin with

początkowy *adj* 1. (*będący początkiem*) first (pages, letters, steps etc.) 2. (*odbywający się na początku*) initial (stage, difficulties etc.) 3. (*podstawowy*) elementary

początkując|y [I] *adj* beginning; budding (artist etc.) [II] *sm* **~y** (*decl = adj*) beginner

poczciarz *sm pot.* post-office employee <clerk>

poczciwie *adv* kindly; kind-heartedly; in a friendly manner; **~ mu z oczu patrzy** he looks like a kind-hearted fellow; **to ~ z jego strony** it's nice <*pot.* jolly nice> of him

poczciw|iec *sm G.* **~ca, poczciwina** *sf, sm* (*decl sf*) a good soul

poczciwoś|ć *sf singt* kind-heartedness; friendliness; **~ci człowiek** a most kind-hearted person <soul>

poczciw|y *adj* 1. (*o człowieku*) kindly; kind-hearted friendly; **~a dusza** good chap; nice sort of chap **~y chłopina** worthy chap <fellow>; **on jest ~y z kościami** a warmer-hearted fellow never trod shoe-leather 2. (*o czynie*) kind; friendly

poczeka|ć *vi perf* to wait (a little, a bit); **~ć na kogoś** <**aż się coś stanie**> to wait for sb <for sth to happen>; **~j no** a) (*prośba*) wait a minute b) (*pogróżka*) you just wait!

poczekalnia *sf* waiting-room

poczekani|e *sn* (↑ **poczekać**) (a) short wait
na ~u *adv* off-hand; out of hand; on the spot; then and there; extempore; straight off; (*w napisie*) „**naprawy na ~u**" "repairs while you wait"; **czy może pan to zrobić na ~u?** can you do it while I wait?

po czemu? *pot.* how much (**jabłka, róże itd.** are the apples, roses etc.)

poczerniać *vi imperf* — **poczernić** *vt perf* to blacken; to colour (sth) black

poczerni|eć *vi perf* **~eje, ~ały** to grow black; to blacken (*vi*); **~ały od dymu** black from smoke; blackened by smoke

poczerwienić *vt perf rz.* to redden (sth); to colour (sth) red

poczerwieni|eć *vi perf* **~eje, ~ały** to redden (*vi*); to turn red

pocze|sać *v perf* **~szę** [I] *vt* to comb; (*o fryzjerze*) to dress (**kogoś** sb's hair) [II] *vr* **~sać się** to comb one's hair; to give one's hair a comb

poczesność † *sf singt* prominence; importance

poczesny *adj lit.* prominent; important

pocz|et *sm G.* **~tu** *lit.* 1. (*zespół*) fellowship; body; community; (*grupa wybitnych ludzi*) galaxy; (*świta*) retinue; train of attendants; **~et sztandarowy** colour party; **zaliczyć kogoś w ~et członków instytucji** to include sb among the members <to make sb a member> of an institution 2. † (*rachunek*) count; *obecnie w zwrocie*: **dać na ~et czegoś** to pay on account of sth

poczęcie *sn* 1. ↑ **począć** 2. *biol.* conception; *rel.* **Niepokalane Poczęcie** Immaculate Conception

poczęstować *v perf* [I] *vt* 1. (*ugościć*) to treat (**kogoś czymś** sb to sth); (*uraczyć*) to regale (**kogoś czymś** sb with sth); **~ kogoś obiadem** to entertain sb to dinner; **czy mogę pana ~ cygarem** <**kieliszkiem koniaku itd**>? may I offer you a cigar <a glass of cognac etc.>? 2. *przen. żart.* to serve (**kogoś kopniakiem** sb a kick) [II] *vr* **~ się** to help oneself (**papierosem, winem, tortem** to a cigarette, some <the> wine, some cake)

poczęstowanie *sn* ↑ **poczęstować**

poczęstun|ek *sm G.* **~ku** 1. (*przyjęcie*) (a) treat; repast; entertainment 2. (*poczęstowanie trunkiem*) a drink; drinks 3. (*to, czym częstuje się gości*) food and drinks

po części *zob.* **część**

poczłap|ać *vi perf* **~ie** 1. (*pójść wlokąc nogi*) to shuffle (**dokądś** to a place) 2. (*pójść kłapiąc obuwiem*) to tramp <to clamp> (**dokądś** to a place)

poczochrać *v perf* [I] *vt* to tousle (**komuś włosy** sb's hair) [II] *vr* **~ się** 1. (*zmierzwić sobie włosy*) to tousle one's hair 2. (*o zwierzęciu*) to chafe; to rub itself (**o coś** against sth); (*o jeleniu*) to fray its head

poczołgać się *vr perf* to crawl

poczt|a *sf* 1. (*instytucja*) the post; **~a lotnicza** air mail; **~a polowa** Army Postal Service; **posłać coś ~ą** to send sth by post 2. (*urząd*) post-office; **naczelnik ~y** postmaster; **zanieść list na ~ę** to post a letter 3. (*przesyłki*) post; mail; **odwrotną ~ą** by return (of post) 4. *hist.* (*łączność konna*) post

pocztow|iec *sm G.* **~ca** 1. (*pracownik poczty*) post-office employee 2. (*statek*) packet-boat; mail-boat

pocztow|y *adj* postal (savings bank, union, service etc.); **główny urząd ~y** general post-office; **gołąb ~y** carrier pigeon; homing-pigeon; **opłata ~a** postage; **przesyłki ~e** postal matter; **skrzynka ~a** letter-box; **stempel ~y** postmark; **urząd ~y** post-office; **wolny od opłaty ~ej** post-free; **znaczek ~y** postage stamp; *kolej.* **wagon ~y** mail-van, mail-car, mail-carriage; *hist.* **kareta ~a** post-chaise; *pot.* **śledź ~y** cured herring

pocztów|ka *sf pl. G.* **~ek** postcard; (*ilustrowana*) picture postcard; *am.* postal (card)

pocztówkowy *adj* postcard — (format, reproduction etc.)

pocztylion † *sm* postil(l)ion; post-boy

poczubić się *vr perf* = **czubić się**

poczucie *sn* 1. ↑ **poczuć** 2. (*świadomość*) consciousness; feeling (of safety, injury etc.); sense (of duty, honour etc.) 3. (*uczucie, wrażenie*) sensation 4. *med.* (*samopoczucie*) general feeling (of a patient etc.)

poczu|ć *v perf* **~je, ~ty** [I] *vt* 1. (*doznać wrażenia*) to perceive; (*za pomocą dotyku*) to feel (**zimno**

stali, miękkość skóry itd. the cold of steel, the softness of the skin etc.); (*za pomocą powonienia*) to smell (sth); (*za pomocą smaku*) to taste (**słodycz, gorycz czegoś** the sweetness, bitterness of sth); to have a feeling <a sensation> (**coś** of sth); **~ć ból <dotknięcie itd.>** to feel a pain <a touch etc.>; **~ć głód <zmęczenie itd.>** to feel hungry <tired etc.> 2. (*doznać uczucia*) to feel (joy, sadness, satisfaction etc.); (*zostać opanowanym przez uczucie*) to conceive (**sympatię do kogoś** a liking for sb; **antypatię do kogoś** a dislike to sb) 3. (*uświadomić sobie*) to become aware (**coś** of sth); to sense [II] *vr* **~ć się** 1. (*mieć samopoczucie*) to feel (**zdrowym** well, **niezdrowym** unwell, **słabym** weak); **~ się chorym** to be taken ill 2. (*mieć świadomość*) to become <to feel> conscious of being (**artystą** an artist; **Polakiem** Polish at heart; **stronnikiem itd.** an adherent etc.); to feel (**obcym** a stranger); **~ć się na siłach do zrobienia czegoś** to feel able to do sth <to cope with sth>; **~ć się w swoim żywiole** to feel at home

poczuwać † *v perf* [I] *vt* to feel [II] *vr* **~ się** to feel (*vi*); *obecnie w zwrotach*: **~ się do odpowiedzialności** to be aware of one's responsibility; **~ się do polskości** to be at heart Polish; **(nie) ~ się do winy** (not) to feel guilty; *prawn.* to plead (not) guilty

poczuwanie *sn* († **poczuwać**) perception; **~ się** (a) feeling (of sth); consciousness; awareness; sentiment

poczwara *sf* monster; (a) horror; (a) fright

poczwar|ka *sf pl G.* **~ek** 1. *zool.* chrysalis (*pl* chrysalides); pupa; nymph 2. *przen.* (*o młodej istocie*) chrysalis

poczwarkowaty *adj* chrysaloid

poczwarność *sf singt* monstrosity

poczwarny *adj* monstrous; hideous

poczwórnie *adv* (*cztery razy więcej*) four times as much <as many>; fourfold; quadruply; (*czterokrotnie*) four times; **złożony ~** folded in four

poczwórny *adj* (*cztery razy większy*) four times as large <as big, as long, as tall, as strong>; quadruple; fourfold; (*cztery razy powtórzony*) four times repeated; (*składający się z czterech elementów*) fourfold; quadruple; quaternary

poczynać *zob.* **począć**

poczynani|e *sn* 1. † **poczynać** 2. (*działanie*) action; *pl* **~a** actions; doings; proceedings; behaviour

poczynić *vt perf* to make (preparations, progress, purchases, havoc etc.); to do (some <one's> shopping etc.); to cause (damage etc.); **~ kroki, żeby...** to take steps in order to...

poczy|ścić *v perf* **~szczę, ~szczony** [I] *vt* to clean (**wiele przedmiotów** many objects); (*usunąć brud szczotką*) to brush (**kilka par butów itd.** several pairs of shoes etc.); (*doprowadzić do blasku*) to polish (**klamki itd.** door handles etc.) [II] *vr* **~ścić się** to clean <to brush> (one's clothes, shoes etc.)

poczytać *v perf* [I] *vt* 1. (*czytać*) to read (a little) 2. = **poczytywać** [II] *vi* to do some reading [III] *vr* **~ się** = **poczytywać się**

poczytalność *sf singt* soundness of mind

poczytalny *adj* sound of mind; responsible; *prawn.* able in body and mind

poczytność *sf singt* popularity <success> (of a book); circulation (of a paper, magazine)

poczytny *adj* (*o książce*) widely read; in great demand; (*o czasopiśmie*) of wide circulation; (*o książce oraz autorze*) popular; **najpoczytniejsza książka, najpoczytniejszy autor** best seller

poczyt|ywać *v imperf lit.* [I] *vt* to consider (**kogoś za zdolnego, za wariata itd.** sb <sb to be> capable, crazy etc.; **coś za cnotę, zbrodnię itd.** sth to be a virtue, a crime etc.); **~ywać sobie coś za obowiązek <zaszczyt itd.>** to consider <to deem> sth to be one's duty <an honour etc.>; **~uję sobie za krzywdę, że mnie pominięto** I consider it an injury to have been passed over [II] *vr* **~ywać się** to consider oneself (**za szczęśliwego** happy)

poćwiartować *vt perf* = **ćwiartować**

poćwiczyć *v perf* [I] *vt* to practise (scales etc.) [II] *vi* (*także vr* **~ się**) to have some practice <some training>

pod *praep* 1. (*poniżej*) under; underneath; below; beneath; **~ stołem, ~ stół** under <underneath> the table; **~ kołami, ~ koła samochodu** under the wheels of a motor-car; **~ niebem** beneath the sky; **~ schodami** below stairs; (*o polu, gruncie*) **~ zbożem <zboże>** under corn 2. (*w pobliżu*) near (**drzwiami, ścianą, piecem** the door, the wall, the stove); at the foot (**basztą, zamkiem, drzewem** of the tower, of the castle, of the tree); on the outskirts (**miastem** of a town); on the border (**lasem** of a forest); in the vicinity <neighbourhood> (**Krakowem, Warszawą** of Cracow, Warsaw); **konie są ~ gankiem** the horses are before <in the front of> the porch 3. (*wskazuje cel przestrzenny*) to; **odprowadził ją ~ bramę** he accompanied her to the gate; **podkradł się ~ drzwi** he crawled up to the door; **potoczył się ~ ścianę** it rolled to the wall 4. (*łączy się z wyrażeniami oznaczającymi osłonę*) under (**marynarką, parasolem itd.** one's coat, umbrella etc.); **~ czyimś skrzydłem, ~ czyjeś skrzydło** under sb's protection; **dom ~ dachówką, blachą, strzechą** tile-covered house, house covered with sheet-iron, thatched house 5. (*z nazwami tekstu, dokumentu*) at the foot (**tekstem, aktem itd.** of the text, of a legal document etc.) 6. (*wskazuje kształt przestrzenny*) at; **~ kątem** at an angle; **~ linię** in a line; **~ sznur** perfectly straight 7. (*wskazuje położenie geograficzne, numerację ulic itd.*) at; **~ numerem 10** at No 10; **~ równikiem** at the equator 8. (*wyznacza kierunek*) against; **~ górę** uphill; **~ prąd** up-stream; **~ słońce** with the sun in one's eyes; **~ światło** against the light; **~ wiatr** against the wind; in the teeth of the wind 9. (*tworzy różne oznaczenia czasu*) about; towards; **~ wiosnę <żniwa, wieczór>** about springtime <harvest time, nightfall>; **~ wieczór <koniec stulecia>** towards evening <the close of the century>; **mieć ~ pięćdziesiątkę, sześćdziesiątkę itd.** to be getting on for fifty, sixty etc. 10. (*wskazuje przyczynę*) under (pressure, an influence, sb's authority) 11. (*tworzy wyrażenia oznaczające warunki*) under (compulsion, artillery fire, threat etc.) 12. (*wskazuje cel*) under (discussion, consideration etc.); **oddać ~ dyskusję** to submit for discussion 13. (*tworzy wyrażenia oznaczające kierowanie, zarządzanie, nadzór*) under (sb's command, leadership etc.); **~ straż, ~ strażą** under guard 14. (*wskazuje pierwowzór*) in the manner <after the fashion> of (Rubens, Rembrandt etc.); **~ kolor**

marmuru itd. to imitate marble etc.; ~ **postacią chłopięcia** in the shape of a youth 15. (*w wyrażeniach związanych z klasyfikacją*) under (**nazwą, rubryką itd.** the name, heading etc.) 16. (*w wyrażeniach oznaczających zagrożenie karą, skutkami*) under (penalty, pain of death, threat etc.) 17. (*w wyrażeniach oznaczających ciążącą karę*) on (**zarzutem kradzieży, morderstwa itd.** charge of theft, murder etc.) 18. (*wskazuje obowiązek*) on; under; ~ **przysięgą** on <under> oath; ~ **słowem honoru** on one's honour; ~ **tajemnicą** under pledge of secrecy 19. (*w wyrażeniach oznaczających warunek*) on; under; ~ **warunkiem, że...** on condition that...; ~ **rygorem prawa** under penalty of the law 20. (*w wyrażeniach oznaczających wróżbę*) under (favourable auspices, a lucky star, an evil omen etc.) 21. (*w wyrażeniach oznaczających potrawę towarzyszącą piciu*) to be followed by; **kieliszek wódki** ~ **śledzia** a glass of vodka to be followed by a slice of herring

pod- *praef* A. *dodany do form podstawowych czasownika najczęściej oznacza:* 1. (*kierunek działania poniżej czegoś lub w dolną część czegoś*) a) underneath; at the bottom; at the foot; **podchwycić coś** to catch <to grasp, to hold> sth underneath <at the bottom, at the foot>; **podciąć coś** to cut sth at the bottom; **podgryźć coś** to gnaw at the foot <at the bottom> of sth; **podkopać coś** to dig underneath sth; **podwiązać coś** to bind <to tie> sth at the bottom b) under-; **podminować** to undermine; **podkreślić** to underline; **podstemplować (budynek)** to underpin (a building) 2. (*częściowe osiągnięcie celu*) slightly; somewhat; partly; in part; **podbielać** to whiten slightly; **podeschnąć** to get partly dry; **podrosnąć** to grow up somewhat; **podleczony** partly cured; **podpuchnąć** to be slightly swollen B. (*przed tematem przymiotnikowym lub rzeczownikowym*) sub-; under-; **podwodny** subaqueous; submarine; **podziemny** subterranean; **podinspektor** subinspector; **podsekretarz** undersecretary; **podszycie lasu** undergrowth

poda|ć *v perf* ~**dzą** — **poda|wać** *v imperf* [I] *vt* 1. (*wręczyć*) to give <to hand> (**coś komuś** sb sth, sth to sb); to let (sb) have (sth); (*w tenisie*) to serve (the ball); (*w piłce nożnej*) to pass (the ball); ~**ć**, ~**wać coś z rąk do rąk** to pass sth round; ~**ć**, ~**wać dalej** to pass (sth) on; ~**ć**, ~**wać dowód osobisty policjantowi** to hand one's identity card to a policeman; ~**ć**, ~**wać komuś konia** to bring a horse up to sb; ~**ć**, ~**wać komuś płaszcz** to help sb on with his overcoat; ~**ć**, ~**wać komuś rękę** a) (*na powitanie*) to shake hands with sb; to shake sb's hand b) *przen.* (*przyjść z pomocą*) to hold out a hand to sb c) *przen.* (*połączyć się dla wspólnego działania*) to join hands with sb; ~**ć**, ~**wać lekarstwo choremu** to administer medicine to a patient; ~**ć**, ~**wać ramię towarzyszce** to give <to offer, to proffer> one's arm to a lady; **proszę mi** ~**ć sól, chleb, karafkę** may I trouble you for <would you oblige me with, would you pass me> the salt, bread, water-bottle 2. (*postawić na stół*) to serve (dinner, tea, supper); ~**ć**, ~**wać coś do stołu** to serve sth at table; ~**ć**, ~**wać potrawę z sosem pomidorowym itd.** to serve a dish with tomato sauce etc. 3. (*zakomunikować*) (*o gazetach*) to publish (a piece of news); (*w radio*) to broadcast; ~**ć**, ~**wać cenę** to quote a price; ~**ć**, ~**wać coś do druku** to have sth printed <published>; ~**ć**, ~**wać coś do gazet** to publish <to announce> sth in the papers; ~**ć**, ~**wać coś do ogólnej wiadomości** to make sth public <known>; ~**ć**, ~**wać coś w wątpliwość** to call <to bring> sth in question; to question sth; ~**ć**, ~**wać kogoś do sądu** to sue sb at law; ~**ć**, ~**wać kogoś za specjalistę** <**złodzieja itd.**> to make sb out to be an expert <a thief etc.>; ~**ć**, ~**wać komuś coś do wiadomości** to inform <to notify> sb of sth; ~**ć**, ~**wać komuś swój adres, numer telefonu itd.** to let sb have <to tell sb> one's address, one's telephone number etc.; ~**ć projekt** to propose a plan; ~**ć**, ~**wać temat słuchaczom** to present a subject to one's listeners; ~**ć**, ~**wać warunki** to state one's conditions; ~**ć**, ~**wać wiadomość** to communicate a piece of news; ~**ny niżej** mentioned below; after-mentioned 4. (*wysunąć*) to offer (**policzek do pocałunku** one's cheek for a kiss) [II] *vi* 1. (*zakomunikować*) ~**ć**, ~**wać do wiadomości, że ...** to announce <to make it known> that ... 2. (*obsłużyć*) to serve at table; ~**ć**, ~**wać do stołu** to serve the meal [III] *vr* ~**ć**, ~**wać się** 1. (*chcieć uchodzić za kogoś*) to pretend <to profess oneself, to give oneself out> to be; to pose (**za znawcę, cudzoziemca itd.** as a connoisseur, as a foreigner etc.) 2. (*zgłosić się jako reflektant*) to offer oneself as a candidate (**na coś** for sth); ~**ć się do dymisji** to hand in <to tender> one's resignation 3. *lit.* (*wysunąć się*) to lean forward

podagra *sf med.* gout; podagra

podagrycznik *sm bot.* (*Aegopodium*) goutweed

podagryczny *adj* gouty; podagric

podagryk *sm* (a) podagric

podajnik *sm techn.* feeder, feed mechanism; magazine

podalpejski *adj* subalpine

podani|e *sn* (↑ **podać**) 1. (*zakomunikowanie*) communication <publication, broadcast> (of a piece of news); announcement; statement (of particulars etc.); quotation (of prices) 2. (*przedłożenie usług, kandydatury*) application (**o posadę itd.** for a post etc.); (*prośba*) request; application (**o paszport itd.** for a passport etc.); **wnieść** ~**e** to make an application 3. (*opowieść*) legend; tradition; **według** ~**a** according to tradition 4. *sport* (a) pass 5. ~**e się** (*przybranie pozorów*) pretence (**za kogoś** of being sb) 6. ~**e się** (*propozycja*) tender (**do dymisji** of resignation)

podaniowo *adv* according to tradition

podaniowy *adj* 1. (*dotyczący pisma, petycji*) application — (form etc.) 2. (*oparty na opowieści*) founded on tradition

podarcie *sn* (↑ **podrzeć**) (*rozdarcie*) (a) tear; (a) rent; (*zniszczenie*) deterioration; shabbiness; pitiable state (of a person's clothes, shoes etc.)

podar|ek *sm G.* ~**ku** present; gift; keepsake; **dać coś komuś w** ~**ku** to make sb a present of sth; to let sb have sth as a present <as a gift>; **otrzymać coś w** ~**ku** to get sth as a present <as a gift>

podarować *vt perf* to make (sb) a present (**coś** of

sth); to present (**coś komuś** sb with sth); to give (**coś komuś** sb sth) as a present
podarowanie *sn* (↑ **podarować**) presentation
podarun|ek *sm G.* **~ku** = **podarek**
podat|ek *sm G.* **~ku** (*danina państwowa*) tax; duty; licence; (*danina samorządowa*) rate; *pl* **~ki** taxes; duties; taxation; **~ki pośrednie** <**bezpośrednie**> direct <indirect> taxation; **~ek dochodowy** <**gruntowy**> income-tax; land-tax; **~ek przywozowy** <**wywozowy, spadkowy**> import <export, succession> duty; **~ek od psów** dog licence; **dodatek do ~ku** surtax; **wolny od ~ku** tax-free; **nakładać ~ki na ludność** to tax a population; **nałożyć ~ek na towar** to levy a tax <duty> on a commodity; **przeciążać ~kami** to overtax
podatkow|y *adj* of taxation; tax-; **poborca ~y** tax-collector; tax-gatherer; **stopa ~a** rate of taxation; **urząd ~y** tax-collector's office
podatnik *sm* (*płacący podatki państwowe*) tax-payer; (*płacący podatki samorządowe*) rate-payer
podatność *sf singt* 1. (*cecha człowieka*) susceptibility (**na coś** to sth); docility; receptivity; manageability; tractability 2. (*cecha materiałów*) suppleness; tractability; pliance; *fiz.* compliance
podatny *adj* 1. (*o człowieku*) susceptible (**na coś** to sth); docile; receptive; manageable; tractable; open (**na wpływy** to influence); subject (**na choroby** to illnesses) 2. (*o materiałach*) supple; tractable; pliant; *przen.* **~ grunt** favourable conditions; breeding ground (for revolution etc.)
podawać *zob.* **podać**
podawanie (się) ↑ **podawać (się)**; **~ lekarstw** ministration of medicine; *prawn.* **~ się za czyjegoś męża** <**czyjąś żonę**> jactitation of marriage
podawar|ka *sf pl G.* **~ek** *techn. górn.* (loading) elevator
podawca *sm* (*decl* = *sf*) *handl.* presenter (**weksla** of a bill)
podawczy *adj* **dziennik ~** day-book
podazotawy *adj chem.* hyponitrous
podaż *sf singt ekon.* supply (of goods on the market)
podąsać się *vr perf* to sulk (**chwilę** awhile)
podąż|ać *vi imperf* — **podąż|yć** *vi perf* 1. (*iść, jechać*) to bend one's steps <to make one's way> (**dokądś** towards a place) 2. (*pośpieszać*) to hasten; to hurry; **~ać, ~yć komuś z pomocą** to come to sb's help
podążanie *sn* ↑ **podążać**
podążyć *zob.* **podążać**
podbarwi|ać *v imperf* — **podbarwi|ć** *v perf* [I] *vt* to give a slight colouring (**coś** to sth) [II] *vr* **~ać, ~ć się** to assume a slight colour; to colour slightly
podbarwienie *sn* (↑ **podbarwić**) slight colour
podbechtać *vt perf* — **podbechtywać** *vt imperf pot.* to egg (sb, people) on (**do czegoś** to do sth)
podbechtanie *sn* ↑ **podbechtać**
podbiał *sm G.* **~u** *bot.* (*Tussilago farfara*) coltsfoot; horsefoot
podbiała *sf bot.* (*Petasites officinalis*) butterbur; flea-dock
podbici|e *sn* (↑ **podbić**) 1. (*zawojowanie*) conquest; subjugation; *przen.* **~e serc** captivation of people's hearts 2. (*część stopy*) instep 3. *bud.* ceiling; lining 4. (*podszycie*) lining 5. *przen. pot.* affixing of a stamp; **dać dokument do ~a** to have a document stamped
podbi|ć *v perf* **~je, ~ty** — **podbi|jać** *v imperf* [I] *vt* 1. (*zawojować*) to conquer; to subdue; to subjugate; *przen.* **~ć, ~jać serca** to win <to captivate> (people's) hearts 2. (*uderzyć od spodu*) to toss (a ball); to knock <to kick> (sth) up; **~ć komuś nogę** to trip sb up; **~ć komuś oko** to give sb a black eye; (*o zwierzęciu*) **~ć, ~jać sobie nogę** to cripple its foot; **~te oczy** black-ringed eyes; **~te oko** black eye 3. (*podnieść*) to raise (**ceny** prices); to run up (**licytację** the bidding); **~ć, ~jać kogoś** (**przy licytacji**) to overbid sb; *przen.* **~ć, ~jać komuś bębenka** to flatter sb; to play up to sb 4. (*dać podszycie*) to line; *bud.* to ceil 5. *przen. pot.* to affix a stamp (**dokument** to a document) 6. (*częściowo ubić*) to beat up (eggs etc.); **~ć, ~jać zupę śmietaną** to mix cream into the soup; **wino ~te jajkiem** egg-flip [II] *vr* **~ć, ~jać się** (*o zwierzęciu*) to cripple its foot
podbie|c *vi perf*, **podbie|gnąć** *vi perf* **~gnę, ~gnie, ~gnij, ~gł** — **podbiegać** *vi imperf* (*przybiec*) to run <to hasten> up (to sb)
podbieg *sm sport* ascent
podbiegł|y *adj* suffused (**krwią** with blood); **oczy ~e krwią** blood-shot eyes
podbiegnąć *zob.* **podbiec**
podbiegunow|y *adj* polar; **koło ~e** Arctic Circle; **strefa ~a** Arctic zone
podbiel|ać *vt imperf* — **podbiel|ić** *vt perf* to whiten slightly; **~ać, ~ić zupę śmietaną** to mix cream into the soup
podbieracz *sm* 1. (*człowiek*) harvester 2. *roln.* (*maszyna*) pick-up; **~ siana** pick-up baler
pod|bierać *vt imperf* — **pod|ebrać** *vt perf* **~biorę, ~bierze** 1. (*zabierać część*) to take <to remove> (**coś z całości** some of the whole); (*podkradać*) to filch; to pilfer; **~bierać, ~ebrać miód** to remove some of the combs (from a hive) 2. *przen.* (*o wodzie*) to wash away (the river bank etc.) 3. (*podkulać*) to hold close to one; to hug; to cuddle; **pies ~ebrał ogon pod siebie** the dog tucked its tail between its legs 4. *pot.* (*dobierać*) to match
podbieranie *sn* ↑ **podbierać**
podbijać *zob.* **podbić**
podbijak *sn sport* bat
podbijanie *sn* (↑ **podbijać**) (*zawojowanie*) conquests
podbit|ka *sf pl. G.* **~ek** *bud.* ceiling; soffit boards
podbojowy *adj* of conquest; of subjugation
podb|ój *sm G.* **~oju** 1. (*zdobycie*) conquest; subjugation 2. (*zdobyte terytoria*) conquest; conquered territory
podbród|ek *sm G.* **~ka** 1. *anat.* chin; **drugi ~ek** double chin 2. *gw.* (*śliniaczek*) bib; feeder
podbródkowy *adj* genial; mental
podbrukowanie *sn* flagging; paving
podbrzusze *sn* 1. (*u człowieka*) abdomen; hypogastrium 2. (*u zwierzęcia*) belly
podbrzuszny *adj* hypogastric
podbudowa *sf* 1. (*podstawa*) foundation(s); framework; substructure; (*szosy*) base course; foundation 2. (*podtrzymywanie budowli*) underpinning
podbudować *vt perf* — **podbudowywać** *vt imperf* to underpin
podbudowanie *sn* 1. ↑ **podbudować** 2. = **podbudowa**

podbudowywać *zob.* **podbudować**
podbuntować *vt perf* = **podburzyć**
podburz|ać *vt imperf* — **podburz|yć** *vt perf* to stir (people) up; to incite <to instigate> (sb, people) to revolt; to foment sedition <to promote riot> (**ludzi** among people); **~ać, ~yć kogoś przeciw komuś** to empoison (sb's mind) against sb
podburzanie *sn* (↑ **podburzać**) incitement <instigation> to revolt
podburzyć *zob.* **podburzać**
podcentrala *sf* branch office
podchlorawy *adj chem.* hypochlorous
podchloryn *sm G.* **~u** (*zw. pl*) *chem.* hypochlorite
podchmiel|ić † *vi perf* (*obecnie:* **~ić sobie**) to have had a drop too much; **być ~onym** to be mellow <merry, tipsy, in drink, in one's cups>
podchmurny *adj* (*o górze, budowli*) cloud-kissing
podchodzenie *sn* (↑ **podchodzić**) (the) approach; (*pod górę*) climb
pod|chodzić *v imperf* **~chodzę** — **pod|ejść** *v perf* **~ejdę, ~ejdzie, ~ejdź, ~szedł, ~eszła** [I] *vi* 1. (*zbliżać się*) to approach; to come near(er); to advance; to walk up; to step up 2. *przen.* (*traktować*) to treat (**do kogoś** sb); (*ustosunkować się*) to assume an attitude (**do kogoś** towards sb); (*ujmować*) to approach (**do tematu** a subject) 3. (*wspinać się*) to climb; to ascend; *przen.* **serce ~eszło mi do gardła** I had my heart in my mouth; **wnętrzności ~eszły mi <żołądek ~szedł mi> do gardła** I felt sick 4. (*zbliżać się ukradkiem*) to steal up 5. (*wypełniać się od spodu cieczą*) to seep; **trawa ~chodzi wodą** the water seeps through under the grass [II] *vt* (*oszukiwać*) to outwit; to overreach; to circumvent
podchorążak *sm pot.* Officer Cadet
podchorążów|ka *sf pl G.* **~ek** *pot.* military college
podchorąż|y *sm* (*decl* = *adj*) *pl N.* **~owie** Officer Cadet
podchować *vt perf* — **podchowywać** *vt imperf* to see a child <calf, young pig etc.> through the first stages of its growth
podch|ód *sm G.* **~odu** stealthy approach; **polowanie z ~odem** stalking (game)
podch|ów *sm G.* **~owu** seeing (an animal) through the first stages of its growth
podchwycenie *sn* (↑ **podchwycić**) (*dostrzeganie*) detection; (*wyzyskanie czyjegoś słowa, czyichś słów*) (a) cavil
podchwy|cić *vt perf* **~cę** — **podchwy|tywać** *vt imperf* 1. (*chwycić*) to snatch up; to seize 2. (*dostrzec*) to detect; to spot; to catch (a sound); (*dowiedzieć się*) to pick up (a piece of news) 3. (*dołączyć się*) to join (**śpiew, rozmowę** in the singing, the conversation); **~tywać czyjeś słowa** to catch sb in his words
podchwyt *sm G.* **~u** 1. (*chwyt od spodu*) snatch <grip> from underneath 2. *górn.* (*u klatki*) fang; cage rest <keep>
podchwytliwie *adv* captiously
podchwytliwy *adj* captious (question etc.)
podchwytujący *adj* captious
podchwytywać *vt imperf* 1. *zob.* **podchwycić** 2. (*podstępnie pytać*) to give <to ask> (**kogoś** sb) captious questions
podchwytywanie *sn* (↑ **podchwytywać**) captiousness

pod|ciąć *vt perf* **~etnę, ~etnie, ~etnij, ~ciął, ~cięła, ~cięty** — **pod|cinać** *vt imperf* 1. (*obciąć od spodu*) to cut (sth) <to make an incision> at the base <at the root>; (*ściąć*) to cut down; (*nadciąć*) to make an incision <incisions>; *dosł. i przen.* to undercut; *przen.* **~ciąć, ~cinać kogoś** to dishearten sb; **~ciąć, ~cinać komuś skrzydła** to clip sb's wings 2. (*uderzyć batem*) to whip up <to touch up> (a horse); *przen.* **~ciąć, ~cinać komuś nogi** a) (*spowodować upadek*) to trip sb up b) (*uniemożliwić chodzenie, stanie*) to disable <to unbrace> sb 3. *geol.* to wash away (a river bank etc.)
podciąg *sm G.* **~u** 1. *bud.* main beam 2. *mar.* (*gording*) buntline
podciąg|ać *v imperf* — **podciąg|nąć** *v perf* [I] *vt* 1. (*wyciągać w górę*) to pull up; to draw up; to raise; to elevate; *wojsk.* to bring up (**rezerwę** the reserves); *bud.* to raise (a wall, a building); *mar.* to trice 2. *przen.* (*podnieść poziom*) to improve (**kogoś, coś** sb, sth) 3. (*ciągnąć, przesuwać itp.*) to pull <to move, to hitch, to haul> up <in place> 4. (*zaliczać*) to include (**coś pod rubrykę** sth under a head); to class (**coś pod kategorię** sth in a category) 5. *pot.* (*śpiewać*) to sing (sth) in tune [II] *vi wojsk.* to approach; to advance [III] *vr* **~ać, ~nąć się** 1. (*wciągać się w górę*) to pull oneself up 2. (*prostować się*) to straighten up 3. (*zaliczać się*) to come (**pod rubrykę** under one head with...; **pod nazwę** under one name with...)
podciąganie *sn* ↑ **podciągać**
podciągnięcie *sn* (↑ **podciągnąć**) (*ulepszenie*) improvement
podciekać *vi imperf* to leak
podciekanie *sn* ↑ **podciekać**
podcieni|ać *vt perf* to shade; **miała ~one oczy** she had shadows under the eyes
podcienie *sn arch.* arcades
podcieniować *vt perf* to shade
podcieniowanie *sn* (↑ **podcieniować**) (the) shading
podcieniowy *adj* arcaded
podcień *sm* = **podcienie**
pod|cierać *v imperf* — **pod|etrzeć** *v perf* **~etrę, ~etrze, ~tarł, ~tarty** *pot.* [I] *vt* to wipe (a baby's etc. backside) [III] *vr* **~cierać, ~etrzeć się** to wipe one's backside
podcięcie *sn* (↑ **podciąć**) undercut; incision
podcięty [I] *pp* ↑ **podciąć** [II] *adj* tipsy; mellow
podcinać *zob.* **podciąć**
podcinka *sf techn.* anvil cutter <chisel>
podciołek *sm* 1. *reg.* (*cielę*) young calf 2. *myśl.* (*jeleń*) young stag
podcios *sm G.* **~u** 1. *geol.* undercut 2. *górn.* kerf
podciśnienie *sn* 1. *med.* hypotension 2. *techn.* vacuum; underpressure; negative pressure
podcyfrować *vt perf* to initial (a document etc.)
podcza|ić się *vr perf* **~ję się** — **podcza|jać się** *vr imperf myśl.* to stalk
podczas *praep* during; (*w połączeniu z rzeczownikiem odsłownym*) when; while; **~ jedzenia <czytania itd.>** when <while> eating <reading etc.>; **~ lekcji** during the lesson; **~ gdy** a) (*w tym samym czasie, gdy*) when; as; while; **~ gdy jechałem do domu, widziałem, że...** when driving home I saw that...; when <as, while> I was driving home I saw that... b) (*natomiast*) whereas; whilst;

ty jesteś młody, ~ gdy on mógłby być twoim ojcem you are young whereas he might well be your father

podczaszy *sm hist.* cup-bearer

podczerniać *vt imperf* — **podczernić** *vt perf* to shade; to darken

podczerwień *sf singt fiz.* infra-red radiation

podczerwony *adj* infra-red

podcze|sać *v perf* **~szę** — **podcze|sywać** *v imperf* [I] *vt* to comb (one's, sb's hair) back [II] *vr* **~sać, ~sywać się** to tidy one's hair

podczołgać się *vr perf* to crawl <to creep> up (**do kogoś** to sb; **pod dom, drzwi itd.** to the house, door etc.)

podćwiczyć *vt perf* to give (sb) some practise <training>

podda|ć *v perf* **~** — **podda|wać** *v imperf* **~je, ~waj** [I] *vt* 1. (*oddać zwycięzcy*) to surrender (a fortress etc.) 2. (*uzależnić*) to submit (**coś czyjejś decyzji, kontroli** sth to sb's judgment, inspection); **~ć, ~wać kark pod jarzmo** to surrender to the yoke 3. (*wystawić na działanie*) to subject (**coś badaniu itd.** sth to an examination etc.); to expose (**coś działaniu czegoś** sth to the action of sth); **~ć, ~wać kogoś badaniu <przesłuchaniu>** to put sb through an examination <an interrogatory>; **~ć, ~wać kogoś próbie <torturom>** to put sb to the test <to torture>; **~ć, ~wać kwestię pod rozwagę** to submit <to propose> a matter for consideration 4. (*podsunąć myśl*) to suggest (an idea, a plan etc.); (*naprowadzić kogoś na coś*) to give (sb) a clue 5. (*ułatwić dźwignięcie*) to bear a hand (**komuś worek itd.** for sb to lift a sack etc.) [II] *vr* **~ć, ~wać się** 1. (*ulec w walce*) to surrender; to give in; to give up the struggle; to yield; *przen.* to throw up the sponge; **nie ~ć, ~wać się** to resist; to stand one's ground; to stick up (**komuś** to sb); **nie ~ć, ~wać się łatwo** to show fight 2. (*podporządkować się*) to submit; (*zgodzić się*) to resign oneself (**losowi, czyjemuś kierownictwu itd.** to one's fate, to sb's guidance etc.); **~ć, ~wać się egzaminowi <operacji itd.>** to undergo an examination <an operation etc.>; **~ć, ~wać się rozpaczy** to abandon oneself to despair; **nie ~ć, ~wać się** to bear up (**nieszczęściu itd.** against misfortune etc.) 3. (*o materiałach itd. — ulec działaniu*) to yield; to give (*vi*)

poddanie (się) *sn* ↑ **poddać (się)** 1. (*kapitulacja*) surrender 2. (*uległość*) submission; (*rezygnacja*) resignation

podda|niec † *sm G.* **~ńca, poddanka** † *sf* serf

poddan|y [I] *adj hist.* liege (subject) [II] *sm* **~y** (*decl = adj*) 1. (*chłop pańszczyźniany*) serf; liege subject 2. (*podległy królowi*) subject

poddańczy *adj* serf's; subject's

poddaństwo *sn singt* 1. *hist.* (*zależność osobista chłopa*) serfdom 2. *hist.* (*zależność polityczna*) dependence (**od ...** on ...); subjection <subordination> (**od ...** to ...) 3. † (*obywatelstwo*) nationality

poddarty [I] *pp* ↑ **podedrzeć** [II] *adj* (*o nosie itd.*) turned up; (*o sukience itd.*) caught up

poddasz|e *sn pl G.* **~y** *bud.* attic; garret

poddawać *zob.* **poddać**

poddialekt *sm G.* **~u** *jęz.* subdialect

pod dostatkiem *zob.* **dostatek**

poddu|sić *vt perf* **~szę** *kulin.* to stew awhile

poddział *sm G.* **~u** subdivision; *bot. zool.* tribe

poddzierżawić *vt perf* — **poddzierżawiać** *vt imperf* to underlease; to sublease

poddzierżawca *sm* subtenant; sublessee

poddźwiękowy *adj* subsonic

pode *praep* = **pod** 1., 2.; **~ drzwiami** at the door; at the keyhole; **~ mną** under me; **nogi zachwiały się ~ mną** my legs gave under me

podebrać *zob.* **podbierać**

pod|edrzeć *vt perf* **~edrę, ~edrze, ~edrzyj, ~darł, ~darty** 1. (*podgiąć*) to turn up; to tuck up 2. (*podniszczyć*) to wear out (one's clothes)

podegrać *vt perf* — **podgrywać** *vt imperf karc.* to lead up

podejmować *zob.* **podjąć**

podejmowanie *sn* ↑ **podejmować**

podejrzanie *adv* suspiciously; **wyglądać ~** to look suspicious; **~ wyglądający typ** disreputable-looking character

podejrzany [I] *pp* ↑ **podejrzeć** [II] *adj* 1. (*posądzony o coś*) suspected (**o coś** of sth; **o to, że coś zrobił** of having done sth) 2. (*wzbudzający podejrzenia — o człowieku*) suspicious; equivocal; questionable; (*o sprawie, transakcji*) shady; dubious; queer; (*o zachowaniu*) suspicious; shady [III] *sm* (a) suspect

pod|ejrzeć *v perf* **~ejrzyj**, *rz.* **pod|glądnąć** *v perf* **~glądnięty** — **podglądać** *v imperf* [I] *vt* to spy (**kogoś** on sb); to peep (**kogoś** at sb) [II] *vi* to pry; to snoop; to play the spy

podejrzeni|e *sn* 1. ↑ **podejrzeć** 2. (*posądzenie*) suspicion; **budzić ~e** to arouse suspicion; **mieć ~e na kogoś** to suspect sb; **~e padło na mnie** the suspicion fell on me; **ściągnąć na siebie ~a** to lay oneself open to suspicion

podejrzewa|ć *v imperf* [I] *vt* 1. (*skłaniać się do obwiniania*) to suspect (**kogoś o coś** sb of sth); **nie ~jąc niczego złego** unsuspicious of anything wrong; **nie ~jąc niebezpieczeństwa** unapprehensive of danger 2. (*przypuszczać*) to have an inkling (**coś** of sth) [II] *vi* to suspect (**że ktoś, coś jest ...** sb, sth to be ...)

podejrzewanie *sn* (↑ **podejrzewać**) suspicion

podejrzliwie *adv* 1. (*w sposób podejrzliwy*) suspiciously 2. (*nieufnie*) distrustfully; mistrustfully

podejrzliwość *sf singt* 1. (*skłonność do podejrzeń*) suspiciousness 2. (*nieufność*) distrust; mistrust

podejrzliwy *adj* 1. (*skłonny do podejrzeń*) suspicious 2. (*nieufny*) distrustful; mistrustful

podejście *sn* (↑ **podejść**) 1. (*zbliżenie się*) approach 2. (*sposób traktowania*) treatment; **mieć miłe ~ do ...** to have a pleasant way with ...; **on ma ~ do dzieci** he has a way with children; **on ma własne ~ do sprawy** he has his own way of seeing the matter 3. (*sposób ujmowania tematu*) approach (**do tematu** to a subject) 4. (*podstęp*) deceit; ruse 5. (*droga pod górę*) climb; approach

podejść *zob.* **podchodzić**

podejźrzon *sm bot.* (*Botrychium*) moonwort

podekscytować *v perf* [I] *vt* to excite; to work (sb) up [II] *vr* **~ się** to get excited; to work oneself up

podekscytowanie *sn* (↑ **podekscytować**) excitement

podekscytowany [I] *pp* ↑ **podekscytować** [II] *adj* excited; wrought up

podenerwować *v perf* [I] *vt* to irritate; to exasperate; to upset [II] *vr* ~ **się** to be nervous <uneasy, fidgety> (for some time)

pod|eprzeć *v perf* — **pod|pierać** *v imperf* [I] *vt* 1. (*podtrzymać*) to support; to keep <to stay, to hold> up; to bolster (sb) up (**poduszkami** with pillows); *bud.* to underpin <to prop up> (a wall etc.); *przen.* **~eprzeć, ~pierać ścianę** <**piec**> a) (*stać bezczynnym*) to lean against the wall <the stove> b) (*na balu o kobiecie*) to be a wallflower 2. *przen.* (*wesprzeć*) to back (sb, an institution) [II] *vr* **~eprzeć, ~pierać się** 1. (*wesprzeć się*) to lean (**laską** on a walking-stick); **~eprzeć, ~pierać się łokciami** to lean on one's elbows; to lean one's elbows (**na stole** on the table); **~eprzeć, ~pierać się pod boki** to stand with one's arms akimbo; *przen.* **nosem się ~pierać** to be ready to drop (with fatigue) 2. *przen.* (*wspomóc się*) to back <to support> one another

podep|tać *v perf* **~cze** <**~ce**> [I] *vt* to trample (sth) under foot; **~tany** downtrodden [II] *vi pot.* to bustle (**koło jakiejś sprawy** about an affair)

podeptanie *sn* ↑ **podeptać**

pod|erwać *v perf* **~erwę, ~erwie, ~erwij** — **pod|rywać** *v imperf* [I] *vt* 1. (*unieść w górę*) to raise (dust etc.); to snatch from the ground; **~erwać, ~rywać konia cuglami** to pull up a horse with the reins 2. (*gwałtownie ruszyć z miejsca*) to rouse; to galvanize; **~erwało mnie** I was galvanized <startled>; *przen.* **~erwać, ~rywać do buntu** to stir up to mutiny 3. (*o wodzie — podmyć*) to undermine; **rzeka ~rywa brzeg** the river gains ground on the land 4. (*szarpnąć od spodu*) to tear up 5. *przen.* (*osłabić*) to impair; to weaken <to undermine> (sb's authority etc.) 6. *pot.* (*zdobyć sobie*) to pick up (**babkę** a girl); **~erwać posadę** to chance upon a job [II] *vi lotn.* to zoom [III] *vr* **~erwać, ~rywać się** 1. (*zerwać się do lotu — o ptakach*) to rise from the ground; to take flight <wing>; (*o samolocie*) to zoom 2. (*podnieść się szybko*) to start; to spring <to jump> to one's feet; to be roused; to rouse oneself 3. (*nadwerężyć się*) to strain oneself; *przen.* **~erwać się materialnie** to impair one's fortune

pod|erznąć <**pod|erżnąć**> *vt perf* — **pod|rzynać** *vt imperf* to cut (sth) at the base <at the bottom>; **~erżnąć sobie** <**komuś**> **gardło** <**żyły**> to cut one's <sb's> throat <veins>

pod|eschnąć *vi perf* **~eschła** — **pod|sychać** *vi imperf* to dry up somewhat; to become partly dry

podeschnięcie *sn* ↑ **podeschnąć**

pod|esłać[1] *vt perf* **~eślę, ~eślij** — **pod|syłać** *vt imperf* to send (**coś** sth); **~esłać, ~syłać kogoś** to send sb spying

pod|esłać[2] *v perf* **~ściele** — **pod|ścielać** *v imperf* [I] *vt* to spread (**coś komuś** sth for sb to lie <to sit> on) [II] *vi* to litter down (**bydłu** the cattle); **~esłać, ~ścielać bydłu w stajni** to litter the stable

podesłanie *sn* 1. ↑ **podesłać**[1,2] 2. (*podściółka*) litter

podest *sm G.* **~u** 1. (*na schodach*) landing 2. (*dla mówcy*) dais; podium; platform 3. *teatr* podium

podesta *sm* (*decl* = *sf*) *hist.* podesta

podestowy *adj bud.* landing — (plate etc.)

podeszczowy *adj* rain — (water)

podeszły [I] *pp* ↑ **podejść** [II] *adj* ripe (old age); **w ~m wieku** well on <advanced, stricken> in years

podesz|wa *sf pl G.* **~ew** 1. *anat.* sole 2. *szew.* sole; **skóra na ~wy** bend-leather; **mięso twarde jak ~wa** meat as tough as leather 3. *bud.* footing (of foundation etc.)

podeszwow|y *adj* 1. *anat.* plantar (arteries, fascia etc.) 2. *szew.* sole — (leather etc.); **skóra ~a** bend-leather

podetap *sm G.* **~u** *sport* substage

podetkać *zob.* **podtykać**

podetrzeć *zob.* **podcierać**

podfastrygować *vt perf* to baste; to tack

podfirmować *vt perf* to back with one's authority

podfrunąć *vi perf* — **podfruwać** *vi imperf* to fly <to flutter> up (to sb, sth)

podfruwajka *sf żart.* teen-ager; *sl.* flapper; filly

podg|ajać *v imperf* — **podg|oić** *v perf* **~oję, ~ojony** [I] *vt* to heal (a wound) [II] *vr* **~ajać, ~oić się** to heal up (*vi*); to skin <to scar> over

podgalać *zob.* **podgolić**

podganiać *zob.* **podgonić**

podgardlan|ka *sf pl G.* **~ek** white sausage

podgardl|e *sm pl G.* **~i** 1. (*u ludzi i bydła*) dewlap; (*u wieprzy*) chap 2. † (*u uprzęży*) throat-band

podgardlica *sf* (*wole*) crop

podgarnąć *vt perf* — **podgarniać** *vt imperf* to gather up (one's hair etc.); to rake up (coals, embers etc.); to tuck up (one's skirt etc.)

podgatun|ek *sm G.* **~ku** sub-species

podgazowa|ć *vi perf sl.* (*także* **~ć sobie**) to get squiffy <soused, screwed>; **~ny** tight; pickled

podgębie *sn zool.* hypopharynx; lingua

pod|giąć *vt perf* **~egnę, ~egnie, ~egnij, ~giął, ~gięła, ~gięty** — **pod|ginać** *vt imperf* (*zagiąć*) to turn up; (*podwinąć*) to tuck up (one's skirt etc.); (*podkurczyć*) to bend (one's knee etc.)

podgięcie *sn* 1. ↑ **podgiąć** 2. (*zagięcie u dołu*) (a) bend

podginać *zob.* **podgiąć**

podglądać *zob.* **podejrzeć**

podglądanie *sn* ↑ **podglądać**

podglądnąć *zob.* **podejrzeć**

podglebie *sn* subsoil; undersoil

podgłów|ek *sm G.* **~ka** bolster

podgni|ć *vi perf* **~je** — **podgni|wać** *vi imperf* to become <to be> partly rotted

podgniezdnik *sm* fledg(e)ling

podgniły *adj* rotting; partly rotted

podgniwać *zob.* **podgnić**

podgoić *zob.* **podgajać**

podg|olić *v perf* **~ól** — **podg|alać** *v imperf* [I] *vt* to shave (**wąsy** one's moustache) at the sides; to shave (**głowę** one's head) at the back [II] *vr* **~olić, ~alać się** to shave one's hair at the back

podgonić *vt perf* — **podganiać** *vt imperf* 1. (*popędzić*) to hustle (sb); to hurry (sb) on 2. (*wykonać część zaległej pracy*) to make up part of one's arrears

podgorączkowy *adj* subfebrile

podgorzał|ka *sf pl G.* **~ek** *zool.* (*Nyroca nyroca*) species of diving duck

podgotować *v perf* to parboil [II] *vr* **~ się** to be parboiled

podgórsk|i *adj* piedmont (plain, glacier etc.); **~a okolica** piedmont
podgórz|e *sn pl G.* **~y** foot-hills; submontane district
podgrodzi|e *sf pl G.* **~** *hist.* borough
podgromada *sf biol.* subdivision
podgrupa *sf* subgroup
podgrywać *zob.* **podegrać**
podgryw|ka *sf pl G.* **~ek** *karc.* (a) lead-up
podgry|zać *vt imperf* — **podgry|źć** *vt perf* **~zę, ~zie, ~zł, ~źli, ~ziony** 1. (*ogryzać*) to fret; to gnaw (**coś** at sth) 2. *przen.* (*podkopywać*) to undermine 3. *przen.* (*intrygować*) to scheme (**kogoś** against sb) 4. *przen.* (*dogadywać*) to gibe <to jibe> (**kogoś** at sb)
podgrz|ać *v perf* **~eje** — **podgrz|ewać** *v imperf* [I] *vt* to heat (sth) up; to warm up (some food) [II] *vr* **~ać, ~ewać się** to warm up (*vi*)
podgrzanie *sn* ↑ **podgrzać**
podgrzewacz *sm techn.* heater; (*wody*) economizer; heat booster; calorifier
podgrzewać *zob.* **podgrzać**
podgrzewalnia *sf* kitchen-range boiler
podgrzewanie *sn* ↑ **podgrzewać;** *techn.* **~ ciągłe** concurrent heating
podgrzyb|ek *sm G.* **~ka** *bot.* (*Boletus scaber*) an edible fungus
podhalański *adj* of the Tatra Highlands
podhas|ło *sn pl G.* **~eł** subentry
podhodować *vt perf* to raise (a plant) through the initial stage of growth
podinspektor *sm* subinspector
podium *sn* dais; platform; (*dla orkiestry*) bandstand
podj|adać *vi imperf* — **podj|eść** *vt perf* **~em, ~e, ~edzą, ~edz, ~adł, ~edli, ~edzony** 1. (*podgryzać*) to fret; to gnaw (**coś** at sth) 2. (*jeść ukradkiem*) to eat furtively
podjadanie *sn* ↑ **podjadać**
podjad|ek *sm G.* **~ka** (*także* **turkuć ~ek**) *zool.* (*Gryllotalpa vulgaris*) mole cricket
podjazd *sm G.* **~u** 1. *rz.* (*jazda*) drive; (*podjechanie*) approach 2. (*droga prowadząca do budynku*) drive(way) 3. *bud.* porch 4. *wojsk.* foray; inroad; raid 5. *przen.* (*podstępne, wrogie działanie*) insidious manoeuvre 6. *sport* uphill ride <drive>
podjazdowy *adj* 1. (*o kolejce*) subsidiary (railway line) 2. (*o wojnie*) guer(r)illa (warfare)
pod|jąć *v perf* **~ejmę, ~ejmie, ~ejmij, ~jął, ~jęła, ~jęty** — **pod|ejmować** *v imperf* [I] *vt* 1. (*podnieść z ziemi*) to pick up; *przen.* (*przyjąć wyzwanie*) **~jąć, ~ejmować rękawicę** to pick up the glove 2. (*unieść w górę*) to raise; **~jąć kotwicę** to weigh anchor 3. (*wziąć z banku*) to collect (money at the bank; a parcel <a letter> at the post-office); to withdraw (money from the bank); (*o liście, przesyłce*) **nie ~jęty** unclaimed 4. (*przedsięwziąć*) to undertake (a task etc.); **~jąć, ~ejmować decyzję** to take a decision; **~jąć, ~ejmować uchwałę** to pass a resolution 5. (*wziąć na siebie*) to take upon oneself <to assume> (responsibility, duties etc.); **~jąć, ~ejmować walkę o jakąś sprawę** to espouse a cause 6. (*rozpocząć*) to enter upon (a task, duties etc.); to take up (a subject, studies etc.); **~jąć, ~ejmować na nowo** to resume <to continue> (one's work etc.) 7. (*podchwycić*) to join (**śpiew, rozmowę** in the singing, in the conversation) 8. (*ugaszczać*) to entertain (a guest); **~jąć, ~ejmować kogoś czymś** to treat sb to sth [II] *vi* (*wtrącić słowo*) to say; to chime in [III] *vr* **~jąć, ~ejmować się** to undertake (**czegoś** sth; **coś zrobić** to do sth); **~jąć, ~ejmować się coś zrobić** to take it upon oneself to do sth; **~jąć, ~ejmować się czegoś** to take sth in hand; **ja się tego nie ~ejmę** I do not feel equal to it
podj|echać *vi perf* **~adę, ~edzie, ~edź, ~echał** — **podj|eżdżać** *vi imperf* 1. (*jadąc zbliżyć się*) to come <to go, to drive, to ride> up (**dokądś** to a place) 2. (*wjechać pod górę*) to drive <to ride> uphill; to ascend 3. (*przebyć drogę*) to drive; to ride (some of the way)
podj|eść *v perf* [I] *vt zob.* **podjadać** [II] *vi* (*zw.* **~eść sobie**) 1. (*zjeść trochę*) to have a snack; to have sth to eat; to appease one's hunger 2. (*zjeść do syta*) to have a good feed
podjeżdżać *vi imperf* 1. *zob.* **podjechać** 2. *sl.* (*śmierdzieć*) to stink 3. *hist. wojsk.* to raid
podjęcie *sn* ↑ **podjąć** 1. (*wycofanie*) collection <withdrawal> (of money from the bank etc.) 2. (*wzięcie na siebie*) assumption (of responsibility etc.); undertaking (of a task etc.); **~ walki o jakąś sprawę** espousal of a cause; **ponowne ~** resumption (of work etc.) 3. (*ugoszczenie*) entertainment (of guests etc.); treat; feast
podjęzykowy *adj anat.* sublingual (gland etc.); hypoglossal (nerve etc.)
podjudz|ać *v imperf* — **podjudz|ić** *v perf* **~ę** [I] *vt* to incite <to instigate> (to evil, to revolt etc.); to set (people) at variance <by the ears> [II] *vi* to stir (people's) passions
podjudzanie *sn* (↑ **podjudzać**) incitement; instigation; setting (people) at variance <by the ears>; stirring passions
podjudzić *zob.* **podjudzać**
podkadz|ać *vi imperf* — **pokadz|ić** *vi perf* **~ę** 1. (*kadzić*) to burn incense (**bóstwu** to a deity) 2. *przen.* (*pochlebiać*) to butter (**komuś** sb) up 3. (*podkurzać*) to smoke (bees)
podkanclerzy *sm* (*decl* = *adj*) *hist.* deputy chancellor of the Treasury
podkarmiacz|ka *sf pl G.* **~ek** *pszcz.* feeder
podkarmi|ać *vt imperf* — **podkarmi|ć** *vt perf* (*dokarmiać*) to feed up; (*podpasać*) to fatten; **~ać, ~ć pszczoły** to feed bees
podkarmienie *sm* ↑ **podkarmić**
podkas|ać *v perf* — **podkas|ywać** *v imperf* [I] *vt* to raise; to turn up (one's trouser legs, sleeves); to tuck up (one's skirt) [II] *vr* **~ać, ~ywać się** (*zawinąć nogawki*) to turn up one's trouser legs; (*unieść spódnicę*) to tuck up one's skirt
podkasanie *sn* 1. ↑ **podkasać** 2. (*noszenie krótkich sukienek*) (the) wearing (of) short skirts; **~ spódnicy w tańcu** raising one's skirt when dancing
podkasany [I] *pp* ↑ **podkasać** [II] *adj* 1. (*przykrótki*) shortish 2. (*frywolny*) frivolous; free
podkasywać *zob.* **podkasać**
podkiełkować *vt perf* — **podkiełkowywać** *vt imperf* to germinate
podklasa *sf* subclass
podkle|ić *vt perf* **~ję, ~j, ~jony** — **podkle|jać** *vt imperf* to stick <to mount> (sth — a map etc. on linen); to stick <to paste> together (**podarte ka-**

wałki papieru itd. torn pieces of a sheet of paper etc.); (*wzmocnić*) **~ić, ~jać pergaminem itd.** to reinforce with parchment etc.

podklejenie *sn* ↑ **podkleić**

podkład *sm G.* **~u** 1. (*podłoże*) base; foundation; groundwork; underlay; (*pod torem, gościńcem*) bed(ding); ballast 2. *przen.* (*w utworze literackim itd.*) undercurrent (of humour etc.) 3. *ogr.* (*roślina, na której się szczepi*) stock 4. *ogr.* (*w inspektach*) layer of manure 5. *roln.* turning over of the soil 6. (*zw. pl*) *kolej.* sleeper; tie 7. (*w malarstwie*) ground 8. (*rodzaj poduszki pod siodło*) wad(ding) 9. *górn.* sill 10. (*przy pisaniu przez kalkę*) backing 11. *kosmet.* foundation

pod|kładać *v imperf* — **pod|łożyć** *v perf* **~łóż** [I] *vt* 1. (*umieszczać*) to put (**coś pod coś** sth under sth); to underlay (**papę, deskę, kamień itd. pod coś** sth with tar-paper, a plank, a stone etc.); **~kładać, ~łożyć jaja pod kwokę** to set eggs; **~kładać, ~łożyć minę pod budynek** to lay a mine under a building; **~kładać, ~łożyć ogień pod budynek** to set fire to a building; **~kładać, ~łożyć sobie <komuś> poduszkę pod głowę** to pillow one's <sb's> head with a cushion 2. (*kłaść ukradkiem*) to put (sth somewhere) stealthily; to plant (sth) as evidence 3. (*dostosować do muzyki*) to set (**słowa pod muzykę** words to music) 4. (*w malarstwie*) to ground (a canvas) 5. *myśl.* to put (**psy na trop** the hounds on the scent) [II] *vi* (*dorzucać paliwa*) to feed <to mend> (**na ogień** the fire); to put fuel (**na ogień** on the fire); to add fuel (**na ogień** to the fire)

podkładanie *sn* ↑ **podkładać**

podkład|ka *sf pl G.* **~ek** 1. (*coś podłożonego*) rest; prop; support; (*we włosach*) pad 2. *techn.* (*uszczelka*) washer; gasket; *bud.* cleat; chock; *kolej.* **~ka szynowa** sole-plate; base-plate 3. *ogr.* stock

podkładowy *adj* 1. (*dotyczący podłoża*) base — (block, frame etc.) 2. (*dotyczący podkładu farby itd.*) priming (paint etc.)

podkochiwać się *vr imperf* to be mildly in love (**w kimś** with sb)

podkolan *sm bot.* (*Platanthera*) a plant of the orchid family

podkolanowy *adj anat.* popliteal (muscle, nerve, vein etc.)

podkolanów|ki *spl G.* **~ek** knee-stockings; knee-socks

podkolorować *vt perf* — **podkolorowywać** *vt imperf* to give a tint (**coś** to sth)

podkołować *vt perf lotn.* to wheel (an aeroplane) into place

podkomendant *sm* deputy commander

podkomendn|y [I] *adj* subordinate [II] *sm* **~y** (*decl = adj*) (a) subordinate

podkomisarz *sm* sub-commissary

podkomisja *sf* subcommittee

podkomitet *sm G.* **~u** subcommittee

podkomorzy *sm* (*decl = adj*) *hist.* chamberlain

podkop *sm G.* **~u** excavation; underground <subterranean> passage; *wojsk.* **~ pod twierdzę** sap

podkop|ać *v perf* **~ie** — **podkop|ywać** *v imperf* [I] *vt* 1. (*zrobić podkop*) to excavate 2. (*osłabić*) to undermine; to sap; to impair [II] *vr* **~ać, ~ywać się** to dig one's way (**do czegoś, pod coś** to a place)

podkopanie *sn* ↑ **podkopać** 1. (*kopanie*) excavation 2. (*osłabienie*) impairment

podkopowy *adj* excavation — (works etc.)

podkopywać *zob.* **podkopać**

podkorowy *adj anat.* subcortical

podkoszul|ek *sm G.* **~ka** undershirt

podkościelny *adj* church — (vaults etc.)

podk|owa *sf pl G.* **~ów** 1. (*okucie końskie*) horseshoe 2. (*półkole*) semicircle; *przen.* horseshoe; **stół w ~owę** horseshoe table

podkowiak *sm* horseshoe nail

podkowiasty *adj* semicircular

podkówk|a *sf* 1. *dim* ↑ **podkowa; wykrzywiać usta w ~ę** to turn down the corners of one's mouth 2. (*okucie obcasa*) horseshoe heel-protector

podkpiwać *vi imperf* to make sport (**z kogoś, czegoś** of sb, sth); to poke fun (**z kogoś, czegoś** at sb, sth); to pull (sb's) leg

podkpiwanie *sn* (↑ **podkpiwać**) derisions

podkra|dać *v imperf* — **podkra|ść** *v perf* **~dnę, ~dnie, ~dnij, ~dł, ~dziony** [I] *vt* to thieve; to pilfer [II] *vr* **~dać, ~ść się** to steal (**do kogoś, czegoś** up to sb, sth); *myśl.* **~dać, ~ść się pod zwierza** to stalk game

podkradanie *sn* ↑ **podkradać**

podkraść *zob.* **podkradać**

podkrążony [I] *pp* ↑ **podkrążyć** [II] *adj* black-ringed (eyes)

podkrążyć *v perf* [I] *vt* to ring (round) [II] *vr* **~ się** to be ringed round

podkreślać *vt imperf* — **podkreślić** *vt perf* 1. (*przeciągać kreskę*) to underline (a word, mistake etc.) 2. (*uwydatniać*) to emphasize; to lay emphasis <stress> (**coś** on sth); to bring out into relief; to accentuate; to punctuate (one's words); to insist (**coś** on sth)

podkreślenie *sn* 1. (↑ **podkreślić**) (*uwydatnienie*) emphasis; stress 2. (*linia podkreślająca*) underlining

podkręc|ać *vt imperf* — **podkręc|ić** *vt perf* **~ę** to turn (the pegs of a violin etc.); to turn up (the gas, the wick etc.); to twirl up (one's moustache)

podkr|oić *vt perf* **~oję, ~ój, ~ojony** to cut off at the bottom

podkrotność *sf mat.* submultiple

podkrólestwo *sn biol.* phylum; subkingdom

podkrzew *sm G.* **~u** *bot.* subshrub; undershrub; suffrutex

podksiężycowy *adj* sublunary

podkształc|ać *v imperf* — **podkształc|ić** *v perf* **~ę** [I] *vt* 1. (*nauczać*) to give sb a smattering (**w angielszczyźnie, chemii itd.** of the English language, of chemistry etc.); to teach sb the rudiments (**w czymś** of sth) 2. (*douczać*) to coach [II] *vr* **~ać, ~ić się** 1. (*nauczyć się*) to acquire a smattering (**w czymś** of sth); to learn the rudiments (**w czymś** of sth) 2. (*douczać się*) to pursue one's studies (**w czymś** of sth)

podkuchenna *sf* (*decl = adj*) *rz.* kitchen-maid

podkucie *sn* ↑ **podkuć**

podku|ć *vt perf* **~je, ~ty** — **podku|wać** *vt imperf* 1. (*przybić podkowę*) to shoe (a horse) 2. (*przybić gwoździe do podeszwy*) to hobnail (a shoe) 3.

szk. (*także* **~ć, ~wać się**) to cram; to swot up (a subject)

podkul|ać *v imperf* — **podkul|ić** *v perf* [I] *vt* to draw in (one's legs); to bend <to draw up> (one's knees) [II] *vr* **~ać, ~ić się** to double up; to tuck <to coil> oneself up

podkupić *vt perf* — **podkupywać** *vt imperf* 1. (*ubiec płacąc wyższą cenę*) to outbid 2. † (*przekupić*) to bribe

podkurcz *sm G.* **~u** *sport* squat

podkurczać *vt imperf* — **podkurczyć** *vt perf* = = **podkulać, podkulić**

podkurzacz *sm pszcz.* smoker

podkurzać *vt imperf* — **podkurzyć** *vt perf* 1. *pszcz.* to smoke (bees) 2. *techn.* (*przyciemniać*) to darken

podku|sić *vt perf* **~szę, ~szony** to tempt; **coś mnie ~siło** something came over me

podkuty [I] *pp* († **podkuć**) shod; **ostro ~** sharp-shod; **nie ~** unshod [II] *adj* 1. (*o oczach*) black-ringed 2. (*o uczniu*) crammed (**w łacinie itd.** with Latin etc.)

podkuwać *zob.* **podkuć**

podkuwanie *sn* († **podkuwać**) horseshoeing

podkwa|sić *vt perf* **~szę, ~szony** to acidulate

podl|ać *vt perf* **~eję** — **podl|ewać** *vt imperf* to water (**kwiaty itd.** flowers etc.); **~ać, ~ewać pieczeń** to baste a roast; **~ać, ~ewać potrawę sosem** to pour sauce on a dish; *przen.* **~ać, ~ewać potrawę winem** to wash down a dish with wine

podlanie *sn* † **podlać**

podlatywać *zob.* **podlecieć**

podle[1] *praep obecnie gw.* near; beside; next to; close to

podle[2] *adv* 1. (*nikczemnie*) basely; scurrily; **~ postąpić z kimś** to play sb a dirty <shabby> trick 2. (*licho*) badly; horridly; vilely; abominably; **~ się czuć** to feel rotten

podlec[1] *sm pot.* blackguard; scoundrel; scamp; rogue

podlec[2] *zob.* **podlegać**

podl|ecieć *vi perf* **~ecę, ~eci** — **podl|atywać** *vi imperf* 1. (*wznieść się*) to rise 2. (*zbliżyć się w locie*) to fly up (**do kogoś, czegoś** to sb, sth); *pot.* **co ~eci** any old thing 3. *sl.* (*strzelić do głowy*) to come over sb; **co cię ~eciało?** what has come over you?; what's up with you?; **coś go ~eciało** he's in a bate; he's ratty about sth or other 4. (*przybiec*) to run up; to come running

podleczyć *v perf* [I] *vt* to put (sb) on the mend <in the way of being cured> [II] *vr* **~ się** to make some progress towards a cure

podle|ć *vi imperf* **~je** 1. (*nikczemnieć*) to sink into debasement; to become <to grow> mean <scoundrelly> 2. (*tracić na wartości*) to lose value; to depreciate (*vi*)

podle|gać *vi imperf* — **podle|c** *vi perf* **~gnę, ~gnie, ~gł, ~gły** 1. *zw. imperf* (*być poddanym władzy itd.*) to be under <submitted to> (sb's) authority <domination, rule>; to be subordinated (to sb); to come under (**prawu itd.** the law etc.); to be subject (**dyscyplinie, prawu natury itd.** to discipline, a law of nature etc.); to be liable (**karze, obowiązkowi itd.** to a penalty, to a duty etc.); to be amenable (**sądowi, grzywnie, pewnym przepisom itd.** to a court, to a fine, to certain rules etc.); **nie ~gać czemuś** to be free of sth; to be exempt (**opodatkowaniu itd.** from taxation etc.); **to nie ~ga wątpliwości** there is no doubt about it 2. (*ulegać*) to succomb (**przemocy itd.** to force etc.); to yield (**pokusie itd.** to temptation etc.) 3. (*być poddawanym działaniu*) to undergo (**zmianom, wahaniom itd.** changes, fluctuations etc.); to be submitted (**pewnym procesom itd.** to certain processes etc.)

podlegający *adj* subject (**czemuś** to sth); liable (to a penalty etc.); amenable (**kompetencji sądu** to a court); **nie ~ ...** free of ...; exempt from ...;

podległość *sf singt* subjection; subordination <submission> (**komuś** to sb); dependence (**komuś** on sb); *hist.* vassalage

podległy *adj* 1. (*podwładny*) subordinate; submitted (**komuś, czemuś** to sb, sth); dependent (**komuś, czemuś** on sb, sth); (*o kraju, prowincji*) subjugated; subject; under domination 2. (*podlegający*) subject <liable> (**karze itd.** to a penalty etc.); amenable (**prawu itd.** to the law etc.) 3. (*wystawiony, narażony*) subject (to an influence, to attacks of a disease etc.)

podlepczyca *sf bot.* (*Galium spurium*) a cleavers

podlepiać *vt imperf* — **podlepić** *vt perf* (*zlepiać*) to stick <to paste> together (**podarte kawałki kartki papieru itd.** torn pieces of a sheet of paper etc.); (*wzmacniać*) to reinforce (by sticking, pasting sth underneath)

podleszczyk *sm zool.* (*Gustera Blicca björkna*) white bream

podleśniczy *sm* (*decl* = *adj*) second forester

podleśny *adj* situated <lying> on the forest border

podlewać *zob.* **podlać**

pod|leźć *vi perf* **~lezę, ~lezie, ~lazł, ~leźli** — **pod|łazić** *vi imperf* 1. (*pełzając posunąć się*) to creep (**pod coś** under sth) 2. *pot.* (*podejść za blisko*) to get (**pod coś** near <right under> sth)

podliczać *vt imperf* — **podliczyć** *vt perf* to add <to sum> up

podliczenie *sn* († **podliczyć**) addition

podliczyć *zob.* **podliczać**

podli|zać się *vr perf* **~żę się, ~że się** — **podli|zywać się** *vr imperf* to make up <to suck up> (**komuś** to sb); to toady (**komuś** sb)

podlizuch *sm pl N.* **~y** *sl.* toady; lickspittle

podlizywać się *zob.* **podlizać się**

podlizywanie się *sn* († **podlizywać się**) toadyism

podlodowcowy *adj* subglacial

podlot *sm G.* **~u** 1. (*poderwanie się do lotu*) (flapping) flight 2. (*pisklę dzikiego ptaka*) fledg(e)ling; flapper

podlot|ek *sm G.* **~ka** flapper; girl in her teens

podlotkowaty *adj* girlish

podludzi|e *spl G.* **~** submen

podłap|ać *vt perf* — **podłap|ywać** *vt imperf pot.* to pick up (**babkę** a girl); **~ać robotę** to chance upon a job

podłatać *v perf* [I] *vt* to patch up [II] *vr* **~ się** to patch up one's affairs

podłatanie *sn* † **podłatać**

podławy *adj* 1. (*nikczemny*) shabby; scurvy 2. (*kiepski*) inferior; poor; second-rate; *pot.* C3

podłazić *zob.* **podleźć**

podłączać *vt imperf* — **podłączyć** *vt perf pot.* to connect (to the mains)

podłączenie *sn* (↑ **podłączyć**) connexion <connection> (with the public services)

podłączeniowy *adj* connexion <connection> — (pipes etc.)

podłączyć *zob.* **podłączać**

podłech|tać *vt perf* **~ta, ~czę** <**~cę**> — **podłech|tywać** *vt imperf* 1. (*mile podrażnić*) to tickle 2. *przen.* to stimulate

podłęcz|e *sn pl G.* **~y** *arch.* arch-band

podłodzi|e *sn pl G.* **~** *lotn.* alighting <flotation> gear

podł|oga *sf pl G.* **~óg** floor; **upaść na ~ogę** to fall to the floor <to the ground>

podłogow|y *adj* floor — (boards etc.); **deski ~e** flooring

podłost|ka *sf pl G.* **~ek** scurvy trick

podłość *sf* 1. (*cecha*) meanness; baseness; sordidness; ignominy 2. (*postępek*) mean <dirty> trick; foul <shameful> deed

podłoż|e *sn pl G.* **~y** 1. (*podstawa*) basis; groundwork; undercurrent (of humour, of politics, of discontent etc.); *dosł. i przen.* **u ~a czegoś** at the base of sth 2. (*spodnia warstwa*) bed(ding); basement soil; subgrade 3. (*podglebie*) subsoil; substratum; undersoil; **~e skalne** bed-rock 4. *biol.* breeding-ground 5. *mal.* groundwork

podłożenie *sn* ↑ **podłożyć**

podłożyć *zob.* **podkładać**

podłubać *vt vi perf* to tinker (**jakiś czas przy czymś** some time at sth)

podług *praep* (*stosownie do*) according to; (*zgodnie z*) in conformity with; (*wzorując się na*) after (**malarzy włoskich itd.** the Italian painters etc.); (*według czyjegoś zdania*) according to ...; in (sb's, my, his etc.) opinion; **~ mnie** to my mind

podługowato *adv* oblongly; oblong — (cylindric, ellyptical etc.); *bot.* oblongo — (cylindric, elliptical etc.)

podługowaty *adj* longish; oblong

podłuż|ać *v imperf* — **podłuż|yć** *v perf* [I] *vt* to lengthen; **~ać, ~yć spódnicę itd.** to let out a skirt etc. [II] *vr* **~ać, ~yć się** to lengthen <to stretch out> (*vi*)

podłużnica *sf techn.* longitudinal beam <girder, spar>; stringer; longeron

podłużnie *adv* longitudinally; lengthwise; **ustawić deski itd. ~** to put boards etc. endways <end to end>

podłużnik *sm techn.* straight-peen hammer

podłużn|y *adj* 1. (*nie poprzeczny*) longitudinal; placed lengthwise <endways, end to end>; **przekrój ~y** longitudinal profile; **siła ~a** longitudinal force 2. (*mający kształt wydłużony*) oblong; elongated; longish

podłużyć *zob.* **podłużać**

podły *adj* 1. (*niegodziwy — o człowieku lub czynie*) mean; base; sordid; shabby; vile; ignoble; despicable; contemptible; abject; scurvy 2. *pot.* (*marny*) rotten; awful; abominable; paltry

podmajstrzy *sm* (*decl = adj*) 1. (*pomocnik majstra*) foreman 2. (*u flisaków*) boatman's mate

podm|akać *vi imperf* — **podm|oknąć** *vi perf* **~ókł** to become damp; to dampen (*vi*)

podmakanie *sn* ↑ **podmakać**

podmalow|ać *v perf* — **podmalow|ywać** *v imperf* [I] *vt* 1. (*uszminkować*) to make up (one's face); **~ać, ~ywać brwi** to pencil one's eyebrows 2. *mal.* to ground (a canvas) 3. *przen.* to bring out [II] *vr* **~ać, ~ywać się** to make oneself up; to make up one's face

podmalowanie *sn* ↑ **podmalować** 1. (*uszminkowanie*) (the) make-up 2. (*podkład obrazu*) ground

podmalowywać *zob.* **podmalować**

podmalówka *sf mal.* ground (of a canvas); dead colour

podmarszczyć *vt perf* to wrinkle; to pucker (one's brows)

podmarz|nąć [r-z] *vi perf* **~ł, ~nięty** (*trochę zmarznąć*) to frost; to be frosted; (*ściąć się lodem po wierzchu*) to frost over; **~ły** frost-nipped

podm|awiać *vt imperf* — **podm|ówić** *vt perf* to incite <to instigate> (to revolt); to foment sedition (**załogę itd.** among the crew etc.)

podmawianie *sn* (↑ **podmawiać**) incitement; instigation(s); fomentation of discord

podmi|atać *vt imperf* — **podmi|eść** *vt perf* **~otę, ~ecie, ~ótł, ~otła, ~etli, ~eciony** to sweep (up); to give (a room) a perfunctory sweep

podmiecenie *sn* (↑ **podmieść**) (a) sweep

podmiejsk|i *adj* suburban; **okolica ~a** suburbs; **~a komunikacja kolejowa** suburban shuttle train service; **~ie rudery** slums

podmieść *zob.* **podmiatać**

podminow|ać *vt perf* — **podminow|ywać** *vt imperf* to undermine; to sap

podminowanie *sn* ↑ **podminować**

podminowan|y [I] *pp* ↑ **podminować** [II] *adj* tense; wrought up; strung up; **byliśmy ~i** we were in a fever of excitement

podmiot *sm G.* **~u** *gram. filoz.* subject; **~ gramatyczny** <**logiczny, nierozwinięty, rozwinięty**> formal <logical, single, compound> subject

podmiotowo *adv* subjectively

podmiotowość *sf singt* subjectivity

podmiotow|y *adj gram. filoz.* subjective; *med.* **objawy ~e** subjective symptoms

podmokłość *sf singt* wetness (of the soil)

podmokły *adj* wet (soil)

podmoknąć *zob.* **podmakać**

podmoknięcie *sn* ↑ **podmoknąć**

podmorski *adj* suboceanic; submarine; under-sea — (expedition etc.)

podmówić *zob.* **podmawiać**

podmuch *sm G.* **~u** 1. (*powiew naturalny*) (*lekki*) breath; waft; puff; (*gwałtowny*) gust (of wind); **~ wiatru** breeze; *mar.* cupful of wind 2. (*pęd powietrza wywołany wybuchem*) blast 3. *przen.* harbinger (of spring, of autumn etc.)

podmuchać *vi perf* to blow

podmuchiwać *vi imperf* (*o człowieku*) to blow (several times); to keep blowing; (*o wietrze*) to whiffle

podmuchowy *adj* blowing — (fan etc.)

podmul|ać *vt imperf* — **podmul|ić** *vt perf* to silt over

podmurować *vt perf* — **podmurowywać** *vt imperf* 1. (*umocnić*) to underpin; to reinforce (a wall etc.) with masonry; (*dać podmurówkę*) to provide (a building etc.) with an underpinning of brickwork <of stone> 2. *przen.* to strengthen; to reinforce

podmurowanie *sn* 1. ↑ **podmurować** 2. = **podmurówka**

podmurowywać *zob.* **podmurować**

podmurów|ka *sf pl G.* **~ek** *pot.* underpinning brickwork; foundation

podmycie *sn* (↑ **podmyć**) undermining action (of water etc.)

podmy|ć *v perf* **~je, ~ty — podmy|wać** *v imperf* [I] *vi* 1. (*o wodzie — naruszyć od spodu*) to undermine; (*unieść*) to wash away 2. (*obmyć kogoś od dołu*) to wash (sb's) privy parts <buttocks> [II] *vr* **~ć, ~wać się** to wash one's privy parts <buttocks>

podnaj|ąć *vt perf* **~mę, ~mie, ~mij, ~ął, ~ęła, ~ęty — podnaj|mować** *vt imperf* to sublet; to underlet; to underlease

podnaj|em *sm G.* **~mu** (an) underlease; **oddać w ~em** = **podnająć**

podnajęcie *sn* ↑ **podnająć**

podnajmować *zob.* **podnająć**

podnaw|ka *sf pl G.* **~ek** *zool.* (*Echeneis remors*) remora

podniebie *sn lit.* sky

podniebienie *sn anat.* palate; roof of the mouth; **~ miękkie** velum; soft palate; **~ twarde** hard palate; **łechtać ~** to tickle the palate

podniebienn|y *adj anat.* palatal; palatine (glands, bone, artery); *jęz.* palatal; **samogłoska ~a** front vowel; **spółgłoska ~a** palatal consonant

podniebnie *adv rz.* sky-high

podniebny *adj* soaring; cloud-kissing; sky-high; *poet.* subcelestial

podniec|ać *v imperf* — **podniec|ić** *v perf* **~ę** [I] *vt* 1. (*ekscytować*) to excite; to agitate; to fluster; to flurry 2. (*wzmagać*) to rouse; to stimulate 3. (*zachęcać*) to stir up; to egg on; to foment; to instigate [II] *vr* **~ać, ~ić się** to get excited <agitated, flustered, flurried, heated>; *pot.* to get hot

podniecająco *adv* excitingly; stimulatingly

podniecający *adj* exciting; stimulating

podniecenie *sn* (↑ **podniecić**) excitement; agitation; fluster; heat; (*zbiorowe*) turmoil; tumult

podniecić *zob.* **podniecać**

podniecony [I] *pp* ↑ **podniecić** [II] *adj* excited; agitated; in a flutter; in a flurry; wrought-up; high-wrought; **mocno ~** in high spirits; **in** a great state; **~ seksualnie** hot

podniesienie *sn* (↑ **podnieść**) 1. (*ruch w górę*) upward movement; elevation; uplift; upsweep; *kośc.* **Podniesienie** Elevation 2. (*podwyższenie*) rise (**terenu** in the ground; **cen, temperatury itd.** in prices, temperature etc.); (a) raise (**licytacji itd.** of the bidding etc.); increase (**liczby itd.** in numbers etc.); improvement (**jakości** in quality); **~ kurtyny** the rise of the curtain; **~ swych kwalifikacji** self-improvement; **głosować przez ~ rąk** to vote by show of hands 3. **~ się** (*uniesienie się w górę*) rise; ascension 4. **~ się** (*osiągnięcie wyższego poziomu*) increase (in price, value, numbers)

podn|ieść *v perf* **~iosę, ~iesie, ~iósł, ~iosła, ~iesiony, ~ieśli — podn|osić** *v imperf* **~oszę, ~oszony** [I] *vt* 1. (*unieść w górę*) to raise; to (up)lift; to elevate; to rear; to hoist (a flag, the sails); **~ieść, ~osić kołnierz** to turn up one's collar; **~ieść, ~osić oczy** to look up; **~ieść, ~osić ręce do góry** to raise one's hands; *przen.* **~ieść, ~osić broń przeciw komuś** to take up arms <to rise in arms> against sb; **~ieść, ~osić głowę** a) (*nabrać otuchy*) to take heart <courage> b) (*wpaść w pychę*) to grow haughty c) (*zbuntować się*) to grow restive; **~ieść, ~osić głos <oczy>** to raise one's voice <one's eyes>; **~ieść, ~osić rękę na kogoś** to raise one's hand against sb; **~ieść, ~osić rękę na siebie** to attempt <to commit> suicide; **z ~iesionym czołem** holding one's head high 2. (*wziąć coś co leży*) to pick up; to raise; to lift; **~ieść, ~osić kotwicę** to weigh anchor; **~ieść, ~osić oczka (w pończosze)** to mend a ladder <ladders> (in stockings); *przen.* **~ieść, ~osić kogoś na duchu** to raise sb's spirits; **~ieść, ~osić kogoś na nogi** to set sb on his feet 3. (*spowodować unoszenie się w górę*) to raise (dust etc.) 4. (*uczynić wyższym*) to raise (a wall etc.); **~ieść, ~osić budynek o jedno piętro** to raise a building <the height of a building> by one storey 5. (*podwyższyć poziom*) to raise (prices etc.); to increase (a number); to improve (quality etc.); to heighten <to enhance, to add to> (the beauty, charm etc.); *mat.* to raise (**do** x**-tej potęgi** to the x-th power); **~ieść, ~osić do kwadratu** to raise to the square; **~ieść, ~osić kogoś do jakiejś godności** to raise sb to a dignity 6. (*wszcząć*) to raise (an outcry etc.); **~ieść, ~osić protest <krzyk>** to set up a protest <a shout>; **~ieść, ~osić rebelię** to rise in revolt; **~ieść, ~osić wrzawę** to raise a storm 7. (*poruszyć*) to raise (**kwestię itd.** a question etc.) [II] *vr* **~ieść, ~osić się** 1. (*wstać*) to stand <to get> up; to rise (from one's chair, from the ground, from table, to one's feet); (*zmienić pozycję leżącą na siedzącą*) to sit up; **~ieść, ~osić się na palcach** to stand on tiptoe; **~ieść, ~osić się z łóżka** a) (*wstać*) to leave one's bed b) (*wyzdrowieć*) to recover 2. *przen.* (*zbuntować się*) to rise (**przeciw komuś** against sb) 3. (*wznieść się*) to rise; to go up; to ascend; to mount; **włosy ~oszą się na głowie** the hair rises on one's head 4. (*wzbić się w górę*) to rise (in the air); (*o ptakach*) to take wing 5. (*osiągnąć wyższy poziom — o cenach, terenie itd.*) to rise; (*o mgle, dymie*) to lift; to clear 6. (*wzmóc się*) to increase; to augment; to heighten (*vi*) 7. (*o głosie, dźwiękach*) to resound; to be heard; (*o krzyku*) to rise 8. (*o lamencie, wietrze, wrzawie itd. — wszcząć się*) to arise

podniesion|y [I] *pp* ↑ **podnieść** [II] *adj* (*o ręce itd.*) upraised; (*o oczach*) upcast; upturned; (*o brwiach*) updrawn; (*o twarzy*) upturned; (*o ogonie itd.*) erect; *przen.* **chodzić z ~ą głową** to hold one's head high; **trzymać ręce ~e** to keep one's hands up

podnieta *sf* 1. (*pobudka*) impulse; stimulus; incentive; spur 2. (*stan podniecenia*) excitement; stimulation 3. (*bodziec*) stimulant 4. *fizjol.* oestrum

podniosłość *sf singt* sublimity; loftiness

podniosły *adj* sublime; elevated; lofty

podniośle *adv* sublimely; loftily

podniszczenie *sn* (↑ **podniszczyć**) deterioration; dilapidation; impairment; (*ubrania*) shabbiness; seediness

podniszcz|yć *v perf* [I] *vt* to deteriorate; to dilapidate; to impair; (*o garderobie*) **~ony** the worse for wear; threadbare; shabby; *pot.* seedy [II] *vr* **~yć się** to deteriorate (*vi*)

podnormaln|y [I] *adj psych.* subnormal [II] *sf* **~a** *mat.* (the) subnormal

podnosić *vt imperf* 1. *zob.* **podnieść** 2. (*podniszczyć*) to deteriorate 3. (*wychwalać*) to exalt; to praise; to extol (**pod niebiosa** to the skies)

podnoszeni|e *sn* ↑ **podnosić**; **siedzenie do ~a** tip-up seat

podnoszony [I] *pp* ↑ **podnosić** [II] *adj* (*o garderobie*) the worse for wear; worn || **most ~** bascule bridge; *techn.* **zawór ~** lift-valve

podnośnica *sf mar.* halyard

podnośnik *sm techn.* r(a)iser; lift; jack; elevator; **~ śrubowy** jack-screw, screw-jack

podnośny *adj techn.* lifting — (gear, jack, machinery etc.)

podnóż|e *sn pl G.* **~y** base; foot (of a hill etc.); *bud.* toe (of an embankment)

podnóż|ek *sm G.* **~ka** (*stołek*) footstool; (*w stopniu schodowym*) tread(-board); (*u szczudła*) tread; (*u leżaka*) leg-rest; (*w łódce wioślarskiej*) stretcher

podoba|ć się *vr imperf perf* to appeal (**komuś** to sb); to please (**komuś** sb); to take (**komuś** sb's) fancy; to be attractive; (*z wymianą podmiotu i dopełnienia*) to like; to enjoy; **co <gdzie, ile> ci się ~** whatever <wherever, as much as> you like; **czy ~ł ci się koncert?** did you like <enjoy> the concert?; **jak ci się to <on, ona> ~?** how do you like this <him, her>?; how does this <he, she> strike you?; **książka <sztuka itd.> nie ~ła się** the book <play etc.> did not take; **nie ~ mi się to** a) (*o przedmiocie itd.*) I don't like it b) (*o zjawisku, sytuacji itd.*) I don't feel happy about this; **postąpić, jak się komuś ~** to do as one pleases <as one likes, as one chooses>; to have one's will; to have it one's way; **to mi się bardzo ~** I like this very much; I love it

podobanie się *sn* (↑ **podobać się**) attraction; appeal

podobieństw|o *sn* 1. (*jednakowy wygląd*) resemblance; likeness; **cień ~a** distant likeness; **dobrze uchwycone ~o** a good likeness 2. (*wspólność cech*) similarity 3. (*jednakowość brzmienia, kształtu itd.*) conformity

podobierać *v perf* [I] *vt* 1. (*wybierać*) to choose; to pick out 2. (*odpowiednio dobrać*) to match (**coś do czegoś** sth with sth; **kogoś do kogoś** sb with sb) 3. (*pobrać dodatkowo*) to add (**coś do zbioru itd.** sth to a collection etc.) 4. (*dobrać brakującą ilość*) to complete (**coś do zbioru itd.** a collection etc. with sth) [II] *vr* **~ się** to choose one another; to associate (*vi*); to consort

podobizna *sf* 1. (*wizerunek*) likeness; effigy; image; representation 2. (*kopia*) copy; facsimile

podobłoczny *adj* 1. *lit.* (*podniebny*) cloud-kissing 2. *przen.* (*wzniosły*) sublime; exalted; elevated

podobnie *adv* (*mając pewne cechy zbieżne*) similarly; likewise; alike; in like manner; (*w tym samym stopniu, w tej samej mierze*) equally; **~ jak** as; just as; **bardzo ~** much the same; **i tym ~** and the like; **wyglądać ~** to resemble each other

podobnież *adv emf.* = **podobnie**

podobno *adv* they say (that ...); it is rumoured <a rumour has it> (that ...); I hear <I understand> (that ...); I am told (that ...); **~ nie** it appears not; **~ tak** so it appears

podobn|y *adj* similar; resembling (**do kogoś, czegoś** sb, sth); like (**do kogoś, czegoś** sb, sth); *mat.* congruent, congruous; geometrically similar; (*o usposobieniach itd.*) congenial (temperaments, tastes etc.); **ludzie do ciebie <do niego itd.> ~i** the likes of you <of him etc.>; **oni są ~i, one są ~e** they are alike <similar>; **bardzo ~y <~i, ~e>** much the same; **cokolwiek <nieco> ~y <~e> do ...** somewhat like ...; not unlike ...; **coś ~ego** such a thing; something of the kind <of the sort>; **~i <~e> jak dwie krople wody** as like as two peas; **i tym ~e** and the like; **być ~ym do kogoś** a) (*o ludziach*) to resemble sb; to bear a resemblance to sb b) (*o potomstwie*) to take <to have taken> after sb; **być ~ym do kogoś, czegoś** to resemble sb, sth; to look like sb, sth; **to do ciebie <do niego itd.> ~e** it's just like you <like him etc.> (to say, to act, to do etc.); **to wcale nie jest ~e do ...** it's nothing like a ...; (*wykrzyknikowo*) **coś ~ego!** well, I never!; did you ever see <hear> the like of it?; **do czego to ~e** a) (*pytanie*) what is it like?; what does it look like? b) (*wykrzyknienie*) how incongruous!; **nic ~ego!** nothing of the kind <of the sort>!; no such thing!; nonsense!

po dobremu *adv* gently; mildly; without resentment; in a conciliatory spirit; **zrób to ~** do it while I'm good; don't put my monkey up

podochocenie *sn* (↑ **podochocić**) drinking-bout

podochoc|ić *vi perf* **~ę** (*także* **~ić sobie**) to go on the spree; **~ił sobie** he was merry <jolly, in his cups, in wine>

podochocony [I] *pp* ↑ **podochocić** [II] *adj* merry; jolly; in one's cups; in wine

podochodz|ić *v perf* **~ę** [I] *vi* to come; to arrive; (*o listach itd.*) to reach their destination [II] *vt* (*powykrywać*) to find (things) out

podoczepiać *vt perf* = **doczepiać**

pododa|wać *vt perf* **~je, ~waj** 1. (*dodać*) to add 2. (*podsumować*) to add up; to cast <to tot> up

pododcin|ek *sm G.* **~ka** subsection

pododdział *sm G.* **~u** *wojsk.* sub-unit

pododmiana *sf biol.* subspecies

podoficer *sm wojsk.* non-commissioned officer, *skr.* N.C.O.; *pot.* non-com

podoficer|ka *sf pl G.* **~ek** *pot. wojsk.* Sergeants' mess

podoficerski *adj* non-commissioned officers' — (training etc.)

podofilina *sf chem.* podophillin

podogonie *sn* (*w uprzęży*) crupper

podogonow|y *adj zool.* **płetwa ~a** anal fin

pod|oić *vt perf* **~oję, ~oi, ~ój, ~ojony** to milk (cows etc.)

podokiennik *sm bud.* (*zewnętrzny*) sill; breast of a window; (*wewnętrzny*) windowstool

podokienny *adj* window — (back etc.); **mur ~** apron; breast

podoknica *sf bud.* window-ledge

podokres *sm G.* **~u** sub-period

podolski *adj* Podolian; of Podolia

podoła|ć *vi perf* to cope (**czemuś** with sth); to manage (**czemuś** sth); to be equal (**zadaniu itd.** to a task etc.); **czy ~sz temu?** can you manage it?

podoł|ek *sm G.* **~ka** lap; skirt <apron> front

podom|ka *sf pl G.* **~ek** dressing-gown

podopieczny *sm* (*decl* = *adj*) person under sb's charge <entrusted to sb's care>; **mój ~** my charge

podorabiać *vt perf* = **dorobić**

pod|orać *vt perf* **~orze, ~órz** — **podorywać** *vt imperf roln.* to give (a field) a first ploughing

podorastać *vi perf* to grow up; to reach manhood <womanhood>
podorędzi|e *† sn tylko w zwrocie:* **na ~u** at hand; ready; within (one's) reach
podoryw|ka *sf pl G.* **~ek** *roln.* first ploughing
podos|ek *sm G.* **~ka** clout (of an axle)
podostry *adj med.* subacute
pod|ój *sm G.* **~oju** 1. (*dojenie*) milking 2. (*udój*) milk yield
podówczas *adv* then; at that <the> time
podpa|dać *vi imperf* — **podpa|ść** *vi perf* **~dnę, ~dnie, ~dnij, ~dł** 1. (*być objętym czymś*) to come <to fall> (**pod pewne kategorie** under certain categories; **pod prawa fizyki itd.** under the laws of physics etc.); **~dać pod ustawę** to come within the provisions of the law; *pot.* **co pod rękę ~da** <**~dnie**> whatever is within reach 2. (*podlegać*) to be subject (**pod czyjąś władzę itd.** to sb's authority etc.) 3. *pot.* (*narażać się*) to expose oneself (to consequences) 4. *pot.* (*zwracać na siebie uwagę*) to attract attention; to be conspicuous; **~dać, ~ść komuś** to get in sb's bad books
podpadanie *sn* ↑ **podpadać**
podpajać *zob.* **podpoić**
podpalacz *sm*, **podpalacz|ka** *sf pl G.* **~ek** incendiary; **~ wojenny** war-monger
podpalać *vi imperf* — **podpalić** *v perf* [I] *vi* 1. (*rozniecać ogień*) to kindle the fire; to make <to light> the fire (in the stove) 2. (*wywoływać pożar*) to commit arson [II] *vt* 1. (*powodować zapalenie się*) to kindle <to set fire to> (**drzewo w piecu itd.** the wood in the stove etc.); to set (the wood in the stove) on fire 2. (*wzniecać pożar*) to set fire (**dom itd.** to a house etc.); to set (a house etc.) on fire 3. *przen.* to kindle (passions etc.); to set (a country etc.) ablaze 4. (*przypalać*) to burn (sugar etc.)
podpalanie *sn* (↑ **podpalać**) incendiarism; the starting of fires
podpalany [I] *pp* ↑ **podpalać** [II] *adj* (*o sierści*) bay
podpalenie *sn* (↑ **podpalić**) arson; fire-raising
podpalić *zob.* **podpalać**
podpał *sm G.* **~u** kindling-fuel; fire-lighter; (*drewno*) fire-wood
podpał|ka *sf pl G.* **~ek** 1. = **podpał** 2. (*rozpalanie ognia*) kindling the fire
podparci|e *sn* (↑ **podeprzeć**) support; prop; shore; **punkt ~a** fulcrum (of lever)
podpa|sać[1] *v perf* **~szę, ~sz** — **podpa|sywać** *v imperf* [I] *vt* to gird; to fasten [II] *vr* **~sać, ~sywać się** to gird oneself; to be girt; **~sać, ~sywać się rzemieniem** to buckle on a belt
podpasać[2] *zob.* **podpaść**[2]
podpasanie *sn* (↑ **podpasać**[1]) girdle
podpas|ka *sf pl G.* **~ek** 1. (*przewiązka*) girdle; band; fillet; (*przepaska podwiązująca*) suspender 2. *roln.* draining furrow
podpasły *adj* in flesh
podpasywać *zob.* **podpasać**
podpasz|e *sn pl G.* **~y** armpit
podpaść[1] *zob.* **podpadać**
podpa|ść[2] *v perf* **~sę, ~sie, ~sł, ~śli, ~siony** — **podpa|sać** *v imperf* [I] *vt* to feed up (a person, an animal) [II] *vr* **~ść, ~sać się** to feed up (*vi*)

podpatrywacz *sm* spy; Paul Pry
podpatrywać *zob.* **podpatrzyć**
podpatrywanie *sn* ↑ **podpatrywać**
podpatrz|eć *vt perf* **~y** = **podpatrzyć**
podpatrzenie *sn* 1. ↑ **podpatrzyć** 2. (*obserwacja*) observation 3. (*wyśledzenie*) espial; detection
podpatrzyć *vt perf* — **podpatrywać** *vt imperf* to spy; to pry (**coś** into sth); to peep (**kogoś, coś** at sb, sth); to espy; to detect
podpełz|ać *vi imperf* — **podpełz|nąć** *vi perf* **~ł** to creep up <to crawl up> (**do kogoś, czegoś, pod coś** to sb, sth)
podpełzanie *sn* ↑ **podpełzać**
podpełznąć *zob.* **podpełzać**
podpędz|ić *vt perf* **~ę, ~ony** — **podpędzać** *vt imperf* 1. (*podgonić*) to drive (cattle etc.) 2. (*nieco odpędzić*) to drive away (the enemy etc.) 3. (*przynaglić, przyśpieszyć*) to hasten
pod|piąć *vt perf* **~epnę, ~epnie, ~epnij, ~piął, ~pięła, ~pięty** — **podpinać** *vt imperf* 1. (*przypiąć*) to fasten; to pin; to hook; **~piąć, ~pinać kołdrę** to button a sheet on to a quilt 2. (*podgiąwszy zapiąć*) to tuck up 3. (*przybrać*) to trim 4. (*ściągnąć paskiem*) to strap; (*o wojskowym itd.*) **~piąć, ~pinać brodę** to wear one's chin strap 5. (*przepasać*) to gird
podpi|ć *vi perf* **~je** (*zw.* **~ć sobie**) to have a drink; to get tipsy <*pot.* tight>; **~ć sobie setnie** <**tęgo**> to have a good drink
podpie|c *vt perf* **~kę, ~cze, ~kł, ~czony** — **podpiekać** *vt imperf* to broil; to grill; to roast
podpiec|ek *sm G.* **~ka** fireside
podpiekać *zob.* **podpiec**
podpie|niek *sm G.* **~ńka** = **opieniek**
podpierać *vt imperf* 1. = **podeprzeć** 2. (*stanowić podporę*) to support
podpieranie *sn* ↑ **podpierać**
podpiersi|e *sn pl G.* **~**, **podpierśnik** *† sm* breast-band
podpierwiastkowa *sf* (*decl* = *adj*) *mat.* (*także* **liczba ~**) radicand
podpięcie *sn* (↑ **podpiąć**) trimming(s)
podpięt|ka *sf pl G.* **~ek** heel pad
podpiłować *vt perf* — **podpiłowywać** *vt imperf* 1. (*przepiłować niezupełnie*) to saw (sth) partly across 2. (*przepiłować od spodu*) to saw through (sth) at the base
podpinać *zob.* **podpiąć**
podpin|ka *sf pl G.* **~ek** 1. (*pod kołdrę*) sheet buttoned on to a quilt 2. (*ciepła podszewka*) detachable lining 3. (*rzemyk pod czapką*) chin-strap
podpis *sm G.* **~u** 1. (*napisane nazwisko*) signature; *handl.* **prawo ~u** proxy; **wzory ~ów** signature book; **bez ~u** unsigned; **dać na coś ~** to give one's consent <to subscribe> to sth 2. (*napis pod ilustracją*) caption; legend
podpi|sać *v perf* **~szę** — **podpi|sywać** *v imperf* [I] *vt* to sign; to subscribe (a picture etc.); to set one's name (**dokument** to a document); **~sać, ~sywać listę obecności** a) (*przy przyjściu*) to sign on <in> b) (*przy odejściu*) to sign off [II] *vr* **~sać, ~sywać się** 1. (*napisać swoje nazwisko*) to sign (*vi*) 2. *przen.* (*uznać za słuszne*) to endorse (**pod czymś** sth); to subscribe (**pod czymś** to sth)
podpisanie *sn* (↑ **podpisać**) signature (of a treaty etc.)

podpisany [I] *pp* ↑ **podpisać; ~ przez kogoś i zaopatrzony w pieczęć** given under sb's hand and seal [II] *sm* (*decl* = *adj*) (*zw.* **niżej ~**) the undersigned

podpisując|y *sm* (*decl* = *adj*) (*także* **strona ~a**) signatory

podpity *adj* tipsy; groggy; in wine; in one's cups; the worse for drink

podpiwnicz|yć *vt perf bud.* to build a cellar (**dom** under a house); **~ony** with <possessing> a cellar; provided with a cellar

podpłomyk *sm kulin.* (kind of) crude biscuit

podpły|nąć *vi perf* — **podpły|wać** *vi imperf* 1. (*zbliżyć się — o człowieku, rybie*) to swim up; (*o statku*) to sail up; (*o wioślarzu*) to row up; (*o statku*) **~nąć, ~wać do innego statku** to board a ship 2. (*dostać się pod spód*) to swim (**pod coś** under sth)

podpłynięcie *sn* ↑ **podpłynąć**

podpłytowy *adj* slabbed

podpływać *zob.* **podpłynąć**

podpływowy *adj geol.* gushing (spring)

podpo|ić *vt perf* **~ję, ~jony — podpajać** *vt imperf* to ply (sb) with drink; to intoxicate (sb)

podp|ora *sf pl G.* **~ór** 1. (*to, co podpiera*) support; prop 2. *przen.* (*ostoja*) mainstay; reliance 3. *techn.* shore; stanchion 4. *bud.* abutment; cantilever; rest; *górn.* puncheon; pillar; post

podporowy *adj* supporting; reinforcing

podporucznik *sm wojsk.* Second Lieutenant; *lotn.* Pilot Officer; *mar.* Sub-Lieutenant

podporządkow|ać *v perf* — **podporządkow|ywać** *v imperf* [I] *vt* to subordinate [II] *vr* **~ać, ~ywać się** to submit; to acquiesce <to conform> (**czemuś** to sth); to fall into line (**komuś, czemuś** with sb, sth); to toe the line

podporządkowanie *sn* (↑ **podporządkować**) subordination; **~ się** submission

podporządkowywać *zob.* **podporządkować**

podpowi|adać *vi imperf* — **podpowi|edzieć** *vi perf* **~em, ~e, ~edzą, ~edz, ~edział, ~edzieli, ~edziany** to prompt (**komuś** sb); **nie ~adać tam!** no prompting there!

podpowiadanie *sn* ↑ **podpowiadać**

podp|ór *sm G.* **~oru** rest

podpór|ka *sf pl G.* **~ek** 1. (*podstawka*) support; prop; stay-rod 2. *muz.* bridge 3. *techn.* bracket; *bud.* strut

podpórkowy *adj* = **podporowy**

podprawa *sf kulin.* seasoning

podprawiać *vt imperf* — **podprawić** *vt perf kulin.* to season (a dish)

podprawienie *sn* (↑ **podprawić**) seasoning (of food)

podprażać *vt imperf* — **podprażyć** *vt perf* to roast

podprefekt *sm hist.* sub-prefect

podprowadz|ić *vt perf* **~ę, ~ony — podprowadz|ać** *vt imperf* 1. (*zaprowadzić*) to take (sb) <to bring (sb, sth)> near (**do czegoś** sth) 2. (*odprowadzić*) to accompany (sb) <to keep (sb) company> part of the way; **~ę cię do przystanku autobusowego** I'll see you to the bus stop

podpuch|nąć *vi perf* **~ł, ~nięty** to swell a little; to show a little swelling; to be slightly swollen

podpuchnięcie *sn* (↑ **podpuchnąć**) slight swelling

podpuchnięt|y [I] *pp* ↑ **podpuchnąć** [II] *adj* swollen; **~e oczy** puffy eyes

podpułkownik *sm wojsk.* Lieutenant-Colonel; *lotn.* Wing-Commander

podpunkt *sm G.* **~u** sub-section

podpuszczać *zob.* **podpuścić**

podpuszcz|ka *sf pl G.* **~ek** *biol.* rennet

podpuszczkowy *adj* rennet — (casein etc.)

podpu|ścić *vt perf* **~szczę, ~szczony — podpuszczać** *vt imperf* 1. (*pozwolić podejść*) to allow (sb, sth) to come near <to approach>; to let (sb, sth) come near <approach> 2. *pot.* (*namówić*) to dare (**kogoś, żeby coś zrobił** sb to do sth); to talk (**kogoś, żeby coś zrobił** sb into doing sth)

podpytywać *vt imperf* — **podpytać** *vt perf* to sound (sb)

podrabiacz *sm* forger; falsifier

podrabiać *zob.* **podrobić**

podrabiany [I] *pp* ↑ **podrabiać** [II] *adj* sham; fake(d); fictitious; spurious; bogus

podrałować *vi perf sl.* to leg it

podrap|ać *v perf* **~ie** [I] *vt* to scratch [II] *vr* **~ać się** to scratch oneself; **~ać się w głowę <w plecy>** to scratch one's head <one's back>

podrapanie *sn* 1. ↑ **podrapać** 2. (*ślady*) scratches

podrapować *vt perf* to drape; to arrange in folds

podrasowany *adj* half-blooded

podr|astać *vi imperf* — **podr|osnąć** <**podr|óść**> *vi perf* **~ośnie, ~ósł, ~osła, ~ośli** to grow; *przen.* to increase

podrastanie *sn* (↑ **podrastać**) growth

podratować *vt perf* to succour; to give some measure of help; *pot.* to give (sb) a leg up

podrażać *vt imperf* — **podrożyć** *vt perf* to raise the cost (**coś** of sth)

podrażnić *vt perf* — **podrażniać** *vt imperf* 1. (*wywołać reakcję narządu*) to irritate 2. (*zdenerwować*) to irritate; to vex; to gall

podrażnienie *sn* (↑ **podrażnić**) irritation; vexation

podrażniony [I] *pp* ↑ **podrażnić** [II] *adj* irritated; vexed; sore

podrąb|ać *vt perf* **~ie — podrąbywać** *vt imperf* to hew off part (**drzewo** of a tree) at the base

podreperować *v perf* [I] *vt* to patch up; to repair; to mend [II] *vr* **~ się** 1. (*na zdrowiu*) to recover; to get better; to come round 2. (*materialnie*) to mend one's affairs

podreperowanie *sn* ↑ **podreperować**

podreptać *vi perf* = **dreptać**

podręcznik *sm* manual; (*szkolny*) school-book; textbook; handbook

podręcznikowy *adj* school-bookish

podręczn|y [I] *adj* ready to hand; hand — (luggage, *am.* baggage etc.); handy — (volume etc.); **biblioteka ~a** reference library; **kasa ~a** petty cash; till money [II] *sm* **~y** (*decl* = *adj*) apprentice

podręczyć *v perf* [I] *vt* to tease; to worry (sb) [II] *vr* **~ się** to worry (about sth)

podr|obić[1] *vt perf* **~ób — podrabiać** *vt imperf* 1. (*sfałszować*) to counterfeit; to imitate; to falsify; to forge; **~obić, ~abiać klucz** to make a false key 2. *perf* (*posunąć robotę*) to advance (one's work)

podrobić[2] *vt perf* = **drobić**

podrobienie *sn* (↑ **podrobić**) (a) counterfeit; imitation; falsification; forgery

podrobiony [I] *pp* ↑ **podrobić** [II] *adj* false; falsified; forged

podrobni|eć *vi perf* **~eje, ~ały** to lessen; to grow smaller

podrob|y *spl G.* **~ów** (*zwierząt rzeźnych*) pluck; (*drobiu*) giblets

podroczyć się *vr perf* = **droczyć się**

podrodzaj *sm G.* **~u** subgenus

podrodzina *sf* subfamily

podrosły *adj* half-grown

podrosnąć *zob.* **podrastać**

podrost *sm G.* **~u** brushwood; undergrowth

podrost|ek † *sm G.* **~ka** teen-ager; juvenile

podrośnięcie *sn* († **podrosnąć**) growth

podrozdział *sm G.* **~u** subsection

podrozdzielnia *sf techn.* sub-board

podrozjazdnica <**podrozjezdnica**> *sf kolej.* switch sleeper <tie timber>

podroż|ec *sm G.* **~ca** *zool.* (*Arion*) a slug

podroż|eć *vi perf* **~eje** to rise in price; to go up; to grow dearer; **węgiel ~ał o pięć złotych** coal has gone up by five zlotys

podrożenie *sn* († **podrożeć**) rise in price

podrożyć *v perf* [I] *zob.* **podrażać** [II] *vr* **~ się** to fuss

podrób|ka † *sf G.* **~ek** imitation; fake; counterfeit

podrób|ki *spl G.* **~ek** = **podroby**

podróść *zob.* **podrastać**

podrównikowy *adj* equatorial

podróż *sf pl N.* **~e** (*krótka*) trip; (*dalsza*) journey; (*daleka, morska*) voyage; (*krótka morska — od portu do portu*) crossing; passage; *pl* **~e** travelling, travels; **biuro ~y** travel office; **koszty ~y** travelling expenses; **mania ~y** fondness for travelling; **plan ~y** itinerary; **~ krajoznawcza** excursion; tour; **~ pociągiem** <**statkiem, samolotem**> journey by train <by boat, by plane>; **~ poślubna** honeymoon trip; **~ żaglowcem** (a) sail; **towarzysz ~y** travelling companion; fellow traveller; *wojsk.* **rozkaz ~y** marching orders; **w czasie ~y** on the way; en route; **szczęśliwej ~y!** happy <pleasant> journey!

podróżnicz|ek *sm G.* **~ka** *zool.* (*Luscinia svecica*) bluethroat

podróżnicz|ka *sf pl G.* **~ek** traveller

podróżnicz|y *adj* traveller's — (cheque etc.); travel — (sickness etc.); **literatura ~a** books of travel, travel books

podróżnik *sm* 1. (*podróżny*) traveller; voyager; wayfarer 2. *bot.* (*Cichorium*) chicory

podróżnikowy *adj bot.* chicory — (root etc.)

podróżny [I] *adj* travelling — (clothes etc.) [II] *sm* (*decl* = *adj*) traveller; voyager; *lit.* wayfarer

podróżomani|a *sf singt G.* **~i** wanderlust; fondness for travelling

podróżować[1] *vi imperf* to travel; **~ morzem** to voyage; **~ po morzach** to sail the seas; to navigate

podróżow|ać[2] *v perf* — **podróżow|ywać** *v imperf* [I] *vt* to rouge slightly (one's lips, cheeks) [II] *vr* **~ać, ~ywać się** to put on a little rouge

podróżowanie *sn* († **podróżować**) travelling; wayfaring; travels

podróżujący [I] *adj* travelling [II] *sm* (*decl* = *adj*) traveller; wayfarer

podrubryka *sf* subhead

podrudziały *adj* tinted with red; reddish

podrujnować *vt perf* to impair

podrumienić *v perf* [I] *vt* to roast <to bake> slightly brown [II] *vr* **~ się** to become slightly brown

podrwiwać *vi imperf* = **drwić**

podrwiwanie *sn* († **podrwiwać**) taunts; scoffs; gibes; jeers

podryg *sm G.* **~u** 1. (*drgnięcie*) convulsion; convulsive movement; *pot.* **ostatnie ~i** death pangs <throes, flurry> 2. (*podskok*) leap; skip

podrygiwać *vi imperf* 1. (*wykonywać drgające ruchy*) to make convulsive movements 2. (*podskakiwać*) to leap; to skip

podrygiwanie *sn* († **podrygiwać**) 1. (*drgające ruchy*) convulsive movements 2. (*podskoki*) leaps; skips

podrywacz *sm pot.* skirt chaser

podrywać *zob.* **poderwać**

podryw|ka *sf pl G.* **~ek** 1. (*sieć rybacka*) landing net; spoon-net 2. † (*zasadzka*) trap

podrz|ąd *sm G.* **~ędu** *bot. zool.* sub-order

pod|rzeć *v perf* **~rę, ~rze, ~rzyj, ~arł, ~arty** [I] *vt* 1. (*porwać na kawałki*) to tear up; (*poszarpać*) to tear to pieces 2. (*znosić, zużyć*) to wear out (one's clothes etc.) 3. † (*poranić*) to lacerate [II] *vr* **~rzeć się** 1. (*stać się zniszczonym*) to get worn out <threadbare, tottered> 2. *pot.* (*pokłócić się*) to fall foul (**z kimś** of sb)

podrzem|ać *vi perf* **~ie** to have <to take> a nap

podrzeń *sm bot.* (*Blechnum*) a tropical fern

podrzędnie *adv* subordinately; **traktować coś ~** to treat sth as a matter of secondary importance; *gram.* **zdanie złożone ~** subordinate clause

podrzędnik *sm język.* secondary element

podrzędność *sf singt* inferiority

podrzędny *adj* 1. (*drugorzędny*) secondary; subordinate; inferior; of lesser importance; second-rate 2. *gram.* subordinate (clause)

podrzuc|ać *v imperf* — **podrzuc|ić** *v perf* **~ę, ~ony** [I] *vt* 1. (*rzucać w górę*) to throw <to fling> up; to send (a ball etc.) up; to toss (**piłkę itd.** a ball etc.; **kogoś na kocu itd.** sb in a blanket etc.); **koń ~a głową** the horse tosses its head; **~ać dziecko na kolanach** to dance <to jump> a child on one's knees; (*o byku*) **~ić kogoś rogami w górę** to toss sb 2. (*dokładać*) to add (fuel to the fire etc.); to throw (sth to an animal etc.); *teatr* **~ać kwestię** <**tekst**> to prompt 3. (*przybliżyć coś do kogoś*) to pass <to toss> (**sth** to sb) 4. (*umieścić ukradkiem*) to put (sth somewhere) stealthily; to plant (sth) as evidence; **~ać, ~ić dziecko** to abandon <to expose> a baby 5. *pot.* (*dostarczać*) to deliver (**komuś pakunek itd.** a parcel etc. to sb); to let (sb) have (sth); (*podwozić*) to give (sb) a lift (**dokądś** to a place); **~ił mnie pod dom** he let me down at my door-step [II] *vi imp* **~a** one is jogged <jolted, jounced, bumped> [III] *vr* **~ać, ~ić się** to leap

podrzucany [I] *pp* † **podrzucać** [II] *adj* (*o bluzce itd.*) tucked-in

podrzucenie *sn* († **podrzucić**) (a) toss

podrzucić *zob.* **podrzucać**

podrzut *sm G.* **~u** 1. (*podrzucenie*) toss 2. (*podskok*) leap

podrzut|ek *sm G.* **~ka** waif; foundling

podrzynać *zob.* **poderżnąć**

podsad|ka *sf pl G.* **~ek** *bot.* stipule; bracteole

podsadnik *sm bot.* (*Splachnum*) a moss

podsadz|ać *v imperf* — **podsadz|ić** *v perf* **~ę, ~ony** [I] *vt* 1. (*podkładać*) to put <to place> (**coś pod czymś** sth under sth); **~ać, ~ić ogień pod coś** to set fire to sth 2. (*dźwigać kogoś*) to help (sb) up; to give (sb) a leg up <a hoist> 3. *górn.* to fill in (a worked-out area) [II] *vr* **~ać, ~ić się** to put one's shoulder <one's back> (**pod ciężar** under a load)
podsadzanie *sn* ↑ **podsadzić**
podsadzić *zob.* **podsadzać**
podsadz|ka *sf pl G.* **~ek** *górn.* filling; packing; **~ka płynna** <**sucha**> hydraulic <rock> filling
podsadzkarz *sm górn.* filler; packer; stower; gobber
podsadzkowy *adj górn.* filling (material)
podsądna *sf* (*decl* = *adj*) = **podsądny**
podsądny *sm* (*decl* = *adj*) *prawn.* defendant
podsceni|e *sn pl G.* **~** *teatr* mezzanine
podsekcj|a *sf G.* **~i** subsection
podsekretariat *sm G.* **~u** under-secretaryship
podsekretarz *sm* under-secretary; **~ stanu** Under--Secretary of State
podsercowy *adj* epigastric; **dołek ~** epigastric fossa
podsiarczyn *sm G.* **~u** *chem.* hyposulphite
podsiąk *sm G.* **~u** wet soil
podsiąkać *vi imperf* to ooze
podsiąkow|y *adj roln.* **nawodnienie ~e** irrigation by infiltration
podsieni|e *sn pl G.* **~** porch
podsiębierny *adj techn.* undershot (mill wheel)
podsiębit|ka *sf pl G.* **~ek** *bud.* ceiling; soffit boards
podsięk *sm* = **podsiąk**
podsięwodny *adj* = **podsiębierny**
podsiniacz|yć *vt perf pot.* to bruise; **z ~onym okiem** with a black eye
podsini|ć *vt perf* to give a bluish <livid> tint (**coś** to sth); **~ony** bluish; livid
podsinienie *sn* 1. ↑ **podsinić** 2. (*siniak*) bruise
podsiwi|eć *vi perf* **~eje** to grow a little grey; **~ały** greyish
podskakiewicz *sm pot.* toady; *przen.* spaniel
podskakiwać *zob.* **podskoczyć**
podskakiwanie *sn* (↑ **podskakiwać**) jumps; leaps; bounds; (*pojazdu*) jolts; jumble
podskalny *adj* rock-clad
podskarbi *sm* (*decl* = *adj*) *pl N.* **~owie** *hist.* Treasurer
podskoczenie *sn* (↑ **podskoczyć**) leap; jump; spring
podsk|oczyć *vi perf* — **podsk|akiwać** *vi imperf* 1. (*skacząc unieść się w górę*) to jump up; to leap; to hop; to skip; to gambol; to caper; to frisk; (*o piłce*) to bounce; (*z przestrachu*) to start; **~oczyć, ~akiwać z radości** to jump for joy; **serce mi ~oczyło** my heart leapt into my mouth 2. (*o cenach, temperaturze itd.* — *pójść w górę*) to run up; to soar; (*o walucie itd.*) to jump up; **ceny ~oczyły** there was a jump in the prices 3. (*przybliżyć się podskokiem*) to run up (to sb) 4. *imperf* (*o koniu*) to prance 5. *imperf* (*o pojeździe*) to jolt; to bounce; to joggle
podskok *sm G.* **~u** jump; leap; hop; skip; (*z przestrachu*) start; (*pojazdu*) jolt; (*konia*) prance; (*piłki*) bounce; *pl* **~i** (*brykanie*) gambols; capers; **sunąć w ~ach** to leap along; **zbliżyć się** <**podejść**> **w ~ach** to approach with alacrity
podskórnia *sf bot.* subcutis
podskórnie *adv* subcutaneously; hypodermically
podskórn|y *adj* subcutaneous; hypodermic (injection etc.); *geol.* **woda ~a** subsoil water
podskórz|e *sn pl G.* **~y** *anat.* subcutis
podskrob|ać *vt perf* **~ie** — **podskrobywać** *vt imperf* to scratch
podskrobanie *sn* 1. ↑ **podskrobać** 2. (*miejsce podskrobane*) erasure
podskrobywać *zob.* **podskrobać**
podskub|ać *vt perf* **~ie** — **podskub|ywać** *vt imperf* 1. (*wyrwać*) to pluck (a fowl); **~ać, ~ywać gęś** to pluck a goose's down; *przen.* **~ać, ~ywać kogoś** to fleece sb 2. (*o koniu, krowie itd.*) to browse (grass etc.) 3. (*szarpać*) to tug (**wąsa** at one's moustache) 4. *wulg.* (*uszczypnąć*) to pinch (a wench)
podskubanie *sn* ↑ **podskubać**
podskubywać *zob.* **podskubać**
podsłuch *sm G.* **~u** 1. (*podsłuchiwanie*) eavesdropping 2. (*rzecz podsłuchana*) overheard piece of news <rumour> 3. *telegr.* wire-tapping; *telef.* listening in
podsłuchać *vt perf* to overhear
podsłuchanie *sn* ↑ **podsłuchać**
podsłuchiwać *v imperf* [I] *vt* to tap (a telegraph wire); to intercept (messages) [II] *vi* to eavesdrop; *telef.* to listen in
podsłuchow|y *adj* **aparat ~y** geophone; acoustic detecting apparatus; **przyrząd ~y** tapping device; *wojsk. lotn.* **instalacja ~a** overhearing plant
podsmalać *vt imperf* — **podsmalić** *vt perf* 1. (*podpalać*) to scorch 2. (*czernić*) to blacken with smoke <with soot>
podsmalenie *sn* ↑ **podsmalić**
podsmarować *vt perf* — **podsmarowywać** *vt imperf* to put on a little grease; to oil
podsmaż|ać *v imperf* — **podsmaż|yć** *v perf* [I] *vt* to fry (sth); to jump (potatoes) [II] *vr* **~ać się** to be frying; **~yć się** to fry (*vi*)
podstacj|a *sf G.* **~i** *techn.* substation
podstarzały *adj* elderly; oldish; advanced in years; **dobrze ~** well on in years
podstarz|eć *vi perf* **~eje, ~ały** to advance in years
podstaw|a *sf* 1. (*dolna część*) base; basis; foundation; *techn.* bedplate; mount; footing; rest; **~y** (**znajomości itd.**) essentials; rudiments; **~y nauki** the elements of learning; *meteor.* **~a chmur** cloud base; *anat.* **~a czaszki** base of the skull; **pęknięcie ~y czaszki** fracture of the skull 2. *przen.* (*zasada*) principle; base; basis; **~a do czegoś** cause <reason, ground, warrant> for sth; **~a złego** the root of an evil; **dać ~ę do (zrobienia) czegoś** to warrant (doing) sth; **mieć ~ę do zrobienia czegoś** to have good reason <every reason> for doing sth; to be warranted <justified> in doing sth; **nie ma ~ do ...** there is no foundation for ...; **na ~ie czegoś** on the ground(s) <in virtue> of sth; **nie bez ~** not without reason 3. *mat.* radix; **~a potęgi** the base number; **~a trójkąta** the base of a triangle
podstawczak|i *spl G.* **~ów** *bot.* (*Basidiomycetes*) (*klasa*) the basidiomycetes
podstaw|ek *sm G.* **~ka** 1. (*podpórka grającego na skrzypcach*) chin rest 2. (*mostek u skrzypiec itd.*) bridge

podstawi|ać *vt imperf* — **podstawi|ć** *vt perf* 1. (*umieszczać*) to put <to place> (**coś pod coś** sth under sth); to hold (**garnek <ręce itd.> pod kurek itd.** a pot <one's hands etc.> under the tap etc.) 2. (*podsuwać*) to push (**coś komuś** sth to sb); to offer <to proffer, to present> (**coś komuś** sth to sb); **~ać, ~ć komuś nogę** to trip sb up 3. (*dostawiać*) to bring (a horse, motor-car etc.) round (**komuś** for sb) 4. (*zastępować, zamieniać*) to substitute (**kogoś, coś w miejsce kogoś, czegoś** sb, sth for sb, sth); **~ony** supposititious

podstawienie *sn* (↑ **podstawić**) (*zamiana, zastępstwo*) substitution

podstaw|ka *sf pl G.* **~ek** 1. (*to, na czym coś stoi*) support 2. (*spodek*) saucer 3. (*część grzyba*) basidium 4. *bud.* (*podstopień schodka*) r(a)iser 5. *muz.* = **podstawek 2.** 6. *techn.* stand; stillage

podstawkow|y *adj bot.* **porosty ~e** (*Basidiolichenes*) the basidiolichens; **zarodniki ~e** basidiospores

podstawnik *sm chem.* substituent

podstawow|y *adj* 1. (*zasadniczy*) basic; fundamental; essential; primordial; pivotal; basal; **~y towar eksportowy (kraju)** staple product (of a country); **Podstawowa Organizacja Partyjna** Basal Party Organization (of the Polish United Workers' Party); **szkoła ~a** elementary school; *jęz.* **temat ~y** stem; **wyraz ~y** radical 2. (*dotyczący podstawy*) basal 3. (*elementarny*) rudimental; elementary

podstąp|ić *vi perf* **~** — **podstępować** *vi imperf* to come up (**pod mury miasta itd.** to the city walls etc.)

podstąpienie *sn* (↑ **podstąpić**) approach

podstemplować *vt perf* — **podstemplowywać** *vt imperf* 1. *bud.* (*podeprzeć*) to pin; to prop; to underpin; to underprop 2. (*odcisnąć pieczątkę*) to stamp (a document)

podstemplowanie *sn* ↑ **podstemplować**

podstęp *sm G.* **~u** ruse; stratagem; trick; piece of deceit; cunning devices

podstępnie *adv* craftily; guilefully; deceitfully; captiously

podstępność *sf singt* craftiness; guile; deceitfulness; captiousness

podstępny *adj* 1. (*o człowieku*) crafty; guileful; deceitful; captious; scheming 2. (*o planie itd.*) insidious

podstępować *zob.* **podstąpić**

podstoli *sm* (*decl* = *adj*) *hist.* Lord High Steward

podstołeczny *adj* (*o ludziach*) living <(*o terenach itd.*) lying> in the vicinity of the capital

podstop|ień *sm G.* **~nia, podstopnica** *sf bud.* r(a)iser

podstr|oić *vt perf* **~oję, ~ój, ~ojony** — **podstrajać** *vt imperf* to tune (an instrument)

podstrojenie *sn* (↑ **podstroić**) tuning (an instrument)

podstrunnik *sm muz.* neck (of a violin etc.)

podstrzelić *vt perf* to wound (an animal at a shooting party)

podstrzesz|e *sn pl G.* **~y** 1. (*poddasze*) attic 2. (*wystająca część strzechy*) eaves

podstrzy|c *v perf* **~gę, ~że, ~gł, ~żony** — **podstrzy|gać** *v imperf* [I] *vt* to trim (the hair) [III] *vr* **~c, ~gać się** to have one's hair trimmed

podstrzyżenie *sn* (↑ **podstrzyc**) (a) trim

podstudi|o *sn pl G.* **~ów** subsidiary studio

podstyczna *sf* (*decl* = *adj*) *mat.* subtangent

podsufit|ka *sf pl G.* **~ek** = **podsiębitka**

podsufitowy *adj* ceiling — (board etc.)

podsumować *vt perf* — **podsumowywać** *vt imperf* 1. (*dodać*) to add <to sum, to cast> up 2. (*streścić*) to sum up; to recapitulate

podsumowanie *sn* (↑ **podsumować**) recapitulation

podsu|nąć *v perf* **~nę, ~nie, ~nięty** — **podsuwać** *v imperf* [I] *vt* 1. (*umieścić*) to push <to shove> (**coś gdzieś** sth somewhere; **coś pod stół itd.** sth under the table etc.); to slip (**coś gdzieś** sth somewhere; **coś komuś do ręki <do kieszeni>** sth into sb's hand <pocket>); (*przybliżyć* — *fotel itd.*) to draw (sth) near (**komuś** for sb); **~nąć, ~wać w górę** to push up; *przen.* **~nąć, ~wać komuś coś pod oczy <nos>** to put sth under sb's nose; **~nąć, ~wać komuś odpowiedź** to prompt sb with an answer; **~nąć, ~wać komuś pomocnika itd.** to find sb a helper etc.; **~nąć ~wać myśl o czymś** to give (sb) to suppose <to believe> sth; **~nąć, ~wać pomysł komuś** to put an idea into sb's head 2. *przen.* (*poddać*) to offer (sb sth); to advance <to set forth> (an opinion, a project etc.) 3. (*włożyć ukradkiem*) to put (sth somewhere) stealthily; to plant (sth) as evidence 4. (*przypisać*) to impute (sth to sb) [III] *vr* **~nąć, ~wać się** to approach <to creep up to> (**pod coś** sth)

podsunięcie *sn* (↑ **podsunąć**) 1. (*poddanie myśli*) suggestion 2. (*przypisanie*) imputation

podsurowiczy *adj med.* subserous

podsusz|ać *vt imperf* **~ę** — **podsuszyć** *vt perf* to make <to get> (sth) partly dry; to rid (sth) of part of the moisture

podsuszanie *sn* ↑ **podsuszać**

podsuszka *sf singt roln.* a disease of corn stems

podsuszyć *zob.* **podsuszać**

podsuwanie *sn* ↑ **podsuwać**

podsuwny *adj techn.* **ruszt ~** underfeed stoker

podsycać *vt imperf* — **podsyc|ić** *vt perf* **~ę** 1. † (*dodawać*) to add; *obecnie w zwrotach:* **~ać, ~ić ogień** to feed the fire; *dosł. i przen.* to fan the flame 2. *przen.* (*potęgować*) to fan (passions, a quarrel etc.); to envenom <to embitter> (a quarrel etc.)

podsycenie *sn* ↑ **podsycić**

podsychać *zob.* **podeschnąć**

podsycić *zob.* **podsycać**

podsygnować *vt perf* to initial (a document etc.)

podsyłać *zob.* **podesłać**[1]

podsyp|ać *vt perf* **~ie, ~** — **podsyp|ywać** *vt imperf* to strew (**piasku itd.** some sand etc.); to sprinkle (**coś cukrem, solą** sth with sugar, salt etc.); **~ać, ~ywać łopatę żaru** to throw a shovelful of burning coals; **~ać, ~ywać panewkę <strzelbę>** to prime (a firelock); **~ać, ~ywać szaniec** to raise the level of a rampart

podsypanie *sn* ↑ **podsypać**

podsyp|ka *sf pl G.* **~ek** 1. (*pod torem kolejowym*) ballast; (*pod nawierzchnią drogi*) sub-crust 2. *bud.* filling 3. † (*proch sypany na panewkę*) priming

podsypywać *zob.* **podsypać**

podsystem *sm G.* **~u** *astr.* subsystem

podszańcować się *vr perf* — **podszańcowywać się** *vr imperf* to entrench oneself

podszargać *vt perf* to soil; to spatter with mud; *przen.* **~ komuś opinię** to damage sb's reputation

podszczucie *sn* (↑ **podszczuć**) *przen.* (*podjudzenie*) incitement; instigation

podszczu|ć *vt perf* **~je, ~ty — podszczuwać** *vt imperf* to set (**psa na kogoś** a dog on sb); *przen.* (*podjudzić*) to incite <to instigate> (**kogoś na kogoś** sb against sb)

podszczuwacz *sm* instigator; fire-brand

podszczuwać *zob.* **podszczuć**

podszczyp|ać *vt perf* **~ie, podszczypnąć** *vt perf* — **podszczypywać** *vt imperf* to pinch

podszczytowy *adj* situated near the summit <top, peak>

podszepn|ąć *vt perf* **~ięty — podszeptywać** *vt imperf* 1. (*podpowiedzieć*) to prompt (**komuś odpowiedź itd.** sb with an answer etc.) 2. (*doradzić*) to whisper (sth) into sb's ear; to hint <to insinuate> (sth to sb)

podszept *sm G.* **~u** prompting; suggestion; incitement; instigation; insinuation; **za czyimś ~em** at <by> sb's instigation; at <by, on, under> sb's advice

podszeptywać *zob.* **podszepnąć**

podszew|ka *sf pl G.* **~ek** lining; **bez ~ki** unlined; **dać nową ~kę** to reline; **dać ~kę pod płaszcz** to line a coat; *przen.* **znać coś od ~ki** to have inside information of sth

podszewkow|y *adj* **materiały ~e** linings

podszkliwny *adj* underglaze (colours, painting etc.)

podszk|olić *vt perf* **~ól** to give (sb) an elementary education; to teach (sb) the rudiments (**w matematyce itd.** of mathematics etc.)

podszybi|e *sn pl G.* **~** *górn.* shaft station <bottom>; pit bottom

podszycie *sn* 1. (↑ **podszyć**) 2. (*to, co jest podszyte*) lining 3. (*krzewy pod drzewostanem*) brushwood 4. (*najniższa warstwa roślin w lesie*) undergrowth 5. **~ się** impersonation; *prawn.* (false) personation

podszy|ć *v perf* **~je, ~ty — podszy|wać** *v imperf* [I] *vt* 1. (*dać podszewkę*) to line (a garment) 2. (*wykończyć*) to sew on the lining (**płaszcz itd.** of an overcoat etc.) [II] *vr* **~ć, ~wać się** to impersonate; *prawn.* to pretend to be <to personate> (**pod kogoś** sb)

podszyt *sm G.* **~u** *leśn.* brushwood

podszytow|y *adj* brushwood — (vegetation etc.); **rośliny ~e** underwood; understorey vegetation

podszyty [I] *pp* ↑ **podszyć** [II] *adj* (*o lesie*) undergrown; (*o człowieku*) **lisem ~** cunning; **tchórzem ~** chicken-hearted; funky; (*o płaszczu*) **wiatrem ~** light <thin> (overcoat)

podszywać *vt imperf* 1. *zob.* **podszyć** 2. (*być podszewką*) to be the lining (**coś** of sth) 3. (*stanowić podszycie*) to form the undergrowth (**las** of a forest)

podścielać *v imperf* — **podścielić** *v perf* = **podesłać**[2]

podściół|ka *sf pl G.* **~ek** 1. (*to, co podesłane*) bed (of leaves, moss etc.); *anat.* **~ka tłuszczowa** fatty layer 2. (*w stajni, oborze*) litter

podśmiechiwać się *vr imperf pot.* to sneer (**z kogoś, czegoś** at sb, sth); to make fun <sport> (**z kogoś, czegoś** of sb, sth)

podśmietanie *sn singt* sour <curdled> milk

podśmiewać się *vr imperf* to scoff (**z kogoś, czegoś** at sb, sth)

podśnieżny *adj* lying <hidden> under the snow

podśpiewywać *vt imperf* (*także* **~ sobie**) to hum (a tune etc.)

podśpiewywanie *sn* ↑ **podśpiewywać**

podświadomie *adv* subconsciously

podświadomość *sf singt* subconsciousness; the subconscious

podświadomy *adj* subconscious

podświetlać *vt imperf* — **podświetlić** *vt perf* to light from underneath <from below>

podtaczać *zob.* **podtoczyć**

podtapiać *zob.* **podtopić**

podtarcie *sn* ↑ **podetrzeć**

podtatusiały *adj* of ripe years; past one's prime

podtekst *sm G.* **~u** implied meaning

podtlen|ek *sm G.* **~ku** *chem.* suboxide

podt|oczyć *v perf* — **podt|aczać** *v imperf* [I] *vt* 1 (*podsunąć*) to roll <to wheel> (sth) up 2. (*obtoczyć*) to turn (sth) on the lathe 3. (*poostrzyć*) to grind 4. (*o robakach — podgryźć*) to eat their way (**coś** into sth) [II] *vr* **~oczyć, ~aczać się** 1. (*podsunąć się*) to roll (**pod coś** up to sth) 2. *przen.* (*o człowieku*) to lumber up

podtopić *vt perf* — **podtapiać** *vt imperf* 1. (*zatopić*) to flood 2. (*rozpuścić*) to melt partly (some butter etc.); to get (butter etc.) partly melted

podtorz|e *sn pl G.* **~y** road-bed

podtru|ć *vt perf* **~je, ~ty — podtruwać** *vt imperf* to give some poison (**kogoś** to sb)

podtrzymać *zob.* **podtrzymywać**

podtrzym|ka *sf pl G.* **~ek** *techn.* holding-up tool

podtrzymywacz *sm* support; (*u rynny*) gutter bearer; (*przy rurach*) saddle

podtrzym|ywać *v imperf* — **podtrzym|ać** *v perf* [I] *vt* 1. (*chronić od upadku*) to support; to hold up; to keep up; to sustain; to bear 2. *przen.* (*krzepić moralnie*) to buoy (sb) up; to keep up (**kogoś** sb's spirits) 3. *przen.* (*popierać*) to back up; to give one's backing (**kogoś, coś** to sb, sth) 4. (*być podporą*) to support; to sustain; to prop 5. (*nie dać ustać, naruszyć*) to maintain (a claim etc.); to keep up (the singing etc.); **~ywać, ~ać ogień** to feed the fire; to keep the fire burning; **~ywać, ~ać postanowienie** to uphold a decision; **~ywać, ~ać rozmowę** to maintain the conversation; *przen.* to keep the pot boiling <the ball rolling>; **~ywać, ~ać tradycję** to uphold <to preserve> a tradition; to keep a tradition alive [II] *vr* **~ywać, ~ać się** to lean (**laską itd.** on a cane etc.)

podtrzymywanie *sn* (↑ **podtrzymywać**) (a) support; (a) prop

podtuczenie *sn* ↑ **podtuczyć**

podtuczyć *vt perf* — **podtuczać** *vt imperf* to feed up (an animal)

podtul|ić *vt perf* **~ę — podtul|ać** *vt imperf* to draw in (one's legs); (*o psie*) **z ~onym ogonem** with its tail between its legs

pod|tykać *vt imperf* — **pod|etkać** *vt perf*, **pod|etknąć** *vt perf* 1. (*podsuwać*) to shove; *pot.* **~tykać, ~etkać, ~etknąć komuś coś pod nos** to put sth under sb's nose 2. (*podsuwać do jedzenia*) to press (**komuś** sb) to eat

podtykanie *sn* ↑ **podtykać**

podtyp *sm G.* **~u** *bot. zool.* subtype

podtytuł *sm G.* **~u** sub-title; sub-heading
poducha *sf augment* ↑ **poduszka**
poducz|yć *v perf* — **poducz|ać** *v imperf* [I] *vt* to teach (sb) the rudiments (**czegoś** of sth); to give (sb) initial instruction (**czegoś** in sth) [II] *vr* **~yć, ~ać się** to learn the rudiments; to acquire a smattering; *pot.* to pick up a little (**francuskiego, angielskiego itd.** French, English etc.)
podudzi|e *sn pl G.* **~** *anat.* shank
podumać *vi perf* 1. (*dumać*) to muse; to meditate; to reflect 2. (*zastanowić się*) to consider (**nad czymś** sth); to give (**nad czymś** sth) a thought 3. (*marzyć*) to dream
podupa|dać *vi imperf* — **podupa|ść** *vi perf* **~dnę, ~dnie, ~dnij, ~dł, ~dły** 1. (*chylić się ku upadkowi*) to deteriorate; to fall into decay; to decline 2. (*ubożeć*) to fall into poverty; to come down in the world 3. *† (słabnąć)* to weaken; **on ~da na zdrowiu** his health is declining
podupadły *adj* 1. (*o człowieku*) impoverished; in straitened circumstances 2. (*o obiekcie*) deteriorated; dilapidated
podupadnięcie *sn* (↑ **podupaść**) deterioration; decay
podupaść *zob.* **podupadać**
podu|sić *v perf* **~szę, ~szony** [I] *vt* 1. (*zadusić*) to throttle; to strangle 2. *kulin.* to stew [II] *vr* **~sić się** 1. (*ulec uduszeniu*) to suffocate; to choke 2. (*podusić siebie wzajemnie*) to choke one another 3. *kulin.* to stew (*vi*)
podusta *sf zool.* (*Chondrostoma nasus*) a cyprinid
poduszczać *vt imperf* — **poduszczyć** *vt perf* to incite; to instigate
poduszczeni|e *sn* (↑ **poduszczyć**) incitement; instigation; **z ~a czyjegoś, za czyimś ~em** at sb's instigation; instigated by sb
poduszczyć *zob.* **poduszczać**
poduszecz|ka *sf pl G.* **~ek** *dim* ↑ **poduszka**
podusz|ka *sf pl G.* **~ek** 1. (*część pościeli*) pillow; (*na kanapie, fotelu*) cushion; **~ka elektryczna** warming cushion; **~ka gumowa** aircushion; **książka do ~ki** bedside book; **czytać do ~ki** to read in bed 2. (*przy chomącie*) pad 3. (*do zwilżania pieczątek*) ink-pad 4. *mar. techn.* cushion; pad 5. *bud.* bolster; (*fundamentowa*) foundation mat 6. *anat.* ball (of the thumb); **~ki palców** finger tips
poduszkowaty *adj* 1. (*podobny do poduszki*) cushiony; cushion-like 2. *bud.* pulvinated 3. *bot.* pulvinate
poduszkow|iec *sm G.* **~ca** hovercraft
poduszkow|y *adj* cushion _ (texture, shape etc.); **materac ~y** bolster; **rośliny ~e** cushion plants
podwabi|ć *vt perf* **~** — **podwabiać** *vt imperf myśl.* to entice; to lure
podw|ajać *v imperf* — **podw|oić** *v perf* **~oję, ~ój, ~ojony** [I] *vt* to double; to increase (sth) twofold; to duplicate; to reduplicate; *przen.* **~ajać, ~oić wysiłki** to redouble one's efforts [II] *vr* **~ajać, ~oić się** to double (*vi*); to increase (*vi*) twofold
podwajanie *sn* (↑ **podwajać**) reduplication
podwal|e *sn pl G.* **~i** rampart slopes; the foot of the ramparts
podwalin|a *sf* 1. (*belka*) ground beam <sill, plate> 2. *przen.* (*podstawa*) foundation(s); substructure; **położyć ~y pod coś** to lay the foundations of sth; to initiate sth
podwalny *adj*, **podwałowy** *adj* lying at the foot of the ramparts
podwatować *vt perf* to wad; to pad; to line with wadding; to quilt
podwawelski *adj* lying at the foot of Wawel Hill; Cracovian
podważ|ać *vt imperf* — **podważ|yć** *vt perf* 1. (*podnosić*) to lever; **~ać, ~yć wieko** to prize open a lid, to prize a lid open 2. *przen.* (*osłabiać*) to shake (an opinion, a theory etc.); to impair (sb's authority etc.)
podważenie *sn* ↑ **podważyć**
podwędz|ić *vt perf* **~ę** — **podwędzać** *vt imperf* 1. (*poddać wędzeniu*) to smoke (fish etc.) 2. *sl.* (*ukraść*) to pinch
podwiatrowy *adj* windward
podwią|zać *vt perf* **~że** — **podwiązywać** *vt imperf* 1. (*przywiązać*) to tie; to bind up 2. (*przypasać*) to undergird 3. *med.* to secure (an artery); to ligate (a vein etc.)
podwiązanie *sn* (↑ **podwiązać**) *med.* ligature
podwiąz|ka *sf pl G.* **~ek** 1. (*opaska elastyczna*) garter; suspender; **Order Podwiązki** the (Order of the) Garter 2. *med.* ligature
podwiązywać *zob.* **podwiązać**
podwieczor|ek *sm G.* **~ka** <**~ku**> (five o'clock) tea; afternoon snack
podwielokrotny *adj mat.* submultiple; aliquot
podwie|sić *vt perf* **~szę, ~szony** — **podwieszać** *vt imperf* to suspend; to sling; *techn.* to undersling
podwieszeni|e *sn* (↑ **podwiesić**) suspension; *techn.* hanger; (*w spadochronie*) **linka ~a** rigging line
podwiesz|ka *sf pl G.* **~ek** sling; suspensory
podwietrzny *adj* windward
podwi|ewać *v imperf* — **podwi|ać** *v perf* **~eje** [I] *vt* to raise (skirts etc.) [II] *vi* 1. (*wiać od spodu*) to blow from underneath 2. (*wiać od czasu do czasu*) to blow in gusts ‖ **~ało mnie** I (have) caught a chill [III] *vr* **~ewać, ~ać się** (*o spódnicy, sukni*) to bulge; to bag
podwiezienie *sn* (↑ **podwieźć**) lift (given in one's car etc.)
podwi|jać *v imperf* — **podwi|nąć** *v perf* **~nięty** [I] *vt* 1. (*zwijać w górę*) to tuck up (one's skirt etc.); to turn up (one's trouser legs); to roll up (one's sleeves) 2. (*chować pod siebie*) to tuck <to draw up> (**nogi pod siebie** one's legs under one); (*o psie*) **z ~niętym ogonem** with its tail between its legs [II] *vr* **~jać, ~nąć się** to creep up
podwinięcie *sn* ↑ **podwinąć**; *med.* **~ rzęs** trichiasis
podwładny [I] *adj* subordinate (**komuś** to sb); inferior [II] *sm* (a) subordinate
podwłosi|e *sn pl G.* **~** undercoat (of an animal)
podw|oda *sf pl G.* **~ód** horse and cart
podwodnie *adv* under water
podwodn|y *adj* under-water (table, camera etc.); submarine (volcano etc.); subaqueous <subaqueous> (exploration etc.); submerged (plant, reef etc.); **łódź ~a** a) (*angielska i innych krajów*) submarine b) (*niemiecka z II wojny światowej*) U-boat; **skała ~a** reef; shoal
podwoić *zob.* **podwajać**
podwo|je *spl G.* **~i** *lit.* gate; (double) door; *przen.* **otwierać komuś <przed kimś> ~je** to open the door wide for sb

podwojenie *sn* (↑ **podwoić**) (re)duplication; doubling; *gram.* gemination (of a sound or letter)

podworski *adj* formerly belonging to the manor

podw|ozić *vt imperf* **~ożę, ~oź, ~ożony — podw|ieźć** *vt perf* **~iozę, ~iezie, ~iózł, ~iozła, ~ieźli, ~ieziony** 1. (*wieźć kogoś część drogi*) to give (sb) a lift <a ride>; **~ozić, ~ieźć kogoś do domu** to drop sb at his doorstep 2. (*dostarczać*) to supply; to provide (**coś komuś** sb with sth)

podwozi|e *sn pl G.* **~** *aut.* chassis; *lotn.* under-carriage; landing-gear; *kolej.* running-gear; **~e chowane <stałe>** retractable <fixed> under-carriage

podwożenie *sn* (↑ **podwozić**) supply (of materials etc.)

podw|ódz *sm G.* **~odza** *pl N.* **~odzowie** subchief

podw|ój *sm G.* **~oja <~oju>** *zool.* (*Mesidotea entomon*) an aquatic crustacean

podwójnie *adv* 1. (*dwukrotnie*) twice; (*w dwójnasób*) doubly; double; **płacić <widzieć> ~** to pay <to see> double; **złożyć arkusz ~** to fold a sheet in two 2. (*dwojako*) twofold; in two different ways

podwójność *sf singt* doubleness; duplicity

podwójn|y *adj* 1. (*złożony z dwóch części*) double (bed, chin, letter, negative, window etc.); duplex (lamp, telegraphy etc.); *bot. zool.* geminate; *gram.* dual (number); *mat.* binary (coordinates etc.); *tenis* **gra ~a** doubles; *astr.* **gwiazda ~a** double star; *kolej.* **~a kolej** double-track railway; *księgow.* **~a księgowość** double-entry system of book-keeping; *fiz.* **~e załamanie (promieni)** double refraction; **topór ~y** double <two-edged> axe; **osiągnąć ~y cel** to kill two birds with one stone; *przen.* **~a gra** double-dealing; **~e życie** double life 2. (*wzmożony*) twofold; redoubled; twice as large <long, thick etc.>

podwór|ko *sn pl G.* **~ek** *dim* ↑ **podwórze**; *przen.* **na własnym ~ku** under one's vine and fig tree; within one's bailiwick; **przyjść na czyjeś ~ko** to come round to sb's way of thinking

podwórz|e *pl G.* **~y** (court)yard; court; back-yard; **~e gospodarskie** farmyard; barn-yard; poultry-yard; **na ~u** in the open air; (*pokój, mieszkanie*) **od ~a** back (room, apartment)

podwórzowy *adj* courtyard — (games etc.); **grajek ~** street musician; **pies ~** watch-dog

podwóz|ka *sf pl G.* **~ek** *reg.* lift (given in one's car etc.)

podwyż|ka *sf pl G.* **~ek** rise <raise> (**płac** in wages, in pay); increase (**cen** in prices)

podwyższ|ać *v imperf* — **podwyższ|yć** *v perf* I *vt* 1. (*czynić wyższym*) to raise; to heighten; to elevate; *muz.* to inflect (a note) 2. (*podnosić wynagrodzenie, cenę*) to raise (sb's wages, one's prices) 3. (*powiększać, wzmagać*) to increase; to enhance; to intensify; to step up; to accentuate; **~ać, ~yć wymagania** to raise one's demands II *vr* **~ać, ~yć się** to rise

podwyższenie *sn* 1. (↑ **podwyższyć**) rise; increase; elevation 2. (*estrada*) dais; platform

podwyższyć *zob.* **podwyższać**

podykt|ować *vt perf* 1. (*powiedzieć, co piszący ma notować*) to dictate; *przen.* **poczynanie ~owane przez rozsądek** a course dictated by reason; **serce <rozum> ~uje ci co robić** your heart <common sense> will tell you what to do 2. (*nakazać*) to dictate; to impose (**coś komuś** sth on sb); to prescribe

podyluwialny *adj* post-diluvial

podyma *sf reg.* sway-bar

podymne *sn* (*decl = adj*) *hist.* hearth-tax

podyskutować *vi perf* to discuss; to talk

podzamcz|e *sn pl G.* **~y** homesteads lying at the foot of a castle

podzamkowy *adj* 1. (*znajdujący się w pobliżu zamku*) lying at the foot of the castle 2. (*mieszczący się pod zamkiem*) lying under the castle walls

podzelować *vt perf* to re-sole (shoes)

podzelowanie *sn* 1. ↑ **podzelować** 2. (*zelówki*) soles

podzesp|ół *sm G.* **~ołu** *L.* **~ole** *techn.* sub-assembly

podzi|ać *v perf* **~eje — podzi|ewać** *v imperf* I *vt* to put <to leave> (sth) somewhere; to mislay; **gdzieś ~ałem książkę** I've mislaid my book; **gdzieś ty ~ał moje pióro?** where have you put my pen?; what have you done with my pen?; **nie wie, gdzie ręce ~ać** he does not know what to do with his hands II *vr* **~ać, ~ewać się** 1. (*znaleźć schronienie*) to find shelter; **gdzie ja się ~eję?** where am I to go?; what shall I do with myself?; **gdzie się on ~ewa?** what has become of him?; where has he gone?; **nie mam się gdzie ~ać** I have nowhere to go; I am homeless 2. (*zawieruszyć się*) to get lost; to vanish; to disappear; **gdzie się to ~ało?** where has it got to?

podzia|ł *sm G.* **~łu** *L.* **~le** 1. (*podzielenie*) division; partition; fragmentation; partitioning; section; *szk.* **~ł godzin** time-table; *am.* schedule; **~ał pracy** division of labour; *mat.* **złoty ~ł odcinka** division in extreme and mean ratio; **przy równym ~le** share and share alike 2. (*klasyfikacja*) repartition; distribution 3. *biol.* fission

podziałać *vi perf* to act (**na kogoś, coś** on sb, sth); to produce an effect

podział|ka *sf pl G.* **~ek** 1. (*w przyrządach pomiarowych*) scale; graduation; (*o przyrządzie*) **z ~ką** graduated; scaled 2. (*na mapie*) scale; **mapa w ~ce** *x* map on a scale of *x* 3. *techn.* division

podziałowy *adj* 1. (*związany z podziałem*) of division; of partition; divisional (line, wall etc.) 2. *biol.* of fission; fission — (protozoa etc.)

podzielać *vt imperf* to share (**coś z kimś** sth with sb, in sth with sb; **czyjś smutek, czyjąś radość** sb's <in sb's> sorrow <joy>); to participate (**coś z kimś** in sth with sb); **~ czyjeś zdanie** to share sb's opinion; to agree <to concur> with sb

podzielanie *sn* (↑ **podzielać**) participation; share

podzielenie *sn* (↑ **podzielić**) 1. (*dokonanie podziału*) division 2. (*udział*) share

podziel|ić *v perf* I *vt* 1. (*dokonać podziału*) to divide (**coś na** *x* **części** sth into *x* parts; **coś między siebie** sth between themselves <ourselves etc.>) 2. = **podzielać**; **~ić czyjś los** to cast in <to throw in> one's lot with sb; **zdania są ~one** opinions differ <vary> II *vr* **~ić się** 1. (*rozdzielić się*) to divide <to break> (**na części, grupy** into parts, groups) 2. (*zakomunikować*) to impart (**wiadomością z kimś** a piece of news to sb); (*zakomunikować sobie wzajemnie*) to exchange (**wiadomościami** news) 3. (*rozdzielić między siebie*) to share (**czymś z kimś** sth with sb); to go shares (**czymś z kimś** in sth with sb); **~ić się jajkiem** to share the Easter egg (a traditional custom) 4. *mat.* to be divisible

podzielnia *sf techn.* scale; reading face; indicating dial

podzielnik *sm mat.* divisor; measure

podzielność *sf singt* divisibility

podzieln|y [I] *adj* divisible; easily divided into parts [II] *sf* ~a *mat.* dividend

podziemi|e [d-z] *sn pl G.* ~ 1. (*część budowli*) basement; vaults; cellar 2. (*głąb ziemi*) depths of the earth; subterranean regions 3. *polit.* the Underground; **wyjść z** ~a to come out into the open; **zejść do** ~a to go into the Underground 4. *mitol.* the nether world || ~e **gospodarcze** illegal traffic; **świat** ~a the underworld; the world of crime

podziemnie [d-z] *adv* 1. (*pod ziemią*) underground; subterraneously 2. (*tajnie*) secretly; clandestinely

podziemn|y [d-z] *adj* 1. (*znajdujący się pod powierzchnią ziemi*) underground (railway, passage etc.); subterranean (spring etc.); *bot.* **pęd** ~y subterranean shoot; *geol.* **woda** ~a subsoil water 2. (*tajny*) underground; secret

podziewać *zob.* **podziać**

podzięka † *sf* = **podziękowanie**

podziękować *vi perf* 1. (*wyrazić wdzięczność*) to thank (**komuś za coś** sb for sth); ~ **uśmiechem** to smile one's thanks 2. (*zrzec się*) to retire (**za służbę** from office) 3. (*odmówić*) to decline with thanks (**za coś** sth)

podziękowanie *sn* 1. ↑ **podziękować** 2. (*wyrazy wdzięczności*) thanks; (*w przedmowach itd.*) acknowledgements

podzi|obać *v perf* ~obie, **podzi|óbać** *v perf* ~óbie [I] *vt* (*o ptakach*) to peck [II] *vi przen.* (*o człowieku*) to peck at one's food

podziobany [I] *pp* ↑ **podziobać**; (*o owocu*) covered with pecks [II] *adj* ~ **ospą** pock-marked

podzióbać *zob.* **podziobać**

podziurawi|ć *v perf* [I] *vt* to make holes (**coś** in sth); to wear holes (**ubranie, buty** in one's clothes, shoes); (*o psie*) to bite holes (**komuś spodnie** in sb's trousers); *techn. stol.* to perforate (a sheet of paper, cardboard, a plank, a piece of metal etc.); ~ony in holes; full of holes; ~**ony pociskami** riddled with bullets; **w** ~**onej marynarce** out at elbows [II] *vr* ~**ć się** to get holed; (*o butach*) to get worn through; (*o ubraniu*) to wear (*vi*) into holes; **buty mi się** ~**ły** my shoes are in holes; **dach się** ~**ł** the roof has holes in it; the roof leaks

podziurkować *vt perf* to perforate

podziw *sm G.* ~u *L.* ~ie admiration; wonder; **godny** ~u admirable; wonderful; **nad** ~ admirably; wonderfully; **nie mogłem** wyjść z ~u I was lost in admiration

podziwiać *vt imperf* to admire; to marvel <to wonder> (**kogoś, coś** at sb, sth)

podziwianie *sn* (↑ **podziwiać**) admiration; wonder

podziwić się *vr perf* to be astonished; to look on <to listen> with astonishment

podzwania|ć *vi imperf* 1. (*dzwonić*) to ring; ~**ć łańcuchami** <**kajdanami**> to clatter one's chains <fetters>; *przen.* ~**łem zębami** my teeth were chattering 2. (*o ptakach*) to sing

podzwonić *vi perf* to ring

podzwonne *sn singt* (*decl* = *adj*) (death) knell; *przen.* **dzwonić** ~ to ring the death knell (of happy days etc.)

podzwrotnikow|y *adj* (sub)tropical; semitropical; **kraje** ~e the tropics

podźwięk *sm G.* ~u 1. (*delikatne dźwięczenie*) faint sound 2. (*echo*) echo; after-sound

podźwiękiwać *vi imperf* to sound faintly

podźwigać *v perf imperf* [I] *vt* to raise; to lift; to heave [II] *vr* ~ **się** *pot.* to strain oneself; to strain a muscle <one's back>

podźwign|ąć *v perf* ~ięty [I] *vt* 1. (*podnosić*) to raise; to lift; to heave 2. (*dźwignąć z ruiny*) to restore; to rebuild; to reconstruct 3. *przen.* (*dźwignąć z upadku*) to restore; to rehabilitate; to set (sb) on (his) legs 4. *przen.* (*uzdrowić*) to bring back to health 5. *przen.* (*podnieść na duchu*) to revive (**kogoś** sb's) spirits [II] *vr* ~**ąć się** 1. (*wstać z wysiłkiem*) to stagger <to struggle> to one's feet; to pull oneself up 2. *przen.* (*wydobyć się z biedy*) to rise from one's ashes 3. *przen.* (*wydostać się ze stanu depresji*) to rally; to recover one's spirits 4. *przen.* (*odzyskać dawne znaczenie*) to revive 5. (*unieść się w górę*) to rise

podźwignięcie *sn* (↑ **podźwignąć**) restoration; rehabilitation; revival

podżartować *vi perf* — **podżartowywać** *vi imperf* to joke; to make fun (**z czegoś** of sth)

podżebrz|e *sn pl G.* ~y *anat.* hypochondrium

podżegacz *sm pl G.* ~y <~ów> 1. (*ten, kto podjudza*) inciter; instigator; fomenter; trouble-maker; fire-brand; incendiary; ~ **wojenny** war-monger 2. (*ten, kto namawia do przestępstwa*) abettor, abetter

podżega|ć *vt imperf* 1. (*podburzać*) to incite; to instigate; to foment (**do buntu** sedition); to promote (**do buntu itd.** mutiny etc.); (*o przemówieniu itd.*) ~**jący** inflammatory 2. (*namawiać do przestępstwa*) to abet

podżeganie *sn* (↑ **podżegać**) 1. (*podburzanie*) incitement; instigation; fomentation; ~ **do wojny** war-mongering 2. (*namawianie do przestępstwa*) abetment

poekscytowa|ć *vt perf* to excite; to stimulate; ~**ny** excited; tense; strung up

poemat *sm G.* ~u 1. (*utwór*) poem; *muz.* ~ **symfoniczny** symphonic poem 2. (*arcydzieło*) masterpiece; something excellent <exquisite, splendid>; **to jest** ~ this is supreme <heavenly, glorious>

poeta *sm* 1. (*pisarz*) poet; bard 2. (*marzyciel*) dreamer

poet|ka *sf pl G.* ~**ek** poetess

poetyck|i *adj* poetic(al); **licencja** ~a poetic licence; **powieść** ~a epic poem

poetycko *adv* poetically

poetyckość *sf singt* poetry; poetic quality (of a composition)

poetycznie *adv* = **poetycko**

poetyczność *sf singt* = **poetyckość**

poetyczny *adj* poetic(al); full of poetic inspiration

poetyk *sm* expert in poetics

poetyka *sf* poetics

poetyzacj|a *sf G.* ~i poetization

poezj|a *sf G.* ~i poetry

pofajtać *v perf pot.* [I] *vi* (*fajtnąć kilka razy*) to turn several somersaults [II] *vt* (*pomachać*) to dangle (**nogami** one's legs); (*o psie*) to wag (**ogonem** its tail)

pofalować *v perf* [I] *vt* 1. (*wywołać falę*) to wave; to undulate; to ripple (the surface of a sheet of water) 2. (*powyginać falisto*) to corrugate [III] *vr* **~ się** to undulate (*vi*)

pofalowany [I] *pp* ↑ **pofalować** [II] *adj* (*o terenie*) undulating; rolling; *techn.* corrugated (iron etc.)

pofałdować (się) *vt vr perf* = **fałdować (się)**

pofałdowany [I] *pp* ↑ **pofałdować** [II] *adj* pleated; creased; *bot. zool.* plicate; (*o terenie*) uneven; undulating; rolling

pofarbować *vt perf* = **farbować**

pofastrygować *vt perf* to baste

pofatygować *v perf* [I] *vt* = **fatygować** [II] *vr* **~ się** to take the trouble to come <to go>

pofiglować *vi perf* to frolic (awhile)

poflirtować *vi perf* to carry on a (little) flirtation

pofolgować *vi perf* = **folgować**

pofolwarczny *adj* formerly belonging to the manor

poformować (się) *vt vr perf* = **formować (się)**

poforteczny *adj* formerly belonging to <forming part of> the fortress <the fortifications>

pofranciszkański *adj* formerly belonging to the Franciscans; once the property of the Franciscans

pofrunąć *vi perf* to fly away

pofruwać *vi perf* to fly awhile

pogadać *vi perf pot.* to talk; to chat; **chciałbym z tobą ~** there's something I'd like to talk to you about; **~ z kimś** to talk to <with> sb; to have a chat <a word> with sb; **~ z kimś o czymś** to talk sth over with sb; **on lubi sobie ~** he likes to talk <to have his say>; he enjoys a chat

pogadani|e *sn* (↑ **pogadać**) (a) talk; (a) chat; **mam tyle z tobą do ~a** I've got so many things to talk over with you; **mam z tobą do ~a** I have got to have a talk with you

pogadan|ka *sf pl G.* **~ek** talk; chat; chatty lecture

pogadankowy *adj* chatty (tone etc)

pogadusz|ka *sf pl G.* **~ek** *pot. żart.* (*także pl* **~ki**) chat

pogadywać *vi imperf pot.* to chat

pogadywanie *sn* (↑ **pogadywać**) chats

pogalopować *vi perf* to gallop

poganiacz *sm pl G.* **~y** <**~ów**> 1. (*człowiek*) herdsman 2. (*bat*) whip

poganiać *vt imperf* — **pogonić** *vt perf*, **pognać** *vt perf* 1. (*popędzać*) to drive <to urge> (sb, a horse etc.) on <forward> 2. (*przynaglać*) to urge (sb) on; to hustle; to prod (sb) on

poganianie *sn* ↑ **poganiać**

pogan|in *sm pl N.* **~ie**, **pogan|ka** *sf pl G.* **~ek** (a) pagan; (a) heathen

pogański *adj* 1. (*dotyczący poganina*) pagan <heathen> (rites etc.) 2. (*żywiołowy*) unrestrained

pogaństw|o *sn singt L.* **~ie** 1. (*bałwochwalstwo*) paganism; heathenism 2. (*poganie*) heathenry

pogapić się *vr perf pot.* to have a look (**na coś** at sth); to gape <to stare> awhile (**na coś** at sth)

pogarbić *v perf* [I] *vt* 1. (*spowodować powstanie wypukłości*) to raise bosses <irregularities> (**coś** on sth) 2. (*przygarbić*) to hunch; to arch; to bend [II] *vr* **~ się** 1. (*pokryć się garbami*) to come out into bosses <irregularities> 2. (*stać się garbatym*) to bend <to arch> (*vi*)

pogarbiony [I] *pp* ↑ **pogarbić** [II] *adj* 1. (*o człowieku, zwierzęciu*) humped 2. (*o terenie*) hummocky

pogar|da *sf singt DL.* **~dzie** contempt; disdain; scorn; **godny ~dy** contemptible; despicable; **mieć kogoś, coś w ~dzie** to hold sb, sth in contempt

pogardliwie *adv* contemptuously; disdainfully; scornfully

pogardliwy *adj* contemptuous; disdainful; scornful

pogardz|ać *vi imperf* — **pogardz|ić** *vi perf* **~ę**, **~ony** 1. (*odnosić się z pogardą*) to despise <to scorn, to hold in contempt> (**kimś, czymś** sb, sth) 2. (*lekceważyć*) to disregard (**propozycją, radą** an offer, a piece of advice) 3. (*odtrącać z pogardą*) to spurn (**kimś, czymś** sb, sth)

pogardzanie *sn* ↑ **pogardzać**

pogardzeni|e *sn* (↑ **pogardzić**) contempt; disdain; scorn; **nie do ~a** not to be sneezed at <despised>; worth-while

pog|arszać *v imperf* — **pog|orszyć** *v perf* [I] *vt* to make (sth) worse; to aggravate; **to tylko ~orszy sprawę** it will only make matters worse [II] *vr* **~aszać, ~orszyć się** 1. (*stawać się gorszym*) to worsen; to get <to become, to grow> worse; to change for the worse; **pacjentowi się ~orszyło** the patient is worse; **sytuacja się ~arszała, ~orszyła** things went from bad to worse 2. (*psuć się*) to deteriorate

poga|sić *vt perf* **~szę**, **~szony** to put out <to extinguish> (lights, fires)

poga|snąć *vi perf* **~śnie**, **~sł** 1. (*o światłach*) to go out; to be extinguished; (*o ogniach*) to go <to die> out; to be extinguished 2. *przen.* (*o blasku itd.*) to pale 3. *przen.* (*o dźwiękach*) to die out

pogawęd|ka *sf pl G.* **~ek** (chit-)chat

pogawędzenie *sn* (↑ **pogawędzić**) (a) chat

pogawędz|ić *vi perf* **~ę** to chat; to talk (**o czymś** of sth); **~ić sobie z kimś** to have a chat with sb

pogda|kać *vi perf* **~cze** — **pogdakiwać** *vi imperf* to cackle

pogde|rać *vi perf* **~ra** <**~rze**> to grumble

pog|iąć *vt perf* **~nę**, **~nie**, **~nij**, **~iął**, **~ięła**, **~ięty** 1. (*powykrzywiać*) to bend; to twist 2. (*nadać kształt kabłąkowaty*) to bend; to curve; (*pochylić*) to incline

pogięcie *sn* (↑ **pogiąć**) (a) bend; (a) twist; (a) curve

poginąć *vi perf* 1. (*przepaść*) to get lost; to disappear 2. (*umrzeć*) to die; to perish

poglacjalny *adj geol.* post-glacial

poglą|d *sm G.* **~du** *L.* **~dzie** opinion; view; notion; **~d na świat** outlook upon life; **szerokie ~dy** large-mindedness; broad-mindedness; large views; **podzielać czyjeś ~dy** to share sb's opinion <views>; **pozwalam sobie mieć inny ~d** I beg to differ

poglądowo *adv* visually; demonstratively

poglądowość *sf singt* visual <demonstrative> method

poglądow|y *adj* visual; demonstrative; **lekcja ~a** object-lesson

pogładz|ić *v perf* **~ę**, **~ony** — **pogładz|ać** *v imperf* [I] *vt* to stroke [II] *vr* **~ić się** to stroke (**po włosach itd.** one's hair etc.)

pogła|skać *vt perf* **~ska** <**~szcze**> to caress; to stroke; to fondle

pogłaskanie *sn* (↑ **pogłaskać**) caresses

pogłębiacz *sm roln.* subsoil plough

pogłębi|ać *v imperf* — **pogłębi|ć** *v perf* [I] *vt* 1. (*uczynić głębszym*) to deepen; to dig deeper (**coś** into sth); (*wybierać muł*) to dredge; *roln.* **orka ~ona**

subsoiling 2. *przen.* (*wzmagać intensywność*) to intensify; to go deeply <thoroughly> (**coś** into sth) 3. *przen.* (*rozszerzać wiadomości*) to study (sth) more thoroughly; **~ać, ~ć wiedzę** to increase <to add to> one's knowledge [II] *vr* **~ać, ~ć się** 1. (*stać się głębszym*) to deepen (*vi*) 2. *przen.* (*stać się bardziej intensywnym*) to intensify; to become more intense 3. *przen.* (*zyskiwać na gruntowności*) to increase in thoroughness; to become more thorough

pogłębianie *sn* ↑ **pogłębiać**

pogłębiar|ka *sf pl G.* **~ek** dredger

pogłębić *zob.* **pogłębiać**

pogłębienie *sn* (↑ **pogłębić**) 1. (*większa głębokość*) greater depth 2. *przen.* (*głębsza znajomość*) increased knowledge

pogłos *sm G.* **~u** distant sound; ring; reverberation; echo

pogłos|ka *sf pl G.* **~ek** rumour; report; hearsay; **zeznanie oparte na ~kach** hearsay evidence; **krąży cicha ~ka, że ...** it is whispered that ...; **krąży ~ka jakoby** <**jakoby on**> ... it is rumoured that <he is rumoured to have> ...

pogłosowy *adj* reverberation — (chamber, device etc.)

pogł|owić się *vr perf* **~ów się** *pot.* to puzzle awhile (**nad czymś** over <about> sth)

pogłowi|e *sn singt pl G.* **~** stock; population <number> (of domestic animals of a farm, country etc.); **nadmierne ~e** overstock

pogłównie *adv* 1. (*od głowy*) per head, per capita 2. *roln.* **nawozić ~** to top-dress

pogłówn|y [I] *adj* (*od głowy*) capitation — (grant); per capita (tax); *hist.* **podatek ~y** poll-tax 2. *roln.* **nawożenie ~e** top-dressing [II] *sn* **~e** *hist.* poll-tax

pogłuch|nąć *vi perf* **~ł** 1. (*stać się głuchym*) to grow <to become> deaf 2. *przen.* to be silenced

pogłupie|ć *vi perf* **~je** 1. (*stać się głupim*) to grow stupid; *pot.* to go daft <balmy> 2. (*zdumieć się*) to be astounded <dumbfounded, flabbergasted>

pogmatwa|ć *v perf* [I] *vt* to entangle; to tangle up; to embroil; to confuse; **~ny** entangled; intricate; confused; muddled [II] *vr* **~ć się** to become <to be> entangled <tangled up, embroiled, confused>

pogmatwanie *sn* (↑ **pogmatwać**) entanglement; confusion

pogme|rać *vi perf* **~ra** <**~rze**> to rummage; to search

pognać *v perf* [I] *vt zob.* **poganiać** [II] *vi* to rush; to hasten; to dash; to speed (off); **~ za kimś, czymś** to make after sb, sth

pognębiać *vt imperf* — **pognębić** *vt perf* 1. (*zniszczyć*) to bring about the ruin (**kogoś, coś** of sb, sth) 2. (*ciemiężyć*) to oppress 3. † (*trapić*) to depress

pognębienie *sn* (↑ **pognębić**) (*zniszczenie*) ruin; (*ciemiężenie*) oppression

pogni|ć *vi perf* **~je, ~ły** to rot; to decay; to putrefy

pogniecenie *sn* ↑ **pognieść**

pogni|eść *v perf* **~otę, ~ecie, ~ótł, ~otła, ~etli, ~eciony, ~eceni** [I] *vt* 1. (*pomiąć*) to crumple 2. (*zgnieść*) to crush [II] *vr* **~eść się** 1. (*pomiąć się*) to be <to get> crumpled 2. (*zostać zgniecionym*) to be <to get> crushed

pogniewa|ć *v perf* [I] *vt* to rouse (**kogoś** sb's) anger [II] *vr* **~ć się** 1. (*gniewać się jakiś czas*) to be angry <cross> (for some time) 2. (*poczuć złość*) to get angry (**z kimś** at sb); to be angry <cross> (**na kogoś** with sb) 3. (*poróżnić się*) to have fallen out (**z kimś** with sb); **oni się ~li** they have fallen out; they have had a quarrel

pogniewan|y [I] *pp* ↑ **pogniewać** [II] *adj* angry (**na kogoś** at <with> sb); cross (**z kimś** with sb); **jesteśmy ~i** we have fallen out; we have had a quarrel

pogn|oić *vt perf* **~oję, ~ój, ~ojony** 1. (*pozaprawiać nawozem*) to dung <to manure> (one's field etc.) 2. (*spowodować gnicie*) to cause (sth) to rot

pogo|da *sf singt DL.* **~dzie** 1. *meteor.* weather; **brzydka ~da** nasty weather; **bez względu na ~dę** regardless of weather conditions; rain or shine; **na taką ~dę** in weather like this; **w razie pomyślnej ~dy** weather permitting 2. (*słoneczna pora*) fine <sunny> weather; **błyska się na ~dę** there is heat lightning; **nie mieć ~dy** to have bad weather; **tu jest ~da** we are having fine weather 3. *przen.* (*równowaga ducha*) cheerfulness; buoyancy; hopefulness; **nie tracić ~dy ducha** to keep smiling

pogodnie *adv* 1. (*przy słonecznej porze*) in fine <sunny> weather; **jest ~** the weather is fine 2. (*z pogodą ducha*) cheerfully; buoyantly; hopefully; serenely

pogodnie|ć *sf singt* **~je** 1. (*wypogadzać się*) to clear up 2. (*przestawać być smutnym*) to cheer up

pogodność *sf singt* cheerfulness; buoyancy; serenity

pogodny *adj* 1. (*słoneczny*) sunny; fine <beautiful> (day etc.); (*o morzu*) calm 2. (*o człowieku*) cheerful; buoyant; hopeful; serene

pogodotwórczy *adj meteor.* causing <bringing> fine weather

pogodowy *adj* weather — (conditions etc.)

pogodoznawstw|o *sf singt L.* **~ie** *meteor.* science of weather

pogodzeni|e *sn* (↑ **pogodzić**) 1. (*doprowadzenie do zgody*) reconciliation, reconcilement; **te rzeczy są możliwe** <**niemożliwe**> **do ~a** these things are reconcilable <irreconcilable, incompatible> 2. **~e się** (*pojednanie*) reconciliation; reconcilement 3. **~e się** (*oswojenie się*) resignation (**z czymś** to sth)

pog|odzić *v perf* **~odzę, ~ódź, ~odzony** [I] *vt* 1. (*pojednać*) to reconcile (two parties etc.) 2. *przen.* (*oswoić*) to have (sb) reconciled (**z losem itd.** with his fate etc.) 3. *przen.* (*połączyć rzeczy przeciwne*) to reconcile <to square> (one thing with another) [II] *vr* **~odzić się** 1. (*pojednać się*) to become <to be> reconciled; to make it up <to make terms, to make one's peace> (**z kimś** with sb) 2. *przen.* (*przyjąć z rezygnacją*) to reconcile <to resign> oneself (**z czymś** to sth); to put up (**z czymś** with sth); **~odzić się z losem** to resign oneself to one's fate; to make the best of a bad bargain

pog|oić *v perf* **~oję, ~ój, ~ojony** [I] *vt* to heal [II] *vr* **~oić się** to heal up

pog|olić *vt perf* **~olą, ~ól** to shave

pogonić *vt vi perf* = **pognać**

pogo|niec *sm G.* **~ńca** *zool.* lycosid; wolf-spider; *pl* **~ńce** (*Lycosidae*) (*rodzina*) the family Lycosidae

pogo|ń *sf pl GN.* **~nie** *G.* **~ni** 1. (*pościg*) chase; pursuit; chevy; (*pościg za zbrodniarzem*) hue and cry; **puścić się w ~ń za kimś** to set off in pursuit of sb; to make after sb; **zmylić ~ń** a) *myśl.* to outwit the hounds b) (*o człowieku*) to outwit the police 2. *przen.* (*dążenie do czegoś*) quest; hunt (**za czymś** for sth); **być w ~ni za kimś, czymś** to hunt for sb, sth; **w ~ni za czymś** in quest for <after> sth 3. (*ludzie ścigający*) pursuers 4. *hist.* the arms of Lithuania; *przen.* Lithuania

pogorszenie (się) *sn* ↑ **pogorszyć (się)** (a) change for the worse; worsening; deterioration; **~ winy** aggravation of a guilt

pogorszyć *zob.* **pogarszać**

pogorzel|ec *sm G.* **~ca** *pl N.* **~cy** victim of a fire <of a conflagration>

pogorzelisko *sn* site of a fire <of a conflagration>

pogorzelowy *adj* fire — (damages etc.)

pogotowi|e *sn singt* 1. (*stan gotowości*) readiness; preparedness; **~e wysokogórskie <tatrzańskie>** mountain rescue service; **mieć coś w ~u** to have sth ready at hand; **w ~u** in readiness; on the alert; on the look-out; on the qui vive; *handl.* **~e kasowe** emergency fund; *wojsk.* **~e bojowe** action stations 2. (*instytucja*) emergency department; **karetka ~a** ambulance; **~e ratunkowe** ambulance service; **~e techniczne** breakdown gang

pogórz|e *sn pl G.* **~y** *geogr.* plateau

pograbić *vt perf* 1. (*zgrabić*) to rake 2. (*ograbić*) to plunder; to loot; to rob

pograb|ki *spl G.* **~ek** stray ears of corn

pogracować *vt perf* to hoe

pograć *vi perf* 1. (*w grę towarzyską, sportową*) to play; to have a game (of tennis etc.) 2. (*na instrumencie*) to play (for a while)

pogranicz|e *sn pl G.* **~y** 1. (*kresy*) borderland; **Wojska Ochrony Pogranicza** Border Guard 2. *przen.* border line; **być <stać> na ~u czegoś** to fringe upon sth

pograniczny *adj* 1. (*położony w pobliżu granicy państwa*) frontier — (station, town etc.) 2. (*sąsiedni*) neighbouring; adjacent 3. (*leżący na granicy*) border-line (case, discipline etc.)

pogratulować *vi perf* to compliment (**komuś czegoś** sb on sth); to congratulate (**komuś** sb)

pogrąż|ać *v imperf* — **pogrąż|yć** *v perf* [I] *vt* 1. (*zagłębiać*) to sink; to plunge; to steep; **~ony w ciemnościach** plunged in darkness; **~ony w zadumie** lost <sunk> in thought; *przen.* **~eni w ciemnocie** steeped in ignorance; (*w napisach na klepsydrach*) **~eni w smutku** the bereaved 2. (*pognębiać*) to crush (sb); to bring about the ruin (**wrogów** of one's enemies) [II] *vr* **~ać, ~yć się** 1. (*zagłębiać się*) to sink; to get stuck (**w błocie** in the mud); **~ać, ~yć się w ciemnościach** to be <to become, to get> plunged in darkness 2. *przen.* to lose oneself (in a book)

pogrążenie *sn* ↑ **pogrążyć**

pogrążyć *zob.* **pogrążać**

pogrobow|iec *sm G.* **~ca** posthumous child; *przen.* after-comer; inheritor

pogr|odzić *vt perf* **~odzę, ~ódź, ~odzony** to enclose; to fence in

pogrom *sm G.* **~u** *L.* **~ie** 1. (*klęska*) crushing defeat; rout 2. (*rzeź*) slaughter 3. *hist.* (*ludności żydowskiej*) pogrom

pogrom|ca *sm*, **pogrom|czyni** *sf pl G.* **~czyń** 1. (*zwycięzca*) conqueror; **~ca serc** lady-killer 2. (*poskramiacz*) tamer (of wild animals)

pogro|zić *vi perf* **~żę, ~ź** to threaten (**komuś czymś** sb with sth); **~zić komuś palcem <pięścią, kijem>** to shake one's finger <one's fist, a stick> at sb

pogrożenie *sn* (↑ **pogrozić**) threat; **~ palcem** a wag of the finger; **~ pięścią <kijem>** a shake of the fist <of a stick>

pogróż|ka *sf pl G.* **~ek** threat; **list z ~kami** threatening letter; **sypać ~kami** to bluster out threats

pogrubić *vt perf* — **pogrubiać** *vt imperf* to thicken; to make (sth) thicker

pogrubie|ć *vi perf* **~je** 1. (*stać się grubszym*) to thicken (*vi*); to grow <to become> thicker 2. (*stać się chropowatym*) to coarsen

pogrubienie *sn* ↑ **pogrubić, pogrubieć**

pogrucho|tać *vt perf* **~cze** <**~ce**>, **~cz** to break; to shatter; to batter

pogruchotanie *sn* ↑ **pogruchotać**

pogryma|sić *vi perf* **~szę** to be fussy <fastidious, *pot.* pernickety>; to pick and choose

pogrypowy *adj* post-influenza

pogryzać *vt imperf* to nibble (a biscuit etc.)

pogryzanie *sn* ↑ **pogryzać**

pogryzmolić *vt vi perf pot.* to scrawl (**kartkę papieru itd.** all over a sheet of paper etc.)

pogry|źć *v perf* **~zę, ~zie, ~zł, ~źli, ~ziony** [I] *vt* 1. (*skaleczyć zębami*) to bite 2. (*zagryźć*) to bite to death; to kill 3. (*porozgryzać*) to chew (to a pulp) [II] *vr* **~źć się** 1. (*pokąsać się wzajemnie*) to bite each other 2. *przen.* (*pokłócić się*) to fall out; to quarrel

pogrz|ać *v perf* **~eje** [I] *vt* to warm; to heat [II] *vr* **~ać się** to get warm <hot>; to warm oneself

pogrzeb *sm G.* **~u** *L.* **~ie** 1. (*ceremonia*) funeral; burial; obsequies 2. (*kondukt*) funeral (procession)

pogrzebacz *sm pl G.* **~y** <**~ów**> poker

pogrzeb|ać *v perf* **~ie** [I] *vt* 1. (*pogmerać*) to rummage (**w kieszeni itd.** in one's pocket etc.); **~ać w piecu** to stir up the fire 2. (*złożyć w grobie*) to bury; *przen.* **~ać w niepamięci** to bury in oblivion; **to go ~ało** that was the end of him; that finished him [II] *vr* **~ać się** *pot.* 1. (*zrujnować się*) to ruin oneself 2. (*skompromitować się*) to compromise oneself <one's reputation>

pogrzebanie *sn* (↑ **pogrzebać**) burial

pogrzebow|y *adj* funeral (procession, service etc.); **marsz ~y** funeral <dead> march; **mowa ~a** funeral oration; **zakład ~y** undertaking; undertaker's <*am.* mortician's> establishment; **w zakładzie ~ym** at the undertaker's <*am.* mortician's>

pogrzmiewać *vi imperf* to thunder intermittently

pogub|ić *v perf* **~, ~iony** [I] *vt* to lose [II] *vr* **~ić się** 1. (*zgubić jeden drugiego*) to lose one another 2. (*stracić orientację*) to get muddled up

pogubienie *sn* (↑ **pogubić**) loss

pogwałcać *zob.* **pogwałcić**

pogwałcenie *sn* (↑ **pogwałcić**) violation; outrage; transgression <infringement> (of a law etc.); **~ neutralności kraju** rape of a state

pogwałc|ić *vt perf* **~ę, ~ony** — **pogwałcać** *vt imperf* to violate; to outrage; to transgress <to infringe> (the law etc.)

pogwa|r *sm G.* **~ru** *L.* **~rze** murmur (of voices)

pogwar|ka *sf pl G.* **~ek** chat

pogwarzyć *vi perf* to chat; to talk; to have a talk (with sb)

pogwizd *sm G.* **~u** whistle(s), whistling; piping (sounds)

pogwi|zdać *vi perf* **~żdże** to whistle

pogwizdywać *vi imperf* (*o człowieku, ptaku*) to whistle; (*o parowozie itd.*) to whistle from time to time; (*o pociskach*) to whiz(z)

pogwizdywanie *sn* ↑ **pogwizdywać**

pohałasować *vi perf* to make a noise; to be noisy

pohamować *v perf* [I] *vt* 1. (*zatrzymać*) to check; to restrain; to bridle <to curb> (one's passions etc.) 2. (*powściągać*) to check; to control [III] *vr* **~ się** to control oneself; to bridle <to curb> one's passions

pohamowanie *sn* (↑ **pohamować**) check; restraint; control

pohańbić (się) *vt vr perf* = **hańbić (się)**

pohańbienie *sn* (↑ **pohańbić**) disgrace; shame

poharatać *v perf sl.* [I] *vt* 1. (*skaleczyć*) to wound; to inflict wounds (**kogoś** on sb) 2. (*pociąć*) to cut; to slash 3. (*połamać*) to damage; to batter; to smash [III] *vr* **~ się** to hurt oneself

pohasać *vi perf* to gambol; to frolic; to caper

pohukiwać *vi imperf* 1. (*rozbrzmiewać*) to rumble; to storm; to boom 2. (*pokrzykiwać*) to shout; to roar; to bellow 3. (*łajać*) to scold 4. (*o ptakach*) to hoot

pohukiwanie *sn* (↑ **pohukiwać**) 1. (*huki*) rumble; boom 2. (*krzyki*) shouts

pohulać *vi perf* 1. (*spędzić jakiś czas na hulaniu*) to revel; to carouse; to junket; *sl.* to have a binge 2. (*podokazywać*) to gambol; to frolic; to have a bit of fun

pohulan|ka *sf pl G.* **~ek** carousal; revel; junket; spree

pohuśtać (się) *vt vr perf* to swing (*vi*) awhile

poić *v imperf* **poję, pój, pojony** [I] *vt* 1. (*dawać pić*) to water (horses, cattle) 2. (*upijać*) to ply (sb) with liquor [III] *vr* **~ się** 1. (*o zwierzętach*) to drink 2. *przen.* (*o człowieku*) to enjoy (**czymś** sth); to delight (**czymś** in sth); to imbibe (**czymś** sth)

poid|ło *sn L.* **~le** *pl G.* **~eł** 1. (*picie dla bydła*) drink 2. (*naczynie*) watering trough 3. (*naturalny zbiornik wody*) watering place; **~ło dla koni** horse-pond

poigrać *vi perf* to make sport (**z kimś, czymś** of sb, sth)

poimpresjonistyczny *adj* post-impressionistic

poimpresjonizm *sm singt G.* **~u** post-impressionism

poinformować *v perf* [I] *vt* (*udzielić informacji*) to inform (**kogoś o czymś** sb of sth); to let (sb) know (**o czymś** about sth); (*udzielić wskazówek*) to put (sb) up (**o czymś** to sth); **źle ~** to misinform [III] *vr* **~ się** to inquire (**o czymś** about sth)

poinformowany [I] *pp* ↑ **poinformować** [III] *adj* aware (**o czymś** of sth); **dobrze ~** well-informed; in the know; **źle ~** misinformed; **być (dobrze) ~m o czymś** to know (all) about sth

poin|ta [puen-] *sf DL.* **~cie** *lit.* (*w opowiadaniu*) the culminating point; (*w dowcipie*) the point (of a joke)

pointer *sm* (*pies*) pointer

pointylistyczny *adj* pointillist — (technique etc.)

pointylizm *sm singt G.* **~u** *plast.* pointillism

poirytować *v perf* [I] *vt* to irritate; to annoy; to vex; *pot.* to aggravate [III] *vr* **~ się** to be irritated <annoyed, vexed>

poiskać *vt perf* to cleanse of vermin

pojadać *vt vi imperf* to eat (intermittently)

pojaśni|eć *vi perf* **~eje** to brighten; **~ało** the sky brightened

pojawi|ć się *vr perf* — **pojawi|ać się** *vr imperf* (*stać się widocznym*) to appear; to become <to be> visible; to emerge; (*o uczuciach itd.*) to manifest itself; (*o okazie, zjawisku*) to occur; (*o trudnościach itd.*) to arise; to crop up; (*o człowieku — zjawić się*) to turn up; to make one's appearance; **~ć, ~ać się ponownie** to reappear

pojawienie się *sn* (↑ **pojawić się**) appearance; apparition; manifestation

poj|azd *sm G.* **~azdu** *L.* **~eździe** vehicle; conveyance; equipage; carriage; **~azd kosmiczny** space craft; **~azd mechaniczny** motor vehicle

poj|ąć *vt perf* **~mę, ~mie, ~mij, ~ęty** — **pojmować** *vt imperf* to comprehend; to understand; to conceive; to imagine; to grasp; to compass; **źle ~ęty** mistaken; misconceived || † **~ąć kogoś za żonę** to take sb to wife

poj|echać *vi perf* **~adę, ~edzie, ~edź, ~adą, ~echał, ~echano** to go (**dokądś** somewhere; **za granicę** abroad); to leave (**dokądś** for a place; **za granicę** for abroad); to take the train <the boat, the tram, the bus, a taxi> (**dokądś** for a place); **~echać dokądś samochodem** to drive (over) to a place; *pot.* **~echać na tamten świat** to turn up one's toes; *sl.* **~echać do Rygi** to be sick; to cat

pojednać *v perf* [I] *vt* to reconcile (two parties) [III] *vr* **~ się** = **pogodzić się** 1.

pojednanie *sn* (↑ **pojednać**) reconciliation

pojednawczo *adv* conciliatorily; in a conciliatory spirit; in conciliatory terms

pojednawczość *sf singt* conciliatory spirit

pojednawczy *adj* conciliatory; **sąd ~** conciliatory court

pojedynczo *adv* individually; singly; severally; separately; one by one; **~ i po dwóch** by ones and twos

pojedyncz|y *adj* individual; single; onefold; (*o księgowości*) single-entry (book-keeping); *tenis* **gra ~a** singles; *gram.* **liczba ~a** (the) singular

pojedyn|ek *sm G.* **~ku** 1. (*załatwienie zatargu honorowego*) duel; **~ek na pistolety** pistol duel; **~ek na szpady** duel with swords; **wyzwać kogoś na ~ek** to challenge sb; **zmierzyć się w ~ku** to measure swords; *przen.* **~ek słowny** verbal dispute 2. *hist.* (*harce*) encounter; single combat

pojedyn|ka *sf pl G.* **~ek** 1. (*strzelba*) single-barrelled gun 2. (*w hotelu*) single room; (*w więzieniu*) solitary confinement 3. (*bryczka*) one-horse vehicle

w ~kę singly; individually; (*o locie*) solo (flight); (*o wykonaniu czegoś*) (to do sth) single-handed; alone; **walka w ~kę** single combat; **nikt w ~kę nie może ...** no one man can ...

pojedynkować *v imperf* [I] *vt roln.* to thin out (plants) [II] *vr* **~ się** to duel; to fight a duel <duels>

pojedynkowanie *sn* (↑ **pojedynkować**) 1. *roln.* thinning out (plants) 2. **~ się** duelling; duels

pojedynkow|y *adj* 1. (*dotyczący załatwiania zatargu honorowego*) duelling __ (pistols etc.) 2. (*dotyczący walki jeźdźców przed bitwą*) single; **walka ~a** single combat

pojemnik *sm* container; vessel; receptacle

pojemnościowy *adj elektr.* capacitive, capacitative

pojemność *sf singt* 1. *fiz.* capacity; cubic content; **~ cieplna** calorific capacity; **~ statku** tonnage; carrying capacity 2. *elektr.* capacitance

pojemny *adj* capacious; roomy; (*o książce*) voluminous; (*o umyśle, handl. o rynku*) receptive

pojenie *sn* ↑ **poić**

poj|eść *vt perf* **~em, ~e, ~edzą, ~edz, ~adł, ~edli, ~edzony** 1. (*zjeść*) to eat; **~eść sobie** to have a good meal; to eat one's fill 2. (*podjeść*) to have sth <a bite> to eat; to have a snack || *iron.* **wszystkie rozumy ~adł** he is a know-all

pojezierny *adj* of the lake district

pojezierz|e *sn pl G.* **~y** lake district

pojezuicki *adj* formerly belonging to the Jesuits

poje|ździć *vi perf* **~żdżę** to travel about; **~ździć rowerem** to go for a bicycle ride <for bicycle rides>; **~ździć samochodem** to do some motoring

pojęci|e *sn* 1. ↑ **pojąć** 2. *filoz.* notion; conception; **fałszywe <błędne> ~e o czymś** misconception of sth; **zawierać ~e czegoś** to imply <to infer> sth 3. *pot.* (*wyobrażenie*) idea; notion (**o czymś** of sth); (*rozumienie*) understanding; comprehension; **dać ~e o czymś** to give <to convey> an idea of sth; **mieć ~e o czymś** to have an idea of sth; **mieć słabe ~e o czymś** to have a vague <foggy, hazy> idea of sth; to have a smattering of sth (of a foreign language etc.); **nie mieć ~a o czymś** to have no idea of sth; **nie mieć najmniejszego <błahego, zielonego> ~a o czymś** not to have the faintest <slightest, remotest> idea of sth; **to przechodzi ludzkie ~e** it is inconceivable; **to przechodzi moje ~e** it is beyond my comprehension; **nie do ~a** incomprehensible; incredible; (*przed przymiotnikiem*) incredibly

pojęciowo *adv* notionally

pojęciowy *adj* notional

pojękiwać *vi imperf* to give an occasional groan

pojękiwanie *sn* (↑ **pojękiwać**) occasional groans

pojętnie *adv* intelligently

pojętność *sf singt rz.* intelligence; quick wits

pojętny *adj* intelligent; sharp; quick-witted; clever; teachable; docile

pojmać † *vt perf* to apprehend; to capture; to take prisoner; to hunt down

pojmanie *sn* (↑ **pojmać**) apprehension; seizure

pojmować *zob.* **pojąć**

pojmowanie *sn* (↑ **pojmować**) comprehension; understanding

pojnik *sm* water dish

pojutrze *adv* the day after to-morrow

pokalać *vt perf* 1. (*zbezcześcić*) to desecrate 2. (*zanieczyścić*) to foul; to soil; to defile; to pollute

pokalanie *sn* (↑ **pokalać**) (*zbezczeszczenie*) desecration

pokaleczenie *sn* (↑ **pokaleczyć**) sore; wound; injury

pokaleczyć *v perf* [I] *vt* to injure; to wound; to hurt; to cut [II] *vr* **~ się** to get <to be> injured <wounded, hurt, cut>

pokancerować *v perf* [I] *vt* to damage [II] *vr* **~ się** 1. (*pokryć się wrzodami*) to be <to become> covered with boils <tumours> 2. (*zostać uszkodzonym*) to be <to get> damaged

pokap|ać *vt perf* **~ie** to stain; to soil; **~ać coś zupą <winem itd.>** to spill (drops of) soup <wine etc.> on sth

pokapować się *vr perf sl.* to twig; to notice

pokarać *vt perf* = **karać**

pokarm *sm G.* **~u** 1. (*pożywienie*) food; nourishment; aliment; (*pożywienie zwierząt*) feed; fodder; pasture 2. (*mleko samic*) milk

pokarmić *v perf* [I] *vt* to feed; to give (sb) sth to eat; (*o matce karmiącej*) to nurse <to suckle> (an infant) [II] *vr* **~ się** to take some food; to have sth to eat

pokarmow|y *adj* alimentary <nutritive> (substance etc.); **przewód ~y** alimentary canal; **treść ~a** chyme; **zatrucie ~e** food poisoning

pokasływać *vi perf*, **pokaszliwać** *vi perf* to cough (now and then)

pokaszliwanie *sn* (↑ **pokaszliwać**) (a) cough

pokawałkować *vt perf* to break <to split> up; to take to pieces

pokaz *sm G.* **~u** 1. (*demonstrowanie*) demonstration; **~ lotniczy** air display; **~ mód** fashion parade 2. (*okazanie*) show; display; exhibition; parade; **wystawiać coś na ~** to exhibit sth
na ~ a) (*wart pokazania*) masterly b) (*dla efektu*) for show c) (*dla pozoru*) for the sake of appearances; **to jest zrobione na ~** it's just window-dressing

poka|zać *v perf* **~że ~ż** — **pokazywać** *v imperf* [I] 1. (*dać zobaczyć*) to show; to exhibit; to let (sb) see (sth); to produce (one's papers etc.); **~zać, ~zywać język** to put out one's tongue; **~zać, ~zywać komuś miasto <muzeum itd.>** to show <to take> sb round the town <the museum etc.>; **~zać, ~zywać pazury <rogi>** to bare one's claws; **~zać, ~zywać plecy** to take to one's heels; **nie ~zać, ~zywać nosa gdzieś** not to show one's face somewhere; **~zano nam wszystko** we were shown everything 2. (*wskazać*) to point (**coś** at sth); **~zać, ~zywać kogoś palcem** to point the finger of scorn at sb; **~zać, ~zywać komuś drzwi** to show sb the door 3. (*o zegarze*) to show (the time); (*o przyrządzie*) to register (the temperature etc.) 4. (*okazać*) to show; to let (sth) appear; **nic po sobie nie ~zać** to give no sign of anything; to keep one's countenance; not to turn a hair; **przyszłość ~że** time will show; that remains to be seen; (*pogróżka*) **ja ci ~żę!** I'll teach you! [II] *vr* **~zać, ~zywać się** 1. (*dać się widzieć*) to appear; to come into sight; (*o człowieku*) to put in an appearance; to turn <to show> up; **nie mogę się ~zać** I'm not fit to be seen; **nie śmie się ~zać ludziom na oczy** he <she> can't show his <her> face anywhere; **on się nigdzie nie ~zuje** he stays away; **słońce się ~zało** the sun came out; **to się po nim nie ~że** he's not the man to do such a thing 2. (*odwiedzić*) to come and see (**u kogoś** sb); **nie ~zujesz się** you're quite a stranger 3. (*ujawnić się*) to show (*vi*); to manifest itself 4. *imp* (*okazać się*) **~zało się, że ...** it appears <appeared> that ...; **~zało się, że to oszust** he proved to be an impostor; it turned out that he was an impostor 5. (*o widmie, duchu*) to haunt (**gdzieś** a place) 6. *perf* (*popisać się*) to show off; to wish to impress people

pokazanie *sn* 1. (↑ **pokazać**) show; **rzecz na ~** something for show 2. **~ się** (*zjawienie się*) appearance

pokazowo *adv* 1. (*na pokaz*) ostentatiously; for show 2. (*wspaniale*) famously; admirably

pokazowy *adj* 1. (*dla pokazu*) ostentatious; show — (article, pupil etc.); **proces ~** show trial 2. (*wspaniały*) first-rate; admirable; *pot.* crack

pokazów|ka *sf pl G.* **~ek** demonstration performance

pokazywać *zob.* **pokazać**

pokaźnie *adv* 1. (*znacznie*) considerably; appreciably; substantially; materially 2. (*okazale*) impressively; grandly

pokaźny *adj* 1. (*znaczny*) considerable; appreciable; substantial; material; (*o majątku, cenie itd.*) handsome 2. (*okazały*) impressive; grand; sightly

pokąp|ać *v perf* **~ie** [I] *vt* to bath (all the children etc.) [II] *vr* **~ać się** to bathe (*vi*)

pokąsać *vt perf* to bite

pokątnie *adv* secretly; illegally

pokątnik *sm zool.* (*Blaps mortisaga*) a beetle

pokątny *adj* secret; illegal; hole-and-corner — (transaction etc.); **~ doradca** pettyfogger; *am. sl.* shyster; **~ handel** unlicensed trade

poker *sm karc.* poker

pokibicować *vi perf* to look on (awhile, a little, a bit)

pokiełba|sić *v perf* **~szę, ~szony** *pot. żart.* [I] *vt* to make a mess (**coś** of sth); to muddle (sth) up [II] *vr* **~sić się** to get muddled up

pokiereszować *vt perf* to slash; to gash; to scar; to hack

pokierować *v perf* [I] *vt* 1. = **kierować** 1., 3., 4. 2. (*wychować*) to bring up; to educate (**kogoś na nauczyciela itd.** sb for the teaching profession etc.) [II] *vr* **~ się** to make <to find> one's way (to a place)

pokierowanie *sn* (↑ **pokierować**) guidance; conduct <management> (**sprawami itd.** of affairs etc.)

pokiwać *v perf* = **kiwać**

poklask *sm G.* **~u** applause; plaudits

poklaskiwać *vi imperf* to clap; to applaud (**komuś** sb)

poklaskiwanie *sn* (↑ **poklaskiwać**) applause; plaudits

poklasyczny *adj* post-classical

poklasztorny *adj* formerly belonging to a monastery; monastery — (grounds etc.)

pokląskwa *sf zool.* (*Saxicola rubetra*) whinchat

poklec|ić *vt perf* **~ę, ~ony** to botch up <together> (a construction etc.)

pokle|ić *vt perf* **~ję, ~j, ~jony** to stick <to paste, to glue> together

poklep|ać *vt perf* **~ie** — **poklep|ywać** *vt imperf* **~uje** = **klepać** 1., 3.

poklepywanie *sn* (↑ **poklepywać**) back-slapping

poklęcz|eć *vi perf* **~y** to kneel (awhile)

pokła|d *sm G.* **~du** 1. (*warstwa*) layer; stratum 2. *mar.* deck; **na ~d** aboard (ship); **na ~dzie** on board; **pod ~dem** below deck; (*o towarze*) in the hold; under hatches 3. *geol. górn.* seam; lead; lode; ledge 4. *roln.* first ploughing

pokładać *v imperf* [I] *vt* 1. (*kłaść*) to put; to lay; (*rozpościerać*) to spread; *przen.* **~ w kimś nadzieje** to set one's hopes on sb; to count on sb; **~ zaufanie w kimś** to place one's confidence in sb 2. (*obalać*) to lay down; to beat down (the corn) 3. *roln.* to turn up (a field) [II] *vr* **~ się** 1. (*polegiwać*) to keep lying down 2. (*pochylać się*) to bend; to be bowed down; *przen.* **~ się ze śmiechu** to be convulsed <to split one's sides, to roar> with laughter 3. (*o roślinach*) to creep

pokładanie *sn* ↑ **pokładać**

pokładank|a *sf singt w zwrotach*: **bić na ~ę** to flog (sb) stretched on the ground <on a bench>; **dostać na ~ę** to get flogged lying on the ground <on a bench>

pokładeł|ko *sn pl G.* **~ek** *zool.* ovipostor; terebra

pokładnik *sm mar.* beam

pokładowy *adj mar.* deck — (tackle, cargo, passenger etc.); *mar. lotn.* **dziennik ~** log-book; *lotn.* **tablica przyrządów ~ch** dash-board

pokładów|ka *sf pl G.* **~ek** *mar.* deckhouse

pokła|ść *v perf* **~dę, ~dzie, ~dź, ~dł, ~dziony** [I] *vt* to lay down; **~dli głowy na ramionach** they (all) rested their heads on their arms; **~dł ładunek na konie** he loaded the horses [II] *vr* **~ść się** 1. (*pozajmować pozycję leżącą*) to lie down 2. (*o zbożu*) to be beaten down; (*o drzewach itd.*) to fall; to topple over 3. (*położyć się spać*) to go to bed; to lie down to sleep

poklębić *vt perf* to whirl; to swirl

pokłon † *sm G.* **~u** bow; greeting; **bić ~y** to prostrate oneself (**przed kimś** before sb)

pokłosi|e *sn pl G.* **~** 1. (*kłosy na ścierniskū*) stray ears of corn 2. *przen.* (*plon*) gleanings; aftermath (of war etc.); **zbierać ~e** to glean

pokłócenie *sn* ↑ **pokłócić**; **~ się** (a) quarrel

pokłó|cić *v perf* **~cę, ~ć, ~cony** [I] *vt* to set (people) by the ears <at variance, at loggerheads> [II] *vr* **~cić się** to quarrel; to fall out; *pot.* to have a row (with sb)

pokłucie *sn* (↑ **pokłuć**) pricks

pokłu|ć *v perf* **~je, ~ty** [I] *vt* to prick; (*o owadach*) to sting [II] *vr* **~ć się** to get pricked <stung>; **~ć się w palec** to prick one's finger

pokłusować *vi perf* to trot (awhile, a little, a bit)

pokochać *vt perf* 1. (*poczuć miłość*) to fall in love (**kogoś** with sb) 2. (*serdecznie polubić*) to conceive an affection (**kogoś** for sb); to become attached (**kogoś, coś** to sb, sth); to lose one's heart (**kogoś** to sb); to grow very fond (**kogoś, coś** of sb, sth)

pokoicz|ek *sm G.* **~ku** (*dim* ↑ **pokoik**) tiny room

pokoik *sm G.* **~u** *dim* ↑ **pokój**

pokojowa *sf* = **pokojówka** 2.

pokojow|iec *sm G.* **~ca** *hist.* valet

pokojowo *adv* peaceably; peacefully; **~ usposobiony** with peaceful intentions; peacefully inclined

pokojowość *sf singt* peaceful intentions

pokojow|y [I] *adj* 1. (*dotyczący zgody*) peaceful; peaceable; pacific (aims etc.); peace — (treaty, conference etc.); peacetime — (training etc.); **na stopie ~ej** at peace; *wojsk.* on a peace footing

2. (*dotyczący izby mieszkalnej*) room — (temperature etc.); indoor — (games etc.) [II] *sm* **~y** *hist.* groom of the chamber; valet

pokojów|ka *sf pl G.* **~ek** 1. (*w domu prywatnym*) maid(-servant); housemaid 2. (*w hotelu*) chambermaid

pokokietować *vt perf* to flirt a little (**kogoś** with sb); to carry on a little flirtation (**kogoś with sb**)

po kolei by turns; in succession; one after the other

pokoleni|e *sn* generation; **krewny w drugim <trzecim> ~u** cousin once <twice> removed; **młode ~e** the rising generation; **potomkowie w piątym ~u** descendants five generations removed

pokolorować *vt perf* to colour

pokombinować *vi perf* to think awhile; to put two and two together

pokonać *vt perf* — **pokonywać** *vt imperf* 1. (*zwyciężyć*) to conquer (a country etc.); to defeat (an army etc.); to subdue (a people etc.); *sport* to beat (a team etc.) 2. (*przezwyciężyć*) to conquer <to surmount, to overcome, to master, to subdue> (difficulties, a feeling etc.); to worst (an enemy etc.); to get the better <the upper hand> (**kogoś, coś** of sb, sth)

pokonani|e *sn* (↑ **pokonać**) conquest (of a territory etc.); defeat (of an enemy, an adversary); (*o trudnościach itd.*) **nie do ~a** unsurmountable; insuperable

pokonan|y [I] *pp* ↑ **pokonać; nie ~y** (*o kraju itd.*) unconquered; (*o armii itd.*) undefeated; (*o sportowcu, drużynie*) unbeaten; **uznać się za ~ego** to throw up the sponge [II] *sm* **~y** defeated party; *pl* **~i** the defeated

pokonferować *vi perf* to confer (awhile) (with sb); to have <to hold> a (short) conference

pokonfiskować *vt perf* to confiscate; to seize (people's property etc.)

pokonywać *zob.* **pokonać**

pokończyć *v perf* [I] *vt* to finish; to end; to get (things) done; **~ szkoły** to get <to receive, to complete> one's education [II] *vi* (*poumierać*) to die; to perish

pokop|ać *vt perf* **~ie** 1. (*zająć się kopaniem*) to do a little digging 2. (*skopać w wielu miejscach*) to dig holes (**jakiś obszar** over a surface of ground) 3. (*pobić nogami*) to kick

poko|ra *sf singt DL.* **~rze** humility; submissiveness; **uderzyć w ~rę** to humiliate oneself; **w ~rze ducha** with all humility

pokornie *adv* humbly; submissively; cap in hand

pokornie|ć *vi imperf* **~je** to grow <to become> submissive <meek>; to lower one's tune; to draw in one's horns

pokorniutki *adj* as humble as can be; meek as a lamb

pokorn|y *adj* humble; meek; submissive; **~ego serca** meek-hearted

pokos *sm G.* **~u** 1. (*wał zboża, siana*) swath; windrow; **siano w ~ach** grass (lying) in the swath 2. (*zboże, trawa — skoszone w jednych żniwach*) crop 3. (*koszenie*) mowing 4. (*potraw*) aftermath

poko|sić[1] *vt perf* **~szę, ~szony** (*ściąć kosą*) to mow

poko|sić[2] *vt perf* **~szę, ~szony** *reg.* (*powykrzywiać*) to bend; to crook; to slant

pokost *sm G.* **~u** 1. (*płyn*) varnish 2. *przen.* veneer (of polished manners etc.)

pokostni|eć *vi perf* **~eje, ~ały** to grow numb (**z zimna** with cold)

pokostować *vt imperf* to varnish

pokostowanie *sn* ↑ **pokostować**

pokostowy *adj* varnish-treated (paint etc.)

pokoszarow|y *adj* **budynki ~e** former caserns <barracks>

pokosztować *vt perf* 1. (*skosztować*) to taste (**czegoś** sth); to have a taste (**czegoś** of sth) 2. *przen.* to experience <to have a taste of> (**żołnierki itd.** soldiering etc.)

pokosztowanie *sn* (↑ **pokosztować**) a taste (of sth); **dać komuś czegoś na ~** to let sb have a taste of sth

pokościelny *adj* formerly belonging to a <the> church

pokoślawić *vt perf* to deform; to distort; to put out of shape

pokot *sm singt G.* **~u** *myśl.* display of the trophies of the chase

pokotem *adv* in a row; side by side; **kłaść ~ oddział nieprzyjaciela** to mow down a detachment of the enemy

pok|ój *sm G.* **~oju** *pl G.* **~ojów** <**~oi**> 1. *polit. wojsk.* peace; **narody miłujące ~ój** peace-loving nations; **~ój honorowy** <**zaszczytny**> honourable peace; **zbrojny ~ój** armed peace; **podpisać ~ój** to sign a peace treaty; **zawrzeć ~ój z nieprzyjacielem** to conclude <to make> peace with the enemy 2. (*spokój*) peacefulness; **dać czemuś ~ój** to leave sth alone; to give sth up; **dać komuś ~ój** to leave sb in peace; **daj mi ~ój** leave me alone; **~ój jego prochom** peace to his ashes 3. (*izba*) room; apartment; chamber; **~ój mieszkalny** bed-sitter; **~oje do wynajęcia** rooms to let; **~oje umeblowane** furnished rooms; **wynająć ~ój przy rodzinie** to take lodgings with a family

pokpi|ć *v perf* **~j** [I] *vi* to scoff <to poke fun> (**z kogoś** at sb); to deride (**z kogoś** sb) [II] *vt* to make a mess (**coś** of sth); **~ć sprawę** to miss one's tip; to bungle a business [III] *vr* **~ć się** to make a fool of oneself

pokpiwa|ć *vi imperf* **~** to banter <to sally> (**z kogoś, czegoś** sb, sth); to make fun (**z kogoś** of sb, sth)

pokpiwanie *sn* (↑ **pokpiwać**) banter; raillery

pokracznie *adv* grotesquely; hideously

pokraczny *adj* 1. (*szpetny*) hideous; grotesque; (*niekształtny*) mis-shapen 2. (*dziwaczny*) odd; queer

pokraj|ać *vt perf* **~a** <**~e**> 1. (*pociąć na kawałki*) to cut (up) (into pieces, into slices); to carve (a roast, a fowl etc.); to slice; to flitch 2. (*kroić*) to cut (cloth) 3. (*poranić*) to slash 4. *pot.* (*dokonać sekcji, operacji*) to cut up; to dissect 5. *pot.* (*zoperować*) to hack (a patient)

pokraka *sf* freak; (a) horror; monster; (a) monstrosity

pokrapiać *zob.* **pokropić**

pokrapywa|ć *vi imperf rz.* (*o deszczu*) to fall sparsely <thinly>; to spit; **deszcz ~ł** there was a sprinkling of rain

pokra|ść *vt perf* **~dnę, ~dnie, ~dnij, ~dł, ~dziony** to steal; to pilfer

pokraśnie|ć *vi perf* **~je** *lit.* to redden

pokratkować *vt perf* to rule (paper) in squares; to cross-rule

pokratkowanie *sn* ↑ **pokratkować**

pokrążyć *vi perf* to circle; to make circles

pokreskować *vt perf* to line; to draw lines (**coś** on sth)

pokreskowany *adj* lined all over

pokreślić *vt perf* 1. (*pokryć kreskami*) to line; to cover (a surface) with lines 2. (*poskreślać*) to cross <to strike> out

pokrewieństw|o *sn L.* **~ie** 1. (*stosunek między ludźmi*) relation(ship); kinship; kindred; **~o językowe** cognation of language; **między nami jest bliskie <dalekie> ~o** we are closely <distantly> related; we are close <distant> relations 2. *biol. chem. mat.* affinity; homology

pokrewnie *adv* kindredly

pokrewny *adj* related; kindred; akin; *muz.* (*o skalach itd.*) related; *jęz.* (*o wyrazach itd.*) cognate; *chem. mat.* homologous; *biol.* allied (species)

pokręcać *zob.* **pokręcić**

pokręcenie *sn* (↑ **pokręcić**) turn (of a handle, of a key, of a screw etc.)

pokręc|ić *v perf* **~ę, ~ony** — **pokręc|ać** *v imperf* [I] *vt* 1. (*obrócić*) to turn (**rączką itd.** a handle etc.); **~ić głową** a) (*pokiwać*) to shake one's head b) *przen.* (*pokombinować*) to do some thinking 2. (*poskręcać*) to curl (one's hair); to twist <to twirl, to twiddle> (**wąsy** one's moustache) 3. (*powykręcać*) to twist (out of shape); **~iło go** he was <his limbs were> deformed <twisted, distorted> by rheumatism; **żeby cię ~iło!** a plague on you!; bad luck to you! 4. (*pogmatwać*) to mix <to mess> (sth) up; to entangle; to confuse [II] *vr* **~ić się** 1. (*obracać się*) to turn round and round; to spin (awhile) 2. *przen.* (*potańczyć*) to shake a leg; to have a dance 3. (*stać się pokręconym*) to get twisted 4. (*stać się pogmatwanym*) to get mixed <messed> up; to get entangled; to become involved; **wszystko mi się ~iło** I've got muddled up 5. (*pokrzątać się*) to stir about 6. *przen.* (*dołożyć starań*) to busy oneself (**koło czegoś** about sth)

pokrępować *vt perf* to cramp <to fetter> (a number of persons)

pokręt *sm G.* **~u** overcast stitch

pokręt|ka *sf pl G.* **~ek** 1. (*linewka*) strand; cordon 2. *techn.* (*w mikroskopie itd.*) screw; **~ka do gwintowników** tapholder; tapper; tap wrench

pokręt|ło *sn pl G.* **~eł** *techn.* knob; hand wheel

pokrętny *adj* 1. (*kręty*) twisting; winding 2. *techn.* rotating

pokr|oić *vt perf* **~oję, ~ój, ~ojony** to cut; to slice; **~oić mięso <drób>** to carve the meat <the fowl>

pokrojowy *adj* referring to type <to the habit> (of a plant etc.)

pokrop|ek *sm G.* **~ku** *pot.* sprinkling (of the deceased) with holy water

pokr|opić *v perf* — **pokr|apiać** *v imperf* [I] *vt* to sprinkle; *przen.* **~opić jedzenie** to wash down (a meal with wine etc.) [II] *vi* 1. (*o deszczu*) to spit; **deszcz ~apia, ~opuje** there is a sprinkling of rain 2. *perf pot.* (*postrzelać*) to play the guns (**po czymś** on sth)

pokropienie *sn* (↑ **pokropić**) aspersion

pokrow|iec *sm G.* **~ca** (*futerał*) case; casing; (*nakrycie mebla itd.*) cover; slip-cover; antimacassar; tidy

pokr|ój *sm G.* **~oju** 1. (*rodzaj*) type; sort; **człowiek tego ~oju co on** a man of his cast; **ludzie tego ~oju** people of that sort <stamp, description, kidney>; that type of people; the likes of him; **maszyny wszelkiego ~oju** machines of all types 2. *bot. zool. geol.* habit

pokrótce *adv* in brief; briefly; (*zwięźle*) concisely; succinctly

pokruszony [I] *pp* ↑ **pokruszyć** [II] *adj* crumbled; *geol.* detrital

pokruszyć *v perf* [I] *vt* to break into fragments; to crumble; **~ pęta <więzy>** to break fetters [II] *vr* **~ się** to crumble (*vi*)

pokrwawi|ć *v perf* [I] *vt* 1. (*poranić*) to wound; to lacerate; to inflict bleeding wounds (**kogoś** on sb); **~ł sobie rękę <twarz>** his hand <face> was bleeding <bled> 2. (*poplamić krwią*) to stain with blood [II] *vr* **~ć się** to hurt <to wound> oneself

pokrwawienie *sn* 1. ↑ **pokrwawić** 2. *rz.* (*pokrwawione miejsce*) bleeding wound(s); laceration

pokrwawiony [I] *pp* ↑ **pokrwawić** [II] *adj* 1. (*pokaleczony*) bleeding 2. (*poplamiony krwią*) blood-stained

pokryci|e *sn* 1. ↑ **pokryć** 2. (*to, co nakrywa*) cover(ing); **~e parasola** umbrella covering; **~e roślinne** growth of vegetation 3. (*obicie*) furniture covering; upholstery 4. (*tkanina na futrze itd.*) cloth; coating 5. (*zewnętrzna płaszczyzna dachu*) (roof) cover; roofing 6. (*akt kopulacyjny zwierząt*) covering (of a cow, mare etc.); (cock's) tread (of a hen) 7. *ekon.* cover <funds> (to meet a liability); (gold) coverage <backing> (of a currency); defrayal (of an expense etc.); settlement <discharge> (of a debt); **czek bez ~a** unprotected cheque; *bank.* **„brak ~a"** "no effects"; "no funds"

pokry|ć *v perf* **~je, ~ty** — **pokry|wać** *v imperf* [I] *vt* 1. (*dać obicie*) to cover <to upholster> (furniture); **~ć, ~wać budowlę dachówką <blachą itd.>** to roof a building with tile <sheet iron etc.>; **~ć, ~wać futro** to provide a fur with the cloth; to sew the cloth on a fur 2. (*rozpostrzeć*) to cover (**podłogę dywanami itd.** a floor with carpets etc.); to spread (**łóżko prześcieradłem itd.** a bed with a sheet etc.; **ścianę farbą** paint over a wall etc.); (*o badaniach itd.*) to range (**jakiś teren** over a field); (*o barwie, rumieńcu*) to suffuse (sb's cheeks); (*o roślinności*) to overgrow (a wall, a surface); **~ć, ~wać kogoś pocałunkami** to smother sb with kisses; **~ć, ~wać odległość** to cover a distance 3. (*powlec*) to spread (**ścianę tynkiem itd.** a wall with plaster etc.); to coat <to smear> (**słup smołą itd.** a pale with tar etc.) 4. (*zapłacić*) to cover <to defray> (**koszt czegoś** the cost of sth); **~ć, ~wać czyjeś potrzeby** to satisfy sb's needs; **~ć, ~wać dług** to discharge <to settle, to pay> a debt; **~ć, ~wać stratę** to make up for a loss; **~ć, ~wać zapotrzebowanie na coś** to meet <to satisfy> the demand for sth 5. (*uzgodnić*) to adjust (**coś czymś** sth to sth) 6. (*zagłuszyć, zamaskować*) to cover (a sound, one's confusion etc.); **~ć, ~wać coś milczeniem** to pass over sth in silence 7. *wojsk.* to cover (the front-rank man) 8. (*odstanowić samicę*) to cover [II] *vr* **~ć, ~wać się** 1. (*stać się zasłanym*) to be covered <strewn> (**czymś**

with sth) 2. (*stać się pokrytym warstwą czegoś*) to be coated (**czymś** with sth) 3. (*zostać spłaconym*) to be covered <settled, discharged> 4. (*znaleźć się w tej samej pozycji*) to be in line 5. (*o opowiadaniu itd. — zgadzać się*) to agree <to tally> (**z faktami itd.** with the facts etc.)

po kryjomu *zob.* **kryjomy**

pokrystaliczny *adj chem.* **ług ~** lye

pokryw|a *sf DL.* **~ie** 1. (*wieko*) lid; cover; *przen.* disguise <mantle, cloak> (of silence etc.) 2. (*warstwa pokrywająca*) cover; layer; **~a lodowa** ice sheet; ice-cap; **~a piaskowa** sand sheet; **~a roślinna** overgrowth; **~a skalna <śnieżna>** rock <snow> cover 3. *techn.* bonnet; lid; cap(ping); cover(ing); deck(ing) 4. *zool.* (*u owadów*) integument; wing case; (*u ptaków*) covert 5. *bot.* integument; hull

pokrywacz *sm pl G.* **~y <~ów>** *bud.* roofer

pokrywa|ć *vt imperf* **~** 1. *zob.* **pokryć** 2. (*stanowić obicie, pokrycie*) to serve as covering <upholstery>; **skóra ~ła kanapę** the sofa was upholstered in <with> leather

pokrywanie *sn* ↑ **pokrywać**

pokryw|ka *sf pl G.* **~ek** *dim* ↑ **pokrywa**

pokrywkowy *adj* lid — (cell etc.)

pokrywow|y *adj* covering — (plate etc.); (*u ryb*) **kości ~e** opercular bones; (*u ptaków*) **pióra ~e** coverts

pokrzepi|ać *v imperf* — **pokrzepi|ć** *v perf* [I] *vt* 1. (*wzmacniać*) to give (sb) new strength; to strengthen; to reinvigorate; to fortify; *przen.* **~ać, ~ć kogoś na duchu** to comfort <to cheer> sb; to infuse courage into sb; to raise sb's spirits 2. (*orzeźwiać*) to refresh; to brace (sb) up 3. (*posilać*) to give (sb) some refreshment [II] *vr* **~ać, ~ć się** 1. (*wzmacniać się*) to gather new strength; to be strengthened <reinvigorated, fortified>; *przen.* **~ać, ~ć się na duchu** to take courage; to be comforted 2. (*orzeźwiać się*) to refresh oneself 3. (*posilać się*) to have some refreshment

pokrzepiający *adj* strengthening; fortifying; bracing; **środek ~** restorative; strengthener

pokrzepianie *sn* ↑ **pokrzepiać**

pokrzepiciel *sm* strengthener; comforter

pokrzepienie *sn* (↑ **pokrzepić**) 1. (*wzmocnienie*) new strength <vigour> 2. (*orzeźwienie, posilenie*) refreshment; *przen.* **~ na duchu** new courage 3. **~ się** taking some refreshment

pokrzew|ka *sf pl G.* **~ek** *zool.* (*Sylvia*) white-throat

pokrzewkowat|y [I] *adj* sylviine [II] *spl* **~e** (*Sylviidae*) the family Sylviidae

pokrzycz|eć *vi perf* **~y** to shout (awhile, a little, a bit)

pokrzyk *sm G.* **~u** 1. (*okrzyk*) call; (*człowieka*) shout; (*ptaka*) cry 2. *bot.* (*Atropa belladonna*) banewort; dwale

pokrzykiwać *vi imperf* (*o ludziach*) to shout; (*o ptakach*) to call

pokrzykiwanie *sn* 1. ↑ **pokrzykiwać** 2. (*okrzyki człowieka*) shout; (*ptaka*) calls

pokrzyw|a *sf DL.* **~ie** *bot.* (*Urtica*) nettle; **~a martwa <głucha>** dead nettle

pokrzywdzenie *sn* (↑ **pokrzywdzić**) wrong; harm; (an) injustice

pokrzyw|dzić *vt perf* **~dzę, ~dź, ~dzony** 1. (*wyrządzić krzywdę*) to wrong; to harm 2. (*być niesprawiedliwym*) to be unfair (**kogoś** to sb); to do (sb) an injustice

pokrzywdzony [I] *pp* ↑ **pokrzywdzić** [II] *adj* wronged

pokrzywiczy *adj med.* rachitic

pokrzywić *v perf* [I] *vt* to bend; to curve; to crook [II] *vr* **~ się** to bend <to curve, to crook> (*vi*)

pokrzywienie *sn* (↑ **pokrzywić**) (a) bend <curve, crook>

pokrzyw|ka *sf pl G.* **~ek** 1. *dim* ↑ **pokrzywa**; **~ka brazylijska** (*Coleus*) coleus 2. *med.* urticaria; nettle-rash; hives; **dostać ~ki** to come out in a rash

pokrzywkowy *adj med.* urticarial

pokrzywnica *sf* = **płochacz 1.**

pokrzywnik *sm zool.* (*Vanessa urticae*) nettle butterfly

pokrzywowat|y *bot.* [I] *adj* urticaceous [II] *spl* **~e** (*Urticaceae*) (*rodzina*) the nettle family

pokrzywowy *adj* nettle — (hairs etc.)

pokrzyżowa|ć *v perf* [I] *vt* 1. (*kłaść na krzyż*) to cross; to put (things) crosswise; **~ne linie itd.** criss-crossing lines etc. 2. (*pomieszać bezładnie*) to tangle 3. (*zniweczyć*) to cross <to upset, to foil, to thwart, to frustrate> (sb's plans etc.); **~ć komuś plany <zamiary>** to spike sb's guns; to upset sb's apple-cart [II] *vr* **~ć się** to cross <to tangle> (*vi*); to get tangled

pokrzyżowanie *sn* (↑ **pokrzyżować**) (a) tangle

poku|ć *vt perf* **~ję, ~ty** 1. (*kuć metal*) to forge; to hammer 2. (*ozdobić*) to adorn (with chased metal) 3. (*podkuć*) to shoe (horses)

pokudłać *vt perf* to tousle

pokukać *vt perf* 1. (*o kukułce*) to cuckoo 2. *przen.* (*ponarzekać*) to grumble (awhile, a little, a bit) 3. *przen.* (*zaznać biedy*) to be in straitened circumstances (for a time)

pokulać *vt vi perf gw.* to roll

pokule|ć *vi perf* **~je** 1. (*okuleć*) to be <to get> crippled; to go lame 2. (*iść kulejąc*) to hobble along

pokumać się *vr perf* 1. (*zawrzeć porozumienie*) to come to an understanding (with sb) 2. (*pobratać się*) to chum up <to get pally> (with sb)

pokumanie się *sn* (↑ **pokumać się**) mutual understanding <friendship>

pokup *sm G.* **~u** demand; ready sale; **mieć <znajdować> ~** to be in demand; to sell well

pokupność *sf singt* sal(e)ability

pokupny *adj* sal(e)able; in demand

pokupować *vt perf* to buy; to purchase; to get

pokurcz *sm* 1. (*zwierzę*) cross-breed; mongrel 2. (*człowiek*) eyesore; fright; monstrosity

pokurczyć *v perf* [I] *vt* to shrivel; to contract; to deform; to put out of shape [II] *vr* **~ się** to shrivel <to contract, to shrink> (*vi*); to become deformed; to lose shape

pokurzyć *vi perf pot.* to have a smoke

pokus|a *sf DL.* **~ie** temptation; allurement; lure; enticement; seduction; **~a mnie wzięła, żeby spróbować** I was tempted to try

poku|sić się *vr perf* **~szę się, ~ś się** to attempt <to try> (**o coś** sth; **o zrobienie czegoś** to do sth); **~sić się o władzę** to make a bid for power; **~sić się o wysoką stawkę** to go nap

pokuszenie † *sn* temptation

pokuszenie się *sn* (↑ **pokusić się**) (an) attempt

pokusztykać <**pokuśtykać**> *vt perf pot.* to hobble along

poku|ta *sf DL.* **~cie** 1. (*kara*) punishment 2. *rel.* penance; atonement; expiation

pokutnica *sf* penitent

pokutniczo *adv* penitentially

pokutnicz|y *adj* penitential; penitentiary; expiatory; **szaty ~e** penitential garb

pokutnik *sm* 1. (*człowiek odprawiający pokutę*) penitent 2. *gw.* (*upiór*) ghost

pokutn|y [I] *adj rel.* penitential (psalm, garb etc.); **ofiara ~a** sin-offering [II] *sn* **~e** *hist. prawn.* damages

pokut|ować *vi imperf* 1. (*cierpieć*) to suffer <to smart> (**za coś** for sth) 2. (*przebywać*) to stay; to remain 3. (*poniewierać się*) to languish; to pine 4. *przen.* (*trwać jako przeżytek*) to linger 5. *rel.* to do penance <to atone> (**za coś** for sth); to expiate (**za coś** sth); **dusze ~ujące** the souls in purgatory

pokutowanie *sn* (↑ **pokutować**) (*odprawianie pokuty*) expiation; atonement

pokwapić się *vr perf* 1. (*pośpieszyć się*) to be in a hurry (**z robieniem czegoś** to do sth) 2. (*podążyć*) to hurry <to hasten> (somewhere) 3. (*skwapliwie się wziąć do czegoś*) to be eager (**z robieniem czegoś** to do sth)

pokwaterować *vt perf* to quarter <to station> (people); to billet (soldiers)

pokwękać *vi perf* — **pokwękiwać** *vi imperf* 1. (*poczuć się niezdrowym*) to be ailing (for some time) 2. (*poutyskiwać*) to grumble (a little, a bit)

pokwikiwać *vi imperf* to give an occasional squeak <squeal>

pokwikiwanie *sn* (↑ **pokwikiwać**) squeaks; squeals

pokwilić *vi perf* 1. (*o dziecku*) to whimper (a little) 2. (*o ptaku*) to twitter <to chirp> (a little)

pokwitać *vi imperf* to be pubescent; to reach <to arrive at> puberty

pokwitający *adj* pubescent

pokwitanie *sn* pubescence

pokwitować *vt perf* to acknowledge (the) receipt (**coś, kwotę** of sth, of a sum); **~ rachunek** to receipt a bill

pokwitowanie *sn* 1. ↑ **pokwitować** 2. (*potwierdzenie odbioru czegoś*) receipt; **za ~m** against receipt

pol|ać *v perf* **~eje, ~eli** <**~ali**> — **pol|ewać** *v imperf* [I] *vt* to pour (**kogoś, coś wodą itd.** water etc. over sb, sth); **~ać, ~ewać potrawę sosem** to pour sauce over a dish; **~ać, ~ewać kwiaty** to water flowers; **~ać, ~ewać trawnik** to spray a lawn; **~ać coś krwią** to shed one's blood for sth; **~ać coś łzami** to wet sth with one's tears [II] *vr* **~ać, ~ewać się** 1. (*oblać się*) to pour (**wodą itd.** water etc.) over oneself; **~ać, ~ewać się perfumami** to spray oneself with scent 2. (*polać jeden drugiego*) to pour (**wodą itd.** water etc.) over each other 3. *perf* (*pociec*) to flow; **krew się ~ała** blood flowed; **łzy się ~ały** tears were shed <gushed>; **~ały się potoki obelg** a torrent of abuse gushed forth

pola|k *sm* 1. **Polak** (*pl N.* **Polacy**) (*człowiek narodowości polskiej*) (a) Pole; **jestem** <**on jest itd.**> **Polakiem** I am <he is etc.> Polish 2. *singt szk.* Polish lesson 3. † (*pl N.* **~ki**) (*koń*) horse of Polish breed

polakierować *vt perf* = **lakierować** 1., 3.

polakować *vt perf* to seal (with sealing-wax)

polakożerca *sm* hater of Poles; polonophobe

polakożerczy *adj* filled with hatred of Poles

polakożerstwo *sn* hatred of Poles

polamentować *vi perf* to lament (some time)

polana *sf* glade; clearing (in a forest)

polanie *sn* ↑ **polać**

polan|ka *sf pl G.* **~ek** *dim* ↑ **polana**

polano *sn* billet (of fire-wood); log

polarnictwo *sn singt geogr.* polar exploration

polarnik *sm* polar explorer

polarność *sf singt fiz.* polarity

polarn|y *adj* polar; **gwiazda ~a** polar star; Pole Star; **lis ~y** polar fox; **zorza ~a** polar lights; aurora borealis; *miner.* **oś ~a** polar axis

polarograf *sm G.* **~u** *chem. fiz.* polarograph

polarografi|a *sf singt GDL.* **~i** *chem. fiz.* polarography; polarographic analysis

polarograficzny *adj* polarographic

polarogram *sm G.* **~u** *chem. fiz.* polarogram; current-voltage curve

polarymetr *sm G.* **~u** *chem. fiz.* polarimeter

polarymetri|a *sf singt GDL.* **~i** *chem. fiz.* polarimetry

polaryzacja *sf singt fiz.* polarization

polaryzacyjny *adj* polarizing (prism etc.)

polaryzator *sm fiz.* polarizer

polaryzować *v imperf* [I] *vt* to polarize [II] *vr* **~ się** to be polarized

polaryzowanie *sn* (↑ **polaryzować**) polarization

polatać *vi perf* 1. (*latać*) to fly (awhile, a little) 2. *pot.* (*pobiegać*) to run about; **~, żeby jakąś sprawę załatwić** to rush about in order to settle <to arrange> sth 3. = **polatywać**

polatucha *sf* 1. *gw.* (*latawica*) gadabout 2. *zool.* (*Pteromys volans*) flying squirrel

polatywać *vi imperf* to flitter; to flutter

polder *sm* (*zw.pl*) *geogr.* polder

pol|e *sn pl G.* **pól** 1. (*rola*) field; *pl* **~a** fields; acres; farm; (*o rolniku*) **w ~u** in the fields 2. (*teren*) field; ground; territory; **czyste** <**otwarte, szczere**> **~e** open field; **~a naftowe** oilfields; **~e bitwy** battle-field; battle-ground; **~e lodowe** ice-field; *mitol.* **Pola Elizejskie** the Elysian fields; *lotn.* **~e startowe** tarmac; *wojsk.* **~e minowe** minefield; **~e ostrzału** field of fire; **wyruszyć w ~e** to take the field; **w ~u** in the field 3. *przen.* (*dziedzina, zakres*) field; range; scope; **na ~u literatury itd.** in the field of literature etc. 4. (*powierzchnia*) field; surface; area 5. *fiz.* field; **~e elektryczne** <**grawitacyjne, magnetyczne**> electric <gravitational, magnetic> field; **~e widzenia** field <range> of vision <view> 6. *mat.* (*miara płaszczyzny*) area (of a rectangle etc.) 7. *sport* field; area; **~e bramkowe** <**karne**> goal <penalty> area 8. *szach.* square 9. *reg.* (*podwórze*) yard; (*na dworze*) **na ~u** outside; out of doors

pole|c *vi perf* **~gnę, ~gnie, ~gnij, ~gł** to fall; to die; *przen.* to bite the dust

polecać *zob.* **polecić**

polecając|y *adj* introductory; **list ~y** letter of introduction <of (re)commendation>; **osoby ~e** references

poleceni|e *sn* 1. (↑ **polecić**) (*zarekomendowanie*) recommendation; **godny ~a** (re)commendable; **na**

~e czyjeś on sb's recommendation 2. (*zlecenie*) instructions; order; ~e wypłaty order of payment; (*o wypłacie*) na ~e p. X by order of Mr X

pole|cić *v perf* ~cę, ~ć, ~cony — polecać *v imperf* [I] *vt* 1. (*zlecić*) to instruct <to enjoin, to tell, to order> (komuś zrobienie czegoś sb to do sth) 2. (*zarekomendować*) to recommend; kto pana ~ca? who is your reference? 3. (*dać pod opiekę*) to commend (kogoś, coś komuś sb, sth to sb's care); list ~cony registered letter [III] *vr* ~cić, ~cać się to commend oneself (komuś to sb's good graces); to recommend oneself (opiece boskiej to God)

pole|cieć *vi perf* ~cę, ~ci, ~ć 1. (*rozpocząć lot*) to fly (away) 2. (*unieść się w górę*) to fly in the air 3. (*spaść*) to fly down; to go <to come> down; to fall 4. (*rozpaść się*) to fly in pieces 5. (*popędzić*) to run over; to hasten; to hurry; *sl.* ~cieć z językiem <z ozorem> to go and tell tales; *szk.* to sneak 6. *przen.* (*złakomić się*) to be tempted (na coś by sth); to catch <to jump> (na coś at sth) 7. *przen.* (*ułożyć się pomyślnie*) to run smoothly

polega|ć *vi imperf* 1. (*ufać, liczyć na kogoś, coś*) to rely (na kimś, czymś on <upon> sb, sth); to be sure (na kimś, czymś of sb, sth); to trust (na kimś, czymś sb, sth; na tym, że ktoś coś zrobi sb to do sth); to count <to depend> (na kimś, czymś on <upon> sb, sth); ~ć na sobie samym to be self-reliant; można na nim ~ć he is reliable <trustworthy, dependable>; nie można na nim ~ć he is unreliable <untrustworthy, undependable> 2. (*zasadzać się*) to consist (na czymś in sth; na robieniu czegoś in doing sth); to lie (na czymś in sth); to be based <grounded> (na czymś on sth); rzecz ~ na tym, że ... the point is that ...; rzecz nie na tym ~ that's not the point; trudność <nieporozumienie itd.> ~ na tym, że ... the difficulty <misunderstanding etc.> lies in (the fact) that ...

poleganie *sn* (↑ polegać) reliance <dependence> (na kimś, czymś on <upon> sb, sth); trust (na kimś, czymś in sb, sth); ~ na sobie samym self-reliance

polegiwać *vi imperf* to keep lying down; to lie down at intervals

polegiwanie *sn* (↑ polegiwać) lying down at intervals

poleg|ły [I] *pp* ↑ polec; ~ły na polu chwały killed in action [II] *spl* ~li the dead; the missing

polemicznie *adv* polemically

polemiczność *sf singt* 1. (*charakter polemiczny*) polemic nature <character> (of a publication etc.) 2. (*skłonność do plemizowania*) tendency to indulge in polemics

polemiczny *adj* polemic; controversial; disputatious

polemika *sf* polemics

polemista *sm* polemicist, polemician

polemizować *vi imperf* to polemize; to engage in polemics; to carry on a controversy; ~ z czyimś twierdzeniem to argue sb's point

polemizowanie *sn* (↑ polemizować) polemics

polenta *sf* polenta

polepa *sf bud.* pugging

polepi|ć *v perf* [I] *vt* to stick <to paste> (sheets of paper etc.) together; okna ~one papierem papered up windows [III] *vr* ~ć się to get stuck <to stick (*vi*)> together

polepszać *zob.* polepszyć

polepszanie *sn* ↑ polepszać

polepszenie *sn* (↑ polepszyć) improvement; betterment; amelioration; change for the better

polepsz|yć *v perf* — polepsz|ać *v imperf* [I] *vt* to improve; to ameliorate; to mend; ~yć, ~ać sobie zarobki to get higher wages <a better pay> [III] *vr* ~yć, ~ać się to improve (*vi*); to mend (*vi*); to get <to grow> better; to undergo a change for the better; ~yło mu się he is better

poler *sm G.* ~u *mar.* bitt

polerowacz *sm pl G.* ~y <~ów> polisher

polerować *v imperf* [I] *vt* 1. (*nadać połysk*) to polish; to furbish; to burnish 2. (*ogładzać*) to polish <to refine> (sb, one's style etc.) [III] *vr* ~ się 1. (*nabrać połysku*) to take a polish; to burnish (*vi*) 2. (*ulegać polerowaniu*) to get polished 3. (*nabierać poloru*) to acquire polish <refinement>

polerowani|e *sn* ↑ polerować; do ~a polishing — (brush, cloth etc.)

polerowniczy *adj* polishing — (disc, cream etc.)

polesiak *sm zool.* (*Hylurgops*) a scolytid

polesisko *sn* deforested area

poleśny *adj* deforested

polet|ko *sn pl G.* ~ek *roln.* plot of ground; ~ko doświadczalne experimental plot

polew|a *sf DL.* ~ie 1. (*na wyrobach ceramicznych*) glaze 2. (*na metalu*) enamel 3. (*na wyrobach cukierniczych*) icing 4. *geol.* desert varnish

polewacz|ka *sf pl G.* ~ek 1. (*konewka*) watering-can 2. (*samochód*) sprinkler

polewać *vt imperf* 1. *zob.* polać 2. (*pokryć polewą*) to glaze (pottery); to enamel (metal, pots etc.); to ice (cakes)

polewanie *sn* ↑ polewać

polew|ka *sf pl G.* ~ek soup; gruel; ~ka chlebna panada; ~ka winna caudle

pol|eźć *vi perf* ~ezę, ~ezie, ~azł, ~eźli *pot.* 1. (*powlec się*) to shuffle <to trudge> along 2. (*wspiąć się*) to climb (po drabinie up a ladder) 3. (*wpakować się*) to go <to make one's way> (dokądś to a place)

poleż|eć *vi perf* ~y 1. (*leżeć*) to lie <to stay in bed> (some time, a little, a bit) 2. (*być odłożonym*) to stay <to remain> (somewhere); to be kept (somewhere) for some time

polędwica *sf* sirloin; fillet <undercut, tenderloin> (of beef etc.)

polędwicowy *adj* fillet — (steak etc.)

poliamid *sm G.* ~u *chem.* polyamide

poliandri|a *sf GDL.* ~i polyandry

poliandryczny *adj* polyandric; polyandrous

polichlor|ek *sm G.* ~ku (*także* ~ek winylu) *chem.* polyvinyl chloride

polichromi|a *sf GDL.* ~i *pl G.* ~i *plast.* polychromy; wall-painting

polichromicznie *adv* in colours

polichromiczny *adj* polychromatic; (many-)coloured

polichromowa|ć *vt imperf* to polychrome; to decorate in polychrome style; to paint in colours; ~ny polychrome; (many-)coloured

polichromowanie *sn* (↑ polichromować) polychromy; wall-painting

policj|a *sf* (*zw. singt*) *GDL.* ~i 1. (*instytucja*) police-(force); ~a drogowa traffic and road police; ~a śledcza criminal investigation department (C.I.D) 2. (*budynek, urząd*) police-station

policjant *sm* policeman; constable; ~ **drogowy** police motor-cyclist; *sl.* speed-cop
policjant|ka *sf pl G.* ~**ek** policewoman
policmajst|er *sm G.* ~**ra** *L.* ~**rze** *pl N.* ~**rzy** *hist.* police superintendent (in Tzarist Russia)
policyjnie *adv* with the help of the police; by police regulation; through the police; ~ **zakazany** forbidden by (police) order
policyjn|y *adj* police — (dog, officer, service etc.); **godzina** ~**a** curfew; **państwo** ~**e** police-state
policz|ek *sm G.* ~**ka** 1. *anat.* cheek 2. *dosł. i przen.* (*spoliczkowanie*) slap in the face; **wymierzyć komuś** ~**ek** a) (*osobie dorosłej*) to slap sb's face b) (*dziecku*) to give sb a box on the ears 3. *zool.* cheek; chap 4. (*u broni myśliwskiej*) cheek 5. (*zw. pl*) *bud.* string(er); notchboard
policzenie *sn* (↑ **policzyć**) 1. (*obliczenie*) reckoning; count 2. (*uwzględnienie w rachunku*) (a) charge
policzkować *vt imperf* to slap (sb's face); *dosł. i przen.* to slap (sb) in the face
policzkowanie *sn* ↑ **policzkować**
policzkow|y *adj* 1. *anat.* malar; **kość** ~**a** cheek-bone; *zool.* **torba** ~**a** cheek pouch 2. *bud.* **belki** ~**e** stringers
policz|yć *v perf* I *vt* 1. (*obliczyć*) to count; to reckon; (*zsumować*) to add up; **już ich nie** ~**ę, nie dadzą się** ~**yć** they are countless; **można ich** ~**yć na palcach** you can count them <they can be counted> on one's fingers; **nasze dni są** ~**one** our days are numbered; *przen.* ~**yć komuś kości** to beat sb black and blue 2. (*kazać sobie zapłacić*) to charge (**komuś jakąś kwotę** sb a sum) 3. (*zaliczyć*) to count <to reckon> (**do, w poczet ...** among ...); ~**yć coś za winę** <**za zasługę**> to account sth to be an offence <a merit, a service rendered> II *vr* ~**yć się** (*porachować się*) to settle accounts (with sb); **jeszcze się z tobą** ~**ę** I'll be even with you yet
polifag *sm zool.* polyphagous animal
polifagiczny *adj* polyphagous
polifoni|a *sf singt GDL.* ~**i** *muz.* polyphony
polifoniczny *adj* polyphonic
polifonista *sm* (*decl* = *sf*) polyphonist
poligami|a *sf singt GDL.* ~**i** polygamy
poligamiczny *adj* polygamous
poligeneza *sf singt* polygenesis
poligenizm *sm singt G.* ~**u** polygenism; polygeny
poliglota *sm* (*decl* = *sf*) polyglot
poliglotyczny *adj* polyglot(tic)
poliglotyzm *sm singt G.* ~**u** polyglottism
poligon *sm G.* ~**u** 1. *wojsk.* (experimental) range; firing <testing> ground 2. *miern.* traverse
poligonalny *adj miern.* polygonal; multiangular
poligonowy *adj* 1. *wojsk.* experimental range — (practice etc.) 2. *miern.* traverse — (survey etc.)
poligrafi|a *sf singt GDL.* ~**i** printing; typography; art of printing
poligraficzny *adj* printing — (industry etc.); **zakład** ~ printing establishment
poligrafika *sf singt* typographia
polihistor *sm* polyhistor, polyhistorian
polihistori|a *sf singt GDL.* ~**i** polyhistory
polikarpiczny *adj bot.* polycarpic (plant)
poliklinika *sf* polyclinic
polimer *sm G.* ~**u** *chem. techn.* polymer
polimeryzacj|a *sf singt GDL.* ~**i** *chem.* polymerization
polimeryzować *v imperf* I *vt* to polymerize II *vr* ~ **się** to polymerize (*vi*)
polimorficzn|y *adj bot. chem. zool.* polymorphic, polymorphous; **ciała** ~**e** polymorphous substances
polimorfizm *sm singt G.* ~**u** *biol. jęz. chem. miner.* polymorphism
poliniować *vt perf* to line <to rule> (paper)
Polinezyjczyk *sm* (a) Polynesian
polinezyjski *adj* Polynesian
polip *sm med. zool.* polyp(us)
poliploid *sm G.* ~**u** *biol.* polyploid
poliploidalność *sf singt biol.* polyploidy
poliploidalny *adj* polyploid(ic)
polipowaty *adj*, **polipowy** *adj* polypous
poliptyk *sm G.* ~**u** polyptych
polirytmi|a *sf singt GDL.* ~**i** *muz.* polyrhythmic arrangement
polisa *sf* policy; ~ **ubezpieczeniowa** insurance policy; (*od ognia*) fire-policy
polisacharyd *sm G.* ~**u** *chem.* polysaccharid(e)
polisemantyczny *adj jęz.* polysemantic
polistyren *sm G.* ~**u** *chem.* polystyrene
polistyrenowy *adj* polystyrene — (resin etc.)
polistyrol *sm* = **polistyren**
polisyndet *sm G.* ~**u, polisyndeton** *sm jęz.* polysyndeton
polisyndetyczny *adj* polysyndetic
poliszynel † *sm* Punchinello; *obecnie w zwrocie:* **tajemnica** ~**a** open secret
politechniczny *adj* polytechnic(al)
politechnika *sf* engineering college; Institute of Technology
politechnizacja *sf singt* spread of technology
politeista *sm* polytheist
politeistyczny *adj* polytheistic
politeizm *sm singt G.* ~**u** polytheism
politonalność *sf singt muz.* polytonality
politowani|e *sn* pity; compassion; **godny** ~**a** pitiable; **on jest godny** ~**a** he is to be pitied; **z** ~**em** pitifully; with compassion
politu|ra *sf DL.* ~**rze** polish; lacquer; French polish
politurować *vt imperf* to French-polish
politurowanie *sn* ↑ **politurować**
politycznie *adv* 1. (*pod względem politycznym*) politically 2. † (*dyplomatycznie*) politicly; with diplomacy
polityczność *sf singt* 1. (*polityczny charakter*) political character <nature> (of a statement etc.) 2. † (*układność*) diplomacy
polityczn|y I *adj* 1. (*dotyczący polityki*) political (economy, science, prisoner etc.); **obrać karierę** ~**ą** to go into politics; **proces** ~**y** State trial 2. † (*układny*) politic; diplomatic II ~**y** *sm* political prisoner
polityk *sm* 1. (*uprawiający politykę*) politician; (*mąż stanu*) statesman; **kawiarniany** ~ politicaster 2. (*człowiek przebiegły*) dodger
polityk|a *sf singt* 1. (*działalność rządu itd.*) politics; policy; ~**a wzajemnych ustępstw** give-and-take policy; **prowadzić zakulisową** ~**ę** to pull the strings; **strusia** ~**a** ostrich policy 2. *przen. pot.* (*zręczne postępowanie*) policy; diplomacy
politykier *sm pog.* politicaster; politicizer

politykierski *adj pog.* politicizing — (habits etc.)
politykierstwo *sn singt pog.* politicizing
politykować *vi imperf* 1. (*zajmować się polityką*) to politicize 2. (*być układnym*) to avoid committing oneself
politykowanie *sn* ↑ **politykować**
poli|zać *vt perf* **~że** to lick; to give (sb, sth) a lick
Pol|ka[1] *sf pl G.* **~ek** Pole; Polish girl <woman>
pol|ka[2] *sf pl G.* **~ek** polka; **tańczyć ~kę** to polk(a)
polnik *sm zool.* (*Microtus*) vole
poln|y *adj* 1. *roln.* field — (cultivation etc.); wild (flowers etc.); field- (mouse etc.); **droga ~a** dirt-track; cart-track 2. *hist.* field — (Marshal etc.)
polo *sn indecl sport* polo
polochronny *adj* field-protecting
polodowcowy *adj geol.* post-glacial
polokować *v perf* [I] *vt* to place <to accommodate> (people); to put (people) up (for the night); to give (people) night's lodgings [II] *vr* **~ się** to put up; to find night's lodgings
polon *sm singt G.* **~u** *chem.* polonium
polonez *sm* polonaise
polonezowy *adj* polonaise — (rhythm etc.)
Poloni|a *sf G.* **~i** Polish colony <emigrants>; **~a amerykańska** Americans of Polish origin
polonic|a *spl G.* **~ów** *lit.* Polish historical documents
polonijny *adj* (activities etc.) of a Polish colony <of Polish emigrants>
poloni|sta *sm* (*decl* = *sf*) *DL.* **~ście** *pl N.* **~ści** *GA.* **~stów** 1. (*uczony*) Polish scholar 2. (*nauczyciel*) teacher of Polish 3. (*student*) student of Polish philology (and literature)
polonist|ka *sf pl G.* **~ek** = **polonista** 2., 3.
polonistyczny *adj* of Polish studies
polonistyka *sf singt* Polish studies
polonizacja *sf singt* polonization
polonizacyjny *adj* polonizing
polonizm *sm G.* **~u** Polonism
polonizować *v imperf* [I] *vt* to polonize [II] *vr* **~ się** to become polonized
polonizowanie *sn* (↑ **polonizować**) polonization
polonofil *sm* (a) polonophil
polonofilski *adj* polonophil(e)
polonofilstwo *sn singt* polonophily
polonofob *sm* polonophobe
polonofobi|a *sf singt GDL.* **~i** polonophobia
polonus *sm hist.* typical Pole of past centuries
polor *sm singt G.* **~u** polish (of manners); refinement
polot *sm G.* **~u** imaginativeness; loftiness; inspiration; flights of imagination; **bez ~u** uninspired; dull; insipid; milk-and-water (composition etc.); **brak ~u** dul(l)ness; insipidness; **brak mu ~u** he is unimaginative; **z ~em** = **polotny**
polotny *adj lit.* imaginative; spirited; lively; lofty; inspired
polować *vi imperf* 1. (*zajmować się myślistwem*) to hunt (**na grubego zwierza itd.** big game etc.); to shoot <to course> (**na zające itd.** hares etc.); **~ na cudzym gruncie** to poach (on sb's preserves) 2. (*o zwierzętach, ptakach drapieżnych*) to prey (**na mniejsze zwierzęta, ptaki** on smaller animals, birds) 3. *pot.* (*starać się uzyskać*) to hunt (**na coś** for sth); to seek (**na sławę itd.** glory etc.)
polowanie *sn* 1. (↑ **polować**) (*myślistwo*) hunting; shooting; coursing; gunning; (*łowy*) the chase; **iść na ~** to go hunting <shooting>; **~ na grubego zwierza** big-game hunting; **~ na dzikie ptactwo** fowling; **~ par force na lisa** the hunt; fox-hunting; riding to hounds; *przen.* **~ na męża** husband-hunting; **~ na posagi** dowry-hunting 2. (*impreza*) (a) hunt; shooting party
polow|y [I] *adj* 1. *roln.* field — (cultivation etc.); farm — (work etc.); **droga ~a** dirt-track; cart-track 2. *wojsk.* field — (hospital, dressing etc.); field- (artillery, battery etc.); camp- (bed, chair etc.); **mundur ~y** battle-dress; **sąd ~y** court martial [II] *sm* **~y** field-guard
polów|ka *sf pl G.* **~ek** *pot.* 1. (*czapka*) forage-cap 2. (*działo*) field-gun 3. (*łóżko*) camp-bed 4. (*polowanie*) shooting party
polsk|i *adj* Polish; **~i język** Polish (language); **po ~u** a) (*w polskim języku*) in Polish; **mówić <rozumieć> po ~u** to speak <to understand> Polish b) (*na modłę polską*) Polish-fashion; after the Polish fashion
polskość *sf singt* Polish character <traits, nationality, origin, descent, provenance>
polszczyć *v imperf* [I] *vt* 1. (*nadawać cechy polskie*) to invest (sth) with Polish traits; (*polonizować*) to polonize 2. † (*przekładać na język polski*) to translate <to render> into Polish [II] *vr* **~ się** 1. (*stawać się Polakiem*) to become polonized; to acquire Polish nationality; to become nationalized Polish 2. (*nabierać cech polskich*) to assume Polish traits
polszczyzn|a *sf singt* 1. (*język*) Polish (language); **mówić poprawną <łamaną> ~ą** to speak correct <broken> Polish 2. † (*cechy polskie*) Polish traits
polśniewać *vi imperf* to shine; to glitter; to glisten
polubić *v perf* [I] *vt* to become <to grow> fond (**kogoś, coś** of sb, sth); to take a fancy <a liking> (**kogoś, coś** to sb, sth); to warm (**kogoś, coś** to sb, sth); to fall (**kogoś, coś** for sb, sth); to become attracted (**kogoś** to sb); **~ kogoś z czasem** to come to like sb [II] *vr* **~ się** to become fond of each other; to win each other's affection
polubienie *sn* (↑ **polubić**) fondness (**kogoś, czegoś** for sb, sth)
polubownie *adv* amicably; by compromise; **~ załatwić spór** to settle a dispute out of court
polubowność *sf singt* conciliatoriness
polubowny *adj* amicable; conciliatory; **sąd ~** court of conciliation; **sędzia ~** arbitrator
polucja *sf med.* pollution
po ludzku *zob.* **ludzki**
polukrować *vt perf kulin.* to ice; to cover with icing
poluzować *v perf* [I] *vt* to loosen; to slacken; to ease off (a cable etc.) [II] *vr* **~ się** to loosen (*vi*); to get loose; to slacken (*vi*)
poluzowanie *sn* ↑ **poluzować**
poł|a *sf DL.* **pole** *pl G.* **pół** tail <skirt, lap, flap> (of a garment); flap (of a tent etc.); **~y surduta** coat-tails; **~y koszuli** shirt-tail; *przen.* **trzymać kogoś za ~ę** to keep sb in check; **trzymać się kogoś za ~y, trzymać się czyjejś ~y** to be tied to sb's apron-strings
połabianin *sm* (a) Polabian
połabski *adj* Polabian

poła|ć *sf pl N.* **~cie** *G.* **~ci** surface; extent; tract (of land etc.); patch (of sky etc.)

połaj|ać *vt perf* **~a** <**~e**> 1. (*dać naganę*) to give (sb) a scolding <a rating> 2. (*zwymyślać*) to revile

połajanie *sn* (↑ **połajać**) 1. (*nagana*) (a) scolding; (a) rating 2. (*zwymyślanie*) invective

połajan|ka *sf pl G.* **~ek** invective

połakomi|ć się *vr perf* to be tempted <lured> (**na coś** by sth); to catch <to jump> (**na coś** at sth); **~ł się na zysk** he was attracted <tempted> by the prospect of gain

połam|ać *v perf* **~ie** [I] *vt* 1. (*złamać*) to break (**na części** to pieces); to shatter; to smash 2. *przen.* (*naruszyć*) to break (promises etc.); to transgress <to infringe> (rules etc.) [III] *vr* **~ać się** to break (*vi*); to get broken; to go to pieces

połamanie *sn* (↑ **połamać**) (a) break

połama|niec *sm G.* **~ńca** 1. (*pl N.* **~ńce**) (*rzecz połamana*) broken <shattered> object 2. (*pl N.* **~ńcy** <**~ńce**>) *pot.* (*człowiek*) cripple; crock

połamany [I] *pp* ↑ **połamać** [II] *adj* 1. (*o liniach itd.*) broken; irregular 2. (*o człowieku*) crooked; mis-shapen

połap|ać *v perf* **~ie** [I] *vt* to catch (people, things); **~ać oczka** to mend (meshes, a ladder in a stocking etc.); **~ać trochę wiedzy o czymś** to get a smattering of sth; **~ać trochę francuszczyzny itd.** to pick up a little French etc. [II] *vr* **~ać się** *pot.* to twig (**w czymś** sth); to get the hang <the idea> (**w czymś** of sth); **nie mogę się w tym ~ać** I don't get the idea (of this); **trudno się w tym ~ać** it's all very confusing; **trzeba się w tym ~ać** there's a trick in it

połasko|tać *vt perf* **~cze** <**~ce**> to tickle

połaszczyć się *vr perf pot.* = **połakomić się**

połatać *vt perf* 1. (*poreperować*) to patch (things) up 2. *przen.* (*naprawić*) to mend; to put (things) in shape

poławiacz *sm pl G.* **~y** <**~ów**> fisher; **~ fok** seal fisher; **~ gąbek** sponger; **~ min** minesweeper; **~ pereł** pearl-diver; *pszcz.* **~ pyłku** pollen trap

poławiać *vt imperf* to fish (**śledzie, łososie, perły itd.** for herrings, salmon, pearls etc.); to dive (**perły itd.** for pearls etc.)

poławianie *sn* ↑ **poławiać**; **~ pereł** pearl-diving; pearl-fishing; **~ śledzi itd.** fishing for herrings etc.

poła|zić *vi perf* **~żę** *pot.* to knock about; to saunter

połazikować *vi perf pot.* (*włóczyć się*) to knock about (a bit); (*leniuchować*) to laze (a bit)

połączeni|e *sn* 1. ↑ **połączyć** 2. (*element łączący oraz zespół*) union; combination; link; blending; fusion; concatenation; *elektr.* contact; *ekon.* amalgamation; merger; **~e rzek** confluence of rivers; **w ~u z ...** together with ... 3. (*miejsce złączenia*) joint; junction; juncture; **~e rzek** confluence of rivers 4. *chem.* (*zespół*) compound; *techn.* fastening; coupling 5. (*komunikacja*) communication; connection, connexion; (train, bus etc.) service 6. *telef.* connexion, connection; **dać komuś ~e** to give sb the connection; to put sb through <to switch sb on> (**z kimś** to sb); **przerwać komuś ~e** to disconnect sb; **przerwać ~e** to ring off; to hang up the receiver 7. *astr.* conjunction

połączon|y [I] *pp* ↑ **połączyć** [II] *adj* joint (efforts etc.); connected (with difficulties etc.); fraught (with danger etc.); *fiz.* **naczynia ~e** communicating vessels

połączyć *v perf* [I] *vt* 1. (*zespolić*) to unite; to join; to connect; to combine; (*powiązać*) to bind together; to link; to couple; (*zmieszać*) to mix; to blend; **~ swe siły** to join forces <hands> 2. (*skojarzyć parę małżeńską*) to unite in marriage 3 *telef.* to give (sb) the <a> connection; to put (sb) through <to switch (sb) on> (**z kimś** to sb) [II] *vr* **~ się** 1. (*zespolić się*) to unite <to (inter)join, to combine> (*vi*); to fuse; to become connected; to merge; to mix 2. (*zawrzeć związek małżeński*) to marry (*vi*) 3. *telef.* to get <to obtain> the connection (**z kimś** with sb); to get through (**z kimś** to sb)

po łebkach *zob.* **łebek**

połech|tać *vt perf* **~cze** <**~ce**> 1. (*połaskotać*) to tickle 2. *przen.* to flatter (sb's ambition etc.)

poł|eć *sm G.* **~cia** flitch

poł|knąć *vt perf* **~knięty — poł|ykać** *vt imperf* 1. to swallow; to gulp (down); to bolt (one's food); to drink down (a beverage etc.); **nie mogę tego ~knąć** it sticks in my throat; **~ykać powietrze** to breathe in the air; **~ykać łzy** to swallow <to gulp down, to gulp back> one's tears; **~ykam ślinkę** my mouth waters; *dosł. i przen.* **~knąć haczyk** to swallow the bait; *przen.* **~ykać kogoś oczami** to devour sb with one's eyes; **~ykać słowa** to swallow one's words 2. *przen.* (*pochłonąć*) to swallow up <to engulf> (a fortune etc.); to occupy (all one's time etc.) 3. *przen.* (*znieść, ścierpieć*) to pocket <to stomach> (an insult); **~knąć, ~ykać gorzką pigułkę** to swallow the bitter pill 4. *przen.* (*szybko przeczytać*) to gallop <to scamper> (**książkę** through a book)

połknięcie *sn* (↑ **połknąć**) deglutition; (a) gulp

połogi *adj* sloping

połogowy *adj med.* puerperal (fever, sepsis)

połonicznik *sm bot.* (*Herniaria*) burstwort; rupturewort

połonin|a *sf DL.* **~ie** *reg.* mountain pasture

połow|a *sf pl G.* **połów** 1. (*jedna z dwu równych części*) half (the time, length, price etc.); a <one> half (of the population, house, expense etc.); *prawn.* moiety; **pierwsza** <**druga**> **~a tygodnia** <**miesiąca itd.**> the early <the latter> part of the week <of the month etc.>; *geom.* **~a kąta** half angle; *w wyrażeniach przyimkowych;* **do ~y** a) (*do 1/2*) half-way (up, down); **do ~y zamknięty, próżny, wykonany itd.** half-closed, half-empty, half-done etc. b) (*do pasa*) waist-high; (stripped etc.) to the waist c) (*na pół, do spółki*) by halves; **na ~ę** in two; **o ~ę** by a half; **o ~ę większy** <**dłuższy, grubszy itd.**> half as large <long, thick etc.>; **zmniejszyć coś o ~ę** to reduce <to lessen, to diminish> sth by a half; **po ~ie** by halves; fifty-fifty; half-and-half; **dzielić się czymś po ~ie** to halve sth; to go halves with sb; **w ~ie** half-way; in the middle; **w ~ie drogi** midway; in mid course; **w ~ie lata** <**zimy**> in midsummer <midwinter>; **w ~ie czerwca** <**sierpnia itd.**> in mid June <August etc.> 2. (*środek*) middle; **w ~ie zdania** in the middle of a sentence; **dochodzić ~y czegoś** to be half-way through sth 3. *żart.* (*żona*) (one's) better half 4. *pot.* (*jedna z dwóch *nierównych części*) part; half; **większa ~a** the larger half; the better <greater> part

połowica *sf pot. żart.* (*żona*) (one's) better half

połowicznie *adv* partially; imperfectly; incompletely; **załatwiać sprawy ~** to do things by halves

połowiczność *sf singt* imperfection; incompleteness

połowiczn|y *adj* partial; incomplete; imperfect; **~e środki** half measures

połowicz|y *adj* = **połowiczny**; *med.* **porażenie ~e** hemiplegia; **widzenie ~e** hemianopsia

połoz *sm zool.* (*Coluber jugularis*) coluber

położeni|e *sn* 1. ↑ **położyć** 2. (*miejsce znajdowania się*) situation; position; site (of a building etc.); *techn.* **~e zerowe** dead centre; **mieć dobre <niekorzystne itd.> ~e** to be well <unfortunately etc.> situated; *mar.* **obliczyć ~e statku** to determine the ship's position; to take one's bearings 2. (*warunki*) situation; conditions; circumstances; posture <state> of affairs; **ciężkie <przykre> ~e** predicament; sad <sorry> plight; **jesteśmy w jednakowym ~u** we are in the same situation <*przen.* in the same boat>; **wejdź <wstaw się> w moje ~e** put yourself in my place

położna *sf* (*decl* = *adj*) midwife

położnica *sf* woman lying-in <in childbed>

położnictw|o *sn singt L.* **~ie** 1. (*dział medycyny*) obstetrics; midwifery; tocology, tokology 2. (*oddział szpitala*) maternity ward

położnicz|y *adj* obstetric (art, forceps etc.); **klinika ~a, szpital ~y** maternity <lying-in> clinic; **sala ~a** maternity ward

położnik *sm* obstetrician; accoucheur

położyć *v perf* **połóż** [I] *vt* 1. (*umieścić*) to put (down); to lay; to place; to set down; to deposit (a burden etc.); **~ akcent na coś** to lay stress on sth; **~ akcent na zgłoskę** to stress a syllable; *przen.* **~ koniec <kres> czemuś** to put an end to sth; **~ krzyżyk na czymś** to give sth up; to drop sth; **~ ufność w kimś** to place one's confidence in sb; to trust sb; **~ zasługi dla sprawy** to render services to a cause; **~ zasługi dla ojczyzny** to deserve well of one's country; **~ życie za coś** to sacrifice <to give> one's life for sth 2. (*wybudować*) to build; to erect; to raise; **~ kamień węgielny** to lay the foundation stone; *przen.* **~ podwaliny pod coś** to lay down the foundation of sth 3. (*zmienić pozycję na poziomą*) to put (sth) horizontally; to lay (sth) down; (*obalić*) to lay <bring, throw, knock> down; to overthrow; to lay low; to level with the ground; to floor (an opponent); to fell (a person, an animal); to beat down (corn); **~ dziecko do łóżka** to put a child to bed 4. *pot.* (*zaprzepaścić*) to make a mess <a botch> (**coś** of sth); to ruin 5. *karc.* to have (one's opponents) down [II] *vr* **~ się** 1. (*lec*) to lie down; **~ się do grobu** to go to one's grave 2. (*obalić się*) to come <to go> down; to fall; to collapse; (*przechylić się*) to slant; to slope 3. (*pójść spać*) to go to bed; to turn in 4. (*zbankrutować*) to come to ruin; to go bankrupt 5. *karc.* to lose the game; **położyliśmy się bez trzech** we are <were> three down

poł|óg *sm G.* **~ogu** child-birth; childbed; confinement; delivery; lying in; *med.* puerperium; **kobieta w ~ogu** woman lying in; **być w ~ogu** to lie in; to be confined

poł|ów *sm G.* **~owu** 1. (*łowienie*) fishing; **~owy dalekomorskie** deep-sea fishing; **~ów gąbek** sponge-fishing; **~ów pereł** pearl-fishing; pearl-diving; **~ów włokiem** trawling; dragging 2. (*to, co złowiono*) (the) catch <take, haul, draught>

połów|ka *sf pl G.* **~ek** (a) half; **przekroić na ~ki** to cut in halves

południca *sf* 1. (*upiór*) ghost 2. *zool.* nymphalid; *pl* **~e** (*Nymphalidae*) (*rodzina*) the family Nymphalidae; the four-footed butterflies

południ|e *sn pl G.* **~** 1. (*pora*) noon; midday; **przed ~em** in the forenoon; in the morning; **tego dnia <dzisiaj> przed ~em** that <this> morning; **po ~u** in the afternoon; **dziś <jutro> po ~u** this <to-morrow> afternoon; **o godzinie** *x* **po ~u** at *x* o'clock in the afternoon; at *x* p.m.; **tego dnia po ~u** that afternoon; **w ~e** at noon; **w samo ~e** a) (*dokładnie w południe*) at the height of noon b) (*w jasny dzień*) in broad daylight 2. (*strona świata*) South; **na ~e** south; southward(s); (*o pociągu, statku*) **jadący <płynący> na ~e** southbound 3. (*kraje południowe*) the South

południk *sm geogr. astr.* meridian

południkowo *adv* meridionally

południkowy *adj* meridional

południow|iec *sm G.* **~ca** southerner

południowoafrykański *adj* South-African

południowoamerykański *adj* South-American

południowoazjatycki *adj* South-Asiatic

południowosłowiański *adj* South Slavonic

południowowschodni *adj* south-easterly

południowozachodni *adj* south-westerly; **Afryka Południowozachodnia** South-West Africa

południo-wsch|ód *sm G.* **~odu** South-East

południow|y *adj* 1. (*dotyczący pory dnia*) midday (meal, heat etc.); noontide (rest, sun etc.); **dzienniki ~e** midday papers; **pora ~a** noon 2. (*dotyczący strony świata*) south <southerly> (wind, latitude etc.); southern (fruits, hemisphere, countries etc.); **biegun ~y** South Pole 2. (*charakterystyczny dla południowców*) southern

południo-zach|ód *sm G.* **~odu** South-West

połup|ać *vt perf* **~ie** to chop <to split> (up) (much of sth, all of sth)

połuszczyć *v perf* [I] *vt* to pod (peas etc.); to shell (nuts etc.); to hull (rice etc.) [II] *vr* **~ się** to peal <to flake> off

połykacz *sm pl G.* **~y** <**~ów**> swallower; **~ ognia** fire-eater; **~ mieczów** sword swallower

połykać *zob.* **połknąć**

połykanie *sn* (↑ **połykać**) deglutition

połykowy *adj* deglutitory

połysi|eć *vi perf* **~eje, ~ały** to become <to grow> bald

połysk *sm G.* **~u** 1. *singt* (*lśnienie*) polish; gloss; lustre; brilliance; sheen; glaze (of silk etc.); **~ lustrzany** bright polish; **~ matowy** dull lustre; soft sheen; **nadać czemuś ~** to polish sth; **bez ~u** dull; **z ~iem** polished; glossy; sheeny 2. (*błysk*) sparkle; glitter

połyskiwać *vi imperf* to glitter; to glisten; to shine

połyskiwanie *sn* (↑ **połyskiwać**) (a) glitter; (a) sparkle; (a) brilliance

połyskliwie *adv* glitteringly; sparklingly; brilliantly; with a glitter <sparkle>

połyskliwość *sf singt* glitter; sparkle; brilliance

połyskliwy *adj* glittering; sparkling; brilliant; lustrous; glossy

pomacać *vt perf* 1. (*macając sprawdzić*) to feel; to examine by touch; **~ kurę** to feel a hen for eggs 2. *sl.* (*uderzyć*) to bash; to thump; to whack 3. *wulg.* to paw <to cuddle> (a woman)

pomachać *vi perf* to wave (**ręką, chustką** one's hand, handkerchief); (*o psie*) to wag (**ogonem** its tail)

po macierzyńsku *zob.* **macierzyński**

po macoszemu *zob.* **macoszy**

pomada *sf* pomade, pomatum; bandoline; bear's-grease

pomad|ka *sf pl G.* **~ek** 1. (*kosmetyk*) lipstick 2. (*cukierek*) fondant; fudge

pomadować *vt imperf* to pomade (one's hair, moustache)

pomadowanie *sn* ↑ **pomadować**

pom|agać *vi imperf* — **pom|óc** *vi perf* **~ogę, ~oże, ~óż, ~ógł, ~ogła, ~ogli** 1. (*udzielać pomocy*) to help (**komuś** sb); to assist <to aid> (**komuś** sb); to lend <to give> (sb) a hand; to be of assistance (to sb); to make oneself useful; (*o okolicznościach itd.*) to mend matters; **czym mogę ci ~óc?** how can I help you?; **czy mogę w czymś ~óc?** can I be of any help <of service>?; **~óc komuś materialnie** to come to sb's assistance; **~agać, ~óc komuś włożyć płaszcz** to help sb on with his overcoat; **~agać, ~óc komuś w pracy** to help sb with his work; **~agać, ~óc komuś wejść na górę <zejść, wyjść z czegoś, przejść przez ulicę>** to help sb up <down, out, across the street>; **~agać, ~óc sobie rękami <nogami>** to make use of one's arms <legs>; **~óż(cie) mi** give me a hand 2. (*skutkować*) to help; to avail; to be of some use; to be good (**na ból głowy, zębów itd.** for a headache, toothache etc.); **co to ~oże?** what good will it do?; **płacz <krzyk, gadanie itd.> nic nie ~oże** it's no use crying <shouting, talking etc.>; **to mi nic nie ~ogło** I wasn't any better off; **to nic nie ~oże** it is of no avail <quite useless>; it won't do any good 3. (*przyczynić się*) to help; to be helpful <instrumental> (in sth)

pomaganie *sn* (↑ **pomagać**) help; assistance; aid

pomagier *sm pot.* helper

pomaleńku *adv* (*powoli*) slowly; little by little; step by step; **~!** easy does it!; take it easy!; **jak się czujesz?** — **ano ~** how do you feel? — not bad <so so, pretty fair>

pomalować *vt perf* to paint; to colour

pomalutku *adv* very very slowly; ever so slowly; **~!** easy there!; easy does it!; **czuć się <mieć się> ~** to feel pretty well

pomału *adv* slowly; leisurely; without haste; **~!** a) (*powoli*) hold on!; don't be in such a hurry! b) (*spokojnie*) easy there!; easy does it!

pomarańcz|a *sf pl G.* **~y <~>** 1. *bot.* (*Citrus sinensis*) orange-tree 2. (*owoc*) orange; **czerwona <malinowa> ~a** blood orange

pomarańczarni|a *sf pl G.* **~** orangery; hothouse

pomarańczowoczerwony *adj* orange-red

pomarańczowożółty *adj* orange-yellow

pomarańczowy *adj* 1. *bot.* orange- (tree, blossom etc.) 2. (*odnoszący się do owocu*) orange __ (marmalade, juice etc.); orange- (peel etc.) 3. (*koloru pomarańczy*) orange; orange-coloured

pomarańczów|ka *sf pl G.* **~ek** 1. (*gruszka*) a variety of pear 2. (*wódka*) orange-flavoured vodka

pomarnować *v perf* [I] *vt* to waste <to spoil> (**all, a lot ...**) [II] *vr* **~ się** 1. (*wykolejać się*) to waste one's life; to go wrong 2. (*poniszczyć się*) to get spoilt; to go to rack and ruin

pomarszczony [I] *pp* ↑ **pomarszczyć** [II] *adj* wrinkled, wrinkly; creased; wizened; shrivelled

pomarszczyć *v perf* [I] *vt* to wrinkle; to line with wrinkles; to crease; to shrivel [II] *vr* **~ się** to wrinkle (*vi*); to shrivel; to crease

pomartwić się *vr perf* to worry (a while, some time, a little, a bit)

pomarz|nąć [r-z] *vi perf* **~ł** 1. (*o wodach, roślinach itd.*) to freeze (one after the other) 2. (*umrzeć od mrozu*) to freeze to death

pomarzyć *vi perf* to (day)dream; to muse (a little, a bit)

pomaszerować *vi perf* to march (some time); to be off on a march

poma|ścić *vt perf* **~szczę, ~szczony** 1. (*posmarować tłuszczem*) to grease 2. (*dać omasty*) to put some butter <some lard> (**potrawę** on a dish)

pomawiać *vt imperf* — **pomówić** *vt perf* (*przypisywać*) to impute (**kogoś o coś** sth to sb); (*oskarżać*) to accuse (**kogoś o coś** sb of sth); to charge <to taunt> (**kogoś o coś** sb with sth); (*posądzać*) to suspect (**kogoś o coś** sb of sth)

pomawianie *sn* (↑ **pomawiać**) imputation(s); accusation(s); taunt(s); suspicion(s)

poma|zać *vt perf* **~że** — **pomazywać** *vt imperf* 1. (*pokryć warstwą tłuszczu*) to spread (**chleb masłem <tłuszczem itd.>** butter <lard etc.> on some bread) 2. (*pobrudzić*) to smear; to soil 3. *pot.* (*pokreślić*) to scrawl (**książkę** all over the pages of a book) 3. (*naznaczyć poświęconym olejem*) to anoint

pomazanie *sn* ↑ **pomazać**

pomaza|niec *sm G.* **~ńca** *emf. lit.* the anointed

pomazany [I] *pp* ↑ **pomazać** [II] *sm* = **pomazaniec**

pomazywać *zob.* **pomazać**

pomąc|ić *v perf* **~ę, ~ony** [I] *vt* 1. (*uczynić mętnym*) to make <to render> (a liquid) turbid <muddy, clouded> 2. (*pomieszać*) to confuse; (*skłócić*) to stir (a liquid etc.); **~ić komuś głowę <w głowie>** to confuse <to befuddle, to muddle> sb [II] *vr* **~ić się** 1. (*stać się mętnym*) to become turbid <muddy, clouded> 2. (*stać się chaotycznym*) to become confused; **~iło mi się w głowie** I am bewildered <confused, muddled>

pomdl|eć *vi perf* **~eje, ~ały** 1. (*zemdleć*) to faint; **wszystkie panie ~ały** all the ladies fainted 2. (*zdrętwieć*) to grow numb; **ręce mi ~ały** my hands are <were, became> numb

pomedytować *vi perf* to meditate (awhile, a little)

pomęczyć *v perf* [I] 1. (*utrudzić*) to tire; to exhaust; to fatigue 2. (*męczyć*) to torment; to torture 3. (*zabić męcząc*) to torture (people) to death [II] *vr* **~ się** 1. (*ulec zmęczeniu*) to tire oneself out; to get tired 2. (*utrudzić się*) to drudge; to toil 3. (*trudzić się jakiś czas*) to give oneself some trouble

pomianować *vt perf* to appoint (**people to posts**); to nominate (**candidates etc.**)

pomiar *sm G.* **~u** 1. (*mierzenie*) measurement; mensuration; *miern.* surveying 2. (*rezultat mierzenia*) measurement(s); *miern.* survey

pomiarow|iec *sm G.* **~ca** *pl N.* **~cy** surveyor

pomiarowy *adj* measuring — (machine, apparatus, glass etc.)

pomiatać *vt imperf* 1. (*nie szanować*) to hold (**kimś** sb) in contempt; to take no account (**kimś** of sb); to lord it (**kimś** over sb) 2. (*poniewierać*) to ill-treat (**kimś** sb) 3. (*o samicach zwierząt — wydawać pomiot*) to give birth (**młode** to its young) 3. † (*pędzić*) to sweep (**czymś** sth)

pomiatanie *sn* (↑ **pomiatać**) disregard (**kimś** of sb); ill-treatment (**kimś** of sb)

pomiaukiwać *vi imperf* to give an occasional miaow

pomiaukiwanie *sn* (↑ **pomiaukiwać**) intermittent miaowing; occasional miaow

pom|iąć *vt perf* **~nę, ~nie, ~nij, ~iął, ~ięła, ~ięty** to crumple; to crease; to crush; *przen.* (*o twarzy*) **~ięty** wrinkled; wizened

pomidor *sm* 1. *bot.* (*Solanum lycopersicum*) tomato plant 2. (*owoc*) tomato

pomidorowy *adj* 1. (*dotyczący pomidora*) tomato — (sauce, paste etc.) 2. (*koloru pomidora*) tomato-red

pomierzch|nąć *vi perf* **~ł** to lose its lustre

pomierzwić *v perf* [I] *vt* to ruffle; to tousle; to mat [II] *vr* **~ się** to get ruffled <tousled, matted>

pomierzyć *vt perf* to measure; *miern.* to survey

pomiesza|ć *v perf* [I] *vt* 1. (*zmieszać*) to mix; to mingle; to blend; **~ć karty** to shuffle the cards; **niepokój ~ny z ciekawością** anxiety mingled with curiosity 2. (*bełtać*) to stir 3. (*poplątać*) to jumble up; to muddle up; to embroil; to tangle; **~ć komuś plany <szyki>** to thwart <to upset> sb's plans; **~ć komuś zmysły** to drive sb mad; to derange sb 4. (*nie rozróżniać*) to mix up (**kogoś, coś z kimś, czymś** one person, thing with another); to mistake (**kogoś z kimś innym** sb for sb else) 5. † (*zakłopotać*) to confuse (sb) [II] *vr* **~ć się** 1. (*występować łącznie*) to mix <to mingle, to blend> (*vi*); to get mixed; **~ło mu się w głowie** he has gone <he went> mad 2. (*poplątać się*) to get jumbled up <embroiled, entangled>

pomieszani|e *sn* (↑ **pomieszać**) 1. (*nieład*) promiscuity 2. (*plątanina*) confusion; entanglement 3. (*zmieszanie*) confusion; **~e zmysłów** insanity; **dostać ~a zmysłów** to become insane; to go mad

pomieszczać *zob.* **pomieścić**

pomieszczenie *sn* (↑ **pomieścić**) (*miejsce*) room; space; (*izba, mieszkanie*) (a) room; accommodation; lodging; quarters; **dać komuś ~** to accommodate <to lodge, to house> sb

pomieszkać *vi perf* 1. (*pobyć*) to stay (somewhere, some time) 2. *pot. żart.* (*pobyć w domu*) to put in an appearance at one's digs

pomieszkanie *sn* (↑ **pomieszkać**) (a) stay (somewhere)

pomie|ścić *v perf* **~szczę, ~szczony — pomie|szczać** *v imperf* [I] *vt* 1. (*zw. perf*) (*zawrzeć*) to contain; to admit; to receive; to have room (**coś** for sth); (*o pojemniku*) to hold 2. (*zw. perf*) (*zmieścić*) to put; to place; to find room (**kogoś, coś** for sb, sth); to accommodate (**kogoś** sb) 3. † (*ulokować*) to accommodate <to lodge> (sb) [II] *vr* **~ścić się** 1. (*znaleźć miejsce*) to find <to have enough> room; **nie móc się ~ścić** to be cramped for room; **to się tu nie ~ści** there is not room enough for that here; that won't all go in here; **to się w głowie nie ~ści** it is incomprehensible <inconceivable> 2. † (*ulokować się*) to find accommodation; to take up one's quarters

pomiędzy *praep* 1. (*wśród*) among(st); in the midst (**przyjaciółmi itd.** of friends etc.) 2. (*w znaczeniu czasowym i relacyjnym*) between; **~ 10-tą a 11-tą** between 10 and 11 (o'clock); **podzielili to ~ siebie** they divided it between them

pomięto|sić *vt perf* **~szę, ~szony** to crumple; to crush (in one's hands)

pomi|jać *vt imperf* — **pomi|nąć** *vt perf* **~nięty** 1. (*opuszczać*) to omit; to overlook; to leave out; to skip (a passage in a text etc.); **~jać, ~nąć coś milczeniem** to pass over sth in silence; **~jając już ...** to say nothing of ... 2. (*nie uwzględniać*) to leave out of account; to take no account (**kogoś, coś** of sb, sth); to ignore; to neglect; **~jać, ~nąć okazję** to miss an <one's> opportunity; **~jając to ...** putting that aside ...; **~nąwszy dzieci było nas 20 osób** beside <apart from> the children there were 20 of us

pomijanie *sn* (↑ **pomijać**) omission

pomilcz|eć *vi perf* **~y** to be <to keep> silent (some time); to say nothing (for some time)

pomilk|nąć *vi perf* **~ł, ~li** to stop talking <speaking>; to break off; to be silent

pomimo *praep* in spite (**coś, czegoś** of sth); despite; notwithstanding; **~ tego <to>** nevertheless; none the less; still; and yet; even so; at the same time; **~ tego wszystkiego** for all that; **~ wielkiej wiedzy on jest bardzo skromny** with all his learning he is very modest

pominąć *zob.* **pomijać**

pominięcie *sn* (↑ **pominąć**) omission; neglect; disregard; **zrobić coś z ~m kogoś** to do sth over sb's head

pomiot *sm G.* **~u** 1. (*potomstwo zwierząt*) brood; litter; (*maciory*) farrow; (*owcy*) fall 2. (*rodzenie*) birth; giving birth (**młodych** to its young) 3. (*kał zwierzęcy*) droppings; dung

pomiot|ło *sn pl G.* **~eł** 1. (*miotła*) mop 2. *przen.* (*o człowieku*) drudge

pomknąć *vi perf* — **pomykać** *vi imperf* to dash <to hasten, to hurry> away; to make a bolt (**dokądś** for a place); (*o pojeździe*) to whisk away

pomknięcie *sn* ↑ **pomknąć**

pomlaskać *vi perf* = **mlaskać**

pomn|ażać *v imperf* — **pomn|ożyć** *v perf* **~óż** [I] *vt* 1. (*mnożyć*) to multiply 2. (*powiększać*) to increase; to augment 3. *przen.* (*wzmagać*) to intensify [II] *vr* **~ażać, ~ożyć się** to multiply (*vi*); to increase in numbers; *przen.* to grow; to increase <to augment> (*vi*)

pomnażanie *sn* ↑ **pomnażać**

pomniejsz|ać *v imperf* — **pomniejsz|yć** *v perf* [I] *vt* 1. (*czynić mniejszym*) to diminish; to lessen; to reduce; to dwarf 2. *przen.* (*ujmować znaczenia*) to belittle; to minimize [II] *vr* **~ać, ~yć się** to diminish <to lessen> (*vi*); to decrease; to grow less

pomniejszeni|e *sn* (↑ **pomniejszyć**) diminution; decrease; lessening; reduction; (*o obrazie*) **w ~u** reduced; in little; in smaller size <format>; in miniature

pomniejszy *adj* 1. (*mniejszy*) smaller; lesser; petty 2. *przen.* (*mniej ważny*) minor

pomniejszyć *zob.* **pomniejszać**

pomnik *sm* monument (**ku czci wielkiego człowieka** to a great man; **dla upamiętnienia czynu** in commemoration of a deed); *przen.* **~ literatury** <**przyrody**> monument of literature <of nature>

pomnikowy *adj* 1. (*dotyczący pomnika*) of a monument; monumental (inscription etc.) 2. (*monumentalny*) monumental

pomnożenie *sn* (↑ **pomnożyć**) augmentation; increase; intensification

pomnożyć *zob.* **pomnażać**

pomny *adj emf. lit.* mindful (of sth); remembering <bearing in mind> (**czegoś** sth)

pomoc *sf pl N.* **~e** *G.* **~y** 1. *singt* (*pomaganie*) help; assistance; aid; **~ domowa** housemaid; **~ lekarska** medical assistance; **pierwsza ~ (lekarska)** first-aid; **towarzystwo wzajemnej ~y** friendly <benefit> society; **nieść komuś ~, udzielić komuś ~y** to come to sb's assistance <help>; to bear sb a helping hand; to lend <to give> sb a hand; **odmówić komuś ~y w potrzebie** to let sb down; to leave sb in the lurch; **udzielić pierwszej ~y (lekarskiej)** to apply first-aid; **wołać o ~** to call for help; **zrobić coś bez niczyjej ~y** to do sth unaided <single-handed, by oneself>; **przy ~y kolegów** <**sąsiadów**> with the aid <assistance> of one's colleagues <neighbours>; **za ~ą czegoś** by means <with the help> of sth; **z boską ~ą** God willing; **na ~!, ~y!** help! 2. (*pomocnik*) helper; (an) aid; **nie mam ~y** I have no one to help me 3. (*ratunek*) rescue; **przyjść z ~ą** to come to the rescue 4. *wojsk.* (*posiłki*) reinforcements 5. (*wsparcie*) relief; **~ materialna** financial help; **komitet niesienia ~y ofiarom katastrofy** distress committee; **nieść ~ ubogim** to relieve the poor 6. *sport* (*w piłce nożnej*) the half-backs 7. *pl* **~e naukowe** educational equipment

pomocnica *sf* helper; assistant; (an) aid; helpmate; **~ domowa** (domestic) servant; maid; housemaid

pomocnictwo *sn singt prawn.* abetting

pomocniczo *adv* accessorily; as an auxiliary

pomocniczy *adj* auxiliary; accessory; subsidiary; ancillary; **silnik ~** servo-motor; **żagiel ~** studding-sail

pomocnik *sm* helper; assistant; (an) aid; helpmate; (*w rzemiosłach*) mate

pomocn|y *adj* helpful; instrumental (in obtaining <in achieving> sth); **podać komuś ~ą dłoń** to lend sb a helping hand; to help sb out

pomocować się *vr perf* to wrestle (some time, a little, a bit)

pomoczyć *v perf* [I] *vt* 1. (*uczynić mokrym*) to wet 2. *rz.* (*potrzymać w płynie*) to soak [III] *vr* **~ się** to get wet; to soak

pom|odlić się *vr perf* **~ódl się** to pray (some time, a little); to say a prayer

po mojemu *zob.* **mój**

pomolo|g *sm pl N.* **~dzy** <**~gowie**> pomologist

pomologi|a *sf singt* **~i** *ogr.* pomology

pomologiczny *adj* pomological

pomordować *v perf* [I] *vt* 1. (*pozabijać*) to kill <to murder, to slaughter, to butcher> (people) 2. (*pomęczyć*) to tire <to exhaust> (people) [III] *vr* **~ się** 1. (*pozabijać się*) to kill <to slaughter> each other 2. (*zmęczyć się*) to get tired out <exhausted>

pomordowan|y [I] *pp* ↑ **pomordować** [II] *spl* **~i** the victims of the <a> slaughter

pomornik *sm bot.* (*Arnica montana*) arnica

pomorsk|i *adj* Pomeranian; *zool.* **gęś** <**owca**> **~a** Pomeranian breeds of geese <sheep>

pomorz|e *sn pl G.* **~y** maritime province(s) <region(s)>

pomost *sm G.* **~u** 1. (*kładka*) foot-bridge; platform; stage; (*u parowozu, maszyny*) running-board; *mar.* deck; *górn.* landing; (*do wsiadania i wysiadania ze statku*) gang-board; gangway 2. (*część tramwaju*) platform 3. *geogr.* landbridge

pomost|ek *sm G.* **~u** platform; dais

pomostow|y *adj* bridge — (crane etc.); **waga ~a** weighbridge; platform scale

pomotać *v perf* [I] *vt* 1. (*nawinąć*) to spool; to reel 2. (*poplątać*) to tangle [III] *vr* **~ się** 1. (*być nawiniętym*) to be spooled <reeled> 2. (*zostać poplątanym*) to get tangled

pomóc *zob.* **pomagać**

pom|ór *sm G.* **~oru** plague; pest; **~ór drobiu** chicken cholera

pomówić *vi perf* 1. (*porozmawiać*) to talk <to have a talk, a word> (with sb) 2. *zob.* **pomawiać**

pomówieni|e *sn* 1. ↑ **pomówić**; **mieć z kimś do ~a** to have sth to tell sb; **mam z tobą do ~a** I've got to have a talk <a word> with you 2. † (*potwarz*) slander; libel

pomp|a[1] *sf* 1. *techn.* pump; **dźwignia ~y** pump-handle; **~a benzynowa** petrol pump; **~a ręczna** <**wodna, ssąca, ssąco-tłocząca**> hand <water, suction, draw-lift> pump; **~a strażacka** <**pożarnicza**> fire pump 2. *pot. żart.* downpour

pomp|a[2] *sf singt* pomp; pageantry; circumstance; show; **robić coś z wielką ~ą** to do sth in great state

pompatycznie *adv* (*zachowywać się*) pompously; (*mówić*) with bombast <grandiloquence>

pompatyczność *sf singt* (*w zachowaniu*) pompousness; (*w mowie*) bombast; grandiloquence

pompatyczny *adj* (*w zachowaniu*) pompous; (*w mowie*) bombastic; grandiloquent

pompejański *adj* Pompeian

pompela *sf bot.* (*Citrus grandis*) shaddock

pompier *sm* conventionalist; formulist

pompierstwo *sn singt* conventionalism; formulism

pomp|ka *sf pl G.* **~ek** small pump; **~ka do roweru** inflator

pompon *sm G.* **~u** pompon; tassel (on sailor's cap etc.)

pomponik *sm dim* ↑ **pompon**

pompować *vt imperf* to pump; **~ dętkę** to blow up a tyre; **~ powietrze do czegoś** to inflate sth; *przen.* **~ wiadomości z kogoś** to pump sb for information

pompowani|e *sn* ↑ **pompować**; **~e pod ciśnieniem** pressure pumping; *techn.* **wysokość ~a** lift height

pompowni|a *sf pl G.* **~** pumping station <plant>; pump house; (*w zdroju*) pump-room

pompowy *adj* pump — (water etc.)

pomrowik *sm zool.* (*Doceras agreste*) a slug

pomr|ów *sm G.* **~owa** <**~owia**> *L.* **~owie** *zool.* (*Limax*) a slug

pomrucz|eć *vi perf* **~y** to mumble <to mutter> (awhile, a little, a bit)

pomruk *sm G.* **~u** murmur (of waves, of dissatisfaction etc.); growl (of a bear etc.); purr (of a cat, of a machine, of an aeroplane etc.); rumble (of thunder, of a cannonade etc.)

pomrukiwać *vi imperf* 1. (*o człowieku*) to murmur; (*o kocie*) to purr; (*o niedźwiedziu itd.*) to growl 2. *przen.* (*o burzy*) to rumble 3. (*szemrać*) to murmur

pomrukiwanie *sn* (↑ **pomrukiwać**) murmurs; purrs; growls; rumble

pom|rzeć *vi perf* **~rę, ~rze, ~rzyj, ~arł** to die

pomst|a *sf lit.* revenge; **wołać o ~ę do nieba** to cry for vengeance

pomstować *vi imperf* to curse and swear; to revile <to vituperate> (**na kogoś, coś** sb, sth); to inveigh <to revile> (**na kogoś, coś, przeciw komuś, czemuś** against sb, sth)

pomstowanie *sn* (↑ **pomstować**) curses; vituperation; invectives

pomszczenie *sn* (↑ **pomścić**) vengeance

pom|ścić *v perf* **~szczę, ~szczony** [I] *vt* to avenge (a wrong etc.); to take one's vengeance (**coś na kimś** on sb for sth) [II] *vr* **~ścić się** to avenge oneself; to take one's vengeance

pomuchla *sf zool.* (*Gadus cellaris*) cod(fish)

pomurnik *sm* 1. *bot.* (*Parietaria*) pellitory 2. *zool.* (*Tichodroma muraria*) wall-creeper

pomurować *vt perf* to build in masonry

pomuskać *v perf* [I] *vt* to stroke [II] *vr* **~ się** 1. (*pogłaskać*) to stroke (**po brodzie** one's chin <beard>) 2. (*starannie się ubrać*) to rig oneself out

pomuskiwać *vt imperf* to stroke (now and then); to give (the cat etc.) an occasional stroke

pomuzykować *vi perf* to do a spell of music

pomy|ć *vt perf* **~je, ~ty** to wash; **~ć naczynia** to wash the dishes; to wash up

pomydlić *vt perf* to soap (clothes etc.); (*o fryzjerze*) to lather (**ludziom brody** people's chins)

pomyj|e *spl G.* **~** 1. (*brudna woda*) dish-water; **~e dla świń** hog-wash; swill 2. *przen.* (*lura*) slops; lap

pomykać *zob.* **pomknąć**

pomylenie *sn* ↑ **pomylić**

pomyle|niec *sn G.* **~ńca** *pl N.* **~ńcy** (a) crank; *pot.* **to ~niec** he is crack-brained; he is nuts

pomyli|ć *v perf* [I] *vt* 1. (*poplątać*) to mistake (facts, the way etc.) 2. (*wziąć jedno za drugie*) to mistake (**kogoś z kimś innym** sb for sb else; **coś z czymś innym** sth for sth else) 3. (*wprowadzić w błąd*) to mislead; to misinform; to lead astray; to give (sb) wrong information [II] *vr* **~ć się** to make a mistake; to be mistaken; to err; to go wrong; **coś mi się ~ło** I (have) made a mistake; I must have gone wrong somewhere; **nie można się ~ć co do tego** it is unmistakable; **~łem się w rachubach** I am <was> out in my calculations; I miscalculated; **~łeś się** you are wrong; *przen. pot.* **~ć się w adresie** to bark up the wrong tree

pomylony [I] *pp* ↑ **pomylić** [II] *adj* (*nienormalny*) crazy; cranky [III] *sm* crank

pomył|ka *sf pl G.* **~ek** mistake; error; blunder; (*telefoniczna*) wrong number <connexion>; **gruba ~ka** grave error; **przez ~kę** by mistake; mistakenly

pomysł *sm G.* **~u** idea; conception; (*o człowieku*) **pełen ~ów** inventive; resourceful; **mam ~ ...** I know what ...; **wpadł na ~, żeby ...** he took it into his head <the fancy took him, the idea occurred to him> to ...; **wpaść na ~ zrobienia czegoś** to conceive the idea of doing sth; **co za ~!** what an idea!; **co za świetny ~!** what a splendid idea!

pomysłowo *adv* ingeniously

pomysłowość *sf singt* ingeniousness; inventiveness; resource

pomysłowy *adj* 1. (*o człowieku*) ingenious; inventive; resourceful; **to człowiek ~** he is a man of ideas 2. (*o wynalazku itd.*) ingenious; clever; cunning

pomyszkować *vi perf* to ferret (about) <to poke about> (awhile, a little, a bit)

pomyślany [I] *pp* ↑ **pomyśleć** [II] *adj* conceived; **dobrze ~** judicious; **źle ~** injudicious

pomyśl|eć *v perf* **~i** [I] *vt* to think (**coś** of sth); **kto by to ~ał?!** who would have thought it? [II] *vi* 1. (*zastanowić się*) to think (**o czymś** of sth); to consider (**nad czymś** sth); **~ałem sobie ...** I thought <I said> to myself ...; **~ dobrze** use your intelligence; **on nigdy nie ~ał, że ...** he never stopped to think that ... 2. (*wyobrazić sobie*) to imagine; **~ (sobie)**! imagine!; just think!; fancy! 3. (*zatroszczyć się*) to be mindful <to think> (**o czymś** of sth); to think in advance (**o czymś** of sth)

pomyśleni|e *sn* (↑ **pomyśleć**) thought; **to jest <nie jest> do ~a** it is conceivable, imaginable <unthinkable, unimaginable, inconceivable>

pomyślnie *adv* favourably; propitiously; happily; successfully; **~ coś zakończyć** to bring sth to a happy end

pomyślnoś|ć *sf singt* prosperity; success; happiness; welfare; **życzę mu ~ci** I wish him well <the best of luck>

pomyśln|y *adj* favourable (answer, circumstances etc.); propitious (moment etc.); auspicious (start etc.); successful (ending etc.); fair (wind, weather); good <welcome> (news); **~e rozwiązanie (problemu)** a satisfactory solution

pomywacz *sm* dish-washer

pomywacz|ka *sf pl G.* **~ek** dish-washer; scullery maid

ponad[1] *praep* 1. (*powyżej — w przestrzeni*) above <over> (**czymś, coś** sth); (*dalej*) beyond 2. (*wzdłuż*) along (the river bank etc.) 3. (*przekraczając liczbę, ilość*) above; over; upwards of; more than; **było ich ~ 200** there were above <over, upwards of, more than> 200 of them; **on ma ~ 60 lat** he is past 60 4. (*przekraczając granicę*) beyond; above; over and above; in excess of; **~ dozwoloną ilość** over and above <in excess of> the quantity allowed; **~ miarę** beyond measure; **~ stan** above one's means; **~ wszystko** above all; **praca ~ siły** excessive work 5. (*w porównaniach*) than; **nie ma nic lepszego ~ ...** there is nothing better than <nothing like> ... 6. (*oprócz*) besides; apart from; **nic ~ to, co ...** nothing besides what ...; **niewiele ~ to, że ...** little apart from the fact that ...

ponad-[2] *praef* ultra-; super-; **~dźwiękowy** ultrasonic; supersonic

ponadczasowy *adj* timeless

ponaddźwiękowy *adj* supersonic

ponadhistoryczny *adj* transcending the limits of history

ponadklasowy *adj* classless

ponadnarodowy *adj* supranational

ponadpaństwowy *adj* suprastate — (considerations etc.)

ponadplanowo *adv* (to do sth etc.) over and above the planned quota

ponadplanowy *adj* done <executed, performed> over and above the planned quota

ponadplemienny *adj* supratribal

ponadprzeciętny *adj* over and above the average

ponadrzeczywisty *adj* rising above <transcending> the bounds of reality

ponadto *adv* besides; moreover; furthermore; then; also; added to which

ponadziemski *adj* supraterrestrial

ponaftowy *adj* petroleum — (asphalt etc.)

ponaglać *vt imperf* — **ponaglić** *vt perf* to urge on <forward>; to press

ponaglenie *sn* (↑ **ponaglić**) pressure

ponaglić *zob.* **ponaglać**

pon|awiać *v imperf* — **pon|owić** *v perf* **~ów** [I] *vt* (*wznawiać*) to renew; (*powtarzać*) to reiterate (one's demands etc.) [II] *vr* **~awiać, ~owić się** to recur

ponawianie *sn* (↑ **ponawiać**) (*wznawianie*) renewal(s); (*powtarzanie*) reiteration(s); repetition(s); **~ się** recurrence(s)

poncz *sm G.* **~u** punch; toddy; **zimny ~** bumbo

ponęta *sf* attraction; lure; allurement; enticement; seduction; bait

ponętnie *adv* temptingly; invitingly; alluringly; enticingly

ponętny *adj* tempting; inviting; alluring; enticing

poniechać *vt perf lit.* = **zaniechać**

poniedział|ek *sm G.* **~ku** Monday; **~ Zielonych Świąt** Whit Monday

poniedziałkowy *adj* Monday — (newspapers etc.)

poniekąd *adv* (*w pewnej mierze*) in some measure; to a certain extent; to some extent; in a way; after a manner; in a manner of speaking; so to say; in a sense; (*przy przymiotniku*) rather <somewhat> (**stronniczy itd.** biassed etc.); (*przy czasowniku*) somehow; **ja to ~ czułem** I somehow <kind of, sort of> felt it; (*przy rzeczowniku*) something (**poeta itd.** of a poet etc.); **on jest ~ artystą** he is something of an artist

poniemiecki *adj* formerly belonging to the Germans

pon|ieść *v perf* **~iosę, ~iesie, ~iósł, ~iosła, ~ieśli, ~iesiony** — **pon|osić** *v imperf* **~oszę, ~oszony** [I] *vt* 1. *perf* (*nieść*) to carry; (*zanieść*) to take (**coś dokądś** sth somewhere); **koń ~iósł jeźdźca** the horse bolted with its rider 2. (*zostać obarczonym*) to bear (**odpowiedzialność, koszt, konsekwencje itd.** responsibility, a cost, consequences etc.) 3. (*doznać*) to suffer (**śmierć, stratę itd.** death, a loss etc.); (*być dotkniętym*) to sustain (**klęskę itd.** a defeat etc.) 4. (*zostać obciążonym*) to incur (**ryzyko itd.** risks etc.) 5. (*popchnąć naprzód*) to push; to carry; **gdzie cię ~osi?** where are you off to?; **iść, gdzie oczy ~iosą** to go just anywhere 6. (*o uczuciach — porwać*) to overcome; to run riot (**kogoś** with sb); **coś mnie ~iosło** something came over me; **dał się ~ieść swoim uczuciom** he was carried away by his feelings; **furia go ~iosła** he flew into a rage; **temperament go ~iósł** his temperament got the better of him; **~iosło go** he lost control of himself [II] *vi* (*o koniu*) to bolt [III] *vr* **~ieść, ~osić się** (*o dymie itd.*) to drift

ponieważ *conj* (*dlatego, że*) because; for; (*jako, że*) as; since; **musimy go usprawiedliwić ~ jest chory** we must excuse him since <as> he is ill

poniewczasie *adv* too late; tardily; after the event

poniewiera|ć *v imperf* [I] *vt* 1. (*pomiatać*) to hold (**kimś, kogoś** sb) in contempt; to take no account (**kimś, kogoś** of sb); to treat (sb) like dirt; to lord it (**kimś, kogoś** over sb); to tread down (**kimś, kogoś** sb); **~ny** downtrodden 2. (*maltretować*) to ill-treat <to maltreat> (**kimś, kogoś** sb) 3. (*źle się obchodzić*) to mishandle <to ill-use> (**czymś, coś** sth) [II] *vr* **~ć się** 1. (*o człowieku — doznawać złego losu*) to have a hard time of it; to be knocked about <downtrodden>; to endure the buffets of fortune; to eat the bread of adversity 2. (*tułać się*) to be away from home; to be homeless; to roam <to knock> about the world 3. (*o rzeczach — leżeć byle gdzie*) to lie about; (*niszczyć się*) to be mishandled <ill-used>

poniewieranie *sn* (↑ **poniewierać**) 1. (*maltretowanie*) ill-treatment (**kimś, kogoś** of sb) 2. (*złe obchodzenie się*) ill-usage (**czymś, czegoś** of sth)

poniewier|ka *sf pl G.* **~ek** 1. (*nieposzanowanie*) disregard; (*złe traktowanie*) ill-treatment; (*złe obchodzenie się*) ill-usage; **być w ~ce** = **poniewierać się**; **mieć w ~ce** = **poniewierać**; **pójść w ~kę** to fall into disregard 2. (*nędzne życie*) adversity; buffets of fortune; life of misery 3. (*tułaczka*) homelessness

poniszczyć *vt perf* to destroy; to demolish; to wreck; to ruin

poniż|ać *v imperf* — **poniż|yć** *v perf* [I] *vt* to humiliate; to abase; to degrade [II] *vr* **~ać, ~yć się** to humiliate <to humble, to abase, to degrade> oneself; to stoop (**do jakiejś podłości** to do a base deed); **on by się nie ~ył do kłamstwa <oszustwa itd.>** he is above telling a lie <committing a swindle etc.>

poniżający *adj* humiliating; degrading

poniżanie *sn* (↑ **poniżać**) humiliations

poniżej [I] *adv* 1. (*niżej*) below; underneath; lower down; **podany <wymieniony> ~** after-mentioned 2. (*w książce itd.*) below; hereunder; hereafter; *prawn.* thereinafter, thereunder; **zobacz ~** see at foot [II] *praep* lower (**czegoś** than sth); below (**zera itd.** zero etc.); beneath <under> (**czegoś** sth); (*przy liczbach, kwotach, rangach itd.*) under; less than; **nic ~ 1000 złotych** nothing less than 1000 zlotys

poniżenie *sn* (↑ **poniżyć**) humiliation; abasement; degradation; indignity

poniższy *adj* after-mentioned; mentioned below

poniżyć *zob.* **poniżać**

ponocny *adj rz.* nightly

ponoć *adv gw. lit.* seemingly; apparently; from all accounts, **to jest ~ dobre** it is supposed <said> to be good; they say <I am told> it is good

ponor *sm G.* **~u** *geol.* swallow hole

ponosić *zob.* **ponieść**

ponowa *sf myśl.* newly-fallen snow

ponowić *zob.* **ponawiać**

ponowienie *sn* 1. ↑ **ponowić** 2. (*wznowienie*) renewal 3. (*powtórzenie*) reiteration; repetition; **~ się** recurrence

ponownie *adv* again; anew; afresh; a second time; once more; once again; another time; *tłumaczy się przez użycie przedrostka* re-; **~ oszacować, rozważyć, zaadresować** to reassess, to reconsider, to readdress

ponowny *adj* renewed; fresh; repeated; reiterated

ponoż|e *sn pl G.* **~y** pedal

ponton *sm G.* **~u** *wojsk. mar.* pontoon

pontonier *sm wojsk.* pontoneer

pontonowy *adj* pontoon — (bridge etc.)

pontyfikali|a *spl G.* **~ów** *liturg.* pontificals

pontyfikalnie *adv* pontifically

pontyfikalny *adj* pontifical (Mass etc.)

pontyfikał *sm G.* **~u** *liturg.* (a) pontifical

pontyfikat *sm G.* **~u** pontificate

pontyjsk|i *adj* Pontic; *bot.* **azalia ~a** (*Azalea pontica*) a species of azalea

ponumerować *vt perf* = **numerować**

ponuractwo *sn pot.* gloomy <sullen> disposition

ponurak *sm pot.* ill-humoured fellow; spleeny chap

ponuro *adv* gloomily; drearily; dismally; mournfully; cheerlessly; sullenly; **było ~** it was <the weather was> gloomy; **w pokoju było ~** the room was gloomy

ponurość *sf singt* gloom; dreariness; cheerlessness

ponury *adj* gloomy; dreary; dismal; mournful; cheerless; sullen; **~ nastrój** dejection; low spirits

pończoch|a *sf* 1. (*część garderoby*) stocking; **~a gumowa <elastyczna>** varicose <elastic> stocking; **bez ~** bare-legged 2. (*u konia*) stocking

pończoszar|ka *sf pl G.* **~ek** stocking weaver

pończoszarni|a *sf pl G.* **~** (a) hosiery; hose-weaving factory

pończosz|ka *sf pl G.* **~ek** *dim* ↑ **pończocha**

pończosznictwo *sn singt* hosiery trade

pończoszniczy *adj* hosiery — (trade, stall etc.)

poobiedni *adj* after-dinner — (walk etc.); **drzemka ~a** after-dinner nap; forty winks

poobija|ć *v perf* [I] *vt* 1. (*obtłuc*) to chip (**naczynia porcelanowe** crockery); **nie ~ny** whole; **~ny** chipped; **ani jeden talerz nie został nie ~ny** not one plate was left whole 2. (*pokryć*) to upholster (furniture) [II] *vr* **~ć się** (*o owocach*) to get bruised

poojcowski *adj* paternal

po ojcowsku *zob.* **ojcowski**

pookupacyjny *adj* subsequent to <following> the occupation

pookurzać *vt perf* 1. (*oczyścić z kurzu*) to dust (furniture etc.) 2. (*okurzyć dymem*) to smoke (hives etc.)

pooperacyjny *adj* surgical (fever etc.); subsequent to an operation

pop *sm* (Orthodox) pope

popadać *vi* 1. *perf* (*paść*) to fall 2. *imperf zob.* **popaść**

popadi|a *sf GDL.* **~i** *pl G.* **~i** (Orthodox) pope's wife

popadywać *vi imperf* (*o deszczu, śniegu*) to fall intermittently <off and on>; (*o deszczu*) to spit

popamięta|ć *vt perf* to remember; (*pogróżka*) **~sz!** you won't forget that <it> in a hurry!

poparci|e *sn* (↑ **poprzeć**) 1. (*pomoc w realizacji, rozwoju*) advancement (of knowledge, education etc.); backing; promotion <furtherance, advocacy> (of a cause etc.); **udzielić ~a komuś <instytucji itd.>** to support <to give one's backing to> sb <an institution etc.> 2. (*potwierdzenie dowodów itd.*) support; endorsement; **na ~e twierdzenia itd.** in support of a statement etc. 3. (*protekcja*) exertion of <backstairs> influence; push; backing; **udzielić komuś ~a** to give sb a push

poparzenie[1] *sn* (↑ **poparzyć**[1]) (*pokrzywą*) nettle-stinging; (*wrzątkiem*) (a) scald; (*ogniem*) (a) burn

poparzenie[2] *sn* (↑ **poparzyć**[2]) pairing <mating> (of animals, of birds)

poparzyć [1] *v perf* [I] *vt* (*sparzyć pokrzywą*) to sting (with nettles); (*wrzątkiem*) to scald; (*ogniem*) to burn [II] *vr* **~ się** (*pokrzywą*) to get stung (with nettles); (*wrzątkiem*) to get scalded; (*ogniem*) to get burnt

poparzyć[2] *vt perf* to pair <to mate> (animals, birds)

popas *sm G.* **~u** 1. (*zatrzymanie się w drodze*) halt 2. (*miejsce postoju*) stage; station 3. (*napasienie, napasienie się*) baiting (horses <of horses> on a journey) 4. (*pastwisko*) pasture

popasać *zob.* **popaść**[2] *vt* 1., 3.

popa|ść[1] *vi perf* **~dnę, ~dnie, ~dnij, ~dł — popa|dać** *vi imperf* 1. (*dostać się*) to fall (**w czyjeś ręce** into sb's hands; **w ruinę <nędzę, przygnębienie, niełaskę itd.>** into ruin <distress, despondency, disgrace etc.>); **~ść, ~dać w długi** to run into debt; **~ść, ~dać w nałóg** to contract a (bad) habit; **~ść z powrotem <ponownie> w nałóg** to relapse into a habit 2. *perf* (*zdarzyć się, trafić się*) to turn up; **co ~dnie** whatever turns up; **jak ~dnie** just anyhow; **gdzie ~dnie** at random; just anywhere; **bić <walić> gdzie ~dnie** to hit <to wallop> blindfold

popa|ść[2] *v perf* **~sę, ~sie, ~sł — popa|sać** *v imperf* [I] *vt* 1. (*pokarmić konie w drodze*) to bait (the horses) 2. *perf* (*nakarmić*) to feed (horses, cattle) 3. *imperf* (*przebywać*) to halt [II] *vr* **~ść się** 1. (*podjeść — o koniach*) to bait; (*o bydle*) to feed 2. (*paść się*) to graze

popatrywać *vi imperf* to keep looking out <casting glances>

popatrz|eć <popatrz|yć> *v perf* **~y** [I] *vi* 1. (*spędzić chwilę na patrzeniu*) to look awhile 2. (*spojrzeć*) to have a look <to cast a glance> (**na kogoś, coś** at sb, sth); **~eć, ~yć na kogoś życzliwie <surowo, pogardliwie>** to give sb a kind <severe, scornful> look; **przyjemnie jest na nią ~eć, ~yć** she is pretty to look at; (*zdziwienie*) **~cie!** well, well! 3. (*sprawdzić oglądaniem*) to see; to look and see; to go and see; **~ czy drzwi są zamknięte** go and see if the door is locked [II] *vr* **~eć, ~yć się** *emf.* = **popatrzeć** *vi*

popatrzenie sn (↑ **popatrzeć**) (a) look; (a) glance

popatrzyć *zob.* **popatrzeć**

pop|chnąć *v perf* **~chnięty — pop|ychać** *v imperf* [I] *vt* 1. (*posunąć przez pchnięcie*) to push <to shove> (**kogoś, coś do góry <na dół, na bok, naprzód>** sb, sth up <down, aside, on, along>); to hustle, to jostle; *perf* to give (sb, sth) a push <a shove>; **~chnąć zegar naprzód** to set a clock forward; **~ychać kogoś, coś na wszystkie strony** to shove sb, sth about; *przen.* **~chnąć sprawę** to speed up a business 2. *przen.* (*nadać kierunek*) to steer; to direct 3. *przen.* (*skłonić*) to push <to drive> (**kogoś do czegoś <do zrobienia czegoś>**

sb to sth <to do sth>) 4. *przen.* (*posunąć robotę naprzód*) to push (sth) forward 5. *przen.* (*wyprawić*) to send; to dispatch [II] *vr* **~chnąć, ~ychać się** to push <to jostle> (*vi*); to scuffle; to hustle; *przen.* **jak tam interesy? — ~ycha się jakoś** how's business? — we're jogging along

popchnięcie *sn* (↑ **popchnąć**) (a) push; (a) shove

popelina *sf tekst.* poplin

popelinowy *adj* poplin __ (shirt etc.)

popełniać *zob.* **popełnić**

popełnianie *sn* (↑ **popełniać**) commission (of crimes etc.)

popełni|ć *vt perf* — **popełni|ać** *vt imperf* 1. (*dopuścić się*) to commit (an error, a crime, suicide etc.); to perpetrate (a crime etc.) 2. *żart.* (*utworzyć, napisać itd.*) to perpetrate (verses etc.)

popełnie|ć *vi perf* **~je** *rz.* to put on flesh

popełnienie *sn* (↑ **popełnić**) commission <perpetration> (of a crime etc.); **udowodniono mu ~ zbrodni** he was convicted of the crime

popełz|ać *vi perf*, **popełz|nąć** *vi perf* **~ł** <**~nął**> to crawl; to creep

popęd *sm G.* **~u** 1. (*skłonność*) impulse; urge; propensity; disposition; inclination; **~ płciowy** sexual impulse; sex urge; (*u zwierząt*) heat; **iść za ~em serca** to follow the dictates of one's heart; **z własnego ~u** of one's own accord; spontaneously 2. *fiz.* impulse (of a force)

popędliwie *adv* 1. (*ze skłonnością do gniewu*) irritably; irascibly 2. (*porywczo*) impetuously; impulsively; hastily; rashly

popędliwość *sf singt* 1. (*skłonność do gniewu*) irritability; irascibility; hot temper 2. (*porywczość*) impetuosity; impulsiveness; fiery disposition; hastiness; rashness

popędliwy *adj* 1. (*skory do gniewu*) irritable; irascible; hot-tempered 2. (*porywczy*) impetuous; impulsive; short-tempered; hot-headed; fiery; hasty; rash

popędowy *adj* 1. (*wynikający z popędu*) impulsive 2. *techn.* (*napędzający*) motive <propulsive, driving> (power)

popędz|ać *vt imperf* — **popędz|ić** *vt perf* **~ę, ~ony** 1. (*zmuszać do posuwania się*) to drive <to hustle, to urge, to push on> (sb); to drive <to goad, to prod> (cattle etc.); to spur (a horse); **~ać, ~ić konie** to whip the horses on 2. (*przynaglać*) to hurry <to rush> (sb); to press forward <to speed up> (work etc.)

popędzanie *sn* (↑ **popędzać**) (the) drive <hurry, rush>

popędzić *v perf* [I] *zob.* **popędzać** [II] *vi* (*pognać*) to hasten; to dash; to speed <to shoot> off; to dart away

popękać *vi perf* to crack (in places); (*o rurach*) to burst; (*o skórze człowieka*) to chap

popękanie *sn* (↑ **popękać**) cracks; fissures; chinks

popękany [I] *pp* ↑ **popękać** [II] *adj* cracked; covered with cracks <fissures, chinks>; fissured; crannied; rifted; (*o skórze*) chapped; (*o korze drzew, skórze zwierząt itd.*) rimose

popętać *vt perf* to tether; to trammel

popi *adj* (Orthodox) pope's (cassock etc.)

popici|e *sn* (↑ **popić**) 1. (*wypicie*) (a) drink 2. (*libacja*) bout; merry-making; **okazja do ~a** celebration 3. (*zapicie*) washing down (of a medicine etc).

popi|ć *v perf* **~je, ~ty** [I] *vt* 1. (*wypić trochę*) to drink (**wody, mleka itd.** some water, milk etc.); to have a glass (**piwa, wina itd.** of beer, of wine etc.); (*napić się*) to have a drink (**wody, mleka itd.** of water, of milk etc.) 2. (*zapić*) to wash down (one's food, a medicine) [II] *vi* (*napić się alkoholu*) to have a drink [III] *vr* **~ć się** to get drunk; to drink oneself drunk

popielarz *sm techn. górn.* slagger

popielato *adv* in grey (colour); painted grey

popielatość *sf singt* greyness

popielaty *adj* grey, *am.* gray; ashen; **pomalowany na kolor ~** painted grey

popielcow|y *adj* Ash Wednesday __ (service etc.); *kośc.* **środa ~a = popielec**

popiel|ec *sm G.* **~ca** *kośc.* Ash Wednesday

popiele|ć *vi imperf* **~je** to calcine (*vi*); to be reduced to ashes

popielic|a *sf* 1. *zool.* (*Glis glis*) grey <Siberian> squirrel 2. *pl* **~e** (*futro*) grey-squirrel fur 3. = **popielnik** 2.

popielicowy *adj* grey-squirrel __ (fur etc.)

popielić *v imperf* [I] *vt* to reduce <to burn> (sth) to ashes [II] *vr* **~ się** to turn <to be turned> to ashes; to calcine (*vi*)

popielisko *sn* ashes; cinders; site of a conflagration

popielnica *sf* 1. *rz.* = **popielniczka** 2. *techn.* ash-pan 3. *hist.* (*urna*) cinerary urn

popielnicz|ka *sf pl G.* **~ek** ash-tray

popielnik *sm* 1. (*w piecu*) ash-pan; ash pit <box> 2. *bot.* (*Cineraria*) cineraria

popieprzyć *vt perf* to pepper (a dish, one's food)

pop|ierać *v imperf* — **pop|rzeć** *v perf* **~rę, ~rze, ~rzyj, ~arł, ~arty** [I] *vt* 1. (*pomagać komuś w działaniu*) to support; to give one's backing (**kogoś** to sb) 2. (*przyczyniać się do rozwoju, realizacji*) to advance; to promote; to foster; to encourage; to patronize; **to push** (a business) 3. (*aprobować*) to favour; to be in favour (**coś** of sth); to subscribe (**coś** to sth); to **be all** for (a scheme etc.) 4. (*wspierać*) to stand (**kogoś** by sb); to hold (**kogoś** with sb); to support (a theory etc.); to uphold (sb's opinion); to take the side (**walczącą stronę** of a contestant); (*na zebraniu*) **~ieram wniosek** I second the motion 5. (*wspomagać*) to contribute (**instytucję dobroczynną** to a charitable institution) 6. (*dawać coś na dowód czegoś*) to reinforce (an argument etc.); **~ierać twierdzenie itd. czymś** to adduce sth in support of a statement etc. [II] *vr* **~ierać, ~rzeć się** to support <to back up> one another

popieranie *sn* (↑ **popierać**) advancement (of knowledge etc.); **~ się wzajemnie** log-rolling; back-scratching

popiersi|e *sn pl G.* **~** bust

popieścić [I] *vt* to fondle; to caress; to pet [II] *vr* **~ się** to caress <to pet> each other

popijać *v imperf* [I] *vt* 1. (*pić wolno*) to sip (a beverage) 2. (*pić alkohol*) to take nips (**koniak itd.** of cognac etc.) 3. (*pić po jedzeniu*) to wash down (one's food) [II] *vi* (*upijać się*) to tipple

po pijanemu *zob.* **pijany**

popijanie *sn* (↑ **popijać**) 1. (*wolne picie*) sipping (a beverage) 2. (*picie alkoholu*) nips (of spirits)

popijarski *adj* formerly belonging to the Piarists

popijawa *sf pot.* drinking-bout; revel; spree; fuddle

popilnować *vt perf* to watch (**kogoś, czegoś** sb, sth); to mind (**dziecka, bagażu itd.** a child, sb's luggage etc.) (awhile)

popiołowy *adj* ashen, ashy

popi|ół *sm G.* **~ołu** *L.* **~ele** 1. (*pozostałość po spaleniu*) ash; cinders; **~ół drzewny** wood-ash; **~ół wulkaniczny** volcanic ashes; **obrócić w ~ół** to reduce to ashes; **odrodzić się z ~ołów** to rise from the ashes; **spalić na ~ół** to calcine 2. *pl* **~oły** (*szczątki nieboszczyka*) ashes 3. *techn.* slag

popis *sm G.* **~u** show; display; exhibition; parade; *wojsk.* review; **~ artystyczny** spectacle; **~ gimnastyczny <lotniczy>** gymnastic <flying> display; **~ szkolny** performance; **mieć pole do ~u** to have an opportunity to display one's talent(s)

popi|sać *vt perf* **~sze** to write; **~sać chwilę** to do some writing

popisać się *zob.* **popisywać się**

popisani|e się *sn* (↑ **popisać się**) show; **zrobić coś dla ~a się** to do sth for show

popiskiwać *vi imperf* to keep squeaking <squealing>; to emit an occasional squeak <squeal>; to squeak <squeal> intermittently <now and then>

popiskiwanie *sn* (↑ **popiskiwać**) (intermittent) squeaks <squeals>

popisowo *adv* in a spectacular manner; splendidly; magnificently

popisowy *adj* spectacular; *muz.* **utwór ~** show piece

popi|sywać się *vr imperf* — **popi|sać się** *vr perf* **~sze się** to show off <to parade, to flaunt> (**siłą, bogactwem, dowcipem itd.** one's strength, wealth, wit etc.); to make a show (**czymś** of sth); **on się ~suje** he shows off; **on się ~sał** he cut a dash

popisywanie się *sn* (↑ **popisywać się**) display; showing off

poplamić *vt perf* to stain; to blot; to soil; to smear

poplą|tać *v perf* **~cze** [I] *vt* 1. (*splątać*) to tangle 2. (*zagmatwać*) to muddle <to jumble> up; to make a muddle (**coś** of sth); to embroil; **~tać komuś szyki** to thwart sb's plans [II] *vr* **~tać się** 1. (*stać się poplątanym*) to get <to become> tangled 2. (*powikłać się*) to get <to become> muddled up <embroiled>

poplątanie *sn* (↑ **poplątać**) (a) muddle; jumble; embroilment

poplecznictwo *sn singt* support; adherence; partisanship

popleczni cz|ka *sf pl G.* **~ek, poplecznik** *sm pog.* supporter; adherent; partisan

pleśnie|ć *vi perf* **~je** = **pleśnieć**

poplon *sm G.* **~u** *roln.* aftercrop; second crop

poplotkować *vi perf* to gossip (a little, awhile)

poplu|ć *vi perf* **~je, ~ty** to spit

poplu|skać *v perf* **~ska <~szcze>** [I] *vi* to splash; to ripple [II] *vt* to splash water <mud> (**kogoś, coś** on sb, sth); to spatter (**kogoś, coś wodą <błotem>** sb, sth with water <mud>) [III] *vr* **~skać się** to splash about; to dabble; to paddle

popluskiwać *vi imperf* to ripple

popluskiwanie *sn* 1. ↑ **popluskiwać** 2. (*cichy plusk*) (the, a) ripple

popluwać *vi imperf* to spit; to keep spitting

popłaca|ć *vi imperf* to pay; to be profitable; **uczciwość ~** it pays to be honest; honesty is the best policy

popłacanie *sn* (↑ **popłacać**) profitableness

popłac|ić *vt perf* **~ę, ~ony** to pay (**długi, rachunki** all one's debts, bills)

popła|kać *v perf* **~cze** [I] *vi* (*także* **~kać sobie**) to cry (awhile); to shed some tears [II] *vr* **~kać się** 1. (*wzruszyć się do płaczu*) to be moved to tears 2. (*rozpłakać się*) to burst into tears; **~kaliśmy się** we could not restrain our tears

popłakiwać *vi imperf* (*płakać po cichu*) to be tearful; to shed silent tears; (*płakać z przerwami*) to cry off and on; to keep snivelling

popłakiwanie *sn* (↑ **popłakiwać**) fits of crying

popłatny *adj* profitable; remunerative; lucrative

popław *sm G.* **~u** 1. (*fala*) wave 2. (*prąd*) current 3. (*łąka*) wet meadow

popław|ek *sm G.* **~ka** float

popłoch *sm G.* **~u** 1. (*strach*) panic; scare; **biec w ~u** to stampede; **wywołać ~** to create a panic <a scare> 2. *bot.* (*Onopordon*) cotton thistle

popłoszyć *vt perf* to scare <to alarm> (people, animals)

popłucz|ki *spl G.* **~ek** rinsings

popłuczyn|y *spl G.* **~** rinsings; *chem.* washings

popłu|kać *vt perf* **~cze** to rinse

popłukanie *sn* ↑ **popłukać**

popłukiwać *vt imperf* to rinse

popłynąć *vi perf* 1. (*oddalić się płynąc*) to sail away 2. *przen.* (*przybyć w dużej ilości*) to come; to arrive; to flow; (*o zapachu itd.*) to drift

popływać *vi perf* to (have a) swim; **chodźmy ~** let's go for <let's have> a swim

popod *praep* 1. (*poniżej*) under; underneath; below; beneath 2. (*pod osłoną*) under; at the foot (of a wall etc.) 3. (*w pobliżu*) under; in the neighbourhood <vicinity>

pop|oić *vt perf* **~oję, ~ój, ~ojony** 1. (*spoić*) to get (people) drunk 2. (*napoić*) to supply (people) with drink; to water (horses, cattle)

popojutrze *adv* three days from to-day

popolować *vi perf* to do some shooting <hunting>

popołogowy *adj med.* puerperal

popołudni|e *sn pl G.* **~** afternoon; **wolne ~e a)** (*wolne od pracy*) afternoon off b) *szk.* (*wolne od nauki*) half-holiday; **w to ~e** that afternoon; **w jesienne ~e** one autumn afternoon

popołudniowy *adj* afternoon — (rest etc.)

popołudniów|ka *pl G.* **~ek** *pot.* 1. (*przedstawienie*) matinée 2. (*gazeta*) afternoon paper

poporodow|y *adj* puerperal; post-natal; **bóle ~e** after-pains; (*u krów*) **gorączka ~a** milk-fever

popotopowy *adj* post-diluvial

popowstaniowy *adj* subsequent to the rising <insurrection>

popowstańczy *adj* 1. = **popowstaniowy** 2. (*dotyczący byłych powstańców*) insurgent

popracować *vi perf* to do some work; to work awhile; to take a turn of work

pop|rać *v perf* **~iorę, ~ierze** [I] *vt* to wash [II] *vi* to do some washing

popraw|a *sf* 1. (*zmiana na lepsze*) improvement; betterment; amelioration; change for the better; reformation (**utracjusza itd.** of a profligate etc.); **~a bytu** rise in life; **jest ~a(w sytuacji)** things are improving; **ulec ~ie** to improve; **wstąpić na drogę ~y** to reform; **na drodze do ~y** on the mend 2. (*polepszenie zdrowia*) improvement;

recovery; **u chorego nastąpiła ~a** the patient is recovering <shows improvement>

poprawczak *sm pot.* reformatory

poprawczy *adj* reformative; corrective; correctional; remedial; **zakład ~** reformatory; **egzamin ~** (a) repeated examination

poprawiacz *sm pl G.* **~y** <**~ów**> *pot.* fusspot; corrector; perfectionist; precisian

poprawi|ać *v imperf* — **poprawi|ć** *v perf* [I] *vt* 1. (*doprowadzać do porządku*) to put (sth) straight; to trim; to tidy; to adjust (one's tie etc.) 2. (*ulepszyć*) to improve; to better; to ameliorate; to touch up (a picture, composition etc.); to reform (**grzesznika itd.** a sinner etc.); **~ać, ~ć makijaż** to touch oneself up; **~ać, ~ć rekord** to beat one's own record; to go one better 3. (*naprawiać*) to mend; to repair 4. (*usuwać błędy*) to correct; to emend; to revise; to alter; to rectify (an error etc.) 5. (*zwracać uwagę mówiącemu*) to take up (a speaker) 6. (*powtórzyć czynność dla osiągnięcia lepszego skutku*) to improve (coś upon sth) [III] *vr* **~ać, ~ić się** 1. (*zw. perf*) (*wygodniej usiąść*) to sit more comfortably 2. (*inaczej, lepiej się wyrazić*) to correct oneself 3. (*ulegać poprawie*) to improve (*vi*); to get <to grow> better 4. (*pod względem moralnym*) to mend one's ways; to reform (*vi*); (*pod względem zdrowotnym*) to improve (*vi*); to get better; to pull round; (*nieosobowo*) **wkrótce mu się ~** he will soon be well again 5. (*tyć*) to put on flesh

poprawieni|e *sn* ↑ **poprawić** 1. (*ulepszenie*) improvement; betterment; amelioration 2. (*naprawa*) reparation 3. (*usunięcie błędów*) correction; emendation; amendment; revision; (*o błędzie itd.*) **to jest do ~a** it is rectifiable <reparable>

poprawin|y *spl G.* **~** additional celebration <reception, party>

popraw|ka *sf pl G.* **~ek** 1. (*usunięcie błędu*) correction; rectification; (*w ustawie itd.*) amendment; (*w publikacji*) emendation 2. (*modyfikacja — w krawiectwie itd.*) alteration; **ostateczne ~ki** final adjustment; finishing touches 3. *szk.* (a) repeat

poprawkowy *adj* corrective; **egzamin ~ = poprawka** 3.

poprawnie *adv* 1. (*należycie*) correctly; properly; rightly; aright 2. (*zgodnie z regułami*) in conformity with the rules; in regular form

poprawnik *sm żart. iron.* purist

poprawnościowy *adj* puristical

poprawność *sf singt* 1. (*prawidłowość*) correctness 2. (*zgodność z konwenansem*) correctitude; (*zgodność z regułami*) conformity with the rules

poprawn|y *adj* 1. (*bez błędu*) correct; faultless 2. (*zgodny z konwenansem*) correct; proper; (*zgodny z regułami*) regular; **to nie jest ~e** this is irregular <against the rules>

popręg *sm G.* **~u** saddle-girth; **zacisnąć koniowi ~** to girth (a horse)

popręgować *vt perf* to stripe

poprobować *vt perf* = **popróbować**

poproch *sm* 1. *gw.* (*pierwszy śnieg*) newly-fallen snow 2. *zool.* **~ cetyniak** (*Bupalus piniarus*) a geometrical moth

popromienn|y *adj med.* **choroba ~a** radiotoxemia

poprosić *vt perf* 1. (*zwrócić się z prośbą*) to ask <to request> (**kogoś o coś** sb for sth <to do sth>) 2. (*zaprosić*) to invite

po prostu *adv* (*w sposób prosty*) simply; (*szczerze*) candidly; openly; (*bez ceremonii*) unceremoniously; without further ado; without ceremony; (*wprost*) plainly; in plain words; **~ nie rozumiem tego** I just can't understand it; **to ~ złodziej** <**gbur itd.**> he is nothing but a thief <a churl etc.>

poprowadzenie *sn* ↑ **poprowadzić**

poprowadz|ić *v perf* **~ę, ~ony** [I] *vt* 1. (*zaprowadzić*) to take (**kogoś dokądś** sb somewhere); to go along (**kogoś dokądś** with sb somewhere); to guide; to lead the way (**grupę ludzi dokądś** for a group of people to a place); **~ić kogoś na kobierzec** <**do ołtarza**> to lead sb to the altar; **~ić kogoś za rękę** to lead sb by the hand 2. (*narysować*) to draw (a line etc.) 3. (*pokierować*) to lead <to direct> (sb, an institution etc.); to run (a business etc.); *przen.* **~ić kogoś za nos** to lead sb by the nose [III] *vi* (*w samochodzie*) to take a turn at the wheel

popröb|ować *v perf* [I] *vt* 1. (*zrobić próbę*) to try (sth); to try and see (**czy, jak itd. ...** if, how etc. ...); to have a try (**czegoś** at sth); **~ować szczęścia** to try one's luck 2. (*skosztować*) to taste 3. (*sprawdzić*) to try <to test> (**coś, czegoś** sth) [II] *vi* to try; to have a try <a go>; **~uj jeszcze raz** have another try <another go> [III] *vr* **~ować się** to measure oneself (**z kimś** with sb)

popróbowanie *sn* (↑ **popróbować**) trial; attempt; test; *pot.* a try; a go

popróżnować *vi perf* to laze (a little)

popru|ć *vt perf* **~je, ~ty** to unstitch; to unseam

popryszczony *adj* pimpled; pimply

poprzeciągać *v perf* [I] *vt* 1. (*przeciągnąć*) to stretch (**sznury przez ulicę** cords across a street); (*przeprowadzić*) to pass (**kable przez bloki** cables through pulleys) 2. (*narysować*) to draw (lines) 3. (*przeciągnąć na czyjąś stronę*) to bring (people) over (to one's <sb's> side) [III] *vr* **~ się** to stretch one's limbs

poprzecz|ka *sf pl G.* **~ek** 1. *bud.* (*cienka belka*) cross-beam; cross-bar; cross-piece 2. *sport* (*w bramce*) cross-bar (of goal) 3. (*przy skokach wzwyż*) the bar, jumping bar 4. (*ścieżka*) cross-road 5. (*kreska*) transversal line

poprzecznica *sf* 1. (*belka*) cross-bar; traverse; transom 2. (*droga*) cross-road 3. *anat.* transverse colon

poprzecznie *adv* crosswise; transversely; across <athwart> (**względem czegoś** sth; **do czyjejś drogi** sb's path)

poprzeczny *adj* transverse; transversal; lying <running> across <crosswise, athwart>

poprzeć *zob.* **popierać**

poprzedni *adj* preceding; foregoing; previous; former; anterior; antecedent; **~e wywody** the foregoing; **ten i ~** this one and the one before; **~ego dnia** the day before

poprzednicz|ka *sf pl G.* **~ek** = **poprzednik** 1.

poprzednik *sm* 1. predecessor 2. *jęz.* (an) antecedent

poprzednio *adv* previously; formerly; before that; previous to that

poprzedz|ać *vt imperf* — **poprzedz|ić** *vt perf* **~ę, ~ony** to precede; to go <to come> before; to prelude; to be a prelude (**coś** to sth)

poprzedzający *adj* previous (**coś** to sth)
poprzedzanie *sn* (↑ **poprzedzać**) precedence
poprzedzić *zob.* **poprzedzać**
poprzek † *sm obecnie w zwrotach:* **na ~, w ~** crosswise; athwart; transversely; *przen.* (*sprzeciwiać się*) **stawać w ~ czemuś** to oppose sth
poprzekładać *vt perf* 1. (*poprzedzielać*) to intersperse (**warstwami czegoś** with layers of sth) 2. (*przemienić miejsca, kolejność*) to interchange; to mix up; to confuse 3. (*zrobić przekłady*) to translate
poprzesta|ć *vi perf* **~nę, ~nie** — **poprzesta|wać** *vi imperf* **~je, ~waj** to confine oneself (**na czymś** to sth); to be content <satisfied> (**na czymś** with sth); to content oneself (**na czymś, na zrobieniu czegoś** with sth, with doing sth); **nie ~łem na tym** I didn't stop at that; **~niemy na tym** we'll go no further into the matter; we'll leave it <let it go> at that; **~ć, ~wać na małym** to be modest in one's requirements
poprzez *praep* 1. (*w przestrzeni*) across; through, *am.* thro', thru; throughout; all the way through 2. (*w czasie*) through; throughout 3. (*przechodząc etapy, fazy*) through 4. (*pokonując przeszkodę*) notwithstanding; in spite (**coś** of sth)
poprztykać się *vr pot.* to squabble; to quarrel; to have a quarrel; to fall out
popstrzony [I] *pp* ↑ **popstrzyć** [II] *adj* fly-blown
populacja *sf* population
popularzy <**popularowie**> *spl* (*w starożytnym Rzymie*) populares
popularnie *adv* popularly
popularnonaukowy *adj* scientific (lecture, article etc.) for the general public; popularized scientific (lecture, article etc.)
popularnoś|ć *sf singt* popularity; **cieszyć się ~cią** to be popular; to have a great vogue; to be in vogue
popularny *adj* popular
popularyzacja *sf singt* popularization
popularyzacyjny *adj* popularizing
popularyzato|r *sm pl N.* **~rzy** popularizer
popularyzatorski *adj* popularizing
popularyzować *v imperf* [I] *vt* to popularize [II] *vr* **~ się** to become popularized
popularyzowanie *sn* (↑ **popularyzować**) popularization
populista *sm lit.* populist
populizm *sm G.* **~u** *lit.* populism
popuszczać *v imperf perf* [I] *vt* 1. *imperf zob.* **popuścić** 2. *perf* (*puścić*) to let go [II] *vi perf* to come loose
popuszczenie *sn* ↑ **popuścić**
popu|ścić *v perf* **~szczę, ~szczony** — **popu|szczać** *v imperf* [I] *vt* 1. (*zwolnić*) to loosen; to slacken; to ease (down <off>); **~ścić, ~szczać pasa** to ease one's belt; *mar.* **~ścić, ~szczać linę** to pay away <out> a rope 2. *przen.* (*pofolgować*) to relax (discipline etc.); **~ścić, ~szczać cugle** to slacken the rein; *sl.* **nie ~ścić pary z gęby** not to breathe a word (of a secret etc.) 3. (*ulać*) to let off (some liquid, steam etc.) [II] *vi* 1. (*o mrozie*) to abate; to lessen 2. (*ustąpić, darować*) to relent
popychacz *sm* 1. *techn.* tappet; pusher 2. *górn.* = **popychak**
popychać *v imperf* [I] *zob.* **popchnąć** *vt* [II] *vt* (*źle traktować*) to ill-treat
popychad|ło *sn L.* **~le** *pl G.* **~eł** drudge; scapegrace
popychak *sm górn.* pusher car
popychanie *sn* (↑ **popychać**) pushing <shoving> about; pushes; jostle; **~ się** jostle; hustle; scuffle; rough house
popyt *sm G.* **~u** demand; **cieszyć się ~em** to be in demand <in request>; to sell well; **mieć ogromny ~** to sell like hot cakes
popytać *v imperf* [I] *vt* to inquire; to find out; to ask (people) [II] *vi* to inquire <to make inquiries> (**o kogoś, coś** about sb, sth) [III] *vr* **~ się** *emf.* = **popytać**
por[1] *sm anat.* pore; *bot. zool.* stoma; **chłonąć coś wszystkimi ~ami** to absorb sth through every pore
por[2] *sm bot.* (*Allium porrum*) leek
por|a *sf pl G.* **pór** 1. (*okres*) time; hour; season; **niestosowna ~a** (an) untimely hour; **~a deszczowa** <**bezdeszczowa**> the rainy <the dry> season; **~a letnia, wiosenna, zimowa** summer-time, spring-time, winter-time; **~a obiadu, kolacji, podwieczorku** dinner-time, supper-time, tea-time; **~a ogórkowa** the slack <silly> season; **~y roku** the seasons of the year; **właściwa ~a** the right <proper> season; **jesienną ~ą** in autumn; **o każdej porze** at any time; whenever you like; **wczesną ~ą** at an early hour 2. (*termin*) time; **czekać na stosowną ~ę** to bide one's time; **największy, jaki do tej ~y znaleziono** the largest yet found; (**powiedziany, zrobiony itd.**) **w ~ę** <**nie w ~ę**> opportune, timely, well-timed <inopportune, untimely, ill-timed>; **teraz nie ~a na ...** it's <this is> no time for <to> ...; **do tej ~y** till now; so far; hitherto; (as) yet; still; **o tej porze** at this time of day; **w ~ę** at the right moment; in good time; **w samą ~ę** just in time; in the nick of time
porabia|ć *vt imperf* 1. (*robić*) to do; **co ~sz całymi dniami?** what do you do all day? 2. (*mieć się*) to be getting on; **co ~ ojciec** <**mąż itd.**>? how is your father <husband etc.> getting on?
porach|ować *v perf* [I] *vt* to reckon; to count; to calculate; *pot.* **~ować komuś gnaty** to beat sb black and blue [II] *vr* **~ować się** to settle <to square> accounts (with sb); *przen.* to get even (with sb); **jeszcze się z tobą ~uję** I'll be quits with you yet
porachowanie *sn* (↑ **porachować**) (a) count
porachunki *spl* accounts (to settle); *przen.* a bone to pick; **osobiste ~** personal <petty> accounts; **mam z nim ~** I have a bone to pick with him; **między nimi są ~** there is bad blood between them; **załatwić ~ z kimś** to settle accounts with sb; to pay off old scores <to quit scores> with sb
porać się *vr imperf* to wrestle <to grapple, to contend> (with a task, difficulty etc.)
porad|a *sf* (piece <word> of) advice; counsel; (specialist's) opinion; **za czyjąś ~ą** on sb's advice; **udzielić komuś ~y** to advise sb; **zasięgnąć czyjejś ~y** to seek sb's advice; **zasięgnąć ~y fachowca** to consult a specialist
poradl|ić *vt perf* **~ę, ~ony** 1. (*radlić*) to hoe 2. (*pokryć bruzdami*) to furrow; *przen.* to furrow; to line (sb's face)

poradni|a *sf pl G.* ~ information bureau; **~a lekarska** dispensary; clinic

poradnictwo *sn singt* (vocational etc.) guidance

poradnik *sm* guide; hand-book; (*w tytułach*) hints (to housewives etc.); aids (to mothers etc.); (medical, gardening etc.) aids

poradz|ić *v perf* **~ę, ~ony** [I] *vt* to advise (**komuś zmianę powietrza itd.** sb a change of air etc.) [II] *vi* 1. (*udzielić rady*) to advise (**komuś, żeby coś zrobił** sb to do sth); (**czy**) **możesz mi coś ~ić?** can you give me some advice? 2. (*dać sobie radę*) (*zw.* **~ić sobie**) to cope <to make do> (**z czymś** with sth); to overcome (**z trudnością itd.** a difficulty etc.); **czy ~isz sobie?** can you manage it?; **nie umiem sobie z tym <z nim, z nią> ~ić** I don't know how to tackle this <how to handle him, her>; **on umie sobie ~ić** he knows how to help himself 3. (*znaleźć sposób*) to help (**na coś** sth); **cóż na to ~ić?** how can it be helped?; **nic na to nie ~ę** I can't help it; **nic się na to nie ~i** it can't be helped; there's no getting away from it [III] *vr* **~ić się** to consult (sb); to seek (**kogoś** sb's) advice

porajcować *vi perf* to palaver

poran|ek *sm G.* **~ku** <**~ka**> 1. (*ranek*) morning; *przen. poet.* **~ek życia** the prime of life 2. (*przedstawienie, seans*) matinée

poranić *v perf* [I] *vt* to hurt; to wound; to injure [II] *vr* **~ się** to hurt <to wound, to injure> oneself

poranienie *sn* (↑ **poranić**) (an) injury; (a) wound

porankowy *adj* morning — (performance etc.)

poranny *adj* morning — (star etc.); matutinal

por|astać *v imperf* — **por|osnąć** *v perf* **~ośnie, ~ósł, ~ośli, ~ośnięty** <**~osły**> [I] *vt* 1. (*obrastać*) to grow (**brodą** a beard; **włosami** long hair); to sprout (a moustache); to become overgrown (**mchem itd.** with moss etc.); *przen.* **~astać, ~osnąć w piórka** <**w sadło**> to rise to affluence; to make money; to feather one's nest; *pot.* to make one's pile 2. (*o roślinności — pokrywać*) to overgrow; to cover (sth with its growth) [II] *vi* (*o nasionach — kiełkować*) to germinate; to sprout

porastanie *sn* (↑ **porastać**) growth

poratować *vt perf* to help (sb) in distress; to hold out a hand (**kogoś** to sb); **~ zdrowie** to recruit (one's health); to recuperate

poratowanie *sn* 1. ↑ **poratować** 2. (*pomoc*) help; **~ zdrowia** recuperation; recruital; restoration to health

pora|zić *vt perf* **~żę, ~żony** — **pora|żać** *vt imperf* 1. *med.* to obtund; to benumb; to paralyse; **~zić, ~żać kogoś prądem** to give sb an electric shock 2. *ogr. roln.* to attack <to affect> (a plant) 3. (*ugodzić*) to strike; to hit; to smite

porażenie *sn* (↑ **porazić**) 1. *elektr.* shock; (*śmiertelne*) electrocution 2. *med.* paralysis; palsy; **~ dolne** paraplegia; **~ dwustronne** diplegia; **~ połowicze** hemiplegia; **~ postępujące** creeping paralysis; **~ słoneczne** sunstroke; siriasis

poraż|ka *sf pl G.* **~ek** defeat; reverse; discomfiture; set-back; **ponieść ~kę** to be defeated; to suffer a reverse <a set-back>; to go to the wall; **zadać ~kę przeciwnikowi** to defeat <to worst> one's adversary; to give one's adversary a beating

porażony [I] *pp* ↑ **porazić** [II] *sm* (*decl* = *adj*) struck <attacked, affected> person

porąb|ać *vt perf* **~ie** 1. (*narąbać*) to chop 2. (*pokiereszować*) to hack; to gash; **dać się za kogoś ~ać** to go through fire and water for sb

porąbanie *sn* ↑ **porąbać**

porcelan|a *sf* china; porcelain; *zbior.* (*naczynia*) crockery; **~a miękka** soft-paste porcelain; **~a twarda** hard porcelain; **skład ~y** china shop

porcelan|ka *sf pl G.* **~ek** *zool.* (*Cypraea*) cowrie, porcelain shell

porcelanow|y *adj* china — (doll etc.); porcelain — (clay etc.); *przen.* **~a cera** complexion of milk and roses

porceli|t *sm G.* **~tu** *L.* **~cie** *cer.* porcel(l)anite

porcięta *spl iron.* = **portki**

porcj|a *sf* portion <helping> (of food); go (of liquor); *wojsk.* ration; **żelazna ~a** emergency <*pot.* iron> ration; **wydano wszystkim po ~i rumu** they served out a round of rum

porcjowo *adv* in portions; by the portion

porcyjny *adj* portioned (fish, meat etc.)

pordzewi|eć *vi perf* **~eje, ~ały** to rust

poreakcyjny *adj chem.* reactive

poregulować *vt perf* to settle (all <various> accounts etc.)

poremanentowy *adj handl.* clearance <stock-taking> (sale etc.)

poreparować *vt perf*, **poreperować** *vt perf* to repair; to mend

poretuszować *vt perf* to retouch (pictures)

porewolucyjny *adj* subsequent to <following> the revolution

poręba *sf* clearing (in a forest)

poręcz *sf pl N.* **~e** 1. *bud.* handrail; balustrade; railing 2. (*u fotela*) arm (of a chair) 3. *pl* **~e** *sport* parallel bars

poręczać *zob.* **poręczyć**

poręczenie *sn* ↑ **poręczyć** guarantee, guaranty; *prawn.* warranty; pledge

poręcznie *adv* conveniently; handily

poręczność *sf singt* convenience; handiness

poręczny *adj* convenient; handy

poręczow|y *adj* used <intended> for handrails <balustrades>; **krzesło ~e** armchair

poręczów|ka *sf pl G.* **~ek** *sport* guardrail

poręczyciel *sm pl G.* **~i**, **poręczyciel|ka** *sf pl G.* **~ek** guarantor; security; surety; voucher

poręczyć *vi perf* — **poręczać** *vi imperf* to guarantee; to stand surety <to go bail> (**za kogoś** for sb)

poręk|a *sf* guarantee, guaranty; warrant; surety; sponsorship; **z czyjejś ~i** at <by> sb's instigation

porfir *sm G.* **~u** *miner.* porphyry

porfirowy *adj* porphyritic (column etc.)

porfiryczny *adj* porphyrous

porfiry|t *sm G.* **~tu** *L.* **~cie** *miner.* porphyrite

pornograf *sm* pornographer

pornografi|a *sf singt GDL.* **~i** pornography; obscenity, obscenities; obscence writings <literature, pictures>

pornograficzny *adj* pornographic; obscene

por|obić *v perf* **~ób** [I] *vt* 1. (*zrobić*) to make (mistakes, notes, purchases, different objects etc.) 2. (*przetworzyć*) to change <to turn> (**z ludzi bestie itd.** people into beasts etc.); to make <to produce> (**arcydzieła** masterpieces) [II] *vi* (*popracować*) to do some work [II] *vr* **~obić się** 1. (*ukazać się, powstać*) to spring up; to appear; to arise; to form (*vi*); **~obiły mi się bąble na rękach** I developed <I got> blisters on my hands 2. (*stać się*) to become; to happen; **coś się tam ~obiło** something (has) happened there; **patrz, co się z nimi ~obiło** see what has become of them

porodow|y *adj* puerperal; **bóle ~e** pangs of childbirth; **izba ~a** delivery room

porodów|ka *sf pl G.* **~ek** delivery ward

poroh|y *spl G.* **~ów** rapids (on the Dnieper)

porolny *adj* formerly <one-time> arable (land)

poromansować *vi perf* = **romansować**

poromantyczny *adj* post-romantic

poro|nić *v perf* **~ń, ~niony** [I] *vi* to miscarry; to have a miscarriage; to abort; (*o zwierzętach*) to slink; to drop [II] *vt przen.* to produce an abortion

poronienie *sn med.* miscarriage; abortion; **~ samoistne <nawykowe, sztuczne>** natural <habitual, artificial> abortion

poroniony *adj dosł. i przen.* abortive; **~ pomysł** foolish <silly> idea

poro|sić *vt perf* **~szę, ~szony** to bedew

porosły [I] *pp* ↑ **porosnąć** [II] *adj* overgrown; **~ włosami** hairy; hirsute

porosnąć *zob.* **porastać**

poro|st *sm G.* **~stu** *L.* **~ście** 1. (*to, czym coś jest porośnięte*) overgrowth (of weeds etc.) 2. (*rośnięcie*) growth; **środek na ~st włosów** hair restorer 2. *bot.* lichen; **~st islandzki** (*Cetraria islandica*) cetraria

porostnica *sf bot.* (*Marchantia*) liverwort

porostnicowat|y [I] *adj* marchantiaceous [II] *spl* **~e** (*Marchantiaceae*) (*rodzina*) the family Marchantiaceae

porostowy *adj bot.* lichenic; lichen — (fungus etc.)

porośl|e *sn pl G.* **~i** 1. *pl* **~a** (*zarośla*) undergrowth 2. *bot.* epiphyte

porowatość *sf singt* porosity

porowaty *adj* porous

porozbiegać się *vr perf* to scamper right and left

porozbijać *vt perf* 1. (*rozbić*) to break <to smash> (the pots etc.) 2. (*ustawić*) to pitch (**namioty** tents)

porozbiorowy *adj* subsequent to <following> the partitions (of Poland)

porozchodz|ić się *vr perf* **~ą się** 1. (*o ludziach — rozejść się*) to separate; to go their several ways 2. (*o rzeczach*) to go asunder; to come apart

porozdzielać *v perf* [I] *vt* to divide <to separate> (people, things) [II] *vr* **~ się** to separate (*vi*)

porozmawiać *vi perf* to talk <to chat> (a little); to have a talk <a chat> (with sb)

porozumi|eć się *vr perf* **~em się, ~e się, ~eją się, ~ał się, ~eli się — porozumi|ewać się** *vr imperf* 1. (*skomunikować się*) to communicate (**z kimś** with sb); to speak; to talk (**na migi** by signs); **~eć się w obcym języku** to make oneself understood in a foreign language 2. (*dogadać się*) to understand each other; to come to an understanding <to an agreement, to terms>; to arrange matters; **~eć, ~ewać się z kimś co do czegoś** to agree with sb about sth; **muszę się ~eć z dyrektorem** I must see <refer the matter to> the manager

porozumieni|e *sn* 1. (*jednomyślność poglądu*) understanding; agreement; **być w ~u z kimś** a) (*działać zgodnie*) to be hand in <and> glove with sb; to act in concert <in consultation> with sb b) (*mieć konszachty*) to be in league <in collusion, in secret communication> with sb c) (*komunikować się*) to hold intercourse with sb; **dojść do ~a** to come to an understanding <an agreement>; to arrange matters; to come to terms 2. (*umowa*) arrangement; agreement; understanding; compact

porozumieni|e się *sn* (↑ **porozumieć się**) understanding; agreement; **ustne ~e się** verbal agreement; **dla ~a się z zainteresowanymi** for reference to the parties concerned

porozumiewanie się *sn* (↑ **porozumiewać się**) communication; mutual consultation

porozumiewawczo *adv* knowingly; understandingly

porozumiewawcz|y *adj* knowing; understanding; **~e spojrzenie** look of intelligence

poroż̇|e *sn pl G.* **~y** antlers

por|ód *sm G.* **~odu** *L.* **~odzie** childbirth; delivery; parturition; **~ód kleszczowy** forceps delivery

porówn|ać *v perf* — **porówn|ywać** *v imperf* [I] *vt* 1. (*przyrównać*) to compare; to liken (**kogoś, coś z kimś, czymś** sb, sth to <with> sb, sth); to parallel (**dwie rzeczy** two things); to draw a comparison (**A z B** between A and B) 2. (*zestawić*) to confront <to collate> (documents etc.) [II] *vr* **~ać, ~ywać się** to be compared; to bear <to stand> comparison; **on się nie da ~ać z ...** he cannot be compared with ...; *pot.* he isn't a patch on ...; **te rzeczy nie dadzą się ~ać** these things are not comparable

porównani|e *sn* 1. (↑ **porównać**) (*przyrównanie*) comparison; simile; similitude; **bez ~a** incomparably; by far; far and away; out and away; **bez ~a lepiej** incomparably <far> better; **nie do ~a z ...** not to be compared with ...; **nie ma ~a** it is beyond compare; **w ~u z ...** in comparison <compared> with ...; beside ...; as against ... 2. (↑ **porównać**) (*zestawienie*) confrontation; collation (of documents etc.) 3. † (*zrównanie*) equalization; *obecnie w zwrocie:* **~e dnia z nocą** equinox 4. (*figura retoryczna*) metaphor

porównawczo *adv* comparatively; **~ do czegoś** by comparison with sth

porównawczy *adj* comparative

porównywać *zob.* **porównać**

porównywalność *sf singt* comparability

porównywalny *adj* comparable

poróżni|ć *v perf* **~j, ~ony** [I] *vt* to set (people) at variance <at loggerheads, by the ears>; to embroil (**kogoś z kimś** sb with sb); to make mischief (**ludzi** between people) [II] *vr* **~ć się** to quarrel; to fall out

poróżnienie *sn* 1. ↑ **poróżnić** 2. (*waśń, kłótnia*) rupture; embroilment; break (between friends)

poróżowi|eć *vi perf* **~eje, ~ały** to grow <to turn> rosy <rose-coloured>; to assume a rosy tint; (*dostać rumieńców*) to blush

port *sm G.* **~u** 1. *mar.* port; haven; harbour; *lotn.* **~ lotniczy** airport; **~ macierzysty** home port; **~ zlecenia** order port; **komendant ~u** harbour-master; **komendant ~u wojennego** port admiral 2. *przen.* (*schronienie*) haven

Porta *sf hist.* the (Sublime) Port

portal *sm G.* **~u** *arch.* portal

portament *sm G.* ~u *muz.* portamento

portas|y *spl G.* ~ów *żart.* = **portki**

portatyl *sm G.* ~u *liturg.* superaltar

portatyw *sm G.* ~u *muz.* portative organ

portecz|ki *spl pl G.* ~ek *dim* ↑ **portki**

porter *sm G.* ~u porter; (kind of) stout

porterów|ka *sf pl G.* ~ek 1. (*butelka*) porter bottle 2. (*wódka*) porter-flavoured vodka

portfel *sm* 1. (*teczka kieszonkowa*) pocket-book; note-book; wallet 2. *ekon.* portfolio; **minister bez** ~a minister without portfolio

portier *sm* door-keeper; janitor; caretaker; porter; (*w hotelu*) hotel attendant; porter

portiera *sf* door-curtain

portier|ka *sf pl G.* ~ek hotel attendant

portierni|a *sf pl G.* ~ door-keeper's lodge

port|ki *spl G.* ~ek *gw. pot.* breeches; trousers; *am.* pants; *przen.* **chodzić bez** ~ek to be in rags; *sl.* **trząść** ~**kami, robić w** ~ki to be in a blue funk; **wziąć** ~**ki w garść** to cut one's lucky; to decamp

portlandzki *adj bud.* Portland — (cement)

portmonet|ka *sf pl G.* ~ek purse

port|o[1] *sn* (*opłata pocztowa*) postage; ~**o w obrocie krajowym** <**zagranicznym**> inland <foreign> postage; **z opłaconym** ~em post-paid

porto[2] *sn indecl* (*wino*) port

portow|iec *sm G.* ~ca (*robotnik*) docker; stevedore; longshoreman; *am.* roustabout

portowy *adj* port <harbour> — (dues etc.); **robotnik** ~ = **portowiec**

portrecista *sm*, **portrecistka** *sf* portrait-painter; portraitist

portre|t *sm G.* ~tu *L.* ~cie 1. (*obraz*) portrait; likeness; *przen.* **żywy** ~t speaking likeness 2. (*charakterystyka*) character-sketch

portretować *v imperf* [I] *vi* to paint portraits [II] *vt* 1. (*malować*) to paint (sb, sb's portrait); to represent (sb) in painting <on canvas> 2. (*opisywać*) to portray [III] *vr* ~ **się** to have one's portrait painted

portretowanie *sn* (↑ **portretować**) portrait-painting

portretowość *sf singt* portraiture

portretowy *adj* picturesque

Portugalczy|k *sm* (a) Portuguese; ~cy the Portuguese

portugalsk|i *adj* Portuguese; **język** ~i Portuguese; **po** ~u in Portuguese

portulaka *sf bot.* (*Portulaca*) purslane

portulakowaty *bot.* [I] *adj* portulacaceous [II] *spl* (*Portulacaceae*) (*rodzina*) the Portulacaceae

portwein *sm G.* ~u port

portyk *sm G.* ~u *arch.* portico

porubieżny *adj* borderland — (district etc.)

porucznik *sm wojsk. mar.* Lieutenant; *lotn.* Flying Officer

porucznikostwo *sn singt* 1. (*ranga*) lieutenancy 2. (*porucznik z żoną*) lieutenant and his wife

porucznikowski *adj* lieutenant's

porusz|ać *v imperf* — **porusz|yć** *v perf* [I] *vt* 1. (*ruszać*) to move (**rękami, wargami itd.** one's hands, lips etc.); (*o wietrze*) to sway (**drzewami itd.** trees etc.); *perf* (*wprawić w ruch*) to set in motion; *imperf* (*utrzymywać w ruchu*) to move; to keep in motion; (*o psie*) ~**ać ogonem** to wag its tail; **nerwowo** ~**ać wachlarzem** to flirt a fan; *ogr. roln.* ~**ać,** ~**yć ziemię** to hoe the soil; *przen.* ~**ać,** ~**yć niebo i ziemię** to leave no stone unturned; to do one's utmost <*pot.* one's damnedest> 2. (*o sile pędnej*) to propel <to impel> (**pocisk itd.** a missile etc.); (*o sile mechanicznej*) to drive <to work, to operate> (a machine etc.) 3. (*omawiać*) to touch (**temat** a subject <on, upon a subject>); to take up <to broach, to start, to tap> (a subject) 4. (*wzruszyć*) to move (**do łez itd.** to tears etc.); to thrill; to stir; ~**ać,** ~**yć kogoś do żywego** to cut sb to the quick [II] *vr* ~**ać,** ~**yć się** 1. (*być w ruchu*) to move; to be in motion; (*kołysać się*) to sway (*vi*); (*konwulsyjnie*) to twitch 2. *imperf* (*wykonywać ruchy sobą*) to demean oneself; ~**ać się majestatycznie** to have a majestic bearing <gait, deportment> 3. (*przenosić się z miejsca na miejsce — o człowieku*) to move <to go, to get> about; to come and go; (*o częściach mechanizmów*) to travel; to play; (*o meblu itd.*) to run (**na kółkach** on wheels)

poruszani|e *sn* ↑ **poruszać**; (*sposób wykonywania ruchów sobą*) ~**e się** bearing; gait; deportment; **zdolność** ~**a (się)** locomotive faculty

poruszający *adj* (*o sile*) motive; impellent; ~ **się** moving; in motion

poruszenie *sn* 1. (↑ **poruszyć**) (*ruch*) movement; motion 2. (*podniecenie*) agitation; stir; commotion; perturbation; disturbance 3. (*dotknięcie*) touch; **za lada** ~**m** at a touch

poruszyć *zob.* **poruszać**

por|wać *v perf* ~wę, ~wie, ~wij — **por|ywać** *v imperf* [I] *vt* 1. (*unieść*) to snatch <to snap> up; to carry <to whisk> away; (*o wichrze*) to blow <to sweep> (sb, sth) away; (*o złodzieju, psie*) to make <to run> away (**coś** with sth); (*o prądzie, fali*) to wash (sb, sth) away; **niech go diabli** ~**wą** to the devil <to hell> with him; deuce take the fellow 2. (*uprowadzić siłą*) to kidnap; to abduct; to elope (**kobietę** with a woman); (*o kobiecie*) **dać się komuś** ~**wać** to elope with sb 3. (*chwycić*) to snatch; to grip; to grasp; to grab; to seize; to clutch (**coś** at sth) 4. *przen.* (*nawiedzić*) to grip <to seize> (sb); (*o chorobie, śmierci*) to carry (sb) off; (*o uczuciach*) to come over (sb); to take possession (**kogoś** of sb) 5. *przen.* (*wzbudzić zachwyt*) to ravish; to thrill; to enrapture; to transport; to carry away (the audience) 6. *perf* (*podrzeć*) to tear up <to pieces> [II] *vi* 1. (*chwycić*) to snatch (**za rewolwer itd.** a revolver etc.); ~**wać,** ~**ywać za broń** to run to arms; to take up arms [III] *vr* ~**wać,** ~**ywać się** 1. (*złapać*) to clutch (**za coś** at sth); ~**wać,** ~**ywać się do szabel** <**kijów**> to grasp swords <sticks> 2. (*zerwać się*) to jump <to spring> to one's feet 3. (*rzucić się*) to fall (**na kogoś** on sb); *przen.* ~**wać,** ~**ywać się na coś** to attempt sth; ~**wać,** ~**ywać się z motyką na słońce** to attempt the impossible 4. (*chwycić się wzajemnie*) to jump at <on> one another <at each other's throats> 6. *perf* (*stać się podartym*) to get torn (to pieces)

porwanie *sn* (↑ **porwać**) 1. (*schwytanie*) (a) snatch; (a) grab; (a) clutch 2. (*uprowadzenie*) abduction; kidnapping; rape (of the Sabines etc.)

poryblin *sm G.* ~u *bot.* (*Isoëtes*) quillwort; isoetes

poryblinowate *spl* (*decl = adj*) *bot.* (*Isoëtaceae*) (*rodzina*) the quillworts

porycz|eć *v perf* ~y [I] *vi* 1. (*o dzikich zwierzętach*) to roar (awhile, a little); to give a roar; (*o bydle*) to moo 2. *pot.* (*o dziecku itd.*) to blubber; to cry

[II] *vr* **~eć się** *pot.* to blubber; to cry; to have one's cry out

poryk *sm G.* **~u** (*ryk dzikich zwierząt*) roar; (*ryczenie bydła*) mooing

porykiwać *vi imperf* to moo (now and then, intermittently)

porykiwanie *sn* (↑ **porykiwać**) (a) moo; mooings

porysować *v perf* [I] *vi* (*zająć się rysowaniem*) to do a little drawing [II] *vt* (*robić rysy*) to scratch; to make scratches (**coś** on sth) [III] *vr* **~ się** (*pokryć się rysami*) to crack

porysowany [I] *pp* ↑ **porysować** [II] *adj* 1. (*zarysowany*) scratched; lined; *kino* **film ~** rainy film 2. (*popękany*) cracked; creviced; crannied; *bot. zool.* rimose

poryty [I] *pp* ↑ **poryć** [II] *adj* furrowed; streaked; lined

porytyd *sm paleont.* porite

poryw *sm G.* **~u** 1. (*ruch powietrza*) gust (of wind) 2. (*rwąca siła*) onset; onrush 3. (*uniesienie*) outburst; transport (of joy etc.); impulse; elation; access (of fury etc.)

porywacz *sm pl G.* **~y** <**~ów**> kidnapper; abductor; ravisher

porywać *zob.* **porwać**

porywająco *adv* ravishingly; thrillingly; entrancingly; irresistibly; (*o grze*) enchantingly

porywający *adj* ravishing; thrilling; entrancing; irresistible; (*o grze*) enchanting

porywczo *adv* impetuously; vehemently; hot-temperedly

porywczość *sf singt* irritability; impetuosity; impulsiveness; vehemence; quick temper; fieriness

porywczy *adj* 1. (*łatwo wybuchający gniewem*) irritable; irascible 2. (*gwałtowny*) impetuous; impulsive; vehement; hot-tempered; passionate 3 (*o ruchu itd.*) impulsive; vehement; hasty

porywisty *adj* 1. (*o wichrze*) gusty; vehement; boisterous; rattling 2. (*o usposobieniu itd.*) impetuous; vehement; spirited; full of zest

porząd|ek *sm G.* **~ku** 1. *singt* (*ład*) order; tidiness; neatness; **~ek bojowy** order of battle; **~ek naturalny** the course of nature; **~ek publiczny** law and order; **~ek społeczny** social system; **zamiłowanie do ~ku** orderliness; **doprowadzić coś do ~ku, zaprowadzić ~ek w czymś, robić ~ek koło czegoś** to put sth straight <right, to rights>; to put sth into shape; **doprowadzić się do ~ku** to tidy oneself up; **przywołać kogoś do ~ku** to call sb to order; **robić ~ek z czymś** to tidy sth up; to clean sth (a drawer etc.) out; **zrobić ~ek z kimś** to teach sb a lesson; to stop sb's nonsense; **po ~ku** successively; consecutively; seriatim; one after the other; indiscriminately; **ładne ~ki!** a fine state of affairs! 2. *singt* (*wymagania regulaminu itd.*) regularity; **dla ~ku proszę wypełnić ten formularz** for regularity fill in this form 3. *singt* (*następowanie, kolejność*) order; arrangement; sequence; **~ek alfabetyczny** <**chronologiczny**> alphabetical <chronological> order; **~ek obrad** order of the day; agenda (of a meeting); **być na ~ku dziennym** a) (*być na liście spraw do załatwienia*) to be on the agenda <in the order of the day> b) (*często się zdarzać*) to be current <of frequent occurrence>; **przejść nad czymś do ~ku (dziennego)** to overlook sth; to pay no attention to sth 4. *singt* (*ustrój*) (political) system 5. *pl* **~ki** (*sprzątanie*) housework; **generalne ~ki** clean-up; general cleaning; **robić ~ki** to clean up 6. *arch.* (Doric, Ionic etc.) order 7. *hist.* estate <order> of society

w ~ku *adv* in order; in good <proper> shape; in trim; **coś tu nie jest w ~ku** there is something wrong <amiss> here <with this>; (*o sprzęcie, maszynie itd.*) **nie być w ~ku** to be out of order <out of shape, in bad shape, out of joint>; **pańskie papiery nie są w ~ku** you have not complied with all the regulations; **pańskie papiery są w ~ku** your papers are in order; **ty jesteś** <**ja jestem itd.**> **w ~ku** you are <I am etc.> not to blame; **ty nie jesteś** <**ja nie jestem itd.**> **w ~ku** you are <I am etc.> to blame; **we wzorowym ~ku** shipshape; **wszystko w ~ku** everything is in proper shape <is O.K.>; **wszystko w ~ku z nim** all is well with him

porządkarnia *sf* tool-shed

porządkować *vt imperf* to arrange; to set in order; to sort (things) out; to marshal (guests, facts etc.); **~ mieszkanie** <**pokój**> to tidy a flat <a room>

porządkowanie *sn* (↑ **porządkować**) arrangement

porządkow|y [I] *adj* 1. (*kolejny, bieżący*) serial (number etc.); **liczebnik ~y** ordinal number 2. (*dotyczący przestrzegania porządku*) pertaining to the observance of regulations; **sprawa ~a** matter of routine; *prawn.* **kara ~a** disciplinary penalty [II] *sm* **~y** (*decl = adj*), *sf* **~a** person on orderly duty

porządnic|ka *sf* (*decl = adj*), **porządnic|ki** *sm* (*decl = adj*) *pl N.* **~cy** *żart.* orderly (person); stickler for order

porządnie *adv* 1. (*w należytym porządku*) in good order; neatly; (*starannie*) carefully; systematically; methodically; **wziąć się do czegoś ~** to do sth in good earnest 2. *pot.* (*bardzo, mocno*) jolly well; not half; **~ go zbiłem** I gave him a sound thrashing; **~ się nastraszył** he had a hell of a fright

porządność *sf singt* 1. (*zamiłowanie do porządku*) orderliness; accuracy 2. (*uczciwość*) respectability; reliability; dependability; honesty

porządn|y *adj* 1. (*lubiący porządek*) orderly; methodical; systematic; accurate 2. (*solidnie wykonany*) solid; substantial 3. (*uczciwy*) respectable; reliable; dependable; **~a kobieta** honest woman; **to ~y gość** <**facet**> he is a regular sport 4. *pot.* (*znaczny*) jolly good; regular (blow-out, storm etc.); sound (thrashing etc.)

porządz|ić *vi perf* **~ę** to rule <to govern> (a short time)

porzecz|e *sn pl G.* **~y** basin (of a river)

porzecz|ka *sf pl G.* **~ek** 1. *bot.* (*Ribes*) currant bush <plant> 2. (*jagoda*) currant; **białe** <**czarne, czerwone**> **~ki** white <black, red> currants

porzeczkowy *adj* currant — (wine etc.)

porzeczniak *sm* currant-flavoured mead

porzeczny *adj* riverine; riparian

porzekad|ło *sn pl G.* **~eł** saying

porzeźbić *v perf* [I] *vi* to do some carving [II] *vt* to carve <to sculpt> (a little)

porznąć <**porżnąć**> *v perf* [I] *vt* 1. (*pociąć*) to cut (into pieces); to cut up; **~ drzewo** to saw wood 2. *przen.* (*porysować*) to furrow 3. (*pozarzynać*) to slaughter [II] *vr* **~ się** to cut oneself

porzucać *zob.* **porzucić**

porzucenie *sn* (↑ **porzucić**) abandonment; relinquishment; renunciation

porzuc|ić *vt perf* **~ę, ~ony** — **porzuc|ać** *vt imperf* 1. (*opuścić*) to abandon; to desert; to forsake; to throw over (a person); to turn away (**kogoś** from sb); to let (sb) down; to leave (sb); to jilt (a sweetheart, a lover); **~ić, ~ać ławę szkolną** to leave school; **~ić, ~ać nadzieje** to relinquish hopes; **~ić, ~ać pióro** to give up writing; **~ić, ~ać pracę** to quit work 2. (*cisnąć*) to cast away; to discard 3. (*przestać czynić*) to give up <to stop, to cease> (smoking, drinking, doing sth); (*zarzucić*) to renounce (**stare wierzenia itd.** ancient beliefs etc.)

porzucon|y [I] *pp* ↑ **porzucić** [II] *adj* derelict; **~e dzieci** waifs and strays

porżnąć *zob.* **porznąć**

posad|a *sf* employment; job; situation; post; berth; **bez ~y** out of employment <of a job, of work>; unemployed

posad|ka *sf pl G.* **~ek** *dim* ↑ **posada**; **wygodna ~ka** comfortable <*sl.* cushy> job

posad|owić *vt perf* **~ów** *bud.* to found; to build

posadzenie *sn* ↑ **posadzić**

posadz|ić *vt perf* **~ę, ~ony** 1. (*dać miejsce siedzące*) to seat; to place; **~ić kurę** to set a hen; **~ić kogoś do więzienia** to throw sb into prison 2. *ogr.* to plant (flowers etc.)

posadz|ka *sf pl G.* **~ek** 1. (*podłoga z drewnianych klepek*) parquet floor; (*z marmuru*) marble floor; (*kamienna*) tile floor 2. (*klepki*) parquet(ry); (*płytki marmurowe, kamienne*) tiles, tiling

posadzkarz *sm pl G.* **~y** floorer; tiler

posadzkowy *adj* flooring — (blocks etc.)

posag *sm G.* **~u** dowry; marriage portion; **bez ~u** dowerless

posagowy *adj* dotal; of the dowry; **łowca ~** fortune hunter

posamogłoskowy *adj jęz.* postvocalic

posap|ać *vi perf* **~ie** — **posapywać** *vi imperf* to puff and blow

posażnie *adv* with a rich dowry; richly

posażny *adj* (richly) dowered

posądz|ać *vt imperf* — **posądz|ić** *vt perf* **~ę, ~ony** to suspect (**kogoś o coś** sb of sth); to impute (**kogoś o coś** sth to sb); **niesłusznie kogoś ~ać, ~ić** to wrong sb by one's suspicions

posądzenie *sn* (↑ **posądzić**) suspicion; imputation (**kogoś o coś** of sth to sb)

posąg *sm G.* **~u** statue; image

posągowo *adv* statuesquely

posągowość *sf singt* statuesqueness; statuesque character <beauty, attitude>

posągowy *adj* statuesque; sculpturesque

posąż|ek *sm G.* **~ka** statuette; image

pos|chnąć *vi perf* **~echł** <**~chnął**>, **~chła, ~chnięty** <**~chły**> = **uschnąć**

posegregować *vt perf* to classify; to sort out

poselsk|i *adj* 1. (*wysłannika*) envoy's; ministerial; ambassadorial 2. (*dotyczący posła na sejm*) of a member of the diet; parliamentary; **izba ~a** Chamber of Deputies; **mandat ~i** seat in the Diet <in Parliament>

poselstw|o *sn* 1. *dypl.* legation 2. (*wysłannicy*) deputation; envoys 3. (*godność posła*) dignity of legate; **iść** <**przybyć**> **w ~ie** to go <to come> as envoy; to go <to come> with a mission 4. (*sprawowanie funkcji poselskiej*) acting as envoy

pos|eł *sm G.* **~ła** *pl N.* **~łowie** 1. (*posłaniec*) envoy; deputy 2. (*przedstawiciel ludu*) member of the Diet <of Parliament>; deputy 3. *dypl.* legate; minister (**pełnomocny** plenipotentiary)

posesj|a *sf pl G.* **~i** (an) estate; property

posezonowy *adj* clearance — (sale)

posępnie *adv* gloomily; drearily; dismally; glumly

posępnie|ć *vi imperf* **~je** 1. (*o niebie*) to darken; to cloud over 2. (*o człowieku*) to become <to grow> gloomy <sullen, morose>

posępność *sf singt* gloom; dreariness

posępny *adj* gloomy; dismal; dreary; cheerless; sullen; glum; sombre; (*o niebie, dniu*) dark; overclouded; overcast

posi|ać *vt perf* **~eje, ~ali** <**~eli**> 1. *roln.* to sow; to seed 2. *przen.* (*rozrzucić, rozsypać*) to scatter 3. *pot.* (*zgubić*) to lose; to drop

posiadacz *sm pl G.* **~y** <**~ów**> possessor; owner; holder; proprietor; man of property; bearer (of a cheque, of a passport etc.); **klasy ~y** the propertied <moneyed> classes

posiadacz|ka *sf pl G.* **~ek** possessor; owner; holder; proprietress

posi|adać *v imperf* — **posi|ąść** *vr perf* **~ądę, ~ądzie, ~adł, ~edli** [I] *vt* 1. *imperf* (*mieć*) to possess; to be in possession (**coś** of sth); to hold (real estate etc.); to be possessed (**coś** of sth); (*o uczuciach*) to dominate (sb); **~adać kobietę** to possess a woman; **nie ~adać czegoś** to lack sth; to be deprived of sth; to be deficient <wanting> in sth 2. *perf* (*zawładnąć*) to take possession (**coś** of sth); to acquire (sth); **~ąść obcy język** to learn <to master> a foreign language; **~adać obcy język** to know <to have mastered> a foreign language [II] *vi perf* (*usiąść*) to sit down; **wszyscy ~adali** they all took their seats [III] *vr* **~adać, ~ąść się** *w zwrotach*: **nie ~adać się z radości** to be beside oneself <transported> with joy; to brim over with joy; **nie ~adać się z wściekłości** to be overcome with rage

posiadający [I] *adj* propertied <moneyed> (classes) [II] *sm* (*decl = adj*) man of possession

posiadani|e *sn* 1. ↑ **posiadać**; **~e własności ziemskiej** tenure of land 2. (*władanie czymś*) possession; ownership; **instynkt ~a** possessive instinct; **stan ~a** possessions; assets; **być w czyimś ~u** to be in sb's possession; **objąć** <**wziąć**> **coś w ~e** to take <to assume> possession of sth; to take over (a business etc.); **oddać coś komuś w ~e** to turn sth over to sb; *handl.* **jesteśmy w ~u Waszego listu** we are in receipt of your letter

posiadłoś|ć *sf* estate; property; *pl* **~ci** (**kraju**) possessions; dominions

posiadywać *vi imperf* 1. (*od czasu do czasu*) to sit down now and then 2. (*na krótki czas*) to sit (awhile)

posianie *sn* ↑ **posiać**

posiarczynowy *adj* sulphite (lye)

posiatkować *vt perf* to reticulate

posiąść *zob.* **posiadać**

posie|c *vt perf* **~kę, ~cze, ~kł, ~czony** 1. = **posiekać** 2. 2. (*pościnać*) to fell (trees); 3. (*pokosić*) to mow; to scythe (grass etc.)

posiedzenie *sn* 1. ↑ **posiedzieć; zrobić coś za jednym ~m** to do sth at a <one> sitting 2. (*zebranie*) conference; meeting; session

posiedz|ieć *vi perf* **~ę, ~i** 1. (*siedzieć*) to sit (awhile) 2. (*pobyć*) to stay (at home etc.); **~ieć nad czymś** to work (awhile) at sth; **~ieć nad książką <rachunkami>** to do one's lessons <one's sums>; **~ieć (w więzieniu)** to be imprisoned; to serve time <one's sentence>

posiekać *vt perf* 1. (*pociąć tasakiem*) to chop (up) <to mince, to hash> (meat etc.) 2. (*poranić*) to gash; to slash; to hack; *przen.* **dać się ~ za kogoś** to go through fire and water for sb

posielenie *sm* exile; deportation

posiew *sm G.* **~u** 1. (*sianie*) sowing 2. (*zasiane nasiona*) sowings; *dosł. i przen.* seeds 3. *biol.* inoculation (in <on> culture medium); sowing

posil|ać *v imperf* — **posil|ić** *v perf* [I] *vt* 1. (*karmić*) to feed 2. (*odżywiać*) to nourish; to give nourishment (**organizm** to an organism) [II] *vr* **~ać, ~ić się** to have sth to eat; to take some refreshment; to have a meal

posilenie *sn* (↑ **posilić**) nourishment

posilić *zob.* **posilać**

posilny *adj* nourishing

posił|ek *sm G.* **~ku** 1. (*jadło i napój*) meal 2. *pl* **~ki** *wojsk.* reinforcements

posiłkować *v imperf* [I] *vt* to aid [II] *vr* **~ się** to make use (**czymś** of sth)

posiłkowanie *sn* (↑ **posiłkować**) (an) aid; **~ się** (the) use (of sth)

posiłkowo *adv* as an accessory, as accessories; subsidiarily; *gram.* **użyć ~** to use as an auxiliary

posiłkow|y *adj* auxiliary; ancillary; subsidiary; accessory; *gram.* **słowo ~e, czasownik ~y** auxiliary verb; *techn.* **sterowanie ~e** servo-control

posiniacz|yć *vt perf* to bruise; to cover with bruises; **cały ~ony** all black and blue

posini|eć *vi imperf* **~eje, ~ały** to become livid (**ze złości** with rage)

posiodłać *vt perf* to saddle (horses)

posiusiać *v perf pot.* [I] *vi* to pee [II] *vr* **~ się** to wet one's bed <one's drawers>

posiwi|eć *vi perf* **~eje, ~ały** 1. (*o człowieku*) to turn grey; **on ~ał** he <his hair> turned grey; **~ały** grizzled 2. (*o przedmiotach*) to become grey; to assume a grey tint

poskarżyć *v perf* [I] *vi* to denounce (**na kogoś** sb); to complain (**na kogoś** against sb); *szk.* to sneak [II] *vr* **~ się** to complain

poskąpi|ć *vi perf* to stint <to grudge> (**komuś czegoś** sb sth; sth to sb); **natura nie ~ła mu talentów <urody itd.>** nature endowed him lavishly with talents <good looks etc.>

poskramiacz *sm pl G.* **~y** suppressor (of a revolt etc.); tamer (of wild animals); **~ lwów** lion-tamer; **~ wężów** serpent-charmer

poskr|amiać *v imperf* — **poskr|omić** *v perf* [I] *vt* to restrain; to repress; to suppress; to check; to curb; **~amiać, ~omić dzikie zwierzęta** to tame wild animals; **~omić kogoś** to daunt sb; to take sb down a peg or two [II] *vr* **~amiać, ~omić się** to restrain oneself; to repress one's passions <desires>

poskramianie *sn* (↑ **poskramiać**) restraint; suppression

poskromiciel|ka *sf pl G.* **~ek** tamer (of wild animals)

poskromić *zob.* **poskramiać**

poskromienie *sn* (↑ **poskromić**) restraint; suppression; taming (of the shrew)

poskromiony [I] *pp* ↑ **poskromić** [II] *adj* tame

pos|łać[1] *v perf* **poślе, poślij** — **pos|yłać** *v imperf* [I] *vt* to send <to dispatch> (sb, sth somewhere); **~łać, ~yłać kogoś do więzienia <do diabła, na śmierć, na szubienicę>** to send sb to gaol <to the devil, to his doom, to the gallows>; **~łać, ~yłać list dalej (na nowy adres)** to send a letter on; to forward a letter; **~yłać ludzi na prawo i na lewo** to order people about; **pośpiesznie ~łać, ~yłać kogoś, coś gdzieś** to hurry <to rush> sb, sth somewhere [II] *vi* to send (**po kogoś, coś** for sb, sth)

posłać[2] *v perf* **pościele, pościel, posłał, posłali** [I] *vt* (*pościelić*) to make a bed (**siano, słomę** of hay, of straw); **~ sobie <komuś> łóżko** to make one's <sb's> bed [II] *vi* to make a bed (**sobie, komuś** for oneself, for sb); *przysł.* **jak sobie pościelisz, tak się wyśpisz** you must lie on the bed (which) you have made for yourself

posłanie[1] *sn* (↑ **posłać**[1]) 1. (*wysłanie*) dispatch (of a letter, messenger etc.) 2. *lit.* message

posłanie[2] *sn* 1. **posłać**[2] 2. (*to, na czym się śpi*) bed; **zaimprowizowane <prowizoryczne> ~** shakedown

posła|niec *sm G.* **~ńca** *V.* **~ńcze** *pl N.* **~ńcy** messenger; (*zawodowy goniec*) commissionaire

posłan|ka *sf pl G.* **~ek** woman member of the Diet <Parliament>

posłannictwo *sn* mission

posłannicz|ka *sf pl G.* **~ek** woman messenger

posłon|ek *sm G.* **~ka** *bot.* (*Helianthemum*) rock-rose

posłonkowate *spl* (*decl = adj*) *bot.* (*Cistaceae*) (*rodzina*) the rock-rose family

posłować *vi imperf* 1. (*zasiadać w sejmie*) to be Member of the Diet <of Parliament> 2. (*sprawować poselstwo*) to act as envoy 3. (*reprezentować państwo*) to be ambassador

posłowanie *sn* ↑ **posłować**

posłowi|e *sn pl G.* **~** epilogue

posłuch *sm G.* **~u** 1. (*słuchanie, uznawanie autorytetu*) hearing; **dać komuś ~** to give sb a hearing; **mieć ~** to have a following; **odmówić komuś ~u** to refuse sb a hearing 2. (*posłuszeństwo*) obedience; discipline; **mieć ~** to command obedience; **mieć ~ <nie mieć ~u> u podwładnych** to be a good <a bad> disciplinarian

posłuchać *v perf* [I] *vi* to listen (awhile, a little, a bit) [II] *vt* 1. (*słuchać*) to listen (**czegoś** to sth) 2. (*być posłusznym*) to obey (**rozkazu** an order) 3. (*usłuchać*) to take (**czyjejś rady** sb's advice) [III] *vr* **~ się** = **~** *vt* 2., 3.

posłuchani|e *sn* 1. ↑ **posłuchać** 2. (*audiencja*) audience; hearing; **udzielić komuś ~a** to give sb an audience <a hearing>; **zostać przyjętym na ~u** to be given an audience; to be received in audience

posług|a *sf* (menial) service; **~a rycerska** knight('s) service; *pl* **~i** duties; **~i domowe** chores; **~i duchowne** ministrations (of a priest); **chodzić na**

~**i** to go out charring; **oddać komuś ostatnią ~ę** to perform the last offices for sb

posługacz *sm pl G.* **~y** attendant; commissionaire

posługacz|ka *sf pl G.* **~ek** charwoman

posługiwać *zob.* **posłużyć**

posługiwanie *sn* 1. (↑ **posługiwać**) help; attendance 2. **~ się** use (**czymś** of sth); exertion (**siłą itd.** of force etc.)

posługujący *sm* (*decl = adj*) attendant

posłuszeństw|o *sn singt* obedience; submission; docility; discipline; *hist.* allegiance; **odmówić ~a** to refuse obedience <compliance (with an order)>; (*o rzeczach martwych*) **odmawia ~a** (it) won't work; (*o nogach*) **odmawiać komuś ~a** to fail sb

posłusznie *adv* obediently; submissively

posłuszny *adj* obedient; submissive; docile; duteous

posłużenie *sn* (↑ **posłużyć**) = **posługiwanie**

posłu|żyć *v perf* — **posłu|giwać** *v imperf* [I] *vi* 1. (*wykonywać pracę*) to help (**komuś** sb); to attend (**komuś** on sb) 2. (*zw. perf*) (*zostać użytym*) to be of service; to render services; to be helpful <handy>; **~żyć za narzędzie** <**wzór, dowód itd.**> to be a tool <an example, a proof etc.> 3. (*pomagać, poskutkować*) to do (sb) good [III] *vr* **~żyć, ~giwać się** to use <to employ> (**czymś** sth); to make use (**kimś, czymś** of sb, sth); to have recourse (**czymś** to sth); to avail oneself (**czymś** of sth); **~gując się nożem** <**młotkiem itd.**> with the help of a knife <hammer etc.>

posłysz|eć *vt perf* **~y, ~any = usłyszeć**

posmak *sm G.* **~u** faint taste; flavour; relish; *dosł. i przen.* after-taste; **mieć ~ czegoś** to taste <to savour, to flavour, to smack> of sth

posmakować *vt perf* to taste (a wine etc.); *przen.* to taste (**niewoli itd.** of servitude etc.)

posmarować *vt perf* = **smarować**

posmolić *vt perf* to dirty; to soil; to smear

posmutni|eć *vi perf* **~eje, ~ały** to grow sad; to become gloomy <dejected>

posnąć *vi perf* **pośnie, pośnij** 1. (*o ludziach*) to fall asleep; **~ snem wiecznym** to take one's last sleep 2. (*o rybach*) to die

posocznica *sf med. wet.* septic(a)emia

posoczniczy *adj* septic(a)emic

posoczyć *vi imperf myśl.* to bleed

posoka *sf* 1. (*jucha*) blood; gore 2. *med.* sanies; ichor

posokowaty *adj* sanious; ichorous

pos|olić *vt perf* **~ól** to put some salt (**coś** on sth); **~olony** salted (butter, food etc.)

posortować *vt perf* to sort out; to classify

pospacerować *vi perf* to take a little walk; to walk about a little

pospać *v perf* **pośpię, pośpi, pośpij, pospał** [I] *vi* to have some sleep <a nap> [III] *vr* **~ się** to fall asleep

pospadać *vi perf* to fall; to drop

pospieszać *zob.* **pośpieszać**

pospieszanie *zob.* **pośpieszanie**

pospiesznie *zob.* **pośpiesznie**

pospieszny *zob.* **pośpieszny**

pospieszyć *zob.* **pośpieszyć**

pospłacać *vt perf* to pay (one's debts, one's creditors)

pospolicie *adv* 1. (*powszechnie*) commonly; generally 2. (*niewyszukanie*) in unrefined taste; coarsely; vulgarly

pospolicie|ć *vi imperf* **~je** 1. (*stać się pospolitym*) to lapse into vulgarity; to coarsen 2. (*powszednieć*) to become commonplace

pospolitak *sm hist.* militiaman

pospolitość *sf singt* ordinariness; triteness; commonplaceness; vulgarity

pospolitować *v imperf* [I] *vt* to debase; to hackney; to vulgarize [III] *vr* **~ się** to make oneself cheap; to hob-nob with the riff-raff; to frequent low company

pospolitowanie (się) *sn* ↑ **pospolitować (się)**

pospolit|y *adj* 1. (*powszedni*) common; ordinary; everyday; *bot.* common; *gram.* **rzeczownik ~y** common noun 2. (*banalny*) commonplace; vulgar ‖ *hist.* **~e ruszenie** levy in mass

pospołu † *adv* together

pospólstwo † *sn singt* the commonalty; the populace; the mob; the rabble

pospółgłoskowy *adj jęz.* post-consonantal

pospół|ka *sf pl G.* **~ek** 1. *bud.* sand-gravel aggregate <mix> 2. *górn.* mine run; the run of a mine

posprzątać *v perf* [I] *vi* 1. (*zrobić porządek*) to tidy <to do> (**w pokoju** a room); **~ ze stołu** to clear the table 2. *roln.* (*także* **~ z pola**) to reap one's crops; to get in the crops <the harvest> [III] *vt* (*pochować*) to put away

posprzeczać się *vr perf* to quarrel; to fall out

posprzedawać *vt perf* to sell (one's things, books etc.)

posrebrz|ać *vt imperf* — **posrebrz|yć** *vt perf* to silver; to silver-plate (spoons, forks etc.); to silver <to foil> (a mirror); *przen.* **księżyc ~ył dachy** the moon silvered the roofs

posrebrzenie *sn* (↑ **posrebrzyć**) (silver-)plating

posrebrzyć *zob.* **posrebrzać**

poss|ać *vt vi perf* **~ę, ~ie, ~ij** to have a suck

post *sm G.* **~u** 1. (*wstrzymanie się od jedzenia, od mięsa*) fast(ing) 2. (*okres*) (*także* **Wielki Post**) Lent; (*dzień*) fast-day

postaciować † *vi imperf* to personate

postaciowy *adj* figural

posta|ć[1] *sf* 1. (*kształt*) shape; form; **przybrać ~ć czegoś** to assume the shape of sth; (*o planach itd.*) **przybrać realną ~ć** to take shape; **to zmienia ~ć rzeczy** that puts a new complexion on the matter; **pod ~cią proszku** <**płynu itd.**> in the shape of a powder <liquid etc.>; **w jakiejkolwiek** <**w żadnej**> **~ci** in any <in no> shape or form; *rel.* **~ć Eucharystii** species <kind> of Eucharist 2. (*figura*) human shape; figure 3. (*osobistość*) personage; **znana** <**znakomita**> **~ć** a notoriety 4. *plast.* personage; **portret w całej ~ci** full-length portrait 5. (*w utworze literackim*) character; **główna ~ć** the central figure 6. *jęz.* aspect (**czasownika** of a verb)

post|ać[2] *vi perf* **~oję, ~oi, ~ój, ~ał** 1. (*o człowieku, budynku itd.*) to stand (some time, a little, a bit) 2. † (*zjawić się*) to appear; *obecnie w zwrotach:* **noga moja więcej tu nie ~anie** I shall never set foot here again; **to mi w głowie nie ~ało** it never crossed my mind <occurred to me>; I never thought of it <of that>

postan|owić *vt vi perf* **~ów** — **postanawiać** *vt vi imperf* to decide; to resolve; to determine; to make up one's mind (**coś zrobić** to do sth); to set one's mind (**coś zrobić** on doing sth); **to było**

~owione it was agreed upon; **to było z góry ~owione** it was predetermined

postanowieni|e *sn* 1. ↑ **postanowić** 2. (*decyzja*) decision; resolve; resolution; **mieć silne ~e coś zrobić** to be determined to do sth; to be bent upon doing sth; **trwać przy swoim ~u** to keep one's resolve; **zmienić ~e** to change one's mind 3. (*zarządzenie*) provision (of the law etc.)

postarać się *vr perf* 1. (*dołożyć starań*) to try <to attempt> (to do sth); to do <to try> one's best; **~ się coś zrobić** to arrange to do sth; **~ się o to, żeby ktoś coś zrobił** to get sb to do sth; to get sth done by sb; to see to it that sb does sth 2. (*uzyskać*) to get <to obtain, to procure> (**o coś** sth); **~ się o dobrą pracę itd.** to get <to find, to procure oneself> a good job etc.

po staremu *zob.* **stary**

po staroświecku *zob.* **staroświecki**

postarz|ać *v imperf* — **postarz|yć** *v perf* [I] *vt* to make (sb) look old <older than he is> [III] *vr* **~ać, ~yć się** to make oneself look older than one is

postarz|eć *vi perf* **~eje, ~ały** (*także vr* **~eć się**) to grow old; to age (*vi*)

postarzyć *zob.* **postarzać**

postaw *sm G.* **~u** *tekst.* warp

postaw|a *sf* 1. (*poza*) attitude; pose; posture; *wojsk.* **stać w ~ie na spocznij <zasadniczej>** to stand at ease <at attention>; **przyjąć ~ę zasadniczą** to spring to attention; *szerm.* **pierwsza ~a** prime 2. (*figura*) stature 3. (*zewnętrzny wygląd człowieka*) bearing; carriage; comportment; demeanour; mien; **mieć dobrą ~ę** to hold oneself well 4. (*ustosunkowanie się*) attitude (**myślowa** of mind); **zająć życzliwą <wrogą> ~ę wobec kogoś, czegoś** to assume a friendly <a hostile> attitude towards sb, sth 5. *jęz.* position

postawić *v perf* [I] *vt* 1. (*umieścić*) to put; to place, to set; **~ kogoś na straży** to post sb on guard; **~ kogoś przed sądem** to bring sb to court; **~ komuś wódkę itd.** to treat sb to a glass of vodka etc.; **~ krok** to take a step; **~ kropkę** to put a full stop; **~ nogę gdzieś** to set foot somewhere; **~ uczniowi dobry <zły> stopień** to give a pupil a good <a bad> mark; *dosł. i przen.* **~ kogoś na nogi** to set sb on his feet; *przen.* **~ coś pod znakiem zapytania** to bring sth in question; **~ kogoś w trudnej sytuacji** to place sb in a difficult position 2. (*nastawić*) to raise; to put up (one's collar etc.); **~ budę (u wozu)** to put up the hood; **~ oczy w słup** to open one's eyes wide; to turn up one's eyes 3. (*pobudować*) to build; to erect (a monument etc.); to raise (statues etc.) 4. (*wystąpić z czymś*) to put (**pytanie** a question); **~ cenę** to set a price; **~ warunek** to impose a condition; **~ wniosek** to bring forward a motion; **~ zarzut** to raise an objection; *sąd.* to lay a charge (**komuś** against sb) 5. (*dać jako stawkę*) to put <to stake> (a sum on a horse <card etc.>); to bet (**dziesięć do jednego** ten to one) [II] *vi w zwrotach:* **~ na coś** to bet on sth; **~ na swoim** to carry one's point; to have one's way [III] *vr* **~ się** 1. (*okazać nieprzejednaną postawę*) to assert oneself; to stand one's ground 2. (*wystąpić okazale*) to cut a dash <a figure> 3. † (*stanąć*) to stand; *obecnie w zwrotach:* **~ się w czyimś położeniu <na czyimś miejscu>** to put oneself in sb's place

postawienie *sn* ↑ **postawić**

postawnie *adv* handsomely

postawny *adj* handsome; well-made; well-proportioned; portly; of stately appearance

postąpić *zob.* **postępować**

postąpienie *sn* (↑ **postąpić**) 1. (*posunięcie się*) advance; progress 2. (*rozwój*) development 3. (*obejście się*) treatment (**wobec kogoś** of sb) 4. (*zachowanie*) behaviour

postdatować *vt perf* to postdate

posterun|ek *sm G.* **~ku** 1. (*żołnierz na warcie*) sentry; sentinel; **stać na ~ku** to be on sentry; to stand sentry; **stawiać ~ki** to post soldiers 2. (*stanowisko*) post; (*o żołnierzu*) **na ~ku** on guard; (*o pracowniku*) at one's post; **umrzeć na ~ku** to die at one's post <in harness> 3. (*siedziba władzy porządkowej*) police-station 4. *kolej.* (*także* **~ek blokowy**) signal-box

posterunkowy *sm* (*decl* = *adj*) policeman; constable

postękiwać *vi imperf* to groan (now and then); to emit an occasional groan

postękiwanie *sn* (↑ **postękiwać**) occasional <intermittent> groans

postęp *sm G.* **~u** 1. (*rozwój*) progress; development; march (of civilization etc.); **iść z ~em** to be abreast of the times; **to jest wielki ~** this is a great improvement 2. (*osiągnięcie dalszego stadium*) (*także pl* **~y**) progress; **robić ~ <~y>** to progress; to make progress <headway>; to improve (*vi*); **słabe ~y** slow progress; **z ~em czasu** in course of time 3. *mat.* (arithmetical, geometrical) progression

postęp|ek *sm G.* **~ku** 1. (*czyn*) action; act; deed; **zły ~ek** misdeed 2. (*zachowanie się*) conduct; behaviour

post|ępować *vi imperf* — **post|ąpić** *vi perf* **~ąp** 1. (*posuwać się*) to follow (**za kimś, czymś** sb, sth); (*kroczyć*) to advance; to proceed; *dosł. i przen.* **~ępować naprzód wielkimi krokami** to make great strides 2. (*robić postępy*) to (make) progress; to advance; to go <to get> on 3. (*wzrastać*) to grow; (*rozwijać się*) to develop 4. (*obchodzić się*) to treat (**z kimś** sb); to behave (**z kimś** towards sb); to deal <to do> (**dobrze, źle z kimś** well, badly with <by> sb); **brutalnie ~ępować, ~ąpić z kimś, czymś** to ill-use sb, sth; **mądrze ~ąpić** to use one's intelligence; **~ępować, ~ąpić lojalnie wobec kogoś** to play sb fair; **~ępować, ~ąpić ostrożnie <dyskretnie, z umiarem>** to use caution <discretion, moderation> 5. (*czynić*) to act; to behave; to comport <to demean> oneself; **on umie ~ępować z kobietami** he has a way with women; **~ąpić po męsku** to play the man; **~ępować, ~ąpić wbrew <na przekór> czemuś** to defy sth

postępowani|e *sn* 1. ↑ **postępować** 2. (*zachowanie*) conduct; behaviour; **linia ~a** line of conduct 3. (*tryb działania*) procedure; *prawn.* **~e sądowe** legal proceedings

postępow|iec *sm G.* **~ca** *pl N.* **~cy** (a) progressive

postępowość *sf singt* progressiveness; progressive views <tendencies>

postępow|y *adj* 1. (*dążący do postępu*) progressive; up-to-date 2. *rz.* (*postępujący stopniowo*) progressive; onward (movement etc.); *med.* **paraliż ~y** creeping paralysis; *techn.* **ruch ~y** translatory motion; *jęz.* **upodobnienie ~e** progressive assimilation

postglacjalny *adj* post-glacial

postglacjał *sm G.* **~u** *geol.* post-glacial period

postimpresjonista *sm* postimpressionist

postimpresjonizm *sm singt G.* **~u** postimpressionism

postny *adj* 1. (*związany z postem*) fast-(day); Lenten _ (fare etc.); meatless (meal) 2. *kulin.* (*nie zawierający tłuszczu*) without butter <lard, grease>; unbuttered; **~ chleb** dry bread

postojow|y [I] *adj* halting- <stopping-> (place etc.); *aut.* **światła ~e** parking lights; *mar.* **dni ~e** lay days [III] *sn* **~e** (*decl = adj*) demurrage

post|ój *sm G.* **~oju** *pl G.* **~ojów** <**~oi**> 1. (*przerwa w podróży*) halt; stop; stage; **pięciominutowy ~ój** five minutes' stop 2. (*przystanek, stacja*) stopping-place; **~ój dorożek** cab-stand; **~ój taksówek** taxi-rank 3. *techn.* stoppage; shut-down; standstill

postpenitencjarn|y *adj prawn.* **pomoc ~a** after-care

postponować *vt imperf* to treat (sb) slightingly; to hold (sb) cheap

postponowanie *sn* (↑ **postponować**) slighting treatment

postponowany [I] *pp* ↑ **postponować** [III] *adj jęz.* postpositional; in postposition

postpozycja *sf jęz.* postposition

postrach *sm G.* **~u** 1. (*przestraszenie*) terror; scare; fright; **budzić ~** to terrify; **padł na niego ~** he was terrified; **strzał dla ~u** warning shot 2. (*powód strachu*) (a) terror; (*o niegrzecznym dziecku*) a little <a holy> terror; (*w świecie bajek*) bugaboo, bugbear

postradać † *vt perf* to lose; to forfeit; *obecnie w zwrocie:* **~ zmysły** to become insane; to lose one's reason; to go mad

postraszyć *vt perf* 1. (*zastraszyć*) to frighten; to scare 2. (*strasząc wypędzić*) to frighten <to scare> away

postron|ek *sm G.* **~ka** cord; **nerwy jak ~ki** iron nerves; nerves of steel

postronnie *adv* 1. (*ubocznie*) on the side; indirectly 2. (*mimochodem*) casually

postronn|y *adj* 1. (*sąsiedni*) neighbouring; foreign (state etc.) 2. (*obcy, cudzy*) stranger's <outsider's> (opinion etc.); outside _ (influence etc.); **osoba ~a** stranger; outsider 3. (*poboczny*) incidental

postrzał *sm G.* **~u** 1. (*postrzelenie*) shot; rifle-shot 2. (*rana*) rifle-shot wound 3. *med.* lumbago

postrzał|ek *sm G.* **~ka** *myśl.* wounded animal

postrzałowy *adj* gunshot <rifle-shot> _ (wound)

postrze|c *vt perf* **~gę, ~że, ~ż, ~gł, ~żony** — **postrzegać** *vt imperf* to perceive; to become aware (**coś** of sth); to notice

postrzegalność *sf singt* perceptivity

postrzegalny *adj* perceptible

postrzeganie *sn* (↑ **postrzegać**) perception, apperception

postrzela|ć *v perf* [I] *vt* 1. (*spędzić jakiś czas na strzelaniu*) to do a spell of shooting 2. (*zastrzelić wiele osób*) to shoot (a number of people); **~ny jak sito** riddled with shots [III] *vr* **~ć się** 1. (*wzajemnie*) to shoot each other 2. (*samego siebie*) to wound oneself from a gunshot

postrzele|niec *sm G.* **~ńca** *pl N.* **~ńcy** madcap

postrzelić *v perf* [I] *vt* to shoot (**kogoś w rękę** <**nogę**> sb in the arm <leg>; **z rewolweru** with a revolver); **~ ptaka** <**zająca**> to wound a bird <a hare> [III] *vr* **~ się** to shoot oneself (**w nogę itd.** in the foot etc.)

postrzelony [I] *pp* ↑ **postrzelić** [III] *adj* maggoty; crazy; cracked; dotty

postrzeżenie *sn* 1. ↑ **postrzec** 2. *psych.* perception, apperception

postrzeżeniowy *adj* perceptive (faculty etc.)

postrzępić *v perf* [I] *vt* 1. (*podrzeć w strzępy*) to tear to rags 2. (*poszarpać brzegi*) to fray [III] *vr* **~ się** to fray (*vi*)

postrzępiony [I] *pp* ↑ **postrzępić** [III] *adj* (*o ubraniu*) ragged; (*o konturach itd.*) jagged; rugged

postrzygacz *sm pl G.* **~y** <**~ów**> sheep-shearer; clipper

postrzygar|ka *sf pl G.* **~ek** *techn.* cropper; shearing machine

postrzyżyn|y *spl G.* **~** *hist.* ancient Slav rite of hair clipping

postscriptum [-skri-] *sn indecl* postscript

postukać *vi perf* to give several raps <taps>

postukiwać *vi imperf* to rattle <to patter> (at intervals, now and again)

postukiwanie *sn* 1. ↑ **postukiwać** 2. (*lekki stukot*) (a) rattle; patter (of rain etc.)

postulant *sm*, **postulant|ka** *sf pl G.* **~ek** postulant

postulat *sm G.* **~u** 1. (*żądanie*) postulate; demand; requirement; stipulation; **stawiać ~ czegoś** to postulate <to stipulate> sth <for sth> 2. *filoz.* postulate 3. (*w zakonie*) postulantship

postulować *vt imperf* to postulate <to stipulate> (**coś** sth, for sth)

postulowanie *sn* (↑ **postulować**) postulate; stipulation

postument *sm G.* **~u** socle; pedestal

postura † *sf* posture

postwerbalny *adj jęz.* post-verbal

postylla *sf kośc.* postil

posucha *sf* 1. (*susza*) drought; dry spell 2. *przen.* lack (**na coś** of sth)

posulfitowy *adj chem.* sulphite (lye)

posu|nąć *v perf* **~nięty** — **posu|wać** *v imperf* [I] *vt* 1. (*przesunąć do przodu*) to push; to move; to shift; to shove; to advance (a business, piece of work etc.); **~nąć, ~wać nogami** to shuffle one's feet; **~nąć, ~wać zegar naprzód o 5 minut** to set <to put> a clock 5 minutes forward <fast>; **daleko ~nięty** advanced; far gone 2. *przen.* (*rozprzestrzenić*) to extend (a rule, domination) 3. *przen.* (*doprowadzić do określonej granicy*) to carry (**uczucie itd. do pewnych granic** <**do przesady**> a feeling etc. to certain limits <to excess>) [II] *vi* (*pomknąć*) to speed (along <away>); to dash; to spin <to bowl> along; to whisk away [III] *vr* **~nąć, ~wać się** 1. (*przesunąć się*) to advance; to move; to shift; **~nąć, ~wać się naprzód** to proceed; to get on; to progress; to go <to push> ahead; to make headway; **~nąć, ~wać się powoli** to creep; **~nąć, ~wać się przez wodę** <**śnieg, muł**> to wade through water <snow, slime>; **~nąć, ~wać się z trudem** to trudge <to labour> along; **~nąć, ~wać się z łomotem** to pound along; **nie ~nąć, ~wać się** to be at a standstill; to mark time; *przen.* **~nąć się w lata** to advance in years 2. *przen.* (*dojść do pewnej granicy*) to go so far (**aż do ...** as <as to> ...); to go the length (**do zbrodni itd.** of committing a crime etc.); **~nąć, ~wać się za daleko** to carry things too far; to overdo; to overshoot oneself <the mark>; **nie ~nąć, ~wać się** to stop <to draw the line> (**do oszustwa itd.** at a swindle etc.) 3. (*zrobić miejsce*) to stand back; to draw aside; to sit closer; to make room; (*do grupy osób*) **proszę się trochę ~nąć** would you crush up a little?

posunięci|e *sn* (↑ **posunąć**) 1. (*przesunięcie do przodu*) push; shove; advance; advancement 2. (*w grach*) move 3. (*czyn, krok*) stroke; move; coup; manoeuvre; **dalsze ~a** further steps <measures> 4. **~e się** advancement; progress

posurowicz|y *adj med.* **choroba ~a** serum sickness

posusz *sm G.* **~u, posusz|a** *sf pl G.* **~y** deadwood

posuszny *adj* dry (wind etc.)

posuszyć *v perf* [I] *vt* to dry (sth) [II] *vi* to fast

posuw *sm G.* **~u** *techn.* feed

posuwać *zob.* **posunąć**

posuwanie (się) *sn* ↑ **posuwać (się)**

posuwistość *sf singt* easy gait

posuwisty *adj* 1. (*o chodzie*) ambling; **~m krokiem <kłusem>** at an amble; with long, easy strides 2. *techn.* sliding (friction etc.)

posuwiście *adv* at an amble; with long, easy strides

posuwowy *adj techn.* sliding (motion etc.)

po swojemu *zob.* **swój**

posybilista *sm polit.* possibilist

posybilityzm *sm singt. G.* **~u** *polit.* possibilism

posykiwać *vi imperf* to hiss (intermittently); to emit an occasional hiss

posyłać *zob.* **posłać**[1]

posyłanie *sn* (↑ **posyłać**[1]) dispatch

posył|ka *sf pl G.* **~ek** 1. (*paczka*) parcel 2. (*zw.pl*) (*załatwienie sprawy*) errand; **chłopiec na ~ki <do ~ek>** errand-boy; messenger boy; **dziewczyna na ~ki <do ~ek>** errand-girl

posyp|ać *v perf* **~ie — posyp|ywać** *v imperf* [I] *vt* 1. (*osypać*) to strew <to scatter, to sprinkle> (**coś piaskiem itd.** sth with sand etc.); to powder <to dredge> (**coś cukrem, mąką** sth with sugar, flour) 2. (*sypnąć*) to throw (**ziarno ptactwu** grain to the poultry) 3. *perf* (*usypać*) to throw up (**szańce** earthworks) [II] *vi* (*o śniegu*) to sprinkle [III] *vr* **~ać, ~ywać się** to pour; to fall; to shower

posypanie *sn* ↑ **posypać**

posyp|ka *sf pl G.* **~ek** 1. = **kruszonka** 2. *med.* dusting powder

posypowo *adv roln. ogr.* as top-dressing

posypow|y *adj roln.* **nawożenie ~e** top-dressing

posypywać *zob.* **posypać**

poszale|ć *vi perf* **~je** 1. (*powariować*) to go mad 2. (*pohulać*) to revel <to make merry, to dissipate> (a little, a bit)

poszanowani|e *sn* respect; **brak ~a** disrespect; disregard; **~e ustaw** observance of the law; **przestrzegać ~a ustaw** to uphold the law; **godny ~a** estimable; commanding respect

poszarp|ać *v perf* **~ie** [I] *vt* 1. (*rozszarpać*) to mangle; to maul; to lacerate 2. (*podrzeć*) to tear; to rend 3. (*potarmosić*) to pull (sb) about [II] *vr* **~ać się** to get <to be> torn <rent>

poszarpany [I] *vp* ↑ **poszarpać** [II] *adj* (*o ubraniu itd.*) torn; rent; ragged; (*o konturach itd.*) jagged; rugged; hackly; scraggy

poszarz|eć *vi perf* **~eje, ~ały** 1. (*stać się szarym*) to grow <to turn> grey 2. *przen.* (*spowszednieć*) to become commonplace

poszatkować *vt perf* to slice (cabbage etc.)

poszczególny *adj* each; individual; particular; separate; respective; several

poszczekiwać *vi imperf* to bark (now and then, intermittently)

poszczekiwanie *sn* (↑ **poszczekiwać**) intermittent barking

poszczenie *sn* (↑ **pościć**) fast

poszczepienn|y *adj* postvaccinal; **gorączka ~a** vaccinal fever

poszczerbić *v perf* [I] *vt* to notch (a knife etc.); to chip (a plate etc.) [II] *vr* **~ się** to get notched <chipped>

poszczękiwać *vi imperf* to clatter

poszczęści|ć *v perf* (*zw. 3 pers.*) [I] *vi* to give (sb) success; to favour <to befriend> (**komuś** sb) [II] *vr* **~ć się** to come off <to turn out> well <happily>; **~ło mi się** I was in luck; I succeeded; **jeżeli mi się ~** if I am lucky; with luck; **nie ~ło mi się** I had no luck; I was out of luck <unsuccessful>; I did not succeed

poszczu|ć *vt perf* **~je, ~ty = szczuć**

poszczupl|eć *vi perf* **~eje, ~ały = zeszczupleć**

poszczy|cić się *vr perf* **~cę się, ~cą się, ~ć się** to be proud (**czymś** of sth); to boast (**czymś** of sth); to demonstrate (**odwagą itd.** one's courage etc.); **móc się ~cić czymś** to have sth to one's credit; to boast sth; **miasto może się ~cić pierwszorzędną filharmonią** the town boasts a first-rate Philharmonic (Society)

poszept *sm G.* **~u** 1. (*szept*) whisper 2. (*pogłoska*) rumour 3. *przen.* murmur; sigh (of the wind)

poszep|tać *vi perf* **~cze <~ce>** to whisper

poszeptywać *vi imperf* to whisper; to speak in whispers; to keep whispering

poszeptywanie *sn* (↑ **poszeptywać**) whispers; whispered conversation(s)

poszerszeni|eć *vi perf* **~eje, ~ały** 1. (*o sierści zwierząt*) to lose its lustre <gloss>; to become dull <lustreless> 2. (*oszronieć*) to be covered with hoar-frost

poszerz|ać *v imperf* — **poszerz|yć** *v perf* [I] *vt* 1. (*robić szerszym*) to widen; to broaden 2. (*robić obszerniejszym*) to extend; to open out (an aperture etc.); to ream (a hole); to let out (a skirt) [II] *vr* **~ać, ~yć się** 1. (*stawać się szerszym*) to broaden <to widen> (*vi*); to become <to grow> wider 2. (*rozprzestrzeniać się*) to spread (*vi*)

poszerzenie *sn* 1. (↑ **poszerzyć**) (*czynienie obszerniejszym*) extension; **~ się** (*rozprzestrzenienie się*) (the) spread 2. (*to, co poszerza*) widening; wider space

poszerzyć *zob.* **poszerzać**

poszew|ka *sf pl G.* **~ek** pillow-case; pillow-slip

poszewkow|y *adj* **płótno ~e** bed-linen

poszkapić się *vr perf pot.* to commit a mistake; to make a blunder; to make a fool of oneself; to put one's foot in it

poszkodowany *sm* victim (of a disaster); sufferer; **być ~m** to suffer damage <a loss>; to be the loser

poszlachtować *vt perf pot.* to slaughter

poszlak|a *sf* 1. *pl* **~i** *prawn.* circumstantial <presumptive> evidence 2. (*ślad*) trace

poszlakowy *adj* circumstantial; **proces ~** conjectural prosecution

poszmer *sm G.* **~u** murmur

poszóstn|y *adj* six-horse — (coach); **~a karoca** coach and six

poszperać *vi perf* to rummage

poszpitaln|y *adj* belonging formerly to the hospital; **~e budynki** the hospital buildings

posztukować *vt perf* to piece together

poszturchać *vt perf* — **poszturchiwać** *vt imperf* to jostle; to push about

poszufladkować *vt perf* to pigeon-hole

poszukać *vt perf* 1. (*szukać jakiś czas*) to seek (**kogoś, czegoś** sb, sth); to look (**kogoś, czegoś** for sb, sth) 2. (*znaleźć*) to find

poszukiwacz *sm pl G.* **~y** <**~ów**> seeker; searcher; **~ przygód** adventurer; **~ złota** gold-digger; prospector

poszukiwacz|ka *sf pl G.* **~ek** seeker; searcher; **~ka przygód** adventuress

poszuk|iwać *vt imperf* 1. (*szukać*) to look (**kogoś, czegoś** for sb, sth); to seek (**kogoś, czegoś** sb, sth); to search (**kogoś, czegoś** for sb, sth); to make inquiries (**kogoś, czegoś** about <after> sb, sth); to be in want (**kogoś, czegoś** of sb, sth); **policja go ~uje** he is wanted by the police; **~iwać przez reklamę** to advertise (**fachowców itd.** for experts etc.); (*w ogłoszeniach*) **~uje się fachowego ...** wanted a qualified ...; **~iwać złota** to dig for gold 2. *prawn.* to claim (**prawa, należności** a right, one's due); **~iwać swej krzywdy** <**szkody**> to sue (sb) for damages

poszukiwani|e *sn* 1. (↑ **poszukiwać**) quest (**kogoś, czegoś** after <for> sb, sth); **być w ~u czegoś** to be in search <in quest> of sth; to be out for sth; **udać się na ~e kogoś** to go in quest of sb 2. (*także pl* **~a**) (*praca badawcza*) search; research; investigation(s) (of sth); inquiries (**kogoś, czegoś** about <after> sb, sth); *geol.* prospecting exploration

poszukiwany [I] *pp* (↑ **poszukiwać**) sought for <after>; (*o zbrodniarzu itd.*) wanted [II] *adj* in demand; in request; at a premium

poszukiwawcz|y *adj rz.* exploratory; *górn.* **roboty ~e** prospecting

poszum *sm G.* **~u** hiss; rustle

posz|wa *sf pl G.* **~w** <**~ew**> (*na poduszkę*) pillow-case; pillow-slip; (*na pierzynę*) cover; case

poszybować *vi perf* to glide

poszycie *sn* 1. ↑ **poszyć** 2. (*strzecha*) thatch 3. *techn.* skin (plate); sheathing 4. (*podszycie lasu*) brushwood

poszy|ć *vt perf* **~je, ~ty** — **poszy|wać** *vt imperf* 1. (*pokryć haftem*) to embroider 2. (*pokryć dach słomą*) to thatch (a roof) 3. *mar.* to skin (a ship) 4. *perf* (*uszyć*) to sew (some garments)

poszykowa|ć *v perf* [I] *vt* to prepare [II] *† vr* **~ć się** *obecnie w zwrocie:* **~ło mu** <**mi itd.**> **się** he <I etc.> was lucky; things turned out happily for him <for me etc.>

poszywać *zob.* **poszyć**

pościć *vi imperf* **poszczę, pość** 1. (*zachowywać post*) to fast; to abstain from meat; to keep Lent 2. (*głodować*) to refrain <to abstain> from food; to go without food 3. *przen.* to be ascetic <abstemious>

pościel *sf singt* 1. (*poduszki itd.*) bedding 2. (*bielizna*) bed-clothes; sheets and blankets 3. (*posłanie*) bed; **na śmiertelnej ~i** on one's death-bed

pościelić *zob.* **posłać²**

pościelow|y *adj* bed-(linen etc.); **płótno ~e** sheeting

pościerać *v perf* [I] *vt* 1. (*wytrzeć*) to wipe 2. (*uszkodzić*) to abrade [II] *vi* to wipe (**ze stołu** the table); **~ kurze** to dust the furniture

pościg *sm G.* **~u** 1. (*ściganie*) chase; pursuit; (*za zbrodniarzem*) hue and cry; **~ za ostrzeliwującym się zbrodniarzem** running fight; **puścić się w ~ za zbrodniarzem** to set off in pursuit of a criminal; *przen.* **~ za nowością itd.** pursuit of novelty etc. 2. (*ludzie ścigający*) pursuers

pościgow|iec *sm G.* **~ca** *lotn.* chaser plane; *mar.* **~iec podwodny** submarine chaser

pościgowy *adj* chaser — (plane)

pośció|ka *sf pl G.* **~ek** *gw.* litter

pośla|d *sm G.* **~du** *L.* **~dzie** offal(s)

poślad|ek *sm G.* **~ka** *anat.* buttock; bum; *pl* **~ki** nates

pośladkowy *adj* gluteal; **mięsień ~** gluteus

poślak *sm myśl.* trace

pośledni *adj* (*także comp* **~ejszy**) inferior; second-rate; mean; **w ~m gatunku** of inferior quality; mediocre

poślinić *vt perf* to moisten (sth) with spitle; to lick (a stamp etc.)

poślizg *sm G.* **~u** 1. (*poślizgnięcie*) slide; glide; *aut.* skid; side-slip; **wpaść w ~** to skid; *lotn.* **wykonać ~ na skrzydle** to side-slip 2. *techn.* slip; slippage; creep (of a belt)

poślizgnięcie się *sn* = **pośliźnięcie się**

poślizgowy *adj* sliding (friction etc.); *lotn.* **lot ~** gliding flight

poślizn|ąć <**poślizgn|ąć**> **się** *vr perf* to slip; **noga mu się ~ęła** he made a slip

pośliźnięcie się (↑ **poślizgnąć się**) (a) slip

poślubi|ć *v perf* — **poślubi|ać** *v imperf* [I] *vt* to marry; to take in marriage; **~ona żona** wedded wife [II] *vr* **~ć, ~ać się** to be <to become, to get> married (**z kimś** to sb)

poślubienie *sn* ↑ **poślubić**

poślubnik *sm bot.* (*Hibiscus*) hibiscus

poślubn|y *adj* post-nuptial; wedding — (night etc.); **podróż ~a** honeymoon trip; wedding-trip

pośmi|ać się *vr perf* **~eje się** to laugh; to have a good laugh

pośmieciuch *sm*, **pośmieciucha** *sf*, **pośmieciuszka** *sf pot.* = **śmieciuszka**

pośmiertnie *adv* posthumously

pośmiertn|y *adj* posthumous (child, works etc.); **maska ~a** death-mask; **notatka ~a, wspomnienie ~e** obituary notice; **sekcja ~a, oględziny ~e** post-mortem (examination); **zapomoga ~a** death benefit

pośmiewisk|o *sn* laughing-stock; object <butt> of ridicule; **na ~o, dla ~a** in derision; **wystawić kogoś na ~o** to hold sb up to ridicule

pośpiech *sm G.* **~u** hurry; haste; dispatch; **bez ~u** leisurely; **w ~u** in a hurry; **w wielkim ~u** hurriedly; in great haste

pośpiesz|ać <**pospiesz|ać**> *v imperf* — **pośpiesz|yć** <**pospiesz|yć**> *v perf* [I] *vi* 1. (*dążyć dokądś szybko*) to hasten <to hurry> (somewhere); to press forward <on>; to make haste 2. (*kwapić się*) to be in a hurry <to hurry> (to do sth); to be quick (**z robieniem czegoś** in doing <to do> sth) [II] *vr* **~ać, ~yć się** = **~ać, ~yć** *vi* 2.; to make haste; **nie ~yć się** to be in no hurry; **~** <**~cie**> **się** hurry up; be quick; look sharp <alive>

pośpieszanie <**pospieszanie**> *sn* (↑ **pospieszać**) haste; hurry

pośpiesznie <**pospiesznie**> *adv* hurriedly; in a hurry; with great haste; speedily; precipitately; **~ odejść** <**wejść, wrócić, zejść**> to hurry away <in, back, down>; to hasten away <in, back, down>; **~ załatwić coś** <**odwieźć kogoś do szpitala itd.**> to rush sth through <sb to hospital etc.>

pośpieszny <**pospieszny**> *adj* 1. (*szybki*) hasty; hurried; speedy; precipitate; **pociąg ~** fast <express> train 2. (*pochopny*) hasty; overhasty

pośpieszyć *zob.* **pośpieszać**

pośpiew *sm G.* **~u** singing; song

pośpiewać *vi perf* to sing awhile <a little>; to sing some songs <melodies>

pośpiewywać *vi imperf* to hum; to croon

pośpiewywanie *sn* ↑ **pośpiewywać**

pośredni *adj* 1. (*nie bezpośredni*) indirect; oblique 2. (*przejściowy*) intermediate; intermediary; medial; transitional; middle — (course etc.); **nie ma drogi ~ej** there is no middle course; **coś ~ego między ... a ...** something intermediate between ... and ...

pośrednictw|o *sn* 1. (*pośredniczenie*) intervention; mediation; instrumentality; **za uprzejmym** <**łaskawym**> **~em czyimś** through the good offices <through the mediation> of sb 2. *handl.* agency; brokerage; **~o kupna i sprzedaży nieruchomości** estate agency; **biuro ~a pracy** a) (*ogólne*) employment agency; labour exchange b) (*dla pomocy domowej*) (servants') registry office

pośredniczący *adj* intermediary; **czynnik ~** medium

pośredniczenie *sn* (↑ **pośredniczyć**) intervention; mediation; instrumentality

pośrednicz|ka *sf pl G.* **~ek** intermediary; mediator, mediatress; go-between

pośredniczy *adj* mediatory

pośredniczyć *vi imperf* 1. (*być mediatorem*) to mediate; to be a go-between; **~ w dokonaniu** <**w osiągnięciu**> **czegoś** to be instrumental in the achievement <obtention> of sth; **~ w wykonywaniu czyichś złych zamiarów** <**w zaspokajaniu czyichś namiętności**> to pander to sb's evil designs <to sb's passions> 2. *handl.* to run an agency (**w kupnie i sprzedaży czegoś** for the purchase and sale of sth)

pośrednik *sm* 1. (*mediator*) (an) intermediary; mediator; go-between 2. *handl.* agent; broker; middleman

pośrednio *adv* indirectly; obliquely; in a roundabout way

pośredniogłow|iec *sm G.* **~ca** *antr.* mesaticephal

pośredniogłowość *sf singt antr.* mesaticephalism, mesaticephaly

pośredniogłowy *adj* mesaticephalic

pośredniość *sf singt* indirectness; obliquity

pośrodku *adv praep* in the middle

pośród *praep* among(st); amid(st); in the midst (**przyjaciół itd.** of friends etc.)

poświadczać *vt imperf* — **poświadczyć** *vt perf* to certify; to authenticate; to testify (**coś** to sth); to witness (a document, signature etc.); to bear witness (**coś** to sth)

poświadczenie *sn* 1. ↑ **poświadczyć** 2. (*zaświadczenie*) certificate; attestation; paper (**czegoś** testifying to sth); certification (of a signature etc.)

poświadczyć *zob.* **poświadczać**

poświat *sm G.* **~u** angling torch; light

poświata *sf* faint light; glimmer; glow; afterglow

poświe|cić *vi perf* **~cę, ~ć** (*oświetlić*) to show (**komuś** sb) a light; to light the way (**komuś** for sb)

poświerk|nąć *vi perf* **~ła** *gw.* to freeze

poświę|cać *v imperf* — **poświę|cić** *v perf* **~cę, ~ć, ~cony** [I] *vt* 1. (*składać w ofierze*) to sacrifice; to devote; to give (one's life for sth; one's energies <time, attention etc.> to sth); to spend (**czas itd. czemuś** time etc. on sth) 2. (*dedykować*) to dedicate (a book etc. to sb) 3. *rel.* to consecrate (a church); to bless (food etc.) [II] *vr* **~cać, ~cić się** 1. (*składać siebie w ofierze*) to sacrifice oneself (**dla sprawy** for a cause) 2. (*zajmować się*) to dedicate <to devote> oneself (**czemuś** to sth); to give oneself up (**czemuś** to sth)

poświęcenie *sn* (↑ **poświęcić**) 1. (*czyn ofiarny*) sacrifice; **robić coś z ~m** to do sth with devotion <sacrificially> 2. (*zajmowanie się*) dedication; devotion 3. *rel.* consecration (of a church etc.); blessing (of food etc.) 4. **~ się** self-sacrifice (**dla sprawy** for a cause); devotion <dedication> (**nauce itd.** to science etc.)

poświęcić *zob.* **poświęcać**

poświęcony [I] *pp* ↑ **poświęcić** [II] *adj* holy

poświętnik *sm zool.* (*Scarabaeus sacer*) scarab, scarabaeus

poświst *sm G.* **~u** whistle; whizz (of a missile etc.); sough (of wind)

poświstywać *vi imperf* to whistle softly at intervals

poświstywanie *sn* 1. ↑ **poświstywać** 2. (*niezbyt głośny świst*) soft <intermittent> whistle <whistling>

pot *sm G.* **~u** 1. (*wydzielina*) sweat; (*także pl* **~y**) perspiration; **dać** <**brać**> **na ~y** to give <to take> a sudorific; **siódme ~y na mnie biły, byłem zlany ~em** I was in a sweat <bathed in perspiration>; (*o twarzy, czole*) **pokryć się ~em** to break into a sweat; **w pocie czoła** in <by> the sweat of your brow <face>; (to work) with might and main <hammer and tongs, tooth and nail> 2. *techn.* sweat (on metals etc.)

potaj|ać *vi perf* **~e** to thaw

potajemnie *adv* secretly; in secret; furtively; stealthily; underhandedly; hugger-mugger; **posuwać się** <**wśliznąć się, wynieść się**> **~** to steal along <in, out>

potajemn|y *adj* secret; clandestine; furtive; stealthy; hugger-mugger; underhand; **~a transakcja** hole-and-corner deal

potakiwać *vi imperf* to assent; to yield <to nod> assent; to acquiesce; to agree (**komuś** with sb)

potakiwanie *sn* (↑ **potakiwać**) assent; agreement

potakująco *adv* in assent; in the affirmative; **skinąć głową ~** to nod assent

potani|eć *vi perf* ~**eje,** ~**ały** to cheapen; to become <to grow> cheaper; **węgiel <cukier itd.>** ~**ał o ...** coal <sugar etc.> is cheaper <has gone down> by ...

potanienie *sn* ↑ **potanieć**

potańców|ka *sf pl G.* ~**ek** (a) dance; *pot.* (a) hop

potańczyć *vi perf* to dance (a while, a little, a bit); to have a dance

potarcie *sn* (↑ **potrzeć**) (a) rub

potargać *v perf* [I] *vt* 1. (*zwichrzyć*) to ruffle (**komuś włosy** sb's hair) 2. (*podrzeć*) to tear up [II] *vr* ~ **się** 1. (*ulec zwichrzeniu*) to be <to get> ruffled 2. (*podrzeć się*) to tear (*vi*); to be <to get> torn

potargować *v perf* [I] *vi* to bargain <to haggle> (a little); *przysł.* **kupić, nie kupić,** ~ **można** there's no harm in a little bargaining [II] *vr* ~ **się** to bargain; to haggle

potar|ka *sf pl G.* ~**ek** striking surface (of a match-box)

potarmo|sić *vt perf* ~**szę,** ~**si,** ~**szony** to jostle; to pull (sb) about

potas *sm G.* ~**u** *chem.* potassium; **cyjanek** ~**u** potassium cyanide

potasować *vt perf* = **tasować**

potasowce *spl chem.* potassium group

potasowy *adj* potassic; potassium __ (carbonate, hydroxide etc.)

potaż *sm G.* ~**u** *chem.* potash

potażowy *adj* potash __ (niter, alum etc.)

potąd *adv* up to here; **mam tego** ~ I am sick and tired of it <fed up with it>

potem *adv* 1. (*w czasie*) after that; afterwards; then; later (on); **a co** ~? what next?; **na** ~ for later on; for the future; for a future occasion 2. (*w kolejności*) afterwards; then; next

potencja *sf* potence, potency

potencjalizacja *sf singt lit.* potentialization

potencjalnie *adv* potentially

potencjaln|y *adj* potential; virtual; **energia** ~**a** potential energy

potencjał *sm G.* ~**u** (a) potential; *elektr.* **różnica** ~**ów** difference of potential; potential difference

potencjometr *sm G.* ~**u** *fiz.* potentiometer

potencjometryczny *adj chem.* potentiometric

potentat *sm* potentate; magnate; *am. pot.* tycoon

potęg|a *sf* 1. *singt* (*moc*) might; force; (*moc słowa, obrazu itd.*) impressiveness; *pot.* **na** ~**ę** mightily; **łgać na** ~**ę** to lie like a gas-meter 2. *singt* (*znaczenie*) power 3. (*mocarstwo*) power 4. *mat.* power; **druga** ~**a** square; **trzecia** ~**a** cube; **wykładnik** ~**i** exponent; index; **podnieść do** *n*-**tej** ~**i** to raise to the *n*-th power

potęgować *v imperf* [I] *vt* 1. (*wzmagać*) to strengthen; to increase; to intensify; to aggravate; to enhance; to magnify; to step up 2. *mat.* to raise to a power [II] *vr* ~ **się** to strengthen <to increase, to intensify> (*vi*); to be intensified

potęgowanie *sn* 1. (↑ **potęgować**) (*także* ~ **się**) increase; intensification 2. *mat.* involution

potęgowy *adj mat.* **wykładnik** ~ exponent; index

potępiać *vt imperf* — **potępić** *vt perf* 1. (*uznawać za złe*) to condemn; to censure; to deprecate; to disapprove (**coś** of sth) 2. *rel.* to damn

potępiająco *adv* in condemnation; in disapproval

potępiając|y *adj* condemnatory; disapproving; ~**e spojrzenie** look of disapproval

potępić *zob.* **potępiać**

potępieni|e *sn* (↑ **potępić**) condemnation; disapproval; censure; blame; *rel.* damnation; **godny** ~**a, zasługujący na** ~**e** condemnable; censurable; blameworthy

potępie|niec *sn G.* ~**ńca** reprobate; *pl* ~**ńcy** the damned; **wrzeszczeć jak** ~**niec** to scream like one possessed

potępieńczy *adj* unearthly; hellish

potępi|ony [I] *pp* ↑ **potępić** [II] *sm* ~**ony** (*decl* = = *adj*) reprobate; *pl* ~**eni** the damned

potężnie *adv* 1. (*mocno*) powerfully; mightily; formidably; violently 2. (*intensywnie*) hugely; tremendously; intensely 3. (*donośnie*) powerfully; resoundingly

potężnie|ć *vi perf* ~**je** to gain <to acquire> power <might>; to become powerful <mighty>

potężny *adj* 1. (*silny*) powerful; formidable; violent 2. (*wielki*) huge; tremendous; voluminous (parcel etc.) 3. (*intensywny*) intense; powerful 4. (*o dźwiękach*) powerful; resounding; resonant

pot|knąć się *vr perf* — **pot|ykać się** *vr imperf* 1. (*zawadzić*) to trip <to stumble> (**o coś** against sth) 2. *przen.* (*pomylić się*) to slip; to make a slip; *przysł.* **koń ma cztery nogi i też się** ~**knie** it's a good horse that never stumbles

potknięcie (się) *sn* 1. (↑ **potknąć się**) (a) stumble; (a) slip 2. (*błąd*) (a) slip; (a) lapse

potliwość *sf singt* diaphoresis; profuse perspiration

potłu|c *v perf* ~**kę,** ~**cze,** ~**kł,** ~**czony** [I] *vt* 1. (*rozbić*) to smash; to shatter; to break; to damage (a statue etc.) 2. (*pobić*) to beat (sb); to hurt (**sobie kolano itd.** one's knee etc.) [II] *vr* ~**c się** 1. (*rozbić się*) to get <to be> broken <smashed, shattered> 2. (*doznać obrażeń ciała*) to hurt oneself

potłuczenie *sn* 1. ↑ **potłuc** 2. (*miejsce stłuczone*) (a) bruise

potłu|ścić *vt perf* ~**szczę,** ~**szczony** to make <to leave> greasy stains (**coś** on sth); ~**szczony** greasy

potnica *sf mar.* cargo <sweat> batten; hold sparring

potnie|ć *vi imperf* ~**je** 1. (*pocić się*) to sweat; to perspire 2. (*o przedmiotach — okrywać się parą*) to sweat

potnienie *sn* ↑ **potnieć**

potnik *sm* 1. (*w ubraniu*) dress preserver <shield> 2. (*pod siodłem*) sweat-cloth

potn|y *adj* perspiratory <sudoriferous> (gland etc.); **wełna** ~**a** wool in the grease; *anat.* **gruczoły** ~**e** perspiratory glands

potocz|ek *sm G.* ~**ka** <~**ku**> brook

potocznie *adv* 1. (*językiem ogólnie przyjętym*) colloquially; in common parlance; conversationally 2. (*powszechnie*) commonly; generally

potoczność *sf singt* commonness; ordinariness

potoczn|y *adj* 1. (*często spotykany*) current; of frequent occurrence; everyday; daily 2. (*pospolity*) common; ordinary; commonplace; **mowa** ~**a** colloquial <conversational> speech; ~**e wyrażenie** popular expression; colloquialism; **w języku <językiem>** ~**ym** in common parlance; **wyraz** ~**y, powiedzenie** ~**e** household word

potoczyć (się) *vt vr perf* = **toczyć (się)**

potoczysko *sn* river-bed

potoczystość *sf singt* fluency; volubility; glibness

potoczysty *adj* fluent; voluble; glib; round <well-turned> (phrases etc.)

potoczyście *adv* 1. (*płynnie, gładko*) fluently; glibly 2. (*tocząc się łatwo*) briskly

potok *sm G.* **~u** 1. (*nurt wody*) stream; brook; gill; torrent; water-course 2. (*strumień*) stream (of water, tears etc.); torrent (of rain, abuse etc.); deluge (of rain, tears, words etc.); flood (of light, tears, abuse etc.); **~ami** in streams; in torrents; **lać się** <**płynąć**> **~iem** <**~ami**> to stream; to flow in torrents; **polać się ~iem** to gush; **wchodzić** <**wjeżdżać**> **nieprzerwanym ~iem** to stream in

potom|ek *sm G.* **~ka** *pl N.* **~kowie** descendant; offspring; scion; *pl* **~kowie** progeny; **jest ~iem zacnego rodu** he springs from noble stock

potomnoś|ć *sf singt* posterity; after-ages; future generations; **przejść do ~ci** to be handed down to posterity; to go down from generation to generation

potomni *spl* (*decl* = *adj*) descendants

potomstw|o *sn singt* issue; offspring; progeny; (*u zwierząt*) breed; young; **męskie ~o** male issue; **mieli liczne ~o** they had a quiverful of children; **nie mieć ~a** to have no descendants

potonąć *vi perf* to be <to get> drowned; (*o statkach itd.*) to sink

potop *sm G.* **~u** *dosł. i przen.* deluge; flood

potopić *v perf* [I] *vt* to drown [III] *vr* **~ się** to be <to get> drowned

potopienie *sn* ↑ **potopić**

potopowy *adj* diluvial

potowy *adj* perspiratory <sudoriferous> (gland etc.)

potów|ka *sf pl G.* **~ek** *med.* miliaria; sudamina; sudorific vesicle; prickly heat

potpourri *sn indecl muz.* potpourri; medley

potrafi|ć *vi imperf perf* to be able <capable, in a position> (**coś zrobić** to do sth); to manage <to contrive> (**coś zrobić** to do sth); **pokaż nam, co ~sz** show us what you can do; **~ł kilka dni nic nie jeść** he was capable of going without food for several days

potrajać *zob.* **potroić**

potraktować *vt perf* to treat (sb well, badly etc.); to behave <to conduct oneself> (**kogoś** towards sb); to handle (a subject in a certain manner); *chem.* to treat (an object, a substance etc.)

potraktowanie *sn* (↑ **potraktować**) treatment

potratować *vt perf* to trample under foot; to trample to death

potraw *sm G.* **~u** *roln.* aftermath; after-grass; fog; latter grass

potraw|a *sf* dish; course; **spis ~** bill of fare; menu

potraw|ka *sf pl G.* **~ek** *kulin.* ragout; fricassee

potrąc|ać *vt imperf* — **potrąc|ić** *vt perf* **~ę, ~ony** 1. (*szturchać*) to jostle; to poke; to push; **~ać, ~ić łokciem** to nudge 2. (*napomykać*) to touch (**temat** on <upon> a subject) 3. (*odliczać od sumy*) to deduct; to knock off; **~ać, ~ić coś komuś z poborów** to withhold <to stop> sth out of sb's salary <wages>

potrące|nie *sn* 1. (↑ **potrącić**) (a) poke <push>; (*łokciem*) (a) nudge 2. (*odliczona suma*) deduction; (*o cenie itd.*) **bez ~ń** net (price etc.)

potrącić *zob.* **potrącać**

potrenować *vi perf* to train (a little, some time)

po trochu *adv* 1. (*partiami*) little by little; bit by bit; drop by drop; by driblets; a little at a time; **płacić ~** to pay in driblets 2. (*stopniowo*) gradually; by degrees 3. (*częściowo*) partly; in part; to some extent; in some measure; (*trochę*) a little; somewhat; **on jest ~ prawnikiem** he is somewhat <something> of a lawyer; **wszystkiego mam ~** I have a little of everything

potr|oić *v perf* **~oję, ~ój, ~ojony** — **potr|ajać** *v imperf* [I] *vt* to triple; to treble; to increase (sth) threefold [III] *vr* **~oić, ~ajać się** to triple <to treble> (*vi*); to increase (*vi*) threefold

potrojenie *sn* (↑ **potroić**) threefold increase; triplication

po trosze *adv* = **po trochu**

po trosz|eczku *adv,* **po trosz|ku** *adv* by small degrees; a very little <just a little> at a time; infinitesimally; **wszystkiego po ~eczku** <**po ~ku**> just a little of everything

potrójnie *adv* threefold; trebly; three times (as much <many>)

potrójny *adj* threefold; treble; triple; triplex; triplicate; three times as large <long, wide, thick etc.>; (*o umowie, układzie, porozumieniu*) tripartite

potru|ć *v perf* **~je, ~ty** [I] *vt* to poison (people, animals) [III] *vr* **~ć się** (*przypadkowo*) to get <to be> poisoned; (*celowo*) to take poison

potrudz|ić *v perf* **~ę, ~ony** [I] *vt* to tire (people) out; to exhaust (people) [III] *vr* **~ić się** 1. (*postarać się*) to make an effort; to take <to give oneself> (some) trouble; (**dobrze**) **się ~ić o coś** to take <to give oneself> (a great deal of, no little) trouble to get <to obtain, to win, to acquire> sth 2. (*grzecznościowo*) to take the trouble (**dokądś** to go <to come> somewhere); **proszę się ~ić do dyrektora** will you kindly go and see the manager

potrwa|ć *vi perf* to last (some time); to take (**jakiś czas** some time); **to krótko ~** it won't take long

potrzask *sm G.* **~u** *dosł. i przen.* trap; **w ~u** trapped; **złapać w ~** to trap

potrzaskać *v perf* [I] *vt* to smash; to shatter; to break (to pieces); **~ w drobne kawałki** to break into fragments; to smash to smithereens [II] *vi* (*popękać*) to crack [III] *vr* **~ się** to get <to be> smashed <shattered, broken to pieces, broken to fragments>

potrzaskiwać *vi imperf* to keep cracking (**z bata itd.** a whip etc.); (*o płonącym drzewie itd.*) to crack; to crackle

potrzaskiwanie *sn* (↑ **potrzaskiwać**) the cracking <crackle> (of burning wood)

potrząsacz *sm pl G.* **~y** *techn.* shaker; (*we młynie*) clopper

potrząsalny *adj górn.* shaking <rocking> (trough)

potrząsanie *sn* ↑ **potrząsać**

potrząsar|ka *sf pl G.* **~ek** *górn.* shaker

potrzą|snąć *vt perf* **~śnięty** — **potrzą|sać** *vt imperf* 1. (*poruszyć*) to shake (**głową, pięścią, kimś itd.** one's head, one's fist, somebody etc.); to brandish (**szablą, kijem itd.** a sword, a stick etc.); (*o wietrze itd.*) to agitate (**gałęźmi itd.** tree branches etc.); **~snąwszy głową** with a shake of the head 2. (*trzęsąc posypać*) to strew

potrz|ąść *vt perf* **~ęsę, ~ęsie, ~ęś, ~ąsł, ~ęsła, ~ęśli, ~ęsiony, ~ąśnięty** to shake; to give (sb, sth) a shake

potrząśnięcie *sn* (↑ **potrząsnąć**) (a) shake; (a) brandish

potrzeb|a [I] *sf* 1. (*to, co jest potrzebne*) need; want; call (**czegoś** for sth; **robienia czegoś** to do sth); (*bezwzględna konieczność*) necessity; **mieć ~ę czegoś** to need sth; **nie ma ~y się rumienić** there is no call to blush; **nie ma ~y się spieszyć** there is no (special) hurry; **niewielkie mam ~y** my needs are few; **~a jest matką wynalazku** necessity is the mother of invention; **zaspokajać czyjeś ~y** to supply <to minister to, to attend to> sb's wants; to meet sb's requirements; **bez ~y** needlessly; unnecessarily; **w razie ~y** if necessary; if need be; in case of need <of emergency>; at a pinch 2. (*ciężkie położenie*) extremity; need; **być w ~ie** to be in need <in an extremity>; **opuścić kogoś w ~ie** to let sb down in his extremity; to leave sb in the lurch; **przyjaciół poznaje się w ~ie** a friend in need is a friend indeed 3. *fizjol.* evacuation; **pójść z ~ą** to relieve nature 4. *pl* **~y** primary <basic> commodities; (*konieczności życiowe*) the necessaries of life; **artykuł pierwszej ~y** a necessity [II] *praed* it is necessary (**coś zrobić** to do sth); we <you etc.> need (**coś zrobić** to do sth); **mniej <więcej itd.> aniżeli ~a <~a było>** less <more etc.> than necessary <than was necessary>; **nic mi więcej nie ~a** that's all I want; **nie ~a dodawać <zaznaczać> ...** needless to say ...; **~a mi pieniędzy <czasu itd.>** I need <want> money <time etc.>; **~a było mi czasu itd.** I needed <wanted> time etc.; **tego właśnie mi ~a** that is the very thing I need; that's just what I need <want>

potrzebn|y *adj* necessary; needed; wanted; **koniecznie ~y** indispensable; **na co ci jestem ~y?** what do you need me for?; **od dawna ~y** long overdue; **~e mi to** I need this; **to, co jest ~e** the needful; the wherewithal; **to nie jest ~e** it is unnecessary <superfluous>; **wszystko, co ~e** everything necessary; whatever is required; all that is necessary; all I want <he wants etc.>

potrzeb|ować *vt perf* to need <to want, to require> (**kogoś, czegoś** sb, sth; **coś robić** to do sth); to be <to stand> in need (**czegoś** of sth); **nie ~uję tego** I do not need this; I have no use for this; **nie ~ujesz mi tego mówić** you need not tell me that; **~ować czasu** to need <to take> time; **ile czasu ~ujesz na to?** how long will this take you?; **~uję dwóch godzin na napisanie tego** I need <it will take me> two hours to write this

potrzebowanie *sn* (↑ **potrzebować**) (a, the) need

potrzebujący [I] *adj* necessitous [II] *sm* (*decl* = *adj*) person in need; *pl* **~** the poor; the needy; the necessitous; the destitute

pot|rzeć *vt perf* **~rę, ~rze, ~rzyj, ~arł, ~arli, ~arty** 1. *zob.* **pocierać** 2. (*porozcinać piłą*) to saw

potrzepywać *vt imperf* 1. (*trzepać*) to beat (carpets etc.); to dust (clothes etc.) 2. (*o ptaku — trzepotać*) to flutter <to flap> (**skrzydłami** its wings)

potrzeszcz *sm pl G.* **~y <~ów>** *zool.* (*Emberiza miliaria*) bunting

potrzos *sm zool.* (*Emberiza schoeniclus*) reed bunting

potrzymać *vt perf* 1. (*trzymać*) to hold 2. (*przechować*) to keep 3. (*o mrozie — utrzymać się*) to last

potulnie *adv* submissively; humbly; meekly

potulność *sf singt* submissiveness; docility; humility; meekness

potulny *adj* submissive; docile; humble; meek

potupywać *vi imperf* to keep stamping one's feet

poturbować *v perf* [I] *vt* to beat; to batter; to knock (sb) about; to maul; to ill-treat; to give (sb) a rough handling [II] *vr* **~ się** to hurt oneself

poturbowanie *sn* (↑ **poturbować**) (a) beating; rough handling

poturczyć *v perf hist.* [I] *vt* to convert (sb) to Mohammedanism [II] *vr* **~ się** to adopt the Mohammedan religion

poturlać *vt perf* (*także vr* **~ się**) to roll

potwarc|a *sm* (*decl* = *sf*) *pl N.* **~y** *GA.* **~ów** calumniator; slanderer

potwarczy † *adj* calumnious; slanderous

potwarz *sf* calumny; slander; libel

potwierdz|ać *v imperf* — **potwierdz|ić** *v perf* **~ę, ~ony** [I] *vt* to confirm; to corroborate; to bear out; to certify <to testify> (**coś** to sth); **~ać, ~ić odbiór czegoś** to acknowledge (the) receipt of sth; **~ić zgodność czegoś** to authenticate sth; (*o wiadomości*) **nie ~ony** unconfirmed; unofficial [II] *vr* **~ać, ~ić się** to be confirmed <corroborated>

potwierdzająco *adv* affirmatively

potwierdzenie *sn* (↑ **potwierdzić**) confirmation; corroboration; **na ~ czegoś** in confirmation <corroboration> of sth; **~ odbioru** (acknowledgment of) receipt

potwierdzić *zob.* **potwierdzać**

potwor|ek *sm G.* **~ka** (*dim* ↑ **potwór**) little monster; freak; (a) monstrosity

potworkowatość *sf singt* malformation; monstrosity

potworkowaty *adj* monstrous (foetus etc.); freaky

potworniactwo *sn singt med.* monstrosity; malformation

potwornie *adv* 1. (*przeraźliwie*) monstrously; horribly 2. (*ogromnie*) hugely; stupendously; terribly; terrificly

potwornie|ć *vi imperf* **~je** to assume monstrous shapes <proportions>; to become monstrous

potworność|ć *sf* 1. (*cecha*) monstrosity; monstrousness; abnormality; abnormity 2. (*postępek*) (a) monstrosity; *pl* **~ci** atrocities

potworny *adj* 1. (*przeraźliwy*) monstrous; freakish 2. (*odrażający*) horrible; hideous 3. (*ogromny*) terrific; terrible; huge; stupendous; **~ ból** agony of pain; atrocious pain; **~ hałas** a hell of a noise

potw|orzyć *v perf* **~órz, ~orzony** [I] *vt* to make; to form; to produce; to create [II] *vr* **~orzyć się** to be formed; to form (*vi*); to spring up; to arise

potw|ór *sm G.* **~ora** *L.* **~orze** monster; freak; **~ór w ludzkim ciele** monster in human shape

potycz|ka *sf pl G.* **~ek** skirmish; encounter; clash; passage of arms; brush (with the enemy)

potyfusowy *adj* post-typhoid

potykać się *vr imperf* 1. *hist.* to joust 2. *zob.* **potknąć się**

potykanie się *sn* (↑ **potykać się**) 1. *hist.* jousts 2. (*potknięcia*) stumbles

potylica *sf anat.* occiput

potylicowy *adj* occipital (protuberance etc.)

potyliczny *adj* occipital (bone etc.)

poubierać *v perf* [I] *vt* 1. (*ubrać kilka osób*) to clothe <to dress> (people, children etc.) 2. (*przystrajać*) to trim; to deck [III] *vr* **~ się** to put on one's clothes

poucz|ać *vt imperf* — **poucz|yć** *vt perf* 1. (*nauczać*) to instruct; to tutor; to teach; **~ono mnie, że nie trzeba ...** I was taught not to ... 2. (*dawać wskazówki*) to instruct; to give (sb) instructions (**co ma robić** as to what he is to do; **jak się czymś posługiwać** how to use sth); to prime (sb) with information; to inform; to brief; to acquaint (**kogoś o czymś** sb with sth) 3. (*dawać rady*) to advise; **nie ~aj mnie** I don't need <want> your advice 4. (*strofować*) to admonish

pouczająco *adv* 1. (*dydaktycznie*) instructively; didactically 2. (*moralizatorsko*) edifyingly; moralizingly

pouczający *adj* 1. (*objaśniający*) instructive; informative; didactic; illuminating 2. (*umoralniający*) edifying; moralizing

pouczanie *sn* (↑ **pouczać**) priming (sb) with information

pouczenie *sn* (↑ **pouczyć**) instruction(s); information; briefing

poucztować *vi perf* to banquet; to go banqueting

pouczyć *v perf* [I] *vt zob.* **pouczać** [III] *vr* **~ się** to devote <to give> some time to study

poufale *adv* unceremoniously; in a familiar manner; informally; **~ rozmawiać z kimś** to carry on a familiar conversation with sb

poufalenie się *sn* familiar <unceremonious, mat(e)y> behaviour; hob-nobbing

poufalić się *vr imperf* to be familiar <to be mat(e)y, to hob-nob> (with sb); to behave unceremoniously; to take liberties

poufałoś|ć *sf* familiarity; unceremonious <mat(e)y> behaviour; **nie pozwalać komuś na ~ci** to keep sb in his place; **pozwalać sobie na ~ci** to take liberties; **tylko bez ~ci!** keep your distance, please!; **unikać ~ci z kimś** to keep sb at arm's length

poufały *adj* (too) familiar; unceremonious; mat(e)y; free (with sb)

poufnie *adv* confidentially; in private; in secret; **ściśle ~** in strict confidence

poufność *sf singt* confidentiality

poufny *adj* 1. (*oparty na zaufaniu*) confidential 2. (*prywatny*) private 3. (*sekretny*) secret; inside (information); **ściśle ~** strictly confidential

pourazowy *adj* traumatic (neurosis etc.)

pouwłaszczeniowy *adj* subsequent to emancipation

powab *sm G.* **~u** *lit.* charm; lure; attraction; seduction; loveliness; grace; attractiveness

powabnie *adv lit.* charmingly; alluringly; attractively; seductively

powabny *adj lit.* charming; alluring; attractive; seductive

powag|a *sf* 1. *singt* (*sposób bycia, poważny wygląd*) dignity; staidness; gravity; demureness; solemnity; noble bearing; **chodząca ~a** sobersides; **mówić z całą ~ą** to speak in dead earnest; **zachować ~ę** to keep one's countenance <a straight face> 2. *singt* (*znaczenie chwili itd.*) importance; seriousness; gravity 3. *singt* (*prestiż*) authority; prestige; credit; repute; high standing; **cieszyć się ~ą** to enjoy a high reputation; to be held in high esteem; **nadać sobie ~i to assume an air of im**portance; **utrzymywać ~ę w klasie** to keep discipline among one's pupils 4. (*osoba, instytucja uznawana za autorytet*) (an) authority (**naukowa, lekarska itd.** in matters of science, medicine etc.)

powakacyjny *adj* following the vacations <holidays>

powalać[1] *v perf* [I] *vt* (*zabrudzić*) to soil; to dirty; to smear; (*poplamić*) to stain; to blot [III] *vr* **~ się** 1. (*ubrudzić się*) to soil <to dirty, to smear, to stain> one's face <hands, clothes> 2. (*stać się powalanym*) to get soiled <smeared, stained>; to soil (*vi*)

powalać[2] *zob.* **powalić**

powalany [I] *pp* ↑ **powalać**[1] [II] *adj* dirty

powal|ić *v perf* — *rz.* **powal|ać** *v imperf* [I] *vt* 1. (*przewrócić*) to overthrow; (*zwalić z nóg*) to throw <to bring, to knock> (sb) down; to floor (an adversary); to send (sb) sprawling; to fell (**drzewo** a tree; **człowieka <zwierzę> na ziemię** a man <an animal> to the ground); (*o burzy*) to blow down (**drzewo** a tree); to lay low (**zboże** the crops) 2. (*zabić*) to kill; to slay [II] *vr* **~ić, ~ać się** to fall

pował *sm G.* **~u** (*zwalone drzewo*) windfall

powała *sf* ceiling

po wariacku *zob.* **wariacki**

powarzyć *vt perf* (*o mrozie*) to nip (buds etc.)

poważa|ć *v imperf* [I] *vt* (*cenić*) to esteem; to hold (sb) in high esteem; (*szanować*) to respect; to have respect <regard> (**kogoś** for sb); **~ny** respectable; respected; esteemed [II] *vr* **~ć się** (*szanować się wzajemnie*) to respect one another

poważani|e *sn* 1. ↑ **poważać** 2. (*uznanie, szacunek*) respect; regard; deference; esteem; (*w listach*) **z ~em** yours (very) truly; **z wyrazami ~a** with compliments

poważnie *adv* 1. (*z godnością*) in a dignified manner; with dignity; solemnly; gravely; **~ wyglądać** to look dignified <impressive> 2. (*na serio*) seriously; in earnest; **brać coś ~** to be serious about sth; to treat sth seriously; **mówić ~** to be serious; to mean business; **ale mówmy ~** joking apart; **nie traktować czegoś ~** to trifle with sth; **zapatrywać się na coś bardzo ~** to view sth with utmost gravity 3. (*w dużej mierze*) considerably; greatly; materially; in great measure 4. (*niebezpiecznie*) seriously (ill); gravely (wounded); badly (**hurt**)

poważnie|ć *vi imperf* **~je** to become serious; to assume a serious countenance; (*o młodzieńcu*) to settle down

poważn|y *adj* 1. (*pełen powagi*) serious; grave; solemn; dignified; demure; (*o zachowaniu*) businesslike; **~a muzyka** serious music; **~y wiek** respectable old age; **mieć ~e zamiary** to be serious (about marrying sb) 2. (*szanowany*) respectable; (*wybitny*) outstanding 3. (*mający zasadnicze znaczenie*) important; weighty; grave; (*o błędzie*) grievous, sad; (*o ciosie*) severe (blow); **~iejsze zagadnienia** major problems 4. (*znaczny*) considerable; substantial; sensible (difference etc.); **~a strata** heavy loss; **~e kwoty** large sums; **~y spadek cen** big drop in prices; **nie odniósł ~iejszych obrażeń** he suffered no major injuries; **w ~ym stopniu** materially; sensibly; considerably 5. (*niebezpieczny*) serious <grave> (illness, wound); bad <nasty> (accident)

poważyć się *vr perf* (*mieć odwagę*) to dare (**coś zrobić** to do sth); to make bold (**coś powiedzieć** to say sth)
powącha|ć *vt perf* to smell (sth); to take a smell <a sniff> (**coś** at sth); *przen.* **nie ~ł prochu** he never smelt powder; he never heard a shot fired
powątpiewać *vi imperf* to doubt (**o czymś** sth); to have doubts <to be dubious> (**o czymś** about sth)
powątpiewająco *adv* dubiously
powątpiewanie *sn* (↑ **powątpiewać**) doubt(s) (**o czymś** about sth); **z ~m** doubtfully; dubiously
powesel|eć *vi perf* **~eje, ~ały** to cheer up; *przen.* to unbend one's brow; **on ~ał** his spirits rose
poweselić się *vr perf* to make merry
powetować *vt perf* (*także* **~ sobie**) to make up (**stratę itd.** for a loss etc.); to indemnify oneself (**coś** for sth); to retrieve <to repair> (**straty** one's losses); **~ coś na kimś** to take one's revenge on sb for sth
powęszyć *vi perf* to sniff
powi|ać *v perf* **~eje** — **powi|ewać** *v imperf* [I] *vi* 1. (*o wietrze* — *wionąć*) to blow; (*o zapachu*) to be wafted (through the air); **~ało chłodem od rzeki** a chill wind came from the river; **~ało wonią świeżego siana** there was a waft of new-mown hay; *przen.* **inny wiatr ~ał** the wind blew from another quarter 2. *imperf* (*łopotać*) to flutter; (*o włosach, wstążkach itd.*) to stream (in the breeze) [II] *vt* 1. (*o wietrze* — *poruszać*) to agitate (**czymś** sth) 2. (*pomachać*) to wave (**chusteczką itd.** one's handkerchief etc.)
powiada|ć † *vi* 1. (*mówić*) to say; to tell; **~ją, że ...** they say <there is a rumour> that ...; (*podkreślając*) **~m ci** believe me; **tak ~sz?** is that so? 2. (*głosić*) to say; **jak przysłowie ~** as the proverb has it; **tak ~ przysłowie** so says the proverb; **legenda ~, że ...** the legend has it that ...
powiadomić *vt perf* — **powiadamiać** *vt imperf* to inform <to notify> (**kogoś o czymś** sb of sth); to let (sb) know (**o czymś** about sth)
powiadomienie *sn* (↑ **powiadomić**) information; notification; intimation
powiadomiony [I] *pp* ↑ **powiadomić** [II] *adj* aware (**o czymś** of sth); **być ~m <nie ~m> o czymś** to be aware <unaware> of sth
powiast|ka *sf pl G.* **~ek** story; tale; **książka z ~kami** story-book
powiat *sm G.* **~u** 1. (*obszar*) administrative district 2. (*władza*) district authorities
powiatowy *adj* district __ (authorities etc.)
powią|zać *v perf* **~że, ~zany** [I] *vt* 1. (*związać*) to tie; to bind 2. (*złączyć*) to tie <to bind, to join, to connect, to unite, to link> together; to relate; to bring into relationship [II] *vr* **~zać się** to unite (*vi*)
powiązanie *sn* (↑ **powiązać**) connection, connexion
powiązany [I] *pp* ↑ **powiązać** [II] *adj* related; interrelated; (*o myślach, zdaniach itd.*) **nie ~** incoherent; disconnected; disjointed; rambling
powichrzyć *v perf* [I] *vt* to ruffle (hair etc.) [II] *vr* **~ się** to get ruffled
powi|ć *vt perf* **~je, ~ty** *lit.* to give birth (**dziecko** to a child)
powideł|ko *sn pl G.* **~ek** (*dim* ↑ **powidło**) *farm.* electuary
powid|ło *sn pl G.* **~eł** (*zw.pl*) *kulin.* jam; **~ła śliwkowe** plum jam; damson cheese
powidok *sm G.* **~u** *psych.* after-image
powiedzeni|e *sn* 1. ↑ **powiedzieć**; **mieć coś do ~a** to have sth to say; **mieć coś <nie mieć nic> do ~a w danej sprawie** to have a voice <to have no voice> in the matter 2. (*aforyzm*) saying; adage; **dowcipne ~e** witticism
powie|dzieć *vt vi perf* **~m, ~, ~dzą, ~dział, ~dzieli, ~dziany** 1. (*rzec*) to say (**coś komuś** sth to sb); to tell (**coś komuś** sb sth); **chcieć coś ~dzieć** a) (*pragnąc rzec*) to want to say sth b) (*zamierzać*) to intend sth c) (*mieć na myśli*) to mean sth; **co artysta chciał przez to ~dzieć?** what did the artist intend by this?; **co chciałeś przez to ~dzieć?** what did you mean by that?; **co byś ~dział na parę robrów?** what do you say to a game of bridge?; **coś ci ~m** I'll tell you what <something>; **kto by to ~dział?** who would have thought it?; **łatwiej to ~dzieć, niż wykonać** easier said that done; **nawiasem ~dziawszy** incidentally; by the way; **nie dość <mało> ~dzieć, że umiał <chciał itd.> ...** not only did he know <want etc.> ...; **nie ~dzieć złego słowa nikomu** never to be unkind to anybody; never to lose one's temper; **nie ~m, że ...** I wouldn't say that ...; **nie umiem tego ~dzieć, nie wiem, jak to ~dzieć** I don't know how to put it; **~działem, że tak będzie** I told you so; I said so; **~dziano mi, że ...** I was told that ...; **~dzieć komuś coś na ucho** to whisper sth to sb; **~dzieć komuś dobre słowo** to have a kind word for sb; **~dzieć komuś do słuchu** to give sb a piece of one's mind; **~m mu parę słów (do słuchu)** I'll talk to him; **~dzieć komuś tajemnicę** to tell sb a secret; **~dzieć mowę <kazanie>** to give a speech <a sermon>; **~dzieć sobie, że ...** to say to oneself that ...; **~dzieć swoje** to have one's say; **~dzieć wiersz** to recite some poetry; **~dzieć, że tak <że nie>** to say yes <no>; **prawdę ~dziawszy** to tell the truth; truth to tell; **to było piękne, ~działbym nawet wspaniałe** it was beautiful, nay magnificent; **zrobił tak jak ~dział** he was as good as his word; **że tak ~m** so to say; if I may say so; as it were 2. (*oznajmić*) to declare
powiedzian|y (*pp* ↑ **powiedzieć**) said; **rzeczy nie ~e** things unsaid; (*o zdaniu, komplemencie itd.*) **ładnie <zgrabnie> ~y** well-turned
powiedzon|ko *sn pl G.* **~ek** *pot.* tag; stock phrase
po wiejsku *zob.* **wiejski**
powiek|a *sf* eyelid; *anat.* palpebra; **bez drgnienia ~i** without flinching; **~i mi się kleiły** I could barely keep my eyes open; **to mi spędza sen z ~** it keeps me awake at night
powiekowy *adj* palpebral
powielacz *sm* duplicator; duplicating machine; *elektr.* multiplier
powielaczowy *adj* copying __ (paper etc.)
powielać *vt imperf* — **powielić** *vt perf* to copy; to duplicate; to run sth off on a duplicating machine
powielanie *sn* (↑ **powielać**) duplication
powielarni|a *sf pl G.* **~** duplicating centre
powiernica *sf* confidante
powiernictwo *sn polit. prawn.* trusteeship
powiernicz|y *adj* fiduciary; **majątek ~y** trust; **umowa ~a** trust-deed

powiernik *sm* 1. (*zaufany*) confidant; **być czyimś ~iem** to be in sb's confidence; to share sb's secrets 2. *prawn. ekon.* trustee

powierz|ać *v imperf* — **powierz|yć** *v perf* [I] *vt* 1. (*zlecać*) to charge (**zadanie komuś** sb with a task); to turn (sth) over (**komuś** to sb); to put (sb) in charge (**coś** of sth); to give (sb) charge (**coś** over sth) 2. (*dawać w opiekę*) to entrust (**coś komuś** sb with sth); to commit <to consign> (**coś komuś** sth to sb's care); to trust (**coś komuś** sb with sth) 3. (*zwierzać*) to confide (a secret etc. to sb) [II] *vr* **~ać, ~yć się** to confide (**komuś** in sb); to put oneself (**komuś** in sb's hands)

powierzanie *sn* (↑ **powierzać**) charging (**zadania komuś** sb with a task); turning (sth) over (to sb); committing (**czegoś komuś** sth to sb's care)

powierzchni|a *sf pl G.* **~** 1. (*wierzchnia strona*) surface; superficies; plane; area; **~a boczna** flank; **wypłynąć na ~ę** to come <to rise> to the surface; **z ~ ziemi** from the face of the earth 2. (*obszar*) area; acreage; **miary ~** superficial <square> measures 3. *górn.* surface; day; grass; **na ~** above ground 4. *mat. techn.* plane; area 5. (*miejsce*) space; **~a mieszkalna** living space; **~a użytkowa mieszkania** usable floor area

powierzchniowo *adv* superficially

powierzchniowość *sf singt* superficiality

powierzchniowy *adj* superficial; surface — (energy, tension etc.); *górn.* **pracownik ~** surface man

powierzchownie *adv* superficially; cursorily; perfunctorily; slightly

powierzchownoś|ć *sf* 1. (*wygląd człowieka*) exterior; (outward) appearance; **miłej <dystyngowanej> ~ci** of handsome <stately> presence 2. (*powierzchowne traktowanie*) superficiality; cursoriness; perfunctoriness; (*płytkość*) shallowness

powierzchowny *adj* 1. (*zewnętrzny*) superficial; outside (layer etc.); (*o ranie*) slight; cutaneous 2. (*o człowieku*) superficial; shallow; trivial 3. (*o osądzie, pracy itd.*) perfunctory; cursory; (*o obliczeniach*) rough (estimate etc.)

powierzenie *sn* ↑ **powierzyć**

powierzyć *zob.* **powierzać**

powie|sić *v perf* **~szę, ~szą, ~ś, ~szony** [I] *vt* to hang (a person, picture, curtain etc.); to suspend; **~sić słuchawkę (telefoniczną)** to hang up (the receiver); to ring off; **zdrajcę ~sili** they hanged the traitor [II] *vr* **~sić się** to hang oneself; **~ś się!** you be hanged!; **niech się ~si!** hang the fellow!

powieszenie *sn* 1. ↑ **powiesić** 2. (*rodzaj śmierci*) the gallows

powieścid|ło *sn pl G.* **~eł** *pog.* literary trash

powieściopisar|ka *sf pl G.* **~ek** = **powieściopisarz**

powieściopisarski *adj* novelist's

powieściopisarstwo *sn singt* fiction writing

powieściopisarz *sm* novelist; fiction writer

powieściowo *adv* in the form of a novel; fictionally

powieściow|y *adj* fictional; **utwory ~e** works of fiction

powi|eść[1] *v perf* **~odę, ~edzie, ~edź, ~ódł, ~odła, ~edli, ~edziony** [I] *vt* 1. (*przesunąć*) to draw (**ręką po czole <brodzie itd.>** one's hand across one's forehead <chin etc.>); to sweep (**ręką po czymś** one's hand over sth); to run (**palcami po czuprynie** one's fingers through one's hair); to sweep (**okiem <spojrzeniem> po kimś, czymś** one's eyes over sb, sth); **~eść oczami za kimś** to follow sb with one's eyes <one's gaze> 2. *lit.* (*poprowadzić*) to lead <to take> (**kogoś gdzieś** sb somewhere) [II] *vr* **~eść się** to be successful; to succeed; (*o planie itd.*) to come off; **jak ci się ~odło?** how did you get on?; what success did you have <meet with>?; **~odło mi się** I was successful; I succeeded; **nie ~odło mi się** I was unsuccessful; I did not succeed; I failed (in my endeavours); **plan się nie ~ódł** the scheme proved abortive <did not work>; **wyprawa się ~odła** the expedition succeeded <was a success, was crowned with success>

powieś|ć[2] *sf pl G.* **~ci** novel

powietrz|e *sn* air; **masa ~a** air-mass; **przepływ ~a** air-flow; **sprężone ~e** compressed air; **zmiana ~a** a change of air; **chłodzony ~em** air-cooled; **strzelić w ~e** to fire a warning shot; **traktować kogoś jak ~e** to ignore sb; **tutaj brak ~a** it is stuffy in here; **wylecieć w ~e** to be blown up; **wysadzić (most itd.) w ~e** to blow up (a bridge etc.); **na ~u** out of doors; outside; in the open; **w ~e** into the air; up in the air; **w ~u** in the air; in mid air; **z ~a** from the air; **zdjęcie z ~a** aerophotograph; *przen.* **domysł wzięty z ~a** wild guess; **to jeszcze wisi w ~u** it is all in the air as yet; **żyć z ~a** to live on air <on nothing>

powietrznik *sm* 1. (*wiatraczek na dachu*) weather-vane, weather-cock 2. *techn.* air-chamber; air-vessel; (*w kompresorze*) receiver

powietrzność *sf singt* airiness

powietrzn|y *adj* aerial (regions, current, warfare etc.); airy; air — (bath, mail, gas etc.); air- (brake, lock, pump etc.); pneumatic (bone etc.); **linie ~e** airlines; **most ~y** air-lift; **oddziały ~e** airborne troops; **szlak ~y** air route; *bot.* **korzeń ~y** aerial root; **drogą ~ą** by air; **w linii ~ej** as the crow flies

powiew *G.* **~u** breath <puff, waft, whiff> of air; *meteor.* light air; *pl* **~y** breeze

powiewać *zob.* **powiać**

powiewanie *sn* (↑ **powiewać**) (*łopot*) flutter

powiewnie *adv* airily; ethereally

powiewność *sf singt* airiness; etherealness

powiewny *adj* airy (garment etc.); flowing (draperies etc.); ethereal (step etc.)

powiększać *v imperf* — **powiększ|yć** *v perf* [I] *vt* 1. (*czynić większym*) to enlarge; to increase; to augment; to extend; to aggrandize; to add (**swój stan posiadania itd.** to one's possessions etc.); *opt.* to magnify 2. (*potęgować*) to increase; to augment; to heighten; **~ać, ~yć swoją wiedzę** to deepen one's knowledge [II] *vr* **~ać, ~yć się** to increase <to augment, to extend> (*vi*); to swell; to grow larger <bigger>

powiększając|y *adj* augmentative; **szkło ~e** magnifying glass; reading-glass

powiększalnik *sm fot.* enlarger

powiększeni|e *sn* 1. (↑ **powiększyć**) enlargement; (an) increase; augmentation; extension; aggrandizement; addition (**czegoś** to sth); *opt.* magnification; *fot.* enlargement; **siła ~a** magnifying power 2. **~e się** increase; growth

powiększyć *zob.* **powiększać**

powięź *sf* 1. (*wiązka*) bundle (of straw, hay) 2. *anat.* fascia

powi|jać się † *vr imperf* — **powi|nąć się** † *vr perf* **~nięty** *obecnie w zwrocie*: **noga mu** <**jej**> **się ~nęła** a) (*nie powiodło się*) he <she> had no luck b) (*upadł(a) moralnie*) he <she> made a slip <committed a lapse>

powijak|i *spl* swaddling-bands, swaddling-clothes, swathing-bands; *przen.* **być w ~ach** to be in its infancy <in its swaddling-clothes>

powikła|ć *v perf* [I] *vt* to tangle (up); to entangle; to complicate; to confuse; to embroil [III] *vr* **~ć się** 1. (*stać się powikłanym*) to get tangled up <embroiled>; to become complicated <intricate>; **sprawy się dziwnie ~ły** things have come to a strange pass 2. (*uwikłać się*) to get into a tangle

powikłanie *sn* 1. ↑ **powikłać** 2. (*sytuacja powikłana*) complication; (a) tangle; intricacy; imbroglio; maze 3. *med.* complication

powin|ien, ~na, ~no should (**coś zrobić** do sth); ought (**coś zrobić** to do sth); **czy ~ien był to zrobić?** what business had he to do that?; **nie ~ieneś był tego powiedzieć** you should not <ought not to, ought never to> have said that; you had no business to say that; **~ien był powiedzieć** <**napisać itd.**> should have said <written etc.>; ought to have said <written etc.>; **~ieneś pójść do lekarza** you had better go and see the doctor

powinięcie *sn* ↑ **powinąć**; **~ nogi** (moral) slip; lapse

powinnoś|ć *sf* duty; obligation; **~ci gospodarza** one's duties as a host

powinowactwo *sn* 1. (*stosunek rodzinny*) relation(ship); kin(man)ship; propinquity 2. *chem.* affinity

powinowat|y [I] *adj* related; akin [III] *sm* **~y** (*decl* = = *adj*) relation; (a) relative; kinsman [III] *sf* **~a** (a) relative; kinswoman

powinszowa|ć *vi perf* (*złożyć gratulacje*) to congratulate (**komuś czegoś** sb on sth); (*złożyć życzenia*) to wish (**komuś szczęścia** sb the best of luck); **~liśmy mu (w dniu) imienin** we wished him a happy nameday <many happy returns (of the day)>

powinszowanie *sn* (↑ **powinszować**) congratulations; best wishes

powiśle *sn singt* the bank (of the Vistula)

powitać *vt perf* to greet; to bid (sb) welcome; **~!** welcome!; hullo!

powitalnie *adv* by way of greeting <of welcome>

powitaln|y *adj* welcoming (smile, gesture etc.); **mowa ~a** speech of welcome

powitanie *sn* (↑ **powitać**) greeting; welcome; **na ~** by way of greeting

powl|ec *v perf* **~ekę** <**~okę**>, **~ecze, ~ecz, ~eką** <**~oką**>, **~ekła, ~ókł, ~ekli, ~ekły, ~eczony** — **powl|ekać** *v imperf* [I] *vt* 1. (*pociągnąć*) to drag; **~ekać nogami** to drag one's feet 2. (*pokryć warstwą*) to coat; to smear; to spread (**jakąś powierzchnię czymś** a surface with sth <sth on, over a surface>) 3. (*nałożyć powłoczki*) **~ec, ~ekać pościel** to put on (fresh) bed-linen; **~ec, ~ekać poduszkę** to put a (fresh) case on a pillow; to case a pillow [II] *vr* **~ec, ~ekać się** 1. *perf* (*z trudnością pójść*) to drag oneself 2. (*zasnuć się*) to cloud over; to become overcast <overclouded>

powleczenie *sn* 1.↑**powlec** 2. (*pościel*) bed-linen

powlekacz|ka *sf pl G.* **~ek** *techn.* spreader

powlekać *zob.* **powlec**

powlekar|ka *sf pl G.* **~ek** *techn.* spreader; spreading machine

powłocz|ka *sf pl G.* **~ek** 1. (*część pościeli*) pillow-case; cover 2. (*błonka*) integument

powłoka *sf* 1. (*warstwa powlekająca*) coat (of paint etc.); coating; covering; shell 2. (*okrycie*) covering; shield; envelope; case; *bot. zool.* integument; shell; tunicle; *bot.* hull 3. (*poszwa*) cover (of a feather bed) 4. *med.* integument

powłóczenie *sn* ↑ **powłóczyć**; **~ nogą** (a) limp; **~ nogami** (a) shuffle; shambling gait

powłóczyć *v perf imperf* [I] *vt* 1. *imperf* (*wlec*) to trail (one's dress etc.); **~ nogą** to limp; to halt; to be lame of <in> a leg; **~ nogami** to shuffle one's feet; to shamble; **ledwo ~ nogami** to be at the end of one's tether 2. (*pobronować*) to harrow 3. *imperf* (*powlekać poduszkę*) to put a (fresh) case (**poduszkę** on a pillow); to case (a pillow) 4. *perf* (*pociągnąć*) to drag (**kogoś dokądś** sb somewhere) [II] *vr* **~ się** 1. *imperf* (*wlec się*) to drag oneself 2. *perf* (*powałęsać się*) to saunter (**ulicami** about the streets); to hang about

powłóczystość *sf singt* (*u sukni itd.*) **~ fałdów** trailing folds; *przen.* **~ spojrzenia** languishing <sidelong> glance(s)

powłóczyst|y *adj* (*ciągnący się*) trailing; *przen.* **~e spojrzenie** languishing <sidelong> glance

powłóczyście *adv* (*spojrzeć itd.*) languishingly

powodować *v imperf* [I] *vt* to cause; to occasion; to give occasion <rise> (**coś** to sth); to bring about; to generate; to provoke (mirth etc.); **~ kimś** to move <to prompt, to induce, to sway> sb [II] *vr* **~ się** to be moved <prompted, induced> (**czymś** by sth)

powodowanie *sn* ↑ **powodować**

powodowy *adj prawn.* plaintiff's

powodzeni|e *sn* 1. ↑ **powodzić** 2. (*sukces*) success; well-being; prosperity; **cieszyć się ~em, mieć ~e** a) (*o człowieku — prosperować*) to be successful; to prosper; to thrive; to make good b) (*o człowieku — podobać się*) to be popular (**u dziewcząt itd.** with the girls etc.) c) (*o przedsięwzięciu, towarze itd.*) to be a success; to meet with success; *pot.* to take; **nie mieć ~a** a) (*o człowieku*) not to enjoy great popularity b) (*o teorii, publikacji itd.*) to be a failure; *pot.* to fail to take; **stanowić o ~u lub niepowodzeniu czegoś** to make or mar sth; **życzyć komuś ~a** to wish sb success <good luck>; **bez ~a** unsuccessfully; to no purpose; **z ~em** successfully; **można z ~em ...** one can well <safely> ...

powodzianin *sm* victim of a flood; flood victim

pow|odzić *v* **~odzę, ~odzą, ~ódź, ~odzony** [I] *vt perf* to lead [II] *vr* **~odzić się** *imperf imp* to fare (**dobrze** well, **źle** ill); to be (well, badly) off; **dobrze mu się ~odzi** he is well off; he is thriving <prospering, doing nicely>; **kiepsko mu się ~iodło** he struck a bad patch; **~odzi mu się lepiej** he is better off; **źle mu się ~odzi** he is badly off <in a bad way>

powodziow|y *adj* of inundation; **klęska ~a** flood disaster; **komitet ~y** flood relief committee

powojenny *adj* post-war

powoj|ka *sf pl G.* **~ek** *bot.* (*Convalvulus arvensis*) lesser bindweed

powojnik *sm bot.* (*Clematis*) clematis; traveller's-joy

powojowat|y *bot.* [I] *adj* convolvulaceous [II] **~e** *spl* (*decl = adj*) (*Convolvulaceae*) (*rodzina*) the morning-glory family

powojow|y *adj* twining; **roślina ~a** twiner

powoli *adv* 1. (*wolno*) slowly; at a slow pace; at low speed; **posuwać się** <**jechać**> **~** to go slow; **to idzie ~** it is slow work; **mówiący ~** slow of speech; **~!** take it easy!; don't hurry! 2. (*stopniowo*) gradually; little by little; bit by bit

powolnie *adv* 1. (*nie spiesząc się*) leisurely; at a leisurely pace 2. = **powoli** 2.

powolność *sf singt* slowness; sluggishness; stolidity; languor; slackness

powolny *adj* 1. (*nieśpieszny*) slow; leisurely; sluggish; languid; slack; stolid; (*o ruchach*) deliberate; (*o kroku*) leisurely; (*o śmierci*) lingering; **~m krokiem** saunteringly; at a leisurely pace 2. (*stopniowy*) gradual 3. † (*uległy*) docile; *obecnie w zwrocie:* **być ~m narzędziem w czyichś rękach** to be a tool in sb's hands

powolutku *adv* (*dim* ↑ **powoli**) very very slowly; *przen.* at a snail's pace

powoł|ać *v perf* — **powoł|ywać** *iv imperf* [I] *vt* 1. (*wyznaczyć*) to appoint (**kogoś na stanowisko** <**na tron**> sb to a post <to the throne>); **~ać, ~ywać coś do życia** to bring <to call> sth into being; to create sth; *prawn.* **~ać, ~ywać kogoś na świadka** to summons sb 2. † (*zwołać*) to call together; *obecnie w zwrocie:* **~ać, ~ywać do wojska** to call up (recruits etc.) [II] *vr* **~ać, ~ywać się** to refer (**na kogoś** to sb); to quote <to cite> (**na źródło** a source); to adduce (**na dowody** evidence); to allege (**na zły stan zdrowia** ill health); **~ać, ~ywać się na pismo** <**liczbę itd.**> to quote a letter <a number etc.>; *sąd.* **~ać, ~ywać się na nieświadomość** to plead ignorance; **~ując się na ...** on the plea of ...; *handl.* (*w korespondencji*) **~ując się na Wasze pismo** with reference to your letter

powołani|e *sn* 1. (↑ **powołać**) appointment (**na stanowisko** to a post); **~e do życia instytucji** creation of an institution; **~e do wojska** call-up 2. (*zamiłowanie*) calling <vocation> (**do stanu duchownego itd.** for the ministry etc.); **minąć się z ~em** to mistake one's vocation; **to nauczyciel z ~a** he is a born teacher 3. **~e się** reference (**na kogoś** to sb); quotation (**na źródło** of a source); *sąd.* plea (**na nieświadomość itd.** of ignorance etc.)

powołany [I] *pp* ↑ **powołać** [II] *adj* qualified; competent; **być ~m do zrobienia czegoś** to be called upon to do sth

powoływać *zob.* **powołać**

powonienie *sn* (sense of) smell

powonieniowy *adj* olfactory (organ, nerve etc.)

powo|zić *v perf imperf* **~żę, ~żą, ~żony** [I] *vt* to drive <to take> (**kogoś dokądś** sb somewhere); to give (sb) a ride; **sanie ~żone przez psy** dog-drawn sledge [II] *vi* (*kierować wozem*) to drive (**parą koni** a team of horses)

powozik *sm* (*dim* ↑ **powóz**) carriole; stanhope

powozowni|a *sf pl G.* **~** coach-house

powozowy *adj* coach __ (wheels etc.)

powoźnictwo *sn singt* coach-building

powożenie *sn* ↑ **powozić**

pow|ód *sm* 1. (*G.* **~odu** *pl N.* **~ody**) (*przyczyna*) cause; reason; occasion; ground(s); (*pobudka*) motive; rise; provocation; **~ód do czegoś** <**do sporu, niepokoju**> room for sth <for dispute, uneasiness>; **dać ~ód do czegoś** to cause sth; to give rise to sth; **dać ~ód do krytyki** to lay oneself open to criticism; **mieć ~ód do ...** to have good reason to ...; **nie ma ~odu do śmiechu** it's nothing to laugh at; it's no laughing matter; **bez żadnego ~odu** for no reason whatever; unprovoked; **nie bez ~odu** not without (good) reason; **z lada ~odu** on the slightest provocation; **z mojego** <**waszego itd.**> **~odu** on my <your etc.> behalf; **z ~odu czegoś** on account of <because of> sth; owing to sth; **z ~odu niepogody** due to bad weather; **z tego ~odu** therefore; **z tego też ~odu** that is why 2. (*G.* **~oda** *pl N.* **~owie**) *prawn.* the plaintiff; the prosecution

powód|ka *sf pl G.* **~ek** = **powód** 2.

powództwo *sn prawn.* complaint; **~ wzajemne** countercharge; counter-claim

pow|ódź *sf G.* **~odzi** *pl N.* **~odzie** 1. (*zalanie wodami rzeki*) flood; inundation; **klęska ~odzi** flood disaster 2. *przen.* multitude; shower <spate> (of letters, questions etc.); flood (of light, papers etc.)

pow|ój *sm G.* **~oju** *pl N.* **~oje** *bot.* (*Convolvulus*) convolvulus; bindweed; morning-glory

pow|óz *sm G.* **~ozu** *L.* **~ozie** carriage; coach; **~óz dwukonny** <**czterokonny**> carriage and pair <and four>; **wynajęty ~óz** hackney-coach; **mieć własny ~óz** to keep a carriage

powóz|ka *sf pl G.* **~ek** wagon

powr|acać *vi imperf* — **powr|ócić** *vi perf* **~ócę, ~ócą** 1. (*przybyć ponownie*) to come <to go, to drive, to ride> back (**do domu** home; **do kraju** to one's native country); to return; **~acać, ~ócić tą samą drogą** to retrace one's steps; *przen.* **~acać, ~ócić do przytomności** to regain consciousness; to come round; **~acać, ~ócić do zdrowia** to recover; to recuperate; **~acać, ~ócić do życia** to revive; to resuscitate 2. *przen.* (*robić coś na nowo*) to resume (**do rozmowy** <**pracy itd.**> one's conversation <work etc.>); **~acać, ~ócić na drogę zbrodni** <**dawnych błędów itd.**> to relapse into crime <past errors etc.>; **~acać, ~ócić pamięcią do przeszłości** to look back upon the past 3. *przen.* (*o objawach, gorączce itd.*) to recrudesce

powracając|y *adj* recurring; (*o gorączce itd.*) recurrent; **stale ~a sprawa** vexed question

powracanie *sn* (↑ **powracać**) return

powrotn|y *adj* return __ (journey, ticket etc.); *med.* **tyfus ~y, gorączka ~a** relapsing fever

powroźnictwo *sn singt* rope-making

powroźniczy *adj* rope __ (business etc.); rope-making __ (industry etc.)

powroźnik *sm* rope-maker

powrócenie *sn* (↑ **powrócić**) return

powrócić *zob.* **powracać**

powró|sło *sn L.* **~śle** *pl G.* **~seł** binder <band> (for sheaf-binding); straw-rope

powr|ót *sm G.* **~otu** 1. (*przybycie powrotne*) return; (*do kraju, do domu rodzinnego*) home-coming; (*podróż*) the way back; the journey home; **przy**

~ocie on one's return 2. (*do zajęć, pracy*) resumption (of work etc.); **~ót do zdrowia** recovery; recuperation; **~ót do życia** revival; resurgence 3. (*do poprzedniego stanu*) reversion
z ~otem back; **tam i z ~otem** there and back; to and fro; backwards and forwards

powr|óz *sm G.* **~ozu** 1. (*sznur*) rope; cord 2. *przen.* (*stryczek*) halter 3. (*uderzenie*) lash

powróz|ek *sm G.* **~ka** string; *anat. bot. zool.* funiculus

powrózkowaty *adj anat.* restiform; rope-shaped

powróżyć *vi perf* to foretell; to predict; **~ komuś** to tell sb's fortune

powrzaskiwać *vi imperf* — **powrzeszczeć** *vi perf* to scream (awhile, some time, intermittently)

powsin|oga *sm sf pl G.* **~óg** <**~ogów**> gadabout; loiterer

powsta|ć *vi perf* **~nę, ~nie, ~ną, ~ń, ~ł** — **powsta|wać** *vi imperf* **~je, ~waj** 1. (*zacząć istnieć*) to come into being <into existence>; to originate; to be made; *imperf* to be in the making; (*o trudnościach itd. — wyłaniać się*) to arise; to spring <to start> up; to emerge 2. (*wstać*) to get up; to rise; **~ć, ~wać z miejsca** to rise from one's seat; *przen.* **~ć, ~wać z popiołów** <**z martwych**> to rise from its ashes <from the dead>; **słońce ~je** the sun rises; **włosy ~ły mu na głowie** the hair rose on his head 3. (*zbuntować się*) to revolt; to rise in revolt; **~ć, ~wać przeciw komuś, czemuś** to rise against sb, sth 4. (*zaatakować w sporze*) to rise in anger <to inveigh> (**na kogoś, coś** against sb, sth)

powstający *adj* rising; nascent

powstały [I] *pp* ↑ **powstać** [II] *adj* **świeżo ~** new; newly created

powstanie *sn* 1. ↑ **powstać**; **uczcili go przez ~** they honoured him by rising; they gave him a rousing welcome 2. (↑ **powstać**) (*zaczęcie istnienia*) rise; origin; birth 3. (*zbrojne wystąpienie*) (up)rising; insurrection; revolt; rebellion

powsta|niec *sm G.* **~ńca** insurgent

powstaniowy *adj* insurrectional

powstańczy *adj* insurgent(s)'; insurgent — (troops etc.); **rząd ~** rebel government

powstawać *zob.* **powstać**

powstawanie *sn* (↑ **powstawać**) formation; rise; birth (of a nation etc.); generation; origination; nascency

powstrzym|ać *v perf* — **powstrzym|ywać** *v imperf* [I] *vt* 1. (*zatrzymać*) to hold <to keep> back; to restrain; to repress 2. (*zahamować*) to check; to suppress; to hinder; to deter; to stop; to stem (a current etc.); to stay (progress etc.); to stifle <to smother> (a yawn etc.); to contain (a feeling etc.); to withhold (payment etc.) [II] *vr* **~ać, ~ywać się** to keep <to restrain oneself, to forbear> (**od zrobienia czegoś** from doing sth); to resist (**od zrobienia czegoś** doing sth); to abstain (**od czegoś** from sth — meat, liquor etc.); **~ać, ~ywać się od głosowania** to abstain (from voting); **~ać, ~ywać się od czegoś** to withhold sth; **nie mogłem się ~ać od śmiechu** I could not help laughing

powstrzymanie *sn* (↑ **powstrzymać**) restraint; repression; suppression; check; hindrance; **~ się** abstention

powstrzymujący *adj* repressive; **człowiek ~ się od głosowania** abstainer; **czynnik ~** deterrent

powstrzymywać *zob.* **powstrzymać**

powstrzymywanie *sn* ↑ **powstrzymywać**

powstrzymywany *pp* ↑ **powstrzymywać**; (*o uczuciach, łzach itd.*) pent up

powstydz|ić *v perf* **~ę, ~ony** [I] *vt* to put (sb) to shame [II] *vr* **~ić się** to feel ashamed; to be ashamed of oneself; **nie ~iłbym się tego** I would not consider it a disgrace

powszechnie *adv* 1. (*ogólnie*) universally; generally; commonly; **~ znany** widely known; popular 2. (*zwykle*) usually; habitually; customarily

powszechnie|ć *vi imperf* **~je** to spread; to become widespread <general, universal, current>

powszechnik *sm filoz.* (a) generality

powszechnoludzki *adj* universal

powszechność *sf singt* 1. (*ogólność*) universality; generality; commonness 2. † (*ogół ludzi*) the general public

powszechny *adj* 1. (*ogólny*) universal; general; public 2. (*ogólnie stosowany*) prevailing; current; widespread; common; ordinary; customary; usual; habitual

powszedni *adj* common; ordinary; daily; everyday; commonplace; **chleb ~** a) (*codzienne jedzenie*) daily bread b) (*podstawa egzystencji*) bread and butter c) (*rzecz codzienna*) everyday occurrence; **dzień ~** week-day; **grzech ~** venial sin

powszednie|ć *vi imperf* **~je** to lose (its) attractiveness; to become commonplace <dull, trite>

powszedniość *sf singt* commonplaceness; triteness

powściągać *zob.* **powściągnąć**

powściąganie *sn* (↑ **powściągać**) moderation; restraint; reserve

powściągliwie *adv* with moderation <restraint, reserve, reticence>; moderately; restrainedly; reservedly; reticently; **~ mówić na jakiś temat** to be reticent on a subject

powściągliwość *sf singt* moderation; restraint; reserve; reticence; self-restraint; temperance; continence; *med.* abstinence

powściągliwy *adj* moderate; reserved; reticent; (self-)restrained; temperate; continent

powściąg|nąć *v perf* **~nięty** — **powściąg|ać** *v imperf* [I] *vt* 1. (*zatrzymać*) to rein in <to pull in> (a horse) 2. (*pohamować*) to restrain; to moderate; to curb; to bridle; to check [II] *vr* **~nąć, ~ać się** to restrain oneself; to contain <to control> oneself; to keep oneself in check; to practise moderation

powściągnięcie *sn* (↑ **powściągnąć**) moderation; restraint; reserve; reticence; **~ się** self-restraint

powtarzacz *sm techn. mar.* repeater

powt|arzać *v imperf* — **powt|órzyć** *v perf* [I] *vt* 1. (*robić, mówić powtórnie, ponownie*) to repeat (words, actions); to reiterate; to say <to do> (sth) again; *imperf* to retail (**plotkę itd.** a piece of gossip etc.); **nie dać sobie ~órzyć czegoś** to take a hint; **~órzyć coś za kimś** <**po kimś**> to echo sb's words; to echo <to parrot> sb; **~arzać coś jak pacierz** to rattle sth off; **~arzać, ~órzyć (całą) historię** to retell the story; **~arzać, ~órzyć czyjeś słowa komuś** to repeat sb's words to sb; **~arzać lekcje** to con one's lessons; **~arzać rok** to repeat (a class); **~arzać sztukę teatralną** to rehearse a play; **~arzać scenę** to re-enact a scene; **proszę po mnie ~órzyć** say it after me; **wciąż ~arzać jedno i to samo** to be always harping on the same string; to keep singing the same song; *ogr.* **róże ~arzające** remontant roses 2. (*reprodukować*) to reproduce; to be a replica (**coś** of sth) [II] *vr* **~arzać, ~órzyć się** 1. (*odbywać się ponownie*) to happen again; to recur 2. *imperf* (*o człowieku*) to repeat oneself

powtarzając|y się *adj* repeated; recurrent; repetitive; iterative; *mat.* **~a się część ułamka** repetend; **~y się co dwa, trzy lata** biennial, triennial; **~y się co godzinę, co sto lat** hourly, secular

powtarzalność *sf singt* 1. (*właściwość tego, co się powtarza*) repeatability 2. (*powtarzanie się*) recurrence

powtarzaln|y *adj* 1. (*mogący być powtórzonym*) repeatable; reproducible; **broń ~a** repeater 2. (*powtarzający się*) recurrent

powtarzanie *sn* (↑ **powtarzać**) repetition; renewal; reduplication; *teatr* rehearsal; **~ się** recurrence; renewal

po wtóre *adv* secondly; in the second place; then

powtór|ka *sf pl G.* **~ek** repetition; *teatr* rehearsal; *muz.* (a) repeat; **robić ~kę czegoś** to repeat sth; *teatr* **robić ~kę sceny** to re-enact a scene; **robić ~kę sztuki** to rehearse a play

powtórkow|y *adj* repetitive; **film ~y** reproduction; **lekcja ~a** repetition

powtórnie *adv* again; once more; a second time; *z czasownikami tłumaczy się przez przedrostek* re-; **~ wejść** <**napisać, opowiedzieć itd.**> to re-enter <rewrite, retell etc.>

powtórny *adj* repeated; renewed; second (letter, marriage etc.)

powtórzeni|e *sn* 1. ↑ **powtórzyć; nie do ~a** not to be repeated; unrepeatable; **słowa te nie nadają się do ~a** the language will not bear repeating

powtórzyć *zob.* **powtarzać**

powulkaniczny *adj* volcanic

powyginany *adj* (*o naczyniu metalowym itp.*) battered

powystawowy *adj* exhibition — (hall etc.)

powyżej [I] *adv* 1. (*wyżej w przestrzeni*) higher up 2. (*dalej w górę rzeki*) up-stream 3. (*we wcześniejszej partii tekstu*) above [II] *praep* 1. (*wyżej w przestrzeni*) higher (**drzew, wieży, gór itd.** than the trees, tower, mountains etc.); above (**zera, naszych głów itd.** zero, our heads etc.); (*bliżej źródła rzeki*) up-stream (**danej miejscowości** of a given locality); (*na północ*) North (**Islandii itd.** of Iceland etc.); *przen.* **mieć czegoś ~ uszu** to be fed up with sth 2. (*w odniesieniu do liczb*) above; over; over and above; more than; upwards of; in excess of 3. (*w odniesieniu do stanowiska*) above (the rank of); **~ pułkownika** above a colonel; above the rank of colonel

powyższy *adj* the above <the foregoing> — (statement, paragraph etc.)

pow|ziąć *vt perf* **~ezmę, ~eźmie, ~eźmij, ~ziął, ~zięła, ~zięty** 1. (*podjąć*) to take (a decision); **~ziąć postanowienie** to decide; to make up one's mind (**coś zrobić** to do sth); (*o obowiązku*) **~zięty dobrowolnie** <**z własnej inicjatywy**> self-imposed 2. (*zacząć żywić*) to conceive (affection, a dislike, a plan, suspicion etc.); **~ziąć zwyczaj robienia czegoś** to make a habit of doing sth

powzięcie *sn* (↑ **powziąć**) conception (of a feeling, plan etc.); **~ decyzji nie było łatwe** to take a decision was no easy matter

poz|a[1] *sf pl G.* **póz** 1. (*układ postaci*) attitude; pose; posture; **przybrać ~ę** to assume a pose; to strike an attitude; **przybierać ~y** to posture; **przybrać ~ę niewiniątka** to affect innocence <the innocent> 2. (*afektacja*) pose; affectation; sham

poza[2] *praep* 1. (*dalej niż*) beyond (**wsią itd.** the village etc.); across (**oceanem itd.** the ocean etc.); (*na zewnątrz*) outside <beyond> (**granicami itd.** the limits etc.); out of (**krajem itd.** the country etc.); **~ obrębem czegoś** beyond the limits of sth; **~ oczami** behind sb's back 2. (*wyłączenie*) except (**kimś, czymś** sb, sth <for sb, sth>); besides <but for, apart from, save for, aside from> (**kimś, czymś** sb, sth) 3. (*w zastosowaniu do czasu*) outside (**godzinami lekcji** <**urzędowymi itd.**> lesson <office etc.> hours); past (**godziną 6-tą, północą itd.** 6 o'clock, midnight etc.) ‖ **mieć coś ~ sobą** to be through with sth; to have finished with sth; **mam to szczęśliwie ~ sobą** that is over luckily; **~ siebie** behind one; **~ tym** besides; furthermore; then; then again; for <as to> the rest; **~ tym wszystkim** besides all that; over and above all that

poza-[3] extra-; **pozasądowy** extrajudicial; ultra-; **pozafiołkowy itd.** ultraviolet; post-; **pozaśrodkowy** postcentral; non-; **pozaartystyczny** non-artistic

pozabiurowy *adj* done <performed etc.> outside of office hours

pozabudżetowy *adj* unappropriated; not foreseen in the budget

pozacieka|ć *vi perf* = **zaciec; ~ne mury** walls streaked with damp

pozaczasowy *adj* outside <beyond> the limits of time

pozaczerwień *sf* = **podczerwień**

pozaczerwony *adj* = **podczerwony**

pozaekonomiczny *adj* non-economic

pozaeuropejski *adj* extra-European

pozafioletowy *adj*, **pozafiołkowy** *adj* ultraviolet

pozagałkowy *adj anat.* retrobulbar

pozagardłowy *adj med.* retropharyngeal

pozagrobow|y *adj* of <from> beyond the grave; **życie ~e** after-life; the hereafter; the beyond

pozahistoryczny *adj* non-historical

pozajelitowy *adj* parenteral

pozajęzykowy *adj* extralinguistic

pozaklasowy *adj* 1. *ekon.* classless 2. *szk.* done <performed etc.> outside of lesson hours

pozakomorowy *adj med.* extraventricular

pozakopywać *vt perf* = **zakopać**

pozakrajowy *adj* foreign; alien

pozalekcyjny *adj* done <performed etc.> outside of lesson hours

pozaliteracki *adj* non-literary

pozaludzki *adj* non-human

pozałatwiać *vt perf* to settle (**różne sprawy** various affairs)

pozamaciczny *adj* extra-uterine; retrouterine

pozamałżeński *adj* (*o związku*) extramarital; extramatrimonial; (*o dziecku*) illegitimate

pozamarzać [r-z] *vi perf* 1. (*o rzekach, stawach*) to freeze 2. (*zginąć z zimna*) to freeze to death

pozamiatać *vt perf* to sweep (**wszystkie pokoje itd.** all the rooms etc.)

pozamiejscowy *adj* non-resident

pozanarodowy *adj* extranational

pozanaukowy *adj* non-scientific

pozaobowiązkowy *adj* facultative

pozaosobisty *adj* non-personal

pozaotrzewnowy *adj* extra-peritoneal

pozapalny *adj med.* post-inflammatory

pozaparlamentarny *adj* non-parliamentarian

pozapinać *vt perf* to button

pozaplanowy *adj* unplanned

pozapłciowy *adj* asexual

pozapolarny *adj* extrapolar

pozapominać *vt perf* to forget (**wiele nazw itd.** many names etc.)

pozaprzeszły *adj* the one before last; the last ... but one; *gram.* **czas ~** pluperfect

pozarolniczy *adj* non-agricultural

pozarozumowy *adj* non-rational

pozarywać *vt perf pot.* to expose (people) to financial losses; to swindle

pozarzynać *v perf pot.* [I] *vt* 1. (*zabić*) to slaughter; to butcher 2. *przen.* (*zamęczyć*) to exhaust (horses etc.) [II] *vr* **~ się** 1. (*zabić się wzajemnie*) to kill <to butcher> each other 2. (*skaleczyć się*) to injure <to hurt> oneself

pozasceniczny *adj* extrascenic

pozasercowy *adj* retrocardiac

pozasłużbowy *adj* unofficial; done <performed etc.> in one's leisure time <outside of office hours>

pozastołeczny *adj* provincial

pozaszkolny *adj* extraschool (occupations etc.)

pozaświatowy *adj* extramundane; ultramundane

poza tym *zob.* **poza**[2]

pozauczelniany *adj* extramural

pozaumowny *adj* non-contracted

pozauniwersytecki *adj* (*o wykładowcach*) extramural; (*o zajęciach itd.*) non-university — (occupations etc.)

pozaurzędowy *adj* unofficial

pozaustrojowy *adj biol.* extrasomatic

pozawałowy *adj med.* post-infarctional

pozawczoraj *adv* the day before yesterday

pozawczorajszy *adj* of the day before yesterday

pozazakładowy *adj* not belonging to <not included in, not incorporated in> a given institution

pozazdroszczeni|e *sn* (↑ **pozazdrościć**) envy; **godny ~a** enviable; **nie do ~a** unenviable; painful

pozazdro|ścić *vt perf* **~szczę, ~szczony** to envy <to begrudge> (**komuś, czegoś** sb sth)

pozaziemski *adj* 1. (*pochodzący spoza Ziemi*) cosmic; *astr.* extraterrestrial 2. (*zaświatowy*) extramundane

pozaziębiać *v perf* [I] *vt* to have (people) catch colds [II] *vr* **~ się** (*o wielu ludziach*) to catch colds

pozbawi|ać *v imperf* — **pozbawi|ć** *v perf* [I] *vt* to deprive <to divest, to strip, to dispossess> (**kogoś czegoś** sb of sth); to take (sth) away (**kogoś** from sb); **~ać, ~ć kogoś czci** to dishonour <to disgrace> sb; (*o śmierci, nieszczęściu*) **~ać, ~ć kogoś ojca <męża itd.>** to bereave sb of a father <husband etc.>; **~ać, ~ć kogoś przywileju** to curtail sb of a privilege; **~ać, ~ć kogoś urzędu** to remove sb from office; **~ony dachu nad głową** made homeless [II] *vr* **~ać, ~ć się** to deprive oneself (of sth); **nie mogę się tego ~ć** I cannot do without this; **~ć się życia** to take one's own life

pozbawienie *sn* (↑ **pozbawić**) deprivation <loss> (of sth); divestiture; dispossession; **~ wolności** imprisonment

pozbawiony [I] *pp* ↑ **pozbawić** [II] *adj* devoid <void, destitute> (of sth); wanting (**czegoś** in sth); **~ środków do życia** destitute; **~ wolności** imprisoned

pozbiera|ć *v perf* [I] *vt* to gather <to collect> (**wszystkie rzeczy** all one's things); *przen.* **~ć myśli** to collect one's thoughts [II] *vr* **~ć się** 1. = = **zebrać się** 2. *pot.* (*odzyskać równowagę*) to collect one's thoughts; (*odzyskać siły*) to come round; **nim się ~sz** before you know where you are 3. (*wstać po upadku*) to pick oneself up

pozbycie się *sn* (↑ **pozbyć się**) riddance; disposal; getting (sth) off one's hands; getting rid (of sth)

pozb|yć się *vr perf* **~ędę się, ~ędzie się, ~ądź się, ~ył się** — **pozb|ywać się** *vr imperf* to get rid (of sb, sth); *lit.* to deliver oneself (of sb, sth); to dispose (of sth); to get (sth) off one's hands; to shake (sb, sth) off; **czy się kiedy ~ędziemy tego?** shall we ever see the last of this?; **chętnie się go ~ędę** I'll be glad to see the back of him; **~yć, ~ywać się ciężaru** to ease oneself of a burden; **~yć, ~ywać się nałogu** to slough off a bad habit; **~yć, ~ywać się niebezpiecznego człowieka** to make away with a dangerous person; **~yłem się kłopotu** I am quit of the trouble; it's a good riddance; **wszystkiego się ~yć na raz** to make a clean sweep of the lot

pozbytkować *vi perf* to frolic a little

pozbywać się *zob.* **pozbyć się**

pozdr|awiać *v imperf* — **pozdr|owić** *v perf* **~ów, ~owiony** [I] *vt* to greet (sb); to raise one's hat <to bow, to nod> (**kogoś** to sb); (*listownie*) to send (sb) one's greetings; **~ów go ode mnie** a) (*kogoś bliskiego*) give him my love b) (*kogoś starszego od siebie*) give him my respects <my kind regards, my compliments> [II] *vr* **~awiać, ~owić się** to exchange greetings

pozdrowienie *sn* (↑ **pozdrowić**) greetings; regards; respects; compliments; love; *kośc.* **~ anielskie** Angelic Salutation

pozer *sm* poseur; attitudinizer; humbug

pozerstwo *sn singt* attitudinizing

poz|ew *sm G.* **~wu** *L.* **~wie** *prawn.* citation; summons; writ

pozgonn|y [I] *adj* funeral [II] **~e** *sn* (*decl* = *adj*) death-bell; passing-bell

pozieleni|eć *vi perf* **~eje, ~ały** 1. (*nabrać zielonej barwy*) to grow <to turn> green; to assume a green tint 2. (*zblednąć*) to turn pale

poziewać *vi perf imperf* to yawn

poziewanie *sn* (↑ **poziewać**) yawns

poziewnik *sm bot.* (*Galeopsis*) hemp nettle

pozimni|eć *vi perf* **~eje** to grow cold; **~ało** it has grown cold

poziom *sm G.* **~u** 1. (*położenie, wysokość*) level; plane; **~ morza** sea level; **wskaźnik ~u** gauge; **wskaźnik ~u oleju, benzyny** oil-gauge, petrol-gauge 2. (*przeciętność*) mediocrity 3. (*stopień* *kultury itd.*) standard; **wysoki ~ moralny** high moral standard; rectitude; (*o człowieku*) **być <nie być> na ~ie** to be up to <below> the mark; **stać na jednym ~ie z kimś, czymś** to be on a par <on a level> with sb, sth 4. *bud.* storey; tier 5. *geol.* horizon 6. *górn.* flat

poziomica *sf* 1. *geogr.* contour line 2. *techn.* (*libella*) level; **~ alkoholowa** spirit level

poziom|ka *sf pl G.* **~ek** 1. *bot.* (*Fragaria*) wild strawberry 2. (*owoc*) wild strawberry

poziomkowy *adj* wild-strawberry — (cream, tart etc.)

poziomnica *sf* = **poziomica**

poziomo *adv* 1. (*równolegle do podłoża*) horizontally 2. (*prostopadle do pionu*) on a level (**do czegoś** with sth); **dokładnie <niedokładnie> ~** in <out of> true 3. *przen.* (*bez polotu*) in a pedestrian <uninspired> style

poziomość *sf singt* 1. (*poziome położenie*) horizontality 2. *przen.* (*przyziemność*) pedestrian <uninspired> style <treatment of a subject>

poziom|ować *vt imperf* to level; **śruba ~ująca** levelling screw

poziomowanie *sn* ↑ **poziomować**

poziomy *adj* 1. (*równoległy do ziemi*) horizontal 2. (*prostopadły do pionu*) level 3. *przen.* (*przyziemny*) pedestrian; uninspired

pozł|acać *vt imperf* — **pozł|ocić** *vt perf* **~ocę, ~ocony** to gold-plate; to plate with gold; *dosł. i przen.* to gild

pozłacanie *sn* (↑ **pozłacać**) gilding; (gold) plating

pozłacany [I] *pp* ↑ **pozłacać** [II] *adj* gilt, gilded

pozłocenie *sn* (↑ **pozłocić**) gilding; (gold) plating

pozłocisty *adj* gilded

pozłot|a *sf* gilt; gilding; plating; *przen.* **głowa do ~y** giddy pate

pozłot|ka *sf pl G.* **~ek** 1. (*pozłota*) gilding; wash 2. (*folia*) gold-foil

pozłotniczy *adj* gilder's

pozłotnik *adj* gilder

poznaczyć *vt perf* to mark

pozna|ć *v perf* — **pozna|wać** *v imperf* **~je, ~waj** [I] *vt* 1. (*dojść do znajomości*) to get <to come> to know (**kogoś, coś** sb, sth); to acquaint oneself <to become acquainted> (**coś** with sth); to master (a foreign language, an art etc.); **~ć, ~wać kogoś** to make sb's acquaintance; to meet **sb**; **miło mi pana ~ć** how do you do?; *am.* glad to meet you 2. (*doświadczyć*) to experience <to taste> (**biedę itd.** ill fortune etc.); (*przekonać się o wartości*) to come to know (**kogoś** sb's worth; **coś** the value of sth) 3. (*spostrzec*) to see at a glance (**w kimś oszusta <uczciwego człowieka>** that sb is a swindler <an honest man>); **zaraz w nim ~łem cudzoziemca** I knew him at once to be a foreigner; I spotted the foreigner in him at once 4. (*uświadomić sobie kto <co> to jest*) to recognize (sb, sth); **łatwo go ~ć po ...** he is easily recognizable by ...; you know him <you can tell him> at once by ...; **nie ~łbyś dawnego miasta** you would not recognize the old town; **nie ~wać kogoś** a) (*naumyślnie*) to pretend not to see sb; to cut sb b) (*niechcący*) not to recognize sb 5. (*poznajomić kogoś z kimś*) to introduce (**kogoś z kimś** sb to sb) [II] *vi* (*zrozumieć*) to see <to understand, to know> (**że ...** that ...); **dać komuś ~, że ...** to give sb to understand <to let sb feel> that ...; **można ~ć, że to imitacja** you can see that it is not genuine; **nie dać po sobie ~ć wzruszenia <zdziwienia itd.>** not to betray one's emotion <surprise etc.>; **nie ~ć, że to nie Polak** you would not know him from a Pole; **~łem z kim mam do czynienia** I saw what type of person I was dealing with [III] *vr* **~ć, ~wać się** 1. (*zawrzeć znajomość*) to make each other's acquaintance; to become acquainted; to meet; **~liśmy się na przyjęciu u państwa N.** we met at Mrs N.'s party 2. (*poznać siebie wzajemnie*) to get to know each other; **bliżej się z kimś ~ć** to become closely acquainted with sb; **gruntownie kogoś ~ć** to have eaten a peck of salt with sb 3. (*zorientować się*) **~ć, ~wać się na kimś** a) (*odkryć czyjeś zdolności*) to detect a talent in sb <sb's talent(s)> b) (*spostrzec nieuczciwość*) to see through sb <through an impostor> c) (*ocenić*) to appreciate sb; **~ć się na czyichś sztuczkach** to see through sb's game; **już się ~łem na jego sztuczkach** I am up to his tricks; **nikt się na nim nie ~ł, nie ~no się na nim** nobody appreciated his worth; he was not duly appreciated; **~łem się na nim** I knew him for what he was; **~ć, ~wać się na czymś** to see <to appreciate> the value of sth; **nikt się nie ~ł na żarcie** nobody saw the joke

poznaj|omić *v perf* — **poznaj|amiać** *v imperf* [I] *vt* to introduce (**kogoś z kimś** sb to sb); to acquaint (**kogoś z czymś** sb with sth) [II] *vr* **~omić, ~amiać się** to make each other's acquaintance; to meet

poznajomienie *sn* (↑ **poznajomić**) acquaintance

poznakować *vt perf* to mark

poznani|e *sn* 1. (↑ **poznać**) (*uświadomienie sobie kto, co jest*) recognition; **nie do ~a** unrecognizable; **zmienić się nie do ~a** to change <to alter> past all recognition 2. (*zdobycie wiedzy*) learning; study 3. (*wiedza*) knowledge; cognizance

poznawać *zob.* **poznać**

poznawalność *sf singt* cognizability

poznawalny *adj* cognizable

poznawanie *sn* (↑ **poznawać**) cognition; study

poznawczy *adj* cognitive

pozornie *adv* seemingly; outwardly; to outward seeming; to all appearance(s); on the surface

pozorność *sf singt* appearance; outward seeming

pozorny *adj* apparent; seeming; ostensible; formal; make-believe; sham; *bot.* **owoc ~** syconium

pozorować *vt imperf* to simulate; to pretend; to feign; to sham

pozostać *zob.* **pozostawać**

pozostałościowy *adj* residual

pozostałość *sf* (*to co pozostało*) remainder; remnant; remains; (the) left-over; leavings; residue; residuum; *med.* after-effects; *bank.* balance; (*reszta*) remainder; (the) rest; **~ z dawnych czasów** relic; survival

pozosta|ły [I] *pp* ↑ **pozostać** [II] *adj* 1. (*nie należący do jakiejś grupy*) remaining; left (over); residual; (*pozostający po równym podziale*) odd; (*po katastrofie itd.*) **~ły przy życiu** surviving 2. (*inny*) the other — (persons, things) [III] *spl* **~li** (*decl* = = *adj*) the rest; the others; everybody else; **~li przy życiu** the survivors

pozostanie *sn* (↑ **pozostać**) (a) stay

pozosta|wać *vi imperf* **~je, ~waj** — **pozosta|ć** *vi perf* **~nę, ~nie, ~ń, ~ł** 1. (*przebywać*) to stay; to remain; **~wać, ~ć w domu** <**poza domem**> to stay in <out>; *przen.* **~wać w cieniu** to keep in the background; **~wać, ~ć w tyle** to drop <to lag> behind <in the rear>; **~wać, ~ć na długo w pamięci** to be long remembered; **sprawa tak nie ~nie** the matter will not rest there; **to już ~nie na zawsze** it has come to stay 2. (*być bez przerwy*) to continue (**krnąbrnym, upartym itd.** restive, obstinate etc.; **na stanowisku itd.** in office etc.); to be (**bez grosza** penniless; **pod nadzorem** under control; **w związku z czymś** connected with sth); (*być nadal*) to remain; **~wać, ~ć przy czymś** a) (*nie tracić czegoś*) to remain in possession of sth; to keep sth b) (*nie zamieniać czegoś*) to abide by (one's decision, opinion etc.); **~wać, ~ć w mocy** to be <to remain> in force; **umowa ~je w mocy** the agreement stands; **nic nam nie ~je, jak tylko ...** nothing remains (for us to do) but to ...; there is nothing for it but to ...; (*w listach*) **~ję z poważaniem** I remain <I am> Dear Sir <Madam> yours truly; **~wiony samemu sobie** left to oneself 3. (*zostawać po czyjejś śmierci itd.*) to be left (**po kimś** by sb); to remain (**po kimś** after sb's death) 4. (*być resztą*) to be left (over); to remain; **co ~nie, będzie dla ciebie** you may keep what is left over; **ile ci ~je gruszek** <**czasu itd.**>**?** how many pears <how much time etc.> have you left?; **~ło nam *x* godzin** there are still *x* hours to go

pozostawanie *sn* ↑ **pozostawać**

pozostaw|iać *vt imperf* — **pozostaw|ić** *vt perf* 1. (*opuszczać*) to leave (sb, sth); **~iać, ~ić coś po sobie** to leave sth behind; to bequeath sth (**komuś** to sb; **potomności** to posterity); **~iać, ~ić kogoś, coś za sobą** to leave sb, sth behind; **~iać, ~ić kogoś własnemu losowi** to leave sb to his fate <*przen.* out in the cold>; to turn sb adrift; **~iać, ~ić komuś decyzję** to leave it to sb to decide; **~ać, ~ić list bez odpowiedzi** to leave a letter unanswered; **~iać, ~ić wiele do życzenia** to leave much to be desired; **nie ~iać, ~ić kamienia na kamieniu** not to leave a stone standing; **nie ~iać, ~ić wątpliwości** to leave no room for doubt 2. (*odkładać*) to set aside; to save; **zawsze coś ~ia dla psa** he always sets something aside <saves sth> for the dog 3. (*porzucać*) to abandon 4. (*zdawać*) to leave (**coś komuś** sth in sb's hands); **~ to mnie** leave that <the matter> to me

pozostawienie *sn* ↑ **pozostawić**

pozować *vi imperf* 1. (*służyć jako model*) to sit (**artyście** for an artist; **do portretu** for one's portrait); to pose 2. (*zachowywać się sztucznie*) to attitudinize; to show off 3. (*udawać*) to affect (**na wolnomyśliciela itd.** the freethinker etc.); to posture <to pose> (**na poetę, na bogatego itd.** as a poet, as a rich man etc.)

pozowanie *sn* (↑ **pozować**) pose; posture; affectation

poz|ór *sm G.* **~oru** *L.* **~orze** 1. (*wygląd*) semblance; appearance; colour; look; face; show; simulation; *pl* **~ory** appearances; externals; **~ory prawa** legal fiction; **~ory rzeczywistości** verisimilitude; **~ór rozsądku** the colour of reason; **~ory mylą** appearances are deceptive; **ratować** <**zachować**> **~ory** to save appearances <one's face>; **sądząc z ~orów** by all appearance(s); by the look(s) of it; **stwarzać ~ory czegoś** to pretend <to sham> sth; **zachować ~ory** to keep up appearances; **dla ~oru** for the sake of appearance(s); **na ~ór** apparently; seemingly; to outward seeming; on the face of it; ostensibly 2. (*pretekst*) pretext; pretence; mask; guise; cloak; disguise; **pod ~orem czegoś** under the mask <guise, cloak, disguise> of sth (of friendship, religion etc.); **pod ~orem prawa** under the colour of law; **pod żadnym ~orem** on no account; on no consideration

poz|wać *vt perf* **~wę, ~wie, ~wij** — **poz|ywać** *vt imperf* 1. (*wezwać do sądu*) to cite; to summon 2. (*wytoczyć proces*) to sue

pozwalać *zob.* **pozwolić**

pozwanie *sn* (↑ **pozwać**) citation; summons

pozwan|y I *pp* ↑ **pozwać**; **strona ~a** the defence II **~y** *sm*, **~a** *sf* (*decl = adj*) defendant

pozwoleni|e *sn* 1. (↑ **pozwolić**) permission; leave; **za ~em** by your leave; (*napis pod reprodukcją zdjęcia*) **z ~a ...** by courtesy of ... 2. (*aprobata*) consent 3. (*urzędowe zezwolenie*) licence; (*pisemne poświadczenie*) permit; **~e na wywóz** export licence; **otrzymałem ~e ...** I am <was> permitted <allowed> to ...

pozw|olić *vi perf* **~ól** — **pozw|alać** *vi imperf* 1. (*udzielić zezwolenia*) to permit <to allow> (**komuś coś zrobić** <**na zrobienie czegoś**> sb to do sth); to let (**komuś coś zrobić** <**na zrobienie czegoś**> sb do sth); (*znosić*) to tolerate <to suffer, to countenance> (**na coś, na zrobienie czegoś, na takie zachowanie itd.** sth, sth to be done, such conduct etc.); **~olić, ~alać na to, żeby się coś stało** to let sth happen; **~olono** <**nie ~olono**> **nam mówić** <**palić itd.**> we were <we were not> permitted <allowed> to speak <to smoke etc.>; **nie ~olić komuś się zbliżyć** <**coś zrobić**> to keep sb away <from doing sth>; **nie ~olono mu wyjść z pokoju** he was not allowed <permitted> to leave the room; he was forbidden to leave the room; **~ól** <**~ólcie**>**, że powiem** <**wezmę itd.**> permit <allow> me to say <to take etc.>; **jeżeli pan(i) ~oli ...** if you do not mind ...; **~olić** <**~alać**> **sobie** a) (*móc kupić, stracić itd.*) to be able to afford; **mogę** <**nie mogę**> **sobie ~olić na samochód** <**na kupno samochodu**> I can <cannot> afford a motor-car <to buy a motor-car>; **nie mogę sobie ~olić na przerwę w pracy** I cannot afford to interrupt my work b) (*pofolgować sobie*) to indulge (**na ekstrawagancję, na mowę nieparlamentarną itd.** in extravagance, in strong language etc.) (*nie powstrzymać się*) to take the liberty (**coś powiedzieć itd.** to say sth etc.); **za dużo sobie ~alać z kimś** to take liberties <freedoms> with sb; to make free <to be over-free> with sb; **~olę sobie zauważyć, że ...** I shall make bold to say ...; I beg to say ...; **nie ~olę sobie na to, żeby ...** I shall not go so far as to ...; I shall not presume to ... 2. *w formach grzecznościowych*: **czy pan(i) ~oli?** a) (*pytając o pozwolenie*) may I? b) (*oferując*) may I offer you some ...?; **~oli pan(i) jeszcze?** will you have some more?; **proszę ~olić tędy** <**na górę, na dół**> will you please step this way <walk upstairs, downstairs>; **~ól** <**~ólcie**>**!** allow <permit> me!

pozwoływać *vt perf* to call together

pozycj|a *sf pl G.* **~i** 1. (*położenie*) position; situation; **utrzymać się na swoich ~ach** to stand one's ground 2. (*układ ciała*) position; posture; attitude; **~a klęcząca** kneeling position; **w ~i półleżącej** half-reclining; semi-recumbent 3. (*miejsce w społeczeństwie*) (social) standing <position>; status; (*stanowisko*) post; office; place; *pot.* job 4. (*zapis*) item; *księgow.* entry; (*rubryka*) head 5. *sport* (*stanowisko*) position; station; place; (*w szachach*) situation 6. *wojsk.* position (**wyjściowa** initial; **główna** main; **obronna** defensive; **umocniona** fortified) 7. *lotn. mar.* fix

pozycyjn|y *adj* 1. (*dotyczący pozycji*) positional; position __ (artillery etc.); *jęz.* **języki ~e** isolating languages; *mar. lotn.* **światła ~e** position-lights; *am. lotn.* running lights 2. *wojsk.* stationary <positional> (**wojna** warfare)

pozyskać *vt perf* — **pozyskiwać** *vt imperf* to gain <to win> (sb) over (**dla sprawy** to a cause); to gain <to conciliate> (**czyjeś względy** sb's good will <favour>)

pozyskanie *sn* ↑ **pozyskać**

pozyskiwać *zob.* **pozyskać**

pozyt(r)on *sm G.* **~u** *fiz. chem.* positron

pozytyw *sm G.* **~u** *fot.* positive

pozytywi|sta *sm DL.* **~ście** *pl N.* **~ści** *GA.* **~stów** *filoz.* positivist

pozytywistyczny *adj* positivistic

pozytywizm *sm G.* **~u** *filoz.* positivism; positive philosophy

pozytyw|ka *sf pl G.* **~ek** musical box

pozytywnie *adv* 1. (*potakująco*) positively; affirmatively; in the affirmative 2. (*korzystnie*) favourably; beneficially; advantageously

pozytywnie|ć *vi imperf* **~je** to improve; to change for the better

pozytywny *adj* 1. (*twierdzący*) affirmative (answer etc.) 2. (*korzystny*) favourable; advantageous; beneficial 3. *fot.* positive (image etc.)

pozytywowy *adj fot.* positive (film, plate etc.)

pozywać *zob.* **pozwać**

pozżymać się *vr perf* to fret and fume (awhile)

pożal|ić się *vr perf* to complain; **~ się Boże** pitifully; wretchedly; **śpiewak ~ się Boże** a wretched <rotten> singer

pożał|ować *vt imperf* 1. (*poczuć żal z powodu kogoś, czegoś straconego*) to regret (**kogoś, czegoś** sb, sth); to miss (**kogoś, czegoś** sb, sth); to yearn (**kogoś, czegoś** for sb, sth) 2. (*poczuć żal z powodu czegoś, co zaszło*) to regret <to repent> (**czegoś, że się coś zrobiło** sth, having done sth); to be sorry (**czegoś, że się coś zrobiło** for sth, for having done sth); **~ujesz tego** you will be sorry for it; *przen.* you shall sweat for it 3. (*ulitować się*) to feel sorry (**kogoś** for sb) 4. (*poskąpić*) to grudge <to stint> (**komuś czegoś** sb sth)

pożałowani|e *sn* (↑ **pożałować**) regret(s); repentance; **godny ~a** a) (*przykry*) regrettable b) (*żałosny*) lamentable; unfortunate; **jest rzeczą godną ~a, że ...** it is to be regretted that ...

poża|r *sm G.* **~ru** *L.* **~rze** (a) fire; conflagration; **wzniecić ~r** a) (*przypadkowo*) to cause <to start> a fire; to set (**w domu itd.** a house etc.) on fire b) (*naumyślnie*) to set fire (**w domu itd.** to a house etc.); *prawn.* to commit arson; **na wypadek ~ru** in case of fire; fire- (escape, insurance etc.)

pożarcie *sn* ↑ **pożreć**

pożarnictwo *sn singt* fire-fighting; fire-protection

pożarniczy *adj*, **pożarowy** *adj* fire- (brigade, engine, hose, plug etc.)

pożarski *adj* **kotlet ~** minced veal-and-pork cutlet

pożartować *vi perf* to joke; to have one's joke; **on lubi ~** he likes to joke; he w i l l have his joke

pożądać *vt imperf* 1. (*usilnie pragnąć*) to desire; to crave <to hunger, to thirst, to long> (**czegoś** for sth); (*czyjejś własności*) to covet (sth) 2. (*pragnąć kogoś*) to desire (sb); to lust (**kogoś** after <for> sb)

pożądanie *sn* 1. (↑ **pożądać**) (a) desire <craving, hunger, thirst, longing> (**czegoś** for sth) 2. (*zmysłowe pragnienie*) desire <lust> (**kogoś** after <for> sb)

pożądan|y [I] *pp* ↑ **pożądać** [II] *adj* 1. (*mile widziany*) (much-)desired; welcome 2. (*stosowny*) desirable; **bardziej ~y aniżeli ...** preferable to ...; **jest rzeczą ~ą, żeby coś zrobić** it is to be desired <it is indicated> that sth should be done

pożądliwie *adv* 1. (*chciwie*) hungrily; greedily; covetously 2. (*lubieżnie*) lustfully; lewdly; lasciviously

pożądliwość *sf* † 1. (*chciwość*) greed, greediness; covetousness 2. (*lubieżność*) lust; lewdness; lasciviousness

pożądliw|y *adj* 1. (*chciwy*) greedy; covetous 2. (*lubieżny*) lustful; lewd; lascivious; **~e spojrzenie** leer

pożeglować *vi perf* to sail

pożegnać *v perf* [I] *vt* 1. (*rozstać się*) to bid (sb) good-bye <farewell>; to take one's leave (**kogoś** of sb); **~ kogoś na dworcu <lotnisku itd.>** to see sb off 2. (*odprawić*) to dismiss (sb) [II] *vr* **~ się** 1. (*rozstać się*) to bid (**z kimś** sb) good-bye <farewell>; to take one's leave (**z kimś** of sb); *przen.* **~ się ze światem** to depart from this world 2. (*wzajemnie*) to bid each other good-bye <farewell> 3. (*stracić nadzieję na coś*) to give up (**z nadzieją itd.** hope etc.); to say good-bye (**z czymś** to sth); *iron.* to kiss (**z czymś** sth) good-bye; to part (**z pieniędzmi** with one's money)

pożegnalny *adj* parting __ (injunctions, kiss etc.); farewell __ (banquet, speech etc.)

pożegnani|e *sn* 1. ↑ **pożegnać** 2. (*formułka pożegnalna*) farewell; good-bye; **odejść bez ~a** to take French leave; **ucałować kogoś na ~e** to kiss sb good-bye 3. (*chwila rozstania*) leave-taking; parting; **zgotować komuś serdeczne ~e** to give sb a good send-off

pożeracz *sm rz.* devourer; *przen.* **~ książek** glutton for books; omnivorous reader; **~ serc** lady-killer

pożerać *zob.* **pożreć**

pożeranie *sn* ↑ **pożerać**

pożniwny *adj roln.* following the harvest

poż|oga *sf pl G.* **~óg** conflagration; **~oga wojenna** the (horrors <ravages> of) war; **nieść ~ogę** to ravage

pożółkły *adj* yellow(ed)

pożółk|nąć *vi perf* **~ł, ~ły** to grow <to turn, to become> yellow

poż|reć *v perf* **~re, ~ryj, ~arł, ~arty** — **poż|erać** *v imperf* [I] *vt* (*o zwierzętach*) to devour; *pot. żart.* (*o ludziach*) to devour <to glut, to gorge, to wolf> (one's food); *przen.* **~erać coś oczami** to gloat over sth; ~erać kogoś oczami to devour sb with one's eyes; ~era go zazdrość <ambicja itd.> he is eaten up <consumed> by jealousy <ambition etc.> II vr ~reć, ~erać się 1. (o zwierzętach) to devour each other 2. perf sl. (o ludziach — pokłócić się) to fall foul of each other; to jump at each other's throats

pożyci|e sn 1. ↑ pożyć 2. (obcowanie) (married, social) life; intercourse (with people); (town, country) life; ~e małżeńskie conjugal life; łatwy <trudny> w ~u easy <difficult> to get on with; good <poor> companion

pożyczać zob. pożyczyć

pożyczający sm (decl = adj) 1. (biorący pożyczkę) borrower 2. (udzielający pożyczki) lender

pożyczenie sn ↑ pożyczyć

pożycz|ka sf pl G. ~ek 1. (coś, co zostało pożyczone) loan; ~ka państwowa State loan; ~ka pod zastaw loan against security; advance on securities; ~ka premiowa lottery-loan; udzielić komuś ~ki to oblige sb with a loan; to lend sb money; zaciągnąć ~kę u kogoś to borrow money from sb 2. jęz. loan-word 3. żart. (w uczesaniu mężczyzny) tuft of hair to cover up a bald patch

pożyczkobiorc|a sm pl N. ~y GA. ~ów borrower

pożyczkodawc|a sm pl N. ~y GA. ~ów lender

pożyczkow|y adj loan — (bank, certificate etc.); kasa ~a loan-society

pożycz|yć vt perf — **pożycz|ać** vt imperf 1. (dać pożyczkę) to lend; (zaciągnąć pożyczkę) to borrow; czy możesz mi ~yć 100 zł? can you lend me <spare me, let me have> 100 zl?; ~yć, ~ać pieniądze na procent to put money out (to interest); nie ~aj dobry zwyczaj lend your money and lose a friend 2. (zapożyczyć) to borrow

poży|ć vi perf ~je, ~j to live some time; ~ł jeszcze godzinę he was still alive (for) an hour; staruszek nie ~je już długo the old man won't live <last> much longer

pożydowski adj formerly belonging to Jews; once Jewish property; taken over from Jews

pożyłkowany adj veined

pożytecznie adv usefully; profitably; byłoby ~ ... it would be useful <profitable> to ...; ~j coś zużytkować to put sth to better use

pożyteczność sf singt usefulness; serviceableness (of an object)

pożyteczny adj useful; profitable; (o przedmiocie, sprzęcie) serviceable; (o człowieku) być ~m to be of assistance; to make oneself useful; (o sprzęcie) był mi bardzo ~ it stood me in good stead; it came in useful; nie być ~m to be of no use

pożyt|ek sm G. ~ku 1. (korzyść) usefulness; utility; use; advantage; profit; good; benefit; jaki będzie ~ek z tego? what good will that do <be>?; jaki (jest) z tego ~ek? what good is it?; mieć z czegoś ~ek to find sth useful; to profit by sth; miał z tego wielki ~ek it stood him in good stead; nie ma z niego żadnego ~ku he is quite useless; he is not worth his salt; niewielki będzie z tego ~ek that won't be much good; przynieść komuś ~ek to bring sb profit; żaden ~ek z tego it's no good; bez ~ku of no avail <use>; z niewielkim ~kiem to little avail; z ~kiem advantageously; profitably; z ~kiem dla kogoś to sb's advantage 2. prawn. increment 3. pszcz. nectar

pożyw|ić v perf ~, ~iony — **pożyw|iać** v imperf I vt to feed; to give (sb) food <something to eat> II vr ~ić, ~iać się to have some food <something to eat, a bite to eat>; to refresh oneself

pożywienie sn 1. ↑ pożywić 2. (jedzenie) food; nourishment; (dla zwierząt) provender; forage; skromne ~ modest fare 3. ~ się taking food; having something <a bite> to eat

pożyw|ka sf pl G. ~ek 1. biol. (culture) medium 2. (środek pokarmowy) nourishment

pożywkarni|a sf pl G. ~ culture medium centre

pożywność sf singt nutritiousness; nutritiveness; nourishing value

pożywn|y adj nutritious; nutritive; nourishing; substancja ~a (a) nutrient

pój|dźka sf pl G. ~dziek zool. (Athene noctua) little owl (of Europe)

pójście sn ↑ pójść

pójść vi perf pójdę, pójdzie, pójdź, poszedł, poszła, poszli 1. (udać się dokądś) to go; ~ do domu to go (home); to leave; ~ po kogoś, coś to go and fetch sb, sth; ~ z wizytą do kogoś to go and see sb; już poszli they have gone <left> 2. (wstąpić) to go (do szkoły, na uniwersytet itd. to school, to the university etc.); (zacząć pracować) to go (do pracy to work); poszedł do pracy he has taken a job; poszedł na księdza he has entered the ministry; poszedł na lekarza he is studying medicine 3. (przystać) to lend oneself; to agree; on nigdy na to nie pójdzie he will never lend himself to that <agree, give his consent> 4. (posunąć się) to go (w górę up; na dół down) 5. (polecieć) to fly; (o chmurze itd.) to drift 6. (o głosie, zapachu) to spread 7. (odbyć się, ułożyć się) to go; to turn <to pan> out; jak ci poszło? how did you get on?; jeżeli dobrze pójdzie... if all goes well...; nie poszło tak, jak chciałem things did not turn <pan> out as I wished; poszło jak po maśle it went like clockwork 8. (zostać użytym na coś) to go <to be used> (na coś for sth); (o pieniądzach) to be spent (na coś on sth); wszystkie pieniądze poszły all the money has gone 9. (wystąpić w kolejności) to follow (za czymś sth); dom stanął w płomieniach, za nim poszły budynki gospodarcze the house stood in flames, then followed the farm buildings 10. pot. (zniszczyć się) to go to pieces 11. (o roślinie) to grow

póki conj 1. (czas trwania) (także ~ ... to; ~ ... póty; dopóty ... ~) as long as; while; when; ~ się żyje, nie wolno tracić nadziei while there is life there is hope 2. (kres czynności) ~ nie (wrócę itd.) till <until> (I come back etc.) 3. w połączeniu z rzeczownikiem: ~ czas while there is still time; before it is too late; ~ życia as long as I live <he lives etc.>; ~ sił as long as my <his etc.> strength does not fail

pół indecl half; a <one> half; ~ czarnej demi-tasse; ~ do drugiej <czwartej itd.> half past one <three etc.>; ~ godziny half an hour; a half-hour; ~ mili <tuzina itd.> half a mile <a dozen etc.>; a half-mile, a half-dozen etc.; przerwać komuś w ~ słowa to cut sb short; to ~ biedy that isn't so bad; na ~ a) (po czasowniku — przeciąć, przełamać itd.) in half; in halves b) (przed przymiot-

nikiem) half- (open, shut, empty, undressed etc.); **~ na ~** half-and-half; fifty-fifty; **w ~ drogi** half-way; midway; in mid course
na poły half-; almost; pretty nearly; **na poły zburzony** half-demolished
pół- *praef* half- (circle etc.); demi — (god, lune etc.); semi- (transparent etc.); hemi — (cycle etc.)
półakt *sm G.* **~u** *mal.* deminude
półanalfabe|ta *sm (decl = adj) pl N.* **~ci** *GA.* **~tów** semi-illiterate person
półanalfabetyzm *sm singt G.* **~u** semi-illiteracy
półarkusz *sm* half-sheet
półarkuszowy *adj* folio — (volume etc.)
półautomatyczny *adj* semi-automatic
półbarbarzyński *adj* semi-barbarous
półbawełniany *adj* half-cotton — (cloth)
półbąk *sm mar.* (a) four-oar
półbeczka *sf lotn.* half-roll
półbielony *adj* half-bleached
półboski *adj* semi-divine
półboż|ek *sm G.* **~ka** *pl N.* **~ki** demigod
półb|óg *sm G.* **~oga** *pl N.* **~ogowie** demigod
półbucik *sm,* **półbut** *sm (zw.pl)* low shoe
półcentymetrowy *adj* half a centimetre long; of a half-centimetre
półchór *sm G.* **~u** semi-chorus
półcichy *adj* half-whispered
półciemny *adj* semi-dark; **w ~m pokoju** in the semi-darkness of the room
półcie|ń *sm G.* **~nia** *pl G.* **~ni** <**~niów**> 1. *(słaby cień)* semi-darkness; twilight; half-light; penumbra 2. *fot. mal.* half-tone
półciężarów|ka *sf pl G.* **~ek** light lorry <truck>
półciężk|i *adj sport* light heavyweight (boxer); **waga ~a** cruiser weight
półcukrowy *adj roln.* **burak ~** fodder beet
półcyrklowy *adj* semicircular
półczwarta *sm sn,* **półczwartej** *sf* three and a half
pół darmo *adv* dirt-cheap; practically for nothing
półdiablę *sn* scamp; *(o dziewczynie)* hoyden; **~ weneckie** a regular fright
półdługi *adj* longish
półdup|ek *sm G.* **~ka** *wulg. żart.* bum
półdziecięcy *adj,* **półdziecinny** *adj* half-childish
półdziki *adj* half-wild; *(o człowieku)* half-savage; semi-barbarous
półecz|ka *sf pl G.* **~ek** *dim* ↑ **półka**
półetap *sm G.* **~u** 1. *(połowa etapu)* half-lap 2. *(miejsce postoju)* half-way house
półetat *sm G.* **~u** half-time <part-time> job
półfabrykat *sm G.* **~u** semi-manufactured article; semi-finished <half-finished, intermediate> product
półfantastyczny *adj* semi-fantastic
półfigura *sf plast.* half-length statue
półfinali|sta *sm (decl = adj) DL.* **~ście** *pl N.* **~ści** *GA.* **~stów** *sport* semi-finalist
półfina|ł *sm G.* **~łu** *L.* **~le** *sport* semi-final
półfinałowy *adj* semi-final (match, heat etc.)
półfiret *sm G.* **~u** *druk.* en
półformat *sm G.* **~u** *fot.* half-frame; subminiature
półfuntowy *adj* half-pound — (weight, box of chocolates etc.)
półgębkiem *adv* (to answer etc.) in a mutter; **jeść ~** to pick at one's food; **mówić ~** to mutter: **śmiać się ~** to laugh half-heartedly; **uśmiechając się ~** with a half-smile
półgęs|ek *sm G.* **~ka** smoked goose(-breast)
półgłosem *adv* in an undertone; under one's breath
półgłośno *adv* half-aloud
półgłośny *adj* subdued (tone, conversation etc.)
półgłów|ek *sm G.* **~ka** fool; simpleton; dolt
półgłuchy *adj* half-deaf
półgłup|ek *sm G.* **~ka** *pot.* half-wit; dunderhead
półgodzina *sf* half an hour
półgodzinny *adj* half-an-hour's — (rest, wait etc.); **w odstępach ~ch** half-hourly
półgorączkowy *adj* subfebrile
półgotowy *adj* semi-manufactured; semi-finished; half-finished
półgruby *adj druk.* heavy-faced (type)
półhak *sm hist.* pistol
półidio|ta *sm DL.* **~cie** *pl N.* **~ci** *GA.* **~tów** half--idiot
półimperia|ł *sm G.* **~łu** *L.* **~le** *hist.* half-imperial (five-rouble gold coin)
półinteligencja *sf singt* half-educated classes
półinteligencki *adj* half-educated
półinteligent *sm* half-educated person
półjawa *sf singt* half-conscious state
półjawnie *adv* half-openly; half-secretly
półjedwabny *adj* half-silk
pół|ka *sf pl G.* **~ek** 1. *(sprzęt)* shelf; *(na książki)* book-shelf; *(na narzędzia, na bagaż w wagonie itd.)* rack; *pl* **~ki** shelves; shelving (of a shop, library etc.); **~ka na nuty** music-stand; *(o książce)* **na ~kach księgarskich** on sale 2. *(występ skalny)* ledge 3. *gw.* gore (sewn into a garment)
półkarłow|y *adj ogr.* **drzewo ~e** half-standard tree
półkilogramowy *adj* half-kilogram(me) — (weight etc.)
półkilometrowy *adj* half-kilometre — (intervals etc.)
półkilowy *adj* = **półkilogramowy**
półkirys *sm G.* **~u** *hist.* breast-plate
półkoks *sm singt G.* **~u** *techn.* semi-coke, coalite, low carbonization coke
półkol|e *sn pl G.* **~i** semicircle; hemicycle; **~em** in a half-circle
półkolisto *adv* in a half-circle; semicircularly
półkolistość *sf singt* semicircularity; semicircle; hemicycle; half-circle
półkolisty *adj* semicircular
półkoloni|a *sf GDL.* **~i** *pl G.* **~i** <**~j**> 1. *polit.* semicolonial state 2. *szk.* summer play centre
półkolonialny *adj* semicolonial
półkolumna *sf arch. bud.* attached column
półko|ń *sm G.* **~nia** centaur
półkop|ek *sm G.* **~ka** *roln.* shock of 30 sheaves
półkopu|ła *sf DL.* **~le** *arch.* semi-dome
półkosz *sm pl G.* **~y** semicircular basket
półkosz|ek *sm G.* **~ka** basketwork lining of peasant's horse-cart
półkoszul|ek *sm G.* **~ka** 1. *(sztywny gors)* false shirt-front; *pot.* dickey 2. = **półkoszulka**
półkoszul|ka *sf pl G.* **~ek** vest; undershirt
półkożusz|ek *sm G.* **~ka** fur jacket
półkr|ąg *sm G.* **~ęgu** = **półokrąg**
półkr|ew *sf G.* **~wi** 1. *singt (dziedzictwo)* half--breed 2. = **półkrewek**
półkrew|ek *sm G.* **~ka** half-bred horse
półkruch|y *adj kulin.* **~e ciasto** short-crust pastry

półkryty *adj* half-tilted (cart, wagon)
półkrzew *sm G.* **~u** = subshrub; suffrutex
półksiężyc *sm* 1. *astr.* half-moon; crescent 2. (*przedmiot*) crescent 3. (*godło Islamu, Islam*) the Crescent
półksiężycowy *adj* semi-lunar
półksiężycowato *adv* in the shape of a crescent
półksiężycowaty *adj* crescent-shaped; lunate
półkula *sf geom. geogr.* hemisphere
półkulisty *adj* hemispherical
półlegalny *adj* semi-legal (publication etc.)
półleż|eć *vi imperf* **~y** to recline; to lounge; to loll
półlitrowy *adj* half-litre (bottle etc.)
półlitrów|ka *sf pl G.* **~ek** half-litre bottle
półlot *sm G.* **~u** *tenis* half-volley
półłuk *sm G.* **~u** semi-arch, semi-arc
półłysy *adj* half-bald
półmartwy *adj* half-dead
półmetal *sm G.* **~u** *chem.* semi-metal
półmetaliczny *adj* semi-metallic
półmet|ek *sm G.* **~ka** *sport i przen.* half-way mark
półmetrowy *adj* half-a-metre long
półmęski *adj* half-manly
półmiesięczny *adj* half-monthly
półmilionowy *adj* half-millionth
półmis|ek *adj G.* **~ka** dish
półmroczny *adj* dim; dusky
półmrok *sm G.* **~u** dusk; semi-darkness; semi-obscurity
półnagi *adj*, **półnago** *adv* half-naked
półnelson *sm sport* half-Nelson
północ *sf singt* 1. (*w czasie*) midnight; **o ~y** at midnight 2. (*strona świata*) North; **na ~** northwards; **na ~ od ...** (to the) North of ...; **na ~y** in the North 3. (*kraje północne*) the North; **daleka ~** far-northern regions
północno- *praef* North- (European etc.)
północny *adj* 1. (*związany ze stroną świata*) Northern (hemisphere, regions, lights etc.); North (America, Pole, Star etc.); Northerly <boreal> (wind); **~ wschód** North-East; **~ zachód** North-West 2. † (*związany z porą nocną*) midnight — (train etc.)
północo-wsch|ód *sm singt G.* **~odu** *L.* **~odzie** North-East
północo-zach|ód *sm singt G.* **~odu** *L.* **~odzie** North-West
półnuta *sf muz.* half-note; minim
półobłąkanie *sn* semi-madness
półobłąkany *adj* half-mad
półobnażony *adj* half-undressed; half-naked; stripped to the waist
półobr|ót *sm G.* **~otu** half-turn
półodkryty *adj* half-uncovered
półoficjalnie *adv* semi-officially
półoficjalny *adj* semi-official
półokr|ąg *sm G.* **~ęgu** semicircle; semicircumference
półokrągło *adv* semicircularly; in a semicircle
półokrągły *adj* semicircular; half-round —
półomdlały *adj* fainting
półomdlenie *sn* faintness
półosiadły *adj* semi-nomadic
półoswojony *adj* half-tame
półoś *sf* 1. *mat.* semi-axis 2. *techn.* axle shaft; half-shaft
półoślepły *adj* half-blind
półotwarty *adj* half-open; (*o drzwiach*) (standing) ajar
półpa|siec *sm G.* **~śca** *med.* shingles; (herpes) zoster
półpasożyt *sm bot.* green parasite; *biol.* semi-parasite
półpętla *sf lotn.* half-loop
półpięt|ro *sn pl G.* **~er** 1. (*w schodach*) landing 2. (*między piętrami*) mezzanine (floor); entresol
półpiętrz|e *sn pl G.* **~y** = **półpiętro** 1.
półpłótno *sn introl.* half-cloth (binding)
półpłynny *adj* semi-fluid; semi-liquid
półpokła|d *sm G.* **~du** *L.* **~dzie** *mar.* half-deck
półpokrywa *sf zool.* hemelitron
półpokryw|y *zool.* [I] *adj* hemipteral [II] *spl* **~e** (*Hemiptera*) (*rząd*) the order Hemiptera
półpostać *sf* torso
półpoście *sn singt* Mid-Lent
półprawda *sf* half-truth
półprodukt *sm G.* **~u** = **półfabrykat**
półproletariacki *adj* semi-proletarian
półproletariat *sm singt G.* **~u** semi-proletariat
półprosta *sf* (*decl = adj*) *mat.* ray
półprzetw|ór *sm G.* **~oru** *L.* **~orze** semi-processed article
półprzewodnictwo *sn singt fiz.* semi-conductance; semi-conduction
półprzewodnik *sm fiz.* semi-conductor
półprzewodnikowy *adj* semi-conducting
półprzeźroczysty *adj* semi-transparent; semi-translucent
półprzymknięty *adj* half-closed, half-shut
półprzytomnie *adv* half-consciously; in a half-conscious state
półprzytomny *adj* half-conscious; **~ od snu** stupid with sleep
półpustynia *sf geogr.* semidesert
półpustynny *adj* semidesert (region etc.)
półrejow|iec *sm G.* **~ca** *mar.* barquentine, barkentine
półrękaw|ek *sm G.* **~ka** sleeve-protector
półrocz|e *sn pl G.* **~y** half-year; *uniw.* semester
półroczniak *sm* six-month-old (child, animal)
półroczny *adj* half-yearly; semi-annual
półrozwalony *adj* half-demolished
półrozwarty *adj* half-open; (*o drzwiach*) (standing) ajar
półsamogłos|ka *sf pl G.* **~ek** *jęz.* semivowel
półsamogłoskowy *adj* semivocal
półschnący *adj* half-drying (oil)
półsekundowy *adj* half-second — (intervals etc.)
pół|sen *sm G.* **~snu** *L.* **~śnie** drowse; drowsiness; somnolence
półsennie *adv* drowsily; somnolently
półsenny *adj* drowsy; somnolent
półsierota *sm sf* half-orphan
półskór|ek *sm G.* **~ka** *introl.* half-leather; **oprawa w ~ek** half-binding; (*bez rogów*) quarter-binding; **oprawiony w ~ek** half-bound
półsłodki *adj* half-sweet; (*o winie*) semi-sweet
półsłony *adj* brackish
półsłów|ko *sm pl G.* **~ek** 1. (*monosylaba*) monosyllable 2. (*aluzja*) hint; allusion; **mówić ~kami** to make allusions
półsłup *sm arch.* imbedded column; semi-column

półsłup|ek *sm G.* **~ka** 1. (*obcas*) medium heel 2. (*ścieg*) a crochet stitch
półsprzęgło *sn techn. aut.* half-coupling
półstały *adj* 1. (*półpłynny*) semi-solid 2. (*dosyć długo trwający*) semi-permanent
półstrunow|iec *sm G.* **~ca** *zool.* hemichordate; *pl* **~ce** (*Hemichordata*) (*typ*) the group Hemichordata
półsuchy *adj* half-dry; **~ klimat** semi-arid climate
półsurowy *adj* half-raw; (*o mięsie*) underdone; (*o towarze*) unfinished
półsypki *adj* semi-granulate
półszept *sm G.* **~u** undertone; **mówić ~em** to speak in an undertone
półszlachetny *adj* semi-precious
półsztywny *adj* semi-stiff; semi-rigid
półszyderczo *adv* half-jeeringly; half-scoffingly
półszyderczy *adj* half-jeering; half-scoffing
półścieg *sm G.* **~u** half-stitch
półślepy *adj* half-blind
półśpiewny *adj* crooning
półśredni *adj sport box.* light-heavyweight
półśrod|ek *sm G.* **~ka** half-measure; makeshift; stop-gap; palliative
półświadomie *adv* semi-consciously; half-consciously
półświadomość *sf singt* semi-consciousness, half-consciousness
półświadomy *adj* semi-conscious; half-conscious
półświat|ek *sm G.* **~ka** demi-monde; outskirts of society
półświat|ło *sn pl G.* **~eł** half-light; semi-darkness
półtakt *sm G.* **~u** *muz.* half-beat; half-bar
półtechniczny *adj* semi-technical
półtłust|y *adj* containing a limited percentage of fat; **~y krem (kosmetyczny)** vanishing cream; *druk.* **pismo ~e** heavy-faced type <fount>
półton *sm G.* **~u** 1. (*w barwach*) undertint; undertone; *mal.* half-tone 2. *muz.* semitone
półtonowy[1] *adj* 1. (*o barwach*) half-tone __ (reproduction etc.) 2. *muz.* semitonic
półtonowy[2] *adj* (*o wadze*) half-ton (weight etc.)
półtonów|ka *sf pl G.* **~ek** half-ton truck
półtor|a *sm sn*, **półtor|ej** <**półtor|y**> *sf indecl* one and a half (days, kilometres etc.); a (day, kilometre etc.) and a half; **~a raza tyle** half as much again; *przen.* **wygląda jak ~a nieszczęścia** he looks the very picture of misery
półtoradniowy *adj* of a day and a half; one and a half days' (work, march etc.)
półtoragodzinny *adj* of an hour and a half; one and a half hours' (sleep etc.)
półtorakrotnie *adv* one and a half times (as long, thick etc.)
półtorametrowy *adj* one and a half metres' long <high, wide, deep>
półtoramiesięczny *adj* of a month and a half; one and a half months' (service etc.)
półtoraroczniak *sm pl N.* **~i** one-and-a-half-year-old (child, animal)
półtoraroczny *adj* of a year and a half; one and a half years' (growth etc.)
półtorawieczny *adj*, **półtorawiekowy** *adj* of a century and a half; one and a half centuries' (duration etc.)
półtropikalny *adj* semitropical
półtrupi *adj* cadaverous
półtrwały *adj* semi-durable
półtrzecia *sm sn*, **półtrzeciej** <**półtrzeci**> *sf indecl* two and a half
półtwardy *adj* semi-hard
półuchem *adv* with half an ear
półuchylony *adj* half-open; (*o drzwiach*) (standing) ajar
póług|ór *sm G.* **~oru** *L.* **~orze** semi-fallow land
półuklęk *sm G.* **~u** half-kneeling position
półukłon *sm G.* **~u** stiff bow
półukryty *adj* half-hidden
półumarły *adj* half-dead
półurzędowy *adj* semi-official; (*o dzienniku*) officious
półuśmiech *sm G.* **~u** half-smile
półuśmiesz|ek *sm G.* **~ku** *dim* ↑ **półuśmiech**
półwał|ek *sm G.* **~ka** *arch.* baston; half-round moulding
półwariat *sm* madcap; crank
półweł|na *sf pl G.* **~en** half-woollen cloth
półwełniany *adj* half-woollen
półwi|atr *sm G.* **~atru** *L.* **~etrze** *mar.* half-wind
półwiecz|e *sn pl G.* **~y** half-century
półwieczny *adj* 1. (*trwający 50 lat*) of fifty years; of fifty years' duration 2. (*mający 50 lat*) fifty years old
półwiejski *adj* semi-rural
półwiekowy *adj* = **półwieczny**
półwiersz *sm pl G.* **~y** <**~ów**> hemistich
półwojskowy *adj* semi-military
półwolej *sm tenis* half-volley
półwolny *adj* in semi-liberty
półwyr|ób *sm G.* **~obu** semi-finished product; blank; (*półfabrykat*) semi-manufactured article
półwys|ep *sm G.* **~pu** *L.* **~pie** *pl N.* **~py** *geogr.* peninsula
półzapamiętani|e *sn* musings; **w ~u** lost in thought
półzbro|ja *sf GDL.* **~i** *pl G.* **~i**, **półzbroj|ek** *sm G.* **~ka** *hist.* cuirass
półzmiana *sf pot.* half-shift
półzmierzch *sm G.* **~u** semi-darkness
półzrozumiały *adj* half-comprehensible
półzwarty *adj jęz.* half-close (consonant)
półzwierzęcy *adj* semi-animal
półzwro|t *sm G.* **~tu** *L.* **~cie** half-turn
półżałoba *sf* half-mourning
półżartem *adv*, **półżartobliwie** *adv* half-jokingly
półżartobliwy *adj* half-joking
półżywy *adj* half-dead
póty [I] *conj* **~ ... póki nie, ~ ... aż, ~ ... dopóki (nie)** till; until; **~ będę siedział, dopóki nie załatwię wszystkiego** I shall stay here until I have finished everything [II] *adv w wyrażeniu:* **mieć czegoś ~** to have had enough of sth; to be tired of sth
późnawo *adv* latish; rather <pretty> late
późni|ć się *vr imperf* (*o zegarze*) to be slow; **mój zegarek ~ się o dwie minuty** my watch is two minutes slow
później *adv* (*comp* **późno**) later (**niż ...** than ...); (*w samodzielnym zastosowaniu*) later on; afterwards; then; subsequently; posteriorly; at a later date <stage>; in a later period; (*w postpozycji*) after; later; **dwa dni ~** two days after <later>;

the next day but one; **zostawić coś na ~** to leave sth for later on

późniejsz|y *adj* later; subsequent; posterior; ensuing; **~e czasy** after years; **~e pokolenia** posterity; *prawn.* **w ~ej treści niniejszego** thereinafter

późn|o[1] *adv* 1. (*pod koniec jakiegoś czasu*) late; well on; **~o w nocy** into the small hours; **~o chodzić spać** to keep late hours; **~o wstawać** to be a late riser; **robi się ~o** it is getting late; **do ~a** till late; **do ~a w nocy** far (on) <well on, deep> into the night; **niesamowicie ~o** at an unearthly hour; **za ~o** too late; *przen.* a day after the fair; **teraz jest za ~o żeby ...** it's late in the day to ...; **już ~o!** it's late 2. (*po właściwym czasie*) tardily

późno-[2] *praef* late __ (baroque etc.); **późnogotycki** late Gothic (style etc.); **późnojesienny** late-autumn (occupations etc.); *geol.* **późnojurajski** late Jurassic

późność *sf singt* lateness

późn|y *adj* 1. (*o porze, okresie, dojrzewaniu itd.*) late; **~a starość** advanced old age; **~ą zimą** in late winter; in the depth of winter; **~ym latem** in late summer; **do ~ej nocy** late <well on, deep> into the night 2. (*zapóźniony*) tardy 3. (*przyszły*) future (generations etc.)

pra- *praef* pre-; original; primaeval; primitive

prabab|ka *sf pl G.* **~ek** great grandmother

praby|t *sm G.* **~tu** *L.* **~cie** original existence

prac|a *sf* 1. (*robota*) work; occupation; employment; labour; **bezpieczeństwo i higiena ~y** labour legislation; **ciężka ~a** hard work; **dzień <godziny> ~y** working day <hours>; **intensywna ~a** strenuous work; **ludzie <świat> ~y** working classes; **nadmierna ~a** overwork; **obóz ~y** labour camp; **~a akordowa** piece work; **~a badawcza** research (work); **~a biurowa** office <clerical> work; **~a czyichś rąk** sb's manual work <handiwork>; **~a domowa** housework; **~a fizyczna** physical work; manual labour; **~a umysłowa** mental work; head-work; *ekon.* **~a w niepełnym <w pełnym> wymiarze godzin** part-time <full-time> job; **~a w terenie** field work; **~a zespołowa** team work; **~e herkulesowe** the labours of Hercules; **racjonalizacja ~y** labour-saving (expedients, devices); **zadana ~a** task; **bez ~y** unemployed; out of work; out of a job; workless 2. (*wytwór pracy*) work; production; (literary, musical, artistic) composition; *pl* **~e** (an author's) works; writings; **~a całego życia** life-work; **~a dyplomowa** thesis; (*artykuł*) **~a naukowa** (a) paper; (*książka*) **~a zbiorowa** multi-author <collective> work 3. (*działanie, funkcjonowanie*) work; functioning; (*maszyny*) run(ning); operation 4. *singt* (*posada*) position; post; *pot.* job; **zakład ~y** place of employment; employer(s) 5. *pl* **~e** (*działalność zespołowa*) work; workings; proceedings (of an institution); (building, preliminary etc.) operations

pracobiorca *sm* (*decl = adj*) worker; employee

pracochłonność *sf singt* labour consumption; laboriousness

pracochłonny *adj* labour-consuming; laborious; toilsome

pracodawca *sm* (*decl = adj*), **pracodawczyni** *sf* employer

pracodniów|ka *sf pl G.* **~ek** *pot.* a day's work

pracogodzina *sf* an hour's work

pracować *vi imperf* 1. (*wykonywać pracę*) to work (**dla kogoś** for sb; **koło czegoś** at sth); (*być zajętym*) to work; to be at work; to be busy <occupied>; **ciężko ~** to work hard; to toil; to labour; to strain; **dużo ~** to work hard; to be a hard worker; **~ fizycznie** to do manual work; **~ nad czymś** to be engaged upon sth; to busy oneself with sth; **~ nad kimś** to fashion sb's character; **~ nad nową sztuką <nad historią nowożytną itd.>** to be engaged on (writing) a new play <on a study of modern history etc.>; **~ na kawałek chleba** to earn one's living; to work for one's daily bread; **~ na kogoś <na siebie>** to maintain sb <oneself>; **~ przy maszynie** to work <to operate, to run> a machine; **~ umysłowo** to do mental work; **~ w dzienniku <w szpitalu, w ministerstwie itd.>** to be on the staff of a paper <of a hospital, a ministry etc.>; **~ zawzięcie** to grind; to hammer <to peg> away (**przy <nad> czymś** at sth) 2. (*być na posadzie*) to have a job <a post> 3. (*funkcjonować*) to work; to act; to operate; (*o fabryce, maszynie*) to run; (*o piecu hutniczym*) to be in blast

pracowicie *adv* busily; diligently; assiduously; laboriously; industriously; painstakingly

pracowitość *sf singt* diligence; assiduity; laboriousness; industry

pracowity *adj* 1. (*chętnie pracujący*) hard-working; diligent; assiduous; laborious; industrious; painstaking 2. (*mozolny, wymagający wiele pracy*) toilsome; strenuous; laborious; wearisome

pracownia *sf* 1. (*malarza, rzeźbiarza*) studio; atelier; (*uczonego, pisarza*) study 2. (*chemiczna, fizyczna*) laboratory; **~ rentgenowska** X-ray room 3. (*zakład rzemieślniczy*) workshop

pracowniany *adj* studio __ (apartment etc.); laboratory __ (assistant, experiment etc.)

pracownica *sf* 1. (*kobieta pracująca*) employee; worker; **~ fabryczna** factory girl; **~ fizyczna** manual worker 2. (*kobieta chętnie pracująca*) diligent <assiduous, industrious, painstaking> woman <girl> 3. *pszcz.* worker bee

pracownicz|ka *sf pl G.* **~ek** employee

pracowniczy *adj* workers' __ (organization etc.); working __ (classes etc.); labour __ (legislation, colony etc.)

pracowni|k *sm* 1. (*człowiek pracujący*) worker; employee; functionary; (*w biurze*) clerk; office worker; (*w urzędzie*) official; civil servant; (*w zakładzie przemysłowym*) workman; factory hand; (*w sklepie*) shop assistant; (*w warsztacie*) mechanic; *pl* **~cy** staff; personnel; **~k fizyczny** manual worker; **~k naukowy** scientific <research> worker 2. (*człowiek chętnie pracujący*) hard worker; diligent <assiduous, industrious, painstaking> man <boy>

pracujący [I] *adj* working (classes etc.); **ciężko ~** hard-working [II] *sm* worker; employee

pracz *sm pl G.* **~y** <**~ów**> 1. (*piorący bieliznę*) laundryman 2. *zool.* (*także* **szop ~**) (*Procyon lotor*) raccoon

praczas *sm G.* **~u** primaeval times; remotest ages

pracz|ka *sf pl G.* **~ek** washerwoman; laundress

praczłowieczy *adj* primitive man's

pra|człowiek *sm pl N.* **~ludzie** *G.* **~ludzi** primitive man

prać *v imperf* **piorę, pierze** [I] *vi* to wash clothes; to launder; to do one's <people's> washing <laundering>; **~ zarobkowo w domu** to take in washing [II] *vt* 1. (*usuwać brud przez pranie*) to wash <to launder> (clothes, linen); **~ chemicznie** to dry-clean; *przen.* **nie ~ brudów publicznie** to wash one's dirty linen at home 2. (*spuszczać lanie*) to thrash; to give (sb) a thrashing; to beat (sb) hollow; (*okładać*) to trounce; to pummel; to thwack; **~ kogoś po pysku** to punch sb's head 3. (*łomotać*) to strike; to beat [III] *vr* **~ się** 1. (*być pranym*) to wash <to launder> (*vi*); **tego się nie pierze** this does not bear washing; this is not meant to be washed <laundered> 2. (*bić się wzajemnie*) to fight; to tussle; to scuffle

pradawnie *adv*, **pradawno** *adv* in primaeval times; in times immemorial; in the remotest ages

pradawność *sf singt* primitive times

pradawn|y *adj* primaeval; **od ~a** from time immemorial

pradolina *sf geogr.* proglacial stream valley

pradzia|d *sm L.* **~dzie** *pl N.* **~dowie** <**~dy**> 1. (*ojciec dziadka, babki*) great grandfather; **z dziada ~da** from time immemorial 2. *pl* **~dowie** ancestors

pradziad|ek *sm G.* **~ka** *pl N.* **~kowie** <**~ki**> great grandfather

pradziadowski *adj*, **pradziadowy** *adj* great grandfather's; ancestral

pradziej|e *spl G.* **~ów** prima(e)val history; the origin of history

pradziejowy *adj* prima(e)val

praelemen|t *sm G.* **~tu** *L.* **~cie** primitive element

praforma *sf* primitive <original> form <shape>

pragęba *sf zool.* blastopore

pragmatycznie *adv* pragmatically

pragmatyczność *sf singt filoz.* pragmaticality

pragmatyczn|y *adj filoz.* pragmatic; *prawn.* **sankcja ~a** pragmatic sanction

pragmatyk *sm hist.* pragmatist

pragmatyka *sf prawn.* labour regulations

pragmaty|sta *sm* (*decl = adj*) *DL.* **~ście** *pl N.* **~ści** *GA.* **~stów** pragmatist

pragmatystyczny *adj filoz.* pragmatistic

pragmatyzm *sm G.* **~u** 1. *filoz.* pragmatism 2. *hist.* pragmatic method

pragnący [I] *adj* desirous; anxious; eager; solicitous [II] *sm* thirsty person

pragn|ąć *v imperf* [I] *vt* 1. (*życzyć sobie*) to desire (**czegoś** sth); to wish (**czegoś** for sth); to be desirous (**czegoś** of sth); **jak ~ę szczęścia** I swear; as true as I live 2. (*pożądać*) to long <to hanker, to crave> (**czegoś** for sth); **~ąć kogoś, czegoś** to lust for sb, sth [II] *vi* 1. (*usilnie chcieć*) to be anxious <eager, solicitous> (**coś zrobić** to do sth); to be keen (**coś zrobić** on doing sth) 2. † (*być spragnionym*) to be thirsty

pragnieni|e *sn* 1. ↑ **pragnąć** 2. (*suchość w ustach*) thirst; **mieć ~e** to be thirsty; **ugasić ~e** to slake one's thirst; **umierać z ~a** to be dying for a drink <of thirst>; **wywoływać ~e** to make one thirsty 3. (*życzenie*) desire <wish> (**czegoś** for sth); **gorące ~e czegoś** <**zrobienia czegoś**> anxiety for sth <to do sth> 4. (*pożądanie*) longing <hankering, lust> (**czegoś** for sth)

pragwi|azda *sf DL.* **~eździe** = **protogwiazda**

praindoeuropejski *adj jęz.* primitive Indo-European; proto-Indo-European

prajaszczur *sm zool.* rhynchocephalian; *pl* **~y** (*Rhynchocephalia*) (*grupa*) the order Rhynchocephalia

prajedność *sf singt* primitive <original> unity

prajeli|to *sn L.* **~cie** *zool.* archenteron

prajęzyk *sf jęz.* original language

prakoleb|ka *sf G.* **~ek** original cradle (of a civilization etc.)

prakomór|ka *sf G.* **~ek** *biol.* mother cell

prakopytne *spl* (*decl = adj*) *zool.* the protoungulata

prakseologi|a *sf singt GDL.* **~i** *filoz.* praxiology

praktycznie *adv* 1. (*w sposób praktyczny*) practically; in a practical manner; in business-like fashion; (*w sposób doświadczalny*) in practice; **~ biorąc** to all intents and purposes 2. (*korzystnie*) profitably; **wykorzystać coś ~** to make practical use of sth

praktyczność *sf singt* 1. (*zmysł praktyczny*) practical sense; practicalness 2. (*przydatność dla celów praktycznych*) handiness; serviceableness

praktyczn|y *adj* 1. (*oparty na praktyce*) practical 2. (*przydatny*) practical; serviceable; expedient; (*o ubiorze itd.*) sensible; **~a znajomość języka** working knowledge of a language 3. (*zaradny*) practical; business-like; matter-of-fact

praktyk *sm* practician; **stary ~** (an) old hand

prakty|ka *sf* 1. (*doświadczenie*) practice; **sprawdzianem teorii jest ~ka** the proof of the pudding is in the eating; **wyjść z ~ki** to get out of practice; **zastosować coś w ~ce** to put sth into practice 2. (*okres terminowania*) apprenticeship; training; **odbyć ~kę** to serve one's apprenticeship 3. (*wykonywanie zawodu*) practice 4. † *pl* **~ki** (*czynności*) practices; doings; dealings; **~ki religijne** religious practices <observance>; devotions; **odprawiać ~ki religijne** to worship 5. † *pl* **~ki** (*konszachty*) scheming

pra(k)tykabl *sm teatr* 1. (*w dekoracji teatralnej*) practicable door <window> 2. (*strapontena*) flap-seat; folding seat

praktykant *sm*, **praktykantka** *sf* trainee; apprentice; improver; *szk.* pupil-teacher

praktykować *v imperf* [I] *vi* 1. (*być na praktyce*) to be in training 2. (*wykonywać zawód*) to exercise <to practise, to pursue> a profession; (*o lekarzu*) to practise medicine; to have a surgery; (*o adwokacie*) to practise at the bar 3. (*wykonywać praktyki religijne*) to be a practising Catholic <a church-going person> [II] *vt* (*uprawiać*) to carry on (certain practices) [III] *vr* **~ się** to be in common practice

praktykowanie *sn* (↑ **praktykować**) 1. (*uprawianie*) practice 2. (*terminowanie*) apprenticeship

praktykujący [I] *adj* practising (physician, lawyer etc.) [II] *sm* practising Catholic; church-going man, church-goer

prakultu|ra *sf DL.* **~rze** primitive culture

pral|as *sm G.* **~asu** *L.* **~esie** primaeval forest

pralin(k)a *sf* chocolate cream

pral|ka *sf G.* **~ek** wash-board; **~ka elektryczna** washing machine; washer

pralni|a *sf* (*pomieszczenie oraz zakład*) laundry; wash-house; **~a chemiczna** (dry-)cleaner's (establishment); **~a samoobsługowa** launderette;

(*o bieliźnie*) **prosto z ~** fresh from the wash; **w ~** in the wash

pralniany *adj* of a laundry; of a wash-house

pralnica *sf* (*pralka elektryczna*) washing <scouring> machine; washer

pralnictwo *sn singt* laundering

pralniczy *adj* laundering — (establishment, machine etc.)

pralnik *sm* washerwoman's beater <beetle>

praludność *sf singt* primitive population

praludzie *zob.* **praczłowiek**

praludzki *adj* primitive men's

prałacki *adj* prelatic(al)

prała|t *sm L.* **~cie** *pl N.* **~ci** *kośc.* prelate

prałatu|ra *sf DL.* **~rze** prelacy

pramateri|a *sf singt GDL.* **~i** primitive matter

pramat|ka *sf pl G.* **~ek** first mother

pramieszka|niec *sm G.* **~ńca** *pl N.* **~ńcy** primitive inhabitant

pramięczak *sm zool.* primitive mollusc

prani|e *sn* 1. (↑ **prać**) washing; laundering; scouring; **bielizna do ~a** laundry; **dzisiaj mamy ~e** it's our washing day; **posłać bieliznę do ~a** to send one's linen to the wash; (*o mydle, sodzie itd.*) **do ~a** washing — (soda etc.); laundry — (soap etc.); *żart.* **to się okaże w ~u** it will come out in the wash 2. (*bielizna*) laundry

praojc|iec *sm G.* **~a** *D.* **~u** *pl N.* **~owie** first father

praojcowski *adj* ancestral

praojczy|zna *sf DL.* **~źnie** country of origin; original fatherland <motherland>

praorganizm *sm G.* **~u** *biol.* primitive organism

prapierwiast|ek *sm G.* **~ka** *chem.* primitive element

prapoczęt|ek *sm G.* **~ku** the earliest beginnings

prapolski *adj* primitive Polish

praprabab|ka *sf pl G.* **~ek** great great grandmother

prapradzia|d *sm L.* **~dzie** *pl N.* **~dowie** great great grandfather

prapraojc|iec *sm G.* **~a** *D.* **~u** *pl N.* **~owie** ancestor; for(e)bear

prapraprzod|ek *sm G.* **~ka** *pl N.* **~kowie** earliest ancestor

praprawnuk *sm* great grandson's son

prapremie|ra *sf DL.* **~rze** world première; private view (of a play); pre-view (of a film)

praprzod|ek *sm G.* **~ka** *pl N.* **~kowie** primogenitor

praptak *sm* ancestral bird

prarodzic *sm singt* primogenitor

pras|a *sf* 1. *techn.* press; *druk.* printing press; **iść pod ~ę** to go to press; **pod ~ą** in the press 2. *singt* (*ogół czasopism*) the press; **przegląd ~y** press review; **wiadomości spod ~y** news hot from the press; **mieć dobrą <złą> ~ę** to have a good <a bad> press

prasemicki *adj* proto-Semitic

prasiatnic|a *sf zool.* dragon-fly; *pl* **~e** (*Odonata*) (*rząd*) the order Odonata; the dragon-flies

prask *interj* crash!; bang!

pras|ka *sf G.* **~ek** 1. (*mała prasa*) press 2. (*komoda*) cabinet; chest of drawers

praskać *zob.* **prasnąć**

prasłowiański *adj* proto-Slavonic <proto-Slavic, early Slav> — (words etc.)

prasłowiańszczy|zna *sf singt DL.* **~źnie** 1. (*język*) proto-Slav(ic) <proto-Slavonic> (language) 2. (*obszar*) early-Slav territory 3. (*ludzie*) the early Slavs

prasmo|ła *sf DL.* **~le** *techn.* primary <low temperature> tar

prasnąć *v perf* — **praskać** *v imperf pot. gw.* [I] *vi* 1. (*uderzyć*) to thwack; to hit; to strike 2. (*upaść*) to come a cropper 3. (*wydać trzask*) to crack; (*trzaskać*) to crackle [II] *vt* 1. (*uderzyć*) to bang; *sl.* to slog; to tonk 2. (*rzucić*) to fling

prasowacz *sm pl G.* **~y** 1. (*prasujący odzież*) ironer; presser 2. (*robotnik obsługujący prasę*) press-worker

prasowaczka *sf* 1. (*prasująca bieliznę*) ironer 2. (*maszyna*) presser

prasować *vt imperf* 1. (*tłoczyć*) to press; to compress; *techn.* to calender 2. (*wygładzić żelazkiem*) to iron; to press (clothes) 3. † (*drukować*) to print

prasowalnia *sf* ironing room <shop>

prasowani|e *sn* ↑ **prasować; bielizna do ~a** (the) ironing

prasownia *sf techn.* stamping plant

prasow|y [I] *adj* 1. (*dotyczący prasy*) press — (agent, association, conference etc.); press- (gallery etc.); **biuro ~e** press bureau; public relations office 2. (*dotyczący maszyny do tłoczenia*) press- (room, cloth, house etc.) [II] *sm* **~y** *techn.* presser

prasoznawc|a *sm* (*decl = adj*) *pl N.* **~y** press specialist; specialist in journalism

prasoznawczy *adj* journalistic

prasoznawstwo *sn singt* press-specialization; specialization in journalism; press research

prasów|ka *sf G.* **~ek** 1. (*zebranie*) press meeting (of a personnel) 2. *techn.* compact; briquette (of metal powder etc.)

prassak *sm paleont.* primitive mammal(ian)

prastary *adj* primaeval; ancient

prastrunow|iec *sm G.* **~ca** *paleont.* (a) protochordate; *pl* **~ce** (*Protochordata*) the Protochordata

praszczur *sm* 1. (*ojciec prapradziada*) great great grandfather's father 2. = **praprawnuk**

pratchawc|e *spl G.* **~ów** *zool.* (*Protracheata*) the Protracheata <Onychophora>

praust|a *spl G.* **~** = **pragęba**

prawd|a *sf* truth; veracity (of sb's evidence); verity (of a statement); **gorzka ~a** home truth; **naga <szczera> ~a** the plain <naked> truth; **słowa ~y** home truths; **święta ~a** gospel truth; **czy to ~a?** is that true?; **jest w tym doza ~y** there is some <a particle of> truth in that; **mijać się z ~ą** to be untruthful; **okazać się ~ą** to prove true; **powiedzieć komuś kilka słów ~y** to give sb a piece of one's mind; **~a wychodzi na wierzch <na jaw>** truth will out; **to tylko częściowo zgadza się z ~ą** it's a half-truth; **Bogiem a ~ą** as a matter of fact; **co ~a** to be sure; indeed; **niezgodny z ~ą** untrue; **~ę powiedziawszy** to tell the truth; as a matter of fact; to be quite honest; indeed; the truth is that ...; **to ~a** a) (*zgadza się*) that's true (enough); true b) (*wprawdzie*) to be sure; **zgodnie z ~ą** truthfully; **zgodny z ~ą** truthful; true; **ach, ~a!** oh yes!

prawdomówność *sf singt* veracity; truthfulness; the truth of sb's words

prawdomówny *adj* truth-telling; veracious; truthful

prawdopodobieństw|o *sn singt* probability; likelihood; verisimilitude; *mat.* **rachunek <teoria> ~a** calculus <theory> of probability; **istnieje ~o, że ...** the probability is <the chances are> that ...; (*o argumencie, wymówce itd.*) **posiadający pozory ~a** plausible; **według wszelkiego ~a** most likely; most probably; in all probability

prawdopodobnie *adv* 1. (*chyba*) probably; in all probability <likelihood>; most <very> likely; like enough; very like; as like as not; **~ wygramy <nie wygramy>** we are likely <unlikely> to win 2. (*w sposób bliski prawdy*) verisimilarly; with the appearance of truth; plausibly

prawdziw|ek *sm G.* **~ka** *bot.* (*Boletus edulis*) boletus; ceps

prawdziwie *adv* 1. (*zgodnie z prawdą*) truthfully 2. (*rzeczywiście*) truly; really; indeed

prawdziwość *sf singt* truth; truthfulness; veracity; genuineness; reality; authenticity

prawdziw|y *adj* 1. (*rzeczywisty*) true; real; genuine; authentic; veritable; true to life; born (poet, gentleman etc.); (*o uczuciach, żalu, zainteresowaniu itd.*) keen; (*faktycznie pełniący funkcje*) virtual; **aż nadto ~y** only too true; **pozornie ~y** specious; *bot.* **grzyb ~y = prawdziwek** 2. (*zgodny z prawdą*) truthful; veracious 3. (*typowy*) real; regular; downright (robbery etc.); positive (catastrophe etc.); absolute <rank> (scandal etc.); unmitigated (ass, idiot etc.); **to ~a niespodzianka** this is quite a surprise

prawic|a *sf* 1. *polit.* the right wing; the right; the Rights 2. *lit.* (*prawa ręka*) right hand; **ścisnąć komuś ~ę** to shake sb's hand; **po ~y** on the <your etc.> right <right-hand side>; *przen.* **sprawować rządy żelazną ~ą** to rule with an iron hand

prawicow|iec *sm G.* **~ca** *polit.* rightist; *pl* **~cy** the Rights

prawicow|y *adj polit.* rightist <right-wing> (party etc.); **odchylenia ~e** rightist deviations

prawicz|ek *sm G.* **~ka** virgin

prawicz|ka *sf G.* **~ek** *pot.* a good girl; maiden; virgin

prawić *v imperf żart.* [I] *vi* to declaim; to talk (**o miłości itd.** of love etc.) [II] *vt* to say (pleasant things etc.); **~ duby smalone <androny, banialuki>** to talk nonsense; **~ komplementy** to make <to pay> compliments; **~ komuś morały** to sermonize sb

prawid|ło *sn L.* **~le** *pl G.* **~eł** 1. (*przepis*) rule; law 2. (*szablon*) pattern; **~ło do buta** boot-tree; **~ło na kapelusze** hat-block 3. *bud.* (*krążyna*) centr(e)ing

prawidłowo *adv* 1. (*zgodnie z prawidłami*) in accordance with the rules; according to custom; regularly 2. (*należycie*) properly 3. (*poprawnie*) properly; correctly

prawidłowość *sf* 1. (*zgodność z przepisami*) accordance <conformity> with the regulations; correctness 2. (*regularność*) regularity

prawidłowy *adj* 1. (*zgodny z przepisami*) accordant with the rules 2. (*regularny*) regular 3. (*należyty*) proper 4. (*poprawny*) correct 5. (*normalny*) normal

prawie *adv* 1. (*nieomal*) almost; (pretty) nearly; practically; all but; (*o papierosach itp.*) **~ mi się skończyły** I've just run short of them; **~ nic** next to nothing; **~ niemożliwe** next to impossible; **~ nikt <nic, nigdy, nigdzie>** hardly anybody <anything, ever, anywhere> 2. *reg.* (*akurat*) exactly; just (as)

prawieczny *adj* eternal

prawiek *sm G.* **~u** time immemorial

prawienie *sn* ↑ **prawić**

prawierównia *sf geol.* peneplain

prawniczka *sf* = **prawnik**

prawniczy *adj* legal; juridical; (faculty etc.) of law; **język ~** legal parlance; **termin ~** law-term; **zawód ~** legal profession

prawnie *adv* legally; legitimately; by <of> right

prawni|k *sm* 1. (*specjalista*) lawyer; legal practitioner; jurist; *pl* **~cy** the legal profession 2. (*student*) student of law; law-student; *pot.* **iść na ~ka** to study <to read> law; to read for the bar

prawnopaństwowy *adj*, **prawnopolityczny** *adj* relating to political law

prawność *sf singt* legality; lawfulness

prawnucz|ek *sm G.* **~ka** *dim* ↑ **prawnuk**

prawnuczka *sf* great granddaughter

prawnuk *sm pl N.* **~owie <~i>** great grandson

prawn|y *adj* 1. (*legalny*) legal; lawful; legitimate; rightful; **radca ~y** jurisconsult; **z ~ego punktu widzenia** in the eye of the law 2. = **prawniczy**

praw|o[1] *sn* 1. (*prawodawstwo*) law; the law of the land; **~o cywilne <handlowe, karne, kanoniczne, międzynarodowe, morskie>** civil <commercial, criminal, canon, international, maritime> law; **~o pisane** statute law; **fikcja ~a** legal fiction; **litera ~a** the letter of the law; **w imieniu ~a** in the name of the law; **w obliczu ~a** in the eye of the law; **wyjąć spod ~a** to ban; to outlaw; to proscribe 2. (*ustawa*) law; statute; (*zasada*) principle; rule; *fiz.* law; **~o natury** law of nature; **~o pięści** fist law; **~o siły** the rule of force; *fiz.* **~o zachowania energii** principle of conservation of energy; **~em kaduka** unlawfully; illegally 3. *uniw.* law; **student ~a** law-student; student of law; **studiować ~o** to study <to read> law; to read for law <for the bar> 4. (*uprawnienie*) right <title> (**do czegoś** to sth); *aut.* **~o jazdy** driving licence; **~o pierwszeństwa przejazdu** right of way; *ryb.* **~o połowu** right of fishery; **~o i pięść** right and might; **jakim ~em?** by what right?; **jakim ~em tyś to zrobił?** what right <what business> had you to do that?; **mieć pewne ~a** to enjoy certain rights; **mieć ~o do czegoś** to be entitled to sth; **mieć ~o robienia czegoś** a) (*mieć upoważnienia*) to have the right to do sth b) (*mieć uzasadnienie*) to be justified in doing sth; **pozbawienie ~a** infamy; attainder; **rościć ~o do czegoś** to lay claim to sth 5. (*roszczenie*) claim (**do czegoś** to sth)

prawo[2] *sn* (*prawa strona*) the right; the right-hand side; **druga przecznica w ~** second turn to the right; **skręt w ~** right turn; **na ~** to the right; **na ~ i (na) lewo** right and left; *wojsk.* **w ~ patrz!** eyes right!; **w ~ zwrot!** right turn!

prawo-[3] *praef* right-

prawobrzeżny *adj* right-bank — (dwellings etc.); situated <lying> on the right bank

prawodawca *sm* (*decl = sf*) legislator; lawmaker; lawgiver

prawodawczy *adj* legislative; lawgiving; lawmaking

prawodawczyni *sf żart.* = **prawodawca**

prawodawstwo *sn* 1. (*ogół praw*) legislation; **dobre ~ jest ostoją państwa** good laws are the nerves of a State 2. (*ustanawianie praw*) legislature

prawomocnie *adv* with legal validity

prawomocność *sf singt* legal validity

prawomocny *adj* legally valid

prawomyślność *sf singt* loyalty; law-abidingness

prawomyślny *adj* law-abiding; loyal

prawonabywca *sm* (*decl* = *sf*) purchaser

prawonastępca *sm* (*decl* = *sf*) successor

praworęczność *sf singt* right-handedness

praworęczny *adj* right-handed

praworządność *sf singt* law and order; law-abidingness

praworządny *adj* legally governed

prawoskrętność *sf singt* dextrorotation, dextrogyration

prawoskrętny *adj chem. fiz.* dextrorotatory, dextrogyrate, dextrogyratory; (*o śrubie*) right-handed (screw)

prawoskrzydłowy [I] *adj sport wojsk.* right-wing __ (file etc.) [III] *sm* (*w piłce nożnej*) outside right; right-winger

prawosławie *sn singt* Orthodox Church

prawosławny [I] *adj* Orthodox [III] *sm* (an) Orthodox; member of the Orthodox Church

prawostronny *adj* right-sided; **ruch ~** right-hand traffic

prawość *sf singt* uprightness; integrity; rectitude; righteousness

prawoślaz *sm G.* **~u** *bot.* (*Althaea officinalis*) marsh mallow

prawotwórczy *adj* law-making; legislative

prawować się † *vr imperf* = **procesować się**

prawowierność *sf singt* orthodoxy

prawowierny [I] *adj* orthodox [III] *sm* (an) orthodox

prawowitość *sf singt* legality; lawfulness; legitimacy

prawowity *adj* legal; lawful; legitimate; **~ następca tronu** heir apparent; **~ spadkobierca** expectant heir

prawoznawstwo *sn singt* jurisprudence

praw|y [I] *adj* 1. (*o położeniu, kierunku itd.*) right; right-hand __ (side etc.); (*o koniu w zaprzęgu, kole wozu, stronie czołgu, samochodu*) off (horse, leg, wheel etc.); (*o stronie monety, medalu*) obverse; (*o zamku*) right-handed; *lotn. mar.* starboard; *herald.* dexter; **człowiek posługujący się ~ą ręką** right-hander; **~a strona** the right; the right-hand side; *lotn. mar.* starboard; **~a strona materiału** right side <face> of a cloth; **~ą stroną na wierzch** right side up; **kierować się w ~ą stronę** to bear to the right; **trzymać się ~ej strony** to keep to the right; **po ~ej stronie** on the right-hand side; **z ~ej strony** from the right; *przen.* (*główny pomocnik*) **~a ręka** (sb's) right hand 2. (*szlachetny*) honourable; upright; righteous; (*uczciwy*) honest; **człowiek ~y** man of integrity; **iść ~ą drogą** to follow the path of righteousness 3. (*legalny*) lawful; rightful; **dziecko ~ego łoża** lawful <legitimate> child [III] *sf* **~a** 1. (*prawa strona*) the right; the right-hand side 2. *wojsk.* (*prawa noga*) right!
z ~a from the right(-hand side)

prawybor|y *spl G.* **~ów** *polit.* primary election

prawz|ór *sm G.* **~oru** *L.* **~orze** prototype

praz *sm G.* **~u** *miner.* prase

prazeodym *sm singt G.* **~u** *chem.* praseodymium

prażak *sm techn.* roasting <calcining> furnace; roaster; calciner

prażalnia *sf techn.* calcining <roasting> plant

prażalnictwo *sn singt techn.* ore-roasting

prażalniczy *adj* ore-roasting __ (furnace etc.)

prażalnik *sm* roaster; calciner

prażalny *adj* = **prażalniczy**

prażący *adj* (*o słońcu*) sweltering; scorching; flaming; parching

prażenie *sn* (↑ **prażyć**) *techn.* calcination; roasting

prażubr *sm paleont.* primaeval aurochs

prażucha *sf gw. kulin.* noodles of parched buckwheat or rye flour

prażyć *v imperf* [I] *vt* 1. (*przypiekać produkty żywnościowe*) to parch; to roast; to grill 2. (*smagać*) to shower blows (**kogoś, konia itd.** on sb, on a horse etc.) 3. *chem. techn.* to roast; to torrify; to decrepitate; to calcine 4. (*zasypywać pociskami*) to shower missiles (**kogoś, obiekt itd.** on sb, a target etc.) [II] *vi* 1. (*dokuczać gorącem*) to swelter; to parch; to scorch 2. (*strzelać*) to shower missiles [III] *vr* **~ się** 1. (*być przypiekanym*) to be parched <roasted, grilled> 2. (*piec się w słońcu*) to broil; to bake

prażyn|ki *spl G.* **~ek** chips

prąci|e *sn pl G.* **~** *anat.* penis; phallus; rod

prąciowy *adj* phallic; penial

prąd *sm G.* **~u** 1. (*nurt wody*) current; stream; flow; **~ dolny <denny>** undercurrent; **pod ~, przeciw ~owi** upstream; against the stream; **iść pod ~** to stem the current; to go against the tide; **z ~em** downstream; with the stream; **iść z ~em** to go <to swim> with the tide <with the stream>; to drift with the current 2. (*strumień powietrza, gazu*) current; stream; air flow; *hut.* blast; *meteor.* **~ poziomy <pionowy>** horizontal <vertical> stream <air flow>; **~ wstępujący <zstępujący>** upward <downward> current; **~y termiczne** thermal air currents 3. (*kierunek w literaturze itd.*) current; tendency; trend; movement 4. *elektr.* current; **~ stały <zmienny>** direct <alternating> current; **przewód pod ~em <bez ~u>** live <dead> wire; **włączyć <wyłączyć> ~** to switch on <off> the current

prądnica *sf techn.* generator; dynamo; **~ dodawcza** positive booster

prądochłonny *adj techn.* current-consuming

prądolubn|y *adj zool.* **ryby ~e** rheophil fishes

prądomierz *sm elektr. techn.* current meter

prądotwórczy *adj* current-generating

prądownica *sf techn.* fire-hose nozzle; water jet

prądowy *adj* current __ (wheel, mill etc.)

prądożerczy *adj pot.* current-consuming

prąt|ek *sm G.* **~ka** 1. *med.* (rod-shaped) bacillus 2. *ogr.* sprig; spray

prątkować *vi imperf* to disseminate tuberculosis <*pot.* TB>; to tuberculize; to have active <communicable> TB

prątkowy *adj* bacillary

prątnicz|ek *sm G.* **~ka** *bot.* staminodium

prąż|ek *sm G.* **~ka** (*kreska*) line; stria; (*pręga*) stripe; streak; (*bruzda*) furrow; ridge; *fiz.* **~ek**

widma spectral line; (*o wzorze*) **w ~ki** lined; striate; striped
prążkowanie *sn* striation; striped pattern
prążkowany *adj* lined; striped; striate(d); fasciated; (*mający wypukłe prążki*) ridged; corded
preadaptacja *sf singt biol.* preadaptation
prebenda *sf hist. rel.* prebend; benefice; living
prebendarz *sm hist.* prebendary
precedens *sm G.* **~u** precedent; **stanowić ~** to become a precedent; **stworzyć ~** to set <to create> a precedent; **bez ~u** unprecedented; unparalleled
precedensowy *adj* precedential
prec|el *sm G.* **~la** pretzel; cracknel
precel|ek *sm G.* **~ka** *dim* ↑ **precel**
precesja *sf astr. fiz.* precession
precesyjny *adj* precessional
precjoz|a *spl G.* **~ów** valuables; jewels; jewellery
preclarz *sm* pretzel vender
precypitacja *sf singt chem.* precipitation
precypitacyjny *adj* precipitative
precypita|t *sm G.* **~tu** *L.* **~cie** 1. *chem.* precipitate 2. (*nawóz*) a phosphatic fertilizer
precyzja *sf* precision; exactness; accuracy; definiteness
precyzować *v imperf vt* to specify; to state precisely; to be explicit (**coś** about sth); to define (sth) accurately
precyzowanie *sn* (↑ **precyzować**) precise statement
precyzyjnie *adv* precisely; exactly; with precision; with great accuracy
precyzyjność *sf singt* precision; accuracy; exactness
precyzyjny *adj* precise; exact; accurate; precision — (instruments, mechanics etc.)
precz *adv* 1. (*wyraża oddalenie*) away 2. (*wyraża nagromadzenie*) profusely; in profusion; galore 3. (*wyraża odległość*) (*zw.* **hen** <**het**> **~**) far away 4. (*wyraża intensywność*) mightily; strongly; intensely 5. (*określa długotrwałość*) constantly; everlastingly 6. (*wyraża nakaz oddalenia się*) (go) away!; off with you <him, that etc.>!; *lit.* begone! 7. (*wyraża sprzeciw*) down with ...!
predacyt *sm G.* **~u** *miner.* predazzite
predella *sf kośc.* predella
predestynacj|a *sf singt* 1. (*przeznaczenie*) predestination; foreordination; fate; destiny 2. *filoz.* predestination; **zwolennik ~i** predestinarian
predestynować *vt imperf* to predestine; to predestinate; to foreordain
predeterminizm *sm G.* **~u** *rel.* predeterminism
predykat *sm G.* **~u** *rz.* = **orzecznik**
predykatywny *adj jęz.* predicative
predylekcja *sf* predilection (**do kogoś, czegoś, ku czemuś** for sb, sth); partiality (**do kogoś** for sb); taste (**do czegoś, ku czemuś** for sth)
predysponować *vt imperf* to predispose (**kogoś do czegoś** sb to sth)
predyspozycja *sf* predisposition (**do czegoś** to sth)
preegzystencja *sf singt* pre-existence
prefabrykacja *sf singt bud.* prefabrication
prefabrykacyjny *adj* prefabricated
prefabryka|t *sm G.* **~tu** *L.* **~cie** prefabricated element
prefabrykować *vt imperf techn.* to prefabricate
prefacja *sf rel.* preface
prefaszystowski *adj* pre-fascist
prefek|t *sm L.* **~cie** *pl N.* **~ci** 1. (*u Rzymian i we Francji*) prefect 2. (*katecheta*) catechist 3. (*zwierzchnik duchowny*) prefect
prefektu|ra *sf DL.* **~rze** prefecture
preferans *sm karc.* preference
preferansi|sta *sm* (*decl = adj*) *DL.* **~ście** *pl N.* **~ści** *GA.* **~stów** *karc.* preference player
preferansowy *adj* preference — (table etc.)
preferencja *sf rz.* 1. (*przedkładanie czegoś nad coś*) preference 2. (*pierwszeństwo*) priority; (*przewaga*) superiority; **~ celna** preferential tariff
preferencyjny *adj rz.* preferential (treatment etc.); preference — (bond etc.)
prefiguracja *sf singt* prefiguration
prefiks *sm G.* **~u** *jęz.* prefix
prefiksacja *sf singt jęz.* prefixation
prefiksalny *adj jęz.* prefixal
preformacj|a *sf biol.* **teoria ~i** the theory of preformation
preglacjalny *adj* preglacial
preglacja|ł *sm G.* **~łu** *L.* **~le** *geogr. geol.* Preglacial period
prehistori|a *sf singt GDL.* **~i** prehistory
prehistoryczny *adj* prehistoric(al)
prehistoryk *sm* prehistorian
prejotacja *sf singt jęz.* preiotization
prejudycjalny *adj prawn.* prejudicial
prejudyka|t *sm G.* **~tu** *L.* **~cie** *prawn.* prejudication
prekamb|r *sm G.* **~ru** *L.* **~rze** *geol.* Pre-Cambrian era
prekambryjski *adj geol.* Pre-Cambrian
prekluz|ja *sf singt prawn.* (*także* **termin ~yjny**) limitation
prekonizacja *sf singt kośc.* preconization
prekonizować *vt imperf kośc.* to preconize
prekos *sm* a French breed of sheep
prekurso|r *sm L.* **~rze** *pl N.* **~rzy, prekursor|ka** *sf pl G.* **~ek** precursor; harbinger; forerunner
prekursorski *adj* precursory
prekursorstwo *sn singt* harbingership
prelegen|t *sm L.* **~cie, prelegent|ka** *sf pl G.* **~ek** lecturer
prelekcja *sf* lecture; talk
preliminari|a *spl G.* **~ów** *polit.* preliminaries (**pokojowe itd.** to a peace treaty etc.)
preliminarny *adj*, **preliminaryjny** *adj polit.* preliminary
preliminarz *sm* 1. *ekon.* budget estimate 2. *polit.* the Estimates
preliminować *v imperf* [I] *vi* (*układać preliminarz*) to make a budget [II] *vt* (*przeznaczać*) to assign (sums etc.); to budget (**pewną sumę** for a sum)
prelogiczny *adj* prelogic(al)
preludiowy *adj* preludial
preludium *sn muz.* prelude
premedytacj|a *sf singt* 1. (*obmyślenie*) forethought; premeditation; **z ~ą** deliberately; of set purpose; **zrobiony** <**popełniony**> **z ~ą** calculated; wilful 2. *prawn.* premeditation; **z ~ą** with malice aforethought; with malice prepense
premi|a *sf GDL.* **~i** *pl G.* **~i** 1. (*wynagrodzenie*) bonus 2. *ekon.* bounty; premium; **~a eksportowa** <**wywozowa**> drawback; **~a asekuracyjna** <**ubezpieczeniowa**> insurance premium 3. (*nagroda*) prize 4. (*dodatek dla abonentów*) gift

premie|r *sm L.* **~rze** *pl N.* **~rzy** premier, Prime Minister
premie|ra *sf DL.* **~rze** première; first night; first-night performance
premierostwo *sn* premiership
premierow|y *adj* first-night — (performance, cast etc.); **publiczność ~a** first-nighters
premiowa|ć *vt imperf* to award a bonus <bonuses> (**pracowników** to a staff <a personnel>); to award a prize <prizes> (**okaz** to an exhibit); **~na krowa** prize cow
premiowanie *sn* (↑ **premiować**) the awarding of bonuses <of prizes>
premiow|y *adj* bonus — (award etc.); premium — (system etc.); **pożyczka ~a** lottery loan
premium † *sn* = **premia** 2., 3.
premonstratens *sm rel.* Premonstratensian
prenumera|ta *sf DL.* **~cie** (*zapłacenie oraz suma zapłacona*) subscription (**gazety itd.** to a paper etc.)
prenumerato|r *sm L.* **~rze** *pl N.* **~rzy** subscriber (**gazety itd.** to a paper etc.)
prenumerować *vt imperf* to take in <to subscribe to> (**gazetę itd.** a paper etc.)
prenumerowanie *sn* ↑ **prenumerować**
preparacja *sf* 1. (*przygotowanie*) preparation 2. (*zw. pl*) (*objaśnienie tekstu*) annotations
prepara|t *sm G.* **~tu** *L.* **~cie** 1. *chem.* preparation; concoction; *farm.* confection 2. *biol.* specimen (for scientific use); **~t mikroskopowy** slide
preparat|ka *sf pl G.* **~ek** *szk.* note book
preparato|r *sm L.* **~rze** preparator; laboratory assistant; mixer; demonstrator
preparować *vt imperf* to prepare; to mix (a drink etc.); to make up (a medicine); to concoct (a potion etc.); to skeletonize (a leaf, an animal); to make specimens for scientific use
preparowanie *sn* (↑ **preparować**) preparation
prepozycja *sf jęz.* preposition
prepozy|t *sm L.* **~cie** *pl N.* **~ci** *kośc.* provost
prepozytu|ra *sf DL.* **~rze** *kośc.* provostry
prerafaelicki *adj* Pre-Raphaelite
prerafaeli|ta *sm* (*decl* = *adj*) *DL.* **~cie** *pl N.* **~ci** *GA.* **~tów** (a) Pre-Raphaelite
prerafaelityczny *adj* Pre-Raphaelitic
prerafaeli(ty)zm *sm G.* **~u** Pre-Raphaelitism
preri|a *sf GDL.* **~i** *pl G.* **~i** *geogr.* prairie
prerogatyw|a *sf lit.* prerogative; **posiadany z tytułu ~y** prerogative — (power etc.)
preromantyczny *adj* preromantic
preromantyk *sm lit.* (a) preromantic
preromantyzm *sm singt G.* **~u** *lit.* preromanticism
preryjny *adj* prairie — (dog, chicken, clover etc.)
preselekcj|a *sf G.* **~i** preselection
preselektor *sm* preselector
prese|r *sm L.* **~rze** *pl N.* **~rzy** *druk.* printer; pressman
presj|a *sf singt* pressure; constraint; stress; **wywierać ~ę na kogoś** to bring pressure to bear on sb
prestacja *sf hist.* prestation
prestidigitato|r *sm L.* **~rze** *pl N.* **~rzy** conjurer; juggler; prestidigitator
prestiż *sm singt G.* **~u** prestige
prestiżowy *adj* (reasons, policy etc.) of prestige
presto *sn indecl muz.* presto
preszpan *sm G.* **~u** *introl. techn.* fuller board; pressboard
pretek|st *sm G.* **~stu** *L.* **~ście** pretext; pretence; excuse; **pod ~stem ...** under <on> the pretext <pretence> of ... (illness etc.)
pretenden|t *sm L.* **~cie** *pl N.* **~ci, pretendentka** *sf lit.* claimant; pretender (**do czegoś** to sth)
pretendować *vi imperf lit.* to pretend <to lay a claim> (**do czegoś** to sth); to claim (**do czegoś** sth); **~ do czyjejś ręki** to pretend to sb's hand
pretendowanie *sn* (↑ **pretendować**) claim(s) (**do czegoś** to sth)
pretensj|a *sf* 1. (*zw.pl*) (*roszczenie*) claim(s) <pretension(s)> (**do czegoś** to sth); **dzikie ~e** crazy idea; **zgłaszać** <**wysuwać**> **~e do czegoś** to lay claim to sth; to claim sth 2. (*żądanie*) demand (of payment) 3. (*żądana suma*) debt 4. (*wysokie mniemanie o sobie*) pretension; pretence; pretentiousness; **człowiek bez ~i** unpretending <unpretentious, unassuming> person; person devoid of pretence; person of no pretence; **kobieta w ~ach** well-groomed person 5. (*żal*) resentment; rancour; grievance <grudge> (**do kogoś** against sb); **mieć ~e do kogoś** to have a grievance <a grudge> against sb; to have grounds for complaining of sb; **nie mam do niego ~i** I have no grudge against him
pretensjonalnie *adv* 1. (*z pretensjami*) pretentiously; showily; grandiosely 2. (*nienaturalnie*) pretentiously; affectedly
pretensjonalność *sf singt* 1. (*przesadne aspiracje*) pretentiousness; showiness; grandiosity; pomposity 2. (*nienaturalność*) affectedness; affectation
pretensjonalny *adj* 1. (*pełen pretensji*) pretentious; showy; grandiose; pompous 2. (*nienaturalny*) pretentious; affected; finicky; miminy-piminy; la-di-da
preto|r *sm L.* **~rze** *pl N.* **~rzy** *hist.* praetor
pretorian|in *sm pl G.* **~ów** *hist.* (a) praetorian
pretoriański *adj* praetorian
pretu|ra *sf DL.* **~rze** *hist.* praetorship
prewencja *sf prawn.* prevention
prewencyjny *adj* preventive (medicine, censorship etc.)
prewentorium *sn* preventorium
prezbit|er *sm G.* **~era** <**~ra**> *L.* **~erze** <**~rze**> *pl N.* **~erzy** <**~rowie**> *kośc.* presbyter
prezbiterialny *adj kośc.* presbyterial
prezbiterian|in *sm pl G.* **~** <**~ów**> *rel.* (a) Presbyterian
prezbiterianizm *sm singt G.* **~u** *rel.* Presbyterianism
prezbiteriański *adj* Presbyterian
prezbiterium *sn kośc.* presbytery; chancel; choir
prezbiterstwo *sn kośc.* presbytery
prezencj|a *sf singt* (fine) presence; personality; bearing; (pleasing, prepossessing etc.) appearance; **mieć dobrą ~ę** to be presentable; (*o człowieku*) **z dobrą ~ą** (very) presentable
prezen|t *sm G.* **~tu** *L.* **~cie** present; gift; **dać coś komuś w ~cie** to make sb a present of sth; **zrobić komuś ~t z czegoś** to present sb with sth; to present sth to sb; to let sb have sth as a gift
prezen|ta *sf DL.* **~cie** *kośc.* presentation
prezentacja *sf* introduction
prezent|ować *v imperf* ☐ *vt* 1. (*pokazywać*) to show; to present; *handl.* **~ować weksel** to present a bill

for payment; *wojsk.* **~uj broń!** present arms! 2. (*przedstawiać*) to introduce (sb to sb else) [II] *vr* **~ować się** 1. (*wyglądać*) to look (**dobrze** attractive; **kiepsko** unattractive); to make a (good, poor etc.) appearance; **wspaniale** <**marnie**> **się ~ować** to cut a brilliant <a sorry> figure 2. *lit.* (*przedstawiać się*) to introduce oneself

prezerwa *sf* (*zw.pl*) *kulin.* preserve

prezerwatywa *sf* contraceptive sheath; *pot.* French letter

prezes *sm pl N.* **~owie** <**~i**> president (of an institution, board, council); chairman; **~ rady ministrów** premier; prime minister

prezes|ka *sf pl G.* **~ek** chairwoman

prezesostwo *sn* 1. (*stanowisko*) presidency; chairmanship 2. (*prezes i jego żona*) the president <chairman> and his wife; the President and Mrs X

prezesowa *sf* (*decl* = *adj*) the president's <chairman's> wife; (*z nazwiskiem*) Mrs X

prezesować *vi imperf* to preside; to be president <chairman>; to be in the chair

prezesowanie *sn* (↑ **prezesować**) presidency; chairmanship

prezesowski *adj* president's; presidential; chairman's

prezesu|ra *sf DL.* **~rze** presidency; chairmanship

prezydencki *adj* presidential; president's

prezyden|t *sm L.* **~cie** *pl N.* **~ci** 1. (*głowa państwa*) president 2. (*burmistrz*) (Lord) Mayor

prezydentowa *sf* (*decl* = *adj*) the President's wife; (*z nazwiskiem*) Mrs X

prezydentu|ra *sf DL.* **~rze** presidency

prezydialny *adj* presidential; chairman's — (office etc.); **fotel ~** the chair

prezydium *sn* 1. *polit.* presidium 2. (*grupa osób przewodniczących*) the presiding officers; **członek ~** officer

prezydować *vi imperf* to preside; to be president <chairman>; to be in the chair; *żart.* to hold sway (in the kitchen etc.)

prezydowanie *sn* (↑ **prezydować**) presidency

pręciak *sm gw.* = **pręcie**

pręcie *sn* 1. (*pręt*) rod; stick 2. (*witka*) twig

pręcik *sm* 1. (*pręt*) rod; stick 2. (*zw.pl*) *anat.* rod 3. *bot.* stamen 4. *techn.* graphite; plumbago; black lead

pręcikowaty *adj* rod-shaped

pręcikowie *sn bot.* androecium

pręcikowy *adj* staminal; **kwiat ~** male flower

prędki *adj* 1. (*szybki*) quick; rapid; speedy; swift; nimble 2. (*niezwłoczny*) immediate; instant; prompt 3. (*popędliwy*) hasty; impulsive; impetuous

prędko *adv* (*comp* **prędzej**) 1. (*szybko*) quick(ly); rapidly; speedily; swiftly; hastily; in a hurry; **nie tak ~** not just yet; not in a hurry; **nie tak ~!** steady!; hold on (a bit)! 2. (*zaraz, niebawem*) soon; at once

prędkościomierz *sm pl G.* **~y** <**~ów**> speedometer, speed indicator; tachometer; **~ rejestrujący** speed recorder

prędkość *sf singt* 1. (*szybkość*) speed; rapidity; swiftness 2. (*popędliwość*) impulsiveness; impetuosity 3. *fiz.* velocity; **~ kątowa** <**liniowa**> angular <linear> velocity

prędzej *adv* 1. *comp* ↑ **prędko**; **czym ~** as fast as one can; with all haste; with all possible speed; as quickly as possible; in a flash; **~ czy później** sooner or later; **~!** hurry up!; make haste!; look alive!; look sharp! 2. (*raczej*) rather; sooner; **już ~ bym ...** I would sooner <as soon> ...

prędziutko *adv* quickly; **~!** hurry up!; quick!

pręga *sf* 1. (*smuga*) stripe; streak; ridge; stria; (*na ciele od uderzenia*) wale 2. (*mięso wołowe*) shin of beef 3. *bot.* (*na nasionach*) witta

pręgierz *sm hist.* pillory; *przen.* **pod ~em opinii publicznej** at the bar <under the ban> of public opinion

pręgowanie *sn* stripe; striation

pręgowany *adj*, **pręgowaty** *adj* striped; striate

pręj|t *sm L.* **~cie** 1. (*cienka laska*) bar; rod; wand; tringle; stick; (*u krzesła*) round; stave; **~t mierniczy** gauging-rod 2. (*witka*) twig 3. *hist.* (*miara*) perch 4. *mar.* sprit

prętosłupow|y *bot.* [I] *adj* gynandrous [II] *spl* **~e** (*Gynandrae*) (*rząd*) the Gynandria

prętowy *adj* bar- (iron etc.)

prężenie *sn* ↑ **prężyć**

prężnie *adv* supply; with resilience

prężność *sf singt* 1. (*sprężystość*) suppleness; resilience; elasticity; buoyancy 2. *przen.* (*energia*) energy; buoyancy; (*żywotność*) vitality 3. *techn.* tension; pressure

prężny *adj* 1. (*sprężysty*) supple; resilient; springy; buoyant 2. *przen.* (*energiczny*) energetic; full of vitality

pręży|ć *v imperf* [I] *vt* to stiffen; to tighten; to tauten; to strain; **kot ~ grzbiet** the cat arches its back [II] *vr* **~ć się** to stiffen <to tighten, to tauten> (*vi*)

prima *sf* 1. *handl.* prime <choice> quality 2. *indecl pot.* first-rate; crack; tip-top; A1

prima aprilis *sm indecl* April-fool-day

primabalerina *sf* prima ballerina

primadonna *sf*, **prymadonna** *sf* prima donna

primogenitu|ra *sf DL.* **~rze** *prawn.* right of primogeniture

prioryte|t *sm G.* **~tu** *L.* **~cie** 1. (*pierwszeństwo*) priority; *handl.* preference 2. *pl* **~ty** (*akcje*) preference shares

pro- *praef* pro-; **~francuski** pro-French; **~amerykański** pro-American

probabilistyczny *adj* probabilistic

probabilistyka *sf mat.* the theory of probability; probability theory; (*rachunek*) probability calculus

probabilizm *sm singt G.* **~u** *filoz.* probabilism

probacja *sf rel.* probation

proban|t *sm L.* **~cie** *pl N.* **~ci**, **proban|tka** *sf G.* **~tek** *rel.* probationer

probierczy *adj* testing — (plant etc.); **urząd ~** assay office; **znak ~** hallmark; *dosł. i przen.* **kamień ~** touchstone

probiernia *sf* 1. (*dział sprawdzania jakości*) test-room 2. (*lokal*) tasting room 3. (*urząd*) assay office

probierski † *adj* = **probierczy**; **piec ~** test-furnace

probierz *sm pl G.* **~y** <**~ów**> 1. (*miernik*) gauge; criterion; standard 2. *techn.* gauge

problem *sm G.* **~u** problem; question; issue; **nie było ~u** it was easy going; **nie ma (żadnego) ~u** it's all plain sailing
problematycznie *adv* problematically; doubtfully
problematyczny *adj* problematical; doubtful
problematyka *sf singt* the problems (connected with an issue)
problemi|sta *sm (decl = adj) DL.* **~ście** *pl N.* **~ści** *GA.* **~stów** problemist
problemistyka *sf singt* problematizing
problemowość *sf singt* involved problems
problemowy *adj* problem ___ (play, novel etc.)
probostwo *sn* 1. *(parafia)* parish 2. *(stanowisko — u katolików)* presbytery; *(u protestantów)* parsonage; vicarage; rectory 3. *(plebania — u katolików)* presbytery; *(u protestantów)* parsonage
proboszcz *sm pl N.* **~owie** *(u katolików)* parish-priest; *(u protestantów)* parson; vicar; rector
proboszczowski *adj*, **proboszczowy** *adj (u katolików)* parish-priest's; *(u protestantów)* parson's; vicar's; rector's
probów|ka *sf pl G.* **~ek** *chem.* test-tube; test-glass
proc|a *sf* 1. *(chłopięca)* catapult; sling; **jak z ~y** with lightning speed; in no time; like a shot 2. *hist.* *(broń)* catapult
procarski *adj* pro-tzar
procarz *sm pl G.* **~y** <**~ów**> *hist.* catapultier
procede|r *sm G.* **~ru** *L.* **~rze** trade; (underhand) dealings
procedu|ra *sf DL.* **~rze** (legal) procedure <practice>; **jaka będzie ~ra?** how shall we <will they etc.> proceed?
proceduralny *adj prawn.* procedural
procen|t *sm G.* **~tu** *L.* **~cie** *pl N.* **~ty** 1. *(odsetka)* percentage; *x* **~t** *x* per cent; **na sto ~t, w stu ~tach** a hundred per cent; completely; entirely; wholely; out and out; root and branch 2. *(dochód, zysk)* interest; **~t od zwłoki** interest for default; **~t składany** compound interest; **przynosić ~t** to bear interest; **na ~t** at interest; *przen.* **oddać przysługę z ~tem** to repay a service with usury
procent|ować *vi imperf* 1. *(przynosić zysk w procentach)* to bear interest 2. *(przynosić korzyść)* to pay; **to źle ~uje** it does not pay
procentowo *adv* proportionally; in proportion
procentowość *sf singt* 1. *(wymiar)* proportion 2. *(stopa)* rate per cent
procentow|y *adj* 1. *(obliczony w setnych częściach)* proportional 2. *(oprocentowany)* interest-bearing; **papiery ~e** securities; **stopa ~a** rate of interest
proces *sm G.* **~u** 1. *(przebieg stadiów)* process; progress; advance; course (of events etc.) 2. *biol. chem.* process 3. *prawn.* lawsuit; case; trial; legal proceedings; **wytoczyć komuś ~** to sue sb; to take legal proceedings <to take action, to proceed> against sb
procesja *sf rel.* procession
procesować się *vr imperf* to be at law (with sb); to litigate a cause (with sb); to sue (**z kimś o coś** sb for sth)
procesow|y *adj* (records etc.) of a lawsuit; (minutes etc.) of a cause; **koszty ~e** law-costs; **prawo ~e** rules of the court
procesualista *sm (decl = sf) prawn.* specialist in matters of legal procedure
procesualistyka *sf singt prawn.* science of legal procedure
proch *sm G.* **~u** 1. *(materiał wybuchowy)* (gun)-powder; low explosive; *przen.* **nie wąchał ~u** he doesn't know the smell of powder; **(on) ~u nie wymyśli** he won't set the Thames on fire; he is no genius <no conjurer>; he will never amount to much 2. *lit.* *(człowiek jako znikoma istota)* dust 3. *pl* **~y** *lit.* *(zwłoki)* ashes; **urna z ~ami** funeral urn 4. *(kurz)* dust; **zetrzeć z czegoś ~** to dust sth; *przen.* **rozbić się na ~** to be shattered into fragments; **zetrzeć <rozbić> w ~ armię** to wipe out an army
prochow|iec *sm G.* **~ca** dust-coat
prochownia *sf* powder-magazine
prochownica *sf*, **prochowniczka** *sf hist.* powder-horn
prochownik † *sm* = **prochowiec**
prochowy *adj* powder ___ (factory, magazine etc.); *hist.* **spisek ~** gunpowder plot
producen|t *sm L.* **~cie** producer; manufacturer; maker; raiser <breeder> (of cattle etc.)
produkcj|a *sf* 1. *(wytwarzanie)* production; manufacture; output; turn-out; **~a seryjna** lot <serialized> production; **środki ~i** means of production 2. *(produkty)* produce; output; *(wyroby)* manufactured goods; **~a zwierzęca** stock production; **~i zagranicznej** of foreign growth 3. *(występ artystyczny)* performance 4. *(dzieła)* (literary, musiccal, artistic) output
produkcyjnie *adv* productively
produkcyjność *sf singt* productiveness; productivity
produkcyjn|y *adj* productive; production ___ (costs etc.); **narada ~a** staff conference; **spółdzielnia ~a** collective <co-operative> farm
produkować *v imperf* [I] *vt* 1. *(wytwarzać)* to produce; to manufacture; to turn out; to make; to grow (farm produce); to raise <to breed> (cattle etc.) 2. *(wydzielać)* to generate 3. *pej.* *(tworzyć)* to bring out 4. *(wykonywać)* to produce <to perform, to stage> (an artistic composition) [II] *vr* **~ się** to perform (*vi*); to display one's ability (**grą, tańcem itd.** in playing, dancing etc.)
produkowanie *sn* (↑ **produkować**) production; manufacture; **~ się** performance
produk|t *sm G.* **~tu** *L.* **~cie** 1. *(wyrób)* production; product; produce; manufacture; **~ty rolne** agricultural produce; **~t uboczny** by-product 2. *(wynik procesów chemicznych — to, co powstaje)* product; *(to, co pozostaje)* residue
produktownia *sf pot.* warehouse
produktywizacja *sf singt* productiveness
produktywnie *adv* productively
produktywność *sf singt* productiveness; productivity
produktywny *adj* productive; generative; creative
profan *sm* uninitiated person; layman; outsider; *pl* **~i** the profane
profanacja *sf singt* profanation; desecration
profanka *sf* = **profan**
profanować *vt imperf* to profane; to desecrate; to pollute; to despoil (a tomb)
profanowanie *sn* (↑ **profanować**) profanation; desecration; pollution; despoliation (of a tomb)
profaszystowski *adj* pro-Fascist
profes *sm rel.* professed monk
profesja *sf* occupation

profesjonali|sta *sm* (*decl* = *sf*) *DL.* **~ście** *pl N.* **~ści** *GA.* **~stów** (a) professional
profesjonalizm *sm singt G.* **~u** professionalism
profesjonalny *adj* professional
profeska *sf* professed nun
profeso|r *sm L.* **~rze** *pl N.* **~rzy** <**~rowie**> 1. *uniw.* professor; **~r nadzwyczajny** associate professor; **stanowisko ~ra** professorship; **~r zwyczajny** full professor 2. *szk.* teacher
profesorka *sf* = **profesor** 2.
profesorostwo *sn* the professor and his wife; professor and Mrs X
profesorowa *sf* (*decl* = *adj*) a <the> professor's wife; (*z nazwiskiem*) Mrs X
profesorski *adj* professor's; professorial; donnish
profesu|ra *sf DL.* **~rze** professorship
profil *sm G.* **~u** 1. (*wizerunek*) profile; **z** <**w**> **~u** in profile 2. (*zarys*) contour; outline 3. *przen.* (*zakres*) range (of interests etc.) 4. (*listwa*) moulding 5. *geol. geogr.* profile (of a soil etc.) 6. *techn.* (*przekrój*) (rolled) section <shape> 7. *techn. pl* **~e** section(al) material
profilaktycznie *adv* prophylactically; preventively
profilaktyczny *adj* prophylactic; preventive; **środek ~** (a) preventive
profilaktyka *sf singt* prophylaxis; preventive treatment <action>
profilowa|ć *vt imperf* 1. *arch.* to decorate with mouldings 2. *geol.* to profile (the soil) 3. *techn.* to cross-section; (*o żelazie itd.*) **~ny** section(al)
profilowanie *sn* 1. ↑ **profilować** 2. *arch.* moulding work
profilowy *adj* 1. (*przedstawiający z profilu*) profile — (line etc.); (drawing, painting etc.) in profile 2. *techn.* (*profilowany*) sectional 3. *techn.* (*stosowany do profilowania*) profile-cutting (tool etc.); profiling — (machine)
profi|t *sm G.* **~tu** *L.* **~cie** profit; advantage; benefit
profit|ka *sf pl G.* **~ek** save-all (in a candlestick)
profrancuski *adj* pro-French
prognatyzm *sm singt G.* **~u** *antr.* prognathism
prognostyczny *adj* prognostic
prognostyk *sm* (a) prognostic; omen; forecast
prognoza *sf* prognosis; forecast; **~ pogody** weather-forecast
progow|y *adj* liminal; *med.* **dawka ~a** maximum dose
program *sm G.* **~u** program(me); plan; agenda (of a meeting); *szk.* **~ nauki** <**nauczania**> curriculum; syllabus; **~ partyjny** party programme; **~ polityczny** political programme; *przen.* platform
programować *vt imperf* to programme; to plan
programowo *adv* according to plan
programowość *sf singt* adherence to plan
programow|y *adj* 1. (*zawierający program działania*) programmatic (speech etc.); **muzyka ~a** program(me) music; **~e niszczenie** planned destruction 2. (*będący częścią programu*) foreseen in the program(me)
progresja *sf* 1. (*postęp*) progression 2. *muz.* progression; sequence
progresyjny *adj* = **progresywny**
progresywnie *adv* progressively; by degrees
progresywny *adj* progressive; **podatek ~** progressive <graduated> tax
prohibicja *sf* prohibition
prohibicyjny *adj* prohibitive
projekcja *sf* 1. (*rzutowanie na ekran*) projection 2. *geogr. mat.* projection
projekcyjny *adj* projection — (apparatus, lantern etc.)
projek|t *sm G.* **~tu** *L.* **~cie** 1. (*plan działania*) project; plan; scheme; proposal 2. (*szkic budowy*) design; plan; (*szkic ustawy itd.*) draft
projektancki *adj* designer's
projektan|t *sm L.* **~cie** *pl N.* **~ci** designer; draftsman
projektantka *sf* designer
projektodawc|a *sm* (*decl* = *adj*) *pl N.* **~y** *GA.* **~ów, projektodawczyni** *sf* designer; promotor <originator> (of a scheme etc.)
projektomani|a *sf GDL.* **~i** *pl G.* **~i** mania for designing new schemes
projektor *sm* projector; projection apparatus <lantern>
projektować *vt imperf* 1. (*układać plany*) to project (plans); to plan; to lay out (a garden etc.) 2. (*kreślić plany*) to design; to draft
projektowanie *sn* (↑ **projektować**) projects; plans; designs; drafts; **~ kolei** railway location; **~ miast** town planning
projektowy *adj* 1. (*przewidziany*) planned; designed; foreseen in the plans 2. (*projektujący*) designing — (department etc.)
projektujący *sm* designer
prokaina *sf singt farm.* procaine
prokainowy *adj* procaine — (base, nitrate, penicillin etc.)
prokated|ra *sf DL.* **~rze** procathedral
proklamacja *sf* proclamation
proklamacyjny *adj* proclamatory
proklamować *v imperf* **I** *vt* to proclaim **II** *vr* **~ się** to proclaim oneself (**dyktatorem itd.** dictator etc.)
proklamowanie *sn* (↑ **proklamować**) proclamation
proklityczność *sf singt jęz.* proclitic character (of a word)
proklityczny *adj* proclitic
proklityka *sf jęz* (a) proclitic; proclitic word
prokliza *sf singt jęz.* proclisis
prokoalicyjny *adj* pro-coalition — (party etc.)
prokonsul *sm pl N.* **~owie** *G.* **~ów** *hist.* proconsul
prokonsularny *adj* proconsular
prokonsula|t *sm G.* **~tu** *L.* **~cie** proconsulate
proku|ra *sf DL.* **~rze** procuration; proxy; right of signing per pro
prokurato|r *sm L.* **~rze** *pl N.* **~rzy** public prosecutor; prosecuting magistrate <attorney>
prokuratori|a *sf singt GDL.* **~i** office of the State Attorney
prokuratorka *sf* = **prokurator**
prokuratorski *adj* public prosecutor's
prokuratu|ra *sf DL.* **~rze** public prosecutor's office <department>
prokuren|t *sm L.* **~cie** *pl N.* **~ci** *handl.* proxy
prolegomen|a *spl G.* **~ów** prolegomena
proletariacki *adj* proletarian (revolution, internationalism etc.)
proletaria|t *sm singt G.* **~tu** *L.* **~cie** proletariat(e); the working class; **dyktatura ~tu** the dictatorship of the proletariat(e)

proletariatczyk *sm hist.* member of the first Polish Socialist Revolutionary Party
proletariusz *sm, pl G.* **~y** <**~ów**>, **proletariuszka** *sf* (a) proletarian
proletaryzacja *sf* proletar(ian)ization
proletaryzować *v imperf* [I] *vt* to proletar(ian)ize [II] *vr* **~ się** to become proletar(ian)ized
proletaryzowanie *sn* (↑ **proletaryzować**) proletar(ian)ization
proliferacja *sf biol. zool.* proliferation
prolog *sm G.* **~u** 1. *dosł. i przen.* (*wstęp*) prologue 2. (*prologista*) prologue, prologuist
prologi|sta *sm* (*decl* = *sf*) *DL.* **~ście** *pl N.* **~ści** *GA.* **~stów** *rz.* prologuist
prolonga|ta *sf DL.* **~cie** prolongation; extension (of a loan, of the validity of a document etc.); **~ta weksla** renewal of a bill
prolongować *vt imperf* to prolong; to extend (**paszport itd.** a passport etc.); **~ weksel** to renew a bill
prolongowanie *sn* (↑ **prolongować**) prolongation
prom *sm G.* **~u** ferry(-boat); **~ kolejowy** train-ferry; (**opłata za**) **przejazd** <**przewóz**> **~em** ferriage
promena|da *sf DL.* **~dzie** promenade
promesa *sf* promise; (*zobowiązanie płatności*) promissory note; **~ wizy** visa promise
prome|t *sm G.* **~tu** *L.* **~cie** *chem.* promethium; illinium
prometeiczny *adj* = **prometejski**
prometeizm *sm G.* **~u** *lit.* Promethean struggle
prometejski *adj*, **prometeuszowy** *adj* Promethean
promienic|a *sf* 1. *bot.* (*Radiola linoides*) a linaceous plant 2. *zool. pl* **~e** (*Radiolaria*) (*podgromada*) the Radiolaria 3. *med. wet.* actinomycosis; *wet.* **~a szczęki** lumpy jaw
promienicowy *adj* radiolarian
promieniczy *adj* actinomycotic
promienie|ć *vi imperf* **~je** to beam (**radością itd.** with joy etc.); to radiate (**miłością, energią itd.** love, energy etc.)
promieniejący *adj* beaming; radiant; effulgent
promieniolecznictwo *sn med.* radiotherapy
promieniomierz *sm techn.* radius <fillet> gauge
promieniopłetwe *spl* (*decl* = *adj*) *zool.* (*Actinopterygii*) (*grupa*) the actinopterous fishes
promieniotwórczość *sf singt chem. fiz.* radioactivity
promieniotwórczy *adj* radioactive (matter, isotopes etc.)
promieniować *v imperf* [I] *vt* to radiate (heat, light etc.) [II] *vi* 1. (*wysyłać energię*) to radiate; to ray forth 2. *przen.* (*o człowieku*) to beam <to glow> (**zdrowiem** with health etc.); to brim over (**radością itd.** with joy etc.)
promieniowanie *sn* 1. (↑ **promieniować**) radiance; effulgence 2. *fiz. chem.* radiation; **~ kosmiczne** cosmic rays
promieniowcowy *adj* = **promienicowy**
promieniow|iec *sm G.* **~ca** *biol.* actinomycete; *pl* **~ce** (*Actinomycetales*) the order Actinomycetales
promieniow|y *adj* radial; *anat.* **kość ~a** radius; spoke-bone; *fiz.* **siła ~a** radial force; *techn.* **wiertarka ~a** beam drill; radial drilling machine
promienisto *adv* radially; spokewise
promienistopłetwe *spl* = **promieniopłetwe**
promienistość *sf singt* radiance; irradiance; effulgence; refulgence
promieni|sty [I] *adj* 1. (*rozchodzący się jak promienie*) radial; radiate; stellate(d) 2. (*świecący*) (ir)radiant; effulgent; **energia ~sta** radiant energy [II] *spl* **~ści** *hist.* a patriotic student society in Vilno university (1820)
promieniście *adv* 1. = **promienisto** 2. (*jasno*) radiantly; effulgently; refulgently
promiennie *adv* 1. (*jasno*) (ir)radiantly; refulgently; brightly; glowingly 2. *przen.* brightly
promiennik *sm techn.* radiator
promienność *sf* (ir)radiance; refulgence; brightness; *fiz.* emittance
promienny *adj* (ir)radiant; refulgent; bright; glowing; *przen.* **~ uśmiech** bright smile
promie|ń *sm* 1. (*wiązka świetlna*) ray <beam> (of light); **~ń księżyca** moonbeam; **~ń słońca** sunbeam; **~ń włosów** wisp <strand, tuft> of hair; **rozchodzić się ~niami** to branch out radially <spokewise> 2. *przen.* ray <gleam> (of hope, happiness etc.) 3. (*zw.pl*) *fiz.* ray; **~nie gamma** <**kosmiczne, niewidzialne itd.**> gamma <cosmic, obscure etc.> rays; **~nie Roentgena** X-rays 4. *bot.* fin ray; **~ń rdzeniowy** vascular ray 5. *mat.* radius; **w ~niu kilku kilometrów** within a radius of several kilometres 6. *mat.* (*półprosta*) semidiameter; **~ń wodzący** radius vector 7. (*zw. pl*) *zool.* (*u ryb*) fin rays
promil *sm* promille; per mille
promocj|a *sf* 1. *szk.* promotion 2. *uniw.* (ceremony of) conferment of a doctor's degree; commencement; **otrzymać ~ę na doktora filozofii itd.** to commence Ph.D. etc. 3. *wojsk.* promotion; advancement; **otrzymać ~ę do stopnia majora itd.** to be promoted major etc. 4. *szach.* to promote (a pawn)
promocyjny *adj* promotion — (examinations etc.)
promorfologi|a *sf singt GDL.* **~i** *zool.* promorphology
promoto|r *sm L.* **~rze** *pl N.* **~rzy**, **promotor|ka** *sf pl G.* **~ek** 1. *uniw.* professor conferring a degree 2. *lit.* (*projektodawca*) promoter <originator> (of a scheme) 3. *chem.* promoter (of catalysis)
promować *vt imperf* 1. *szk.* to promote (a pupil) 2. *uniw.* to confer a doctor's degree (**kogoś** on sb) 3. *wojsk.* to promote <to advance> (an officer)
promowanie *sn* (↑ **promować**) promotion; advancement; *uniw.* commencement
promowy *adj* ferriage — (dues etc.); ferry — (craft etc.)
promulgacja *sf prawn.* promulgation
promulgacyjny *adj* promulgatory
promulgować *vt imperf perf* to promulgate
promycz|ek *sm G.* **~ka** *dim* ↑ **promyk**
promyk *sm* 1. = **promień** 1., 2. 2. *zool.* (*u chorągiewki pióra ptasiego*) barbule
proniemiecki *adj* pro-German
propagacja *sf biol.* propagation
propagacyjny *adj* propagative
propagan|da *sf DL.* **~dzie** *polit.* propaganda; (*propagowanie*) information (**czegoś** on sth); propagation; popularization; (*reklama*) publicity; (*popieranie*) boosting; stimulation
propagandowość *sf singt* publicity

propagandowy *adj* propaganda — (play, film etc.); propagandist (books etc.); informative
propagandów|ka *sf pl G.* **~ek** propaganda play <book, leaflet>
propagandy|sta *sm (decl = adj) DL.* **~ście** *pl N.* **~ści** *GA.* **~stów** propagandist; propagator
propagandystyczny *adj* propagandistic
propagandzi|sta *sm (decl = adj) DL.* **~ście** *pl N.* **~ści** *GA.* **~stów** = **propagandysta**
propagato|r *sm L.* **~rze** *pl N.* **~rzy, propagato|rka** *sf pl G.* **~rek** propagator; booster
propagatorski *adj* propagatory; propagative
propagować *vt imperf* to propagate; to popularize; to publicize; to advertise; to boost
propagowanie *sn* (↑ **propagować**) propagation; popularization; stimulation
propan *sm G.* **~u** *chem* propane
proparoksyton *sm G.* **~u** *jęz.* proparoxytone
proparoksytoneza *sf jęz.* proparoxytonizing
proparoksytoniczny *adj* proparoxytonic
propedeutyka *sf* propaedeutics; preparatory instruction
propedeutyczny *adj* propaedeutic(al)
propelle|r *sm L.* **~rze** *techn.* propeller
propen *sm* = **propylen**
propilej|e *spl G.* **~ów** *arch.* propylaeum, propylon
propinac|ja *sf pl G.* **~ji** <**~yj**> *hist.* pub; taproom
propinato|r *sm L.* **~rze** *pl N.* **~rzy** *hist.* publican
proponować *v imperf* [I] *vi* to propose (**aby coś zrobić** to do sth; **żeby ktoś coś zrobił** that sb should do sth); **samorzutnie ~, że się coś zrobi** to volunteer to do sth [II] *vt* 1. (*ogłaszać projekt*) to propose <to submit, to put forward, to suggest> (a plan etc.); **~ kogoś na przewodniczącego** <**na kandydata**> to propose sb as chairman <candidate> 2. (*nakłaniać do wzięcia, kupienia itd.*) to offer (goods for sale etc.)
proporcja *sf* 1. (*stosunek*) proportion; relation; ratio 2. (*harmonijny stosunek*) proportion; (*o budynku itd.*) **o dobrych ~ch** well-proportioned 3. *mat.* (arithmetical, geometric) proportion
proporcjonalnie *adv* proportionally; in proportion
proporcjonalność *sf singt* 1. (*współmierny, harmonijny stosunek*) proportionality; **~ głosowania** proportional representation 2. *mat.* proportion; **prosta** <**odwrotna**> **~** direct <inverse> proportion
proporcjonaln|y *adj* 1. (*mający określony stosunek*) proportional; **wprost** <**odwrotnie**> **~y** directly <inversely> proportional; **~y system wyborczy** proportional representation; *mat.* **średnia ~a** mean proportional 2. (*zachowujący harmonijne proporcje*) well-proportioned; well-balanced
proporczyk *sm* 1. (*chorągiewka*) lance-pennon; burgee; guidon 2. = **proporzec** 2. 3. (*zw.pl*) *wojsk.* ensigns; badges
propo|rzec *sm G.* **~rca** 1. *lit.* = **proporczyk** 1. 2. *mar.* pennon; pennant; streamer; (stem) jack
propozycj|a *sf* proposal; offer (of marriage etc.); suggestion; **wystąpić z ~ą** to make a proposal; to propose; to offer (to do sth); to suggest (doing sth); **zgodzić się na ~ę** to accept a proposal
propozycjonalny *adj filoz.* propositional (function)
propyl *sm G.* **~u** *chem.* propyl
propylen *sm chem.* propylene; propene
proradziecki *adj* pro-Soviet
prorekto|r *sm L.* **~rze** *pl N.* **~rzy** prorector <deputy rector> (of a university)
prorocki *adj* prophetic
proroctwo *sn* prophecy; prediction; prophetic utterance
proroczo *adv* prophetically
prorocz|y *adj* prophetic; fatidical; predictive; **dar ~y** the gift of prophecy; **~e słowa** prediction; **~y sen** prophetic dream
prorok *sm* prophet; seer; **wyznawcy Proroka** the faithful; **bawić się w ~a** to play prophet; **obym był fałszywym ~iem** may my prediction never be fulfilled <never prove true>; may I be wrong; *przysł.* **co rok to ~** the annual baby and a never-empty cradle; **nikt nie jest ~iem we własnym kraju** no one is prophet in his own country
prorokini *sf* prophetess
prorokować *vt imperf* to prophesy; to foretell; to predict
prorokowanie *sn* (↑ **prorokować**) prophecies; predictions
prosceniowy *adj* proscenium — (box etc.)
proscenium *sn teatr* proscenium
prosekto|r *sm L.* **~rze** *pl N.* **~rzy** prosector
prosektorium *sn* dissecting-room; prosectorium
proseminarium *sn* proseminar
proseminaryjny *adj* proseminar — (course etc.)
prosfo|ra *sf DL.* **~rze** *rel.* communion bread (in Orthodox Church)
prosiak *sm* = **prosię**
prosiąt|ko *sn pl G.* **~ek** = **prosię**; *dziec.* piggy
pro|sić *v imperf* **~szę, ~szony** [I] *vt* 1. (*zwracać się z prośbą*) to ask (**kogoś o coś** sb for sth; **kogoś, żeby coś zrobił** sb to do sth); to request (**kogoś o coś** sth of sb; **kogoś, żeby coś zrobił** sb to do sth); to solicit <to beg> (**kogoś o jakąś uprzejmość** a favour of sb); **nie dać się ~sić** to show no reluctance <not to be reluctant> (to do sth); **czy mogę ~sić na chwilę?** may I trouble you a moment?; **~szę cię na wszystko** I beg (of) you; **~sić o głos** to ask permission to speak; **~sić o pozwolenie zrobienia czegoś** to beg leave to do sth; *przen.* **coś ~si o ulepszenie** <**o naprawę itd.**> sth needs to be improved <repaired etc.>; sth needs improvement <is in need of repair etc.>; **~sić kogoś o rękę** to sue for a woman's hand 2. (*zapraszać*) to invite (**kogoś na obiad itd.** sb to dinner etc.); **czy mogę ~sić (do tańca)?** may I have this dance?; **~siliśmy ich na podwieczorek** we invited them for tea; we had them in for tea 3. *w zwrotach grzecznościowych:* **~szę pana** <**pani**>! oh, Mr <Miss, Mrs> X; **~szę państwa!** Ladies and Gentlemen!; (*odpowiadając*) **tak** <**nie**> **~szę pana** <**pani**> yes <no> Sir <Madam>; yes <no> Mr <Miss, Mrs> X [II] *vi* 1. (*orędować*) to intercede <to plead> (**za kimś** for sb) 2. *w zwrotach grzecznościowych:* **~szę** a) (*zapraszając*) please; if you please; do (come in, sit down etc.); **~szę do salonu** will you come over to the parlour?; **~szę usiąść** sit down, will you?; **~szę za mną** come this way, will you? b) (*wskazując, podając, pokazując*) here <there> you are; **~szę popatrzeć** just look c) (*wyrażając zgodę, gotowość*) certainly; **bardzo ~szę** most certainly; by all means; **(co) ~szę?** I beg your pardon?; pardon?; *pot.* beg pardon?; **nalać ci jeszcze? — ~szę bardzo** another

cup <glass>? — yes, please d) (*zwracając się do kogoś*) **~szę o sól <o tamtą książkę itd.>** may I trouble you for the salt <for that book etc.>?; would you oblige me with the salt <hand me that book>? e) (*w odpowiedzi na podziękowanie*) don't mention it; you're welcome; (a) pleasure; not at all; *pot.* not a bit f) (*z prośbą o zaniechanie*) **~szę tego nie robić <nie mówić itd.>** oh, don't; please don't do <say etc.> that g) (*w odpowiedzi na pukanie do drzwi*) come in [II] *vr* **~sić się** 1. *rz.* (*uporczywie prosić*) to beg; to go begging 2. (*o rzeczy — wymagać uzupełnienia, naprawy itd.*) to need (completing, improving, repairing etc.); **to się (aż) ~si** it is the obvious thing to do

prosić się *vr imperf* (*o świni*) to farrow

prosię *sn* 1. *zool.* young pig; piglet; **~ mleczne** sucking pig; *kulin.* **pieczone ~** roast pig 2. *przen.* (*o człowieku*) dirty pig

proskrypcja *sf hist.* proscription

proskrypcyjny *adj* proscriptive

proso *sn bot.* (*Panicum miliaceum*) millet

prosownica *sf bot.* (*Milium*) millet-grass

prosów|ka *sf pl G.* **~ek** *med.* miliaria

prosówkow|y *adj* miliary; **gruźlica ~a** miliary tuberculosis

prospek|t *sm G.* **~tu** *L.* **~cie** *pl N.* **~ty** 1. (*publikacja*) prospectus; folder 2. † (*widok*) view; prospect; panorama

prosperować *vi imperf* to prosper; to be prosperous; to thrive; to flourish; to be doing well

prosperowanie *sn* (↑ **prosperować**) prosperity

prostack|i *adj* coarse; common; loutish; boorish; vulgar; **po ~u = prostacko**

prostacko *adv* coarsely; loutishly; boorishly; vulgarly

prostactwo *sn* coarseness; commonness; loutishness; boorishness; vulgarity

prostacz|ek *sm G.* **~ka** *pl N.* **~kowie** (*dim* ↑ **prostak**) simpleton

prostaczka *sf* = **prostak**

prostaczkowaty *adj* loutish; boorish; churlish

prostaczo *adv* loutishly; boorishly; churlishly

prostaczość *sf singt* loutishness; boorishness; churlishness

prostaczy *adj* simple-minded

prosta|k *sm pl N.* **~cy** <**~ki**> simpleton; gull; bumpkin; muggins; lout; churl; boor; yokel; rustic; gander; chaw-bacon

prostata *sf anat.* prostate (gland)

prostnica *sf anat.* rectum

prosto *adv comp* **prościej** 1. (*nie odchylając się*) straight; **idź ~ przed siebie** go straight ahead <straight on>; just follow your nose; **patrzeć komuś ~ w oczy** to look sb straight in the face; **pij ~ z butelki** drink straight from the bottle; **poszło ~ na dno** it went right down to the bottom; **pójdę ~ do domu** I'll make a bee-line for home; **pójdę ~ do dyrektora** I'll go straight up to the manager; **~ jak sierpem rzucił <jak strzelił>** in a straight line; as the crow flies; **~ na północ <południe itd.>** due North <South etc.>; **trafić <uderzyć> ~ w twarz <w nos, w pierś itd.>** to hit full in the face <nose, chest etc.>; *przen.* **~ z igły <z fabryki>** bran(d)-new; (**powiedzieć coś itd.**) **~ z mostu** (to say sth etc.) straight out <straight from the shoulder, in plain words> 2. (*w pozycji pionowej*) straight; upright; **siedział ~ jak drąg** he sat as stiff as a poker 3. (*w sposób nieskomplikowany*) simply; (*naturalnie*) simply; artlessly; candidly

prostodusznie *adv* simple-heartedly; naïvely, naively; artlessly

prostoduszność *sf singt* simple-heartedness; naïvety, naivety; artlessness

prostoduszny *adj* simple-hearted; naïve, naive; artless

prostoką|t *sm L.* **~cie** *geom.* rectangle

prostokątnie *adv* rectangularly

prostokątność *sf singt* rectangularity

prostokątny *adj* rectangular; right-angled; orthogonal; **rzut ~** orthographic projection; **trójkąt ~** rectangle triangle

prostolinijnie *adv* 1. (*po linii prostej*) rectilinearly 2. (*prostodusznie*) simple-mindedly; artlessly; straightforwardly; ingenuously

prostolinijność *sf singt* 1. (*przebieganie po linii prostej*) rectilinearity 2. (*prostoduszność*) simple-mindedness; artlessness; straightforwardness; rectitude

prostolinijny *adj* 1. = **prostoliniowy** 2. (*prostoduszny*) simple-minded; artless; straightforward; ingenuous

prostoliniowo *adv* rectilinearly

prostoliniowość *sf singt* rectilinearity

prostoliniowy *adj* rectilinear, rectilineal

prostopadle *adv* perpendicularly; sheer

prostopadłościan *sm G.* **~u** *geom.* cuboid; rectangular parallelepiped

prostopadłościenny *adj* cuboidal

prostopadłość *sf singt* perpendicularity

prostopadł|y [I] *adj* perpendicular; sheer; normal; **~y do ...** square with ... [II] *sf* **~a** *geom.* (*także* **prosta ~a do płaszczyzny**) (a) normal

prostoskrzydł|y *zool.* [I] *adj* orthopterous [II] *spl* **~e** (*Orthoptera*) (*rząd*) the Orthoptera

prostota *sf singt* 1. (*naturalność*) simplicity; homeliness; neatness; domesticity; plainness 2. (*skromność*) unaffectedness 3. † (*nieokrzesanie*) loutishness; boorishness

prostowacz *sm techn.* flattener; straightener

prostowa|ć *v imperf* [I] *vt* 1. (*wyrównywać*) to straighten (out) (a path etc.); to flatten (sheet iron etc.); *elektr. techn.* to rectify (the current); **~ć kości** to stretch one's legs; **~ć plecy** to straighten one's back; **palce zginały się i ~ły** the fingers clenched and unclenched 2. (*usuwać błędy*) to rectify; to correct; to revise [II] *vr* **~ć się** to straighten (*vi*); to right oneself; (*o człowieku*) to straighten up

prostowanie *sn* (↑ **prostować**) rectification; *med.* **~ członków** extension

prostowłosy *adj* straight-haired; lank-haired

prostownica *sf techn.* straightener; straightening machine; *elektr.* rectifier

prostowniczy|y *adj fiz.* rectifying; **lampa ~a, urządzenie ~e** rectifier

prostownik *sm fiz.* rectifier ‖ *anat.* (**mięsień**) **~** extensor (muscle)

prostownikowy *adj* rectifying

prostracja *sf singt* prostration; **ogarnęła mnie ~** I was prostrate

prost|y [I] *adj* 1. (*nie odchylający się*) straight; direct; undeviating; (*wyprostowany*) upright; erect; (*o włosach*) lank; straight; *geom.* right (angle, cone, prism etc.); **potomek w ~ej linii** direct descendant; *przen.* **iść ~ą drogą** to follow the path of righteousness 2. (*o człowieku — nie wykształcony*) simple; common; plain; coarse; vulgar; rough and ready 3. (*o człowieku — naturalny*) forthright; unsophisticated 4. (*niewyszukany*) simple; common; ordinary; (*skromny*) plain <homely> (cooking etc.); neat <unpretentious> (clothing etc.) 5. (*nieskomplikowany*) plain (words etc.); simple (*bot.* leaf, *chem.* sugar etc., *gram.* sentence etc.); **rzecz ~a** of course; naturally; obviously; **to jest całkiem ~e** it's (all) quite simple 6. (*zwykły*) simple; common; plain; **~y rozsądek** common sense [III] *sf* **~a** *geom.* straight line

prostyl *sm G.* **~u** *arch.* prostyle

prostylowy *adj* prostyle — (portico etc.)

prostytucj|a *sf singt* prostitution; streetwalking; **uprawiać ~ę** to walk the streets

prostytut|ka *sf pl G.* **~ek** prostitute; streetwalker; strumpet; trollop

proszalny *adj* begging; supplicatory; beseeching

prosząco *adv* beseechingly; in prayer

proszący [I] *adj* beseeching; suplicatory; suppliant [II] *sm* beggar

prosz|ek *sm G.* **~ku** <**~ka**> 1. (*substancja*) powder; **~ek do zębów** tooth-powder; **~ek na robaki** worm-powder; *fot.* **~ek błyskowy** flash-light powder; **w ~ku** in powder form; powdered (sugar etc.); **mleko w ~ku** milk-powder; *pot.* **rower jest w ~ku** the bicycle is taken to pieces 2. *farm.* (a) powder; (a) wafer; **~ek nasenny** sleeping draught

proszenie *sn* (↑ **prosić**) requests

proszkować *vt imperf* 1. (*rozcierać na proszek*) to reduce <to grind> to powder; to pulverize; to lavigate; to triturate; to comminute 2. *przen.* (*rozdrabniać*) to break up into fragments; to fritter away

proszkowanie *sn* (↑ **proszkować**) pulverization

proszkowaty *adj* powdery; pulverulent

proszkowy *adj* in powder form

proszon|y [I] *pp* ↑ **prosić; nie ~y** unrequested; unbidden; uninvited; self-invited [II] *adj* invited; **~a herbata** tea-party; **~y obiad** dinner-party; **~y chleb** beggary [III] *sm w zwrocie*: **iść po ~ym** to go (a-)beggining; to beg

prośb|a *sf DL.* **~ie** *pl G.* **próśb** request; (*do urzędu*) application; (*do sądu*) petition; **usilne ~y** entreaties; **mam do pana** <**do ciebie**> **~ę** I have a request to make <a favour to ask of you>; **na czyjąś (usilną) ~ę** at sb's (urgent) request; **spełnić czyjąś ~ę, wysłuchać czyjejś ~y** to grant sb's request; **chodzić po ~ie** to beg one's bread; to go begging

prościuteńki *adj*, **prościutki** *adj* (*emf.* ↑ **prosty**) perfectly straight; as straight as a die

prościuteńko *adv*, **prościutko** *adv* (*emf.* ↑ **prosto**) perfectly <dead> straight

prośna *adj* (sow) in pig; in farrow

prośnisko *sn roln.* millet field

prośność *sf singt* pregnancy (of a sow)

prot *sm chem.* protium

protagoni|sta *sm* (*decl* = *sf*) *DL.* **~ście** *pl N.* **~ści** *GA.* **~stów** 1. *teatr* protagonist 2. (*bojownik*) protagonist; spokesman; champion (of a cause)

protaktyn *sm singt G.* **~u** *chem.* prot(o)actinium

protamina *sf biol.* protamine

protargol *sm singt G.* **~u** *chem.* Protargol

proteg|a *sf sl.* = **protekcja; nie mam ~i** I have no wires to pull

protegować *vt imperf* to push; to patronize; to back; to favour; to use one's <backstairs> influence (**kogoś** in sb's favour); to pull the wires for sb

protegowanie *sn* (↑ **protegować**) push; backing; favouritism; (backstairs) influence

protegowan|y [I] *pp* ↑ **protegować** [II] *sm* **~y** protégé [III] *sf* **~a** protégée

protei|d *sm G.* **~du** *L.* **~dzie** *biochem.* proteid(e)

proteina *sf biochem.* protein

proteinaza *sf biol.* proteinase

proteinoterapi|a *sf GDL.* **~i** *med.* protein therapy

proteinowy *adj* protein — (grains etc.)

protekcj|a *sf* push; backing; favouritism; (backstairs) influence; **mieć ~ę u kogoś** to be in favour with sb; **używać ~i** to use one's <backstairs> influence

protekcjonalizm *sm G.* **~u** = **protekcjonizm**

protekcjonalnie *adv* patronizingly; condescendingly

protekcjonalność *sf singt* patronizing <condescending> attitude <treatment>

protekcjonalny *adj* patronizing; condescending

protekcjoni|sta *sm* (*decl* = *adj*) *DL.* **~ście** *pl N.* **~ści** *GA.* **~stów** (a) protectionist

protekcjonistyczny *adj* protectionist

protekcjonizm *sm G.* **~u** *ekon.* protectionism

protekcyjnie *adv* = **protekcjonalnie**

protekcyjność *sf* = **protekcjonalność**

protekcyjny *adj* 1. = **protekcjonalny** 2. *ekon.* protective (duties, tariffs etc.)

protekto|r *sm L.* **~rze** *pl N.* **~rzy** <**~rowie**> 1. (*opiekun*) protector; patron; advocate <champion, furtherer> (of a cause) 2. *aut.* (*u opony*) (tyre) tread; **dać nowy ~r na oponę** to retread a tyre

protektora|t *sm G.* **~tu** *L.* **~cie** 1. (*dozór honorowy*) protectorate; patronage; **pod ~tem Ministra ...** under the patronage of the Minister of ... 2. *polit.* protectorate

protektor|ka *sf pl G.* **~ek** protectress; patroness

protektorski *adj* patronizing

protektorstwo *sn* protectorate; patronage

proteolityczny *adj biol.* proteolytic

proteoliza *sf biol.* proteolysis

proterozoiczny *adj geol. paleont.* Proterozoic (era)

proterozoik *sm singt G.* **~u** *geol. paleont.* the Proterozoic era

prote|st *sm G.* **~stu** *L.* **~ście** 1. (*sprzeciw*) protest; opposition; **burza ~stów** storm of protests; **wnieść ~st** to lodge <to enter> a protest; **bez ~stu** without opposition <objection>; unresistingly; **podpisać** <**zapłacić**> **pod ~stem** to sign <to pay> under protest

protestacyjny *adj* protest — (strike, meeting, manifestation)

protestancki *adj* Protestant; Evangelical

protestan|t *sm L.* **~cie** *pl N.* **~ci, protestan|tka** *sf pl G.* **~tek** (a) Protestant; (an) evangelical

protestantyzm *sm G.* **~u** *rel.* Protestantism; the Evangelic Church

protestować *v imperf* [I] *vi* (*zgłaszać sprzeciw*) to protest <to remonstrate, to clamour> (**przeciw czemuś** against sth); to object (**przeciw czemuś** to sth) [II] *vt handl.* to protest (a bill of exchange)
protestowy *adj handl.* protest — (charges etc.)
protestując|y [I] *adj* protesting; **strona ~a weksel** protester of a bill (of exchange) [II] *sm* **~y** objector
protetyczny *adj* 1. (*dotyczący protetyki*) pro(s)thetic (dentistry, surgery) 2. *fonet.* prosthetic
protetyka *sf* prosthetics; pro(s)thetic surgery <dentistry>
proteza *sf* 1. (*sztuczna część ciała*) artificial limb 2. (*sztuczna szczęka*) denture 3. *jęz.* pro(s)thesis; additional sound <syllable>
protezować *vi imperf* to supply artificial limbs <dentures>
protezownia *sf* pro(s)thetic dentist's workshop
protoaktyn *sm singt G.* **~u** = **protaktyn**
protoarchimandry|ta *sm* (*decl* = *adj*) *DL.* **~cie** *pl N.* **~ci** *GA.* **~tów** *kośc.* protoarchimandrite
protobałtycki *adj jęz.* proto-Baltic
protogwi|azda *sf DL.* **~eździe** *astr.* protoplanet
protokolan|t <**protokólan|t**> *sm L.* **~cie** *pl N.* **~ci**, **protokolan|tka** <**protokólan|tka**> *sf pl G.* **~tek** recorder; *sąd.* clerk of the court
protokolarnie <**protokólarnie**> *adv* in an official <a formal> record; (stated, reported) by official <formal> record
protokolarność <**protokólarność**> *sf* official <formal> record(s)
protokolarny <**protokólarny**> *adj* officially <formally> recorded
protokołować <**protokółować**> *vt vi imperf* to record; to make an official <a formal> record (**coś** of sth); (*na zebraniu*) to keep the minutes (of a meeting); to minute
protokółowanie *sn* ↑ **protokółować**
protok|ół *sm G.* **~ołu** <*rz.* **~ółu**> *L.* **~ole** 1. (*zapis przebiegu zebrania*) minutes 2. (*akt urzędowy*) official <formal> record; **~ół dyplomatyczny** protocol
proton *sm G.* **~u** *fiz.* proton
protonotariusz *sm kośc.* protonotary (apostolic)
protonowy *adj fiz.* proton — (projectile, reaction etc.)
protopektyna *sf biol.* protopectin
protopla|st *sm G.* **~stu** *L.* **~ście** *biol.* protoplast
protopla|sta *sm* (*decl* = *adj*) *DL.* **~ście** *pl N.* **~ści** *GA.* **~stów** ancestor; progenitor; (*u zwierząt*) ancestral species
protoplazma *sf biol.* protoplasm
protoplazmatyczny *adj* protoplasmal, protoplasmatic, protoplasmic
protopop *sm kośc.* protopope
protorenesans *sm singt G.* **~u** proto-Renaissance
protosemicki *adj jęz.* proto-Semitic
prototyp *sm G.* **~u** prototype; archetype; protoplast; *biol.* proterotype
prototypowy *adj* prototypical
protozoolo|g *sm pl N.* **~dzy** <**~gowie**> protozoologist
protozoologi|a *sf singt GDL.* **~i** *zool.* protozoology
protrakto|r *sm L.* **~rze** *mar.* protractor; station pointer; plotter
protuberancja *sf astr.* (solar) prominence

prowadnica *sf* 1. *techn.* guide (bar); (slide)way; slide bearing; fence 2. *górn.* cage-guide
prowadnik *sm techn.* guide (shoe); pilot; slide; *górn.* guide
prowadzący [I] *adj* leading [II] *sm* leader
prowadzeni|e *sn* (↑ **prowadzić**) leadership; management; conduct; **dalsze ~e czegoś** continuation <prosecution> of sth; (*po przerwie*) resumption; **złe ~e sprawy** mismanagement of an affair; **~e się** behaviour; **złe ~e się** misconduct; misdemeanour; evil courses; **kobieta lekkiego ~a** woman of easy virtue
prowadz|ić *v imperf* **~ę**, **~ony** [I] *vt* 1. (*wieść*) to lead <to conduct, to take> (**kogoś dokądś** sb somewhere); to show (sb) the way (somewhere); to escort (a lady to a carriage etc.); to escort <to march> (a prisoner to his cell etc.); **~ić gości do salonu** to show the guests to the drawing-room; **~ić konia za uzdę** to lead <to walk> a horse; *dosł. i przen.* **~ić kogoś za rękę** to lead sb by the hand; *przen.* **~ić kogoś na pasku** <**na sznurku**> to hold sb in short leash; **~ić kogoś, coś oczyma** to follow sb, sth with one's eyes; **~ić kogoś za nos** to lead sb by the nose; **~ić pióro** to drive a pen; *górn.* **~ić chodnik** to drive a drift; **~ić wiercenia** to drive wells 2. (*kierować pojazdem*) to drive (a motor-car, a carriage, an engine); to steer (a ship, an aeroplane); **dobrze** <**źle**> **~ić samochód** to be a good <a poor> driver 3. (*w tańcu*) to lead (one's partner, the polonaise etc.) 4. (*realizować*) to carry on (a conversation, correspondence, discussion etc.); to lead (a life of virtue, of dissipation etc.); to live (**nędzny żywot itd.** a life of misery etc.); **dalej ~ić** to continue (**rozmowę itd.** a conversation etc.); (*po przerwie*) to resume (one's work etc.); **~ić wojnę** to wage war 5. (*kierować*) to manage <to conduct, to run> (an institution, a business etc.); to run <to keep> (a shop etc.); *handl.* **~ić jakiś artykuł** to keep <to stock, to sell> an article of trade; **~ić dwulicową grę** to play a double game; **~ić komuś gospodarstwo** to keep house for sb; **~ić księgi** <**rachunki**> to keep the books <the accounts>; **~ić orkiestrę** to lead <to conduct> an orchestra; **~ić pertraktacje** to conduct negotiations; **~ić śledztwo** to make an investigation; **źle ~ić instytucję** to mismanage an institution 6. *sport* **~ić bieg** = **~ić** *vi* 2.; **~ić piłkę** to dribble the ball 7. *rz.* (*doprowadzać*) to convey (**wodę, gaz dokądś** water, gas somewhere) 8. *muz.* to lead 9. *ogr.* to train (a tree, branch, shrub) 9. *techn.* to guide [II] *vi* 1. (*iść na czele*) to lead the way 2. *sport* to have the initiative; to lead the field; to lead (**pięcioma punktami, minutami itd.** by five points, minutes etc.) 3. (*doprowadzać*) to lead <to conduce> (**do pewnych wyników** to certain results); **to do niczego nie ~i** this does not <will not> lead us anywhere 4. (*o drodze, korytarzu itd.*) to lead (to London, to the beach etc.); **ta ulica ~i do rynku** this street debouches into the main square [III] *vr* **~ić się** 1. (*być prowadzonym*) to be led <conducted, guided> 2. (*sprawować się*) to behave; to conduct oneself; **źle się ~ić** to misbehave; (*moralnie*) to dissipate; to misconduct oneself; (*o kobiecie*) to be fast
prowancki *adj*, **prowansalski** *adj* Provençal

prowian|t *sm G.* **~tu** *L.* **~cie** eatables; food supplies; provisions; victuals; viands; *wojsk.* rations; **suchy ~t** dry rations

prowiantować *vt imperf* to provision <to victual> (an army, a garrison etc.)

prowiantowanie *sn* ↑ **prowiantować**

prowiantowy *adj* stores __ (wagon etc.)

prowincj|a *sf* 1. (*jednostka podziału administracyjnego*) province 2. (*część kraju poza stolicą*) the provinces; the country; **na ~i** in the provinces; in the country; out of town

prowincjalizm *sm G.* **~u** = **prowincjonalizm**

prowincjonalstwo *sn* provincialship

prowincja|ł *sm L.* **~le** *pl N.* **~łowie** (a) provincial

prowincjonalizm *sm G.* **~u** 1. *jęz.* (a) provincialism 2. (*zaściankowość*) provincialism

prowincjonalnie *adv* provincially; after the manner of provincial people

prowincjonalność *sf singt* provincialism; provinciality

prowincjonalny *adj* 1. (*dotyczący prowincji*) provincial 2. (*właściwy prowincji*) provincial; countrified

prowincjona|ł *sm L.* **~le** *pl N.* **~łowie, prowincjona|łka** *sf pl G.* **~łek** (a) provincial; countrified person

prowincjusz *sm* (a) provincial; bumpkin; rustic

prowincjusz|ka *sf pl G.* **~ek** (a) provincial; country woman

prowitamina *sf biochem.* provitamin

prowizja *sf* 1. (*wynagrodzenie*) commission; brokerage; percentage; **pięcioprocentowa ~** 5 per cent commission 2. *kośc.* provision 3. *rz.* (*żywność*) provisions

prowizorium *sn* provisional state <arrangement>; temporary state <arrangement>; tentative provision; ad hoc measure

prowizor|ka *sf pl G.* **~ek** *pot.* makeshift; stopgap

prowizorycznie *adv* provisionally; temporarily; **~ urządzić** <**sklecić**> to improvise

prowizoryczność *sf singt* provisionality; temporariness; provisional <temporary> character (of a situation)

prowizoryczny *adj* provisional; temporary; improvised

prowody|r *sm L.* **~rze** *pl N.* **~rowie** <**~rzy**> (ring)-leader

prowokacja *sf* 1. (*podburzanie*) provocation; instigation; stirring up trouble 2. *med.* provocative measure <treatment>

prowokacyjnie *adv* provocatively

prowokacyjny *adj* provocative

prowokato|r *sm L.* **~rze** *pl N.* **~rzy** provocator; instigator; stool-pigeon; (*na zebraniu*) heckler; *polit.* agent provocateur

prowokatorski *adj* provocative

prowokatorstwo *sn* provocative activity

prowokować *vt imperf* 1. (*podżegać*) to provoke; to rouse; to incite; (*wywoływać*) to cause; to bring about; to occasion 2. (*wyzywać*) to induce; to challenge <to dare, to defy, to goad> (sb to do sth); (*o kobiecie w stosunku do mężczyzny*) to make advances

prowokowanie *sn* (↑ **prowokować**) provocation; instigation; inducement

prowokujący *adj* provocative; defiant; (*o spojrzeniu, uśmiechu*) lascivious

proz|a *sf DL.* **~ie** *pl G.* **próz** 1. (*gatunek literacki*) prose; **pisany ~ą** written in prose; **utwór pisany ~ą** prose composition 2. *przen.* (*powszedniość*) prose; humdrum; commonplaceness; dullness

prozaicznie *adv* prosaically; prosily

prozaiczność *sf singt* prose; prosiness; commonplaceness; humdrum

prozaiczny *adj* 1. (*pisany prozą*) prose __ (composition, writings) 2. (*powszedni*) prosaic; prosy; humdrum; pedestrian

prozaik *sm* prosaist; prose writer

prozaism *sm G.* **~u** *lit.* prosaism

prozaizować *v imperf* [I] *vt dosł. i przen.* to prosify; *przen.* to make <to render> (sth) dull <prosy> [II] *vr* **~ się** to become prosaic <commonplace, humdrum>; (*o człowieku*) to become prosaic

prozato|r *sm L.* **~rze** *pl N.* **~rzy** prosaist

prozatorski *adj* prosaist's (art etc.)

prozeli|ta *sm* (*decl* = *adj*) *DL.* **~cie** *pl N.* **~ci** *GA.* **~tów** proselyte; convert

prozelityzm *sm singt G.* **~u** proselytism

prozenchyma *sf bot.* prosenchyma

prozodi|a *sf GDL.* **~i** *pl G.* **~i** *lit.* prosody

prozodyczny *adj lit.* prosodic(al)

prozodyjnie *adv lit.* prosodically

prozodyjny *adj lit.* prosodic(al)

prozody|sta *sm* (*decl* = *adj*) *DL.* **~ście** *pl N.* **~ści** *GA.* **~stów** prosodist

prozopope|ja *sf singt G.* **~i** *lit.* prosopopoeia

prozowy *adj* prose __ (composition, writings etc.)

proż|ek *sm G.* **~ka** 1. *dim* ↑ **próg** 2. *muz.* fret (of a guitar etc.)

prożekto|r *sm L.* **~rze** = **projektor**

prób|a *sf* 1. (*próbowanie*) test; trial; probation; *hist.* ordeal (**ognia** by fire); *przen.* crucible; acid test; **~a głosu** audition; **~a sił** challenge; **~a spadowa** drop-test; **~a życia** hardship; **kandydat odbywający ~ę** probationer; **na ~ę** tentatively; as an experiment; by way of experiment; **być na ~ie** to be on probation; **odbywać ~ę** to undergo a test; to be on probation; **poddać coś ~ie** to test sth; to try sth out; **poddać kogoś ~ie** to give sb a try <a chance>; to put sb through his paces; to try sb's mettle; **przejść ciężką ~ę** to go through an ordeal; **wystawić czyjąś cierpliwość na ~ę** to tax sb's patience; **wystawić kogoś na ~ę** to tempt sb; **wytrzymać ~ę** to stand a test; to pass muster; to stand the racket; **nie wytrzymać ~y** to be found wanting; **wziąć towar na ~ę** to take goods an approval 2. (*usiłowanie*) attempt; effort; try; go; **~a strzału do bramki** shot; **udana ~a** lucky hit; **przy pierwszej ~ie** at one go; at the first attempt; **robiłem kilka ~** I had several goes; I tried several times; **zaniechać ~** to give up the attempt; to give it up as a bad job 3. (*sprawdzian*) test; experiment; **~a ogniowa** baptism of fire 4. (*także* **~ka**) (*wzór towaru, substancji*) sample 5. (*wynik usiłowań*) attempt; trial 6. (*zawartość metalu szlachetnego w stopie*) title; standard; fineness (of gold) 7. (*stempel urzędu probierczego*) hallmark; **~a na kamieniu probierczym** acid test 8. (*przygotowanie sztuki, koncertu*) rehearsal; **pierwsza ~a czegoś** first attempt at sth; **~a generalna** dress rehearsal; **odegrany bez ~y** unrehearsed

prób|ka *sf pl G.* **~ek** 1. (*wzór*) sample; pattern; specimen; *druk.* proof 2. (*wynik usiłowań*) attempt; trial

próbnie *adv* tentatively; **~ coś zrobić** to do sth as an experiment <by way of experiment>

próbnik *sm* 1. (*zwierzę*) test animal 2. (*zgłębnik*) sampler; trier 3. *elektr.* testing set; tester 4. *med.* probe

próbn|y *adj* tentative; probationary; experimental; test — (car, engine etc.); trial — (balance, run on a motor-car etc.); **~e głosowanie** straw vote; **~y staż <okres>** probation

próbować *v imperf* [I] *vt* 1. (*kosztować*) to taste (**potrawy, wina itd.** a dish, a wine etc.) 2. (*poddawać próbie*) to test; to put (sth) to the test; **~ jakość towarów** to sample goods; **~ sił na jakimś polu** to try one's hand at sth; **~ swoich sztuczek na kimś** to try one's games with sb; **~ szczęścia (w czymś)** to try one's luck (at sth) 3. (*usiłować*) to try <to attempt> (**czegoś** sth); to have a try (**czegoś** at sth); to offer (**oporu itd.** resistance etc.); to try one's hand (**czegoś** at sth); to make an attempt (**czegoś** at sth); **nie ~ czegoś zrobić** to make no attempt to do sth 4. *teatr muz.* to rehearse [II] *vi* to try <to attempt, to endeavour, to make an attempt, attempts> (**coś zrobić** to do sth); to have a try <a go, a shy> (**coś zrobić** at doing sth); **nie ma co ~** it's no use trying; **~ z całych sił** to try one's (very) best <one's hardest>; **próbuj jeszcze raz** have another try [III] *vr* **~ się** 1. *pot.* (*mocować się*) to measure oneself <one's strength> (with sb) 2. (*próbować swych sił na jakimś polu*) to try one's skill

próbowanie *sn* (↑ **próbować**) trials; attempts; endeavours

próchniak *sm* mouldering tree-trunk <stump>

próchnica *sf* 1. *med.* caries; decay 2. *roln.* humus; vegetable mould; **~ kwaśna <słodka>** acid <mild> humus

próchnicowy *adj* 1. *med.* carious 2. *roln.* humus — (fungi, mould etc.)

próchniczny *adj* = **próchnicowy** 2.

próchniczy *adj* = **próchnicowy** 1.

próchnie|ć *vi imperf* **~je** to moulder; to rot; to putrefy; *med.* to decay; to grow carious

próchnienie *sn* (↑ **próchnieć**) (the) decay; *med.* putrefaction; rotting; caries

próch|no *sn pl G.* **~en** 1. (*produkt rozkładu drewna*) wood dust; mould; rot; (*hubka*) touchwood 2. *przen.* (*starzec*) decrepit greybeard 3. *przen.* (*budynek*) tumbledown building

prócz *praep* 1. (*wyłączając*) except(ing); **~ tego, że ...** except(ing) that ...; **wszystko ~ ...** anything but ... 2. (*włączając*) besides; apart from; **~ ... jeszcze <także>** besides ... still <also>; **~ tego** moreover; besides

próg *sm G.* **progu <proga>** 1. *bud.* threshold; (door-) sill; *przen.* **niskie progi** humble dwelling <home>; **progi rodzinne** home; **nie wychodzić za próg** not to go out; not to leave home; **przestąpić czyjś próg** to cross sb's threshold; **w progu** on the doorstep; **za progiem** close by; **zima za progiem** winter is near; **za wysokie progi na moje nogi** I'm not worthy to cross their <his etc.> threshold 2. *przen.* (*wstęp do czegoś*) threshold (of life, fame, a new era etc.); **na progu dojrzałości <ruiny itd.>** on the verge of manhood, womanhood <ruin etc.>; **na progu śmierci** at the point of death; at death's door 3. *fiz.* threshold (of audibility etc.) 4. *górn.* sill; timber; ground brace 5. *psych.* threshold (of consciousness etc.); limen; **~ różnicy** difference limen 6. *pl* **progi** *geogr.* rapids 7. *pl* **progi** *muz.* frets (of a guitar etc.) 8. † (*podkład kolejowy*) sleeper; *am.* (cross-)tie

prósz *sm singt G.* **~u** *plast.* spraying paint with an atomizer

prószy|ć *vi imperf* 1. (*sypać*) to sprinkle; to spray; **~ śniegiem** there is a sprinkle of snow; a fine snow is falling 2. *techn.* to spray (paint) with an atomizer

próżni|a *sf* 1. *pot.* (*pusta przestrzeń*) emptiness; (a) void; blank; **mam w głowie ~ę** my mind is a blank; **mówić <pisać> w ~ę** to beat the air; **pozostawić po sobie ~ę** to leave a blank; **trafić w ~ę** to miss one's aim; **wisieć w ~** to hang in mid-air 2. *fiz.* vacuum; *lotn.* air-pocket

próżniacki *adj* = **próżniaczy**

próżniactw|o *sn singt* 1. (*próżnowanie*) idleness; inactivity; **spędzać czas na ~ie** to idle <to frivol> one's time away; to loaf; to twiddle one's thumbs 2. (*lenistwo*) laziness

próżniaczka *sf* = **próżniak**

próżniaczo *adv* idly; in idleness; lazily

próżniaczy *adj* idle; inactive; leisured; work-shy; lazy

próżniaczyć się † *vr imperf* = **próżnować**

próżnia|k *sm pl N.* **~cy <~ki>** idler; do-nothing; lie-abed; lazy-bones; sluggard; slacker; loafer

próżnic|a *sf w wyrażeniu*: **po ~y** idly; vainly; fruitlessly; unnecessarily; uselessly; to no purpose; to no avail

próżniomierz *sm* vacuum-gauge; vacuometer; suction gauge

próżniowy *adj* vacuum — (brake, evaporator etc.); vacuum-(tube, pump etc.)

próżniusieńki *adj* (*emf* ↑ **próżny**) completely empty

próżno *adv* (*także* **na ~**) in vain; fruitlessly; unsuccessfully; unnecessarily; uselessly; to no purpose; to no avail; **męczyć się na ~** to beat the air; **mówić na ~** to waste words <one's breath>; **właściwie na ~** to little or no purpose

próżność *sf* 1. (*małostkowa ambicja*) vanity; vainglory; self-conceit; false pride 2. † (*bezowocność*) futility

próżnować *vi imperf* to idle <to frivol> one's time away; to laze; to lie idly by; to loaf; *przen.* (*o maszynie itd.*) to lie idly by

próżnowani|e *sn* (↑ **próżnować**) idleness; idle habits; **trawić czas na ~u** = **próżnować**

próżn|y *adj* 1. (*o człowieku*) vain; vainglorious; self-conceited 2. (*daremny*) vain; futile; idle; fruitless; purposeless; to no purpose 3. (*pusty*) empty; void; **z ~ymi rękami** empty-handed; *przysł.* **z ~ego i Salomon nie naleje** you can't make sth out of nothing

prr *interj* wo, whoa

prucie *sn* ↑ **pruć**

pru|ć *v imperf* **~ję, ~ty** [I] *vt* 1. (*rozcinać nici szwów*) to rip; to unstitch 2. *pot.* (*rozrywać*) to rip up (the road etc.); to rip open (a parcel etc.);

~ć fale to plough <to ride, to cleave> the waves; *przen.* **flaki ~ć z kogoś** to do sb up; to drive sb hard; to sweat (one's personnel) 3. *pot.* (*gnać*) to tear along 4. *pot.* (*strzelać*) to fire (away) [III] *vr* **~ć się** 1. (*stawać się rozprutym*) to come <to get> unsewn 2. (*rozpadać się na części*) to come asunder; to crack 3. *pot.* (*wykosztowywać się*) to lay oneself out

pruderi|a *sf singt GDL.* **~i** prudery, prudishness; Grundyism

pruderyjnie *adv* prudishly

pruderyjny *adj* prudish; *przen.* strait-laced

prusacki *adj* Prussian

prusactwo *sn singt hist.* 1. (*cecha*) Prussianism 2. (*ludzie*) the Prussians

prusa|k *sm* 1. **Prusak** (*pl N.* **~cy**) *hist.* (a) Prussian 2. (*pl N.* **~ki**) *zool.* (*Blata germanica*) cockroach; Croton bug

pruski *adj* 1. *hist.* Prussian 2. *chem.* prussic <hydrocyanic> (acid); **błękit ~** Prussian blue ‖ *bud.* **mur ~** brick nogged timber wall; half-timbered wall

prusofil *sm pl G.* **~ów** *hist.* Prussophilist

prusofilstwo *sn hist.* Prussophilism

prużyć *vt imperf* to broil

prych|ać *v imperf* — **prych|nąć** *v perf* [I] *vi* 1. (*parskać*) to snort; **~ać, ~nąć śmiechem** to guffaw; to burst out laughing 2. *przen.* (*o maszynie itd.*) to wheeze 3. (*fukać*) to snort [III] *vt* to snort out (abuse etc.)

prychnięcie *sn* (↑ **prychnąć**) (a) snort

prycza *sf* bed of boards

pryk *sm pl N.* **~i** *pog.* (old) fog(e)y

prym † *sm singt G.* **~u** superiority; *obecnie w zwrocie:* **dzierżyć ~** to excel; to predominate; to take the lead <precedence>

pryma *sf* 1. *liturg.* prime 2. *muz.* prime (tone)

prymabaleryna *sf* = **primabalerina**

prymadonna *sf* = **primadonna**

prymari|a *sf GDL.* **~i** *liturg.* first morning mass

prymariusz *sm* head physician

prymarny *adj* primary

prymas *sm* primate

prymasostwo *sn* primateship; primacy

prymasować *vi imperf* to hold the primateship

prymasowski *adj* primatial

prymat *sm singt G.* **~u** pre-eminence; primacy

prymicja *sf* (*zw.pl*) (priest's) first mass

prymicjan|t *sm L.* **~cie** *pl N.* **~ci** priest celebrating his first mass

prymicyjn|y *adj* **~a msza** (priest's) first mass

prymi|sta *sm* (*decl* = *adj*) *DL.* **~ście** *pl N.* **~ści** *GA.* **~stów, prymi|stka** *sf pl G.* **~stek** born musician

prymityw *sm G.* **~u** 1. (*niski poziom*) primitiveness; primitive state; backwardness 2. (*utwór*) primitive composition 3. (*pl N.* **~i**) (*człowiek pierwotny*) primitive man

prymitywi|sta *sm* (*decl* = *adj*) *DL.* **~ście** *pl N.* **~ści** *GA.* **~stów** primitivist

prymitywizacja *sf singt* primitivity

prymitywizm *sm singt G.* **~u** 1. (*stan*) primitive state; primitiveness; rudeness; roughness 2. *plast.* primitivism

prymitywizować *vi imperf* to adhere to primitivism (in art)

prymitywizowanie *sn* (↑ **primitywizować**) adherence to primitivism

prymitywnie *adv* primitively; rudely; roughly

prymitywność *sf singt* primitiveness; primitive character (of a composition etc.)

prymitywny *adj* primitive; rude; rough; simple

prym|ka *sf pl G.* **~ek** plug <quid> (of chewing tobacco)

prymula *sf*, **prymulka** *sf bot.* (*Primula*) primrose

prymus *sm L.* **~ie** *pl N.* **~i** <**~y**> 1. (*uczeń*) top boy; top of the class <school> 2. (*maszynka*) primus (stove)

prymus|ka *sf pl G.* **~ek** top girl; top of the class <school>

prymusostwo *sn singt* top boy's lead

pryncypalny *adj* principal; main; chief

pryncypa|ł *sm L.* **~le** *pl N.* **~łowie** manager; chief; master; owner; *sl.* boss

pryncypa|t *sm G.* **~tu** *L.* **~cie** *hist.* principate

pryncypializm *sm singt G.* **~u** = **pryncypialność**

pryncypialnie *adv* in principle; as a general principle; as a matter of principle

pryncypialność *sf singt* adherence to principles; dogmatism

pryncypialny *adj* (matter, question) of principle; fundamental

prys *sm* punt-pole

pryskacz *sm* 1. (*ktoś pryskający*) sputterer 2. *zool.* (*Toxotes iaculator*) archer-fish

pry|skać *v imperf* — **pry|snąć** *v perf*. **~śnie** [I] *vt* to splash <to spatter> (**wodą, błotem itd.** water, mud etc.; **coś wodą, błotem itd.** with water, mud etc. on sth <sth with water, mud etc.>) [III] *vi* 1. (*rozpryskiwać się*) to spatter; to sp(l)utter; to fly 2. *przen. pot.* (*odchodzić*) to clear out; (*uciekać*) to bolt; to hop it; (*o zwierzętach*) to scamper away 3. (*łamać się*) to break off <loose>; to burst 4. *przen.* (*o złudzeniach itd.* — *rozwiewać się*) to dissolve; to vanish; to be dashed to the ground; **~snął czar** the gilt is off

pryskanie *sn* (↑ **pryskać**) splash (of water etc.); spatter <sp(l)utter> (of particles etc.)

pryskaw|ka *sf pl G.* **~ek** *zool.* spiracle

prysnąć *zob.* **pryskać**

pryszcz *sm pl G.* **~ów** <**~y**> pimple; pustule; vesicle; **obsypany ~ami** pimply; pimpled

pryszczar|ek *sm G.* **~ka** *zool.* (*Cecidomyia destructor*) Hessian fly

pryszczar|ka *sf pl G.* **~ek** *zool.* wheat midge; *pl* **~ki** (*Cecidomyidae*) (*rodzina*) the Cecidomyidae; the itonidids

pryszczaty *adj* pimpled; pimply

pryszczaw|ka *sf pl G.* **~ek** *zool.* (*Lytta vesicatoria*) Spanish fly

pryszczyca *sf singt wet.* foot-and-mouth disease; aphthous fever

pryszczycowy *adj* aphthic

pryszczyk *sm* acne; vesicle; phlyctena; pimple; pustule

prysznic *sm G.* **~u** <**~a**> 1. (*urządzenie*) shower 2. (*kąpiel*) shower-bath — (cure etc.)

prysznicowy *adj* shower-bath — (cure etc.)

pryśnięcie *sn* (↑ **prysnąć**) (a) splash; spatter; sp(l)utter

prywaciarz *sm pl G.* **~y** *pot.* private shopkeeper

prywa|ta † *sf DL.* **~cie** pursuing one's private <personal> interests

prywat|ka *sf pl G.* **~ek** *pot.* 1. (*wieczorek taneczny*) (a) hop; dancing party 2. (*przedsiębiorstwo*) private business

prywatniak *sm* = **prywaciarz**

prywatnie *adv* in private; privately; in a private capacity; informally; confidentially; **uczyć się ~** to take private lessons

prywatnoprawny *adj prawn.* used at private law

prywatnoskargowy *adj prawn.* used by private prosecution

prywatn|y *adj* 1. (*osobisty*) private; personal; **~y adres** home address; **prawo ~e** private law 2. (*nieoficjalny*) informal; confidential; **nauczanie ~e** private lessons

pryzma *sf* 1. (*stos*) pile (of sand, gravel etc.); heap 2. *mat.* prism 3. *techn.* flitch (of lumber)

pryzma|t *sm G.* **~tu** *L.* **~cie** *fiz. opt.* prism

pryzmatoi|d *sm G.* **~du** *L.* **~dzie** *geom.* prismatoid

pryzmatyczn|y *adj* prismatic; **lornetka ~a** prism binocular

przaśnik *sm* matzoth

przaśny *adj* unleavened; unfermented

prząd|ek *sm G.* **~ka** *pl N.* **~kowie** spinner

prząd|ka *sf pl G.* **~ek** 1. (*kobieta przędząca*) spinner 2. *zool.* a moth of the family Lasiocampidae; *pl* **~ki** (*Lasiocampidae*) (*rodzina*) the family Lasiocampidae (of moths)

prządków|ka *sf G.* **~ek** = **prządka** 2.

prz|ąść *v imperf* **~ędę, ~ędzie, ~ądł, ~ędła, ~ędziony** [I] *vt* to spin [II] *vr* **~ąść się** 1. (*stawać się przędzą*) to be spun 2. *przen.* (*wysnuwać się*) to ravel out; to unfold (*vi*)

prząślica *sf* distaff

prząśnica *sf* 1. (*część kołowrotka*) distaff 2. *techn.* spinner

prząśnicz|ka *sf pl G.* **~ek** *dim* ↑ **prząśnica** 1.

przeadresować *vt perf* to readdress; to redirect; to send on; to forward

przeanalizować *vt perf* 1. (*przebadać*) to analyse thoroughly; to subject (sth) to a thorough analysis; to make a thorough analysis (**coś** of sth); to think (sth) over 2. (*przebrać miarę w analizowaniu*) to overanalyse

przebaczać *zob.* **przebaczyć**

przebaczeni|e *sn* (↑ **przebaczyć**) (a) pardon; forgiveness; remittal (of sins); *rel.* absolution; **do ~a** pardonable; **nie do ~a** unpardonable

przebaczyć *vt perf* — **przebaczać** *vt imperf* to pardon; to forgive; to condone; to overlook; to remit (a sin)

przebadać *vt perf* to examine; to subject (sth) to a thorough examination

przebadanie *sn* (↑ **przebadać**) (thorough) examination

przebalować *vt perf* to trifle away (one's time) at balls

przebałaganić *vt perf pot.* to frivol away (one's time)

przebarwienie *sn* overcolouring; hyperchromatism

przebąkiwać *vi imperf* — **przebąknąć** *vi perf* 1. (*mówić półgłosem*) to mutter 2. (*napomykać*) to hint (**że ...** that ...; **o czymś** at sth); to allude (**o czymś** to sth); to mention (sth) casually

przebąkiwanie *sn* (↑ **przebąkiwać**) hints; allusions

przebąknąć *zob.* **przebąkiwać**

przebici|e *sn* (↑ **przebić**) (*przekłucie*) perforation; puncture; *chir.* paracentesis; *elektr.* break-down; rupture; *górn.* cut-through; **~e tunelu** piercing of a tunnel; **siła ~a (pocisku itd.)** penetrating force; (*o oponie, dętce*) **nie do ~a** puncture-proof

przebi|ć *v perf* **~je, ~ty,** — **przebi|jać** *v imperf* [I] *vt* 1. (*przekłuć*) to pierce; to stab; to spike <to spit> (with a sword etc.); to transfix (sb) (**kopią itd.** with a lance etc.); to run <to thrust> (sb) through (with a sword etc.); (*przedziurawić*) to perforate; to bore <to punch> a hole (**coś** through sth); (*o byku, krowie*) **~ć, ~jać rogiem** to gore; **~ć, ~jać oponę** to puncture a tyre 2. (*utorować*) to break (**mur** through a wall); to drive <to pierce> (**tunel przez górę itd.** a tunnel through a mountain etc.); to dig (**przejście przez śnieg itd.** a passage through the snow etc.); **~ć, ~jać ulicę przez dzielnicę miasta** to open a street through a district of a town 3. (*przetopić monety*) to recoin (silver etc.) 4. *karc.* to trump <to ruff> (a card); to beat (**dziesiątkę waletem** a ten with a jack) [II] *vr* **~ć, ~jać się** 1. (*przekłuć się*) to stab oneself; **~ć się własnym mieczem** to run one's sword through one's body; to run on one's sword 2. (*przedostać się*) to dig <to plough> one's way (**przez tłum itd.** through the crowd etc.); *przen.* **~jać się przez życie** to fight one's way through life 3. (*o czymś ostrym, o roślinie itd.*) to pierce <to penetrate> (**przez coś** through sth); (*o słońcu*) **~ć, ~jać się przez chmury** to break through the clouds

przebie|c <*rz.* **przebie|gnąć**> *v perf* **~gnę, ~gnie, ~gnij, ~gł** — **przebie|gać** *v imperf* [I] *vt* 1. (*przebyć drogę*) to run (**pokój itd.** across a room etc.); **~c, ~gać jakąś odległość** to run a certain distance; **~c, ~gać komuś drogę** to run across sb's path 2. (*przesunąć się*) to run (**coś** over sth); **palce ~gały klawiaturę** the fingers ran over the keys; *przen.* **~c, ~gać coś oczami** to glance <to cast one's eyes> over sth; to let one's gaze wander over sth; **~gałem przeszłość pamięcią** my thoughts wandered back to the past [II] *vi* 1. (*biec mimo, obok*) to run by <past>; **~c, ~gać na drugą stronę** to run across 2. (*przesunąć się szybko*) to flit; to scour (**po kraju** the countryside); *przen.* **dreszcz ~gł mi po ciele** a shiver ran down my spine; **to mi ~gło przez myśl** the thought flashed through my mind; **uśmiech ~gł po jego twarzy** a smile flitted across his face 3. (*o liniach, drogach itd.* — *ciągnąć się*) to run; to range (**między dwoma punktami** between two points; **wzdłuż czegoś** along sth; **od jednego punktu do drugiego** from one point to another)

przebiedować *vi vt perf* to make shift; to manage; to get along (somehow); to muddle through

przebieg *sm G.* **~u** 1. (*tok*) course; run; progress; process; **mieć ~** = **przebiegać** *vi* 2. (*trasa*) route 3. (*przebyta trasa*) distance covered; (*wyrażony w milach*) mileage

przebiegać *v imperf* [I] *zob.* **przebiec** [II] *vi* (*odbywać się*) to take place; to proceed; to take <to follow> a (normal, abnormal etc.) course

przebieganie *sn* ↑ **przebiegać**

przebiegle *adv* shrewdly; with cunning; astutely; artfully; craftily

przebiegłość *sf singt* shrewdness; cunning; astuteness; artfulness; craft(iness)

przebiegły *adj* shrewd; cunning; astute; artful; wily; crafty

przebiegnąć *zob.* **przebiec**

przeb|ierać *v imperf* — **przeb|rać** *v perf* **~iorę, ~ierze** [I] *vt* 1. (*zmieniać ubranie*) to change (**kogoś** sb's clothes); to disguise (**kogoś za księdza itd.** sb as a priest etc.); **~ierać, ~rać chłopca za dziewczynkę** to dress a boy up as a girl 2. (*sortować*) to sort (out); to sift; to winnow (out) 3. (*kolejno przesuwać*) to finger (the pearls in a necklace, the strings of an instrument etc.); to interchange; to alternate; to manipulate (one's knitting needles etc.); **konie ~ierały nogami** the horses stamped their feet: **~ierać, ~rać paciorki różańca** to count one's beads 4. *przen.* (*wybredzać*) to pick and choose; to be fastidious <choos(e)y, particular, fussy, hard to please>; **nie ~ierać w słowach** to be rough-spoken; not to mince one's words; **nie ~ierał w słowach** he did not choose his words; **nie ~ierać w środkach** to be unscrupulous; **nie ~ierając w środkach** unscrupulously; by fair means or foul 5. (*poruszać*) to stir (**nogami** one's legs) 6. † (*wyczerpać*) to exhaust; *obecnie w zwrotach:* **~ierać, ~rać miarę** to overstep the bounds; to carry things too far; **~rać miarę w jedzeniu** <**piciu**> to eat <to drink> to excess [III] *vr* **~ierać, ~rać się** 1. (*zmienić ubranie*) to change (one's clothes); to dress (for dinner); **~rała się w jedwabną suknię** she changed into a silk gown 2. (*włożyć charakterystyczny strój*) to disguise (**za pierrota itd.** as Pierrot etc.) ‖ **~rała się miarka** this is more than I can stand; this is going too far

przebieralnia *sf* changing room

przebieranie *sn* († **przebierać**) changing (sb's) clothes; dressing (sb) up; **~ się** changing one's clothes

przebier|ka *sf pl G.* **~ek** 1. *muz.* sounding pipe (in a bagpipe) 2. *pot. pl* **~ki** (*wybierki*) rejects; refuse; waste matter

przebijać *v imperf* [I] *vt* = **przebić** [II] *vi* 1. (*być widocznym*) to show (**przez coś** through sth) 2. (*występować*) to appear [III] *vr* **~ się** to show; to reveal itself; to be visible; to be felt

przebijak *sm techn.* die; drifter; punch(er)

przebijar|ka *sf pl G.* **~ek** *techn.* punch press

przebiśnieg *sm G.* **~u** *bot.* (*Galanthus*) snowdrop

przebit|ka *sf pl G.* **~ek** 1. (*odbitka*) copy; duplicate; **~ka maszynowa** carbon copy 2. *górn.* countershaft 3. *karc.* overtrumping 4. *pot.* = **papier przebitkowy**

przebitkowo *adv* by means of carbon copies

przebitkow|y *adj* written <typed> with a carbon copy; **bibułka ~a, papier ~y** copying <bank> paper

przebłagać *vt perf* — **przebłagiwać** *vt imperf* to obtain (sb's) pardon; to appease <to propitiate, to placate, to conciliate> (the gods etc.)

przebłagalny *adj rz.* propitiatory

przebłaganie *sn* († **przebłagać**) appeasement; propitiation; placation; conciliation

przebłagiwać *zob.* **przebłagać**

przebłądz|ić *vi perf* **~ę** to spend (a space of time) seeking the right path

przebłysk *sm G.* **~u** flash; sparkle; glimmer; stroke (of genius, wit etc.); ray (of hope etc.); **~i świadomości** lucid intervals

przebłyskiwać *vi imperf* to shine; to flash; to glimmer; to glint

przebogaty *adj* 1. (*niezwykle bogaty*) extremely <enormously, excessively> rich (**w coś** in sth) 2. (*obfitujący*) plenteous; profuse

przebojow|iec *sm G.* **~ca** pusher; pushing <go-ahead> fellow; *am. pot.* go-getter

przebojowość *sf singt* combativeness; pugnacity

przebojowy *adj* aggressive; combative; pugnacious; go-ahead

przebol|eć *vt perf* **~eje, ~ał, ~ały** to get over (a loss etc.); (*mówiąc o zniewadze itd.*) **jeszcze tego nie ~ał** it is still rankling in his mind <heart>

przebolesny *adj* extremely <excessively> painful

przebóg † *interj* by God!

przeb|ój *sm G.* **~oju** *pl G.* **~ojów** 1. (*piosenka, melodia*) hit; clou; (a) success 2. *sport* break through the defence
~ojem, *rz.* **na ~ój** by sheer force; aggressively; combatively; pugnaciously; **iść ~ojem** <**na ~ój**> to fight one's way (along, through life)

przeb|óść *vt perf* **~odę, ~odzie, ~ódź, ~ódł, ~odła, ~odzony** to pierce through and through; to transfix

przebrać *zob.* **przebierać**

przebrani|e *sn* 1. † **przebrać** 2. (*strój*) disguise; **w ~u** in disguise; disguised

przebrany [I] *pp* † **przebrać** [II] *adj* disguised (**za mnicha itd.** as a monk etc.)

przebrnąć *vi perf* 1. (*przebyć z trudem*) to wade <to plod, to struggle> (**przez coś** through <across> sth) 2. *przen.* to muddle through; **~ przez książkę** <**morze cyfr itd.**> to wade through a book <a sea of figures etc.>; **~ przez podręcznik** to plod through a text-book; **~ przez trudności** to tide over difficulties

przebrnięcie *sn* † **przebrnąć**

przebrodz|ić *vt* **~ę** to ford <to wade through> (a river etc.)

przebronować *vt perf* to harrow

przebrukować *vt perf* — **przebrukowywać** *vt imperf* to re-pave

przebrzmi|eć *vi perf* **~, ~j** — **przebrzmiewać** *vi imperf* 1. (*o odgłosach*) to die away; to cease ringing 2. *przen.* (*przeminąć*) to pass; to fall into oblivion; (*o teorii itd.*) to be played out

przebrzmiały [I] *pp* † **przebrzmieć** [II] *adj* out-of-date; outworn; dead and gone; off the map

przebrzmienie *sn* † **przebrzmieć**

przebrzmiewać *vi imperf* 1. *zob.* **przebrzmieć** 2. (*dawać się słyszeć*) to be heard; to reach the ear

przebrzydły *adj* horrid; abominable; disgusting

przebudowa *sf* reconstruction; rebuilding

przebudow|ać *v perf* — **przebudow|ywać** *v imperf* [I] *vt* to reconstruct; to rebuild; to re-edify; to remodel [II] *vr* **~ać, ~ywać się** to be reconstructed <rebuilt, re-edified, remodelled>

przebudowanie *sn* († **przebudować**) reconstruction; rebuilding

przebudowywać *zob.* **przebudować**

przebudz|ać *v imperf* — **przebudz|ić** *v perf* **~ę ~ony** [I] *vt* to wake (sb) up; to awaken (sb);

przen. to rouse (**kogoś z zamyślenia itd.** sb from his musings etc.) [II] *vr* **~ać, ~ić się** to wake (*vi*) up; to awake (*vi*); *przen.* to revive

przebudzenie *sn* (↑ **przebudzić**) awakening; *przen.* revival; **przykre ~** a rude awakening

przebudzić *zob.* **przebudzać**

przebujać *v perf* [I] *vt* (*przehulać*) to trifle away [II] *vi* (*wybujać zanadto*) to exuberate

przebumblow|ać *vt perf* — **przebumblow|ywać** *vt imperf pot.* to revel away (the night etc.); **~ana noc** a night of revelry

przebumelować *vt perf pot.* to loaf away (the time etc.)

przebutwieć *vi perf* to moulder <to rot> through

przebyci|e *sn* ↑ **przebyć**; (*o drodze*) **możliwy do ~a** passable; **nie do ~a** a) (*o drodze*) impassable; impracticable b) (*o gąszczu*) impenetrable c) (*o terenie*) pathless

przeb|yć *v perf* **~ędę, ~ędzie, ~ądź, ~ył, ~yty** — **przeb|ywać** *v imperf* [I] *vt* 1. (*pobyć*) to spend (**jakiś czas gdzieś** some time somewhere) 2. (*przejść, przejechać przestrzeń*) to travel <to cover> (a distance); (*przekroczyć*) to cross (a threshold, a morass etc.) 3. (*przeżyć*) to go <to pass, to live> through (hard times etc.); **~yć chorobę** to suffer from a disease (in the past); to have had a disease [II] *vi* (*pobyć*) to be (**na powietrzu itd.** in the open etc.); to sojourn <to dwell, to stay, to live> (**gdzieś** in a place); **stale ~ywać gdzieś** to reside <to be in residence> somewhere

przebywać *vi imperf* 1. *zob.* **przebyć** 2. (*znajdować się*) to abide; to dwell; to inhabit; (*tkwić*) to lie (in sb, sth)

przebywani|e *sn* (↑ **przebywać**) sojourn; stay; **miejsce ~a** habitation; dwelling; **stałe ~e** residence

przecedz|ać *vt imperf* — **przecedz|ić** *vt perf* **~ę, ~ony** to filter <to perfuse, to strain> (**coś przez sito itd.** sth through a sieve etc.)

przecedz|ić *vt perf* 1. *zob.* **przecedzać** 2. (*wymówić przez zęby*) to drawl out (words); to say (sth) through clenched teeth

przecena *sf* reduction of prices; reduced prices

przeceni|ać *v imperf* — **przeceni|ć** *v perf* [I] *vt* 1. (*oceniać zbyt wysoko*) to overrate; to overestimate; to overvalue; to make too much (**coś, kogoś** of sth, sb); **~ać, ~ć wartość <znaczenie> czegoś** to overestimate sth 2. *handl.* to reduce <to lower the price> (**artykuł** of a commodity) [II] *vr* **~ać, ~ć się** to overrate <to overestimate, to overvalue> one's worth <one's strength, possibilities etc.>

przechadzać się *vr imperf* to go for a walk; to take a walk; to walk about; to saunter; to promenade; to walk up and down <backwards and forwards>

przechadzanie się *sn* (↑ **przechadzać się**) (a) walk; (a) saunter; (a) stroll; (a) promenade; walking up and down <backwards and forwards>

przechadz|ka *sf pl G.* **~ek** (a) walk; (a) stroll; (a) tour; (an) airing; (a) constitutional; (a) turn (in the garden, park etc.); **pójść na ~kę** to go for a walk <stroll>; to take a walk

przeche|ra *sf sm* (*decl* = *sf*) *DL.* **~rze** *pl N.* **~ry** *G.* **~r** <**~rów**> *A.* **~ry** <**~rów**> *lit.* sly <cunning> fox; trickster

przechłodz|ić *vt perf* **~ę, ~ony** to cool

przechodni *adj* 1. (*o domu, bramie*) double-exit — (building); **pokój ~** passage room 2. *sport* **nagroda ~a** challenge-cup 3. *jęz.* transitive (verb) 4. *mat.* transitive

przechodniość *sf singt jęz.* transitiveness

przechodząc|y [I] *adj* passing [II] *sm* **~y**, *sf* **~a** passer-by

przechodzenie *sn* (↑ **przechodzić**) passage; *szk.* promotion; **~ przez czyjś grunt** (a) trespass

przechodz|ić *v imperf* **~ę** [I] *vi zob.* **przejść** [II] *vt* 1. *perf* (*przepędzić czas chodząc*) to walk <to perambulate> (**jakiś czas** a space of time) 2. *perf* (*przetrwać chorobę nie kładąc się do łóżka*) to go about one's work <to go on with one's occupations> when (being) ill (**grypę itd.** with flu etc.)

przecho|dzień *sm G.* **~dnia** passer-by; **nieuważny ~dzień** *am.* jay-walker

przechodzony *adj pot.* (*o ubraniu itd.*) used; worn; shabby; threadbare

przechorow|ać *v perf* — **przechorow|ywać** *v imperf* [I] *vt* 1. (*przebyć jakiś okres chorując*) to be ill (a space of time); **całą zimę ~ał** he was ill all winter 2. (*przepłacić chorobą*) to fall ill (**coś** on account of sth, in consequence of sth); to pay the price (**coś** of sth) by an illness [II] *vr* **~ać, ~ywać się** to be ill; **~ałem się na zapalenie płuc** I have had pneumonia

przechow|ać *v perf* **~a** — **przechow|ywać** *v imperf* [I] *vt* 1. (*przetrzymać*) to keep; to store 2. (*zachować*) to preserve; to retain; **~ać, ~ywać w pamięci** to keep <to retain> in memory 3. (*przetrzymać w ukryciu*) to keep in hiding; to harbour (a criminal etc.); **~ać, ~ywać kradzione rzeczy** to reset <to receive> stolen goods [II] *vr* **~ać, ~ywać się** 1. (*przetrwać w przechowaniu*) to be preserved 2. (*utrzymać się w tradycji*) to remain; to be kept alive; to be handed down (to posterity) 3. (*pozostać w ukryciu*) to remain in hiding

przechowalnia *sf* repository; store; warehouse; storage plant; **~ bagażu** left-luggage office; *am.* check-room; **~ mebli** pantechnicon

przechowalnian|y *adj* (period etc.) of preservation; **trwałość ~a (owoców, warzyw)** preservability (of fruits, vegetables)

przechowalnictwo *sn singt ogr.* preservation (of fruits, vegetables)

przechowalniczy *adj* = **przechowalniany**

przechowani|e *sn* (↑ **przechować**) preservation; storage; safe-keeping; **bagaż oddany do ~a** left luggage; **~e rzeczy kradzionych** resetting <receiving> of stolen goods

przechowawc|a *sm* (*decl* = *sf*) *pl N.* **~y** *GA.* **~ów** *prawn.* keeper

przechowywać *zob.* **przechować**

przechowywanie *sn* (↑ **przechowywać**) storage; **~ w chłodni** cold storage

przechrz|cić *v perf* **~czę, ~cij, ~czony** [I] *vt* 1. (*nadać inną nazwę*) to change the name (**coś** of sth) 2. (*zmienić imię*) to change (**kogoś** sb's) Christian name 3. *rz.* (*ochrzcić*) to convert (sb); to baptize (a Jew)

przechrz|ta *sm* (*decl* = *sf*) *DL.* **~cie** *pl N.* **~ty** *GA.* **~tów** convert; converted Jew

przechwal|ać *v imperf* — **przechwal|ić** *v perf* [I] *vt* to give exaggerated praise (**kogoś, coś** to sb, sth); to overpraise; to puff; to extol; *pot.* to crack (sb, sth) up; **~ać, ~ić swoje zasługi** to exaggerate one's merits [III] *vr* **~ać, ~ić się** to boast; to brag; to swagger; to vaunt; to gas; *pot.* to talk big; to vapour

przechwalanie *sn* (↑ **przechwalać**) exaggerated praise; **~ się** boasts; brag; swagger

przechwał|ka *sf pl G.* **~ek** (a) boast; *pl* **~ki** boasts; brag; swagger; big words; gasconade; *pot.* swank; bounce

przechwycenie *sn* (↑ **przechwycić**) interception; seizure

przechwy|cić *vt perf* **~cę, ~cony** — **przechwytywać** *vt imperf* to intercept; to seize

przechylać *zob.* **przechylić**

przechylenie *sn* (↑ **przechylić**) inclination; (a) lean; (a) tilt; cant; *lotn.* (a) bank

przechyl|ić *v perf* — **przechyl|ać** *v imperf* [I] *vt* to incline; to lean; to tip; to tilt; **~ić, ~ać do góry** <**ku górze**> to tilt up; **~ić, ~ać do tyłu** <**ku tyłowi**> to lean <to bend, to tilt> back; **~ić, ~ać na dół** to bend down; **~ić, ~ać statek** to give the ship a list; *przen.* **~ić, ~ać szalę** to turn <to tip> the scale; **~ić, ~ać szalę zwycięstwa** to turn the tide of the battle [III] *vr* **~ić, ~ać się** 1. (*przekrzywić się*) to incline <to bend, to lean (over), to tip, to tilt> (*vi*); (*o statku*) to list; to heel; *lotn.* to bank; *przen.* **~ić, ~ać się na czyjąś stronę** to incline to sb's side 2. (*wychylić się na zewnątrz*) to lean out

przechylony [I] *pp* ↑ **przechylić** [II] *adj* lop-sided; (*o statku*) listing

przechy|ł *sm G.* **~łu** *L.* **~le** (*przechylenie*) inclination; (a) lean; (a) tilt; *mar.* (a) list; (a) lurch; (a) heel; *lotn.* (a) bank

przechył|ka *sf pl G.* **~ek** *sport* superelevation; cant

przechyłow|y *adj mar.* **dewiacja ~a** heeling error

przechytrzać *zob.* **przechytrzyć**

przechytrzenie *sn* ↑ **przechytrzyć**

przechytrzyć *v perf* — **przechytrzać** *v imperf* [I] *vt* 1. (*przewyższyć chytrością*) to overreach; to outwit; *am.* to outsmart; to outjockey 2. *pot.* (*stracić przebrawszy miarę chytrości*) to finesse (sth) away [II] *vi pot.* (*przegrać, przebrawszy miarę w chytrości*) to overreach oneself

prze|ciąć *v perf* **~tnę, ~tnie, ~tnij, ~ciął, ~cięła, ~cięty** — **prze|cinać** *v imperf* [I] *vt* 1. (*rozciąć*) to cut (**na dwie, trzy itd. części** in two, three etc.); to cut across (sth); to slice; to cleave; to cross (a street, square etc.); *geom.* to bisect; (*o świetle, promieniu, błyskawicy*) to flash (**niebo** across the sky); **jak nożem ~ciął** definitively; conclusively; **~ciąć, ~cinać bilet** to clip a ticket; **~ciąć, ~cinać coś wzdłuż** to slit sth; **~ciąć, ~cinać na ukos** to crosscut; *med.* **~ciąć, ~cinać wrzód** to lance an abscess; *przen.* **~ciąć, ~cinać komuś drogę** to cross sb's path; **~ciąć, ~cinać komuś komunikację** <**odwrót, dowóz**> to cut off sb's means of communication <retreat, supplies>; **~ciąć, ~cinać kraj** <**okolicę**> to traverse a country <a region> 2. (*znaleźć się w poprzek*) to cross; to lie across; to intersect; to traverse 3. (*przerwać*) to cut (sth) short; to put an end (**coś** to sth) [II] *vr* **~ciąć, ~cinać się** to cross <to intersect> (*vi*); (*o wielu liniach itd.*) to criss-cross

przeciąg *sm G.* **~u** 1. (*prąd powietrza*) draught; **tu są ~i** this place is draughty 2. *singt* (*okres trwania*) space <lapse, stretch> of time; spell; **w ~u** in the space of <in, within, *pot.* inside of> (two minutes, a week etc.); **w krótkim ~u czasu** in a short time 3. † (*przelot*) flight (of birds); (*przemarsz*) passage (of troops)

przeciągacz *sm techn.* pull broach

przeciąg|ać *v imperf* — **przeciąg|nąć** *v perf* [I] *vt* 1. (*przewlekać*) to pull (**sznur itd. przez otwór** a string etc. through an orifice) 2. (*rozwieszać*) to stretch (**sznur itd. przez ulicę itd.** a cord etc. across the street etc.) 3. (*ciągnąc zmieniać miejsce*) to pull (**coś przez przeszkodę** sth across an obstacle); **~ać, ~nąć ramiona** to stretch one's arms; *przen.* **~ać, ~nąć strunę** to overstrain the cord; to go too far; to overplay one's hand 4. (*przesuwać po czymś*) to draw (**czymś po czymś** sth over <across> sth); **~ać, ~nąć biczem** to lash (sb, a horse etc.) with a whip 5. (*przedłużać*) to lengthen out; to draw out; to prolong; to protract; to make (sth) last 6. (*przesadzać*) to strain; to overdo 7. (*wymawiać przeciągle*) to drawl out (one's words, syllables) 8. *techn.* to draw (metals); to strop (a razor) 9. † (*gromadzić przy sobie*) to canvass; *obecnie w zwrocie:* **~ać na czyjąś stronę** to win (sb) over to sb's side [II] *vi* (*przesuwać się — o ludziach*) to pass; to march past; (*o chmurach itd.*) to drift; (*o ptakach*) to fly by; to pass overhead [III] *vr* **~ać, ~nąć się** 1. (*przewlekać się*) to last; to drag on; to linger on 2. (*prostować się*) to stretch one's limbs <oneself> 3. (*o twarzy, minie*) to fall; **~nięte rysy** drawn features; **twarz mu się ~nęła** his face fell

przeciąganie *sn* 1. (↑ **przeciągać**) (*także* **~ się**) protraction; prolongation; **~ liny** tug of war 2. *techn.* drawing 3. *sport* tug ‖ **~ wikliny** sorting out osiers

przeciągar|ka *sf pl G.* **~ek** *techn.* broaching machine

przeciągle *adv* protractedly; lengthily

przeciągłość *sf singt* protractedness

przeciągły *adj* protracted; lengthy; long drawn out; (*o spojrzeniu*) languishing; languorous

przeciągnąć *zob.* **przeciągać**

przeciągnięcie *sn* 1. (↑ **przeciągnąć**) (a) pull; (a) stretch 2. *geogr.* (*także* **~ rzeki**) river capture; stream piracy <diversion>

przeciążać *vt imperf* — **przeciążyć** *vt perf* 1. (*zbytnio obładować*) to overburden; to overload; to overweight; to congest 2. *przen.* (*zbytnio obciążać pracą*) to overwork; to overtask 3. *fiz.* to overstrain

przeciążenie *sn* 1. (↑ **przeciążyć**) surcharge; congestion; overwork 2. *techn.* overload, excessive load; overcharging 3. *lotn.* load factor

przeciążyć *zob.* **przeciążać**

przecie <**przecie|ż**> *adv* 1. (*z odcieniem uzasadniającym*) (*także* **bo ~** <**~ż**>) after all; when all is said and done; **~** <**~ż**> **mówiłem ci** I told you, didn't I?; didn't I tell you?; **~** <**~ż**> **wiedziałeś** you knew it, didn't you?; didn't you know it?; **oni się ~** <**~ż**> **kochają** they love each other, don't they?; don't they love each other? 2. (*z odcieniem przeciwstawiającym*) (*także* **a ~** <**~ż**>)

still; yet; nevertheless; though; all the same; ~ <~ż> **wygraliśmy** we won though

przecie|c *vi perf* ~**cze** <~**knie**>, ~**kł, przecieknąć** *vi perf* — **przeciekać** *vi imperf* 1. (*o naczyniu itd. — przepuścić ciecz*) to leak 2. (*o płynach — przeniknąć*) to leak; to trickle; to ooze; to seep; to run (through sth) 3. *imperf* (*o strumieniu, rzece — przepłynąć*) to flow 4. *pot.* (*o towarach itd.*) to find its <their> way (to the black market) 5. *pot.* (*o informacjach, wiadomościach*) to leak out

przeciek *sm G.* ~**u** 1. (*przeciekanie*) leakage 2. (*miejsce, w którym przedostaje się woda*) (a) leak 3. *pot.* (*przedostawanie się*) leakage

przeciekanie *sn* (↑ **przeciekać**) leakage; leak

przecieknąć *zob.* **przeciec**

przecie|r *sm G.* ~**ru** *L.* ~**rze** pomace; purée; paste; pap; mash

przec|ierać *v imperf* — **prze|trzeć** *v perf* ~**trę,** ~**trze,** ~**trzyj,** ~**tarł,** ~**tarty** [I] *vt* 1. (*przesuwać przez coś*) to rub (**sobie czoło** one's forehead) 2. (*polerować*) to polish (one's shoes etc.); (*wycierać*) to wipe (one's glasses etc.); ~**cierać,** ~**trzeć drogę** to clear the way <a passage> (through the snow etc.); *przen.* ~**cierać,** ~**trzeć komuś drogę** to smooth the way for sb 3. (*przepuszczać przez sito*) to rub (vegetables etc.) through a strainer <a sieve> 4. (*niszczyć*) to abrade (one's skin etc.); to wear (one's clothes) threadbare; ~**cierać,** ~**trzeć sobie podeszwy** to wear one's shoes into holes <holes in one's shoes> 5. (*piłować*) to saw <to convert> (timber) [III] *vr* ~**cierać,** ~**trzeć się** 1. (*być przecieranym*) to be rubbed (through a sieve etc.) 2. (*ulegać zniszczeniu*) to get abraded <worn into holes> 3. (*wypogadzać się*) to clear up 4. (*o człowieku — nabierać poloru*) to acquire polished manners <refinement>

przecieranie *sn* ↑ **przecierać;** ~ **drewna** conversion <converting> of timber

przecieran|ka *sf pl G.* ~**ek** = **przecier**

przecierp|ieć *vt perf* ~**i** 1. (*doznać cierpień*) to suffer; to bear; to endure 2. (*znieść*) to undergo; to go (**coś** through sth)

przecież *zob.* **przecie**

przecięci|e *sn* 1. (↑ **przeciąć**) (a) cut(ting); section 2. (*miejsce przecięte*) section; **rysunek** ~**a** profile; sectional drawing 3. *mat.* intersection; **punkt** ~**a** point of intersection

przeciętniak *sm pot.* common type <run> of man; average specimen; man of average ability

przeciętnie *adv* 1. (*średnio*) on an <the> average; **on pracuje** ~ **8 godzin dziennie** he averages 8 hours' work a day; **robić** <**osiągnąć, wynosić itd.**> ~ *x* to average *x* 2. (*nienadzwyczajnie*) indifferently; ~ **uczciwy** <**pracowity itd.**> commonly honest <laborious etc.>

przeciętność *sf* mediocrity

przeciętn|y *adj* 1. (*średni*) average; mean (time, pressure, quantity etc.) 2. (*zwykły*) average; ordinary; common; mediocre; indifferent; **ludzie** ~**ej miary** the common run of people; **to nie są ludzie** ~**ej miary** they are out of <above> the common run of men

przecinacz *sm* cutter

przecinać *zob.* **przeciąć**

przecinak *sm* 1. *bud.* chipper; chisel 2. (*narzędzie kowalskie*) sett

przecinanie *sn* ↑ **przecinać**

przecin|ek *sm G.* ~**ka** 1. (*znak interpunkcyjny*) comma 2. *mat.* point

przecin|ka *sf pl G.* ~**ek** 1. (*droga w lesie*) glade 2. *górn.* cross-cut; cross heading; cross-through; break-through

przecinkowanie *sn* the use of commas

przecinkowaty *adj* comma-shaped

przecinkow|iec *sm G.* ~**ca** (*zw.pl*) *biol.* comma bacillus

przeci|skać *v imperf* — **przeci|snąć** *v perf* ~**śnie,** ~**śnij,** ~**śnięty** [I] *vt* to push <to press, to force> (**coś przez coś** sth through sth) [II] *vr* ~**skać,** ~**snąć się** to push (*vi*) (**przez coś** through sth); to push <to squeeze, to elbow> one's way (**przez tłum itd.** through the crowd etc.); to crowd through; ~**skać,** ~**snąć się przez okna** <**drzwi**> to crowd in; *przen.* (*o słowach*) ~**skać,** ~**snąć się komuś przez gardło** to pass sb's lips

przeciskanie (się) *sn* ↑ **przeciskać (się)**

przeciw(ko) *praep* against (**komuś, czemuś** sb, sth); contrary (**pewnym zasadom, instrukcjom, naturze, czyimś życzeniom itd.** to certain principles, to instructions, to naturé, to sb's wishes etc.); *sport sąd.* against; versus; **X** ~**(ko) Y** X against <versus> Y; **mieć coś** ~**(ko) czemuś, komuś** <~**ko temu, żeby ktoś coś zrobił**> to object to sth, to sb <to sb's doing sth>; **nie mam nic** ~**(ko) temu** I do not object to it; I have no objection against it <to it>; I do not mind it; **wszystkie za i** ~ all the pros and cons

przeciw- *praef* anti-; ant-; counter-

przeciwakustyczny *adj bud.* sound-proof

przeciwalergiczny *adj* antiallergic

przeciwalkoholowy *adj* antialcoholic

przeciwawaryjny *adj* emergency _ (squad etc.)

przeciwbiegun *sm* antipole

przeciwbieżn|y *adj techn.* **betoniarka** ~**a** forced mixer

przeciwbłoniczy *adj med.* antidiphteritic

przeciwbólowy *adj med.* analgesic

przeciwchemiczn|y *adj wojsk.* anti-gas _ (defence etc.); **obrona** ~**a** defence against chemical war-fare

przeciwci|ało *sn L.* ~**ele** *biol.* antibody

przeciwcierny *adj techn.* antifrictional

przeciwcięża|r *sm G.* ~**ru** *L.* ~**rze** *techn.* counterweight; counterbalance; counterpoise; balance weight; equipoise

przeciwciśnienie *sn techn.* counterpressure; back pressure

przeciwczołgow|y *adj wojsk.* anti-tank; **działo** ~**e** bazooka

przeciwdow|ód *sm G.* ~**odu** *L.* ~**odzie** *prawn.* proof to the contrary

przeciwdurowy *adj* = **przeciwtyfusowy**

przeciwdziałać *vi imperf* to counteract (**czemuś** sth); to oppose <to resist, to check> (**czemuś** sth); to neutralize (**czemuś** sth)

przeciwdziałając|y *adj* counteractive; *fiz.* **siła** ~**a** counterforce

przeciwdziałanie *sn* (↑ **przeciwdziałać**) counteraction; opposition; resistance; neutralization

przeciwdźwiękowy *adj bud.* sound-proof

przeciw|ek † *sm G.* **~ka** *obecnie w zwrocie:* **z ~ka** from the other side; from across the street; from over the way

przeciwgazow|y *adj* anti-gas — (defence, cape etc.); **maska ~a** gas-mask; anti-gas respirator; **schron ~y** gas-shelter

przeciwgnilcowy *adj* antiscorbutic

przeciwgnilny *adj* antiseptic; antiputrefactive; antiputrescent

przeciwgorączkowy *adj* febrifugal; antifebrile; antipyretic

przeciwgośćcowy *adj* antirheumatic

przeciwgruźliczy *adj* antituberculitic; antiphthisic

przeciwgrypowy *adj* anti-influenza

przeciwieństw|o *sn* 1. (*sprzeczność*) conflict; antagonism; contrast; **w ~ie do** contrary to; as opposed to; in contradistinction to; in opposition to; unlike (sb, sth) 2. (*zjawisko, jednostka różniące się całkowicie*) contrary; opposite; reverse; contradiction; antitype; *jęz.* antonym; **diametralne ~a** antipodes; antipoles; **~a się schodzą** extremes meet

przeciwja|d *sm G.* **~du** *L.* **~dzie** *med.* counterpoison

przeciwkandyda|t *sm L.* **~cie** opponent

przeciwkierunkowy *adj* antipolar

przeciwkiłowy *adj med.* antisyphilitic

przeciwklin *sm techn.* gib; cotter lock

przeciwko *zob.* **przeciw**

przeciwkołtuński *adj* anti-Philistine

przeciwkonstytucyjny *adj polit.* anticonstitutional

przeciwkrwotoczny *adj med.* h(a)emostatic; antih(a)emorrhagic

przeciwkrzepliwy *adj* anticoagulative

przeciwkrzywicowy *adj*, **przeciwkrzywiczny** *adj*, **przeciwkrzywiczy** *adj med.* antirachitic

przeciwkurczowy *adj med.* antispasmodic

przeciwkwasowy *adj* antiacid

przeciwległy *adj* opposite

przeciwlotniczy *adj wojsk.* anti-aircraft — (artillery, defence etc.); air-raid — (precautions etc.); **schron ~** air-raid shelter

przeciwmalaryczny *adj med.* antimalarial

przeciwmg|ielny *adj*, **przeciwmg|łowy** *adj* fog- (signal etc.); **syrena ~łowa** fog-horn

przeciwmina *sf wojsk.* countermine

przeciwmolowy *adj* moth — (balls etc.)

przeciwnakręt|ka *sf pl G.* **~ek** *techn.* lock-nut; check nut; jam nut

przeciwnatarcie *sn sport wojsk.* counter-attack

przeciwniczka *sf* = **przeciwnik**

przeciwnie *adv* 1. (*na odwrót*) on the contrary; **~ do czegoś** contrary to sth; **bywa czasem ~** the reverse sometimes happens; **sprawa przedstawia się całkiem ~** the boot is on the other leg 2. (*w przeciwnych kierunkach*) in opposite directions

przeciwni|k *sm* 1. (*wróg*) enemy; foe 2. (*zwalczający*) antagonist; opponent; **być ~kiem czegoś** to be adverse to sth; **jestem ~kiem tego** I am opposed to it; I am against it 3. (*współzawodniczący*) adversary; opponent; the opposing party; *pl* **~cy** the contestants

przeciwnost|ka *sf pl G.* **~ek** minor reverse

przeciwnoś|ć *sf* reverse (of fortune); adversity; set-back; **trzeba się pogodzić z ~ciami losu** one must take the bitter with the sweet

przeciwn|y *adj* 1. (*leżący naprzeciw*) opposite; reverse; **po ~ej stronie** opposite (*adv*); **wiatr ~y** adverse <foul, unpropitious> wind 2. (*sprzeczny*) contrary; **w ~ym razie** if not; otherwise; (or) else 3. (*sprzeciwiający się*) opposed (to sb, sth); **~y obóz** the enemy camp; **być ~ym czemuś** to be opposed <adverse> to sth; to be against sth; to object to sth; **nie byłbym ~y temu** I wouldn't mind it <that>; I should not be averse to it <that>; **wszyscy są temu ~i** the general feeling is against it

przeciwodblaskowość *sf singt fot.* anti-halo property

przeciwodblaskowy *adj* 1. *fot.* anti-halo 2. *aut.* anti-dazzle (shield, head lights)

przeciwogniowy *adj* fire-fighting; fire-extinguishing

przeciwpancerny *adj* armour-piercing; anti-tank — (artillery etc.)

przeciwpaństwowy *adj* antinational

przeciwpa|ra *sf DL.* **~rze** *techn.* reversed steam; back-steam

przeciwpowodziow|y *adj* flood — (dam etc.); **zabezpieczenie ~e** flood control

przeciwpożarow|y *adj* fire-fighting; fire-extinguishing; **urządzenia ~e** fire-control; **wydział ~y** fire department

przeciwprą|d *sm G.* **~du** *L.* **~dzie** *techn.* counter-current; back-current

przeciwprostokątna *sf* (*decl* = *adj*) *mat.* hypotenuse

przeciwprzod|ek *sm G.* **~ka** *górn.* counter-road

przeciwpylicowy *adj med.* antipneumococcic

przeciwpyłowy *adj* dust-proof; dust- (shield etc.)

przeciwrakowy *adj med.* anticancer

przeciwrdzewny *adj* antirust; rust-preventing; rust-inhibitive

przeciwreumatyczny *adj med.* antirheumatic

przeciwrządowy *adj* antigovernment — (activities etc.); opposition — (benches etc.)

przeciwrzeżączkowy *adj med.* antigonorrheal

przeciwsenny *adj* antisoporific

przeciwskarpa *sf* counterscarp

przeciwskurczowy *adj med.* antispasmodic

przeciwsłoneczn|y *adj* **okulary ~e** sun-glasses; *fot.* **osłona ~a obiektywu** lens screen <hood>

przeciwsłońce *sn meteor.* anthelion

przeciwsobn|y *adj techn.* **układ ~y** push-pull system

przeciwsprawdzian *sm G.* **~u** *techn.* master <reference> gauge

przeciwstawi|ać *v imperf* — **przeciwstawi|ć** *v perf* I *vt* 1. (*stawiać przeciw*) to oppose (sth to sth else); (*zestawiać*) to set (**coś czemuś** one thing against another); **~ać, ~ć coś czemuś** to place two things in opposition 2. (*konfrontować*) to contrast (one thing with another) II *vr* **~ać, ~ć się** to oppose <to resist, to withstand, to defy> (**komuś, czemuś** sb, sth); **~ać, ~ć się czemuś** to stand in opposition to sth; to stem sth; to make head against sth; **~ać, ~ć się komuś** to stand up to sb

przeciwstawianie *sn* (↑ **przeciwstawiać**) opposition; **~ się** resistance

przeciwstawić *zob.* **przeciwstawiać**

przeciwstawienie *sn* 1. ↑ **przeciwstawić** 2. (*coś przeciwstawnego*) opposite; contrary; contrast 3. *astr.* opposition 4. **~ się** resistance; opposition

przeciwstawnia *sf* antithesis

przeciwstawnie *adv* in opposition; in contrast; antagonistically

przeciwstawność *sf singt* opposition; contrast; antagonism

przeciwstawny *adj* opposed; opposing; contrasting; contrary; antagonistic

przeciwstok *sm G.* **~u** reverse slope

przeciwstukow|y *adj* anti-knock _ (substance); **środki ~e** anti-knocks

przeciwsurowica *sf med.* antiserum

przeciwszkorbutowy *adj* antiscorbutic

przeciwślizgowy *adj* (*o oponach*) non-skid

przeciwtankowy *adj. rz* = **przeciwczołgowy**

przeciwtempo *sn szerm.* counter timing

przeciwtężcowy *adj med.* antitetanic; antitetanus

przeciwtorpedow|y *adj mar.* **sieć ~a** torpedo-net

przeciwtyfusowy *adj med.* antityphoid

przeciwuderzenie *sn sport* counter-stroke; *wojsk.* counter-attack

przeciwwag|a *sf* counterweight; counterbalance; counterpoise; balance weight; equipoise; **stanowić ~ę** = **przeciwważyć**

przeciwważyć *vt imperf* to counterbalance; to equipoise; to counterweigh

przeciwweneryczny *adj med.* venereal (medicines)

przeciwwiatrow|y *adj:* **osłona ~a** break-wind; wind-break

przeciwwilgociow|y *adj* damp-proof _ (cushion); **izolacja ~a** moisture barrier

przeciwwskazanie *sn* (*zw. pl*) *med.* contraindication

przeciwwskazany *adj med.* contraindicated

przeciwwstrząsowy *adj* anti-knock _ (substance); **środki ~e** anti-knocks

przeciwwybuchowy *adj* explosion-proof; **środek ~** antidetonator

przeciwzakaźny *adj med.* antiseptic

przeciwzakrzepowy *adj med.* antithrombotic

przeciwzapalny *adj* 1. *med.* antiphlogistic; counteracting inflammation <fever> 2. (*zapobiegający zapaleniu się*) anticombustible; non-combustible

przeciwzwarciowy *adj techn.* protecting against short-circuits

przecknąć się *vr perf gw.* to awake

przecudnie *adv* most admirably <wonderfully>; just marvellously

przecudny *adj* most admirable <wonderful>; just <simply> marvellous

przecudownie *adv* = **przecudnie**

przecudowny *adj* = **przecudny**

przecukrzenie *sn med.* hyperglyc(a)emia

przecwałować *vi perf* to gallop <to career> by <past>

przecywilizować *vt perf* to overcivilize

przecząco *adv* negatively; in the negative; **odpowiedzieć ~** to say no; to refuse; to give a negative reply

przecząc|y *adj* negative; **forma ~a** the negative; *gram.* **przedrostek ~y** privative prefix

przeczekać *v perf* — **przeczekiwać** *v imperf* [I] *vi* to wait; to bide one's time [II] *vt* to wait (**coś** till sth stops, ends, ceases <has stopped, ended, ceased>); to sit (**kogoś, innych gości** sb, the other guests) out

przeczenie *sn* 1. ↑ **przeczyć** 2. (*wyraz, wyrażenie, partykuła*) (a) negative 3. (*negacja*) negation; denial 4. (*odpowiedź*) negative answer; answer in the negative

przeczernić *vt perf dosł. i przen.* to blacken (sb, sth) to excess

przecze|sać *v perf* **~sze** — **przecze|sywać** *v imperf* [I] *vt* 1. (*poprawić uczesanie*) to comb (**kogoś** sb's) hair; to give (**kogoś** sb's) hair a comb 2. (*zmienić uczesanie*) to change (**kogoś** sb's) hair-do <hair-style> 3. *przen.* (*przeszukać teren*) to comb out (a district) [II] *vr* **~sać, ~sywać się** to comb one's hair; to give one's hair a comb

przecznic|a *sf* 1. (*poprzeczna ulica*) cross-street; **pierwsza ~a** the first street across; **~a Marszałkowskiej** a street off Marszałkowska; **skręcić w drugą ~ę na prawo** take the second turn to the right <street across> 2. *górn.* cross heading; cross-cut

przeczołgać się *vr perf* — **przeczołgiwać się** *vr imperf* to crawl (*x* **metrów** *x* meters; **przez pokój** across the room)

przeczos *sm G.* **~u** *med.* excoriation

przeczucie *sn* 1. ↑ **przeczuć** 2. (*przewidywanie oparte na intuicji*) presentiment; apprehension; **złe ~** foreboding; misgiving; premonition; **mam ~ czegoś złego** I have a foreboding of evil

przeczuciowy *adj* 1. (*oparty na przeczuciach*) based on presentiment 2. (*miewający przeczucia*) subject to presentiments

przeczu|ć *vt perf* **~je, ~ty** — **przeczu|wać** *vt imperf* to have a presentiment <an inkling, an intuition> (**coś** of sth); to presage <to sense> (sth); *pot.* to feel (sth) in one's bones; **~ć, ~wać coś złego** to apprehend sth

przeczulenie *sn singt* oversensitiveness

przeczulica *sf med.* hyper(a)esthesia

przeczulony *adj* oversensitive

przeczuwać *zob.* **przeczuć**

przeczyć *vi imperf* 1. (*odmawiać słuszności*) to deny (**czemuś** sth) 2. (*negować*) to contradict (**czemuś** sth); to negate <to refute> (**czemuś** sth) 3. (*być w sprzeczności*) to belie (**czemuś** sth); to be at variance (**czemuś** with sth)

przeczyst|y *adj lit.* immaculate; **brylant ~ej wody** diamond of the first water

przeczyszczać *zob.* **przeczyścić**

przeczyszczenie *sn* (↑ **przeczyścić**) *med.* (a) purge; **środek na ~** (a) purgative; **lekki środek na ~** (a) cathartic; **zażyć na ~** to take a purgative

przeczy|ścić *vt perf* **~szczę, ~szczony** — **przeczy|szczać** *vt imperf* 1. (*uczynić czystym*) to clean; to scour (metals etc.); (*chustką, szmatą*) to wipe; **~ścić, ~szczać rurę** to clean out a pipe; **~ścić, ~szczać zboże** to winnow corn 2. (*spowodować rozwolnienie*) to purge; to cleanse; **~ścić kogoś** to derange sb's bowels; **~szczający** laxative; purgative; aperient; **środek ~szczający** (a) purgative; **lekki środek ~szczający** (a) cathartic

przeczyta|ć *vt perf* to read; (*uważnie*) to peruse; **~ć coś od początku do końca** to read sth through; **~ć ponownie** <**jeszcze raz**> to re-read; to read (sth) over again; **~ne książki** the books one has read

przeczytanie *sn* (↑ **przeczytać**) perusal

przeć *v imperf* **prę, prze, przyj, parł, party** [I] *vt* 1. (*wywierać nacisk, ucisk*) to push; to exert pressure (**coś** on sth); to press (the enemy etc.) 2. *przen.* (*popychać do czegoś*) to urge <to impel, to drive> (**kogoś do zrobienia czegoś** sb to do sth) [II] *vi* 1.

przen. (*nalegać*) to urge <to insist> (**żeby coś zostało zrobione** that sth should be done); **~ do czegoś** to insist on sth 2. *przen.* (*usilnie dążyć*) to strive (**do czegoś** for sth) 3. (*posuwać się naprzód*) to press on <forward>; to push one's way (**dokądś** somewhere) 4. *med.* to bear down [III] *vr* **~ się** 1. (*posuwać się naprzód*) to press on <forward>; to push one's way (**dokądś** somewhere) 2. (*ścierać się zbrojnie*) to join in battle

przećwiczyć *v perf* [I] *vt* 1. (*wprawić się*) to train; to practise 2. (*zaprawić kogoś*) to train (sb, a team, an orchestra etc.) [III] *vr* **~ się** to train <to practise> (**w czymś** sth)

przed[1] *praep* 1. (*w przestrzeni*) before (**kimś, czymś, kogoś, coś** sb, sth); in front of (**kimś, czymś** sb, sth); outside (**budynkiem itd.** a building etc.); **patrz ~ siebie** look in front of you; (*patrz, jak idziesz*) look where you're going; **przejść** <**przejechać**> **~ kimś, czymś** to walk <to ride> past sb, sth 2. (*w czasie*) before (**czymś** sth); ahead (**czymś** of sth); previous <prior, preparatory> (to sth); **~ czasem** ahead of time; prematurely; **~ oznaczonym terminem** in advance 3. (*w czasie — wcześniej*) ago; since; **~ chwilą** a moment ago; **~ kilkoma laty** several years since 4. (*oznacza relację obronną*) against (**zimnem, chorobą itd.** the cold, sickness etc.); **schronienie ~ deszczem** a shelter from the rain; **strach ~ czymś** fear of sth; **ucieczka ~ czymś** flight from sth; **zabezpieczenie ~ czymś** protection against sth 5. (*wobec*) before (**sędzią, nauczycielem itd.** a judge, one's teacher etc.); **wstydzę się ~ ludźmi** I daren't look people in the face; **żalić się ~ kimś** to open one's heart <to complain> to sb 6. (*pierwszeństwo*) above (**kimś innym** sb else) 7. (*szacunek*) to; **chylić czoło ~ kimś** to bow to sb

przed-[2] *praef* pre-; ante-; **przedhistoryczny** prehistoric; **przedmałżeński** antenuptial

przedagonalny *adj* pre-agonal

przedakcentowy *adj jęz.* pretonic

przedalpejski *adj* Cisalpine, Cismontane

przedarcie *sn* 1. (↑ **przedrzeć**) rupture 2. (*dziura*) (a) tear; (a) rent; hole (in a boot etc.)

przedarty (*pp* ↑ **przedrzeć**) torn; rent; in holes; worn into holes

przedawkować *vt imperf* to overdose

przedawkowanie *sn* (↑ **przedawkować**) (an) overdose

przedawnić się *vr perf* — **przedawniać się** *vr imperf* to expire; to lapse; to become prescribed

przedawnieni|e *sn* expiration (of validity); lapse; prescription; non-claim; **ulec ~u** = **przedawnić się**

przedawniony *adj prawn.* prescribed; stale

przedbieg *sm G.* **~u** *sport* elimination race

przedbiegacz *sm pl G.* **~y** <**~ów**> *sport* (*w narciarstwie*) partaker in an elimination race

przedchłodnia *sf techn.* precooler; precooling room

przedchrześcijański *adj* pre-Christian

przeddyluwialny *adj geol.* antediluvian

przeddziejowy *adj lit.* antehistoric

przed|dzień *sm G.* **~ednia** *L.* **~edniu**: **w ~dzień, w ~edniu** on the eve; the day before

przede = **przed**; **~ dniem** before daybreak; **~ mną** before me; in front of me; in my presence; **~ wszystkim** first of all; first and foremost; in the first place; above all; to begin <to start> with; **~ wszystkim zrobić** <**powiedzieć itd.**> to begin by doing <saying etc.>

przedech *sm G.* **~u** *biol.* transpiration

przedefilować *vi perf* (*o oddziałach wojsk*) to march past (**przed trybuną** the saluting point); (*o szeregu osób*) to file <to pass in procession> (**przed kimś** before sb); **~ przed trumną** to file past a coffin

przedegzaminacyjny *adj* preceding an examination

przedeklamować *vt perf* to recite

przedenerwowany *adj rz.* overexcited; overstrung; overwrought; with one's nerves on edge

przedep|tać *vt perf* **~cze** <**~ce**> to tread; **~tana droga** the beaten track <path>

przedestylować *vt imperf* to distil

przede wszystkim *zob.* **przede**

przedfeudalny *adj* pre-feudal

przedgon *sm G.* **~u** *techn. chem.* forerun; head (in distillation)

przedgotycki *adj* ante-Gothic

przedgórski *adj* pertaining to <belonging to, characteristic of> a tectonic foreland

przedgórz|e *sn pl G.* **~y** *geol.* tectonic foreland

przedgwiazdkowy *adj* Christmas __ (sale etc.)

przedhistoryczny *adj* prehistoric

przedim|ek *sm G.* **~ka** *gram.* article

przedkapitalistyczny *adj* pre-capitalistic

przedklasyczny *adj* preclassical

przed|kładać *vt imperf* — **przed|łożyć** *vt perf* **~łóż** 1. (*przedstawiać*) to submit; to present <to produce> (documents etc.); to set forth; to offer (for consideration); to propound; to bring <to put> forward; to advance (an opinion etc.); to lay (**coś komuś** sth before sb) 2. (*wyjaśniać*) to explain; to expound 3. *imperf* (*stawiać wyżej*) to give priority (**coś nad coś** to sth over sth); (*woleć*) to prefer (**coś nad coś** sth to sth else)

przedkładanie *sn* (↑ **przedkładać**) 1. (*przedstawianie*) presentation; submission (of a question to sb's decision etc.) 2. (*wyjaśnienie*) explanation 3. (*stawianie wyżej*) priority (**czegoś nad coś** of sth over sth); preference (**jednej rzeczy nad inną** of one thing to <over> another)

przedlodowcowy *adj geol.* preglacial

przedlotowy *adj* preceding a flight

przedludzki *adj* prehuman

przedłożenie *sn* (↑ **przedłożyć**) (*przedstawienie*) presentation, submission (of a question to sb's decision etc.)

przedłożyć *zob.* **przedkładać**

przedłużacz *sm* lengthener; extension (rod, piece, cord); *techn.* adapter, adaptor

przedłuż|ać *v imperf* — **przedłuż|yć** *v perf* [I] *vt* 1. (*powiększać długość*) to lengthen; to extend; *geom.* **~yć linię do pewnego punktu** to produce a line to a given point 2. (*sprawiać, że coś trwa dłużej*) to prolong; to protract; **~yć pożyczkę** to extend a loan; **~yć ważność paszportu** to extend a passport [III] *vr* **~ać, ~yć się** 1. (*stawać się dłuższym*) to lengthen <to extend> (*vi*) 2. (*trwać dłużej*) to be prolonged <protracted>; to continue 3. (*trwać zbyt długo*) to drag on; **~ać się w nieskończoność** to be interminable

przedłużanie *sn* (↑ **przedłużać**) prolongation; protraction; extension; continuation

przedłuż|ek *sm G.* **~ka** *handl. ekon.* rider (to a bill)

przedłużenie *sn* 1. (↑ **przedłużyć**) prolongation; protraction; extension; continuation; *geom.* production (of a line to a given point) 2. (*ciąg dalszy*) continuation
przedłużyć *zob.* **przedłużać**
przedmałżeński *adj* (*o umowie itd.*) antenuptial; (*o stosunkach itd.*) premarital
przedmiejski *adj* suburban
przedmieście *sn* suburb
przedmio|t *sm G.* **~tu** *L.* **~cie** 1. (*rzecz*) object; article (of clothing etc.); **~t zbytku** a luxury 2. (*temat*) subject 3. (*to, na czym się skupia uwaga, uczucie itd.*) object (of pity, ridicule, love etc.); **~t dyskusji** <**zachwytu itd.**> matter of dispute <for admiration etc.>; *prawn.* **~t oskarżenia** count of indictment 4. *szk. uniw.* subject (of study) 5. *gram.* complement (of a verb); object (of a predicate); **~t bliższy** <**dalszy**> direct <indirect> object
przedmiotowo *adv* objectively; without bias
przedmiotowość *sf singt* 1. (*rzeczowość*) objectiveness; objectivity 2. (*rzeczywistość*) reality
przedmiotow|y *adj* 1. (*dotyczący przedmiotu*) objective; **katalog ~y** subject catalogue; *fiz.* **szkiełko ~e** object-glass 2. (*bezstronny*) objective; unbiassed 3. *jęz.* objective (case) 4. *prawn.* objective (law) 5. (*o którym mowa*) under consideration; at issue; in dispute
przedm|owa *sf pl G.* **~ów** preface; foreword; introduction; **napisać ~owę do książki** to preface a book
przedmówca *sm* (*decl* = *sf*) the preceding speaker
przedmózgowi|e *sn pl G.* **~** *zool.* proencephalon
przedmuch *sm G.* **~u** *górn.* blast draught; *techn.* scavenge
przedmuchać *vt perf* — **przedmuchiwać** *vt imperf* to blow (a pipe etc.); to blow air (**rurę itd.** through a pipe etc.); *techn.* to purge (a sewer etc.)
przedmuchanie *sn* (↑ **przedmuchać**) 1. *techn.* (a) purge 2. *med.* insufflation
przedmuchiwać *zob.* **przedmuchać**
przedmuchiwanie *sn* ↑ **przedmuchiwać**
przedmurz|e *sn pl G.* **~y** 1. *hist.* (*mur obronny*) bulwark; rampart 2. *przen.* bulwark; rampart 3. *geol.* = **przedgórze**
przednaukowy *adj* prescientific
przednercz|e *sn pl G.* **~y** *anat.* pronephros
przedn|i *adj* 1. (*znajdujący się na przodzie*) front (tooth, vowel, seat etc.); foremost; headmost; **~a noga** foreleg; forefoot; **~a straż** advance guard; **~i plan (obrazu)** foreground; **~i wiatr** head wind 2. (*wyróżniający się*) superior; **~a jakość** high quality || *zool.* **orzeł ~i** (*Aquila chrysaëtos*) golden eagle
przedniojęzykowy *adj fonet.* front (consonant)
przednów|ek *sm G.* **~ka** (*okres*) preharvest; period preceding the new harvest; *przen.* scarcity <want> (of food etc.)
przednóż|ek *sf pl G.* **~ka** *bud.* riser (of a step)
przednut|ka *sf pl G.* **~ek** *muz.* grace note; appoggiatura
przedobiedni *adj* preceding the dinner; anteprandial
przedoblicze *sn hist.* visor <vizor> (of knight's helmet)
przedobrzyć *vt perf rz.* to overelaborate (**utwór itd.** a composition etc.); to spoil (sth) by too much improvement <by overimprovement>

przedoperacyjny *adj* preceding an operation
przedosta|ć się *vr perf* **~nę się, ~nie się, ~ń się, ~ł się** — **przedosta|wać się** *vr imperf* **~je się, ~waj się** 1. (*przedrzeć się*) to force <to work> one's way (**dokądś** somewhere; **przez coś** through sth); to penetrate; to get <to pass> through; **~ć, ~wać się do środka** to get in; **~ć, ~wać się na drugą stronę** to get across; **~ć, ~wać się przez tłum** to thread one's way through the crowd 2. (*przeniknąć*) to penetrate; to enter; (*przeciec*) to ooze; to percolate; to infiltrate; to permeate 3. (*o wiadomości itd.*) to transpire; to ooze <to trickle> out
przedostanie się *sn* (↑ **przedostać się**) penetration
przedostatni *adj* the last but one; the one before last; **~a zgłoska** the penult; **~m razem** the time before last; **w ~m dniu** <**~ą noc**> the last day <night> but one; the day <night> before last
przedostawać się *zob.* **przedostać się**
przedpiekl|e *sn pl G.* **~i** remote outskirts
przedpiersi|e *sn pl G.* **~** 1. *hist.* (*nasyp*) parapet (of a trench); *fort.* breastwork 2. *zool.* prothorax
przedpisemny *adj*, **przedpiśmienny** *adj* preliterate (culture, people)
przedplon *sm G.* **~u** *roln.* forecrop
przedpła|ta *sf DL.* **~cie** subscription (**czasopisma itd.** to a magazine etc.)
przedpłuż|ek *sm G.* **~ka** *roln.* jointer; skim coulter <plough>
przedpoborowy *adj* premilitary
przedpogrzebowy *adj* mortuary; funereal; **dom ~** (a) mortuary; dead-house
przedpokojow|y † *adj* of an antechamber; **plotki ~e** back-stair gossip
przedpok|ój *sm G.* **~oju** *pl G.* **~oi** <**~ojów**> ante-room; antechamber; hall
przedpokwitanie *sn singt med.* prepuberty
przedpol|e *sn pl G.* **~i** *wojsk.* foreground; *geol.* foreland
przedpolski *adj* pre-Polish
przedpołudni|e *sn pl G.* **~** forenoon; morning
przedpołudniowy *adj* morning — (hours etc.); antemeridian
przedporodowy *adj* antenatal; prenatal
przedpor|t *sm G.* **~tu** *L.* **~cie** *mar.* outer harbour
przedpotopowy *adj* 1. *geol.* antediluvian 2. (*przestarzały*) fossil; fossilized; obsolete
przedpowstaniowy *adj* preceding the uprising <the insurrection>
przedprątność *sf singt bot.* protandry
przedprątny *adj bot.* protandrous
przedpremierowy *adj teatr* preceding a first-night performance
przedramieniowy *adj* antebrachial
przedrami|ę *sn G.* **~enia** *pl N.* **~ona** *G.* **~on** *D.* **~onom** *I.* **~onami** *L.* **~onach** *anat. zool.* forearm; antebrachium
przedranny *adj lit.* prematudinal
przedrażać *zob.* **przedrożyć**
przedrażnić *vt perf* to overexcite
przedrażnienie *sn* (↑ **przedrażnić**) overexcitement
przedrdzenny *adj jęz.* preceding the stem (of a word)
przedrealistyczny *adj lit.* pre-realistic
przedrenesansowy *adj* pre-Renaissance — (architecture etc.)

przedrewolucyjny *adj* pre-revolutionary
przedromantyczny *adj lit.* pre-romantic
przedromański *adj* pre-Romanesque
przedrost|ek *sm G.* **~ka** *jęz.* prefix
przedrostkowy *adj* prefixal
przedrośl|e *sn pl G.* **~i** *bot.* prothalium
przedrozbiorow|y *adj hist.* preceding the partitions (of Poland); **Polska ~a** pre-partition Poland
przedrożyć *vt perf* — **przedrażać** *vt imperf* 1. (*zbyt drogo ocenić*) to charge an excessive price (**coś** for sth) 2. (*powodować podniesienie ceny*) to raise the price <to send up the price> (**coś** of sth)
przedruk *sm G.* **~u** 1. (*ponowne wydrukowanie*) reprinting; reimpression 2. (*rzecz ponownie wydrukowana*) reprint; impression 3. (*przeniesienie na kamień litograficzny*) transfer
przedrukar|nia *sf pl G.* **~ni** <**~ń**> transfer printing section (of a lithographic works)
przedrukować *vt perf* — **przedrukowywać** *vt imperf* to reprint; to make a reimpression (**książkę itd.** of a book etc.)
przedrukowanie *sn* (↑ **przedrukować**) reimpression
przedrukowy *adj* transfer __ (ink, paper etc.)
przedrukowywać *zob.* **przedrukować**
przedrwi|wać *vt imperf* — **przedrwi|ć** *vt perf* **~j** to deride; to sneer <to scoff, to rail, to jeer, to gibe, to jibe, to fleer> (**kogoś, coś** at sb, sth)
przedrwiwanie *sn* (↑ **przedrwiwać**) derision; sneers; scoffs; raillery; jeers; gibes, jibes; fleer
przedrylować *vt perf* 1. (*przewiercić*) to drill (sth) through 2. (*powyjmować pestki*) to stone (fruits); to seed (berries)
prze|drzeć *v perf* **~drę, ~drze, ~drzyj, ~darł, ~darty** — **prze|dzierać** *v imperf* [I] *vt* to tear; to rend [II] *vr* **~drzeć, ~dzierać się** 1. (*stać się przedartym*) to be torn <rent>; **spodnie mu się ~darły** his trousers are <were> in holes <worn into holes> 2. (*przedostać się — o człowieku*) to force <to work> one's way (through sth); **~drzeć, ~dzierać się przez śnieg <piach itd.>** to wade through the snow <sand etc.> 3. *przen.* (*o pyle, świetle itd.*) to penetrate (**przez coś** sth); (*o słońcu*) to burst forth; to break (**przez chmury** through the clouds)
przedrzem|ać *v perf* **~ie** [I] *vi* to doze; to drowse [II] *vt* to drowse (one's time) away; **~ać parę godzin** to doze <to drowse> (for) an hour or two [III] *vr* **~ać się** to have <to take> a nap; to nap
przedrzeźniacz *sm pl G.* **~y** <**~ów**> 1. (*człowiek*) mimic; mocker 2. *zool.* (*Mimus polyglottos*) mocking-bird
przedrzeźniać *vt imperf* to mimic; to ape
przedrzeźnianie *sm* (↑ **przedrzeźniać**) mimicry
przedscenie *sn teatr* proscenium
przedsezonowy *adj* pre-seasonal
przedsiewny *adj* preceding the sowing
przedsiębiern|y *adj techn.* **koparka ~a** push shovel
przedsiębiorca *sm* (*decl = sf*) businessman; contractor; entrepreneur; **generalny ~** lumper; **~ budowlany** building contractor; master mason; **~a pogrzebowy** undertaker
przedsiębiorczość *sf singt* enterprise; initiative; drive
przedsiębiorczy *adj* enterprising; go-ahead; venturesome; **człowiek ~** man of initiative; *am.* go-getter; **on nie jest ~** he has no enterprise
przedsiębiorstwo *sn* 1. *handl.* (an) undertaking; (a) business; business concern; firm; establishment 2. (*przedsięwzięcie*) enterprise; undertaking
przedsię|brać *vt imperf* **~biorę, ~bierze** — **przedsię|wziąć** *vt perf* **~wezmę, ~weźmie, ~weźmij, ~wziął, ~wzięła, ~wzięty** to undertake; to embark <to enter> (**coś** on <upon> sth)
przedsiębranie *sn* ↑ **przedsiębrać**
przedsięwziąć *zob.* **przedsiębrać**
przedsięwzięcie *sn* 1. ↑ **przedsięwziąć** 2. (*rzecz przedsięwzięta*) undertaking; enterprise; venture; affair 3. *rz.* (*zamiar*) intention; resolution
przedsion|ek *sm G.* **~ka** 1. (*pomieszczenie*) vestibule 2. (*kryta przybudówka*) porch 3. *anat.* (*część serca*) (heart) auricle; atrium cordis 4. *anat.* (*część błędnika ucha*) vestibule
przedsionkowy *adj* 1. (*dotyczący przedsionka domu*) vestibular; of a vestibule; **dom ~** vestibuled house 2. *anat.* (*dotyczący przedsionka serca*) auricular 3. *anat.* (*dotyczący przedsionka ucha*) vestibular (nerve etc.)
przedskurczowy *adj med.* presystolic
przedsłowiański *adj* pre-Slav
przedsłowi|e *sn pl G.* **~** foreword
przedsłupność *sf singt bot.* protogyny
przedsłupny *adj bot.* protogynous
przedsmak *sm G.* **~u** 1. (*wrażenie smaku*) foretaste 2. *przen.* (*zapowiedź*) (an) earnest (of what is to come)
przedsocjalistyczny *adj* pre-Socialist
przedsprzedaż *sf pl N.* **~e** advance sale; **kupić bilety w ~y** to book seats in advance
przedstawi|ać *v imperf* — **przedstawi|ć** *v perf* [I] *vt* 1. (*zapoznawać*) to introduce (sb to sb else); **ponownie ~ać, ~ć** to re-introduce 2. (*zgłaszać jako kandydata*) to recommend (**kogoś do odznaczenia <awansu, nagrody>** sb for a decoration <for promotion, for a prize>); to put (sb) forward (**do odznaczenia** for a decoration) 3. (*wystawiać na scenie*) to produce (a play); to represent (a scene); to impersonate (sb); to act (a part) 4. *przen.* (*odtwarzać w umyśle*) **~ać, ~ć sobie** to imagine; to picture to oneself; to fancy; to conceive (**coś** sth, of sth) 5. (*wyrażać w sztuce*) to represent; to render; to depict; to show; to feature (sb); to describe 6. (*okazywać, pokazywać*) to produce (one's papers, a ticket etc.); to submit (for inspection); to show; **~ać widok czegoś** to offer a view of sth 7. (*opisywać słownie lub pisemnie*) to describe; to portray; to represent <to state, to put> (**sprawę** a <one's> case); to bring forward (arguments); to put (**sprawę komuś** a case to <before> sb); **fałszywie coś ~ać, ~ć** to misrepresent <to mis-state, to distort, to garble> sth (facts etc.); **ponownie ~ać, ~ć** to re-state; **~ać, ~ć kogoś jako ...** to represent sb as ...; **~ać, ~ć stan sprawy** to state a case; **skromnie coś ~ać, ~ć** to understate sth 8. *imperf* (*ukazywać — o stroju, obrazie itd.*) to represent (great value etc.); (*o budynku itd.*) to exhibit <to present to view> (a ruin etc.) [II] *vr* **~ać, ~ć się** 1. (*prezentować siebie komuś*) to introduce oneself; **~ać, ~ć się jako ...** to represent oneself as ... 2. (*ukazywać się oczom*) to appear; to present oneself <itself>; (*o widoku*) to meet <to greet> the eye; to burst (**oczom** upon sb's sight) 3. (*wyglądać*) to look; to

appear; to present oneself <itself>; **jak się to ~a?** how does it look?; **to się dobrze ~a** it looks <it does> well; **to <on> się przyjemnie ~a** it <he> has a good appearance; (*o człowieku*) **wspaniale <smutno> się ~ać** to cut a brilliant <a sorry> figure 4. (*o sprawach, rachunkach itd. — prezentować się*) to stand; **jak się ~ają nasze rachunki?** how do we stand?; **jeżeli sprawa tak się ~a** if that is the case; **sprawa tak się nie ~a** that is not the case; **sprawy ~ają się pomyślnie <źle>** things are in a good <a bad> way; (*zakończenie relacji*) **tak się sprawa ~a** that's about the size of it; **wiedzieć, jak się sprawa ~a** to know the rights of the case

przedstawianie *sn* (↑ **przedstawiać**) representation; statement; **fałszywe ~** misrepresentation; **skromne ~ sprawy** understatement

przedstawiciel *sm*, **przedstawiciel|ka** *sf pl G.* **~ek** 1. (*reprezentant*) representative; exponent (of an idea etc.); **~ dyplomatyczny** diplomatic agent 2. *handl.* agent; traveller 3. *prawn.* agent (holding power of attorney); proxy

przedstawicielski *adj* representative

przedstawicielstwo *sn* 1. (*godność przedstawiciela*) representation; **~ narodu** representatives of the people 2. *handl.* agency 3. (*placówka dyplomatyczna*) diplomatic agency

przedstawić *zob.* **przedstawiać**

przedstawieni|e *sn* (↑ **przedstawić**) 1. (*spektakl*) performance; play; show; entertainment; **~a amatorskie** theatricals; **~e najwyższej kategorii** star performance 2. (*zapoznanie*) introduction 3. (*zgłoszenie kandydata*) recommendation 4. (*wyrażenie w sztuce*) representation; rendering 5. (*opis słowny lub pisemny*) representation; presentation; statement (of facts); (sb's) version (of a fact); **fałszywe ~e** misrepresentation; mis-statement; **skromne ~e (sprawy, faktu)** understatement

przedszkola|k *sm pl N.* **~ki <~cy>** pre-school child; nursery school child

przedszkolan|ka *sf pl G.* **~ek** nursery school teacher

przedszkol|e *sn pl G.* **~i** nursery school; infant school; kindergarten

przedszkolny *adj* 1. (*poprzedzający okres szkolny*) pre-school 2. (*należący do przedszkola*) nursery school __ (attendance etc.)

przedślubny *adj* antenuptial

przedśmiertelnie *adv* at the point of death

przedśmiertny *adj* deathbed __ (confession, repentance etc.); death- (rattle etc.); dying __ (declaration, wish etc.); *med.* agonal; premortal

przedśniadaniowy *adj* preceding breakfast

przedśpiew *sm G.* **~u** prelude

przedświąteczny *adj* preceding <preparatory to> a holiday

przedświ|t *sm G.* **~tu** *L.* **~cie** 1. (*brzask*) daybreak; dawn 2. *przen.* (*zapowiedź*) harbinger

przedtakt *sm G.* **~u** *prozod. muz.* anacrusis

przedtaktowy *adj* anacrustic

przedtem *adv* (*w czasie poprzedzającym coś*) before; beforehand; before that; before then; before now; earlier; in advance; (*dawniej*) formerly; hitherto; **on nie śpiewa <nie pisze itd.> jak ~** he does not sing <write etc.> as he used to; **tak samo uprzejmy <ładna itd.> jak ~** as nice <pretty etc.> as ever; **to już nie jest to co ~** it's no longer what it was <used to be>

przedterminowo *adv* ahead of time

przedterminowy *adj* done <executed, performed> ahead of time

przedtrzonowy *adj dent.* premolar

przedtuł|owie *sn pl G.* **~owi**, **przedtuł|ów** *sm G.* **~owia** *zool.* prothorax

przedtytu|ł *sm G.* **~łu** *L.* **~le** fly title

przedtytułowy *adj* fly-leaf __ (page)

przeduchowi|ć *vt perf* to give an inspired expression (**twarz** to a face); **~ony** with an expression full of inspiration

przedugodowy *adj* preliminary

przedukać *vt perf* — **przedukiwać** *vt imperf* to stammer <to falter out> (a lesson etc.)

przedwakacyjny *adj* preceding the vacation(s) <holidays>

przedwczesność *sf singt* prematureness, prematurity; untimeliness; forwardness

przedwczesny *adj* premature; untimely

przedwcześnie *adv* prematurely; untimely; before the proper time; (*o roślinie, owocu, człowieku*) **~ rozwinięty <dojrzały>** precocious; **~ urodzony** premature

przedwczoraj *adv* the day before yesterday; **~ wieczorem** the night before last

przedwczorajszy *adj* of the day before yesterday

przedwieczny *adj* 1. (*odwieczny*) prim(a)eval; secular; (*bardzo stary*) ancient 2. *rel.* everlasting

przedwieczorny *adj* (of) late afternoon

przedwiecz|ór *sm G.* **~oru <~ora>** *L.* **~orze** late afternoon

przedwiekowy *adj* secular

przedwiercać *vt imperf górn.* to predrill

przedwier|t *sm G.* **~tu** *L.* **~cie** *górn.* (a) predrill

przedwiosenny *adj* of approaching spring; (*o roślinach*) pre-vernal

przedwiośni|e *sn pl G.* **~** early spring

przedwojenny *adj* pre-war

przedwrześniowy *adj* preceding the outbreak of World War II

przedwstępnie *adv* preliminarily; by way of introduction

przedwstępny *adj* preliminary; initiatory; *med.* (*o objawach chorobowych*) prodromal

przedwyborcz|y *adj* pre-election __ (speeches, promises etc.); **ankieta ~a** Gallup poll; **zebranie ~e** primary assembly <meeting>

przedwyścigowy *adj* preceding a race <the races>

przedyktować *vt perf* to dictate

przedyskutować *vt perf* to discuss; to talk (sth) over; *przen.* to thrash (sth) out

przedyskutowanie *sn* (↑ **przedyskutować**) discussion

przedysputować *vt perf* = **przedyskutować**

przedzachodni [d-z] *adj lit.* of approaching sunset

przedzamcz|e [d-z] *sn pl G.* **~y** the approaches of a castle

przedzamkowy [d-z] *adj* lying at the foot of a castle

przedzgonny [d-z] *adj lit.* = **przedśmiertny**

przedzia|ł *sm G.* **~łu** *L.* **~le** 1. (*część całości*) section; partition; *kolej.* compartment; *am.* (*w wagonie sypialnym*) section; **~ł jednoławowy** coupé

2. (*przegroda*) partition; interstice 3. (*linia dzieląca włosy*) parting; *am.* part; **czesać się z ~łem (pośrodku)** to part one's hair (in the middle); to wear one's hair parted (in the middle) 4. (*różnica poglądów itd. dzieląca ludzi*) gulf 5. *mat.* interval

przedział|ek *sm G.* **~ka** *dim* ↑ **przedział**

przedziałowy *adj* sectional; interstitial; partitioned

przedziel|ać *vt imperf* — **przedziel|ić** *vt perf* to divide; to part; to separate; **~ać, ~ić włosy** to part one's hair; to wear one's hair parted

przedzielenie *sn* (↑ **przedzielić**) separation

przedzierać *zob.* **przedrzeć**

przedzierzg|ać *v imperf* — **przedzierzg|nąć** *v perf* [I] *vt* to change <to convert, to transform> (**kogoś, coś w kogoś, coś innego** sb, sth into sb, sth else) [II] *vr* **~ać, ~nąć się** to be <to become> converted <transformed> (**w coś** into sth); **~nął się w socjalistę** he turned socialist

przedzierzgnięcie *sn* (↑ **przedzierzgnąć**) transformation

przedziesiątkować *vt perf* to decimate

przedzim|ek [d-z] *sm G.* **~ka** *zool.* (*Cheimatobia brumata*) winter moth

przedzimi|e [d-z] *sn pl G.* **~** the approach of winter

przedzimowy [d-z] *adj* of approaching winter

przedziurawi|ć *v perf* — **przedziurawi|ać** *v imperf* [I] *vt* (*zrobić dziurę*) to make a hole <holes> (**coś** in sth); (*przebić dziurę*) to pierce; to puncture; (*przewiercić dziurę*) to perforate; **~ć coś palcem** to poke a hole in sth with one's finger; **~ć, ~ać statek** to scuttle a ship; **~ony** (*o części garderoby*) torn; worn through; (*o butach, pończochach*) in holes [II] *vr* **~ć, ~ać się** (*o dachu, pojemniku, statku*) to spring a leak; (*o ubraniu, butach*) to wear through; to wear (*vi*) <to go> into holes

przedziurawienie *sn* (↑ **przedziurawić**) perforation

przedziurkować *vt perf* to perforate; to punch (a ticket)

przedziurkowanie *sn* (↑ **przedziurkować**) perforation

przedziwnie *adv* 1. (*bardzo dziwnie*) very oddly; quite unusually; most uncannily 2. (*wywołując zachwyt*) most wonderfully; admirably

przedziwność *sf* uncommon <unusual> phenomenon

przedziwny *adj* 1. (*bardzo dziwny*) very <quite> odd <strange, queer>; uncanny 2. (*wywołujący zachwyt*) most wonderful; admirable

przedzjazdowy [d-z] *adj* preceding a congress

przedzwonić *vi perf* 1. (*zadzwonić*) to ring; (*przestać dzwonić*) to cease ringing 2. *pot.* (*zatelefonować*) to ring <to call> (**do kogoś** sb) up

przedźwięcz|eć *vi perf* **~y** to be no longer heard

przedźwigać *vt perf* to overstrain

przedżniwny [d-ż] *adj* preceding the harvest

przedżołąd|ek [d-ż] *sm G.* **~ka** *zool.* crop

przeegzaminować *vt perf* to examine (a student etc.)

przeegzaminowanie *sn* (↑ **przeegzaminować**) examination

przeekspediować *vt perf* to send (sth) on; to forward

przeeksponować *vt perf fot.* to overexpose; to overtime (an exposure)

przeeksponowanie *sn* (↑ **przeeksponować**) overexposure

przefarbować *vt perf* to redye; to dye (sth) another colour

przefasonować *vt perf* to reshape; to refashion; to remake; to remodel; to remould

przefasować *vt perf* to rub (sth) through a sieve

przefermentować *v perf* [I] *vt* to ferment (sth); to submit (sth) to fermentation [II] *vi* to ferment (*vi*)

przefermentowanie *sn* (↑ **przefermentować**) fermentation

przefilozofować *v perf* [I] *vt* 1. (*przemyśleć*) to philosophize (sth, over sth) 2. (*spędzić jakiś czas na filozofowaniu*) to philosophize (a space of time) [II] *vi pot.* (*przemędrkować*) to be too clever

przefiltrować *vt perf* — **przefiltrowywać** *vt imperf* to filter; to strain

przefiukać *vt perf* to toot

przeflancować *vt perf* to transplant (seedlings)

przeflancowanie *sn* (↑ **przeflancować**) transplantation (of seedlings)

przeforsować *vt perf* 1. (*postawić na swoim*) to carry (**swój punkt widzenia** one's point) 2. (*przemęczyć*) to overstrain 3. *wojsk.* (*przebyć teren w walce*) to force (an enemy's defence)

przefrunąć *vi perf* — **przefruwać** *vi imperf* to fly by <past>

przefrunięcie *sn* (↑ **przefrunąć**) flight

przefrymarczyć † *vt perf* 1. (*przehandlować*) to barter (sth) away 2. (*roztrwonić*) to squander (a fortune etc.)

przefujarzyć *vt perf żart.* to waste <to lose, to miss> (sth) through one's stupidity

przegad|ać *vi perf* — **przegad|ywać** *vt imperf* 1. (*przekrzyczeć*) to talk louder (**kogoś** than sb else); **~ać, ~ywać wszystkich** to talk loudest of all 2. (*prześcignąć w gadaniu*) to outtalk; to talk (sb) down; to argue (sb) down 3. (*przegawędzić*) to talk (the hours etc.) away 4. *perf* (*zagubić się w szczegółach*) to overdo the details (**utwór** of a composition)

przegadanie *sn* 1. ↑ **przegadać** 2. **~ się** (*przejęzyczenie się*) slip of the tongue

przegadywać *v imperf* [I] *vt zob.* **przegadać** [II] *vt vi* (*napomykać*) to hint (**coś** at sth; **że ...** that ...)

przegadywanie *sn* (↑ **przegadywać**) hints

przegalopować *vi perf* 1. (*o jeźdźcu, koniu*) to gallop <to career> by <past> 2. *pot.* (*o człowieku*) to dash <to rush> (**przez ulicę itd.** across the street etc.; **ulicą** along the street)

przeg|aniać *v imperf* — **przeg|nać** *v perf*, **przeg|onić** *v perf* [I] *vt* 1. (*przepędzać*) to chase <to drive, to shoo> away (sb, a cat etc.) 2. *dosł. i przen.* (*wyprzedzać*) to outstrip; to outdistance; *przen.* to surpass 3. *imperf* (*pędzić tam i z powrotem*) to drive (people, animals) there and back [II] *vi* 1. (*przebiegać*) to dash <to rush> by <past> 2. *przen.* (*o wietrze*) to sweep (*vi*) [III] **~aniać się** 1. (*wyprzedzać jeden drugiego*) to outstrip one another 2. (*przewalać się z impetem*) to sweep by <along>

przegapi|ć *vt perf* to overlook; to miss (sth) through oversight; to let (sth) slip; **~ć sposobność** to miss an opportunity; *przen.* to miss the bus; **~łem to** I never noticed it

przegapienie *sn* (↑ **przegapić**) oversight

przegarbować *vt perf* to tan (a hide) thoroughly

przegarbowanie *sn* (↑ **przegarbować**) thorough tanning

przegarn|ąć *vt perf* — **przegarn|iać** *vt imperf* to rake (up); **~ąć, ~iać palenisko** to poke the fire

przegarować *v perf* [I] *vi* (*o cieście*) to overswell [II] *vt* to let (the dough) overswell

przegawędz|ić *vt perf* **~ę, ~ony** to chat (one's time, the hours, the night) away

przegęszczenie *sn pot.* excessive density

przeg|iąć *v perf* **~nę, ~nie, ~nij, ~iął, ~ięła, ~ięty** — **przeg|inać** *v imperf* [I] *vt* 1. (*pochylić*) to bend; to incline; to turn (sth, the edges etc.) up <down>; to inflect; to bow 2. (*nadać kształt kabłąkowaty*) to curve [II] *vr* **~iąć, ~inać się** to bend; to incline oneself; (*o materiale, drewnie*) to hog; to warp

przegięcie *sn* 1. ↑ **przegiąć** 2. (*przegub*) (a) bend; inclination; *mat.* inflexion; *techn.* contraflexure

przegimnastykować *v perf* [I] *vt* to exercise [II] *vr* **~ się** to take (some) exercise

przeginać *zob.* **przegiąć**

przegląd *sm G.* **~u** 1. (*przejrzenie*) review; survey; (*kontrola*) inspection; **~ lekarski** medical examination; overhaul; **przeprowadzić ~ czegoś** to inspect sth; **zrobić ~ czegoś** to review <to survey> sth; to take stock of sth 2. (*pismo*) review; magazine 3. (*lustracja wojsk*) parade; inspection

przeglądać, przeglądnąć *zob.* **przejrzeć**

przeglądnięcie *sn* (↑ **przeglądnąć**) 1. (*sprawdzenie*) (a) review 2. (*obejrzenie*) a look (**czegoś** at sth)

przeglądow|y *adj* review — (article, magazine etc.)

przegładzać *zob.* **przegłodzić**

przegłębiać *vt imperf* — **przegłębić** *vt perf geol.* to overdeepen

przegłębienie *sn* 1. ↑ **przegłębić** 2. *mar.* trim

przegłodzenie *sn* ↑ **przegłodzić**

przegł|odzić *v perf* **~odzę, ~odzony** — **przegł|adzać** *v imperf* [I] *vt* to keep (sb, an animal) hungry; to cut off (**kogoś** sb's) food [II] *vr* **~odzić, ~adzać się** to refrain from taking food; to go hungry

przegłos *sm singt G.* **~u** *jęz.* vowel mutation <change>; umlaut; **bez ~u** unmodified

przegłosować *vt perf* — **przegłosowywać** *vt imperf* 1. (*rozstrzygnąć*) to take a vote (**coś** on sth) 2. (*opowiedzieć się przeciw komuś*) to outvote <to vote down> (sb)

przegłosow|y *adj jęz.* of vowel mutation; **wymiana ~a** vowel mutation <change>; umlaut

przegłosowywać *zob.* **przegłosować**

przegnać *zob.* **przeganiać**

przegnajać *zob.* **przegnoić**

przegni|atać *vt imperf* — **przegni|eść** *vt perf* **~otę, ~ecie, ~ótł, ~otła, ~etli, ~eciony** *rz.* to press (sth) through a sieve, strainer etc.

przegnicie *sn* (↑ **przegnić**) decay

przegni|ć *vi perf* **~je** to rot (through); to moulder; to decay

przegnieść *zob.* **przegniatać**

przegniły [I] *pp* ↑ **przegnić** [II] *adj* rotten (through); putrid

przegn|oić *vt perf* **~oję, ~ojony** — **przegnajać** *vt imperf roln.* to apply too much manure (**glebę** on the soil)

przegnojenie *sn* (↑ **przegnoić**) excess of manure

przegon *sm G.* **~u** *pot.* 1. (*przeganianie bydła*) easement; right of way 2. (*rów*) drain ditch

przegonić *zob.* **przeganiać**

przegorzan *sm G.* **~u** *bot.* (*Echinops*) globe thistle

przegospodarować *vt perf* 1. (*gospodarować jakiś czas*) to manage <to run> (a farm); to farm (a space of time) 2. (*stracić przez złe gospodarowanie*) to lose through mismanagement

przegotow|ać *v perf* — **przegotow|ywać** *v imperf* [I] *vt* 1. (*zagotować*) to boil; to bring to the boil 2. (*za długo gotować*) to overboil [II] *vr* **~ać, ~ywać się** to overboil (*vi*)

przegra *sf pszcz.* play flight

przegr|ać *v perf* — **przegr|ywać** *v imperf* [I] *vt* 1. (*zostać pokonanym*) to lose (a game, battle, lawsuit etc.) 2. (*stracić w grze*) to lose (a fortune etc.) at play; to gamble <to game, to play> away; **~ać, ~ywać pieniądze do kogoś** to lose money to sb 3. (*wykonać utwór*) to play; **~ać, ~ywać płytę** to play a record <disc> 4. *perf* (*spędzić jakiś czas grając na instrumencie*) to spend (time) playing (**na instrumencie** an instrument) [II] *vi* (*zostać pokonanym*) to lose; to be <to get> beaten; to be the loser(s); *pot.* to get a licking; to come off second best

przegr|adzać *vt imperf* — **przegr|odzić** *vt perf* **~odzę, ~ódź, ~odzony** 1. (*przedzielać*) to partition; to separate; to divide; (*o organie anatomicznym, owocu*) **~odzony** septate 2. (*odgradzać*) to curtain <to wall, to fence, to rope> off 3. *zw. imperf* (*w stosunkach czasowych*) to separate

przegrana *sf* (*decl = adj*) 1. (*kwota, przedmiot*) loss 2. (*porażka*) beating; defeat; *pot. sport* licking

przegran|y [I] *pp* ↑ **przegrać** [II] *adj* 1. (*o rozgrywce itd.*) lost; **partia z góry ~a** losing game 2. *przen.* (*o człowieku*) beaten; **człowiek ~y** a wreck [III] *sm* **~y** the loser

przegro|da *sf DL.* **~odzie** *pl G.* **~ód** 1. (*to, co przegradza*) division; barrier; bar; partition; dividing wall; (*w stajni*) stall; *biol. bot. zool.* septum; *mar.* bulkhead; baffle(-plate); *górn.* stopping 2. (*miejsce odgrodzone*) division; (*w szufladzie itd.*) compartment; cell

przegrodowy *adj* partition — (wall etc.)

przegrodzenie *sn* 1. ↑ **przegrodzić** 2. (*przegroda*) (a) partition; division; *bot. zool.* dissepiment

przegrodzić *zob.* **przegradzać**

przegród|ka *sf pl G.* **~ek** (*dim* ↑ **przegroda**) 1. (*w gołębniku, biurku itd.*) pigeon-hole 2. *biol. bot. zool.* septulum

przegrupow|ać *v perf* — **przegrupow|ywać** *v imperf* [I] *vt* to regroup; to reorganize; to reshuffle [II] *vr* **~ać, ~ywać się** to be regrouped <reorganized>

przegrupowanie *sn* (↑ **przegrupować**) rearrangement; regroupment; shake-up (in a change of personnel); reshuffle

przegrupowywać *zob.* **przegrupować**

przegrywać *zob.* **przegrać**

przegrywając|y *sm* (*także* **strona ~a**) the loser(s); **grupa ~ych (koni, zawodników itd.)** ruck

przegryw|ka *sf pl G.* **~ek** 1. (*wykonanie*) execution (of a musical composition) 2. (*fragment utworu*) fragment (of a musical composition); interlude

przegry|zać *v imperf* — **przegry|źć** *vi perf* **~zę, ~zie, ~zł, ~źli, ~ziony** [I] *vt* 1. (*przecinać zębami*) to bite through sth; to bite sth in two; (*o gryzoniach*) to gnaw (**coś** through sth); *przen.* **~zać coś (w sobie)** to chew upon <over> sth; to ruminate sth 2. (*zjadać naprędce*) to have a snack 3. (*przeplatać picie jedzeniem*) to eat (**czymś** sth) in between drinks <sips> (**coś** of sth); **popijał herbatę ~zając chlebem** he ate some bread in between drinks <sips> of his tea 4. (*zagryzać czymś*) to eat <to take, to have a bite of> sth after a drink (**coś** of sth); to follow up (**kieliszek wódki kanapką itd.** a glass of vodka with a sandwich etc.) 5. (*o kwasach*) to corrode; to eat (**żelazo itd.** into iron etc.) [II] *vr* **~zać, ~źć się** *przen.* (*przedzierać się*) to struggle <to wade> (through sth)

przegrz|ać *v perf* **~eje, ~ali, ~eli — przegrz|ewać** *v imperf* [I] *vt* to overheat; *techn.* **para ~ana** overheated <superheated> steam [II] *vr* **~ać, ~ewać się** to become overheated

przegrzeb|ać *vi perf* **~ie — przegrzebywać** *vt imperf* 1. (*przeszukać*) to make a thorough search (**coś** of sth) 2. (*grzebać*) to rake (sth) up <over>

przegrzeb|ek *sm G.* **~ka** *zool.* (*Pecten*) pecten; scallop

przegrzebywacz *sm pl G.* **~y** <**~ów**> fire-rake

przegrzebywać *zob.* **przegrzebać**

przegrzewacz *sm pl G.* **~y** <**~ów**> *techn.* superheater

przegrzewać *zob.* **przegrzać**

przegrzmi|eć *vi perf* **~j, ~** 1. (*skończyć grzmieć*) to cease thundering; **~ało** the thunder ceased 2. (*przelecieć z grzmotem*) to thunder <to rattle> by <past>; to go thundering <rattling> by <past>

przegub *sm G.* **~u** *L.* **~ie** 1. *anat.* (*staw*) joint; corpus; (*u ręki*) wrist; (*u nogi zwierzęcia*) hock, hough 2. (*skręt*) coil; *pl* **~y** windings and turnings 3. *fot.* ball-joint 4. *techn.* (articulated) joint; knuckle; articulation; link; swivel 5. *geol.* bend <nose> of the fold

przegubny *adj techn.* articulated

przegubowo *adv techn.* by articulation

przegubow|y *adj techn.* articulated; jointed; **połączenie ~e** joint; swivel

przegwi|zdać *v perf* **~żdże — przegwi|zdywać** *v imperf* [I] *vt* 1. (*spędzić jakiś czas na gwizdaniu*) to whistle (the hours etc.) away 2. (*gwizdać dłużej, głośniej*) to outwhistle (sb) [II] *vi perf* (*przelecieć z gwizdem*) to whistle <to whiz(z)> by <past> [III] *vr* **~zdywać się** to outwhistle one another

przehandlować *vt perf* **— przehandlowywać** *vt imperf* 1. (*sprzedać*) to sell 2. (*zamienić*) to barter <to trade> (sth) away; *sl.* to swop <to swap> (**coś na coś** sth for sth else)

przeharowa|ć *vt perf pot.* to drudge away (one's life etc.); **~ny dzień** a day of drudgery

przehartować *vt perf* **— przehartowywać** *vt imperf techn.* to overharden

przeholować *v perf* **— przeholowywać** *v imperf* [I] *vi* (*przebrać miarę*) to go too far; to overreach <to overshoot> oneself; to overshoot the mark [II] *vt* (*holować*) to haul; to tow

przehulać *vt perf* to feast <to revel> away (one's fortune, time etc.)

przeidealizować *vt perf* to idealize to excess; to represent <to imagine> (sth) in too idealistic a light

przeidealizowanie *sn* (↑ **przeidealizować**) overidealizing

przeinacz|ać *v imperf* **— przeinacz|yć** *v perf* [I] *vt* (*zmieniać*) to change; to alter; to modify; to rearrange; to transform; (*przekręcać*) to twist <to misrepresent, to distort, to garble> (facts etc.) [II] *vr* **~ać, ~yć się** to change (*vi*); to be altered <modified, transformed>

przeinaczenie *sn* (↑ **przeinaczać**) (a) change; alteration; modification; transformation

przeintelektualizować *vt perf* to overintellectualize

przeintelektualizowanie *sn* (↑ **przeintelektualizować**) overintellectualism; overintellectualization

przeist|aczać *v imperf* **— przeist|oczyć** *v perf* [I] *vt* 1. (*przekształcać*) to transform; to remould; to refashion; to convert <to turn> (**coś na coś innego** sth into sth else) 2. *rel.* to transsubstantiate [II] *vr* **~aczać, ~oczyć się** to be <to become> transformed <remodelled, refashioned>; to be converted (**na coś** into sth)

przeistoczenie *sn* 1. ↑ **przeistoczyć** 2. (*przeobrażenie*) transformation; conversion (**na coś** into sth); metamorphosis 3. *rel.* transsubstantiation

przeistoczyć *zob.* **przeistaczać**

przej|adać *v imperf* **— przej|eść** *v perf* **~em, ~e, ~edzą, ~edz, ~adł, ~edli, ~edzony** [I] *vt* 1. (*wydawać na jedzenie*) to spend <to squander> on food <on feasting, revelry>; to guzzle away 2. *perf* (*spędzić czas na jedzeniu*) to spend (one's time) eating and drinking <at table> 3. *perf* (*przeżywić się*) to have enough food to live (**zimę itd.** through the winter etc.) 4. *f* (*o rdzy itd. — przeżerać*) to eat away (iron etc.) [II] *vr* **~adać, ~eść się** 1. (*jeść za dużo*) to overeat (oneself) 2. (*brzydnąć*) to pall (**komuś** on sb)

przejaskrawiać *vt imperf* **— przejaskrawić** *vt perf* 1. (*robić zbyt jaskrawym*) to paint <to represent> (sth) in glaring <too bright> colours; to overcolour 2. *przen.* to overdraw; to magnify; to exaggerate

przejaskrawienie *sn* (↑ **przejaskrawić**) 1. (*robienie zbyt jaskrawym*) glaring colours; high colouring 2. *przen.* exaggeration

przejaśni|ać *v imperf* **— przejaśni|ć** *v perf* [I] *vt* to clear; to thin (out) [II] *vr* **~ać, ~ć się** to clear up

przejaśnienie *sn* 1. ↑ **przejaśnić** 2. *meteor.* bright interval; break <opening, rift> (in a cloudy sky, the fog etc.)

przejaw *sm G.* **~u** indication; sign; manifestation; expression; symptom; aspect; **wszystkie ~y życia** all aspects of life

przejawi|ać *v imperf* **— przejawi|ć** *v perf* [I] *vt* to evince; to show; to manifest; to reveal; to display [II] *vr* **~ać, ~ć się** to appear; to manifest <to assert> itself

przejawienie *sn* 1. (↑ **przejawić**) manifestation 2. **~ się** appearance

przej|azd *sm G.* **~azdu** *L.* **~eździe** 1. (*jazda*) journey; ride; passage; **opłata za ~azd** fare; **prawo ~azdu (przez czyjś teren)** easement; **~azdem, w ~eździe** a) (*w drodze*) on the way b) (*przejeżdżając*) when passing (**w jakiejś miejscowości** through a town); **jestem w ~eździe** I am (just) passing through here; I am here only for a short stay; **byłem tam ~azdem** I passed through the place 2. (*miejsce przeznaczone do przejeżdżania*) thoroughfare; driveway; *kolej.* level <grade> crossing; **~azd dołem** undercrossing; **~azd górą** overcrossing

przejazdowy *adj* vehicular; **tor ~** cross-over

przejażdż|ka *sf pl G.* **~ek** ride; drive; jaunt; (*łodzią*) (a) row; **udać się <wybrać się> na ~kę** to go for a ride <a drive, (*łodzią*) a row>

przej|ąć *v perf* **~mę, ~mie, ~mij, ~ął, ~ęła, ~ęty — przejmować** *v imperf* [I] *vt* 1. (*odebrać*) to take over (**coś od kogoś** sth from sb); to take possession (**coś** of sth); **~ąć, ~mować coś w spadku** to succeed to sth; **~ąć po kimś kierownictwo** to take over from sb 2. (*chwycić*) to intercept; to seize (sb, sth) 3. (*przyswoić sobie*) to adopt 4. (*przeniknąć*) to seize; to penetrate; to thrill; to master; **~ąć, ~mować kogoś dreszczem** to send a shiver down sb's spine; **~ął mnie strach** I was seized with fear; **~ęła mnie radość** I was thrilled with joy; **ziąb ~mował do kości** the cold penetrated one to the marrow [II] *vr* **~ąć, ~mować się** 1. (*wziąć sobie do serca*) to take (sth) to heart; to be perturbed (**czymś** by sth); to fret (oneself) (**czymś** about sth); *pot.* to take on; **nie ~muj się** never mind; be at ease; take it <things> easy; **nie ~mując się** in a happy-go-lucky fashion <way>; **on się niczym nie ~muje** he is a happy-go-lucky fellow; **on się nie ~muje głoszonymi zasadami** his principles sit loosely on him 2. (*zaniepokoić się*) to bother (**czymś** about sth)

przej|echać *v perf* **~adę, ~edzie, ~echał, ~echany — przej|eżdżać** *v imperf* [I] *vi* to travel <to drive, to ride> (through a region etc.); **~echać, ~eżdżać mimo** to pass by; **~echać, ~eżdżać powtórnie <ponownie>** to recross; **~echać, ~eżdżać przez kraj <granicę, rzekę, most itd.>** to cross a country <a border, frontier, a river, bridge etc.>; *pot.* **~echać palcami <grzebieniem> po włosach** to run one's fingers <a comb> through sb's hair; **~echać ręką <pędzlem, językiem> po czymś** to draw one's hand <a paint brush, one's tongue> over sth; **~echać komuś po głowie <po zębach>** to land sb one <to strike sb> on the head <on the jaw> [II] *vt* 1. (*przebyć przestrzeń*) to travel <to cover, to drive, to ride> (*x* miles etc.); **~echać, ~eżdżać komuś drogę** to cross sb's path 2. (*przekroczyć*) to pass (a spot, one's destination etc.); to cross (**most itd.** a bridge etc.) 3. (*minąć*) to go <to drive, to ride> past 4. (*najechać*) to run over (sb, sth); to knock (sb) down; **~echał go samochód** he was run over by a motor-car 5. (*stratować*) to trample [III] *vr* **~echać się** 1. (*użyć przejażdżki*) to go (out) for a drive <a ride, (*konno*) a trot, (*łodzią*) a row>; to go out riding <motoring>; to jaunt; to take a turn; **chętnie bym się ~echał** I'd like to have a ride 2. *pot.* (*skrytykować*) to run (**po kimś, czymś** sb, sth) down; to pick (**po kimś, czymś** sb, sth) to pieces

przejechany [I] *pp* ↑ **przejechać** [II] *sm* casualty (in a street accident)

przejednać *vt perf* — **przejednywać** *vt imperf* to propitiate (the gods etc.); to reconcile oneself (**kogoś** with sb); to obtain (**kogoś** sb's) pardon

przejednanie *sn* 1. *singt* ↑ **przejednać** 2. (*zgoda, przeprosiny*) propitiation; reconciliation

przejednywać *zob.* **przejednać**

przejedzeni|e *sn singt* 1. ↑ przejeść 2. (*przeładowanie żołądka*) surfeit

przejeść *zob.* **przejadać**

przejezdny [I] *adj* passing (traveller, merchant etc.) [II] *sm* (passing) stranger; *am.* (*o gościu hotelowym*) (a) transient

przeje|ździć *vt perf* **~żdżę, ~żdżony** to spend (time, money) on travel <excursions, joy-rides>

przejeżdżać *zob.* **przejechać**

przejeżdżający [I] *adj* passing [II] *sm* person travelling by; stranger

przejęcie *sn* 1. *singt* ↑ **przejąć** 2. (*wzruszenie*) emotion; (*uczucie*) deep feeling; intentness; earnestness; **z ~m** with feeling; intently; in earnest

przejęcz|eć *vt perf* **~y, ~any** to groan <to moan> (a space of time); **~ał dwie godziny na miejscu wypadku** he lay moaning for two hours on the spot of the accident

przejęty [I] *pp* ↑ **przejąć** [II] *adj* (*zaniepokojony*) perturbed; worried; (*zaabsorbowany*) intent (**czymś** on sth); wrapped up (**czymś** in sth); taken up (**czymś** with sth); (*wzruszony*) **być ~m** to be in earnest; **być głęboko ~m czymś** to be thrilled by sth

przejęzyczać się *vr imperf* — **przejęzyczyć się** *vr perf pot.* to misuse a word; to make a mistake in one's speech; to slip; to stumble

przejęzyczenie *sn pot.* slip of the tongue; blunder

przejęzyczyć się *zob.* **przejęzyczać się**

przejm|a *sf DL.* **~ie** *bud.* header

przejmować *zob.* **przejąć**

przejmująco *adv* 1. (*przenikliwie*) shrilly; piercingly; sharply 2. (*wzruszająco*) impressively; deeply; keenly; pathetically

przejmujący *adj* 1. (*o widoku itd.*) impressive; thrilling; catching; moving 2. (*o dźwiękach*) shrill; piercing 3. (*o uczuciu*) deep; keen 4. (*o zimie, wietrze*) biting; bitter; sharp; cutting; keen; piercing

przejrzałość *sf singt* overripeness

przejrzały *adj* overripe

prze|jrzeć[1] *v perf* **~jrzy — prze|glądać** *v imperf, rz. reg.* **prze|glądnąć** *v imperf* [I] *vt* 1. (*przeniknąć wzrokiem*) to see (**coś** through sth — the fog etc.) 2. (*obejrzeć*) to look through <to check> (sb's papers, documents etc.); to revise (a literary composition etc.) 3. (*zaznajomić się pobieżnie*) to skim (**książkę** a book, over a book); to glance (**coś** through <over> sth); to look over (a magazine, an album etc.); to go over (a list, a bill etc.) 4. *perf* (*rozpoznać zamiary*) to see through (sb, sb's game); to find (sb) out [II] *vi* 1. *zw. 3 pers.* (*być widocznym*) to appear; to be seen; to become visible; to be manifest 2. *perf* (*odzyskać wzrok*) to see again; to recover one's sight 3. *perf przen.* (*otworzyć oczy na coś*) to awake (to sth — to a danger etc.); to become conscious (of certain facts etc.); **~jrzałem** the scales fell from my eyes [III] *vr* **~jrzeć, ~glądać się** to look at oneself (in the looking glass)

przejrzeć[2] *zob.* **przejrzewać**

przejrzeni|e *sn* (↑ **przejrzeć**[1]) revisal <revision> (of a literary composition); **poddać ~u** to revise

przejrz|ewać *vi imperf* — **przejrz|eć** *vi perf* **~y** to overripen

przejrzysto *adv* transparently

przejrzystość *sf singt* 1. (*przeźroczystość*) transparency; limpidity; clarity; pellucidity 2. (*jasność,* *zrozumiałość*) clarity; lucidity; perspicuity, perspicuousness

przejrzyst|y *adj* 1. (*taki, który można przejrzeć na wylot*) transparent; (*o powietrzu*) limpid; (*o tkaninie*) gauzy; sheer; filmy; **~e niebo** clear sky 2. (*jasny, zrozumiały*) perspicuous; clear; lucid

przejrzyście *adv* perspicuously; clearly; lucidly; with lucidity

przejrzyście|ć *vi imperf* **~je** to become <to grow> transparent <limpid, clear(er), (more) lucid, perspicuous>

przejści|e *sn* 1. (↑ **przejść**) (*zmiana przekonań, religii*) conversion (**na coś** to sth) 2. (*miejsce przechodzenia*) passage; alley; roadway; thoroughfare; (*między rzędami krzeseł, w hali fabrycznej*) gangway; *am.* aisle; **~e dla pieszych** pedestrian crossing; crosswalk; **~e podziemne dla pieszych** (pedestrian) subway; *am.* underpass; **~e uliczne dla pieszych** zebra crossing; (*w napisie*) **~e wzbronione** no thoroughfare; **wąskie ~e** gut; **zrobić komuś ~e** to make way for sb; to let sb pass; **w ~u** in the way; **stać w ~u** to stand in the way 3. (*stadium przejściowe*) transition 4. (*wstawka w utworze*) interlude 5. (*przeżycie*) (trying) experience; (*przykre zdarzenie*) trial; ordeal

przejściowo *adv* temporarily; transitorily; transiently; provisionally

przejściow|y *adj* 1. (*krótko trwający*) temporary; transitory; transient; interim (stage etc.); *bank.* **rachunek ~y** suspense account 2. (*przechodni*) passing- (place, way); **kamienica ~a** double--exit house <building> 3. (*stanowiący stadium przejściowe*) transitional; transition — (stage, period etc.); *jęz.* **głoska ~a** glide; *astr.* **koło ~e** transit <meridian> circle; *muz.* **nuta ~a** passing--note; grace note

przejściówka *sf pot.* (*w więzieniu*) transition cell

prze|jść *v perf* **~jdę, ~jdzie, ~szedł, ~szła** — **prze|chodzić** *v imperf* [I] *vi* 1. (*przebyć przestrzeń*) to walk <to get, to go, to come> (**dokądś** somewhere; **przez coś** across <over> sth); to pass along 2. (*przebyć w poprzek, przekroczyć*) to cross <to go across> (**przez rzekę, ulicę, góry itd.** a river, street, mountains etc.); *astr.* to transit (**przez ciało niebieskie itd.** a celestial body etc.); **pomóc komuś ~jść przez ulicę** to help sb across a street; **~jść, ~chodzić dalej** to pass on; **~jść, ~chodzić ponownie** to repass; to recross 3. (*idąc minąć*) to pass (**obok kogoś, czegoś** sb, sth, by sb, sth); to walk (**obok kogoś, czegoś** by <past> sb, sth); **~jść, ~chodzić ponownie** to repass 4. (*udać się do innego pomieszczenia*) to go over <to pass, to proceed, to adjourn> (**do innego pokoju itd.** to another room etc.) 5. (*o środku lokomocji — przejechać*) to go by; to pass; to traverse (**przez okolicę itd.** a region etc.); to cross (**przez coś** sth); to skirt (**wzdłuż lasu itd.** a forest etc.) 6. (*o burzy, wojnie itd.*) to pass (through a region); to visit <to blow over> (**przez okolicę** a region); **~jść, ~chodzić przez czyjeś ręce** to pass through sb's hands; **~jść, ~chodzić do historii** to go down to posterity; to become matter of historical interest; **~jść, ~chodziś na kogoś** <**na czyjąś własność**> to descend <to devolve> to sb 7. (*zostać przeniesionym, przekazanym*) to pass 8. (*przedostać się*) to go <to get, to come, to pass, to penetrate> (**przez coś** through sth); **~jść, ~chodzić do środka** to get in; **~jść, ~chodzić do (środka) czegoś** to get into <inside> sth; **~jść, ~chodzić do przeciwnego obozu** to pass over to the enemy; (*o dreszczu itd.*) **~jść po kimś** to go through sb; to run down sb's spine; **~jść, ~chodzić komuś przez głowę** <**przez myśl**> to cross sb's mind; to occur to sb; **te słowa nie chciały mi ~jść przez gardło** the words stuck in my throat 9. (*o liniach, drogach itd. — zostać przeprowadzonym*) to run (**przez coś** across <through> sth) 10. (*minąć — o bólu*) to pass off; to ease; to cease; (*o wrażeniach*) to wear off; (*o czasie*) to pass; to lapse; to go by; *perf* to be over; **~jść bez echa** to leave no impression; **szybko ~jść** to flit by; **zima ~szła** the winter is over 11. (*zmienić — przekonania, religię*) to turn (**na mahometanizm** Mohammedan); (*barwę*) to melt <to graduate> (**w jakiś kolor** into a hue); **~chodzić w starszy wiek** to verge into old age; **~jść, ~chodzić do cywila** to leave the service; **~jść, ~chodzić na emeryturę** to retire; **~jść, ~chodzić w inne ręce** to change hands 12. (*zacząć robić coś innego*) to pass on (**do czegoś** to sth, to sth else; **do innego tematu** to another subject); *szk.* to advance; to be promoted; to get one's remove (to the next form); **~jść, ~chodzić do porządku dziennego** a) (*na zebraniu, w sejmie itd.*) to pass to the order of the day b) *przen.* (*pominąć, zignorować*) to disregard <to ignore> (**nad czymś** sth); **~jeść, ~chodzić na „ty"** to start calling each other by their Christian <first> names 13. (*przekształcić się*) to turn (**w coś** into sth); to become (**w coś** sth); **gąsienica ~chodzi w motyla** the caterpillar turns into a butterfly; **mgła ~chodzi w deszcz** the fog turns into rain; **to ~szło w zwyczaj** <**w namiętność**> it became a <the> custom <a passion> 14. (*o wniosku, projekcie itd.*) to go through; to be adopted; (*o ustawie*) to be passed 15. (*przewyższyć*) to surpass; to exceed (a limit etc.); **to ~chodzi ludzkie pojęcie** it's beyond human understanding; that beats everything; **to ~szło najśmielsze oczekiwania** <**marzenia**> it surpassed all expectation <our wildest dreams> 16. (*zostać przesyconym, przesiąknąć*) to become saturated <permeated> (**zapachem, wilgocią itd.** with an odour, with moisture etc.) [II] *vt* 1. (*przebyć przestrzeń*) to walk (*x* miles, a long way etc.); to cover (a distance); **~jść kawał świata** to have seen a good bit of the world; **~jść (długą) drogę rozwojową** to go through (a great many) changes 2. (*przejść w poprzek*) to cross (a room, a border, a frontier etc.); **~jść, ~chodzić komuś drogę** to cross sb's path 3. (*o strachu itd. — przeszyć*) to seize (sb); **ciarki go ~szły** his blood ran cold; **~szedł mnie dreszcz** a shiver went through me <ran down my spine> 4. (*przeżyć, doznać*) to go through <to experience> (**ciężkie chwile itd.** severe trials etc.); to undergo (a test, an operation etc.); to have (typhus, scarlet fever etc.) 5. (*przerobić*) to go (**kurs itd.** through a course of study etc.); (*przećwiczyć*) to rehearse (a play etc.); to repeat (a lesson etc.) [III] *vr* **~jść się** (*przespacerować się*) to walk about; to perambulate <to walk up and down> (the room etc.); (*użyć przechadzki*) to go out walking; to go (out) for a walk <a stroll>; to take a turn (in a park etc.); **~jść się dla zdrowia** to take a constitutional

przejustować *vt perf druk.* to rejustify

przejustowanie *sn* (↑ **przejustować**) *druk.* rejustification

przekabac|ać *v imperf* **~ę, ~ony** — **przekabac|ić** *v perf pot.* [I] *vt* to talk (sb) round <over>; to gain (sb) over [II] *vr* **~ać, ~ić się** to turn round (in one's opinions etc.)

przekalkować *vt perf* 1. (*odbić przez kalkę*) to transfer (a drawing etc.) 2. *przen.* (*dokładnie powtórzyć*) to translate literally

przekalkowanie *sn* (↑ **przekalkować**) (a) transfer

przekalkulować *vt perf* to recalculate

przekalkulowanie *sn* (↑ **przekalkulować**) recalculation

przekarmi|ać *v imperf* — **przekarmi|ć** *v perf* [I] *vt* 1. (*karmić przez jakiś czas*) to feed (sb for a certain time) 2. (*dawać za dużo pożywienia*) to overfeed; to cram (sb, an animal etc.) with food [II] *vr* **~ać, ~ć się** *rz.* to cram (*vi*)

przekartkować *vt perf* to turn over the pages (**książkę** of a book); to glance <to skim> through (a book)

przekartować *vt perf* 1. (*przetasować*) to reshuffle 2. = **przekartkować**

przekaz *sm G.* **~u** 1. (*przekazanie pieniędzy, przesłane pieniądze*) remittance 3. (*pieniądze przesłane za pośrednictwem poczty*) postal <money> order 2. (*przekazanie pieniędzy za pośrednictwem instytucji kredytowej*) transfer; draft 4. (*blankiet*) money-order form

przeka|zać *vt perf* **~że** — **przeka|zywać** *vi imperf* 1. (*oddać*) to deliver; to turn <to hand> (sth) over (to sb); to transmit; **~zać, ~zywać dalej rozkaz itd.** to relay an order etc.; **~zać, ~zywać coś komuś do decyzji** to relegate sth to sb for decision; **~zać, ~zywać coś potomności** to hand down <to bequeath> sth to posterity; **~zać, ~zywać komuś czyjeś ukłony** to give sb sb's regards; **~zać, ~zywać wiadomość** to impart <to convey> a piece of news; **~zać, ~zywać własność testamentem** to transfer property by testament; (*o tradycji itd.*) **zostać ~zanym** to come down 2. (*wpłacić*) to transfer; to remit; to send (**przekazem** by money order) 3. (*skierować*) to direct <to send> (**kogoś lekarzowi itd.** sb to a doctor etc.)

przekazanie *sn* (↑ **przekazać**) delivery (of a parcel etc.); transmission (of news etc.); transference (of property etc.)

przekazowy *adj* (order etc.) of transference

przekazywać *zob.* **przekazać**

przekazywanie *sn* (↑ **przekazywać**) transmission; transfer; relaying; *fiz.* **~ energii** imparting of energy

przekaźnik *sm fiz. techn.* transmitter; relay; repeater

przekaźnikowy *adj* relaying; relay __ (station etc.)

przekąs † *sm G.* **~u** irony; *obecnie w zwrocie:* **z ~em** sneeringly; scoffingly; tauntingly; contemptuously

prześką|sić *vt perf* **~szę** 1. (*także* **~sić coś**) (*zjeść*) to have a snack <a bite to eat, some refreshment>; to take the edge off one's appetite 2. † (*przegryźć*) to bite (sth) in two

przekąs|ka *sf pl G.* **~ek** snack; *pl* **~ki** (*przed obiadem, kolacją*) hors-d'oeuvres; **coś na ~kę** something to follow-up a glass of vodka

przekątn|a *sf* (*decl = adj*) *mat.* diagonal (line); **po ~ej** diagonally; cornerwise

przekątnia *sf rz.* = **przekątna**

przekątny *adj mat.* diagonal

przekimać *vi perf gw.* to sleep; to have some sleep

przeklasyfikować *vt perf* to assign (sth) to a different class <category>; to change the classification (**coś** of sth); to reorder

przeklasyfikowanie *sn* (↑ **przeklasyfikować**) assignment to a different class <category>; change of classification

przekląć *zob.* **przeklinać**

przekleństw|o *sn* 1. (*obelżywy wyraz*) curse; profanity; imprecation; swear-word; *pl* **~a** abusive <profane, strong> language; **najgorsze ~a** hard swearing; **miotać ~a** to curse and swear; **obrzucić kogoś ~ami** to swear at sb 2. (*klątwa*) curse; damnation 3. *przen.* curse <scourge, bane> (of mankind etc.)

przeklep|ać *vt perf* **~ie** 1. (*przebić na wylot*) to hammer (sheet iron etc.) into holes 2. *przen.* (*odmówić bez zastanowienia*) to rattle off

przekleństwo —

przeklęcie[1]*sn* (↑ **przekląć**) (a) curse

przeklęcie[2] *adv pot.* damnably; cursedly

przeklęcz|eć *vt perf* **~y** to spend (a space of time) kneeling <on one's knees>

przeklęty [I] *pp* ↑ **przekląć** [II] *adj* damned; (ac)-cursed; confounded; deuced; blasted

przekl|inać *v imperf* — **przekl|ąć** *v perf* **~nę, ~nie, ~nij, ~ął, ~ęła, ~ęty** [I] 1. (*rzucać klątwę*) to curse; to excommunicate 2. (*potępiać*) to curse <to rue> (the day, hour etc.) 3. *imperf* (*używać przekleństw*) to curse; to revile; to abuse; to swear (**kogoś** at sb) [II] *vi* to swear; to curse; to be profane; to utter curses <profanities>; **~inać na czym świat stoi** to swear and curse

przeklinanie *sn* (↑ **przeklinać**) curses; profanities; abusive <profane, strong> language

przekła|d *sm G.* **~du** *L.* **~dzie** 1. (*tłumaczenie*) translation; rendering; **dokonać ~du** to translate 2. (*dzieło przełożone*) (a) translation 3. (*ułożenie w inny sposób*) transposition; rearrangement

prze|kładać *vt imperf* — **prze|łożyć** *vt perf* **~łóż** 1. (*inaczej układać, ustawiać*) to shift <to move, to transfer> (**coś z jednego miejsca na drugie** sth from one place to another); **~kładać, ~łożyć coś gdzie indziej <do innego naczynia>** to put sth elsewhere <into another vessel>; **~kładać, ~łożyć coś z jednej ręki do drugiej** to take sth into one's other hand; *karc.* **~kładać, ~łożyć karty** to cut (*vi*); *kolej.* **~kładać tor** to relay the track 2. (*kłaść przenosząc ponad czymś*) to reach (**rękę przez płot <stół>** with one's hand over a fence <a table>); **~kładać, ~łożyć nogę na nogę** to cross one's legs; **~kładać, ~łożyć nogę przez rower** to get astride one's bicycle 3. (*przegradzać*) to put (**coś czymś** sth between layers of sth); to intersperse (**coś czymś** sth **with a layer <layers>** of sth); to interleave; to sandwich 4. (*odkładać na później*) to put off; to postpone; to defer; to change (a date) 5. (*tłumaczyć*) to translate <to render> (**na inny język** into another language) 6. † (*woleć*) to prefer (**coś nad coś innego** sth to sth else) 7. † (*przedstawiać*) to submit 8. † (*wyjaśniać*) to argue; to expostulate

przekłada|niec *sm G.* **~ńca** *kulin.* layer-cake

przekładan|ka *sf pl G.* **~ek** (*w łyżwiarstwie*) choctaw

przekład|ka *sf pl G.* **~ek** 1. (*to co służy do oddzielenia dwóch warstw*) separator; interlayer; spacer; distance piece 2. *górn.* relaying (of a track)

przekładkarz *sm górn.* **~ przenośnika** conveyor shifter

przekładni|a *sf pl G.* **~** 1. *gram.* transposition (of words) 2. *techn.* drive; gear; transmission; **~a pasowa** belt transmission; **~a ślimakowa** worm gear; **~a zębata** (toothed) gear; gear transmission <train>

przekładniow|y *adj* **skrzynia ~a** gear-box

przekładow|y *adj* of translation; **prace ~e, literatura ~a** translations

przekłucie *sn* (↑ **przekłuć**) perforation; puncture; *med.* paracentesis; transfixion; **~ opony <dętki>** puncture; **~ szpilką** prick

przekłu|ć *vt perf* **~je, ~ty — przekłuwać** *vt imperf* to pierce (through); to perforate; to puncture (a tyre etc.); to prick (a bubble etc.); *med.* to transfix

przekłusować *vi perf* to trot by <past>

przekłuwacz *sm pl G.* **~y** perforator

przekłuwać *zob.* **przekłuć**

przekoła|tać *vt perf* **~cze <~ce>, ~tany** *pot.* to subsist (a space of time); to keep body and soul together

przekołować *vt perf* to wheel (sth from one place to another)

przekomarzać się *vr imperf* to banter <to chaff, to rally> (**z kimś** each other); to poke fun (**z kimś** at each other)

przekomarzanie (się) *sn* banter

przekomicznie *adv* in a most amusing manner; most comically

przekomiczny *adj* extremely amusing; awfully funny; side-splitting

przekomponować *vt perf* — **przekomponowywać** *vt imperf* to rearrange (a musical, literary etc. composition)

przekomponowanie *sn* (↑ **przekomponować**) rearrangement

przekompostować *vt perf roln. ogr.* 1. (*użyźnić*) to treat with compost; to manure 2. (*przerobić na kompost*) to compost (fertilizing substances)

przekon|ać *v perf* — **przekon|ywać** *v imperf* [I] *vt* to convince <to persuade> (**kogoś o czymś** sb of sth); to bring (sb) round; to bring (sth) home (kogoś to sb); *imperf* to reason (**kogoś** with sb); to urge (sb); **~ać kogoś, żeby coś zrobił** to talk <to reason> sb into doing sth [II] *vr* **~ać, ~ywać się** 1. (*nabrać przeświadczenia*) to convince oneself; to ascertain; to be <to become> convinced <persuaded>; to find (**że coś jest dobre <łatwe, korzystne>** sth good <easy, profitable>); to satisfy oneself (**że ...** that ...); to come to the conviction (that ...); **chętnie się dam ~ać** I am open to conviction; **jeszcze się ~amy** that remains to be seen; **~asz się** you will see; **~ałem się, że ...** it came home to me that ... 2. (*stracić uprzedzenie*) to come to like (**do kogoś** sb) 3. (*sprawdzić*) to go and see; to make sure; **~aj się sam** go and see for yourself

przekonani|e *sn* (↑ **przekonać**) conviction; persuasion; belief; opinion; **demokrata <socjalista itd.> z ~a** thorough <confirmed, out-and-out> democrat <socialist etc.>; **dojść do ~a, że ...** to come to the conviction that ...; to become convinced that ...; **mieć mocne ~e o czymś** to feel strongly about sth; **mówić z (całym) ~em** to speak in (real) earnest; **nie mieć ~a do czegoś, kogoś** to be sceptical about sth, sb; **robić coś bez ~a** to do sth half-heartedly; **robić coś w ~u, że ...** to do sth in the belief that ...; **trafiać do ~a** to carry convinction; **trafiać komuś do ~a z czymś** to bring sth home to sb

przekonany [I] *pp* ↑ **przekonać** [II] *adj* convinced; persuaded; certain; positive; **jestem ~, że ...** I feel sure <certain> that ...; **nie jestem całkowicie ~ o tym** I am not quite clear about that <as to that>; I am not so sure about it; **nie ~** (*o egzaminatorze*) unsatisfied; (*o sędzim itd.*) unsatisfied; unconvinced

przekonstruować *vt perf* to redesign

przekonstruowanie *sn* ↑ **przekonstruować**

przekonsultować *vt perf* to discuss (sth with sb); to consult (**coś z kimś** sb about sth)

przekontrolować *vt perf* to check

przekonująco *adv* = **przekonywająco**

przekonujący *adj* = **przekonywający**

przekonywać *zob.* **przekonać**

przekonywająco *adv* convincingly; persuasively; cogently; forcibly

przekonywając|y *adj* convincing; persuasive; (*o argumencie*) weighty; strong; valid; cogent; (*o języku*) forcible; **być ~ym** to carry conviction; **to nie jest ~e** it is not convincing; **twoja wymówka nie jest ~a** your excuse is a thin one

przekonywani|e *sn* ↑ **przekonywać**; **siła ~a** persuasiveness; cogency; **umiejętność ~a** persuasiveness

przekop *sm G.* **~u** 1. (*rów*) cutting; piercing; ditch; excavation; tunnel 2. *górn.* cross-cut; cross heading; drift; *am.* tunnel

przekop|ać *v perf* **~ie — przekop|ywać** *v imperf* [I] *vt* 1. *roln. ogr.* to point <to turn over, to dig> (the soil) 2. (*przebić przejście, kanał itd.*) to dig <to cut, to excavate> (a passage, ditch etc.); to pierce <to hole> (a tunnel) [II] *vr* **~ać, ~ywać się** 1. (*przebić się*) to dig (oneself) a passage (**przez coś** through sth; **dokądś** to a place) 2. (*torować sobie drogę*) to tunnel one's way (through sth, to a place)

przekopanie *sn* (↑ **przekopać**) excavation

przekopiować *vt perf* (*zrobić kopię*) to copy; (*przerysować*) to trace a copy (**rysunek** of a drawing)

przekop|ka *sf G.* **~ek** *pot.* = **przekopanie**

przekopnica *sf zool.* (*Apus-Triops*) apus-triops (a crustacean)

przekopyrtnąć się *vr perf pot.* 1. (*wywrócić się*) to tumble down; to topple over 2. *przen.* to come a cropper

przekopywać *zob.* **przekopać**

przek|ora *sf DL.* **~orze** *pl G.* **~ór** 1. (*cecha*) perverseness; contrariness; *am.* cussedness; **przez ~orę** from spite; in sheer wantonness; *am.* out of pure <sheer> cussedness; † **na ~orę komuś**

(just) to spite sb 2. *sm sf żart.* (*człowiek przekorny*) contrarious <perverse> creature <person>

przekornie *adv* perversely; contrariwise; criss-cross

przekorność *sf singt* perverseness; cussedness; contrariness

przekorny *adj* contrary; criss-cross; self-willed; wilful

przekoziołkować *v perf* [I] *vi* to turn a somersault [II] *vt* to overturn (sb, sth) [III] *vr* **~ się** to turn a somersault; **~ się dwa <trzy> razy** to turn a double <treble> somersault

przek|ór † *sm L.* **~orze** *obecnie w zwrocie:* **na ~ór komuś** (just) to spite sb

przekr|aczać *vt imperf* — **przekr|oczyć** *vt perf* 1. (*przestępować*) to cross (a border, frontier, threshold etc.); to step <to stride> (**przeszkodę, rów itd.** over an obstacle, a ditch etc.) 2. (*przewyższać*) to exceed; to surpass; to transcend; to go beyond <to overstep> (a limit); to project (**linię, granicę przestrzenną** beyond a line, a limit); **nie ~aczać granic czegoś <przyzwoitości itd.>** to keep within the bounds <limits> of sth <of decency etc.>; **~aczać, ~oczyć plan** to overfulfil a plan; **on ~oczył <ma przekroczoną> 50-kę** he is past <on the wrong side of> 50; **to ~acza granicę rozumu ludzkiego <wytrzymałości itd.>** this is past human understanding <past bearing etc.>; **to ~acza moje środki** this is beyond my means 3. (*nadużyć*) to transgress (the law, one's competence, powers etc.); to contravene (the regulations)

przekraczalny *adj lit.* **łatwo ~** easy to cross

przekra|dać się *vr imperf* — **przekra|ść się** *vr perf* **~dnę się, ~dnie się, ~dnij się, ~dł się** to steal <to slip, to slink, to sneak> through <across>; to worm one's way (through sth); to gatecrash

przekrajać *zob.* **przekroić**

przekraplać *zob.* **przekroplić**

przekraść się *zob.* **przekradać się**

przekrawacz *sm techn.* cross-cutter

przekrawać *zob.* **przekroić**

przekreśl|ać *vt imperf* — **przekreśl|ić** *vt perf* 1. (*wykreślać*) to cross <to rule> out; to strike out (a word, passage etc.); *przen.* **~ać, ~ić czyjeś nadzieje** to shatter <to wreck, to ruin> sb's hopes; **~ać, ~ić przeszłość** to unlive the past 2. (*zaznaczyć ślad w formie linii*) to line (sth); (*o świetle, błyskawicy itd.*) to flash (**coś** across sth)

przekreśle|nie *sn* 1. (↑ **przekreślić**) erasure; cancelling stroke (of the pen) 2. (*przekreślony wyraz*) crossed-out word; **było wiele ~ń** many words were crossed out

przekreślić *zob.* **przekreślać**

przekręc|ać *v imperf* — **przekręc|ić** *v perf* **~ę, ~ony** [I] *vt* 1. (*przechylać na bok*) to turn; to twist; to screw; (*ustawić ukośnie*) to put (sth) aslant <askew> 2. (*obracać*) to turn; to move (sth) round; to give a turn (**coś** to sth); **~ać, ~ić sprężynę w zegarku** to overwind a watch; **~ać, ~ić śrubę** to overtighten a bolt; *kulin.* **~ać, ~ić coś przez maszynkę do mięsa** to pass sth through a mincer <meat grinder> 3. (*przeinaczać*) to distort <to twist, to garble, to mangle> (a text etc.); **~ać, ~ić czyjeś słowa** to distort sb's words; **~ać, ~ić fakty** to misrepresent facts; **~ać, ~ić prawdę** to strain <to pervert> the truth [II] *vr* **~ać, ~ić się** 1. (*obracać się*) to turn (round); to twist (*vi*) 2. (*stawać się przekręconym*) to take a slant; to slant; to slope; (*o drucie, sznurze itd.*) to kink

przekręcenie *sn* (↑ **przekręcić**) 1. (*obrót*) (a) turn; (a) twist 2. (*przeinaczenie*) distortion <misrepresentation, perversion> (of facts, the truth etc.)

przekręcić *zob.* **przekręcać**

przekroczenie *sn* 1. ↑ **przekroczyć;** *prawn.* **~ terminu** non-claim; **~ władzy** stretch of power; misuse of authority 2. (*występek*) offence; transgression

przekroczyć *zob.* **przekraczać**

przekr|oić *vt perf* **~oję, ~ój, ~ojony,** *rz.* **przekrajać** *vt perf* — **przekrawać** *vt imperf* 1. (*przedzielić*) to cut (**coś na połowy** sth in two); **~ojona cytryna** lemon cut up into slices 2. (*skroić inaczej*) to change the cut (**ubiór** of a garment)

przekrojowy *adj* (cross-)sectional

przekroplenie *sn* (↑ **przekroplić**) distillation

przekroplić *vt perf* — **przekraplać** *vt imperf* to distil

przekr|ój *sm G.* **~oju** 1. (*płaszczyzna, przecięcie*) section; **~ój podłużny** longitudinal section; **~ój poprzeczny** cross-section; **~ój prostopadły** profile 2. *przen.* profile; review (**tygodnia** of the week's events)

przekrwić się *vr perf* to congest (*vi*); to become congested

przekrwienie *sn singt med.* congestion; hyper(a)emia; **~ opadowe** hypostasis

przekrwiony *adj* congested; (*o oczach*) blood-shot

przekrystalizowa|ć *vt perf chem.* to recrystallize; *geol.* **skały ~ne** metamorphic rocks

przekrzy|czeć *v perf* **~czy** — **przekrzy|kiwać** *v imperf* [I] *vt* to outshout [II] *vr* **~czeć, ~kiwać się** to outshout one another

przekrzywi|ać *v imperf* — **przekrzywi|ć** *v perf* [I] *vt* (*przechylać*) to bend; to incline; to slant; (*czynić krzywym*) to crook; to distort; to contort; to twist; **~ać, ~ć twarz** to make a wry face [II] *vr* **~ać, ~ć się** (*stawać się pochylonym*) to slant (*vi*); to slope; to slouch; to go crooked; (*stawać się krzywym*) to become distorted <contorted>

przekrzywienie *sn* (↑ **przekrzywić**) (*przechylenie*) (a) bend; slant; inclination; (*krzywość*) distortion; contortion; (*twarzy*) wryness

przekrzywion|y [I] *pp* ↑ **przekrzywić** [II] *adj* crooked; slanting; askew; **z ~ą twarzą** wry-faced; wry-mouthed

przekrzyżować *vt perf* to cross (breeds of animals)

przeksięgować *vt perf* — **przeksięgowywać** *vt imperf handl.* to transfer (from one account to another)

przeksięgowanie *sn* (↑ **przeksięgować**) (a) transfer

przekształc|ać *v imperf* — **przekształc|ić** *v perf* **~ę, ~ony** [I] *vt* 1. (*przeobrażać*) to transform; to convert <to turn> (**coś w coś innego** sth into sth else); to modify 2. *mat.* to convert; to transform; to develop [II] *vr* **~ać, ~ić się** to become transformed <converted, modified>; to assume a new <different> shape

przekształcenie *sn* (↑ **przekształcić**) transformation; conversion; modification; *mat.* (a) transform

przekucie *sn* ↑ **przekuć**

przeku|ć *vt perf* **~ję, ~ty** — **przekuwać** *vt imperf* 1. (*przerobić*) to reforge; to make over 2. (*zmienić okucie konia*) to reshoe (a horse) 3. (*przebić* *na wylot*) to pierce (a tunnel etc. through a mountain etc.)

przekupić *vt perf* — **przekupywać** *vt imperf* to bribe; to corrupt; to buy over

przekupienie *sn* (↑ **przekupić**) bribery; corruption

przekup|ień *sm G.* **~nia** vendor; pedlar; costermonger

przekup|ka *sf pl G.* **~ek** vendor; tradeswoman; *przen.* wrangler; **kłócić się jak ~ka** to wrangle

przekupność *sf singt* venality; corruptibility

przekupny *adj* venal; corruptible

przekupstw|o *sn* bribery; corruption; *am. pot. polit.* graft; **bywały ~a** there were cases of bribery

przekupywać *zob.* **przekupić**

przekuwać *zob.* **przekuć**

przekwalifikować *v perf* I *vt* to qualify (sb) for a new job; to divert to another job <to other jobs>; to requalify II *vr* **~ się** to qualify for a new job

przekwa|sić *vt perf* **~szę, ~szony** — **przekwaszać** *vt imperf* to sour (sth) to excess

przekwaśni|eć *vi perf* **~eje, ~ały** to undergo excessive fermentation

przekwaterować *vt perf* to assign new quarters (**kogoś** to sb)

przekwia|ł *sm G.* **~łu** *L.* **~le** *bot.* (*Rafflesia*) rafflesia

przekwit|ać *vi imperf* — **przekwit|nąć** *vi perf* **~ł, ~nięty** <**~ły**> 1. (*o roślinach*) *imperf* to shed (its) blossoms; to cease blossoming <blooming>; to come out of bloom; *perf* to be out of bloom 2. *przen.* (*o ludziach*) to fade; to wither; to decay

przekwitanie *sn* 1. ↑ **przekwitać** 2. *med.* climacteric; menopause

przekwitnąć *zob.* **przekwitać**

przelać *zob.* **przelewać**

przelatać *zob.* **przelecieć**

przelat|ek *sm G.* **~ka** *myśl.* one-year-old wild boar

przelatywać *zob.* **przelecieć**

przel|ecieć *v perf* **~ecę, ~ci** — **przel|atywać** *v imperf, rz.* **przelatać** *v imperf* I *vi* 1. (*o ptakach, samolotach itd.*) to fly by <past>; to pass overhead; (*o owadach, nietoperzach itd.*) to flit; (*o burzy*) to blow over; (*o chmurach, dymie*) to drift 2. (*przenieść się na drugą stronę*) to cross (**przez ocean itd.** the ocean etc.) 3. (*o pocisku itd.* — *przeszyć coś*) to go through; **~ecieć ze świstem** to whizz past 4. *pot.* (*przebiec*) to run (**przez ulicę itd.** across the street etc.; **przez pokój itd.** through the room etc.; **obok kogoś** past sb); (*o pociągu itd.*) to speed (**przez okolicę itd.** through the region etc.) 5. *pot.* (*o pogłosce itd.*) to circulate 6. (*o czasie*) to pass; to fly 7. (*o deszczu*) to shower; **~atywały deszcze** there were occasional showers II *vt* (*o samolocie itd.*) to fly (*x* **kilometrów** *x* kilometers); **~ecieć, ~atywać komuś drogę** to cross sb's path III *vr* **~ecieć się** *pot.* 1. (*przejść się*) to take a quick walk 2. (*odbyć krótki lot*) to have a flip in a plane

przelew *sm G.* **~u** 1. (*przelewanie się*) overflow; **~ krwi** bloodshed 2. *ekon.* transfer; remittance; payment by cheque 3. *prawn.* transfer <devolution> (of authority etc.) 4. *techn.* (*część budowli*) spillway; weir 5. *techn.* (*przy zbiorniku*) overflow (-shoot)

przel|ewać *v imperf* — **przel|ać** *v perf* **~eje, ~ali** <**~eli**>, **~any** I *vt* 1. (*zlewać*) to pour (**z jednego naczynia do drugiego** <**w drugie**> out of one vessel into another); to shed (**łzy** tears; **czyjąś** <**swoją**> **krew** sb's <one's> blood); to spill (sb's <one's> blood); to transfuse; *przen.* **~ewać, ~ać coś na papier** to commit sth to paper; to put sth down in writing; **~ewać z pustego w próżne** to twaddle; to indulge in small talk; (*w dyskusji*) to argle-bargle 2. (*nadmiernie lać*) to slop over (a liquid); (*przepełniać*) to overfill (**naczynie płynem** a vessel with a liquid) 3. (*wpajać*) to infuse <to instil(l)> (**coś w kogoś** sth into sb) 4. *ekon.* to transfer; to remit (a sum) 5. *prawn.* to transfer (property, rights etc.); to convey <to resign> (property etc. to sb) II *vr* **~ewać, ~ać się** 1. (*przetaczać się*) to flow; (*o krwi*) to be shed <spilt> 2. (*wylewać się*) to overflow; to brim <to flow> over 3. *pot.* (*o naczyniu*) to brim over 4. *imperf* (*obfitować*) to abound (**od czegoś** in <with> sth); **w mowie naszej ~ewa się od wyrazów tatarskich** our language abounds in <with> Tartar words 5. *imperf* (*mieć się dostatnio*) to live in comfort; to be in clover; **u mnie się nie ~ewa** I just manage to make both ends meet; **u niego się ~ewało** he was in clover

przelewający *sm prawn.* transferer (of property etc.)

przelewanie *sn* 1. ↑ **przelewać**; *med.* **~ jelitowe** rumbling of the bowels; *przen.* **~ z pustego w próżne** twaddle 2. *prawn.* transfer <conveyance> (of property etc.) 3. **~ się** overflow; **~ się fal morskich** the wash of the waves

przelew|ki *spl G.* **~ek** trifle; **to nie ~ki** it's no joke <no trifling matter>

przelewowy *adj* 1. (*służący do przelewania*) overflow — (pipe etc.) 2. *ekon.* transfer — (cheque etc.)

prze|leźć *vi perf* **~lezę, ~lezie, ~lazł, ~leźli** — **prze|łazić** *vi imperf* **~łażę** *pot.* to get <to creep> (**przez coś** through <across, over> sth); to climb (**przez coś** over sth)

przeleż|eć *vi perf* **~y** 1. (*spędzić jakiś czas leżąc*) to lie <to stay in bed> (a space of time) 2. (*przetrwać w ukryciu*) to be; to remain (hidden)

przelękły *adj* frightened

przel|ęknąć *v perf* **~ąkł, ~ękła, ~ękniony** I *vt* to frighten; to give (sb) a fright; to scare; to terrify II *vr* **~ęknąć się** to be frightened <terrified, scared>; to have a fright

przelęknienie *sn* (↑ **przelęknąć**) (a) fright

przelicytow|ać *v perf* — **przelicytow|ywać** *v imperf* I *vt* to outbid; *przen.* to go one better (**kogoś** than sb else) II *vr* **~ać, ~ywać się** 1. (*na licytacji*) to outbid one another 2. *przen.* (*prześcignąć jeden drugiego*) to outdo <to outvie> one another

przeliczać *zob.* **przeliczyć**

przeliczalny *adj* denumerable

przeliczenie *sn* (↑ **przeliczyć**) (*policzenie*) count; reckoning; (*przerachowanie*) (a) re-count; **~ na inne jednostki** reduction; conversion; **~ się w rachubach** miscalculation

przeliczeniowy *adj* conversion — (cost, coefficient etc.)

przelicz|yć *v perf* — **przelicz|ać** *v imperf* I *vt* (*policzyć*) to count (over) (one's money etc.); (*przerachować*) to re-count; to recast; **~yć, ~ać na inne jednostki** to reduce <to convert> to different units; **~ywszy to na pieniądze ...** in terms of money ... III *vr* **~yć, ~ać się** 1. (*omylić się w rachunkach*) to miscount; to be out in one's reckoning <calculations>; **jak się okazało, ~yłem się** I found that I was out in my reckoning 2. (*zawieść się w rachubach*) to miscalculate; to reckon without one's host

przelo|t *sm G.* **~tu** *L.* **~cie** 1. (*lot*) flight; (*przelecenie*) crossing; transit (by air); *lotn. sport* cross-country flight; **prawo ~tu** wayleave (over a territory) 2. (*szybki bieg*) passage 3. (*wędrówka ptaków*) passage (of birds) 4. *bot.* (*Anthyllis*) woundwort; lady's finger; kidney vetch 5. *techn.* passage

~tem, w ~cie (*mimochodem*) by the way; casually; briefly; (*po drodze*) on the way; during a short stay <visit>; (*przelotnie*) transiently; transitorily; **jestem tutaj ~tem <w ~cie>** I am here on a short visit <for a short stay>; **widzieć coś w ~cie** to see sth in passing; **widziałem go w ~cie** I caught a glimpse of it <of him>

przelotnia *sf techn.* **~ sprężarki** receiver of a compressor

przelotnie *adv* by the way; transiently; transitorily; fleetingly

przelotność *sf singt* 1. (*krótkotrwałość*) transitoriness; evanescence; fleetness; short duration 2. = **przelotowość**

przelotn|y *adj* 1. (*przelatujący*) passing; **ptak ~y** visitant; **ptaki <ptactwo> ~e** birds of passage; migratory birds 2. (*prędko przemijający*) fleeting; evanescent; transient; transitory; short-lived; *meteor.* **~e opady** occasional showers

przelotowość *sf singt* track <traffic> capacity (of a railway, of an artery of traffic etc.)

przelotowy *adj* 1. (*dotyczący przelotu ptaków*) of migration; (*dotyczący przelotu samolotów*) of transit 2. (*umożliwiający przepływ, przesuwanie się*) through- (bar, bolt etc.)

przeludnienie *sn singt* overpopulation; congestion (of an area etc.)

przeludnion|y *adj* overpopulated; overpeopled; (over)crowded; congested; **~a okolica** overbuilt area

przeładow|ać *vt perf* — **przeładow|ywać** *vt imperf* 1. (*przenieść ładunek*) to trans-ship (a cargo etc.); to reload 2. *dosł. i przen.* (*przeciążać*) to overburden; to overload; *przen.* to glut; **~ać żołądek** to glut the stomach; **~ać kogoś jedzeniem** to glut sb; **~any ozdobami** overornamented; ornate; (*o stylu*) luscious

przeładowanie *sn* (↑ **przeładować**) 1. (*przeniesienie ładunku*) trans-shipment; reloading 2. (*przeciążenie*) (an) overburden; overload 3. (*zgromadzenie zbyt wielu ozdób, szczegółów*) ornateness; **~ stylu** lusciousness

przeładownia *sf mar.* trans-shipment quay; *kolej.* trans-shipping yard <platform>

przeładowywać *zob.* **przeładować**

przeładun|ek *sm G.* **~ku** trans-shipment; reloading

przeładunkowy *adj* trans-shipping _ (station etc.); **bom ~** derrick-boom

przełaj *sm G.* **~u** *pl G.* **~ów** *sport* (*także* **bieg na ~**) crosscountry race

na ~ across country; **pójść na ~** to take a short cut

przełajdaczyć *vt perf* 1. (*spędzić czas na hulankach*) to revel away (a space of time) 2. (*roztrwonić*) to revel away (one's money etc.)

przełam *sm G.* **~u** *miner.* fracture

przełam|ać *v perf* **~ie** — **przełam|ywać** *v imperf* I *vt* 1. (*rozłamać*) to break (**na pół** in two; **na kawałki** into pieces); **~ać, ~ywać papier** to fold a sheet of paper 2. (*przemóc*) to break down <to suppress> (opposition etc.); to overcome (obstacles, resistance etc.) 3. *druk.* to impose; to make up II *vr* **~ać, ~ywać się** 1. (*podzielić się*) to break (**chlebem <opłatkiem> z kimś** bread <the wafer> with sb) 2. (*załamać się*) to break (*vi*); to come apart 3. *przen.* (*ustąpić*) to relax; (*o mrozie itd.*) to break (*vi*) 4. *przen.* (*przemóc się*) to control oneself; to overcome <to master, to get the better of> one's feelings 5. (*o promieniach świetlnych*) to be refracted 6. (*o rzece — robić gwałtowny zakręt*) to deflate (*vi*)

przełamanie *sn* (↑ **przełamać**) (a) break; suppression (of resistance etc.); *druk.* imposition; (the) make-up; **~ się** (a) break; *przen.* (*u człowieka — przezwyciężenie się*) mastery (of one's feelings); **~ się chlebem <opłatkiem> z kimś** breaking bread <the wafer> with sb; *fiz.* **~ się promieni świetlnych** refraction of light rays; **~ się rzeki** deflection of a river

przełamywać *zob.* **przełamać**

przełaz *sm G.* **~u** (*w gąszczu itd.*) passage; (*przez płot itd.*) stile

przełazić *zob.* **przeleźć**

przełączać *zob.* **przełączyć**

przełączenie *sn* (↑ **przełączyć**) (a) switch; turn of a switch; switch-over; change-over

przełącznik *sm elektr.* (throw-over, change-over) switch; commutator

przełącznikowy *adj techn.* switch- (gear etc.)

przełącz|yć *v perf* — **przełącz|ać** *v imperf* I *vt* to switch (over); to change over; to commute II *vr* **~yć, ~ać się** to switch on (**na jakąś stację** to a station)

przełęcz *sf* (mountain) pass; saddle; col

przeł|knąć *vt perf* — **przeł|ykać** *vt imperf* to swallow; to swallow (sth) down; *przen.* **~knąć gorzką pigułkę <zniewagę>** to swallow the bitter pill <an affront>; **nie mogę tego ~knąć** I can't stomach it

przełknięcie *sn* ↑ **przełknąć**

przełom *sm G.* **~u** 1. (*dolina rzeki*) gorge; ravine 2. (*zwrot*) turn; change; turning-point (of history etc.); **na ~ie XIX i XX wieku** on the turn of the 19th century 3. *med.* crisis; turning-point 4. *miner.* fracture; fissure 5. *techn.* fracture

przełomowość *sf singt* decisiveness

przełomow|y *adj* 1. (*o dolinie itd.*) ravined 2. (*o chwili itd.*) decisive; crucial; critical; **~a chwila, ~y moment** turning-point; **wydarzenie ~e** landmark

przełożenie *sn* ↑ **przełożyć** 1. (*inne ustawienie*) (a) shift <move, transfer> 2. (*przegrodzenie*) interspersion 3. (*przesunięcie terminu*) postponement; change (of date) 4. (*tłumaczenie*) translation 5. *techn.* (gear, transmission) ratio

przełoż|ony I *pp* ↑ **przełożyć** II *adj* superior (authority etc.) III *sm* **~ony** (*decl = adj*), *sf* **~ona** (*decl = adj*) (sb's) superior; chief; *pot.*

boss; *pl* ~eni those <the people> in charge <in command, overhead>; **Ojciec ~ony** Father Superior; **Matka ~ona** Mother Superior

przełożyć *zob.* **przekładać**

przełup|ać *vt perf* ~**ie** — **przełupywać** *vt imperf* to split

przełyk *sm G.* ~**u** gullet; *med.* (o)esophagus

przełykać *zob.* **przełknąć**

przełykowy *adj med.* (o)esophageal

przemacerować *vt perf* to macerate

przemacerowanie *sn* (↑ **przemacerować**) maceration

przemaczać *zob.* **przemoczyć**

przemagać *zob.* **przemóc**

przemaglować *vt perf* to mangle

przemagnesowywać *vt imperf fiz.* to remagnetize

przemagnesowywanie *sn* (↑ **przemagnesowywać**) remagnetization

przem|akać *vi imperf* — **przem|oknąć** *vi perf* ~**ókł** <~**oknął**> ~**oknięty** <~**okły**> 1. (*przechodzić na wskroś wilgocią*) to soak through 2. (*stawać się mokrym*) to get soaked <drenched, wet> to the skin 3. (*przepuszczać wilgoć*) to be permeable; **buty mi ~akają** my shoes are leaky

przemakalność *sf singt* permeability

przemakalny *adj* permeable

przemakanie *sn* ↑ **przemakać**

przemalować *vt perf* — **przemalowywać** *vt imperf* to paint over; to repaint; to distemper (a wall)

przemalowanie *sn* 1. ↑ **przemalować** 2. (*miejsce przemalowane*) repainted fragment

przemalowywać *zob.* **przemalować**

przemalun|ek *sm G.* ~**ku** repainting

przemarsz *sm G.* ~**u** march <passage> (of troops)

przemarudz|ić *vt perf* ~**ą**, ~**ony** to waste (one's time etc.)

przemar|zać [r-z] *vi imperf* — **przemar|znąć** [r-z] *vi perf* ~**zł**, ~**źli** 1. (*zamarzać*) to freeze 2. (*ziębnąć*) to freeze; to get frozen; ~**znąć na kość** to be <to get> frozen stiff; to be chilled to the marrow

przemarzlina [r-z] *sf* heart-shake; frost-cleft; frost-crack

przemarznąć *zob.* **przemarzać**

przemaszerować *vi perf* to march by; to pass

przemaszerowanie *sn* (↑ **przemaszerować**) march <passage> (of troops)

przem|awiać *v imperf* — **przem|ówić** *v perf* [I] *vi* 1. (*wygłaszać mowę*) to make <to deliver> a speech <an address>; to speak in public; to harangue (**do tłumu** the crowd); *parl.* to take the floor 2. (*odzywać się*) to speak (to sb); to say sth 3. (*trafiać do przekonania*) to convince <to impress> (**do kogoś** sb); to carry conviction; (*o utworze literackim, muzycznym*) to grip 4. (*odwoływać się*) to appeal (**do czyjegoś rozsądku itd.** to sb's common sense etc.) 5. (*stawać w obronie*) to speak (**za kimś** for sb, in sb's favour; **za czymś** in advocacy of sth); **dużo ~awia za tym** there is much to be said for it; **argumenty** <**dowody**> ~**awiające za** <**przeciw**> ... the case for <against> ...; (*o cechach itd.*) ~**awiać za kimś** <**na czyjąś korzyść**> to recommend sb 6. (*potępiać*) to condemn (**przeciw komuś, czemuś** sb, sth); **zazdrość ~awia przez niego** envy puts the words in his mouth 7. (*przejawiać się*) to appear <to be evident> (**z czegoś** in sth) [II] *vr* ~**awiać**, ~**ówić się** to quarrel; to fall out

przemawiający *sm* speaker

przemawianie *sn* ↑ **przemawiać**; ~ **na zebraniach** public speaking

przemądry *adj* extremely wise <clever>

przemądrzałość *sf singt* smartness; pertness

przemądrzały *adj* overwise; too clever by half; smart; pert

przemeblować *vt perf* — **przemeblowywać** *vt imperf* 1. (*zmienić umeblowanie*) to refurnish 2. (*ustawić meble inaczej*) to rearrange the furniture (**pokój** of a room)

przemedytować *vt perf* to spend (time) in meditation

przemeldować *v perf* [I] *vt* to report (**kogoś** sb's) change of address [II] *vr* ~ **się** to report one's change of address

przemęcz|ać *v imperf* — **przemęcz|yć** *v perf* [I] *vt* 1. (*przeciążać*) to overwork <to overtire> (sb); to drive (sb) hard; to strain (**oczy, serce itd.** one's eyes, heart etc.); (*o człowieku*) ~**ony** overworked; overtired 2. (*przeładować dzieło*) to overelaborate (a composition); ~**ony utwór** overwrought composition [II] *vr* ~**ać**, ~**yć się** to overwork (*vi*); to over-exert oneself; to work too hard; **nie ~aj się** take it easy

przemęczenie *sn* (↑ **przemęczyć**) overwork; over-exertion; tiredness; over-fatigue

przemęczyć *v perf* [I] *vt* 1. *zob.* **przemęczać** 2. (*spędzić czas na męczącym zajęciu*) to spend (a space of time) working hard [II] *vr* ~ **się** 1. *zob.* **przemęczać się** 2. (*spędzić czas męcząc się*) to be in anguish (for some time) 3. (*spędzić czas na męczącym zajęciu*) to work hard (**nad czymś** <**z czymś**> **przez jakiś czas** at sth for some time)

przemiał *sm G.* ~**u** 1. (*czynność*) grinding <milling> (of grain) 2. (*produkt*) meal; grist 3. *geol.* shoal; subaqueous dune

przemiana *sf* change; alteration; transformation; metamorphosis; *biol. chem.* transmutation; *chem. fiz.* conversion; *jęz.* permutation; *med.* ~ **materii** metabolism; **podstawowa ~ materii** basal metabolic rate; ~ **pokoleń** alternations of generations; metagenesis

przemianować *vt perf* — **przemianowywać** *vt imperf* to rename

przemiatać *zob.* **przemieść**

przemielać *zob.* **przemleć**

przemieni|ać *v imperf* — **przemieni|ć** *v perf* [I] *vt* to change; to alter; to transform; to metamorphose; to convert <to turn> (**coś w coś innego** sth into sth else); to transmute [II] *vr* ~**ać**, ~**ć się** to change (*vi*); to be transformed <transmuted>; to turn <to be turned, converted> (**w coś innego** into sth else); **gąsienica ~a się w motyla** the caterpillar turns into a butterfly; **deszcz ~ł się w śnieg** the rain resolved itself into snow

przemienienie *sn* (↑ **przemienić**) change; alteration; transformation; metamorphosis; transmutation; conversion; *rel.* **Przemienienie Pańskie** the Transfiguration

przemiennie *adv* alternately; *mat.* commutatively

przemienność *sf singt* alternation; *mat.* commutability

przemienny *adj* alternate; alternating; convertible; *mat.* commutative

przemierz|ać *vt imperf* — **przemierz|yć** *vt perf* 1. (*mierzyć*) to measure; **~ać, ~yć na nowo** to remeasure 2. (*przechodzić*) to tramp (the roads etc.) 3. (*przejeżdżać*) to wander (**okolicę** about a region) 4. (*przechadzać się tam i z powrotem*) to pace (**pokój** up and down a room)

przemie|sić *vt perf* **~szę, ~szony** to knead (dough) thoroughly

przemieszać *vt perf* to mix (thoroughly)

przemie|szczać *v imperf* — **przemie|ścić** *v perf* **~szczę, ~szczony** [I] *vt* to translocate; to dislocate; to displace; to shift [III] *vr* **~szczać, ~ścić się** to shift <to move> (*vi*)

przemieszczenie *sn* (↑ **przemieścić**) translocation; dislocation; displacement; (a) shift

przemieszkać *vi perf* — **przemieszkiwać** *vi imperf* to live <to stay> (somewhere for some time)

przemieścić *zob.* **przemieszczać**

przem|ieść *vt perf* **~iotę, ~iecie, ~iótł, ~iotła, ~ietli, ~ieciony** — **przemiatać** *vt imperf* to sweep up; to broom

przemiędlić *vt perf* to swingle

przemięk|ać *vi imperf* — **przemięk|nąć** *vi perf* **~ła** to soak; to be drenched

przemijać *vi imperf* — **przeminąć** *vi perf* 1. (*upływać*) to pass; to elapse; to go by; to slip away; to flow 2. (*kończyć się*) to come to an end; to cease; (*o burzy itd.*) to pass over

przemijający *adj* fleeting; transient; transitory; short-lived

przemijalność *sf singt* transitoriness

przemijanie *sn* (↑ **przemijać**) lapse (of time); passing away <off>; vanishing (of illusions etc.)

przemilcz|ać *vt imperf* — **przemilcz|eć** *vt perf* **~y** to pass over (sth) in silence; to make no mention (**coś** of sth); to leave (sth) unsaid; to hold (sth) back; (*zataić*) to conceal; to keep (sth) secret; **~any** unsaid, untold

przemilczenie *sn* (↑ **przemilczeć**) (*zatajenie*) concealment

przemiły *adj* extremely pleasant; delightful; delectable; most enjoyable (evening etc.); (*o usposobieniu*) sweet; (*o kobiecie*) lovable; charming; (*o mężczyźnie*) (most) amiable; prepossessing; charming

przeminąć *zob.* **przemijać**

przem|knąć *v perf* — **przem|ykać** *v imperf* [I] *vi* to flit <to speed> by; to slip <to flash, to shoot> by <past>; **łódź ~knęła pod mostem** the boat shot the bridge; **~knęło mi przez myśl** it flashed through my mind [III] *vr* **~knąć, ~ykać się** to slip <to sneak> by <past>; *przen.* (*o blasku, myśli itd.*) to flash

przem|leć *v perf* **~iele, ~ełł, ~ielony** <**~ełty**> [I] *vt* to grind; to mill [III] *vr* **~leć się** to be ground <milled>

przemłynkować *vt perf* to winnow (grain)

przemnażać *zob.* **przemnożyć**

przemnożenie *sn* (↑ **przemnożyć**) multiplication

przemn|ożyć *vt perf* **~óż** — **przemnażać** *vt imperf* to multiply (a number by another)

przemoc *sf* (*siła*) (brute) force; constraint; compulsion; prevalence; (*gwałt*) violence; **akt ~y** act of violence; **użyć ~y** to use violence; **~ą** by sheer force; forcibly

przem|oczyć *vt perf* — **przem|aczać** *vt imperf* 1. (*zmoczyć*) to wet; to drench; to sop; **~oczony, ~okły** wet through; (*o terenie*) soppy; **~oczony do nitki** wringing <dripping> wet; **~oczyć sobie nogi** to get one's feet wet 2. (*zamoczyć*) to soak; to seep 3. (*zbyt długo moczyć*) to keep (sth) soaking too long

przemodelować *vt perf* to remodel; to refashion

przemoknąć *zob.* **przemakać**

przemontować *vt perf* to reassemble (a machine etc.)

przem|owa *sf pl G.* **~ów** speech; oration; harangue

przemożenie *sn* (↑ **przemóc**) overbearance; mastery; **~ się** control over oneself

przemożnie *adv* overpoweringly; overwhelmingly

przemożny [I] *adj* 1. (*nie dający się przezwyciężyć*) overpowering; overwhelming; irresistible; invincible; prepotent 2. (*możny, wpływowy*) predominant; preponderant; influential [II] *sm* magnate; lord

przem|óc *v perf* **~ogę, ~oże, ~óż, ~ógł, ~ogła** — **przem|agać** *v imperf* [I] *vt* 1. (*zwyciężyć*) to defeat; to beat (an adversary etc.); to conquer; to gain the upper hand (**kogoś** of sb) 2. (*przełamać*) to overcome; to master; to surmount; to get the better (**coś** of sth) [II] *vi* (*wziąć górę*) to prevail; to predominate; to be triumphant; **~agający** overwhelming; overpowering [III] *vr* **~óc, ~agać się** to control oneself; to overcome <to master, to get the better of> one's feelings; to prevail on oneself (to do sth)

przemówi|ć *v perf* [I] *vi* 1. *zob.* **przemawiać** 2. (*odzyskać dar mowy*) to recover one's speech [III] *vr* **~ć się** 1. *zob.* **przemawiać się** 2. (*popełnić błąd w mówieniu*) to make a mistake (in speaking); **~łem się** my tongue slipped; it was a slip of the tongue

przemówienie *sn* 1. ↑ **przemówić** 2. (*mowa*) speech; address; **uroczyste ~** oration; **wygłosić ~** to make a speech; to have <to deliver> an address

przemr|ażać *vt imperf* — **przemr|ozić** *vt perf* **~ożę, ~ożony** to freeze (sth); to get (sth) frozen; **~ozić sobie nogi** to get one's feet frozen

przemurować *vt perf* — **przemurowywać** *vt imperf* to re-erect (a building)

przemurowanie *sn* (↑ **przemurować**) re-erection

przemurowywać *zob.* **przemurować**

przemusztrować *vt perf* to drill

przemyc|ać *v imperf* — **przemyc|ić** *v perf* **~ę, ~ony** [I] *vt* to smuggle (**coś do kraju, do pokoju** sth into a country, a room); **~ać, ~ić coś na zewnątrz kraju** to smuggle sth out of the country [III] *vr* **~ać, ~ić się** to slip through

przemyci|e *sn* ↑ **przemyć** 1. (*usunięcie brudu*) (a) wash; sluice; lavation; **woda <roztwór> z ~a** washings 2. *med.* lavage

przemy|ć *vt perf* **~je, ~ty** — **przemywać** *vt imperf* 1. (*usunąć brud*) to wash (sth); *perf* to give (sth) a wash 2. *med.* to lavage 3. *techn.* to wash; to flush; to rinse; to scrub

przemykać *zob.* **przemknąć**

przemysł *sm G.* **~u** 1. (*masowa produkcja*) industry; trade; **~ budowlany <hotelowy, transportowy itd.>** the building <hotel, transport etc.> trade; **~ hutniczy** iron and steel industry; **~ kluczowy** key industry; **~ maszynowy** engineering <metal> industry; **gałąź ~u** manufacture 2. † *przen.* ingeniousness; ingenuity; *obecnie w zwrotach*: **żyć własnym ~em** to live by one's wits; **zrobić <zainstalować> coś własnym ~em** to make <to install> sth oneself <by one's own means>

przemysłow|iec *sm G.* **~ca** industrialist; manufacturer; factory owner

przemysłowo *adv* industrially; in industry

przemysłow|y *adj* industrial; manufacturing; factory — (worker etc.); **świadectwo ~e** licence

przemyślan|y [I] *pp* ↑ **przemyśleć** [II] *adj* considered; studied; deliberate; **dobrze ~a odpowiedź** careful answer; **gruntownie ~y** mature; **nienależycie ~y** inconsiderate; hasty; rash

przemyśl|eć *vt perf* **~i** 1. (*rozważyć*) to think (sth) over; to consider; to turn (sth) over in one's mind; **~ to sobie** a) (*zastanów się*) think it over b) (*po napomnieniu itp.*) put that in your pipe and smoke it 2. (*spędzić pewien czas na myśleniu*) to spend (some time) thinking <in meditation>

przemyśleni|e *sn* (↑ **przemyśleć**) consideration; **po należytym ~u** after due consideration

przemyśliwa|ć *vi imperf* to ruminate; to speculate; to meditate; **~ć nad czymś** to ponder on <over> sth; **~ł jak by ...** he wondered how to ...

przemyśliwanie *sn* (↑ **przemyśliwać**) thoughts; rumination; meditation

przemyślnie *adv* cunningly; astutely; artfully; ingeniously; cleverly

przemyślność *sf singt* cunning; astuteness; ingenuity; cleverness

przemyślny *adj* cunning; astute; artful; ingenious; clever

przemyt *sm singt G.* **~u** 1. (*czynność*) smuggling; contraband; **~ broni** gun-running 2. (*towar*) contraband

przemytnictwo *sn singt* smuggling; contraband; **uprawiać ~** to smuggle; to engage in smuggling

przemytniczy *adj* smugglers'; contraband — (goods, vessel etc.)

przemytnik *sm* smuggler; contrabandist; **~ broni** gun-runner

przemywać *zob.* **przemyć**

przemywani|e *sn* (↑ **przemywać**) (a) wash; sluice; **kieliszek do ~a oczu** eye-bath; **lekarstwo <płyn> do ~a** wash; lotion; **płyn do ~a oczu** eyewash; eye lotion

przenajświętszy *adj* most holy; **Przenajświętszy Sakrament** the Blessed Sacrament

przenawozić *vt perf roln.* to manure excessively

przenęt *sm G.* **~u** *bot.* (*Prenanthes*) prenanthes

przenicować *vt perf* — **przenicowywać** *vt imperf* 1. (*przewrócić na lewą stronę*) to turn (a coat, dress etc.) 2. *przen.* (*przekręcić*) to distort; to pervert 3. *przen.* (*złośliwie interpretować*) to travesty; to misrepresent

przeniesieni|e *sn* (↑ **przenieść**) (*zmiana miejsca*) carriage <transfer, conveyance> (of persons, things etc.); removal; *med.* transmission; *mat.* transposition; *księgow.* carrying <bringing> forward; **do ~a** to be carried forward; **z ~a** brought <carried> forward

przen|ieść *v perf* **~iosę, ~iesie, ~iósł, ~iosła, ~ieśli, ~iesiony** — **przen|osić** *v imperf* **~oszę** [I] *vt* 1. (*zanieść*) to carry <to take> (sth, sb) over (**dokądś** somewhere, to a place); to carry (**coś przez ulicę <korytarz itd.>** sth across a street <a corridor etc.>); to convey (passengers, goods, sounds, smells etc.); to transfer (sth, sb from one place to another; sth — a feeling etc. — from one person to another); to move; to remove (mountains etc.); **~ieść, ~osić drzewa <krzewy>** to transplant trees <shrubs>; **~ieść, ~osić na papier** to put down on paper; **~ieść, ~osić wyraz** to divide a word 2. (*ulokować w innym miejscu*) to transfer; to displace; to settle (sb somewhere); **~ieść, ~osić kogoś na emeryturę** to pension sb; to put sb on the retired list 3. (*przerysować*) to transfer (a drawing); to copy; to retrace 4. (*zw. imperf*) *med.* to convey <to transmit, to communicate> (a disease) 5. *mat.* to transpose 6. *księgow.* to carry <to bring> forward 7. *prawn.* to convey <to make over, to transfer, to alienate> (property etc.) 8. (*znieść*) to bear; to endure 9. (*dać pierwszeństwo*) to prefer (**coś nad coś** sth to sth) 10. (*wynieść więcej*) to exceed; to surpass [II] *vi* (*o pocisku, broni*) to overshoot [III] *vr* **~ieść, ~osić się** 1. (*przeprowadzić się*) to move (to different quarters; from place to place); to go over (to another room etc.); to take up new lodgings; *pot.* to shift one's quarters; **~ieść, ~osić się na inne stanowisko** to take a new post; *przen.* **oczy ~iosły się <wzrok ~ósł się> na ...** (his, her) gaze fell on ...; **~ieść, ~osić się myślą do przeszłości** to look back <to go back> to the past; **~ieść się do wieczności** to end one's days; to breathe one's last; to depart this life 2. (*zostać przeniesionym*) to shift; to pass (from one spot to another); to proceed (somewhere) *zob.* **przenosić**

przenigdy *adv* never, never; never in my <your> life

przenik|ać *v imperf* — **przenik|nąć** *v perf* [I] *vt* 1. (*przedostawać się*) to penetrate (**coś** sth, into sth); to infiltrate; to sink; **~ać, ~nąć ciemności** to penetrate <to pierce> the darkness 2. (*nasycać*) to permeate; to pervade; to percolate; to filter (**coś** through sth) 3. (*zgłębiać*) to penetrate <to fathom, to sound, to search> (a secret etc.) [II] *vi* 1. (*przedostawać się*) to penetrate (**przez coś** through sth); **~ać, ~nąć do umysłów** to sink into people's minds 2. *chem.* to diffuse (*vi*); to filter (through sth) [III] *vr* **~ać, ~nąć się** 1. (*mieszać się*) to intermingle 2. (*zgłębiać jeden drugiego*) to penetrate <to fathom, to sound, to search> one another

przenikająco *adv* penetratingly; piercingly

przenikający *adj* penetrating; pervasive; permeating; permeative

przenikalność *sf singt fiz.* penetrability; permeability

przenikalny *adj* permeable; penetrable; pervious; penetrative

przenikanie *sn* (↑ **przenikać**) penetration; permeation; pervasion; pervasiveness; infiltration; leakage (of secrets etc.); *chem.* diffusion; osmosis; **~ wzajemne** interpenetration

przenikliwie *adv* 1. (*dotkliwie*) penetratingly; keenly; sharply; acutely 2. (*donośnie*) shrilly; piercingly 3. (*wnikliwie*) shrewdly; sagaciously; keenly; **~ spojrzeć** to cast a searching glance

przenikliwość *sf singt* 1. (*bystre myślenie*) shrewdness; sagacity; perspicacity 2. (*cecha oczu, wzroku*) keenness; quickness 3. (*dokuczliwość*) keenness; sharpness; acuteness 4. *fiz.* (*zdolność przeni-*

kania) penetration; pervasiveness; penetrating power 5. *fiz.* (*zdolność przepuszczania*) penetrability; permeability
przenikliwy *adj* 1. (*dotkliwy*) penetrating; keen; sharp; acute; (*o dźwięku*) shrill; piercing; sharp; argute 2. (*wnikliwy*) shrewd; sagacious; (*o spojrzeniu*) keen; quick; searching 3. (*przenikający*) piercing; diffusible; penetrative 4. (*przepuszczający*) permeable (**dla gazu itd.** to a gas etc.); penetrable (**dla wody itd.** to water etc.)
przeniknąć *zob.* **przenikać**
przeni|zać *vt perf* **~że, ~zany** to pass (a thread through the eye of a needle etc.); to string (pearls etc.)
przenocować *v perf* [I] *vi* to put up <to spend the night, to sleep, to find sleeping accommodation> (**w hotelu itd.** at a hotel etc.) [II] *vt* to put (sb) up (for the night)
przenocowanie *sn* (↑ **przenocować**) a night's lodging
przenosiciel *sm med.* transmitter (of a disease)
przeno|sić *v perf* **~szę** [I] *vt zob.* **przenieść** [II] *vt vi med.* (*o kobiecie, samicy w ciąży*) to carry beyond term
przenosin|y *spl G.* **~** removal; moving house; moving to new quarters <to a new flat>
przenoszenie *sn* (↑ **przenosić**) transportation; transfer; transmission; conveyance; *fiz.* propagation (of light etc.); convection (of heat etc.); *med.* dissemination; diffusion
przenośni|a *sf* figure of speech; metaphor; trope; **bez ~** literally (speaking)
przenośnie *adv* figuratively; metaphorically
przenośnik *sm* 1. *bud. górn.* carrier; conveyor; elevator; transporter 2. (*do mierzenia kątów*) protractor
przenośny *adj* 1. (*ruchomy*) mobile; (*o wystawie itd.*) travelling 2. (*dający się przenosić*) portable 3. (*o prawach, majątku itd.*) transferable; alienable 4. (*metaforyczny*) figurative; metaphorical
przeobra|zić *v perf* **~żę, ~żony — przeobra|żać** *v imperf* [I] *vt* to transform; to modify; to change; to turn <to convert> (**coś w coś innego** sth into sth else) [II] *vr* **~zić, ~żać się** to be <to become> transformed <modified, changed, converted>; to turn (**w coś** into sth)
przeobrażenie *sn* 1. ↑ **przeobrazić** 2. (*przemiana*) transformation; change; modification; metamorphosis 3. *zool.* transformation 4. *geol.* **~ skał** alteration of rocks
przeoczać *zob.* **przeoczyć**
przeoczeni|e *sn* (↑ **przeoczyć**) oversight; omission; **wskutek ~a** by an oversight; through inadvertance
przeocz|yć *vt perf* — **przeocz|ać** *vt imperf* to overlook; to omit; to leave out; **zostać ~onym** to escape detection
przeodzi|ać *v perf* **~eje — przeodziewać** *v imperf* [I] *vt* to change (**kogoś** sb's) clothes [II] *vr* **~ać, ~ewać się** to change (one's clothes)
przeogromny *adj* immense
przeokropnie *adv* terribly; awfully
przeokropny *adj* terrible; awful
przeoliwić *vt perf* to overgrease; to pour too much oil (**silnik** into an engine)
przeoliwienie *sn* (↑ **przeoliwić**) excessive oiling; overoiling

przeor *sm* prior
przeora *sf roln.* furrow
prze|orać *vt perf* **~orze, ~órz — przeorywać** *vt imperf* 1. *roln.* to plough 2. (*zryć*) to furrow (sb's brow etc.); to gash
przeorat *sm G.* **~u** priorate; priorship
przeorganizow|ać *v perf* — **przeorganizow|ywać** *v imperf* [I] *vt* to reorganize [II] *vr* **~ać, ~ywać się** to be reorganized
przeorganizowanie *sn* (↑ **przeorganizować**) reorganization
przeorstwo *sn* = **przeorat**
przeorysza *sf* prioress
przeorywać *zob.* **przeorać**
przeorzech *sm bot.* (*Carya alba*) mocker-nut
przepacać *zob.* **przepocić**
przepa|dać *vi imperf* — **przepa|ść** *vi perf* **~dnę, ~dnie, ~dnij, ~dł** 1. (*zapodziewać się*) to get lost; to disappear; (*ginąć*) to perish; **~dliśmy!** we are done for!; that's the end of us!; **~dły bez wieści** missing 2. (*lubić*) to be very <extremely, awfully> fond (**za kimś, czymś** of sb, sth); to be keen (**za czymś** on sth); to be crazy (**za czymś** about sth); **nie ~dam za taką muzyką** I am not particularly fond of <I don't care much for> such music 3. (*znikać z oczu*) to disappear; to vanish 4. (*doznawać niepowodzenia*) to fail (**przy egzaminie** in an examination); (*o kandydacie*) to be rejected; (*o sprawie*) to come to naught; to fall through 5. (*o zbiorach itd.*) to be ruined; (*o majątku*) to go to the dogs; to go by the board; **pieniądze ~dły** my money has gone; I have lost my money; *pot.* I can kiss good-bye to my money; **wszystko ~dło!** all <everything> is lost! 6. *perf* (*o deszczu, śniegu*) to fall (for a short time); **deszcz ~dał** there was a shower; there was <had been> some rain
przepad|ek *sm G.* **~ku** *prawn.* forfeiture; forfeit; **~ek mienia** confiscation of property
przepadły [I] *pp* ↑ **przepaść** [II] *adj* missing
przepadnięci|e *sn* 1. (↑ **przepaść**) loss; disappearance; forfeiture; **pod karą ~a** on pain of forfeiture 2. *lotn.* mushing
przepadywa|ć *vi imperf rz.* (*o deszczu, śniegu, gradzie*) to fall intermittently <from time to time, now and then>; **deszcz ~ł** there were occasional showers
przep|ajać *v imperf* — **przep|oić** *v perf* **~oję, ~ój, ~ojony** [I] *vt* 1. (*płynie*) to saturate; to impregnate; to imbue; (*o drewnie*) **~ojony wodą** logged 2. *przen.* (*przepełniać*) to fill (sb with a feeling, sth with an atmosphere etc.) [II] *vr* **~ajać, ~oić się** to be <to become> saturated <impregnated, imbued, filled> (**czymś** with ...)
przepajanie *sn* (↑ **przepajać**) saturation, impregnation
przepakować *vt perf* — **przepakowywać** *vt imperf* to repack; to change the packing (**towar** of a commodity)
przepal|ać *v imperf* — **przepal|ić** *v perf* [I] *vt* 1. (*palić nadmiernie*) to overheat (a stove etc.); (*palić na wskroś*) to burn holes (**rurę itd.** in a pipe etc.) 2. (*mocno nagrzewać*) to scorch (the earth etc.) [II] *vi* 1. (*trochę napalić*) to light a fire (in the stove); to heat the stove a little 2. (*palić od czasu do czasu*) to have a fire in the stove now and then [■]

vr **~ać, ~ić się** 1. (*ulegać uszkodzeniu wskutek nadmiernego palenia*) to be <to become> overheated 2. (*ulegać spaleniu*) to get burnt; **~iła się sukienka** a hole was burnt in the dress

przepalanka *sf* caramel-flavoured vodka

przepalenie *sn* 1. ↑ **przepalić; ~ się żarówki** burn-out of an electric bulb 2. (*u palacza*) oversmoking; smoking (tobacco) to excess

przepalić *zob.* **przepalać**

przeparcie *sn* ↑ **przeprzeć**

przepa|sać¹ *v perf* **~sze** — **przepa|sywać** *v imperf* [I] *vt* to girdle; to belt; to tie (**coś czymś** sth round sth); **~sany szarfą** wearing a sash; **~sany sznurem** with a cord round him <round his waist> [III] *vr* **~sać, ~sywać się** to tie one's belt; to gird one's waist (**sznurem itd.** with a cord etc.) *zob.* **przepasywać**

przepa|sać² *vt imperf* — **przepa|ść** *vt perf* **~sie, ~sł, ~śli** 1. (*nadmiernie karmić*) to overfeed (cattle) 2. (*nadmiernie zużywać pastwisko*) to overgraze (a pasture)

przepas|ka *sf pl G.* **~ek** 1. (*na włosy*) head-band; fillet; bandeau 2. (*pas metalu*) band 3. (*szarfa*) sash; band; **z ~ką na oczach** blindfolded

przepastnie *adv rz.* abysmally; precipitously

przepastny *adj lit.* = **przepaścisty**

przepasywa|ć *v imperf* [I] *vt* 1. *zob.* **przepasać¹** 2. (*być owiniętym*) to be tied (**kogoś** round sb); to gird; to encircle 3. (*mieć zwyczaj opasywania*) to tie round one's waist; to wear (a belt, sash etc.); **~li kontusz pasem słuckim** used to tie their robes with gold sashes [III] *vr* **~ć się** to wear (**pasem, szarfą** a belt, a sash)

przepaścisto *adv rz.* 1. (*bezdennie*) abysmally; precipitously 2. (*stromo*) sheer; perpendicularly; abruptly

przepaścisty *adj* 1. (*bezdenny*) abysmal; precipitous 2. (*stromy*) sheer; perpendicular; abrupt

przepaś|ć¹ *sf pl N.* **~ci** ◁**~cie**▷ precipice; abyss; chasm; *przen.* gulf (separating people); *dosł.* **i** *przen.* **nad ~cią** on the edge of a <the> precipice

przepaść² *zob.* **przepadać**

przepaść³ *zob.* **przepasać²**

przepatrywać *vt imperf* — **przepatrzyć** *vt perf* to examine; to study; to search; *przen.* to comb (**okolicę** a region)

przepatrzenie *sn* (↑ **przepatrzyć**) examination; study; search

przepatrzyć *zob.* **przepatrywać**

przep|chać *v perf,* **przep|chnąć** *v perf* — **przep|ychać** *v imperf* [I] *vt* 1. (*przesunąć*) to push <to force, to shove> (**coś przez coś** sth through sth) 2. *przen.* to get (sb, sth) to pass (**przez coś** through sth) 3. (*przeczyścić*) to clean out (a pipe etc.) [III] *vr* **~chać, ~chnąć, ~ychać się** to push <to jostle, to elbow, to shoulder> one's way (**przez tłum** through the crowd)

przepełni|ć *v perf* — **przepełni|ać** *v imperf* [I] *vt* to overfill; to (over)crowd; to cram [III] *vr* **~ć, ~ać się** to be overfilled <(over)crowded, crammed>; (*o naczyniu, sercu itd.*) to overflow

przepełnieni|e *sn* 1. ↑ **przepełnić** 2. (*tłok*) crowd; superfluity; excess, repletion; redundance; **w pociągu było ~e <nie było ~a>** the train was overcrowded <was not crowded>

przepełniony [I] *pp* ↑ **przepełnić** [II] *adj* crowded; chock-full; pack-full; (*o naczyniu*) brim-full; (*o sercu, oczach*) brimming over (with feeling, with tears)

przepeł|znąć *vi perf* **~znie** ◁**~źnie**▷, **~znął** <**~zł**>, **~zła** to crawl <to creep> (**przez coś** over <across, through> sth; **dokądś** up to a place)

przepę|d *sm G.* **~du** *L.* **~dzie** driving (of cattle); **droga ~du** track

przepędz|ać *vt imperf* — **przepędz|ić** *vt perf* **~ę, ~ony** 1. (*przeganiać*) to drive (cattle etc.); **~ać, ~ić konia** to overstrain a horse; **~ać, ~ić kogoś przez kije** to make sb run the gauntlet; to condemn sb to run the gauntlet 2. (*destylować*) to distil 3. (*odganiać*) to send (sb) packing; to drive (sb) away 4. (*przebywać*) to stay (**jakiś czas gdzieś** some time somewhere) 5. (*spędzać czas*) to spend (**jakiś czas na czymś** some time doing sth)

przepękla *sf bot.* = **balsamka**

przepi|ać *vi perf* **~eje** to stop <to cease> crowing

przep|iąć *vt perf* **~nę, ~nie, ~nij, ~iął, ~ięła, ~ięty** — **przepinać** *vt imperf* to clasp; to pin

przepici|e *sn* (↑ **przepić**) (effects of) alcoholic dissipation; **chory z ~a** crapulent; chippy

przepić *zob.* **przepijać**

przepie|c *v perf* **~kę, ~cze, ~kł, ~czony** — **przepie|kać** *v imperf* [I] *vt* 1. (*zanadto wypiec*) to overroast 2. (*dokładnie wypiec*) to bake (bread etc.) <to roast (meat)> thoroughly

przepieprzyć *vt perf* — **przepieprzać** *vt imperf* to overpepper; to put too much pepper (**potrawę** in a dish)

przepierać¹ *zob.* **przeprać**

przepierać² *zob.* **przeprzeć**

przepier|ka *sf pl G.* **~ek** *pot.* laundering; small wash; a little washing

przepierzać *vt imperf* — **przepierzyć** *vt imperf* to partition (a room etc.)

przepierzeni|e *sn* 1. ↑ **przepierzyć** 2. (*ścianka*) (a) partition; **oddzielić ~em** to partition off 3. *górn.* stopping; (*wentylacyjne*) brattice

przepięcie *sn* 1. *singt* ↑ **przepiąć** 2. (*ozdoba*) clasp 3. *fiz. elektr.* overvoltage; supervoltage; overtension; supertension

przepięciowy *adj* overvoltage <supervoltage> — (fuse etc.)

przepięknie *adv* most beautifully; superbly; gorgeously; gloriously

przepiękny *adj* most beautiful; superb; gorgeous; glorious

przepi|jać *v imperf* — **przepi|ć** *v perf* **~ję, ~ty** [I] *vt* 1. (*przepuszczać na pijatykę*) to drink <to guzzle> away (a fortune etc.); to spend <to waste> (one's money etc.) on drink 2. (*pić więcej od drugiego*) to outlast (sb) in drinking; to drink (sb) down 3. (*popijać od czasu do czasu*) to have repeated drinks (**coś** of sth); to drink (**coś czymś** sth in between mouthfuls of food); **~ł chleb wodą** he drank water in between mouthfuls of his bread; he drank water when eating his bread 4. (*spędzać czas na piciu*) to spend (some time) drinking [II] *vi* (*pić w czyjeś ręce*) to drink to <to pledge> sb [III] *vr* **~jać, ~ć się** to be chippy <crapulent>

przepikować *vt perf* — **przepikowywać** *vt imperf* 1. (*szyć*) to quilt 2. *ogr.* to plant out (seedlings)

przepiłować *vt perf* — **przepiłowywać** *vt imperf* 1. (*przeciąć piłą*) to saw (sth) across <through> 2. (*przeciąć pilnikiem*) to file (sth) off <away>

przepiłowanie *sn* 1. ↑ **przepiłować** 2. (*miejsce przepiłowane*) kerf

przepiłowywać *zob.* **przepiłować**

przepinać *zob.* **przepiąć**

przepiór *sm* male quail

przepióreczka *sf dim* ↑ **przepiórka**

przepiór|ka *sf pl G.* **~ek** *zool.* (*Coturnix coturnix*) quail

przepis *sm G.* **~u** 1. (*reguła*) rule; regulation; *pl* **~y** regulations; code; by-laws; **~y bezpieczeństwa** safety code; **~y ruchu drogowego** traffic regulations; highway code; **naruszenie ~ów** irregularity; **to jest wbrew ~om** <**niezgodne z ~ami**> this is irregular; (*o grze*) **sprzeczne z ~ami** unfair 2. (*recepta kulinarna*) recipe; formula; prescription

przepi|sać *vt perf* **~sze** — **przepi|sywać** *vt imperf* 1. (*napisać jeszcze raz*) to rewrite; to transcribe; to write (sth) over again; (*zrobić odpis*) to copy; **~sać coś na czysto** to make a clean copy of sth; **~sać coś na maszynie** to type sth out; **~sać, ~sywać stenogram** to extend shorthand 2. (*zalecić*) to prescribe 3. (*przekazać na własność*) to transfer (property)

przepisanie *sn* ↑ **przepisać** 1. (*napisanie na nowo*) writing (**czegoś** sth) over again; transcription 2. (*przekazanie własności*) transfer

przepisowo *adv* in due <proper> form; according to the regulations; formally; regularly

przepisowy *adj* regular; regulation <*wojsk.* service> — (uniform etc.); formal

przepisywacz *sm* copyist

przepisywać *zob.* **przepisać**

przepisywanie *sn* ↑ **przepisywać**

przepit|y [I] *pp* ↑ **przepić**; **~a noc** a night's drinking [II] *adj* (*o człowieku, twarzy*) (drink-)sodden; (*o głosie*) thick with drink; beery

przepl|atać *v imperf* — **przepl|eść** *v perf* [I] *vt* to interlace; to inter wine; to interweave; to intersperse; to interlard (a speech with quotations etc.) [II] *vr* **~atać, ~eść się** to alternate (*vi*)

przeplatanie *sn* (↑ **przeplatać**) interlacement; interspersion

przeplatank|a *sf* alternation; **na ~ę** alternately

przep|leć *vt perf* **~iele, ~ełł, ~ielony** to weed

przepleść *zob.* **przeplatać**

przeplewić *vt perf* 1. (*przewiać*) to winnow 2. = **przepleć**

przepłac|ać *vt imperf* — **przepłac|ić** *vt perf* **~ę, ~ony** 1. (*płacić zbyt drogo*) to pay an excessive price (**coś** for sth); *pot.* to pay (**coś** for sth) through the nose 2. † (*przekupywać*) to bribe

przepłacenie *sn* ↑ **przepłacić** 1. (*zbyt droga cena*) too high a price; overpayment 2. † (*przekupienie*) bribery

przepłacić *zob.* **przepłacać**

przepła|kać *v perf* **~cze** — **przepła|kiwać** *v imperf* [I] *vt* 1. (*przepędzić czas płacząc*) to weep away (the night etc.) 2. (*pozbyć się smutku przez płacz*) to weep away <off> (one's sorrow etc.) [II] *vi* (*dać ujście w płaczu swym uczuciom*) to have one's cry out

przepłaszać *zob.* **przepłoszyć**

przepław|ka *sf pl G.* **~ek** fish-pass; salmon ladder <leap, pass>

przepłoszyć *vt perf* — **przepłaszać** *vt imperf* 1. (*odpędzić*) to frighten <to scare> (thieves, birds etc.) away; to flush (birds); to scatter (game) 2. (*przestraszyć*) to startle; to frighten; to scare

przepło|t *sm G.* **~tu** *L.* **~cie** *gw.* (kind of) trestle

przepłu|kać *vt perf* **~cze** — **przepłu|kiwać** *vt imperf* to rinse (a glass, one's mouth etc.); to scour (**rurę itd.** a pipe etc.); *med.* to wash <to irrigate> (a wound); to lavage; **~kać gardło** a) *med.* to gargle one's throat b) *przen.* (*napić się*) to have a drink; *pot.* to wet one's whistle

przepłukanie *sn* (↑ **przepłukać**) (a) rinse; *med.* irrigation; lavage

przepły|nąć *v perf* — **przepły|wać** *v imperf* [I] *vt* 1. (*o człowieku, rybie*) to swim (**cieśninę, x km itd.** a strait, *x* kilometers etc.); to cross (a river, lake, sea etc.); (*łodzią*) to row (**rzekę itd.** across a river etc.); (*o statku*) to sail (**ocean itd.** across the ocean etc.) 2. *imperf* (*przepędzić pewien czas na pływaniu*) to swim <to sail> (some time) [II] *vi* 1. (*o człowieku, rybie*) to swim (**przez morze itd.** across the sea etc.); (*łodzią*) to row (**przez jezioro itd.** across a lake etc.); (*o statku*) to sail (**przez morze itd.** across the sea etc.); **~nąć, ~wać obok czegoś** to swim <to row, to sail> past sth 2. *imperf* (*o cieczy*) to flow; (*o rzece*) to flow; to wash (**przez okolicę itd.** a region etc.)

przepłynięcie *sn* (↑ **przepłynąć**) passage; crossing; transit

przepływ *sm G.* **~u** flow; *fiz.* flux; **~ powietrza** air-flow; *el.* **~ prądu** passage of current

przepływać *zob.* **przepłynąć**

przepływny *adj techn.* flowable

przepływomierz *sm fiz.* flow-meter

przepływowy *adj* (*o ludności*) migratory

przep|ocić *v perf* **~ocę, ~ocony** — **przep|acać** *v imperf* [I] *vt* to saturate with perspiration <with sweat>; to sweat (a shirt etc.); (*o ubiorze*) **~ocony** sweaty [II] *vr* **~ocić, ~acać się** 1. (*spocić się*) to perspire; to sweat 2. (*o bieliźnie*) to become saturated with sweat; to become sweaty 3. (*o płynach*) to sweat (through sth)

przepoczwarczać się *vr imperf* — **przepoczwarczyć się** *vr perf* 1. *zool.* to pupate 2. *przen.* to be transformed (**w coś** into sth)

przepoczwarczenie (się) *sn* pupation

przepoczwarzać się *vr imperf* — **przepoczwarzyć się** *vr perf* = **przepoczwarczać się**

przepoić *zob.* **przepajać**

przepojenie *sn* (↑ **przepoić**) saturation; impregnation

przepolerować *vt perf* to polish

przepoł|awiać *v imperf* — **przepoł|owić** *v perf* **~ów** [I] *vt* to halve; to bisect; to divide into halves <into two parts>; **~ówmy różnicę** let's split the difference [II] *vr* **~awiać, ~owić się** to be halved

przepołowienie *sn* (↑ **przepołowić**) division into halves; bisection

przepompować *vt perf* — **przepompowywać** *vt imperf* to pump (**z jednego naczynia do drugiego** from one vessel into another); to pump over

przepompownia *sf techn.* pumping-station

przepompowywać *zob.* **przepompować**

przepona *sf* 1. *anat.* diaphragm; midriff 2. *techn.* diaphragm; membrane; *bud.* stiffener

przeponowy *adj* 1. *anat.* phrenic; diaphragmatic 2. *techn.* diaphragm — (pump, valve etc.)

przepostaciować *vt perf* — **przepostaciowywać** *vt imperf* to transform

przepostaciowanie *sn* (↑ **przepostaciować**) transformation; metamorphosis

przepo|ścić *vt vi perf* **~szczę, ~szczony** (*także vr* **~ścić się**) to fast (some time); to go without <to refrain from> food

przepotężny *adj* tremendously powerful; almighty; mighty

przepowi|adać *v imperf* — **przepowi|edzieć** *v perf* **~em, ~e, ~edz, ~edział, ~edzieli, ~edziany** [I] *vt* 1. (*mówić, co będzie — o proroku*) to prophesy; (*o uczonym, jasnowidzu itd.*) to foretell; to predict; to forecast 2. (*powtarzać*) to repeat (one's lessons etc.) [II] *vi* to prophesy; to divine; to foretell future events; to predict; to presage

przepowiednia *sf* 1. (*proroka*) prophecy; (*jasnowidza itd.*) prediction; forecast; prognosis; **~ pogody** weather forecast 2. (*znak*) omen; portent

przepowiedzieć *zob.* **przepowiadać**

przepracow|ać *v perf* — **przepracow|ywać** *v imperf* [I] *vt* 1. (*spędzić czas pracując*) to work (*x* hours, days etc.); **~any dzień** day's work; ***x*** **~anych dni** *x* days' work 2. (*opracować na nowo*) to do (sth) over again; to re-elaborate (a plan etc.); to reshape (a composition etc.) [II] *vr* **~ać, ~ywać się** to overstrain oneself

przepracowani|e *sn* ↑ **przepracować** 1. (*dokonanie pracy*) work; **po ~u kilku lat** after several years' work 2. (*nowe opracowanie*) piece of work done over again; re-elaborated plan <project etc.>; reshaped composition 3. (*nadmierna praca*) overstrain

przep|rać *vt perf* **~iorę, ~ierze** — **przepierać** *vt imperf* to launder <to wash> (one's, sb's clothes)

przeprasować *vt perf* — **przeprasowywać** *vt imperf* 1. (*wygładzić*) to iron (clothes etc.); to press (trousers) 2. (*spędzić jakiś czas na prasowaniu*) to iron clothes (for some time); to spend (some time) ironing

przepr|aszać *v perf* — **przepr|osić** *v imperf* **~oszę, ~oszony** [I] *vt* to beg <to ask> (**kogoś** sb's) pardon; to apologize (**kogoś za coś** to sb for sth) [II] *vi* to apologize; to offer an apology; to beg to be excused; to excuse oneself; to express regret (**za coś** for sth); **~aszam!** excuse me!; pardon me!; I'm sorry; *pot.* sorry!; I beg your pardon!; **najmocniej <strasznie> ~aszam!** (I'm) awfully <I'm so> sorry!; **~aszam za spóźnienie <że się spóźniłem>** excuse my coming late; I'm sorry I'm late; excuse me for keeping you waiting; **~aszam za wyrażenie** excuse the word <the expression>; **~oś ich <go itd.> za mnie** give them <him etc.> my excuses [III] *vr* **~aszać, ~osić się** 1. (*prosić o wybaczenie*) to beg each other's pardon; to make mutual apologies 2. *perf* (*przestać się gniewać*) to get over one's anger; to forget an offence; to make friends again; **dać się ~osić** to be appeased <propitiated, pacified, conciliated>; **~osić się z kimś** to make it up with sb; **~osiły się** they are friends again

przepraszająco *adv* apologetically

przepraszanie *sn* (↑ **przepraszać**) excuses; apologies

przepraw|a *sf* 1. (*przeprawianie się*) passage (**przez łańcuch górski <wąwóz itd.>** across a mountain chain <ravine etc.>); crossing (**przez rzekę <las, łańcuch górski itd.>** of a river <forest, mountain chain etc.>); (*przejazd*) journey <voyage> (**przez morze <okolicę itd.>** across the sea <a region etc.>); (*transport*) transport <conveyance, carriage> (**pasażerów <towarów itd.> przez coś** of passengers <goods etc.> across sth); **możliwy do ~y** practicable; passable; (*o rzece*) fordable 2. (*miejsce*) ford (**przez rzekę** across a river); path <track> (**przez las <wąwóz itd.>** across a forest <ravine etc.> 3. (*przykre zajście*) incident; scene; (*zatarg*) stormy passage; altercation; high words; row; (*trudności*) a hard time of it; tough work; difficult task

przeprawi|ać *v imperf* — **przeprawi|ć** *v perf* [I] *vt* to convey <to transport, to carry, to get, to put> (sb, sth) across (a river, mountain chain etc.) [II] *vr* **~ać, ~ć się** to cross (**przez rzekę, okolicę itd.** a river, region etc.); to get (**przez rzekę <okolicę itd.>** across a river <region etc.>); **~ać, ~ć się brodem przez rzekę** to ford a river

przeprawienie *sn* (↑ **przeprawiać**) conveyance <transport, carriage> (**przez coś** across sth); **~ się** crossing (**przez rzekę itd.** a river etc.)

przeprażyć *vt perf* to overroast

przeprojektować *vt perf* — **przeprojektowywać** *vt imperf* to elaborate a new project (**coś** of sth); to redesign

przeprojektowanie *sn* (↑ **przeprojektować**) newly elaborated project

przeprosić się *zob.* **przepraszać się**

przeprosin|y *spl G.* **~** apology, apologies; **przyjąć czyjeś ~y** to become reconciliated with sb

przeproszenie *sn* (↑ **przeprosić**) apology, apologies; **list z ~m** letter of apology; **z ~m** if you'll pardon the expression

przeprowadz|ać *v imperf* — **przeprowadz|ić** *v perf* **~ę, ~ony** [I] *vt* 1. (*wieść*) to pass (**coś przez otwór itd.** sth through an opening etc.) 2. (*towarzyszyć*) to conduct <to take, to accompany, to escort, to see> (**kogoś przez ulicę itd.** sb across a street etc.; **kogoś przez las itd.** sb through a forest etc.; **przez góry** over <across> the mountains); **ja cię ~ę** I'll take you across <over>; **~ać, ~ić konia** to walk a horse; *przen.* **~ać, ~ić kogoś oczami <wzrokiem>** to follow sb with one's eyes 3. (*dokonywać przeprowadzki*) to remove (people, furniture etc.); (*translokować*) to take <to remove, to convey, to carry, to transfer> (**coś dokądś** sth somewhere) 4. (*doprowadzać do skutku*) to effect <to execute> (sth); to realize (a plan etc.); to carry (sth) through; to carry out (a plan etc.); **planu <zamiaru> nie dało się ~ić** the scheme did not work; **~ić coś do końca** to see sth through; **~ać, ~ić doświadczenie** to experiment; **~ić podział czegoś** to divide sth up; **~ić porównanie** to draw a comparison; **~ać, ~ić remont** to overhaul; **~ić rozrachunek** to settle accounts; **~ać, ~ić rury dokądś <przez jakąś przestrzeń>** to carry pipes to a place <across a given space>; **~ać, ~ić linię tramwajową <kolejową> przez jakiś obszar** to carry a tram-line <a railway line> through a region; **~ić swoją**

wolę to have one's will; **~ić szosę <kolej> dokądś** to build a road <a railway line> to a place; **~ać, ~ić transakcję** to transact a business <an affair>; to negotiate a deal; to put a deal across 5. *biol.* (*przepuszczać przez siebie*) to conduct; *bot.* **tkanki ~ające** conducting tissues [III] *vi* (*wodzić*) to draw (**ręką <palcem> przez coś <po czymś>** one's hand <one's finger> across <along> sth) [II] *vr* **~ać, ~ić się** to move; to move house; to change one's residence <one's dwelling, one's quarters>; to remove (*vi*); **~ać, ~ić się cichaczem** to flit; **~iłem się na wieś** I have removed to the country

przeprowadzeni|e *sn* ↑ **przeprowadzić** 1. (*dokonanie przeprowadzki*) removal; (*translokowanie*) removal; conveyance; carriage; transfer 2. (*doprowadzenie do skutku*) execution; realization; **~e podziału** division; **~e rozrachunku** settlement of accounts; **~e sprawy handlowej** transaction of a deal; **możliwy do ~a** feasible; realizable; practicable; workable 3. **~e się** removal; change of residence

przeprowadzić *zob.* **przeprowadzać**

przeprowadz|ka *sf pl G.* **~ek** removal; **koszty ~ki** removal expenses

przeprócha *sf techn.* pounce; perforated design

przepróchnie|ć *vi perf* **~je** to moulder <to rot> through

przeprószać *vt imperf* — **przeprószyć** *vt perf techn.* to pounce

przepróżniaczyć *vt perf pot.* = **przepróżnować**

przepróżnować *vt perf* to idle away <to waste> (one's time); to laze (some time)

przepru|ć *vt perf* **~je, ~ty** — **przepruwać** *vt imperf* 1. (*rozpuścić ścieg*) to unsew; to rip 2. (*przebić przejście, arterię*) to open up (a thoroughfare etc.)

przeprz|ąc *vt perf* **~ęgę <~ęgnę>, ~ęże <~ęgnie>, ~ęż <~ęgnij>, ~ągł <~ęgnął>, ~ęgła, ~ężony <~ęgnięty>** — **przeprzęgać** *vt imperf* 1. (*zaprząc inaczej*) to reharness (horses) 2. (*zaprząc inne konie*) to relay (horses)

przeprz|ąg <przeprz|ęg> *sm G.* **~ęgu** (a) relay (of horses)

przep|rzeć *vt perf* **~rę, ~rze, ~arł, ~arty** — **przep|ierać** *vt imperf pot.* to push <to carry> (a project etc.) through; to pass (a decision etc.); **~rzeć swoją wolę** to enforce one's will; **~rzeć swój punkt widzenia** to carry one's point

przeprzęg *zob.* **przeprząg**

przeprzęgać *zob.* **przeprząc**

przeprzężenie *sn* ↑ **przeprząc**

przepuklin|a *sf med.* rupture; hernia; **~a pachwinowa** inguinal hernia; bubonocele; **nabawić się ~y** to get ruptured

przepuklinowy *adj* hernial; **pas ~** truss

przepust *sm G.* **~u** 1. (*kanał pod drogą*) culvert 2. (*otwór*) channel; passage; *elektr.* **~ izolatorowy** bushing 3. (*śluza*) sluice(-gate) 4. (*przepuszczenie*) free passage

przepust|ka *sf pl G.* **~ek** 1. (*dokument*) pass; permit; *mar.* liberty-ticket; **marynarz na ~ce** liberty man; **~ka celna** transire; *wojsk.* **on jest na ~ce, wyszedł za ~ką <na ~kę>** he is on pass 2. (*w kanale*) sluice

przepustnica *sf* 1. *techn.* throttle (valve); baffling; butterfly 2. *bud. rz.* = **przypustnica**

przepustowość *sf singt* (traffic, canal etc.) capacity; (*zdolność produkcyjna*) output; *aut.* transfer function

przepustow|y *adj* **możliwość <zdolność> ~a** capacity

przepu|szczać *v imperf* — **przepu|ścić** *v perf* **~szczę, ~szczony** [I] *vt* 1. (*pozwalać przejść, przejechać*) to let (sb, sth) pass; to let (sb, sth) through; to allow (sb, sth) to pass 2. *pot. szk.* to promote (**ucznia, uczennicę** a pupil); to pass (a candidate) 3. (*ustępować z drogi*) to make way (**kogoś, coś** for sb, sth) 4. (*powodować przesuwanie*) to pass (sth through a machine etc.); to let (**wodę <gaz, światło itd.> przez otwór** water <gas, light etc.> through an aperture); **~szczać, ~ścić coś przez sito** to sift sth; **~szczać, ~ścić sznur przez blok** to thread <to lead, to pass, to reeve> a rope through a block 5. *imperf* (*pozwalać przeciekać*) to be pervious <permeable>; (*o naczyniu itd.*) to leak; **nie ~szczać** to be impervious <tight; water-tight>; (*o glebie*) to be retentive; **~szczać światło** to be translucent 6. (*przeoczać*) to overlook; to miss; to let slip <to neglect, to waste> (an opportunity); **nie ~szczać, ~ścić czegoś** to grasp sth 7. *pot.* (*trwonić*) to squander (away); **~szczać, ~ścić przy stole gry** to gamble away (an estate etc.) [II] *vi* (*z przeczeniem — nie pomijać*) not to spare (**komuś** sb); (*zaczepiać*) **nie ~szczać dziewczętom** to importune <to pester> the girls

przepuszczalność *sf singt* penetrability; permeability; perviousness; *fiz.* transmission

przepuszczalny *adj* penetrable; permeable; pervious (**dla wody, gazu itd.** to water, gas etc.)

przepuszczanie *sn* ↑ **przepuszczać**; **~ światła** translucency

przepuszczenie *sn* (↑ **przepuścić**) free passage

przepuścić *zob.* **przepuszczać**

przeputać *vt perf pot.* to squander (away); to waste

przepych *sm G.* **~u** pomp; splendour; ostentation; glamour; sumptuosity; magnificence; *przen.* gorgeousness (of colour etc.)

przepychacz *sm mech.* push broach

przepychać *zob.* **przepchać**

przepyszlin *sm G.* **~u** *bot.* (*Gardenia*) gardenia

przepysznie *adv* (*wspaniale*) magnificently; splendidly; (*okazale*) sumptuously

przepyszny *adj* 1. (*wspaniały*) magnificent; splendid; (*okazały*) sumptuous 2. (*o jedzeniu*) excellent; exquisite; delicious

przepyt|ać *v perf* — **przepyt|ywać** *v imperf* [I] *vt* 1. (*sprawdzić wiadomości*) to examine (**kogoś z czegoś** sb in a subject); to question (**kogoś z czegoś** sb on a subject); **~ać ucznia z lekcji** to hear a pupil his lesson 2. (*wypytać*) to inquire <to find out> (**kogoś** from sb) [II] *vr* **~ać, ~ywać się** 1. (*egzaminować się nawzajem*) to hear each other's lesson 2. (*dowiedzieć się*) to inquire; to find out; to make inquiries

przerabiacz *sm* remodeller; adapter

przerabiać *zob.* **przerobić**

przerachow|ać *v perf* — **przerachow|ywać** *v imperf* 1. (*porachować kolejno*) to count 2. (*rachować na nowo*) to re-count; to count (sth) over again; to check the count (**coś** of sth) 3. (*przeliczyć na inne wartości*) to reduce <to convert> (sth) to different units [II] *vr* **~ać, ~ywać się** 1. (*mylić* *się*) to be out in one's reckoning; **okazuje się** <**okazało się**>, **że ~aliśmy się** we are <we were> out in our reckoning 2. *f* (*pomylić się w rachunku*) to make a mistake in one's count; to miscalculate

przerachowanie *sn* (↑ **przerachować**) (a) re-count; miscalculation

przerachowywać *zob.* **przerachować**

przeradzać *zob.* **przerodzić**

przerafinowa|ć *vt perf* 1. (*oczyścić*) to refine 2. (*zbytnio wyrafinować*) to over-refine; to wire--draw (an argument etc.); **~ny** a) (*o argumencie itd.*) wire-drawn b) (*o umyśle*) superfine

przerafinowanie *sn* 1. ↑ **przerafinować** 2. (*wymyślność*) over-refinement

przerafować *vt perf* to sift

przer|astać *v imperf* — **przer|osnąć** <przeróść> *v perf* **~osnę, ~ośnie, ~ósł, ~osła, ~ośli** [I] *vt* 1. (*przewyższać — o drzewach itd.*) to (over)top; to overgrow; to outgrow; (*o człowieku*) to be taller <to stand higher> (**kogoś** than sb); **syn ~ósł ojca o głowę** the son stands <stood> a head taller than his father; the son stands <stood> taller than his father by a head 2. *przen.* (*przewyższać pod jakimś względem*) to surpass; to be beyond (sb, sth) 3. (*przeplatać się*) to interlace; to intertwine; to be overgrown (**trawą itd.** with grass etc.); **mięso ~ośnięte tłuszczem** streaky meat; meat streaked with fat [II] *vi* 1. (*nadmiernie wyrastać*) to overgrow; (*o cieście*) to overswell 2. (*zmieniać postać*) to be <to become> transformed

przerastały *adj* (*o mięsie*) streaky; streaked with fat

przerastanie *sn* (↑ **przerastać**) overgrowth

przeraza *sf zool.* (*Chimaera monstrosa*) chimaera

przera|zić *v perf* **~żę, ~żony** — **przera|żać** *v imperf* [I] *vt* to terrify; to horrify; to appal; to strike with dismay [II] *vr* **~zić, ~żać się** to be terrified <horrified>; to stand aghast

przeraźliwie *adv* 1. (*przeszywająco*) stridently; shrilly; (*przenikliwie*) sharply; acutely; **~ zimno** bitterly cold 2. (*przerażająco*) terrifically; horribly; dreadfully; awesomely

przeraźliwość *sf singt* shrillness

przeraźliwy *adj* 1. (*przeszywający*) strident; shrill; ear-piercing; (*przenikliwy*) sharp; acute; (*o mrozie itd.*) piercing; biting; bitter 2. (*okropny*) terrific; horrible; dreadful; awesome; nightmarish

przerażać *zob.* **przerazić**

przerażająco *adv* terrifically; horribly; fearfully; frightfully; dreadfully

przerażający *adj* terrific; horrific; horrifying; fearful; frightful; dreadful

przerażenie *sn* (↑ **przerazić**) terror; horror; dread; dismay; consternation

przeraż|ony [I] *pp* ↑ **przerazić** [II] *adj* terrified; terror-struck; in terror; horrified; horror-struck; aghast; frightened out of one's wits; **~one spojrzenie** stare of horror; **patrzyli ~eni** they looked in consternation

przer|ąb *sm G.* **~ębu** clearing <thinning> (of a forest)

przerąb|ać *v perf* **~ie** — **przerąb|ywać** *v imperf* [I] *vt* 1. (*rozrąbać*) to chop (**na pół** in two) 2. (*przetorować*) to clear a passage (**las** through a forest) 3. (*przetrzebić*) to thin <to clear> (a forest) 4. *sl.* (*przejechać*) to make (**x kilometrów itd.** x kilometers etc.) [II] *vr* **~ać, ~ywać się** to hew one's way

przerdzewi|eć *vi perf* **~ej** to be eaten up with rust; **~ały** rust-eaten

przerdzewienie *sn* (↑ **przerdzewieć**) rustiness

przereagować *v perf* — **przereagowywać** *v imperf chem.* [I] *vt* to react (a substance) [II] *vi* to react

przeredagować *vt perf* — **przeredagowywać** *vt imperf* to reword <to alter the wording of> (a passage etc.); to rewrite (an article etc.); to redraft (a document)

przeredagowanie *sn* (↑ **przeredagować**) altered wording

przeregulować *vt imperf* to readjust

przeregulowanie *sn* 1. (↑ **przeregulować**) readjustment 2. *aut.* over-regulation; overshoot

przereklamować *vt perf* to overpraise; to boost; to puff; to overpublicize

przereklamowanie *sn* (↑ **przereklamować**) excessive praise <publicity>

przeretuszować *vt perf fot.* to overdo the retouching (**zdjęcie** of a photograph)

przeretuszowanie *sn* (↑ **przeretuszować**) overdone retouching

przeręb|el *sm G.* **~la** *pl G.* **~li, przeręb|la** *sf pl G.* **~li** air-hole (in a frozen river, lake etc.)

przerębow|y *adj* thinning <clearing> — (operations etc.); *leśn.* **~a gospodarka** selection system (of forest management)

przer|obić *v perf* **~ób** — **przer|abiać** *v imperf* [I] *vt* 1. (*zmienić kształt*) to reshape; to remodel; to remake; to alter; to transform; to recast <to rewrite, to do over> (a literary composition); to adapt (sth for the stage, the film); to rearrange (a musical composition); to make over (a garment); **~obić, ~abiać coś na coś innego** to turn sth into sth else; *przen.* **~obić, ~abiać kogoś** to change sb's convictions <character, disposition>; **~obić, ~abiać kogoś na swoje kopyto** to refashion sb after one's own model 2. (*przetworzyć*) to process <to treat> (raw materials); **~obić, ~abiać glebę** to cultivate the soil; **~obić, ~abiać plastycznie** to work 3. *szk.* to go through (a textbook, subject etc.); **~obić, ~abiać podręcznik z uczniem** to take a pupil through a manual 4. *pot.* (*zrobić, co jest do zrobienia*) to get (sth) done; **nigdy nie ~obiona robota** endless work 5. (*przepracować*) to work (**jakiś czas przy czymś** some time at sth) 6. (*w dziewiarstwie*) to knit 7. (*wpleść w tkaninę*) to interweave; **~abiany srebrem** interwoven with silver 8. *rz.* (*przetorować*) to open (a passage) [II] *vr* **~obić, ~abiać się** *pot.* to overstrain oneself

przerobienie *sn* (↑ **przerobić**) alteration; transformation; rearrangement; adaptation; processing (of raw materials); cultivation (of the soil)

przerobowy *adj* processing (materials etc.)

przerodzenie *sn* (↑ **przerodzić**) transformation; regeneration

przer|odzić *v perf* **~odzą** — **przer|adzać** *v imperf* [I] *vt* to transform; to regenerate [II] *vr* **~odzić, ~adzać się** to be transformed <regenerated>; *pej.* to degenerate (**w nałóg itd.** into a vice etc.); (*o uczuciu*) **~odzić się w miłość <nienawiść itd.>** to turn into love <hatred etc.>

przerosnąć *zob.* **przerastać**

przerost *sm G.* **~u** 1. (*nadmierne rozrośnięcie się*) overgrowth; superfluity; redundance; excess 2. *geol. górn.* interlayer; parting; **~ skalny** bind 3. *bot. ogr.* exuberance 4. *med.* hypertrophy

przerostowy *adj med.* hypertrophic

przerośnięcie *sn* (↑ **przerosnąć**) overgrowth; outgrowth

przerozmaicie *adv* in all manner of ways

przerozmaity *adj* of all sorts and kinds; of every (possible) description

przer|ób *sm G.* **~obu** 1. (*przerabianie surowca*) processing <treatment> (of raw materials); (*plastyczny*) working 2. (*produkt*) processed product

przeróbczy *adj* processing — (materials etc.)

przeróbk|ka *sf pl G.* **~ek** 1. (*przerobienie*) reshaping; remodelling; remaking; alteration; transformation; recast <rewriting> (of a literary composition, letter etc.); adaptation (of a composition for the stage, the film etc.); rearrangement (of a musical composition) 2. (*rzecz przerobiona*) reshaped <remodelled> object; alteration; transformation; modification; recast (of a literary composition); rewritten composition <letter etc.>; adaptation; rearrangement (of a musical composition); *muz.* (*utwór*) rearranged composition; *kraw.* made-over <*am.* altered> garment 3. (*przetworzenie surowca*) processing <working, treatment> (of raw materials); **poddać surowiec ~ce** to treat <to process> a raw material 4. *górn.* dressing (of ore)

przeróść *zob.* **przerastać**

przeróżnie *adv* in all manner of ways

przeróżny *adj* of all sorts and kinds; of every description

przerw|a *sf* 1. (*odstęp czasowy*) interruption; cessation; pause; interval; stop(page); check; time-lag; let-up; **~a w podróży** break; *am.* stop-over; **~a w pracy** <**w produkcji**> lay-off; *am.* close-down; *el. aut.* **~a iskrowa** spark gap; *wojsk.* **~a ognia** cease-fire; *kino* **przedstawienie bez ~y** non-stop performance; **zrobić ~ę** to pause; to break off; to stop; to cease; **zrobić ~ę w podróży** to break a journey; *am.* to stop over; **bez ~y** incessantly; uninterruptedly; ceaselessly; without cease; **godzinami bez ~y** for hours on end <at a stretch, together>; **w ~ach** between whiles; **z ~ami** at intervals; by snatches; by fits and starts; on and off; off and on 2. (*czas na odpoczynek*) intermission; *szk.* break; interval; recreation; playtime; *teatr* interval; entr'acte; interlude; **~a obiadowa** lunch-hour; **w ~ie obiadowej** at lunch time 3. (*miejsce przerwy*) gap; *meteor.* **~a między chmurami** bright interval

przer|wać *v perf* **~wę, ~wie, ~wij — przer|ywać** *v imperf* [I] *vt* 1. (*przedzielić*) to break (asunder); to disconnect; to disrupt (transport etc.); to snap (a string etc.) 2. (*zrobić w czymś wyrwę*) to rupture; to break; (*o rzece*) to burst (**brzegi** the banks); *wojsk.* **~wać front** to break through <to make a break in> the enemy lines 3. (*zrobić przerwę*) to interrupt; to discontinue; to check; to stop; to intercept; to intermit; to sever <to cut off> (a connection); **~wać, ~ywać ciążę** a) (*legalnie*) to terminate a pregnancy b) (*pokątnie*) to procure on abortion; **~ywać mowę oklaskami** to punctuate a speech with applause; **~wać, ~ywać obrady** to adjourn; **~wać, ~ywać rozmowę** to break in on a conversation; **czy mogę (państwu) ~wać?** may I break in?; *wojsk.* **~wać, ~ywać ogień** to cease fire; *telef.* **~wać, ~ywać połączenie komuś** to switch (sb) off; **~wać, ~ywać rozmowę** to ring off; **~wać, ~ywać komuś rozmowę** to cut sb off 4. *roln. ogr.* (*przerzedzać*) to single (beets etc.); to single out (seedlings) [II] *vi* (*urwać*) to break off; to make a pause; **nie ~ywać** to continue; to go on; to carry on; **~wać, ~ywać mówiącemu** to interrupt a speaker; to cut sb's speech short; to cut in; **~ywano mu wiele razy** there were many interruptions [III] *vr* **~wać, ~ywać się** 1. (*zostać rozerwanym*) to break (asunder); to be disrupted <disconnected>; to snap (*vi*) 2. (*doznać przerwy w trwaniu*) to be interrupted <discontinued, checked, stopped, intercepted, severed, cut off> 3. (*przedostać się siłą*) to break through 4. *pot.* (*podźwignąć się*) to be ruptured

przerwanie *sn* (↑ **przerwać**) 1. (*przedzielenie*) (a) break; disruption; disconnection; breach; (a) rupture 2. (*przerwa*) interruption; (a) check; (a) stop; intermission; *med.* **~ ciąży** abortion; *techn.* **~ dopływu** cut-off

przerybiony *adj* (*o stawie itd.*) overstocked (with fish)

przerysować *vt perf* — **przerysowywać** *vt imperf* 1. (*powtórzyć rysunek*) to redraw; to retrace; to draw (sth) again 2. (*skopiować*) to copy 3. *przen.* (*przesadnie podkreślić*) to overstate; to overstress

przerysowanie *sn* ↑ **przerysować**

przerysowywać *zob.* **przerysować**

przerywacz *sm techn.* interrupter; disconnector; breaker; *elektr.* circuit-breaker; contact-breaker; interrupter

przerywać *zob.* **przerwać**

przerywanie[1] *sn* (↑ **przerywać**) interruptions; stops; interceptions

przerywanie[2] *adv* intermittently; brokenly; by snatches; by fits and starts

przerywan|y [I] *pp* ↑ **przerywać** [II] *adj* intermittent; inconsecutive; **linia ~a** dashed <broken> line; **~y sen** broken sleep; **~ym głosem** with a break in the voice; with a catch of the breath

przeryw|ka *sf pl G.* **~ek** *ogr. roln.* thinning

przerywnik *sm druk.* (combination) dash; flourish; ornament

przerzedn|ąć <**przerzedn|ieć**> *vi perf* **~ieje** to thin (away, down, out, off)

przerzedz|ić *v perf* **~ę, ~ony — przerzedz|ać** *v imperf* [I] *vt* to thin out (plants etc.); *przen.* to decimate (a population etc.) [II] *vr* **~ić, ~ać się** to thin (*vi*); (*o tłumie itd.*) to thin away; to dwindle; **~iło się** the crowd is <was> melting

prze|rznąć <**prze|rżnąć**> *v perf* — **prze|rzynać** *v imperf* [I] *vt* 1. (*przedzielić nożem itd.*) to cut (sth in two <across, athwart>); (*przepiłować*) to saw (a log etc.); (*o świdrze*) to go (**drewno itd.** through wood etc.); **~rznąć, ~rżnąć, ~rzynać coś na części** to cut sth in <into> pieces 2. *przen.* to cleave <to intersect> (the air etc.); to plough (the waves); (*o rzece*) to cross <to flow through> (a valley, city etc.) 3. *sl.* (*przegrać*) to gamble away (one's wages etc.); **~rżnąć partię** to botch the game [II] **~rznąć, ~rżnąć, ~rzynać się** 1. (*przedostać się*) to cut (**przez coś** sth); to cut its way (**przez dolinę itd.** through a valley etc.) 2. (*przejść przebojem*) to hew one's way (through enemy lines etc.)

przerzuc|ać *v imperf* — **przerzuc|ić** *v perf* **~ę, ~ony** [I] *vt* 1. (*rzucać na inne miejsce*) to throw <to toss, to fling, *pot.* to chuck> (**coś z jednego miejsca na inne** sth from one place to another); **~ać coś z miejsca na miejsce** to throw <to keep throwing> sth about; **~ać piłkę z rąk do rąk** to toss the ball about 2. (*przekładać*) to move (sth) about; to transfer <to shift, to keep shifting> (sth from place to place); **~ać, ~ić odpowiedzialność na kogoś** to throw <to shift> the responsibility on sb; **~ać, ~ić podatek na jakąś warstwę ludności** to burden a class of people with a tax; *techn.* **~ać, ~ić bieg** to change the gear; to gear (**na większe obroty** up; **na mniejsze obroty** down); *am.* to shift the gears 3. (*zarzucać*) to throw (**płaszcz na ramię itd.** one's overcoat over one's arm etc.); **~ać, ~ić most przez rzekę** <**kładkę przez potok**> to throw a bridge across a river <a footbridge across a brook>; (*o moście*) **być ~onym przez rzekę** <**przepaść**> to span a river <a precipice> 4. (*przewracać*) to ransack (**wszystko w szufladzie, w biurku** a drawer, a desk); **~ać, ~ić kartki** to turn over the pages; **~ać, ~ić książkę** to skim over a book 5. (*przenosić*) to transfer <to remove> (an employee etc.) [III] *vr* **~ać, ~ić się** 1. (*przenosić się*) to pass over <to go over, to change> (**z jednego zajęcia na inne** from one job <occupation> to another); *radio* **~ać, ~ić się na inną falę** to switch over to another wave length; *przen.* **~ać, ~ić się z jednego tematu na inny** to skip from one subject <topic> to another; **~ać, ~ić się z jednej ostateczności w drugą** to fall from one extreme into another 2. (*przeskakiwać*) to jump <to leap, to skip> over (**z jednego miejsca na drugie** from one place to another) 3. (*o moście*) to span (**nad rzeką, przepaścią** a river, precipice); (*o drodze*) to pass over (**z jednego brzegu rzeki na drugi** from one riverside to another); (*o ogniu*) to spread (**na inny budynek** to another building) 4. *med.* (*o nowotworze*) to metastasize

przerzucenie *sn* (↑ **przerzucić**) (a) transfer; (a) shift

przerzut *sm G.* **~u** 1. (*przerzucenie*) transfer; shift 2. (*przeskok*). switch-over 3. *med.* metastasis 4. *sport* (a) pass

przerzut|ka *sf pl G.* **~ek** gear shifter; gear-change

przerzutnia *sf prozod.* enjambment; overflow; run-on line

przerzutowo *adv* metastatically

przerzutowy *adj* metastatic

przerzynać, przerżnąć *zob.* **przerznąć**

przesad|a *sf* 1. (*przejaskrawienie*) exaggeration; overstatement; flight of imagination; **bez ~y** without exaggeration; **do ~y** to excess; in the extreme; to a fault; **to już jest ~a** that is going too far; **wpadać w ~ę** to stretch a point; to exaggerate; **z ~ą** exaggeratedly 2. (*nienaturalność*) extravagance; affectation

przesadka *sf* 1. *leśn.* transplanted sapling 2. *ryb.* pond for yearling trout

przesadnia *sf lit.* hyperbole

przesadnie *adv* exaggeratedly; inordinately; unduly; to excess; beyond measure; extravagantly

przesadny *adj* exaggerated; excessive; inordinate; undue; extravagant

przesadzać *v imperf* [I] *vt vi zob.* **przesadzić** [III] *f vr* **~ się** to outdo <to outvie> each other (in politeness, elegance etc.)

przesadzanie *sn* ↑ **przesadzać** 1. *roln. ogr.* transplantation 2. (*przebieranie miary*) exaggerations; overstatements

przesadz|ić *v perf* **~ę, ~ony** — **przesadz|ać** *v imperf* [I] *vt* 1. *roln. ogr. leśn.* to transplant (trees etc.); to bed out (seedlings etc.); **~ić, ~ać do większych doniczek** to repot 2. (*przenieść na inne miejsce*) to give (sb) another seat; to seat <to place>(sb) elsewhere; **~ić, ~ać kogoś na lepsze miejsce** to give sb a better seat; **~ić, ~ać uczniów w klasie** to make pupils change seats <places> 3. (*przeskoczyć*) to jump <to leap> (**kałużę, płot** over a puddle, a fence) 4. (*przebrać miarę*) to exaggerate; to magnify; to heighten; to overstate; to overdo; to over-colour; **opowiadanie jest z lekka ~one** the story does not lose in the telling [II] *vi* to exaggerate; to stretch the truth; to carry things too far; to draw the long bow; to lay it on (thick); *pot.* to pile it on; (*w ubiorze, stylu*) to be extravagant; **bynajmniej nie ~ając** to say the least; **nie ~aj!** draw it mild! [III] *vr* **~ić, ~ać się** to change places

przesalać *zob.* **przesolić**

przesącz *sm G.* **~u** *chem. techn.* filtrate; ooze

przesącz|ać *v imperf* — **przesącz|yć** *v perf* [I] *vt* to filter; to filtrate; to percolate; to distil; to strain [III] *vr* **~ać, ~yć się** (*przesiąkać*) to filter <to percolate> (*vi*); to trickle; to ooze; to seep; (*przenikać*) to penetrate; to permeate

przesączalny *adj* filtrable

przesączanie *sn* (↑ **przesączać**) filtration; percolation; seepage

przesączyć *zob.* **przesączać**

przesączyna *sf* = **przesięk**

przesąd *sm G.* **~u** 1. (*zabobon*) superstition 2. (*niesłuszny pogląd*) misconception; fallacy; (*uprzedzenie*) prejudice; bias; **wolny od ~ów** unprejudiced; unbiassed

przesądnie *adv* superstitiously; **~ się bać czegoś** to have a superstitious fear of sth

przesądny *adj* 1. (*zabobonny*) superstitious 2. (*pełen przesądów*) prejudiced; bias(s)ed

przesądz|ać *vt imperf* — **przesądz|ić** *vt perf* **~ę, ~ony** to forejudge; to prejudge; to judge beforehand; to foredoom (**czyjś los** sb); **jego los jest ~ony** he is doomed; his fate is sealed; **nic nie ~ajmy** let us take nothing for granted; **niczego nie ~ając** without prejudice; **~ać sprawę** <**o losach czegoś**> to settle a question; **sprawa jest (z góry) ~ona** it is a foregone conclusion

przes|chnąć *vi perf* **~chnął** <**~echł**>, **~chła** — **przes|ychać** *vi imperf* 1. (*nieco obeschnąć*) to dry up a little; (*o materiale — stracić nieco wilgoci*) to lose some of its moisture; **~chnięty** partly dry 2. (*zupełnie wyschnąć*) to dry up; to go dry

przesegregować *vt perf* to reclassify

przesi|ać *vt perf* **~eje** — **przesi|ewać** *vt imperf* to sift (out); to sieve; *bud. górn.* to screen; to bolt; to riddle; to jig

przesi|adać *vi imperf* — **przesi|ąść** *vi perf* **~ądę, ~ądzie, ~adł, ~edli** (*także vr* **~adać, ~ąść się**)

1. (*zmieniać miejsce*) to move to another seat; to change one's seat 2. (*zmieniać środek lokomocji*) to change (trains); **~adać, ~ąść się do autobusu <na statek itd.>** to get on to <to take, to change to> a bus <a boat etc.>

przesiadanie *sn* (↑)**przesiadać** (a) change;*am.* transfer

przesiad|ka *sf pl G.* **~ek** *pot.* (a) change (of trains, of transport); *am.* transfer

przesi|adywać *v imperf* — **przesi|edzieć** *v perf* **~edzi** [I] *vi* 1. (*siedzieć*) to sit (**gdzieś, u kogoś** somewhere, with sb <at sb's house>) 2. (*przebywać*) to stay; to remain [II] *vt* 1. (*siedzieć*) to sit (**godzinę, cały wieczór itd.** an hour <for an hour>, all evening etc.) 2. (*przebywać*) to stay <to remain, to be> (some time somewhere); **~edział** ***x*** **lat w więzieniu itd.** he was <he did> *x* years in prison etc.

przesianie *sn* ↑ **przesiać**

przesiąc, przesiąkać *zob.* **przesiąknąć**

przesiąkalny *adj* permeable

przesiąkanie *sn* (↑ **przesiąkać**) permeation; pervasion; penetration; impregnation; saturation; percolation; transudation

przesiąkliwy *adj* permeable

przesią|knąć <przesią|c> *v perf* **~kł** — **przesią|kać** *v imperf* [I] *vi* 1. (*przenikać*) to soak through; to permeate (**przez coś** through sth) 2. (*zostać przepojonym*) to become imbued <permeated, pervaded, saturated, impregnated> (**czymś** with sth) [II] *vt* (*przejść na wskroś*) to penetrate; to pervade; to permeate; to percolate; to transude

przesiąknięcie *sn* ↑ **przesiąknąć**

przesiąść *zob.* **przesiadać**

przesiedl|ać *v imperf* — **przesiedl|ić** *v perf* [I] *vt* to displace <to transplant, to remove> (a population); to rehouse (an inhabitant) [II] *vr* **~ać, ~ić się** to migrate; to change one's residence; to take up new quarters

przesiedlenie *sn* (↑ **przesiedlić**) displacement <transplantation, removal> (of a population); rehousing (an inhabitant); **~ się** migration; change of residence; taking up new quarters

przesiedle|niec *sm G.* **~ńca** *pl N.* **~ńcy** (*ten kto przesiedlił się*) emigrant; (*ten kto został przesiedlony*) displaced person, D.P.; transplanted inhabitant; newcomer

przesiedleńczy *adj* migration — (committee etc.); displaced persons' <D.P.s'> — (movement etc.)

przesiedlić *zob.* **przesiedlać**

przesiedzi|eć *v perf* **~** [I] *vi vt zob.* **przesiadywać** [II] *vr* **~eć się** *pot.* to be locked up; to do time; to do (*x* years etc.) in prison

przesieka *sf* cutting (in a forest)

przesiew *sm G.* **~u** 1. *biol.* culture 2. (*przesiewanie*) sifting 3. (*przesiany surowiec*) sifted substance; fines

przesiewacz *sm pl G.* **~y <~ów>** *techn. górn.* sifter; shaker; sizer; screen; bolter

przesiewać *zob.* **przesiać**

przesięk *sm G.* **~u** *med.* transudate

przesiękowy *adj med.* **płyn ~** transudate

przesilać *zob.* **przesilić**

przesilenie *sn* ↑ **przesilić** 1. (*kryzys*) crisis; turning-point; **~ rządowe** cabinet crisis 2. *astr.* (summer, winter) solstice

przesil|ić *v perf* — **przesil|ać** *v imperf* [I] *vt* 1. *rz.* (*przemóc*) to overcome; to get over (sth) 2. *perf* (*nadwerężyć*) to overstrain [II] *vr* **~ić, ~ać się** to culminate

przeskakiwać *zob.* **przeskoczyć**

przeskandować *vt perf* to scan (verses)

przesklepić *vt perf* — **przesklepiać** *vt imperf bud.* to arch

przesklepienie *sn* (↑ **przesklepić**) (an) arch; (an) arching

przeskład *sm G.* **~u** *druk.* recomposition; reset-up copy

przeskładać *vt perf* — **przeskładywać** *vt imperf druk.* to recompose; to reset

przeskładanie *sn* (↑ **przeskładać**) recomposition; resetting

przeskoczenie *sn* (↑ **przeskoczyć**) (a) jump; (a) leap; (a) spring

przesk|oczyć *v perf* — **przesk|akiwać** *v imperf* [I] *vt* 1. (*przesadzić skokiem*) to jump <to leap> (**rów itd.** over <across> a ditch etc.); *pot.* **śmierć mnie ~oczyła** someone is walking on my grave 2. *pot.* (*wyprzedzić, być lepszym*) to outstrip (sb); to go one better (**kogoś** than sb) 3. *przen.* (*opuścić*) to skip <to leave out> (**ustęp w książce itd.** a passage in a book etc.); *szk.* **~oczyć klasę** to skip a form [II] *vi* 1. (*skoczyć*) to jump <to leap, to spring, to skip> (**z jednego miejsca na drugie** from one place to another; **przez coś** over <across> sth); **~oczyć, ~akiwać na drugą stronę** to go over; **~oczyć, ~akiwać przez przeszkodę** to clear <to take> an obstacle; *przen.* **~oczyć, ~akiwać na inny temat** to skip over <to make a hurried transition> to another topic; **~akiwać z tematu na temat** to ramble; to stray; *przysł.* **nie mów hop, póki nie ~oczysz** don't count your chickens before they are hatched; first catch your hare then cook him 2. *pot.* (*przekroczyć termin*) to pass (**60-kę itd.** the 60 mark etc.)

przeskok *sm G.* **~u** 1. (*skok*) jump; leap; bound; skip 2. *elektr.* jump-spark; flash-over 3. *przen.* (*nagła zmiana*) transition; skip

przeskrob|ać *vt perf* **~ie** *pot.* 1. (*zawinić*) to perpetrate 2. (*spsocić*) to be up to (some mischief); **cóżeś ~ał?** what (mischief) have you been up to?

prze|słać[1] *vt perf* **~śle, ~ślij** — **prze|syłać** *vt imperf* to send; to dispatch (a letter, messenger, parcel etc.); **~słać, ~syłać dalej** to send on; to forward; **~słać, ~syłać jakąś kwotę pieniędzy komuś** to remit a sum to sb; **~słać, ~syłać towar** to consign goods; **~ślij mi to przez p. X** send it to me through <hand it over to> Mr X; **~słać, ~syłać komuś pozdrowienia** to send one's greetings <regards> to sb; **~słać, ~syłać komuś pocałunek** to send <to blow> a kiss to sb

przesłać[2] *zob.* **prześcielać**

przesładzać *zob.* **przesłodzić**

przesł|aniać *v imperf* — **przesł|onić** *v perf* [I] *vt* 1. (*okrywać zasłoną*) to veil; to cover; to screen; *fot.* **~aniać, ~onić obiektyw** to stop a lens 2. (*zakrywać*) to conceal; to hide (from sight); *przen.* **~aniać, ~onić komuś świat** to blind sb to the rest of the world 3. (*zaciemniać*) to shade <to dim> (the light); to obscure (the sun) 4. (*zasłaniać*) to shade (one's eyes with one's hand etc.) [II] *vr* **~aniać ~onić się** to veil one's face; (*o niebie*) to become overcast; to cloud over

przesłanie *sn* (↑ **przesłać**[1]) sending <dispatch> (of a letter etc.); remittance (of money); consignment (of goods)

przesłan|ka *sf pl G.* **~ek** 1. (*okoliczność sprzyjająca*) circumstance; (necessary) condition; prerequisite; datum, *pl* data 2. *filoz.* premise, premiss; reason; **oparty na fałszywych ~kach** unsound 3. *prawn.* premiss

przesławny *adj* celebrated; illustrious

przesł|odzić *vt perf* **~odzę, ~ódź, ~odzony** — **przesł|adzać** *vt imperf* 1. (*zanadto osłodzić*) to make (sth) too sweet; to put too much sugar (**coś** in sth) 2. *przen.* (*o utworze, opisie itd.*) **~odzony** sugary; mawkish; luscious

przesłona *sf* 1. (*to, co zasłania*) veil; screen 2. *fiz. fot.* diaphragm; stop; shutter; blind; screen

przesłonić *zob.* **przesłaniać**

przesłonka *sf dim* ↑ **przesłona**

przesłuch *sm G.* **~u** *telef.* cross-talk

przesłuch|ać *v perf* — **przesłuch|iwać** *v imperf* [I] *vt* 1. (*wysłuchać*) to hear 2. *sąd.* to examine <to interrogate, to question> (witnesses, suspects etc.) [III] *vr* **~ać, ~iwać się** *rz.* (*mieć złudzenie, że się słyszało*) to think that one has heard (sth)

przesłuchanie *sn* (↑ **przesłuchać**) 1. *sąd.* hearing, interrogation, interrogatory; examination 2. *muz.* audition; hearing

przesłuchiwać *zob.* **przesłuchać**

przesłużyć *vt perf* to serve (**kilka lat w wojsku itd.** several years in the army etc.); to be a servant <a domestic> (**pewien czas u kogoś** some time in sb's house)

przesłysz|eć się *vr perf* **~y się** to mishear; to think that one has heard (sth); **jeślim się nie ~ał** if I heard you <it etc.> correctly; unless I misheard you <it etc.>

przesłyszenie się *sn* (↑ **przesłyszeć się**) a case of having heard (sb, sth) wrongly

przesmażenie *sn* ↑ **przesmażyć**

przesmażyć *vt perf* 1. (*trochę posmażyć*) to fry (**mięso, rybę itd.** meat, fish etc.); to boil (**jagody itd.** berries etc.) 2. (*przetworzyć*) to reboil (jam); (*przerobić smażąc*) to fry (meat, fish etc.) over again 3. (*zbyt długo smażyć*) to overdo (a dish); to overboil (a preserve)

przesmutny *adj* extremely sad

przesmyk *sm G.* **~u** 1. (*wąskie przejście*) defile; pass; neck; narrows 2. *geogr.* (*pas lądu*) isthmus; (*pas wody*) inlet; arm of the sea 3. *tekst.* shed

przesmyk|iwać się *vr imperf* — **przesmyk|nąć się** *vr perf* 1. (*przesuwać się*) to slip <to slink, to steal, to sneak> (**obok** by<past>; **pomiędzy czymś** through sth) 2. (*przemykać się*) to slink <to sneak> in; to slip <to steal> (**do pokoju** into a room); **~iwać się ulicami** to steal along the streets

przesnu|ć *vt perf* **~je, ~ty** to intertwine; to interlace; to interweave

przesolenie *sn* (↑ **przesolić**) oversalting; putting too much salt (**potrawy** in a dish)

przes|olić *v perf* **~ól** — **przes|alać** *v imperf* [I] *vt* 1. (*zbytnio osolić*) to put too much salt (**potrawę** in a dish); to oversalt; **~olony** too salt(y) 2. *przen.* (*przesadzić*) to overdo (sth) [III] *vi* (*przeholować*) to overdo it; to go too far; to overshoot the mark

przesortować *vt perf* to sort (into classes, groups etc.); to sort out (goods)

przespacerowa|ć *v perf* [I] *vt* to walk about (**pewien czas** some time); **~liśmy noc** we walked about all night [III] *vr* **~ć się** to go out for a walk; to take a walk

przespacerowanie się *sn* (↑ **przespacerować się**) (a) walk

prze|spać *v perf* **~śpi, ~śpij** — **prze|sypiać** *v imperf* [I] *vt* 1. (*spędzić jakiś czas na spaniu*) to sleep (some time); **~sypiać godziny** to sleep <to drowse> the hours away; **~spał całe 12 godzin <całą noc>** he slept the clock round <the night through> 2. (*śpiąc przebyć*) to sleep off (a headache, one's ill-temper etc.) 3. (*śpiąc opuścić*) to fail to wake up (**coś** for sth); **~spać, ~sypiać porę** to oversleep (*vi*); to oversleep oneself 4. *przen.* (*przeoczyć*) to miss (an opportunity etc.) [III] *vr* **~spać, ~sypiać się** to get <to have> some sleep; to have <to take> a nap <forty winks>; *pot. euf.* **~spać, ~sypiać się z kimś** to go to bed <to sleep> with sb

przespanie *sn* (↑ **przespać**) sleeping away (the hours etc.); sleeping off (a headache etc.); *przen.* missing (an opportunity etc.); **~ się** nap; forty winks

przesta|ć[1] *vi perf* **~nę, ~nie, ~ń, ~ł** — **przestawać** *vi imperf* **~je, ~waj** to stop <to cease, to break off, to leave off, to discontinue, *am.* to quit> (**coś robić** doing sth); **nie ~wać coś robić** to keep <to go on, to persist in> doing sth; to continue to do sth; **~łem palić <pić itd.>** I have given up smoking <drink, booze etc.>; **nie ~waj!** carry on!; **~ń!** stop that!; *pot.* chuck it!; cut it!; cut that out!

przest|ać[2] *vt perf* **~oję, ~ój, ~oi, ~ał** (*spędzić pewien czas stojąc*) to stand (some time); **~ałem całe przedstawienie** I stood all through the performance

przestalanie *sn chem.* sublimation

przestały *adj* (*o owocach*) over-ripe; (*o potrawach*) stale

przestanie[1] *sn* (↑ **przestać**[1]) cessation; discontinuation

przestanie[2] *sn* ↑ **przestać**[2]

przestankować *vt perf* to punctuate (written matter)

przestankowani|e *sn* (↑ **przestankować**) punctuation; **reguły ~a** rules for punctuation

przestankowy *adj* punctuation _ (marks)

przestarzały *adj* 1. (*wyszły z użycia*) obsolete; disused; (*przeżyty*) antiquated; time-worn; outworn; fossilized 2. *przen.* (*o poglądach*) outdated; musty; moth-eaten; behind the times 3. (*niemodny*) out of fashion; outmoded; out of date

przestarze|ć się † *vr perf* **~je się** to become obsolete

przesta|wać *vi imperf* **~je, ~waj** 1. *zob.* **przestać**[1] 2. (*obcować*) to associate <to keep company> (with sb); *przysł.* **kto z kim ~je, takim się staje** a man is known by the company he keeps

przestawi|ać *v imperf* — **przestawi|ć** *v perf* [I] *vt* 1. (*umieszczać w innym miejscu*) to put <to place> (sth) somewhere (else); to displace; to shift; to remove; to rearrange (one's furniture etc.) 2. (*zmieniać kolejność*) to transpose; to permute; *gram.* to invert 3. (*przebudować*) to reconstruct 4.

(*zmieniać podstawy*) to transform; to reorganize [III] *vr* ~ać, ~ć się to change one's attitude; to switch over (**na coś** to sth)

przestawienie *sn* (↑ **przestawić**) displacement; shift; removal; rearrangement; transposition; permutation; transformation; reorganization; *gram.* inversion; ~ **się** change of attitude; (a) switch-over

przestawk|a *sf pl G.* ~**ek** 1. *jęz.* metathesis 2. *myśl.* adjustable slide (of sights)

przestawnia *sf jęz.* inversion

przestawny *adj* inverted; *gram.* **szyk** ~ inversion

przest|ąpić *v perf* — **przest|ępować** *v imperf* [I] *vt* to cross (a threshold etc.); to step (**coś** over sth) [III] *vi w zwrocie* ~**ępować z nogi na nogę** to shift one's weight from one foot to the other

przestebnować *vt perf* to backstitch

przestękać *vt perf pot. żart.* 1. (*przeżyć uskarżając się*) to lament (all one's life etc.) 2. (*przeczytać dukając*) to stammer (**lekcję itd.** through one's lesson etc.)

przestęp *sm G.* ~**u** *bot.* (*Bryonia*) bryony

przestępca *sm* offender; transgressor; delinquent; malefactor; law-breaker; felon; ~ **(dotychczas) nie karany** first offender; ~ **wojenny** war criminal

przestępczość *sf singt* criminality; delinquency; ~ **wśród młodzieży** juvenile delinquency

przestępczy *adj* criminal; felonious; *prawn.* dolose; **świat** ~ the underworld; the world of crime; felonry

przestępczyni *sf* = **przestępca**

przestępność *sf singt prawn.* criminality (of a deed)

przestępny *adj* 1. *prawn.* criminal; felonious 2. *astr.* (*o roku*) bissextile; (*o dniu*) intercalary; **rok** ~ leap-year 3. *mat.* transcendental (function, number etc.)

przestępować *zob.* **przestąpić**

przestępstwo *sn* offence; transgression; misdemeanour; crime

przestojow|y *adj* standstill — (period etc.); *bot.* **drzewo** ~**e** parent <seed> tree

przest|ój *sm G.* ~**oju** standstill; tie-up; lay-off

przestrach *sm G.* ~**u** fright; fear; terror; **napełnić kogoś** ~**em** to terrify sb; **patrzyć z** ~**em** to look in terror

przestr|ajać *vt imperf* — **przestr|oić** *vt perf* ~**oję**, ~**ój**, ~**ojony** 1. *muz.* to alter the pitch (**instrument** of an instrument) 2. *radio* to change the wave

przestrasz|yć *v perf* — **przestrasz|ać** *v imperf* [I] *vt* to frighten; to alarm; to scare; to startle; to give (sb) a start [III] *vr* ~**yć**, ~**ać się** to be frightened; to take fright; to start

przestr|oga *sf pl G.* ~**óg** admonition; warning; caution; **dawać komuś** ~**ogi**, **udzielać komuś** ~**óg** to admonish <to warn> sb

przestroić *zob.* **przestrajać**

przestrojenie *sn* (↑ **przestroić**) *muz.* altering the pitch <altered pitch> (of an instrument)

przestron *sm G.* ~**u** *hut.* belly <waist> (of a blast furnace)

przestronnie *adv* spaciously; with plenty of room; **jest** ~ there is plenty of room

przestronność *sf singt* spaciousness; roominess

przestronny *adj* spacious; roomy; commodious

przestr|ój *sm G.* ~**oju** altering the pitch <altered pitch> (of an instrument)

przestrza|ł *sm G.* ~**łu** *L.* ~**le** rifle-shot wound (**przez płuco itd.** through the lung etc.); **dostał** ~**ł przez głowę** he was shot through the head; **na** ~ from end to end; **otworzyć okna na** ~**ł** to open opposite windows (of a room); **wrota otwarte na** ~**ł** wide open gate

przestrze|gać *vt imperf* — **przestrze|c** *vt perf* ~**gę**, ~**że**, ~**gł**, ~**żony** 1. (*ostrzegać*) to warn <to caution> (**kogoś przed czymś** sb against sth); (*udzielać upomnienia*) to admonish 2. *imperf* (*stosować się*) to comply (**nakazów itd.** with orders etc.); to abide (**przepisów itd.** by rules etc.); to obey <to observe> (**ustaw itd.** the laws etc.); (*zachowywać*) to observe (**form towarzyskich itd.** courtesy etc.); to keep <to observe> (**postu, świąt itd.** fast, holidays etc.); ~**gać diety** to keep a diet; ~**gać poszanowania ustaw** to enforce the laws of the land

przestrzeganie *sn* (↑ **przestrzegać**) 1. (*ostrzeganie*) warnings; cautions; (*upomnienia*) admonitions 2. (*stosowanie się*) compliance (**czegoś** with sth); abidance (**czegoś** by sth) 3. (*zachowywanie*) observance (of the law etc.)

przestrzel|ić *v perf* — **przestrzel|ać** *v imperf* [I] *vt* 1. (*przeszyć na wylot*) to shoot (**coś** through sth) 2. *rz.* (*przetrzebić strzelaniem*) to shoot down (game, crows etc.) 3. *sport* to shoot above the crossbar [III] *vr* ~**ić się** to extend <to stretch> (*vi*)

przestrzelina *sf* bullet hole

przestrzeliwać *vt imperf* 1. *rz.* (*przebijać strzałami*) to shoot (**coś** through sth) 2. *sport* to shoot above the crossbar

przestrzelony [I] *pp* ↑ **przestrzelić** [III] *f adj* (*poprzerastany*) streaked

przestrzennie *adv* spatially

przestrzenność *sf singt* spatiality

przestrzenn|y *adj* 1. *geom.* spatial; three-dimensional; **geometria** ~**a** solid geometry; **metr** ~**y** cubic meter 2. † = **przestronny**

przestrze|ń *sf* 1. (*obszar nieskończony*) space; ~**ń kosmiczna** <**międzyplanetarna**> outer space; space; *med.* **lęk** <**obawa**> ~**ni** agoraphobia; dread of open spaces 2. (*obszar objęty jakimiś granicami*) (a) space; room; *bot.* ~**nie międzykomórkowe** intercellular spaces 3. (*rozległa powierzchnia*) expanse; wide area; extent; ~**ń życiowa** living space; sphere of existence 4. (*odległość*) distance; interval; **na** ~**ni ...** within the compass of ... (*x* days; years etc.); within the range of ... (*x* miles etc.); over <for> ... (*x* years, hours etc.); for ... (*x* miles etc.); over a distance of ... (*x* miles etc.)

przestrzeżenie *sn* (↑ **przestrzec**) (a) warning; (a) caution

przestudiować *vt perf* — *rz.* **przestudiowywać** *vt imperf* 1. (*przebadać*) to make a thorough study (**coś** of sth); to examine (sth) in detail; to scrutinize 2. *perf* (*spędzić pewien czas na studiach*) to study (a subject for a space of time)

przestudiowanie *sn* (↑ **przestudiować**) thorough study; detailed examination; scrutiny

przestudzenie *sn* ↑ **przestudzić**

przestudz|ić *v perf* ~**ę**, ~**ony** — **przestudz|ać** *v imperf* [I] *vt* to cool (sth) [III] *vr* ~**ić**, ~**ać się** to cool (*vi*)

przestukać *vt perf rz.* to rap out (a message in code)
przestworz|e *sn lit.* space; infinity; **w ~a** into the air; heavenward
przestw|ór *sm G.* **~oru** *L.* **~orze** = **przestworze**; *bot.* **~ory międzykomórkowe** intercellular spaces
przestyg|nąć *vi perf* **~ł** — **przestygać** *vi imperf* to cool
przestylizować *vt perf* 1. (*nadmiernie wystylizować*) to overstylize 2. (*przekształcić*) to stylize
przestylizowanie *sn* (↑ **przestylizować**) (over)stylization
przesublimować *vt perf lit.* to sublime
przesublimowanie *sn* (↑ **przesublimować**) sublimation
przesubtelniony *adj* oversubtle
przesu|nąć *v perf* — **przesu|wać** *v imperf* [I] *vt* 1. (*przemieścić*) to push; to shove; to shift; to move; to displace 2. *przen.* to change (a date etc.); **~nąć, ~wać imprezę na późniejszy <na wcześniejszy> termin** to transfer an event to a later <an earlier> date 2. (*przenieść do innej kategorii*) to transfer (sb, sth) 3. (*przepuścić*) to pass (**coś przez jakiś otwór itd.** sth through an aperture etc.) [II] *vr* **~nąć, ~wać się** 1. (*przemieścić*) to move <to shift> (*vi*); **~nąć, ~wać się z krzesłem do kogoś, czegoś** to move one's chair nearer sb, sth 2. (*minąć*) to pass (**przed kimś, czymś** in front of sb, sth; **koło kogoś, czegoś** by <near> sb, sth; **przed czyimiś oczami** before sb's eyes); **piękny krajobraz ~wał się przede mną** a beautiful landscape unfolded itself before my eyes 3. (*przecisnąć się*) *perf* to slip through; *imperf* to thread one's way
przesunięci|e *sn* 1. ↑ **przesunąć** 2. (*zmiana położenia*) (a) shift; *mat.* displacement; **~a personalne** reshuffle of the staff
przesusz|ać *v imperf* — **przesusz|yć** *v perf* [I] *vi* 1. (*lekko wysuszyć*) to let (sth) dry up a little 2. (*suszyć dokładnie*) to let (sth) get quite dry 3. (*nadmiernie wysuszyć*) to parch (sth); to dry (sth) up; to let (sth) get too dry [II] *vr* **~ać, ~yć się** 1. (*nieco wyschnąć*) to dry up a little 2. (*wyschnąć całkowicie*) to get quite dry 3. (*wyschnąć nadmiernie*) to dry up; to get parched; to get too dry
przesuw *sm G.* **~u** *techn.* pass; travel (of a piston etc.)
przesuwać *zob.* **przesunąć**
przesuwak *sm techn.* shifter; **~ pasa** belt fork
przesuwalny *adj* mobile; movable; shifting; sliding
przesuwanie *sn* (↑ **przesuwać**) displacement; *geol.* **~ się** (continental, glacial) drift
przesuw|ka *sf pl G.* **~ek** *techn.* 1. (*ruchoma część sprzęgła*) gear cluster; sliding change gear 2. (*w suwaku*) cursor
przesuwkowy *adj* sliding; **przymiar ~** slide gauge
przesuwnica *sf techn.* traverser; transfer table
przesuwnie *adv* movably
przesuwny *adj* sliding
przesyc|ać *v imperf* — **przesyc|ić** *v perf* **~ę, ~ony** [I] *vt* 1. (*przepajać*) to saturate; to impregnate; *chem.* to supersaturate; to supercool; to superfuse; **para ~ona** supercooled vapour; **roztwór ~ony** supersaturated solution 2. (*wywoływać uczucie przesytu*) to sate; to satiate; to surfeit; to glut; to cloy [II] *vr* **~ać, ~ić się** to be <to become> saturated <impregnated>; to be <to become> satiated <glutted>
przesycenie *sn* 1. (↑ **przesycić**) (*przepojenie*) saturation; impregnation 2. (*przesyt*) surfeit 3. *chem.* supersaturation; superfusion
przesychać *zob.* **przeschnąć**
przesycić *zob.* **przesycać**
przesylabizować *vt perf* to syllabify; to read (a letter etc.) syllable by syllable
przesyłać *zob.* **przesłać**
przesył|ka *sf pl G.* **~ek** 1. (*coś przesłanego pocztą*) letter; telegram; parcel; (*koleją itd.*) parcel; consignment; shipment; **~ka pieniężna** money order; remittance; **~ki pocztowe** postal matter 2. (*czynność*) sending; dispatch; consignment; shipping <shipment> (of goods)
przesyłowy *adj techn.* transmitting **—** (wires etc.)
przesyp *sm G.* **~u** 1. (*czynność*) dumping 2. *geogr.* sandbank
przesyp|ać *v perf* **~ie** — **przesyp|ywać** *v imperf* [I] *vt* to pour (**ciało sypkie do jakiegoś naczynia** a granular substance into a vessel); to transvase (a granular substance) [II] *vr* **~ać, ~ywać się** to run (**z jednego naczynia do innego, z jednego miejsca na inne** from one vessel into another, from one spot to another)
przesypiać *zob.* **przespać**
przesypywać *zob.* **przesypać**
przesy|t *sm G.* **~tu** *L.* **~cie** 1. *fizjol.* surfeit; repletion; glut; **jeść do ~tu** to eat to (a) surfeit <to repletion> 2. (*uczucie znużenia*) surfeit; **miał ~t uciech** he was surfeited with pleasures
przeszachrować *vt perf pot.* to traffic <to truck> (sth) away
przeszacować *vt perf* — **przeszacowywać** *vt imperf* 1. (*ocenić zbyt wysoko*) to overestimate 2. (*szacować ponownie*) to reassess
przeszacowanie *sn* (↑ **przeszacować**) 1. (*zbyt wysoka cena*) (an) overestimate 2. (*ponowne oszacowanie*) reassessment; reappraisal
przeszacowywać *zob.* **przeszacować**
przeszarżować *vt vi perf* to overdo; to overshoot the mark; *teatr* to overact (a part)
przeszastać *vt perf pot.* to squander away
przeszczekać *vt perf* 1. (*o psie*) to bark (a space of time) 2. *wulg.* (*o człowieku*) to out-talk (sb)
przeszczekiwać się *vr imperf* (*o psach*) to bark to each other
przeszczep *sm G.* **~u** *med.* 1. (*czynność*) grafting; transplantation, transplanting 2. (*to, co zostaje przeszczepione*) graft; (a) transplant
przeszczepiać *vt imperf* — **przeszczepić** *vt perf* 1. *med.* to graft; to transplant 2. *ogr.* to graft 3. *przen.* to implant
przeszczepialność *sf singt med.* transplantability
przeszczepić *zob.* **przeszczepiać**
przeszczepienie *sn* 1. (↑ **przeszczepić**) 2. *med.* transplantation; grafting; **~ skóry** skin-grafting 3. *ogr.* grafting
przeszk|adzać *vi imperf* — **przeszk|odzić** *vi perf* **~odzę, ~ódź** 1. (*utrudniać*) to prevent <to hinder, to stop> (**komuś w robieniu czegoś** sb from doing sth <sb's doing sth>); **jedno drugiemu nie ~adza** the one does not interfere with <does not preclude> the other; **~adzać czemuś** to interfere with sth; to obstruct sth; to stand in the way of

sth being done; **~adzać, ~odzić komuś** to hamper <to handicap, to impede, to encumber> sb 2. (*być zawadą*) to disturb <to trouble, to inconvenience, to incommode> sb; to put (sb) out; **proszę sobie nie ~adzać** don't let me <that etc.> disturb you; (please,) carry on; **to mi bardzo ~adza** it disturbs me <it troubles me, it puts me out> a great deal; it's an awful nuisance; **to mi nic nie ~adza** I don't mind it at all <a bit>; it's no trouble at all to me

przeszkadzanie *sn* ↑ **przeszkadzać; ~ komuś** a) (*utrudnianie*) hampering sb b) (*zawadzanie*) disturbing sb

przeszkalać *zob.* **przeszkolić**

przeszkli|ć *vt perf* **~j** to glaze

przeszk|oda *sf DL.* **~odzie** *pl G.* **~ód** 1. (*to, co utrudnia*) obstacle; obstruction; hindrance; impediment; check; encumbrance; drawback; hitch: *przen.* snag; *prawn.* disability; *radio* **~ody atmosferyczne** interference; atmospherics; **być ~odą dla kogoś** to hamper <to handicap, to impede, to encumber> sb; **mieć ~odę w zrobieniu czegoś** to be prevented <hindered> from doing sth; **nie widzieć ~ód w tym, żeby coś się stało** to have no objection to sth happening <being done>; **posuwać się naprzód bez ~ód** to advance unhampered <unchecked, unobstructed>; **robić coś bez ~ód** to do sth unhampered <unimpeded, unchecked>; **stać na ~odzie czemuś** to prevent sth; to stand in the way of sth being done <happening>; to obstruct sth; to interfere with sth; **nic nie stoi na ~odzie, żebyś poszedł <powiedział itd.>** there is no obstacle <no objection> to your going <saying etc.>; you are free to go <to say etc.>; **zgłosić ~odę do zawarcia małżeństwa** to forbid the banns 2. *sport* obstacle; **bieg z ~odami** obstacle race; **wziąć ~odę** to take <to clear> an obstacle

przeszkodzenie *sn* (↑ **przeszkodzić**) prevention (**czemuś** of sth); **~ czemuś** interfering with sth; standing in the way of sth

przeszkodzić *zob.* **przeszkadzać**

przeszkolenie *sn* (↑ **przeszkolić**) 1. (*nauczanie*) schooling; training; instruction 2. (*kurs*) course; **odbyć ~** to go through a course <a period of training>

przeszk|olić *vt perf* **~ól** — **przeszkalać** *vt imperf* to train; to instruct

przeszlifować *vt perf* to grind; to polish

przeszło *adv* above <more than> (twenty, fifty etc.); over (two pounds, ten miles etc.)

przeszło *praef* last (year's, week's etc.)

przeszłomiesięczny *adj* last month's

przeszłoroczny *adj* last year's; **to mnie tyle obchodzi, co ~ śnieg** I don't care a damn <a hang>

przeszłościowy *adj* of the past

przeszłoś|ć *sf singt* 1. (*czas, który minął*) the past; **jak w ~ci** as in the past; as heretofore; **przenieść się myślą w ~ć** to look back; **to należy do ~ci** it is a thing of the past 2. (*ubiegły okres życia*) (a person's) record; antecedents; *przen.* **kobieta z ~cią** a woman with a past

przeszłotygodniowy *adj* last week's

przeszłowieczny *adj*, **przeszłowiekowy** *adj* of the last century

przeszł|y *adj* 1. (*taki, który minął*) past; bygone; *gram.* **czas ~y** past tense, preterite; **zostawmy ~e sprawy** let bygones be bygones 2. (*ubiegły, zeszły*) last (week, year etc.)

przeszmuglować *vt perf pot.* to smuggle (sth through <in, out>)

przesznurować *vt perf* 1. (*przewiązać*) to tie (sth with a cord) 2. (*zesznurować na nowo*) to relace (stays, boots)

przeszpieg|i *spl G.* **~ów** spying; espial; *wojsk.* reconnaissance; **pójść <przyjść> na ~i** to go <to come> spying <in search of information>

przeszuflować *vt perf* to shovel (grain etc.)

przeszukać *vt perf* — **przeszukiwać** *vt imperf* to search; to make a search (**mieszkanie itd.** in a flat etc.); to ransack; to rummage (one's pockets etc.); to scour <to comb out> (a neighbourhood, the country etc.)

przeszukanie *sn* (↑ **przeszukać**) (a) search

przeszukiwać *zob.* **przeszukać**

przeszumi|eć *v perf* **~** [I] *vt* 1. (*szumieć przez jakiś czas*) to rustle (some time) 2. *przen.* (*przeżyć hulaszczo*) to revel away (one's youth etc.) [II] *vi* (*przelecieć szumiąc*) to whistle <to whizz> past

przeszwarcować *v perf pot.* [I] *vt* to smuggle (sth through <in, out>) [II] *vr* **~ się** to slip through; to gate-crash

przeszybować *vi perf* to glide by <past>

przeszycie *sn* (↑ **przeszyć**) transfixion; *przen.* penetration

przeszy|ć *vt perf* **~je, ~ty** — **przeszywać** *vt imperf* 1. (*przekłuć*) to pierce; to transfix; to run (sb) through; (*przebóść*) to gore; (*o ostrym narzędziu, pocisku*) to pass <to go> (**kogoś, coś** through sb, sth); **~ć, ~wać kogoś szpadą** to thrust a sword through sb 2. *przen.* (*o zimnie, bólu itd.*) to penetrate; (*o dźwiękach*) **~ć, ~wać powietrze** to rend the air; **~ć, ~wać kogoś wzrokiem** to shoot <to dart> a piercing glance at sb 3. (*przepikować*) to quilt 4. (*przetkać*) to interweave 5. *rz.* (*uszyć na nowo*) to resew (a garment)

przeszywający *adj* (*o bólu*) shooting; lancinating; (*o dźwięku*) piercing; shrill; argute; (*o spojrzeniu*) piercing

przeszywająco *adv* piercingly; shrilly

prze|ścielać <prze|ściełać> *vt imperf* — **prze|słać <prze|ścielić>** *vt perf* **~ściele** to rearrange (a bed)

prześcielanie *sn* (↑ **prześcielać**) rearrangement (of a bed)

prześcieradełko *sn dim* ↑ **prześcieradło**

prześcierad|ło *sn pl G.* **~eł** sheet; **~ło kąpielowe** bath-wrap

prześcieradłow|y *adj* **płótno ~e** sheeting

prześcig|ać *v imperf* — **prześcig|nąć** *v perf* [I] *vt* 1. (*wyprzedzać*) to outdistance; to outstrip; to overtake; **~ać, ~nąć współzawodnika** to beat <to gain on> a competitor; to give one's competitor the go-by; to get the start of a competitor 2. *przen.* (*przewyższać*) to surpass; to excel; to exceed; to outrival; to transcend; **~ać, ~nąć kogoś** to improve on sb; to go one better than sb; to be more than a match for sb; **on mnie ~nął** he was one too many for me [II] *vr* **~ać, ~nąć się** to outvie each other; to compete with each other

prześcipny *adj gw.* clever; witty

prześlad|ować *vt imperf* 1. (*ciemiężyć*) to persecute; to oppress 2. (*szykanować*) to harass; to worry 3. (*nagabywać*) to pester; to molest; to plague; to nag (**kogoś** sb, at sb); to importune 4. *przen.* (*o myśli itd. — nie dawać spokoju*) to obsess; to haunt; to keep running (**kogoś** through sb's head); **ten pomysł go ~uje** he is obsessed by the idea; **ta myśl <ta melodia> mnie ~uje** I have that on my brain

prześladowanie *sn* (↑ **prześladować**) 1. (*ciemiężenie*) persecution; oppression 2. (*nagabywanie*) molestations 3. *przen.* (*obsesja*) obsession

prześladowan|y [I] *pp* ↑ **prześladować** [III] *spl* **~i** the persecuted; the oppressed

prześladowca *sm* (*decl = sf*) persecutor; oppressor; tyrant

prześladowcz|y *adj* oppressive; **mania ~a** persecution mania; **polityka ~a** policy of oppression

prześledzenie *sn* (↑ **prześledzić**) investigation; thorough study

prześledzić *vt perf* to make a thorough study (**coś** of sth); to investigate

prześlepić *vt perf* — **prześlepiać** *vt imperf pot.* to fail to notice; to miss; to omit; to overlook

prześlepienie *sn* (↑ **prześlepić**) omission; oversight

prześlęcz|eć *vt perf* **~y** *pot.* to pore (**jakiś czas nad czymś** a space of time over sth); to drudge (**jakiś czas nad czymś** a space of time at sth)

prześlicznie *adv* most beautifully; admirably; **~ było** it was a lovely day; **~ ci w tej sukience** you look lovely in that dress; **~ wyglądasz** you look lovely

prześliczny *adj* most beautiful; lovely; admirable

prześli|znąć się *vr perf* **~źnie**, *rz.* **prześli|zgnąć się** *vr perf* — **prześli|zgać się** *vr imperf*, **prześli|zgiwać się** *vr imperf* 1. (*przemknąć się*) to slip <to slide> through; to glide past; (*przekraść się*) to steal <to sneak> through <past>; (*o zwierzęciu, owadzie*) to wriggle through <past>; **~znąć się przez tłum** to twist one's way through the crowd 2. *przen.* to slide <to glide> (**po drażliwym temacie** over a delicate subject); to slur (**po czyimś błędzie, po jakimś fakcie itd.** over sb's fault, over a fact etc.)

prześmiesznie *adv* most comically

prześmieszny *adj* extremely comical <amusing, funny>

prześmiew|ka *sf pl G.* **~ek** *pot.* 1. (*drwina*) scoff; sneer 2. (*przezwisko*) mockery

prześmignąć *vi perf* — **prześmigiwać** *vi imperf* to flit by <past>

prześni|ć *vt perf* **~j** 1. (*zobaczyć we śnie*) to dream (**coś** of sth) 2. (*przepędzić czas na marzeniach*) to dream away (the hours, years etc.)

prześpiewać *vt perf* — **prześpiewywać** *vt imperf* 1. (*spędzać czas na śpiewaniu*) to sing (**dzień** all day; **noc** the night through); to spend (the day, night etc.) singing 2. (*odśpiewać*) to sing (a song etc.)

przeświadczenie *sn* conviction; persuasion; confidence; certitude; **mam ~, że ...** I am convinced <persuaded> that ...; I feel certain <I have every confidence, I trust> that ...

przeświadczony *adj* convinced; persuaded; certain; confident

prześwidrować *vt perf* — **prześwidrowywać** *vt imperf* to bore <to drill> (a hole) (**coś** through sth); to perforate; *dosł. i przen.* to pierce

prześwieca|ć *v imperf* [I] *vi* 1. (*świecąc przenikać*) to shine <to shed a light> (through chinks, interstices etc.) 2. (*być widocznym spod czegoś*) to show <to appear, to be visible> (through sth); (*o tkaninie*) **nie ~ć** to be shadow-proof; **spod rozdartych spodni ~ło gołe ciało** his naked body showed <could be seen> through the tears in his trousers 3. (*przepuszczać światło*) to be transparent <translucent, diaphanous> 4. (*częściowo ukazywać*) to show (**czymś** sth)

przeświecająco *adv* transparently; translucently; diaphanously

przeświecający *adj*, *rz.* **przeświecalny** *adj* transparent; translucent; diaphanous

przeświec|ić *vt perf* **~ę**, **~ony** — **przeświecać** *vt imperf* to shine (**coś** through sth)

prześwietl|ać *vt imperf* — **prześwietl|ić** *vt perf* 1. (*przenikać światłem*) to shine (**coś** through sth) 2. *fot.* to overexpose 3. (*w leśnictwie*) to clear <to thin> (a forest) 4. *med.* to X-ray; to radiograph

prześwietlanie *sn* ↑ **prześwietlać**; **~ jaj** candling of eggs

prześwietleni|e *sn* (↑ **prześwietlić**) 1. *fot.* overexposure 2. *med.* (an) X-ray; X-ray examination; (a) radiograph; **iść do ~a <na ~e>** to go and be X-rayed

prześwietlić *zob.* **prześwietlać**

prześwietnie *adv* splendidly; magnificently

prześwietny *adj* 1. (*wspaniały*) splendid; magnificent 2. (*wielce szanowny*) most honourable

prześwi|snąć *vi perf* **~śnie** — **prześwistywać** *vi imperf* (*przelecieć ze świstem*) to whizz <to whistle> past

prześwi|stać *vt perf* **~szcze** — **prześwistywać** *vt imperf* to whistle (a tune)

prześwit *sm G.* **~u** 1. (*odstęp między przedmiotami, elementami czegoś*) clearance (space); *kolej.* **~ toru** (rail, track) gauge 2. (*średnica otworu*) bore; inside diameter 3. *arch.* bay; span

prześwitywa|ć *vi imperf* 1. (*świecić*) to shine (through sth) 2. (*być widocznym*) to show <to appear, to be visible> (through sth); **niebo ~ło przez ...** the sky could be seen between ...

przet|aczać *v imperf* — **przet|oczyć** *v perf* [I] *vt* 1. (*przesuwać obracając*) to roll (barrels etc.) 2. (*posuwać na kołach*) to roll; to wheel; to trundle (a piano etc.); *kolej.* to shunt; to marshal 3. (*przelewać*) to decant; to transvase; to pour (a liquid from one vessel into another) 4. *med.* to transfuse (blood) 5. (*przerabiać tocząc na tokarce*) to re-turn (sth) on the lathe [II] *vr* **~aczać**, **~oczyć się** to roll by <past>

przetaczanie *sn* (↑ **przetaczać**) transfusion

przetacznik *sm bot.* (*Veronica*) (germander) speedwell; bird's-eye

przetak *sm G.* **~a <~u>** sieve

przetańczyć *vt perf* 1. (*odtańczyć*) to dance (a waltz etc.) 2. (*przepędzić czas na tańczeniu*) to dance (all night etc.); to dance away (one's youth etc.)

przet|apiać *v imperf* — **przet|opić** *v perf* [I] *vt* 1. (*przerabiać przez stopienie*) to melt (fats etc.);

to smelt (metals) 2. (*odlewać powtórnie*) to recast [II] *vr* **~apiać, ~opić się** to melt (*vi*)

przetarcie *sn* (↑ **przetrzeć**) abrasion; (a) fray; hole (in a frayed garment etc.)

przetarg *sm G.* **~u** 1. (*wybór ofert*) adjudication <allocation> by tender; **ogłosić ~ na wykonanie pracy** to invite tenders for a piece of work; to put a piece of work up to contract 2. (*licytacja*) auction

przetargowy *adj* auction — (sale etc.)

przetarty [I] *pp* ↑ **przetrzeć, przecierać** [II] *adj* frayed; **w ~m ubraniu** in frayed clothes

przetasow|ać *v perf* — **przetasow|ywać** *v imperf* [I] *vt* (*tasować*) to shuffle (cards); (*tasować ponownie*) to reshuffle [II] *vr* **~ać, ~ywać się** to be reshuffled

przetasowanie *sn* (↑ **przetasować**) (a) reshuffle; *przen.* shake-up <reshuffle> (of a staff etc.)

przetchlin|ka *sf pl G.* **~ek** 1. *bot.* trachea 2. *zool.* spiracle; stigma; trachea

przetelefonować *vt perf pot.* to communicate <to impart, to let (sb) know> by telephone; to telephone (a message etc.)

przetentegować *vt perf sl. żart.* to what-d'ye-call-it

przeteoretyzować *vt vi perf* to overtheorize

przeterminować *vt perf* to exceed a prescribed time limit (**czynność** of an action)

przetęsknić *vt perf* to hanker (a space of time)

przetężenie *sn techn.* overtension

przetkać *vt perf* — **przetykać** *vt imperf* 1. (*przepleść*) to interweave; to interlace 2. (*powtykać*) to intersperse; *przen.* to interlard 3. (*przewlec*) to pass <to push> (**coś przez coś** sth through sth) 4. (*oczyścić otwór*) to clear (a choked pipe etc.); to clean out (**palnik itd.** a jet etc.)

przetknąć *vt perf* = **przetkać** 2.

przetł|aczać *v imperf* — **przetł|oczyć** *v perf* [I] *vt* to pump (**płyn <gaz> z jednego naczynia do drugiego** a liquid <a gas> from one vessel into another) [II] *vr* **~aczać, ~oczyć się** to push one's way (through a crowd)

przetłumaczeni|e *sn* (↑ **przetłumaczyć**) translation; rendering; **nie do ~a** untranslatable

przetłumaczyć *vt perf* to translate; *dosł. i przen.* to render; **nie dający się ~** untranslatable

przetłu|szczać *v imperf* — **przetłu|ścić** *v perf* **~szczę, ~szczony** [I] *vt* 1. (*przesycać tłuszczem*) to saturate <to impregnate, to treat> (sth) with fat 2. (*nadmiernie natłuszczać*) to superfat; **~szczone mydło** superfatted soap [II] *vr* **~szczać, ~ścić się** to become oversaturated with fat

przetłuszczenie *sn* (↑ **przetłuścić**) saturation with fat

przetłuścić *zob.* **przetłuszczać**

przeto *adv* therefore; accordingly; consequently; (and) so; **niemniej ~** nevertheless

przetoczyć *zob.* **przetaczać**

przetok *sm G.* **~u** *kolej.* shunting; marshalling

przetoka *sf med.* 1. (*fistula*) fistula 2. (*rurka*) drainage tube

przetokowy[1] [I] *adj kolej.* shunting <marshalling> — (yard etc.); **parowóz ~** switching engine [II] *sm rz. kolej.* shunter

przetokowy[2] *adj med.* fistular; fistulous

przetop *sm G.* **~u** *techn.* joint <weld> penetration; depth of fusion; smelting (of metals)

przetopić *zob.* **przetapiać**

przetopienie *sn* ↑ **przetopić**

przetorować *vt perf* to clear (the way); to open up (a passage); *przen.* to pave <to smooth> (**komuś drogę** the way for sb)

przetrałować *vt perf mar.* to sweep (the sea etc.) for mines

przetransformować *v perf* [I] *vt* to transform [II] *vr* **~ się** to be transformed

przetransponować *vt perf* 1. (*przenieść*) to transfer 2. *muz.* to transpose

przetransponowanie *sn* (↑ **przetransponować**) 1. (*przeniesienie*) (a) transfer 2. *muz.* transposition

przetransportować *vt perf* — **przetransportowywać** *vt imperf* to transport; to convey; to carry; to remove

przetransportowanie *sn* (↑ **przetransportować**) transport; carriage; conveyance

przetrasować *vt perf* — **przetrasowywać** *vt imperf sport* 1. (*wytyczyć*) to trace (a ski track etc.) 2. (*zmienić*) to retrace <to alter> (a ski track etc.)

przetratować *vt perf* to trample (under foot)

przetrawersować *vt perf* to traverse

przetrawi|ać *v imperf* — **przetrawi|ć** *v perf* [I] *vt* 1. *fizjol.* to digest 2. (*przemyśliwać*) to digest; to ruminate (**plan** a plan, on <over, about> a plan) 3. *chem.* (*poddawać działaniu kwasów*) to subject (sth) to corrosion; to etch; (*o kwasach itd.* — *niszczyć*) to corrode [II] *vr* **~ać, ~ć się** to undergo corrosion; *przen.* to harden; to temper

przetrawienie *sn* (↑ **przetrawić**) 1. *fizjol.* digestion 2. *chem.* corrosion

przetrąc|ić *vt perf* **~ę, ~ony** [I] *vt* 1. *pot.* (*złamać*) to break (a bone etc.) 2. *pot.* (*przekąsić*) **~ić coś** to have some grub <a snack, a bite> 3. *rz.* (*roztrącić*) to push aside [II] *vr* **~ić się** to push (one's way)

przetremowany *adj rz.* overcome by stage fright

przetrenow|ać *v perf* — **przetrenow|ywać** *v imperf sport* [I] *vt* to overtrain (an athlete); (*o sportowcu*) **~any** stale [II] *vr* **~ać, ~ywać się** to overtrain (*vi*)

przetrenowanie *sn* (↑ **przetrenować**) overtraining; staleness

przetrenowywać *zob.* **przetrenować**

przetrwać *v perf* [I] *vt* 1. (*przetrzymać*) to survive <to outlive, to outlast> (a war etc.); **~ burzę** to weather <to ride out> the storm 2. (*przeżyć*) to outlive (sb) 3. (*przebyć*) to be <to stay, to remain, to keep> (**gdzieś noc <zimę itd.>** somewhere through the night <the winter etc.>) [II] *vi* 1. (*nie ulec zniszczeniu*) to survive; to outlive; to live on; to endure; to come through 2. (*dochować się*) to be preserved; to be still in existence <still extant>; (*o czyjejś pamięci itd.*) to live; to be still alive

przetrwalnik *sm bot.* spore

przetrwalnikow|y *adj bot.* **różki ~e** ergots

przetrwał *sm G.* **~u** *bot.* (*Ailanthus*) ailanthus

przetrwanie *sn* (↑ **przetrwać**) survival

przetrwonić *vt perf* — **przetrwaniać** *vt imperf* to squander <to waste, to fritter away> (one's money, fortune etc.)

przetrząsacz *sm pl G.* **~y** <**~ów**> *roln.* tedder; *techn.* shaker

przetrzą|sać *vt imperf* — **przetrzą|snąć** *vt perf* **~śnie** 1. *roln.* to ted (new-mown grass) 2. (*wstrząsać*) to shake (a pillow etc.) 3. (*rewidować*) to search; to ransack; to rummage; to scour <to

comb out> (a region etc.) 4. (*badać na nowo*) to review; to reconsider

przetrząśnięcie *sn* (↑ **przetrząsnąć**) 1. (*wstrząśnięcie*) (a) shake 2. (*zrewidowanie*) (a) search; (a) comb-out 3. (*ponowne badanie*) (a) review; reconsideration

przetrzebi|ać *v imperf* — **przetrzebi|ć** *v perf* [I] *vt* to clear <to thin (out)> (a forest); *przen.* to decimate; to clean; to purge [II] *vr* **~ać, ~ć się** (*o lesie*) to thin (*vi*)

przetrzeć *zob.* **przecierać**

przetrzep|ać *vt perf* **~ie** — **przetrzepywać** *vt imperf* 1. (*trzepiąc oczyścić z kurzu*) to beat (a carpet etc.) 2. *pot.* (*dać w skórę*) to dust <to warm> (**kogoś** sb's jacket); to drub <to worst> (**nieprzyjaciela** the enemy)

przetrzepanie *sn* (↑ **przetrzepać**) (a) beating

przetrzym|ać *v perf* — **przetrzym|ywać** *v imperf* [I] *vt* 1. (*trzymać jakiś czas*) to hold <to keep> (sth) awhile <some time>; not to release one's hold (**coś** of sth); not to let (sth) go 2. (*trzymać dłużej, niż było przewidziane*) to keep (sth) beyond the proper time limit; (*o zapłacie itd.*) **~any** overdue 3. (*zatrzymać*) to keep (back); to detain; to delay; **~ać, ~ywać kogoś w areszcie** to hold sb in custody <in detention, under arrest>; **~ać, ~ywać wizytę** <**pobyt**> to protract a visit <one's stay> 4. *przetrwać*) to endure; to sustain; to survive; to stand (suffering etc.) 5. (*pokonać*) to outmatch; to gain the upper hand (**kogoś** of sb); to hold out longer (**kogoś** than sb) [II] *vi* to hold out; to survive

przetrzymanie *sn* (↑ **przetrzymać**) 1. (*zatrzymanie*) detention; delay 2. (*przetrwanie*) endurance; survival

przetułać się *vr perf* to wander about <to roam> (a space of time)

przeturlać *v perf* [I] *vt* to roll (sth) [II] *vr* **~ się** to roll (*vi*)

przetw|arzać *v imperf* — **przetw|orzyć** *v perf* **~órz** [I] *vt* 1. (*przerabiać surowce*) to process (raw materials) 2. (*przekształcać*) to transform; to convert <to turn> (**coś na coś innego** sth into sth else) [II] *vr* **~arzać, ~orzyć się** to be transformed

przetwarzanie *sn* (↑ **przetwarzać**) processing; transformation

przetw|ierać *v imperf* — **przetw|orzyć** *v perf* **~órz** *rz.* [I] 1. *imperf* (*otwierać od czasu do czasu*) to open (sth) now and then 2. (*uchylać*) to set (a door) ajar; to leave (a door) half-opened [II] *vr* **~ierać, ~orzyć się** to stay <to come> half-opened

przetwornica *sf techn.* converter; transformer; **~ częstotliwości** frequency changer <converter>

przetwornik *sm techn.* converter; projector; rectifier

przetworzenie *sn* (↑ **przetworzyć**) processing; production; transformation

przetworzyć[1] *zob.* **przetwarzać**

przetworzyć[2] *zob.* **przetwierać**

przetw|ór *sm G.* **~oru** *L.* **~orze** 1. (*produkt*) product; (*w przemyśle spożywczym*) preserve 2. *chem. farm.* preparation

przetwórca *sm* processor; manufacturer

przetwórczość *sf singt* processing

przetwórczy *adj* 1. (*przerabiający*) adaptive; modificatory 2. (*będący wynikiem przetworzenia*) adapted; modified 3. (*o przemyśle itd.*) processing; manufacturing

przetwórnia *sf* processing plant; factory

przetwórnictwo <**przetwórstwo**> *sn singt* processing; manufacture

przetycz|ka *sf pl G.* **~ek** 1. (*narzędzie do przetykania*) pricker; **~ka do fajki** pipe cleaner 2. *techn.* cotter; pin; toggle

przetyka|ć *vt imperf* 1. *zob.* **przetkać** 2. (*tkwić*) to appear in places <at intervals, here and there>; *tłumaczy się przez stronę bierną*: to be strewn <interspersed>; **jego czarną czuprynę ~ły siwe włosy** his black hair was interspersed with grey; **łąkę ~ły kwiaty** the meadow was strewn with flowers

przeucz|ać *v imperf* — **przeucz|yć** *v perf* [I] *vt* to overburden (a pupil) with knowledge [II] *vr* **~yć się** 1. (*nadmiernie się uczyć*) to overstudy 2. (*nauczyć się czegoś innego*) to learn sth different

przeuroczy *adj* lovely; absolutely charming; ravishing

przewag|a *sf* 1. (*większy ciężar*) overpoise; overbalance 2. (*górowanie*) superiority; ascendancy; supremacy; preponderance; predominance; prevalence; (*w biegach*) lead; *tenis* (ad)vantage; **~a liczebna** majority; **jest ~a kobiet** <**wojskowych itd.**> women <the military etc.> are in the majority; **mieć ~ę** to dominate; to preponderate; to be preponderant <predominant>; **mieć ~ę liczebną nad innymi** to outnumber the others; **mieć** <**zdobyć**> **~ę nad kimś** to have <to get, to gain> the upper hand of <the advantage of, over> sb; **my mamy ~ę** we are uppermost; the odds are in our favour; the advantage is on our side

przewal|ać *v imperf* — **przewal|ić** *v perf* [I] *vt* 1. (*przewracać*) to overturn; to upset; to throw (sb, sth) over; to bring (sb, sth) down 2. (*toczyć*) to roll; to roll (sth) over [II] *vr* **~ać, ~ić się** 1. (*wywracać się*) to roll (*vi*); to toss (**w łóżku** in one's bed); (*o delfinach w morzu, zwierzętach w rzece itd.*) to roll; to wallow; *przen.* **~ać się po złocie** to be rolling in money 2. (*przewracać siebie wzajemnie*) to roll each other about (on the grass etc.) 3. (*o statku — zapadać się w wodzie*) to roll (*vi*) 4. (*o chmurach, dymie, falach itd. przetaczać się*) to roll; to billow; to surge; to roll <to sweep> by; **~ające się fale** rolling waves 5. (*przechodzić, przejeżdżać — o tłumie*) to throng (**przez ulice** the streets); to sweep (**przez jakiś teren** over an area); (*o armii, zarazie itd.*) to sweep (**przez kraj** over a country)

przewalcować *vt perf* to roll (a lawn, field, steel rails etc.)

przewa|ł *sm G.* **~łu** *L.* **~le** *techn.* (furnace) bridge

przewałkonić *vt perf* to laze away (one's time)

przewałkować *vt perf* 1. (*wałkować*) to roll; to flatten (with a roller, a rolling-pin) 2. *przen.* (*przedyskutować*) to thrash out (a question)

przewarstwienie *sn* regroupment (of social classes)

przewarstwowanie *sn geol.* interbedding

przewartościować *vt perf* — **przewartościowywać** *vt imperf* to revalue

przewartościowanie *sn* (↑ **przewartościować**) revaluation

przewartować *vt perf* to stand on sentry (a given space of time)

przeważ|ać *v imperf* — **przeważ|yć** *v perf* [I] *vt* (*sprawdzić wagę*) to check the weight (**coś** of sth) [II] *vi* 1. (*być cięższym*) to overweigh <to overbalance> (**nad czymś** sth) 2. (*występować w większej ilości*) to prevail; to predominate 3. (*mieć przewagę*) to prevail; to predominate; to be uppermost [III] *vr* **~ać, ~yć się** to incline (*vi*) (on a side etc.)

przeważając|y *adj* superior; prevailing; predominant; **~a część** the greater <the best> part; the bulk; the mass; **w ~ej części <mierze>, w ~ym stopniu** for the most part; predominatingly; preponderatingly

przeważanie *sn* (↑ **przeważać**) overbalance; overweight; excess weight

przeważnie *adv* largely; mostly; chiefly; predominantly; preponderatingly; in the main; for the most part; in most cases; most (people, children etc.)

przeważny *adj* prevailing; predominating

przeważyć *zob.* **przeważać**

przewąchać *vt perf* — **przewąchiwać** *vt imperf* 1. (*wyczuć za pomocą węchu*) to scent; to smell <to nose> out 2. *sl.* (*domyślić się*) to scent (a plot etc.)

przewekslować *vt perf* to switch (**pociąg na inny tor** a train on to another line)

przewertować *vt perf* to turn over the pages (**książkę** of a book); to look over <to skim> (**czasopismo itd.** a magazine etc.)

przewędrować *vt perf* 1. (*przebyć przestrzeń*) to wander (**kraj itd.** about a country etc.); to rove <to ramble> (**kraj** over a country) 2. (*spędzić jakiś czas na wędrowaniu*) to wander about <to rove a region, to ramble> (for some time)

przewędrowanie *sn* (↑ **przewędrować**) wanderings; rambles

przewędz|ić *vt perf* **~ę, ~ony** to oversmoke (ham etc.)

przewę|zić *v perf* **~żę, ~żony** — **przewę|żać** *v imperf* [I] *vt* to narrow (sth) [II] *vr* **~zić, ~żać się** to narrow (*vi*)

przewężenie *sn* 1. (↑ **przewęzić**) 2. (*miejsce zwężone*) (a) narrowing; (a) narrowness; contraction 3. *med.* strangulation narrowness 4. *techn.* choke (of a barrel); neck; necking (down)

przewi|ać *v perf* **~eje** — **przewi|ewać** *v imperf* [I] *vt* 1. (*o wietrze — przeniknąć*) to cause a draught (**pokój itd.** in a room etc.) 2. (*spowodować, że ktoś odczuł zimno*) to chill (**kogoś** sb) 3. (*przepędzić*) to disperse <to scatter> (clouds etc.) 4. (*oddzielić ziarno od plew*) to winnow [II] *vi* (*o wietrze — przeciągnąć*) to blow

przewiadywać się *vr imperf* — **przewiedzieć się** *vr perf* (*dowiedzieć się*) to find out; to be told; (*zbierać wiadomości*) to inquire

przewianie *sn* (↑ **przewiać**) (a) draught; chill

przewiąs|ło *sn pl G.* **~eł** = **powrósło**

przewią|zać *v perf* **~że** — **przewią|zywać** *v imperf* [I] *vt* 1. (*opasać*) to tie; to bind up (one's hair etc.); to bind (**sobie brzuch pasem itd.** a belt round one's waist etc.) 2. (*zabandażować*) to tie up <to dress, to bandage> (a wound) 3. *imperf* (*spełniać funkcję opaski*) to bind; to encircle [II] *vr* **~zać, ~zywać się** to tie (**czymś** sth) round one <round one's waist>

przewiąz|ka *sf pl G.* **~ek** bandeau; sash; (*na włosy*) head-band; (*na ranę*) bandage; (*na oku*) bandage; patch

przewiązywać *zob.* **przewiązać**

przewidująco *adv* providently; with foresight; with perspicacity

przewidujący *adj* foreseeing; far-sighted; provident; perspicacious; **być ~m** to look ahead; to have foresight; **mało ~** unforeseeing; improvident

przewi|dywać *v imperf* — **przewi|dzieć** *v perf* **~dzi** [I] *vt* 1. (*odgadywać, co będzie*) to foresee; to forecast; **~dywać, ~dzieć wszystkie ewentualności** to be prepared for every contingency; to leave nothing to chance; **~dywany przebieg pogody** weather forecast 2. (*spodziewać się*) to anticipate <to contemplate> (sth, doing sth); to allow (**wypadki itd.** for accidents etc.) 3. (*planować*) to provide (**coś** for sth); (*o umowie itd.*) to stipulate (**coś** for sth); **to (nie) było ~dziane** it was (not) provided for; **ustawa ~duje, że ...** the law provides that ... [II] *vr* **~dywać, ~dzieć się** 1. (*ukazywać się*) to appear; to loom 2. *perf imp* (*wydawać się*) **coś mi <mu itd.> się ~działo** I <he etc.> had the impression of having seen sth; **to ci się ~działo** you've been seeing things *zob.* **przewidzieć**

przewidywa|nie *sn* 1. (↑ **przewidywać**) 2. (*przypuszczenie*) expectation; anticipation; prevision; *meteor.* forecast; **wbrew ~niom** contrary to expectation; **według ~ń** according to expectation; as was expected; **w ~niu czegoś** in anticipation of sth

przewidzeni|e *sn* 1. ↑ **przewidzieć; możliwy do ~a** foreseeable; **niemożliwy do ~a** unforeseeable; unpredictable; **to było do ~a** it was to be expected 2. (*złudzenie wzrokowe*) hallucination

przewidzieć *vt perf* 1. *zob.* **przewidywać** 2. (*odzyskać wzrok*) to recover one's eyesight

przewiedzieć się *zob.* **przewiadywać się**

przewielebność *sm* (*decl* = *sf*) *singt tylko w wyrażeniu:* **Wasza Przewielebność** Your Reverence

przewielebny *adj* Reverend

przewierc|ać *vt imperf* — **przewierc|ić** *vt perf* **~ę, ~ony** 1. (*wiercąc robić otwór*) to bore a hole (**coś** through sth); to drill (sth) through 2. *przen.* (*o oczach, wzroku*) to pierce (sth)

przewiercenie *sn* ↑ **przewiercić**

przewiercić *zob.* **przewiercać**

przewiercień *sm bot.* (*Bupleurum*) thoroughwax, hare's-ear

przewierszować *vt perf lit.* to turn into verse

przewiert|ek *sm G.* **~ka** *paleont. zool.* (*Terebratula*) terebratula; *pl* **~ki** (*Terebratulidae*) (*rodzina*) the family Terebratulidae

przewiertniowat|y *bot.* [I] *adj* caprifoliaceous [II] *spl* **~e** (*Caprifoliaceae*) (*rodzina*) the honeysuckle family

przewie|sić *v perf* **~szę, ~szony** — **przewie|szać** *v imperf* [I] *vt* 1. (*przełożyć*) to hang <to sling> (**coś przez parkan itd.** sth over a fence etc.); **mieć <nieść> coś ~szonego na szyi <przez plecy>** to have <to carry> sth slung round one's neck <over one's shoulder> 2. (*zdjąć i zawiesić gdzie indziej*) to rehang (pictures, curtains etc.); to hang (one's overcoat etc.) on another peg [II] *vr* **~sić, ~szać się** 1. (*przechylić się*) to lean (**przez coś** over sth) 2. (*być przewieszonym*) to hang (**przez coś** over sth)

przewiesz|ka *sf pl G.* **~ek** *geogr.* overhanging rock
przewietrzać *vt imperf* — **przewietrzyć** *vt perf* 1. (*umożliwiać dopływ świeżego powietrza*) to air <to ventilate> (a room etc.); *roln.* to aerate (the soil) 2. *pot.* (*prowadzić na przechadzkę*) to take (sb, a dog, a horse etc.) out for an airing *zob.* **przewietrzyć**
przewietrzenie *sn* (↑ **przewietrzyć**) (an) airing; ventilation; *roln.* aeration (of the soil)
przewietrznik *sm* 1. *roln.* aerator 2. *techn.* ventilator
przewietrzyć *v perf* [I] *vt zob.* **przewietrzać** [III] *vr* **~ się** 1. (*zostać przewietrzonym*) to be aired <ventilated, aerated> 2. *pot.* (*zaczerpnąć świeżego powietrza*) to take the air <an airing> 3. *pot.* (*udać się w podróż*) to go (somewhere <abroad>) for a change
przewiew *sm G.* **~u** breath of air; whiff; draught; gust of wind
przewiewać *zob.* **przewiać**
przewiewnia *sf techn.* cooler
przewiewnie *adv* airily; **w pokoju było ~** the room was well aired; **zrobiło się ~j** it was less close; there was a breath of air
przewiewność *sf singt* airiness; *roln.* aeration
przewiewny *adj* (*o pomieszczeniu*) airy; (*o otwartym miejscu*) breezy; (*o tkaninie*) airy; sheer; (*o glebie*) friable; (*o ubiorze*) cool
przewiezienie *sn* (↑ **przewieźć**) transport, transportation; carriage; conveyance
przew|ieźć *v perf* **~iozę, ~iezie, ~iózł, ~iozła, ~ieźli, ~ieziony** — **przew|ozić** *v imperf* [I] *vt* 1. (*przetransportować*) to transport; to carry; to convey; to take over; (*końmi*) to cart <to haul> (goods); (*statkiem*) to freight; (*samolotem*) to fly (**kogoś, coś dokądś** sb, sth to a place); **~ieźć, ~ozić na drugą stronę** to transport <to carry, to convey, to ferry> across 2. (*trochę pojeździć z kimś*) to take (sb) for a ride <a drive>; to give (sb) a ride [III] *vr* **~ieźć, ~ozić się** to be transported <carried, conveyed, ferried, flown> (across)
przewięd|nąć *vi perf* **~ła** to fade <to wither> completely
przewijacz *sm pl G.* **~y** <**~ów**> (*robotnik obsługujący cewiarkę*) reeler
przewijacz|ka *sf pl G.* **~ek** 1. *techn.* re-reeling <rewinding> machine; rewinder 2. (*robotnica obsługująca cewiarkę*) reeler
przewi|jać *v imperf* — **przewi|nąć** *v perf* [I] *vt* 1. (*owijać na nowo*) to re-wrap (a parcel etc.); to bandage <to dress> (a wound) anew; to change the bandage (**ranę** of a wound); **~jać, ~nąć dziecko** to change a baby <a baby's napkin>; *am.* to diaper a baby 2. (*odwijając z jednej szpulki nawinąć na drugą*) to rewind; to rereel [III] *vr* **~jać, ~nąć się** 1. (*przechodzić, przejeżdżać*) to pass and repass; to bustle about; (*przelatywać*) to flit by 2. *przen.* to pass (somewhere); **ludzie, którzy się ~nęli przez moje życie** the people I have known <I have come across> 3. (*przedostawać się*) to wind <to thread> one's <its> way 4. (*przemykać się*) to slip through 5. (*ukazywać się i niknąć*) to come and go; to appear and disappear; *przen.* **myśl ~nęła mi się przez głowę** a thought crossed my mind
przewijar|ka *sf pl G.* **~ek** *techn.* reeling <winding> machine; winder

przewina † *sf* = **przewinienie**
przewinąć *zob.* **przewijać**
przewinieni|e *sn* offence; delinquency; **drobne ~e** peccadillo, trifling offence; **winny ~a** delinquent
przewinięcie *sn* ↑ **przewinąć**
przewl|ec *v perf* **~okę, ~ecze, ~ókł, ~okła, ~ekli, ~eczony** — **przewl|ekać** *v imperf* [I] *vt* 1. (*przesunąć*) to pass (**coś przez otwór itd.** sth through an aperture etc.); **~ec, ~ekać nitkę przez igłę** to thread a needle; to pass a thread through the eye of a needle 2. *przen.* to cross (the sky etc.) 3. (*wlokąc przesunąć dalej*) to drag along (**kogoś, coś dokądś** sb, sth somewhere) 4. (*przedłużyć czas trwania*) to draw out; to prolong; to protract 5. (*opóźnić*) to retard; to delay; to impede 6. (*zmienić bieliznę*) to put fresh sheets (**pościel** in a bed); to case (a pillow) [III] *vr* **~ec, ~ekać się** 1. *dosł. i przen.* (*przepełznąć*) to crawl along 2. (*przedłużyć się*) to drag on
przewleczenie *sn* (↑ **przewlec**) 1. (*przedłużenie*) retardation; prolongation; protraction 2. (*opóźnienie*) delay
przewlekać *zob.* **przewlec**
przewlekanie *sn* ↑ **przewlekać**
przewlekle *adv* 1. (*w sposób przewlekły*) protractedly; **~ chory** chronically <inveterately> ill 2. (*rozwlekle*) lengthily; at great length
przewlekłość *sf singt* 1. (*przedłużające się trwanie*) protracted duration; protractedness; *med.* chronicity; inveterateness 2. (*rozwlekłość*) lengthiness; prolixity
przewlekły *adj* 1. (*trwający długo*) protracted; lengthy; long-drawn-out; (*o spojrzeniu*) lingering; (*o chorobie*) chronic; long-drawn; long-continued; inveterate; lasting (cold etc.) 2. (*rozwlekły*) lengthy; prolix
przewłaszczenie *sn prawn.* alienation (of property)
przewłoka *sf mar.* **~ burtowa** hawser port; mooring pipe
przewodni *adj* leading; guiding (principle etc.); **gwiazda ~a** lodestar; pole-star; *muz.* **motyw ~** leitmotiv; **myśl ~a** keynote; *kość.* **niedziela ~a** Low Sunday; *bot. ogr.* **rośliny ~e** indicator plants
przewodnictw|o *sn singt* 1. (*kierownictwo*) leadership; presidency; generalship; (*na zebraniu*) chairmanship; **objąć ~o** to take the chair; **oddać komuś ~o** to vote sb into the chair 2. (*zawód przewodnika turystycznego*) guideship; occupation of a guide of sightseers; **wycieczka pod fachowym ~em** conducted tour 3. *chem. fiz.* **conductance**; conduction; conducting power; conductivity; **~o cieplne** <**właściwe**> thermal conductivity
przewodnicząca *sf* (*decl* = *adj*) lady president; presiding officer
przewodnicząc|y *sm* (*decl* = *adj*) 1. (*kierujący obradami*) chairman; *parl.* **~y Izby** Speaker; **zwrócić się do ~ego** to address the chair 2. (*kierownik zespołu*) president
przewodniczenie *sn* (↑ **przewodniczyć**) chairmanship
przewodniczka *sf* 1. (*kobieta przewodnik*) leader; guide 2. (*kierowniczka*) president 3. (*samica prowadząca stado*) leader (of a herd)
przewodniczy *adj* leading; guiding; (society etc.) of guides
przewodniczy|ć *vi imperf* 1. (*kierować przebiegiem obrad*) to preside (at a meeting); to be in the

chair 2. *przen.* (*o idei, zasadzie*) to predominate; to be predominant; **~ła im myśl, że ...** the predominant idea among them was that ...

przewodnik *sm* 1. (*wskazujący drogę lub oprowadzający*) guide; (*o wycieczce*) **prowadzony przez fachowego ~a** personally conducted (tour) 2. (*przywódca*) guide; leader 3. (*w stadzie*) leader; (*w stadzie owiec*) bellwether 4. (*książka*) guide (-book); itinerary 5. *fiz. chem.* conductor; **zły ~** bad conductor; non-conductor

przewodnikowy *adj* of the nature of a guide-book

przewodność *sf singt* = **przewodnictwo** 3.

przewodowy *adj* 1. (*w urządzeniach wodnokanalizacyjnych*) line <main> — (pipe etc.) 2. (*połączony przewodem*) wire — (radio etc.) 3. *med.* conducting — (fibre etc.); ductal

przewodzący *adj fiz.* conductive

przewodzenie *sn* ↑ **przewodzić** 1. (*kierownictwo*) leadership; (*dowodzenie*) command 2. (*przenoszenie, przekazywanie*) conducting; conveyance; transmitting, transmission; *fiz.* conductivity; conduction

przewodz|ić *v imperf* **~ę, ~ony** [I] *vt* 1. (*kierować*) to lead (**komuś, zespołowi** sb, a group); to be the leader (**grupie** of a group); *wojsk.* to command (**oddziałowi** a unit); **~ić orkiestrze** to conduct an orchestra 2. *biol.* (*o nerwach*) to conduct; to transmit; *bot.* (*o komórkach*) to conduct; to convey; to carry 3. *fiz.* to conduct (heat, electricity); to be (a good, bad) conductor [II] *vi* to domineer (**nad kimś** over sb); **nie dawać innym ~ić nad sobą** to assert oneself

przewołać *vt perf pot. fot.* to overdevelop

przewozić *zob.* **przewieźć**

przewozow|y *adj* transport — (agent, charges etc.); **list ~y** bill of lading; way-bill; **przedsiębiorca ~y** transporter; haulage contractor; carter; **środki ~e** means of transport

przewoźnictwo *sn* transport; carriage; haulage; cartage; ferrying; freightage

przewoźnik *sm* transport agent; carrier; haulage contractor; carter; ferryman; freighter; boatman; wherryman

przewoźność *sf singt* transportability

przewoźn|y [I] *adj* transportable; *techn.* mobile [II] *sn* **~e** (*opłata*) transport charges; portage; freight

przewożenie *sn* (↑ **przewozić**) transport; carriage; conveyance; haulage; cartage; ferrying; freightage

przew|ód *sm G.* **~odu** 1. (*kanał, rura*) pipe; line; channel; conduit; (gas, water) main; **~ód dymowy** flue; vent; uptake; **~ód kompensacyjny** expansion pipe; *bot.* **~ód żywiczny** resin duct 2. *elektr.* wire; conductor (lead); *pl* **~ody** line 3. *prawn.* procedure; proceedings; pleadings; **~ód sądowy** legal proceedings; *uniw.* **~ód doktorski** postgraduate <doctoral> studies; **wszcząć <otworzyć> ~ód doktorski** to start doctoral studies 4. *anat.* canal; duct; meatus; (bronchial etc.) tube; **~ód pokarmowy** alimentary canal; **~ód słuchowy** acoustic duct 5. (*u strzelby*) bore 6. † (*dowództwo*) command; *obecnie w zwrocie:* **pod czyimś ~odem** under sb's command <leadership>

przewód|ka *sf G.* **~ek** *roln.* a variety of wheat

przew|óz *sm G.* **~ozu** 1. (*przewiezienie*) transport; carriage; conveyance; haulage; cartage; ferrying; freightage; **koszty ~ozu** transport charges; portage; freight; **środki ~ozu ludności** public means of conveyance 2. (*przystań rzeczna*) landing stage

przewr|acać *v imperf* — **przewr|ócić** *v perf* **~ócę, ~ócony** [I] *vt* 1. (*obalać*) to overturn; to overthrow; to upset; to throw (sb, sth) over; to tumble (sb, sth) down; to topple (sth) down <over>; (*pchnięciem*) to push down <over>; (*uderzeniem*) to knock (sth, sb) over; (*przez pociągnięcie*) to pull (sth) over; *przen.* **~acać koziołka** to turn a somersault; *sl.* **~acać komuś kiszki** to make sb sick 2. (*odwracać spodem na wierzch*) to turn (sth) over <upside down>; to invert <to reverse> (sth); to upturn (the soil); to ted (new-mown grass); (*obracać na bok*) to turn (sth) round; **~acać na drugą stronę** to reverse (sth); **~acać coś na wszystkie strony** to turn sth about; **nie dający się ~ócić** irreversible; *przen.* **~ócone pojęcia** new-fangled ideas; *przen. pot.* **~acać oczami** to turn up the whites of one's eyes 3. (*szperać*) to disturb (sb's papers etc.); *dosł. i przen.* (*przetrząsać*) (*także* **~acać coś <wszystko> do góry nogami**) to turn sth <everything> upside down; **~acać, ~ócić wszystko w domu itd.** to ransack <to rummage> a house etc.; **wszystko jest ~ócone do góry nogami** things are in a tumble [II] *vi* to turn everything upside down (**w szufladzie, pokoju itd.** in a drawer, room etc.); to rummage (**w szufladzie itd.** a drawer etc.); *przen.* **~ócić komuś w głowie** to turn sb's head <sb's brain>; **mieć ~ócone w głowie** to be conceited; to have a swelled head [III] *vr* **~acać, ~ócić się** 1. (*padać*) to fall over <down>; to be upset <overthrown>; (*o człowieku*) to fall head over heels; (*padać do tyłu*) to fall back; *pot.* **kiszki się ~acają, kiedy się widzi <słyszy itd.>** it makes one sick <turns one's stomach> to see <to hear etc.>; **~óciło mu się w głowie (od tego sukcesu itd.)** his head has turned (with that success etc.) 2. (*wywracać się na bok*) to turn round; (*wywracać się do góry nogami*) to overturn; to turn over <upside down>; to roll over; (*o łodzi, statku*) to capsize; to keel over; *przen.* **świat się ~ócił do góry nogami** the world has gone mad 3. (*obracać się na bok*) to turn over <round>; **~acać się z boku na bok** to toss (in one's bed) 4. (*tarzać się*) to roll; to wallow

przewracanie *sn* ↑ **przewracać**

przewrażliwienie *sn singt* touchiness; oversensitiveness; hypersensitivity

przewrażliwiony *adj* touchy; oversensitive; hypersensitive; high-strung; high-wrought

przewrotnie *adv* perfidiously; false-heartedly; deceitfully; perversely

przewrotność *sf singt* perfidy, perfidiousness; false-heartedness; deceit; perverseness; perversity

przewrotny *adj* perfidious; false-hearted; deceitful; double-dealing; perverse

przewrotowy *adj* 1. (*o odkryciu itd.*) revolutionary 2. (*o działalności politycznej*) subversive

przewrócenie *sn* (↑ **przewrócić**) (an) overturn <overthrow>; subversion; upturn; inversion; reversal; **~ się** fall; turn-over; overthrow; **~ się łodzi** capsizal of a boat

przewrócić *zob.* **przewracać**

przewr|ót *sm G.* **~otu** 1. (*nagła zmiana*) revolution; upheaval; radical change; *polit.* coup d'état 2.

muz. inversion (of interval, of chord) 3. *lotn. sport* turnover

przewspaniały *adj lit.* magnificent; admirable

przewybornie *adv lit.* exquisitely; excellently

przewyborny *adj lit.* exquisite; excellent

przewyż|ka *sf pl G.* **~ek** (*nadwyżka*) excess; surplus

przewyższ|ać *vt imperf* — **przewyższ|yć** *vt perf* 1. (*być wyższym*) to (over)top; to be taller <to stand higher> (**kogoś, coś** than sb, sth) 2. *przen.* to surpass; to be a cut above (sb, sth); to be superior (**kogoś, coś pod jakimś względem** to sb, sth in respect of ...) 3. (*górować*) to exceed <to surpass> (**kogoś, coś o tyle <o *x* procent>** sb, sth by so much <by *x* per cent>); to excel <to outdo, to outstrip, to outclass> (**kogoś, coś czymś — siłą, rozmiarem itd.** sb, sth in sth — in strength, size etc.); to be predominant (**kogoś, coś** over sb, sth); **~ać, ~yć liczebnie** to outnumber

przewyższenie *sn* 1. (↑ **przewyższyć**) superiority; predominance 2. *lotn.* overheight

przewyższyć *zob.* **przewyższać**

przez *praep* 1. (*określa ruch w przestrzeni ograniczonej*) across (the street, fields, the ocean etc.); through (a forest, room, town etc.); (*na wylot*) through (a plank, wall, armour plate etc.) 2. (*określa ruch ponad czymś <coś>*) over (a fence, ditch, barrier etc.) 3. (*określa ruch dotyczący części ciała*) over; on; across; **nieść coś przewieszone ~ plecy** to carry sth over one's shoulder; **uderzyć kogoś ~ głowę <twarz, plecy>** to knock sb on the head <across the face, across the back> 4. (*odnosi się do przegrody*) across; on the other side of; **mieszkają ~ podwórze** they live across the yard; **~ płot <ścianę itd.>** on the other side of the fence <of the wall etc.> 5. (*określa równoległość stanowiącą miarę*) right across; **odkroił kromkę ~ cały bochen** he cut off a slice right across the loaf 6. (*określa przeciąg czasu*) for (a moment, an hour, centuries etc.); through (the summer, winter, the ages etc.); over (Sunday, the week-end etc.); during (the last few days etc.); *nie tłumaczy się:* **mieszkałem tam ~ wiele lat** I lived there a good many years; **stał ~ chwilę bez ruchu** he stood a moment motionless 7. (*w konstrukcjach biernych*) by (us, machines, fire, water etc.) 8. (*w mnożeniach i dzieleniach*) by; **mnożyć <dzielić> ~ 2 <5 itd.>** to multiply <to divide> by 2 <5 etc.> 9. (*określa narzędzie, sposób*) by (phone, post, signs, doing, saying etc.); through (a messenger, a firm, a friend etc.) 10. (*określa przyczynę*) through (oversight, stupidity, ignorance, sb's fault etc.); by (mistake, chance, accident etc.); out of (pity, politeness, kindness etc.); owing to (bad weather, difficulties etc.); on account of (ill health, the lack of ... etc.); by dint of (hard work, pertinacity etc.); because of (you, him etc.); **to wszystko ~ ciebie** it's all through you; it's your fault; you are to blame

przezabawny *adj* extremely amusing <funny>; side-splitting; killing

przezacny *adj rz.* (*niezwykle zacny*) most kind(ly); extremely kind-hearted <friendly, good-natured, benevolent>; (*czcigodny*) worthy; honourable

przeze *praep* = **przez**; **~ mnie** through me; **~ń** through <by> him

przeziera|ć *v imperf* [I] *vt* † (*przeglądać*) to look over (a book etc.) [II] *vi* (*dawać się widzieć*) to show <to appear, to be visible> (through sth); **z jego oczu ~ chciwość** greed looks through his eyes

przeziernica *sf* = **przeziernik** 3.

przeziernik *sm* 1. *bud.* spy-hole 2. (*przyrząd celowniczy*) sight 3. *opt.* (*w aparacie pomiarowym*) sight vane 4. *zool.* (*Sesia*) a moth of the family Sesiidae

przeziernikowy *adj techn.* sighted (instrument)

przezierny *adj med.* transparent

przeziębi|ć *v perf* — **przeziębi|ać** *v imperf* [I] *vt rz.* to chill (**roślinę** a plant) [II] *vr* **~ć, ~ać się** 1. (*zachorować z przemarznięcia*) to catch (a) cold <a chill> 2. *pot.* (*przestygnąć*) to grow cold

przeziębienie *sn* 1. ↑ **przeziębić** 2. (*choroba*) (a) cold; (a) chill

przeziębiony [I] *pp* ↑ **przeziębić** [II] *adj* with a cold (in the head); suffering from a cold; **jestem ~** I have a (bad) cold

przezi|ębnąć *vi perf* **~ąbł** <**~ębnął**>, **~ębła** to be cold <frozen>; **~ębłem** I am <was> cold <frozen>

przezim|ek *sm G.* **~ka** *myśl.* one-year-old animal

przezimować *vi perf* (*przebyć gdzieś zimę*) to spend the winter (somewhere); (*o roślinach*) to last through the winter; *zool. bot.* to hibernate

przezimowanie *sn* (↑ **przezimować**) *zool. bot.* hibernation

przezmian *sm* = **bezmian**

przezmian|ka *sf pl G.* **~ek** *zool.* halter; *pl* **~ki** halteres

przeznaczać *zob.* **przeznaczyć**

przeznaczeni|e *sn singt* 1. ↑ **przeznaczyć** 2. (*cel, do którego coś jest przeznaczone*) appropriation; assignment; purpose; **miejsce ~a** destination; **zgodnie z ~em** appropriately; duly 3. (*cel życia*) destiny; lot; fate 4. (*los*) destiny; fate; doom; predestination

przeznacz|yć *vt perf* — **przeznacz|ać** *vt imperf* 1. (*określić z góry cel*) to appropriate <to assign, to design> (**coś na coś** sth for sth; **coś na jakiś cel** sth for <to> a purpose); **~yć, ~ać ziemię pod zboże <pod trawę>** to put land into corn <into grass>; **to było ~one** it was foreordained 2. (*z góry określić zakres obowiązków, działalności*) to intend <to destine, to predestine> (**kogoś do czegoś** sb for sth; **coś do jakiegoś celu** sth for a purpose); to allocate (**fundusze na jakiś cel** funds to a purpose); to reserve <to set apart, to ear-mark> (**fundusze na coś** funds for sth); **to było ~one dla ciebie** this was meant for you

przezornie *adv* 1. (*zapobiegliwie*) far-sightedly; providently; perspicaciously 2. (*ostrożnie*) cautiously; warily

przezornoś|ć *sf singt* 1. (*zdolność przewidywania*) far-sightedness; foresight; providence; **brak ~ci** improvidence 2. (*ostrożność*) caution; circumspection

przezorny *adj* 1. (*przewidujący*) foreseeing; far-sighted; provident; perspicacious 2. (*ostrożny*) cautious; wary; circumspect 3. (*wynikający z przewidywania*) provident; perspicacious 4. (*wynikający z ostrożności*) cautious; wary

przezrocz|e <**przeźrocz|e**> *sn pl G.* **~y** 1. (*obraz fotograficzny*) slide 2. *arch.* open-work

przezroczowy *adj fot.* **aparat ~** magic lantern

przezroczystość <**przeźroczystość**> *sf singt* transparence, transparency; limpidity; pellucidness

przezroczysty <**przeźroczysty**> *adj* 1. (*przepuszczający promienie świetlne*) transparent; limpid; pellucid 2. (*ażurowy*) open-work (pattern, lace gloves etc.)

przezroczyście <**przeźroczyście**> *adv* transparently; limpidly; pellucidly

przez|wać *vt perf* **~wę, ~wie, ~wij** — **przezywać** *vt imperf* to nickname <to surname, to dub> (**kogoś łyskiem itd.** sb baldpate etc.) *zob.* **przezywać**

przezwanie *sn* (↑ **przezwać**) (a) nickname; (a) surname

przezwisk|o *sn* 1. (*nadana nazwa*) surname; nickname 2. (*wyzwisko*) bad <abusive> name; **obrzucić kogoś ~ami** to revile <to insult> sb

przezwiskowy *adj* abusive; insulting

przezwycięż|ać *v imperf* — **przezwycięż|yć** *v perf* [I] *vt* to overcome <to surmount> (difficulties etc.); to conquer (a habit, passion etc.); **wszystko ~yć** to carry all before one [III] *vr* **~ać, ~yć się** to control oneself; to master <to overcome> a feeling <a passion, one's emotion, anger etc.>

przezwyciężeni|e *sn* ↑ **przezwyciężyć; nie do ~a** unsurmountable; insuperable; **~e się** control of oneself; mastery over one's feelings <emotions etc.>

przezwyciężyć *zob.* **przezwyciężać**

przezywać *v imperf* [I] *vt* 1. *zob.* **przezwać** 2. (*ubliżać*) to abuse <to revile, to insult> (sb); *pot.* to call (sb) names [III] *vr* **~ się** to call each other (bad) names; to abuse <to revile, to insult> each other

przeźrocze *zob.* **przezrocze**

przeźroczystość *zob.* **przezroczystość**

przeźroczysty *zob.* **przezroczysty**

przeźroczyście *zob.* **przezroczyście**

przeżarcie *sn* (↑ **przeżreć**) corrosion

przeżegnać *v perf* [I] *vt* 1. (*zrobić ręką znak krzyża*) to make the sign of the cross over (sb, sth) 2. *przen. żart.* (*uderzyć*) to bash; to whack; to land (sb) one [III] *vr* **~ się** to make the sign of the cross; to cross oneself

przeżerać *zob.* **przeżreć**

przeżeranie *sn* (↑ **przeżerać**) corrosiveness

przeżółk|nąć *vi perf* **~ł, ~ły** to become <to turn> yellow

przeż|reć *v perf* — **przeż|erać** *v imperf* **~re, ~ryj, ~arł, ~arty** [I] *vt* 1. (*o rdzy, kwasach*) to corrode; to eat holes (**coś** in sth) 2. *przen.* (*o uczuciach itd.*) to consume; to eat up 3. *pot.* (*przejeść*) to guzzle away (a fortune etc.) [III] *vr* **~reć, ~erać się** 1. (*o rdzy, kwasach*) to corrode <to eat into> (sth) 2. *pot.* (*przejeść się*) to stuff oneself sick

przeżuć *zob.* **przeżuwać**

przeżuwacz *sm zool.* ruminant

przeżu|wać *v imperf* — **przeżu|ć** *v perf* **~je, ~ty** [I] *vt* 1. (*rozdrabniać przez żucie*) to masticate; to chew 2. *imperf przen.* (*rozważać*) to ruminate <to ponder> (**coś** over sth) [III] *vi imperf* (*o zwierzętach*) to ruminate; to chew the cud

przeżuwanie *sn* (↑ **przeżuwać**) rumination; chewing the cud

przeżuwina *sf* cud

przeżycie *sn* ↑ **przeżyć** 1. (*pozostanie przy życiu*) survival; *prawn.* survivorship; survivance 2. (*emocja*) experience; exciting <thrilling> moment <experience>; **ciężkie** <**bolesne**> **~** painful <distressing, heart-rending> moment <experience>; **miłe ~** pleasant <happy> moment <experience>

przeżyciowy *adj* experiential

przeży|ć *v perf* **~je, ~ty** — **przeży|wać** *v imperf* [I] *vt* 1. (*spędzić czas żyjąc*) to live (a space of time); (*o chorym*) to live out (the night, week etc.); **~ć na nowo** to relive 2. (*przetrwać*) to survive; to outlast; to outlive; to bear <to get over> (a loss, sb's death etc.); **nie mógł ~ć tej straty** he was inconsolable for the loss 3. (*doznać emocji*) to experience (pleasures, suffering etc.); to feel (the effects of a catastrophe etc.) 4. *przen.* (*przejść*) to go <to pass> through (hard times, a crisis etc.); **najszczęśliwsze chwile, jakie ~wałem** the happiest moments of my life 5. (*wydać na życie*) to spend on food; to eat (one's estate etc.) 6. *perf* (*zostać dłużej przy życiu*) to outlive (sb, sth); **to nas ~je** it will last our time; **~ć samego siebie** to outlive one's day [II] *vi* to live on (**w pamięci ludzkiej, w sercach** in men's memory, in men's hearts) [III] *vr* **~yć, ~wać się** 1. (*stać się nieaktualnym*) to fall into disuse <desuetude>; to become antiquated; to be played out 2. (*stracić swoje znaczenie za życia*) to outlive one's day; to be played out

przeżyt|ek *sm G.* **~ku** 1. (*pozostałość z przeszłości*) survival <relic> (of the past) **to jest ~ek** that is antiquated <outdated, outmoded> 2. (*o człowieku*) old-timer 3. *zool. bot. geogr.* relict

przeżytkowo *adv* obsoletely; **utrzymać się ~** to remain as a survival <in relict form>

przeżyty [I] *pp* ↑ **przeżyć** [III] *adj* 1. (*przestarzały*) antiquated; obsolete; outdated; outmoded 2. (*zblazowany*) blasé

przeżywać *zob.* **przeżyć**

przeżywalność *sf singt biol.* survival rate

przeżywanie *sn* ↑ **przeżywać**

przeżywi|ć *v perf* — **przeżywi|ać** *v imperf* [I] *vt* to feed; to nourish (for a time) [III] *vr* **~ć, ~ać się** to feed (*vi*); **~ć, ~ać się przy kimś** to share sb's meals; to eat at sb's table (for a time)

przędn|y *adj techn.* spinnable; *zool.* **brodawka ~a** spinneret; **gruczoł ~y** spinning gland

przędza *sf* 1. *tekst.* yarn; **~ bawełniana** darning thread; **~ wstępna** slub 2. *zool.* (spider's, caterpillar's) thread of silk

przędzal|nia *sf pl G.* **~ni** <**~ń**> 1. (*dział fabryki*) spinning room (of a cotton mill) 2. (*fabryka*) spinning factory; cotton <spinning> mill 3. (*maszyna*) spinning machine

przędzalniany *adj* spinning — (room etc.)

przędzalnictwo *sn singt* spinning

przędzalniczy *adj* spinning — (machine etc.)

przędzalny *adj* spinnable

przędzar|ka *sf pl G.* **~ek** spinning machine <frame>; throstle; (spinning-)jenny

przędzenie *sn* (↑ **prząść**) spinning; spinner's work; **~ wstępne** rove

przędzior|ek *sm G.* **~ka** *zool.* (*Tetranychus altheae*) red spider

przędziwo *sn* 1. (*materiał, z którego wyrabia się przędzę*) textile fibre; spinning material 2. (*przędza*) yarn

przęs|ło *sn pl G.* **∼eł** <**∼l**> 1. *bud.* bay; span 2. *mar.* span

przęst|ka *sf pl G.* **∼ek** *bot.* (*Hippuris vulgaris*) mare's tail

przęstkowaty *bot.* [I] *adj* hippurid [II] *spl* (*Hippuridaceae*) (*rodzina*) the family Hippuridaceae

przęślik *sm* whorl (of a spindle)

przod|ek *sm G.* **∼ku** <**∼ka**> *pl N.* **∼ki** <**∼kowie**> 1. *G.* **∼ka** (*antenat*) ancestor; forefather; forbear; *biol.* progenitor; *pl* **∼kowie** ancestry; forefathers; forbears 2. *G.* **∼ku** *górn.* forefield; heading; face; stall; end 3. *G.* **∼ku** (*u wozu*) fore-carriage; (*u pługa*) wheels; *wojsk.* **∼ek armatni** limber 4. (*zw. pl*) (*u bucika*) top 5. *G.* **∼ku** (*przód czegokolwiek*) front

przodkow|y *adj górn.* **∼a ściana** face; stall

przodomóżdż|e *sn pl G.* **∼y, przodomózgowie** *sn anat.* prosencephalon

przodoskrzeln|y *zool.* [I] *adj* prosobranchiate [II] *spl* **∼e** (*Prosobranchia*) (*rząd*) the order Prosobranchia

przodować *vi imperf* (*celować*) to excel; (*przewodzić*) to lead

przodownica *sf* leader

przodownicki *adj* leader's

przodownictwo *sn* 1. (*przodowanie*) leadership 2. (*hegemonia*) hegemony; leadership

przodownicz|ka *sf pl G.* **∼ek** leader

przodowniczy *adj* leading

przodownik *sm* 1. (*ten, kto przoduje*) leader; foreman; headman 2. (*funkcjonariusz policji*) police inspector

przodowy [I] *adj* front — (part etc.) [II] *sm górn.* headman; face foreman

przodów|ka *sf pl G.* **∼ek** van; leaders; spearhead

przodujący *adj* 1. (*będący na czele*) leading 2. (*postępowy*) progressive

przodzik *sm G.* **∼u** modesty-vest, modesty-front

prz|ód *sm G.* **∼odu** 1. (*przednia część*) front; fore-part; (*u statku*) bow; fore-end; (*u wozu*) fore-carriage; *anat.* **∼ód głowy** sinciput; *w zwrotach przyimkowych*: **do ∼odu, ku ∼odowi** forward; (*o ruchu*) onward; **na ∼edzie, ∼odem** ahead; in front; (*w obrazie*) in the foreground; **iść na ∼edzie** <**∼odem**> to lead (the way, the procession, the column etc.); *mar. i przen.* **na ∼odzie i w tyle** fore and aft; **z ∼odu** in front 2. (*zw. pl*) (*przednia część obuwia*) top

prztyczek *sm dim* ↑ **prztyk**

prztyk *sm* 1. (*szczutek*) fillip; **dać komuś ∼a w nos** to take sb down a peg or two; **dostać ∼a w nos** to get a take-down; to be taken down a peg or two 2. (*dźwięk*) click; flop; **zrobić ∼** to go click <flop>

prztykać *vi imperf* — **prztyknąć** *vi perf* 1. (*uderzać palcem*) to fillip 2. (*wydawać odgłos prztyknięcia*) to go click <flop>

przy *praep* 1. (*określa bezpośrednie sąsiedztwo*) at (one's desk, table, work etc.); near (the door, window etc.); beside (me, sb etc.); next to (the house, stable etc.); by (the fireside etc.); **∼ granicy, morzu, drodze do ...** on the border <frontier>, the sea, the road to ...; **∼ kimś** by sb's side; **ramię ∼ ramieniu** shoulder to shoulder; **raz ∼ razie** time after time 2. *w związku z nazwami*: a) (*ulic*) in (**ulicy** *x x* **street**) b) (*obiektów*) near <next to> (one's shop, office etc.) c) (*instytucji*) attached to (a university etc.) d) (*części ciała*) at (one's side); on (one's neck, arm etc.); **mieć coś ∼ sobie** to have sth on one <about one> 3. (*określa czas, gdy się coś dzieje*) when (writing, eating etc.); on (coming home, opening the parcel etc.); **byłem ∼ tym, jak on to mówił** <**jak kopnął psa itd.**> I heard him say that <saw him kick the dog etc.>; **∼ czym, ∼ tym** at the same time; **∼ tej sposobności** incidentally; by the way 4. (*określa obecność osób towarzyszących*) in the presence of (witnesses, strangers etc.); with (one's wife, family etc.); with somebody by; when somebody is by 5. (*określa osobę opiekującą się, nadzorującą*) under the care (of one's mother, a governess etc.) 6. (*określa okoliczności towarzyszące*) with (a fair wind etc.); under (favourable circumstances etc.); by (lamplight, candlelight etc.); to (the sound of music, *teatr.* a full <an empty> house) 7. (*określa uzupełnienie stroju*) wearing (a sword, all one's orders etc.) 8. (*wyraża kontrast*) with (all his knowledge etc. he is very modest etc.); compared with; by the side of ... 9. (*określa pracę koło czegoś*) at <with> (a motor-cycle, a clock, sofa etc.) 10. (*określa okoliczności mające wpływ*) with <by dint of> (patience, hard work, good-will etc.); given (influence, sb's backing etc.); (*określa przyczynę*) owing to (ill health; bad weather etc.); (*z odcieniem nieskuteczności*) in spite of (efforts etc.); notwithstanding

przyaresztować *vt perf* 1. (*przytrzymać*) to apprehend; to arrest 2. (*nałożyć areszt na coś*) to seize (chattels etc.)

przybarwić *vt perf* to add colour (**coś** to sth)

przybicie *sn* ↑ **przybić**

przybi|ć *v perf* **∼je, ∼ty** — **przybi|jać** *v imperf* [I] *vt* 1. (*przymocować gwoździami*) to nail (**coś do czegoś** sth to sth, sth down to sth) 2. (*przymocować*) to fasten; to fix; to secure; to tack 3. (*przycisnąć*) to beat down; to lay; to affix (**pieczęć** a stamp, a seal) 4. *perf* (*przygnębić*) to depress; to dishearten; to dispirit [II] *vi* 1. *w zwrocie*: **∼ć, ∼jać targu** to shake hands over a deal; (*na licytacji*) to knock down 2. (*w tańcu*) to tap one's foot (to the tact of the music) 3. *mar.* **∼ć, ∼jać do brzegu** to (touch) land

przybie|c *vi perf* — **∼gnę, ∼gnij, ∼gł** — **przybiegnąć** *vi perf* — **przybiegać** *vi imperf* to run up; to hasten

przybiegunowy *adj* polar

przybiel|ić *vt perf* — **przybiel|ać** *vt imperf* to whiten somewhat; **∼ony** somewhat whitened

przybierać *zob.* **przybrać**

przybier|ka *sf pl G.* **∼ek** *górn.* ripping; tamping

przybijać *zob.* **przybić**

przybit|ka *sf pl G.* **∼ek** 1. (*w naboju*) wad(ding) 2. (*na licytacji*) knocking down (of an article to a bidder) 3. *górn.* tamping; stemming

przybity [I] *pp* ↑ **przybić** [II] *adj* dejected; despondent; downcast; sick at heart

przybladnąć *zob.* **przyblednąć**

przyblaknąć *vi perf* to fade a little <somewhat>; to lose its freshness of colour

przybl|ednąć <**przybl|adnąć**> *vi perf* **∼adł, ∼edli** 1. (*o człowieku*) to become <to grow, to turn>

somewhat pale 2. (*stracić intensywność barwy, blasku*) to fade somewhat; to pale 3. (*stać się jaśniejszym*) to grow somewhat lighter; to assume a lighter shade

przybliż|ać *v imperf* — **przybliż|yć** *v perf* [I] *vt* 1. (*przysuwać*) to bring <to draw> (sth) near <nearer, closer> (**do kogoś, czegoś** to sb, sth) 2. (*przyspieszać*) to hasten; to bring (sth) nearer (in time) 3. (*o przyrządzie optycznym*) to magnify [III] *vr* **~ać, ~yć się** 1. (*przysuwać się*) to come <to move, to draw> near <nearer, closer> (**do kogoś, czegoś** to sb, sth); to approach (**do kogoś, czegoś** sb, sth); (*nadchodzić*) to draw near; to approach (*vi*); (*o liczbach, wartościach*) to approximate 2. (*zbliżać się w czasie*) to draw near; to approach (*vi*)

przybliżeni|e *sn* 1. (↑ **przybliżyć**) approximation; **ani w ~u** nowhere near; **ani w ~u taki ...** nothing like so ...; not nearly so ...; **w ~u** approximately; about; more or less; roughly; roughly speaking 2. **~e się** approach

przybliżoność *sf singt* approximation

przybliżon|y [I] *pp* ↑ **przybliżyć** [III] *adj* very near; approximate, approximative; **obliczenie ~e** rough estimate

przybliżyć *zob.* **przybliżać**

przyblokowy *adj* lying in the vicinity of <belonging to> a block of buildings

przybłąkać się *vr perf* to land; to turn up; to come wandering; to blunder one's way (to a place)

przybłąkany *adj* stray; straggling

przybłęd|a *sm sf pl G.* **~** <**~ów**> *A.* **~y** <**~ów**> straggler; vagabond; (*o psie, kocie*) stray dog <cat>; (a) stray; **czuć się jak ~a** to feel unwanted

przybocz|ny *adj* adjutant (officer); **lekarz ~y** physician in ordinary; **straż ~a** body-guard; life-guard

przybojow|y *adj* **fala ~a** breaker; **fale ~e** breakers; surf

przybornik *sm* box <set> of compasses; kit; outfit

przyb|ój *sm singt G.* **~oju** surf; breakers

przyb|ór *sm G.* **~oru** 1. (*wezbranie wody*) (flood water) rise (of a river); **był ~ór** the river was <the rivers were> swollen 2. *pl* **~ory** (*narzędzia*) accessories; (toilet etc.) articles; fittings; requisites; utensils; materials; implements; appliances; instruments; tackle; paraphernalia; *teatr* properties; (*komplet narzędzi*) kit; outfit; gear

przyb|rać *v perf* **~iorę, ~ierze** — **przyb|ierać** *v imperf* [I] *vi* 1. (*o rzece*) to swell; to rise; (*o wodzie*) to rise; (*o księżycu*) to wax 2. (*wzmóc się*) to grow; to increase; **~rać, ~ierać na sile** to grow stronger <stronger and stronger>; to gain strength; **~rać na wadze** to put on weight <flesh> [II] *vt* 1. (*uznać za swoje*) to adopt (**ojczyznę** a country); to assume (a name) 2. (*przystroić*) to adorn; to trim; to deck; to ornament 3. (*zmienić wyraz twarzy, kształt itd.*) to assume (an expression of surprise, a certain shape etc.); to take on (a colour) 4. *perf pot.* (*adoptować*) to adopt (a child as one's own) 5. (*włożyć na siebie*) to assume (robes of office etc.) [III] *vr* **~rać, ~ierać się** 1. (*ozdobić się*) to deck oneself out 2. (*włożyć na siebie*) to assume <to put on> (**w mundur itd.** a uniform etc.)

przybranie *sn* 1. ↑ **przybrać** 2. (*ozdoba*) adornment; trimming 3. (*uznanie za swoje*) adoption

przybran|y [I] *pp* ↑ **przybrać** [III] *adj* adoptive (son, father etc.); **~a ojczyzna** the country of one's choice; **~e nazwisko** assumed name; pseudonym

przybrudny *adj* slightly soiled; not very clean

przybru|dzić *v perf* **~dzę, ~dzony, przybru|kać** *v perf* [I] *vt* to soil [III] *vr* **~dzić** <**~kać**> **się** to get (slightly) soiled

przybrzeżn|y *adj* coastal <inshore> — (pilotage etc.); **fale ~e** breakers; surf; **pas ~y** territorial waters; **żegluga ~a** cabotage; coasting(-trade)

przybud|owa *sf pl G.* **~ów** = **przybudówka**

przybudować *vt perf* — **przybudowywać** *vt imperf* to build <to add> (an annexe etc.)

przybudowanie *sn* ↑ **przybudować**

przybudów|ka *sf pl G.* **~ek** addition (to a building); annex(e); outhouse; outbuilding; penthouse, pentice; (*z dachem jednospadowym*) lean-to

przybycie *sn* 1. (↑ **przybyć**) (*zjawienie się*) arrival; incoming 2. (↑ **przybyć**) (*powiększenie się*) increase; growth; gain 3. *prawn.* accretion; accession

przyb|yć *vi perf* **~ędę, ~ędzie, ~ądź, ~ył** — **przyb|ywać** *vi imperf* 1. (*zjawić się*) to come; to arrive; to reach <to attain> one's destination; (*o ludziach*) to turn up; **skąd ~ywasz?** where do you come <hail> from?; **statek** <**pociąg**> **~ył** the boat <the train> is in 2. (*powiększyć liczbę, ilość*) to increase; to grow (in number); to become more numerous; (*o wodzie w rzece*) to rise; **księżyca ~ywa** the moon is waxing; **~yło im dwoje dzieci** they have two more children; **~yło mi kłopotów** I have more worries; **~yło mu powagi** he has become more serious; he has acquired dignity; **~yło mu *x* kg** he <it> has gained <put on> *x* kg; he <it> is heavier by *x* kg; **~yło mu *x* lat** he is *x* years older; **~ywa dnia** the days get longer

przybyły [I] *pp* ↑ **przybyć** [III] *sm* newcomer; stranger; new arrival

przybysz *sm* = **przybyły** *sm*

przybyt|ek *sm G.* **~ku** 1. (*przyrost*) gain; increase; increment; *przysł.* **od ~ku głowa nie boli** there's never too much of a good thing 2. *lit.* (*świątynia*) sanctuary; shrine; tabernacle 3. *lit.* (*siedlisko*) repository

przybywać *zob.* **przybyć**

przybywający [I] *adj* (*o pociągu itd.*) ingoing; incoming; (*o statku*) inbound [III] *sm* newcomer; new arrival

przycapnąć *vt perf pot.* to nab; to grab; to catch; to nobble

przycerować *vt perf* to darn (sth) perfunctorily; to stitch (sth) up

przychodni *adj* (*o pracowniku*) non-resident; **~ uczeń** day-boy; **~a uczennica** day-girl

przychodnia *sf* outpatients' surgery <department (of a hospital)>; clinic; dispensary; ambulatory; policlynic

przychodowy *adj* receipt — (book etc.); **kwit ~** paying-in slip

przychodzenie *sn* ↑ **przychodzić**

przychodzić *zob.* **przyjść**

przycho|dzień *sm G.* **~dnia** (new)comer; stranger

przychowa|ć *vt perf* **~** — **przychowywać** *vt imperf gw.* to raise <to breed> (animals)

przych|ód *sm G.* **~odu** 1. (*wpływy pieniężne*) receipts; takings 2. (*dochód*) proceeds; profit; takings 3. *księgow.* receipt book

przych|ów *sm G.* **~owu, przych|ówek** *sm G.* **~ówku** <**~ówka**> 1. (*przyrost inwentarza żywego*) young cattle <livestock> 2. *przen. żart.* (*potomstwo*) (the) youngsters

przychud|nąć *vi perf* **~ł** to lose weight

przychwy|cić *v perf* **~cę, ~cony — przychwy|tywać** *v imperf* [I] *vt* to catch (**kogoś na czymś** sb doing sth); **~cić kogoś na gorącym uczynku** to catch sb in the act; **~cić sobie palec drzwiami** to pinch one's finger in the door; **~cić sobie sukienkę drzwiami** to catch <to shut> one's dress in the door; *dziew.* **~cić oczko** to take up a dropped stitch [III] *vr* **~cić, ~tywać się** to find <to catch> oneself (**na czymś** doing sth — humming, whistling etc.)

przychyl|ać *v imperf* — **przychyl|ić** *v perf* [I] *vt* to bend; to incline; **chcieć komuś nieba ~ić** to have sb's welfare at heart [III] *vr* **~ać, ~ić się** 1. (*nachylać się*) to bend (*vi*); to stoop 2. (*skłaniać się*) to grant (**do prośby** a request); to comply (**do prośby** with a request); to acquiesce (**do prośby** in a request); to accede (**do prośby** to a request); **~ać, ~ić się do jakiegoś zdania** to accord with <to concur in> an opinion

przychylenie *sn* (↑ **przychylić**) inclination; **~ się do prośby** granting a request; compliance with <acquiescence in> a request; **~ się do jakiegoś zdania** concurrence in an opinion

przychylić *zob.* **przychylać**

przychylnie *adv* kindly; favourably; in a friendly manner; **~ załatwić prośbę** to grant <to comply with, to accede to, to acquiesce in> a request

przychylność *sf singt* friendly attitude; goodwill; favour

przychylny *adj* kind; friendly; favourable; propitious; well-disposed (**do** <**dla**> **kogoś, czegoś** to <towards> sb, sth)

przyciasny *adj* (*o butach itd.*) somewhat tight; (*o ubraniu*) somewhat tight; too close-fitting

przy|ciąć *v perf* **~tnę, ~tnie, ~tnij, ~ciął, ~cięła, ~cięty — przy|cinać** *v imperf* [I] *vt* 1. (*uciąć*) to cut off; to shorten (a skirt etc.); to clip <to trim, to poll> (sb's hair etc.); to crop (a horse's tail, mane); to bob (a woman's hair); **~ciąć coś drzwiami** to catch <to shut> sth in a door; **~ciąć usta** to prim one's mouth; to purse one's lips 2. *ogr.* to lop <to prune, to top> (a tree, a shrub) [III] *vi* (*dogryźć*) to sting <to nettle> (**komuś** sb); to jibe <to peck> (**komuś** at sb)

przyciąg|ać *v imperf* — **przyciąg|nąć** *v perf* [I] *vt* 1. (*przybliżać*) to pull <to draw, to bring> (**coś do czegoś** sth near <nearer> to sth); **~ać, ~nąć coś do siebie** to pull sth over to oneself; **~nąć coś, kogoś z trudem** to tug sth, sb over (to a place); *rz.* **~ać pasa** to tighten one's belt 2. *przen.* (*przynęcić*) to appeal (**kogoś** to sb); to lure; to entice; to be inviting (**kogoś** to sb); **~ać oczy** <**spojrzenie**> to catch <to draw> the eye; **~ać uwagę** to attract <to draw, to arrest> attention 3. *przen.* (*zjednywać*) to win over (to one's side) 4. *astr. fiz.* to attract; *fiz.* to magnetize 5. *chem.* to absorb [II] *vi* (*przybywać*) to come; to arrive; *imperf* to be on one's way [III] *vr* **~ać, ~nąć się** to attract one another; to exert mutual attraction

przyciągający|y *adj* attractive; enticing; inviting; alluring; **siła ~a** attraction; appeal; spell

przyciąganie *sn* (↑ **przyciągać**) attraction; pull; *astr. fiz.* **~ ziemskie** gravity

przyciągar|ka *sf pl G.* **~ek** *techn.* capstan winch; *kolej.* **~ka wagonowa** car haul

przyciągnąć *zob.* **przyciągać**

przyciągnięcie *sn* (↑ **przyciągnąć**) (a) pull; (a) tug

przycichanie *sn* (↑ **przycichać**) quieter spells

przycich|nąć *vi perf* **~ł — przycichać** *vi imperf* (*umilknąć*) to become less noisy; to hush; to grow quieter; (*o burzy, wietrze*) to calm down <to lull, to still, to abate> somewhat; (*o hałasie*) to lessen

przycichnięcie *sn* (↑ **przycichnąć**) (a) lull; (a) hush

przyciemniacz *sm aut.* dimmer

przyciemni|ać *v imperf* — **przyciemni|ć** *v perf* [I] *vt* 1. (*czynić ciemniejszym*) to darken; to shade 2. (*zmniejszać jasność źródła światła*) to dim; to shade; to subdue; to obscure; to black out [III] *vr* **~ać, ~ć się** to dim (*vi*); to be obscured

przyciemnienie *sn* (↑ **przyciemnić**) dimness

przyciemniony [I] *pp* ↑ **przyciemnić** [II] *adj* dim; darkened; (somewhat) obscure

przyciemniony *adj* dim; darkish

przy|cierać *v imperf* — **przy|trzeć** *v perf* **~trę, ~trze, ~trzyj, ~tarł, ~tarty** [I] *vt* to wear down; to chafe; to fray; *przen.* **~cierać, ~trzeć komuś rogów** to take sb down a peg or two [II] *vr* **~cierać, ~trzeć się** (*dopasować się przez tarcie*) to run in

przycie|ś *sf pl N.* **~sie** *bud.* soleplate, bottom plate (of stud partition etc.)

przycięcie *sn* ↑ **przyciąć**

przyciężki *adj* heavyish; pretty <rather, somewhat> heavy

przyciężko *adv* somewhat heavily; **było mi ~** the load was <felt> heavyish

przycinacz *sm* cutter; trimmer

przycinać *zob.* **przyciąć**

przycin|ek *sm G.* **~ka** hint; gibe; flout; jeer; scoff; sally

przycio|sać *vt perf* **~szę — przyciosywać** *vt imperf* to trim <to rough down> (timber); to dress (timber, stone); to adjust

przycisk *sm G.* **~u** 1. (*ciężarek*) weight; paper-weight; letter-weight 2. (*podkreślenie*) stress; emphasis; **powiedzieć coś z ~iem** to stress <to emphasize> sth; **z ~iem** emphatically 3. *jęz.* stress 4. *techn.* **~ dzwonkowy** bell-push

przyci|skać *v imperf* — **przyci|snąć** *v perf* 1. (*cisnąć*) to press; to push (a bell); **~skać, ~snąć coś kamieniem** to press sth down with a stone; **~snąć sobie palec drzwiami** to pinch one's finger in the door; *przen.* **być ~śniętym biedą** to feel the pinch <to be under the pinch> of necessity; **~śnięty biedą do ostateczności** driven to extremes by necessity; **~śnięty wiekiem** stricken in years 2. (*tulić*) to squeeze; **~snąć kogoś do siebie** to clasp <to hug> sb 3. *pot.* (*wywierać presję*) to press (sb) hard; to put the screws on sb; **~skać kogoś do muru** to drive sb into a corner

przyciskanie *sn* (↑ **przyciskać**) pressure; squeeze; push; pinch

przyciskowy *adj* **akcent ~** stress; **guzik ~** push-button

przycisnąć *zob.* **przyciskać**

przyciszać *zob.* **przyciszyć**

przyciszenie *sn* ↑ **przyciszyć**

przyciszony [I] *pp* ↑ **przyciszyć** [II] *adj* subdued <soft> (voice etc.)

przycisz|yć *v perf* — **przycisz|ać** *v imperf* [I] *vt* to subdue; to suppress <to stifle> somewhat; to turn down (one's radio, one's receiver) [II] *vr* **~yć, ~ać się** to be subdued <somewhat suppressed, stifled>

przyciśnięcie *sn* (↑ **przycisnąć**) squeeze; push; pinch

przycumować *vt imperf* to moor; to make fast; to lash; to belay

przycupić *vt perf pot.* to nab; to catch

przycup|nąć *vi perf* — *rz.* **przycup|ywać** *vi imperf pot.* 1. (*przykucnąć*) to crouch; to cower 2. (*przyczaić się*) to lurk; to lie in wait

przycupnięcie *sn* (↑ **przycupnąć**) *pot.* 1. (*przykucnięcie*) crouching <cowering> posture 2. (*przyczajenie się*) lurking; lying in wait

przycwałować *vi perf* to come galloping <at a gallop>

przycza|ić się *vr perf* **~ję się** — **przyczajać się** *vr imperf* 1. (*skryć się*) to ambush; to lie in ambush <in wait>; to skulk; to lurk; to hide; to be hidden; to cover oneself; *pot.* to lie doggo 2. (*maskować się*) to mask one's thoughts <one's feelings> 3. (*wyczekiwać*) to bide one's time

przyczajenie się *sn* ↑ **przyczaić się**

przyczajony *adj* ambushed; lying in ambush <in wait>; lurking; hiding; hidden

przyczasownikowy *adj jęz.* verbal

przyczep *sm G.* **~u** 1. (*przyczepienie*) attachment; fastening 2. *anat.* implantation; insertion

przyczepa *sf* 1. (*wagon*) trailer 2. (*przy motocyklu*) side-car 3. (*turystyczna mieszkalna*) caravan; house trailer

przyczepi|ć *v perf* — **przyczepi|ać** *v imperf* [I] *vt* to attach; to fasten; to link; to fix; to pin; to hitch; to hook; *przen.* **~ć komuś zarzut** to charge sb with an offence [II] *vr* **~ć, ~ać się** 1. (*trzymać się*) to cling (to sb, sth); to hold (**do czegoś** sth) tight; to hang on (to sth); (*chwycić się*) to catch hold (**do czegoś** of sth); **~ć, ~ać się z tyłu pojazdu** to steal a ride 2. (*przylgnąć*) to be fastened; to adhere; to stick 3. *przen.* (*mieć pretensje*) to find fault (**do czegoś** with sth) 4. *pot.* (*narzucić się komuś*) to thrust oneself upon sb

przyczepienie *sn* (↑ **przyczepić**) *anat.* insertion

przyczep|ka *sf pl G.* **~ek** 1. *dim* ↑ **przyczepa**; **na ~kę** in addition; on top of it all; to crown all 2. *bot.* elaiosome

przyczepność *sf singt* adherence; adhesion; adhesiveness; bond; stickiness; tack; tenacity; cohesion

przyczepny *adj* 1. (*mający zdolność przylegania*) adhesive; tenacious; sticky; tacky; cohesive; cohering 2. (*mogący być doczepionym*) attachable; **silnik ~ (do łodzi)** outboard motor

przyczernić *vt perf* to blacken somewhat; to shade; to darken

przyczernie|ć *vi perf* **~je** to blacken (*vi*); to darken (*vi*)

przycze|sać *v perf* **~szę** — **przycze|sywać** *v imperf* [I] *vt* to comb (**komuś włosy** sb's hair); to run a comb (**komuś włosy** through sb's hair) [II] *vr* **~sać, ~sywać się** to run a comb through one's hair

przyczłap|ać *vi perf* **~ie** *pot.* to come up with a shuffling gait <shufflingly>

przyczołgać się *vr perf* — **przyczołgiwać się** *vr imperf* to crawl <to creep> up

przyczół|ek *sm G.* **~ka** 1. *bud.* (*część mostu*) (bridge) abutment 2. *arch.* (*szczyt fasady*) fronton, frontal; pediment 3. *wojsk.* bridge-head

przyczółkowy *adj* bridge-head — (position, defence etc.)

przyczyn|a *sf* 1. (*powód*) cause; reason; ground(s); *filoz.* **~a działająca** effective cause; **~y i skutki** the why(s) and the wherefore(s); **~a, dla której ...** the reason why ...; **być ~ą czegoś** to cause sth; **z jakiej ~y?** for what reason?; why on earth?; **z ~ zdrowotnych, rodzinnych itd.** for reasons of health, for family etc. reasons; **z ~y ...** by reason of ...; on account of ...; owing to ...; **z <dla> tej (to) ~y** that is why; therefore; and so 2. *f* (*wstawiennictwo*) intercession

przyczyn|ek *sm G.* **~ku** contribution (to science etc.)

przyczyni|ć *v perf* — **przyczyni|ać** *v imperf* [I] *vt* 1. (*dołożyć*) to increase (**do czegoś** sth); to add (**kłopotu itd.** to the trouble <difficulty> etc.) 2. (*sprawić*) to cause (**komuś zmartwienia itd.** sb worry etc.) [II] *vr* **~ć, ~ać się** to contribute (to sth); to be contributive <conducive> (to sth); to be instrumental <helpful> (**do czegoś** to sth; **do zrobienia <osiągnięcia> czegoś** in doing <obtaining> sth); to co-operate <to share, to have a share, to take part, to do one's bit> (**do czegoś** in sth); to subserve (**do czegoś** sth); to be subservient (**do czegoś** to sth); (*o wypadkach, okolicznościach*) to concur <to conspire> (**do tego, żeby ...** to ...); **~ć się do czyjegoś szczęścia** to make for sb's happiness; **~ć się w wielkiej mierze do tego, żeby ...** to go a long way <to go far> to ...; **~ć się do powodzenia przedsięwzięcia** to conduce <to tend> to the success of an undertaking

przyczynienie *sn* (↑ **przyczynić**) 1. (*dodanie*) addition 2. (*przyczyna*) cause 3. **~ się** contribution (to sth); share (**do czegoś** in sth)

przyczynkarski *adj* contributor's (notes etc.); fragmentary; exiguous

przyczynkarstwo *sn* fragmentary <exiguous> contributions (to science etc.)

przyczynkarz *sm* contributor of fragmentary notes; author of fragmentary contributions

przyczynkowy *adj* contributory

przyczynowo *adv* causally; causatively

przyczynowość *sf singt filoz.* causality

przyczynow|y *adj* 1. *filoz.* causal; **związek ~y** causality; causation 2. *gram.* causative; **zdanie ~e** causative clause; *med.* **leczenie ~e** causal treatment

przyćmi|ć *v perf* **~j** — **przyćmi|ewać** *v imperf* [I] *vt* 1. (*przyciemnić*) to dim; to darken; to obscure; to tarnish; *przen.* **~ć, ~ewać pamięć <rozum>** to dim sb's memory <reason> 2. (*przewyższyć*) to eclipse (sb, sth); to outshine; to throw (sb, sth) into the shade [II] *vr* **~ć, ~ewać się** to darken (*vi*); to cloud over

przyćmiony I *pp* ↑ **przyćmić** III *adj* dim
przyda|ć *v perf* ~**dzą** — **przyda|wać** *v imperf* I *vt* (*dodać*) to add; (*przysporzyć*) to increase; to heighten III *vr* ~**ć**, ~**wać się** to be of use (**do czegoś, na coś** for sth); to be <to prove> useful; to be helpful; to come in handy <useful>; to be of service; to stand (sb) in good stead; to serve (**komuś** sb's) turn; **na co się to** ~? what use will that be?; **nieszczęście może się na coś** ~**ć** misfortune has its uses; **płacz na nic się nie** ~ it's no use crying; ~**łby mi się odpoczynek** I could do with a rest; **to by się** ~**ło** a) (*o propozycji*) that wouldn't be a bad thing b) (*o przedmiocie*) that would come in handy; **to ci się** ~ you will be all the better for it; **to się na nic nie** ~ it won't be any good; **to się na wiele nie** ~**ło** it wasn't much help <much good>
przydan|ka *sf pl G.* ~**ek** *anat.* outer coat of vein; adventitia
przydarz|yć się *vr perf* — **przydarz|ać się** *vr imperf* to happen; to occur; to take place; ~**yć się komuś** to happen to sb; to befall sb; ~**ył mu się nieszczęśliwy wypadek** he met with an accident
przydat|ek *sm G.* ~**ku** addition; supplement; appendix; *anat.* appendage; ~**ki macicy** uterine appendages
przydatność *sf singt* usefulness; helpfulness; use; serviceableness; usability
przydatn|y *adj* useful; helpful; serviceable; **czy to będzie** ~**e?** will that be of any use?
przydawać *zob.* **przydać**
przydaw|ka *sf pl G.* ~**ek** *jęz.* qualifier; adjunct; attribute; (an) attributive; ~**ka rzeczowna** noun in apposition
przydawkowy *adj* attributive
przyd|ąć *vt perf* ~**mę**, ~**mie**, ~**mij**, ~**ął**, ~**ęła**, ~**ęty** to drift <to pile> (snow etc.)
przydech *sm G.* ~**u** *jęz.* aspiration
przydechowość *sf singt jęz.* aspirated pronunciation
przydechow|y *adj jęz.* aspirate(d); **spółgłoska** ~**a** (an) aspirate
przydenny *adj* ground(-fish, -bait etc.)
przydep|tać *vt perf* ~**cze** <~**ce**> — **przydeptywać** *vt imperf* to tread <to step> (**coś** on sth)
przydeptany I *pp* ↑ **przydeptać** III *adj* down-at--heel; trodden down
przydławić *vt perf* to strangle
przydługi *adj* longish; somewhat too long; lengthy
przydługo *adv* somewhat too long
przydłużać *zob.* **przydłużyć**
przydłuż|ek *sm G.* ~**ka** *handl.* rider (**weksla** to a bill)
przydłuż|yć *v perf* — **przydłuż|ać** *v imperf* I *vt* to lengthen III *vr* ~**yć**, ~**ać się** to lengthen (*vi*); to grow <to become> longer
przydom|ek *sm G.* ~**ka** <~**ku**> surname; by-name; cognomen; sobriquet; nickname
przydomowy *adj* attached to a homestead; adjacent
przydrałować *vi perf pot.* to come tramping
przydrep|tać *vi perf* ~**cze** <~**ce**> to come tripping
przydreptywać *vi imperf* to stamp one's feet (for warmth etc.)
przydroż|e *sn pl G.* ~**y** wayside; roadside
przydrożn|y *adj* wayside <roadside> — (flowers, shrine etc.); **gospoda** ~**a** wayside <roadside> inn; road house

przyducha *sf ryb.* fish kills
przydu|sić *vt perf* ~**szę**, ~**szony** — **przyduszać** *vt imperf* 1. (*przygnieść*) to crush; to press down; to overlie (a child) 2. *dosł. i przen.* (*stłumić*) to smother; to suppress; to stamp out (a fire) 3. *pot.* to squeeze <to corner> (sb); to tie (sb) down
przyduszenie *sn* ↑ **przydusić**
przyduszny *adj pot.* somewhat close
przyduży *adj pot.* somewhat too large
przydworcowy *adj* (lying, situated) in the vicinity <neighbourhood> of a railway station
przydyb|ać *vt perf* ~**ie** to catch (**kogoś na czymś** <**na robieniu czegoś**> sb at sth <doing sth>); to catch (sb) unawares; *sl.* to nab (sb)
przydymi|ć *vt perf* 1. *kulin.* (*przypalić*) to burn (the meat etc.); **mięso było** ~**one** the meat had a taste of burning <was smoky> 2. (*przykopcić*) to smoke (glass etc.); to blacken with smoke; ~**one okulary** sun-glasses
przydyrdać *vi perf pot.* to run up
przydzia|ł *sm G.* ~**łu** *L.* ~**le** 1. (*przydzielenie*) allowance; allocation; allotment; appropriation; *wojsk.* ~**ł do formacji** assignment to a service 2. (*część przydzielona*) allowance; ration; issue 3. (*dokument*) order of allocation
przydziałowy *adj* issue — (boots, shirt etc.); rationed (bread etc.)
przydziąsłowy *adj jęz.* (*o wymowie*) alveolar
przydzielać *vt imperf* — **przydzielić** *vt perf* to allocate; to allot; to appropriate; to assign
przydzielenie *sn* (↑ **przydzielić**) allocation; appropriation; assignment
przydzielić *zob.* **przydzielać**
przydźwięk *sm G.* ~**u** sound; *fiz. radio* ~ **sieci** hum
przydźwigać *vt perf* to bring (sth) along
przyfabryczny *adj* adjoining <belonging to> a factory; factory — (grounds etc.)
przyfarbować *vt perf* to colour; to dye; to tinge
przyfastrygować *vt perf* to baste on (a lining etc.)
przyforteczny *adj* adjoining a fortress
przyfrontowy *adj* front-line — (formation etc.)
przyfrunąć *vi perf* — **przyfruwać** *vi imperf* to come flying
przygadać *zob.* **przygadywać**
przygadusz|ki *spl pl G.* ~**ek** *rz. żart.* gibes; flouts; jeers
przygad|ywać *v imperf* — **przygad|ać** *v perf* I *vi* 1. (*docinać*) to gibe <to flout, to scoff> (**komuś** at sb) 2. (*dogadywać*) to pass malicious remarks (**komuś** at sb's address) III *vt pot.* 1. (*nawiązać rozmowę*) to enter into conversation (**kogoś** with sb) 2. (*pozyskać sobie*) to ingratiate oneself (**kogoś** with sb) for a little flirtation; ~**ać sobie** (**dziewczynę**) to pick up <to fish (up)> (a girl)
przygalopować *vi perf* to come galloping <at a gallop>
przygan|a *sf* reprimand; rebuke; reproof; rating; *przen.* rap on the knuckles; **z** ~**ą** rebukingly; reprovingly
przygani|ać[1] *vi imperf* — **przygani|ć** *vi perf* to reprimand <to rebuke, to reprove> (**komuś** sb); *przysł.* ~**a kocioł garnkowi, a sam smoli** the pot calls the kettle black
przyganiać[2] *zob.* **przygnać**
przyganić *zob.* **przyganiać**

przygarbi|ć *v perf* [I] *vt* to bend (**kogoś** sb, sb's back); **~ć plecy** = **~ć się**; **~ony** round-shouldered; stooping [III] *vr* **~ć się** to stoop; to sag; **~ł się** he stoops; he is bowed down (**wiekiem, cierpieniem** by age, suffering)

przygarbienie *sn* (↑ **przygarbić**) (a) stoop; rounded shoulders

przygardłowy *adj anat.* pharyngeal

przygarn|ąć *v perf* — **przygarn|iać** *v imperf* [I] *vt* 1. (*przytulić*) to clasp <to gather> (**kogoś do piersi** sb to one's breast <bosom>); to hug; to press (sb) closely within one's arms 2. *przen.* (*zagarnąć dla siebie*) to grasp <to take possession of> (property) 3. (*dać przytułek*) to take (sb) under one's roof <under one's protection>; to shelter (sb); *pot.* to give (sb) a shake-down [III] *vr* **~ąć, ~iać się** 1. (*przytulić się*) to nestle close (**do kogoś** to sb); **~ąć, ~iać się do czyjegoś ramienia** to nestle against sb's shoulder 2. *gw.* (*poprawić na sobie ubranie*) to tidy oneself

przygarnięcie *sn* (↑ **przygarnąć**) 1. (*przytulenie*) (a) clasp 2. (*danie przytułku*) taking (sb) under one's roof

przygas|ać *vi imperf* — **przygas|nąć** *vi perf* **~ł** 1. (*przestawać świecić*) to dim (*vi*); *perf* to go out; (*przestać się palić*) to die away <out, down>; *perf* to go out 2. *przen.* (*ciemnieć*) to dim; **~ły wzrok** dimmed eyesight 3. *przen.* (*słabnąć*) to subside; to abate; to diminish; (*o dźwiękach*) to die away <down> *zob.* **przygasnąć**

przyga|sić *vt perf* **~szę, ~szony** — **przyga|szać** *vt imperf* 1. (*tłumić świecenie*) to dim; to turn down (a lamp); (*tłumić palenie*) to stifle; to damp down (a fire) 2. *przen.* (*pozbawić blasku*) to dim; to tarnish 3. *przen.* (*stłumić, osłabić*) to damp; to subdue 4. *przen.* (*przygnębić*) to depress; to deject; to dispirit; **~szony** crestfallen

przygas|nąć *vi perf* **~ł** <**~nął**> 1. *zob.* **przygasać** 2. (*stracić energię, zapał*) to droop; to be downcast <depressed, dejected, dispirited>; **on ~ł** he is downcast

przygaszać *zob.* **przygasić**

przygaśnięcie *sn* 1. ↑ **przygasnąć** 2. (*przygnębienie*) depression; dejection

przyg|iąć *v perf* **~nę, ~nie, ~nij, ~iął, ~ięli, ~ięty** — **przyg|inać** *v imperf* [I] *vt* to bend (sth); to give (sth) a bend; to bow <to weigh> (sth) down [III] *vr* **~iąć, ~inać się** to bend (*vi*); to sag

przygieł|ka *sf pl G.* **~ek** *bot.* (*Rhynchospora*) beak sedge

przygięcie *sn* (↑ **przygiąć**) (a) bend; (a) sag

przyginać *zob.* **przygiąć**

przy|glądać się *vr imperf* — **przy|jrzeć się** *vr perf* **~jrzy się** 1. (*przypatrywać się*); to look on; to watch (**komuś, czemuś** sb, sth); to observe <to examine, to survey, to contemplate> (**komuś, czemuś** sb, sth); *imperf* to look (**komuś, czemuś** at sb, sth); *perf* to have a look (**komuś, czemuś** at sb, sth); **~glądać, ~jrzeć się badawczo komuś** to scrutinize <to scan> sb's face; **~glądać się biernie** to stand idly by (while sb commits a foul deed); **~jrzyj się, czy ...** see if ...; **~jrzyj się dobrze** have a good look 2. *przen.* (*zapoznawać się*) to see (**jak się coś przedstawia** what sth looks <is> like)

przyglądający się *sm* looker-on

przyglądanie się *sn* (↑ **przyglądać się**) observation <examination, survey> (**czemuś** of sth)

przygładz|ać *vt imperf* — **przygładz|ić** *vt perf* **~ę, ~ony** to smooth (one's hair, one's eyebrows, skirt etc.)

przygłuch|nąć *vi perf* **~ł, ~nął** to become <to grow> hard <dull> of hearing; **dziadek ~ł** grandfather is now hard <dull> of hearing

przygłuchy *adj* hard <dull> of hearing

przygłup *sm*, **przygłup|ek** *sm G.* **~ka** *pot.* nitwit; dolt; weak-minded <half-witted, soft-headed> person

przygłupi *adj pot.* weak-minded; soft-headed; half-witted

przygłuszać *vt imperf* — **przygłuszyć** *vt perf* 1. (*przytłumić*) to stifle; to muffle; to deaden; to drown (a sound) 2. (*o roślinach*) to stifle; to smother

przyg|nać *v perf*, **przyg|onić** *v perf* — **przyg|aniać** *v imperf* [I] *vt* (*przypędzić*) to drive (cattle, clouds etc.); to bring; *przen.* **~nał go tu lęk** fear has brought him here [III] *vi* (*zw. perf*) *pot.* (*nadbiec*) to run up; to hasten

przygnębiać *vt imperf* — **przygnębić** *vt perf* to depress; to deject; to dishearten; to dispirit; to damp (**kogoś** sb's) spirits; to cast a gloom (**towarzystwo** over the company)

przygnębiająco *adv* depressingly

przygnębiający *adj* depressing; dispiriting; disheartening; (*o wiadomości itd.*) melancholy

przygnębić *zob.* **przygnębiać**

przygnębienie *sn singt* (↑ **przygnębić**) depression; dejection; low spirits; despondency; gloom; prostration

przygnębiony [I] *pp* ↑ **przygnębić** [III] *adj* depressed; dejected; gloomy; down in the mouth; downcast; despondent; dispirited; down-hearted; **być ~m** to feel miserable

przygni|atać *vt imperf* — **przygni|eść** *vt perf* **~otę, ~ecie, ~ótł, ~otła, ~etli, ~eciony, ~eceni** 1. (*przyciskać*) to crush; to press <to bow, to weigh> down; to oppress; to squeeze; to pinch; **koło ~otło mu nogę** his foot got pinched under the wheel 2. *przen.* (*o wiadomości, większości*) to overwhelm

przygnębiająco *adv* oppressively; overwhelmingly

przygniatający *adj* oppressive; overwhelming

przygniecenie *sn* (↑ **przygnieść**) (a) crush; oppression; squeeze

przygnieść *zob.* **przygniatać**

przyg|oda *sf G.* **~ód** adventure; (*miłe* <*przykre*> *doznanie*) (pleasant, unpleasant) experience; **podróż bez ~ód** uneventful journey; **poszukiwacz ~ód** adventurer; **~oda miłosna** love affair; **życie pełne ~ód** a life of adventure

przygodnie *adv* 1. (*przypadkowo*) by chance; accidentally; fortuitously; adventitiously; **~ coś urządzić** <**zmontować**> to improvise sth 2. (*przelotnie*) casually

przygodny *adj* 1. (*przypadkowy*) chance (acquaintance, meeting etc.); accidental; fortuitous; adventitious 2. (*przelotny*) casual; short-lived

przygodowy *adj* (books etc.) of adventure

przygodzić się *vr perf* 1. (*przytrafić się*) to happen (to sb) 2. (*przydać się*) to prove useful; to come in handy

przygonić *zob.* **przygnać**

przygotow|ać *v perf* — **przygotow|ywać** *v imperf* [I] *vt* 1. (*robić, żeby coś było gotowe na czas*) to prepare; to get (sth) ready; **~ać, ~ywać kąpiel** to turn on the bath; **~ać wszystko do podróży** to pack up; to get ready for a journey; *przen.* **~ać grunt <drogę> dla kogoś** to smooth the way for sb 2. (*uprzedzić*) to prepare (**kogoś na coś** sb for sth); to warn (**kogoś na coś** sb of sth); **trzeba było mnie na to ~ać** you should have warned me of this 3. (*przysposobić*) to prepare <to fit> (**kogoś do czegoś** sb for sth); to coach <to train> (**kogoś do egzaminu** sb for an examination) [III] *vr* **~ać, ~ywać się** 1. (*czynić przygotowania*) to prepare oneself (**do czegoś, na coś** for sth); to get ready <to make ready> (**do czegoś, na coś** for sth) 2. (*nastawić się*) to compose oneself (**do robienia czegoś** to do sth) 3. (*przysposobić się*) to prepare (*vi*) (**do czegoś** for sth); to study <to train> (**do egzaminu** for an examination)

przygotowani|e *sn* 1. (↑ **przygotować**) preparation; **czynić ~a do czegoś** to prepare for sth; **czytać <grać> bez ~a** to read <to play> at sight; **mówić bez ~a** to improvise; to extemporize; **zrobić coś bez ~a** to do sth off-hand 2. *pl* **~a** (*zabiegi, starania*) preparations; arrangements; dispositions

przygotowany [I] *pp* ↑ **przygotować** [II] *adj* prepared <ready> (**na coś** for sth); on one's guard <on the watch> (**na coś** against sth); **nie byłem na to ~** I did not bargain for that

przygotowawczy *adj* preparatory; initial; preliminary

przygraniczn|y *adj* situated <lying> on the border; adjoining the border; **miasto ~e** border-town

przygruby *adj* (*o przedmiocie*) thickish; somewhat too thick; (*o człowieku*) stoutish

przygrudniowy *adj* approaching <nearing, getting on for> the month of December

przygrywać *vi imperf* (*wtórować*) to accompany (**komuś** sb); (*grać*) to play the accompaniment (**komuś** for sb)

przygrywanie *sn* (↑ **przygrywać**) (*wtórowanie*) accompaniment; (*gra*) (playing the) accompaniment

przygryw|ka *sf pl G.* **~ek** 1. *dosł. i przen.* (*wstęp*) prelude (**do czegoś** to sth) 2. (*przygrywanie*) accompaniment 3. † *pl* **~ki** (*przymówki*) allusions

przygry|zać *v imperf* — **przygry|źć** *v perf* **~zę, ~zie, ~zł, ~źli, ~ziony** [I] *vt* to bite (**sobie wargi <język>** one's lips <tongue>) [II] *vi* (*dogadywać*) to nettle (**komuś** sb); to gibe <to scoff> (**komuś** at sb)

przygryzanie *sn* 1. ↑ **przygryzać** 2. (*docinki*) gibes; flouts; scoffs

przygryźć *zob.* **przygryzać**

przygrz|ać *v perf* **~eje** — **przygrz|ewać** *v imperf* [I] *vt* to warm (sth) up; to get (sth) warm; to take the chill off (sth) [II] *vi* (*o słońcu*) to swelter; **słońce ~ewa** it is scorching hot [III] *vr* **~ać, ~ewać się** to get <to be getting> warm; to be on the fire <on the range>

przygw|ażdżać *vt imperf* — **przygw|oździć** *vt perf* **~ożdżę, ~ożdżony** to nail (sth) down; *dosł. i przen.* to pin (sth, sb) down

przygwi|zd *sm G.* **~zdu** *L.* **~ździe** whizz <whistle> (of a bullet etc.)

przygwizdywać *vi imperf* 1. (*wtórować gwizdaniem*) to whistle in accompaniment (**czemuś** to sth) 2. (*pogwizdywać*) to whistle

przygwoździć *zob.* **przygważdżać**

przyhamować *v perf* — **przyhamowywać** *v imperf* [I] *vi* to put the brakes on; to pull back; to slacken off <up> [II] *vt* to check (sth)

przyholować *vt perf* — **przyholowywać** *vt imperf* to tow <to haul> (a car to a garage); *mar.* to warp (a ship into port etc.)

przyhołubić *vt perf* — **przyhołubiać** *vt imperf gw.* 1. (*przygarnąć*) to take (sb) under one's roof 2. (*przytulić*) to clasp (sb) to one's breast <bosom>

przyim|ek *sm G.* **~ka** *jęz.* preposition

przyimkowy *adj* prepositional

przyjaci|el *sm pl GA.* **~ół** *D.* **~ołom** *I.* **~ółmi** *L.* **~ołach** 1. (*człowiek zaprzyjaźniony*) friend; *pot.* (*zażyły*) pal; chum; (*ukochany*) sweetheart; **bliski ~el** a (very) good <*am.* intimate> friend; **pewien mój ~el** a friend of mine; **~el domu** a friend of the family; **~el od kieliszka** boon companion; **serdeczni ~ele** bosom friends; **bądźmy dalej ~ółmi** let's stay friends; **~elu!** a) (*poufale*) my dear fellow <sir>! b) (*serdecznie*) old man!; old boy!; old fellow <chap>!; *przysł.* **~ela poznasz w biedzie** a friend in need is a friend indeed 2. (*miłośnik*) patron (of arts etc.) 3. (*kochanek*) boy-friend

przyjacielsk|i *adj* friendly; amicable; *pot.* chummy; mat(e)y; **po ~u = przyjacielsko; pomówić z kimś po ~u** to have a heart to heart talk with sb

przyjacielsko *adv* in a friendly manner; amicably; as a friend; like good friends

przyjaciół|ka *sf pl G.* **~ek** 1. (*osoba zaprzyjaźniona*) (girl) friend; lady friend; **~ka od serca** sweetheart; **pewna nasza ~ka** a friend of ours 2. (*kochanka*) girl-friend; sweetheart

przyj|azd *sm G.* **~azdu** *L.* **~eździe** arrival; **oczekiwać czyjegoś ~azdu** to expect sb (to arrive)

przyjazdowy *adj* arrival ... (platform etc.)

przyja|zny *adj* 1. (*zaprzyjaźniony*) friendly; amicable 2. (*będący wyrazem życzliwości*) friendly; kindly; **~zne nastawienie** goodwill; **podać komuś ~zną dłoń** to lend sb a helping hand

przyjaźnić się *vr imperf* to be friends <on friendly terms> (with sb); to have friendly relations (with sb); (*pozostawać w zażyłości*) to pal; to chum

przyjaźnie *adv* in a friendly manner; amicably; **być ~ usposobionym do kogoś, czegoś** to be well-disposed towards sb, sth

przyjaź|ń *sf* friendship; amity; friendly relations; **w dowód ~ni** a) (*serdecznie*) in token of friendship b) (*z uszanowaniem*) with kind(est) regards; **zawrzeć ~ń z kimś** to become <to make> friends with sb; **zerwać ~ń z kimś** to break with sb

przyj|ąć *v perf* **~mę, ~mie, ~mij, ~ął, ~ęta, ~ęty** — **przyj|mować** *v imperf* [I] *vt* 1. (*wziąć*) to accept; to receive; to take over (the command, a firm's liabilities etc.); to take (a gift, a tip, food, medicine, one's meals etc.); to take note (**zamówienie, meldunek itd.** of an order, of a report etc.); **~ąć chrzest** (*o człowieku*) to be baptized; to adopt the Christian faith; (*o narodzie*) to be Christianized; **~ąć defiladę** to take the salute; **~ąć katolicyzm <protestantyzm itd.>** to be converted to catholicism <to protestantism etc.>; **~ąć**

lokatorów to take lodgers; **~ąć święcenia** to be ordained; to take holy orders; **nie ~ąć** to refuse (**czegoś** sth); to turn down (an offer etc.); to decline (**zaproszenia itd.** an invitation etc.) 2. (*wziąć na siebie*) to undertake <to take on, to take upon oneself> (an obligation etc.); to assume (responsibility); **~ąć posadę** to take a post 3. (*zgodzić się, zaakceptować*) to accept (a proposal, challenge etc.); to agree (**coś** to sth); (*o ciele zbiorowym*) to pass (**uchwałę** a resolution); to carry (**wniosek** a motion); **być ~ętym** (*o wniosku*) to go through; (*o zwyczaju itd.*) to be done; **to nie jest ~ęte u nas** it is not done <not customary> here; it is bad form <we do not do that> here; **chętnie <z radością, zadowoleniem> coś ~ąć** to welcome sth; **projekt ~ęto** the project was accepted <was given a clean bill of health>; **~ęte znaczenie wyrazu** acceptation of a word; **~ąć coś za rzecz naturalną <oczywistą, zrozumiałą>** to take sth for granted; **~ąć ofertę** to award a contract; **zrobić to, co jest ~ęte** to do the right thing 4. (*dać pracę*) to engage (**urzędnika** a clerk; **kogoś na kierowcę itd.** sb as driver etc.); (*dopuścić*) to admit (**kogoś do instytucji itd.** sb to an institution <to membership> etc.) 5. (*uznać za swoje*) to adopt (a custom, a child, a principle etc.) 6. (*wpuścić do domu*) to receive (**gościa** a guest); (*zachować się w stosunku do odwiedzającego*) to receive (sb); **~ąć kogoś życzliwie <chłodno>** to give sb a warm <a chilly> reception; **~ąć kogoś obiadem** to entertain sb to dinner; **nikogo nie ~muję** I'm not at home to anybody 7. (*zgodzić się na rozmowę z kimś*) to receive (sb); to grant (sb) an audience; **dyrektor nie może was ~ąć** the manager cannot see you 8. *chem.* to adsorb 9. (*zareagować na coś*) to take (sth seriously, sadly etc.); to assume (**postawę** an attitude); **on to ~ął potulnie** he took it like a lamb; **~ąć coś za dobrą monetę** to take sth at its face value; **sztukę ~ęto życzliwie** the play had a good reception 10. (*uznać*) to assume (**kogoś za znawcę itd.** sb to be an expert etc.) || **~ąć barwę <kształt>** to assume a colour <a shape>; **~ąć kurs** to steer a course; **~ąć zły <lepszy> obrót** to take a turn for the worse <for the better> [II] *vi* (*założyć, że*) to assume (**że ...** that ...) [III] *vr* **~ąć, ~mować się** 1. (*o roślinach*) to take root 2. (*rozpowszechnić się*) to be <to become> generally accepted; (*o modzie*) to catch; (*o teorii itd.*) to take on 3. *med.* (*o szczepionce*) to take (*vi*); **szczepionka się nie ~ęła** the vaccine has not taken *zob.* **przyjmować**

przyj|echać *vi perf* **~adę, ~edzie, ~echał** — **przyj|eżdżać** *vi imperf* to come; to arrive; **pociąg ~echał** the train is in; **wuj ~edzie jutro** uncle is coming over to-morrow

przyjemniacz|ek *sm G.* **~ka** *iron.* scamp; **~ek!** a fine fellow, indeed!

przyjemnie *adv* pleasantly; nicely; agreeably; enjoyably; in a nice <pleasant> way <manner>; **autor ~ pisze** the author has an attractive manner of writing; **bardzo mi ~ (poznać pana itd.)** I am very glad <delighted> (to meet you etc.); **będzie mi (bardzo) ~ ...** I shall be glad <delighted> to ...; **byłoby mi (bardzo) ~ ...** I should like (very much) to ...; it would afford me great pleasure to ...; **~ jest** it is nice <pleasant>; **~ jest słyszeć <móc itd.>** it is nice <pleasant> to hear <to be able etc.>; **~ jest wiedzieć, że ...** it is good to know that ...; **tu jest bardzo ~** this is a very nice place; it's very cosy here

przyjemnost|ka *sf pl G.* **~ek** trifling pleasure

przyjemnoś|ć *sf* 1. (*miłe uczucie*) pleasure; enjoyment; gusto; zest; **cała ~ć po mojej stronie** the pleasure is entirely mine; **mieć <odczuwać, znajdować> ~ć w czymś <w robieniu czegoś>** to find pleasure in sth <in doing sth>; to enjoy sth <doing sth>; **robić coś dla ~ci** to do sth for pleasure <just for the pleasure of it, for the sake of it>; **robić coś z ~cią** to enjoy <to relish, to take pleasure in> doing sth; **sprawić komuś ~ć** to give <to cause> sb pleasure; **z kim mam ~ć?** you have the advantage of me, sir <madam>; **z największą ~cią!** with the greatest pleasure!; only too glad!; delighted!; it will be a real pleasure!; **z ~cią!** with pleasure!; **z ~cią powiem <zrobię to itd.>** I shall be glad <it will be a pleasure for me> to tell <to do that etc.>; **z ~cią bym zatańczył z nią <trzasnął go w pysk itd.>** I should love to dance with her <to punch his head etc.>; **z ~cią zawiadamiam, że ...** I am pleased to announce ...; I have much <great> pleasure in telling you that ...; *pot. przen.* **średnia ~ć** no particularly enjoyable thing 2. (*rzecz wywołująca miłe wrażenie*) (a) pleasure; *pl* **~ci** amenities; **~ci doczesne** creature comforts; **~ci i przykrości życia** the sweet(s) and the bitter(s) of life; **gonić za ~ciami** to seek pleasure <enjoyment, amusement>; **to była wielka <prawdziwa> ~ć** it was a treat

przyjemn|y *adj* 1. (*wywołujący miłe wrażenie*) pleasant; attractive; enjoyable; nice; agreeable; (*o wiadomości*) gratifying; welcome; (*o zadaniu*) grateful; (*o pokoju, lokalu, meblu*) comfortable; cosy; snug; (*o klimacie*) genial; (*o widoku*) pretty; lovely; (*o zapachu*) sweet; **jest ~y chłód** it's nice and cool; **to jest ~iejsze od tamtego** this is an improvement on the other 2. (*sympatyczny*) pleasant; nice; likable; amiable

przyjezdny [I] *adj* travelling; passing; visiting; **~ artysta** an artist on tour [II] *sm* visitor; stranger; sightseer

przyjeżdżać *zob.* **przyjechać**

przyję|cie *sn* (↑ **przyjąć**) 1. (*wzięcie*) acceptance (of a gift etc.); reception <receipt> (of money etc.); **odmowa ~cia** rejection; **możliwy do ~cia** (*o cenie, wymówce itd.*) reasonable; (*o argumencie, wymówce itd.*) plausible; **odmówić ~cia czegoś** to reject sth; **do ~cia** acceptable; **nie do ~cia** unacceptable; inadmissible; (*w dedykacji*) **z prośbą o ~cie** with compliments; with kind(est) regards 2. (*dopuszczenie do czegoś*) admission (to an institution etc.) 3. (*uznanie za swoje*) adoption (of a custom, child, principle etc.) 4. (*przyjmowanie gości, interesantów*) reception; (*w domu prywatnym*) **dzień ~ć** (an) at-home; **godziny ~ć** a) *handl.* business <office> hours b) (*u lekarza*) surgery hours; **pokój ~ć** surgery 5. (*zachowanie się w stosunku do odwiedzającego*) reception; (*u panującego itd.*) audience; **doznać serdecznego <oziębłego> ~cia** to meet with a warm <cool> reception <welcome> 6. *chem.* adsorption 7. (*zebranie towarzyskie*) reception; party; entertainment; soirée; (*popołudniowe*) tea-party; (*wieczor-*

ne) dinner-party; (*kawalerskie*) stag-party; **urządzić ~cie** to give a party 8. *handl.* acceptance (of a bill)

przyjmować *v imperf* [I] *zob.* **przyjąć** [II] *vi* (*podejmować gości*) to entertain

przyjmujący *sm* recipient (of an award, decoration etc.)

przyjrzeć się *zob.* **przyglądać się**

przyjście *sn* (↑ **przyjść**) coming; arrival; **~ do zdrowia** recovery; **~ do skutku** realization; materialization; **~ na świat** birth; advent

przy|jść *vi perf* **~jdę, ~jdzie, ~jdź, ~szedł, ~szła — przy|chodzić** *vi imperf* 1. (*o ludziach, zwierzętach*) to come; to arrive; to get (**gdzieś** somewhere); to turn up; **~jdź jeszcze** come again; **więcej nie ~szedł** he never came <turned up> again; *w zwrotach przyimkowych:* **~jść, ~chodzić do; ~jść do głosu** a) (*w towarzystwie*) to put in a word edgeways <edgewise> b) *parl.* to take the floor; **~jść do kogoś (do domu)** to come (over) to sb's place; **~jść do kogoś z czymś** to come to see sb about sth; **~jść do kogoś z wizytą** to call on sb; to come and see sb; to come over; to come round; **~jść do mety** to come in (first, second etc.); to be (first, second etc.) at the finish; **~jść do porozumienia** to come to an understanding; **~jść do przekonania, że ...** to come to the conviction that ...; **~jść do równowagi** to recover one's balance; to be oneself again; **~jść do siebie** a) (*do domu*) to come home b) (*do zdrowia*) to recover (*vi*); to rally; to pick up; to pull round c) (*odzyskać równowagę*) = **~jść do równowagi** d) (*do przytomności*) to come round; to regain consciousness; **~jść do skutku** to be realized; to materialize; **~jść do zdrowia** to recover (*vi*); to rally; to pick up; to pull round; **~jść, ~chodzić na; ~jść na świat** to come into the world; to be born; **~jść, ~chodzić po; ~jść, ~chodzić po coś** to come for sth; to come and fetch <and collect> sth; **~jść po kogoś** to come to fetch sb; **~jść, ~chodzić z; ~jść z pomocą komuś** to lend sb a helping hand; **~jdź z dziećmi** bring the children along; **z czym ~chodzisz?** what is your business?; what do you want to see me <him etc.> about? 2. (*o środkach komunikacji*) to come in; to arrive; (*o pociągu itd.*) **mieć ~jść o godzinie ...** to be due at ... (o'clock) 3. (*o listach, przesyłkach itd.*) to come; to reach (**do kogoś** sb) 4. (*o wietrze*) to blow; (*o fali*) to come; to break (on the shore); (*o dźwiękach*) to reach the ear; (*o zapachach*) to come; to reach (**do kogoś** sb); to be blown 5. (*nastać*) to come; **~szedł czas, żeby ...** the time has come to ...; **~jdzie kolej na ciebie** your turn will come; (*o stanach emocjonalnych*) **~jść na kogoś** to come over sb; **~jdzie <~szło, ~chodzi> coś robić** the moment will come <came, comes> when one has to do sth; **~szło do tego, że on <my itd.> ...** matters came to such a point <to such a pass> that he <we etc.> ...; finally <in the end> he <we etc.> ...; **jak <kiedy> co do czego ~chodzi <~szło> nikt nie chce <nie chciał> ...** when it comes <came> to the point nobody will <would> ... 6. (*powstawać w umyśle — o fantazji*) to take (**komuś** sb); (*o chęci*) to come (**komuś** upon sb); **~jść komuś do głowy <na myśl>** to enter sb's head; to occur to sb; to come to sb's mind; to strike sb; **nie ~szło mi na myśl, żeby ...** I never thought of ...; **skąd ci ~szło to powiedzieć <robić itd.>?** what made you say <do etc.> that?; **skąd mu ~szło takie głupstwo zrobić?** how is it that he did such a foolish thing? 7. (*w 3 pers — daje się osiągnąć*) **z trudnością <łatwo> mu ~chodzi to robić** he has difficulty <no difficulty> in doing it 8. (*wyniknąć*) to come (**z czegoś** of sth); **co z tego ~jdzie?** what (good) will come of that?; **co ci z tego ~jdzie?** what good will that do you <will it be to you>?; **nic z tego nikomu nie ~jdzie** this will not do anybody any good; nobody will be the better for it 9. (*następować*) to come after <next>; to follow; **potem ~szło najgorsze** then came the worst; **po tym wszystkim ~szła śmierć ojca** on top of all that came the father's death; **po wojnie ~szła zaraza** a pest followed <came in the wake of> the war; after the war came the pest; **teraz ~chodzi chwila, żeby ...** now comes the moment <the time> to ...; **to ~jdzie potem** this will come after(wards)

przykatedralny *adj* adjoining the cathedral

przyka|zać *vt perf* **~że — przyka|zywać** *vt imperf pot.* to tell <to enjoin> (**komuś coś zrobić** sb to do sth); † **jak Pan Bóg ~zał** in proper <in due> form

przykaza|nie *sn* (↑ **przykazać**) injunction; precept; *rel.* **dziesięcioro ~ń** the ten commandments

przykazywać *zob.* **przykazać**

przykicać *vi perf* to come hopping along

przyklajstrować *vt perf pot.* to stick (**coś do czegoś** sth to sth)

przyklaskiwać *vi imperf* — **przyklasnąć** *vi perf* 1. (*oklaskiwać*) to applaud (**czemuś, komuś** sth, sb); to commend <to praise> (**przedsięwzięciu itd.** an undertaking etc.) 2. *imperf* (*wtórować oklaskami*) to clap one's hands (**do taktu** in time with the music)

przyklaskiwanie *sn* (↑ **przyklaskiwać**) plaudits; applause

przyklasnąć *zob.* **przyklaskiwać**

przyklasztorny *adj* adjoining a cloister <monastery>; cloister <monastery> — (grounds etc.)

przyklaśnięcie *sn* (↑ **przyklasnąć**) plaudits; applause

przykle|ić *v perf* **~ję, ~jony — przykle|jać** *v imperf* [I] *vt* to stick; to glue; to paste; **~ić znaczek** to stick on a stamp [II] *vr* **~ić, ~jać się** to stick (*vi*); to stay stuck

przyklejenie *sn* ↑ **przykleić; ~ znaczka** the sticking on of a stamp

przyklep|ać *vt perf* **~ie — przyklepywać** *vt imperf* (*spłaszczyć*) to flatten; to pat down; to hammer <to planish> (sheet metal)

przyklęk *sm G.* **~u** kneeling posture

przyklękać *vi imperf*, **przyklękiwać** *vi imperf* — **przykl|ęknąć** *vi perf* **~ąkł <~ęknął>, ~ękła** to bend the knee; *rel.* to genuflect

przyklęknięcie *sn* (↑ **przyklęknąć**) *rel.* genuflexion

przykluczow|y *adj muz.* **znaki ~e** key signature

przykład *sm G.* **~u** 1. (*wzór*) example; **brać ~ z kogoś** to follow sb's example; to take pattern <example> by sb; **dać (dobry) ~** to set an example; to give the example <a good example>; **iść za ~em = brać ~; świecić ~em** to be an example; **ukarać dla ~u** to make an example of ... 2. (*ilustracja*) example; instance; precedent; specimen; sample; type; **~ cnoty itd.** a model

of virtue etc.; **nie ma ~u, żeby ktoś, coś ...** it is unprecedented for sb, sth to ...
na ~ for example; for instance; (*w pisowni*) e.g.

przy|kładać *v imperf* — **przy|łożyć** *v perf* **~łóż** [I] *vt* to apply <to put, to set> (**coś do czegoś** sth to sth); to adhibit (a medicine); **~łożyć głowę do poduszki** to compose oneself to sleep; **~łożyć pieczęć do czegoś** to affix a seal to sth; **~łożyć rękę do czegoś** to set one's hand to sth; **ja do tego ręki nie ~kładałem** it's none of my making; **~łożyć siłę do czegoś** to apply a force to sth; **taki dobry, że do rany ~łóż** <**~łożyć**> a better fellow never trod shoe leather <never drew breath>; **~kładać wagę do czegoś** to attach importance to sth; to set store by sth [II] *vi perf* (*dać w skórę*) to give (**komuś** sb) a beating <a thrashing> [III] *vr* **~kładać, ~łożyć się** 1. (*robić z zapałem*) to apply oneself (**do czegoś** to sth) 2. † (*przyczyniać się*) to have a share (**do czegoś** in sth); to contribute (**do czegoś** to sth) *zob.* **przyłożyć**

przykładanie *sn* (↑ **przykładać**) application; **~ się do czegoś** application to sth; **~ się do pracy** application to work; diligence

przykład|ka *sf pl G.* **~ek** *techn.* **~ka klinowa** gib

przykładnica *sf* drawing rule; T-square

przykładnie *adv* properly; in seemly fashion; with decorum; like a good boy <girl>; **zachować się ~** to set an example of good behaviour; **ukarać kogoś ~** to make an example of sb

przykładny *adj* exemplary; model (husband, wife etc.)

przykładowo *adv* by way of example; as an instance

przykładowy *adj* taken <cited> by way of example; exemplary; exemplifying

przykłusować *vi perf* to come at a canter

przykop *sm G.* **~u** 1. (*rów*) ditch 2. *wojsk.* rampart; sap; approach

przykopalniany *adj* attached <adjacent, belonging> to a mine

przykoron|ek *sm G.* **~ka** *bot.* corolla appendage

przykostny *adj anat.* periosteous

przykościelny *adj* adjacent to a church

przykracać *zob.* **przykrócić**

przykrajać *zob.* **przykrawać**

przykra|ść *vt perf* **~dnę, ~dnie, ~dnij, ~dł, ~dziony** — **przykradać** *vt imperf* to pilfer; to steal

przykrawacz *sm* (*krojący materiały na ubrania*) cutter; (*krojący skórę*) clicker

przykr|awać *vt imperf* — **przykr|oić** *vt perf* **~oję, ~ój** to cut out (garments etc.); **~awać, ~oić materiał do czegoś** to cut out a cloth according to sth

przykręcać *vt imperf* — **przykręcić** *vt perf* 1. (*umocować*) to screw (sth) on <down>; **~ śrubę** a) (*mocniej wkręcić*) to tighten a screw b) *przen.* to put the screws (**komuś** on sb) 2. (*dokręcać*) to turn (**kurek, kran** the tap) off tight; to screw up (the pegs of a violin <guitar etc.>); **~ lampę** to turn down a lamp

przykrępować *vt perf* to fasten; to tie

przykro *adv* unpleasantly; nastily; disagreeably; in an unpleasant <a nasty> manner; **~ jest być zmuszonym <nie móc itd.> ...** it is unpleasant <painful> to have to <not to be able to etc.> ...; **~ mi (bardzo)** I am (very) sorry (about that); (*współczuję*) I am sorry to hear that; **~ mi, że muszę ...** I am sorry <I regret> to have to ...; it is my painful duty to ...; **~ odczuć coś** to feel hurt about sth; **zrobiło mi się ~** I was grieved; it made my heart ache

przykroić *zob.* **przykrawać**

przykrostka *sf* (*dim* ↑ **przykrość** 2.) minor unpleasantness; trifling irritation; *przen.* pinprick; flea-bite

przykroś|ć *sf* 1. *singt* (*uczucie niezadowolenia*) unpleasantness; annoyance; irritation; vexation; (*uczucie smutku*) pain; distress; **co za ~ć!** how annoying!; how troublesome!; too bad!; **sprawić <wyrządzić, zrobić> komuś ~ć** a) (*wywołać uczucie niezadowolenia*) to annoy <to irritate, to vex> sb b) (*wywołać smutek*) to grieve <to distress> sb; **z ~cią coś robić** to be sorry <to regret> to do sth; **z wielką ~cią to robię <mówię>** I hate to do <to say> it 2. (*to, co wywołuje uczucie niezadowolenia*) (an) unpleasantness; (a) nuisance; **liczne ~ci** much unpleasantness <annoyance>; a lot of trouble; many difficulties; **narazić się na ~ci** to involve oneself into difficulties; to look <to ask> for trouble; to get into hot water; **robić komuś ~ci** to cause unpleasantness <to create difficulties, to make trouble> for sb; to make things uncomfortable for sb

przykrócenie *sn* 1. ↑ **przykrócić** 2. (*wzięcie w karby*) (a) check (**nieposłuszeństwa itd.** on insubordination etc.); suppression (of lawlessness; beggary etc.)

przykr|ócić *vt perf* **~ócę** — **przykr|acać** *vt imperf* 1. (*skrócić*) to shorten; *przen.* **~ócić komuś cugli** to rein sb in 2. (*wziąć w karby*) to curb; to check; to suppress (lawlessness, beggary etc.)

przykrótki *adj* shortish; somewhat too short; on the short side

przykr|y *adj* 1. (*niemiły, dokuczliwy*) unpleasant; nasty; painful; disagreeable; vexatious; troublesome; annoying; bothersome; aggravating; exasperating; horrid; obnoxious; objectionable; (*o dźwiękach*) harsh; (*o słowach*) harsh; hard; (*o zdaniu*) distasteful; irksome; (*o pogodzie*) bad; nasty; miserable; (*o wypadku*) unfortunate; (*o zapachu*) offensive; noisome; (*o wiadomości*) unwelcome; (*o sytuacji*) uncomfortable; awkward; (*o skandalu*) unsavoury; (*o słowach prawdy*) unpalatable; **~e chwile** a bad time; **to bardzo ~e!** how annoying!; what a nuisance <a bother>!; **w ~y sposób** unpleasantly; nastily; disagreeably 2. (*niesympatyczny — o człowieku*) trying; bad-tempered; disobliging; cross-grained; cantankerous; (*o usposobieniu*) tiresome

przykryci|e *sn* 1. ↑ **przykryć** 2. (*to, czym się okrywa*) cover; covering; *bud.* roofing; coping; (*okrycie na plecy, nogi*) rug; (*na łóżko*) coverlet; counterpane; bedspread; (*na stół*) table-cloth; (*na skrzyni, garnku*) lid; **bez ~a** uncovered

przykry|ć *v perf* **~ję, ~ty** — **przykry|wać** *v imperf* [I] *vt* to cover; *bud.* to roof (over); **~ć głowę** to be covered; to put on one's hat <cap> [III] *vr* **~ć, ~wać się** to be covered; **~ć, ~wać się pledem <prześcieradłem>** to throw a rug over one's shoulders <a sheet over oneself>; *przen. pot.* **~ć**

się nogami to fall head over heels <head foremost>
przykrywa *sf* cover; covering; (*wieko*) lid
przykrywać *zob.* **przykryć**
przykryw|ka *sf pl G.* **~ek** lid; *przen.* **pod ~ką** under (the) cover (of friendship, religion etc.)
przykrywkow|y *adj* **szkiełko ~e** cover glass
przykrzy|ć się *vr imperf* 1. (*stawać się uciążliwym*) to pall (**komuś** on sb); to weary (**komuś** sb); **~ mi się czekanie** <**życie itd.**> I am tired of waiting <of living etc.> 2. (*nudzić*) to bore; to become tedious; **~ mi się** I am bored 3. (*tęsknić*) to long; to yearn; **~ mi się za tobą** <**za domem itd.**> I am longing for you <for home etc.>; **będzie mi się ~ło bez ciebie** I shall miss you; **~ mi się za krajem** I am homesick; I am nostalgic
przykucać *vi imperf* — **przykucnąć** *vi perf imperf* to squat; to crouch; *perf* to sit down on one's hunkers; to squat down; to assume a squatting posture
przykuchenny *adj* adjoining the kitchen
przykucie *sn* ↑ **przykuć**
przykucnąć *zob.* **przykucać**
przykucnięcie *sn* (↑ **przykucnąć**) squatting posture
przyku|ć *vt perf* **~ję, ~ty** — **przyku|wać** *vt imperf* to chain (sb, sth to sth); **~ć, ~wać kogoś do miejsca** to root sb to the ground; **~ć, ~wać oczy** <**wzrok, spojrzenie**> to grip sb; **ten widok ~ł jego oczy** his eyes were riveted on the sight; **~ć, ~wać uwagę** to absorb <to rivet> the attention; to fascinate sb; to hold sb spellbound; **~ty do łóżka** confined to one's bed; **~ty do obowiązków** riveted to one's duties
przykulić się *vr perf* to cower; to crouch
przykupić *vt perf* — **przykupywać** *vt imperf* to acquire <to buy, to purchase> (**gruntu** <**materiału itd.**> another piece of land <cloth etc.>, some more land <cloth etc.>); to acquire <to buy, to purchase> (**książek** some more books)
przykupienie *sn* (↑ **przykupić**) additional purchase
przykupywać *zob.* **przykupić**
przykurcz *sm G.* **~u** *med.* contracture
przykurcz|ać *v imperf* — **przykurcz|yć** *v perf* [I] *vt* to contract (a muscle) [II] *vr* **~ać, ~yć się** to contract (*vi*)
przykurczenie *sn* (↑ **przykurczyć**) contraction; *med.* contracture
przykurczyć *zob.* **przykurczać**
przykurzy|ć *v perf* [I] *vt* to cover with dust [II] *vi* (*o śniegu*) to fall in small quantity; **~ł śnieg** a little snow fell; there was a slight snow-fall [III] *vr* **~ć się** to get covered with dust
przykusy *adj pot.* shortish
przykuśtykać <**przykusztykać**> *vi perf* to come hobbling along
przykuwać *zob.* **przykuć**
przykwa|sić *vt perf* **~szę** — **przykwa|szać** *vt imperf* to acidulate; **~szony** acidulous; *kulin.* **~sić potrawę** to add some acid to a dish
przykwiat|ek *sm G.* **~ka** *bot.* bracteole
przykwiatkow|y *adj bot.* **~e liście** bracts
przyl|ać *v perf* **~eje** — **przyl|ewać** *v imperf* [I] *vt* to pour some more (**wina, wody itd.** wine, water etc.) [II] *vi sl.* **~ać, ~ewać komuś** to give sb a licking
przylas|ek *sm G.* **~ku** copse, coppice
przylaszcz|ka *sf pl G.* **~ek** *bot.* (*Hepatica*) liverwort, hepatica
przylatywać *zob.* **przylecieć**
przyląd|ek *sm G.* **~ka** *geogr.* cape; headland; promontory; foreland
przylądkowy *adj* headland — (position etc.)
przylądowy *adj* off-shore
przyl|ecieć *vi perf* **~eci** — **przyl|atywać** *vi imperf* 1. (*o samolocie, pasażerze*) to come; to arrive; (*o ptaku*) to come (**do parapetu okiennego itd.** to the window-sill etc.); **~ecieć do pokoju** to fly into a room 2. (*przeciągnąć w powietrzu*) to fly; to come 3. *pot.* (*przybyć biegnąc*) to run up; to come (running)
przylegać *vi imperf* 1. (*przywierać*) to adhere; to cling; to stick fast; to cleave; (*o deskach itd.*) **~ do siebie** to lie <to be> close (together); to meet 2. (*opinać*) to fit close <tight> 3. (*o gruntach itd.* — *stykać się*) to adjoin; to be contiguous; to abut
przylegający *adj* 1. (*przywierający*) adherent 2. (*sąsiadujący*) adjoining; adjacent; contiguous; abutting 3. (*obcisły*) close-fitting; close; tight; clingy
przyleganie *sn* 1. ↑ **przylegać** 2. *fiz. med.* adhesion 3. (*sąsiadowanie*) adjacency; contiguity
przyległość *sf* 1. (*obszar*) dependency 2. † (*bliskie sąsiedztwo*) contiguity
przyległ|y [I] *pp* ↑ **przylegać** [II] *adj* adjacent; adjoining; contiguous; co(n)terminous; *mat.* **kąty ~e** contiguous angles
przylep *sm G.* **~u** *techn.* stickiness
przylepi|ać *v imperf* — **przylepi|ć** *v perf* [I] *vt* to stick <to glue> (**coś do czegoś** sth to sth; **coś na coś** sth on sth); **~ać, ~ć afisze** to stick <*am.* to post> bills; **z koszulą ~oną do ciała** (with) his shirt sticking to his back; **z uchem ~onym do ściany** (with) his ear close to the wall; *przen.* **uśmiech ~ony do twarzy** set smile [II] *vr* **~ać, ~ć się** 1. (*przykleić się*) to stick; to adhere 2. *pot.* (*narzucać swe towarzystwo*) to cling (to sb)
przylep|iec *sm G.* **~ca** adhesive tape; court plaster; (sticking-)plaster
przylep|ka *sf pl G.* **~ek** 1. (*piętka chleba*) heel <crusty end> (of a loaf) 2. *pot.* (*dziecko*) fondling; coaxer; cajoler
przylepniowat|y *bot.* [I] *adj* hydroleaceous [II] *spl* **~e** (*Hydroleaceae*) (*rodzina*) the family Hydroleaceae
przylepność *sf singt* adhesiveness; stickiness
przylepny *adj* caressing
przyleśny *adj* adjoining a forest <a wood>
przylewać *zob.* **przylać**
przy|leźć *vi perf*—**przy|łazić** *vi imperf* **~lezę, ~lezie, ~leź, ~lazł, ~leźli, ~łażę** *sl.* to come (and make a nuisance of oneself); to show one's mug
przylga *sf* 1. *bud.* rebate; fillister 2. *techn.* lap 3. *zool.* pad <pulvillus> (of an insect's foot)
przylgnąć *vi perf* 1. (*przywrzeć*) to adhere; to stick; to cling 2. (*przytulić się*) to cling; to nestle close <to nestle up> (to sb)
przylist|ek *sm G.* **~ka** *bot.* stipule; stipel
przyli|zać *v perf* **~że** — **przyli|zywać** *v imperf pot.* [I] *vt* to plaster down (one's hair); to smooth (down) [II] *vr* **~zać, ~zywać się** to plaster down one's hair
przylodowcowy *adj geol.* proglacial (deposit etc.)

przylot *sm G.* **~u** arrival (of an aeroplane); coming <flight, return> (of birds)
przylutować *vt perf* — **przylutowywać** *vt imperf* to solder on; to sweat on
przylże|niec *sm G.* **~ńca** *zool.* thrips; thysanopteron; *pl* **~ńce** (*Thysanoptera*) (*rząd*) the order Thysanoptera
przyłap|ać *v perf* **~ie** — **przyłap|ywać** *v imperf* [I] *vt* 1. (*zastać*) to catch (**kogoś na czymś** sb doing sth); to catch (sb) out (**na kłamstwie itd.** on a lie etc.); **~ać kogoś na omyłce** <**na zaniedbaniu**> to catch sb napping; **~ać kogoś na gorącym uczynku** to catch sb red-handed 2. *pot.* (*zatrzymać*) to catch <to seize> (sb) [III] *vr* **~ać, ~ywać się** to find oneself (**na czymś** doing sth — whistling, humming etc.)
przyłata|ć *vt perf* to patch (sth) on; *przen. pot.* **ni przypiął, ni ~ł** off the point; without rhyme or reason; a propos of nothing in particular
przyłazić *zob.* **przyleźć**
przyłącz|ać *v imperf* — **przyłącz|yć** *v perf* [I] *vt* 1. (*dołączyć*) to join (**coś do czegoś** sth with sth); to annex (**obszar do państwa** a territory to a State; **pole do gospodarstwa** a field to one's farm); to incorporate (**prowincję do państwa** a province in a State); to attach; *elektr.* to connect 2. *chem.* to add [III] *vr* **~ać, ~yć się** (*dołączyć się*) to join (**do kogoś, czegoś** sb, sth; with sb, sth); **~ać, ~yć się do innych** to associate with the others <the rest>; **~yć się do rozmowy** to join in the conversation
przyłącz|e *sn pl G.* **~y** *elektr.* service (wire); drop wire; terminal
przyłączenie *sn* (↑ **przyłączyć**) annexation; incorporation; *elektr.* connection; *chem.* addition
przyłączeniowy *adj chem.* additive
przyłączyć *zob.* **przyłączać**
przyłbic|a *sf* 1. *hist.* beaver; visor, vizor; *przen.* **odsłonić ~y** to throw off all disguise 2. *techn.* welder's helmet; helmet shield; head-gear
przyłożeni|e *sn* (↑ **przyłożyć**) application; adhibition (of medicine); *fiz.* **punkt ~a siły** point of application of force
przył|ożyć *vt perf* **~óż** 1. *zob.* **przykładać** 2. (*przygnieść*) to press down 3. (*obłożyć*) to apply (**coś czymś** sth to sth; **kompres na stłuczenie** a compress to a bruise)
przymacicze *sn anat.* periuterine tissues; parametrium
przymało *adv pot.* somewhat too little <too few>
przymarszczenie *sn* (↑ **przymarszczyć**) creases
przymarszczyć *vt perf* — **przymarszczać** *vi imperf* 1. (*zebrać w zmarszczki*) to crease 2. (*ściągnąć brwi*) to contract one's brow
przymarzać [r-z] *vi imperf* — **przymarz|nąć** [r-z] *vi perf* **~ł** to freeze on <to freeze fast> (**do czegoś** to sth)
przymaszerować *vi perf* to march (**dokądś** up to a place)
przym|awiać *v imperf* — **przym|ówić** *v perf* [I] *vi* 1. (*robić wymówki*) to rebuke (**komuś** sb) 2. (*mówić złośliwości, dogryzać*) to nettle <to pinprick, to rag> (**komuś** sb); **~ówić sobie** to bandy abuse [III] *vr* **~awiać, ~ówić się** (*napomykać*) to hint (**o coś** at sth); to allude (**o coś** to sth); *perf* to drop a hint (**o coś** about sth)
przymawianie *sn* 1. ↑ **przymawiać** 2. (*złośliwości*) pinpricks; nettling remarks 3. (*wymówki*) rebukes 4. **~ się** (*dopominanie się*) broad hints
przymdl|eć *vi perf* **~eje, ~ały** to droop
przymglenie *sn* (↑ **przymglić**) mistiness; haziness
przymglić *v perf* [I] *vt* to envelop in mist; to cover with a mantle of haze [III] *vr* **~ się** to grow <to become> misty <hazy>
przymiar *sm G.* **~u** *techn.* rule; gauge; **~ do drutu** wire gauge; **~ taśmowy** measuring tape
przymiarka *sf* trying on <fitting on, fit-on> (of clothes)
przym|ierać *vi imperf* — **przym|rzeć** *vi perf* **~rę, ~rze, ~arł** to be dying <half-dead> (**ze strachu, z głodu itd.** with fright, hunger etc.); **~ierać głodem** to be starving
przymierz|ać *v imperf* — **przymierz|yć** *v perf* [I] *vt* 1. (*próbować, czy pasuje*) to try on (a garment); *przen. pot.* **nie ~ając** if you'll excuse the expression; if I may say so (without giving offence) 2. (*przykładać*) to apply <to put, to set> (**coś do czegoś** sth to sth) [III] *vi* (*także vr* **~ać, ~yć się**) (*celować*) to take aim
przymierzalnia *sf* fitting room
przymierzanie *sn* (↑ **przymierzać**) (a) fit-on; fitting on
przymierz|e *sn pl G.* **~y** alliance; covenant; *rel.* **Arka ~a** Ark of the Covenant; **Stare** <**Nowe**> **Przymierze** Old <New> Testament
przymierzyć *zob.* **przymierzać**
przymieszać *vt perf* — **przymieszywać** *vt imperf* to add (**coś do czegoś** sth to sth); to admix
przymieszanie *sn* (↑ **przymieszać**) addition; admixture
przymiesz|ka *sf pl G.* **~ek** addition; admixture; modicum <dash> (of spirits, vanilla etc.)
przymieszywać *zob.* **przymieszać**
przymilać się *vr imperf* — **przymilić się** *vr perf* to coax <to wheedle, to cajole> (**do kogoś** sb); to endear oneself (to sb); to ingratiate oneself (**do kogoś** with sb)
przymilająco *adv* coaxingly; cajolingly; wheedlingly; endearingly; ingratiatingly
przymilanie się *sn* (↑ **przymilać się**), **przymilenie się** *sn* (↑ **przymilić się**) coaxing; cajolery; endearments; ingratiating <insinuating> ways
przymilny *adj* cajoling; ingratiating; insinuating
przymiot *sm G.* **~u** attribute; trait; quality
przymiotnik *sm gram.* adjective
przymiotnikowo *adv* adjectivally
przymiotnikowy *adj* adjectival
przymiotno *sn bot.* (*Erigeron*) daisy fleabane
przymiotny *adj* = **przymiotnikowy**
przymizernie|ć *vi perf* **~je** not to look very well; to be off colour
przymizg *sm G.* **~u** cajolery
przym|knąć *v perf* — **przym|ykać** *v imperf* [I] *vt* 1. (*przysłonić*) to cover up (an aperture) 2. (*zamknąć niecałkowicie*) to set (a door) ajar; (*zamknąć nie na klucz*) to put (a door) on the latch; **drzwi są ~knięte** the door is ajar; **~knąć powieki** to squint; to hold one's eyes half-shut; *przen.* **~knąć oczy na coś** to shut one's eyes to sth; to wink at sth 3. *sl.* (*osadzić w więzieniu*) to lock (sb) up [III] *vr* **~knąć, ~ykać się** 1. (*zamknąć się*)

to shut <to close> (*vi*) 2. *wulg.* (*zamilknąć*) to shut up; to dry up; to hold one's tongue
przymknięcie *sn* (↑ **przymknąć**) closing; closure
przymocować *vt perf* — **przymocowywać** *vt imperf* to attach; to fasten (down); to make (sth) fast; to fix (sth to sth); to secure
przymocowanie *sn* (↑ **przymocować**) attachment; fastening
przymocz|ka *sf pl G.* **~ek** moist application
przymorski *adj* littoral
przymówić *zob.* **przymawiać**
przymówienie *sn* 1. ↑ **przymówić** 2. (*wymówka*) (a) rebuke 3. (*złośliwość*) pinprick; nettling remark 4. **~ się** (*upominanie się*) (a) hint; allusion
przymów|ka *sf pl G.* **~ek** 1. (*przytyk*) taunt; gibe; scoff; jeer 2. (*aluzja*) hint
przymroz|ek *sm G.* **~ku** <**~ka**> 1. (*lekki mróz*) ground frost 2. (*szron*) hoar-frost
przymruż|ać *vt imperf* — **przymruż|yć** *vt perf* to screw up (one's eyes); **~one oczy** half-closed eyes; **~yć jedno oko** to wink
przymrużenie *sn* ↑ **przymrużyć**; **~ oka** (a) wink
przymrzeć *zob.* **przymierać**
przymulać *vt imperf* — **przymulić** *vt perf* to silt up
przymulisko *sn* alluvium; slimy grounds
przymurować *vt perf* to add (to a building)
przymurów|ka *sf pl G.* **~ek** annexe (to a building)
przymus *sm G.* **~u** 1. (*presja*) constraint; compulsion; pressure; coercion; **działać pod ~em** to act under pressure <under constraint, under protest>; **~ szkolny** compulsory school attendance; **zastosować ~ wobec kogoś** to bring pressure to bear on sb 2. *prawn.* duress; **pod ~em** under duress
przymu|sić *v perf* **~szę** — **przymu|szać** *v imperf* ① *vt* to force <to compel, to oblige> (**kogoś do zrobienia czegoś** sb to do sth); to coerce (**kogoś do zrobienia czegoś** sb into doing sth); **~sić, ~szać kogoś do powzięcia decyzji** to force sb into a decision ② *vr* **~sić, ~szać się** to force <to compel> oneself (**do robienia czegoś** to do sth)
przymusowo *adv* compulsorily; under constraint; by force
przymusowość *sf singt* compulsion; constraint
przymusow|y *adj* compulsory; obligatory; coercive (measures etc.); forced (landing, labour, loan etc.); *karc.* **zrzutka ~a** (a) squeeze; *lotn.* **dokonał ~ego lądowania** he force-landed
przymuszać *zob.* **przymusić**
przymuszanie *sn* (↑ **przymuszać**) constraint; compulsion; coercion
przymuszony ① *pp* ↑ **przymusić** ② *adj* forced <constrained, affected, unnatural> (laugh etc.)
przymykać *zob.* **przymknąć**
przynagi *adj* half-naked
przynaglać *vt imperf* — **przynaglić** *vt perf* to hustle; to rush; to urge; to spur (sb) on; to impel
przynaglająco *adv* pressingly; urgently
przynaglający *adj* pressing; urgent
przynaglenie *sn* (↑ **przynaglić**) urgence; hustling
przynaglić *zob.* **przynaglać**
przynajmniej *adv* at least; at any rate; anyway
przynależnoś|ć *sf* 1. *singt* (*należenie*) attachment; affiliation (to a society, party etc.); membership (of a party etc.); **~ć państwowa** national status; nationality; **bez ~ci państwowej** stateless 2. *pl* **~ci** *prawn.* appurtenances; pertinents; fixtures
przynależny † *adj* 1. (*należący*) belonging (to sb, sth) 2. (*przysługujący*) due
przynerwowy *adj bot.* venous
przynęcać *vt imperf* — **przynęc|ić** *vt perf* **~ę** to allure; to entice; to wile
przynęt|a *sf* 1. *wędk.* bait; **założyć ~ę na wędkę** to bait a fish-hook 2. *przen.* decoy 3. (*powab*) lure; enticement
przyniesienie *sn* ↑ **przynieść**
przyn|ieść *vt perf* **~iosę, ~iesie, ~iósł, ~iosła, ~ieśli, ~iesiony** — **przyn|osić** *vt imperf* **~oszę** 1. (*dostarczyć*) to bring; **~ieść coś na górę** <**na dół, z powrotem**> to bring sth up <down, back>; **~ieść coś z sobą** to bring sth along; **~ieś mi papierosy** <**gazetę itd.**> go and get me some cigarettes <the paper etc.>, will you?; *przen.* **~ieść sobie imię** *X* to be born on St *X*'s day; **~iósł to z sobą na świat** it was inborn in him 2. (*sprawić*) to bring (**zaszczyt, ulgę itd.** honour, relief etc.); to afford (satisfaction etc.); **~osić szczęście** <**nieszczęście**> to bring luck <ill luck>; **to nam ~iosło nieszczęście** it brought misfortune on us 3. (*przysporzyć*) to bring <to yield> (profit); **~osić odsetki** to bring in interest 4. (*o prasie itd.*) to bring (news)
przyniszcz|yć *vt perf* to damage somewhat; to impair; **~ony** somewhat damaged; no longer new; (*o ubraniu*) showing signs of wear; shabby
przynitować *vt perf* — **przynitowywać** *vt imperf* to rivet
przynosić *zob.* **przynieść**
przynoszenie *sn* ↑ **przynosić**
przyobiecać *vt perf* — **przyobiecywać** *vt imperf* to promise
przyobl|ec *v perf* **~ekę, ~ecze, ~ókł, ~ekła** — **przyobl|ekać** *v imperf* ① *vt* 1. (*ubrać*) to clothe (**kogoś w coś** sb in sth); **~ec, ~ekać coś w jakąś formę** to give a shape to sth; **~ec habit** to take the habit 2. (*powlec*) to cover ② *vr* **~ec, ~ekać się** to put on <to don> (**w jakiś strój** an attire); to assume (**w jakąś formę** a shape)
przyobleczenie *sn singt* (↑ **przyoblec**) clothing (sb); **~ się w jakąś szatę** assumption of an attire
przyocz|ko *sn pl G.* **~ek** *zool.* stemma (*pl* stemmata)
przyodzi|ać *v perf* **~eje** — **przyodzi|ewać** *v imperf lit.* ① *vt* 1. (*ubrać kogoś*) to clothe (**kogoś w coś** sb in sth) 2. (*włożyć na siebie*) to put on (a garment) ② *vr* **~ać, ~ewać się** to put on (**w coś** sth)
przyodziewa *sf gw.* = **przyodziewek**
przyodziewać *zob.* **przyodziać**
przyodziew|ek *sm G.* **~ku** *reg.* clothes; garments; attire
przy|orać *vt perf* **~orze, ~órz** — **przyorywać** *vt imperf* 1. (*przykryć skibami*) to plough under <back, in> (weeds, lupin, manure etc.) 2. (*oraniem przyłączyć*) to filch (some of one's neighbour's land)
przyozd|obić *v perf* **~ób** — **przyozd|abiać** *v imperf* ① *vt* to adorn; to deck out; to decorate ② *vr* **~obić, ~abiać się** to adorn oneself; to deck oneself out
przyozdobienie *sn* (↑ **przyozdobić**) adornment
przypa|dać *vi imperf* — **przypa|ść** *vi perf* **~dnę, ~dnie, ~dnij, ~dł** 1. (*upadać*) to fall (**do ziemi**

to the ground; **na kolana** on one's knees); **~dać, ~ść uchem do ziemi** to set one's ear to the ground 2. (*doskoczyć*) to fall (**do nieprzyjaciela** on an enemy); to leap <to spring> (**do kogoś, czegoś** at sb, sth) 3. (*wypadać*) to happen <to occur> (**na X wiek itd.** in the 10th century etc.); to fall (**na niedzielę, piątek itd.** on Sunday, Friday etc.; **na maj, czerwiec itd.** in May, June etc.) 4. (*dostać się w udziale*) to fall (**na kogoś <komuś>** to sb); **zaszczyt <obowiązek> zrobienia tego ~da nam <wam itd.>** the honour of doing that <the duty to do that> falls to our <your etc.> share <lot> 5. † (*być odpowiednim*) to suit; *obecnie w zwrocie:* **~dać komuś do gustu <do serca>** to be to sb's liking; **~ść komuś do gustu <do serca>** to take sb's fancy

przypad|ek *sm G.* **~ku** 1. (*traf*) chance; fortune; hazard; **na ~ek ...** in case ... (of rain, of fire etc.); in the event ... (of sb's absence etc.); **~ek tak zrządził** chance so ordained it; **~ki chodzą po ludziach** you never know 2. (*wypadek*) case; instance; **dwa ~ki tyfusu** two cases of typhoid fever; **w tym ~ku** in this instance 3. *gram.* case
~kiem by chance; by any chance; by accident; **czy ~kiem nie wiesz, gdzie ...** do you know by any chance <do you happen to know> where ...; **jeżeli ~kiem zobaczysz ...** if you happen <if you chance> to see ...

przypadkować † *vt imperf gram.* to decline

przypadkowo *adv* 1. (*przez przypadek*) by chance; by accident; accidentally; **widziałem ją ~** I happened <I chanced> to see her; it so happened that <as it happened> I saw her 2. (*niechcąco*) unintentionally

przypadkowość *sf* 1. *singt* (*cecha*) fortuitousness 2. (*przypadkowe zdarzenie*) fortuity 3. *mat.* randomness 4. *log.* unpredictability; uncertainty

przypadkow|y *adj* 1. (*przygodny*) accidental; fortuitous; **~a znajomość** chance acquaintance; **~e zajęcia** odd jobs; **~e odkrycie** chance discovery 2. *gram.* case _ (ending etc.)

przypadłość *sf* indisposition; ailment; complaint; disease

przypal|ić *v perf* — **przypal|ać** *v imperf* [I] *vt* 1. (*przypiec*) to burn (the roast, the milk etc.); to sear (a wound etc.); to cauterize; to scorch <to singe> (linen when ironing); to singe (one's hair, eyebrows) 2. (*zapalić papierosa od kogoś*) to light (**papierosa od kogoś** one's cigarette off sb else's) [III] *vr* **~ić, ~ać się** to get burnt <scorched, singed>

przyparcie *sn* ↑ **przyprzeć**

przyparty [I] *pp* ↑ **przyprzeć** [II] *adj* driven (**do ściany <drzewa itd.>** against a wall <a tree etc.>); leaning (**do czegoś** against sth); *przen.* **~ do muru** with one's back to the wall; driven into a tight corner

przypa|sać *vt perf* **~szę** — **przypasywać** *vt imperf* to buckle <to gird> on (a sword etc.); to strap (**łyżwy itd.** skates etc.) on; to fasten on (**fartuch itd.** an apron etc.)

przypasować *vt perf* to fit; to adjust

przypasywać *zob.* **przypasać**

przypat|rywać się *vr imperf* — **przypat|rzyć się** *vr perf* = **przyglądać się; ~rz się temu** look <have a look> at this

przypawać *vt imperf techn.* to solder on; to weld on

przypełz|nąć *vi perf* **~ła** — **przypełzać** *vi imperf* 1. (*pełznąć*) to creep <to crawl> up 2. (*przyblaknąć*) to fade slightly; to lose some of its colour

przypędz|ić *v perf* **~ę** — **przypędzać** *v imperf* [I] *vt* to drive (**bydło itd.** cattle etc.) in [II] *vi* (*przybyć*) to run up

przypętać się *vr perf sl.* to come and hang about <*am.* around>

przyp|iąć *v perf* **~nę, ~nie, ~nij, ~iął, ~ięła, ~ięty** — **przyp|inać** *v imperf* [I] *vt* to pin on; to attach; to fasten; to buckle; *przen.* **~iąć komuś łatkę** to have a dig at sb; **~iąć, ~inać komuś rogi** to cuckold sb; to be unfaithful (to one's husband); **~iąć, ~inać komuś skrzydła** to lend sb wings; **ni ~iął, ni przyłatał** *zob.* **przyłatać** [III] *vr* **~iąć, ~inać się** to cling

przypiec *zob.* **przypiekać**

przypiec|ek *sm G.* **~ka** stove-corner

przypieczętować *vt perf* — **przypieczętowywać** *vt imperf* 1. (*przyłożyć pieczęć*) to seal <to set one's seal to> (a document) 2. *przen.* to confirm

przypie|kać *v imperf* — **przypie|c** *v perf* **~kę, ~cze, ~kł** [I] *vt* to broil <to grill, to roast> (meat etc.); to toast (bread) [II] *vi* 1. (*o słońcu*) to swelter; to scorch 2. *przen.* (*dokuczać*) to sting <to nettle, to pique> (**komuś** sb) [III] *vr* **~kać, ~c się** to broil <to grill, to roast> (*vi*); to be broiled <grilled, roasted>

przypieprzyć *vt perf* to add a little pepper (**potrawę** to a dish)

przyp|ierać *v imperf* — **przyp|rzeć** *v perf* **~rę, ~rze, ~rzyj, ~arł, ~arty** [I] *vt* 1. (*przygniatać*) to press <to push, to crush, to squeeze, to pin> (**kogoś, coś do czegoś** sb, sth against sth); *przen.* **~ierać, ~rzeć kogoś do muru** to drive sb into a (tight) corner 2. (*zapędzić*) to drive <to force> (**ludzi dokądś** people somewhere) [II] *vi* (*graniczyć*) to adjoin (**do czegoś** sth); to border <to abut> (**do czegoś** on sth) [III] *vr* **~ierać, ~rzeć się** to lean (**do czegoś** against sth)

przypięcie *sn* ↑ **przypiąć**

przypiętrz|e *sm pl G.* **~y** *bud.* landing

przypikować *vt perf* 1. (*przyszyć*) to quilt 2. *lotn.* to nose-dive

przypili|ć *vt perf pot.* to urge <to hustle, to rush> (sb); *sl.* **~ło go** he felt an urgent need to relieve nature

przypilnow|ać *vt perf* — **przypilnow|ywać** *vt imperf* to watch <to mind, to look after> (**kogoś, czegoś** sb, sth); to take care (**kogoś, czegoś** of sb, sth); to keep an eye (**kogoś** on sb); to see (**dzieci itd.** to the children etc.); **~ać, żeby coś było zrobione <żeby ktoś coś zrobił>** to see to it that sth is done <that sb does sth>

przypiłować *vt perf* 1. (*piłą*) to saw a little bit (**coś** off sth) 2. (*pilnikiem*) to file a little bit (**coś** off sth)

przypinać *zob.* **przypiąć**

przypis *sm G.* **~u** (foot-)note; gloss; **zaopatrzyć w ~y** to annotate

przypi|sać *vt perf* **~szę** — **przypi|sywać** *vt imperf* 1. (*dopisać na rachunek*) to credit an account (**coś** with sth) 2. (*uważać za przyczynę*) to attribute <to ascribe> (**coś komuś, czemuś** sth to sb, sth); to put <to set> (sth) down (to sth); **czemu to ~sujesz?** how do you account for that? 3. (*sądzić, że ktoś odznacza się czymś — o czymś dodatnim*) to credit (**coś komuś** sb with sth); (*o czymś ujemnym*) to impute (**coś komuś** sth to sb); **~sać, ~sywać sobie zasługę czegoś** to claim <to arrogate to oneself> the credit for sth 4. *hist.* to attach (a villein, bondsman) to the land; **~sany** adscript

przypisanie *sn* (↑ **przypisać**) attribution; ascription; arrogation; imputation

przypisa|niec *sm G.* **~ńca** *hist.* (a) predial; villein; villain; bondsman

przypis|ek *sm G.* **~ka** <**~ku**> 1. = **przypis** 2. (*dopisek do listu*) postscript

przypisywać *zob.* **przypisać**

przypisywanie *sn* (↑ **przypisywać**) attribution; ascription; arrogation; imputation

przyplą|tać *v perf* **~cze** — **przyplą|tywać** *v imperf* [I] *vt* to implicate; to entangle (**kogoś do czegoś** sb in sth) [II] *vr* **~tać, ~tywać się** to come straggling up (to sb); to come unrequested; to come dogging (sb's) footsteps; (*o psie, kocie*) to attach itself (**do kogoś** to sb); (*o chorobie*) to befall (**komuś** sb)

przypłac|ić *vt perf* **~ę** — **przypłac|ać** *vt imperf* to pay (**coś zdrowiem** <**życiem itd.**> for sth with the loss of one's health <with one's life etc.>); **~ił swoją nieroztropność kalectwem** he was crippled through his rashness; **drogo coś ~ić** to pay dearly for sth

przypłaszcz|ek *sm G.* **~ka** *zool.* (*Phaenops*) a buprestid

przypłaszczenie *sn* ↑ **przypłaszczyć**

przypłaszcz|yć *v perf* [I] *vt* to flatten slightly; **~ony** flattish [II] *vr* **~yć się** to lie flat on the ground; (*o psie*) to cower

przypłoci|e *sn pl G.* **~** ground adjoining a fence

przypłynąć *vi perf* — **przypływać** *vi imperf* (*o człowieku, zwierzęciu, rybach*) to swim up (to a place); (*o statku*) to come; to arrive; (*o człowieku w łodzi*) to row <to sail> up (to a place)

przypływ *sm G.* **~u** 1. (*przypłynięcie*) inflow; influx; flush (of feeling); suffusion (of tears, of blood); (*wezbranie wody w rzece*) spate; **~ krwi do głowy** determination of blood to the head 2. *geogr.* flow (of the tide); incoming tide; high-tide; high water; *mar.* flood <rising> tide; **~ duży** springs; **~ mały** neap; **wkrótce będzie ~** the tide is on the turn

przypływać *zob.* **przypłynąć**

przypływomierz *sm* tide-gauge

przypływowy *adj* high-water — (mark etc.)

przypochlebi|ać *v imperf* — **przypochlebi|ć** *v perf* [I] *vi* (*schlebiać*) to flatter <to adulate> (**komuś** sb) [II] *vr* **~ać, ~ć się** to ingratiate oneself (**komuś** with sb); to blandish <to coax> (**komuś** sb)

przypochlebnie *adv* cajolingly; wheedlingly; coaxingly

przypochlebny *adj* cajoling; wheedling; coaxing

przypodobać się *vr perf* to get <to insinuate oneself> into (**komuś** sb's) favour <good graces>; to endear oneself (**komuś** to sb)

przypodobanie się *sn* (↑ **przypodobać się**) endearments

przypom|inać *v imperf* — **przypom|nieć** *v perf* **~nę, ~ni, ~nij** [I] *vt* 1. (*przywodzić na pamięć*) to remind (**komuś coś** sb of sth; **komuś, żeby coś zrobił** sb to do sth); (*budzić wspomnienia o czymś*) to call <to bring> to mind; to bring back; **~ina się, że ...** you <passengers, visitors etc.> are reminded that ...; **to mi ~ina młode lata** it carries me back to my youth; it recalls my youth to me 2. (*powracać myślą do czegoś — obecnie tylko z zaimkiem* **sobie**) to remember <to recollect, to recall (to mind)> (**coś** sth; **że się coś zrobiło** having done sth); **nie mogę sobie ~nieć, kto to jest** <**kiedy to było itd.**> I can't think who the man is <when that happened etc.>; **o ile sobie ~inam** to the best of my memory; **~niałem sobie** a) (*już pamiętam*) now I remember b) (*aha!*) that reminds me ...; **~nieć sobie to, czego się ktoś nauczył** to brush up <to rub up> (one's French, history etc.) 3. *imperf* (*być podobnym*) to resemble (sb, sth); to bear a resemblance (**kogoś** to sb); **on mi ~ina dawnego nauczyciela** he reminds me of an old teacher of mine; **to ~ina ...** it reminds one of ...; it looks like ...; it is not unlike ...; it is suggestive of ... [II] *vr* **~inać, ~nieć się** 1. (*odżywać w pamięci*) to come back (to one); **~ina mi się to wszystko** I remember <recall> it all 2. (*przypominać komuś o sobie*) to recall oneself to sb's memory 3. *pot.* (*o potrawie*) to lie on sb's stomach

przypomnienie *sn* (↑ **przypomnieć**) reminder; memento

przyp|ora *sf pl G.* **~ór** *arch.* buttress; abutment; counterfort; **~ora łękowa** <**łukowa**> flying buttress 2. *górn.* cocker; sprag

przyporowy *adj arch.* **łęk** <**łuk**> **~** flying buttress

przypowiast|ka *sf pl G.* **~ek** 1. (*opowiadanie*) anecdote 2. (*sentencja*) adage

przypowieś|ć *sf pl N.* **~ci** parable; allegory

przypozw|ać *vt perf* **~ę, ~ie, ~ij, ~ał** — **przypozywać** *vt imperf prawn.* to summon; to garnish

przyprasować *vt perf* to iron (a blouse etc.); to press (a pair of trousers etc.)

przyprawa *sf* spice; condiment; seasoning; sauce; relish

przyprawi|ać *vt imperf* — **przyprawi|ć** *vt perf* 1. (*dodawać*) to put (**coś czemuś** sth to sth — a new handle to a tool etc.); to attach <to fasten> (**coś komuś, czemuś** sth to sb, sth); to pin <to sew, to nail> (sth on to sth); **~ać, ~ć sobie brodę** <**włosy, wąsy**> to put on a false beard <false hair, a moustache>; *przen.* **~ać, ~ć komuś rogi** to cuckold <to be unfaithful to> sb 2. *kulin.* (*dodawać przyprawy*) to season <to flavour, to spice> (a dish) 3. *przen.* (*ubarwić*) to season (a story with humour etc.) 4. *kulin.* (*przygotować*) to make <to prepare> (a dish, a drink) 5. (*powodować*) to give (**kogoś o bóle głowy** <**palpitację serca, drżenie itd.**> sb headaches <palpitations of the heart, the shivers etc.>); to make (**kogoś o mdłości** <**zdenerwowanie itd.**> sb sick <nervous etc.>); **~ć kogoś o śmierć** to cause <to bring about> sb's death

przyprawowy *adj* seasoning — (herbs, leaves etc.)

przyprostokątna *sf* (*decl* = *adj*) *mat.* cathetus of a rectangular triangle; leg of right-angled triangle

przyprowadz|ać *vt imperf* — **przyprowadz|ić** *vt perf* **~ę** 1. (*przybyć z kimś, czymś*) to bring (**kogoś do zwierzchnika** <**sędziego**> sb before a superior <a judge>); **~ać, ~ić kogoś z sobą** to bring sb along; **~ać, ~ić psa <krowę> do weterynarza** to bring a dog <a cow> to the veterinary surgeon <*pot.* to the vet> 2. (*powodować*) to cause <to bring about> (**kogoś do śmierci** sb's death); to drive (**kogoś do szaleństwa** sb mad); **~ić coś do ładu** to put sth in order; **~ać, ~ić kogoś do ostateczności** to drive sb to extremes; **~ić kogoś do przytomności** to bring sb back to consciousness; **~ać, ~ić kogoś do zdenerwowania <do rozpaczy>** to make sb nervous <desperate>

przyprósz|yć *vt perf* — **przyprósz|ać** *vt imperf* to sprinkle <to cover> (**coś kurzem <śniegiem itd.>** sth with dust <snow etc.>); *przen.* **~yć komuś głowę siwizną** to thread sb's hair with grey; to frost sb's hair

przyprz|ąc *vt perf* **~ęgnę <~ęgę>, ~ęgnie <~ęże>, ~ągł, ~ęgła, ~ężony** — **przyprzęgać** *vt imperf* 1. (*zaprząc*) to put (a horse, horses) to; to harness (a horse, horses) 2. (*doprząc*) to put (an additional horse <an outrunner, additional horses>) to

przyprzążk|a *sf singt pot.* harnessing of an additional horse <of an outrunner>; **koń na ~ę** outrunner

przyprzęgać *zob.* **przyprząc**

przypudrow|ać *v perf* — **przypudrow|ywać** *v imperf* [I] *vt* to put a touch of powder (**coś** on sth) [III] *vr* **~ać, ~ywać się** to put a touch of powder on one's face

przypustnica *sf bud.* chantlate; false rafter; sprocket (piece)

przypu|szczać *v imperf* — **przypu|ścić** *v perf* **~szczę** [I] *vt* 1. (*pozwalać zbliżać się*) to let (sb, sth) approach; **~ścić zwierza do siebie** to let an animal approach <come near> one; **~ścił jeźdźca na donośność głosu** he let the rider come <allowed the rider to come> within hailing distance 2. (*dopuszczać*) to admit (**kogoś przed oblicze** sb into the presence); **nie ~szczać, ~ścić kogoś** to refuse sb admittance; **kobiet nie ~szczali do swego towarzystwa** they did not admit women in their company; **~szczać, ~ścić stadnika do krowy <ogiera do klaczy>** to put a bull to a cow <a stallion to a mare>; **~ścić coś do głowy <do myśli>** to admit sth into one's mind; to let sth enter one's head ‖ **~szczać, ~ścić atak do pozycji nieprzyjacielskich** to make an assault on <to assault, to storm> an enemy position [III] *vt vi* (*mniemać*) to suppose; to presume; to assume; to imagine; to surmise; to conjecture; to believe; to reckon; *am.* to guess; to calculate; **~szczam, że ...** I dare say <I dare-say> ...; **~szczam, że tak <że nie>** I suppose <believe, think, expect, *am.* guess> so <not>; **~szcza się, że on jest <ma itd.>** he is (generally) supposed <thought, believed, considered> to be <to have etc.>; **~śćmy, że się to nie uda** suppose <supposing> it fails

przypuszczający *adj gram.* conditional (mood)

przypuszczalnie *adv* presumably; probably; in all likelihood

przypuszczalny *adj* presumable; assumable; conjectural; supposed; hypothetical; **~ ojciec** putative father; **~ spadkobierca** assumptive <expectant> heir

przypuszczeni|e *sn* 1. ↑ **przypuścić** 2. (*domysł*) supposition; guess; assumption; conjecture; surmise; hypothesis; **gubić się w ~ach** to be lost in conjectures; **snuć ~a** to make conjectures

przypuścić *zob.* **przypuszczać**

przypytać się *vr perf* — **przypytywać się** *vr imperf pot.* to accost (**do kogoś** sb); to intrude (**do kogoś** upon sb); to thrust oneself (**do towarzystwa** upon a company)

przyranny *adj med.* traumatic; surgical; wound — (fungus etc.); granulation — (tissue etc.)

przyr|astać *vi imperf* — **przyr|osnąć <przyr|óść>** *vi perf* **~ośnie, ~ósł, ~osła, ~ośli** 1. (*powiększać się*) to increase (**na wysokość <szerokość, objętość>** in height <width, volume>) 2. (*pomnażać swą liczebność*) to increase (in number); to multiply 3. (*zrastać się*) to accrete <to grow into one> (**do czegoś** with sth) 4. (*przywierać*) to adhere <to stick> (to sth)

przyrod|a *sf singt* 1. (*zjawisko*) (animated, inanimate) nature; **ochrona <pomniki, prawa> ~y** preservation <monuments, laws> of nature; *przen.* **na łonie ~y** in the open 2. (*nauka*) natural history <science>; *szk.* nature study

przyrodni *adj* **~ brat** half-brother; **~a siostra** half-sister

przyrodnicz|ka *sf pl G.* **~ek** = **przyrodnik**

przyrodniczo *adv* from the point of view of natural science; naturalistically

przyrodniczy *adj* natural (science etc.); scientific (laboratory, investigation etc.); (Faculty etc.) of Natural Science; naturalistic

przyrodnik *sm* natural historian; scientist; naturalist; *szk.* science-master

przyrodolecznictwo *sn singt* physiotherapy; physical therapy <medicine>

przyrodoleczniczy *adj* physiotherapeutic

przyrodoznawstwo *sn singt* natural history <science>

przyrodzenie *sn singt* 1. *pot.* (*narządy płciowe*) privy parts; genitals 2. † (man's) nature

przyrodzony *adj* natural; inborn; innate

przyrosnąć *zob.* **przyrastać**

przyrost *sm G.* **~u** increase; growth; increment; accretion; rise; **~ naturalny** natality; birth-rate; **~ naturalny ludności** increase of the population; *leśn.* **~ roczny** annual ring

przyrost|ek *sm G.* **~ka** *jęz.* suffix

przyrostkowy *adj jęz.* suffixal

przyrostowy *adj* (rate etc.) of increase; *leśn.* **pierścień ~** annual ring

przyrośnięcie *sn* (↑ **przyrosnąć**) increase; growth

przyróść *zob.* **przyrastać**

przyrównać *vt perf* — **przyrównywać** *vt imperf* to compare (**do czegoś** with sth); *mat.* to equate

przyrównanie *sn* (↑ **przyrównać**) comparison

przyrównikowy *adj geogr.* equatorial

przyrównywać *zob.* **przyrównać**

przyróżować *vt perf* to put a touch of rouge (**sobie policzki** on one's cheeks)

przyrumienić *v perf* [I] *vt* to brown (the roast, one's skin etc.) [III] *vr* **~ się** to brown (*vi*); to get brown

przyrząd *sm G.* **~u** appliance; instrument; device; *mech.* attachment; *pot.* gadget; *sl.* contraption; *pl* **~y** implements; fittings; *techn.* **~ kontrolno-ostrzegawczy** monitor; **~ mierniczy <pomiarowy>** measuring instrument; meter; gauge; **~ rejestrujący** recorder; recording instrument; *artyl.* **~y celownicze** aiming mechanism; sights; *sport*

~y gimnastyczne gymnastic apparatus; *mar.* **~y pokładowe** board instruments

przyrządow|y *adj* instrumental; *sport* **gimnastyka ~a** gymnastics with apparatus

przyrządz|ać *vt imperf* — **przyrządz|ić** *vt perf* **~ę** to make; to get (sth) ready; to cook <to make> (a dish etc.); to prepare (a meal); to dress (a fowl)

przyrządzanie *sn* (↑ **przyrządzać**), **przyrządzenie** *sn* (↑ **przyrządzić**) preparation

przyrządzić *zob.* **przyrządzać**

przyrze|c *vt vi perf* **~knę, ~knie, ~knij, ~kł, ~czony** — **przyrzekać** *vt vi imperf* to promise (**komuś coś** sb sth; **że się coś zrobi** to do sth)

przyrzeczenie *sn* 1. *singt* ↑ **przyrzec** 2. (*obietnica*) (a) promise; plighted word

przyrzeczny *adj* riverine; riparian; riverain

przyrzekać *zob.* **przyrzec**

przyrznąć *vt perf* — **przyrzynać** *vt imperf* to cut (sth) to measure

przyrzuc|ać *vt imperf* — **przyrzuc|ić** *vt perf* **~ę** 1. (*dodawać*) to add 2. (*przykrywać*) to cover (**coś czymś** sth with sth)

przyrzynać *zob.* **przyrznąć**

przysad|ka *sf pl G.* **~ek** *bot.* stipule || *anat.* **~ka mózgowa** pituitary body <gland>; hypophysis

przysadkowatość *sf singt* dumpiness

przysadkowaty *adj* = **przysadzisty**

przysadkowy *adj anat.* pituitary, hypophyseal

przysadz|ać *v imperf* — **przysadz|ić** *v perf* **~ę** [I] (*dosadzić*) to plant (**drzewek itd.** some more trees etc.) [III] *vr* **~ać, ~ić się** 1. (*przysiadać*) to crouch (for a leap etc.) 2. (*przysiadać się*) to sit (**do kogoś** by sb's side)

przysadzisty *adj* dumpy; squat; squabby

przysalać *zob.* **przysolić**

przysądz|ać *vt imperf* — **przysądz|ić** *vt perf* **~ę** to adjudge <to award, to allocate> (sth to sb); (*na licytacji*) to knock (sth) down (to sb)

przysądzenie *sn* (↑ **przysądzić**) adjudg(e)ment; award; allocation

przysądzić *zob.* **przysądzać**

przys|chnąć *vi perf* **~echł** <**~chnął**>, **~chła** — **przysychać** *vi imperf* 1. (*przylgnąć*) to stick (**do czegoś** to sth) 2. (*trochę wyschnąć*) to get a little <slightly> dry; (*o ranie*) to heal over 3. (*pójść w zapomnienie*) to fall into oblivion; to be forgotten

przyschnięty [I] *pp* ↑ **przyschnąć** [II] *adj* (*zapomniany*) forgotten

przysercow|y *adj zool.* **zatoka ~a** cardiac cavity <sinus>

przysiad *sm G.* **~u** knee bending

przysi|adać *v imperf*, **przysi|adywać** *v imperf* — **przysi|ąść** *v perf* **~ądę, ~ądzie, ~ądź, ~adł, ~edli** [I] *vi* 1. (*siadać*) *perf* to sit down; *imperf* to sit down now and then 2. (*przykucnąć*) to crouch (for a spring) 3. (*przygniatać*) to sit (**coś** on sth — one's overcoat; a hat etc.); *przen.* **~ąść fałdów** to put one's shoulder to the wheel; to work double hours; **~ąść fałdów nad czymś** to work double hours at sth 4. (*przechodzić z pozycji leżącej do siedzącej*) to sit up [II] *vr* **~adać, ~adywać, ~ąść się** 1. = **~adać** *vi* 1., 2. 2. (*siadać przy kimś*) to sit (**do kogoś** next to sb, by sb's side); to join (**do towarzystwa** a company); (*w kawiarni itd.*) **~ąść się do kogoś** to join sb at his <her> table 3. *pot.* (*korzystać z jadącego pojazdu*) to be given a lift (**do kogoś** by sb); **~ąść się na ciężarówkę** to jump on a passing lorry

przysiadły [I] *pp* ↑ **przysiąść** [II] *adj* crouching

przysiadywać *zob.* **przysiadać**

przysi|ąc <**przysi|ęgnąć**> *v perf* **~ęgnę, ~ęgnie, ~ęgnij, ~ągł, ~ęgła** — **przysięgać** *v imperf* [I] *vi* to swear (**że się coś zrobi** to do sth); to take an oath; **~ągł, że wstrzyma się od alkoholu** he swore off alcohol; **~ąc, ~ęgać na wszystko** to swear by all that one holds dear; † **~ęgać na wierność** to swear allegiance [II] *vt* to swear (friendship, eternal love etc.) [III] *vr* **~ąc, ~ęgnąć, ~ęgać się** *pot.* to swear (**że ...** that ...)

przysiąść *zob.* **przysiadać**

przysiedzieć *vt perf przen.* *w zwrocie:* **~ fałdów** to put one's shoulder to the wheel; to work double hours

przysiek *sm G.* **~u** 1. *roln.* bay (of a barn) 2. *techn.* mortise <framing> chisel; slick

przysieni|e *sn pl G.* **~** vestibule

przysi|ęga *sf pl G.* **~ąg** oath; **odebrać od kogoś ~ęgę** to administer an oath to sb; **złożyć ~ęgę** to take <to swear> an oath; **zwolnić kogoś z ~ęgi** to relieve sb from his oath; **pod ~ęgą** under oath; **zaświadczyć coś pod ~ęgą** to swear to sth; (*o oświadczeniu itd.*) **złożony pod ~ęgą** sworn (attestation etc.)

przysięganie *sn* ↑ **przysięgać**

przysięg|ły [I] *pp* (↑ **przysiąc**) sworn [II] *adj* sworn (expert, broker etc.); **sędzia ~ły** juryman; **sędziowie ~li** the jury; **skład sędziów ~łych** panel [III] *sm* **~ły** juryman; **starszy ~ły** foreman; **ława ~łych** jury-box

przysięgnąć *zob.* **przysiąc**

przysiężnik *sm hist.* alderman

przysi|ołek <**przysi|ółek**> *sm G.* **~ołka** <**~ółka**> hamlet; farmstead

przysiwie|ć *vi perf* **~je** to begin to go grey

przyskakać *vi perf* to come skipping up

przyskakiwać *vi imperf* — **przyskoczyć** *vi perf* 1. (*skakać*) to jump <to spring> up (**do kogoś, czegoś** to sb, sth — the window etc.); to come bouncing <hopping> (to sb, sth) 2. (*zagrażać*) to fly (**do kogoś** at sb, at sb's throat; **do siebie** at each other, at each other's throats)

przyskarpowy *adj* adjoining a buttress <buttresses>

przyskoczyć *zob.* **przyskakiwać**

przyskrzynić *vt perf pot.* 1. (*przygnieść*) to jam (sth in a door <under a lid>) 2. (*przyłapać*) to catch (**kogoś na czymś** sb at sth) 3. (*zamknąć*) to clap (sb) in gaol; to pinch (sb)

przyskwarzać *vt imperf* — **przyskwarzyć** *vt perf* to fry (sth)

przysłab|nąć *vi perf* **~ł, ~ły** to weaken

przy|słać *vt perf* **~śle, ~ślij** — **przysyłać** *vt imperf* to send (**coś** sth; **kogoś** sb along <up, down, round>)

przysładzać *vt imperf* — **przysł|odzić** *vt perf* **~odzę, ~ódź** to sweeten a little; to add a little sugar (**coś** to sth); to put a little sugar (**coś** on sth)

przysł|aniać *v imperf* — **przysł|onić** *v perf* **~onięty** [I] *vt* 1. (*zakrywać*) to cover (sth) up; to veil; to screen; to shade (a light) 2. *fot.* to stop down (a lens) [II] *vr* **~aniać, ~onić się** to be covered <veiled, screened>; (*o świetle*) to be shaded

przysłodzić *zob.* **przysładzać**

przysłona *sf fot. opt.* diaphragm; stop; **~ otworkowa <szczelinowa>** rotating <slit> diaphragm

przysłoneczny *adj* perihelial; **punkt ~** perihelion

przysłonić *zob.* **przysłaniać**

przysł|owie *sn pl G.* **~ów** proverb; **wejść w ~owie** to become proverbial; to become a by-word

przysłowiowo *adv* proverbially

przysłowiowy *adj* proverbial

przysłów|ek *sm G.* **~ka** *gram.* adverb

przysłówkowo *adv gram.* adverbially

przysłówkowy *adj gram.* adverbial

przysłuchiwać się *vr imperf* — **przysłuchać się** *vr perf* to listen (**komuś, czemuś** to sb, sth; **czyjemuś śpiewowi, czyjejś grze** to sb <sb's> singing, playing <music>); *imperf* to be present (**lekcji** at a lesson)

przysług|a *sf* service; favour; good turn; (a) kindness; *przen.* **niedźwiedzia ~a** bad turn; ill turn; disservice; **oddać <wyświadczyć> komuś ~ę** to do <to render> sb a service; to do sb a good turn <a favour, a kindness>; to oblige sb; **prosić kogoś o ~ę** to ask a favour of sb; **~a za ~ę** one good turn deserves another; *przen.* scratch my back and I'll scratch yours

przysług|iwać *vi imperf* (*o prawie itd.* — *przypadać w udziale*) to be vested (**komuś, czemuś** in sb, sth); to belong (to sb, sth); **~uje mi urlop <zapomoga itd.>** I am entitled to a holiday <a benefit etc.>

przysłużenie się *sn* 1. ↑ **przysłużyć się** 2. (*przysługa*) service; favour; good turn; (a) kindness

przysłużyć się *vr perf* (*oddać przysługę*) to be of service (to sb, sth); to render service (to sb, sth); (*wyświadczyć przysługę*) to do <to render> (**komuś** sb) a service; to do (**komuś** sb) a good turn <a favour, a kindness>; to oblige (**komuś** sb); **źle się komuś ~** to do sb a bad turn <an ill turn, a disservice>

przysmacz|ek *sm G.* **~ka** *dim* ↑ **przysmak**

przysmak *sm G.* **~u** dainty; (a) delicacy; tit-bit; choice morsel

przysmalić *vt perf* — **przysmalać** *vt imperf rz.* 1. (*przypiec*) to singe 2. (*okopcić*) to smoke; to blacken with smoke

przysmaż|ać *vt imperf* — **przysmaż|yć** *vt perf* to fry; to brown; to devil; **kartofle ~ane** sauté potatoes

przysnu|ć *vt perf* **~je, ~ty** — **przysnuwać** *vt imperf* to cover <to veil> (**czymś** with sth); to envelop (**czymś** in sth)

przys|olić *v perf* **~ól** — **przysalać** *v imperf* I *vt* (*dosolić*) to add a little salt (**potrawę** to a dish); to put a little salt (**potrawę** in a dish) II *vi pot.* (*mocno uderzyć*) to thwack (**komuś** sb); to spank (**komuś w sempiternę** sb's backside)

przysp|arzać *vt imperf* — **przysp|orzyć** *vt perf* **~orz <~órz>** to increase; to enlarge; to augment; to aggrandize; **~arzać, ~orzyć komuś kłopotów** to add to sb's troubles; to cause sb trouble; **~arzać, ~orzyć komuś przykrości <nieszczęść>** to cause sb <to bring on sb> (more) unpleasantness <misery>

przysparzanie *sn* (↑ **przysparzać**) enlargement; augmentation; aggrandizement

przyspawać *vt imperf perf* to weld on

przyspieszacz *zob.* **przyśpieszacz**

przyspieszająco *zob.* **przyśpieszająco**

przyspieszenie *zob.* **przyśpieszenie**

przyspiesznik *zob.* **przyśpiesznik**

przyspieszony *zob.* **przyśpieszony**

przyspieszyć, przyspieszać *zob.* **przyśpieszyć, przyśpieszać**

przysporzenie *sn* 1. (↑ **przysporzyć**) enlargement; augmentation; aggrandizement 2. *prawn.* increment

przysporzyć *zob.* **przysparzać**

przyspos|abiać *v imperf* — **przyspos|obić** *v perf* **~ób** I *vt* 1. (*czynić odpowiednim*) to fit (**kogoś, coś do czegoś** sb, sth for sth); to prepare (**kogoś, coś do czegoś** sb, sth for sth); to qualify (**kogoś do czegoś** sb for sth) 2. (*szkolić*) to train (**kogoś do czegoś** sb for sth); to give (sb) the necessary instruction (**do czegoś** for sth) 3. *prawn.* to adopt (a child) II *vr* **~abiać, ~obić się** to prepare <to train> (**do czegoś** for sth)

przysposobienie *sn singt* 1. ↑ **przysposobić** 2. (*przygotowanie*) preparation; training; **szkolne ~ wojskowe** cadet corps; **~ wojskowe** Officers' Training Corps 3. *prawn.* adoption

przys|sać *v perf* **~sę, ~sie, ~sij** — **przys|ysać** *v imperf* I *vt* to pump up <to make (sth) adhere> by suction II *vr* **~sać, ~ysać się** to adhere by suction

przyssaw|ka *sf pl G.* **~ek** *zool.* sucker; acetabulum

przysta|ć *vi perf* **~nę, ~nie, ~ń, ~ł, ~ną** — **przysta|wać** *vi imperf* 1. (*przylgnąć*) to cohere; to fit (**do siebie** together); *mat.* **figury ~jące** congruent <osculatory> figures; **okna nie ~ją** the windows do not fit; *przen.* (*o ludziach*) **~ć do siebie** to chum up 2. *przen.* (*być odpowiednim*) to be suitable; to befit 3. (*zgodzić się*) to consent <to give one's consent, to agree> (**na coś** to sth); **~ć na warunki** to accept conditions 4. (*przyłączyć się*) to join (**do stronnictwa** a party); to side (**do kogoś** with sb) 5. (*przyjąć pracę*) to enter (**do kogoś** sb's) service

przystoi, przystało it is <was> proper; **nie przystoi** it is improper; **jak przystoi <przystało>** as befits <befitted> (**szlachetnemu człowiekowi, na szlachetnego człowieka** a gentleman); as becomes <became> (**dobrze wychowanemu chłopcu, na dobrze wychowanego chłopca** a well-behaved boy); as is <was> seemly (**dziewczynce, na dziewczynkę** for a little girl)

przysta|nąć *vi perf* — **przysta|wać** *vi imperf* **~je, ~waj** to stop; to pause; to halt

przystan|ek *sm G.* **~ku <~ka>** stop; *kolej.* halt; *am.* way-station; **~ek autobusowy <tramwajowy>** bus <tram> stop; **~ek na żądanie** request stop; stop by request

przystanie *sn* ↑ **przystać** 1. (*przyleganie*) cohesion 2. (*zgoda*) consent (**na coś** to sth)

przystaniow|y *adj* port — (authority, captain etc.); **opłata ~a** mooring dues

przysta|ń *sf pl N.* **~nie** (inland) harbour; **port**; landing-place; landing-stage; *dosł. i przen.* haven; **~ń rzeczna** river port; **~ń wioślarska** boat-house

przystawać[1] *zob.* **przystać**

przystawać[2] *zob.* **przystanąć**

przystawanie *sn* ↑ **przystawać**[1] 1. (*przyleganie*) cohesion 2. (*zgadzanie się*) consent (**na coś** to sth) 3. *mat.* congruence; osculation

przystawi|ać *vi imperf* — **przystawi|ć** *v perf* [I] *vt* to set <to apply, to put> (**coś do czegoś** sth to <against> sth); **~ć garnki <wieczerzę itd.>** to put the pots <the supper etc.> on the range [III] *vr* **~ać**, *rz.* **~ć się** *sl.* to court (a girl)

przystaw|ka *sf pl G.* **~ek** 1. (*potrawa*) hors-d'oeuvre; side-dish 2. *techn.* countershaft

przyst|ąpić *vi perf* — **przyst|ępować** *vi imperf* 1. (*podejść*) to approach <to accost> (**do kogoś** sb); to come up (to sb); *pot.* **nie ~ąp <~ępuj> bez kija** (he etc.) is unapproachable 2. (*przyłączyć się*) to join (**do kogoś, czegoś** sb, sth); to accede (**do stronnictwa, przymierza itd.** to a party, an alliance etc.); to enter (**do współzawodnictwa** a contest); to become a member (**do spółdzielni itd.** of a co-operative etc.; **do spółki** of a company); to enter (**do towarzystwa** into a society) 3. (*wziąć udział*) to take part <to participate> (**do czegoś** in sth) 4. (*rozpocząć*) to start <to begin, to set about> (**do robienia czegoś** doing sth); to proceed (**do czegoś, do robienia czegoś** to sth, to do sth); **~ąpić do działania** to set to work; to attack (a task); to fall to; **~ąpić do egzaminu** to enter <to sit> for an examination; **~ąpić do komunii <do spowiedzi>** to go to communion <to confession>; **~ąpić do ofensywy** to launch an offensive; *przen.* **~ąpić do rzeczy** to come to the point (of the matter)

przystąpienie *sn* 1. ↑ **przystąpić** 2. (*przyłączenie się*) accession (to a party, an alliance etc.) 3. (*udział*) participation (**do czegoś** in sth)

przystęp *sm G.* **~u** 1. *singt* (*możliwość przystąpienia*) access <approach> (to a town, house, station etc.); **dawać <mieć, uzyskać> ~ do czegoś** to give <to have, to gain> access to sth; **bronić ~u do fortecy** to defend the approach to a fortress 2. *singt* (*możliwość nawiązania kontaktu*) admission (to sb, sth) 3. *f* (*paroksyzm*) fit; *obecnie w zwrocie*: **w ~ie (gniewu itd.)** in a fit (of rage etc.)

przystępnie *adv* intelligibly; clearly; (*łatwo*) plainly; easily; simply; in plain <simple> terms

przystępność *sf singt* 1. (*zrozumiałość*) intelligibility; clearness; (*łatwość*) simplicity; straightforwardness; plainness 2. (*łatwość w obcowaniu*) accessibility; affability

przystępny *adj* 1. (*o miejscu — dostępny*) accessible; easy of approach 2. (*o człowieku — łatwy w obcowaniu*) accessible; approachable; affable; get-at-able 3. (*o wyjaśnieniu — łatwo zrozumiały*) intelligible; clear; easy to understand; popular; (*łatwy*) lucid; plain; straightforward 4. (*o cenie, warunkach*) moderate

przystępować *zob.* **przystąpić**

przystojniak *sm pot. iron.* good-looking young man

przystojnie *adv* suitably; in seemly fashion

przystojny *adj* 1. (*urodziwy*) handsome; good-looking; personable; well-favoured; (*o kobiecie*) comely 2. *f* (*godziwy*) suitable; seemly

przystosow|ać *v perf* — **przystosow|ywać** *v imperf* [I] *vt* to adapt; to accommodate; to conform; to adjust; to fit [III] *vr* **~ać, ~ywać się** to adapt <to accommodate, to conform> oneself (to sth)

przystosowani|e *sn* (↑ **przystosować**) adaptation; accommodation; conformation; adjustment; **~e się** adapting <accommodating, conforming> oneself (to sth); **łatwość ~a się** flexibility; **możliwość <umiejętność, zdolność> ~a (się)** adaptability; conformability

przystosowawczość *sf singt biol.* adaptability

przystosowawczy *adj biol.* adaptable

przystosowywać *zob.* **przystosować**

przystr|ajać *v imperf* — **przystr|oić** *v perf* **~oję, ~ój** [I] *vt* 1. (*ozdabiać*) to adorn; to ornament; to deck out; to trim; (*stroić*) to dress 2. (*upiększać*) to embellish [III] *vr* **~ajać, ~oić się** 1. (*przybierać się ozdobnie*) to deck oneself out 2. (*stawać się upiększonym*) to become embellished; to improve one's <its> appearance

przystrojenie *sn* ↑ **przystroić** 1. (*ozdobienie*) adornment 2. (*upiększenie*) embellishment

przystrzelać *vt perf*, **przystrzelić** *vt perf* — **przystrzeliwać** *vt imperf* to adjust the sights (**broń** of a fire-arm)

przystrzy|c *vt perf* **~gę, ~że, ~ż, ~gł, ~żony** — **przystrzy|gać** *vt imperf* to trim (**komuś włosy <brodę>** sb's hair <beard>); **~c brodę w klin** to trim a beard to a point

przysu|nąć *v perf* **~nięty** — **przysu|wać** *v imperf* [I] *vt* to push (sth) near(er) (**do czegoś** sth); to bring <to draw, to move> (sth) near(er) <forward>; **~nąć coś do kogoś** to push sth towards sb; **~nąć swe krzesło** to bring one's chair up [III] *vr* **~nąć, ~wać się** to come <to move> near(er) (**do kogoś, czegoś** sb, sth); to approach (**do kogoś, czegoś** sb, sth)

przysurowy *adj* somewhat too strict

przysw|ajać *v imperf* — **przysw|oić** *v perf* **~oję ~ój, ~ojony** [I] *vt* 1. (*przejmować*) **~ajać, ~oić sobie** to acquire (a knowledge etc.); to adopt (customs etc.); to assimilate (foreign words etc.); to familiarize oneself (**coś** with sth); to digest (what one has read etc.); *przen.* to poach (**czyjąś pracę** on sb's preserves) 2. *biol.* to assimilate; to imbibe [III] *vr* **~ajać, ~oić się** to become assimilated (**z kimś, czymś** to <with> sb, sth)

przyswajalność *sf singt biol.* 1. (*zdolność przyswajania*) assimilative faculty; assimilativeness 2. (*łatwość podlegania przyswojeniu*) assimilability

przyswajalny *adj biol.* assimilable

przyswajanie *sn* (↑ **przyswajać**) adoption; assimilation

przyswoić *zob.* **przyswajać**

przyswojenie *sn* 1. ↑ **przyswoić** 2. (*to, co zostało przyjęte*) assimilations

przysychać *zob.* **przyschnąć**

przysyłać *zob.* **przysłać**

przysyp|ać *v perf* **~ie** — **przysyp|ywać** *v imperf* [I] *vt* 1. (*pokryć*) to cover (sth) up (with sand, leaves etc.); to bury (**kogoś, coś gruzem itd.** sb, sth in rubble etc.); to sprinkle <to powder, to dredge> (sth with sugar, flour etc.); *przen.* **włosy ~ane siwizną** grizzled hair 2. (*nasypać więcej*) to add <to pour, to sprinkle> (**piasku itd.** some more sand etc.); to dump (**furę kamieni** a cartload of stones etc.) [III] *vr* **~ać, ~ywać się** to get covered up (with earth, sand, snow etc.)

przysyp|ka *sf pl G.* **~ek** *med.* powder

przysypywać *zob.* **przysypać**

przysysać *zob.* **przyssać**

przyszarz|eć *vi perf* **~eje** to turn <to grow, to become> grey; **~ały** greyish

przyszczkn|ąć *vt perf* **~ięty** — **przyszczykać** *vt imperf*, **przyszczykiwać** *vt imperf* to pluck

przyszczyp|ek *sm G.* **~ka** *rz.*, **przyszczyp|ka** *sf pl G.* **~ek** *pot.* patch (on a boot); **buty z ~kami** patched boots

przyszczypnąć *vt perf* to pinch

przyszkolny *adj* adjoining <belonging to> a school; **ogród ~** school garden

przyszłoroczny *adj* next year's

przyszłościowy *adj* (dreams etc.) of the future

przyszłoś|ć *sf singt* the future; days to come; futurity; the to-be; **najbliższa ~ć** the foreseeable future; **wiara <ufność> w ~ć** hopefulness; **z wiarą <ufnością> w ~ć** hopefully; **dotyczący ~ci** prospective; *przen.* **człowiek bez ~ci** a man with no future before him; **człowiek z ~cią** a man with a future before him; a coming man; a man with sth to look forward to; **na ~ć, w ~ci** a) (*od chwili obecnej*) in future; hereafter; henceforth; from now on b) (*od owego czasu*) from then on; thereafter

przyszł|y [I] *adj* future; the coming (year etc.); prospective (husband etc.); (*o człowieku — zapowiadający się*) budding (artist etc.); (*o dniu, tygodniu itd.*) next (Monday, week, year, spring etc.); *gram.* **czas ~y** the future (tense); **~e pokolenia** posterity; unborn generations; **~e życie** a) (*przyszłość*) the future b) (*życie pozagrobowe*) the hereafter; the to-be; **na ~y raz** next time; **w ~ych latach** in years to come; **w ~ym tygodniu <miesiącu, roku>** next week <month, year> [II] *sm* **~y** *pot.* prospective husband; husband that is to be [III] *sf* **~a** *pot.* prospective wife; wife that is to be

przysznurować *vt perf* to lace (boots, stays etc.); **~ rzemykiem** to strap on; **~ sznurkiem** to tie on

przyszpil|ać *vt imperf* — **przyszpil|ić** *vt perf* to pin (sth) on; **~ać, ~ić owady** to set insects

przysztukować *vt perf* to lengthen; to tie <to sew, to stick, to nail> (sth) on

przysz|wa *sf pl G.* **~ew** upper <vamp> (of a shoe); **skóra na ~wy** upper leather

przyszy|ć *vt perf* **~ję, ~ty** — **przyszywać** *vt imperf* to sew <to stitch> (sth) on

przyszykować *v perf* [I] *vt* to prepare [II] *vr* **~ się** to prepare oneself; to get ready

przyszywać *zob.* **przyszyć**

przyszywany [I] *pp* ↑ **przyszywać** [II] *adj* distant (cousin etc.)

przyścian|ek *sm G.* **~ka** 1. *bud.* lean-to; porch 2. *sport* wall-bars

przyścienny *adj* 1. (*umieszczony przy ścianie*) wall — (arcade, bracket etc.) 2. *bot. zool.* parietal

przyślepy *adj* purblind

przyśni|ć się *vr perf* to appear to one in one's dream(s); **~ło mi się, że ...** I dreamt that ...; **to może się ~ć** it's nightmarish <ghastly>

przyśpieszacz <**przyspieszacz**> *sm techn.* accelerator; quickener; *chem.* accelerant; *nukl.* **~ protonów** cosmotron

przyśpieszać *zob.* **przyśpieszyć**

przyśpieszająco <**przyspieszająco**> *adv* acceleratedly; **działać ~** to accelerate

przyśpieszenie <**przyspieszenie**> *sn* (↑ **przyśpieszyć**) acceleration (**ziemskie** of gravity); activation; speeding-up; *ogr.* forcing (of fruits, plants); **~ dośrodkowe <grawitacyjne, kątowe, liniowe>** centripetal <gravitational, angular, linear> acceleration

przyśpiesznik <**przyspiesznik**> *sm* 1. *ogr.* forcing-frame; hotbed 2. *techn.* accelerator

przyśpieszon|y <**przyspieszon|y**> [I] *pp* ↑ **przyśpieszyć** [II] *adj* 1. (*szybszy, niż zwykle*) accelerated; precipitate; hasty; **~a produkcja** speed-up production; **~y krok** quick march; **ruch ~y** accelerated motion; **tryb ~y** summary procedure; *ogr. roln.* **~a uprawa** forced cultivation; (*o maszynie, śmigle*) **pracować na ~ych obrotach** to race; **w ~ym tempie** double-quick; **w trybie ~ym** summarily 2. (*taki, który nastąpił przed czasem*) premature; early

przyśpiesz|yć <**przyspiesz|yć**> *v perf* — **przyśpiesz|ać** <**przyspiesz|ać**> *v imperf* 1. (*zwiększyć szybkość*) to accelerate; to speed up; **~yć, ~ać kroku** to quicken one's pace 2. (*spowodować szybsze działanie*) to hasten; to quicken; to activate; to speed up; to hurry; to rush 3. (*skrócić czas trwania*) to speed up; to advance; to precipitate (the course of events etc.); *ogr.* to force (fruits, plants)

przyśpiew *sm G.* **~u** 1. (*refren*) refrain 2. *jęz.* intonation

przyśpiewać *zob.* **przyśpiewywać**

przyśpiew|ka *sf pl G.* **~ek** song; couplet

przyśpiewywać *vi imperf* — **przyśpiewać** *vi perf* 1. (*śpiewać do wtóru*) to sing in accompaniment (to sb); to accompany (**komuś** sb) 2. (*podśpiewywać*) to hum; to croon

przyśpiewywanie *sn* 1. ↑ **przyśpiewywać** 2. (*wtórowanie*) accompaniment (to sb's singing)

przyśrodkowy *adj* paracentral

przyśrubować *vt perf* — **przyśrubowywać** *vt imperf* to screw (**coś do czegoś** sth on <down> to sth)

przyświadczać *vi imperf* — **przyświadczyć** *vi perf* 1. (*stwierdzać swoim świadectwem*) to attest (**czemuś** to sth) 2. (*przytakiwać*) to assent (**czemuś** to sth)

przyświadczenie *sn* 1. ↑ **przyświadczyć** 2. (*świadectwo*) attestation 3. (*przytakiwanie*) assent

przyświadczyć *zob.* **przyświadczać**

przyświec|ać *vi imperf* — **przyświec|ić** *vi perf* **~ę** 1. (*oświetlać*) to shine; to light (**czemuś** sth); to shed (its) light (**komuś** for sb) 2. *przen.* (*być myślą przewodnią*) to be (**komuś** sb's) guiding principle

przytachać *vt perf sl.* = **przytaszczyć**

przyt|aczać *vt imperf* — **przyt|oczyć** *vt perf* 1. (*tocząc przybliżyć*) to roll <to wheel> (sth) up; to bring (sth) up 2. (*cytować*) to quote <to cite> (an author etc.); **~aczać, ~oczyć czyjeś słowa** to report sb's words 3. (*wymieniać*) to name (a fact etc.); to mention (an example etc.); to set forth (arguments); to allege (excuses); to adduce (proofs); to refer (**źródło** to a source)

przyta|jać[1] *v imperf* — **przyta|ić** *v perf* **~je, ~j** [I] *vt* (*ukrywać*) to conceal; to hide [II] *vr* **~jać, ~ić się** to hide (*vi*)

przytajać[2] *vi perf* (*nieco stajać*) to melt <to thaw> a little

przytak|iwać *vi imperf* — **przytak|nąć** *vi perf* to assent (to sth); to acquiesce (**czemuś** in sth); **~iwać chórem** to raise a chorus of assent; **~iwać milcząco** to nod assent; to give a sign <signs> of assent

przytakiwanie *sn* (↑ **przytakiwać**) assent; acquiescence

przytaknąć *zob.* **przytakiwać**

przytaknięcie *sn* (↑ **przytaknąć**) assent; acquiescence

przytakująco *adv* in assent; **~ kiwnął głową** he nodded (in) assent

przytarcie *sn* ↑ **przytrzeć**

przytarczyca *sf anat.* parathyroid

przytarczycowy *adj*, **przytarczyczny** *adj anat.* parathyroidal

przytaskać *vt perf sl.* = **przytaszczyć**

przytaszczyć *vt perf* — *rz.* **przytaszczać** *vt imperf pot.* to drag <to lug, to pull> (sth) up (to a place)

przytelep|ać się *vr perf* **~ie** *pot. żart.* to come up in his <its> gawky way

przytęch|nąć *vi perf* **~ł** to smell somewhat musty

przytępi|ać *v imperf* — **przytępi|ć** *v perf* [I] *vt* to dull <to deaden, to blunt> somewhat; to take the edge off (a tool etc.); to befog <to dim> (the memory etc.) [II] *vr* **~ać, ~ć się** to deaden (*vi*); to become somewhat dull; to be somewhat blunted

przytępienie *sn* (↑ **przytępić**) dul(l)ness; bluntness; *med.* **~ słuchu** hypacusis; hardness of hearing

przytępiony [I] *pp* ↑ **przytępić** [II] *adj* somewhat dull <blunt>; dimmed (memory); **o ~m słuchu** dull <hard> of hearing

przytkać *vt perf* to stop (a hole etc.)

przytkn|ąć *vt perf* **~ięty** — **przytykać** *vt imperf* to set <to apply> (sth to sth) *zob.* **przytykać**

przytknięcie *sn* (↑ **przytknąć**) application

przytł|aczać *vt imperf* — **przytł|oczyć** *vt perf* 1. (*przygniatać*) to crush (**ku ziemi** to earth); to press <to weigh> down 2. *przen.* to overpower; to overwhelm; to oppress; **~aczająca większość** overwhelming majority

przytłam|sić *vt perf* **~szę** *pot.* (*przycisnąć*) to squeeze; to press; (*przydusić*) to smother

przytłoczyć *zob.* **przytłaczać**

przytłu|c *vt perf* **~kę, ~cze, ~cz, ~kł, ~czony** to crush (to earth)

przytłumiać *vt imperf* — **przytłumić** *vt perf* to stifle; to smother; to suppress; to subdue (one's passions etc.); to muffle (a sound etc.); to put out (a fire etc.); to dim (a light etc.)

przytłumiony [I] *pp* ↑ **przytłumić** [II] *adj* (*o świetle*) dim; (*o dźwięku*) muffled

przytoczenie *sn* 1. ↑ **przytoczyć** 2. *f* (*cytat*) quotation; citation; excerption

przytoczyć *zob.* **przytaczać**

przytomnie *adv* 1. (*w stanie przytomnym*) consciously; lucidly; **na wpół ~** half-consciously 2. (*rozsądnie*) sensibly; with presence of mind

przytomnie|ć *vi imperf* **~je** to regain consciousness; to come back to one's senses

przytomnoś|ć *sf singt* 1. (*świadomość*) consciousness; (one's) senses; (*u obłąkanego*) **chwile ~ci** lucid intervals; **odzyskać ~ć, przyjść do ~ci** to come round; to come to one's senses; to regain consciousness; **stracić ~ć** to faint (away); to lose consciousness; to become unconscious 2. (*rozsądek*) sense; correct judgment; **~ć umysłu** presence of mind; quick <ready> wits

przytomny *adj* 1. (*świadomy*) conscious; in one's senses; **na pół ~** half-conscious; **umierał zupełnie ~** he died in possession of all his faculties 2. (*mający bystry umysł*) quickwitted; **on jest ~** he has presence of mind

przyton *sm G.* **~u** *muz.* aliquot tone

przytraczać *zob.* **przytroczyć**

przytrafi|ć się *vr perf* — **przytrafi|ać się** *vr imperf* to happen; to occur; to befall (**komuś** sb); **~ł mu się wypadek** he met with an accident

przytransportować *vt perf* to bring (over)

przytroczyć *vt perf* — **przytraczać** *vt imperf* to tie <to strap, to buckle> (sth to sth)

przytrudno *adv pot.* with some difficulty; **trochę ~ było** <**jest**> it was <is> rather difficult <not very easy>

przytrudny *adj* rather <somewhat> difficult; not very easy

przytrza|snąć *vt perf* **~śnie, ~śnij, ~śnięty** — **przytrzaskiwać** *vt imperf* 1. (*zamknąć z trzaskiem*) to slam (a door); to slam (a door) to; to slam down (a lid) 2. (*przycisnąć*) to jam <to pinch> (one's finger, skirt etc.) in a door <in a lid>

przytrzą|snąć *vt perf* **~śnie, ~śnij, ~śnięty, przytrząść** *vt perf* — **przytrząsać** *vt imperf* to cover (sth) up (with straw, hay etc.)

przytrzeć *zob.* **przycierać**

przytrzym|ać *v perf* — **przytrzym|ywać** *v imperf* [I] *vt* 1. (*wstrzymać*) to hold (sb) back 2. (*nie dać upaść*) to hold (sb, sth) up; to keep (sth) in place; to keep (sth, sb) from falling 3. (*zatrzymać dłużej*) to keep (sb somewhere); to hold (sth) 4. (*schwytać*) to detain <to arrest, to apprehend> (an offender) [II] *vr* **~ać, ~ywać się** to hold (**czegoś** sth, on to sth)

przytrzymywacz *sm* 1. (*robotnik*) holder 2. (*przyrząd*) holder; stay; stop; keep(er)

przytrzymywać *zob.* **przytrzymać**

przytulać *zob.* **przytulić**

przytulenie *sn* ↑ **przytulić**

przytuli|a *sf GDL.* **~i** *bot.* (*Galium*) cleavers, clivers, goose-grass

przytul|ić *v perf* — **przytul|ać** *v imperf* [I] *vt* to hug (sb, sth); to cuddle; to clasp <to snuggle, to fold> (**do siebie** to one, to one's breast); to nestle (**głowę do kogoś** one's head against sb); **~ić głowę gdzieś** to rest one's head somewhere [II] *vr* **~ić, ~ać się** to nestle close <to cuddle up> (**do kogoś** to sb; **do siebie wzajemnie** to each other)

przytulnie *adv* snugly; cosily; **~ jest (tutaj, tam)** it is cosy <homelike> (here, there)

przytulność *sf singt* cosiness; snugness; homeliness

przytulny *adj* snug; cosy, cozy; homelike; homely

przytulony [I] *pp* ↑ **przytulić** [II] *adj* nestling

przytuł|ek *sm G.* **~ku** 1. (*schronienie*) (place of) refuge <shelter> 2. (*zakład*) alms-house; *hist.* poor-house, work-house; **~ek dla starców** old people's home; geriatric institution 3. (*udzielanie schronienia*) *w zwrotach*: **dać komuś ~ek** to harbour <to shelter> sb; to give refuge to sb; **szu-**

kać ~ku gdzieś to seek shelter <refuge> somewhere

przytup *sm G.* **~u** *pot.* foot-tapping (to the rhythm of the music)

przytupywać *vi imperf* — **przytupnąć** *vi perf* to tap one's foot (to the rhythm of the music)

przytupywanie *sn* (↑ **przytupywać**) foot-tapping (to the rhythm of the music)

przyturlać *vt perf pot.* to roll <to wheel> (sth) up

przytwardy *adj pot.* somewhat hard <stiff>; (*o mięsie*) somewhat tough

przytwierdz|ać *v imperf* — **przytwierdz|ić** *v perf* **~ę** [I] *vt* 1. (*przymocować*) to attach; to fasten; to (af)fix; to secure 2. (*przytaknąć*) to assent (**coś** to sth); to acquiesce (**coś** in sth) [III] *vr* **~ać, ~ić się** to be <to become> attached

przytwierdzony [I] *pp* ↑ **przytwierdzać** [III] *adj* secure; **~ na stałe** undetachable

przyty|ć *vi perf* **~je** to put on flesh; to get <to grow> (somewhat) fatter

przytyk *sm G.* **~u** 1. (*zw. pl*) (*docinek*) hint; allusion; thrust <tilt> (**do kogoś** at sb); reference (**do czegoś** to sth) 2. *rz.* (*przyleganie*) junction

przytykać *v imperf* [I] *vt zob.* **przytknąć** [III] *vi* (*przylegać do siebie*) to join; to meet; to abut; (*przylegać do czegoś*) to abut (**do czegoś** on sth); to be contiguous (**do czegoś** to sth); to border (**do czegoś** on sth)

przyucz|ać *v imperf* — **przyucz|yć** *v perf* [I] *vt* to accustom (**kogoś <zwierzę> do czegoś** sb <an animal> to sth); to train (**kogoś do czegoś** sb in sth) [III] *vr* **~ać, ~yć się** to accustom oneself (**do czegoś** to sth)

przyusznica *sf anat.* parotid (gland)

przyuszny *adj* parotid (gland, duct)

przyuważyć *vt perf sl.* to notice

przywabiać *vt imperf* — **przywabić** *vt perf* to lure

przywabienie *sn* (↑ **przywabić**) lure

przywalać *zob.* **przywalić**

przywalać się *vr imperf sl.* to coax <to make love to> sb

przywalić *vt perf* — **przywalać** *vt imperf* to crush; to press down

przywałować *vt perf roln.* to roll (a field)

przywara *sf* defect; fault; shortcoming

przywarcie *sn* (↑ **przywrzeć**) adherence

przywarować *vi perf* — **przywarowywać** *vi imperf* (*o człowieku*) to hide; to lie hidden; (*o psie*) to cringe; to crouch

przywarsztatowy *adj* attached to <belonging to, connected with> a workshop

przywąski *adj* narrowish

przywdzi|ać *vt perf* **~eje** — **przywdzi|ewać** *vt imperf* 1. *lit.* (*włożyć na siebie*) to put on 2. *przen.* to assume (the habit of a religious etc.); **~ać maskę** to put on a mask

przywdzianie *sn* 1. ↑ **przywdziać** 2. *przen.* assumption (of robes etc.)

przywędrować *vi perf* — **przywędrowywać** *vi imperf* to come; to reach (in one's wonderings) (**dokądś** a place)

przywędz|ać *vt imperf* — **przywędz|ić** *vt perf* **~ę** to smoke slightly (ham etc.)

przywęglowy *adj* **łupek ~** colliery shale

przywi|ać *vt perf* **~eje** — **przywiewać** *vt imperf* 1. (*napędzić*) to blow <to drift, to drive, to bring> (snow, sand, clouds etc.) 2. (*przysypać*) to cover (sth) up (with snow, sand etc.)

przywiatr *sm G.* **~u** *myśl.* scent

przywią|zać *v perf* **~że, ~ż** — **przywią|zywać** *v imperf* [I] *vt* 1. (*przymocować*) to tie; to attach; to fasten; to bind; to hitch; to lash; *przen.* **pobory <uprawnienia itd.> ~zane do stanowiska** the salary <privileges etc.> attached to a post; **~zać kogoś do czegoś** to tie <to pinion> sb to sth; **~zywać wagę do czegoś** to attach importance to <to set store by> sth; **nie ~zuję wielkiej wagi do jego słów** I do not attach great importance to <I set no great store by> his words 2. (*zbliżyć uczuciowo*) to attach <to endear> (**kogoś do siebie** sb to oneself) [III] *vr* **~zać, ~zywać się** 1. (*przymocować się*) to tie <to fasten, to lash> oneself (to sth) 2. (*polubić*) to become attached to <fond of> (sb, sth); to attach oneself (to sb, sth); to cotton on (to sb) 3. (*łączyć się z czymś*) to be connected (**do czegoś** with sth)

przywiązani|e *sn* 1. ↑ **przywiązać** 2. (*serdeczne zżycie się*) attachment; affection; **w dowód ~a** with kind(est) regards

przywiązany [I] *pp* ↑ **przywiązać** [III] *adj* attached <devoted> (to sb, sth); affectionate <loving> (brother etc.); **~ do rzeczy tego świata** worldly; **~ do sprawy** wedded to a cause

przywiązywać *zob.* **przywiązać**

przywidywać się *zob.* **przywidzieć się**

przywidzeni|e *sn* phantasm; delusion; hallucination; **on miewa ~a** he sees things

przywi|dzieć się *vr perf* **~dzi się** — **przywi|dywać się** *vr imperf* (*zw. inf i 3 pers.*) to appear (to sb, to sb's eyes); **~działo mu się to** he fancied <imagined> that he saw <had seen> it; he (had) dreamt it

przywieczornica *sf* spectre

przyw|ierać[1] *v imperf* — **przyw|rzeć** *v perf* **~rę, ~rze, ~rzyj, ~arł** [I] *vi* 1. (*przyciskać się*) to cling (to sb, sth); to press (**twarzą do szyby itd.** one's face against the window pane etc.); (*przylgnąć*) to adhere; (*przytulić się*) to cuddle up (to sb) 2. (*o potrawie*) to catch; to stick (to the pan etc.) [III] *vr* **~ierać, ~rzeć się** (*przytulić się*) to cuddle up (to sb)

przyw|ierać[2] *v imperf* — **przyw|rzeć** *v perf* **~rę, ~rze, ~rzyj, ~arł, ~arty** [I] *vt* (*przymknąć*) to close; to shut [III] *vr* **~ierać, ~rzeć się** to close <to shut> (*vi*)

przywie|sić *vt perf* **~szę** — **przywieszać** *vt imperf* to tie; to attach; to fasten

przywiesz|ka *sf pl G.* **~ek** label; tab

przyw|ieść *vt perf* **~iodę, ~iedzie, ~iódł, ~iodła, ~iedli, ~iedziony, ~iedzeni** — **przyw|odzić** *vt imperf* **~odzę** † to bring; *obecnie w zwrotach:* **~ieść coś do skutku** to realize sth; to bring about the realization of sth; **~ieść coś do upadku** to bring about the ruin <the downfall> of sth; **~ieść, ~odzić coś na myśl** to bring sth to mind; to suggest sth; **~ieść, ~odzić coś na pamięć** to recall sth; to remind (sb) of sth; to bring back memories of sth; **~ieść, ~odzić komuś na pamięć jego młodość** to carry one back to one's youth; **~ieść, ~odzić kogoś do rozpaczy** to drive sb to despair; **~ieść, ~odzić kogoś do szału** to drive sb mad

przywiewać *zob.* **przywiać**

przywiezienie *sn* (↑ **przywieźć**) supply (of sth)
przyw|ieźć *vt perf* **~iozę, ~iezie, ~iózł, ~iozła, ~ieźli, ~ieziony — przyw|ozić** *vt imperf* **~ożę, ~óź, ~ieziony** to bring (**kogoś, coś wozem <ciężarówką, furą>** sb, sth in one's car <in a lorry, a cart>); to supply; to deliver; **~ieź żonę z sobą** bring your wife along; **~ozimy to z zagranicy** we get <we import> this from abroad; **~iozłem wieści <pozdrowienia> od ...** I have (brought) news <greetings> from ...
przywiędły *adj* withering; fading; flagging; slightly faded
przywi|ędnąć *vi perf* **~ędnie, ~ędnął <~ądł>, ~iędła** to wither; to get slightly faded; **kwiaty ~ędły** the flowers are <were, became> slightly faded
przywięzienny *adj* attached <belonging> to a prison; prison __ (grounds, walls etc.)
przywilej *sm G.* **~u** privilege; prerogative; charter; **~ dyplomatyczny** diplomatic immunity; **pozbawiony ~ów** unprivileged
przywitać *v perf* [I] *vt* to greet; to welcome [II] *vr* **~ się** to greet (**z kimś** sb; **wzajemnie** each other); to bid (sb, each other) good morning; to say "hullo" (**kogoś** to sb)
przywitanie *sn* (↑ **przywitać**) greeting; welcome; salutation; **na ~** by way of greeting <of welcome>
przywl|ec *v perf* **~okę, ~ecz, ~ókł, ~okła, ~ekli, ~eczony** — *rz.* **przywl|ekać** *v imperf* [I] *vt* to drag <to lug> (**kogoś, coś dokądś** sb, sth up to a place); to bring with great difficulty || **~ec zarazę** to bring <to introduce> an infection <a pest> (from somewhere) [II] *vr* **~ec, ~ekać się** to drag oneself (to a place); to come shuffling along
przywłaszcz|ać *vt imperf* — **przywłaszcz|yć** *vt perf* **~ać, ~yć sobie** to appropriate (sth — funds etc.); to possess oneself <to take possession> (**coś** of sth); to usurp (a right, prerogative)
przywłaszczenie *sn singt* (↑ **przywłaszczyć**) appropriation (of funds etc.); usurpation (of rights etc.)
przywłaszczyciel *sn*, **przywłaszczycielka** *sf* appropriator; usurper
przywłaszczycielski *adj* appropriative; usurping, usurpatory
przywłok|a *sf* 1. *ryb.* (*niewód*) fishing net 2. *sm sf* (*pl N.* **~i** *GA.* **~ów**) *gw.* (*przybłęda*) straggler
przywodzący [I] *ppraes* ↑ **przywodzić** [II] *adj anat.* **mięsień ~** adductor
przywodzić *zob.* **przywieść**
przywoł|ać *vt perf* — **przywoł|ywać** *vt imperf* (*wołaniem*) to call; (*nakazem*) to summon; (*znakiem*) to beckon <to sign, to signal> (**kogoś** to sb) to approach; **~ać, ~ywać kogoś znakiem do pokoju** to beckon sb in; **~ać, ~ywać kogoś z powrotem** to call sb back; to recall sb; **~ać taksówkę <dorożkę>** to hail a taxi <a cab>; *przen.* **~ać, ~ywać kogoś do porządku** to call sb to order
przywołanie *sn* 1. ↑ **przywołać** 2. *tp.* (a) call
przywozić *zob.* **przywieźć**
przywozowy *adj* import __ (duty etc.)
przywożenie *sn* ↑ **przywozić**
przywódca *sm* leader; (*herszt*) ringleader
przywódczy|ni *sf V.* **~ni** *pl G.* **~ń** leader
przywództwo *sn singt* leadership
przyw|óz *sm G.* **~ozu** 1. (*przywiezienie*) carriage; transport; delivery 2. (*import*) import(ation)
przywózka *sf pot.* carriage; transport
przywr|a *sf zool.* trematode; *pl* **~y** (*Trematoda*) (*gromada*) the class Trematoda
przywr|acać *vt imperf* — **przywr|ócić** *vt perf* **~ócę** to restore (**porządek, dyscyplinę, spokój itd.** order, discipline, calm etc.; **komuś jego własność** his property to sb); **~acać, ~ócić kogoś do przytomności <do życia>** to bring sb back to consciousness <to life>; **~acać, ~ócić kogoś do stanowiska** to reinstate <to reappoint> sb to his post; **~acać, ~ócić komuś zdrowie** to restore sb to health; **~acać, ~ócić równowagę** to redress the balance; **~acać, ~ócić stary zwyczaj** to reintroduce an ancient custom
przywrotnik *sm bot.* (*Alchemilla*) lady's-mantle
przywrócenie *sn* (↑ **przywrócić**) restoration (of order, property etc.); reinstatement <restitution, reappointment> (to a post); reintroduction (of an ancient custom etc.); *kolej.* **~ ruchu na linii** reopening of the line to the traffic
przywrócić *zob.* **przywracać**
przywrzeć *zob.* **przywierać**
przywspółczulny *adj anat.* **układ ~** parasympathetic nervous system
przywstydz|ić *vt perf* **~ę** to abash
przywycz|ka *sf pl G.* **~ek** *dial. pot.* habit; custom
przywykać *zob.* **przywyknąć**
przywykły *adj* accustomed <inured> (to sth)
przywyk|nąć *vi perf* **~ł, ~ły — przywykać** *vi imperf* to become <to get> accustomed <used> (to sth); to accustom oneself (to sth)
przyzagrodow|y *adj* attached to <adjoining> a farmstead; **działka ~a** infield
przyzakładowy *adj* attached to an institution <a factory, an office>; **lekarz <inżynier itd.> ~** resident physician <engineer etc.>
przyzba *sf* shelf of earth running along the front of a peasant's cottage
przyzębica *sf med.* periodontosis, paradentosis
przyzębi|e *sn pl G.* **~** *anat.* periodontium
przyziemić *vi perf lotn.* to touch down
przyziemi|e *sn pl G.* **~** *bud.* ground floor, *am.* first floor <storey>
przyziemienie *sn* (↑ **przyziemić**) *lotn.* touch-down
przyziemnie *adv* prosaically
przyziemność *sf singt* prosaism; earthly-mindedness
przyziemn|y *adj* 1. (*znajdujący się blisko powierzchni ziemi*) ground __ (fog, frost etc.); *astr.* **punkt ~y** perigee; *bot.* **rośliny ~e** trailing <creeping> plants 2. *przen.* (*prozaiczny*) prosaic; earthly-minded; worldly-minded; mean(-spirited); (*o stylu*) pedestrian
przyzimno *adv* somewhat cold
przyzna|ć *v perf* — **przyzna|wać** *v imperf* [I] *vi* (*uznać za słuszne*) to admit <to acknowledge, to allow> (**że ...** that ...); **~ć trzeba** it must be admitted <acknowledged, said>; admittedly; to be sure; undeniably; **trzeba mu ~ć, że ...** it must be said to his credit, that ... [II] *vt* 1. (*uznać*) to acknowledge <to recognize> (**komuś pierwszeństwo <talent, zdolności>** sb's superiority <talent, abilities>); **~ć komuś rację <słuszność>** to admit that sb is right; to declare sb to be in the right; to decide in sb's favour; **niechętnie ~ć coś komuś** to grudge sb sth 2. (*wydać, udzielić*) to award <to adjudge> (a prize etc. to sb); to grant

<to concede, to accord> (a right etc. to sb); to confer (**komuś dyplom** <**tytuł, stopień naukowy itd.**> a diploma <title, degree> on sb); to allocate (**kredyty na jakiś cel** funds to a purpose) [III] *vr* **~ć, ~wać się** to acknowledge <to admit> (**do winy** one's guilt; **do tego, że się coś zrobiło** having done sth; **do tego, że się jest ...** one's being ...); **~ć, ~wać się do błędu** to recognize one's error; to own to a mistake; **~ć, ~wać się do popełnienia zbrodni** to own up to a crime; **~ć, ~wać się do winy** to confess <to avow> one's guilt; *sąd.* to plead guilty; **nie ~ć się do czegoś** <**do autorstwa artykułu itd.**> to repudiate sth <the authorship of an article etc.>; *sąd.* **nie ~ć się do winy** to plead not guilty; **rzeczy, do popełnienia których nie można się ~ć** unavowable acts

przyznanie *sn* ↑ **przyznać** 1. (*uznanie*) admission; acknowledgment; recognition 2. (*udzielenie*) (an) award; adjudication; concession (of a right etc.); conferment (of a degree etc.); allocation <grant> (of funds) 3. **~ się** acknowledgment (of one's guilt etc.); recognition (of an error etc.); confession (of one's guilt)

przyzosta|ć *vi perf* **~nę, ~nie, ~ną, ~ł** (*także vr* **~ć się**) *pot.* to stop; to stay behind

przyzw|ać *vt perf* **~ę, ~ie, ~ij** — **przyzywać** *vt imperf* to call (sb); to beckon <to sign, to signal> (**kogoś** to sb) to approach

przyzwalać *vi imperf* — **przyzw|olić** *vi perf* **~ól** to consent <to agree, to assent> (**na coś** to sth); to acquiesce (**na coś** in sth); to concede (**na coś** sth)

przyzwalająco *adv* assentingly

przyzwalając|y *adj* (sign etc.) of assent <of acquiescence>; *gram.* **zdanie ~e** concessive clause

przyzwoicie *adv* 1. (*według nakazów moralności*) decently; with decorum; in seemly fashion 2. (*odpowiednio*) suitably; properly; becomingly; **zachowywać się ~** to behave properly; to be on one's best behaviour; (*do dziecka*) **zachowuj się ~** behave yourself

przyzwoit|ka *sf pl G.* **~ek** chaperon; **towarzyszyć dziewczynie w charakterze ~ki** to chaperon a girl; to play propriety for a girl

przyzwoitoś|ć *sf singt* decency; propriety; decorum; **nakazy ~ci** the decencies; the proprieties; **poczucie ~ci** sense of decorum; **dla ~ci, przez ~ć** for decency's sake; in common decency; **dla zwykłej ~ci (powinien był ...)** in common decency (he should have ...); **jak ~ć nakazuje** with due decorum; **wbrew zasadom ~ci** against decorum; **zwykła ~ć wymaga ...** ordinary decency demands ...

przyzwoity *adj* 1. (*czyniący zadość wymaganiom moralnym*) decent; decorous; seemly; becoming; proper; (*o rozmowie*) clean (speech) 2. (*czyniący zadość wymogom towarzyskim*) proper; becoming; seemly; **być na tyle ~m, żeby ...** to have the decency to ... 3. (*odpowiedni*) suitable; proper; becoming

przyzwoleni|e *sn* (↑ **przyzwolić**) consent; assent; acquiescence; **skinąć na znak ~a** to nod assent

przyzwolić *zob.* **przyzwalać**

przyzwycza|ić *v perf* **~ję, ~j** — **przyzwycza|jać** *v imperf* [I] *vt* to accustom <to inure, to habituate> (sb to sth, to do sth) [II] *vr* **~ić, ~jać się** to get <to become> accustomed <used> (to sth, to do sth); to accustom oneself (to sth, to do sth); to habituate oneself (to sth, to doing sth); to get into the habit <to make a habit> (of doing sth)

przyzwyczajeni|e *sn* 1. **przyzwyczaić** 2. (*nawyk*) custom; habit; **mieć ~e robienia czegoś** to be used to do <to doing> sth; **nabrać ~a do robienia czegoś** to form <to contract, to fall into, to get into> the habit of doing sth; **z ~a, siłą ~a** from force of habit

przyzwyczajony [I] *pp* ↑ **przyzwyczaić** [II] *adj* accustomed <inured> (to sth); **być ~m do czegoś** <**do robienia czegoś**> to be accustomed to sth <to do sth>; to be in the habit of doing sth; **nie jestem ~ do tego** I am not accustomed <I am new> to this

przyzywać *zob.* **przyzwać**

przyzywająco *adv* summoningly

przyże|gać *vt imperf* — *rz.* **przyże|c** *vt perf* **~gnę, ~gnie, ~gł** 1. *med.* to cauterize 2. *ƒ* (*przypalać*) to singe

przyżeganie *sn* (↑ **przyżegać**) *med.* cauterization

przyżeni|ć się *vr perf* — **przyżeni|ać się** *vr imperf* to marry (**do gospodarstwa** <**interesu itd.**> (a woman with) a farm <a business concern etc.>); to come (**do gospodarstwa** <**interesu itd.**> into a farm <business etc.>) by one's marriage; **~ć, ~ać się do rodziny** <**do sfery społecznej**> to marry into a family <a social circle>

przyżółc|ić *vt perf* **~ę** to give a yellow tint (**coś** to sth)

przyżółkn|ąć *vi perf* **~ięty** to acquire a yellow tint; to become slightly yellow

przyżółknięcie *sn* 1. ↑ **przyżółknąć** 2. (*lekko żółta barwa*) yellow tint

przyżywić się *vr perf* — **przyżywiać się** *vr imperf* to feed (*vi*)

psalm *sm G.* **~u** psalm

psalmista *sm* (*decl* = *sf*) 1. (*autor psalmów*) psalmist 2. (*w liturgii wschodniej*) psaltes

psalmodi|a *sf GDL.* **~i** psalmody

psalmodyczny *adj* psalmodic

psalmograf *sm* psalmograph

psałterion *sm G.* **~u** *muz.* psaltery

psałterz *sm* psalter

psammit *sm G.* **~u** (*zw. pl*) *miner.* psammite

psefit *sm G.* **~u** (*zw. pl*) *miner.* psephite

pseudepigraf *sm G.* **~u** <**~a**> *lit.* pseudepigraph

pseudo[1] *sn* pseudonym

pseudo-[2] *praef* pseudo; pseudo-

pseudoartysta *sm* (*decl* = *sf*) pseudo artist

pseudoartystyczny *adj* pseudo-artistic

pseudogotycki *adj arch.* pseudo-Gothic

pseudogotyk *sm G.* **~u** *arch.* pseudo-Gothic architecture

pseudohumanitarny *adj* pseudo-humanitarian

pseudointelektualizm *sm singt G.* **~u** pseudo-intellectualism

pseudoklasycyzm *sm singt G.* **~u** *lit. plast.* pseudoclassicism

pseudoklasyczność *sf singt lit. plast.* pseudoclassicality

pseudoklasyczny *adj lit. plast.* pseudoclassic(al)

pseudoklasyk *sm lit.* pseudoclassic

pseudoludowość *sf singt* pseudo folklore

pseudoludowy *adj* pseudo-folkloristic

pseudomorfizm *sm singt G.* **~u** *miner.* pseudomorphism

pseudomorfoza *sf miner. paleont.* pseudomorphosis

pseudonauka *sf* pseudo science

pseudonaukowość *sf singt* pseudo scholarship

pseudonaukowy *adj* pseudo-scientific; pseudo-scholary

pseudonim *sm G.* **~u** pseudonym; (*literacki*) pen-name

pseudonowatorski *adj* pseudo-innovative

pseudostop *sm G.* **~u** *techn.* pseudo alloy

psi *adj* dog's; dog-(kennel, biscuit etc.); (*w języku naukowym*) canine (distemper etc.); (*o usposobieniu człowieka*) currish; *bot.* **~a trawka** (*Nardus stricta*) mat grass; *mar.* **~a wachta** dog watch; *bot.* **~ język** (*Chenopodium officinale*) hound's tongue; *bot.* **~ rumianek** (*Anthemis cotula*) mayweed; dog-fennel; *żart.* **~e wesele** assembly of dogs round a bitch in heat; *przen.* **~ czas** foul weather; **~ los, ~e życie** a dog's life; **~ obowiązek** bounden duty; **płatać ludziom ~e figle** to play (dog-)tricks on people; **~m swędem** by fluke; by chance; **za ~e pieniądze** dog-cheap

psiak *sm* pup; doggy, doggie

psiakość *interj sl.* dash!; dammit!; by Jove!; by jingo!; what a nuisance!; dear, dear, dear!

psiakrew *sl.* [I] *interj* damn!; hell! [II] *sm sf* (*pl* **psiekrwie**) confounded nuisance; scoundrel; rascal; bastard

psian|ka *sf pl G.* **~ek** *bot.* (*Solanum*) solanum; **~ka słodkogórz** (*Solanum dulcamara*) bitter sweet; woody nightshade; **~ka czarna** (*Solanum nigrum*) black nightshade

psiankowat|y *bot.* [I] *adj* solanaceous [II] *spl* **~e** (*Solanaceae*) (*rodzina*) the family Solanaceae

psiar|ka *sf pl G.* **~ek** *pot.* = **psia trawka** *zob.* **psi**

psiarni|a *sf* 1. (*pomieszczenie dla psów*) kennel; **zimno jak w ~** it is icy cold 2. (*psy*) pack of hounds

psiarz *sm* dog fancier

psiawiara *sl. gw.* [I] *indecl* = **psiakrew** *interj* [II] *sm sf w wołaczu* = **psiakrew** *sm sf*

psiątko *sn* pup

psica *sf dosł. i przen.* bitch

psik *interj* scat!

psikus *sm* trick; prank; hoax; **spłatać komuś ~a** to play a trick on sb

psina *sf* doggie

psioczenie *sn* (↑ **psioczyć**) *pot.* complaints (**na coś** about <over> sth)

psioczyć *vi imperf pot.* to complain (**na coś** over <about> sth); to grumble (**na coś** about sth); *sl.* to grouse (**na coś** at <about> sth)

psisko *sn* great big dog

psoc|ić *vi imperf* **~ę** to play pranks <tricks>; to be up to mischief; **nie dać dziecku <psu, kotu> ~ić** to keep a child <dog, cat> out of mischief

psot|a *sf* prank; trick; piece of roguery; **z ~y** (just) for fun; out of mischief

psotnica *sf* jester; joker; roguish girl

psotnik *sm* jester; joker; (*o chłopcu*) scamp; roguish boy

psotny *adj* prankish; roguish; full of mischief

pst *interj* hush!

pstrąg *sm zool.* (*Salmo*) trout; **młody ~** troutlet; **~ po tarle** kelt

pstrągarni|a *sf pl G.* **~** trout farm

pstrągiew|ka *sf pl G.* **~ek** trout fly

pstrągowy *adj* trout — (stream etc.)

pstro *adv* in bright colours; colourfully; *przen.* **mieć ~ w głowie** to play the giddy goat

pstrobarwny *adj* motley; variegated

pstrokac|ić *vt perf* **~ę** to variegate; to dapple

pstrokacie|ć *vi imperf* **~je** 1. (*odcinać się jak pstrokata plama*) to form a patch of colour 2. (*stawać się pstrokatym*) to become variegated <patchy>; to show patches of colour

pstrokacizna *sf* medley of colours; (a) motley

pstrokacz *sm myśl.* young falcon

pstrokato *adv* in a medley of colours; **~ ubrany** colourfully dressed

pstrokaty *adj* 1. (*wielobarwny*) many-coloured; motley; gaudy; variegated; colourful 2. (*pstrej maści*) dappled; particoloured; patchy; spotted; piebald

pstrorudawy *adj* red-speckled

pstrozłocisty *adj* patched with gold

pstry *adj* 1. (*pokryty cętkami, plamkami*) spotted; speckled; freaked; streaked 2. (*wielobarwny*) many-coloured; gaudy; motley; variegated; patchy; colourful; particoloured; versicolour(ed)

pstrycz|ek *sm G.* **~ka** fillip; *przen.* **dać komuś ~ka w nos** to snub sb; **dostać ~ka w nos** to get snubbed

pstryk[1] *interj* snap!

pstryk[2] *sm* = **prztyk** 1.

pstryk|nąć *v perf* — **pstryk|ać** *v imperf* [I] *vi* 1. (*wywołać charakterystyczny odgłos*) to snap; **~nąć, ~ać w palce** to snap one's fingers 2. *pot. fot.* to snap; to take a snap <snaps> [II] *vt* (*cisnąć*) to snap (**czymś o coś** sth against sth)

pstryknięcie *sn* 1. ↑ **pstryknąć** 2. (*odgłos*) (a) snap 3. *pot. fot.* (a) snap

pstrzy|ć *v imperf* **~j** [I] *vt* 1. (*czynić pstrym*) to variegate; to mottle 2. (*pokrywać plamkami*) to speckle; to dot; (*o muchach*) to stain 3. *przen.* (*przeplatać*) to intermingle <to intersperse, to interlard> (one's speech with foreign words etc.) [II] *vr* **~ć się** 1. (*mienić się*) to be bright with colour; to show patches of colour 2. (*odcinać się*) to stand out in bright colours 3. *przen.* (*być przeplecionym*) to be intermingled <interspersed, interlarded> (with foreign words etc.)

psubrat *sm pl N.* **~y** *sl.* bastard; blackguard; scoundrel; rascal

psucie *sn* 1. ↑ **psuć** 2. (*czynienie nieprzydatnym do użytku*) deterioration; vitiation; contamination 3. (*uszkadzanie*) damage (caused to sth); impairment 4. (*deprawowanie*) depravation; perversion; corruption; debauch; demoralization 5. **~ się** (*uleganie zepsuciu*) aptness to get spoiled <to go wrong, to be thrown out of gear> 6. **~ się** (*rozkładanie się*) decay; putrefaction 7. **~ się** (*stawanie się gorszym*) deterioration 8. **~ się** (*demoralizowanie się*) depravation; perversion; corruption; debauch; demoralization

psu|ć *v imperf* **~je, ~ty** [I] *vt* 1. (*czynić nieprzydatnym*) to spoil; to put (sth) out of order <out of joint>; to mess (sth) up; to make a mess <a muddle> (**coś** of sth); to throw (sth) out of gear; (*czynić jakiś materiał nieprzydatnym do użytku*) to taint <to deteriorate, to vitiate, to contaminate, to pollute> (food etc.); to waste (raw materials etc.); **~ć komuś <sobie> apetyt** to spoil sb's <one's>

appetite; **~ć oczy** to be harmful to the eyes; **~ć sobie zdrowie** <**oczy, żołądek**> to ruin one's health <eyesight, stomach>; *przen.* **~ć komuś krew** to vex <to irritate, to annoy> sb; **~ć komuś szyki** to upset sb's plans; to put a spoke in sb's wheel; **~ć sobie krew** to fret; to get nervous; *pot.* **~ć powietrze** to infect <to pollute> the air; (*o człowieku*) to break wind 2. (*uszkodzić*) to damage; to injure; to impair 3. (*mącić*) to spoil <to mar> (sb's pleasure etc.); **~ć komuś humor** to damp sb's spirits; **~ć ludziom zabawę** to be a nuisance <a kill-joy, a mar-plot, a spoil-sport, a wet blanket>; **~ć komuś sąd** <**dobry smak**> to debauch sb's judgment <good taste> 4. (*rozpieszczać*) to spoil <to pamper, to cosher> (a child); to indulge <to coddle> (a patient, an invalid) 5. (*deprawować*) to deprave; to pervert; to corrupt; to debauch; to demoralize [III] *vr* **~ć się** 1. (*ulegać psuciu*) to spoil (*vi*); to get spoiled <spoilt>; to get messed up <damaged, impaired, injured>; (*o mechanizmie*) to go wrong; to break down 2. (*rozkładać się*) to decay; to go bad; to rot; to taint <to perish> (*vi*); **łatwo ~jące się towary** perishable goods 3. (*stawać się gorszym*) to deteriorate; to grow worse; to worsen; (*o pogodzie*) to break; (*o zdrowiu*) to break down; **~ć się coraz bardziej** to go from bad to worse 4. (*demoralizować się*) to become perverted <depraved, demoralized>

psuj *sm żart.* spoiler

psychastenia *sf singt med. psych.* psychasthenia

psychasteniczny *adj med. psych.* psychasthenic

psychastenik *sm* (a) psychasthenic

psyche *sf indecl* 1. **Psyche** *mitol.* Psyche 2. (*psychika*) psyche

psychiatra *sm* psychiatrist; alienist; mental specialist

psychiatri|a *sf singt GDL.* **~i** *med.* psychiatry

psychiatryczn|y *adj med.* psychiatric(al); **klinika ~a** mental clinic; **szpital ~y** mental hospital

psychicznie *adv* psychically; mentally; *med.* **~ chory** mentally diseased; **pacjent ~ chory** mental patient

psychiczny *adj* psychic(al); mental (disease, state etc.)

psychika *sf* 1. (*cechy psychiczne*) psyche 2. (*życie psychiczne jednostki lub zbiorowości*) mental life <disposition>; psychology (of a criminal, of a mob etc.)

psychoanalityczny *adj* psychoanalytic(al)

psychoanalityk *sm* psychoanalyst, psychoanalyzer

psychoanaliza *sf singt* 1. *psych.* (*teoria*) psychoanalysis 2. *med.* (*metoda lecznicza*) psychoanalytic therapy

psychofizyczny *adj* psychophysical

psychofizyka *sf singt* psychophysics

psychogenetyczny *adj* psychogenetic

psychogeneza *sf singt* psychogenesis

psychografi|a *sf singt GDL.* **~i** psychography

psychograficzny *adj* psychographic

psychogram *sm G.* **~u** psychograph

psycholog *sm* psychologist

psychologi|a *sf singt GDL.* **~i** psychology; **~a funkcjonalna** <**rozwojowa**> functional <genetic> psychology; **~a społeczna** social <collective> psychology

psychologicznie *adv* psychologically

psychologiczny *adj* psychologic(al)

psychologizacja *sf* psychological interpretation of phenomena

psychologizować *vi imperf* to psychologize

psychometri|a *sf singt GDL.* **~i** psychometry

psychomotoryczny *adj med. psych.* psychomotor

psychoneuroza *sf singt med. psych.* psychoneurosis

psychopata *sm* psychopath

psychopati|a *sf singt GDL.* **~i** *med. psych.* psychopathy

psychopatologi|a *sf singt GDL.* **~i** *med. psych.* psychopathology

psychopatologiczny *adj med. psych.* psychopathologic(al)

psychopatyczny *adj med. psych.* psychopathic

psychoruchowy *adj psych.* psychomotor

psychosomatyczny *adj med. psych.* psychosomatic

psychosomatyka *sf singt med. psych.* psychosomatic investigation

psychotechniczny *adj* psychotechnical

psychotechnik *sm* psychotechnician

psychotechnika *sf singt* psychotechnology

psychoterapeutyczny *adj med. psych.* psychotherapeutic

psychoterapi|a *sf singt GDL.* **~i** *med. psych.* psychotherapy

psychoza *sf* 1. *med.* psychosis 2. *pot.* (*stan podatności na jakiś nastrój*) neurosis; **~ zbiorowa** mass neurosis

psychrometr *sm G.* **~u** *meteor.* psychrometer

psychrometri|a *sf singt GDL.* **~i** *meteor.* psychrometry

psychrometryczny *adj meteor.* psychrometric

psyk *interj* hush!

psykać *vi imperf* — **psyknąć** *vi perf* to hush (**na kogoś** sb)

psylofit *sm G.* **~u** *paleont.* psilophytor

pszczelarski *adj* 1. (*odnoszący się do pszczelarza*) apiarist's; bee-keeper's 2. (*odnoszący się do pszczelarstwa*) apiarian

pszczelarstwo *sn singt* bee-keeping; apiculture

pszczelarz *sm* bee-keeper; apiarist

pszczel|i *adj* bee's (flight etc.); bee- (sting etc.); bees' (nest, wax etc.); (swarm etc.) of bees; **miód ~i** bee honey; **mleczko ~e** royal jelly

pszczelnik *sm bot.* (*Dracocephalum*) dragonhead

pszczelny *adj* = **pszczeli**

pszczolin|ka *sf pl G.* **~ek** *zool.* (*Andrena*) andrena

pszcz|oła *sf pl G.* **~ół** *zool.* (*Apis mellifera*) bee; **~oła domowa miodonośna** honey-bee; **~oła murarska** lapidary bee; **~oła pasożytniczna** wasp-bee

pszczołojad *sm zool.* (*Pernis apivorus*) honey-buzzard

pszczołowat|y *zool.* [I] *adj* of the family Apidae [III] *spl* **~e** (*Apidae*) (*rodzina*) the family Apidae

pszczółka *sf dim* ↑ **pszczoła**

pszenic|a *sf bot.* (*Triticum*) wheat; **~a jara** spring wheat; **~a orkisz** (*Triticum spelta*) spelt; **~a ozima** winter wheat; **kłos ~y** wheat-ear; **zbiór ~y** wheat-crop

pszeniczny *adj* wheat — (field, sheaf etc.); wheaten (bread etc.); frumentaceous

pszeniczysko *sn* wheat field

psze|niec *sm G.* **~ńca** *bot.* (*Melampyrum*) cow-wheat

pszenny *adj* = **pszeniczny**

pszonacznik *sm bot.* (*Conringia*) a plant of the Cruciferae family

pszonak *sm bot.* (*Erysimum*) a plant of the Erysimum family

pszonka *sf bot.* (*Ficaria verna*) a plant of the genus Ficaria

ptactwo *sn singt* fowl; **dzikie ~** wild fowl; wing game; game fowl; **~ domowe** domestic <barn-door> fowl; poultry; **~ wodne** waterfowl

ptak *sm* bird; **~ drapieżny** bird of prey; **~i domowe** domestic <barn-door> fowl; poultry; **~ kopalny** fossil bird; **~ łowczy** hawking bird; **~ przelotny** bird of passage; **~ śpiewający** song-bird; *przen.* **niebieski ~** adventurer; **widok z lotu ~a** bird's-eye view; **lotem ~a** like a shot; *przysł.* **zły to ~, co własne gniazdo kala** it is an ill bird that fouls its own nest

ptakokształtny *adj* birdlike; **gad ~** flying reptile

ptasi *adj* bird's (nest etc.); bird- (cage etc.); *przen.* **brakuje mu tylko ~ego mleka** he is in the lap of luxury; **to ~ mózg** he has the brains of a canary

ptasz|ek *sm G.* **~ka** 1. *dim* ↑ **ptak;** *przen.* **ranny ~ek** early riser; **on je jak ~ek** he is a small eater; **wesoły jak ~ek** merry as a grig 2. *przen.* (*o człowieku — ananas*) rogue

ptaszę *sn* (*zw. pl*) *lit.* (*pisklę*) fledgeling

ptaszęcy *adj lit.* = **ptasi**

ptaszkować *vt imperf pot.* to tick off (items in a list)

ptasznica *sf* fowling piece

ptasznik *sm* 1. (*łowca*) bird-fancier; fowler 2. *zool.* (*pająk*) bird spider

ptaszor *sm zool.* (*Exocoetus Exonautes*) flying fish

ptaszyna *sf pieszcz.* 1. (*o ptaku*) birdie 2. (*o dziecku*) darling; ducky

ptaszy|niec *sm G.* **~ńca** 1. *bot.* (*Ornithopus sativus*) serradella, serradilla 2. *zool.* (*Dermanyssus avium* <*gallinae*>) red-mite

pteranodon *sm G.* **~u** *paleont.* pteranodon

pterodaktyl *sm paleont.* pterodactyl

pterozaur *sm paleont.* pterosaur(ian)

ptialina *sf biol. chem.* ptyalin

ptomaina *sf* (*zw. pl*) *chem.* ptomaine; **zatrucie ~mi** ptomaine poisoning

ptysiowy *adj* puff <chou> __ (paste)

pty|ś *sm G.* **~sia** *kulin.* (cream) puff

publicysta *sm* (*decl* = *sf*), **publicyst|ka** *sf pl G.* **~ek** journalist; publicist

publicystyczny *adj* journalistic; publicistic

publicystyka *sf singt* journalism; publicism

publiczk|a *sf singt iron. żart.* the undiscriminating public; an undiscriminating audience; **pod ~ę** (meant, intended) for the undiscriminating public

publicznie *adv* publicly; in public; openly; **wystąpić ~** to make a public appearance

publicznoprawny *adj prawn.* (questions etc.) of public law

publicznoś|ć *sf singt* 1. (*ogół*) the general public; people at large; (*społeczeństwo*) community 2. (*uczestnicy, widownia, czytelnicy*) the public; (*na wykładzie, koncercie*) audience; attendance;(*w teatrze*) audience; the house; **wzbudzić entuzjazm ~ci, rozbawić ~ć** to bring down the house

publiczn|y *adj* public; **dobro ~e** common good; **dom ~y** brothel; house of ill fame; **grosz ~y** public funds; **naruszenie porządku ~ego** disturbance; **opinia ~a** the public opinion; **prawo ~e** public law; **~a tajemnica** open secret; **zakład użyteczności ~ej** (a) public service; **w miejscu ~ym** in public

publika *sf singt pot.* the public; (*w kinie, teatrze*) the audience; (*na zebraniu*) the meeting

publikacja *sf* 1. *singt* (*publikowanie*) publication 2. (*utwór*) (a) publication

publikacyjny *adj* publishing (activities etc.)

publikanin *sm hist.* publican

publikować *vt imperf* to publish

publikowanie *sn* (↑ **publikować**) publication

puc *sm G.* **~u** *sl.* bluff; sham; **nie dla ~u** not for sham

puca *sf rz. pot.* chubby face

puch *sm G.* **~u** 1. (*u ptaków, ssaków i ludzi*) down; (*u ptaków*) fluff; *tekst.* **~ przędzalniczy** spinning fly; *przen.* **rozbić w ~** to put (an army, the enemy) to rout 2. *bot.* pappus; **lekki jak ~** as light as thistle-down 3. *sport* (*śnieg*) powder snow

puchacz *sm zool.* (*Bubo bubo*) eagle owl

puchar *sm G.* **~u** 1. (*naczynie do wina*) wine-cup; bumper; *przen.* **między ustami a brzegiem ~u** 'twixt cup and lip there's many a slip 2. *sport* cup; **~ przechodni** challenge cup; **turniej o ~** cup tie

pucharow|y *adj sport* **rozgrywki ~e** cup tie

puchaty *adj* downy

puchlina *sf med.* swelling; **~ wodna** dropsy, hydrops(y)

puchlinowy *adj* dropsical, hydropic

puch|nąć *vi imperf* **~nął** <**~ł**> 1. (*obrzmiewać*) to swell; *przen. pot.* **głowa <łeb> mi ~nie (od kłopotów)** I am at my wit's end; **aż uszy ~ną** a) (*o hałasie*) ear-splitting b) (*o mowie*) enough <fit> to make you sick; **bić i patrzeć czy równo ~nie** to beat black and blue 2. *pot. sport* to flag

puchowy *adj* 1. (*odnoszący się do puchu*) downy; fluffy 2. (*zrobiony z puchu*) down <eiderdown> __ (bed, cushion, pillow etc.) 3. (*przypominający puch*) downy; fluffy; **~ śnieg** powder snow

puc|ka *sf pl G.* **~ek** *bud.* club <lump, mash> hammer; mallet; plumber's dresser

pucołowaty *adj* chubby(-cheeked)

pucować *vt imperf pot.* 1. (*oczyścić*) to clean 2. (*szorować*) to scrub; (*glansować*) to polish; to furbish

puców|ka *sf pl G.* **~ek** *pot.* rating; dressing-down; telling-off

puculowaty *adj* = **pucołowaty**

pucybu|t *sm L.* **~cie** *pl N.* **~ty** shoeblack, *am.* bootblack

pucz *sm G.* **~u** coup d'état

pud *sm* pood

pudding *sm G.* **~u** *kulin.* pudding

pud|el *sm G.* **~la** *pl G.* **~li** <**~lów**> poodle

pudełczarnia *sf* box-making shop (of a match factory)

pudeł|ko *sn pl G.* **~ek** box; **blaszane ~ko** tin; can; **~ko od zapałek** match-box; **~ko od sardynek** sardine-tin; **~ko zapałek** box of matches; **jak w ~ku** spick and span; **jak gdyby tylko co z ~ka był wyjęty** as if he had just stepped out of a bandbox

pudełkowaty *adj* box-like

pudełkowy *adj* box __ (lid etc.); (*taki jak pudełko*) box-like

pud|er *sm G.* **~ru** 1. (*kosmetyczny*) (face-)powder; splash; (*leczniczy*) toilet <dusting> powder 2. *pot.* (*cukier*) castor-sugar

pudernicz|ka *sf pl G.* **~ek** powder-box; compact; puff-box

pud|ło[1] *sn* 1. *L.* **~le** *pl G.* **~eł** (*pojemnik*) (cardboard, wooden etc.) box; case; chest; **~ło modniarskie** bandbox; **~ło na kapelusze** hat-box; *muz.* **~ło rezonansowe** resonance box; sound box <chest>; **~ło na skrzypce** violin case; **~ło z farbami** paint-box 2. (*u pojazdu — część, w której się siedzi*) carriage body; (*budka*) hood 3. *pot. pog.* (*stary grat*) shandrydan; rattletrap 4. *sl. pog.* (*o starej kobiecie*) frump

pud|ło[2] *sn L.* **~le** *pl G.* **~eł** *pot.* (*chybiony strzał*) (a) miss

pudłować *vt vi imperf* to miss (one's mark)

pudre|ta *sf DL.* **~cie** *roln.* dried and powdered night-soil

pudrować *v imperf* [I] *vt* to powder (one's nose, hair etc.) [II] *vr* **~ się** to powder one's face

puen|ta *sf DL.* **~cie** point (of a joke)

puentylizm *zob.* **pointylizm**

puf *sm G.* **~a** <**~u**> pouf(fe); squab

pugilares *sm G.* **~u** pocket-book; wallet; notecase

pugina|ł *sm G.* **~łu** *L.* **~le** dagger

puk|ać *v imperf* — **puk|nąć** *v perf* [I] *vi* 1. (*stukać*) *imperf* to knock <to rap> (**do drzwi** at the door); (*o ptakach*) to peck; *perf* to give a knock <a rap> (**do drzwi** at the door); **ktoś ~a** somebody is knocking (at the door); there was a knock (at the door); **~ać palcem w czoło** to tap one's forehead; **serce ~a** the heart beats <goes pit-a-pat>; *przen.* **~ać do czyichś drzwi** to apply to sb for help 2. (*strzelać*) to pop [II] *vr* **~ać, ~nąć się** *pot. w zwrocie:* **~nij się w czoło!** are you out of your senses?

pukad|ło *sn L.* **~le** *pl G.* **~eł** *med.* plessimeter

pukani|e *sn* ↑ **pukać**; (a) knock, knocks; (a) rap, raps; **dyskretne ~e do drzwi** tap(s) at the door; „**wchodzić bez ~a**" "walk in"

pukanina *sf* (promiscuous) shooting; gun-fire

pukaw|ka *sf pl G.* **~ek** pop-gun

puk|iel *sm G.* **~la** *pl G.* **~li** <**~lów**> lock <tuft> (of hair); curl; (*nad czołem*) forelock

puklerz *sm pl G.* **~y** <**~ów**> 1. *hist.* shield; buckler 2. *przen.* (*ochrona przed czymś*) buckler

puknięcie *sn* (↑ **puknąć**) knock <rap, tap> (at the door)

pula *sf* 1. (*w grach*) pool; bank; stake money; kitty 2. (*towar do sprzedaży*) contingent; quota

pular|da *sf DL.* **~dzie** fowl

pulares † *sm G.* **~u** = **pugilares**

pulchnie|ć *vi imperf* **~je** to grow plump

pulchnik *sm kulin.* baking powder

pulchniutki *adj dim* ↑ **pulchny**

pulchność *sf singt* 1. (*gleby*) mellowness 2. (*pieczywa*) sponginess (of bread) 3. (*człowieka*) plumpness

pulchny *adj* 1. (*o glebie*) mellow; loose; light 2. (*o pieczywie*) crumby; spongy 3. (*o człowieku*) plump

pulman *sm* Pullman car

pulmanowski *adj* Pullman (car); **pociąg z wagonów ~ch** corridor <*am.* vestibule> train

pulower *sm G.* **~a** <**~u**> pull-over

pulpa *sf* pulp

pulpet|y *spl G.* **~ów** *kulin.* forcemeat balls

pulpit *sm G.* **~u** (*do nut*) music-stand; (*do czytania*) reading-desk; book-rest; (*do pisania*) writing-desk; *techn.* **~ sterowniczy** console; control desk <stand>

pulpitowy *adj bud.* **dach ~** pent-roof; lean-to roof

pulpować *vt imperf* to pulp (fruits etc.)

puls *sm G.* **~u** pulse; vibration; **zbadać komuś ~** to feel sb's pulse; *przen.* **trzymać rękę na ~ie polityki** <**życia ekonomicznego itd.**> to have one's finger on the pulse of politics <economic life etc.>; to be in the swim in politics <economic life etc.>

pulsacja *sf astr. fizjol.* pulsation

pulsacyjny *adj* pulsatory; *lotn.* **silnik ~** pulse jet engine

pulsator *sm techn.* pulsator

pulsometr *sm G.* **~u** *techn.* pulsometer (pump); expulsor pump

pulsować *vi imperf dosł. i przen.* to pulsate; to throb; to vibrate; (*o sercu*) to palpitate

pulsowanie *sn* (↑ **pulsować**) pulsation(s); throb(s); vibration(s)

pulweryzator *sm* atomizer; spray diffuser

pułap *sm G.* **~u** *bud. lotn. meteor. górn.* ceiling; *bud.* **ślepy ~** sound boarding

pułap|ka *sf pl G.* **~ek** 1. (*potrzask*) trap; snare; pitfall; **~ka na myszy** mousetrap; **~ka na szczury** rat-trap; **nastawić ~kę** to set <to lay> a trap 2. *przen.* (*zasadzka*) trap; pitfall; (*podstęp*) ruse; catch; trick; **~ka na naiwnych** booby-trap; **wpadłem w ~kę** I was trapped; *pot.* I've been had

pułapkow|y *adj bot.* **kwiaty ~e** trap flowers

pułapow|y *adj* ceiling — (illumination etc.); *techn.* **spawanie ~e** overhead position welding

pułk *sm G.* **~u** *wojsk.* regiment; *lotn.* group; **~ zapasowy** depot

pułkownik *sm wojsk.* colonel; *lotn.* group captain; **stopień** <**ranga**> **~a** colonelcy

pułkownikostwo *sn* 1. (*ranga*) colonelcy 2. (*pułkownik z żoną*) the colonel and Mrs X

pułkownikowa *sf* (*decl* = *adj*) (the) colonel's wife; Mrs X

pułkownikowski *adj* colonel's (insignia etc.)

pułkownikówna *sf* colonel's daughter

pułkow|y *adj* regimental; **mundur ~y, odznaki ~e** regimentals

puma *sf zool.* (*Felis concolor*) cougar, puma

pumeks *sm G.* **~u** pumice(-stone)

pumeksowy *adj* pumice — (soap etc.)

pumpernik|iel *sm G.* **~la** <**~lu**> pumpernickel

pump|y *spl G.* **~** <**~ów**> knickerbockers; plus-fours

punca *sf techn.* punch; stamp

puncować *vt imperf techn.* to punch; to stamp

punczer *sm sport* puncher

punicki *adj hist.* Punic (wars etc.)

punkcik *sm G.* **~u** (*dim* ↑ **punkt**) dot; spot; speck

punkcj|a *sf med.* puncture; tapping (of a lung etc.); **~a lędźwiowa** lumbar puncture; **zrobić ~ę płuca** to tap a lung

punkcyjny *adj* puncturing — (needle etc.)

punk|t[1] *sm G.* **~tu** *L.* **~cie** *pl N.* **~ty** 1. (*kropka, miejsce*) point; spot; dot; **czyjś słaby** <**mocny**> **~t** sb's weak <strong> point; **martwy ~t** a) *techn.* dead centre <point> b) *przen.* deadlock; standstill; stalemate; impasse; **utknąć na mar-**

twym ~cie to come to a standstill <to a deadlock>; **~t podparcia** fulcrum; point of support; **~t wyjścia** starting-point; point of departure; *fiz. i przen.* **~t ciężkości** centre of gravity; *astr.* **~t odziemny** apogee; **~t przyziemny** perigee; *mat.* **współrzędne ~tu** punctual co-ordinates; *przen.* **ciemny ~t** something dubious 2. (*miejsce przeznaczone do wykonywania specjalnych czynności*) station; point; **~t opatrunkowy** <**sanitarny**> dressing station; **~t usługowy** repairing shop; *aut.* service-station; **~t zborny** rallying point; **~t zwrotny** turning point 3. (*stanowisko*) point (of observation etc.); **~t obserwacyjny** point of vantage; **~t widzenia** point of view; view-point; **umieszczony w dobrym ~cie** well-situated 4. *prawn.* article; (*w umowie*) clause 5. (*szczegół*) point; score; (*w programie*) item; event; (*w spisie*) item; head; **~t honoru** point of honour; (*w argumentacji*) **słaby ~t** flaw; **w tym ~cie my się nie zgadzamy** on this point we disagree; **na ~cie** about <with respect to, concerning> **(czegoś** sth); **~t po ~cie** point by point; seriatim; paragraph by paragraph 6. (*stopień*) point; **~t kulminacyjny** culminating point; **~t wrzenia** <**topnienia, zamarzania**> boiling <melting, freezing> point 7. (*w grach*) point; **ilość zdobytych ~tów** the score; **zdobyć** *x* **~tów** to score *x* points 8. (*granica*) limit; **tylko do pewnego ~u** only within limits
z punktu on the spot; then and there; point-blank

punkt[2] *adv pot.* sharp; on the stroke; **~ o 8-ej** at 8 o'clock sharp; on the stroke of 8 (o'clock)

punktacja *sf* 1. *prawn.* drafting of the clauses (of a contract) 2. *sport* awarding of points 3. *sport* (*uzyskane punkty*) score

punktak *sm techn.* (centre) punch

punktować *v imperf* [I] *vt* 1. (*w rzeźbiarstwie*) to point 2. (*w grawiurowaniu*) to stipple [II] *vi sport* to award points

punktow|iec *sm G.* **~ca** *bud.* block of flats

punktow|y *adj mat.* punctual (co-ordinates etc.); *fot.* **oświetlenie ~e** spot-lighting

punktualnie *adv* punctually; promptly; **przyjść ~** to be punctual **(co do minuty** to a minute); to come in time <*am.* on time>; to be dead on time; **~ o godzinie** *x* at *x* o'clock sharp; on the stroke of *x*; precisely <exactly> at *x* o'clock; **~ w tym momencie** at that precise moment

punktualność *sf singt* punctuality; promptness; promptitude

punktualny *adj* punctual; exact; precise; prompt (payment etc.); **nie być ~m** to make people wait; to keep people waiting

pupa *sf* bottom

pupil *sm pl G.* **~ów** <**~i**> 1. (*ulubieniec*) favourite 2. *żart.* (*wychowanek*) ward

pupilarn|y *adj prawn.* pupil(l)ary; **papiery ~e** gilt-edged stock

pupil|ek *sm G.* **~ka, pupil|ka** *sf pl G.* **~ek** ward

purchaw|ka *sf pl G.* **~ek** *bot.* (*Lycoperdon*) puff-ball

purchawkowat|y *bot.* [I] *adj* lycoperdaceous [II] **~e** *spl* (*Lycoperdaceae*) (*rodzina*) the puff-balls

purée *sn indecl kulin.* mashed potatoes; **~ grochowe** pease pudding

purga *sf meteor.* purga; blizzard

purpur|a *sf* 1. (*kolor*) purple; scarlet; crimson; **oblać się ~ą** to turn crimson 2. (*tkanina*) purple cloth 3. (*szata*) the purple; **przywdziać ~ę** to be raised to the purple 4. (*barwnik*) purple pigment <dye>

purpura|t *sm L.* **~cie** *pl N.* **~ci** *lit.* cardinal

purpurowie|ć *vi imperf* **~je** 1. (*stawać się purpurowym*) to purple; to turn purple 2. (*odbijać purpurowo*) to show purple; to appear as a purple patch <as purple patches>

purpurowo *adv* of purple <scarlet, crimson> (colour); **farbowany ~** dyed purple <scarlet, crimson>

purpurow|y *adj* purple; scarlet; crimson; *bot.* **naparstnica ~a** (*Digitalis purpurea*) purple foxglove; **wierzba** <**wiklina**> **~a** (*Salix purpurea*) purple willow

purpurzyć *vt imperf* to dye purple

puryc † *sm pl N.* **~e** *pot.* 1. (*człowiek bogaty, znaczny*) big noise <bug, *am.* shot> 2. (*bogacz żydowski*) rich Jew

puryfikacja *sf singt* purification

puryfikaterz *sm rel.* purificator

puryfikator *sm techn.* purger (of gases etc.)

puryfikatorski *adj* purificatory

Purym *sm indecl rel.* Purim

puryna *sf chem.* purine

purynowy *adj chem.* purine — (base)

pury|sta *sm* (*decl* = *sf*) *DL.* **~ście** *pl N.* **~ści** *GA.* **~stów** purist

purystyczny *adj* puristic

purytanin *sm hist.* (a) Puritan

purytanizm *sm G.* **~u** *hist.* Puritanism

purytański *adj* Puritan (rebellion, party etc.); Puritanical (women, laws, behaviour etc.)

purytańsko *adv* Puritanically

puryzm *sm singt G.* **~u** purism

pustać *sf gw. lit.* (a) waste

pustak *sm bud.* air brick; hollow clay block

pustakowy *adj* built of hollow clay blocks

pustawo *adv* with few people about; **było ~** there were few people about; *teatr* **na sali było ~** there was a thin house

pustaw|y *adj* somewhat deserted; **grali przy ~ej sali** they played to a thin house <before a thin audience>

pustelnia *sf* hermitage

pustelnica *sf* anchoress; *przen.* recluse

pustelnictwo *sn singt* hermitic life; *przen.* seclusion

pustelniczo *adv* like a hermit

pustelnicz|y *adj* hermitic; *przen.* **życie ~e** sequestered life; the life of a recluse

pustelnik *sm* 1. (*człowiek*) hermit; anchoret; *przen.* recluse 2. *zool.* (*Pagurus*) hermit crab

pust|ka *sf pl G.* **~ek** 1. (*puste wnętrze*) emptiness; empty space; void; **mam ~kę w głowie** my mind is a blank; **mieć ~ki w kieszeni** to be out of pocket <broke, hard up>; to have an empty purse; **świecić ~kami** to be half-empty; **zostawił ~kę po sobie** we <they> all miss him 2. (*obszar nie zaludniony*) waste; desolation

pustkowi|e *sn pl G.* **~** waste; desert; barren; desolation; wilderness; solitude

pusto *adv* 1. (*z brakami*) emptily; **~ było na sali, na ulicach** the room was empty, the streets were deserted; **w mieście ~** there is nobody about in the town 2. (*beztrosko*) light-mindedly

pustogłowy † *adj* hare-brained; empty-headed; chuckle-headed

pustorogi *adj zool.* cavicorn

pustoroż|ec *sm G.* **~ca** *zool.* cavicorn ruminant; *pl* **~ce** (*Cavicornia*) (*rodzina*) the Cavicornia

pustosłowie *sn singt* 1. (*posługiwanie się zbędnymi słowami*) verbosity; prolixity 2. (*puste frazesy*) bunkum; claptrap

pustosze|ć *vi imperf* **~je** to become deserted

pustoszenie *sn* ↑ **pustoszeć, pustoszyć**

pustoszyć *vt imperf* to ravage; to devastate; to harry; to override; to overrun; to lay waste; *przen.* to ruin (people)

pustość *sf singt* emptiness

pusto|ta † *sf singt DL.* **~cie** light-mindedness; frivolity

pustułecz|ka *sf pl G.* **~ek** *zool.* (*Falco naumanni*) a species of hawk

pustuł|ka *sf pl G.* **~ek** *zool.* (*Falco tinnunculus*) kestrel

pust|y *adj* 1. (*nie napełniony*) empty; void; hollow; **~a przestrzeń** empty <void> space; a void; (*w formularzu*) **~e miejsce** blank; **~y dźwięk** hollow sound; **~e nasiona** light seeds; **~y orzech** light <deaf> nut; **z ~ymi rękami** empty-handed; *techn.* **mieć ~y przebieg** to run light 2. (*opustoszały — o domu itd.*) vacant; empty; uninhabited; (*o ulicy itd.*) deserted 3. (*beztroski*) light-minded; frivolous; **~y śmiech** a) (*nieszczery*) hollow laugh b) (*szyderczy*) derisive laughter; **porwał mnie ~y śmiech** I laughed in derision 4. (*nie mający znaczenia*) empty (words, threats etc.); idle (talk); vain (promises, pretext etc.)

pustyni|a *sf* 1. (*obszar pozbawiony roślinności*) desert 2. (*pustkowie*) (a) waste; wilderness; the wild(s); (a) solitude; **zamienić w ~ę** to ravage; to lay waste

pustyniowy *adj* desert (falcon, snake, air etc.)

pustynnie *adv* wildly; **okolica wyglądała ~** the region seemed wild <deserted>

pustynnik *sm* 1. *bot.* (*Eremurus*) the herb Eremurus 2. *zool. pl* **~i** (*Pteroclidae*) (*rodzina*) the sand grouse family; **~ Pallasa** (*Syrrhaptes paradoxus*) Pallas's sand grouse

pustynność *sf singt* desertic character (of a region)

pustynny *adj* desert _ (sand, lark etc.); waste <barren, wild, uninhabited> (region); *geol.* **lakier ~** desert varnish

puszcz|a *sf* 1. (*las dziewiczy*) (primaeval) forest; *przen.* wilderness 2. † (*pustynia*) wilderness; **głos wołającego na ~y** the voice of one crying in the wilderness

puszczać *zob.* **puścić**

puszczalska *pot. pog.* [I] *adj* loose; fast; easily available [III] *sf* light <loose> woman

puszczański *adj* forest _ (land, trees etc.); woodland _ (region etc.)

puszczenie *sn* (↑ **puścić**) release; relinquishment

puszczyk *sm* (*Strix aluco*) tawny owl

pusz|ek *sm G.* **~ku** 1. (*na ciele ptaka i ssaka*) down; (*na górnej wardze, na policzku*) fluff 2. (*na roślinach*) hairs; pubescence; (*na owocach*) bloom; (*o owocu*) **pokryty ~kiem** glaucous 3. *G.* **~ka** (*do pudru*) powder-puff

pusz|ka *sf pl G.* **~ek** 1. (*z drzewa*) box; (*z blachy*) tin; can; box; canister; *anat.* **~ka (czaszkowa)** cranium; *pot.* brain-pan; **~ka na datki** alms-box; *dosł. i przen.* **~ka Pandory** Pandora's box; **pakować do ~ek** to can <to tin> (food etc.) 2. (*skarbonka do kwesty*) collecting-box; collection box; **chodzić z ~ką** to collect (contributions) 3. *bot.* capsule; pyxidium 4. *hist.* cannon 5. *rel.* ciborium; pyx

puszkarz *sm hist.* 1. (*rzemieślnik*) gunsmith 2. (*artylerzysta*) cannoneer; gunner

puszkować *vt imperf* to can <to tin> (food etc.)

puszkowaty *adj* downy; fluffy

puszkowy *adj* (*o konserwach*) canned; tinned

pusz|ta *sf DL.* **~cie** *geogr.* steppe in the Great Hungarian plain

puszyć się *vr imperf* 1. (*o ptakach*) to ruffle up <to fluff> its feathers 2. (*o człowieku — pysznić się*) to strut; to swagger; to peacock 3. (*być okrytym puszkiem*) to be downy <fluffy> (**od śniegu itd.** with snow etc.) 4. (*być nastroszonym, puszystym*) to be ruffled <fluffed>

puszysto *adv* downily; fluffily; like down

puszystość *sf singt* downiness; fluffiness; **~ dywanu** nappiness of a carpet

puszysty *adj* downy; fluffy; flossy; (*o śniegu*) flaky; (*o dywanie*) nappy

puszyście *adv* = **puszysto**

puścić *v perf* **puszczę, puszczony — puszczać** *v imperf* [I] *vt* 1. (*przestać trzymać*) to release; to let go (**coś** sth, of sth); to loose <to unloose, to loosen, to relinquish> one's hold <one's grasp> (**coś** of sth); (*upuścić*) to drop; to let (sth) fall; **nie puścić, puszczać (z rąk)** to hold on (**czegoś** to sth); to retain; **puścić, puszczać włosy luźno** to let one's hair flow; to unloosen one's hair; *przen.* **puścić, puszczać wodze (fantazji itd.)** to give rein (to one's imagination etc.) 2. (*pozwolić, żeby coś leciało, płynęło itd., żeby ktoś szedł itd.*) to let (sb, sth) go; to let off (steam etc.); to let out (air, gas, water etc.); **nie puszczać słów na wiatr** to be as good as one's word; **puszczać bańki mydlane** to blow soap-bubbles; **puszczać kaczki** to play at ducks and drakes; **puszczać krew** to let blood; **puścić krew komuś** to bleed sb; **puszczać latawce** to fly kites; **puszczać łódki na sadzawce** to sail toy-boats on a pool; **puszczać pieniądze** to squander one's money; **puścić, puszczać coś mimo uszu** <**mimo siebie**> to leave sth unnoticed; to turn a deaf ear to sth; **puścić coś w górę** <**w powietrze**> to send sth up <up in the air>; **puścić coś w niepamięć** to commit sth to oblivion; **puść to w niepamięć** forget it; **puścić komuś coś płazem** to let sb get away with it; **puścić konia biegiem** <**w cwał**> to start a horse at a trot <at a gallop>; **puścić wodę** <**gaz, parę**> to turn on the water <gas, steam>; **puścić z dymem** to lay (a town etc.) in ashes; *pot.* **puszczać oko** <**oczko**> **do kogoś** to ogle sb; **puścić oko do kogoś** to wink at sb 3. (*pozwolić komuś odejść*) to let (sb) go; to release (sb from prison etc.); **puścić kogoś wolno** to set sb free; **puścić kogoś z kwitkiem** to let sb go empty-handed; *pot.* **puścić kogoś, coś kantem** to chuck sb, sth (up) 4. (*pozwolić wejść*) to let (sb) in 5. (*wydawać, wypuścić z siebie*) (*o owocach*) to give off (juice); (*o bydle*) to sprout (horns); (*o roślinach*) to give off <to put forth, to spring forth, to bring forth> (shoots); **puścić, puszczać korzenie** to take root; **puścić,**

puszczać pędy to sprout; to burgeon; **puścić, puszczać farbę** a) (*o zwierzynie*) to bleed b) *przen.* (*wygadać się*) to let the cat out of the bag 6. (*rozpowszechnić*) to spread <to circulate, to set about> (a rumour); **puścić w krąg (butelkę itd.)** to pass (the bottle etc.) round; **puścić w obieg walutę** to emit <to issue> a currency 7. (*uruchomić mechanizm itd.*) to set (sth) going; to start (a machine, a clock etc.); to start (up) (a motor, an engine); to launch (an enterprise); **puścić coś w ruch** to set sth in motion 8. (*wybudować drogę itd.*) to build (a road etc.) [II] *vi* 1. (*rozluźnić się pod naciskiem*) to give (*vi*); to give way; to yield; **oczko mi puściło** I have dropped a stitch; (*w pończosze*) I have sprung a ladder 2. (*o tkaninie itd.* — *stracić barwnik*) to fade; (*plamić*) to stain; (*o plamie — dać się usunąć*) to come off 3. (*o roślinie — wydać nowe pędy*) to sprout; to burgeon 4. (*o mrozie — słabnąć*) to break up; **rzeka puściła** the ice on the river has broken up [III] *vr* **puścić, puszczać się** 1. (*zacząć szybko poruszać się w jakimś kierunku*) to set out (**w drogę** on a journey); to set off (**pędem** at a run); to dart (**za kimś** after sb); **puścić się na los szczęścia** to take one's chance; to try one's luck; to stand the hazard of the die; **puścić, puszczać się na morze** to go to sea; **puścić się na spekulację** to embark upon <to engage in> a speculation 2. (*zacząć ciec*) to start running; **krew mu się puściła z nosa** his nose started bleeding 3. (*o roślinie — wydać nowe pędy*) to sprout; to burgeon 4. (*przestać trzymać się*) to let go (**czegoś** of sth) 5. *przen.* (*zaniechać*) to abandon (**czegoś** sth); to give (**czegoś** sth) up 6. *pot.* (*o kobiecie — mieć stosunek pozamałżeński*) to give oneself (**z kimś** to sb); to go to bed (**z kimś** with sb) 7. *pot.* (*zacząć rozwiązłe życie*) to go wrong 8. *imperf pot.* (*o kobiecie — źle się prowadzić*) to be hot <promiscuous>

puściuteńki <**puściutki**> *adj* (*emf.* ↑ **pusty**) quite <absolutely> empty

puślisko *sn* stirrup-leather

putrescyna *sf chem.* putrescine

put|to *sn L.* **~cie** *pl G.* **~tów** *plast.* putto

puzan|ek *sm G.* **~ka** *zool.* (*Caspialosa*) clupeid herring

puzderko *sn dim* ↑ **puzdro** 1. (*pudło*) box; (*futerał*) case 2. *zool.* prepuce, foreskin

puzon *sm G.* **~u** *muz.* trombone

puzoni|sta *sm* (*decl* = *sf*) *DM.* **~ście** *pl N.* **~ści** *GA.* **~stów** trombonist

puzzolana *sf geol.* pozz(u)olana, puzzolana

pych *sm mar. tylko w zwrocie:* **jechać** <**płynąć**> **na ~** to punt

pych|a *sf singt* 1. (*wygórowane pojęcie o sobie*) conceit; bumptiousness; (*duma*) pride; haughtiness; **nadęty ~ą** highblown; **wbijać w ~ę** to elate; **zrzucić ~ę z serca** to put one's pride in one's pocket 2. *indecl pot.* (*coś świetnego*) bonzer; *am. sl.* hunky-dory; **~a!** fine stuff!; first rate!; tip-top!

pychów|ka *sf pl G.* **~ek** *mar.* (a) punt

pykać *v imperf* — **pyknąć** *vi perf* 1. (*o człowieku*) to puff (**fajkę, cygaro; z fajki, z cygara** one's pipe, a cigar; at one's pipe, at a cigar) 2. (*o przedmiotach*) to pop; (*o gotującym się płynie*) to bubble

pykniczny *adj psych.* pyknic

pyknik *sm psych.* (a) pyknic; person of a pyknic type

pylast|y *adj* dusty; *geol.* **gleba ~a** dusty soil

pylenie *sn* ↑ **pylić**

pyle|niec *sm G.* **~ńca** *bot.* (*Berteroa incana*) hoary alyssum

pylica *sf med.* (*węglowa*) anthracosis; collier's lung

pylicowy *adj*, **pyliczny** *adj med.* anthracotic

pylić *v imperf* [I] *vt* 1. (*rozsiewać pył*) to dust; to be dusty; (*wzniecać pył*) to raise dust; (*pokrywać pyłem*) to cover with dust 2. *bot.* to pollen [II] *vr* **~ się** = **~** *vt*

pylisty *adj* dusty; powdery

pylnik *sm bot.* anther

pylnikowy *adj bot.* antheral

pylny *adj* dusty

pylon *sm G.* **~u** *arch.* pylon

pył *sm G.* **~u** *L.* **pyle** dust; powder; **~ kwiatowy** <**kwietny**> pollen; *astr.* **~ kosmiczny** cosmic dust; **~ radioaktywny** radioactive fall-out; **~ sadzy** smut; *górn.* **~ węglowy** coal-dust; pulverized coal; **~ wodny** spray; **~ wulkaniczny** volcanic ash <dust>; *przen.* **~ wieków** the dust of ages; **zetrzeć w ~** to reduce to dust; to pulverize

pył|ek *sm G.* **~ku** particle <atom> of dust; fleck; speck; mote; **~ek kwiatowy** pollen

pyłkodajny *adj bot.* polleniferous

pyłkowina *sf bot.* pollinium; pollen mass

pyłkowy *adj* pollenic; pollen __ (chamber etc.); pollen-bearing; polleniferous

pyłochłon *sm G.* **~u** dust-absorber

pyłochłonny *adj* dust-absorbing

pyłomierz *sm pl G.* **~y** ◁**~ów**> *techn.* dust counter

pyłoszczelny *adj* dust-proof

pyłowaty *adj* powdery

pyłow|iec *sm G.* **~ca** *geol.* siltstone

pyłow|y *adj* dust __ (storm, whirl etc.); *geol.* **gleba ~a** dusty soil; **pustynia ~a** dust desert

pyłów|ka *sf pl G.* **~ek** *geogr.* powdery avalanche

pyp|eć *sm G.* **~cia** *pl G.* **~ciów** <**~ci**> pip; *przen. pot.* **mieć ~cia na języku** to talk bilge

pyrheliograf *sm G.* **~u** *astr. meteor.* self-registering pyrheliometer

pyrheliometr *sm G.* **~u** *astr. meteor.* pyrheliometer

pyr|ka *sf pl G.* **~ek** *gw. reg.* potato

pyrkać *vi imperf*, **pyrko|tać** *vi imperf* **~cze** *pot.* to whir(r)

pyrrusowy *adj* Pyrrhic (victory)

pysk *sm* 1. (*u zwierząt*) mouth; muffle; snout; muzzle 2. *wulg. pog. sl.* (*ludzka twarz*) mug; dial; phiz; **dać komuś w ~** a) (*o kobiecie*) to slap sb's face; to box sb's ears b) (*o mężczyźnie*) to punch sb's head; **iść na zbity ~** to clear out; **nie mieć co do ~a włożyć** not to have a scrap of food; **zatkać komuś ~** to shut sb's mouth (with a bribe etc.); **o suchym ~u** on an empty stomach 3. (*ordynarny sposób wysławiania się*) rowdyism; **drzeć ~** to holler; **gość mocny w ~u** swaggerer; swaggering fellow; **niewyparzony ~** rowdy; foul-mouthed fellow; **rozpuścić ~** to start bawling; to volley out abuse; **stul ~!** hold your jaw!; dry up!

pyskacz *sm pl G.* **~y** ◁**~ów**> *sl.* bawler

pyskaty *adj pot.* (*odpowiadający zuchwale*) saucy; pert; (*skory do kłótni*) bawling

pyskować *vi imperf pot.* 1. (*odpowiadać hardo*) to be saucy; **przestań ~ !** enough of your sauce! 2. (*mówić krzykliwie*) to bawl

pyskówka *sf pl G.* **~ek** *sl.* 1. (*kłótnia*) racket; shindy; squabble 2. (*sprawa sądowa*) case of words
pyszał|ek *sm G.* **~ka** *pl N.* **~ki** coxcomb
pyszałkowatość *sf singt* coxcombry; prance
pyszałkowaty *adj* conceited; prancing; coxcombing
pyszcz|ek *sm G.* **~ka** 1. *dim* ↑ **pysk** 1. 2. (*u owada*) sucker 3. *pot. pieszcz.* (*twarzyczka*) darling little face
pyszczkow|y *adj zool.* **narządy ~e** mouth parts
pyszni|ć się *vr imperf* **~j się** 1. (*wynosić się*) to prance; to swank; to strut; to put on airs; to puff oneself up; to swagger; to lord it 2. (*chlubić się*) to pride oneself (**czymś** on sth); to glory (**czymś** in sth); to flaunt <to display> (**czymś** sth)
pysznie *adv* 1. (*świetnie*) in grand fashion; gorgeously; first-rate 2. (*wyniośle*) proudly; haughtily; bumptiously; cavalierly
pysznienie się *sn* (↑ **pysznić się**) prance; swank; swagger
pysznogłów|ka *sf pl G.* **~ek** *bot.* (*Monarda*) horsemint
pysznoś|ć *sf* 1. (*doskonałość*) excellence; exquisiteness 2. *pl* **~ci** (*wyborne potrawy*) grand stuff; **~ci wino <tort itd.>** first-rate wine <cake etc.>; **to są ~ci** it's delicious
pyszn|y *adj* 1. (*pełen pychy*) proud; (*butny*) haughty; overbearing; cavalier; stuck-up; bumptious 2. (*wyborny*) grand; gorgeous; exquisite; excellent; first-rate; crack; **coś ~ego** grand stuff; *sl.* real jam; **to coś ~ego** it's delicious
z ~a *zwykle w zwrocie:* **mieć się z ~a** to be in the devil of a fix <in hot water>; **będziesz się miał z ~a** you'll be in for it; you'll have the devil to pay
pyta *sf DL.* **pycie** 1. (*bicz*) whip 2. (*uderzenie*) lash of the whip
pyta|ć *v imperf* [I] *vt* 1. (*zwracać się z zapytaniem*) to ask (**kogoś o coś** sb about sth); to inquire (**kogoś o coś** of sb about sth) 2. (*indagować*) to interrogate; to question 3. (*egzaminować*) to question (**kogoś z chemii, historii itd.** sb on chemistry, history etc.); **~ć ucznia z lekcji** to hear a pupil his lesson 4. (*z przeczeniem — nie zwracać uwagi*) not to mind (**o coś** sth); to be heedless (**o coś** of sth); *rz.* **nie ~j!** never mind! [II] *vi* to ask <to inquire (**o coś** about sth; **o kogoś** after sb>); to ask a question <questions>; **~ć o drogę <o czas, kogoś o nazwisko>** to ask the way <the time, sb's name>; **lepiej nie ~ć** (you had) better ask no questions [III] *vr* **~ć się** to ask (**kogoś o coś** sb about sth); to inquire (**kogoś o coś** of sb about sth; **o kogoś** after sb); **czemu się ~sz?** why do you ask?; **~m się ciebie, czy ...** I put it to you whether ...
pytająco *adv* questioningly; inquiringly
pytający [I] *adj* questioning <inquiring> (look, glance etc.); *gram.* interrogative (sentence etc.) [II] *sm* inquirer; questioner
pytajnik *sm* question mark; note <point> of interrogation
pytajny *adj* questioning; inquiring; *gram.* interrogative (sentence, pronoun, particle etc.)
pytani|e *sn* 1. ↑ **pytać** 2. (*zdanie*) question; inquiry; interrogation; **kłopotliwe ~e** poser; **odpowiedzieć komuś na ~e** to answer sb's question; **zadać komuś kłopotliwe ~e** to give sb a poser; **zadać komuś ~e** to ask sb a question; **zadawać komuś ~a** to ask sb questions; to question sb; to interrogate sb; **zadawać podchwytliwe ~a** to lead (sb) on; **co za ~e!, też ~e!** what a question to ask! 3. (*problem*) question; **otwarte ~e** an open question; **to jeszcze ~e** that remains to be seen; it is still in the lap of the gods; **w tym tylko ~e kto <kiedy itd.>** the question is who <when etc.>
pyt|el *sm G.* **~la** 1. (*sito*) bolter 2. *pot. przen.* (*gaduła*) chatterbox
pyti|a *sf GDL.* **~i** Pythia
pytlowa|ć *v imperf* **~ny** [I] *vt* (*przesiewać*) to bolt (flour); **mąka nie ~na** whole meal [II] *vi pot. w zwrocie:* **~ć językiem** to chatter
pytlowy *adj* bolted (flour); **chleb ~** whole-meal bread
pyton *sm zool.* (*Python*) python
pytyjski *adj* Pythian
pyz|a *sf* 1. *pl* **~y** *kulin.* kind of noodles 2. *pot.* (*okrągła twarz*) chubby face 3. (*człowiek o okrągłej twarzy*) full-moon face
pyzat|y *adj* chubby; full-cheeked; full-faced; **~a twarz** chubby face; (*u człowieka dorosłego*) full-moon face

R

R, r *sn indecl* 1. (*litera*) the letter r 2. (*głoska*) the sound r
rab *sm lit.* slave; servant
rabacja *sf lit.* 1. (*napad*) inroad; foray 2. (*rzeź*) slaughter; massacre; (*bunt*) riot
raban *sm G.* **~u** *pot.* row; rumpus; **podnieść ~** to kick up a row <a dust>
rabarbar *sm G.* **~u** *bot.* (*Rheum*) rhubarb; *am.* pieplant
rabarbarowy *adj* rhubarb — (wine etc.); **kompot ~** stewed rhubarb
raba|t *sm G.* **~tu** *L.* **~cie** reduction (in price); discount; rebate
raba|ta *sf DL.* **~cie** flower-bed; border
rabatka *sf dim* ↑ **rabata**
rabatować *vt handl.* to allow <to give> (sb) a reduction <a discount>
rabatowy *adj* border — (plant)
rabat|y *spl G.* **~ów <~>** *hist. wojsk.* collar badge
rabbi *sm indecl* rabbi
rabi *sm* (*decl = adj*) = **rabin**
rab|iec *sm G.* **~ca** *myśl.* hawking bird
rabin *sm pl N.* **~i <~owie>** rabbi(n)
rabinacki *adj* rabbinic(al)
rabina|t *sm G.* **~tu** *L.* **~cie** rabbinate
rabiniczny *adj* rabbinic(al)

rabinowa *sf* (*decl* = *adj*) rabbi's wife
rabinow|y *adj* rabbi's; † *przen.* **noc ~a** stormy night
rabinów|na *sf DL.* **~nie** *pl G.* **~ien** rabbi's daughter
rabować *vt vi imperf* 1. (*grabić*) to rob; to plunder; *przen.* to pirate 2. *górn.* to rob
rabowanie *sn* ↑ **rabować** 1. (*grabież*) robbery; plunder 2. *górn.* pillar robbing
rabun|ek *sm G.* **~ku** 1. (*grabież*) robbery; plunder; spoliation; depredations; **~ek z bronią w ręku** robbery under arms; armed robbery; **to czysty ~ek** this is downright robbery 2. *górn.* robbing
rabunkowo *adv* wastefully; **gospodarować ~ w kopalni <w lasach itd.>** to exploit a mine <forests etc.> wastefully
rabunkow|y *adj* predatory; *ekon.* **gospodarka ~a** wasteful exploitation; **polityka ~a** policy of grab; *prawn.* **mord ~y** murder and robbery; **napad ~y** assault and robbery
rabu|ś *sm pl G.* **~siów** robber; plunderer; pillager
racemiczny *adj chem.* racemic
rachatłukum *sn indecl a. sm G.* **~u** Turkish delight
rachialgi|a *sf singt GDL.* **~i** *med.* rachialgia
rachityczny *adj* 1. *med.* rachitic 2. *przen.* (*o meblu itd.*) rickety
rachityk *sm* child <person> affected with rachitis
rachityzm *sm G.* **~u** *med.* rachitis; rickets
rachmistrz *sm pl N.* **~owie** <**~e**> reckoner; calculator
rachmistrzostwo *sn singt* reckoning; calculating
rachować *v imperf* [I] *vt* to count; to reckon; to calculate; to compute; **można ich <je> ~ na tuziny <setki itd.>** they are numbered by the dozen <the hundred etc.>; **~ grosze <kęsy>** to stint money <food> [II] *vi* 1. (*polegać*) to rely (**na kogoś, coś** on sb, sth) 2. (*żyć oszczędnie*) to economize; to be thrifty [III] *vr* **~ się** 1. (*rozliczać się*) to square accounts (with sb) 2. (*brać pod uwagę*) to take (sb, sth) into account <into consideration> 3. (*nie lekceważyć*) to have regard (**z kimś, czymś** to sb, sth)
rachowanie *sn* (↑ **rachować**) reckoning; count; calculation; computation
rachub|a *sf* 1. (*rachowanie*) reckoning; count; calculation; computation; **brać coś, kogoś w ~ę** to take sth, sb into consideration <into account>; **nie brać kogoś, czegoś w ~ę** to leave sb, sth out of account; **omylić się w ~ach** to miscalculate; **omyliłem się w ~ach** I miscalculated; I am out in my reckoning; *przen.* I backed the wrong horse; **przekreślić czyjeś ~y** to upset sb's calculations; to thwart sb's plans; **stracić ~ę czasu** to lose count of time; **wchodzić <nie wchodzić> w ~ę** to come into consideration, into question <to be out of the question>; **bez ~y** unstintingly 2. (*rachunkowość*) accountancy; book-keeping department
rachun|ek *sm G.* **~ku** 1. (*obliczenie*) reckoning; count; calculation; computation; *mat.* **~ek całkowy <różniczkowy>** integral <differential> calculus; **~ek prawdopodobieństwa** calculus of probability; *mar. lotn.* **~ek nawigacyjny** reckoning (of a ship's <of a plane's> position); *rel.* **~ek sumienia** self-examination; **~ki domowe** household accounts; **robić ~ek czegoś** to count <to reckon, to calculate, to compute> sth; **bez ~ku** a) (*nie szczędząc*) unstintingly b) (*mnóstwo*) without number; countless 2. *pl* **~ki** *przen.* (*plany*) calculations; plans 3. (*stan pieniężny*) accounts; *pl* **~ki** (*rachunkowość*) accountancy; book-keeping; **~ek bieżący <przejściowy>** current <suspense> account; **suma towaru wziętego na ~ek** score; **kupować <brać towar> na ~ek** to buy on credit <*pot.* on tick>; **mieć ~ek w firmie** to have an account with a firm; **prowadzić ~ki instytucji** to keep the accounts <the books> of an institution; **zapisać kwotę na czyjś ~ek** to credit sb's account with a sum; **zdać ~ek z czegoś** to give <to render> an account of sth; to account for sth; **na czyjś ~ek** on sb's account; at sb's expense; **na własny ~ek** on one's own account 4. (*spis należności*) bill; **wystawić ~ek** to make out a bill; **zapisać wydatek na ~ek** to charge an expense on a bill; **zapłacić <wyrównać> ~ek** to pay the bill; to settle the account 5. *pl* **~ki** *szk.* arithmetic; sums
rachunkowo *adv* mathematically; by calculation; by computation; by reckoning
rachunkowość *sf singt handl.* 1. (*prowadzenie rachunków*) accountancy; book-keeping 2. (*dział instytucji*) accountancy <book-keeping> department
rachunkowy *adj* 1. (*dotyczący obliczania*) mathematical; arithmetical 2. (*dotyczący rachunkowości*) accountancy <book-keeping> — (department etc.)
racica *sf* (cloven) hoof
racicow|y *adj* of the hoof; *wet.* **zaraza ~a** hoof-rot; foot-rot
racicznica *sf zool.* (*Dreissensia polymorpha*) fresh water mussel
raciczny *adj* cloven-hoofed
racj|a *sf* 1. (*słuszność*) right; propriety; appropriateness; correctness; **mieć ~ę** to be (in the) right; **nie mieć ~i** to be (in the) wrong; **obie strony mają poniekąd ~ę** there is much to be said on both sides; **trochę ~i jest w tym** there is a point there; **z jakiej ~i?** by what right?; why ever ...?; **~a!** quite right!; quite correct!; *pot.* **święta ~a!** (that's) perfectly <absolutely> right! 2. (*argument*) (a) reason; argument; **mieć wszelkie ~e po swojej stronie** to be perfectly justified; to be altogether in the right; **~a mocniejszego zawsze lepsza bywa** might is right; **bez dania ~i** without giving any reasons 3. (*powód*) reason; justification; grounds; cause; **~a stanu** reasons of State; **nie masz najmniejszej ~i** you have no justification whatever; you haven't a leg to stand on; **nie widzę ~i, żeby ...** I see no reason for <why> ...; **to nie ma ~i bytu** there is no reason <no logical basis> for its existence; it has no raison d'être; **nie bez ~i** not without reason; not unfittingly; **z ~i choroby** by reason <on account, on the score> of ill health; **z ~i podeszłego wieku** in <by> virtue of (his, her) advanced age; **z tej to ~i ...** this is why ... 4. (*porcja*) ration; allowance (of bread, coal etc.); **ograniczyć ludności ~e** to put the population on short rations 5. *filoz.* sufficient condition
racjonalista *sm* (*decl* = *sf*) rationalist
racjonalistycznie *adv* rationalistically
racjonalistyczny *adj* rationalistic

racjonalizacja *sf singt* rationalization; technical improvement
racjonalizacyjny *adj* rationalizing
racjonalizator *sm*, **racjonalizatorka** *sf* rationalizer; inventor of time-saving <labour-saving> expedients <devices>
racjonalizatorski *adj* rationalizing (device etc.)
racjonalizatorstwo *sn singt* rationalizing
racjonalizm *sm singt G.* **~u** rationalism
racjonalizować *vt imperf* to rationalize; to improve; to raise the standard of efficiency (**coś** of sth)
racjonalizowanie *sn* (↑ **racjonalizować**) use of time-saving <labour-saving> expedients <devices>
racjonalnie *adv* rationally; sensibly
racjonalność *sf singt* rationality; rationalism; reasonableness
racjonalny *adj* 1. (*rozsądny*) rational; sensible; wise 2. (*oparty na rozumie*) rational (faculty etc.)
racjona|ł *sm G.* **~łu** *L.* **~le** *rel.* (a) rational
racjonowa|ć *vt imperf* to ration (food, clothes etc.); to allowance (provisions etc.); **~ć żywność załodze** to allowance the crew; **masło itd. było ~ne** butter etc. was on points
racuch *sm* 1. (*z ciasta*) kind of pancake 2. (*z ziemniaków*) potato pancake
racuszek *sm dim* ↑ **racuch**
raczej *adv* 1. (*lepiej*) rather (**niż** than); sooner; **~ bym stracił posadę** I would sooner <as soon> lose my job; **~ ze smutkiem, niż ze złością** more in sorrow than in anger; **~ tak <nie>** I should (rather) say yes <no> 2. (*przed przymiotnikiem lub przysłówkiem — właściwie*) rather; **był ~ tęgi** he was rather stout
racz|ek *sm G.* **~ka** 1. (*mały rak*) small crustacean; little crab; *pot.* **chodzić ~kiem <na ~kach>** to crawl on all fours 2. (*cukierek*) a sweetmeat 3. *górn.* drill bit; bit head
raczkować *vi imperf* to crawl on all fours
raczy|ć *v imperf* [I] *vt* 1. † (*częstować*) to treat (**kogoś czymś** sb to sth) 2. *iron.* (*chcieć łaskawie*) to deign <to condescend, to stoop, to vouchsafe> (to do sth); to be pleased (to do sth); **może ~sz ...** you might condescend to ...; **nie ~ć czegoś zrobić** to disdain to do sth; **Bóg ~ wiedzieć** goodness knows [II] *vr* **~ć się** to treat oneself <one another> (**czymś** to sth)
rać *sf* 1. *gw.* = **racica** 2. (*narzędzie*) claw (for extracting nails)
rad[1] *adj* 1. (*zadowolony*) glad; happy; pleased (**z siebie itd.** with oneself etc.); **być czemuś ~** to be glad of sth <happy about sth>; **być komuś ~** to be glad <happy> to see sb; **będą ci radzi** you will be welcome; **~ jestem, że ...** it is a relief that ... 2. (*chętny*) glad <ready> (**coś robić** to do sth); **~ bym z tobą pojechał** I'd be glad to go with you; **~ nierad** willy-nilly; whether we like it or not; *przysł.* **~a by dusza do raju** I'd give my ears for it
rad[2] *sm G.* **~u** *L.* **radzie** *chem. fiz.* radium; **leczenie ~em** radium treatment
rad|a *sf L.* **radzie** 1. (*porada*) advice; piece of advice; counsel; **dobra ~a** good counsel <advice>; a sound piece of advice; **~a udzielona w porę <nie w porę>** a word in season <out of season>; **nie prosić nikogo o ~ę** to take nobody's advice; to ask nobody for advice; to go one's own way; **pójść za czyjąś ~ą, posłuchać czyjejś ~y** to follow <to take> sb's advice; **prosić kogoś o ~ę** to ask sb for advice; to take advice from sb; to seek sb's advice; **udzielić komuś ~y** to give sb advice; to advise sb; *pot.* to give sb a wrinkle; to put sb up to a wrinkle 2. (*zaradzenie czemuś*) help <remedy> (**na coś** for sth); **dać sobie ~ę z czymś** to contrive sth; to manage sth; to manage to do sth; **dać sobie ~ę bez niczyjej pomocy** to get on <along>; to shift for oneself; **dam sobie ~ę** I'll manage (all right); I can get along <shift for myself>; I can paddle my own canoe; **jest na to ~a** the problem can be solved; **jest na niego ~a** he can be brought to reason; **nie ma na niego ~y** he is unmanageable; **nie ma na to ~y, trudna ~a** there's no help <no remedy> for it; it can't be helped; there's nothing to be done; there's no way out of it 3. (*instytucja*) council; board; committee; deliberative assembly; **Miejska Rada Narodowa** People's Town Council; **~a miejska** town council; **~a ministrów** the Cabinet; **Rada Państwa** People's State Council; **~a zakładowa** works committee; **zarządzić posiedzenie ~y** to call a council together 4. (*radzenie*) consultation; **~a wojenna** war-council; **złożyć ~ę** to hold council; **~a w ~ę** after consultation; putting our heads together
radar *sm G.* **~u** radar
radarowy *adj* radar __ (receiver, operator etc.)
radca *sm* (*decl* = *sf*) councillor; adviser; **~ prawny** legal adviser
radcostwo *sn* councillorship; post of (legal) adviser
radeł|ko *sn pl G.* **~ek** 1. (*narzędzie do rozcinania ciasta*) jagger; jagging wheel 2. *techn.* knurl; knurling wheel; serration roll; roulette
radełkować *vt imperf* to knurl
radiacja *sf singt chem. fiz. meteor. zool.* radiation
radiacyjny *adj* radiational
radialny *adj lit.* radial
radian *sm G.* **~u** *mat.* radian
radian|t *sm G.* **~tu** *L.* **~cie** *astr.* radiant
radiator *sm fiz. techn.* radiator
radi|o *sn L.* **~o** ◁**~u**> 1. (*odbiornik*) wireless <radio> (set); **nastawić ~o** to turn on the wireless <the radio>; **mówić przez ~o** to speak over the radio <on the wireless> 2. (*nadawanie i odbieranie fal*) broadcasting; **nadawać przez ~o** to broadcast 3. (*instytucja*) the Radio; Broadcasting Corporation <System>; **Radio Warszawa <Moskwa>** Radio Warsaw <Moscow>
radio- *w złożeniach*: radio __ (set, station etc.)
radioabonen|t *sm L.* **~cie** *pl N.* **~ci** licensed listener
radioaktywność *sf singt chem. fiz.* radioactivity
radioaktywny *adj chem. fiz.* radioactive; **pył ~** radioactive fall-out
radioamator *sm* radio amateur; *am. sl.* ham
radioapara|t *sm G.* **~tu** *L.* **~cie** wireless <radio> set
radioastronom *sm* radio astronomer
radioastronomi|a *sf singt GDL.* **~i** radio astronomy
radiobusola *sf* radio compass
radiochemi|a *sf singt GDL.* **~i** *chem.* radio chemistry
radioczułość *sf singt* radiosensitivity
radiodepesza *sf* radio telegram

radioelektryczny *adj* radio electric

radioelektryka *sf singt* radio-electric engineering

radiofoni|a *sf singt GDL.* **~i** 1. (*dziedzina telekomunikacji*) radiophony; radiotelephony 2. (*instytucja*) the Radio; Broadcasting Corporation <System>

radiofoniczny *adj* radiophonic

radiofonizacja *sf singt* development of radio services; expansion of radio reception

radiofonizator *sm* specialist in the development of radio services

radiogoniometr *sm G.* **~u** radiogoniometer

radiogoniometri|a *sf singt GDL.* **~i** radiogoniometry

radiogoniometryczny *adj* radiogoniometric

radiografi|a *sf GDL.* **~i** *fiz.* radiography

radiograficzny *adj* radiographic(al)

radiogram *sm G.* **~u** 1. (*telegram*) radio-telegram 2. *med.* radiogram

radiogwi|azda *sf DL.* **~eździe** *astr.* radio star

radioizotop *sm G.* **~u** *chem. fiz.* radioisotope

radiokabina *sf* radio cabin

radiokompas *sm G.* **~u** radio compass

radiokomunikacja *sf singt* radio communication

radiokomunikacyjny *adj* radio-communication — (station etc.)

radiola *sf* radiola

radiolari|a *sf G.* **~i** *zool.* radiolarian; *pl* **~e** (*Radiolaria*) the Radiolaria

radiolariowy *adj zool. paleont.* radiolarian (ooze etc.)

radiolary|t *sm G.* **~tu** *L.* **~cie** *miner.* radiolarite

radiolatar|nia *sf pl G.* **~ni** <**~ń**> *lotn. mar.* radio beacon

radiolo|g *sm pl N.* **~dzy** <**~gowie**> *fiz. med.* radiologist

radiologi|a *sf singt GDL.* **~i** *fiz. med.* radiology

radiologicznie *adv* with <by> X-rays

radiologiczny *adj* X-ray — (picture etc.)

radiolokacja *sf singt* radiolocation; check beam

radiolokacyjny *adj* radiolocating

radiolokator *sm* radiolocator

radioman *sm L.* **~ie** *pl N.* **~i, radioman|ka** *sf pl G.* **~ek** *żart.* radio maniac <fan>

radiomechanik *sm* radio technician

radiometeorologi|a *sf singt GDL.* **~i** radio meteorology

radiometr *sm G.* **~u** radiometer

radiomonter *sm* radio technician

radionadawczy *adj* broadcasting

radionamiar *sm G.* **~u** radiogoniometric bearing

radionamiernik *sm* radio ranger <direction-finder>

radionamierzanie *sn* radio ranging <direction-finding>

radionawigacja *sf lotn. mar.* radio navigation

radioodbiorca *sm* (*decl* = *sf*) (licensed) listener

radioodbiornik *sm* receiver; wireless <radio> set

radiopajęczarstwo *sn singt* unlicensed radio reception; blacklistening

radiopajęczarz *sm pl G.* **~y** <**~ów**> unlicensed listener; blacklistener

radiopeleng *sm G.* **~u** radiogoniometric bearing

radiopelengacja *sf singt* = **radionamierzanie**

radiopelengator *sm* = **radionamiernik**

radiopierwiast|ek *sm G.* **~ka** *chem.* radioelement

radiopromieniowanie *sn astr. fiz.* emission of radiant energy

radioreportaż *sm G.* **~u** *pl G.* **~y** <**~ów**> commentary

radioreporter *sm* radio commentator

radiosłuchacz *sm pl G.* **~y** <**~ów**> listener

radioson|da *sf DL.* **~dzie** *fiz. meteor.* radiosonde

radiostacja *sf* broadcasting station

radiosygna|ł *sm G.* **~łu** *L.* **~le** signal sent by radio

radio|ta *sm* (*decl* = *sf*) *DL.* **~cie** *pl N.* **~ci** *GA.* **~tów** radio technician

radiotechniczny *adj* radio engineering — (company etc.)

radiotechnika *sf singt* radio engineering

radiotelefon *sm G.* **~u** radiotelephone

radiotelefoni|a *sf singt GDL.* **~i** radiotelephony

radiotelefoniczny *adj* radiotelephonic

radiotelegraf *sm G.* **~u** radiotelegraph

radiotelegrafi|a *sf singt GDL.* **~i** radiotelegraphy

radiotelegraficzny *adj* radiotelegraphic

radiotelegrafi|sta *sm* (*decl* = *sf*) *DL.* **~ście** *pl N.* **~ści** *GA.* **~stów** radiotelegraphic operator

radiotelegram *sm G.* **~u** radiotelegram

radiotelekomunikacja *sf* radio communication

radioterapi|a *sf singt GDL.* **~i** *med.* radiotherapy; X-ray therapy

radiowę|zeł *sm G.* **~zła** *L.* **~źle** wire broadcasting centre

radiow|iec *sm G.* **~ca** radio technician <operator>

radiow|óz *sm G.* **~ozu** radiocar; radiocab

radiowulkanizacja *sf singt* dielectric vulcanization

radiow|y *adj* radio <wireless> — (receiver, transmitter, operator etc.); broadcasting — (station, programme etc.); **drogą ~ą** by radio; by wireless; **transmisja ~a** broadcast; programme

radiowysokościomierz *sm pl G.* **~y** <**~ów**> radio altimeter

radioźród|ło *sn L.* **~le** *pl G.* **~eł** *astr.* radio star

radlica *sf roln.* coulter

radlić *vt imperf* to hoe; to ridge

radlina *sf roln.* furrow; ridge

rad|ło *sn L.* **~le** *pl G.* **~eł** *roln.* lister; sulky <butting> plough

radna *sf* (*decl* = *adj*) (woman) councillor

radny *sm* (*decl* = *adj*) councillor; **~ miejski** alderman

radoczynny *adj* radioactive

radon *sm G.* **~u** *chem. fiz.* radon

radonowy *adj* radon — (seed etc.)

radosny *adj* joyful; gay; happy <festive> (day etc.); glad <exhilarating> (news etc.); **przy ~m biciu dzwonów** with all the joy-bells ringing

radoś|ć *sf* joy; glee; delight; merriment; **oznaki powszechnej ~ci** rejoicings; **napełnić kogoś ~cią** to fill sb with joy; **skakać z ~ci** to leap for joy; **unosić się ~cią** to be jubilant; **ku wielkiej ~ci dzieci <towarzystwa itd.>** much to the delight of the children <of the company etc.>; **pełen ~ci** joyful; happy; gay; **z największą ~cią** with all my heart; only too glad; **z ~cią** gaily; **z ~cią coś zrobić** to be happy to do sth

radośnie *adv* joyfully; gaily; with delight; **było mi ~** I was happy

rad|ować *v imperf* [I] *vt* to gladden; to delight; to make (sb) happy; to give (sb) joy; to rejoice (sb, sb's heart); **serce się ~uje na widok <na wiado-**

mość itd.> it warms one's heart to see <to learn, to hear etc.> [II] *vr* **~ować się** to rejoice (**z czegoś, czymś** at <over> sth); to be glad (**z czegoś, czymś** of sth); to take delight (**z czegoś, czymś** in sth)
radowanie *sn* ↑ **radować; ~ się** jubilation
radowy *adj* radium — (emanation, bath, institute, paint etc.)
radykali|sta *sm (decl = sf) DL.* **~ście** *pl N.* **~ści** *GA.* **~stów, radykalist|ka** *sf pl G.* **~ek** *polit.* (a) radical
radykalizacja *sf singt* radicalization
radykalizm *sm singt G.* **~u** radicalism
radykalizować *v imperf* [I] *vt* to radicalize [II] *vr* **~ się** to turn radical; to become a radical
radykalizowanie *sn* (↑ **radykalizować**) radicalization
radykalnie *adv* 1. (*gruntownie*) radically; fundamentally 2. (*w duchu radykalizmu*) according to the doctrines and principles of the radicals
radykalny [I] *adj* 1. *polit.* radical (party etc.) 2. (*gruntowny*) radical; fundamental 3. (*całkowity*) total; full; complete; thoroughgoing; sweeping (changes etc.) [II] *sm* = **radykał**
radyka|ł *sm L.* **~le** *pl N.* **~li** <**~łowie**> *polit.* (a) radical
radzenie *sn* ↑ **radzić** 1. (*udzielanie rad*) advice; counsels 2. (*naradzanie się*) consultations
radz|ić *v imperf* **~ę, ~ony** [I] *vt* 1. (*udzielać rad*) to advise; to give (sb) advice <counsel>; **nie ~ę ci tego robić** I wouldn't advise you to do that; you had better not do that; **on zawsze dobrze ~i** he always gives good advice; he is always full of wrinkles; **~ę ci odmówić** I advise you to decline 2. (*naradzać się*) to hold council; to consult together 3. (*zaradzić czemuś*) to muddle through; **~ić sobie** to manage <to contrive, to negotiate> (**z czymś** sth); to cope (with sth); to get <to rub, to worry> along; **~ić sobie samemu** to shift for oneself; **umiem sobie ~ić** I can paddle my own canoe; **z łatwością sobie ~i z tym** he takes it in his stride [II] *vr* **~ić się** to consult (sb); to ask (sb) for advice; to seek sb's advice; **~ić się fachowca** to go and see a specialist; **zrobić coś nie ~ąc się nikogo** to do sth unadvised
radziecki *adj* 1. (*oparty na systemie rad robotniczych*) Soviet — (Socialist Republics etc.); sovietic (system etc.) 2. (*dotyczący rad, radnych*) councillors'; council — (room etc.)
radż|a *sm (decl = sf) pl N.* **~owie** *GA.* **~ów** raja(h); **żona ~y** ranee, rani
rafa[1] *sf* (*skała podwodna*) reef; shoal; **~ koralowa** coral-reef
rafa[2] *sf* 1. (*sito*) riddle 2. *gw.* (*obręcz na koło*) rim; felloe
rafa[3] *sf gw.* (*czochra*) ripple
rafaeliczny *adj,* **rafaelowski** *adj* Raphaelesque
rafi|a *sf singt GDL.* **~i** raffia; **koszyk** <**makata itd.**> **z ~i** raffia basket <mat etc.>
rafinacj|a *sf singt* refinement <refining> (of metals etc.); **poddawać ~i** to refine
rafina|da *sf DL.* **~dzie** refined sugar
rafina|t *sm G.* **~tu** *L.* **~cie** refiners' syrup
rafinator *sm* refiner; refining engine
rafiner *sm* 1. (*pracownik*) refiner 2. (*maszyna*) refiner; refining engine <mill>
rafineri|a *sf GDL.* **~i** *pl G.* **~i** refinery; refining works; **~a nafty** oil distillery; **~a cukru** sugar-refinery
rafinować *vt imperf* to refine; to purify; to distil
rafinowanie *sn* (↑ **rafinować**) refinement (of metals etc.); purification; **~ nafty** oil distillation
rafiow|y *adj* raffia — (fibre etc.); *bot.* **palma ~a** (*Raphia ruffia*) raffia palm
rafla *sf* raffle-net
raflezja *sf bot.* (*Rafflesia*) rafflesia
raflezjowat|y *bot.* [I] *adj* rafflesiaceous [II] *spl* **~e** (*Rafflesiaceae*) (*rodzina*) the family Rafflesiaceae
rafotwórczy *adj geol.* reef building
rafować *vt imperf techn.* to riddle (sand etc.)
rafowy *adj* reef — (limestone etc.)
raglan *sm G.* **~u** raglan
raglanowy *adj* raglan — (sleeves etc.)
raić *vt imperf* **raję, rajony** *pot.* to act as go-between; to get <to find> (sb a helper, a job etc.); to recommend
rai|d *sm G.* **~du** *L.* **~dzie** = **rajd**
raj *sm G.* **~u** 1. (*miejsce szczęścia*) (a) paradise; (an) Eden; (a) heaven; **czuję się jak w ~u** I am in heaven <on top of the world> 2. *rel.* paradise; heaven
raja[1] *sf GDL.* **rai** *zool.* (*Raia*) ray
raj|a[2] *sm (decl = sf) GDL.* **rai** *pl N.* **~owie** *GA.* **~ów** *hist.* rayah (in Turkey)
rajc|a *sm (decl = sf) pl N.* **~owie** <**~y**> *GA.* **~ów** *hist.* councillor
rajc|e *spl G.* **~ów** *pot.* idle talk
rajcować *vi imperf pot.* to palaver
raj|d *sm G.* **~du** *L.* **~dzie** *sport* rally
rajdow|iec *sm G.* **~ca** *pl N.* **~cy** *sport* rally racer
rajer *sm* aigrette
rajfu|r † *sm pl N.* **~rzy** <**~ry**> pander; pimp; procurer; go-between
rajfur|ka † *sf pl G.* **~ek** bawd; procuress; pander; go-between
rajgras *sm G.* **~u** *bot.* (*Lolium perenne*) rye-grass
rajfurzyć † *vi imperf* to procure; to pander; to pimp
rajsk|i *adj* 1. (*odnoszący się do raju biblijnego*) paradisaical; paradisic(al); *bot.* **~a jabłoń** (*Malus pumilla paradisiaca*) dwarf (type of common) apple; **~ie jabłko** paradise apple; **~i ogród** the Garden of Eden; **~i ptak** bird of paradise; *zool. pl* **~ie ptaki** (*Paradiseidae*) (*rodzina*) the family Paradiseidae; the birds of paradise 2. (*niebiański*) heavenly; blissful
rajsko *adv* blissfully
rajstop|y *spl G.* **~** tights
rajtar *sm hist.* mercenary cavalryman; reiter
rajtari|a *sf singt GDL.* **~i** *hist.* mercenary cavalrymen; reiters
rajtarski *adj* mercenary cavalryman's <cavalrymen's>; reiter's, reiters'
rajtuz|y *spl G.* **~ów** <**~**> 1. (*dziecięcy ubiór*) baby's tights 2. (*spodnie do konnej jazdy*) riding-breeches
rajzbre|t *sm G.* **~tu** *L.* **~cie** drawing-board
rak *sm* 1. *zool.* (*Astacus*) crayfish, crawfish; *zool.* **~ pustelnik** (*Pagurus*) hermit-crab; **czerwony jak ~** as red as a boiled lobster; *przen.* **łazić** <**pełzać**> **~iem** to crawl on all fours; **pokazać komuś gdzie ~i zimują** to give sb his deserts; **spiec ~a** to

turn crimson 2. *med.* cancer (of the stomach, lungs etc.); **być chorym na ~a** to have cancer 3. (*choroba roślin*) canker; **drzewo dotknięte ~iem** cankerous tree 4. *muz.* retrograde imitation 5. *pl* **~i** *sport* crampons

rakarnia *sf rz.* dog-catcher's establishment; dog pound

rakarz *sm pl G.* **~y** <**~ów**> dog-catcher

rakie|ta[1] *sf DL.* **~cie** 1. (*pocisk oświetlający*) rocket; flare; Verey light 2. *wojsk. astr. meteor.* rocket

rakie|ta[2] *sf DL.* **~cie** *tenis* racket

rakietka *sf* (*dim* ↑ **rakieta**) table-tennis bat <racket>

rakietnica *sf wojsk.* signalling <Verey, flare> pistol

rakietnictwo *sn techn.* rocket-building

rakietnik *sm* rocket engineer; rocketor

rakietoplan *sm G.* **~u** rocket plane

rakietowy[1] *adj* 1. (*mający napęd odrzutowy*) jet — (propulsion etc.); **o napędzie ~m** jet-propelled 2. (*odnoszący się do pocisku sygnalizacyjnego*) rocket — (signalling etc.)

rakietowy[2] *adj* (*stosowany do rakiet tenisowych*) racket — (frame, strings etc.)

rakoodporn|y *adj* **~e odmiany roślin** a) (*ziemniaki*) scrab-resistant b) (*drzewa owocowe*) canker-resistant

rakotwórcz|y *adj* cancerigenic; **związki ~e** cancerigenous compounds

rakowacie|ć *vi imperf* **~je** to canker (*vi*); to cancerate

rakowatość *sf singt* 1. *leśn.* cankeredness 2. *techn.* sand holes; drop

rakowaty [I] *adj* 1. (*o roślinach*) cankerous; cankered 2. (*o ludziach*) cancerous; cancered [II] *sm pot.* cancer patient

rakowy *adj* 1. (*odnoszący się do raka — skorupiaka*) crayfish — (soup etc.) 2. (*dotyczący choroby raka*) cancer — (cell etc.)

raksa *sf mar.* hank, sail slide

ram|a *sf* 1. (*obramowanie obrazu*) (picture-)frame 2. (*przyrząd do rozpinania, przymocowywania czegoś*) frame; **~a pod płótno malarskie** stretcher 3. (*obwódka*) frame 4. *pl* **~y** *przen.* (*zakres*) framework; scheme; cadre; **~y czasu** <**przestrzeni**> limits of time <of space>; **w ~ach** ***x*** **godzin** within (the limits of) <in the space of> *x* hours 5. *handl.* case of 250 boxes of matches 6. *techn.* frame (of a motor-car, of a bicycle)

ramadan <**ramazan**> *sm G.* **~u** *rel.* Ramadan, Ramazan

ramazanowy *adj* Ramazan — (fasting etc.)

ramforynch *sm paleont.* (*Rhamphorhynchus*) the pterosaur Rhamphorhynchus

rami *sf indecl*, **rami|a** *sf G.* **~i** 1. *bot.* (*Boehmeria nivea*) ramie 2. (*włókno*) ramie (hemp)

ramiak *sm bud.* (*pionowy*) stile; (*poziomy*) rail; (*dolny*) (door <window>) sill; muntin

ramiarski *adj* framer's

ramiarstwo *sn singt* framing; frame-making

ramiącz|ko *sn pl G.* **~ek** 1. (*u koszuli damskiej*) (shoulder-)strap 2. (*wieszak*) clothes-hanger

ramienic|e *spl G.* **~** *bot.* (*Charales*) (*rząd*) the stoneworts

ramienionog|i *spl G.* **~ów** *zool.* (*Brachiopoda*) (*gromada*) the Brachiopoda

ramieniow|y *adj* humeral; brachial; *anat.* **kość ~a** humerus

rami|ę *sn G.* **~enia** 1. (*bark*) shoulder; **mówić do kogoś przez ~ę** to speak to sb over the shoulder; **nieść kogoś na ~onach** to carry sb shoulder-high; **sięgać komuś po ~ę** to be shoulder-high to sb; **wziąć kogoś na ~ona** to take sb on one's shoulders; **wzruszyć ~onami** to shrug one's shoulders; **~ę w ~ę** shoulder to shoulder; elbow to elbow; side by side; **z bronią na ~eniu** with one's rifle at a slope; *przen.* **traktować kogoś przez ~ę** to look down one's nose at sb; *wojsk.* **na ~ę broń!** slope arms! 2. (*kończyna*) arm; *dosł. i przen.* limb; **iść z kimś pod ~ę** to walk arm-in-arm with sb; **objąć kogoś ~eniem** to put one's arm round sb; **podać kobiecie ~ę** to give one's arm to a lady; **rzucić się sobie w ~ona** to fall into one another's arms; **trzymać kogoś, coś w ~onach** to hug sb, sth; **wziąć kogoś pod ~ę** to link one's arm through sb's; **wziąć kogoś w ~ona** to embrace sb; to take sb in one's arms; (*o grupie osób*) **wziąć się pod ~ę** to link arms; **z czyjegoś ~enia** on sb's behalf; in sb's name; on behalf <in the name> of (an institution etc.); **z otwartymi ~onami** with open arms; *przen.* **~ę sprawiedliwości** the arm of the law 3. (*część ubrania*) shoulder 4. (*odnoga*) arm (of the sea, of a river); **~ę góry** buttress (of a mountain) 5. (*element maszyny itd.*) arm; (lever, balance, semaphor etc.) arm; **~ę adaptera** tone-arm; **~ę korby** crank web 6. *mat.* side (of an angle) 7. *zool.* limb; (*u ryby*) ray; (*u rozgwiazdy*) arm; ray

ramionko *sn dim* ↑ **ramię**

ramk|a *sf* (*dim* ↑ **rama**) (*także pl* **~i**) frame; **oprawić fotografię w ~i** to frame a photograph

ramol *sm pog.* dodderer; dotard; soft

ramole|ć *vi imperf* **~je** to dote; to grow senile

ramo|ta *sf DL.* **~cie** 1. (*lichy utwór literacki*) literary trash 2. (*humoreska*) humoresque

ramownica *sf bud.* frame

ramow|y *adj* 1. (*mający kształt ramy*) frame — (structure, aerial etc.); **piła ~a** frame-saw; *pszcz.* **ul ~y** movable-frame hive 2. (*stanowiący zarys*) presenting <showing> (sth) in general outline

ramów|ka *sf pl G.* **~ek** *radio* outlined programme

rampa *sf* 1. (*pomost ładunkowy*) loading platform 2. *teatr* foot-lights; float(s) 3. (*szlaban*) barrier; bar; turnpike

ran|a *sf* 1. (*uszkodzenie ciała*) wound; injury; (a) hurt; sore; **drobna ~a** minor injury; **~a cięta** <**darta, powierzchowna, od kuli**> cut wound <laceration, flesh-wound, bullet wound>; *wojsk.* **zadanie sobie ~y** self-mutilation; **odnieść ~ę** to get wounded; **zadać ~ę** <**~y**> to inflict a wound <wounds>; *przen.* **odświeżyć stare ~y** to reopen old sores; **~y Boskie!** Good Heavens!; good gracious!; my goodness! 2. (*uszkodzenie rośliny*) wound <injury> (to a plant)

rand|ka *sf pl G.* **~ek** appointment; date

ran|ek *sm G.* **~ka** morning; daybreak; break of day; **~kiem, nad ~kiem** at daybreak; at break of day

rang|a *sf* 1. (*stopień służbowy*) rank; **być starszym** <**młodszym**> **~ą od kogoś** to rank above <below> sb; **otrzymać ~ę oficerską** to get one's commission 2. *przen.* (*znaczenie*) dignity; standing

raniąco *adv rz.* painfully

ranić *vt perf imperf* 1. (*zadać ranę*) to wound; to injure; to maul; to inflict a wound <wounds> (**ko-**

goś on sb) 2. (*kaleczyć*) to wound; to injure; to hurt 3. *przen.* (*urażać uczucia*) to hurt <to lacerate> (**kogoś** sb's feelings)

ranienie *sn* (↑ **ranić**) (a) hurt; injury; laceration

raniony [I] *pp* ↑ **ranić** [II] *sm* = **ranny**[1] *sm*

raniusz|ek *sm G.* **~ka** *zool.* (*Aegithalos caudata*) bottle tit

raniuteńko *adv*, **raniutko** *adv* early in the morning; first thing in the morning

ranka *sf* (*dim* ↑ **rana**) sore; cut

rann|y[1] [I] *adj* (*poraniony*) wounded; injured; **moja ~a noga** my bad <game> leg [II] *sm* **~y** wounded <injured> person; (*w wypadku*) casualty; *pl* **~i** victims (of an accident); the wounded; the injured; **ciężko ~i** the serious cases

rann|y[2] *adj* (*poranny*) morning — (hours etc.); early; matutinal; **~y ptaszek** early riser; **~e pantofle** slippers

ran|o [I] *sn* morning; forenoon; **co ~o** every morning; **do białego ~a** till daylight; **do ~a** till dawn; **zabawić się do ~a** to make a night of it; **nad ~em** at daybreak; at break of day; **z ~a** a) (*jednorazowo*) in the morning b) (*zwykle*) of a morning c) (*owego dnia*) that morning; **z samego ~a** early in the morning; first thing in the morning [II] *adv* in the morning; in the forenoon; early; **dzisiaj ~o** this morning; **o 8-ej ~o** at 8 o'clock in the morning; **przed ~em** in the small hours; **wcześnie ~o** early in the morning; **wczoraj ~o** yesterday morning; **w niedzielę ~o** (on) Sunday morning; **za wcześnie ~o wstajesz** you get up too early; *przysł.* **kto ~o wstaje, temu Pan Bóg daje** the early bird catches the worm

ran|t *sm G.* **~tu** *L.* **~cie** rim; edge; border

rap *sm zool.* (*Apius apius*) a cyprinid

rapci|e *spl G.* **~** sword-belt

rapie|r *sm G.* **~ra** *L.* **~rze** rapier; **pchnięcie ~rem** rapier thrust

rapor|t *sm G.* **~tu** *L.* **~cie** report; account; statement; *handl.* **~t kasowy** returns; *górn.* **~t wiertniczy** log

raportować *vt imperf* to report

raportow|y *adj* report — (card, book etc.); *górn.* **księga ~a** log-book

rapować *vt imperf bud.* to render

rapów|ka *sf pl G.* **~ek** *bud.* (the) render

rapso|d *sm lit.* 1. *G.* **~du** *L.* **~dzie** (*utwór poetycki*) rhapsody 2. *G.* **~da** *pl N.* **~dowie** <**~dzi**> (*w starożytnej Grecji — śpiewak-deklamator*) rhapsodist

rapsodi|a *sf GDL.* **~i** *pl G.* **~i** *muz.* rhapsody

rapsodyczność *sf singt* rhapsodic character (of a composition)

rapsodyczny *adj* rhapsodical

raptem *adv* 1. (*nagle*) suddenly; (all) of a sudden; all at once 2. *pot.* (*zaledwie*) altogether; all in all; no more than

raptownie *adv* suddenly; abruptly; quite unexpectedly

raptowny *adj* 1. (*nagły*) sudden; abrupt; unexpected 2. (*porywczy*) impulsive; impetuous; heady

raptularz † *sm pl G.* **~y** <**~ów**> engagement <appointment> book; agenda; diary

raptus *sm* hotspur; **to jest ~** he is quick-tempered <impetuous, hot-headed>

rar|óg *sm G.* **~oga** *zool.* (*Falco cherrug* <*sacer*>) saker; **patrzeć na kogoś jak na ~oga** to stare at sb

rarytas † *sm G.* **~u** 1. (*osobliwość*) rarity; curio 2. (*coś wspaniałego*) sth worth seeing; (*o czymś do jedzenia*) titbit

ras|a *sf* 1. (*ludzie*) race; (*klasa ludzi*) race (of poets etc.) 2. *bot.* variety 3. *zool.* race; breed; **pierwotna ~a** original stock; **czystej ~y** genuine; **koń czystej ~y** blood <thoroughbred> horse; **pies czystej ~y** true-bred

rasi|sta *sm* (*decl* = *sf*) *DL.* **~ście** *pl N.* **~ści** *GA.* **~stów** racialist

rasistowski *adj* racialist — (theories etc.); racial (antagonism etc.)

rasizm *sm G.* **~u** racialism; racism

rasowo *adv* in respect of race; *przen.* (*typowo*) genuinely; typically

rasowy *adj* 1. (*dotyczący rasy ludzkiej*) racial (complexion, minorities etc.); race — (distinctions, hatred etc.) 2. (*o zwierzętach*) genuine; pure-bred; (*o koniu*) pure-blood; full-blood; thoroughbred 2. (*mający charakter, cechy grupy*) thoroughbred; racy; genuine

rast|er *sm G.* **~ra** <**~ru**> *L.* **~rze** *druk.* screen

rasz|ka *sf pl G.* **~ek** *zool.* (*Erithacus rubecula*) robin (redbreast)

raszpl|a *sf pl G.* **~i** rasp

raszplować *vt imperf* to rasp (away, off)

rat|a *sf DL.* **racie** 1. (*część należności*) instalment; part payment; **kupno** <**sprzedaż**> **na ~y** hire-purchase <instalment, deferred payment> system; **płacić na ~y** to pay by instalments <by driblets>; **robić coś na ~y** to do sth by fits and starts <by stages>; **rozłożyć płatność na ~y** to arrange instalments for a payment 2. (*termin płacenia*) day <date> of payment

ratafi|a *sf GDL.* **~i** *pl G.* **~i** ratafia, ratafee

ratalnie *adv* (to pay) by instalments

ratalny *adj* instalment <hire-purchase, deferred payment> — (system)

rat|ka *sf pl G.* **~ek** cloven hoof

ratler *sm* ratter

ratler|ek *sm G.* **~ka** *dim* ↑ **ratler**

ratler|ka *sf pl G.* **~ek** ratter bitch

ratować *v imperf* [I] *vt* to save <to deliver> (**kogoś od niebezpieczeństwa itd.** sb from danger etc.); to rescue (**tonącego** a drowning person; **kogoś od utonięcia** sb from drowning); **~ honor** to redeem one's honour; **~ kogoś** to come to sb's rescue; **~ komuś życie** to save sb's life; **~ pozory** to save appearances <one's face>; **~ skórę** to save one's carcass; **~ sytuację** to save the situation [II] *vr* **~ się** 1. (*chronić siebie*) to save oneself <one's life>; **~ się kłamstwem** to take refuge in lying; **~ się ucieczką** to escape; to run for one's life 2. (*pomagać sobie wzajemnie*) to help one another (**w razie pożaru itd.** in case of fire etc.)

ratowanie *sn* (↑ **ratować**) life-saving; rescue; **~ mienia** <**ładunku statku na morzu**> salvage; **nagroda za ~** salvage money

ratownictwo *sn singt* life-saving

ratowniczy *adj* life-saving — (apparatus etc.); rescue — (party etc.); *mar.* **przyrząd ~** life-preserver

ratownik *sm* rescuer; life-saver; *am.* (*na plaży*) life-guard

ratun|ek *sm G.* ~ku 1. (*pomoc*) help; assistance; **nie było dla nich ~ku** they were past help; **pospieszyć komuś na ~ek <z ~kiem>** to hasten to sb's help <assistance>; **wołać o ~ek** to call for help; **zostawiono ich bez ~ku** they were left helpless; **~ku!** help! 2. (*ocalenie*) rescue; deliverance; resort; resource; **ostatnia deska ~ku** the only <the last> resort; **~ek w trudnej sytuacji** godsend; **środek ~ku** resource; **nie ma ~ku** there's nothing one can do; **bez ~ku** resourceless

ratunkow|y *adj* rescue — (party, service etc.); **boja ~a** life-buoy; **kamizelka ~a** life-jacket; floater; **łódź ~a** life-boat; **pas ~y** life-belt

ratusz *sm pl G.* ~y <~ów> town hall; *am.* city-hall

ratuszowy *adj* town-hall — (tower, clock etc.); **gmach ~** town hall; *am.* city-hall

ratyfikacja *sf* ratification; validation

ratyfikować *vt perf imperf* to ratify; to validate

ratyfikowanie *sn* (↑ **ratyfikować**) ratification; validation

rausz *sm singt G.* ~u *A.* ~ <~a> exhilaration; slight intoxication; **pod ~em** a) (*podniecony*) exhilarated b) (*podchmielony*) in one's cups

rau|t¹ *sm G.* ~tu *L.* ~cie (*uroczyste zebranie*) reception; social gathering; party

rau|t² *sm L.* ~cie 1. *arch.* quarrel 2. (*diament*) rose-cut diamond

raz¹ [I] *sm G.* ~u 1. (*uderzenie*) blow; stroke; buffet; *pl* ~y (a) drubbing; **gęsto sypały się ~y** blows fell thick and fast; **od jednego ~u** at a single blow; at one stroke; **od pierwszego ~u** at the first blow; **~ za ~em** in quick <rapid> succession; again and again 2. *pl G.* ~y (*kroć*) time; **dwa ~y** twice; **dwa ~y tyle** twice as much <as many>; **dwa ~y większy <dłuższy itd.>** twice as large <as long etc.>; twice <double> the size <the length etc.>; **nie trzeba mu tego powtarzać dwa ~y** he needn't be told twice; **(jeden) ~** once; **jeszcze ~** once more; **nie ~** many a time; many times; **pierwszy <drugi, trzeci> ~** the first <second, third> time; **pierwszy ~ słyszę** this is news to me; **trzy <dziesięć itd.> ~y** three <ten etc.> times; **wiele ~y** many times; time and again; **ani ~u** not once; never once; **choć <chociaż> ~** at least once; for once; **dajcie mi choć ~ wypocząć** let me have a rest for once; **po ~ pierwszy <drugi, ostatni>** for the first <second, last> time; (*na licytacji*) **po ~ pierwszy, po ~ drugi, po ~ trzeci** going, going, gone; **~ na dzień <na rok itd.>** once a day <a year etc.>; **~ na zawsze** once for all; **za każdym ~em** every <each> time; **za pierwszym ~em** the first time; **ile ~y?** how many times?; **~ kozie śmierć!** sink or swim! 3. (*sytuacja*) case; **innym ~em** some other time; on another occasion; **na drugi ~** next time; **na ten ~** this time; **nieskończoną ilość ~y** times without number; **ostatnim ~em** last time (we met, I saw him etc.); **pewnego ~u** once; one day; **~ po ~, ~ za ~em** again and again; time after time; **po ~ nie wiem który** for the dozenth <*sl.* n-th, umpteenth> time; **ten jeden ~** just this time; **tym ~em** this time; in this case; **w każdym ~ie** in any case; at any rate; at all events; anyhow; **w najgorszym ~ie** at the very most; if the worst comes to the worst; **w najlepszym ~ie** at best; at the utmost; **w obu ~ach** in both cases; **w ostatecznym ~ie** in the last resort; **w przeciwnym ~ie** if not; otherwise; failing which; **w ~ie czyjejś śmierci** in case <in the event> of sb's death; **w ~ie pogody** weather permitting; **w ~ie potrzeby** if need be; in case of need <of necessity>; **w sam ~** exactly; precisely; just right; to a T; **w takich ~ach** in such cases; **w takim ~ie** in that case; if so; **w żadnym ~ie** in no circumstance; under no consideration; *pot.* **w ~ie czego** if need be; if anything should happen; *sl.* **jak ~** a) (*właśnie wtedy*) just then; b) (*dokładnie*) just right; exactly [II] *num indecl* one; **~ dwa** one, two; **~ dwa coś zrobić <załatwić>** to make short work of sth; **~ dlatego, że ... po wtóre dlatego, że ...** for one thing because ... for another because ... [III] *adv* 1. (*pewnego razu*) once 2. (*nareszcie*) at last; **będę ~ miał spokój** I shall at last have peace 3. (*w połączeniu z czasownikiem*) once; **kiedyś się ~ zdecydował** when you have once <once you have> made up your mind; **praca ~ zaczęta powinna ...** a work once begun should ... 4. *pl* ~y (*przy mnożeniu*) times; **5 ~y 5** five times five ‖ **~ tu, ~ tam** now here, now there

na ~ie for the present; for the time being; temporarily; meanwhile; **jak na ~ie** so far; as yet

od ~u (*natychmiast*) immediately; at once; straight off <away>; *przysł.* **nie od ~u Kraków zbudowano** Rome was not built in one day

na ~ at one go; at one sitting; all at once

raz² *sm G.* ~u (*ziemia obrosła trawą, mchem*) sward

razem *adv* 1. (*jednocześnie*) together; at the same time; simultaneously 2. (*łącznie*) together; (*w towarzystwie czyimś*) along with; **wszyscy ~ i każdy z osobna** one and all; **wszystko ~** altogether; all in all; **wszystko ~ wziąwszy** taking things altogether; all things considered; (*przy określaniu uzupełnień, dodatków itd.*) **~ z (częściami zapasowymi itd.)** together <complete> with (spare parts etc.); **~ z kosztami dostawy <zmontowania itd.>** including delivery <the cost of erection etc.>; **był tam ~ z czworgiem swoich dzieci** he was there together <along> with his four children; **było nam dobrze ~** we were happy together; **we trójkę mieliśmy ~ 10 zł** we had 10 zlotys between us; **wszystkich ~ było 20 osób** there were 20 of us all told

razić *v imperf* **rażę, rażony** [I] *vt* 1. (*sprawiać przykre wrażenie*) to offend <to grate upon, to hurt, to wound> (sb's feelings); to shock (sb, the ear); to jar <to grate upon> (the ear) 2. (*oślepiać*) to dazzle; to blind; (*o słońcu*) to blaze 3. (*porażać*) to strike; (*o prądzie*) to shock; to give a shock (**kogoś** to sb) *zob.* **rażony** 4. (*bić*) to strike; to hit; to beat; to smite [II] *vi* 1. (*o świetle*) to dazzle 2. (*o kolorach, dźwiękach*) to clash; to be incongruous; (*o dźwiękach*) to discord

razkreśln|y *adj muz.* **oktawa ~a** once-accented <one-line> octave

razow|iec *sm G.* ~ca whole-meal bread

razow|y *adj* whole-meal (bread); **mąka ~a** whole meal

razówka *sf* whole meal

raźnie *adv* 1. (*żwawo*) briskly; at a lively pace 2. (*przyjemnie*) jauntily; cheerfully; blithely; **czuć się ~j** to feel better <more lively>; to be refreshed

3. (*bezpiecznie*) safely; **było mi ~j** I felt safer <reassured>; I took courage
raźno *adv* = **raźnie** 1., 2.
raźność *sf singt* alertness; sprightliness; jauntiness
raźny *adj* (*ochoczy, żwawy — o człowieku*) alert; sprightly; spry; lively; jaunty; fresh; (*o kroku*) brisk; lively; sharp
rażąco *adv* 1. (*jaskrawo — o kolorach*) glaringly; gaudily 2. (*o świetle*) dazzlingly; blindingly; blazingly 3. (*o dźwiękach*) jarringly 4. (*bezspornie — o faktach itd.*) glaringly; flagrantly; blatantly; grossly; crassly
rażąc|y *adj* 1. (*jaskrawy — o kolorach*) glaring; gaudy; jarring; meretricious 2. (*o świetle*) dazzling; blinding; blazing 3. (*o dźwiękach*) grating; jarring 4. (*oczywisty, bezsporny — o faktach, niesprawiedliwości itd.*) glaring; flagrant; rank; blatant; gross; clamant; **~a ignorancja** crass ignorance; **~y charakter (zajścia itd.)** flagrancy; blatancy
rażenie *sn* (↑ **razić**) blows; shocks
rażony [I] *pp* ↑ **razić** [II] *adj* stricken; **~ paraliżem** palsy-stricken; *dosł. i przen.* **~ piorunem** thunderstruck; **upadł ~ apopleksją** he fell in a fit of apoplexy
rąb *sm G.* **rębu** 1. (*część młotka*) pane 2. *leśn.* clearing <thinning> (of a forest)
rąb|ać *v imperf* **~ie** [I] *vt* 1. (*łupać*) to chop; to hew; to fell (trees); *przysł.* **gdzie drwa ~ią tam wióry lecą** you cannot make an omelet(te) without breaking eggs 2. (*wyrębywać*) to hack out (steps in the ice etc.) 3. *pot.* (*mówić bez ogródek*) to speak bluntly <without mincing the matter> 4. *pot.* (*krytykować*) to slash; to criticize in virulent terms [II] *vi* (*zadawać razy bronią sieczną*) to hack <to slash> away (with the sabre)
rąbanina *sf* slashing of swords; scene of carnage
rąban|ka *sf pl G.* **~ek** pork sold by the cut
rąb|ek *sm G.* **~ka** 1. (*brzeg*) edge; border; rim; (*u odzieży*) hem; (*w blacharstwie*) welt; seam; *przen.* **uchylić ~ka tajemnicy** to unveil a secret 2. † (*chusta*) kerchief
rąbnąć *v perf* [I] *vt* 1. *pot.* (*uderzyć*) to wallop; to slog; to bash; to hit; to strike 2. *pot.* (*powiedzieć bez ogródek*) to say (sth) bluntly; (*napisać*) to write (an article etc.) outspokenly 3. (*także* **~ sobie**) *sl.* (*zjeść, wypić*) to dispatch (a meal etc.) [II] *vr* **~ się** *sl.* (*wyrżnąć się*) to bump smack (**o coś** against sth)
rąbnięcie *sn* (↑ **rąbnąć**) (a) wallop; (a) slog
rącz|ęta *spl G.* **~ąt** *pieszcz.* darling little hands; *dziec.* puds
rączk|a *sf* 1. *pieszcz.* (*ręka*) little hand; *dziec.* pud; **to przechodzi z ~i do ~i** it passes from hand to hand; **~i przy sobie!** hands off!; † **całuję ~i** good day, Madam <Mrs X> 2. (*coś, co służy do trzymania*) handle; handgrip; holder; (*u młotka, narzędzia*) helve; (*u szuflady*) pull 3. *reg.* (*obsadka do piór*) penholder
rącznik *sm bot.* (*Ricinus*) the castor-oil plant, Palma Christi
rącznikowy *adj* castor-oil __ (bean etc.)
rączo *adv* swiftly; nimbly; fleetly
rączość *sf singt* swiftness; nimbleness; fleetness
rączy *adj* swift(-footed); nimble; fleet; (*o nurcie rzeki*) swift; rapid
rączyca *sf zool.* (*Tachina*) tachina fly
rde|st *sm G.* **~stu** *L.* **~ście** *bot.* **~st ostrogorzki** (*Polygonum hydropiper*) water-pepper; **~st ptasi** (*Polygonum aviculare*) knot-grass; **~st wężownik** (*Polygonum bistorta*) bistort, snake's weed
rdestnica *sf bot.* (*Potamogeton*) pond-weed
rdestnicowate *spl bot.* (*Potamogetonaceae*) the pond-weeds
rdestow|y *bot.* [I] *adj* polygonaceous [II] *spl* **~e** (*Polygonaceae*) (*rodzina*) the family Polygonaceae
rdza *sf singt* (*na żelazie*) rust; (*na roślinach*) rust; blight; mildew; smut
rdzawić się *vr imperf* to assume a rusty colour
rdzaw|iec *sm G.* **~ca** *zool.* (*Gadus pollachius*) pollack
rdzawobrunatny *adj* rusty-brown
rdzawoczerwony *adj* rusty-red
rdzawość *sf singt* (*zardzewienie*) rustiness; (*rdzawy kolor*) rusty colour; rustiness
rdzawozłoty *adj* russet-golden
rdzawy *adj* 1. (*mający kolor rdzy*) rust-coloured; ferruginous 2. (*pokryty rdzą*) rusty
rdzeniarnia *sf techn.* core shop
rdzeniarz *sm pl G.* **~y** <**~ów**> core-maker
rdzeniować *vt imperf górn.* to core
rdzeniow|y *adj* 1. *bot.* pithy; medullary (layer, ray etc.); **promienie ~e** vascular <medullary> rays 2. *anat.* medullary (cavity, membrane etc.); spinal 3. *techn.* core __ (box, barrel, drill etc.)
rdzennica *sf techn.* core box
rdzennie *adv* genuinely; specifically; generically; **~ polski itd.** of pure Polish etc. descent
rdzenn|y *adj* 1. (*dotyczący rdzenia*) pithy; **drewno ~e** heart-wood 2. (*istotny*) essential; specific; generic; **ludność ~a** aboriginal population 3. *jęz.* radical
rdzeń *sm* 1. *bot.* heart <pith, core> (of a tree) 2. *przen.* (*sedno*) core <gist, essence> (of a subject etc.) 3. (*u ropnia*) core 4. *anat.* marrow; pith; **~ kręgowy** spinal cord; medulla; **~ przedłużony** medulla oblongata 5. *jęz.* stem; root 6. *fiz.* core 7. *techn.* core (of a mould, of a section etc.); **~ wiertniczy** drill core; log; **~ liny** heart of a rope; rope core <centre>
rdzewie|ć *vi imperf* **~je** 1. (*pokrywać się rdzą*) to rust; to get rusty; to gather rust 2. (*przybierać kolor rdzy*) to become the colour of rust; to russet
rdzewny *adj* oxidizable
rdzochłonny *adj* rust-inhibitive
rdzochronny *adj* rust-preventive
rdzoodporny *adj* rust-proof
rdzowat|y [I] *adj rz.* (*rudawy*) russetish [II] *spl* **~e** *bot.* (*Uredinaceae*) (*rodzina*) the rust fungi
re *indecl muz.* the note D
reagen|t *sm L.* **~cie** *chem.* reagent; reactant; reacting substance
reagować *vi imperf* 1. (*działać odpowiadając na coś*) to react <to respond, to be susceptible> (**na coś** to sth); **nie ~ na coś** not to react <not to respond, to fail to react, to fail to respond, to be insusceptible, to remain irresponsive> to sth; **nie ~ na zniewagę** to take an insult lying down; to sit down under an insult 2. *chem.* to react (**na coś** upon sth) 3. *psych.* to react <to respond> (**na bodźce** to stimuli)
reagowanie *sn* (↑ **reagować**) reaction; response

reagując|y *adj* reacting; reactive; **substancja ~a** reactant

reakcj|a *sf* 1. (*działanie jako odpowiedź na coś*) reaction; response; **brak ~i** irresponsiveness 2. *chem. fiz.* (endothermal, exothermal, nuclear, chain etc.) reaction; deportment (of metals) 3. *polit.* (*wstecznictwo*) reactionism; reactionary movement 4. *polit.* (*reakcjoniści*) the reactionaries 5. *psych.* reaction <response, susceptibility> (to stimuli) 6. *techn.* reaction; **~a wsteczna** retroaction; *radio* feed-back

reakcjoni|sta *sm* (*decl* = *sf*) *DL.* **~ście** *pl N.* **~ści** *GA.* **~stów** (a) reactionary; **zagorzały ~sta** die-hard reactionary

reakcyjnie *adv* in a reactionary spirit; in a spirit of reaction

reakcyjność *sf singt* reactionary spirit; spirit of reaction

reakcyjny *adj* 1. (*wsteczny*) reactionary; retrograde 2. *fiz. techn.* reactive (current, factor etc.); reaction _ (ring, turbine etc.)

reaktor *sm fiz.* (nuclear etc.) reactor

reaktywacja *sf sing med.* reactivation

reaktywizacja *sf singt med.* reactivation

reaktywność *sf singt chem.* reactivity

reaktywny *adj* reactive

reaktywować *v perf imperf* [I] *vt* to reactivate; to recall <to bring back> to life; to revive; **~ kogoś** to reappoint sb [II] *vr* **~ się** to become reactivated; to come back to life

reaktywowanie *sn* (↑ **reaktywować**) reactivation; revival; **~ kogoś** sb's reappointment

real *sm pl G.* **~i** <**~ów**> (*moneta*) real

realgar *sm G.* **~u** *miner.* realgar

reali|a *spl G.* **~ów** realities; realia

reali|sta *sm* (*decl* = *sf*) *DL.* **~ście** *pl N.* **~ści** *GA.* **~stów, realist|ka** *sf pl G.* **~ek** 1. (*zwolennik realizmu*) realist; adherent to <advocate of> realism 2. (*człowiek trzeźwo patrzący na świat*) realist

realistycznie *adv* realistically

realistyczny *adj* (*o człowieku, kompozycji itd.*) realistic; (*o filmie*) truthful

realizacj|a *sf* 1. (*urzeczywistnienie*) realization; accomplishment; achievement; fruition <fulfilment> (of hopes etc.); *teatr kino* production; **możliwy** <**nie nadający się**> **do ~i** realizable <unrealizable> 2. *ekon.* realization <cashing, negotiation> (of assets)

realizacyjny *adj* (period, form etc.) of realization

realizator *sm* realizer; *teatr kino* producer

realizatorsk|i *adj* realizing _ (sense etc.); producing _ (team etc.); **ekipa ~a** producers

realizm *sm G.* **~u** (*trzeźwość sądu, pogląd filozoficzny, kierunek w sztuce*) realism

realizować *v imperf* [I] *vt* 1. (*urzeczywistniać*) to realize; to carry into effect; to accomplish; to achieve; to fulfil; to work out (a scheme etc.) 2. *ekon.* (*spieniężać*) to realize <to cash, to negotiate> (a cheque, assets etc.) [II] *vr* **~ się** to be realized <accomplished, achieved, actualized>

realizowanie *sn* (↑ **realizować**) realization; accomplishment; achievement; fulfilment; negotiation (of assets)

realnie *adv* 1. (*trzeźwo*) soberly; with a sense of reality; **całkiem ~** in sober fact; **~ myślący** practical; matter-of-fact; **~ patrzeć na świat** to have a sober outlook (upon life) 2. (*rzeczywiście*) really; in fact; actually; truly; positively

realnoś|ć *sf* 1. *singt* (*zgodność ze stanem faktycznym*) reality; genuineness 2. *singt* (*możność urzeczywistnienia*) practicability; feasibility; workableness 3. (*rzeczywistość*) reality; the real 4. (*posiadłość*) real estate; property; **pośrednik w sprawach kupna i sprzedaży ~ci** house-agent; land-agent

realnoznaczeniowy *adj jęz.* pertaining to the actual meaning (of a word)

realn|y *adj* 1. (*rzeczywisty*) real; actual; genuine; true; **wartość ~a** real <intrinsic> value 2. (*możliwy do zrealizowania*) practical (plan etc.); feasible; workable; realizable; (*o celu itd.*) attainable 3. (*trzeźwy*) sober

reaneksja *sf* re-annexation (of a territory)

reasekuracja *sf ekon.* reassurance; reinsurance

reasekurator *sm ekon.* reassurer; reinsurer

reasum|ować *vt imperf* to sum up; to recapitulate; to summarize; **~ując ...** to sum up ...

reasumowanie *sn* (↑ **reasumować**) recapitulation

reasumpcja *sf prawn.* recapitulation; summary

rebe *sm singt* (*decl* = *adj*) *żart.* = **rabin**

rebeli|a *sf GDL.* **~i** *pl G.* **~i** rebellion

rebeliancki *adj* rebellious; rebelling

rebelianctwo *sn singt* rebelliousness

rebelian|t *sm L.* **~cie** *pl N.* **~ci** rebel

rebus *sm G.* **~u** rebus; puzzle

recenzencki *adj* reviewer's

recenzen|t *sm L.* **~cie** *pl N.* **~ci, recenzen|tka** *sf pl G.* **~tek** reviewer; critic

recenzj|a *sf* review; (reviewer's) notice; critique; criticism; **napisać ~ę książki** to review a book

recenzowa|ć *vt imperf* to review; to criticize (books etc.); **książkę przychylnie ~no** the book had a good press

recenzyjny *adj* reviewer's; review _ (copy of a book etc.)

recepcja *sf* 1. (*biuro hotelowe*) reception desk <office> 2. *lit.* (*galowe przyjęcie*) reception 3. *lit.* (*przyswajanie sobie*) reception

recepcjoni|sta *sm* (*decl* = *sf*) *DL.* **~ście** *pl N.* **~ści** *GA.* **~stów** receptionist

recepcyjn|y *adj* reception _ (desk etc.); **sala ~a** state room

recepis † *sm G.* **~u** receipt

recepta *sf* 1. (*lekarska*) recipe; prescription 2. *przen.* recipe; formula 3. (*kulinarna*) recipe

receptariusz *sm pl G.* **~y** <**~ów**> formulary

receptor *sm psych.* receptor

receptowy *adj* **blok ~** prescription pad

receptura *sf* 1. *farm.* dispensing 2. *techn.* recipe

receptur|ka *sf pl G.* **~ek** *pot.* rubber band

recepturowy *adj* prescription _ (register etc.)

receptywność *sf lit.* receptiveness

receptywny *adj lit.* receptive

recesja *sf* 1. *lit.* (*cofanie się*) recession (of the sea, a glacier etc.) 2. *ekon.* (*kryzys*) (trade) recession

recesywność *sf singt biol.* recessiveness

recesywny *adj biol.* recessive

recho|t *sm G.* **~tu** *L.* **~cie** 1. (*rechotanie żab*) croak <croaking> (of frogs) 2. (*śmiech*) gurgle; chortle; gurgles of laughter

recho|tać *vi imperf* **~czę** <**~cę**>, **~cze** <**~ce**>, **~cz** 1. (*o żabach*) to croak 2. (*o świniach —*

chrząkać) to grunt 3. (*o ludziach — śmiać się*) to gurgle; to chortle

rechotanie *sn* ↑ **rechotać** 1. (*żab*) croak (of frogs) 2. (*śmiech*) gurgle; chortle

rechotliwie *adv* with a gurgle <a chortle>

rechotliwy *adj* gurgling; chortling

rech|tać *vi imperf* **~cze** <**~ce**> 1. (*o świni*) to grunt 2. *rz.* (*o żabie*) to croak

recital *sm G.* **~u** *muz.* recital

recydywa *sf* 1. *med.* recurrence; relapse 2. *prawn.* relapse; recidivism

recydywi|sta *sm* (*decl* = *sf*) *DL.* **~ście** *pl N.* **~ści** *GA.* **~stów, recydywi|stka** *sf pl G.* **~stek** *prawn.* recidivist; old <incorrigible> offender; habitual criminal

recydyw|ować *vi imperf* to recur; **~ujący** recurring

recytacja *sf* recitation; declamation

recytacyjny *adj* declamatory

recytator *sm,* **recytator|ka** *sf pl G.* **~ek** reciter

recytatorski *adj* reciter's (talent etc.); declamatory

recytatyw *sm G.* **~u** *muz.* recitative

recytatywny *adj* recitative

recytować *vt vi imperf* 1. (*deklamować*) to recite; to give a recitation <recitations> 2. (*wygłaszać z pamięci*) to repeat 3. (*wyliczać*) to tell over; to recite; to run off; to roll out (verses etc.)

recytowanie *sn* (↑ **recytować**) recitation; recital; repetition

reda *sf DL.* **redzie** *mar.* road; roadstead; **być** <**stać**> **na redzie** to lie in the roadstead; to lie off; **statek na redzie** roadster

redagować *vt imperf* 1. (*opracowywać stylistycznie*) to draw up; to draft; to formulate 2. (*kierować redakcją*) to edit (a newspaper etc.)

redagowanie *sn* ↑ **redagować**

redakcj|a *sf* 1. (*przygotowanie tekstu*) drafting (of a document etc.) 2. (*sformułowanie*) wording 3. (*tekst*) wording; version 4. (*praca redaktora*) editorship; editing (of a newspaper etc.); **pod ~ą ...** edited by ... 5. (*pracownicy*) (editorial) staff 6. (*lokal*) (editorial) office

redakcyjnie *adv* editorially

redakcyjny *adj* 1. (*dotyczący pracy redaktorów*) editorial 2. (*związany z redakcją jako instytucją*) (editorial) office — (janitor etc.)

redaktor *sm* 1. (*pracownik redakcji*) member of an editorial staff; staff member; (financial, sports, philological etc.) editor; **~ naczelny** editor-in-chief; **zastępca ~a naczelnego** subeditor

redaktor|ka *sf pl G.* **~ek** editress

redaktorski *adj* editorial; editor's (duties etc.)

redaktorstwo *sn singt* editorship; editing

redan *sm G.* **~u** *mar.* step (of the forward planing surface)

redemptory|sta *sm* (*decl* = *sf*) *Dl.* **~ście** *pl N.* **~ści** *GA.* **~stów** *rel.* Redemptorist

redisów|ka *sf pl G.* **~ek** speed-ball pen

redlica *sf,* **redliczka** *sf roln.* coulter

redlina *sf roln.* = **radlina**

redowa *sf chor.* a folk dance

redukcj|a *sf* 1. (*zmniejszenie*) reduction <diminution> (of a number, in numbers; of a size, in size; of a price etc.); **~a cen** <**płac**> price <salary, wage> cut; **przeprowadzić ~e** to reduce; *pot.* to apply the axe 2. *biol. mat. fot.* reduction 3. *chem.* reduction; deoxidization 4. *jęz.* apocope; reduced grade <syllable> 5. *hist.* (*także* **~a jezuicka**) reduction; Paraguay Mission of the Jesuits

redukcyjn|y *adj* reductive (agent etc.); reduction — (compasses, *fot.* printing etc.); reducing (*chem.* agent; *techn.* valve etc.); *techn.* **przekładnia ~a** (speed) reducer

redukować *v imperf* [I] *vt* 1. (*zmniejszać*) to reduce; to diminish; to cut down; to retrench (expenses etc.); **(nie) dający się ~** (ir)reducible 2. (*zmniejszać skład personelu*) to reduce (a staff) 3. *chem.* to reduce; to deoxidize [III] *vr* **~ się** 1. (*sprowadzać się*) to reduce oneself <itself> (to sth); to be reduced (to sth) 2. *chem.* to be reduced <deoxidized>

redukowanie *sn* 1. (↑ **redukować**) 2. (*zmniejszanie*) reduction; diminution; retrenchment (of expenses etc.) 3. *chem.* deoxidization

reduktor *sm chem. fot. techn.* reducer; (gas, oxygen etc.) regulator; (pressure etc.) reducing valve

reduplikacja *sf jęz.* reduplication

redu|ta † *sf DL.* **~cie** 1. (*bal*) masked ball 2. *fort.* redoubt

redyk *sm G.* **~u** taking the sheep to <bringing the sheep down from> the mountain pastures

redyskon|to *sn singt L.* **~cie** *ekon.* rediscount

redyskontować *vt imperf ekon.* to rediscount

redyskontowy *adj* rediscount — (rate etc.)

redystrybucja *sf* redistribution

reedukacja *sf* re-education

reedycja *sf* re-edition

reekspor|t *sm G.* **~tu** *L.* **~cie** *ekon.* re-export

reelekcja *sf singt* re-election

reemigracja *sf singt* re-emigration

reemigran|t *sm L.* **~cie** *pl N.* **~ci, reemigran|tka** *sf pl G.* **~tek** re-emigrant

reeskontować *vt imperf ekon.* to rediscount

ref *sm G.* **~u** *mar.* reef

refakcja *sf handl.* recompense

refektarz *sm pl G.* **~y** <**~ów**> refectory; dining-hall

refera|t *sm G.* **~tu** *L.* **~cie** 1. (*sprawozdanie*) report; lecture; paper 2. (*dział instytucji*) department

referencja *sf* reference; testimonial

referendari|a *sf GDL.* **~i** *pl G.* **~i, referendarstwo** *sn hist.* (*urząd referendarza*) post <title> of referendary

referendarz *sm pl G.* **~y** <**~ów**> 1. (*urzędnik*) official in charge of a department (of the administration) 2. *hist.* referendary

referendum *sn* referendum

referen|t *sm L.* **~cie** *pl N.* **~ci, referen|tka** *sf pl G.* **~tek** 1. (*referujący*) reporter; lecturer; author of a paper 2. (*urzędnik*) official in charge of a department (of the administration)

referować *vt imperf* 1. (*dawać sprawozdanie*) to report; to present a report <a paper> (**coś** on sth) 2. (*przedstawiać w postaci referatu*) to read a paper (before an assembly) (**coś** on sth)

refleks *sm G.* **~u** 1. (*odruch*) reflex (action) 2. (*odbicie światła, dźwięku*) reflection, reflexion (of light, of sound); gleam <glint> (of steel etc.) 3 *pot.* (*szybkie reagowanie*) reflection

refleksja *sf* reflection, reflexion; thought; cogitation

refleksologi|a *sf singt GDL.* **~i** *psych.* reflexology

refleksowy *adj* reflex — (action etc.)

refleksyjnie *adv* reflectively

refleksyjność *sf singt* reflectiveness
refleksyjny *adj* 1. (*skłonny do refleksji*) reflective; meditative; cogitative 2. *fiz.* (*odbijający światło, dźwięk*) reflective; reflecting (light, sound)
reflektan|t *sm L.* **~cie** *pl. N.* **~ci, reflektan|tka** *sf pl G.***~tek** (*ubiegający się o stanowisko*) applicant; (*ubiegający się o kupno*) prospective buyer; bidder; purchaser
reflektor *sm* 1. (*projektor*) searchlight; *teatr* spotlight; *aut.* headlight; **oświetlić ~ami** to floodlight; to illuminate; **światło ~ów** floodlight; *przen.* **w świetle ~ów** in the limelight 2. (*odbłyśnik*) reflector 3. *astr.* reflector; reflecting telescope
reflektorowy *adj* searchlight — (beam, lantern etc.)
reflektować *v imperf* [I] *vt* 1. (*przywodzić do rozwagi*) to bring (sb) to reason; to expostulate (**kogoś** with sb) 2. (*mitygować*) to moderate; to restrain [II] *vi* 1. (*ubiegać się*) to be an applicant (**na posadę itd.** for a post etc.); to make a bid (**na kupno** for a purchase) 2. (*mieć ochotę na coś*) to be inclined (**na kupno, udział itd.** to buy, to share <to participate> etc.); to think (**na kupno, udział itd.** of buying, sharing <participating> etc.) [III] *vr* **~ się** to listen to reason; to think better of it
reflektowanie *sn* (↑ **reflektować**) expostulation(s); restraint; inclination (to do sth)
reflin|ka *sf pl G.* **~ek** *mar.* reef line
reform|a [I] *sf* (*zmiana*) reform; reorganization; **~a rolna** land reform [II] *spl* **~y** *pot.* (*majtki*) drawers; knickers; panties
reformacja *sf singt hist. rel.* Reformation
reformacki *adj* of <belonging to> the Order of the Reformati; *farm.* **pigułki ~e** purging pills
reformacyjny *adj* Reformation — (movement etc.)
reforma|t *sm L.* **~cie** *pl N.* **~ci** *rel.* member of the Order of the Reformati
reformator *sm* 1. (*przeprowadzający reformę*) reformer 2. *hist. rel.* reformer; promoter of the Reformation
reformatorka *sf* reformer
reformatorski *adj* reformatory (measures etc.)
reformatorsko *adv* in a reformatory spirit; with reformatory tendencies
reformatorstwo *sn singt* reformatory tendencies
reformi|sta *sm* (*decl* = *sf*) *DL.* **~ście** *pl N.* **~ści** *GA.* **~stów** reformist
reformistyczny *adj* reformist(ic)
reformizm *sm singt G.* **~u** *polit.* reformism
reformować *vt imperf* 1. (*wprowadzać reformy*) to reform; to reorganize 2. (*wprowadzać zmiany w duchu reformacji*) to enforce the Reformation
reformowanie *sn* (↑ **reformować**) reformation
reformowany [I] *pp* ↑ **reformować** [II] *adj* Reformed (Church)
refować *vi imperf mar.* to reef; to take in a reef <reefs>
refowy *adj mar.* reef-(knot etc.)
refrakcja *sf singt* 1. *astr. fiz.* refraction 2. *med.* (ocular etc.) refraction
refrakcyjny *adj astr. fiz. med.* refractive
refraktometr *sm G.* **~u** <**~a**> *fiz.* refractometer
refraktometri|a *sf singt GDL.* **~i** *fiz.* refractometry
refraktometryczny *adj* refractometric
refraktor *sm astr. fiz.* refractor; refracting telescope
refren *sm G.* **~u** 1. (*w utworze poetyckim*) refrain 2. *przen.* tag 3. *muz.* (*w piosence*) chorus; refrain
refrenista *sm,* **refrenistka** *sf* dance-hall singer
refugium *sn geol.* refuge
refuler *sm techn.* dredger cutter
refundować *vt imperf* to refund
regal *sm G.* **~u, regale** *sn hist.* regal privilege
regali|a *spl G.* **~ów** regalia
rega|ł *sm G.* **~łu** *L.* **~le** 1. (*zw. pl*) (*sprzęt z półkami*) shelf 2. *muz.* portative organ 3. *druk.* frame <stand> (to support type cases)
regatow|iec *sm G.* **~ca** *pl N.* **~cy** *sport* contestant in a boat-race
regatowy *adj* racing — (boat etc.)
regat|y *spl G.* **~** *sport* boat-race; rowing-race; yacht-race; regatta
regelacja *sf singt geogr. geol.* regelation
regencja *sf* 1. *hist. polit.* regency 2. *singt* (*styl w sztuce*) régence style (in furniture etc.)
regencyjny *adj* regency-(commission etc.); **Rada Regencyjna** the Polish Regency Council (of 1917)
regeneracja *sf singt* 1. *biol.* regeneration 2. *techn.* regeneration; recuperation; recovery; reclamation (of waste); **~ ciepła** waste heat utilization
regeneracyjny *adj* regenerative
regenera|t *sm G.* **~tu** *L.* **~cie** *biol.* regenerated organism <tissue etc.>
regenerator *sm biol. techn.* regenerator
regenerowa|ć *v imperf* [I] *vt* 1. *biol.* to regenerate 2. *techn.* to regenerate; to revive; to reclaim <to salvage> (waste); **~ny surowiec** shoddy [II] *vr* **~ć się** to regenerate (*vi*); to revive (*vi*)
regenerowani|e *sn* (↑ **regenerować**) regeneration; reclamation <salvage> (of waste); *chem.* revivification; **możliwy do ~a** regenerable; reclaimable
regen|t *sm L.* **~cie** *pl N.* **~ci, regen|tka** *sf pl G.* **~tek** regent
regestrator *sm* registrar; keeper of records; *am.* filer
reg|iel *sm G.* **~la** *zob.* **regle**
regimentarz *sm pl G.* **~y** <**~ów**> *hist.* deputy hetman
region *sm G.* **~u** region
regionali|sta *sm* (*decl* = *sf*) *DL.* **~ście** *pl N.* **~ści** *GA.* **~stów** regionalist
regionalistyczny *adj* regionalistic
regionalizacja *sf singt ekon.* regionalization
regionalizm *sm G.* **~u** 1. (*ruch*) regionalism 2. (*kultura*) regional <local> culture; local flavour 3. *jęz.* localism; local idiom
regionalność *sf singt* regional <local> character (of language, customs etc.)
regionalny *adj* regional; local
regist|er *sm G.* **~ru** *L.* **~rze** *druk.* register
registrator *sm* = **regestrator**
registratura *sf* 1. (*rejestrowanie*) registering (of documents) 2. (*zbiór dokumentów*) records 3. (*kancelaria*) registry; record office
reglamentacja *sf ekon. prawn.* (State) control; regulation
reglamentacyjny *adj* regulating (laws, rules etc.)
reglamentować *vt imperf* to control; to regulate
regl|e *spl G.* **~i** subalpine forests; prealps
regres *sm G.* **~u** 1. *lit.* (*cofanie się w rozwoju*) regress; retrogression 2. *prawn.* recourse
regresja *sf* 1. = **regres** 1. 2. *biol.* regression; throw-back 3. *geogr.* recession

regresyjny *adj*, **regresywny** *adj* regressive

regulacja *sf singt* 1. (*unormowanie*) regulation; normalization; control; ~ **urodzin** birth-control 2. (*nastawianie przyrządu*) adjustment; ~ **prędkości** <**temperatury, siły głosu itd.**> speed <temperature, volume etc.> control; ~ **rzek** flood-control; river training; **zdalna** ~ remote control 3. *techn.* (*regulator*) regulating device; regulator

regulacyjny *adj* regulating — (cock, screw etc.); control — (valve etc.)

regulamin *sm G.* ~**u** 1. (*przepisy*) (rules and) regulations; by(e)-laws; statute; ~ **obrad** order of debates 2. (*zbiór przepisów*) statute; book of instructions

regulaminowo *adv* according to the regulations; by regulation; by law

regulaminowy *adj* regular; statutory; prescribed; regulation — (uniform etc.); service — (cap, uniform etc.)

regularnie *adv* 1. (*zgodnie z regułami*) regularly; in accordance with the regulations 2. (*kształtnie, symetrycznie*) regularly; symmetrically 3. (*w jednakowych odstępach czasu*) regularly; steadily; evenly; systematically

regularność *sf* 1. (*zgodność z regułami*) regularity; conformity 2. (*kształtność, symetryczność*) regularity; consistency; symmetry 3. (*miarowość, systematyczność*) regularity; steadiness; uniformity

regularn|y *adj* 1. (*zgodny z regułami*) regular; conformable to the regulations; *rel.* **kanonicy** ~**i** canons regular; **wojsko** ~**e** regular army 2. (*kształtny*) regular (features etc.); symmetric(al) 3. (*odbywający się w jednakowych odstępach czasu*) regular; even; systematic; ~**e życie** regular life; **prowadzić** ~**y tryb życia** to keep regular hours

regulator *sm* 1. *techn.* (*urządzenie*) regulator; governor; control(ler); timer; ~ **napięcia** voltage regulator <control>; *pot.* **na cały** ~ a) (*z maksymalną szybkością*) at full speed; in high gear; in full blast <steam> b) (*do maksymalnych możliwości*) without restraint; for all one's worth c) *przen.* (*bardzo głośno*) fortissimo 2. (*czynnik regulujący*) regulator

regulować *vt imperf* 1. (*porządkować*) to regulate; to order; to control; ~ **rachunki** to settle accounts <bills>; ~ **ruch (uliczny)** to regulate the traffic; (*o policjancie*) to be on point duty 2. (*nastawiać mechanizm*) to regulate; to adjust; to set <to time> (one's watch) 3. (*wpływać na prawidłowość*) to regulate 4. (*dostosowywać*) to regularize

regulowani|e *sn* (↑ **regulować**) regulation; control; adjustment; ~**e rachunków** settlement of accounts; (*o mechanizmie itd.*) **do** ~**a** adjustable

regulów|ka *sf pl G.* ~**ek** *ogr. roln.* spading of the soil; trenching

regu|ła *sf DL.* ~**le** 1. (*prawidło*) rule; principle; law; ~**ła oparta na praktyce** rule of thumb; *mat.* ~**ła trzech** the rule of three; **wyjątek potwierdza** ~**łę** the exception confirms the rule 2. *rel.* rule <observance> (of a religious order)
z ~**ły** as a (general) rule

rehabilitacja *sf* rehabilitation; vindication <re-establishment> (**czyjaś** of sb's good name)

rehabilitować *v imperf* [I] *vt* to rehabilitate (**kogoś** sb's good name); *pot.* to whitewash (**kogoś** sb's reputation) [III] *vr* ~ **się** to rehabilitate oneself; to right oneself; to re-establish <to vindicate> one's good name

rehabilitowanie *sn* (↑ **rehabilitować**) rehabilitation

reinkarnacja *sf singt rel.* reincarnation

rej † *sm G.* ~**u** *obecnie w zwrocie:* ~ **wodzić** to hold sway (**w jakimś towarzystwie** over a company); to play first fiddle; to lead the dance; to boss the show

reja *sf pl G.* **rei** 1. *mar.* spar; yard; (yard-)arm 2. (*pnie drzewne*) pile of logs

rej|d *sm G.* ~**du** *L.* ~**dzie** *mar.* roadstead

rejen|t *sm L.* ~**cie** *pl N.* ~**ci** 1. *prawn.* (*notariusz*) notary (public) 2. = **regent**

rejentalnie *adv* notarially

rejentalny *adj* notarial

rejentura *sf* notariate; notary's office

rejestr *sm G.* ~**u** 1. (*wykaz*) register; roll; ~ **handlowy** <**morski**> commercial <naval> register; **wpisanie do** ~**u** registration; **wpisać do** ~**u** to register 2. *hist.* contingent 3. *muz.* register (of a voice, of an instrument) 4. *muz.* (*mechanizm w organach*) (organ-)stop 5. (*na zębach końskich*) mark (on a horse's teeth)

rejestracj|a *sf* 1. (*zarejestrowanie*) registration; licencing, licensing; **dowód** ~**i** licence 2. (*w przyrządach pomiarowych*) (self-)registration; (autographic) record

rejestracyjny *adj* registration — (number, plate etc.)

rejestrator *sm* 1. (*człowiek*) record-keeper 2. *techn.* (*przyrząd*) (self-registering) recorder

rejestr|ować *v imperf* [I] *vt* 1. (*wpisać do rejestru*) to register; to enter (sb, sth) in the books; *handl.* to incorporate (an institution) 2. (*o przyrządach — utrwalać*) to record; **kasa** ~**ująca** cash register; **przyrząd** ~**ujący (dźwięk itd.)** (sound etc.) recorder [III] *vr* ~**ować się** to become registered <incorporated>

rejestrowanie *sn* (↑ **rejestrować**) 1. (*wpisanie do rejestru*) registration 2. (*utrwalenie*) record(ing)

rejestrow|y *adj* registered; incorporated; *mar.* **pojemność** ~**a** register tonnage; **tona** ~**a** register <gross> ton

rej|ka *sf pl G.* ~**ek** *mar.* ~**ka sygnałowa** signal yard

rejon *sm G.* ~**u** region; district; locality

rejonizacja *sf* regionalization

rejonizować *vt imperf* to regionalize

rejonizowanie *sn* (↑ **rejonizować**) regionalization

rejonowy *adj* regional; district — (administration etc.)

rejow|iec *sm G.* ~**ca** *pl N.* ~**ce** *mar.* square-rigged craft <vessel>; bark

rejowy *adj mar.* square-rigged

rejs[1] *sm G.* ~**u** *mar.* cruise; voyage; ~ **docelowy** <**powrotny**> voyage out <home>

rejs[2] *sm* (*jednostka monetarna*) reis

rejtera|da † *sf DL.* ~**dzie** retreat; *obecnie żart.* climb-down

rejterować † *vi imperf* to retreat; *obecnie żart.* to climb down

rejwach *sm G.* ~**u** *pot.* shindy; row; hurly-burly; hullabaloo; uproar; **zrobić** ~ to kick up a row; to raise a dust; to rough-house

rek *sm G.* **~u** *sport* horizontal bars

rekapitulacja *sf* recapitulation; summing up

rekapitulować *vt imperf* to recapitulate; to sum up

rekin *sm dosł. i przen.* shark

rekin|ek *sm G.* **~ka** *zool.* (*Scylliorhinus canicula*) rough-hound

reklam|a *sf* advertising; publicity; **biuro ~y** publicity agents; **~y świetlne** illuminated advertising; electric signs; **robić ~ę komuś, czemuś** to advertise <to boost> sb, sth

reklamacj|a *sf* complaint; **wnieść ~ę** to lodge a complaint; to raise a claim; to demand compensation

reklamacyjny *adj* complaints — (office etc.)

reklamiarski *adj* boosting

reklamiarsko *adv* boostingly

reklamiarstwo *sn* boosting; puffery

reklamiarz *sm pl G.* **~y** *pog.* booster

reklamować *v imperf* **I** *vt* (*propagować*) to advertise; to make publicity (**coś** for sth); **hałaśliwie ~** to puff <to boost> (sb, sth) **II** *vi* (*zgłaszać reklamację*) to complain; to lodge a complaint **III** *vr* **~ się** to advertise (*vi*); to make publicity (for oneself, for one's goods etc.)

reklamowanie *sn* ↑ **reklamować**

reklamow|y *adj* advertising <publicity> — (campaign etc.); (*o próbkach towaru*) distributed for publicity; **słupy ~e** bill-posts; **światła ~e** illuminated signs

reklamów|ka *sf pl G.* **~ek** *pot.* folder; leaflet

rekolekcj|e *spl G.* **~i** *kość.* retreat

rekombinacja *sf singt fiz.* recombination

rekomendacja *sf* recommendation; reference

rekomendować *vt imperf* to recommend

rekompensa|ta *sf DL.* **~cie** compensation; recompense; **jako ~ta <tytułem ~ty> za coś** in recompense for sth

rekompensować *vt imperf* to make up (**coś** for sth)

rekoncyliacja *sf rel.* reconciliation (of a church etc. after pollution)

rekoncyliować *vt imperf rel.* to reconcile (a church etc. after pollution)

rekonesans *sm G.* **~u** 1. *lit.* (*wstępne badanie*) exploration 2. *wojsk.* (*rozpoznanie*) reconnaissance; **przeprowadzić ~** to reconnoitre; to go scouting <on the scout> 3. *wojsk.* (*podjazd*) reconnoitring party; patrol

rekonesansowy *adj* 1. *lit.* exploring 2. *wojsk.* reconnoitring; patrol — (plane etc.)

rekonstrukcja *sf* reconstruction; restoration (of a historical building etc.)

rekonstrukcyjny *adj* reconstructive; (work etc.) of reconstruction <of restoration>

rekonstruktor *sm* reconstructor; restorer

rekonstruować *vt imperf* to reconstruct; to restore (a historical building etc.); to piece together (a broken vase etc.)

rekonstruowanie *sn* (↑ **rekonstruować**) reconstruction; restoration

rekontra *sf karc.* redouble

rekontrować *vi imperf karc.* to redouble

rekonwalescencj|a *sf singt* convalescence; (period of) recuperation; **być w okresie ~i** to convalesce; to recuperate

rekonwalescen|t *sm L.* **~cie** *pl N.* **~ci, rekonwalescen|tka** *sf pl G.* **~tek** convalescent; **zakład dla ~tów** convalescent <nursing> home

rekor|d *sm G.* **~du** *L.* **~dzie** record; **~d świata** world record; **pobić ~d** to break <to beat> a record; **ustalić ~d** to set up a record

rekordomani|a *sf GDL.* **~i** *pl G.* **~i** mania for setting up records

rekordowo *adv* (*w rekordowym tempie*) at record speed; (*w rekordowym stopniu*) exceptionally; to a supreme degree; supremely; eminently

rekordow|y *adj* record <record-breaking, highest, top-level> — (speed, height, time, output etc.); **~e zbiory** bumper crops; **~y rok** peak year

rekordzi|sta *sm* (*decl* = *sf*) *DL.* **~ście** *pl N.* **~ści** *GA.* **~stów, rekordzi|stka** *sf pl G.* **~stek** record holder; champion

rekreacja † *sf* recreation

rekrucki *adj* recruit's <recruits'> (drill etc.)

rekrut *sm* recruit; *sl.* rookie, rooky; **pobór ~a** levy

rekrutacja *sf* 1. *wojsk.* recruitment; enlistment 2. (*przyjmowanie kandydatów*) enrolment

rekrutacyjny *adj* 1. *wojsk.* recruitment — (centre etc.); recruiting — (officer etc.) 2. *szk.* enrolment — (basis etc.)

rekrutować *v imperf* **I** *vt* 1. *wojsk.* to recruit; to enlist 2. (*przyjmować kandydatów*) to enrol **III** *vr* **~ się** 1. (*być werbowanym*) to be recruited <enlisted> 2. (*pochodzić*) to be recruited (from farmers, townsmen etc.)

rekrutowanie *sn* 1. ↑ **rekrutować** 2. *wojsk.* recruitment; enlistment 3. (*przyjmowanie kandydatów*) enrolment

rekryminacja *sf lit.* accusation; recrimination

rekrystalizacja *sf singt miner. techn.* recrystallization

rekrystalizować *vt imperf techn.* to recrystallize

rektascensja *sf astr.* right ascension

rektor *sm uniw. kość.* rector

rektora|t *sm G.* **~tu** *L.* **~cie** 1. (*stanowisko*) rectorate 2. (*biuro*) rector's office 3. (*czas sprawowania obowiązków*) rectorate; rector's term of office

rektorski *adj* rector's; rectorial

rektorstwo *sn* rectorate

rektyfikacja *sf singt* 1. *chem. techn.* rectification; purification; dephlagmation 2. *techn.* (*sprawdzenie instrumentów*) adjustment (of instruments)

rektyfikacyjny *adj* rectifying

rektyfika|t *sm G.* **~tu** *L.* **~cie** *techn.* rectified product <spirit>

rektyfikator *sm techn.* rectifier; rectificator

rektyfikować *vt imperf* to rectify; to purify

rektyfikowanie *sn* 1. ↑ **rektyfikować** 2. *chem. techn.* rectification; purification; dephlegmation 3. *techn.* adjustment (of instruments)

rekuperacja *sf singt chem. techn.* regeneration

rekuperacyjny *adj* recuperative

rekuperator *sm techn.* regenerator; recuperator

rekurencyjny *adj mat.* recurring; recurrent

rekurs † *sm G.* **~u** *prawn.* appeal

rekwiem *indecl* requiem

rekwirować *vt imperf* to requisition; to seize; to confiscate; to commandeer

rekwirowanie *sn* (↑ **rekwirować**) requisition; seizure; confiscation

rekwizycja *sf* (*zabranie czegoś*) requisition; seizure; confiscation
rekwizycyjny *adj* requisitional; (warrant etc.) of requisition
rekwizy|t *sm G.* **~tu** *L.* **~cie** *teatr kino* requisite; (stage) property, *pot.* prop; *pl* **~ty** accessories, *pot.* props
rekwizytor *sm teatr kino* property-man; property-master
rekwizytornia *sf teatr kino* property-room, props room
relacj|a *sf* 1. (*opowiadanie*) account (of an event etc.); story; report; relation; **według wszelkich ~i** by all accounts; **zdać ~ę z czegoś** to report sth 2. *filoz.* (*stosunek wzajemny*) relation (between two parties etc.)
relacjonować *vt imperf* to relate <to report> (sth); to give an account (**coś** of sth)
relacyjność *sf singt* relation (between two parties etc.)
relacyjny *adj* relational
relaks *sm singt G.* **~u** relaxation; recreation
relaksacja *sf biol.* relaxation (of a muscle etc.)
relaksacyjn|y *adj fiz.* **drgania ~e** relaxative vibrations
relaksować *vi imperf pot.* to relax; to seek relaxation
relatywi|sta *sm* (*decl* = *sf*) *DL.* **~ście** *pl N.* **~ści** *GA.* **~stów** rolativist
relatywistyczny *adj* relativistic
relatywizm *sm singt G.* **~u** *filoz.* relativism
relatywizować *vt imperf filoz.* to take a relativistic view (**coś** of sth)
relatywnie *adv lit.* comparatively
relatywny *adj lit.* comparative
relegacja *sf lit.* relegation
relegować *vt perf lit.* to relegate
relief *sm G.* **~u** *rzeźb. geogr.* relief
reliefowo *adv lit.* in relief
reliefowy *adj* relief — (printing, map etc.)
religi|a *sf GDL.* **~i** *pl G.* **~i** religion; **nauka ~i** religious instruction
religiancki *adj* religiose
religianctwo *sn singt* religiosity
religian|t *sm L.* **~cie** *pl N.* **~ci** religionist
religijnie *adv* religiously
religijność *sf singt* religiousness; godliness
religijn|y *adj* 1. (*związany z religią*) religious; **muzyka ~a** sacred music; **piśmiennictwo <utwory> ~e** sacred writings 2. (*pobożny*) religious; godly
religiolog *sm* = **religioznawca**
religiologi|a *sf singt GDL.* **~i** = **religioznawstwo**
religioznawc|a *sm* (*decl* = *sf*) *pl N.* **~y** specialist in matters of religion
religioznawstwo *sn singt* study of religion(s)
relik|t *sm G.* **~tu** *L.* **~cie** relict (plant, species etc.)
reliktowy *adj* relict (plant, species etc.)
relikwi|a *sf GDL.* **~i** *pl G.* **~i** (*także pl* **~e**) relic(s)
relikwiarz *sm pl G.* **~y** <**~ów**> *rel.* reliquary
reling *sm G.* **~u** *mar.* (*bulwark*) railing; **~ rufowy** taffrail, tafferel
remanen|t *sm G.* **~tu** *L.* **~cie** 1. (*spis towaru*) stock-taking; inventory 2. (*zapasy*) stock (of goods); **upłynnić ~ty** to liquidate stocks
remanentowy *adj* stock-taking — (sheets etc.)
rembrandtowski *adj* Rembrandtesque
remburs *sm G.* **~u** *ekon.* reimbursement
remedium *sn* remedy <tolerance> (in coinage)
remigracja *sf singt* re-emigration
remilitaryzacja *sf polit.* remilitarization
reminiscencja *sf* reminiscence
remis *sm G.* **~u** *sport* draw; tie; drawn game; dead heat
remisja *sf med.* remission
remisować *vi imperf* to draw <to tie> a game
remisowo *adv sport* (to end) in a draw
remisowy *adj* drawn (game); **wynik ~** (a) draw
remiten|da *sf DL.* **~dzie** (*w księgarstwie*) remainder
remiten|t *sm L.* **~cie** *pl N.* **~ci** *handl. ekon.* payee
remitować *vt imperf handl.* to remit
remiz *sm zool.* (*Remiz pendulinus*) a singing tit
remiza *sf* 1. (*zajezdnia tramwajowa, autobusowa*) depot; shed; *am.* barn; (*parowozowa*) engine-house; (*straży pożarnej*) fire-station 2. *myśl.* preserve 3. † (*wozownia*) coach-house
remiz|ka *sf pl G.* **~ek** *mar.* lacing hole; eyelet
remon|t *sm G.* **~tu** *L.* **~cie** repair(s); reconditioning; **~t kapitalny** overhaul; major <capital> repair; **przeprowadzić kapitalny ~t budynku <maszyny>** to overhaul a building <a machine>; **być w ~cie** to be undergoing repairs; to be under repair; **poddać ~towi** to refit
remontan|t *sm L.* **~cie** *ogr.* remontant rose <raspberry>
remontant|ka *sf pl G.* **~ek** *ogr.* remontant rose
remontować *v imperf* [I] *vt* to repair; to recondition; to overhaul [II] *vr* **~ się** to be under repair
remontowanie *sn* (↑ **remontować**) repairs
remontownia *sf* repair shop
remontowy *adj* repair — (mechanic, outfit etc.)
remuneracja *sf* remuneration
ren[1] *sm zool.* = **renifer**
ren[2] *sm G.* **~u** *chem.* rhenium
renci|sta *sm* (*decl* = *sf*) *DL.* **~ście** *pl N.* **~ści** *GA.* **~stów, renci|stka** *sf pl G***~stek** pensioner; annuitant
renegacki *adj* renegade's
renegactwo *sn singt* renegation
renega|t *sm L.* **~cie** *pl N.* **~ci** (*w sprawach wiary*) renegade; apostate; (*w sprawach przekonań*) turncoat; **zostać ~tem** to turn renegade; to apostatize; to turn one's coat
rener *sm mar.* runner
renesans *sm singt G.* **~u** 1. *hist. plast. arch.* Renaissance 2. (*odrodzenie się*) renascence; revival; rebirth; renaissance
renesansowy *adj* Renaissance — (architecture, painters etc.)
rene|ta *sf DL.* **~cie** rennet; **szara ~ta** russet
renifer *sm zool.* (*Rangifer tarandus*) reindeer
reniferowy *adj* reindeer — (skin, herd etc.); *bot.* **chrobotek ~** (*Cladonia rangiferina*) reindeer moss
renklo|da *sf DL.* **~dzie** greengage
renoma *sf singt* renown; fame
renomowany *adj* renowned; famous
renons *sm G.* **~u** *karc.* renounce; **mieć ~ w kolorze** to be short of a suit
renonsować *vi imperf karc.* to discard (hearts, spades etc.)

renowacja *sf* renovation
renowator *sm* renovator
ren|ta *sf DL.* **~cie** 1. (*otrzymywane świadczenie*) pension; annuity; **~ta inwalidzka** disability pension; **~ta starcza** old-age pension 2. (*dochód z majątku*) rent; **~ta gruntowa** rent of land
rentgen *sm* 1. (*aparat*) X-ray apparatus 2. *pot.* (*prześwietlenie*) X-ray examination 3. *pot.* (*zdjęcie*) X-ray picture <photograph>; radiograph; röntgenogram; sciagraph 4. *fiz.* (*jednostka dawki promieni*) roentgen <röntgen> (unit)
rentgenizacja *sf singt med.* roentgenization, röntgenization
rentgenizować *vt imperf, perf med.* to roentgenize, to röntgenize; to X-ray
rentgenodiagnostyka *sf singt med.* X-ray diagnosis
rentgenografi|a *sf singt GDL.* **~i** *med. techn.* roentgenography; X-ray photography; radiography
rentgenograficzny *adj* roentgenographic, röntgenographic
rentgenogram *sm G.* **~u** X-ray picture <photograph>; roentgenogram, röntgenogram; radiogram; sciagraph
rentgenolog *sm* roentgenologist, röntgenologist; radiologist
rentgenologi|a *sf singt GDL.* **~i** roentgenology, röntgenology; radiology
rentgenologiczny *adj* roentgenologic(al), röntgenologic(al); radiological
rentgenometr *sm G.* **~u** roentgenometer, röntgenometer
rentgenoskopi|a *sf singt GDL.* **~i** roentgenoscopy, röntgenoscopy; radioscopy
rentgenotechnik *sm* X-ray technician
rentgenoterapi|a *sf singt GDL.* **~i** X-ray therapy
rentgenowski *adj* X-ray <röntgen> (apparatus, spectrum, tube etc.)
rentier *sm* person of independent means; rentier
rentować (się) *vi vr imperf* to pay (*vi*); to bring profit <returns>
rentowność *sf singt* remunerativeness; earning capacity
rentowny *adj* remunerative; profitable; (*o kopalni itd.*) workable
rentowy *adj* rent — (charge etc.)
reński *adj* Rhenish — (wine); **złoty ~** former German and Austro-Hungarian florin
reofilny *adj biol.* rheophil(e); living in rivers and streams
reofobny *adj biol.* living in stagnant waters
reologi|a *sf singt GDL.* **~i** *techn.* rheology
reorganizacj|a *sf* reorganization; **przeprowadzić ~ę czegoś** to reorganize sth
reorganizator *sm* reorganizer
reorganizatorski *adj* (work, need etc.) of reorganization
reorganizować *vt imperf* to reorganize
reorganizowanie *sn* (↑ **reorganizować**) reorganization
reotropizm *sm G.* **~u** *biol.* rheotropism
rep *sm sport pot.* many-times international
reparacj|a *sf* 1. = **reperacja** 2. *pl* **~e** *polit.* (*odszkodowanie wojenne*) war reparations
reparacyjny *adj* reparation — (sums etc.)
reparator *sm* = **reperator**
reparować *vt imperf* = **reperować**
repartycja *sf singt lit.* repartition; distribution
repasacja *sf singt* ladder-mending
repasacz|ka *sf pl G.* **~ek** ladder-mender
repatriacja *sf singt* repatriation
repatriacyjny *adj* repatriation — (office etc.)
repatriancki *adj* repatriation — (train etc.)
repatrian|t *sm L.* **~cie** *pl N.* **~ci, repatrian|tka** *sf pl G.* **~tek** repatriate
repatriować *vt imperf* to repatriate
reper *sm miern.* datum; (bench etc.) mark
reperacj|a *sf* (a) repair; reparation; (a) mend; mending; **dać coś do ~i** to have sth repaired <mended, fixed>
reperator *sm* repairer
reperkusja *sf muz. i przen.* repercussion
reperować *vt imperf* to repair; to mend; to fix
repertorium *sn* list; index; repertory; *teatr* repertoire
repertuar *sm G.* **~u** repertoire; **żelazny ~** stock; **z żelaznego ~u** stock (argument etc.)
repertuarow|y *adj* repertoire — (changes etc.); **sztuka ~a** stock piece
repesaż *sm G.* **~u** = **repasaż**
repe|ta *sf DL.* **~cie** *pot.* second <additional> helping; *sl.* buckshee
repeten|t *sm L.* **~cie** *pl N.* **~ci** *szk.* repeater
repetier *sm* repeater, repeating watch
repetierow|y *adj* **broń ~a** repeater
repetować *vt vi imperf* 1. *pot. szk.* to repeat (a form, class, year etc.) 2. *wojsk.* to load (a fire-arm)
repetycja *sf* 1. (*powtórzenie*) repetition (of a lesson etc.) 2. *muz.* repetition
repetytor *sm mar.* repeater
repetytorium *sn* repetitory course of lectures
replik|a *sf* 1. (*odpowiedź*) retort; rejoinder 2. *jęz. muz. plast.* replica 3. *teatr* cue; **dać ~ę** to take up one's cue
replikować *vi imperf* to rejoin
repolonizacja *sf singt* re-Polonization
repolonizować *vt imperf* to re-Polonize
repor|t *sm G.* **~tu** *L.* **~cie** *handl.* 1. (*przeniesienie sumy*) carrying forward 2. (*suma przeniesiona*) sum carried forward
reportaż *sm G.* **~u** *pl G.* **~y** <**~ów**> (newspaper) report; coverage; **~ dźwiękowy** (running) commentary; **napisać ~ z wydarzenia** to report <to cover> an event
reportażowy *adj* of the nature of a newspaper report; reporting <coverage> — (article, series etc.)
reportaży|sta *sm* (*decl* = *sf*) *DL.* **~ście** *pl N.* **~ści** *GA.* **~stów** writer of newspaper reports
reporter *sm* reporter; journalist
reporter|ka *sf pl G.* **~ek** 1. (*kobieta reporter*) woman) reporter 2. *singt* (*zajęcie reportera*) reporting (for a newspaper etc.)
reporterski *adj* reporter's
reporterstwo *sn singt* = **reporterka** 2.
represali|a *spl G.* **~ów** *polit.* reprisals; **stosować ~a** to make reprisals
represj|a *sf* (*zw. pl*) repression; repressive measures; **zastosować ~e wobec przywódców strajku <uczestników manifestacji itd.>** to victimize the leaders of a strike <the participants of a manifestation etc.>

represyjnie *adv* by way of repression

represyjny *adj* repressive

reprezentacj|a *sf* 1. (*przedstawicielstwo*) representation 3. (*okazałość w sposobie życia*) dignity (of one's post); presentation; appearance; **wydatki na ~ę** expenses of official entertainment

reprezentacyjn|y *adj* 1. (*reprezentujący*) representative (government, system etc.); *sport* **drużyna ~a** national team 2. (*okazały*) presentable; (*o dzielnicy miasta*) residential; elegant 3. (*o człowieku — mający dobrą prezencję*) of good presence

reprezentan|t *sm L.* **~cie** *pl N.* **~ci, reprezentan|tka** *sf pl G.* **~tek** (a) representative

reprezentatywność *sf singt* representativeness; representative character <qualities>

reprezentatywny *adj* representative; typical; standard

reprezentować *vt imperf* 1. (*być przedstawicielem*) to represent 2. (*przyczyniać się do okazałości*) to display (sth) to advantage

reprezentowanie *sn* (↑ **reprezentować**) representation

reprodukcja *sf* 1. (*kopia*) reproduction; copy; replica 2. (*odtworzenie*) reproduction 3. *biol.* reproduction (of plants and animals) 4. *ekon. psych.* reproduction

reprodukcyjny *adj* reproductive; (means etc.) of reproduction

reprodukować *vt imperf* to reproduce; to copy; **~ rysunek** to process a drawing

reprodukowanie *sn* (↑ **reprodukować**) reproduction

reproduktor *sm* animal kept for breeding purposes

reprymen|da *sf DL.* **~dzie** reprimand; rebuke; **udzielić komuś ~dy, dać komuś ~dę** to reprimand <to rebuke> sb

reprywatyzacja *sf singt prawn.* return to private ownership; *wojsk.* derequisitioning

reprywatyzować *vt imperf perf prawn.* to return to private ownership; *wojsk.* to derequisition

repryza *sf muz.* reprise; repetition

republika *sf* republic

republikan|in *sm pl G.* **~ów** (a) republican; *am.* (*członek partii*) Republican

republikanizm *sm singt G.* **~u** republicanism

republikan|ka *sf pl G.* **~ek** (a) republican

republikańsk|i *adj* republican; *am.* **partia ~a** Republican Party

repulsja *sf psych.* repulsion

repulsyjny *adj techn.* **silnik ~** repulsion motor

repulsywny *adj psych.* repulsive; repellent

reputacj|a *sf singt* reputation; good <bad> name; standing; **cieszyć się dobrą ~ą** to enjoy a good reputation; to be well spoken-of; **ludzie posiadający dobrą <kiepską> ~ę** people of high <of no> standing; **mieć dobrą, złą ~ę** to have a good, a bad reputation; to enjoy a good reputation, to be in disrepute; **mieć ~ę człowieka uczciwego** to be reputed honest

requiem *indecl* requiem

resekcja *sf med.* resection

resekować *vt imperf med.* to resect

resor *sm G.* **~u** spring; **wóz na ~ach** spring-carriage; *pot.* **bujda na ~ach** bilge; bunk(um); humbug; cock-and-bull story

resorbować *vt imperf chem. biol.* to resorb; to re-absorb

resorować *vt perf* to spring (a carriage etc.)

resorowy *adj* 1. (*dotyczący resoru*) spring — (steel etc.) 2. (*zaopatrzony w resory*) sprung (carriage etc.)

resorów|ka *sf pl G.* **~ek** spring-carriage

resorpcja *sf singt biol.* resorption; re-absorption

resor|t *sf G.* **~tu** *L.* **~cie** 1. (*w administracji państwowej*) department 2. (*zakres kompetencji*) province; scope; competence

resortowy *adj* departmental

respek|t *sm G.* **~tu** *L.* **~cie** respect; regard

respektować *vt imperf* to take (sth) into consideration; to have regard (**coś** for sth); to abide (**uchwałę itd.** by a decision etc.)

respektow|y *adj ekon.* **dni ~e** days of grace <of respite>

respiracja *sf singt med.* respiration

respiracyjny *adj* respiratory

respirator *sm techn.* respirator

responsorialny *adj* responsorial

responsorium *sn kośc.* responsory; respond

restauracja[1] *sf* 1. (*odnowienie*) restoration 2. (*przywrócenie obalonej dynastii*) restoration; *hist.* Restoration

restauracja[2] *sf* (*lokal*) restaurant

restauracyjn|y *adj* restaurant — (food etc.); **sala ~a** dining-room; **wagon ~y** restaurant-car, dining car

restaurato|r[1] *sm pl N.* **~rzy** <**~rowie**> (*konserwator*) restorer (of objects of art)

restaurato|r[2] *sm pl N.* **~rzy** <**~rowie**>, **restaurato|rka** *sf pl G.* **~rek** keeper of a restaurant; restaurant owner

restauratorski *adj* restorer's (art, atelier etc.)

restauratorstwo *sn singt* restoration of objects of art

restaurować *vt imperf* to restore; to renovate

restaurowanie *sn* (↑ **restaurować**) restoration; renovation

restrykcja *sf* (*ograniczenie*) restriction; reservation

restytucja *sf* 1. (*zwrot*) restitution (of property etc.) 2. (*odtworzenie*) restoration; restitution 3. *biol.* regeneration 4. *prawn.* restitution

restytucyjny *adj* 1. *biol.* regenerative 2. *prawn.* restitutive

restytuować *vt imperf* 1. (*przywracać do poprzedniego stanu*) to restore 2. (*oddać*) to make restitution (**coś** of sth)

restytuowanie *sn* (↑ **restytuować**) restitution

resublimacja *sf fiz.* resublimation

resynteza *sf biol.* resynthesis

resz|ka *sf pl. G.* **~ek** obverse <head> (of a coin); **grać w orła i ~kę** to play at heads or tails

resz|ta *sf DL.* **~cie** 1. (*pozostałość*) remainder; remnant; the rest; (*o ludziach*) the rest (of us, you, them); **~ta formalności <dni, pracy itd.>** the remaining formalities <days, work etc.>; **bez ~ty** altogether; completely; utterly; neck and crop; **do ~ty** completely; utterly 2. (*drobne pieniądze*) change; (*w napisie*) „**~ty się nie wydaje**" "no change given"; **wydać ~tę ze 100 zł** to give change for 100 zlotys; **on często źle wydaje ~tę** he often gives the wrong change 3. *mat.* residual, residue; *chem.* **~ta kwasowa** acid radical

reszt|ka *sf pl G.* **~ek** remainder; remnant; scrap; fag-end; relic; stub (of a pencil, of a dog's tail etc.); *pl* **~ki** leavings; odds and ends; **~ki je-**

dzenia broken meat; **~ki trunku w kieliszku** heeltap; **wyprzedaż ~ek** remnant sale
resztów|ka *sf pl G.* **~ek** residuary part (of an estate)
ret *sm G.* **retu** *L.* **recie** *geol.* Rhaetic; Rät
retabulum *sn kośc.* retable
retardacja *sf singt lit.* retardation
retencja *sf singt prawn. geol.* retention
retencyjny *adj geol.* retention — (layer etc.); **zbiornik ~** storage reservoir
retman *sm* bargee
reto|r *sm pl N.* **~rzy** <**~rowie**> rhetor; orator
retorsja *sf singt prawn.* retortion; countercharge
retorsyjny *adj* retortive
retor|ta *sf DL.* **~cie** retort; matrass
retortowy *adj* retort — (stand etc.)
retorycznie *adv* rhetorically
retoryczność *sf singt* rhetoric
retoryczn|y *adj* rhetorical (accent, question etc.); **figura ~a** figure of speech
retoryka *sf* 1. (*krasomówstwo*) rhetoric 2. (*podręcznik*) manual of rhetoric
retransmisja *sf radio* relay; rebroadcast; retransmission
retrofleksyjny *adj jęz.* cerebral <retroflex> (consonant)
retrogresja *sf rz.* retrogression
retrospekcja *sf* retrospection
retrospekcyjny *adj* = **retrospektywny**
retrospektywnie *adv* retrospectively; in retrospect
retrospektywność *sf singt* retrospectiveness; retrospectivity
retrospektywny *adj* retrospective; **przegląd ~** (a) retrospect
retusz *sm G.* **~u** (a) retouch; retouching; *przen.* touch-up
retuszer *sm* retoucher
retuszer|ka *sf pl G.* **~ek** 1. = **retuszer** 2. (*retuszowanie*) retouching
retuszerski *adj* retoucher's (pencil etc.)
retuszerstwo *sn singt* retouching; retoucher's work
retuszować *vt imperf* to retouch (a photograph etc.); *przen.* to touch up (a composition etc.)
retuszowanie *sn* (↑ **retuszować**) retoucher's work
rety *interj gw.* lummy!
retyk *sm G.* **~u** *geol.* Rhaetic
reumatologia *sf singt* rheumatology
reumatologiczny *adj* rheumatological
reumatyczny *adj* rheumatic
reumatyk *sm* (a) rheumatic
reumatyzm *sm G.* **~u** *med.* rheumatism
rewa *sf* sandbank; shoal
rewakcynacja *sf med.* revaccination
rewalidacja *sf* rehabilitation; revalidation
rewalidacyjny *adj* rehabilitating; revalidating; rehabilitation — (plan etc.)
rewalidować *vt imperf perf* to rehabilitate; to revalidate
rewaloryzacja *sf ekon.* revalorization
rewanż *sm G.* **~u** 1. (*odwet*) revenge; retaliation; *am.* come-back 2. (*życzliwe odwzajemnienie się*) return service; recompense; acknowledgement 3. (*możność odegrania się*) revenge; *sport* return match; **dać komuś ~** to give sb his revenge; **wziąć ~** to take one's revenge (on sb)
rewanżować się *vr imperf* (*odwzajemniać się*) to reciprocate; to do sth in return (for sth); (*odpłacić się*) to get equal (**komuś** with sb); to pay (**komuś** sb) out; to get one's own back (**komuś** on sb)
rewanżowanie się *sn* (↑ **rewanżować się**) reciprocation
rewanżowy *adj* return (match)
rewelacj|a *sf* 1. (*coś niezwykłego*) revelation; eye-opener; **to było dla mnie ~ą** it was a revelation to me 2. (*odkrycie*) disclosure; discovery
rewelacyjnie *adv* sensationally
rewelacyjność *sf singt* sensational character (of a composition, discovery etc.)
rewelacyjny *adj* sensational
rewers *sm G.* **~u** 1. (*odwrotna strona monety, medalu*) reverse 2. *handl.* (*pokwitowanie na przedmiot, towar*) receipt; (*na pieniądze*) receipt; promissory note; (an) I.O.U.; (*na wypożyczone książki itd.*) voucher
rewersa|ł *sm G.* **~łu** *L.* **~le** *handl.* receipt book
rewerser *sm techn.* reverser
rewersja *sf* reversion
rewersyjny *adj* reversion — (pendulum etc.)
rewi|a *sf GDL.* **~i** *pl G.* **~i** 1. *teatr* revue; variety entertainment <show> 2. (*przegląd*) review; parade 3. *wojsk.* inspection; review
rewiden|t *sm L.* **~cie** *pl N.* **~ci** auditor; chartered accountant; controller, comptroller
rewidować *vt imperf* 1. (*dokonywać rewizji*) to search (sb, a house, sb's premises); to make a search (**dom** in premises); to check (sb's papers); to examine (luggage etc.) 2. (*poddać rewizji poglądy itp.*) to revise; to reconsider; to review; to reassess; to re-examine 3. † (*dokonywać kontroli*) to inspect; to audit (accounts)
rewidowanie *sn* 1. ↑ **rewidować** 2. (*rewizja*) search 3. (*poddanie rewizji*) revisal; reassessment; recension (of a text)
rewiet|ka *sf pl G.* **~ek** *teatr* revuette
rewindykacja *sf* 1. (*odzyskanie*) revindication 2. (*dochodzenie*) claim; demand
rewindykacyjny *adj* (action etc.) of reclaim
rewindykować *vt imperf perf* 1. (*domagać się*) to claim; to demand 2. (*odzyskać*) to revindicate
rewindykowanie *sn* ↑ **rewindykować** 1. (*dochodzenie*) claim(s); demand(s) 2. (*odzyskanie*) revindication(s)
rewiowy *adj* revue <variety> — (entertainment, turn etc.); **teatr ~** variety theatre; music-hall
rewir *sm G.* **~u** 1. (*obszar lasu*) district 2. (*w restauracji, kawiarni*) (waiter's) post (of duty); station 3. (*obwód policjanta, milicjanta*) (policeman's) beat 4. (*w obozie hitlerowskim*) sick room
rewirowy [I] *adj* (*w obozie*) sick-room (door etc.) [II] *sm hist.* constable
rewizj|a *sf* 1. (*przeszukiwanie*) search; domiciliary visit; (*na komorze celnej*) (customs) examination; **nakaz przeprowadzenia ~i** search-warrant; **poddać kogoś ~i osobistej** to search sb; **przeprowadzić ~ę w domu** to search a house <sb's premises> 2. (*kontrola*) inspection; verification; audit (of accounts) 3. (*poddanie krytyce*) revision; reconsideration; reassessment; recension (of a text); **poddać ~i** to revise; to reconsider; to reassess 4. *pot.* (*osoby przeprowadzające kontrolę*) the police; *handl.* controllers; auditors 5. *druk.* (a) revise (of

a manuscript etc.); **poddać ~i, przeprowadzić ~ę** to revise 6. *polit.* revision (of a treaty, frontiers etc.) 7. *prawn.* retrial; **poddać proces ~i** to review a trial

rewizjoni|sta *sm* (*decl* = *sf*) *DL.* **~ście** *pl N.* **~ści** *GA.* **~stów** *polit.* (a) revisionist

rewizjonistyczny *adj* revisionist

rewizjonizm *sm G.* **~u** *polit.* revisionism

rewizo|r *sm pl N.* **~rzy** <**~rowie**> inspector; controller, comptroller

rewizyjny *adj* 1. (*związany z kontrolą*) revisory; (formalities etc.) of inspection 2. (*dotyczący rewizji rachunków*) auditorial 3. *sąd.* (Court etc.) of Appeal

rewizy|ta *sf DL.* **~cie** return visit; **złożyć komuś ~tę** to return sb's visit

rewizytować *vt imperf perf* to return (**kogoś** sb's) visit

rewokacja *sf* recall (of an ambassador etc.)

rewokować *vt perf imperf* to recall

rewol|ta *sf DL.* **~cie** revolt; rebellion; mutiny

rewolucj|a *sf* revolution; **Rewolucja Październikowa** the October Revolution; **wywołać ~ę w czymś** to revolutionize sth; to bring about a revolution in sth

rewolucjoni|sta *sm* (*decl* = *sf*) *DL.* **~ście** *pl N.* **~ści** *GA.* **~stów, rewolucjonist|ka** *sf pl G.* **~ek** (a) revolutionary, revolutionist, revolutioner

rewolucjonizm *sm singt G.* **~u** revolutionism

rewolucjonizować *v imperf* [I] *vt polit. i przen.* to revolutionize; to bring about a revolution (**coś** in sth) [II] *vr* **~ się** *polit.* to adopt revolutionary ideas; *przen.* to undergo a revolution; to become revolutionized

rewolucyjnie *adv* in a revolutionary spirit; in the manner of a revolution; in revolutionary fashion

rewolucyjność *sf singt* revolutionary character (of a party, of a theory etc.)

rewolucyjny *adj* revolutionary (movement, party etc.)

rewolwer *sm G.* **~u** revolver; pistol; *am.* gun; **wystrzał z ~u** pistol-shot; **pod groźbą ~u** at pistol point

rewolwerowy *adj* revolver — (bullet etc.); pistol(-shot etc.); *przen.* **~ dziennik** blackmailing newspaper <sheet>

rewolwerów|ka *sf pl G.* **~ek** *techn.* turret lathe

reze|da *sf DL.* **~dzie** *bot.* (*Reseda*) reseda; (*pachnąca*) (*Reseda odorata*) (garden) mignonette; **~da żółta** (*Reseda lutea*) dyer's rocket

rezedowat|y *bot.* [I] *adj* resedaceous [II] *spl* **~e** (*Resedaceae*) (*rodzina*) the mignonette family

rezedowy *adj* reseda — (gown etc.); of reseda colour

rezerw|a *sf* 1. (*zapas*) reserve; stock; store; (extra) supply; (*o maszynie zapasowej itd.*) stand-by; **trzymać coś w ~ie** to have sth in reserve 2. (*powściągliwość*) reserve; reservedness; caution; self-restraint; closeness; (*brak serdeczności*) aloofness; distance of manner; tepidity; **z ~ą** cautiously; reservedly; **mówić z ~ą** to be non-committal; **trzymać się z ~ą** to hold oneself <to be> aloof 3. *handl. ekon.* (gold etc.) reserve; reserve fund 4. *sport* second team; scrub(-team) 5. *wojsk.* the reserve; **oficer ~y** reserve officer 6. *wojsk.* (*część wojska w akcji*) reserve(s)

rezerwacj|a *sf* (*zw. singt*) reservation; booking (of seats); **załatwić ~ę** to book (a seat, seats, a room in a hotel etc.)

rezerwa|t *sm G.* **~tu** *L.* **~cie** 1. (*teren*) reservation; reserve; *myśl.* game-preserve; fish-preserve; **~t przyrody** sanctuary 2. *am.* reservation (for Red Indians) 3. *rel.* reservation

rezerwi|sta *sm* (*decl* = *adj*) *DL.* **~ście** *pl N.* **~ści** *GA.* **~stów** *wojsk.* reservist

rezerwować *vt imperf* 1. (*zachowywać w rezerwie*) to reserve; to set (sth) aside; to put (sth) by; to keep (sth) in store 2. (*zastrzegać sobie*) to reserve (the right to do sth); (*zapewnić sobie możność korzystania*) to book (**miejsce w pociągu** <**teatrze**> a seat in a train <in a theatre>); **~ pokój w hotelu** to make reservations in a hotel

rezerwow|y *adj* reserve — (fund, ration, supply etc.); stand-by (engine etc.); *sport* **drużyna ~a** second team; scrub(-team)

rezerwuar *sm G.* **~u** reservoir; (storage) tank

rezolucj|a *sf* 1. (*uchwała*) resolution (adopted by an assembly) 2. *med.* resolution (of an inflammation etc.) 3. † (*decyzja*) decision; *obecnie w zwrocie*: **powziąć ~ę** to decide; to resolve

rezolutnie *adv* resolutely; with determination <gameness>; gamely

rezolutność *sf singt* resoluteness; determination; gameness

rezolutny *adj* resolute; determined; game; **człowiek ~** man of decision

rezon *sm G.* **~u** resoluteness; determination; self-assurance

rezonacyjny *adj* = **rezonansowy**

rezonans *sm G.* **~u** *fiz.* resonance; **krzywa ~u** resonance curve; *jęz.* **~ nosowy** nasal resonance

rezonansow|y *adj* resonance — (cavity, potential etc.); **płyta ~a** sounding board (of a piano); *muz.* **pudło ~e** resonance box <swell-box> (of a violin etc.)

rezonator *sm fiz. muz. jęz.* resonator

rezoner *sm* 1. (*człowiek lubiący rezonować*) reasoner; arguer 2. *teatr* mentor

rezonerski *adj* reasoning; arguing

rezonerstwo *sn singt* reasoning; arguing

rezonować[1] *vi imperf* (*rozprawiać*) to reason; to argue

rezonować[2] *vi imperf fiz. muz.* to resound; to vibrate

rezorcyna *sf chem. farm.* resorcin(ol)

rezorcynowy *adj* resorcin — (monoacetate etc.)

rezulta|t *sm G.* **~tu** *L.* **~cie** result; effect; outcome; upshot; event; **dać dobre ~ty** to yield good results; **dać w ~cie korzyści** <**zmartwienia itd.**> to result in profit <trouble etc.>; **nie dać żadnych ~tów** to come to naught; **to nie da żadnych ~tów** it will lead to nothing; **bez ~tu** without result; to no avail; unsuccessfully; **w ~cie** finally; eventually; **w ~cie musiałem ...** the upshot was that I had to ...

rezurekcja *sf kośc.* Easter-Sunday morning service

rezurekcyjn|y *adj* Resurrection — (bells etc.); **procesja ~a** Easter-Sunday morning procession

rezus *sm zool.* (*Macaca rhesus*) rhesus

rezydencj|a *sf* 1. (*reprezentacyjna siedziba*) residence 2. (*miejsce stałego pobytu*) residence; dwelling-place; **mieć swą ~ę w mieście** <**na wsi**> to reside in town <in the country> 3. *kośc.* (*obowiązkowe przebywanie*) residence

rezydencjonalny *adj* residential

rezyden|t *sm L.* **~cie** *pl N.* **~ci** *hist.* resident; **siedziba ~ta** residency

rezydować *vi imperf* to live; to dwell; to reside

rezydualny *adj geol.* residual

rezygnacj|a *sf singt* 1. (*zrzeczenie się*) resignation; relinquishment; renouncement; surrender; demission; **wnieść ~ę** to tender one's resignation; to resign (**ze stanowiska itd.** one's post etc.) 2. (*pogodzenie się*) resignation; **z ~ą** resignedly

rezygnować *vi imperf* 1. (*zrzekać się*) to resign (**z czegoś** sth); to give up <to abandon, to waive, to relinquish> (**z pretensji itd.** a claim etc.); to quit <to renounce, to surrender, to vacate> (**ze stanowiska itd.** one's post etc.) 2. (*dać za wygraną*) to give up (trying etc.); to back out (of a contest etc.); to throw up the sponge

rezygnowanie *sn* (↑ **rezygnować**) relinquishment <renouncement, surrender> (**z czegoś** of sth)

reżim <**reżym**> *sm G.* **~u** 1. (*system rządów*) (political) system; mode of government; régime 2. (*tryb postępowania, rygor*) discipline; rigour; strictness

reżimow|iec <**reżymow|iec**> *sm G.* **~ca** adherent of the (governing) system <régime>

reżimowy <**reżymowy**> *adj* adhering to the (governing) system <to the régime>

reżimów|ka <**reżymów|ka**> *sf pl G.* **~ek** 1. (*zwolenniczka reżimu*) (woman, girl) adherent of the (governing) system <of the régime> 2. (*pismo*) organ of the governing system <régime>

reżyser *sm* 1. *teatr* stage manager; director; *kino* director 2. *przen.* (*inspirator*) arranger

reżyseri|a *sf singt GDL.* **~i** (*ogół czynności reżysera*) staging <direction, (stage-)setting, get-up> (of a play); direction (of a film)

reżyser|ka *sf pl G.* **~ek** 1. = **reżyser** 1. 2. *pot.* = **reżyseria**

reżyserować *vt imperf* to stage <to direct, to get up> (a play); to direct (a film)

reżyserowanie *sn* (↑ **reżyserować**) stage management; staging (of a play); direction (of a film)

reżyserski *adj* stage manager's (duties etc.); stage-managing (talent etc.); director's (work etc.)

reżysersko *adv* in respect of <as regards> stage management <direction>

rębacz *sm pl G.* **~y** <**~ów**> *górn.* hewer; getter; cutter; picksman

rębak *sm*, **rębar|ka** *sf pl G.* **~ek** *techn.* chopper; wood splitting machine

rębnia *sf singt leśn.* thinning <clearing> (of a forest); (forest) cutting; system of rotation

rębnoś|ć *sf singt* timber cutting; **kolej ~ci** rotation

ręcznie *adv* by hand; manually; **przesuwać meble** <**towar**> **~** to manhandle furniture <goods>; **~ robiony** handmade; **~ szyty** hand-sewn; **~ tkany** homespun

ręcznik *sm* towel; wiper

ręcznikow|y *adj* towel __ (rack etc.); **tkanina ~a** towelling

ręczn|y *adj* manual (work etc.); *sport* **piłka ~a** handball; **pismo ~e** longhand; **robótki ~e** needlework; **wózek ~y** push-cart; **zegarek ~y** wrist watch

ręczyciel *sm prawn.* guarantor; surety

ręczycielstwo *sn singt prawn.* guaranty

ręcz|yć *vi imperf* (*gwarantować*) to warrant <to vouch> (**za kogoś** for sb; **za prawdziwość czegoś** for the truth of sth); (*dawać poręką*) to stand guarantee <surety, security>; to go bail (**za kogoś** for sb); to answer (**za kogoś** for sb); **~yć honorem** <**słowem honoru**> to pledge one's honour <one's word>; **nie ~ę za siebie** I won't be responsible for what I may do; **~ę (ci, wam)** I'll be bound; I assure you; mark my word(s); you can bet your life

rędzina *sf roln.* fertile soil

ręka *sf L.* **ręce** <**ręku**> *pl NA.* **ręce** *G.* **rąk** *I.* **rękami** <**rękoma**> 1. *anat.* (*dłoń*) hand; *przen.* **silna ręka** a heavy hand; a strong grip; *muz.* **utwór na cztery ręce** four-handed composition; **bronić się rękami i nogami przed czymś** to resist sth with might and main; to recoil from sth; **być w czyichś rękach** a) (*o człowieku*) to be in sb's power <at sb's mercy> b) (*o sprawie*) to be in sb's hands c) (*zależeć od kogoś*) to lie with sb; **być w dobrych rękach** to be in good hands; **dać komuś wolną rękę** to give sb full liberty (to do sth); to leave sb to himself; **dać sobie rękę uciąć za kogoś** to stand by sb through thick and thin; **dam sobie rękę uciąć, że ...** I'll bet you anything you like that ...; **iść z rąk do rąk** a) (*być podawanym*) to pass round b) (*zmieniać właścicieli*) to change hands; **leźć komuś w ręce** to put oneself in sb's hands; **machnąć ręką na coś** a) (*zrezygnować z czegoś*) to give sth up b) (*przestać zwracać uwagę*) to stop worrying <bothering> about sth; **machnąć ręką na wszystko** to let things slide <go hang>; **maczać ręce w czymś** to have a hand in sth; **mieć fach w ręku** to be able to earn one's living <to support oneself>; **mieć lekką rękę** a) (*z łatwością coś robić*) to be clever at (doing) sth b) (*lekko wydawać pieniądze*) to be open-handed; **mieć pełne ręce roboty** to have one's hands full; **mieć związane ręce** to have one's hands tied; **nie wypuścić czegoś z rąk** to keep (tight) hold of sth; **oddać coś komuś do rąk własnych** to deliver sth personally; (*o kobiecie*) **oddać komuś rękę** to give one's hand to sb; **on ma gliniane ręce** his fingers are all thumbs; **patrzeć komuś na ręce** to keep an eye on sb; **podać komuś rękę** a) (*uścisnąć dłoń*) to shake hands with sb; to shake sb's hand b) (*pomóc*) to hold out a hand to sb; to lend sb a (helping) hand; **podać rękę pani wsiadającej do** <**wysiadającej z**> **samochodu** to hand a lady into <out of> a car; **podawać coś z rąk do rąk** to pass <to hand> sth round; **podnieść rękę na kogoś** to lift one's hand against sb; **położyć rękę na czymś** to lay hands on sth; **przyłożyć rękę do czegoś** to put one's hand to sth; **starać się o rękę kobiety** to sue for a woman's hand; **te rzeczy przechodzą przez jego ręce** he deals with those things; (*od ciebie zależy*) **to jest w twoich rękach** it lies with you; **trzymać coś (mocno) w rękach** a) *dosł.* to keep (tight) hold of sth b) *przen.* (*mówiąc o przedsięwzięciu, sytuacji*) to have sth well in hand; **trzymać kogoś w rękach** to have a hold over sb; to have sb in the hollow of one's hand; **wpaść komuś w ręce** to fall into sb's hands; **wyciągnąć do kogoś rękę na zgodę** to hold out the olive-branch to sb; **wymknąć się komuś z rąk** to slip out of sb's hand(s); **wziąć gazetę, książkę, pióro do ręki** to have a look at the paper, to do some reading, to sit down and write; **wziąć się za ręce** to join <to link> hands; **zacierać ręce** to rub one's hands (with satisfaction); **zdobyć coś z bronią w ręku** to obtain sth by force of arms; **załamywać ręce** to wring one's hands in despair; **żyć z pracy rąk** to earn a living; **hojną ręką** lavishly; unstintingly; **jak ręką odjął** as if by enchantment; **lekką ręką** a) (*bez trudu*) easily; **zrobić coś lekką ręką** to think nothing of doing sth; to take sth in one's stride b) (*lekkomyślnie*) light-heartedly; **z gołymi rękami** empty-handed; **z ręką na sercu** frankly; openly; **ręce do góry!** hands up!; **ręce precz od ...!** hands off ...!; **ręce przy sobie!** hands off!; **ręka boska broni!** on no account <consideration>!; God forbid!; *przysł.* **ręka rękę myje** you roll my log and I'll roll yours; *pot.* **ręka noga (mózg na ścianie)!** watch out or there'll be murder! 2. *w wyrażeniach przyimkowych:* a) **do; dojść do czyichś rąk** to reach sb; to be delivered <handed> to sb; **oddać coś komuś do rąk** to deliver sth to sb personally <in person> b) **na; być komuś na rękę** to be convenient to sb; to suit sb <sb's purpose>; **to by mi było na rękę** that would suit me; that would come in handy; **to mi jest nie na rękę** this is inconvenient <rather awkward>; *karc.* **być na ręku** to play from the hand; **dostać *x* złotych na rękę** to get <to receive> *x* zlotys net <in cash>; **iść komuś na rękę** to oblige sb; to be accommodating with sb; **posłać podanie <list> na czyjeś ręce** to send an application <a letter> to sb's address; **zrobić coś na własną rękę** to do sth on one's own hook <on one's own account>; to go it alone; to do sth single-handed c) **od; załatwić coś od ręki** to settle sth off-hand d) **pod; pod ręką** (near) at hand; within reach; **znajdować się pod ręką** to be handy e) **przez; lecieć przez ręce** to faint; to swoon f) **w; uszyć coś w rękach** to sew sth by hand; (*toast*) **w pana <w twoje> ręce!** here's to you! g) **z; wiadomość z pierwszej ręki** news at first hand; **przedmiot kupiony z drugiej ręki** used <second-hand> object; **kupić coś z drugiej ręki** to buy sth second-hand; *karc.* **grać z ręki** to play from the hand; **sprzedać coś z wolnej ręki** to sell sth privately; **wróżyć z ręki** to tell fortunes by the lines of people's hands; *fot.* **zrobić zdjęcie z ręki** to take a snap h) **za; prowadzić kogoś za rękę** to lead sb by the hand; *przen.* **złapać kogoś za rękę** to catch sb red-handed <in the act> 3. *pot.* (*kończyna górna, ramię*) arm; *sport* **wykop z ręki** drop-kick; flying-kick; **konać na czyichś rękach** to die in sb's arms; **nieść coś na wyciągniętych rękach** to carry sth at arm's length; **nosić kogoś na rękach** to be full of admiration for <to dote on> sb; **ręce opadają** it is disheartening <discouraging>; **rozkładać ręce** to spread one's arms helplessly; **siedzieć <czekać, stać> z założonymi rękami** to stand idly by; **wyciągnąć rękę po coś** to reach out for sth; **bez ręki** armless; **pod rękę** arm-in-arm; **wziąć kogoś pod rękę** to link one's arm through sb's; (*o grupie osób*) **wziąć się pod ręce** to link arms 4. (*zw. pl*) *przen.* (*pracownik*) hands; labour; **brak rąk do pracy** shortage of labour; *w napisie:* **„poszukuje się rąk do pracy"** „hands wanted"; **potrzebujemy rąk do pracy** we are short-handed 5. *przen.* (*działalność wybitnego fachowca*) (light etc.) touch; **ręka mistrza** the touch of a master

rękaw *sm* 1. (*część ubrania*) sleeve; **trzyćwierciowy ~** three-quarter sleeve; *lotn.* **~ lotniczy** wind-sleeve; wind-sock; **sypać się jak z ~a** to come in an endless flow; **zakasać ~y** a) *dosł.* to turn up <to roll up> one's sleeves b) *przen.* (*zabrać się pilnie do pracy*) to put one's shoulder to the wheel; **bez ~ów** sleeveless (jacket etc.) 2. *techn.* conveyor

rękaw|ek *sm G.* **~ka** 1. (*krótki rękaw*) short sleeve 2. (*ochraniacz na rękaw*) sleeve-protector

rękawic|a *sf* glove; (*z jednym palcem*) mitt(en); *hist.* gauntlet; *sport* **~a bokserska** boxing-glove; **podnieść <podjąć> ~ę** a) (*przyjąć wyzwanie na pojedynek*) to pick up the gauntlet <the gage, the glove> b) *przen.* to accept the challenge; **rzucić ~ę** a) (*wyzwać na pojedynek*) to throw down the gauntlet <the gage, the glove> b) *przen.* to challenge (**komuś** sb)

rękawicz|ka *sf pl G.* **~ek** glove; **~ki futrzane** fur-lined gloves; **wdziewać <zdejmować> ~ki** to draw on, to pull on <to take off> one's gloves; **w ~kach** gloved; wearing gloves; *przen.* **załatwić coś w ~kach** to handle sth in velvet gloves

rękawiczkowy *adj* glove __ (manufacture etc.)

rękawicznictwo *sn singt* glove manufacture

rękawiczniczy *adj* glove-manufacturing __ (establishment etc.)

rękawicznik *sm* glover

rękoczyn *sm G.* **~u** blow; *pl* **~y** fisticuffs; **doszło (między nimi) do ~ów** it came to blows; they resorted to fisticuffs

rękodzielnictwo *sn singt* handicraft; craft; *zbior.* the crafts

rękodzielniczy *adj* manufacturing; craftsman's (workshop etc.)

rękodzielnik *sm* handicraftsman; craftsman; manufacturer

rękodzie|ło *sn L.* **~le** (*rzemiosło*) handicraft, craft; *zbior.* the crafts

rękojeść *sf* handle; handgrip; (*szabli*) hilt; (*noża, narzędzia*) helve

rękojmi|a *sf pl G.* **~** 1. *lit.* (*gwarancja*) guarantee; pledge; gage 2. *prawn.* warranty

rękopis *sm G.* **~u** (a) manuscript; script; MS.

rękopiśmienny *adj* manuscript; hand-written; manuscriptal

rękoskrzydł|y *zool.* [I] *adj* chiropterous [II] *spl* **~e** (*także* **zwierzęta ~e**) (*Chiroptera*) (*rząd*) the bats

riasy *spl geogr.* rias

riksza *sf* ricksha(w), jinricksha

ring *sm G.* **~u** *sport* (prize) ring; the ropes

ringowy *adj* ring __ (fighter etc.)

rioli|t *sm G.* **~tu** *L.* **~cie** *miner.* rhyolite

riolitowy *adj* rhyolitic

ripo|sta *sf DL.* **~ście** 1. (*cięta odpowiedź*) retort; repartee 2. *szerm.* riposte; return; counter

risot|to [riz-] *sn singt L.* **~cie** *kulin.* risotto

riszta *sf zool.* (*Dracunculus medinensis*) guinea worm

riusza *sf*, **riusz|ka** *sf pl G.* **~ek** ruche

robactw|o *sn singt* vermin; bugs; insects; **rojący się od ~a** verminous

robacz|ek *sm G.* **~ka** 1. (*drobne zwierzę*) vermicule; insect; **~ek świętojański** (*Lampyris nocticula*)

glow-worm; fire-fly 2. *przen. pieszcz.* (*o dziecku*) little dear 3. *iron. w wołaczu* (*o osobie dorosłej*) poor dear
robaczkowaty *adj* vermiform
robaczkowy *adj* vermicular; **ruch ~** peristaltic movement; peristalsis; **wyrostek ~** vermiform appendix <process>
robaczy *adj* verminous
robaczyca *sf* 1. *singt. wet. med.* verminous disease; helminthiasis 2. *zool.* (*Ammocoetes*) lamprey egg
robaczywie|ć *vi imperf* **~je** to verminate
robaczywienie *sn* (↑ **robaczywieć**) vermination
robaczywość *sf singt* vermination
robaczywy *adj* worm-eaten; maggoty; grubby
robak *sm* 1. (*drobne zwierzę*) worm; grub; maggot; beetle; *przen.* **~i go teraz toczą** he is now food for worms; *pot.* **mieć ~i** to have worms; 2. *przen.* (*zmartwienie*) care; worry; anxiety; *pot.* **zalewać ~a** to drown one's cares 3. *pl* **~i** *zool.* (*Vermes*) worms
robakowaty *adj* wormlike; vermicular; vermian
rob|er *sm G.* **~ra** *karc.* rubber; **zagrajmy ~ra** let's have a hand at bridge
roberek *sm dim* ↑ **rober**
robi|ć *v imperf* **rób** [I] *vt* 1. (*wytwarzać*) to make (various objects, shoes, clothes, furniture, carpets etc.); **~ć alarm** to raise the alarm; **~ć błędy <awantury, dygresje, majątek>** to make mistakes <rows, digressions, a fortune>; **~ć cuda** to do wonders; **~ć długi** to incur debts; **~ć drewno <drzewo> na mahoń, na dąb** to stain wood mahogany, to simulate oak; **~ć fochy** to be fussy; **~ć głupstwa** to be silly; **~ć grymasy** to pull faces; **~ć honory domu** to do the honours of one's house; **~ć kawały** to play jokes <tricks> (**komuś** on sb); **~ć kogoś szefem <laureatem, profesorem itd.>** to make sb chief <(a) laureate, professor etc.>; **~ć komuś nadzieję** to raise sb's hopes (of sth); to dangle prospects before sb's eyes; **~ć koniec z czymś** to make an end of <to put an end to> sth; to stop sth; **~ć konkurencję komuś** to compete with sb; *przen.* to take away sb's trade; to cut the grass under sb's feet; **~ć krok <spacer, notatki, zdjęcie>** to take a step <a walk, notes, a photograph>; **~ć krzywdę komuś** to wrong sb; to be unfair to sb; **~ć miejsce komuś** to make room for sb; **~ć oczy do kogoś** to ogle sb; **~ć opatrunek komuś** to dress sb's wound(s); **~ć oszczędności** to lay <to put> money by; to save up; **~ć panikę** to create a panic; **~ć prześwietlenie komuś** to X-ray sb; **~ć sobie twarz** to make oneself up; **~ć tłum <ścisk>** to create a diversion; **~ć tragedię z czegoś** to make a drama of sth; **~ć trudności** to raise difficulties; **~ć ulepszenia w czymś** to improve sth; **~ć użytek z czegoś** a) (*użytkować coś*) to take advantage of sth b) (*wyciągnąć przykre dla kogoś konsekwencje*) to use sth against sb; **~ć wrażenie** to impress; to be impressive; **~ć wstyd komuś** to bring shame on sb; **~ć *x* km** to do <to drive at> *x* kilometers (an hour); **~ć zamianę czegoś na coś** to exchange sth for sth; **~ć zarzuty komuś z powodu czegoś** to reproach <to upbraid> sb with sth; **~ć zbiegowisko** to crowd together; **~ć z kogoś bohatera <wroga, głupca, pośmiewisko>** to make a hero <a fool, a laughing stock> of sb; **~ć z kogoś uczciwego człowieka** to present sb as an honest man; **~ć z siebie artystę <niewiniątko>** to play the artist <the innocent>; **~ć z siebie ofiarę <widowisko>** to make a victim <a spectacle> of oneself; *przen.* **~ć wielkie oczy** to open one's eyes wide 2. (*postępować, czynić*) to act; to do; **dalej coś ~ć** a) (*po przerwie*) to resume sth b) (*w dalszym ciągu*) to continue to do <doing> sth; to go on doing sth; **nic nie ~ć** to do nothing; to laze; to idle; **nic nie ~ć całymi dniami** to waste one's time; to hang about <*am.* around>; **nic sobie nie ~ć z czegoś** not to mind sth; **nic sobie nie rób z tego** never mind that; don't take it to heart; **niewiele sobie ~ć z czegoś** to think little <nothing> of sth; **on niewiele sobie ~ z takiego wysiłku <z wydania 1000 zł>** he thinks little <nothing> of such an effort <of spending 1000 zlotys>; **nie mam tu co ~ć** I am out of place <quite superfluous> here; **nie masz tu co ~ć** this is no place for you; **nie wiadomo, co ~ć w takim wypadku** one is at a loss what to do <how to act> in such a case; **nie wiedziałem, co z sobą ~ć** I was <felt> greatly embarrassed; **on nie wie, co ~ć z pieniędzmi** he has money to spare; **on nie wie, co z czasem ~ć** time hangs heavy on his hands; **~ć wszystko, aby ...** to do all in one's power in order to ...; **co ~ć?** a) (*z zakłopotaniem*) what can one do?; what shall I <we> do? b) (*z rezygnacją*) worse luck! [II] *vi* 1. (*czynić, postępować*) to act (**dobrze** rightly); **~ć komuś na złość** to annoy <to spite> sb; **~ć źle** to do wrong 2. (*skutkować*) to help; (*o środku leczniczym itd.*) **~ć komuś dobrze** to do sb good 3. (*pracować*) to work; to ply (**wiosłami itd.** the oars etc.); **~ć na drutach** to knit 4. *wulg.* (*wypróżniać się*) to dirty (**pod siebie** oneself; **w majtki** one's drawers) ‖ **~ć bokami** a) (*o zwierzęciu*) to pant b) *przen.* (*o człowieku*) to be in straits [III] *vr* **~ć się** 1. (*stroić się*) to deck oneself out; to smarten oneself up 2. (*stawać się*) to grow (big, pretty, warm, cold etc.); to turn (red, green, pale etc.); to become (famous, indifferent, dangerous etc.); (*nieosobowo*) to get (late, cold, hot etc.); **~ć się demokratą <republikaninem itd.>** to turn democrat <republican etc.>; **niedobrze się ~ od tego** it turns one's stomach; **~ mi się mdło <niedobrze, słabo>** I feel faint; **~ mi się ciemno w oczach** I feel dizzy; I see things as if in a haze; everything goes black in front of my eyes; **~ się ciemno** it gets dark; **~ się cisza na sali <w przyrodzie>** the room <nature> becomes silent <stills, hushes>; **~ się dzień** it dawns; day breaks; **~ się noc** night falls; **~ się go <jej itd.> żal** one feels sorry for him <her etc.>; **~ się zimno <gorąco>** it gets cold <hot>; *impers pot.* **~ się!** coming! ‖ **tego się nie ~** it isn't done
robigrosz *sm pl G.* **~y <~ów>** *pog.* money-grubber
robini|a *sf GDL.* **~i** *pl G.* **~i** *bot.* (*Robinia pseudoacacia*) common <black> locust; robinia
robinsona|da *sf DL.* **~dzie** *sport* flying save
robiony [I] *pp* ↑ **robić** [II] *adj* (*sztuczny*) affected; sham
robociarsk|i *adj* workmen's; **po ~u** like a workman
robociarz *sm pl G.* **~y <~ów>** workman; mechanic
roboci|zna *sf DL.* **~źnie** 1. (*praca*) labour 2. (*koszt pracy*) cost of labour
roboczodniów|ka *sf pl G.* **~ek** *pot.* working day
roboczogodzina *sf pot.* man-hour

robocz|y *adj* working (gang, clothes, wages etc.); **karta ~a** labour card; **kombinezon ~y** overalls; **narada ~a** business meeting; **siła ~a** labour; manpower; **ubranie ~e** working <workaday, everyday, workday> clothes

robot *sm* robot

rob|ota *sf pl G.* **~ót** 1. (*praca*) work; labour; **ciężkie ~oty** hard labour; penal servitude; **~ota krawiecka** tailoring; **~ota podziemna** <**spiskowa**> underground activities; **~oty górnicze** mining (work); **~oty przymusowe** forced labour; **~oty publiczne** public works; **~oty rolne** <**wiejskie**> farmwork; **~oty ziemne** earthwork; excavations; digging; **być przy ~ocie** to be at work <working>; **mieć coś do ~oty** to have sth to do; **nie mieć nic do ~oty** to have nothing to do; to be at a loose end; **zabrać się do ~oty** to set to work; to start working; (*w trakcie wykonywania*) **w ~ocie** in hand 2. (*wyrób*) workmanship; handiwork; **piękna ~ota** a fine piece of work 3. (*rezultat pracy*) handiwork; *przen.* **czyja to ~ota?** whose handiwork <whose doing> is this? 4. *singt pot.* (*posada*) job; work; **stracić ~otę** to lose one's job; **bez ~oty** out of work <of a job>; **wyrzucony z ~oty** fired; sacked 5. *szk. pl* **~oty** (*także* **~oty ręczne**) (*chłopców*) manual work; (*dziewcząt*) needlework

robotnica *sf* 1. (*kobieta*) workwoman; operative; (*w przemyśle*) factory hand <girl>; (*na roli*) farm-hand 2. (*mrówka*) worker ant; (*pszczoła*) worker bee

robotnicz|y *adj* workmen's (dwellings, train etc.); working (classes etc.); labour — (union, unrest, settlement etc.); workers' (party, control etc.); **działki ~e** workers' allotments

robotni|k *sm* workman; worker; operative; mechanic; (*w przemyśle*) factory hand; (*na roli*) farm-hand; *pl* **~cy** workpeople; **~k niewykwalifikowany** navvy

robotność *sf singt rz. pot.* industry; laboriousness

robotny *adj pot.* hard-working; industrious; laborious

robótka *sf dim* ↑ **robota** 1. *iron.* (*działanie, praca*) piece of work; job; task 2. † (*wyszywanie itd.*) needlework; fancy-work

roburyt *sm G.* **~u** *chem.* roburite

rocz|ek *sm G.* **~ku** *dim* ↑ **rok; dziecko ma zaledwie ~ek** the baby is barely one year <twelve months> old

roczniak *sm* (*zwierzę*) yearling; (a) year-old; (*jeleń*) pricket

rocznica *sf* anniversary; **setna ~** centenary; **dwusetna ~** bicentenary

rocznicowy *adj* anniversary — (celebrations, festival etc.)

rocznie *adv* (*x* times etc.) a year; yearly; annually; ***x* złotych ~** *x* zlotys a year <per annum>

rocznik *sm* 1. (*zbiór numerów pisma*) annual set <file> (of the numbers of a publication) 2. (*wydawnictwo*) (a) yearly (publication); **~ statystyczny** year-book 3. *pl* **~i** (*annały*) annals 4. (*ludzie urodzeni w jednym roku*) age-group; *wojsk.* class; (*spis oficerów*) yearly army-list; **~ 1960** the 1960 class 5. (*wino ze zbioru danego roku*) vintage

rocznikarsk|i *adj* annalistic; **po ~u** in annalistic style

rocznikarstwo *sn singt* the writing <compiling> of annals; chronicling

rocznikarz *sm* annalist; chronicler

roczn|y *adj* 1. (*trwający rok*) one year's (duration, service, furlough etc.) 2. (*powtarzający się co roku, uzyskiwany w roku*) yearly; annual; *astr.* **aberracja ~a** annual aberration; **~y ruch Ziemi** yearly revolution of the earth; *bot.* **roślina ~a** (an) annual 3. (*mający jeden rok*) year-old (child, animal, plant)

rod *sm singt G.* **~u** *chem.* rhodium

rodaczka *sf* (a person's) countrywoman <compatriot>; **to moja ~** she is a countrywoman <compatriot> of mine

rodak *sm* (*współziomek*) (a person's) countryman <compatriot, fellow-citizen>; (a) national

rodał *sm G.* **~u** Pentateuch roll

rodamina *sf chem.* rhodamin

rodan|ek *sm G.* **~ku** (*zw.pl*) *chem.* rhodanic acid

rodanina *sf chem.* rhodanine

rodni|a *sf pl G.* **~** *bot.* archegonium

rodnik *sm chem.* (a) radical

rodnikowy *adj bot.* archegoniate

rodniow|iec *sm G.* **~ca** *bot.* (an) archegoniate; *pl* **~ce** (*Archegoniatae*) the Archegoniatae

rodn|y *adj* 1. † (*płodny*) fertile; generative 2. *anat.* genital; **części ~e** genitals; genitalia; the reproductive organs; **narząd ~y** generative organ

rododendron *sm G.* **~u** *bot.* (*Rhododendron*) rhododendron

rododendronowy *adj* rhododendron — (flower, shrub etc.)

rodonit *sm G.* **~u** *miner.* rhodonite

rodopsyna *sf med.* rhodopsin

rodowitość *sf singt* (*rdzenność*) native character; autochthony

rodowity *adj* 1. (*rdzenny*) native; autochthonous; aboriginal; indigenous; **~ Polak** <**krakowianin**> native of Poland <of Cracow> 2. (*rodzimy*) native (land etc.); **~ język** mother tongue

rodowodowy *adj* genealogical

rodow|ód *sm G.* **~odu** 1. (*początek*) origin 2. (*genealogia*) genealogy; pedigree; descent; lineage; filiation; (*psa, konia itd.*) pedigree; **koń** <**pies**> **z ~odem** pedigree(d) horse <dog>; **księga ~odu** herd-book

rodow|y *adj* ancestral (estate etc.); *biol.* generic (name etc.); **nazwisko ~e, przydomek ~y** patronymic; **pieczęć ~a** family seal; family coat of arms; **szlachta ~a** nobility

rodozmian *sm G.* **~u** *biol.* alternation of generations; metagenesis

rodyjski *adj hist.* Rhodian; **kolos** <**posąg**> **~** the Colossus of Rhodes

rodzaj *sm G.* **~u** 1. (*gatunek, odmiana*) kind; sort; type; **coś w ~u róży** <**parasola itd.**> something like a rose <an umbrella etc.>; **coś w tym ~u** something of the <this> kind; something of that nature; **ludzie tego ~u** people of that sort <of that description, of that type>; **pewnego ~u artysta** <**jasnowidz itd.**> a kind of artist <seer etc.>; something <somewhat> of an artist <seer etc.>; **~ herbaty** <**placka, muzyki itd.**> a sort of tea <cake, music etc.>; *iron.* tea <cake, music etc.> of sorts <of a kind>; **~ ludzki** mankind; the human race; **wszelkiego ~u ludzie** <**artykuły itd.**> people

<articles etc.> of all kinds, sorts <of every description>; all kinds <sorts> of people <articles etc.>; **jakiego ~u to jest człowiek?** what sort <kind, manner> of man is he?; **jakiego ~u to jest film <książka>?** what sort <kind> of film <book> is it?; **innego ~u** of a different kind <sort, nature, order>; **jedyny w swoim ~u** unique; peerless; **bez jakiegokolwiek ~u zachęty** with no encouragement in any shape or form; **w swoim ~u** of its kind; in its style 2. *plast. lit.* genre 3. *biol.* genus 4. *jęz.* gender; (*w odniesieniu do czasowników*) aspect

rodzajnik *sm jęz.* (**określony** definite; **nieokreślony** indefinite) article

rodzajny *adj* 1. *roln. lit.* (*żyzny*) fertile 2. *biol.* generative

rodzajowo *adv* 1. (*w naukach przyrodniczych*) in respect of genus; generically 2. *gram.* in respect of gender 3. *plast.* in respect of genre

rodzajowość *sf singt* genre

rodzajowy *adj* 1. (*w naukach przyrodniczych*) generic 2. *gram.* indicating gender 3. *plast.* genre — (painter etc.); **obraz ~** genre <scenic, conversation, subject> piece

rodząc|y [I] *adj* 1. (*o drzewie, krzewie*) bearing; **dobrze <obficie> ~e drzewo** good bearer 2. (*o glebie i przen.*) fertile; generative; productive; *mat.* **linia ~a** generator, generatrix 3. **~y się** *dosł. i przen.* nascent; (*powstający*) incipient [II] *sf* **~a** woman in labour; parturient woman

rodzenie *sn* 1. ↑ **rodzić** 2. (*wydawanie na świat potomstwa*) child-bearing; generation (of offspring); procreation 3. (*wydawanie owoców*) bearing (of fruits) 4. (*wywoływanie*) generation; production; origination 5. **~ się** (*ludzi, zwierząt*) birth; (*roślin*) growth 6. **~ się** (*powstawanie*) origination; formation

rodzeństwo *sn* brother(s) and sister(s); siblings; **przyrodnie ~** stepbrother(s) and stepsister(s); **cioteczne <stryjeczne> ~** cousins german

rodzic *sm żart.* father; begetter

rodzice *spl* parents; *pot.* father and mother; *dziec.* dad and mum

rodziciel *sm* = **rodzic**

rodziciel|ka *sf pl G.* **~ek** mother

rodzicielsk|i *adj* parental; parents' (committee etc.); **dom ~i** home; **po ~u** in a fatherly <motherly> manner

rodzicielstwo *sn singt lit.* parenthood

rodz|ić *v imperf* **~ę** [I] *vt* 1. (*wydawać na świat potomstwo*) (*o ludziach*) to give birth (**dziecko** to a child); to be delivered (**dziecko** of a child); to bear (children); to beget; to generate; to procreate; (*o zwierzętach*) to breed; to bring forth (young); to give birth (**młode** to young); to throw (young); **niedługo będzie ~ić** she is near her time <far in her time> 2. (*o ziemi, roślinach*) to bear; to yield; to produce 3. (*wywoływać*) to generate; to produce; to bear (enmity etc.); to give rise (**pewne uczucia itd.** to certain feelings etc.); to be productive (**coś** of sth) [II] *vr* **~ić się** 1. (*o ludziach*) to be born; to come into the world; (*o zwierzętach*) to breed; to be born; *przen.* **~ić się na kamieniu** to abound; to be abundant; **w czepku się ~ić** to be born with a silver spoon in one's mouth 2. (*o roślinach — wyrastać*) to grow; to begin to grow; to spring up 3. (*powstawać*) to originate (*vi*); to arise; to spring up

rodzimość *sf singt* native character (of a composition etc.)

rodzim|y *adj* 1. (*ojczysty*) native (soil etc.); home (industries etc.); indigenous <genuine> (product etc.); natural (gas etc.); **~e strony** homeland 2. *chem. miner.* native; virgin; **stan ~y** free state

rodzin|a *sf* 1. (*krewni*) family; next of kin; near relations; one's flesh and blood; **moja ~a** my family <people, folks>; **z jednej ~y** related 2. (*ród*) family; stock; **~a panująca** house; dynasty 3. *bot. zool. jęz. chem. muz.* family

rodzinka *sf żart. iron.* (one's) folks; one's flesh and blood

rodzinnie *adv* in the family (circle)

rodzinn|y *adj* family — (likeness, photo, quarrels etc.); home (circle, life etc.); domestic (life etc.); native (language etc.); *med.* familial (disease); **dodatek ~y** family allowance; **język ~y** mother tongue; **kraj ~y** homeland; motherland; **ognisko ~e** home; *pot.* **człowiek ~y** family man; **to jest ~e** it runs in the blood <in the family>

rodzony *adj* (one's) own (father, brother etc.)

rodzyn|ek *sm G.* **~ka** currant; raisin; (*w upieczonym cieście*) plum; **ciasto z ~kami** plum-cake

rodzynkowy *adj* currant — (wine etc.)

rogacizna *sf singt* (horned) cattle

rogacz *sm* 1. (*jeleń*) deer; stag 2. *przen. pog. żart.* (*zdradzony mąż*) deceived husband; cuckold

rogal *sm* 1. *kulin.* crescent roll <bun> 2. (*samiec zwierząt racicowych*) deer; stag 3. = **rogacz** 2. 4. (*wydma*) crescent-shaped dune

rogalik *sm dim* ↑ **rogal** 1.

rogalka *sf gw.* twirl

rogat|ek *sm G.* **~ka** *bot.* (*Ceratophyllum*) hornwort

rogatka *sf* toll-bar, toll-gate; turnpike

rogatkowat|y *bot.* [I] *adj* ceratophyllaceous [II] *spl* **~e** (*Ceratophyllaceae*) (*rodzina*) the hornwort family

rogatkow|y [I] *adj* toll- (bar etc.) [II] *sn* **~e** toll

rogato *adv* in crescent shape

rogaty *adj* 1. (*mający rogi*) horned; **diabeł ~** the devil himself 2. *przen.* (*o zdradzonym mężu*) deceived (husband) 3. *przen.* (*hardy*) haughty; bumptious; (*krnąbrny*) refractory; stubborn; unbending; fractious 4. (*o nakryciu głowy*) horned (head-dress) 5. (*o księżycu*) crescent-shaped

rogatyw|ka *sf pl G.* **~ek** four-cornered cap

rogowacenie *sn* ↑ **rogowacieć**

rogowacie|ć *vi imperf* **~je** to become <to grow> horny <corneous>

rogować *vt imperf myśl.* to gore

rogowatość *sf* callosity

rogowaty *adj* horny; corneous; keratose

rogowcowy *adj* 1. *med.* callous 2. *miner.* cherty 3. *zool.* molluscan

rogow|iec *sm G.* **~ca** 1. *med.* callosity; callus 2. *miner.* chert; hornstone 3. *zool.* (*Macoma baltica*) a mollusc

rogownica *sf bot.* (*Cerastium*) mouse-ear chickweed

rogow|y *adj* 1. (*utworzony z substancji białkowej*) horny (substance, layer etc.) 2. (*zrobiony z rogu*) horn — (spoon, ring, rim etc.); **okulary w ~ej**

oprawie horn-rimmed spectacles || *miner.* **srebro ~e** horn silver; cerargyrite

rogoz|ąb *sm G.* **~ęba** *zool.* (*Neoceratodus forsteri*) a dipnoan fish

rogozina *sf* = **rogożyna**

rogoż|a *sf pl G.* **~ów** 1. (*mata*) doormat 2. *bot.* (*Typha*) reed-mace; cat's-tail

rogożowat|y *bot.* [I] *adj* typhaceous [II] *spl* **~e** (*Typhaceae*) (*rodzina*) the family Typhaceae

rogożyna *sf singt* reeds

rogożyniarski *adj* mat-plaiting (industry etc.)

rogożyniarstwo *sn singt techn.* mat-plaiting

rogożynowy *adj* reed-plaiting (industry etc.)

rogów|ka *sf pl G.* **~ek** *anat.* cornea; **zapalenie ~ki** keratitis

rogówkowy *adj* corneal

rogóżka *sf* doormat

rohatyna *sf hist.* javelin

rohaty|niec *sm G.* **~ńca** 1. *zool.* (*Oryctes nasicornis*) a scarabeid 2. *pl N.* **~ńcy** *hist.* javelineer

roi|ć *v imperf* **roję** [I] *vi* to dream (**o czymś** of sth); to fancy <to imagine> (**o czymś** sth) [II] *vr* **~ć się** 1. (*o pszczołach — wylatywać gromadnie*) to swarm 2. (*występować gromadnie*) to swarm; to teem; **okolica ~ się od bandytów** the region swarms <teems> with bandits; **ulice roją się od ludzi** the streets swarm <teem> with people; **w domach ~ się od robactwa** the houses swarm <teem, are alive, crawl> with vermin 3. (*snuć się*) to run (**komuś po** <**w**> **głowie** in sb's head); **różne rzeczy roją mu się po głowie** he fancies <imagines> all sorts of things

rojalista *sm* (*decl = sf*), **rojalist|ka** *sf pl G.* **~ek** royalist

rojalistyczny *adj* royalistic

rojalizm *sm singt G.* **~u** royalism

rojeni|e *sn* 1. (↑ **roić**) daydreaming 2. *pl* **~a** (*marzenia*) dreams; **trawić czas na ~ach** to dream away one's time

rojnica *sf med.* ergotism

rojnie *adv* in swarms

rojnik *sm bot.* (*Sempervivum*) houseleek; sengreen

rojno *adv* animatedly; busily; **na ulicach było ~** the streets swarmed <teemed> with people

rojowisko *sn* 1. (*gromada*) swarming crowds; throng 2. (*miejsce*) point of convergence; gathering place

rojowy *adj* swarming (fever etc.); **bodziec ~** swarming impulse

rok *sm G.* **~u** *pl* **lata** (*zob.* **lato** 2., 3.) 1. (*jednostka czasu*) year; (a) twelvemonth; **chude i tłuste lata** lean years and years of plenty; **Nowy Rok** (the) New Year; **okrągły ~** a whole year; **~ budżetowy** <**kalendarzowy, szkolny, uniwersytecki**> financial <calendar, school, academic> year; **mieć** *x* **lat** to be *x* years old; **od ~u jestem ...** I have been ... for a year <for a twelvemonth>; **ile masz lat?** how old are you?; **jak ~ długi** all the year round; **lata temu** years ago; **na przyszły ~, w przyszłym ~u** next year; **od dziś za ~** a year from to-day; this day twelvemonth; **od lat już nie ...** it's years <*pot.* donkey's years> since ...; **od początku ~u do końca** all the year round; **~ w ~** year in year out; **z ~u na ~** from year to year; **zeszłego** <**w zeszłym**> **~u** last year; *gw.* **idzie mu dziesiąty ~** he is in his tenth year 2. *pl* **~i** *hist. sąd.* assizes 3. *hist. sąd.* (*pozew*) summons

rokada *sf wojsk.* strategic highway

rokambuł *sm G.* **~u** *bot.* (*Allium ophioscorodon*) rocambole; sand leek

rokfor *sm G.* **~u** Roquefort (cheese)

rokicina *sf* = **rokita**

rokiet *sm G.* **~u** *bot.* (*Hypnum*) a species of moss

rokieta *sf kośc.* rochet

rokita *sf bot.* (*Salix repens*) a species of willow

rokitnik *sm bot.* (*Hippophaë rhamnoides*) sea-buckthorn

rokoko *sn singt indecl* rococo

rokokowy *adj* rococo — (furniture etc.)

rokosz *sm G.* **~u** *hist.* rebellion; sedition

rokoszan|in *sm pl G.* **~** <**~ów**> *hist.* rebel

rokoszański *adj hist.* rebel — (camp etc.); rebellious

rokoszowy *adj hist.* rebel — (wars etc.); rebellious

rokować *v imperf* [I] *vi* 1. (*pertraktować*) to negotiate (**o pokój itd.** for peace etc.) 2. (*zapowiadać*) to presage <to augur> (ill, well); to be of good <bad> omen [II] *vt* 1. (*spodziewać się*) to promise oneself; to expect; **~ sobie nadzieje czegoś** to cherish hopes of sth 2. (*zapowiadać*) to betoken; to promise; to augur; to presage

rokowa|nie *sn* 1. ↑ **rokować** 2. *pl* **~nia** (*pertraktacje*) negotiations; **~nia pokojowe** peace negotiations; **próby nawiązania ~ń** overtures 3. *med.* prognosis

rokowniczo *adv med.* prognostically

rokrocznie *adv* every year; yearly; year in year out

rokroczny *adj* yearly

roks *sm* (*zw.pl*) rock; **~y migdałowe** almond rock

rol|a¹ *sf pl G.* **ról** (*grunt uprawny*) soil; ploughland; **osiąść na ~i** to settle down in the country

rol|a² *sf pl G.* **ról** 1. (*zwój*) roll; scroll; **~a papieru** paper reel 2. *teatr* part; role; **główna ~a, ~a tytułowa** lead; **słowa ~i** lines; **grać główną ~ę** to star (in a film); **grać ~ę** to play <to do> (**pana, niewiniątka itd.** the lord, the innocent etc.); **miał ~ę doskonale wyuczoną** he was word-perfect; **rozdać** <**rozdzielić**> **~e** to cast the parts (to the actors); **wczuł się** <**nie wczuł się**> **w swoją ~ę** he was in <out of> character; *kino* **w ~ach głównych** starring 3. (*udział czyjś, czegoś w jakichś okolicznościach*) part; **odegrać ważną** <**znikomą**> **~ę** to play an important <an insignificant> part; (*o człowieku*) **odegrać ważną ~ę w historii** to cut a figure in history 4. (*znaczenie czegoś w jakichś okolicznościach*) consequence; weight; **momenty odgrywające ważną ~ę** <**nie odgrywające żadnej ~i**> considerations of great <of no> weight; **odgrywać ~ę** to matter; to be of consequence

rolada *sf kulin.* 1. (*potrawa z mięsa*) collar 2. (*słodkie ciasto*) jam-roll

roleta *sf* roller blind <shade>; *fot.* **~ migawki szczelinowej** shutter blind

rol|ka *sf pl G.* **~ek** 1. (*zwój*) reel; roll 2. *techn.* roll(er); runner; trolley; pulley; (*u mebla*) castor; trundle 3. *żegl.* pulley

rolkowy *adj techn.* roller — (bearings etc.)

rolmops *sm kulin.* collared herring

rolnica *sf* 1. *bot.* (*Sherardia arvensis*) field madder 2. *zool.* (*Agrotis*) a noctuid moth

rolnictwo *sn singt* agriculture; farming; husbandry

rolniczo *adv* in respect of farming; **użytkować ~** to use (land) for farming purposes

rolniczy *adj* agricultural (State, machine, product etc.); farmers' (association etc.); **Wyższa Szkoła Rolnicza** Superior School of Agriculture

rolnik *sm* 1. (*człowiek pracujący na roli*) farmer; husbandman 2. (*specjalista w dziedzinie rolnictwa*) agronomist

roln|y *adj* farm — (produce etc.); farming (implement etc.); agrarian (movement etc.); rural (economy etc.); **bank ~y** land bank; **reforma ~a** land reform; **robotnik ~y** farm-hand

rolować *vt imperf* 1. (*zwijać*) to roll up (paper, a scroll etc.) 2. *lotn.* to taxi 3. *techn.* to roll (steel etc.)

rolownik *sm techn.* roller (in a rolling mill etc.)

romanca *sf* romance

romanista *sm* (*decl = sf*), **romanist|ka** *sf pl G.* **~ek** Romanist

romanistyczny *adj* Romanistic

romanistyka *sf singt uniw.* Romance philology; the French department

romanizacja *sf singt hist.* Romanisation

romanizm *sm singt G.* **~u** Romanism

romanizować *v imperf* [I] *vt* to Romanize [II] *vr* **~ się** to become Romanized

romans *sm G.* **~u** 1. *lit. muz.* romance 2. *pot.* (*miłostka*) love-affair: liaison

romansid|ło *sn pl G.* **~eł** sentimental <mawkish> love-story

romansik *sm G.* **~u** love-affair

romansopisarski *adj* romance-writing — (talent etc.)

romansopisarstwo *sn singt* romance writing

romansopisarz *sm* romance writer

romansować *vi imperf* to carry on a flirtation <flirtations>; to make love (**z kimś** to sb)

romansowanie *sn* (↑ **romansować**) flirtation(s)

romansowo *adv* in a spirit of romance

romansowość *sf singt* spirit of romance

romansowy *adj* 1. (*odnoszący się do powieści*) romance — (literature etc.) 2. (*odnoszący się do miłostki*) love- (affair etc.) 3. (*skłonny do romansowania*) flirtatious (boy, girl); full of romance

romantycz|ka *sf pl G.* **~ek** (a) romantic

romantycznie *adv* romantically; in the romantic style

romantyczność *sf singt* romance; romanticism

romantyczny *adj* romantic; full of romance

romantyk *sm* (a) romantic

romantyka *sf singt* 1. (*kierunek literacki*) romanticism 2. (*cecha*) romance

romantyzm *sm G.* **~u** romanticism

romański *adj* 1. (*związany z kulturą starorzymską*) Roman (civilization etc.); Romance (languages) 2. (*związany ze stylem romańskim*) Romanesque (style, architecture)

romańszczy|zna *sf singt DL.* **~źnie** the romanesque

romb *sm G.* **~u** diamond; rhomb(us); lozenge

romboedr *sm G.* **~u** *geom. miner.* rhombohedron

romboedryczny *adj geom. miner.* rhombohedral

romboid *sm G.* **~u** *geom.* rhomboid

romboidalny *adj geom.* rhomboidal

rombościan *sm G.* **~u** *miner.* rhombohedron

rombościenny *adj* rhombohedral, rhombic

rombowy *adj* rhombic; **układ ~** orthorhombic system

rond|el *sm* 1. *G.* **~la** (*naczynie*) saucepan; pan; **~el pełen mięsa** panful of meat 2. *G.* **~la** <**~ela**> (*budowla*) round bastion; barbican

rondel|ek *sm G.* **~ka** small pan; **~ gliniany** casserole

rond|ko *sn pl G.* **~ek** *dim* ↑ **rondo**[1] 1.

rond|o[1] *sn* 1. (*u kapelusza*) brim; **kapelusz z szerokim ~em** broad-brimmed hat 2. *lit.* (*zwrotka*) rondeau 3. *muz.* rondo

rondo[2] *sn* 1. (*pismo*) round hand; round-hand writing 2. *pot.* (*rondówka*) J (pen)

rondo[3] *sn* (*plac*) roundabout; traffic circle; rond-point; circus

rondowy[1] *adj muz.* rondo — (movement of a sonata etc.)

rondow|y[2] *adj* (*o piśmie*) round-hand (writing); **pióro ~e** J pen

rondów|ka *sf pl G.* **~ek** J pen

ronić *v imperf* [I] *vt* 1. (*upuszczać*) to drop (things); **~ łzy** to shed tears 2. (*tracić*) to shed (leaves, feathers, hair); to cast (horns, antlers); (*o wężach*) to slough (the skin) 3. (*wydzielać*) to emit (a fragrance) [II] *vi* 1. *med.* (*rodzić przedwcześnie*) to abort; to miscarry 2. (*o zwierzętach — tracić pióra, włos*) to moult

rop|a *sf* 1. (*wydzielina z ran, wrzodów*) pus; matter; (*w oczach*) gum 2. *chem.* (*także* **~a naftowa**) (crude) oil; rock-oil; naphtha; petroleum; mineral oil; **opalany ~ą** oil-fired (engine) 3. *kulin.* (*solanka*) pickle; brine

ropiany *adj rz.* oil — (derrick etc.)

ropiasty *adj* purulent

ropie|ć *vi imperf* **~je** to suppurate; to fester; **~jąca rana** festering <running> wound

ropienie *sn* (↑ **ropieć**) suppuration; purulation

rop|ień *sm G.* **~nia** *med.* abscess

ropniak *sm* 1. *med.* empyema 2. *pot.* (*pojazd*) oil-fired engine; Diesel powered car

ropnica *sf med.* py(a)emia

ropny *adj* 1. (*o ranie itd.*) purulent; suppurative; pussy; running 2. (*zawierający ropę naftową*) oil — (derrick, shale, tar etc.) 3. (*napędzany ropą naftową*) oil-fired

ropociąg *sm G.* **~u** 1. *med.* drain 2. *techn.* piping

ropodajny *adj* = **roponośny**

ropomocz *sm singt G.* **~u** *med.* pyuria

roponośny *adj geol.* oil-bearing

ropotok *sm G.* **~u** *med.* pyorrh(o)ea

ropotwórczy *adj med.* pus-forming (germ etc.); pyogenic

ropowica *sf med.* phlegmon

ropowiczy *adj med.* phlegmonic, phlegmonous

ropowy *adj techn.* oil-fired

ropucha *sf zool.* (*Bufo*) toad

ropusz|ka *sf pl G.* **~ek** *zool.* (*Bufo*) a discoglossid

rorat|y *spl G.* **~** *kośc.* early morning mass celebrated in Advent

ros|a *sf* 1. *meteor.* dew; **krople ~y** dew-drops; **o ~ie** at dew-fall; *fiz.* **punkt ~y** dew-point; *bot. roln.* **~a mączna** mildew; **~a miodowa** honey dew 2. (*płyn podobny do rosy*) dew; **czoło pokryte ~ą** dew-bespattered brow

rosarium [roza-] *sn ogr.* rose-garden

rosiczka *sf bot.* (*Drosera*) (common) sundew

rosiczkowat|y *bot.* [I] *adj* droseraceous [II] *spl* **~e** (*Droseraceae*) (*rodzina*) the sundew family

rosić *v imperf* **roszę** [I] *vt* 1. (*pokryć kroplami cieczy*) to bedew; to bespatter; to besprinkle 2. *roln.* to ret <to rate, to rait, to dewret> (flax, hemp) [II] *vi* (*o deszczu*) to drizzle
rosisty *adj lit.* dewy
Rosjanin *sm*, **Rosjanka** *sf* (a) Russian
rosły *adj* tall; stalwart
rosnąć <**róść**> *vi imperf* **rośnie, rósł, rosła** 1. (*wzrastać*) to grow; *przen.* **rosnąć w lata** to age; **rosnąć w oczach** to shoot up; **serce rośnie** the heart swells (with pride) 2. (*chować się*) to grow up; to be bred 3. (*o roślinach*) to grow; to vegetate; **rosnąć jak grzyby po deszczu** to spring up like mushrooms 4. (*zwiększać się*) to increase; to grow; to accumulate; to multiply; **ceny rosną** prices rise <go up> 5. (*podnosić się*) to rise; to spring up 6. (*narastać*) to swell; **rosnąć w bogactwo** <**w potęgę, w sławę**> to acquire wealth <power, renown> 7. (*rozwijać się*) to grow; (*doskonalić się*) to improve 8. (*o cieście*) to rise
rosoch|a *sf* 1. (*pień drzewa*) forked tree-trunk 2. *pl* **~y** (*poroże*) antlers
rosochato *adv* forking <branching> out
rosochaty *adj* forked; bifurcate; branchy; ramifying
rosoł|ek *sm G.* **~ku** *dim* ↑ **rosół 1.**
rosołow|y *adj kulin.* **mięso ~e** boiled meat
rosomak *sm* 1. *zool.* (*Gulo*) glutton; wolverine 2. *pl* **~i** (*futro*) wolverine (fur)
rosomakowy *adj* wolverine — (hat etc.)
rosomierz *sm meteor.* drosometer
ros|ół *sm G.* **~ołu** 1. *kulin.* broth; clear soup; beef-tea; *przen.* **(rozebrany) do ~ołu** in undress 2. (*płyn konserwujący*) pickle
rosów|ka *sf pl G.* **~ek** *zool.* dew-worm
rostbef *sm G.* **~u** 1. (*pieczeń*) roast beef 2. (*mięso z tylnej części wołu*) rump
rostow|y *adj bot.* vegetative; **rozmnożenie ~e** vegetative reproduction
rostra *sf arch.* rostrum
rostralny *adj arch.* rostral (column etc.)
rostrum *sn paleont.* rostrum
rosyjsk|i *adj* Russian
po ~u 1. (*w języku rosyjskim*) in Russian; **mówić po ~u** to speak Russian 2. (*w sposób właściwy Rosjanom*) Russian-fashion; Russian style; after the manner of Russians
z ~a 1. (*z rosyjskim akcentem*) with a Russian accent 2. (*w sposób świadczący o wpływie rosyjskiego języka*) in a manner denoting Russian provenience
rosyjskość *sf singt* Russian character (of a composition etc.)
roszada *sf szach.* castling (the king)
roszarni|a *sf pl G.* **~** *techn.* scutching plant; rettery
roszarnictwo *sn singt techn.* flax-scutching
roszarniczy *adj techn.* scutching <retting> — (process etc.)
roszarnik *sm techn.* scutcher; retter
roszczenie *sn* 1. *singt* ↑ **rościć** 2. *prawn.* claim; pretension; pretence
roszenie *sn* (↑ **rosić**) (a) drizzle
roszować *vi imperf szach.* to castle (the king)
roszpunka <**roszponka**> *sf bot.* (*Valerianella olitoria*) corn-salad
rościć *vt imperf* **roszczę** 1. (*powodować kiełkowanie*) to sprout (seeds etc.) 2. (*zgłaszać pretensje*) to set up (claims, pretensions); **~ sobie prawo do czegoś** to claim a right to sth
rościeź *zob.* **na rościeź**
roślęża *sf bot.* (*Avicenia*) (*rodzaj*) the genus Avicenia
roślin|a *sf* plant; **anatomia ~** plant anatomy; phytotomy; **~y jawnopłciowe** phanerogams; **~y skrytopłciowe** cryptogams; **życie ~** vegetable life; **życie** <**patologia, fizjologia itd.**> **~** plant life <pathology, physiology etc.>; **~y palikowe** ramblers; climbing plants; *roln.* **~y okopowe** <**pastewne**> root <fodder> crops
rośliniarki *spl zool.* (*Symphyta*) the sub-order Symphyta
roślinka *sf* (*dim* ↑ **roślina**) plantlet
roślinność *sf singt* vegetation; flora
roślinn|y *adj* vegetable (kingdom, dye, fibre etc.); vegetal (salt, remedy etc.); **dieta ~a** vegetable <vegetal> diet; *anat.* **układ ~y** vegetative nervous system
roślinoznawstwo *sn singt* phytology; botany
roślinożerca *sm* (*decl* = *sf*) *zool.* phytophagan, phytophagous <herbivorous> animal
roślinożerny *adj* phytophagous; herbivorous
rośnięcie *sn* (↑ **rosnąć**) growth
rośny *adj* dewy
rot|a[1] *sf hist.* army unit; *pl* **~y** army; **~y aresztanckie** convict gangs
rota[2] *sf* (*formuła przysięgi*) form of an oath
rota[3] *sf* 1. *kośc.* (*sąd najwyższej instancji*) Rota 2. *muz.* rota
rotacja *sf singt* 1. (*ruch obrotowy*) rotation; circulation 2. *roln.* crop rotation, rotation of crops
rotacyjn|y *adj* rotary (cultivator, hoe etc.); rotational (motion etc.); rotatory (power, engine etc.); *druk.* **maszyna ~a** rotary (press); rotary machine
rotacyzm *sm singt G.* **~u** *jęz.* rhotacism
rotacznica *sf bot.* (*Rudbeckia*) cone-flower
rotametr *sm G.* **~u** *techn.* rotameter; flow-meter
rotang *sm G.* **~u** *bot.* (*Calamus rotang*) rattan; rotang
rotanina *sf techn.* synthetic tan
rotaprint *sm G.* **~u** *druk.* a kind of duplicator
rotman *sm* = **retman**
rotmistrz *sm wojsk.* captain of horse
rotmistrzostwo *sn* (*stanowisko*) captain's commission
rotmistrzowa *sf* (*decl* = *adj*) captain's wife
rotmistrzować *vi imperf* to command a squadron of horse
rotograwiura *sf druk.* (*technika i odbitka*) rotogravure
rotograwiurowy *adj druk.* rotogravure — (process, impression etc.)
rotor *sm G.* **~u** *techn.* rotor
rotorowy *adj mar.* rotor — (ship etc.)
rotunda *sf arch.* rotunda
rotundowy *adj* rotundate
row|ek *sm G.* **~ka** (*wgłębienie*) groove; channel; gutter; rut; (*bruzda*) furrow
rowe|r *sm G.* **~ru** (bi)cycle; *pot.* (push-)bike; **~r trzykołowy** tricycle; **jazda ~rem** <**na ~rze**> cycling; **jechać** <**jeździć**> **na ~rze** to cycle
rowerow|y *adj* bicycle — (frame, tyre etc.); **jazda ~a** cycling
rowerzysta *sm* (*decl* = *sf*), **rowerzyst|ka** *sf pl G.* **~ek** cyclist
rowiak *sm* chisel

rowkować *vt imperf* 1. (*żłobić rowki*) to groove; to channel; to notch; to furrow 2. *druk.* to groove (cardboard); to nick

rowkowanie *sn* (↑ **rowkować**) grooves; channels; notches; furrows

rowkowany [I] *pp* ↑ **rowkować** [II] *adj* sulcate(d); furrowed

rowkowaty *adj* grooved; furrowed; sulcate

roz- *praef* 1. (*uwydatnia ruch przestrzenny*) in all directions, right and left; **rozbiec się** to scatter in all directions <right and left>; **rozeszli się** they went their several ways 2. (*dzielenie na części*) up; apart; asunder; **rozbić** to break up; **rozedrzeć** to tear apart <asunder> 3. (*wyczerpanie zasobów*) away; up; **rozdać** to give away; to distribute; **rozkupić** to buy up 4. (*wyraża oswobodzenie od czegoś*) un-; **rozdziać** to undress; **rozpętać** to unfetter 5. (*usunięcie skutków*) dis-; **rozgmatwać** to disentangle; **rozłączyć** to disjoin 6. *określa zwiększenie zasięgu przestrzennego:* **rozbudować** to develop; to extend; **rozmnożyć się** to increase in number; to multiply 7. (*wyraża uintensywnienie*) for good; well; really; **rozboleć** to start aching for good; **rozzłościć** to get (sb) really angry; **rozbawić kogoś** to get sb well amused

rozagitować *vt perf* to stir up (a group of people); to get (a group of people) well agitated

rozanielenie *sn singt* 1. ↑ **rozanielić** 2. (*zachwycenie*) rapture; bliss

rozaniel|ić *v perf* — **rozaniel|ać** *v imperf* [I] *vt* to ravish; to entrance [II] *vr* **~ić, ~ać się** to fall <to go> into raptures

rozanielony [I] *pp* ↑ **rozanielić** [II] *adj* blissful; rapturous; beaming

rozanilina *sf chem.* rosaniline

rozbab|rać *vt perf* **~rze** — **rozbab|rywać** *vt imperf* (*rozgrzebać*) to smear <to mess up> (**po czymś** all over sth); (*rozrzucać*) to jumble; to tumble (a bed etc.); **~rać pracę** to bungle a piece of work

rozbalować się *vr perf* to become <to get> ball-crazy; to go dance-crazy

rozbałaganić się *vr perf* to become <to get, to grow> disorderly

rozbałamuc|ić *v perf* **~ę** [I] *vt* to turn (**kogoś** sb's) head [II] *vr* **~ić się** to trifle away one's time

rozbandażować *vt perf* to unbandage

rozbarłożyć *vt perf sl.* to tumble (a bed)

rozbawi|ać *v imperf* — **rozbawi|ć** *v perf* [I] *vt* to amuse; to cheer up (a patient etc.); to enliven (the company) [II] *vr* **~ać, ~ć się** to liven up; to start frolicking

rozbawienie *sn* 1. ↑ **rozbawić** 2. (*rozweselenie*) amusement

rozbawiony [I] *pp* ↑ **rozbawić** [II] *adj* amused; merry; gay; in high spirits

rozbebesz|yć *vt perf* **~ę** *sl.* to jumble; to tumble; to turn (sth) topsyturvy <upside down>

rozbecz|eć się *vr perf* **~y się** 1. (*o zwierzętach*) to start bleating (for good) 2. *pot.* (*rozpłakać się*) (*o osobie dorosłej*) to burst into tears; *pot.* to turn on the waterworks; (*o dziecku*) to start crying <blubbering> (for good); to tune up

rozbef *sm* = **rostbef**

rozbełtać *vt perf* — **rozbełtywać** *vt imperf* to stir (up) (a liquid); to beat up <to scramble> (eggs)

rozbestwi|ać *v imperf* — **rozbestwi|ć** *v perf* [I] *vt* 1. (*pobudzić do bestialstwa*) to render (sb) savage <inhuman>; to turn (sb) into a wild beast; to engender <to develop> brutality; to brutalize 2. (*rozwścieczyć*) to enrage; to madden [II] *vr* **~ać, ~ć się** 1. (*stać się okrutnym*) to run wild; to become <to grow> savage 2. (*rozwścieczyć się*) to go mad; to become enraged

rozbestwieni|e *sn* 1. ↑ **rozbestwić** 2. (*bestialstwo*) savagery; brutality; **w ~u** in an access of brutality

rozbębnić *vt perf* — **rozbębniać** *vt imperf pot.* to tell (sth) right and left

rozbici|e *sn* 1. ↑ **rozbić** 2. (*potłuczenie*) break; smash; breakage; **~e samolotu <samochodu>** (a) crash; **~e statku** (a) shipwreck; wreckage; (*o statku*) **ulec ~u** to be wrecked; **w ~u** a) (*w stanie poróżnienia*) in discord <disaccord, disagreement> b) (*będąc rozproszonym*) separately; individually; in twos and threes <in ones and twos> 3. (*zdezorganizowanie*) disarray; jumble 4. (*zburzenie*) destruction; wreckage 5. (*uszkodzenie ciała*) injury; (a) hurt; mutilation 6. (*pokonanie*) (a) defeat; rout 7. (*podział*) (a) break; (a) smash; breakage 8. (*ogólne osłabienie*) general discomfort; weakness 9. (*krach*) failure 10. **~e się** (a) break; breakage; (*samolotu, samochodu*) crash; (*statku*) (ship)wreck; wreckage 11. **~e się** (*potłuczenie*) injury; (a) hurt; mutilation 12. **~e się** (*rozłączenie się*) division; break-up; separation

rozbi|ć *v perf* **~je, ~ty** — **rozbi|jać** *v imperf* [I] *vt* 1. (*potłuc*) to break <to smash> (to pieces); to shatter; to break up (clods etc.); **~ć, ~jać coś w drobne kawałki** to make matchwood of sth 2. *przen.* (*zdezorganizować*) to throw into disarray; to disrupt; (*udaremnić*) to frustrate <to thwart, to cross> (sb's plans etc.) 3. *przen.* (*poróżnić*) to set (people) at variance; **~ć rodzinę** to break up a family 4. (*ugnieść*) to crush; (*rozmiesić*) to churn 5. (*roztrącić*) to ruffle (water); (*zmącić*) to disturb (the silence) 6. (*włamać się*) to break <to smash> open 7. (*uszkodzić część ciała*) to injure; to hurt; to bruise; to tatter; to mutilate; to mangle; to maim; **~ć komuś nos** to knock sb on the nose; **czuć się ~tym** to be aching all over 8. (*pokonać*) to defeat <to rout, to beat, to smash> (an army etc.); **~ć wroga w puch** to inflict a crushing defeat on the enemy 9. (*podzielić*) to divide; to break (sth) up (**na części** into parts); *fiz.* **~ć atom** to smash the atom 10. † (*rozpościerać*) to spread; *obecnie w zwrotach:* **~ć namiot <obóz>** to pitch one's tent <a camp> [II] *vr* **~ć, ~jać się** 1. (*zostać rozbitym*) to break (*vi*); to get broken; to be shattered; to go <to come> smash; (*o samolocie, samochodzie*) to crash; (*o statku*) to get <to be> wrecked 2. *przen.* (*zostać udaremnionym*) to come to nothing; to fall through; to be thwarted <frustrated, crossed> 3. (*zranić się*) to injure <to hurt> oneself 4. (*rozłączyć się*) to divide (*vi*); to break up; to separate (*vi*) 5. (*ulec wypadkowi*) to crash; to have an accident *zob.* **rozbijać**

rozbie|c się *vr perf* **~gnie, ~gł** — **rozbie|gać się** *vr imperf* 1. (*rozpierzchnąć się*) to disperse <to scatter> (at a run); to run in all directions; to scurry off <away> 2. (*o drogach — prowadzić w* *różnych kierunkach*) to diverge; to branch off; to part; **nasze drogi się ~gły** we parted company 3. *przen.* (*o hałasie itd.*) to spread 4. *perf* (*rozpędzić się*) to take off (for a leap) 5. *perf* (*o koniu*) to bolt 6. (*rozchylić się*) to open

rozbieg *sm G.* **~u** 1. *lotn.* take-off (run) 2. *sport* (*rozpęd*) run; running start; **skok z ~iem** running jump 3. *sport* (*teren*) run-down (approach)

rozbieganie się *sn* ↑ **rozbiegać się** 1. (*rozpierzchanie się*) dispersal 2. (*rozchodzenie się dróg*) divergence (of the ways)

rozbiegany *adj* 1. (*spieszący się*) running about <in all directions>; hurrying, scurrying 2. (*pędzący*) rushing; (*o koniu*) runaway 3. (*o palcach, czułkach*) flitting; (*o oczach*) restless

rozbiegowy *adj lotn.* **pas ~** runway

rozbielić *vt perf* — **rozbielać** *vt imperf* 1. (*nadać jaśniejszy odcień*) to whiten 2. (*rozświetlić*) to lighten; to light up

roz|bierać *vt imperf* — **roz|ebrać** *v perf* **~biorę, ~bierze** [I] *vt* 1. (*zdejmować ubranie*) to undress (sb); to take (**kogoś** sb's) clothes off; to strip (**kogoś z ubrania** sb of his clothes); **~ebrany** a) (*w negliżu*) in undress b) (*nagi*) with one's clothes off; with nothing on; **~ebrany do pasa** stripped to the waist; **~ebrać kogoś do gołej skóry** to strip sb to the skin; **~ebrać kogoś z czegoś** to divest sb of sth; *pot.* **~ebrać łóżko** to turn down the bed <the bedclothes> 2. *pot.* (*ogarniać*) to seize; to come (**kogoś** over sb); **~biera mnie gorączka** I am developing a fever; **~ebrała go grypa** he has developed flu 3. (*rozkładać na części*) to take to pieces; to take (sth) apart; † **~bierać, ~ebrać ciało ludzkie** to dissect a corpse; *kulin.* **~bierać drób** to carve a fowl; **~bierać, ~ebrać mięso** to joint meat; *hist.* **~bierać, ~ebrać kraj** to dismember <to partition> a country; *druk.* **~bierać, ~ebrać skład** to distribute type; *szk. gram.* **~bierać, ~ebrać zdanie** to parse <to analyse> a sentence 4. (*rozchwytywać*) to divide <to share out> (**coś między siebie** sth between us <you, them>) 5. (*rozwalać*) to demolish; to pull <to take> down (a building, wall etc.) [III] *vr* **~bierać, ~ebrać się** to undress; to take off one's clothes <one's things>; **~bierać, ~ebrać się do naga <do pasa>** to strip to the skin <to the waist>; **~bierać, ~ebrać się z czegoś** to take sth off; to divest oneself of sth

rozbieralnia *sf* changing-room; (*w miejscowości kąpielowej*) bath-house

rozbieranie *sn* ↑ **rozbierać** 1. (*rozkładanie na części*) dismemberment (of a country); dissection (of a corpse) 2. (*rozwalanie*) demolition

rozbieżnia *sf sport* run-up

rozbieżnie *adv* divergently; differently; discordantly

rozbieżność *sf* 1. (*brak zgodności*) divergence (of opinion etc.); disaccord; clash 2. (*rozdzielenie się*) divergence (of lines etc.); *aut.* **~ kół** toe-out

rozbieżny *adj* divergent; diverging; different; discordant; *mat.* **~ szereg** divergent series of numbers

rozbijacki *adj* destructive

rozbijacz *sm* 1. (*robotnik*) demolisher 2. (*prowadzący akcję destrukcyjną*) disrupter of unity; trouble-maker

rozbijać *v imperf* [I] *vt zob.* **rozbić** [III] *vr* **~ się** 1. *zob.* **rozbić się** 2. (*wszczynać awantury*) to brawl; to bluster; to cause <to stir> trouble; to be turbulent 3. (*domagać się*) to storm <to clamour> (**o coś** for sth); **~ się za kimś** to be looking for sb all over the place 4. (*szastać się*) to show off; to parade; to make oneself conspicuous

rozbijaka † *sm* (*decl = sf*) blusterer; brawler

rozbijar|ka *sf pl G.* **~ek** *techn.* crusher; grinder

rozbiorow|y *adj* partitioning; **państwa ~e** partitioning powers; **traktat ~y** treaty of partition

rozbi|ór *sm G.* **~oru** 1. (*rozebranie na części*) taking to pieces <disassembling, dismantlement> (of a machine etc.); jointing (of a carcass) 2. (*analiza*) analysis; *gram.* **~ór zdania** parsing (of a sentence); **zrobić ~ór zdania** to parse <to analyse> a sentence 3. *hist. polit.* dismemberment; partitioning (of a country); **~ory Polski** the partitions of Poland

rozbiór|ka *sf pl G.* **~ek** 1. (*zburzenie*) demolition; pulling down (of a building etc.); **przeznaczyć maszynę <budynek itd.> do ~ki** to scrap a machine <a building etc.> 2. (*rozmontowanie*) taking to pieces <disassembling, disassembly, dismantling, dismantlement> (of a machine etc.) 3. *druk.* distribution (of type)

rozbiórkowy *adj* demolition <house-breaking> — (works etc.)

rozbisurmanić *v perf* [I] *vt* to let (a child) run wild; to give (a child) free rein [III] *vr* **~ się** to run wild

rozbit|ek *sm G.* **~ka** 1. (*uratowany z rozbitego statku*) shipwrecked person; castaway; *przen.* **~ek życiowy** (a) wreck; (a) down-and-out; waif; lame duck 2. *pl* **~ki** (*niedobitki*) remains <shreds, tatters> (of an army etc.); stragglers

rozblaskow|y *adj mar.* **światło ~e** flare-up light

rozbłysk *sm G.* **~u** 1. (*blask*) flash; flare-up 2. *astr.* flash

rozbły|snąć *vi perf* **~śnie, ~snął** <**~sł**>, **~snęła** <**~sła**>, **~śnięty** — **rozbłyskać** *vi imperf,* **rozbłyskiwać** *vi imperf* to shine; to flare up; to flash; to blaze

rozbłyśnięcie *sn* 1. ↑ **rozbłysnąć** 2. (*rozbłysk*) (a) flash; flare-up

rozbolały [I] *pp* ↑ **rozboleć** [II] *adj* 1. (*cierpiący*) aching; painful 2. (*wyrażający cierpienie*) sorrowful; full of grief

rozbol|eć *v perf* **~i** to start aching; to ache (for good)

rozb|ój *sm G.* **~oju** brigandage; banditry; (highway) robbery; *pl* **~oje** plunder; **~oje morskie** piracy; *przen.* **~ój na równej drodze** downright robbery

rozbójnicz|y *adj* predatory; **banda ~a** band of robbers; **statek ~y** pirate ship

rozbójnik † *sm* brigand; bandit; robber; highwayman; cut-throat; **~ morski** pirate

rozbr|ajać *vi imperf* — **rozbr|oić** *v perf* **~oję, ~ój** [I] *vt* 1. (*pozbawiać uzbrojenia*) to disarm (a person, a country); *wojsk.* **~oić minę itd.** to remove the charge from a mine etc.; **~oić statek** to dismantle a ship 2. (*uśmierzać*) to appease; to pacify; to disarm 3. *fiz.* to discharge [III] *vr* **~ajać, ~oić się** 1. (*pozbawiać się uzbrojenia*) to disarm (*vi*) 2. *fiz.* to discharge (*vi*)

rozbrajająco *adv* disarmingly (frank etc.)
rozbrajający *adj* disarming (frankness, smile etc.)
rozbrat *sm singt G.* **~u** breach; (a) break (**z kimś, czymś** with sb, sth); **~ pomiędzy dwiema rzeczami** gap between two things; **wziąć ~ z czymś** to give up sth
rozbrat|el *sm G.* **~la** *kulin.* loin-chop
rozbroić *zob.* **rozbrajać**
rozbrojenie *sn* 1. ↑ **rozbroić** 2. (*zniszczenie zapasów broni*) disarmament 3. *fiz.* discharge
rozbrojeniowy *adj* disarmament — (conference etc.)
rozbrykać się *vr perf* 1. (*o zwierzętach*) to bolt 2. (*o ludziach*) to run riot; to frolic; to frisk
rozbrykanie *sn* (↑ **rozbrykać**) riotousness
rozbrykany [I] *pp* ↑ **rozbrykać się** [II] *adj* riotous; frolicsome; frisky
rozbryzg *sm G.* **~u** (*zw.pl*) *rz.* splashes
rozbry|zgiwać *v imperf* — **rozbry|zgać** <**rozbry|znąć**> *v perf* **~źnie** [I] *vt* to splash (water) about [II] *vr* **~zgiwać, ~zgać, ~znąć się** 1. (*rozpryskiwać się*) to splash 2. (*roztrzaskiwać się*) to scatter
rozbryzgow|y *adj techn.* **smarowanie ~e** splash lubrication
rozbryznąć *zob.* **rozbryzgiwać**
rozbryźnięcie *sn* ↑ **rozbryznąć**
rozbrzęcz|eć się *vr perf* **~y się** 1. (*rozpocząć brzęczenie*) to start buzzing <humming, drumming, zooming> 2. (*o owadach — głośno brzęczeć*) to buzz <to hum, to drum, to zoom> for all they're worth <like the dickens>
rozbrzmi|ewać *vi imperf* — **rozbrzmi|eć** *vi perf* **~** 1. (*rozlegać się, dźwięczeć*) *imperf* to sound; to ring; *perf* to resound; to ring out 2. (*napełniać się dźwiękiem*) to (re)sound <to (re)echo, to ring> (**oklaskami, kanonadą, śpiewem itd.** with applause, the cannonade, the singing etc.); (*o okolicy itd.*) **~ewający śpiewem** <**okrzykami itd.**> resounding <resonant, ringing> with singing <shouts etc.>
rozbuchać się *vr perf sl.* 1. (*roztyć się*) to grow fat 2. (*rozzuchwalić się*) to start swaggering <blustering>
rozbudowa *sf singt* 1. (*powiększenie kubatury, powierzchni zabudowanej*) extension; enlargement; development 2. (*powiększenie potencjału*) development; expansion
rozbudow|ać *v perf* — **rozbudow|ywać** *v imperf* [I] *vt* 1. (*powiększyć rozmiar, obszar*) to extend; to develop; to enlarge 2. (*rozszerzyć zasięg*) to develop; to expand [II] *vr* **~ać, ~ywać się** to extend <to expand, to enlarge, to develop> (*vi*); to grow
rozbudowanie *sn* (↑ **rozbudować**) extension; enlargement; development; expansion; **~ się** growth
rozbudowywać *zob.* **rozbudować**
rozbudzać *zob.* **rozbudzić**
rozbudzenie *sn* ↑ **rozbudzić** 1. (*przerwanie snu*) awakening 2. (*podniecenie*) excitement
rozbudz|ić *v perf* **~ę** — **rozbudz|ać** *v imperf* [I] *vt* 1. (*przerwać sen*) to wake (sb) up; to wake (sb, the echoes); to awake <to awaken> (sb, sb's curiosity, suspicions etc.); (*o człowieku*) **~ony** wide awake 2. (*podniecić*) to stir; to rouse; to stimulate; **dziewczyna ~ona** sex-conscious girl 3. (*wywołać stan emocjonalny*) to excite <to arouse, to waken, to call forth> (a feeling) [II] *vr* **~ić, ~ać się** 1. (*zbudzić się*) to wake up; to awake; *przen.* to be stirred <roused> 2. (*przejawić się*) to awake; to flare up
rozbuja|ć *v perf* [I] *vt* to set (sth) swinging <in motion>; to rock (a cradle etc.) [II] *vr* **~ć się** to start swinging <rocking>; **morze się ~ło** the sea became rough
rozburzyć *vt perf* — **rozburzać** *vt imperf* 1. (*zwichrzyć*) to ruffle (the hair etc.) 2. *perf* (*zwalić*) to demolish; to destroy
rozbyczyć się *vr perf sl.* to mooch about; to loiter; to loaf
rozcapierzać, rozcapierzyć *zob.* **rozczapierzać, rozczapierzyć**
rozcharakteryzować *v perf* [I] *vt* to remove (**kogoś** sb's) make-up [II] *vr* **~ się** to remove one's make-up
rozchciwi|ć *v perf* — **rozchciwi|ać** *v imperf* [I] *vt* to arouse (**kogoś** sb's) greed [II] *vr* **~ć, ~ać się** to let greed get the better of one; to succumb to greed
rozchełstać *vt perf* to unbutton (one's collar, shirt etc.)
rozchełstanie *sn* 1. ↑ **rozchełstać** 2. (*wygląd*) slovenly appearance
rozchełstany [I] *pp* ↑ **rozchełstać** [II] *adj* with one's collar <shirt> unbuttoned; in loose <disorderly> attire; presenting a slovenly appearance
rozchicho|tać się *vr perf* **~cze** to giggle unrestrainedly
rozchichotany *adj* giggling without restraint
rozchlap|ać *v perf* **~ie** — **rozchlap|ywać** *v imperf* [I] *vt* 1. (*rozlewać*) to spill; to slop; (*rozpryskiwać*) to splash (right and left); *przen.* **~any dzień** rainy day 2. *pot.* (*rozdeptać*) to wear out (one's shoes); to wear (one's shoes) out of shape; **~ane buty** worn-out shoes; shoes worn out of shape [II] *vr* **~ać, ~ywać się** 1. *pot.* (*o butach*) to get worn out; to get out of shape 2. (*o deszczu*) to fall persistently <with a vengeance> 3. (*o gruncie, błocie — rozmoknąć*) to get soaked
rozchlipany *adj* crying one's heart out
rozchlupotany *adj* soaked
rozchmurzać *zob.* **rozchmurzyć**
rozchmurzenie *sn* 1. ↑ **rozchmurzyć** 2. (*rozpogodzenie*) bright interval; clearing up (of the sky)
rozchmurz|yć *v perf* — **rozchmurz|ać** *v imperf* [I] *vt przen.* to unbend <to unknit, to uncloud> (one's brow); **~yć, ~ać czoło** <**twarz**> to cheer up [II] *vr* **~yć, ~ać się** 1. (*rozpogodzić się*) to clear up 2. *przen.* (*rozweselić się*) to cheer up; to unbend <to unknit, to uncloud> one's brow
rozchodnik *sm bot.* (*Sedum*) sedum; **~ ostry** (*Sedum acre*) stonecrop; wall pepper
rozchodować *vt perf* to spend
rozchodowanie *sn* (↑ **rozchodować**) expenditure
rozchodow|y *adj* outgoing — (voucher etc.); *księgow.* **księga ~a** cash-book
rozchodzenie się *sn* ↑ **rozchodzić się** 1. (*pójście w różne strony*) dispersal; separation 2. *fiz.* radiation; diffusion; **~ się fal** propagation of waves; *med.* **~ się bólu** propagation <spreading> of pain 3. (*rozwidlenie się*) ramification
rozchodz|ić *v perf* **~ę** [I] *vt* to wear (a pair of shoes) comfortable <to one's feet>; *pot.* **~ić nogi** to stretch one's legs [II] *vr* **~ić się** 1. (*o butach —*

rozluźnić się przez noszenie) to be <to become> comfortable <worn to one's feet> 2. (*o człowieku — rozruszać się*) to stretch one's legs 3. (*zacząć na dobre chodzić*) to get into the swing of the walk

roz|chodzić się *vr imperf* — **roz|ejść się** *vr perf* **~ejdę się, ~ejdzie się, ~szedł się, ~eszła się** 1. (*iść w różne strony*) to disperse; to separate; to scatter; (*o towarzystwie, chmurach itd.*) to break up; (*o tłumie*) to dissolve; **nie ~chodzić się** to keep together; *wojsk.* **~ejść się!** dismiss! 2. (*o głosie, świetle, cieple*) to radiate; to be diffused 3. (*o wieściach itd.*) to spread; to leak out; to get abroad 4. (*rozwidlać się, rozgałęziać się*) to part; to ramify; to branch out; **nasze drogi się ~chodzą** we must part company 5. (*mieć powodzenie w sprzedaży*) to sell well 6. (*ulegać rozproszeniu*) to fritter out; **majątek mu się ~szedł** he frittered away his fortune 7. (*o parze małżeńskiej*) to divorce; **on się ~szedł z żoną** he (has) divorced his wife 8. (*rozchylać się*) to gape; to come apart 9. (*nie dochodzić do skutku*) to come to naught 10. (*wygładzać się*) to smooth (*vi*) 11. (*o nacieku*) to resolve *zob.* **rozejść się**

rozchorować się *vr perf* — **rozchorowywać się** *vr imperf* to fall ill; to take to one's bed

rozch|ód *sm G.* **~odu** expenditure; expenses; outgoings

rozchwi|ać *v perf* **~eje** — **rozchwi|ewać** *v imperf* [I] *vt* 1. (*rozkołysać*) to set (sth) swinging <rocking>; (*o wietrze*) to toss (the trees) to and fro 2. (*udaremnić*) to frustrate; to bring to naught; **~ać komuś nerwy** to unstring sb's nerves [II] *vr* **~ać, ~ewać się** 1. (*rozkołysać się*) to start swinging <rocking, waving> 2. (*utracić jednolity charakter*) to come <to get> loose 3. (*rozwiać się*) to disperse 4. *przen.* (*spełznąć na niczym*) to come to naught; to be frustrated

rozchwianie się *sn przen.* (*spełznięcie na niczym*) frustration

rozchwieruta|ć *v perf pot.* [I] *vt* 1. (*rozluzować*) to loosen 2. (*rozkiwać*) to shake (a tooth, a peg etc.); to dilapidate (furniture etc.); to put (a chair etc.) out of joint; **~ny** (*o meblu itd.*) shaky; rickety; dilapidated; (*o zębie itd.*) loose [II] *vr* **~ć się** to become loose <shaky, rickety, dilapidated>

rozchwiewać *zob.* **rozchwiać**

rozchwyt *sm singt G.* **~u** demand (**towaru** for a commodity)

rozchwyt|ać *vt perf* — **rozchwyt|ywać** *vt imperf* to scramble (**coś** for sth); to sweep (sth) off; to snatch (sth) away; **~ywana książka** best seller; (*o towarze*) **być ~ywanym** to sell like hot cakes; (*o człowieku*) **on jest ~ywany <ona jest ~ywana>** people battle <struggle, fight> for his <her> company

rozchybo|tać *v perf* **~cze <~ce>** [I] *vt* to set (sth) swinging <rocking>; to toss <to shake> (sth); **~tany** swinging; tossing; shaking [II] *vr* **~tać się** to swing <to rock, to toss> (*vi*)

rozchyl|ać *v imperf* — **rozchyl|ić** *v perf* [I] *vt* to half-open; to part (one's lips, the branches of a tree etc.); to draw aside (curtains etc.) [II] *vr* **~ać, ~ić się** to half-open <to part, to draw aside> (*vi*)

rozchylenie *sn* 1. ↑ **rozchylić** 2. (*szpara, otwór*) slit; rift; opening; crack

rozchylić *zob.* **rozchylać**

rozciap|ać *v perf* **~ie** — **rozciap|ywać** *v imperf pot.* [I] *vt* 1. (*rozchlapać błoto*) to turn (mud) into a slush 2. (*rozdeptać buty*) to wear (shoes) down <out of shape> [II] *vr* **~ać, ~ywać się** (*o drogach itd.*) to become slushy

roz|ciąć *vt perf* **~etnę, ~etnie, ~etnij, ~ciął, ~cięła, ~cięty** — **rozcinać** *vt imperf* (*przeciąć*) to cut (paper, linen, one's finger, the Gordian knot etc.); (*ciąć na kawałki*) to cut up; to dissect; (*przeciąć na dwoje*) to cut in two; to cleave (the waves etc.); (*otworzyć cięciem*) to cut <to rip> open (an envelope, a parcel etc.)

rozciągacz *sm* stretcher; (*w warsztacie tkackim*) tenter; temple

rozciąg|ać *v imperf* — **rozciąg|nąć** *v perf* [I] *vt* 1. (*wyciągać*) to stretch; to lengthen; to widen; to distend; to dilate; to spin out 2. (*rozpościerać*) to spread (out); to expand; **~ać, ~nąć władzę <opiekę> nad kimś, czymś <na kogoś, coś>** to extend one's authority <one's protection> over sb, sth 3. (*kłaść na całą długość*) to stretch (**kogoś na ziemi** sb on the ground); **~nięty twarzą na ziemi** prostrate 4. *pot.* (*rozwłóczyć*) to scatter [II] *vr* **~ać, ~nąć się** 1. (*powiększać się*) to stretch; to spread out; to lengthen <to widen, to distend, to dilate> (*vi*) 2. (*rozpościerać się*) to spread out <to extend> (*vi*); to reach; (*o dymie itd.*) to drift; **władza <opieka> ~a się na kogoś, coś <nad kimś, czymś>** the authority <the protection> extends over sb, sth 3. *imperf* (*zajmować przestrzeń*) to spread <to stretch out, to extend> (*vi*) (**na jakiejś przestrzeni** over an area); (*o linii, drodze, łańcuchu górskim, granicy itd.*) to run; to run out (**do ... to ...**) 4. *pot.* (*wyciągać się*) to stretch oneself; to sprawl; to fall flat

rozciąganie *sn* (↑ **rozciągać**) extension; expansion; distension (of a bladder etc.); dilatation (of the lungs etc.)

rozciągar|ka *sf pl G.* **~ek** *techn.* stretcher; tenter; *tekst.* drawing frame

rozciągliwość *sf singt* extensibility; expansibility; dilatability; ductility; tractility; tensility

rozciągliwy *adj* (*o metalach*) extensible; extendible; expansible; dilatable; ductile; tractile; tensile; (*o tkaninie*) stretchy

rozciągłoś|ć *sf singt* 1. (*obszar*) stretch; reach; extent; length; extension; expansion; **w całej ~ci** a) (*na całą długość*) at full length; the whole length b) (*w pełni*) in full; to the full extent c) (*w pełnym zrozumieniu*) to the letter 2. *geol.* strike

rozciągnąć *zob.* **rozciągać**

rozciągnięcie *sn* (↑ **rozciągnąć**) stretch; distension; expansion; extension

rozciekawiać *vt imperf* — **rozciekawić** *vt perf* to arouse (**kogoś** sb's) interest <curiosity>

rozciekawienie *sn* 1. ↑ **rozciekawić** 2. *rz.* (*zaciekawienie*) aroused interest <curiosity>

rozciekły *adj* melted; liquid

rozcieńczacz *sm* thinner; diluent

rozcieńcz|ać *v imperf* — **rozcieńcz|yć** *v perf* [I] *vt* (*zmniejszać stężenie*) to thin (down); to weaken; to rarefy; to attenuate; (*rozwadniać*) to water (down); to dilute; to qualify (**wino wodą itd.**

wine with water etc.) [III] *vr* **~ać, ~yć się** to thin (down) (*vi*); to weaken <to rarefy> (*vi*); to be diluted

rozcieńczalnik *sm techn.* thinner; thinning agent; diluent; **~ farby** vehicle

rozcieńczeni|e *sn* 1. (↑ **rozcieńczyć**) dilution; rarefaction 2. (*stężenie roztworu*) tenuity; thinness; rarity; **w ~u** diluted

rozcieńczyć *zob.* **rozcieńczać**

rozcieracz *sm pl G.* **~y** grinder; triturator; masticator; miller; **~ farb** paint grinder

roz|cierać *v imperf* — **roz|etrzeć** *v perf* **~etrę, ~etrze, ~etrzyj, ~tarł, ~tarty** [I] *vt* 1. (*trzeć*) to rub <to chafe> (the skin etc.); **~cierać, ~etrzeć sobie ręce** to rub one's hands 2. (*miażdżyć*) to grind; to crush; to triturate; **~cierać na miazgę** to pulp 3. (*rozmazywać*) to rub <to spread> (**maść itd. po czymś** an ointment etc. over sth) [III] *vr* **~cierać, ~etrzeć się** to be ground <crushed, triturated>

rozcieranie *sn* (↑ **rozcierać**) trituration

rozcież *zob.* **na rozcież**

rozcięcie *sn* 1. (↑ **rozciąć**) dissection 2. (*miejsce*) (a) cut; (a) slit; cleft; fissure

rozcięg|no *sn pl G.* **~ien** *anat.* aponeurosis

rozcinacz *sm* 1. (*nóż do rozcinania papieru*) paper-knife 2. *techn.* chisel

rozczapierz|ać <**rozcapierz|ać**> *v imperf* — **rozczapierz|yć** <**rozcapierz|yć**> *v perf* **~** [I] *vt* to spread out (**palce itd.** one's fingers etc.; (*o drzewie*) **gałęzie itd.** its branches etc.) [III] *vr* **~ać, ~yć się** to spread out

rozczarow|ać *v perf* — **rozczarow|ywać** *v imperf* [I] *vt* to disappoint; to disillusion; to disenchant; **przyjemnie ~any** agreeably disappointed [III] *vr* **~ać, ~ywać się** to be disappointed (**do kogoś** in sb; **do czegoś** in <with> sth)

rozczarowani|e *sn* 1. ↑ **rozczarować** 2. (*zawód*) disappointment; disenchantment; disillusionment; anticlimax; **doznać ~a** to be disappointed

rozczarowywać *zob.* **rozczarować**

rozczepiać *vt imperf* — **rozczepić** *vt perf* to unfasten; to disconnect; to uncouple (railway cars etc.); to unstick (sheets of paper etc.); to disentangle (wires etc.)

rozcze|sać *vt perf* **~sze** — **rozczesywać** *vt imperf* 1. (*czesać*) to comb <to brush> (out) (one's hair); to comb <to scribble, to card> (wool, cotton) 2. *rz.* (*rozdzielić*) to part (one's, sb's hair)

rozczłap|ać *vt perf* **~ie** to wear down (one's shoes)

rozczłonkow|ać *v perf* — **rozczłonkow|ywać** *v imperf* [I] *vt* to divide <to break> up; to dismember; to segment; to partition (a country etc.) [III] *vr* **~ać, ~ywać się** to be divided <broken up, dismembered, partitioned>; to segment (*vi*)

rozczłonkowanie *sn* (↑ **rozczłonkować**) division; break-up; dismemberment; partition(ing); segmentation

rozczłonkowany [I] *pp* ↑ **rozczłonkować** [II] *adj geogr.* (*o lądzie, półwyspie*) dismembered

rozczłonkowywać *zob.* **rozczłonkować**

rozczłonować *vt perf* = **rozczłonkować**

rozczochra|ć *vt perf* to dishevel; to tousle; to ruffle; to tumble (sb's hair); (*o włosach*) **~ny** dishevelled; unkempt; untidy

rozczochra|niec *sm G.* **~ńca** *pot.* dishevelled <unkempt> fellow <child>

rozczul|ać *v imperf* — **rozczul|ić** *v perf* [I] *vt* to move; to touch; to affect; to stir (the heart, the soul) [III] *vr* **~ać, ~ić się** to be moved <touched, affected, stirred>; to slobber; to snivel; **~ić się do łez** to melt into tears; **~ać się nad kimś, czymś** to take pity on sb, sth; to slobber <to gush> over sb, sth; **~ać się nad samym sobą** to lament over one's own fate

rozczulająco *adv* movingly; touchingly; **działać ~** to move; to touch; to affect; to have a stirring effect

rozczulenie *sn* 1. ↑ **rozczulić** 2. (*uczucie*) melting mood; emotion; **~ się nad kimś, czymś** pity for sb, sth; **~ się nad samym sobą** self-pity

rozczulić *zob.* **rozczulać**

rozczyn *sm G.* **~u** 1. *kulin.* (*drożdże*) leaven 2. *chem.* solution

rozczyniać *vt imperf* — **rozczynić** *vt perf kulin.* to blend yeast with flour

rozczynnik *sm rz.* (dis)solvent; menstruum

rozczytać się *vr perf* — **rozczytywać się** *vr imperf* to spend one's time <to give oneself up to> reading (**w literaturze fachowej itd.** works connected with one's profession etc.); to delight in reading (**w powieściach kryminalnych itd.** detective stories etc.)

rozćwiartować *vt perf* to joint (a carcass); to quarter (a felon)

rozćwierkać się *vr perf* 1. (*zacząć ćwierkać*) to start chirruping 2. (*głośno ćwierkać*) to fill the air with their chirrup

rozda|ć *vt perf* **~dzą** — **rozda|wać** *vt imperf* 1. (*rozdzielać*) to distribute; to deal out; to dispense; to help (food at table); **~ć, ~wać karty** to deal; **kto ~je?** whose deal is it? 2. (*rozdarować*) to give away

rozdanie *sn* (↑ **rozdać**) distribution; dispensation; *karc.* deal; **złe ~** misdeal

rozdarcie *sn* 1. ↑**rozedrzeć** 2. (*miejsce rozdarcia*) (a) tear; (a) rent; **~ skóry** laceration; **~ w kształcie litery L** trap-door 3. *przen.* (*skłócenie w łonie zespołu*) split; **~ wewnętrzne** perplexity; dilemma

rozdarować *vt perf* — **rozdarowywać** *vt imperf* to give away; to distribute

rozdawnictwo *sn singt* distribution

rozdawniczy *adj* distributive

roz|dąć *v perf* **~edmę, ~edmie, ~edmij, ~dął, ~dęła, ~dęty** — **roz|dymać** *v imperf* [I] *vt* 1. (*powiększyć*) to expand; to swell; **~dęty pychą** swollen with pride 2. (*nadąć*) to inflate 3. (*rozepchać*) to distend; to puff out (one's cheeks) 4. *przen.* (*wyolbrzymić*) to amplify; to magnify; to enlarge; to heighten (a story etc.) 5. (*rozniecić*) to fan (a flame, a fire) [III] *vr* **~dąć, ~dymać się** to expand <to distend, to swell> (*vi*)

rozdąsać *v perf* [I] *vt* to dispirit; to anger [III] *vr* **~ się** 1. (*zacząć się dąsać*) to start sulking <moping> 2. (*mocno się dąsać*) to sink into depression

rozdąsanie *sn* 1. ↑ **rozdąsać** 2. (*nastrój*) the mopes; the sulks

rozdąsany [I] *pp* ↑ **rozdąsać** [II] *adj* moping; sulky

rozdelikac|ać *v imperf* — **rozdelikac|ić** *v perf* **~ę** [I] *vt* to undermine (**kogoś** sb's) vigour; to render (sb) delicate <susceptible to diseases> [III] *vr* **~ać, ~ić się** to become delicate <susceptible to diseases>

rozdep|tać *v perf* **~cze** <**~ce**> — **rozdep|tywać** *v imperf* [I] *vt* 1. (*rozgnieść*) to trample <to crush, to grind> under foot 2. (*wymieszać*) to tread (**coś** on sth); **~tać błoto** to tread mud into a slush; **~tany trakt** slushy road 3. = **rozchlapać** 2. [II] *vr* **~tać, ~tywać się** (*o obuwiu*) to get worn down <worn out of shape>

rozdestylować *v perf* [I] *vt* to submit to fractional distillation [II] *vr* **~ się** to be submitted to fractional distillation

rozdeszczyć się *vr perf* to rain persistently <with a vengeance>

rozdęcie *sn* (↑ **rozdąć**) expansion; distension; dilatation; inflation

rozdłub|ać *vt perf* **~ie** — **rozdłub|ywać** *vt imperf* (*rozszerzyć otwór*) to gouge <to scoop out> (an opening) || *pot.* **~ać pracę** to bungle a job

rozdmuch *sm G.* **~u** gust of wind

rozdmuchać *vt perf* — **rozdmuchiwać** *vt imperf* 1. (*rozwiać*) to blow about <to scatter> (leaves, papers etc.); to dishevel (sb's hair) 2. (*rozniecić*) to blow (**ogień** on the fire, on the embers); to fan (a flame) 3. *przen.* (*rozdąć*) to amplify; to magnify; to enlarge; to heighten (a story etc.) 4. *przen.* (*podniecić uczucie*) to fan (passions etc.)

rozdokazywać się *vr perf* to gambol <to frolic> without restraint

rozdokazywanie się *sn* (↑ **rozdokazywać się**) unrestrained gambols <frolics>

rozdolinienie *sn geogr.* erosional dissection

rozd|ół *sm G.* **~ołu** ravine; gorge; cleft; gully

rozdr|abiać *vę imperf* — **rozdr|obić** *v perf* **~ób** [I] *vt* (*kruszyć*) to grind; to crush; to triturate; (*drobić*) to crumble [II] *vr* **~abiać, ~obić się** (*dzielić się*) to crumble (*vi*)

rozdrabniacz *sm roln.* shredder; (*do pasz*) feed mill

rozdr|abniać *v imperf* — **rozdr|obnić** *v perf* [I] *vt* to crumble; to break up; to fritter down; to morsel; to comminute; to granulate; **~abniać na proszek** to powder [II] *vr* **~abniać, ~obnić się** 1. (*dzielić się*) to crumble <to fritter down> (*vi*); to be commuted <granulated> 2. (*rozpraszać się*) to fritter away <to disperse> one's energy

rozdrabniar|ka *sf pl G.* **~ek** *techn.* crusher; mill; granulator

rozdrap|ać *vt perf* **~ie** — **rozdrapywać** *vt imperf* 1. (*rozranić*) to scratch (a wound, a pimple etc.) 2. (*o kurze — rozgarniać*) to scratch (the ground) 3. *pot.* (*rozchwytać*) to scramble (**coś** for sth); to snatch away

rozdrażni|ać *v imperf* — **rozdrażni|ć** *v perf* [I] *vt* 1. (*rozjątrzać*) to irritate 2. (*złościć*) to exasperate; to vex; to irritate; to provoke; to incense; to exacerbate [II] *vr* **~ać, ~ć się** to be <to become> exasperated <irritated, incensed>; to fly into a passion <a rage>

rozdrażnieni|e *sn* 1. ↑ **rozdrażnić** 2. (*podniecenie nerwowe*) irritation; exasperation; provocation; petulance; soreness; **pod wpływem silnego ~a** under severe provocation; **w ~u** testily; irritably

rozdrażniony [I] *pp* ↑ **rozdrażnić** [II] *adj* exasperated; irritated; vexed; irate; sore; testy; petulant; ill-tempered

rozdrobić *zob.* **rozdrabiać**

rozdrobnić *zob.* **rozdrabniać**

rozdroż|e *sn pl G.* **~y** cross-roads; **na ~u** at the cross-roads; at the parting of the ways; *przen.* **stanąć na ~u** to be in doubt <puzzled, perplexed>

rozdw|ajać *v imperf* — **rozdw|oić** *v perf* **~oję, ~ój** [I] *vt* to divide in two; to split; to halve [II] *vr* **~ajać, ~oić się** 1. (*rozwidlać się*) to fork; to branch 2. (*rozpoławiać się*) to split <to divide> (*vi*) 3. *przen.* (*dwoić się*) to be here, there and everywhere <in half a dozen places> at once

rozdwojenie *sn* (↑ **rozdwoić**) division; (a) split; *psych.* **~ osobowości** dissociation; dual personality

rozdwojony [I] *pp* ↑ **rozdwoić** [II] *adj* (*rozszczepiony*) two-cleft

rozdygo|tać *v perf* **~cze** <**~ce**> [I] *vt* to shake (sth, the air etc.) [II] *vr* **~tać się** 1. (*zacząć drżeć — o budynku*) to start shaking; (*o człowieku*) to start trembling 2. (*ulec silnemu drżeniu*) to tremble in every limb

rozdygotany [I] *pp* ↑ **rozdygotać** [II] *adj* 1. (*drżący*) trembling in every limb 2. (*pełen napięcia*) agog (with excitement)

rozdymać *zob.* **rozdąć**

rozdzi|ać *v perf* **~eje** — **rozdzi|ewać** *v imperf* [I] *vt gw.* to undress (sb); to take off (**kogoś** sb's) clothes [II] *vr* **~ać, ~ewać się** to undress (*vi*); to take off one's clothes

rozdział *sm G.* **~u** 1. (*rozdzielanie*) distribution; apportionment; dispensation; *teatr* **~ ról** cast 2. (*podział*) division; split; disruption; partition(ing); break-up 3. (*rozgraniczenie*) separation (of Church and State etc.) 4. (*niezgoda*) discord; dissension; disagreement 5. (*dział książki itd.*) chapter (of a book); section (of a speech etc.); division (of history etc.)

rozdziawi|ać *v imperf* — **rozdziawi|ć** *v perf* [I] *vt pot.* to open wide; **~ać, ~ć gębę** to gape; **~ony** gaping; **z ~oną gębą** gaping; agape [II] *vr* **~ać, ~ć się** to be wide open

rozdzielacz *sm techn.* distributor; divider; separator; *chem.* funnel; **~ oleju** oil-supply head

rozdziel|ać *v imperf* — **rozdziel|ić** *v perf* [I] *vt* 1. (*rozdrabniać*) to divide; to break up; to split 2. (*rozdawać*) to distribute; to deal out; to dispense; to help (food at table); **~ać, ~ić coś między siebie** <**między ludzi**> to divide sth between us, you, them <between a group of people>; **~ać, ~ić ponownie** to redistribute 3. (*przegradzać*) to divide; to separate 4. *przen.* (*różnić, kłócić*) to set (people) at odds <at loggerheads>; to disunite 5. (*powodować rozstanie, odłączać*) to separate [II] *vr* **~ać, ~ić się** 1. (*dzielić się*) to divide <to break up, to split up> (*vi*) 2. (*rozgałęziać się*) to branch; to fork 3. (*rozstawać się*) to separate; to part

rozdzielcz|y *adj* distributive; distributing (cock etc.); distribution — (box, network etc.); **lejek ~y** separating funnel; **tablica ~a** (*w samolocie*) instrument board; panel; (*w samochodzie*) dashboard

rozdzielenie *sn* ↑ **rozdzielić** 1. (*rozdrobnienie*) division; partition; break-up; split 2. (*rozdanie*) distribution; dispensation 3. *przen.* (*pokłócenie*) disunion 4. (*rozłączenie*) separation

rozdzielić *zob.* **rozdzielać**

rozdzielni|a *sf pl G.* **~** 1. (*pomieszczenie*) distribution room <station etc.>; *kolej.* switching-station;

switch-room 2. *techn.* (*urządzenie*) switch-board; distribution board

rozdzielnictwo *sn singt* distribution

rozdzielnie *adv* separately

rozdzielnik *sm* 1. *ekon.* distribution index <list> 2. *techn.* distributor

rozdzielnopłatkow|y *bot.* [I] *adj* choripetalous [II] *spl* **~e** (*Choripetalae*) the Choripetalae

rozdzielnopłciowość *sf singt biol.* dioecism

rozdzielnopłciowy *adj biol.* dioecious

rozdzielność *sf singt* separation; divisibility

rozdzielny *adj* 1. (*oddzielny*) separate 2. (*podzielny*) separable; divisible

roz|dzierać *v imperf* **~edrę, ~edrze, ~edrzyj, ~darł, ~darty — roz|edrzeć** *v perf* [I] *vt* 1. (*drąc rozdzielać*) to tear (asunder); **~dzierać, ~edrzeć coś na kawałki** to tear sth up; to tear sth to pieces; **~dzierać, ~edrzeć kopertę** <**opakowanie paczki**> to tear <to rip> open an envelope <a parcel>; *przen.* (*o widoku, sytuacji*) **~dzierać komuś serce** to break sb's heart; *przen.* **~dzierać szaty** to rend one's garments; **~dzierać usta (ziewając)** to yawn one's head off; *sl.* **~dzierać gardło** to yell 2. *przen.* (*o hałasie itd.*) to rend (the air); (*o świetle itd.*) to pierce (the darkness) [II] *vr* **~dzierać, ~edrzeć się** 1. (*ulegać rozdarciu*) to tear (*vi*); to get torn; *przen.* **serce się ~dziera** one's heart breaks; **usta mu się ~dzierają** he is yawning his head off 2. *sl.* (*głośno krzyczeć*) to yell

rozdzierająco *adv* heart-rendingly; (in a manner) fit to break one's heart

rozdzierający *adj* (*o widoku, sytuacji*) heart-rending; fit to break one's heart; (*o hałasie*) ear-splitting; (*o krzyku, gwiździe*) ear-piercing; (*o bólu*) excruciating

rozdziewać *zob.* **rozdziać**

rozdzi|obać *vt perf* **~obie, ~ób** to peck to bits

rozdzw|onić *vt perf* — **rozdzw|aniać** *v imperf* [I] *vt* to set (a bell) swinging <ringing> [II] *vr* **~onić, ~aniać się** 1. (*zacząć dzwonić*) to start ringing 2. (*rozbrzmieć*) to (re)sound

rozdźwięcz|eć *vi imperf* **~y** to (re)sound

rozdźwięk *sm G.* **~u** dissonance; discrepancy; clash

rozebrać *zob.* **rozbierać**

rozedma *sf med.* (*także* **~ płuc**) emphysema

rozedni|eć *vi perf* **~eje — rozedni|ewać** *vi imperf* 1. *perf* to be broad daylight; **kiedy ~ało** when it was broad daylight 2. *imperf* to grow light

rozedrgać *v perf* [I] *vt* to set (sth) vibrating [II] *vr* **~ się** to vibrate

rozedrgany [I] *pp* ↑ **rozedrgać** [II] *adj* vibrating

rozedrzeć *zob.* **rozdzierać**

rozegnać *zob.* **rozganiać**

rozegnanie *sn* (↑ **rozegnać**) dispersal; scattering

roz|egrać *v perf* — **roz|grywać** *v imperf* [I] *vt* 1. (*grać*) to play (*sport* a game; one's cards; *teatr* a scene) 2. (*doprowadzić do końca*) to carry out <to put through> (a policy etc.); *wojsk.* **~egrać, ~grywać bitwę** to fight a battle [II] *vr* **~egrać, ~grywać się** 1. (*dokonać się*) to take place; to happen; to occur; *teatr* **akcja ~grywa się w ...** the scene is laid in ...; **bitwa ~egrała się ...** the battle was fought ...; **~grywały się losy ...** the fate of ... hung in the balance 2. *perf* (*wpaść w zapał gry*) to get into one's stride when playing

rozejm *sm G.* **~u** truce; armistice; cease-fire

rozejmowy *adj* truce __ (flag etc.)

rozejrzeć się *zob.* **rozglądać się**

rozejrzeni|e się *sn* ↑ **rozejrzeć się; chwila czasu dla ~a się** a few moments to look round

rozejście się *sn* (↑ **rozejść się**) dispersal; separation; *med.* (*zapalenia*) resolution

roze|jść się *vr perf* **~jdą się, ~szli się** 1. *zob.* **rozchodzić się** 2. (*o butach — ulec rozluźnieniu*) to be comfortable; to wear to one's feet; (*rozdeptać się*) to wear down; to get worn out of shape 3. *imperf* (*uwolnić się z odrętwienia*) to stretch one's legs

rozelit *sm G.* **~u** *miner.* roselite

roz|emleć *vt perf* **~miele, ~mełł, ~mielony** to grind (sth) to flour <to powder>

rozentuzjazmowa|ć *v perf* [I] *vt* to fire (sb) with enthusiasm; to rouse (sb) to enthusiasm; to arouse enthusiasm (**kogoś** in sb); **~ny** enthusiastic; full of enthusiasm [II] *vr* **~ć się** to become enthusiastic (**czymś** over sth)

roz|epchać *v perf*, **roz|epchnąć** *v perf* — **roz|pychać** *v imperf* [I] *vt* 1. (*powiększyć objętość*) to distend; to swell out; to expand; *przen.* **duma go ~pycha** he is bursting with pride 2. (*odtrącić*) to push <to shove, to shoulder> aside [II] *vr* **~epchać, ~epchnąć, ~pychać się** to distend <to expand, to swell> (*vi*) *zob.* **rozpychać się**

roz|eprzeć *v perf* **~eprę, ~eprze, ~eprzyj, ~parł, ~party — roz|pierać** *v imperf* [I] *vt* to dilate; to expand; to push out; to thrust out; **~piera go duma** <**radość**> he is bursting with pride <with joy> [II] *vr* **~eprzeć, ~pierać się** 1. (*o człowieku*) to loll; to sprawl; to swagger 2. (*o koniu*) to jib

roz|erwać *v perf* **~erwę, ~erwie, ~erwij — roz|rywać** *v imperf* [I] *vt* 1. (*porwać*) to tear; to rip; to rend; **~erwać, ~rywać coś na kawałki** to tear sth up; **~erwać, ~rywać kopertę** <**torebkę itd.**> to tear open an envelope <a paper bag etc.> 2. (*przerwać*) to burst (**linę, zaporę itd.** a line, a dam etc.); *przen.* **~erwać, ~rywać małżeństwo** to dissolve <to annul> a marriage 3. (*rozłączyć*) to disrupt; to disunite; to sever; to tear <to pull> apart <asunder> 4. (*dostarczyć rozrywki*) to divert; to amuse; to entertain; to recreate 5. *perf pot.* (*rozdrapać*) to snatch away; to scramble (**coś** for sth); *przen.* **być ~rywanym** to be very popular <in vogue, in great request> [II] *vr* **~erwać, ~rywać się** 1. (*rozedrzeć się*) to be <to get> torn <rent>; to tear <to rend> (*vi*); *przen.* **przecież się nie ~erwę** I can't do two things at a time 2. (*rozłączyć się*) to come apart; to dissever; to burst asunder 3. (*pęknąć*) to snap; to burst 4. (*eksplodować*) to burst; *pot.* to go pop 5. (*znaleźć rozrywkę*) to divert <to amuse> oneself; to have some recreation; to beguile the time; to sport

rozerwalny *adj* dissolvable; dissoluble

rozerwanie *sn* 1. ↑ **rozerwać** 2. (*rozdarcie*) (a) tear; rent; *przen.* **~ małżeństwa** dissolution <annulment> of marriage 3. (*rozłączenie*) disruption; disjunction; severance 4. **~ się** (*rozdarcie się*) (a) tear; rent 5. **~ się** (*pęknięcie*) (a) break; (a) snap; (a) burst 6. **~ się** = **rozrywka**

rozerwany [I] *pp* ↑ **rozerwać** [II] *adj* (*przedzielony*) disjunctive

roz|erznąć *vt perf* — **roz|rzynać** *vt imperf* to cut (**na dwoje** in two); (*piłą*) to saw (**na dwoje** in two); **~erznąć, ~rzynać na części** to cut <to saw up> into pieces

roz|eschnąć się *vr perf* **~sechł, ~eschła** — **rozsychać się** *vr imperf* to dry up

roz|esłać[1] *v perf* **~ściele, roz|ścielić** *v perf* — **roz|ścielać** *v imperf*, **roz|ściełać** *v imperf* [I] *vt* to spread (a blanket, tablecloth etc.) [II] *vr* **~esłać, ~ścielać, ~ściełać się** to spread (*vi*)

roze|słać[2] *vt perf* **~śle, ~ślij** — **rozsyłać** *vt imperf* to send (messengers, letters etc.)

rozesłany [I] *pp* ↑ **rozesłać**[1,2] [II] *adj bot.* creeping; repent; procumbent

roz|espać *v perf* **~eśpi, ~espał** — **roz|sypiać** *v imperf* [I] *vt* to incline to sleep [II] *vr* **~espać, ~sypiać się** to be <to feel> sleepy; to be heavy with sleep

rozespanie *sn* 1. ↑ **rozespać** 2. (*senność*) sleepiness

rozespany [I] *pp* ↑ **rozespać** [II] *adj* sleepy; heavy with sleep

roz|eśmiać się <**roz|śmiać się**> *vr perf* **~eśmieje** <**~śmieje**> **się** 1. (*wybuchnąć śmiechem*) to burst out laughing; to laugh outright (**komuś w oczy** in sb's face); **nie ~eśmiać się** to keep a straight face; **~eśmiać się gorzko** <**szyderczo itd.**> to laugh a bitter <a sardonic etc.> laugh; **~eśmiać się na głos** to laugh out loud 2. *pot.* (*śmiać się niepowstrzymanie*) to be overcome with laughter

roześmiany *adj* laughing

rozeta *sf* 1. *arch.* rosette; rosace 2. (*ozdoba stroju*) rosette; bow; badge (of committee member etc.) 3. (*okno*) rose window 4. *bot.* rosette

rozet|ka *sf pl G.* **~ek** 1. *arch.* rosette; rosace; rose window 2. *bot.* rosette 3. (*odznaka*) ribbon; chou; rosette 4. *techn.* rosace; (e)scutcheon; wobbler, wabbler; *elektr.* **~ka sufitowa** ceiling rose; rosette

rozetkowy *adj* rosette __ (ornament etc.)

rozetowy *adj arch.* rose __ (window)

roz|ewrzeć *v perf* **~ewrę, ~ewrze, ~ewrzyj, ~warł, ~warty** — **roz|wierać** *v imperf* [I] *vt* to open (a door, one's eyes, arms etc.); **wiatr ~warł okno** the wind flung the window open [II] *vr* **~ewrzeć, ~wierać się** to open (*vi*); to stand open; **gwałtownie się ~ewrzeć** to fly open; **pączki kasztanów ~warły się nocą** the chestnut buds opened during the night; **ściśnięte palce ~warły mu się** he unclenched his fist

rozezna|ć *v perf* — **rozezna|wać** *v imperf* **~je, ~waj** [I] *vt* 1. (*rozpoznać*) to distinguish; to recognize 2. (*dostrzec*) to distinguish; to discern; to spot; to detect 3. (*rozróżnić*) to discriminate; **~ć jedno od drugiego** to tell two persons <things> apart [II] *vr* **~ć, ~wać się** 1. (*zorientować się*) to find one's bearings; to know one's way about (in a strange town) 2. (*rozpoznać*) to recognize <to discern, to distinguish> (**w czymś** sth); to be able to tell what's what; to know <to have an idea of> (**w obcym języku itd.** a foreign language etc.) 3. (*połapać się*) to know where one stands

rozeznanie *sn* 1. ↑ **rozeznać** 2. (*rozpoznanie*) discernment 3. (*rozróżnienie*) discrimination; distinction; *prawn.* discretion

rozeznawać *zob.* **rozeznać**

rozeźli|ć *v perf* **~j** *gw.* [I] *vt* to put sb's monkey <to get sb's dander> up; to irritate (sb) [II] *vr* **~ć się** to get one's monkey up; to get angry

rozeż|reć *v perf* **~rę, ~re, ~ryj, ~arł, ~arty** [I] *vt* to infuriate [II] *vr* **~reć się** to fall into a rage

rozfalować *v perf* [I] *vt* to agitate [II] *vr* **~ się** (*o morzu*) to billow

rozfiglować się *vr perf* to gambol <to frolic> without restraint

rozfilozofować się *vr perf żart.* to fall into a philosophying mood

rozflirtować się *vr perf* to fall into a flirtatious mood

rozflirtowany *adj* flirting without restraint

rozfryzować *v perf* [I] *vt* to let (one's hair) go out of curl [II] *vr* **~ się** to go out of curl

rozgad|ać *v perf* — **rozgad|ywać** *v imperf* [I] *vt* to bable out (secrets etc.) [II] *vr* **~ać, ~ywać się** to become garrulous <loquacious>; to chatter away

rozgadanie *sn* (↑ **rozgadać**) babble; chattering; loquacious vein

rozgadany [I] *pp* ↑ **rozgadać** [II] *adj* garrulous; loquacious; in the loquacious vein

rozgadywać *zob.* **rozgadać**

rozgałęziacz *sm elektr.* socket-outlet

rozgałęzi|ać *v imperf* — **rozgałęzi|ć** *v perf* [I] *vt* to ramify [II] *vr* **~ać, ~ć się** to ramify (*vi*); to branch (out, off); to fork

rozgałęzienie *sn* 1. ↑ **rozgałęzić** 2. (*rozwidlenie*) ramification 3. (*miejsce rozgałęzienia*) (bi)furcation; embranchment

rozgałęzion|y [I] *pp* ↑ **rozgałęzić** [II] *adj* branched; ramified; ramifying; bifurcating; (*o drzewie*) ramose; branchy; *przen.* **~e stosunki** extensive connexions; numerous contacts

rozgałęźnik *sm elektr.* branch-joint; cluster

roz|ganiać *vt imperf* — **roz|gonić** *vt perf*, **roz|egnać** *vt perf* to drive away; to disperse; **~ganiać, ~gonić, ~egnać chmury** <**mgłę**> to dissipate <to dispel> clouds <the mist>; **~ganiać, ~gonić, ~egnać tłum** to break up <to scatter> a crowd

rozganianie *sn* (↑ **rozganiać**) dispersal

rozgardiasz *sm G.* **~u** hurly-burly; topsyturvy(dom); higgledy-piggledy; confusion

rozgarn|iać *v imperf* — **rozgarn|ąć** *vt perf* to part; to brush <to rake> to right and left; **~ąć śnieg** to clear a passage through the snow

rozgarnięcie *sn* 1. ↑ **rozgarnąć** 2. (*bystrość, spryt*) quick wits; smartness; shrewdness

rozgarnięty [I] *pp* ↑ **rozgarnąć** [II] *adj* quick-witted; clever; smart; shrewd; sharp (as a needle); bright (lad); wide-awake

rozgartywać *vt imperf gw.* = **rozgarniać**

rozgaszczać się *zob.* **rozgościć się**

rozgdakać się *vr perf* 1. (*zacząć gdakać*) to start cackling 2. (*gdakać na dobre*) to go on cackling; to cackle away

rozgestykulować się *vr perf* to gesticulate excessively

rozgestykulowany *adj* speaking with countless gestures

rozgęgać się *vr perf* 1. (*zacząć gęgać*) to start gaggling 2. (*gęgać na dobre*) to go on gaggling; to gaggle away

rozgęgany *adj* gaggling madly

rozgęszczenie *sn* (↑ **rozgęścić**) dilution

rozgę|ścić *vt perf* ~szczę, ~szczony — **rozgęszczać** *vt imperf* 1. (*rozrzedzić*) to dilute <to thin> (a substance) 2. *pot.* (*zmniejszyć zagęszczenie*) to relieve congestion

rozgiąć *zob.* **rozginać**

rozgięcie *sn* ↑ **rozgiąć**

roz|ginać *v imperf* — **roz|giąć** *v perf* ~egnę, ~egnie, ~egnij, ~giął, ~gięła, ~gięty [I] *vt* to unbend; to straighten (out) [II] *vr* ~ginać, ~giąć się to unbend <to straighten> (*vi*)

rozglądać się *vr imperf* — **rozejrz|eć się** *vr perf* ~y się, ~yj się, *rz.* **rozglądnąć się** *vr perf* 1. (*oglądać się dookoła*) to look about one 2. (*poszukiwać*) to look (**za kimś, czymś** for sb, sth) 3. (*rozpatrywać się w czymś*) to look round; (*badać*) to acquaint oneself (**w czymś** with sth)

rozglifić *vt perf bud.* to splay (a window, a door)

rozglifienie *sn* 1. (↑ **rozglifić**) (a) splay 2. *bud.* embrasure

rozgł|aszać *v imperf* — **rozgł|osić** *v perf* ~oszę, ~oszony [I] *vt* to make (sth) known <public>; to noise (sth) abroad; **~aszać, ~osić coś na wszystkie strony** to proclaim sth from the house-tops; **nie ~aszać czegoś** to keep sth private [II] *vr* ~aszać, ~osić się to be made known <public>; to be noised abroad

rozgłos *sm G.* ~u 1. (*sława*) renown; fame; notoriety; repute 2. † (*rozgłaszanie*) publication; promulgation; *obecnie w zwrotach:* **nabierający ~u artysta** rising artist; **nabrać ~u** to come into notice; **nadać czemuś ~** to give publicity to sth; **unikać ~u** to efface oneself; to seek privacy; **uzyskać ~** to come into prominence; to rise from obscurity; **zdobyć ~** to make oneself known; **bez ~u** in strict privacy; on the quiet

rozgłoszenie *sn* (↑ **rozgłosić**) publication; promulgation

rozgłośni|a *sf pl G.* ~ *radio* broadcasting <wireless> station

rozgłośnie *adv* resoundingly; loudly

rozgłośny *adj* 1. (*donośny*) resounding; ringing; loud 2. (*sławny*) renowned; famous

rozgmatwać *vt perf* — **rozgmatwywać** *vt imperf* to disentangle

rozgmerać *vt perf pot.* to tumble (a bed etc.)

rozgniatać *vt imperf* — **rozgni|eść** *vt perf* ~otę, ~ecie, ~ótł, ~otła, ~etli, ~eciony (*miażdżyć*) to crush; (*tłuc*) to pound (with a pestle); (*rozciskać*) to squash (fruits etc.)

rozgniewać *v perf* [I] *vt* to anger; to irritate; to vex; to provoke; to exasperate; to incense [II] *vr* ~ się to get angry; to be <to grow, to become> irritated <vexed, provoked, exasperated, incensed>

rozgniewanie *sn singt* 1. ↑ **rozgniewać** 2. † (*gniew*) anger; irritation; vexation; exasperation

rozgniewany [I] *pp* ↑ **rozgniewać** [II] *adj* angry; irritated; irate; exasperated; **on był mocno ~** he was in high dudgeon

rozgnie|ździć się *vr perf* ~żdżę się — **rozgnieżdżać się** *vr imperf* (*o ptakach*) to build its nest <their nests>; (*o zwierzętach*) to make its <their> lair

rozgonić *zob.* **rozganiać**

rozgorączkow|ać *v perf* — **rozgorączkow|ywać** *v imperf* [I] *vt* to put (sb) in a fever of excitement; to fire (sb); to impassion [II] *vr* ~ać, ~ywać się to be in a fever of excitement

rozgorączkowanie *sn singt* 1. ↑ **rozgorączkować** 2. (*wzburzenie*) fever of excitement

rozgorączkowany [I] *pp* ↑ **rozgorączkować** [II] *adj* 1. (*trawiony gorączką*) feverish; febrile 2. (*podniecony*) feverish; in a fever of excitement

rozgorycz|ać *v imperf* — **rozgorycz|yć** *v perf* [I] *vt* to embitter; to exacerbate; to disgust; (*o uczuciu*) **~ać, ~yć kogoś** to rankle in sb's heart [II] *vr* ~ać, ~yć się to be embittered <exacerbated, disgusted>

rozgoryczenie *sn* 1. *singt* ↑ **rozgoryczyć** 2. (*zniechęcenie*) bitterness; embitterment; rancour; disgust; **było wielkie ~** feeling(s) ran high

rozgoryczyć *zob.* **rozgoryczać**

rozgorz|eć *vi perf* ~eje 1. (*zapłonąć*) to flare up; to flash; to be lit up; *przen.* **namiętności ~ały** passions were inflamed <let loose>; feeling ran high; **~eć gniewem** to fly into a rage; to blaze with anger; to flare up; **~eć miłością** to become inflamed with love; **w oczach ~ała nienawiść** eyes blazed with hatred 2. (*zaczerwienić się*) to flush; to become flushed <inflamed> 3. (*rozgrzać się*) to become heated; to swelter 4. (*przybrać na sile*) to flare up; to break out

rozgospodarow|ać *v perf* — **rozgospodarow|ywać** *v imperf* [I] *vt* to husband (**pieniędzmi itd.** one's money etc.) [II] *vr* ~ać, ~ywać się to settle down; to make oneself at home; to arrange one's affairs

rozgospodarzyć się *vr perf* = **rozgospodarować się**

rozgoszczenie się *sn* ↑ **rozgościć się**

rozgo|ścić się *vr perf* ~szczę się — **rozgaszczać się** *vr imperf* to make oneself comfortable; to feel at home

rozgotow|ać *v perf* — **rozgotow|ywać** *v imperf* [I] *vt* to cook (sth) to rags [II] *vr* ~ać, ~ywać się to be cooked to rags

rozgrabić *vt perf* — **rozgrabiać** *vt imperf* 1. (*rozdrapać*) to rob; to plunder; to loot 2. (*rozsunąć grabiami*) to rake to right and left

rozgr|adzać *vt imperf* — **rozgr|odzić** *vt perf* ~odzę, ~ódź 1. (*rozbierać przegrodę*) to take to pieces a fence <railings>; to remove a fence (**ogród itd.** surrounding a garden etc.); to remove railings (**park itd.** surrounding a park etc.); **~odzono ogród** the garden fence was taken to pieces; **~odzono park** the park railings were taken to pieces 2. (*odgradzać*) to fence off; to separate

rozgramiać *zob.* **rozgromić**

rozgraniczać *zob.* **rozgraniczyć**

rozgraniczenie *sn* 1. (↑ **rozgraniczyć**) demarcation; delimitation 2. (*granica*) boundary; line of demarcation; border line

rozgraniczyć *vt perf* — **rozgraniczać** *vt imperf* 1. (*wytyczyć linię graniczną*) to delimit(ate); to demarcate; to mark the boundaries (**coś** of sth) 2. (*przedzielić*) to divide; to separate (**coś od czegoś** sth from sth)

rozgrodzenie *sn* 1. ↑ **rozgrodzić** 2. (*przegroda*) partition; dividing wall

rozgrodzić *zob.* **rozgradzać**

rozgromić *vt perf* — **rozgramiać** *vt imperf* to crush (the enemy); to put (an army) to the rout <to flight>

rozgromienie *sn* 1. (↑ **rozgromić**) 2. (*pogrom*) crushing defeat; rout

rozgryma|sić *v perf* **~szę** [I] *vt* to indulge (**kogoś** in sb's whims) [II] *vr* **~sić się** to become moody <cross-grained, peevish>; to start showing moods <bad temper>

rozgrymaszenie *sn* 1. ↑ **rozgrymasić** 2. (*nastrój*) bad temper; peevishness

rozgrymaszony [I] *pp* ↑ **rozgrymasić** [II] *adj* moody; cross-grained; peevish; in bad temper

rozgrywać *zob.* **rozegrać**

rozgryw|ka *sf pl G.* **~ek** 1. (*toczenie walki*) contest; strife 2. (*spotkanie sportowe*) match; **~ka poremisowa** play-off; **~ka próbna** trial match 3. (*rozgrywanie partii*) game

rozgry|źć *vt perf* **~zę, ~zie, ~zł, ~źli, ~ziony** — **rozgry|zać** *vt imperf* 1. (*gryząc rozdzielić*) to bite in two; (*rozdrobnić*) to crack (a nut etc.); **~źć, ~zać pigułkę itd.** to crush a pill etc. in one's teeth 2. *pot.* (*dojść do zrozumienia*) to understand <to get to the bottom of> (a problem etc.)

rozgrz|ać *v perf* **~eje** — **rozgrz|ewać** *v imperf* [I] *vt* 1. (*ogrzać*) to warm; to heat (up); to get (sth) hot <warm>; (*o winie itd.*) to warm (sb) up 2. (*wprawić w stan podniecenia*) to rouse; to stimulate; to inspirit [II] *vr* **~ać, ~ewać się** 1. (*stać się ciepłym, rozgrzanym*) to get <to grow> warm <hot>; (*o człowieku*) to warm oneself; to become flushed <heated> (**winem** with wine; **ruchem** with exercise) 2. (*ożywić się*) to warm up; to get heated <excited>

rozgrzanie *sn* 1. ↑ **rozgrzać** 2. (*ciepło*) warmth 3. *przen.* excitement

rozgrzany [I] *pp* ↑ **rozgrzać** [II] *adj* 1. (*ciepły*) warm; hot 2. *przen.* (*o człowieku*) flushed; heated; excited

rozgrzeb|ać *vt perf* **~ie** — **rozgrzebywać** *vt imperf* (*rozgarnąć*) to rake up; to stir; (*rozrzucić*) to scatter; to tumble (a bed); (*rozkopać*) to rummage (**śmietnik itd.** in a garbage heap etc.) **~ać ziemię** to turn up <to dig up> the soil

rozgrzeszać *zob.* **rozgrzeszyć**

rozgrzeszenie *sn singt* 1. ↑ **rozgrzeszyć** 2. *rel.* absolution

rozgrzesz|yć *v perf* — **rozgrzesz|ać** *v imperf* [I] *vt* 1. *rel.* to absolve (**kogoś z grzechów** sb of his sins); **~yć, ~ać kogoś** to give sb the absolution 2. (*darować*) to absolve (**kogoś z czegoś** sb from sth); to forgive (**kogoś z czegoś** sb sth) [II] *vr* **~yć się** (*pozwolić sobie na coś*) to allow <to permit> oneself a luxury (for once, this once); **~ się!** let yourself go!

rozgrzewać *zob.* **rozgrzać**

rozgrzew|ka *sf pl G.* **~ek** 1. *w zwrotach:* **dla ~ki, na ~kę** just to get warm; so as not to freeze (to death) 2. *sport* warming up

rozgrzewkowy *adj* warming (exercise etc.)

rozgrzmi|eć *vt perf* **~, ~j, rozgrzmieć się** *vr perf* to resound; to thunder

rozgwar *sm G.* **~u** *lit.* hubbub; uproar; din; hum (of conversation etc.)

rozgwarzyć się *vr perf* 1. (*rozgadać się*) to chatter away 2. (*napełnić się gwarem*) to be filled with the hum of chattering voices

rozgwarzony [I] *pp* ↑ **rozgwarzyć się** [II] *adj* chattering

rozgwi|azda *sf DL.* **~eździe** *zool.* starfish

rozgwie|ździć się *vr perf* **~żdżą się** *lit.* to be lighted by the stars <starlit>

rozgwieżdżony *adj* starry; starlit

rozhałasować się *vr perf* to make a devilish <*pot.* a hell of a> noise <row>; to be uproarious; to vociferate

rozharatać *vt perf pot.* (*rozbić*) to smash (to pieces); (*poszarpać*) to mangle; to mutilate

rozhartować *vt perf* — **rozhartowywać** *vt imperf dosł. i przen.* to unharden

rozhasać się *vr perf* to gambol <to frolic> without restraint

rozhisteryzować *v perf* [I] *vt* to render hysterical [II] *vr* **~ się** to fall into hysterics; to become hysterical

rozhisteryzowanie *sn* 1. ↑ **rozhisteryzować** 2. (*histeria*) hysterics

rozhisteryzowany [I] *pp* ↑ **rozhisteryzować** [II] *adj* hysterical

rozhowor *sm G.* **~u** *lit.* 1. (*gawęda*) chatter 2. (*narada*) council; conference; *pl* **~y** negotiations

rozhucz|eć się *vr perf* **~y się** to resound

rozhukać się *vr perf* 1. (*o zwierzętach*) to caper 2. (*o młodzieży*) to run riot

rozhukanie (się) *sn* 1. (*u zwierząt*) capers 2. (*u młodzieży*) riotousness

rozhukany [I] *pp* ↑ **rozhukać się** [II] *adj* 1. (*o zwierzętach*) capering 2. (*o człowieku*) riotous; frolicsome

rozhulać się *vr perf* 1. (*rozbawić się*) to give oneself up to revelry 2. *przen.* (*o burzy itd.*) to rage; to rampage; to run riot

rozhuśta|ć *v perf* [I] *vt* to set (sth) swinging; **~ne fale** heavy seas; billows; **~ne morze** tossing <billowy> sea [II] *vr* **~ć się** to get (properly) swinging

rozigrać się [z-i] *vr perf* 1. (*rozdokazywać się*) to frolic <to gambol> without restraint 2. (*rozszaleć się*) to storm; to rage

rozigrany [z-i] [I] *pp* ↑ **rozigrać się** [II] *adj* 1. (*rozbawiony*) frolicking 2. *przen.* (*o fantazji itd.*) unrestrained

rozindyczyć [z-i] *v perf* [I] *vt* to get (sb) ratty; to put (**kogoś** sb's) monkey up; to enrage (sb) [II] *vr* **~ się** to get one's monkey up; to flare up

rozindyczony [z-i] [I] *pp* ↑ **rozindyczyć (się)** [II] *adj* ratty; in a huff; in high dudgeon

roziskrz|yć [z-i] *v perf* — **roziskrz|ać** [z-i] *v imperf* [I] *vt* to set (sth) sparkling; to make (sth) sparkle [II] *vr* **~yć, ~ać się** to sparkle; to shine; (*o oczach*) to kindle (*vi*); **~one niebo** starlit sky <firmament>

roziskrzony [z-i] [I] *pp* ↑ **roziskrzyć** [II] *adj* sparkling; bright

rozjadać się *vr imperf* — **rozj|eść się** *vr perf* **~em się, ~e się, ~edzą się, ~adł się, ~edli się** *pot.* to tuck in

rozjarzmi|ć *vt perf* **~j** *rz.* to unyoke (the oxen etc.)

rozjarzony [I] *pp* ↑ **rozjarzyć** [II] *adj* glowing; bright; blazing; ablaze

rozjarz|yć *v perf* — **rozjarz|ać** *v imperf* [I] *vt* to light up [II] *vr* **~yć, ~ać się** to be lit up; to shine; to glow

rozjaśni|ć *v perf* — **rozjaśni|ać** *v imperf* [I] *vt* 1. (*uczynić jasnym*) to light up; to shed some light (**coś** on sth); to make (sth) brighter; **~ć, ~ać**

lampę naftową <gazową> to turn up a paraffin lamp <the gas>; **~ć, ~ać włosy** to peroxide one's hair 2. (*rozpromienić*) to brighten (sb's face) 3. † (*wyświetlić*) to clear up (a mystery, a situation); to elucidate <to clarify> (a question); to throw some light (**sprawę** on a matter) [II] *vr* **~ć, ~ać się** 1. (*stać się jasnym*) to lighten; to brighten up; to clear up; **~ło się** it <the sky, the weather> cleared 2. (*rozpromienić się*) to light up; to brighten 3. *pot.* (*stać się jasnym*) to become clear

rozjaśnieni|e *sn* 1. ↑ **rozjaśnić** 2. *pl* **~a** *meteor.* clear patches; bright intervals

rozj|azd *sm G.* **~azdu** *DL.* **~eździe** 1. *pl* **~azdy** (*podróże*) travelling; travels; journeys; trips; **być w ~azdach** to be travelling; to be out of town 2. *techn.* crossover; junction; slip; turn-out

rozjazgo|tać się *vr perf* **~cze <~ce> się** *pot.* to grow boisterous

rozjątrzać *zob.* **rozjątrzyć**

rozjątrzenie *sn* 1. ↑ **rozjątrzyć** 2. (*wzburzenie*) irritation; exasperation; exacerbation; embitterment

rozjątrz|yć *v perf* — **rozjątrz|ać** *v imperf* [I] *vt* 1. (*wzburzyć*) to embitter (**kogoś przeciw komuś** sb against sb) 2. (*rozzłościć*) to irritate; to exasperate; to exacerbate; to embitter [II] *vr* **~yć, ~ać się** 1. (*wpaść w gniew*) to be irritated <exasperated, exacerbated> 2. (*o sporze itd. — zaostrzyć się*) to become aggravated <envenomed> 3. (*o ranie*) to start festering; to ulcerate; to fester

rozj|echać *v perf* **~adę, ~edzie, ~adą, ~edź** — **rozj|eżdżać** *v imperf* [I] *vt* to run over (sb) [II] *vr* **~echać, ~eżdżać się** 1. (*porozjeżdżać się*) to go their several ways; to disperse; to break up; to part 2. (*rozsunąć się na boki*) to go each in a different direction; to go apart <in all directions>

rozjemca *sm* (*decl = sf*) mediator; arbitrator

rozjemczy *adj prawn.* mediatory; **sąd ~** arbitration court, court of arbitration

rozjemstwo *sn singt prawn.* arbitration; mediation

rozjeść *zob.* **rozjadać**

rozje|ździć *v perf* **~żdżę, ~żdżony** — **rozje|żdżać** *v imperf* [I] *vt* 1. (*uszkodzić nawierzchnię*) to damage (a road) by use 2. (*zniszczyć pojazd*) to dilapidate <to batter down> (a vehicle); **~żdżony** dilapidated; battered down; ramshackle; tumbledown [II] *vr* **~ździć, ~żdżać się** 1. (*zacząć wciąż jeździć*) to start travelling; (*wciąż jeździć*) to be for ever travelling 2. (*o pojeździe*) to become dilapidated <battered down>

rozjeżdżać *zob.* **rozjechać, rozjeździć**

rozjęcz|eć się *vr perf* **~y się** 1. (*zacząć jęczeć*) to start moaning <groaning> 2. (*rozbrzmieć jękiem*) to be filled with moans <groans>

rozjuczyć *vt perf* to unburden (a mule, horse etc.)

rozjuszać *zob.* **rozjuszyć**

rozjuszenie *sn* 1. ↑ **rozjuszyć** 2. (*gniew*) rage; fury; exasperation

rozjuszony [I] *pp* ↑ **rozjuszyć** [II] *adj* enraged; rabid; furious; with his hackles up

rozjusz|yć *v perf* — **rozjusz|ać** *v imperf* [I] *vt* to infuriate; to enrage; to exasperate; to stir (**kogoś** sb's) blood [II] *vr* **~yć, ~ać się** to fly into a rage; to flare up

rozkapry|sić *v perf* **~szę, ~szony** — **rozkapry|szać** *v imperf* [I] *vt* to indulge (**kogoś** in sb's whims) [II] *vr* **~sić, ~szać się** to become moody <cross-grained, peevish>; to start showing moods <bad temper>; to start fussing

rozkaprysz enie *sn* 1. ↑ **rozkaprysić** 2. (*nastrój*) bad temper; peevishness; fussiness

rozkapryszony [I] *pp* ↑ **rozkaprysić** [II] *adj* moody; cross-grained; peevish; bad-tempered; fussy

rozkartkować *vt perf* to embody (sth) in a card system; to make a card index (**coś** of sth)

rozka|słać <rozka|szlać> się *vr perf* **~słała <~szlała, ~szle> się** to have a fit of coughing

rozkawałkować *vt perf* to break up; to split up; to take to pieces; to disintegrate

rozkawałkowanie *sn* (↑ **rozkawałkować**) disintegration; *techn.* disaggregation

rozkaz *sm G.* **~u** (*nakaz*) order; command; bidding; (*polecenie*) orders; *wojsk.* **księga ~ów (pułku itd.)** orderly book; **zrobione na czyjś ~** done at sb's order <by order of sb>; **jestem na ~** I am at your bidding <yours to command>; **mam ~ nikogo nie wpuszczać** orders are to let no one in; **mam ~ tu zostać** I have orders to stay here; **nie przyjmę ~ów od nikogo** I won't be dictated to; **~ to ~** orders are orders; **spełnić ~** to obey orders; **pod czyimiś ~ami** under sb's authority; *wojsk.* **~!** right!; yes Sir!

rozka|zać *v perf* **~żę, ~ż** — **rozkazywać** *v imperf* [I] *vt vi* to order <to command> (**komuś, żeby coś zrobił** sb to do sth) [II] *vi imperf* to give an order <orders>, to command; to be in command <in authority>; to lay down the law; to order people about; *pot.* to rule the roast

rozkazodawca *sm* (*decl = sf*) the one in command

rozkazodawczy *adj* imperious; peremptory

rozkazodawstwo *sn singt* the issuing of orders

rozkazująco *adv* imperatively; peremptorily; imperiously; overbearingly

rozkazujący *adj* imperative; peremptory; imperious; overbearing; domineering; **ton ~** peremptoriness; *gram.* **tryb ~** the imperative (mood)

rozkazywać *zob.* **rozkazać**

rozkaźnik *sm jęz.* the imperative (mood)

rozkaźnikowy *adj* imperative

rozkiełz(n)|ać *vt perf* — **rozkiełz(n)|ywać** *vt imperf* 1. (*wyjąć koniowi wędzidło*) to unbridle; **~any** *dosł. i przen.* unbridled; *przen.* licentious; profligate; dissolute 2. *przen.* to unchain; to let loose

rozkiełz(n)anie *sn* 1. ↑ **rozkiełz(n)ać** 2. (*rozpasanie*) licentiousness; profligacy; dissoluteness

rozkisać *vi imperf* — **rozki|snąć** *vi perf* **~śnie, ~sł** 1. (*zamienić się w bagno*) to become slushy; to turn into a slush 2. (*rozlewać się*) to become glutinous <semi-fluid, semi-liquid>

rozkisły [I] *pp* ↑ **rozkisnąć** [II] *adj* 1. (*rozmiękły*) slushy; (*rozlewający się*) glutinous; semi-fluid; semi-liquid 2. *pot.* (*apatyczny*) listless; (*skwaszony*) soured; discontented

rozkisnąć *zob.* **rozkisać**

rozkiwa|ć *v perf* [I] *vt* 1. (*obluzować*) to loosen (a tooth etc.) 2. (*wprawić w ruch wahadłowy*) to set swinging <rocking>; to set in motion [II] *vr* **~ć się** 1. (*o zębie itd. — obluzować się*) to come loose 2. (*rozkołysać się*) to swing; to rock; to sway; **~ny** swinging; rocking; swaying

rozklap|ać *v perf* **~ie** — **rozklap|ywać** *v imperf* [I] *vt* 1. (*rozdeptać*) to wear down (boots) 2. (*roz-

płaszczyć) to bash (in) [II] *vr* **~ać, ~ywać się** to get worn down

rozkla|skać się *vr perf* **~ska** <**~szcze**> **się** to applaud <to clap> enthusiastically

rozklasyfikować *vt perf* to classify

roz|kląć się *vr perf* **~eklnę się, ~eklnie się, ~eklnij się, ~klął się, ~klęła się, ~klęty** *pot.* to swear like hell

rozkle|ić *v perf* **~ję, ~j, ~jony — rozkle|jać** *v imperf* [I] *vt* 1. (*rozlepić*) to stick (**afisze itd. po mieście** bills etc. all over the town) 2. (*rozdzielić w miejscu sklejenia*) to unstick; to unglue 3. *kulin.* to cook <to boil> (sth) into a pulp [II] *vr* **~ić, ~jać się** 1. (*odlepić się*) to get <to come> unstuck 2. *kulin.* to boil (*vi*) into a pulp 3. *pot.* (*stracić panowanie nad sobą*) to go to pieces

rozklejenie *sn* ↑ **rozkleić**

rozkleko|tać *v perf* **~cze** <**~ce**> *pot.* [I] *vt* 1. (*zniszczyć*) to batter; to dilapidate 2. (*rozstroić*) to unnerve <to unstring> (sb); **~tać komuś głowę** to din sth in sb's ears; to split sb's head [II] *vr* **~tać się** 1. (*zacząć klekotać*) to start clattering 2. (*mocno klekotać*) to clatter away

rozklekotanie *sn pot.* ↑ **rozklekotać** 1. (*zniszczenie*) dilapidated state; ricketiness; shakiness 2. (*rozstrojenie*) unstrung nerves

rozklekotany [I] *pp* ↑ **rozklekotać** [II] *adj pot.* 1. (*zniszczony*) dilapidated; battered; rickety; shaky; groggy; ramshackle; tumbledown; **~ wóz** rattle-trap 2. (*o nerwach — rozstrojony*) unstrung; (*o człowieku*) unnerved

rozklep|ać *vt perf* **~ie — rozklepywać** *vt imperf* 1. (*rozpłaszczyć*) to planish (metal) 2. = **rozklapać** 1.

rozklinować *vt perf* — **rozklinowywać** *vt imperf* 1. (*poszerzyć*) to wedge (sth) apart <open> 2. (*wyjąć klin*) to unwedge

rozkła|d *sm G.* **~du** 1. (*porządek*) schedule; time-table (of school work etc.); **~d jazdy** time-table; railway guide; *am.* trains schedule; **przybyć według ~du** to arrive on schedule 2. (*rozmieszczenie*) disposition; distribution; arrangement; repartition 3. *biol.* decay; decomposition; disintegration; putrefaction 4. *przen.* (*rozpadnięcie się*) disintegration; **będący w ~dzie** putrescent; **~d moralny** corruption; **ulegać ~dowi** to decay; to putrefy; to rot; **w stanie ~du** in decay; decaying 5. *chem.* decomposition; dissolution; resolution; breakdown 6. *techn.* (stress etc.) distribution; resolution (of forces); *mat.* **~d na czynniki** factoring 7. *myśl.* distribution of the kill

roz|kładać *v imperf* — **roz|łożyć** *v perf* **~łóż** [I] *vt* 1. (*rozpościerać*) to spread (a tablecloth, blanket etc.); to unfold (a letter etc.); (*o drzewie*) to spread (its branches); (*o ptaku*) to spread out (its wings); **~kładane łóżko** folding bed; **~kładać, ~łożyć namiot** <**obóz**> to pitch a tent <a camp>; **~kładać, ~łożyć ognisko** to light a bonfire; **~kładać, ~łożyć ramiona** a) (*na powitanie*) to open one's arms b) (*w bezradności*) to spread one's arms (in a gesture of helplessness) 2. (*rozmieszczać*) to lay out <to put, to arrange> (objects on a table etc.) 3. (*rozplanować*) to dispose (objects on a certain area); to divide <to distribute> (**wydatek itd. między wiele osób** an expense etc. among a number of people); to spread (**pracę na dany przeciąg czasu** a task over a period of time); **~kładać, ~łożyć płatność na raty** to arrange instalments for a payment 4. (*rozbierać na części*) to take (sth) to pieces 5. *perf* (*obalić*) to bring <to knock> (sb) down (to the ground); to have <to send> (sb) sprawling 6. *chem.* to dissolve; to resolve; to decompose; **~kładać, ~łożyć coś na części (składowe)** to reduce sth to its elements; *mat.* **~kładać na czynniki** to factorize 7. *biol.* to putrefy; to decompose 8. *przen.* (*działać demoralizująco*) to corrupt [II] *vr* **~kładać, ~łożyć się** 1. (*kłaść się*) to lie down; **~łożony na wznak** lying on his back 2. *przen.* (*o dymie, roślinach itd.*) to spread (*vi*) 3. (*o grupie osób — rozlokować się*) to encamp; (*także* **~łożyć się biwakiem**) to bivouac; **~kładać się z towarem** to spread one's wares 4. *przen.* (*zajmować pewną przestrzeń; rozpościerać się*) to spread (*vi*); **jej ręce składały się i ~kładały** she clasped and unclasped her hands 5. (*doznać niepowodzenia*) to fail 6. (*dzielić się*) to be divided; *chem.* to decompose <to dissolve, to separate> (*vi*) 7. *biol.* to decay; to putrefy <to decompose> (*vi*); to rot 8. *przen.* to disintegrate

rozkładająco *adv* destructively; corruptively

rozkładalny *adj* dissolvable; resoluble

rozkładanie *sn* 1. ↑ **rozkładać** 2. (*rozmieszczanie*) arrangement; disposition 3. (*rozplanowanie*) disposal; division; distribution 4. *chem.* dissolution; resolution; decomposition 5. *biol.* putrefaction; decomposition 6. **~ się** (*rozlokowanie się*) encampment 7. **~ się** (*rozpościeranie się*) spread 8. **~ się** (*dzielenie się*) division; *chem.* decomposition; dissolution 9. **~ się** *biol.* decay; putrefaction; decomposition 10. **~ się** *przen.* disintegration

rozkładowy *adj* 1. (*o mieszkaniu*) well-planned; well distributed 2. *biol.* putrefactive 3. *przen.* (*destrukcyjny*) destructive 4. *chem. fiz.* dissolving; dissolvent

rozkłóc|ić *vt perf* **~ę** to stir (a liquid); to beat up (a yolk etc.)

rozkoch|ać *v perf* — *rz.* **rozkoch|iwać** *v imperf* [I] *vt* to enamour; **~ać kogoś w sobie** to infatuate sb; to capture sb's affections [II] *vr* **~ać, ~iwać się** 1. (*zakochać się mocno*) to become infatuated (**w kimś** with sb); to fall head over ears <over head and ears> in love (**w kimś** with sb) 2. *przen.* (*bardzo coś lubić*) to develop a passion (**w czymś** for sth)

rozkochany [I] *pp* ↑ **rozkochać** [II] *adj* 1. (*kochający*) in love (**w kimś** with sb) 2. (*wyrażający miłość*) loving (care, look etc.)

rozkochiwać *zob.* **rozkochać**

rozkojarzenie *sn singt med.* dissociation

rozkojarzyć *vt perf* to dissociate

rozkoleb|ać *vt perf* **~ie** *lit.* to set swinging <rocking>; **~any** swinging; rocking

rozkolportować *vt perf* to distribute (propaganda literature)

rozkołys *sm G.* **~u** swinging motion; *mar.* swell

rozkoły|sać *v perf* **~sze — rozkoły|sywać** *v imperf* [I] *vt* 1. (*wprawić w ruch kołyszący*) to set (sth) swinging <rocking>; to set (sth) in motion; (*o wietrze*) to toss (trees); *dosł. i przen.* to agitate 2. (*mocno kołysać*) to swing (sth) with great force [II] *vr* **~sać, ~sywać się** to get (properly) swinging; to rock; (*o zbożu na wietrze*) to wave; (*o tłumie, morzu*) to surge; (*o morzu*) to roll

rozkołysany [I] *pp* ↑ **rozkołysać** [II] *adj* swinging; rocking; (*o drzewie*) being tossed (by the wind); (*o tłumie, morzu*) surging

rozkonspirować *v perf* [I] *vt* to unmask; to expose [II] *vr* **~ się** to throw off the mask; *polit.* to come out of hiding

rozkop *sm G.* **~u** 1. (*wykop*) pit; crater; hollow (dug out in the ground) 2. *pl* **~y** (*rozkopywanie*) excavations

rozkop|ać *v perf* **~ie** — **rozkop|ywać** *v imperf* [I] *vt* 1. (*zryć*) to dig (the earth, a grave etc.); to dig up (a treasure etc.); to tear <to rip> up (a road, street); to make excavations (**jakiś obszar** in an area); **~ana mogiła** open grave 2. (*rozrzucić nogami*) to tumble (a bed); to turn (everything) upside down [II] *vr* **~ać, ~ywać się** to tumble (one's bed <bedclothes>); (*o dziecku*) to kick one's bedclothes off; to get uncovered

rozkopalisko *sn* = **rozkopisko**

rozkopcować *vt perf* — **rozkopcowywać** *vt imperf* to take (potatoes etc.) out of a clamp

rozkopisko *sn* excavated area

rozkopywać *zob.* **rozkopać**

rozkosz *sf pl N.* **~e** 1. *singt* (*upojenie, radość*) bliss; joy; rapture; **prawdziwa ~** a treat; **~ płciowa** sensual pleasure; lust; **poszukujący ~y** (a) voluptuary; **to była ~** it was bliss <a real delight>; **znajdować ~ w czymś <w robieniu czegoś>** to delight <to revel> in sth <in doing sth>; **zrobiłbym to z ~ą** I should love to do it; **z ~ą coś robić** to be happy to do sth; **z ~ą to zrobię** I shall be happy to do it <to do so>; I shall do it <so> with all the pleasure in life 2. (*rzecz przyjemna*) pleasure; joy; delight; luxury; *pl* **~e** pleasures; joys; amenities; **~e życia** creature comforts; **zamiłowanie do ~y tego świata** worldliness; **zażywać wszelkich ~y życia** to enjoy oneself to the utmost

rozkosznie *adv* delightfully; exquisitely; deliciously; voluptuously; **było ~** it was delightful

rozkoszny *adj* delightful; exquisite; lovely; luscious; sweet (music, fragrance etc.); delectable (poetry, reading etc.); delicious (taste etc.); *żart.* **~ kapelusik <ogródek itd.>** a love of a hat <garden etc.>

rozkoszować się *vr imperf* to delight <to revel> (**czymś** in sth); to relish (**czymś** sth); to bask (**słońcem, ciepłem itd.** in the sun, warmth etc.); to luxuriate (**dobrobytem itd.** in opulence etc.); **~ się pięknym widokiem** to feast one's eyes on a beautiful view; **~ się widokiem cierpień** to gloat over <on> the sight of suffering

rozkracz|yć *v perf* — **rozkracz|ać** *v imperf* [I] *vt* to straddle (one's legs); **~yć, ~ać nogi** to stand astride <astraddle>; **~ony** astride; astraddle; with legs apart [II] *vr* **~yć, ~ać się** to stand astraddle <astride>; **~yć, ~ać się nad czymś, kimś** to bestride sth, sb

rozkra|dać *vt imperf* — **rozkra|ść** *vt perf* **~dnę, ~dnie, ~dł, ~dziony** to steal (everything) away

rozkr|ajać *vt perf* **~aje, rozkr|oić** *vt perf* **~oję, ~ój, ~ojony** — **rozkrawać** *vt imperf* to cut (in two, into bits); to slice (a loaf etc.); to divide <to sever> (with a knife); **... nie były ~ajane ...** held together

rozkraść *zob.* **rozkradać**

rozkrawać *zob.* **rozkrajać**

rozkręc|ać *v imperf* — **rozkręc|ić** *v perf* **~ę** [I] *vt* 1. (*prostować coś zwiniętego*) to untwist; to unwind <to unreel> (thread etc.); **~ać, ~ić komuś włosy** to put sb's hair out of curl 2. (*demontować*) to take (a mechanism etc.) to pieces; to unscrew (parts of a mechanism etc.); to loosen <to unbolt> (a screw) 3. *pot.* (*puszczać w ruch*) to set (sth) going <working> [II] *vr* **~ać, ~ić się** 1. (*prostować swoje skręty*) to untwist <to unwind> itself; to come untwisted; (*o szpulce*) to unreel (*vi*); (*o zegarze*) to run down; (*o włosach*) to go out of curl 2. (*o mechanizmie — ulegać rozregulowaniu wskutek odkręcenia się*) to come unscrewed; to go loose 3. *pot.* (*pozbywać się skrępowania*) to get into the swing; *sport* to warm up 4. (*rozwijać się pomyślnie*) to get going

rozkręcony [I] *pp* ↑ **rozkręcić** [II] *adj* untwisted; unwound; (*o włosach*) out of curl; (*o zegarze*) run down; (*o mechanizmie*) loosened; unscrewed

rozkrochmalić *v perf pot.* [I] *vt* to thaw out (**kogoś** sb's <people's>) reserve [II] *vr* **~ się** to thaw; to come out of one's shell

rozkroczny *adj sport* **przysiad ~** knee-bending

rozkroczyć (się) *vt vr perf* = **rozkraczyć (się)**

rozkroić *zob.* **rozkrajać**

rozkrok *sm G.* **~u** position with legs astride; **stać w ~u** to stand astride

rozkrusz|ać *v imperf* — **rozkrusz|yć** *v perf* [I] *vt* to crumble; to grind; to disintegrate [II] *vr* **~ać, ~yć się** to crumble <to disintegrate> (*vi*)

rozkrusz|ek *sm G.* **~ka** *zool.* (*Tyroglyphus*) mite; **~ek mączny** (*Tyroglyphus farinae*) flour mite

rozkruszenie *sn* (↑ **rozkruszyć**) disintegration

rozkruszyć *zob.* **rozkruszać**

rozkrwawi|ć *v perf* — **rozkrwawi|ać** *v imperf* [I] *vt* to set (a wound etc.) bleeding; **~ć komuś wargę, nos** to bloody sb's lip, nose [II] *vr* **~ć, ~ać się** to start bleeding

rozkry|ć *v perf* **~je, ~ty** — **rozkry|wać** *v imperf* to uncover; to disclose (one's thoughts etc.); to open (one's heart) [II] *vr* **~ć, ~wać się** to throw off one's bedclothes; to uncover oneself

rozkrzaczyć się *vr perf* to spread (*vi*)

rozkrzewi|ać *v imperf* — **rozkrzewi|ć** *v perf* [I] *vt* 1. (*propagować*) to propagate; to diffuse (knowledge etc.) 2. *ogr.* to layer (plants, vines) [II] *vr* **~ać, ~ć się** to grow; to develop

rozkrzewienie *sn* ↑ **rozkrzewić** 1. (*propagowanie*) propagation; diffusion 2. *ogr.* layerage 3. **~ się** (*rozrastanie się*) growth

rozkrzyczany [I] *pp* ↑ **rozkrzyczeć (się)** [II] *adj* shouting; vociferating; clamorous

rozkrzycz|eć *v perf* **~y** [I] *vt* to noise abroad; to proclaim from the house-tops [II] *vr* **~eć się** 1. (*zacząć krzyczeć*) to raise a cry 2. (*mocno krzyczeć*) to shout; to vociferate; to yell

rozkrzyżow|ać *v perf* — **rozkrzyżow|ywać** *v imperf* [I] *vt* 1. (*rozłożyć ramiona*) to spread out (one's arms) 2. (*przybić do krzyża*) to crucify [II] *vr* **~ać, ~ywać się** 1. (*o człowieku*) to spread out one's arms 2. (*o ramionach, skrzydłach*) to spread out (*vi*)

rozkrzyżowany [I] *pp* ↑ **rozkrzyżować** [II] *adj* (*o człowieku*) with arms outstretched <outspread>; (*o ramionach itd.*) outspread

rozkrzyżowywać *zob.* **rozkrzyżować**

rozkucie *sn* ↑ **rozkuć**

rozku|ć *v perf* **~je, ~ty — rozku|wać** *v imperf* [I] *vt* 1. (*uwolnić z więzów*) to unfetter <to unchain> (a convict etc.); to unshoe (a horse) 2. (*rozklepać*) to hammer out (a metal) [II] *vr* **~ć, ~wać się** 1. (*uwolnić się z więzów*) to burst one's fetters 2. (*ulec spłaszczeniu przez kucie*) to be hammered; *imperf* to be malleable

rozkudłać *v perf* [I] *vt* to ruffle <to dishevel> (sb's hair) [II] *vr* **~ się** to ruffle <to dishevel> one's hair

rozkudłany [I] *pp* ↑ **rozkudłać** [II] *adj* dishevelled; unkempt

rozkulbaczać *vt imperf* — **rozkulbaczyć** *vt perf* to unsaddle

rozkulić *v perf* [I] *vt* to unbend (sth) [II] *vr* **~ się** to unbend (*vi*)

rozkupić *vt perf* — **rozkupywać** *vt imperf*, **rozkupować** *vt imperf* to buy up

rozkurcz *sm G.* **~u** diastole

rozkurcz|ać *v imperf* — **rozkurcz|yć** *v perf* [I] *vt* to unclench (one's fist); to loosen (one's muscles) [II] *vr* **~ać, ~yć się** to unclench <to loosen> (*vi*); (*o jeżu*) to unroll itself

rozkurczowy *adj med.* diastolic

rozkurczyć *zob.* **rozkurczać**

rozkuwać *zob.* **rozkuć**

rozkwa|sić *vt perf* **~szę, ~szony** — *rz.* **rozkwaszać** *vt imperf* 1. (*rozmoczyć*) to soak; to drench 2. *pot.* (*rozbić*) to smash (sb's nose etc.)

rozkwaterować *v perf* [I] *vt* to quarter <to canteen, to billet> (troops) [II] *vr* **~ się** 1. (*zająć kwaterę*) to be quartered <billeted>; to take up quarters 2. (*rozgospodarować się*) to settle down; (*rozgościć się*) to make oneself at home

rozkwaterowanie *sn* (↑ **rozkwaterować**) quarters

rozkwicz|eć się *vr perf* **~y się** 1. (*zacząć kwiczeć*) to start squeaking 2. (*mocno kwiczeć*) to squeak piercingly

rozkwiec|ić *v perf* **~ę — rozkwiec|ać** *v imperf lit.* [I] *vt* to deck out <to adorn> with flowers [II] *vr* **~ić, ~ać się** to flower; to bloom; to blossom

rozkwiecony [I] *pp* ↑ **rozkwiecić** [II] *adj* 1. (*ukwiecony*) decked out <adorned> with flowers; strewn with flowers 2. (*rozwinięty w kwiat*) in bloom; blooming; blossoming

rozkwilony *adj* (*o dziecku*) wailing; whimpering; (*o ptaku*) twittering

rozkwit *sm G.* **~u** 1. *bot.* efflorescence; bloom 2. (*rozrost*) rise (of a nation etc.) 3. (*pełnia rozwoju*) full bloom; prime <flush> (of beauty etc.)

rozkwitać *vi imperf* — **rozkwit|nąć** *vi perf* **~ł** 1. *bot.* to bloom; to blossom; to open; *perf* to burst into flower 2. *przen.* (*pomyślnie się rozwijać*) to flourish 3. *przen.* (*o uśmiechu, rumieńcu*) to beam; to light up (**na czyjejś twarzy** sb's face)

rozl|ać *v perf* **~eje, ~ali <~eli> — rozl|ewać** *v imperf* [I] *vt* 1. (*spowodować rozpłynięcie się*) to spill; to slop 2. (*rozchlapać*) to splash 3. *przen.* to diffuse <to shed> (warmth, a fragrance etc.) 4. (*wlać do naczyń*) to pour out (tea, wine etc.); to ladle out <to help> (the soup etc.); **~ać, ~ewać wino do butelek** to bottle wine [II] *vi* (*o rzece*) to overflow (its banks) [III] *vr* **~ać, ~ewać się** 1. (*rozpłynąć się*) to flow; to run out (**po stole, podłodze itd.** on the table, floor etc.); to run (**komuś po brodzie itd.** over sb's chin <beard> etc.); to spread 2. (*o atramencie — tworzyć zacieki*) to spread 3. *przen.* (*o rumieńcu*) to suffuse <to flush> (**na czyjejś twarzy** sb's face) 4. (*o rzece*) to overflow 5. *imperf* (*o deszczu*) to set in; **~ało się na dobre** the rain (has) set in

rozlanie *sn* ↑ **rozlać; ~ się rzeki** overflow of a river

rozlany [I] *pp* ↑ **rozlać** [II] *adj* 1. (*otyły*) bloated 2. (*nieostry, niewyrazisty*) woolly; fuzzy 3. *med.* diffuse

rozlasować *vt perf* to slake (lime); to levigate (clay)

rozlatać się *vr perf* to run about

rozlatany *adj* shaky; shaking; trembling; quivering

rozl|atywać się *vr imperf* — *rz.* **rozl|atać się** *vr perf*, **rozl|ecieć się** *vr perf* 1. (*o ptakach, owadach*) to fly away; to scatter 2. (*o ludziach, zwierzętach — udawać się w różne miejsca*) to disperse; to scatter; (*biec w różne strony*) to run <to scamper> away; **nie ~atywać się** to keep together 3. (*rozpadać się*) to go <to fall, to come> to pieces; to fly in pieces; to burst <to come> asunder; to shatter <to smash> (*vi*); to get shattered <smashed>

rozlazłość *sf singt* 1. (*brak jędrności*) flaccidity; looseness 2. *pot.* (*u człowieka*) sloppiness; slouch; languidness

rozlazły *adj* 1. (*pozbawiony jędrności*) flaccid; loose 2. (*rozlewający się*) spread out 3. *pot.* (*o człowieku — niemrawy*) sloppy; slouching; languid

rozle|c się <rozle|gnąć się> *vr perf* **~gnie się, ~gł się — rozlegać się** *vr imperf* 1. (*dać się słyszeć*) to (re)sound; to reverberate; to meet the ear; to burst upon the ear; (*o huku*) to roll; (*o głosie dzwonów*) to peal 2. (*rozpostrzeć się*) to spread; to stretch; to extend 3. (*ukazać się oczom*) to meet the eye; (*o krajobrazie itd.*) to unfold (*vi*); to unfold itself

rozlecieć się *zob.* **rozlatywać się**

rozlegać się *zob.* **rozlec się**

rozlegle *adv* (*na wielką skalę*) on a large scale; widely

rozległość *sf singt* 1. (*obszar*) expanse; (*wielka przestrzeń*) extensiveness; vastness; immensity 2. (*zakres*) extent; range; scope

rozległy *adj* 1. (*obszerny*) extensive; vast; immense 2. (*mający wielki zakres*) wide; broad; wide-spread; far-flung; extensive (knowledge etc.); wide <far-reaching> (influence, views etc.); vast (reading etc.)

rozlegnąć się *zob.* **rozlec się**

rozleniwi|ać *v imperf* — **rozleniwi|ć** *v perf* [I] *vt* to induce (one) to laziness <to sloth>; **~ająca pogoda** slack weather [II] *vr* **~ać, ~ć się** to grow lazy; to abandon oneself to <to drift into> laziness <to sloth>; to slacken

rozleniwie|ć *vi perf* **~je = rozleniwić** *vr*

rozleniwienie *sn* (↑ **rozleniwić**) laziness; sloth

rozlepiacz *sm pot.* bill-poster; bill-sticker

rozlepiać *vt imperf* — **rozlepić** *vt perf* 1. (*lepiąc umieszczać*) to stick <to post up, to paste up> (bills etc.) 2. (*rozłączyć coś zlepionego*) to unstick (sheets of paper etc.)

rozlepianie *sn* ↑ **rozlepiać; ~ afiszów** bill-posting; bill-sticking

rozlew *sm G.* **~u** 1. (*wylanie*) overflow 2. (*powódź*) flood; inundation; **~ krwi** bloodshed 3. = **rozle-**

wisko 4. (*rozlewanie do butelek*) bottling (of wine etc.) 5. (*rozpłynięcie się*) spread(ing)

rozlewacz *sm* 1. (*robotnik*) bottler 2. *roln.* self-watering trough (of water-cart); **~ gnojówki** liquid manure spreader

rozlewaczka *sf* 1. (*robotnica*) bottler 2. *techn.* bottle filler; bottle-filling machine

rozlewać *zob.* **rozlać**

rozlewisko *sn* flood waters; overflow-arm (of a river)

rozlewnia *sf techn.* bottling works <plant, centre>

rozlewniczy *adj techn.* bottling ___ (machine etc.)

rozlewny *adj 1.* (*o rzece itd.*) widespread; extensive 2. *przen.* (*o stylu*) prolix; (*o muzyce, mowie*) drawn-out

roz|leźć się *vr perf* **~lezę się, ~lezie się, ~lazł się, ~leźli się — roz|łazić się** *vr imperf* **~łażę się** *pot.* 1. (*o owadach*) to crawl hither and thither; to spread right and left 2. (*o roślinach*) to sprawl 3. (*o ludziach*) to disperse slowly; to spread in all directions; *przen.* **~lazło się po kościach** it fizzled out; nothing came of it; it flashed in the pan 4. (*rozedrzeć się*) to be torn in tatters; to gape at the seams; (*rozpaść się*) to go <to fall> to pieces; to get rickety; *przen.* **pieniądze się ~lazły** the money melted away; **robota mu się ~łazi w rękach** he can never get a job properly done; he scamps his work

rozlicz|ać *v imperf* — **rozlicz|yć** *v perf* [I] *vt* to reckon up; to calculate <to work out> (a cost, charges etc.) [III] *vr* **~ać, ~yć się** 1. (*dokonać obrachunku*) to account (**z pieniędzy** for money spent) 2. (*rozrachować się*) to clear <to settle, to square> accounts (**z kimś** with sb); *dosł. i przen.* **~ać, ~yć się z kimś** to square up with sb

rozliczenie *sn* (↑ **rozliczyć**) settlement <clearing> of accounts

rozliczeniowy *adj* clearing ___ (cheque etc.); settling ___ (day etc.)

rozliczny *adj lit.* 1. (*rozmaity*) various; manifold; different 2. (*liczny*) numerous

rozliczyć *zob.* **rozliczać**

rozlokow|ać *v perf* — **rozlokow|ywać** *v imperf* [I] *vt* 1. (*porozmieszczać*) to assign quarters <to give rooms> (**ludzi** to people); to quarter (troops); to put <to place, to arrange, to dispose> (furniture, goods etc.) 2. (*pousadawiać*) to distribute (people, things over an area) [III] *vr* **~ać, ~ywać się** to take up quarters; to find accommodation; to settle down; to occupy seats; to find room each for oneself

rozlokowanie *sn* (↑ **rozlokować**) arrangement <disposal, disposition> (of furniture, goods etc.); distribution (of people, things over an area)

rozlokowywać *zob.* **rozlokować**

rozlosować *vt perf* — **rozlosowywać** *vt imperf* to distribute <to award> (prizes etc.) by lot

rozlosowanie *sn* (↑ **rozlosować**) distribution <awards> by lot

rozlosowywać *zob.* **rozlosować**

rozlśniewać *vi imperf* 1. (*zaczynać lśnić*) to be lit up with bright lights 2. (*świecić*) to shine with bright lights

rozlutow|ać *v perf* — **rozlutow|ywać** *v imperf* [I] *vt* to unsolder [III] *vr* **~ać, ~ywać się** to get unsoldered

rozluzow|ać *v perf* — **rozluzow|ywać** *v imperf* [I] *vt* to loosen [III] *vr* **~ać, ~ywać się** to become <to come, to get> loose

rozluźni|ać *v imperf* — **rozluźni|ć** *v perf* [I] *vt* to loosen; to untighten; to unfasten; to relax; to slacken; to ease (straps, a belt etc.) [III] *vr* **~ać, ~ć się** to come loose; to relax <to slacken> (*vi*)

rozluźniarka *sf techn.* cotton opener

rozluźnić *zob.* **rozluźniać**

rozluźnienie *sn* (↑ **rozluźnić**) looseness; slackness; relaxation (of muscles etc.); laxity (of muscles, of discipline)

rozluźniony [I] *pp* ↑ **rozluźnić** [III] *adj* loose; slack; lax (morals, discipline)

rozładow|ać *v perf* — **rozładow|ywać** *v imperf* [I] *vt* 1. (*opróżnić z ładunku*) to unload (a cart, a gun etc.); to unburden (a horse etc.); *przen.* **~ać, ~ywać atmosferę** to relieve the tension 2. *fiz.* to discharge (a battery etc.) [III] *vr* **~ać, ~ywać się** *fiz.* 1. (*o przewodniku itd.*) to discharge (*vi*) 2. (*o akumulatorze itd.*) to run down

rozładowanie *sn* (↑ **rozładować**) (a) discharge

rozładowczy *adj* = **rozładunkowy**

rozładowywać *zob.* **rozładować**

rozładun|ek *sm G.* **~ku** unloading

rozładunkowy *adj* unloading ___ (dock etc.)

rozłajdaczyć *v perf* [I] *vt rz.* to debauch (sb) [III] *vr* **~ się** to give oneself up to debauch

rozłam *sm G.* **~u** break; division; split; scission; dissent

rozłam|ać *v perf* **~ie** — **rozłam|ywać** *v imperf* [I] *vt* to break (in two); to split [III] *vr* **~ać, ~ywać się** to break <to split> (in two) (*vi*)

rozłamanie *sn* (↑ **rozłamać**) (a) break

rozłamow|iec *sm G.* **~ca** advocate of a scission; dissenter

rozłamowy *adj* dissenting

rozłamywać *zob.* **rozłamać**

rozłazić się *zob.* **rozleźć się**

rozłącz|ać *v imperf* — **rozłącz|yć** *v perf* [I] *vt* to separate; to divide; to sever; to disunite; to disconnect; to uncouple [III] **~ać, ~yć się** to separate (*vi*); to part (with sb, sth); **nie ~ać się** to keep together

rozłączalny *adj* separable

rozłączenie *sn* 1. (↑ **rozłączyć**) separation; division; severance; disunion; disjunction 2. (*rozłąka*) separation

rozłącznie *adv* separately

rozłącznik *sm* hyphen

rozłączność *sf singt* separation

rozłączny *adj* 1. (*dający się rozłączyć*) separable 2. (*oddzielny*) separate

rozłączyć *zob.* **rozłączać**

rozłąka *sf* separation

rozłobuzować się *vr imperf* (*o dziecku*) to gambol <to frolic> without restraint; (*o starszym chłopcu*) to turn into an arrant scamp

rozł|oga *sf pl G.* **~óg** 1. *zob.* **rozłóg** 2. *myśl.* spread of deer's antlers

rozłogowy *adj ogr. bot.* stolonate

rozłożenie *sn* 1. ↑ **rozłożyć** 2. (*rozmieszczenie*) arrangement; disposition 3. (*rozplanowanie*) disposition; distribution; repartition 4. *chem.* dissolution; decomposition 5. *biol.* putrefaction; decomposition; decay 6. **~ się** (*rozlokowanie się* *obozem*) encampment 7. ~ **się** *chem.* decomposition; dissolution 8. ~ **się** *biol.* decomposition; decay; putrefaction 9. ~ **się** *przen.* disintegration

rozłożyć *zob.* **rozkładać**

rozłożysto *adv* widely; broadly

rozłożystość *sf singt* spread (of a tree etc.)

rozłożysty *adj* (*szeroki, rozległy*) extensive; (*o drzewie*) branchy; spreading; patulous; shaggy

rozłożyście *adv* = **rozłożysto**

rozł|óg *sm G.* **~ogu, rozł|oga** *sf pl G.* **~óg** 1. (*otwarta przestrzeń*) expanse; tract; wide stretch; open space 2. (*zw. pl*) *ogr. bot.* stolon; runner; offset

rozłup *sm G.* **~u** *bot.* 1. (*Crithmum*) samphire 2. = **rozłupka**

rozłup|ać *v perf* **~ie** — **rozłup|ywać** *v imperf* [I] *vt* 1. (*rozpłatać*) to split; to rip; to rive; to cleave 2. (*pozbawić twardej skorupy*) to crack (nuts etc.) [II] *vr* **~ać, ~ywać się** 1. (*rozpłatać się*) to split <to cleave> (*vi*); to cleave asunder; to laminate 2. (*pęknąć*) to crack (*vi*)

rozłup|ka *sf pl G.* **~ek** *bot.* schizocarp

rozłupnik *sm techn.* splitter

rozłupywać *zob.* **rozłupać**

rozłupywanie *sn* (↑ **rozłupywać**) lamination (of rocks etc.)

rozłzawić *v perf* [I] *vt* to move to tears; to draw tears (**kogoś** from sb's eyes) [II] *vr* ~ **się** to be moved to tears; to melt into tears

rozłzawiony [I] *pp* ↑ **rozłzawić** [II] *adj* tearful; in tears

rozmach *sm G.* **~u** 1. (*siła, moc*) force; swing; momentum; impetus; **uderzenie z ~u** swinging blow; blow delivered straight from the shoulder; **nabrać ~u** to gather momentum 2. (*dynamika*) force; dash; verve; spirit; vigour; *pot.* kick

rozmachać *vt perf* — *rz.* **rozmachiwać** *vt imperf* (*rozkołysać*) to set (sth) swinging *zob.* **rozmachiwać**

rozmachać się *vr perf, rz.* **rozmachnąć się** *vr perf* — *rz.* **rozmachiwać się** *vr imperf* (*nabrać rozmachu*) to gather momentum

rozmachiwać *vt imperf* 1. *zob.* **rozmachać** 2. (*machać*) to wave (**rękami, ramionami** one's hands, one's arms)

rozmaczać *zob.* **rozmoczyć**

rozmagnesow|ać *v perf* — **rozmagnesow|ywać** *v imperf* [I] *vt techn.* to demagnetize [II] *vr* **~ać, ~ywać się** to become demagnetized

rozmagnesowanie *sn* (↑ **rozmagnesować**) demagnetization

rozmaicie *adv* variously; in various <in different> ways; ~ **bywa** you never know; you can never tell

rozmaitoś|ć *sf* 1. *singt* (*różnorodność*) variety; miscellany; medley 2. (*urozmaicenie*) change 3. *pl* **~ci** (*różne rzeczy*) miscellany; sundries; **teatr ~ci** variety <vaudeville> theatre

rozmai|ty *adj* various; varied; different; diverse; sundry; miscellaneous; of various kinds; **~ci ludzie** different people; a variety of people; **~te przyczyny** various <a variety of> reasons

rozmakać *zob.* **rozmoknąć**

rozmamłany *adj,* **rozmamrany** *adj pot.* untidy; unkempt; in loose <disorderly> attire; presenting a slovenly appearance; unbuttoned

rozmarszcz|yć *v perf* — **rozmarszcz|ać** *v imperf* [I] *vt* (*rozfałdować*) to smooth out the creases (**coś** of sth); **~yć, ~ać czoło** to unbend <to unknit> one's brow [II] *vr* **~yć, ~ać się** to unbend <to unknit> one's brow

rozmaryn *sm G.* **~u** *bot.* (*Rosmarinus*) rosemary

rozmarynowy *adj* rosemary — (oil etc.)

rozmarzać[1] *zob.* **rozmarzyć**

rozmarzać[2] [r-z] *zob.* **rozmarznąć**

rozmarzająco *adv* languorously; inducing to dreamy moods

rozmarzanie [r-z] *sn* (↑ **rozmarzać**[2]) (the) thaw

rozmarzenie *sn* (↑ **rozmarzyć**) languor; dreaminess; reverie

rozmar|znąć [r-z] *vi perf* **~zł** — **rozmarzać** [r-z] *vi imperf* to thaw

rozmarznięcie [r-z] *sn* (↑ **rozmarznąć**) (the) thaw

rozmarz|yć *v perf* — **rozmarz|ać** *v imperf* [I] *vt* to induce (one) to dream; to make (one) languorous <dreamy> [II] *vr* **~yć, ~ać się** to abandon oneself to dreams; to fall into a dreamy mood

rozmasować *vt perf* to massage; to rub (sth) away

rozmawia|ć *vi imperf* to speak <to talk, to converse> (with sb); **oni nie ~ją ze sobą** they are no longer on speaking terms; **znamy się na tyle, że ~my ze sobą** we are speaking acquaintances

rozmaz *sm G.* **~u** *med.* (a) smear

rozma|zać *v perf* **~że** — **rozma|zywać** *v imperf* [I] *vt* 1. (*rozprowadzić*) to smear (**łzy na twarzy, plamę na papierze** tears over one's face, a stain over a sheet of paper); to daub (**farbę po czymś, szminkę po policzkach** something with paint, one's cheeks with rouge) 2. *przen.* (*rozdmuchać*) to let out (a secret); to noise abroad (an event etc.) 3. *pot.* (*pobudzać do płaczu*) to set (sb) blubbering [II] *vr* **~zać, ~zywać się** 1. (*stać się roztartym*) to be smeared 2. (*rozpłynąć się*) to spread 3. *przen.* (*stracić wyraźne kontury*) to blur (*vi*) 4. *pot.* (*rozpłakać się*) to start blubbering

rozmazga|ić *v perf* **~ję, ~j, ~jony — rozmazga|jać** *v imperf pot.* [I] *vt* to render (sb) soft-hearted <mawkish> [II] *vr* **~ić, ~jać się** to become soft-hearted <mawkish>

rozmazywać *zob.* **rozmazać**

rozmąc|ić *vt perf* **~ę** — **rozmącać** *vt imperf* to stir (a liquid); to beat up (eggs)

rozmiar *sm G.* **~u** 1. (*wielkość*) size; dimension(s); proportions; **małych ~ów** small-sized; midget; **sporych ~ów** fair-sized; good-sized; **wielkich ~ów** (*o budynku itd.*) of considerable proportions; (*o pomieszczeniu*) roomy; spacious; (*o pakunku itd.*) voluminous; bulky 2. (*zakres*) proportions; extent; scale; volume (of trade, exports etc.); **sprawa przybrała ~y ...** the affair assumed ... proportions

rozmiatać *zob.* **rozmieść**

rozmiażdżyć *vt perf* — *rz.* **rozmiażdżać** *vt imperf* to crush; to reduce to a pulp

rozmielenie *sn* ↑ **rozemleć**

rozmienić *vt perf* — **rozmieniać** *vt imperf* (*o pieniądzach*) to change (a bank-note etc.); to get the change (**banknot itd.** of a bank-note etc.); *pot.* to break (a bank-note)

rozmierzać *vt imperf* — **rozmierzyć** *vt perf* (*wymierzać*) to measure

rozmierzwić *vt perf* to ruffle <to tousle, to dishevel> (**komuś włosy** sb's hair)

rozmie|sić *vt perf* **~szę, ~szony** to knead

rozmieszać *vt perf* to mix

rozmieszczenie *sn* (↑ **rozmieścić**) distribution; arrangement

rozmie|ścić *v perf* **~szczę, ~szczony** — **rozmie|szczać** *v imperf* [I] *vt* to seat (people according to a plan); to assign places (**ludzi** to people); to place (people at different spots); to put (things in different places); to distribute <to dispose> (people, troops, objects on an area); to arrange <to collocate> (objects) [II] *vr* **~ścić, ~szczać się** to take seats <places, quarters>; **~ściliśmy się koło ognia** we sat down round the fire

rozmi|eść *vt perf* **~otę, ~ecie, ~ótł, ~otła, ~etli, ~eciony** — **rozmiatać** *vt imperf* to sweep <to scatter> (leaves, papers etc.) to right and left

rozmiękać *zob.* **rozmięknąć**

rozmiękczać *zob.* **rozmiękczyć**

rozmiękczenie *sn* ↑ **rozmiękczyć**; *med.* **~ mózgu** encephalomalacia; softening of the brain

rozmiękcz|yć *v perf* — **rozmiękcz|ać** *v imperf* [I] *vt* 1. (*uczynić miękkim*) to soften 2. (*rozmoczyć*) to soak; to steep 3. *przen.* (*rozrzewnić*) to soften [II] *vr* **~yć, ~ać się** to soften (*vi*)

rozmięk|nąć *vi perf* **~ł** — **rozmiękać** *vi imperf* 1. (*stać się miękkim*) to soften (*vi*) 2. (*rozmoknąć*) to get soaked <drenched>; to sop

rozmięknięcie *sn* ↑ **rozmięknąć**

rozmigo|tać się *vr perf* **~cze** <*rz.* **~ce**> **się** to flicker <to glimmer, to shimmer, to glisten> intensively

rozmijać się *zob.* **rozminąć się**

rozmiłow|ać *v perf* — **rozmiłow|ywać** *v imperf* [I] *vt lit. poet.* 1. (*wzbudzić miłość*) to win (**kogoś** sb's) affection; **~ać, ~ywać kogoś w sobie** to infatuate sb 2. (*wzbudzić zamiłowanie*) to infuse <to inspire> (**kogoś w czymś** sb with a love of <a fondness for> sth) [II] *vr* **~ać, ~ywać się** 1. (*nabrać zamiłowania*) to develop a love of <a fondness for> sth 2. *lit. poet.* (*zakochać się*) to become infatuated (**w kimś** with sb)

rozmiłowanie *sn* 1. ↑ **rozmiłować** 2. *rz.* (*upodobanie*) love of <fondness for> sth 3. (*zakochanie*) infatuation (**w kimś** with sb)

rozmiłowany [I] *pp* ↑ **rozmiłować** [II] *adj* infatuated (**w kimś, czymś** with sb, sth); **on jest ~ w muzyce** <**w sportach itd.**> he is an ardent lover of music <sport etc.>

rozmiłowywać *zob.* **rozmiłować**

rozmi|nąć się *vr perf* — **rozmi|jać się** *vr imperf* 1. (*przejść, przejechać obok siebie*) to pass (**z kimś** sb); **~nęliśmy się** we passed each other 2. *przen.* (*nie zauważyć*) to fail to notice (**z kimś** sb); (*nie być zauważonym*) to fail to attract (**z kimś** sb's) notice 3. (*nie spotkać się*) to fail to meet (**z kimś** sb); **listy się ~nęły** the letters crossed; **~nąć, ~jać się z celem** to be aimless; **~nąć się z powołaniem** to miss one's vocation; **~nąć się z prawdą** to swerve from the truth

rozminięcie się *sn* ↑ **rozminąć się**

rozminować *vt perf* — **rozminowywać** *vt imperf* to clear (an area) of mines; to sweep (the sea) for mines

rozmn|ażać *v imperf* — **rozmn|ożyć** *v perf* **~óż** [I] *vt* 1. (*powodować rozradzanie się*) to propagate; to reproduce; to breed 2. (*przysparzać*) to increase; to augment; to multiply [II] *vr* **~ażać, ~ożyć się** 1. (*rozradzać się*) to propagate <to reproduce, to breed, to multiply> (*vi*) 2. (*powiększać się liczebnie*) to multiply (*vi*); to increase in number; to become more numerous <more frequent>; to recur

rozmnażanie (się) *sn* ↑ **rozmnażać (się)**; propagation; reproduction; increase in number; recurrence; **~ bezpłciowe** asexual reproduction

rozmnoża *sf singt leśn. myśl.* 1. (*okres lęgu*) breeding season <time> 2. (*rozmnażanie się*) breeding; reproduction

rozmnożenie (się) *sn* ↑ **rozmnożyć (się)**; propagation; reproduction; increase in number; recurrence

rozmnożony [I] *pp* ↑ **rozmnożyć** [II] *adj* numerous

rozmnożyć *zob.* **rozmnażać**

rozmnóż|ka *sf pl G.* **~ek** (*zw. pl*) *bot.* asexual reproductive cell; spore

rozmoczyć *vt perf* — **rozmaczać** *vt imperf* to soak; to steep; to sodden

rozmoczony [I] *pp* ↑ **rozmoczyć** [II] *adj* soggy; sodden

rozmodlenie *sn* ecstasy of prayer

rozm|odlić się *vr perf* **~ódl się** to give oneself up to prayer; to be <to become> absorbed <rapt, engrossed> in prayer

rozmodlony [I] *pp* ↑ **rozmodlić się** [II] *adj* absorbed <rapt, engrossed> in prayer

rozm|oknąć *vi perf* **~ókł** — **rozmakać** *vi imperf* to get <to become> soaked <soggy, sodden>

rozmontować *vt perf* — **rozmontowywać** *vt imperf* to take to pieces; to dismount; to disassemble

rozmotać *vt perf* — **rozmotywać** *vt imperf* 1. (*rozwiązać*) to unwrap; (*rozplątać*) to disentangle; to unravel 2. (*odwinąć*) to unreel

rozmotalnia *sf techn.* (*maszyna*) silk reeling frame

rozmotywać *zob.* **rozmotać**

rozm|owa *sf pl G.* **~ów** conversation; talk; discourse; *pl* **~owy** (*pertraktacje*) negotiations; *dypl.* pourparlers; **banalna ~owa** small talk; **przedmiot wszystkich ~ów** the talk of the town; **~owa przy stole** table-talk; **~owa telefoniczna** (phone) call; **nawiązać ~owę z kimś** to enter into conversation with sb; **podtrzymywać ~owę** to feed a conversation; *przen.* to keep the pot boiling; **prowadzić ~owę z kimś** to be in conversation with sb; **prowadzić ~owy w sprawie pokoju** <**traktatu itd.**> to negotiate a peace <treaty etc.>

rozmownie *adv* talkatively; garrulously; **nastrajać ~** to induce (people) to conversation

rozmowność *sf singt* talkativeness; garrulousness; communicativeness

rozmowny *adj* talkative; garrulous; communicative

rozmówca *sm* (*decl = sf*) interlocutor; **mój ~** the person in conversation with me

rozmówczyni *sf* interlocutress, interlocutrix

rozmówić się *vr perf* 1. (*porozumieć się*) to make oneself understood (in a foreign language etc.); **nie można się z nim ~** one can't make him understand anything 2. (*pomówić*) to speak (with sb); to talk (**z kimś** to sb); to have a talk (with sb); **muszę się z tobą ~** I must have a word with you; **~ się z kimś w jakiejś sprawie** to talk sth over with sb; **~ się z kimś telefonicznie** to get through to sb on the phone

rozmów|ka *sf pl G.* **~ek** 1. (*pogawędka*) chat; *pot.* **uciąć z kimś ~kę** to have a chat with sb 2. *pl* **~ki** (*książka*) dialogues; conversation manual
rozmównica *sf* parlour; locutory
rozmrażać *vt imperf* — **rozmro|zić** *vt perf* **~żę** to thaw; to unfreeze; to defrost
rozmy|ć *vt perf* **~ję, ~ty** — **rozmywać** *vt imperf* to wash away
rozmydlić *vt perf* — **rozmydlać** *vt imperf* to make soap-suds (**wodę** of water)
rozmysł *sm G.* **~u** consideration; intent; intention; design; purpose; premeditation; **zrobić coś z ~em** to do sth of set purpose <with intent, in cold blood>; **zrobiony z ~em** premeditated; studied; **zrobiony bez ~u** undesigned; unpremeditated
rozmyślać *vi imperf* to meditate; to cogitate; to reflect; **~ czy** <**jak itd.**> **coś zrobić** to ponder whether <how etc.> to do sth; **~ nad czymś** to brood over sth; to turn sth in one's mind; to toy with an idea
rozmyślani|e *sn* 1. (↑ **rozmyślać**) meditation; cogitation; reflexion 2. *pl* **~a** *rel.* meditation; contemplation; self-communion
rozmyślenie się *sn* (↑ **rozmyślić się**) second thoughts; change of mind
rozmyślić się *vr perf* to change one's mind; to think better of it
rozmyślnie *adv* purposely; on purpose; deliberately; wittingly
rozmyślność *sf singt* deliberateness; premeditation
rozmyślny *adj* deliberate; intentional; calculated; wilful (murder, waste etc.); wanton (destruction etc.)
rozmywać *zob.* **rozmyć**
roznamiętni|ać *v imperf* — **roznamiętni|ć** *v perf* [I] *vt* to inflame; to fire; to impassion; to excite; to stir <to rouse> (**kogoś** sb's, people's) passions [II] *vr* **~ać, ~ć się** to be <to become> inflamed; to work oneself up (to a white heat)
roznamiętnienie *sn* 1. ↑ **roznamiętnić** 2. (*stan podniecenia*) excitement
roznegliżowa|ć *v perf* [I] *vt rz.* to strip (sb) of outer garments; **~ny** in undress; in deshabille [II] *vr* **~ć się** to take off one's outer garments
rozniec|ić *vt perf* **~ę** — **rozniec|ać** *vt imperf* 1. (*rozpalić*) to light <to kindle> (a fire); **~ić, ~ać pożar** to start a fire 2. *przen.* (*wywoływać uczucia*) to kindle <to inspire> (a passion etc.)
rozniesienie *sn* ↑ **roznieść** 1. (*rozdawanie*) distribution; delivery (of the mail etc.) 2. (*rozgromienie*) rout (of an army)
rozn|ieść *v perf* **~iosę, ~iesie, ~iósł, ~iosła, ~ieśli, ~iesiony** — **rozn|osić** *v imperf* [I] *vt* 1. (*rozdać*) to take (sth) round; to distribute; to deliver (the mail etc.); to carry (tea, sandwiches etc.) around; to carry (diseases); *pot.* **~ieść, ~osić kogoś na językach** to pick sb to pieces; to tear sb's reputation to shreds 2. (*rozgromić*) to smash <to crush, to rout> (the enemy); to cut up (an army); to smite (the enemy) hip and thigh 3. (*rozsiec*) to make mincemeat (**kogoś** of sb) 4. (*rozsadzić*) to blow up 5. (*rozpowszechnić*) to spread <to noise> abroad; to proclaim from the house-tops 6. *przen. pot.* (*o uczuciach itd.* — *przepełniać*) to fill (**kogoś** sb's heart); **~osi go radość** he is beside himself with joy; **~osi mnie** I can hardly control myself [II] *vr* **~ieść, ~osić się** (*o dźwięku, zapachu, wieści*) to spread (*vi*); **wiadomość ~iosła się lotem błyskawicy** the news spread like wildfire
roznitować *vt perf* to unrivet
roznosiciel *sm,* **roznosiciel|ka** *sf pl G.* **~ek** (*roznoszący*) carrier; distributor; (*sprzedawca gazet*) news-boy; (*sprzedawca towarów*) pedlar; *przen.* **~ plotek** newsmonger; gossip
roznosić *zob.* **roznieść**
roznoszenie *sn* (↑ **roznosić**) distribution; delivery
rozochocenie *sn* (↑ **rozochocić**) animation; high spirits
rozochoc|ić *v perf* **~ę** [I] *vt* to enliven; to animate [II] *vr* **~ić się** to cheer up; to grow <to become> animated
rozochocony [I] *pp* ↑ **rozochocić** [II] *adj* cheerful; animated; in high spirits
rozogni|ć *v perf* — **rozogni|ać** *v imperf* [I] *vt* 1. (*rozgrzać*) to heat 2. (*podniecić*) to inflame; to excite; to animate || **~ć, ~ać ranę** to inflame <to fester> a wound [II] *vr* **~ć, ~ać się** 1. (*rozgrzać się*) to get heated 2. (*podniecić się*) to flush; to flare up; to become animated <excited>
rozognienie *sn* (↑ **rozognić**) (*podniecenie*) inflammation; excitement; animation
rozogniony [I] *pp* ↑ **rozognić** [II] *adj* 1. (*podniecony*) flushed; excited; animated 2. (*rozpalony*) blazing; fiery
roz|orać *vt perf* **~orze, ~órz** — **roz|orywać** *vt imperf* 1. (*orząc rozwalić*) to plough (up) 2. *przen.* (*zburzyć*) to destroy; to tear up; to ravage
rozoranie *sn* 1. ↑ **rozorać** 2. *przen.* (*zburzenie*) destruction
rozorywać *zob.* **rozorać**
rozpacz *sf singt* despair; distress; **sygnał ~y** distress signal; **doprowadzić kogoś do ~y** to drive sb to despair; **doprowadzony do ~y, będący w ~y** driven to desperation; desperate; *przen.* **czarna ~** a) (*wielka*) black despair b) (*beznadziejność*) utter desperation; **obraz nędzy i ~y** dismal sight; picture of misery
rozpaczać *vi imperf* 1. (*desperować*) to despair (**o czymś** of sth); to lose (all) hope (**o czymś** of sth) 2. (*być pogrążonym w rozpaczy*) to mourn (**po kimś, czymś** sb, sth); to be disconsolate
rozpaczanie *sn* (↑ **rozpaczać**) desperation
rozpaczliwie *adv* 1. (*z rozpaczą*) desperately; in despair; in distress 2. (*strasznie*) hopelessly; **~ się czegoś trzymać** <**czepiać**> to hold on to sth like grim death
rozpaczliwość *sf singt* (*beznadziejność*) hopelessness
rozpaczliwy *adj* 1. (*pełen rozpaczy*) desperate; distressful; **~ krok** act of despair 2. (*beznadziejny*) hopeless 3. (*krytyczny*) desperate; distressful
rozpaćkać *v perf pot.* [I] *vt* (*rozgrzebać*) to mess up; (*rozbabrać*) to smear [II] *vr* **~ się** to smear (**po czymś, na czymś** sth)
rozpad *sm singt G.* **~u** 1. (*rozpadanie się*) break-up; disintegration; collapse 2. (*gnicie*) decay 3. *chem. fiz.* disintegration; dissolution; degradation; dissociation
rozpa|dać się[1] *vr imperf* — **rozpa|ść się** *vr perf* **~dnie się, ~dł się** 1. (*rozlatywać się*) to break up; to disintegrate; to crumble; to fall to pieces; to go to ruin; (*rozpękać się*) to come apart <asunder> 2. *imperf pot. gw.* (*roztkliwiać się*) to take

on 3. *chem.* to resolve itself; to be resolved (into its elements) 4. (*członkować się*) to divide <to fall> (**na działy itd.** into sections etc.)

rozpadać się^{2} *vr perf tylko 3 pers. a. inf* (*o opadach atmosferycznych*) to come down with a vengeance

rozpadanie się *sn* (↑ **rozpadać się**^{1}) (*rozlatywanie się*) break-up; disintegration

rozpadlina *sf* rift; cleft; crack

rozpadnięcie się *sn* 1. ↑ **rozpaść się** 2. = **rozpad** 1. 3. (*gnicie*) decay

rozpadowy *adj* (process etc.) of decay; of disintegration

rozp|ajać *v imperf* — **rozp|oić** *v perf* **~oję, ~ój** [I] *vt* to promote drunkenness (**ludzi** among people); to induce <to accustom> (sb, people) to drink heavily; to liquor (sb, people) up [II] *vr* **ˌ~ajać, ~oić się** to drink heavily; to tipple; to soak

rozpajanie *sn* (↑ **rozpajać**) promotion of drunkenness

rozpakow|ać *v perf* — **rozpakow|ywać** *v imperf* [I] *vt* to unpack (one's luggage etc.); to unwrap (a parcel) [II] *vr* **~ać, ~ywać się** to unpack one's luggage

rozpal|ać *v imperf* — **rozpal|ić** *v perf* [I] *vt* 1. (*rozniecać ogień*) to light (the fire, a cigarette etc.); **~ać, ~ić piec** to get the stove going; to light a fire in the stove 2. *przen.* (*wywoływać uczucie*) to kindle (a feeling, passions etc.) 3. *przen.* (*rozświecać blaskiem*) to set (sth) ablaze 4. (*rozgrzewać*) to heat; *przen.* **ˌ~ać, ˌ~ić komuś twarz** to flush sb's cheeks 5. *przen.* (*roznamiętniać*) to inflame (sb); to fire (the imagination, sb with enthusiasm etc.) [II] *vr* **~ać, ~ić się** 1. (*zacząć płonąć*) to start burning; to catch fire; to burst into flame 2. *przen.* (*wzmagać się, lśnić*) to flare up 3. (*nagrzewać się*) to heat (*vi*) 4. (*o ciele — zaczerwienić się*) to flush 5. *przen.* (*roznamiętnić się*) to flare up; to become animated; **~ać, ~ić się do czegoś** to become <to grow> keen on sth

rozpalony [I] *pp* ↑ **rozpalić** [II] *adj* (*o metalu*) burning-hot; (*o twarzy*) flushed; (*o rękach*) feverish; **~ do białości, do czerwoności** white-hot, red-hot

rozpałk|a *sf singt pot.* kindling; **drzewo do ~i** kindling wood

rozpamiętywać *vt imperf* (*roztrząsać w pamięci*) to ponder (**coś** over sth); to reflect (**coś** on <upon> sth); (*wspominać*) to recollect; to recall to mind

rozpamiętywanie *sn* ↑ **rozpamiętywać** 1. (*roztrząsanie w pamięci*) ponderings (**czegoś** over sth); reflections 2. (*wspominanie*) recollections

rozpanoszenie się *sn* ↑ **rozpanoszyć się** 1. (*rządzenie się*) domination; control; sway 2. *przen.* (*rozprzestrzenienie się*) prevalence; rampancy

rozpan|oszyć się *vr perf* — *rz.* **rozpan|aszać się** *vr imperf*, **rozpan|oszać się** *vr imperf* 1. (*rządzić się*) to hold sway; to dominate; to control; to be in control; **on się tam ~oszył** he runs the whole show there 2. *przen.* (*o chwastach, zwyczajach, nałogach*) to prevail; to be rampant

rozpapl|ać *v perf* **~a** <**~e**> [I] *vt* to babble out [II] *vr* **~ać się** to babble away

rozpap|rać *vt perf* **~rze, ~raj** <**~rz**> *pot.* 1. (*rozrzucić*) to mess up 2. (*zacząć, a nie skończyć*) to bungle <to scamp> (a job)

rozparcelować *vt perf* — **rozparcelowywać** *vt imperf* to parcel out <to morsel> (an estate etc.)

rozparcelowanie *sn* (↑ **rozparcelować**) parcellation

rozparcelowywać *zob.* **rozparcelować**

rozparcie *sn* ↑ **rozeprzeć** 1. (*rozszerzenie*) dilation; expansion 2. **~ się** (*nonszalancka poza*) sprawl; swagger

rozparz|ać *vt imperf* — **rozparz|yć** *vt perf* 1. (*ogrzewać*) to heat; **~ać dziecko** to overdress <to bundle up> a baby 2. (*ogrzewać za pomocą pary*) to steam

rozparze|niec *sm G.* **ˌ~ńca** *pot.* half-educated chap

rozparzony [I] *pp* ↑ **rozparzyć** [II] *adj pot. pog.* (*niedouczony*) half-educated

rozpa|sać^{1} *v imperf* — **rozpa|ść** *v perf* **~sę, ~sie, ~sł, ~śli, ~siony** [I] *vt* to fatten [II] *vr* **ˌ~sać, ~ść się** 1. (*o zwierzęciu*) to graze away 2. (*o człowieku*) to fatten (*vi*)

rozpa|sać^{2} *v perf* **~sze** — **rozpa|sywać** *v imperf* [I] *vt lit.* (*rozkiełznać*) to unbridle [II] *vr* **ˌ~sać, ~sywać się** to break loose from all restraint

rozpasanie *sn* 1. ↑ **rozpasać**^{2} 2. (*rozpusta*) licentiousness; debauch(ery)

rozpasany [I] *pp* ↑ **rozpasać**^{2} [II] *adj lit.* (*wyuzdany*) unbridled; licentious; dissolute

rozpaskudz|ić *v perf* **~ę** — **rozpaskudz|ać** *v imperf* [I] *vt pot.* 1. (*zrobić źle*) to bungle (a piece of work) 2. (*rozpuścić*) to spoil (a child) [II] *vr* **ˌ~ić, ~ać się** to become demoralized <depraved>

rozpasywać *zob.* **rozpasać**^{2}

rozpaść *zob.* **rozpasać**^{1}

rozpaść się *zob.* **rozpadać się**^{1}

rozpat|rywać *v imperf* — **rozpat|rzyć** <**rozpat|rzeć**> *v perf* **~rzy** [I] *vt* (*rozważać*) to examine; to investigate; to consider; to look into (a question); **ponownie ~rzyć** to reconsider; **~rywana sprawa** the question under investigation <under examination> [II] *vr* **~rywać, ~rzyć, ~rzeć się** to examine <to investigate> (**w czymś** sth); to acquaint oneself (**w czymś** with sth)

rozpatrywanie *sn* (↑ **rozpatrywać**) examination; investigation; consideration

rozpatrzeć *zob.* **rozpatrywać**

rozpatrzeni|e *sn* (↑ **rozpatrzyć**) examination; investigation; consideration; **bliższe ~e** scrutiny; **po dokładniejszym ~u** on further investigation

rozpatrzyć *zob.* **rozpatrywać**

rozpeł|zać się *vr imperf* — **rozpeł|znąć się** *vr perf* **~zł się** 1. (*rozłazić się*) to crawl hither and thither 2. (*o cieczy — rozpływać się*) to spread (*vi*)

rozperl|ać *v imperf* — **rozperl|ić** *v perf poet.* [I] *vt* to pearl [II] *vr* **~ać, ~ić się** to pearl (*vi*)

rozpęcznie|ć *vi perf* **~je** to dilate; to expand; to swell; to distend

rozpę|d *sm G.* **~du** impetus; momentum; **siła ~du** momentum; **nabrać ~du** a) (*o poruszającym się ciele, o czynności ludzkiej*) to gather momentum b) (*o sportowcu przed skokiem itd.*) to take a run; **uderzyć z ~du** to strike <to hit> slap-bang; **w ~dzie** carried away by one's <its> own momentum

rozpędow|y *adj techn.* **koło ~e** fly-wheel

rozpędz|ać *v imperf* — **rozpędz|ić** *v perf* **~ę** [I] *vt* 1. (*rozpraszać*) to disperse; to scatter; to dispel; to dissipate 2. *zw. perf* (*nadawać pęd*) to give an impetus (**coś** to sth); to set (sth) going; to accelerate the motion (**coś** of sth); to set (a horse etc.) running <galloping>; **~ony samochód** rushing car

[III] *vr* **~ać, ~ić się** 1. (*o maszynie itd.*) to gather momentum 2. (*o sportowcu*) to take a run
rozpędzenie *sn* ↑ **rozpędzić** 1. (*rozproszenie*) dispersal 2. **~ się** momentum; impetus
rozpędzić *zob.* **rozpędzać**
rozpęt|ać *v perf* — **rozpęt|ywać** *v imperf* [I] *vt* 1. (*zdjąć pęta*) to unfetter <to let loose> (an animal) 2. *pot.* (*wyzwolić jakieś siły*) to unleash (the elements, a war etc.) [III] *vr* **~ać, ~ywać się** 1. (*uwolnić się z pęt*) to slip one's fetters; to break loose 2. (*wyzwolić się z wszelkich więzów*) to run riot
roz|piąć *v perf* **~epnę, ~epnie, ~epnij, ~piął, ~pięła, ~pięty** — **roz|pinać** *v imperf* [I] *vt* 1. (*odpiąć — guziki*) to unbutton (one's coat etc.); (*haczyki*) to unhook (a dress etc.); (*gorset*) to undo (stays etc.); (*klamrę*) to unbuckle (a belt etc.) 2. (*rozpostrzeć*) to stretch; to spread (sails, nets etc.); **~piąć, ~pinać na krzyżu** to crucify; **~piąć, ~pinać namiot** to pitch a tent; **~pinać owady** to set insects (on a setting board) [III] *vr* **~piąć, ~pinać się** 1. (*rozpiąć na sobie odzież*) to unbutton one's clothes 2. (*zostać rozpiętym*) to come unbuttoned <unhooked, undone, unbuckled>; (*o odzieży — dać się rozpinać*) to unbutton (*vi*) (**z boku, z tyłu** of the side, at the back) 3. (*rozpościerać się*) to stretch <to spread> (*vi*); (*o drzewie*) to spread its branches
rozpi|ć *v perf* **~je, ~ty** — **rozpi|jać** *v imperf* [I] *vt* to induce <to accustom> (sb) to drink heavily [III] *vr* **~ć, ~jać się** to take to drink; to become an inveterate drunkard; to steep oneself in drink
rozpieczętow|ać *v perf* — **rozpieczętow|ywać** *v imperf* [I] *vt* to open <to unseal> (a letter, a parcel); **zwrócić list nie ~any** to return a letter unopened [III] *vr* **~ać, ~ywać się** to come unsealed
rozpieklić się *vr perf pot.* to raise Cain; to kick up a hell of a row
rozpieprz|yć *vt perf* — **rozpieprz|ać** *vt imperf wulg.* to prang; to smash to smithereens; to knock to atoms; to blow up; **~yć, ~ać robotę** to mess up a job
rozpierać *zob.* **rozeprzeć**
rozpieranie *sn* ↑ **rozpierać**
rozpierzch|ać się *vr imperf*, **rozpierzch|iwać się** *vr imperf* — **rozpierzch|nąć się** *vr perf* **~ły** <**~nięty**> to scamper (away, off); to scurry; to scutter; to scatter; to disperse
rozpierzchanie się *sn* (↑ **rozpierzchać się**), **rozpierzchnięcie się** *sn* (↑ **rozpierzchnąć się**) (a) scamper; (a) scutter; (a) scurry
rozpie|szczać *v imperf* — **rozpie|ścić** *v perf* **~szczę, ~szczony** [I] *vt* to coddle; to molly-coddle; to pamper; to cosher up; **~szczony bachor** (a) molly-coddle; milk-sop [III] *vr* **~szczać, ~ścić się** to coddle oneself
rozpieszczenie *sn* ↑ **rozpieścić**; **~ się** self-indulgence
rozpieścić *zob.* **rozpieszczać**
rozpięcie *sn* 1. ↑ **rozpiąć** 2. (*miejsce rozpinania*) opening <slit> (in a garment); **to ma ~ z tyłu** <**z boku**> it fastens at the back <at the side>
rozpiętość *sf* 1. (*odległość*) span; spread; stretch; **~ skrzydeł** wing-spread; wing-span; *bud.* **~ w świetle** clear distance <span>; opening 2. *przen.* (*zakres*) range 3. *fot.* contrast range
rozpijaczony [I] *pp* ↑ **rozpijaczyć się** [II] *adj* drunken
rozpijaczyć się *vr perf* to become an inveterate drunkard; to steep oneself in drink
rozpijać *zob.* **rozpić**
rozpikować *vt perf ogr.* to plant out; to bed in
rozpiłow|ać *vt perf* — **rozpiłow|ywać** *vt imperf* (*rozciąć*) to saw through; (*rozdzielić na części*) to saw up; **~ać drewno wzdłuż** to rip timber
rozpinać *zob.* **rozpiąć**
rozpi|ór *sm G.* **~óra** <**~ora**> *zool.* (*Abramis ballerus*) a species of bream
rozpi|sać *v perf* **~sze** — **rozpi|sywać** *v imperf* [I] *vt* 1. (*ogłosić drukiem*) to announce; to publish; **~sać, ~sywać ankietę** to poll (the population); **~sać, ~sywać konkurs** to invite tenders <entries for a competition>; **~sać, ~sywać pożyczkę** to float a loan; **~sać, ~sywać wybory** to hold an election 2. (*przepisać role, głosy*) to write out <to transcribe> (the parts of a play, of a musical composition) 3. (*przydzielić własność*) to convey <to make over, to devise, to bequeath> (property) [III] *vr* **~sać, ~sywać się** (*rozwodzić się*) to write at length; to expatiate (**o czymś** on sth)
rozpisanie *sn* ↑ **rozpisać** 1. (*ogłoszenie*) announcement; publication; **~ ankiety** (a) poll 2. (*przepisanie ról, głosów*) transcription 3. (*przydzielenie własności*) conveyance (of property); bequest 4. **~ się** expatiation
rozpisywać *zob.* **rozpisać**
rozplakatować *vt perf* — **rozplakatowywać** *vt imperf* to stick <to put up, *am.* to post> (**ogłoszenia itd. po mieście** <**po dzielnicach**> bills etc. all over the town <in the different districts>)
rozplanować *vt perf* — **rozplanowywać** *vt imperf* 1. (*sporządzić plan*) to plan <to devise> (a scheme etc.); to lay out (a plan, a garden etc.) 2. (*ułożyć plan czynności*) to plan out (one's work etc.)
rozplanowanie *sn* 1. ↑ **rozplanować** 2. (*rozmieszczenie*) arrangement; layout
rozplanowywać *zob.* **rozplanować**
rozpl|atać *v imperf* — **rozpl|eść** *v perf* **~otę, ~ecie, ~ótł, ~otła, ~eciony** [I] *vt* to unplait <to unbraid> (hair); to untwine <to unravel> (a cord); to unclasp (one's hands, one's embrace) [III] *vr* **~atać, ~eść się** (*o włosach*) to come unplaited <unbraided>
rozplą|tać *v perf* **~cze** — **rozplą|tywać** *v imperf* [I] *vt* 1. (*rozwiązać*) to disentangle; to unravel; to untie (a knot) 2. *przen.* (*wyjaśnić*) to unravel (a plot etc.); to clear up (a situation) [III] *vr* **~tać, ~tywać się** to disentangle (*vi*)
rozplecenie *sn* ↑ **rozpleść**
rozplem *sm G.* **~u** *biol.* proliferation
rozpleni|ać *v imperf* — **rozpleni|ć** *v perf* [I] *vt* to proliferate (offspring) [III] *vr* **~ać, ~ć się** to proliferate (*vi*); (*o roślinach, chwastach*) to luxuriate; to grow exuberantly
rozpleść *zob.* **rozplatać**
rozplombow|ać *vt perf* — **rozplombow|ywać** *vt imperf* to take the seal(s) (**wagon kolejowy itd.** off a railway truck etc.); *dent.* **~ać ząb** to unstop a tooth
rozpluskiwać się *vr imperf* — **rozplusnąć się** *vr perf rz.* to splash (*vi*)
rozpłakać się *vr perf* to burst into tears; **~ się rzewnymi łzami** to burst into a flood of tears

rozpłakany *adj* 1. (*płaczący*) weeping; in tears 2. (*nabrzmiały płaczem*) tearful

rozpłaszcz|ać *v imperf* — **rozpłaszcz|yć** *v perf* [I] *vt* to flatten (out); to flat (metal) [II] *vt* **~ać, ~yć się** to flatten (*vi*); to become flat

rozpłaszcz|ka *sf pl G.* **~ek** *bot.* (*Selaginella*) fern ally

rozpłaszczyć *zob.* **rozpłaszczać**

rozpłatać *vt perf* to slit; to split

rozpłodnik *sm* breeder; sire

rozpłodow|y *adj* breeding — (stock etc.); **klacz ~a** stud-mare; **ogier ~y** stud-horse

rozpłomieni|ać *v imperf* — **rozpłomieni|ć** *v perf* [I] *vt* 1. (*rozpalać*) to set ablaze 2. *przen.* (*wzniecać zapał*) to inflame [II] *vr* **~ać, ~ć się** 1. (*wybuchać płomieniem*) to burst into flame; to flare up 2. *przen.* (*unosić się zapałem*) to flare up

rozpł|ód *sm G.* **~odu** reproduction

rozpłu|kać *vt perf* **~cze** to wash away

rozpły|wać się *vr imperf* — **rozpły|nąć się** *vr perf* 1. (*płynąć*) to flow (**w różne strony** in different directions) 2. (*rozlewać się*) to run <to spread> (**po jakiejś powierzchni** over a surface) 3. *przen.* (*o ludziach itd.*) to scatter 4. (*roztapiać się*) to melt; to run; to deliquesce; **~wać, ~nąć się w ustach** to melt in the mouth 5. *przen.* (*wylewnie się wyrażać*) to be profuse (**w pochwałach itd.** in one's praises etc.); **~wać, ~nąć się nad czymś** to go into ecstasies over sth; **~wać, ~nąć się we łzach** to dissolve in tears 6. (*stawać się niewidocznym*) to dissolve; to melt away; to vanish

rozpocz|ąć *v perf* **~nę, ~nie, ~nij, ~ął, ~ęła, ~ęty** — **rozpocz|ynać** *v imperf* [I] *vt* to begin; to commence; to start; to initiate (**śledztwo itd.** an enquiry etc.); to open (**pertraktacje itd.** negotiations etc.); to launch (**ofensywę itd.** an offensive etc.); to embark (**przedsięwzięcie itd.** upon <on> an enterprise etc.); **~ąć, ~ynać karierę** to start in life; **~ąć, ~ynać jakieś zadanie** to start on <upon> a task; **~ąć, ~ynać dziesiąty rok życia** to enter on one's tenth year [II] *vi* to lead off; to start <to begin> (**od robienia czegoś** by doing sth); **~ąć, ~ynać od nowa** to make a fresh start; **~ął jako czyścibut** he started as a shoeblack [III] *vr* **~ąć, ~ynać się** to begin; to commence; to start; **~ąć, ~ynać się od czegoś** to start (off) with sth; **od niego ~yna się nowy prąd w muzyce <malarstwie itd.>** a new movement in music <painting etc.> starts with him

rozpoczęcie *sn* (↑ **rozpocząć**) (a) beginning; commencement; start; lead-off; outbreak (**działań wojennych itd.** of hostilities etc.); **~ meczu piłki nożnej** kick-off; **~ roku szkolnego** inauguration of the school year

rozpoczynać *zob.* **rozpocząć**

rozpodobnienie *sn jęz.* dissimilation

rozpogadzać *zob.* **rozpogodzić**

rozpogodzenie *sn* 1. ↑ **rozpogodzić** 2. *meteor.* bright <fine> weather; **chwilowe ~** bright interval 3. **~ się** brighter mood

rozpog|odzić *v perf* **~odzę, ~ódź** — **rozpog|adzać** *v imperf* [I] *vt* to cheer <to brighten> (sb) up; to raise (**kogoś** sb's) spirits; to put (sb) in good humour [II] *vr* **~odzić, ~adzać się** 1. *meteor.* to clear up 2. (*o człowieku — rozchmurzyć się*) to cheer <to brighten> up; to unknit <to smooth, to unbend> one's brow

rozpoić *zob.* **rozpajać**

rozpolitykować *v perf* [I] *vt* to arouse a liking for politics <for political discussions> (**kogoś** in sb) [II] *vr* **~ się** to addict oneself <to become addicted> to politics; to become an ardent <eager> debater of political questions

rozpolitykowanie *sn* (↑ **rozpolitykować**) political discussions

rozpolitykowany [I] *pp* ↑ **rozpolitykować** [II] *adj* eagerly discussing politics; **chłopiec był ~** the boy was an ardent debator of political questions

rozpolować się *vr perf* to become an eager huntsman <an enthusiast of game-shooting>

rozpoł|owić *vt perf* **~ów** — **rozpoł|awiać** *vt imperf* to halve; to divide; to cut in two

rozp|ora *sf pl G.* **~ór** *bud.* tie-beam; straining beam <piece>; counter-tie; strut; *górn.* stretcher; sprag

rozpor|ek *sm G.* **~ka** slit; (*w spodniach*) fly

rozporowy *adj techn.* stretcher — (bar etc.)

rozporządz|ać *v imperf* — **rozporządz|ić** *v perf* **~ę** [I] *vt* 1. (*zarządzać*) to give instructions <orders> (**czymś** regarding sth); to control (**kimś, czymś** sb, sth); to dispose (**czymś** of sth); to have at one's disposition <disposal, command> (**kimś, czymś** sb, sth); **~ać, ~ić czyimś losem** to dispose of sb's fate 2. (*posiadać*) to have <to possess> (**czymś** sth); to be possessed (**czymś** of sth) 3. (*mieć do dyspozycji*) to have at one's disposal; to command (**kapitałem itd.** capital etc.); (*mieć na swe usługi*) to have (sb) at one's command <under one's orders>; **proszę mną ~ać** I am at your service <command>; I am yours to command; **wszystko to, czym ~amy** everything available [II] *vi* to give instructions <orders>; to decree; to ordain [III] *vr* **~ać, ~ić się** to be in authority; to manage affairs; to give orders <dispositions>; to order people about; to be the master <the mistress>; *pot.* to be the boss; to boss the show; **~ać się w jakiejś sprawie** to give dispositions for sth to be done

rozporządzaln|y *adj* available; (funds, means etc.) at one's disposal; **~e fundusze** the money at one's command

rozporządzanie *sn* ↑ **rozporządzać** 1. (*zarządzanie*) control; command 2. **~ się** authority; management

rozporządzenie *sn* 1. ↑ **rozporządzić** 2. (*rozkaz*) order; decree; ordinance; instructions; **ostatnie ~** last will (and testament)

rozporządzić *zob.* **rozporządzać**

rozpostarcie *sn* (↑ **rozpostrzeć**) spread (of wings, of a tree's branches etc.); **~ skrzydeł** wing-spread

rozpostarty [I] *pp* ↑ **rozpostrzeć** [II] *adj* outspread; outstretched (arms etc.); **orzeł z ~mi skrzydłami** spread eagle; **szeroko ~** spread wide

rozpo|strzeć *v perf* **~strę, ~strze, ~strzyj, ~starł, ~starty** — **rozpo|ścierać** *v imperf* [I] *vt* to spread (out); to stretch; to expand (wings etc.); to unfurl (a map, tapestry etc.); **~strzeć, ~ścierać ręce** to fling out one's arms [II] *vr* **~strzeć, ~ścierać się** to spread <to stretch> (*vi*); (*o krajobrazie itd.*) to unfold itself; to lie

rozpowi|adać *v imperf* — **rozpowi|edzieć** *v perf* **~em, ~e, ~edzą, ~edz, ~edział, ~edzieli, ~edziany** [I] *vi* 1. (*opowiadać*) to relate (**o czymś**

sth); (*opowiadać ze szczegółami*) to talk at length (**o czymś** about sth); to enlarge <to expatiate> (**o czymś** on <upon> sth) 2. (*rozgłaszać*) to tell people right and left <to let everybody know> (**o czymś** about sth) [II] *vt* (*rozgadywać*) to tell people (sth) right and left; to let everybody know (sth)

rozpowszechni|ać *v imperf* — **rozpowszechni|ć** *v perf* **~j** [I] *vt* to spread; to disseminate; to diffuse; to propagate [II] *vr* **~ać, ~ć się** to spread (*vi*); to become current <general, prevalent>

rozpowszechnienie *sn* ↑ **rozpowszechnić** 1. (*rozkrzewienie*) dissemination; diffusion; propagation 2. **~ się** spread (of a custom etc.); prevalence (of an opinion etc.)

rozpowszechniony [I] *pp* ↑ **rozpowszechnić** [II] *adj* widespread; general; current; prevalent

rozpozna|ć *v perf* — **rozpozna|wać** *v imperf* **~je, ~waj** [I] *vt* 1. (*poznać wśród innych*) to recognize; to spot; to know; **zaraz w nim ~łem Amerykanina** I knew him at once for <I spotted him at once as> an American 2. (*rozróżnić*) to distinguish; to discern; to make out 3. *med.* to diagnose (a disease) 4. (*utożsamić*) to identify 5. *prawn.* to examine (a case) [II] *vr* **~ć, ~wać się** 1. (*obeznać się*) to acquaint oneself (**w czymś, z czymś** with sth) 2. (*zorientować się*) to find one's bearings; to know where one stands

rozpoznani|e *sn* 1. (↑ **rozpoznać**) (*poznanie wśród innych*) recognition; **łatwy do ~a** easily recognizable; unmistakable; **możliwy do ~a** recognizable; discernible; distinguishable; **nie do ~a** unrecognizable; undistinguishable; past all recognition 2. *med.* diagnosis 3. *prawn.* examination (of a case) 4. *wojsk.* reconnaissance; reconnoitring

rozpoznawać *zob.* **rozpoznać**

rozpoznawalny *adj* recognizable; discernible; distinguishable

rozpoznawanie *sn* 1. (↑ **rozpoznawać**) (*poznawanie wśród innych*) recognition; (*rozróżnianie*) discernment; **~ barw** colour vision 2. *med.* diagnostics 3. *wojsk.* reconnoitring

rozpoznawcz|y *adj* 1. (*umożliwiający rozpoznanie*) distinctive; *med.* **objawy ~e** diagnostic symptoms 2. *wojsk.* reconnoitring (detachment etc.); reconnaissance (flight etc.); **hasło ~e** password; parole; *lotn.* **znak ~y** recognition signal

rozpożyczać *vt imperf* — **rozpożyczyć** *vt perf* to lend (money, books etc.) to different people <right and left>

rozp|ór *sm G.* **~oru** slit

rozpór|ka *sf pl G.* **~ek** *techn.* spacer; spreader; stay; strut; *mar.* **~ka ogniwa łańcucha** (cable) stud; stay pin

rozpracować *vt perf* — **rozpracowywać** *vt imperf* to make a thorough study (**coś** of sth)

rozprasować *vt perf* — **rozprasowywać** *vt imperf* (*wygładzić żelazkiem*) to iron out (creases etc.); (*spłaszczyć*) to flatten

rozpr|aszać *v imperf* — **rozpr|oszyć** *v perf* [I] *vt* 1. (*rozsypywać*) to raise a cloud <clouds> (**kurz itd.** of dust etc.); (*rozsiewać*) to diffuse (light, an odour etc.); (*roztaczać*) to spread (abroad); **soczewka ~aszająca** negative <divergent> lens 2. (*rozpędzać*) to disperse; to scatter; to dispel; to dissipate (darkness etc.); to break up (a crowd); to remove (doubts, apprehensions etc.) 3. (*rozmieszczać w różnych miejscach*) to scatter 4. *przen.* (*rozdrabniać*) to fritter away (one's money etc.) 5. (*rozganiać w walce*) to put to flight; to disperse; to scatter 6. (*przeszkadzać w skupieniu się*) to distract (the attention, the mind) [II] *vr* **~aszać, ~oszyć się** 1. (*stawać się rozproszonym*) to dissipate 2. (*zanikać*) to vanish 3. (*rozpierzchać się*) to disperse <to scatter> (*vi*) 4. *imperf* (*nie skupiać się*) to dissipate <to fritter away> one's energies 5. *chem.* to dissolve (*vi*) 6. *fiz.* to dissipate (*vi*)

rozpraszanie *sn* ↑ **rozpraszać** 1. (*rozsiewanie*) diffusion 2. (*rozpędzanie*) dispersal 3. (*przeszkadzanie w skupieniu się*) distraction 4. *fiz.* **~ się** dissipation; dispersion

rozpraw|a *sf* 1. (*debata*) debate(s); *sąd.* trial; hearing; **na jawnej ~ie** in open court; **na tajnej ~ie** behind closed doors 2. (*załatwienie sporu*) settlement; contest; encounter; **doszło między nimi do ~y** they came to grips 3. (*praca naukowa*) dissertation; treatise; disquisition; paper

rozprawiać *vi imperf* 1. (*mówić długo*) to speak <to talk> at length (**o czymś** about sth); to discourse (**o czymś** of <on> sth) 2. (*rezonować*) to argue (**o czymś** about sth); to refine (**o czymś** on sth); (*rozwodzić się*) to expatiate (**o czymś** on sth); to enlarge (**o czymś** upon sth); (*dyskutować*) to discuss <to debate> (**o jakiejś sprawie** a question); to dispute (**o czymś** on <about> sth)

rozprawiać się *zob.* **rozprawić się**

rozprawianie *sn* ↑ **rozprawiać** 1. (*długie opowiadania*) discourses (**o czymś** on sth) 2. (*rozwodzenie się*) expatiation(s) 3. (*dyskusje*) discussions; debates; disputes

rozprawi|ć się *vr perf* — **rozprawi|ać się** *vr imperf* 1. (*załatwić porachunki*) to settle matters <accounts> (with sb); to floor (**z przeciwnikiem** an opponent); to dispose (**z kimś, czymś** of sb, sth); **~ć, ~ać się z kimś** to settle sb's hash; **~ć, ~ać się z kimś w krótkiej drodze** to give short shrift to sb 2. (*rozstrzygnąć*) to settle (**o czymś** sth); to dispose (**z czymś** of sth); **~ć, ~ać się z buntem** to suppress <to quash> a mutiny; **~ć, ~ać się z czymś w krótkiej drodze** <**raz dwa**> to make short work of sth

rozpraw|ka *sf pl G.* **~ek** essay; short treatise

rozpraż|yć *v perf* 1. (*rozpalić*) to broil; to scorch; **~ony** broiling; sweltering 2. (*nie dogotować*) to parboil; **~ony** half-cooked

rozprątki *spl bot.* (*Schizophyta*) the Schizophyta

rozprężacz *sm techn.* pressure reducing valve; expander

rozpręż|ać *v imperf* — **rozpręż|yć** *v perf* [I] *vt* 1. (*wyprężać*) to expand; to stretch; to dilate; to distend 2. (*pozbawiać prężności*) to deprive of resilience <of elasticity>; to relax 3. *chem. fiz.* to decompress; to expand [II] *vr* **~ać, ~yć się** 1. (*odprężać się*) to relax 2. *chem. fiz.* to expand (*vi*) 3. (*ulegać rozluźnieniu*) to slacken

rozprężanie *sn* 1. ↑ **rozprężać** 2. *fiz.* expansion; dilation; distension; decompression

rozprężenie *sn* ↑ **rozprężyć** 1. *fiz.* = **rozprężanie** 2. 2. (*odprężenie*) relaxation 3. (*rozluźnienie*) slackness

rozprężliwość *sf singt* expansibility

rozprężliwy *adj* expansible

rozprężny *adj techn.* expansion — (point, engine etc.)

rozprężyć *zob.* **rozprężać**

rozpromieni|ać *v imperf* — **rozpromieni|ć** *v perf* [I] *vt* 1. *lit.* (*rozświetlać*) to irradiate 2. *przen.* (*nadawać wygląd radosny*) to light up; to animate; to cheer <to brighten> (sb) up [III] *vr* **~ać, ~ć się** to brighten up; to beam (**radością** with joy)

rozpromienienie *sn* 1. ↑ **rozpromienić** 2. (*radosny wyraz twarzy*) radiant <beaming> expression <face, looks>

rozpromieniony [I] *pp* ↑ **rozpromienić (się)** [III] *adj* radiant; beaming

rozprostow|ać *v perf* — **rozprostow|ywać** *v imperf* [I] *vt* 1. (*rozgiąć*) to straighten; to unbend; **~ać, ~ywać kości** to straighten one's back; to stretch one's limbs; **~ać, ~ywać nogi** to stretch one's legs; **~ać ramiona** to square one's shoulders 2. (*rozpostrzeć*) to stretch; to smooth out [III] *vr* **~ać, ~ywać się** (*o przedmiocie*) to straighten <to unbend> (*vi*); (*o człowieku*) to stand erect (again); to draw oneself up; (*o wężu*) to uncoil; to uncurl

rozproszenie *sn* ↑ **rozproszyć** 1. (*rozsiewanie*) diffusion (of light etc.) 2. (*rozpędzenie*) dispersal 3. *fiz.* dispersion ‖ **~ uwagi** distraction; wool-gathering

rozproszkować *v perf* [I] *vt pot.* to scatter [III] *vr* **~ się** to scatter (*vi*)

rozproszyć *zob.* **rozpraszać**

rozproszon|y [I] *pp* ↑ **rozproszyć** [III] *adj* 1. (*o świetle itd.*) diffuse 2. (*o uwadze*) distracted; **~e myśli** vagabond thoughts; **z ~ą uwagą** distracted; wool-gathering

rozprowadz|ać *vt imperf* — **rozprowadz|ić** *vt perf* **~ę** 1. (*kierować do różnych miejsc*) to take (people to different places <spots>); **~ać, ~ić warty** to post sentinels 2. (*doprowadzać, dostarczać*) to distribute; to convey (water, gas, electricity) 3. (*rozcieńczać, rozrzedzać*) to dilute; to thin down; to attenuate 4. (*rozmazywać*) to spread; to smear

rozprowadzenie *sn* ↑ **rozprowadzić** 1. (*doprowadzenie, dostarczenie*) distribution 2. (*rozcieńczenie, rozrzedzenie*) dilution

rozprowadzić *zob.* **rozprowadzać**

rozpróżniaczać *zob.* **rozpróżniaczyć**

rozpróżniaczenie *sn* 1. ↑ **rozpróżniaczyć** 2. (*rozleniwienie*) the habit of laziness; indulgence in sloth; loafing

rozpróżniaczony [I] *pp* ↑ **rozpróżniaczyć** [III] *adj* loafing; (person) indulging in laziness; **człowiek ~** loafer; (a) lazy-bones

rozpróżniacz|yć *v perf* — *rz.* **rozpróżniacz|ać** *v imperf* [I] *vt* to accustom (sb) to laziness <to sloth>; to induce laziness [III] *vr* **~yć, ~ać się** to fall into the habit of laziness <of lazing one's time away, of loafing>; to drift into laziness; to grow lazy; to indulge in laziness; to fall into lazy ways

rozprucie *sn* 1. ↑ **rozpruć** 2. (*miejsce rozprute*) (a) rip; (a) slit

rozpru|ć *v perf* **~je, ~ty** — **rozpru|wać** *v imperf* [I] *vt* 1. (*spruć*) to unstitch <to unpick> (a garment); to rip up (a seam); (*spruć dzianą robotę*) to unknit; to unravel (a stocking etc.) 2. (*rozciąć*) to slit 3. (*o zwierzęciu — zranić*) to rip open; to gore; to disembowel 4. (*roztrzaskać*) to smash; to shatter; to blow up; **~ć kasę** to break open a safe [III] *vr* **~ć, ~wać się** to come unsewn <unstitched>

rozpruwacz *sm pot.* ripper; safe breaker

rozpruwać *zob.* **rozpruć**

rozprysk *sm G.* **~u** 1. (*strumień kropelek*) spray 2. *techn.* (*rozproszona substancja*) spatter; splash 3. *wojsk.* (*rozerwanie się pocisku*) burst; (*odłamek*) splinter

rozpryskać *zob.* **rozpryskiwać**

rozpryskiwacz *sm techn.* sprayer; sprinkler; atomizer; pulverizer

rozpry|skiwać *v imperf* — **rozpry|snąć** *v perf* **~śnie, rozpry|skać** *v perf* [I] *vt* to splash; to spatter; to sprinkle; to scatter [III] *vr* **~skiwać, ~snąć, ~skać się** to splash; to sprinkle; to spatter; to scatter (*vi*)

rozpryskowy *adj* splintering

rozprysnąć *zob.* **rozpryskiwać**

rozpryśnięcie *sn* (↑ **rozprysnąć**) (a) splash; (a) spatter

rozprza *sf mar.* sprit

rozprz|ąc *v perf* **~ęgę, ~ęże, ~ęgła, ~ężony, rozprz|egnąć** *v perf* **~ęgnięty** — **rozprz|ęgać** *v imperf* [I] *vt* 1. (*wyprząc*) to unharness; to unhitch 2. (*zdezorganizować*) to disorganize; to disturb; to dislocate; *przen.* **~ąc komuś nerwy** to shatter sb's nerves [III] *vr* **~ąc, ~ęgnąć, ~ęgać się** to slacken; to relax; to fall into confusion; to go to pieces

rozprzeda|ć *vt perf* **~dzą** — **rozprzeda|wać** *vt imperf* **~je, ~waj** 1. (*sprzedać stopniowo*) to sell (successively); to retail; to dispose (**towar** of a commodity) 2. (*wyprzedać*) to sell out

rozprzedaż *sf* 1. (*sprzedaż*) sale; retailing; disposal; **dać (bilety itd.) do ~y** to distribute (tickets etc.) for sale 2. (*wyprzedaż*) complete sale

rozprzestrzeni|ać *v imperf* — **rozprzestrzeni|ć** *v perf* [I] *vt* 1. (*rozszerzać*) to spread; to expand; to extend 2. (*rozpowszechniać*) to propagate; to diffuse; to disseminate [III] *vr* **~ać, ~ć się** 1. (*rozszerzać się*) to spread <to expand> (*vi*) 2. (*szerzyć się*) to spread (*vi*); to be diffused; to get about <abroad>

rozprzestrzenianie *sn* ↑ **rozprzestrzeniać** 1. (*rozszerzanie*) expansion 2. (*rozpowszechnianie*) propagation; diffusion; dissemination 3. **~ się** expansion; diffusion; dissemination

rozprzęgać, rozprzęgnąć *zob.* **rozprząc**

rozprzężenie *sn* 1. ↑ **rozprząc** 2. (*dezorganizacja*) confusion; anarchy 3. (*rozluźnienie obyczajów*) demoralization; laxity <looseness> of morals; depravity; *przen.* **~ duchowe <nerwowe>** nervous breakdown; prostration

rozprzowy *adj mar.* **żagiel ~** spritsail

rozpuch|nąć *vi perf* **~ł, ~nięty** to swell

rozpuk † *sm singt G.* **~u** *obecnie w zwrocie*: **śmiać się do ~u** to split one's sides <to roar> with laughter

rozpulchniacz *sm roln. ogr.* scarifier

rozpulchni|ać *v imperf* — **rozpulchni|ć** *v perf* [I] *vt* 1. *roln.* to scarify (the soil) 2. *med.* to soften [III] *vr* **~ać, ~ć się** to soften (*vi*)

rozpulchnienie *sn* (↑ **rozpulchnić**) *roln.* scarification (of the soil)

rozpust|a *sf singt* 1. (*niemoralność*) immorality; sensual pleasure 2. (*rozwiązłość*) debauch(ery); licentiousness; dissipation; profligacy; dissolute

<loose> living; **gniazdo ~y** sink <cesspool> of iniquity; haunt of vice; **uprawiać ~ę** to dissipate; to riot

rozpustnica *sf* (a) wanton

rozpustnie *adv* immorally; licentiously; lecherously; dissolutely; rakishly

rozpustnik *sm* libertine; rake; profligate; debauchee; reprobate

rozpustny *adj* 1. (*rozwiązły*) immoral; licentious; riotous; dissolute; rakish 2. (*nacechowany rozpustą*) immoral; licentious; riotous

rozpu|szczać *v imperf* — **rozpu|ścić** *v perf* **~szczę, ~szczony** [I] *vt* 1. (*roztapiać*) to melt; to thaw; to unfreeze; to defrost 2. *chem.* (*rozprowadzać*) to dilute; to dissolve; to resolve 3. (*odprawiać*) to dismiss; to turn (people) adrift; to disband (an army etc.) 4. (*dawać zbyt wiele swobody*) to give too much freedom (**dzieci itd.** to children etc.); to demoralize; to spoil; **~szczony** undisciplined 5. (*rozpościerać*) to spread; to extend (wings etc.) 6. (*puszczać swobodnie*) to loosen; to unbind; **~szczać, ~ścić warkocz** to unplait <to unbraid> one's hair; **~szczone włosy** flowing hair; **~szczać, ~ścić zakładkę** to unsew a fold; *przen.* **~szczać, ~ścić wodze czemuś** to give free rein to sth; *pot.* **~szczać, ~ścić język** to wag one's tongue 7. *pot.* (*rozsyłać*) to send (people etc.) right and left <in all directions> 8. *pot.* (*szerzyć*) to spread (**plotki itd.** gossip etc.) [III] *vr* **~szczać, ~ścić się** 1. (*roztapiać się*) to melt <to thaw> (*vi*); to deliquesce 2. *chem.* (*być rozprowadzonym*) to dissolve <to resolve> (*vi*) 3. (*stawać się samowolnym*) to become demoralized 4. (*rozluźniać się*) to come loose; to come undone

rozpuszczalnik *sm chem. techn.* (dis)solvent; resolvent; menstruum; paint drier

rozpuszczalność *sf singt chem. techn.* dissolvability; solubility

rozpuszczalny *adj chem.* (dis)solvable; (dis)soluble; resoluble

rozpuszczenie *sn* ↑ **rozpuścić** 1. *chem.* (*rozprowadzenie*) dissolution 2. (*odprawienie*) dismissal; disbandment 3. (*danie zbyt wiele swobody*) demoralization 4. (*rozpościeranie*) spread; extension

rozpychać *v imperf* [I] *zob.* **rozepchać** [III] *vr* **~ się** 1. *zob.* **rozepchać się** 2. (*torować sobie drogę*) to push <to elbow, to jostle> one's way

rozpylacz *sm* 1. (*przyrząd do rozpylania*) sprayer; atomizer; vaporizer; (*do perfum*) scent-spray; (*do pokostów*) insufflator 2. *pot.* (*pistolet automatyczny*) automatic pistol

rozpyl|ać *v imperf* — **rozpyl|ić** *v perf* [I] *vt* 1. (*rozpryskiwać*) to spray; to atomize; **~ona ciecz** spray 2. (*rozbijać na drobne cząsteczki*) to pulverize [III] *vr* **~ać, ~ić się** to spray (*vi*)

rozpylanie *sn* (↑ **rozpylać**) (*rozbijanie na drobne cząsteczki*) pulverization

rozpylić *zob.* **rozpylać**

rozpyt|ywać *v imperf* — *rz.* **rozpyt|ać** *v perf* [I] *vi* to ask (people) all sorts of questions; to inquire here and there [II] *vt* to ask (**przechodniów itd.** different passers-by etc.) [III] *vr* **~ywać, ~ać się** *emf.* = **~ywać, ~ać** *vi vt*

rozrabiacki *adj pot.* scheming; intriguing; trouble-making

rozrabiactwo *sn singt pot.* scheming; intriguing; trouble-making

rozrabiacz *sm*, **rozrabiacz|ka** *sf pl G.* **~ek** *pot.* schemer; intriguer; trouble-maker

rozr|abiać *v imperf* — **rozr|obić** *v perf* **~ób** [I] *vt* 1. (*miesić, wyrabiać*) to temper (clay, paint etc.) 2. (*rozcieńczać*) to dilute [II] *vi imperf pot.* 1. (*robić intrygi*) to scheme; to intrigue; to make trouble 2. (*awanturować się*) to kick up a row; to brawl

rozrabować *vt perf rz.* to rob <to plunder> (everything); **~ komuś coś** to strip sb of sth

rozrachować *v perf* [I] *vt* † to reckon; to calculate [II] *vr* **~ się** to square up <accounts> (**z kimś** with sb)

rozrachun|ek *sm G.* **~ku** 1. (*załatwienie rachunków*) settlement of accounts; squaring up (with sb) 2. *handl.* (*konto*) account

rozrachunkowy *adj* clearance — (cheque etc.)

rozradować *v perf* [I] *vt* to gladden; to rejoice; to delight; to fill (sb) with delight; to exhilarate [II] *vr* **~ się** to be happy <to rejoice> (**czymś, z czegoś** at sth)

rozradowanie *sn* 1. ↑ **rozradować** 2. (*uczucie radości*) joy; gladness; glee; delight; pleasure

rozradowany [I] *pp* ↑**rozradować** [II] *adj* overjoyed; delighted; in high glee

rozr|adzać się *vr imperf* — **rozr|odzić się** *vr perf* **~odzą się** to breed <to propagate> (*vi*); to reproduce; to proliferate; to multiply (*vi*); to increase in number

rozradzanie się *sn* (↑ **rozradzać się**) propagation; reproduction; proliferation

rozrani|ć *vt perf* — **rozrani|ać** *vt imperf rz.* to wound; to injure; to hurt; to lacerate; to mangle; *przen.* **~ć komuś serce** to stab sb to the heart

rozranienie *sn* (↑ **rozranić**) (a) wound; (a) hurt; injury; laceration

rozr|astać się *vr imperf* — **rozr|osnąć się** *vr perf, rz.* **rozr|óść się** *vr perf* **~osnę się, ~ośnie się, ~ósł się, ~osła się, ~ośli się** 1. (*rosnąć*) to grow (up); **zbytnio się ~astać, ~osnąć, ~óść** to grow rank; to run wild 2. (*rozwijać się*) to develop; to expand; to spread 3. (*powiększać się liczebnie*) to proliferate; to increase in number; to grow more (and more) numerous 4. (*powiększać się objętościowo*) to grow bigger (and bigger) 5. *przen.* (*wzmagać się*) to increase; to strengthen; to grow stronger *zob.* **rozrosnąć się**

rozrastanie się *sn* ↑ **rozrastać się** 1. (*rośnięcie*) growth 2. (*rozwój*) development; spread; expansion 3. (*powiększanie się*) increase

rozr|ąb *sm G.* **~ębu** *pot.* jointing (of meat)

rozrąb|ać *vt perf* **~ie** — **rozrąbywać** *vt imperf* (*rozłupać*) to chop (up); to chop to pieces; (*rozpłatać*) to split; to cleave

rozregulow|ać *v perf* — **rozregulow|ywać** *v imperf* [I] *vt* to put (a mechanism etc.) out of order; to throw (sth) out of gear [II] *vr* **~ać, ~ywać się** to get out of order; **maszyna się nam ~ała** our machine is out of order

rozregulowanie *sn* 1. (↑ **rozregulować**) 2. (*nieregularne funkcjonowanie*) disordered state; derangement

rozregulowywać *zob.* **rozregulować**

rozreklamować *vt perf* to advertise (extensively); to boost; to publicize; to give extensive publicity (**coś** to sth)

rozrobić *zob.* **rozrabiać**

rozrodczość *sf singt biol.* reproductiveness; progenitiveness; generation

rozrodcz|y *adj* progenitive; generative; reproductive (organs etc.); *biol.* **komórki ~e** reproductive cells; gametes

rozrodzenie się *sn* (↑ **rozrodzić się**) propagation; reproduction; proliferation

rozrodzić się *zob.* **rozradzać się**

rozrosły *adj* 1. (*o roślinności*) exuberant; lush; rank 2. (*o człowieku*) sturdy; robust; of powerful build; broad-shouldered

rozrosnąć się *vr perf* 1. *zob.* **rozrastać się** 2. (*zmężnieć*) to grow into a man <a woman>; to grow sturdy <sturdier>; to grow (more) robust

rozrost *sm G.* **~u** 1. *biol.* growth; development; expansion; *med.* **~ tkanki** hyperplasia 2. (*rozwój*) increase; expansion; **nadmierny ~** overgrowth

rozrośnięcie się *sn* (↑ **rozrosnąć się**) growth; development; expansion; increase

rozrośnięty *adj* = **rozrosły**

rozróba *sf sl. augment* ↑ **rozróbka**

rozrób|ka *sf pl G.* **~ek** *sl.* row; brawl; fracas

rozr|ód *sm G.* **~odu** *biol.* reproduction; procreation; generation

rozróść się *zob.* **rozrastać się**

rozróżni|ać *vt imperf* — **rozróżni|ć** *vt perf* 1. (*dostrzegać różnicę*) to differentiate <to tell, to distinguish> (**jedną osobę** <**rzecz**> **od drugiej** one person <thing> from another); **~ać, ~ć dwie osoby** <**rzeczy**> to tell two persons <things> apart; to discriminate between two persons <things>; **nie ~ać jednego od drugiego** to confound <to mix up> one person <thing> with another 2. (*rozpoznawać*) to discern; to distinguish; to make (sth) out

rozróżnianie *sn* ↑ **rozróżniać** 1. (*dostrzeganie różnicy*) differentiation; discrimination 2. (*rozpoznawanie*) discernment

rozróżnić *zob.* **rozróżniać**

rozróżnienie *sn* 1. ↑ **rozróżnić** 2. (*różnica*) difference

rozruch *sm G.* **~u** 1. (*wprawianie w ruch*) start(ing); **rozpocząć ~ czegoś** to set sth going <in motion>; **~ reaktora itd.** starting up <setting in motion> of a reactor etc. 2. *pl* **~y** (*zamieszki*) disturbance(s); riot(ing); **uczestnik ~ów** rioter; **wszcząć ~y** to create <to make> a disturbance

rozruchow|y *adj techn.* motional; **korba ~a** starting crank

rozruszać *v perf* ▯ *vt* 1. (*wprawiać w ruch*) to set (sth) in motion; to set (sth) going <working>; to start up (an engine etc.); to start (a machine) 2. (*ożywić*) to animate; to enliven; to brisk (sb) up; to smarten (sb); to waken (sb) up; to draw (sb) out ▯▯ *vr* **~ się** 1. (*nabrać rozpędu w ruchu*) to start (off); to get going; to gather way 2. (*ożywić się*) to brisk up; to cheer <to brighten, to perk> up

rozrusznik *sm techn.* starter; **~ motocyklowy nożny** kick-starter; **~ samochodowy samoczynny** self-starter

rozrycz|eć się *vr perf* **~y się** 1. (*o bydle*) to start roaring <bellowing, mooing> 2. *przen.* (*o syrenie itd.*) to start hooting 2. *pot.* (*rozbeczeć się*) to burst into tears; to start crying; (*o dziecku*) to start blubbering

rozry|ć *vt perf* **~je, ~ty** to dig up <to plough up, to turn up> (the ground); (*o dziku, świni*) to root up (the ground)

rozrywać *zob.* **rozerwać**

rozryw|ka *sf pl G.* **~ek** amusement; recreation; diversion; entertainment; pastime; **ulubiona ~ka** hobby; **dla ~ki** for sport

rozrywkow|y *adj* (places etc.) of amusement; amusement — (park etc.); **muzyka ~a** light music; **ośrodek ~y** playground; pleasure ground; **program ~y** light programme; **teatr ~y** variety <vaudeville> theatre

rozrząd *sm G.* **~u** *techn.* distribution; control; timing gear; **~ zaworowy** valve timing

rozrządczy *adj techn.* **wał(ek) ~** camshaft

rozrządow|y *adj techn. kolej.* marshalling — (yard etc.); **górka ~a** hump yard

rozrządzać *vt imperf* — **rozrządz|ić** *vt perf* **~ę** *kolej.* to marshal (trucks)

rozrzedz|ać *v imperf* — **rozrzedz|ić** *v perf* **~ę** ▯ *vt* to thin down (paint, a sauce etc.); to weaken (a mixture etc.); to rarefy (air etc.); to dilute (an acid, wine etc.); to attenuate (a gas) ▯▯ *vr* **~ać, ~ić się** to thin <to weaken, to rarefy> (*vi*); to grow thinner <weaker, more rare>

rozrzedzenie *sn* (↑ **rozrzedzić**) thinness (of a liquid); rareness (of air etc.); dilution (of an acid etc.)

rozrzedzony ▯ *pp* ↑ **rozrzedzić** ▯▯ *adj* (*o cieczy*) thin; (*o powietrzu*) thin; rare

rozrzewni|ać *v imperf* — **rozrzewni|ć** *v perf* ▯ *vt* to move; to affect; to touch (pathetically); to stir (the heart, the soul) ▯▯ *vr* **~ać, ~ć się** to be moved <affected, touched, stirred>; **~ać, ~ć się do łez** to melt into tears; to be moved to tears

rozrzewniający *adj* affecting; moving; stirring; touchingly; pathetically

rozrzewniający *adj* affecting; moving; stirring; touching; pathetic

rozrzewnić *zob.* **rozrzewniać**

rozrzewnienie *sn* (↑ **rozrzewnić**) emotion

rozrzuc|ać *v imperf* — **rozrzuc|ić** *v perf* **~ę** ▯ *vt* 1. (*rzucać*) to throw (things) about; to scatter 2. (*zw. perf*) (*umieszczać w różnych miejscach*) to scatter; to disperse; to spread; to strew; *przen.* **~ić ramiona** to open one's arms wide 3. (*rozdawać*) to distribute; **~ać, ~ić garściami pieniądze** to spend money recklessly 4. (*rozwalać*) to tear down (a shed etc.) ▯▯ *vr* **~ać, ~ić się** to scatter (*vi*); to be scattered

rozrzucenie *sn* (↑ **rozrzucić**) dispersion

rozrzut *sm G.* **~u** (*rozrzucenie*) scattering; dispersion (of shot etc.)

rozrzut|ka *sf pl G.* **~ek** *bot.* (*Woodsia*) woodsia

rozrzutnica *sf* = **rozrzutnik**

rozrzutnie *adv* 1. (*hojnie*) prodigally; lavishly 2. (*w sposób marnotrawny*) wastefully; extravagantly; **~ gospodarować** to make the money fly

rozrzutnik *sm* (*marnotrawca*) spendthrift; squanderer; profligate

rozrzutność *sf singt* 1. (*hojność*) prodigality; lavishness 2. (*marnotrawstwo*) wastefulness; extravagance

rozrzutny *adj* 1. (*hojny*) prodigal; lavish 2. (*marnotrawny*) wasteful; spendthrift; squandering; extravagant
rozrzynać *zob.* **rozerznąć**
rozsada *sf ogr.* (*flanca*) seedling; *zbior.* seedlings
rozsad|ka *sf pl G.* **~ek** *ogr.* slip
rozsadnik *sm G.* **~a** <*rz.* **~u**> 1. *leśn.* nursery; seed-plot 2. *ogr.* seed-bed; hotbed 3. *przen.* (*nosiciel*) propagator 4. *przen.* (*źródło, z którego coś się szerzy*) seed-plot; *pej.* hotbed (of sedition etc.)
rozsad|owić *v perf* — **rozsad|awiać** *v imperf rz.* [I] *vt* to seat (people) (according to a plan) [III] *vr* **~owić, ~awiać się** to sit down comfortably; to loll
rozsadowy *adj ogr.* seedling — (plants etc.)
rozsadz|ać *vt imperf* — **rozsadz|ić** *vt perf* **~ę** 1. (*sadzać na właściwych miejscach*) to seat (people according to a plan) 2. (*rozłączać*) to separate 3. (*wysadzać w powietrze*) to blow up; to explode (a boiler etc.); to split; to burst (rocks etc.); *przen.* **radość <duma itd.> ~ała mu serce** his heart was bursting <ready to burst> with joy <pride etc.> 4. (*sadzić rośliny*) to plant out (seedlings etc.); to plant (trees etc.) at (regular etc.) intervals
rozsąd|ek *sm G.* **~ku** reason; intellect; judg(e)ment; (common) sense; senses; **brak ~ku** unreason; folly; **zdrowy ~ek** common sense; good judg(e)ment; *pot.* horse sense; **pozbawiony ~ku** unreasonable; **jak ~ek nakazywał <nakazuje>** as in reason; **machnąć ręką na głos ~ku** to fling caution to the winds; **słuchać głosu ~ku** to listen to reason; **wszystko, co leży w granicach ~ku** everything in reason
rozsądnie *adv* reasonably; sensibly; judiciously; **mówić ~** to talk sense; **~ by było gdybyś ...** you would be well-advised to ...
rozsądn|y *adj* reasonable; sensible; judicious; sound; **człowiek ~y** a man of sense; **myślałem, że jesteś ~iejszy** I credited you with more sense
rozsądz|ać *vt imperf* — **rozsądz|ić** *vt perf* **~ę** to judge; to decide; to adjust (a difference etc.)
rozsądzenie *sn* (↑ **rozsądzić**) judg(e)ment; decision
rozsądzić *zob.* **rozsądzać**
rozsegregować *vt perf* — **rozsegregowywać** *vt imperf* to class; to classify; to sort out
rozsegregowanie *sn* (↑ **rozsegregować**) classification
rozsiać *zob.* **rozsiewać**
rozsi|adać się *vr imperf* — **rozsi|ąść się** *vr perf* **~ądę się, ~ądzie się** <**~ędzie się**>, **~adł się, ~edli się** 1. (*siadać wygodnie*) to sit <to settle> oneself comfortably; to make oneself comfortable (on a couch, in an armchair etc.) 2. (*siadać — o większej liczbie osób*) to sit down <to take our, your, their seats> (round a table, about a room etc.); (*o stadzie ptaków*) to alight <to perch> (on branches etc.)
rozsiadły *adj* settled; scattered; dispersed
rozsianie *sn* 1. ↑ **rozsiać** 2. (*rozpraszanie*) diffusion 3. (*rozpowszechnianie*) diffusion; dissemination; propagation
rozsian|y [I] *pp* ↑ **rozsiać** [II] *adj* scattered; dotted about; **rzadko ~e** sparse; straggling
rozsiąpić się *vr perf* to drizzle away
rozsiąść się *zob.* **rozsiadać się**
rozsie|c *vt perf* **~kę, ~cze, ~kł, ~czony** to hack to pieces
rozsiedl|ać *v imperf* — **rozsiedl|ić** *v perf* [I] *vt* to settle (people in a region etc.); to distribute (people over an area) [III] *vr* **~ać, ~ić się** to settle (*vi*)
rozsiedlenie *sn* 1. ↑ **rozsiedlić** 2. (*zasięg*) distribution; repartition
rozsiedlić *zob.* **rozsiedlać**
rozsiekać *vt perf* to hack to pieces
rozsierdz|ić *v perf* **~ę** *lit.* [I] *vt* to irritate; to anger [III] *vr* **~ić się** to get angry; **~ony** irritated; angry; furious; fuming; with one's hackles up
rozsiew *sm G.* **~u** sowing; dissemination; spread
rozsiewacz *sm rz.* 1. (*człowiek*) sower 2. (*przyrząd*) sowing implement <machine>
rozsi|ewać *v imperf* — **rozsi|ać** *v perf* **~eje** [I] *vt* 1. (*siać*) to sow 2. *przen.* (*rozpraszać*) to diffuse; to spread <to shed> (a perfume etc.); **~ewać pieniądze** to waste money 3. (*rozpowszechniać*) to diffuse; to disseminate; to propagate; to spread (news, gossip etc.) [III] *vr* **~ewać, ~ać się** (*o roślinach*) to sow its <their> seeds; **rośliny, które się ~ały** self-sown plants
rozsiewanie *sn* 1. ↑ **rozsiewać**; spread 2. *bot.* semination
rozsiodłać *vt perf* — **rozsiodływać** *vt imperf* to unsaddle
rozska|kać się *vr perf* **~cze** to skip boisterously
rozskakiwać się *vr imperf* — **rozskoczyć się** *vr perf* to spring aside from each other
rozskub|ać *vt perf* **~ie** — **rozskubywać** *vt imperf* to pick (oakum etc.)
rozsławi|ć *v perf* — **rozsławi|ać** *v imperf* [I] *vt* to cover (sb) with glory; to render (sb) famous; to extol (sb); to sing (**kogoś** sb's) praises; **~ć, ~ać czyjeś imię** to glorify sb's name [III] *vr* **~ć, ~ać się** to cover oneself with glory; to win fame; to become famous
rozsłoneczni|ć *v perf* — **rozsłoneczni|ać** *v imperf* [I] *vt lit.* to fill with sunshine; **~ony** sunny; bright with sunshine [III] *vr* **~ć, ~ać się** to become bright with sunshine
rozsłuchać się *vr perf* — **rozsłuchiwać się** *vr imperf* (*zasłuchać się*) to listen intently <eagerly, earnestly>
rozsmakow|ać *v perf* — **rozsmakow|ywać** *v imperf* [I] *vt* 1. (*rozpoznać smak*) to detect the taste (**coś** of sth) 2. (*delektować się smakiem*) to delight in the taste (**coś** of sth) [III] *vr* **~ać, ~ywać się** 1. (*nabrać upodobania*) to acquire a taste (**w czymś** for sth) 2. (*zacząć lubić smak czegoś*) to come to enjoy the taste (**w czymś** of sth) 3. (*zasmakować w czymś*) to enjoy the taste (**w czymś** of sth)
rozsmarow|ać *vt perf* — **rozsmarow|ywać** *vt imperf* to spread (**masło itd. po czymś** butter etc. on sth); **~ać, ~ywać miód <farbę itd.> po czymś** to smear sth with honey <paint etc.>
rozsnu|ć *v perf* **~ję, ~ty** — **rozsnu|wać** *v imperf* [I] *vt lit.* 1. (*rozpiąć osnowę*) to unspin 2. (*snując rozprzestrzenić*) to spin out [III] *vr* **~ć, ~wać się** to spread <to extend> (*vi*)
rozsortować *vt perf* — **rozsortowywać** *vt imperf* to sort out; to class; to classify
rozsortowanie *sn* (↑ **rozsortować**) classification
rozspacjować *vt perf* — **rozspacjowywać** *vt imperf* *druk.* to space out
rozsrożyć † *v perf* [I] *vt* to raise (**kogoś** sb's) anger [III] *vr* **~ się** to grow angry; to fly into a passion

rozsta|ć się *vr perf* **~nę się, ~nie się, ~ł się** — **rozsta|wać się** *vr imperf* **~je się, ~waj się** 1. (*rozłączyć się*) to part <to part company> (with sb); to take one's leave (**z kimś** of sb); **~ć, ~wać się z mężem <żoną>** to divorce one's husband <wife>; **~ć, ~wać się z rodziną** to leave home; **~ńmy się w przyjaźni** let us part friends 2. (*wyzbyć się*) to part (**z czymś** with sth); **~ć, ~wać się z życiem** to give up the ghost 3. (*zaniechać*) to give (sth) up

rozstaj *sm G.* **~u <~a>** cross-roads; parting of the ways; bifurcation (of the roads)

rozstajn|y *adj* **~e drogi** = **rozstaj**

rozstanie (się) *sn* 1. (↑ **rozstać się**) leave-taking 2. (*rozłąka*) separation

rozstaw *sm G.* **~u** *techn.* spacing; **~ kół** track of wheels; tread; **~ osi pojazdu** wheel <axle> base; *kolej.* **~ szyn** (track) gauge

rozstawa *sf* 1. = **rozstaw** 2. *ogr. roln.* spacing

rozstawać się *zob.* **rozstać się**

rozstawi|ć *v perf* — **rozstawi|ać** *v imperf* [I] *vt* to space out; to intersperse; to put (things) at intervals; to arrange (objects); to place <to post, to station> (people) at intervals; *druk.* to space (words etc.); **~ć, ~ać nogi** to stand astride; **szeroko ~eni <~one>** wide apart; **z ~onymi nogami** astride; **z ~onymi zębami** gap-toothed; *sl.* **~ć, ~ać kogoś po kątach** to blow sb up; **~ć, ~ać komuś rodzinę po kątach** to swear at sb [II] *vr* **~ć, ~ać się** to stand at intervals; to place <to station> ourselves <yourselves, themselves> at intervals; to take our <your, their> stands

rozstawienie *sn* 1. ↑ **rozstawić** 2. (*układ*) arrangement; disposition; **~ oczu** setting of the eyes

rozstawn|y *adj* 1. (*rozstawiony*) spaced out; interspersed; put <placed, posted, stationed> at intervals; **bieg ~y** relay race; **konie ~e** relay horses; **jechać ~ymi końmi** to travel post-haste 2. (*dający się rozstawić*) extensible; **~y krok** big stride; **~y stół** extension table

rozst|ąpić się *vr perf* — **rozst|ępować się** *vr imperf* 1. (*usunąć się na boki*) to step <to draw> aside; (*o tłumie*) to part; to form a lane; **drzwi <brama, wrota> się ~ąpiły** the door <gate> opened 2. (*rozsunąć się*) to come apart; to be rent asunder; to split; **deski się ~ąpiły** the boards gape; *pot.* **~ąp się ziemio!** not a trace of it!; it is nowhere to be found; it has vanished as if by magic

rozstęp *sm G.* **~u** space <distance> (between objects, points etc.); gap; interstice; interval; lacuna; *geol.* heave

rozstępować się *zob.* **rozstąpić się**

rozstr|oić *v perf* **~oję, ~ój, ~ojony** — **rozstr|ajać** *v imperf* [I] *vt* 1. (*spowodować rozstrój*) to upset; to derange; to disorder; **~oić, ~ajać kogoś** to upset sb; **~oić, ~ajać komuś nerwy** to put sb's nerves on edge 2. (*rozregulować instrument muzyczny*) to put (a musical instrument) out of tune; to untune

rozstrojony [I] *pp* ↑ **rozstroić** [II] *adj* 1. (*o człowieku*) upset; off one's hinges; (*o nerwach*) unstrung; on edge 2. (*o żołądku*) disordered; upset 3. (*o instrumencie muzycznym*) out of tune

rozstr|ój *sm G.* **~oju** confusion; disorder; **~ój żołądka** disordered stomach; *pot.* **~ój nerwowy** nervous breakdown; **~ój psychiczny** derangement of mind

rozstrzel|ać *vt perf* — **rozstrzel|iwać** *vt imperf* to shoot <to execute> (a spy etc.); to put sb before a firing squad; **~ano go** he was shot <executed>

rozstrzelanie *sn* (↑ **rozstrzelać**) execution (by a firing squad); **masowe ~** fusillade; **skazać kogoś na ~** to sentence sb to be shot

rozstrzelenie *sn* ↑ **rozstrzelić**

rozstrzeli|ć *v perf* — **rozstrzeli|wać** *v imperf* [I] *vt* 1. (*rozproszyć*) to scatter; **~ć uwagę** to distract the attention 2. *druk.* (*rozspacjować*) to space out [II] *vr* **~ć, ~wać się** 1. (*rozpierzchnąć się*) to disperse; to scatter (*vi*) 2. (*wykazać niezgodność*) to be divided

rozstrzeliwać *zob.* **rozstrzelać**

rozstrzyg|ać *v imperf* — **rozstrzyg|nąć** *v perf* [I] *vt* 1. (*postanawiać*) to decide; to judge; to arbitrate 2. (*być czynnikiem decydującym*) to decide; to settle; to determine; **~ać, ~nąć los** to seal the fate; **sprawa nie jest ~nięta** the question is unsolved <hangs in the balance> [II] *vr* **~ać, ~nąć się** to be decided <determined, settled, sealed>

rozstrzygająco *adv* decisively; conclusively; finally; definitely

rozstrzygając|y *adj* decisive; conclusive; final; definitive; crucial; **głos ~y (przewodniczącego)** the casting vote; **~y cios, ~e uderzenie** winning stroke

rozstrzygnąć *zob.* **rozstrzygać**

rozstrzygni|ęcie *sn* ↑ **rozstrzygnąć** 1. (*postanowienie*) decision; **oddać sprawę jakiejś władzy do ~ęcia** to remit a matter to some authority for decision 2. (*załatwienie*) settlement (of a question)

rozsu|nąć *v perf* — **rozsu|wać** *v imperf* [I] *vt* 1. (*rozdzielić*) to separate; to part; to draw aside (curtains etc.) 2. (*rozpostrzeć*) to extend; to spread; to expand (a telescope etc.) [II] *vr* **~nąć, ~wać się** 1. (*rozstąpić się*) to part <to separate> (*vi*); to draw aside (*vi*) 2. (*rozciągnąć się*) to spread (*vi*)

rozsunięcie *sn* ↑ **rozsunąć** 1. (*rozdzielenie*) separation 2. (*rozpostarcie*) extension

rozsupłać *v perf* — **rozsupływać** *vt imperf* (*rozwiązać*) to untie (a knot); to unknot (a rope); (*rozplątać*) to disentangle

rozsuwać *zob.* **rozsunąć**

rozsuwalny *adj* extensible

rozsuwany [I] *pp* ↑ **rozsuwać** [II] *adj* extensible

rozswaw|olić *v perf* **~ól** [I] *vt* to let (children) frolic without restraint [II] *vr* **~olić się** to frolic without restraint

rozsychać się *zob.* **rozeschnąć się**

rozsyłać *zob.* **rozesłać**

rozsyp *sm G.* **~u** spilling; pouring <scattering> (of a granular substance)

rozsyp|ać *v perf* **~ie** — **rozsyp|ywać** *v imperf* [I] *vt* 1. (*rozrzucić*) to spill (a granular substance); to scatter; to strew; to spread; **~ać wojsko w tyraliery** to spread out troops in extended line; **~ane włosy** flowing hair 2. (*kruszyć*) to crumble (rocks etc.) [II] *vr* **~ać, ~ywać się** 1. (*rozlecieć się*) to go to pieces; to be <to get> scattered 2. (*rozkruszyć się*) to crumble 3. (*rozejść się*) to scatter; to disperse

rozsypiać się *zob.* **rozespać się**

rozsypisko *sn* heap (of rubble etc.)

rozsyp|ka † *sf* (*rozproszenie*) dispersion; (*ucieczka*) flight; *wojsk.* rout; *obecnie w zwrocie: pot.* **pójść w ~kę** to disperse; to scatter; to be scattered; to be routed; **w ~ce** separately; dispersedly

rozsypywać *zob.* **rozsypać**

rozszabrować *vt perf* — **rozszabrowywać** *vt imperf pot.* to loot (everything)

rozszalały *adj* raging

rozszale|ć się *vr perf* **~je się** to rage; to storm

rozszarp|ać *vt perf* **~ie** — **rozszarp|ywać** *vt imperf* to mangle; to mutilate; to tear to pieces

rozszastać *vt perf* to squander

rozszczep *sm G.* **~u** 1. (*czynność*) fission 2. (*miejsce rozszczepione*) cleft; fissure; split; *med.* **~ podniebienia** cleft palate

rozszczepi|ać *v imperf* — **rozszczepi|ć** *v perf* [I] *vt* 1. (*rozłupywać*) to split; to slit; to cleave; to rive; to rift; *przen.* **~ać, ~ć włos na czworo** to split hairs 2. *chem.* to fissure; *fiz.* to diffuse; to diffract [II] *vr* **~ać, ~ć się** 1. (*rozłupywać się*) to split <to cleave> (*vi*); (*pękać*) to crack 2. *biol.* to divide (*vi*) 3. *chem.* to dissociate 4. *fiz.* to disperse; to fissure

rozszczepialny *adj* fissile

rozszczepić *zob.* **rozszczepiać**

rozszczepienie *sn* ↑ **rozszczepić** 1. (*rozłupanie*) (a) split; (a) rift 2. *chem.* cleavage; fission; dissociation 3. *biol.* fission 4. *fiz.* diffusion; dispersion; diffraction ‖ *psych.* **~ osobowości** <**jaźni**> dissociation

rozszczepiony [I] *pp* ↑ **rozszczepić** [II] *adj* split; cleft; cloven (foot, hoof)

rozszczypać *vt perf* to split

rozszerzacz *sm* 1. *techn.* reamer; spreader; bailer; (broaching, enlarging) bit; (*tkanin*) expander 2. *med.* bougie; dilator

rozszerz|ać *v imperf* — **rozszerz|yć** *v perf* [I] *vt* 1. (*powiększać zakres*) to widen; to broaden; to enlarge; to expand; to extend; to dilate 2. (*rozwierać*) to open (one's mouth, hand etc.); to spread out (one's fingers etc.) 3. † (*krzewić*) to diffuse; to disseminate; to propagate; to spread [II] *vr* **~ać, ~yć się** 1. (*stawać się szerszym*) to widen <to broaden> (*vi*) 2. (*rozwierać się*) to open out 3. (*rozprzestrzeniać się*) to expand; to spread 4. (*powiększać się*) to develop; to distend <to enlarge> (*vi*); to swell 5. *fiz.* to dilate <to expand> (*vi*)

rozszerzalnoś|ć *sf singt fiz.* expansibility; distensibility; dilatability; **współczynnik ~ci** coefficient of expansion

rozszerzalny *adj* expansible; dilatable; distensible

rozszerzar|ka *sf pl G.* **~ek** *techn.* spreader; spreading machine

rozszerzenie *sn singt* 1. ↑ **rozszerzyć** 2. (*powiększenie, powiększenie się*) enlargement; expansion; extension; development; distension; dila(ta)tion 3. *med.* dilatation; ectasis

rozszerzyć *zob.* **rozszerzać**

rozszlocha|ć się *vr perf* to burst into sobs; **~ła się** she fell a-sobbing

rozsznurow|ać *v perf* — **rozsznurow|ywać** *v imperf* [I] *vt* to unlace [II] *vr* **~ać, ~ywać się** to come unlaced

rozszy|ć *vt perf* **~je, ~ty** — **rozszy|wać** *vt imperf* (*wszyć wstawkę*) to insert a gusset <gussets> (**spódnicę itd.** in a skirt etc.)

rozszyfrować *vt perf* — **rozszyfrowywać** *vt imperf* 1. (*odczytywać szyfrowany tekst*) to decipher 2. (*rozwikłać*) to unravel (a mystery etc.); *przen.* to make out (bad writing)

rozszywać *zob.* **rozszyć**

rozścielać, rozścielić, rozściełać *zob.* **rozesłać**[1]

rozślimaczyć się *vr perf pot.* 1. (*o ranie — rozjątrzyć się*) to run 2. (*rozpłakać się*) to start sobbing <blubbering>

rozśmiać się *zob.* **roześmiać się**

rozśmieszać *v imperf* — **rozśmieszyć** *v perf* [I] *vt* to amuse; to make (sb) laugh [II] *vi* to cause laughter; to be amusing

rozśmieszająco *adv* amusingly

rozśmieszeni|e *sn* ↑ **rozśmieszyć; dla ~a towarzystwa** for the amusement of the company; to make the company laugh

rozśmieszyć *zob.* **rozśmieszać**

rozśnież|yć się *vr perf* — **rozśnież|ać się** *vr imperf* to fall abundantly; **~yło się** there was a heavy snowfall

rozśpiewa|ć *v perf* [I] *vt* to induce (sb, people) to sing; to set (people) singing [II] *vr* **~ć się** 1. (*zacząć śpiewać*) to start singing 2. (*śpiewać ochoczo*) to sing with glee <gleefully>; **~ny tłum** gleefully singing crowd

rozśrubować *vt perf* to unscrew

rozświec|ać *v imperf* — **rozświec|ić** *v perf* **~ę** [I] *vt* to throw light (**coś** on sth); to light (sth) up; to brighten (sth) up; to shine (**coś** on sth); **~ać, ~ić świecę** <**lampę**> to trim a candle <a lamp> [II] *vr* **~ać, ~ić się** to shine brilliantly <brightly>

rozświergo|tać się *vr perf* **~cze** <**~ce**> **się** to chirp gleefully

rozświetl|ać *v imperf* — **rozświetl|ić** *v perf* [I] *vt* 1. (*czynić jasnym, widnym*) to light <to brighten> (sth) up; **~ać, ~ić knot** <**lampę**> to trim a wick <a lamp> 2. (*czynić zrozumiałym*) to elucidate [II] *vr* **~ać, ~ić się** to be lit up

rozświetlenie *sn* 1. ↑ **rozświetlić** 2. (*wyjaśnienie*) elucidation

rozświętowa|ć się *vr perf* to give oneself up to holiday-making; **miasto się ~ło** the town was in a holiday mood

rozt|aczać *v imperf* — **rozt|oczyć** *v perf* [I] *vt* 1. (*rozpościerać*) to spread; to unfold; to expand; **~aczać, ~oczyć opiekę nad kimś, czymś** to take sb, sth under one's protection; **~oczony** outspread 2. *przen.* (*ukazywać*) to unfold; to display (pomp, one's charms etc.) 3. (*rozprzestrzeniać*) to spread; to diffuse (a fragrance etc.); to raise clouds (**kurz itd.** of dust etc.) 4. *zw. perf* (*o robactwie itd. — toczyć*) to bore (**coś** into sth) 5. *zw. perf* (*o morzu itd. — rozmywać*) to wash (sth) away [II] *vr* **~aczać, ~oczyć się** 1. (*rozpościerać się*) to spread <to stretch, to extend> (*vi*) 2. (*o widoku itd. — ukazywać się oczom*) to unfold itself; to open out

roztaj|ać *vi perf* **~e** to thaw

roztaklować *vt perf mar.* to unrig

roztańczyć się *vr perf* (*zacząć tańczyć na dobre*) to give oneself up to the rhythm of the dance; (*rozochocić się w tańcu*) to dance with abandon

rozt|apiać *v imperf* — **rozt|opić** *v perf* [I] *vt* to melt (snow, butter etc.); to smelt (metal); **~opiony metal** molten metal [II] *vr* **~apiać, ~opić się** 1. (*topnieć*) to melt (*vi*) 2. (*stawać się niewidocznym*) to fade away; to dissolve; to vanish 3. (*o dźwiękach — niknąć*) to die away

roztarcie *sn* ↑ **rozetrzeć**

roztargać *vt perf* 1. (*podrzeć*) to tear up <to pieces> 2. (*rozczochrać*) to ruffle; to dishevel

roztargnieni|e *sn* absence of mind; distraction; giddiness; wool-gathering; **w ~u** absent-mindedly; distractedly; abstractedly; in an unthinking moment

roztargniony *adj* absent-minded; distracted; scatter-brained; wool-gathering

roztasow|ać *v perf* — **roztasow|ywać** *v imperf* [I] *vt* to arrange; to dispose [II] *vr* **~ać, ~ywać się** to take seats <places, quarters>

roztasowanie *sn* (↑ **roztasować**) arrangement; disposition (of people, of things in space)

roztelefonować *vt perf pot.* to phone (sth) right and left

roztelegrafować *vt perf* to communicate (sth) right and left by wire

roztentegować *vt perf sl. żart.* to what-d'ye-call-it

rozter|ka *sf pl G.* **~ek** (*także* **~ka wewnętrzna**) irresolution; indecision; perplexity; suspense; **w ~ce** irresolute; undecided; perplexed; at a loss

roztętnić się *vr perf* to pulsate violently

roztkliwi|ać *v imperf* — **roztkliwi|ć** *v perf* [I] *vt* to move; to touch (pathetically); to stir (**kogoś** sb's) feelings; to render (sb) mawkish [II] *vr* **~ać, ~ć, się** to sentimentalize; to grow sentimental <mawkish>; to gush <to slobber> (over sb, sth); to make a fuss (**nad kimś, czymś** over sb, sth)

roztkliwienie *sn* (↑ **roztkliwić**) sentimentality; mawkishness; slobber

roztle|ć *vi perf* **~je** — **roztle|wać** *vi imperf* to burst into flame

roztlić się *vr perf* = **roztleć**

roztłaczać *vt imperf* — **roztłoczyć** *vt perf* to beat out

roztłam|sić *vt perf* **~szę, ~szony** *pot.* to crush; to trample

roztłoczyć *zob.* **roztłaczać**

roztocz *sf pl N.* **~e** 1. *bot.* saprophyte 2. *zool.* (*Acarina*) mite

roztocz|ek *sm G.* **~ka** *bot.* (*Saprolegnia*) water mould

roztoczenie *sn* ↑ **roztoczyć** 1. (*ukazanie*) display (**przepychu itd.** of pomp etc.) 2. (*rozprzestrzenienie*) diffusion (**zapachu itd.** of a fragrance etc.)

roztoczowo *adv* after the manner of saprophytes <of mites>

roztoczowy *adj* 1. *bot.* saprophytic 2. *zool.* of the nature of a mite

roztoczyć *zob.* **roztaczać**

roztoka *sf geogr.* 1. (*dolina górska*) glen 2. (*potok*) brook

roztop *sm G.* **~u** (*zw. pl*) 1. (*topnienie śniegów*) thaw 2. (*błoto, kałuże*) sloppy <slushy> roads <fields>

roztopić *zob.* **roztapiać**

roztrajko|tać *v perf* **~cze** <**~ce**> *pot.* [I] *vt* to jabber out (secrets etc.) [II] *vr* **~tać się** to jabber away

roztrajkotany *pot.* [I] *pp* ↑ **roztrajkotać** [II] *adj* (*rozgadany*) jabbering

roztratować *vt perf* to trample underfoot <to death>

roztrąbiać *vt imperf* — **roztrąbić** *vt perf pot.* to trumpet (a piece of news); to blaze (sth) abroad; to proclaim (sth) from the house-tops

roztrąc|ać *vt imperf* — **roztrąc|ić** *vt perf* **~ę** 1. (*odsuwać na boki*) to part; to push aside <to right and left> 2. (*odpychać*) to jostle

roztrop|ek *sm G.* **~ka** *w zwrocie*: **chłopek ~ek** clever chap; (village) artful dodger

roztropnie *adv* wisely; sensibly; with discrimination; **~ byś robił, gdybyś ...** you would be well-advised to ...

roztropność *sf singt* discernment; discrimination; caution; circumspection

roztropn|y *adj* (*o człowieku*) wise; discriminating; cautious; circumspect; (*o człowieku i o czynie, posunięciu*) sensible; well-advised; (*o czynie, posunięciu*) wise; sagacious; politic; **to nie było ~e** it was bad policy

roztrwonić *vt perf* — **roztrwaniać** *vt imperf* to squander; to dissipate; to frivol away (one's money, a fortune etc.)

roztrza|skać *v perf*, **roztrza|snąć** *v perf* **~śnie** — **roztrza|skiwać** *v imperf* [I] *vt* to shatter <to dash> (to pieces); to smash [II] *vr* **~skać, ~snąć, ~skiwać się** to shatter; to get shattered <dashed, smashed>; (*o samolocie itd.*) to crash

roztrzaskanie *sn* (↑ **roztrzaskać**) (a) smash; (a) crash

roztrzaskiwać, roztrzasnąć *zob.* **roztrzaskać**

roztrząsacz *sm roln.* spreader

roztrzą|sać *vt imperf* — **roztrzą|snąć** *vt perf* **~śnie** 1. (*rozważać*) to discuss; to debate; **sprawa ~sana** the question under discussion 2. (*rozrzucać*) to spread; to strew; **~sać siano** to ted hay

roztrząsani|e *sn* ↑ **roztrząsać** (*rozważanie*) debate; discussion (**sprawy** on a question); **po dłuższym ~u** after much debate

roztrząsnąć *zob.* **roztrząsać**

roztrz|ąść *vt perf* **~ęsę, ~ęsie, ~ąsł, ~ęsła, ~ęśli, ~ęsiony** 1. (*rozrzucić*) to shake (sth) up <out> 2. (*spowodować zniszczenie*) to shake (sth) out of joint; to batter; to deteriorate; **~ęsiony pojazd** rickety vehicle 3. *rz.* (*wytrącić z równowagi*) to agitate; to shake (sb) up; **~ęsiony** trembling; dithering; all of a dither <of a tremble>

roztrzep|ać *v perf* **~ie** — **roztrzep|ywać** *v imperf* [I] *vt* 1. (*rozrzucić*) to disorder; to disarrange; to fluff (the hair); **~ane włosy** dishevelled hair; **z ~anymi włosami** dishevelled 2. (*rozmieszać*) to beat up (sour milk etc.) [II] *vr* **~ać, ~ywać się** 1. (*rozrzucić się*) to get disarranged; (*o włosach*) to get dishevelled 2. (*o cieczach itd.*) to get beaten up

roztrzepanie *sn* 1. ↑ **roztrzepać** 2. (*niestateczność*) flightiness; fickleness; giddiness

roztrzepa|niec *sm G.* **~ńca** scatter-brain; madcap; rattle-head

roztrzepany [I] *pp* ↑ **roztrzepać** [II] *adj* scatter-brained; rattle-headed; giddy

roztrzęsienie *sn* 1. ↑ **roztrząść** 2. (*stan zniszczenia*) deterioration; rickety state 3. (*zdenerwowanie*) agitation; dither

roztrzęsiony [I] *pp* ↑ **roztrząść** [II] *adj* (*zdenerwowany*) trembling; dithering; all of a dither <of a tremble>

roztul|ać *v imperf* — **roztul|ić** *v perf* [I] *vt* to open (out) [II] *vr* **~ać, ~ić się** to open out (*vi*)

roztw|arzać *v imperf* — **roztw|orzyć** *v perf* **~órz** [I] *vt* (*rozcieńczać*) to dilute; (*rozpuszczać*) to dissolve [II] *vr* **~arzać, ~orzyć się** to dissolve (*vi*)

roztwarzanie *sn* (↑ **roztwarzać**) dilution; dissolution

roztw|ierać *v imperf* — **roztw|orzyć** *v perf* **~órz, ~arł, ~arty** [I] *vt* to open (wide); **~orzyć gwałtownym ruchem** to throw <to fling> open [III] *vr* **~ierać, ~orzyć się** to open (*vi*); (*odsłaniać się*) to present itself to one's view; to meet the eye; **nagle się ~ierać** to fly open

roztworzyć[1] *zob.* **roztwierać**

roztworzyć[2] *zob.* **roztwarzać**

roztw|ór *sm G.* **~oru** *chem.* solution; *garb. farm.* liquor; **~ór fizjologiczny <koloidalny, molowy, nasycony>** physiological <colloidal, molal, saturated> solution

roztwórcz|y *adj chem.* **prężność ~a** solution pressure

roztycie się *sn* (↑ **roztyć się**) corpulence

rozty|ć się *vr perf* **~je się** to grow fat

roztykać *zob.* **rozetkać**

rozum *sm G.* **~u** 1. (*umysł*) reason; intellect; understanding; (the) mind; senses; intelligence; **niespełna ~u** queer in the head; **obdarzony ~em** rational; **pozbawiony ~u** irrational; **on stracił ~** he is out of his mind; **przemówić komuś do ~u** to bring sb to reason; to make sb listen to reason; **wszystko co ~ dyktuje** anything in reason; **czyś stracił ~?** have you taken leave of your senses?; *pot.* **ruszyć ~em** to use one's brains <one's intelligence, one's wits>; **na mój ~** to my mind; in my opinion; as I see it; **na mój głupi ~** in my humble opinion; *przysł.* **co głowa to ~** so many men so many minds 2. (*zmyślność*) judgment; sense; judiciousness; brains; wits; **chłopski ~** common <horse> sense; **iść po ~ do głowy** to think of sth sensible; **kieruj się własnym ~em** use your judgement; **ma <miał> więcej szczęścia niż ~u** he is <was> more lucky than wise; he won <succeeded etc.> by fluke; **mieć bystry ~** to have quick wits; to keep one's wits about one; **nauczyć kogoś ~u** to knock the nonsense out of sb; **on ma swój ~** he knows what he's after; **on nie ma na tyle ~u w głowie, żeby się zorientować ...** he hasn't the wit <wit enough> to see ...; **powinieneś mieć więcej ~u w głowie** you should have more sense; you should know better; *pot.* **zdaje mu się, że wszystkie ~y zjadł <pojadł>** he is a smart alec(k) <a know-all>

rozum|ek *sm G.* **~ku** *żart. iron. pieszcz.* brains

rozumi|eć *v imperf* **~em, ~e, ~eją, ~ał, ~eli** [I] *vt vi* 1. (*pojmować*) to understand; to comprehend; to apprehend; to grasp (mentally); to see (**kogoś** what sb means etc.); to catch (**co ktoś mówi** what sb is saying); to get (**kogoś** sb's meaning); to make (sth) out (**tekst itd.** of a text etc.); **jak ty to ~esz?** what do you make of this?; **nic z tego nie ~em** I can't make anything <I can make nothing> of this; **nie ~eć dowcipu** to miss the joke <the point>; **nie ~em dlaczego ...** I don't <I can't> see why ...; **nie ~em pana** I don't get you <your meaning>; I don't follow you; I don't see what you mean; **nie tak ~em przyjaźń** that's not my idea of friendship; **~em!** I see; I understand; oh yes!; **tego to już nie ~em!** that beats me! 2. (*interpretować*) to interpret; to understand; to mean; to intend; **błędnie <mylnie> coś ~eć** to misunderstand <to mistake, to misinterpret> sth; to put the wrong construction on sth; **co przez to ~esz?** what do you mean <intend> by this?; **czy mam ~eć <czy dobrze ~em>, że ...?** am I to understand that ...?; **~eć coś dosłownie** to take sth at its face value; **~eć coś w sposób właściwy <niewłaściwy>** to put a good <a false> construction on sth; **~eć czyjeś milczenie jako zgodę** to read sb's silence as consent [III] *vr* **~eć się** 1. (*wzajemnie*) to understand one another <each other>; **oni się ~eją jak para złodziei** they are as thick as thieves; **nie ~eć się nawzajem** to be at cross purposes 2. (*być rozumianym*) to be comprehensible <understandable>; *pot.* **ma się ~eć, ~e się** of course; it stands to reason; it's quite natural; **to się samo przez się ~e** it goes without saying 3. *pot.* (*znać się*) to understand (**na interesach, sztuce, muzyce itd.** business, art, music etc.); **nie ~em się na chemii <medycynie itd.>** I have no idea of chemistry <medicine etc.>

rozumieni|e *sn* 1. (↑ **rozumieć**) understanding; comprehension 2. (*interpretowanie*) interpretation; understanding; **w moim ~u** to my mind; as I see it; in my opinion 3. † (*mniemanie*) opinion

rozumnie *adv* sensibly; intelligently

rozumny *adj* 1. (*mający rozum*) rational; thinking 2. (*rozsądny*) sensible; intelligent; wise 3. (*znamionujący rozum*) sensible; intelligent; wise; judicious

rozumować *vi imperf* to reason; to argue

rozumowanie *sn* (↑ **rozumować**) reasoning; argumentation

rozumowany † *adj obecnie w połączeniu:* **katalog ~** descriptive catalogue

rozumowo *adv* rationally

rozumowy *adj* rational

rozuzdać *vt perf* to unbridle (a horse)

rozwadniać *zob.* **rozwodnić**

rozwag|a *sf* 1. (*skłonność do refleksji*) reflection, reflexion; consideration; **brać coś pod ~ę** to take sth into consideration; to consider sth; **nie brać czegoś pod ~ę** to leave sth out of consideration; **dać coś zebraniu pod ~ę** to submit sth to an assembly 2. (*zastanowienie*) thought; caution; discretion; deliberateness; deliberation; **brak ~i** rashness; recklessness; **czynić coś z ~ą** to act with deliberation; **lepsza ~a niż odwaga** discretion is the better part of valour

rozwal|ać *v imperf* — **rozwal|ić** *v perf* [I] *vt* 1. (*burzyć*) to shatter; to smash; to break (up); to demolish; to pull down (a building etc.); **~ić skrzynię <beczkę>** to knock <to stave, to bash> in a box <a cask>; *pot.* **~ić komuś głowę <łeb>** to knock sb's brains out; to brain sb 2. *pot.* (*rozkładać niedbale*) to chuck (books, papers etc. on a table etc.) [III] *vr* **~ać, ~ić się** 1. (*rozlatywać się*) to get shattered <smashed>; to fly in pieces 2. *pot.* (*leżeć, siedzieć niedbale*) to sprawl; **~ony na kanapie** in a sprawl <sprawling> on a sofa

rozwalanie *sn* 1. ↑ **rozwalać** 2. **~ się** (a) sprawl

rozwalcować *vt perf techn.* to roll out

rozwalić *zob.* **rozwalać**

rozwalniać *zob.* **rozwolnić**

rozwalniająco *adv* **działać ~** to act as a laxative; to open the bowels

rozwalniający *adj med.* cathartic; laxative; **środek ~** a laxative

rozwałkować *vt perf* — **rozwałkowywać** *vt imperf* to pin <to roll out> (dough)

rozwarcie *sn* 1. ↑ **rozewrzeć** 2. (*przestrzeń otwarcia*) opening; distance apart; gape; rictus (of mouth, beak, flower etc.); **~ zębów piły** set of a saw; saw set

rozwarcz|eć się *vr perf* **~y się** to fall a-growling

rozwarstwi|ać *v imperf* — **rozwarstwi|ć** *v perf* [I] *vt* to stratify; to form <to arrange> into layers [II] *vr* **~ać, ~ć się** to fall into layers

rozwarstwienie *sn* 1. (↑ **rozwarstwić**) stratification (of rocks etc.) 2. *techn.* delamination; ply separation; foliation

rozwartokątny *adj mat.* obtuse-angled

rozwart|y [I] *pp* ↑ **rozewrzeć** [II] *adj* gaping (mouth etc.); obtuse (angle); **szeroko ~e (ze zdumienia) oczy** round eyes

rozważ|ać *vt imperf* — **rozważ|yć** *vt perf* 1. (*rozpatrywać*) to consider; to turn over <to revolve, to debate> (sth) in one's mind; to ponder <to reflect, to meditate> (**coś** on sth); to weigh (one's words, the consequences of a policy etc.); **dokładnie coś ~yć** to give a matter one's careful consideration; **~ana sprawa** the question under consideration 2. (*ważyć towar*) to weigh out (**cukier, mąkę itd.** quantities of sugar, flour etc.)

rozważanie *sn* (↑ **rozważać**) consideration

rozważnie *adv* thoughtfully; discreetly; with discretion; cautiously; deliberately; with deliberation

rozważność *sf singt* thoughtfulness; judiciousness; caution; deliberation

rozważny *adj* 1. (*o człowieku*) thoughtful; discreet; cautious; prudent; circumspect; deliberate 2. (*o czynności*) judicious; (well-)considered; cautious; deliberate

rozważyć *zob.* **rozważać**

rozwesel|ać *v imperf* — **rozwesel|ić** *v perf* [I] *vt* to cheer (sb) up; to raise (sb's) spirits; to put (sb) in good humour; **gaz ~ający** laughing-gas; nitrous oxide [II] *vr* **~ać, ~ić się** to cheer <to brighten> up

rozweselenie *sn* (↑ **rozweselić**) good humour; high spirits

rozweselić *zob.* **rozweselać**

rozwi|ać *v perf* — **rozwi|ewać** *v imperf* [I] *vt* 1. (*o wietrze — rozrzucić*) to blow (leaves etc.) about <to and fro>; **~ane włosy** streaming <wind-blown> hair 2. (*rozproszyć*) to scatter; to disperse 3. *przen.* to shatter <to frustrate> (hopes etc.); to dispel <to dissipate> (fears etc.); **~ać urok** to break the spell; *przen.* to prick the bubble; **~ano moje obawy** my fears were dispelled; I was set at ease [II] *vr* **~ać, ~ewać się** 1. (*rozpraszać się na wietrze*) to be blown away; to be dispelled; (*o chmurach, mgle*) to scatter (*vi*); to lift; to roll away 2. *przen.* (*o nadziejach, złudzeniach itd.*) to be shattered <frustrated>; (*o obawach*) to be dispelled <dissipated> 3. (*stać się rozrzuconym*) to be blown about <to and fro>; (*o włosach itd.*) to stream in the wind

rozwianie *sn* ↑ **rozwiać; ~ nadziei** frustration

rozwią|zać *v perf* **~że** — **rozwiąz|ywać** *v imperf* [I] *vt* 1. (*rozsupłać*) to untie; to unknot; to unbind <to undo> (a parcel etc.); *med.* **~zać ciężarną** to deliver a woman in parturition; *przen.* **mieć ~zane ręce** to have a free hand; **~ać komuś język** to loose sb's tongue 2. (*uczynić nie obowiązującym*) to dissolve <to cancel, to terminate> (a contract etc.); to dissolve (a marriage); to release (**kogoś ze ślubów itd.** sb of his vows etc.) 3. (*powodować zamknięcie, zlikwidowanie*) to dissolve (parliament, a partnership etc.); to dismiss (an assembly etc.) to disband (a regiment etc.) 4. (*znaleźć trafne rozwiązanie*) to solve <to resolve> (a problem etc.); to unriddle <to unravel, to puzzle out> (a mystery etc.); to work out (a mathematical problem); **to ~zuje trudność** this meets the difficulty 5. (*wykonać*) to execute <to realize> (a plan); **dobrze ~zana klatka schodowa** well-designed staircase; **~zać coś architektonicznie** to design sth [II] *vr* **~zać, ~zywać się** 1. (*odwiązać się*) to come loose <untied, undone, unbound>; *przen.* **język mu się ~zał** his tongue was loosed 2. (*o związku itd.*) to be dissolved; (*o posiedzeniu itd.*) to be dismissed 3. (*przestać obowiązywać*) to be cancelled <dissolved, terminated>

rozwiązalność *sf singt* solvability

rozwiązalny *adj* solvable

rozwiązani|e *sn* 1. (↑ **rozwiązać**) (*zamknięcie, zlikwidowanie*) dissolution (of parliament, of a partnership etc.) 2. (*rozstrzygnięcie*) solution; *lit.* **~e akcji dramatu** dénouement; **zagadnienie <kwestia> nie do ~a** insoluble <baffling> problem <question>; **znaleźć ~e tajemnicy** to find a cue to a mystery 3. (*zakończenie*) dissolution <cancellation, termination> (of a contract etc.) 4. *med.* delivery; parturition; (*o kobiecie*) **bliska ~a** parturient 5. (*realizacja założeń architektonicznych itd.*) treatment; realization; execution

rozwiązłość *sf singt* debauch(ery); licentiousness; profligacy; dissoluteness

rozwiązły *adj* debauched; licentious; profligate; dissolute

rozwiązywać *zob.* **rozwiązać**

rozwichrzać *zob.* **rozwichrzyć**

rozwichrzenie *sn* 1. ↑ **rozwichrzyć** 2. (*nieopanowanie*) lack of self-restraint <of self-control>

rozwichrzony [I] *pp* ↑ **rozwichrzyć** [II] *adj* (*o włosach*) dishevelled; disordered; (*o człowieku*) dishevelled; with disordered hair; (*o wyobraźni*) lively; fertile

rozwichrz|yć *v perf* — **rozwichrz|ać** *v imperf* [I] *vt* to dishevel; to ruffle; to tumble; to tousle; to disorder [II] *vr* **~yć, ~ać się** to become dishevelled

rozwidl|ać się *vr imperf* — **rozwidl|ić się** *vr perf* to fork; to divide; to branch off; to bifurcate; to ramify; to divaricate; **~ać się w trzech kierunkach** to trifurcate

rozwidlenie *sn* fork; bifurcation; embranchment

rozwidlenie się *sn* (↑ **rozwidlić się**) fork; bifurcation; embranchment; ramification; **~ się w trzech kierunkach** trifurcation

rozwidlić się *zob.* **rozwidlać się**

rozwidlony [I] *pp* ↑ **rozwidlić się** [II] *adj* bifurcate; biforked; forking; divaricate

rozwidniać *vt imperf* — **rozwidnić** *vt perf* to light up

rozwidni|ać się *vr imperf* — **rozwidni|ć się** *vr perf* to be lit up; *impers* **~a się** it dawns; day dawns <breaks>

rozwidnić *zob.* **rozwidniać**

rozwidnienie *sn* (↑ **rozwidnić**) dawn; day-break

rozwiedzenie *sn* (↑ **rozwieść**) divorce

rozwiedzion|y [I] *pp* ↑ **rozwieść** [II] *adj* divorced [III] *sm* **~y**, *sf* **~a** divorcee

rozwielit|ka *sf pl G.* **~ek** *zool.* (*Daphnia*) daphnia

rozwielmożni|ć się *vr perf* — **rozwielmożni|ać się** *vr imperf* (*o ludziach, instytucjach itd.*) to gain <to acquire> power <might>; to grow <to become> powerful <almighty>; (*o nałogach*) to be rampant; **pijaństwo się ~ło** drunkenness is rampant

rozwielmożnienie *sn* power; might; rampancy

rozwieracz *sm med.* (*narzędzie chirurgiczne*) retractor

rozwierać (się) *zob.* **rozewrzeć (się)**

rozwierak *sm techn.* saw set

rozwierc|ać *vt imperf* — **rozwierc|ić** *vt perf* **~ę** to widen (an aperture, an opening); to ream

rozwiertak *sm*, **rozwiertarka** *sf techn.* reamer; broach; broaching <enlarging, expansion> bit

rozwierzgać się *vr perf* to kick

rozwie|szać *vt imperf* — **rozwie|sić** *vt perf* **~szę, ~szony** 1. (*wieszać*) to hang (up) (in various <in different> places, here and there) 2. (*rozpinać*) to stretch; to spread (out)

rozwieść *zob.* **rozwodzić**

rozwiewać *zob.* **rozwiać**

rozwiezienie *sn* ↑ **rozwieźć**

rozw|ieźć *vt perf* **~iozę, ~iezie, ~iózł, ~iozła, ~ieźli, ~iezіony** — **rozw|ozić** *vt imperf* **~ożę, ~ożony** to deliver (**towary, pocztę itd. po mieście, po kraju** goods, mail etc. to different places in town, in the country); to convey; to transport; to cart

rozwi|jać *v imperf* — **rozwi|nąć** *v perf* [I] *vt* 1. (*rozkręcać*) to unwind; to unreel; to unroll; **~jać, ~nąć ze szpulki** to reel off (a thread etc.) 2. (*rozpościerać*) to unfold; to unfurl; to stretch; to spread; **~nąć wszystkie żagle** to pack on all sail 3. (*odwijać coś zapakowanego*) to unwrap <to undo> (a baby, a parcel etc.) 4. (*rozstawiać*) to deploy (a column, front etc.) 5. (*o roślinach*) to develop <to sprout, to shoot out> (leaves etc.) 6. (*powodować rozrost*) to bring out (flowers etc.) 7. (*wzmagać działalność*) to display <to put forth> (energy etc.); **~jać, ~nąć** *x* **kilometrów na godzinę** to develop <to do> *x* kilometers an hour 8. (*szerzej omawiać*) to amplify (a subject); to expatiate (**temat** on a subject); to explicate (a theory etc.) 9. (*wpływać na rozwój człowieka*) to develop <to build up> (the muscles etc.) 10. (*rozbudować, powiększać*) to expand <to extend, to develop, to build up> (an institution etc.) [II] *vr* **~jać, ~nąć się** 1. (*ulegać rozwinięciu*) to be developed <unfurled, uncoiled, unrolled, unreeled>; to unfold itself; to stretch <to spread out> (*vi*) 2. (*ustawiać się*) to deploy (*vi*) 3. (*o roślinach*) to develop; to open out; to come up; to blossom out; **dobrze się ~jać** to thrive 4. (*przechodzić stadia rozwoju*) to develop (*vi*); to evolve; to grow 5. (*przebiegać*) to develop <to expand> (*vi*); to progress; to proceed; **~jać się pomyślnie** to prosper

rozwijar|ka *sf pl G.* **~ek** *techn.* uncoiler

rozwikł|ać *v perf* — **rozwikł|ywać** *v imperf* [I] *vt* 1. (*rozplątać*) to disentangle; to unravel 2. *przen.* (*rozwiązać*) to clear up (a misunderstanding etc.) [II] *vr* **~ać, ~ywać się** to get disentangled; to unravel (*vi*)

rozwikłani|e *sn* (↑ **rozwikłać**) disentanglement; **nie do ~a** inextricable

rozwikływać *zob.* **rozwikłać**

rozwilżać *vt imperf* — **rozwilżyć** *vt perf* to moisten

rozwinąć *zob.* **rozwijać**

rozwinięcie *sn* ↑ **rozwinąć** 1. (*rozpostarcie*) spread; stretch 2. *wojsk.* deployment 3. (*rozwój*) development 4. (*wzmożenie działalności*) display (of energy etc.) 5. *mat.* expansion 6. **~ się** (*przejście stadiów rozwoju*) progress

rozwinięty [I] *pp* ↑ **rozwinąć** [II] *adj* 1. (*rozpostarty*) outspread 2. (*w pełni rozwoju*) fully developed; (*o kwiecie*) full-blown; (*o zwierzęciu*) grown up; **jeszcze nie ~** underdeveloped; **nie w pełni ~** undergrown; **przedwcześnie ~, ~ ponad wiek** precocious; **umysłowo ~** advanced 3. *gram.* (*o zdaniu, podmiocie*) compound

rozwirować *v perf* [I] *vt* to set (sth) whirling [II] *vr* **~ się** to whirl swiftly

rozwl|ec *v perf* **~okę, ~ecze, ~ókł, ~okła, ~ekli, ~eczony** — **rozwlekać** *v imperf* [I] *vt* 1. (*rozciągnąć*) to drag (sth) about; to spread; to extend 2. *zw. perf* (*rozkraść*) to steal <to grab> (everything) away 3. (*potraktować zbyt obszernie*) to speak <to write> lengthily <to expatiate> (**coś** on sth); to draw out (a tale etc.) [II] *vr* **~ec, ~ekać się** 1. (*rozciągnąć się*) to spread out (*vi*) 2. *pot.* (*rozgadać się*) to speak lengthily <to expatiate> (**nad czymś** on sth)

rozwleczenie *sn* ↑ **rozwlec**

rozwlekać *zob.* **rozwlec**

rozwlekle *adv* 1. (*zbyt obszernie*) lengthily; prolixly; diffusely 2. (*o sposobie mówienia — przeciągając wymowę*) languidly; in drawling tones

rozwlekłość *sf singt* lengthiness; prolixity; wordiness; diffuseness

rozwlekły *adj* 1. (*zbyt obszerny*) lengthy; diffuse; prolix; long-spun 2. (*mówiący zbyt wiele*) verbose; wordy 3. (*o sposobie mówienia — przeciągany*) languid; drawling 4. *rz.* (*rozciągnięty*) spread out

rozwłóczyć *v perf imperf* [I] *vt* = **rozwlec** 1., 2. [II] *vr* **~ się** = **rozwlec** *vr*

rozw|odnić *v perf* — **rozw|adniać** *v imperf* [I] *vt* 1. (*rozcieńczyć wodą*) to dilute; to water down 2. *przen.* (*rozwlec nadmiernie*) to weaken; to water down [II] **~odnić, ~adniać się** to weaken (*vi*)

rozwodnienie *sn* (↑ **rozwodnić**) dilution

rozwodnik *sm* divorcee

rozwodowy *adj* divorce — (proceedings, suit etc.)

rozwodzenie *sn* ↑ **rozwodzić**

rozw|odzić *v imperf* **~odzę** — **rozw|ieść** *v perf* **~iodę, ~iedzie, ~iódł, ~iodła, ~iedli, ~iedziony, ~iedzeni** [I] *vt* (*udzielać rozwodu*) to divorce (**parę małżeńską** a married couple; **męża z żoną, żonę z mężem** a husband from his wife, a wife from her husband) [II] *vr* **~odzić, ~ieść się** 1. (*rozchodzić się z współmałżonkiem*) to divorce (**z mężem <żoną>** one's husband <wife>) 2. (*mówić, pisać rozwlekle*) to speak <to write> at length (**nad czymś** on <upon> sth); to dwell <to expatiate, to descant, to insist> (**nad czymś** on <upon> sth); **lepiej się nad tym nie ~odzić** least said soonest mended; (*w dyskusji*) **~odzić się nad sprawą uboczną dla uniknięcia sprawy głównej** to ride off on a side issue

rozwojowy *adj* (course, stage, period etc.) of development <of growth, of formation>; developmental; evolutionary; growing ~ (season, age, pains etc.)

rozw|olnić *vt perf* — **rozw|alniać** *vt imperf med.* to loosen <to open> (the bowels); **~alniający** laxative; **lek ~alniający** (a) laxative; **~olniony stolec** lax <loose> bowels

rozwolnie|ć *vi perf* **~je** to loosen (*vi*)

rozwolnienie *sn* 1. ↑ **rozwolnieć** 2. *pot.* lax <open> bowels; (*biegunka*) diarrh(o)ea

rozw|ora *sf pl G.* **~ór** 1. (*u wozu*) perch 2. *bud.* nogging-piece; dwang

rozwozić *zob.* **rozwieźć**

rozwoźny *adj* transport ~ (trade etc.)

rozwożenie *sn* (↑ **rozwozić**) delivery; transport

rozw|ód *sm G.* **~odu** divorce; **wziąć ~ód z mężem <żoną>** to divorce one's husband <wife>

rozwód|ka *sf pl G.* **~ek** divorcee

rozw|ój *sm G.* **~oju** 1. (*proces zmian*) development; (up)growth; evolution; extension; spread; progress (**wypadków** of events); **pełnia ~oju** full growth; **przedwczesny ~ój** precociousness; **spóźniony ~ój** backwardness 2. *biol.* development; growth

rozwór|ka *sf pl G.* **~ek** *med.* = **rozwieracz**

rozw|óz *sm G.* **~ozu** delivery; transport

rozwóz|ka *sf pl G.* **~ek** *pot.* = **rozwóz**

rozwrzeszcz|eć się *vr perf* **~y się** 1. (*zacząć wrzeszczeć*) to start screaming <yelling>; to fall a-screaming 2. (*rozkrzyczeć się*) to scream <to yell> at the top of one's voice

rozwście|c się *vr perf* **~cze się** <**~knie się**>, **~kł się** — **rozwście|kać się** *vr imperf rz.* 1. (*wpaść we wściekłość*) to get <to fly> into a fury 2. (*złościć się*) to storm; to rage and fume

rozwścieczenie *sn* (↑ **rozwścieczyć**) fury; rage

rozwścieczony [I] *pp* ↑ **rozwścieczyć** [II] *adj* furious; rabid; mad with rage

rozwścieczyć *v perf* [I] *vt* to infuriate; to enrage; to madden [II] *vr* **~ się** = **rozwściec się**

rozwściekl|ić *v perf* — *rz.* **rozwściekl|ać** *v imperf pot.* [I] *vt* = **rozwścieczyć** *vt* [II] *vr* **~ić, ~ać się** = **rozwściec się**

rozwydrz|ać *v imperf* — **rozwydrz|yć** *v perf pot.* [I] *vt* to let (sb) run wild; to let (sb) become unrestrained <unruly, turbulent, lawless> [II] *vr* **~ać, ~yć się** to run wild; to become unrestrained <unruly, turbulent, lawless>

rozwydrzenie *sn* 1. ↑ **rozwydrzyć** 2. (*nadmierne rozzuchwalenie*) unrestraint; unruliness; turbulence; lawlessness

rozwydrzyć *zob.* **rozwydrzać**

rozziew *sm G.* **~u** *jęz.* hiatus

rozziewać się *vr perf* to yawn one's head off

rozzłoc|ić *v perf* **~ę** [I] *vt lit.* to give golden hues (**coś** to sth); **~ony** golden-hued [II] *vr* **~ić się** to assume golden hues

rozzłoszczenie *sn* (↑ **rozzłościć**) anger; irritation; vexation

rozzło|ścić *v perf* **~szczę, ~szczony** [I] *vt* to anger; to irritate; to vex; to provoke [II] *vr* **~ścić się** to get angry; to lose one's temper

rozzuchwal|ać *v imperf* — **rozzuchwal|ić** *v perf* [I] *vt* to embolden; (*czynić bezczelnym*) to encourage (**kogoś** sb's) impudence <audacity>; (*pozwalać na bezczelność*) to tolerate (**kogoś** sb's) impudence <audacity>; to let (sb) get cheeky; (*pozwalać na impertynencję*) to tolerate (**kogoś** sb's) cheek <sauce> [II] *vr* **~ać, ~ić się** to become <to grow> impudent <audacious, cheeky, saucy>

rozzuchwalenie *sn* 1. (↑ **rozzuchwalić**) 2. (*bezczelność*) impudence; audacity 3. (*impertynencja*) cheek; sauce

rozzuchwalić *zob.* **rozzuchwalać**

rozzucie *sn* ↑ **rozzuć**

rozzu|ć *v perf* **~je, ~ty** — **rozzu|wać** *v imperf* [I] *vt* to take (**kogoś** sb's) shoes off; to remove (**kogoś** sb's) shoes; **~ć buty** to take one's shoes off; **~ty** with one's shoes off; barefoot(ed) [II] *vr* **~ć, ~wać się** to take one's shoes off

rozżal|ać *v imperf* — **rozżal|ić** *v perf* [I] *vt* to embitter; to fill with resentment; to arouse a feeling of rancour (**kogoś** in sb) [II] *vr* **~ać, ~ić się** to be embittered <resentful>; to feel rancorous

rozżalenie *sn* (↑ **rozżalić**) bitterness; embitterment; resentment; rancour

rozżalić *zob.* **rozżalać**

rozżarty [I] *pp* ↑ **rozeżreć** [II] *adj* infuriated; furious; enraged

rozżarz|ać *v imperf* — **rozżarz|yć** *v perf* [I] *vt* 1. (*zapalać*) to light <to kindle> (a fire); to set (sth) ablaze 2. (*rozgrzewać do żarzenia*) to heat; to incandesce; **~ony** glowing; incandescent; **~ony do białości, do czerwoności** white-hot, red-hot; **~ony od słońca** sweltering; **siedzieć <stać> jak na ~onych węglach** to be on tenterhooks 3. *przen.* (*rozpalać*) to fan the flame <the passions> to a heat; **~yć spór** to fan a quarrel [II] *vr* **~ać, ~yć się** to incandesce; to become red-hot <white-hot>

rozżarzenie *sn* (↑ **rozżarzyć**) incandescence; glow; **~ do białości <do czerwoności>** white <red> heat

rozżarzyć *zob.* **rozżarzać**

rozżu|ć *vt perf* **~je, ~ty** — **rozżu|wać** *vt imperf* to chew (sth) to a pulp

roż|ek *sm G.* **~ka** 1. (*nieduży róg*) horn; *przen.* **pokazywać <wystawiać> ~ki** to become impertinent; **przytrzeć komuś ~ki** <**~ków**> to take sb down a peg or two 2. *muz.* horn; **~ek angielski** English horn 3. (*rogalik*) crescent (roll) 4. (*brzeżek, narożnik*) corner (of a sheet of paper, of a room etc.) 5. *bot.* (*Ceratonia siliqua*) carob-tree; St.-John's-bread 6. *bot.* (*strączek*) carob (bean); **~ki przetrwalnikowe** ergots 7. (*zw. pl*) *zool.* (*czułki*) antennae <horns> (of insects)

roż|en *sm G.* **~na** (*do pieczenia drobiu itd.*) (roasting-)spit; broach; (*do pieczenia całego zwierzęcia*) barbecue

roże|niec *sm G.* **~ńca** *zool.* (*Dafil acuta*) pintail; sprigtail duck

rożnik *sm bot.* (*Silphium*) silphium

rożny *adj sport* **rzut ~** corner(-kick)

ród *sm G.* **rodu** 1. (*w społeczeństwie pierwotnym*) tribe 2. (*dynastia, dom*) house; line (of kings etc.); **ród ludzki** the human race <kind>; *żart.* **skrzydlaty ród** the feathered race 3. (*rodzina*) family; (one's) kin 4. (*pochodzenie, urodzenie*) descent; extraction; origin; parentage; **dobrego <szlachetnego> rodu** of good <of noble> stock; **rodem z Warszawy** native of Warsaw; **rodem z Polski <Irlandii itd.>** Polish <Irish etc.> by birth; **wywodzić swój ród od ...** to stem from ...; *pot.* **z piekła rodem** devilish; hellish 5. *biol.* phylum

róg *sm G.* **rogu** 1. (*narośl kostna u bydła rogatego*) horn; (*u zwierzyny płowej*) antler; **bydło bez rogów** hornless cattle; **bydło z obciętymi rogami** polled cattle; (*o zwierzęciu*) **wziąć kogoś na rogi** to gore <to toss, to horn> sb; *przen. pot.* **chwycić byka za rogi** to take the bull by the horns; *przen.* **pokazywać rogi** to become impertinent; **przytrzeć komuś rogi** <**rogów**> to take sb down a peg or two; **rogi mu rosną** a) (*o bydle*) it is sprouting horns b) *przen.* (*o człowieku*) he is becoming impertinent; **zapędzić kogoś w kozi ~** to nonplus sb; to push <to drive> sb to the wall; to drive sb into a corner 2. (*u niektórych owadów*) horn (of certain insects) 3. (*substancja rogowa*) horn; **łyżeczka** <**grzebień**> **z rogu** horn spoon <comb>; **kałamarz z rogu** ink-horn 4. *muz.* horn; **~ myśliwski** hunting-horn; *mar.* **~ mgłowy** fog-horn 5. (*naczynie z rogu*) horn; **~ na proch** powder-horn; *mitol. przen.* **~ obfitości** horn of plenty, cornucopia; *pot.* **on jest ciemny jak tabaka w rogu** he doesn't know B from a bull's foot 6. (*brzeg czegoś, kąt*) corner (of a visiting card, of a room etc.) 7. (*sterczący koniec czegoś*) horn (of the moon's crescent etc.) 8. (*zbieg dwóch ulic*) corner; **na rogu** on <at> the corner (of the street); **zaraz za rogiem** just round the corner 9. *pl* **rogi** *pot.* (*symboliczne oznaczenie zdrady*) horns; **przypiąć mężowi rogi** to deceive one's husband 10. *sport* corner; (*rzut rożny*) corner(-kick)

rój *sm G.* **roju** 1. (*pszczoły z jednego ula*) hive; (*pszczoły, osy itd. żyjące w jednym gnieździe*) colony 2. (*chmara*) swarm 3. (*tłum*) swarm; bevy; (*orszak*) cluster 4. *astr.* galaxy 5. *lotn.* Vic

rój|ka *sf pl G.* **~ek** *pszcz.* swarming <swarm> (of bees etc.)

rólka *sf* (*dim* ↑ **rola**) *teatr* bit part

róść *zob.* **rosnąć**

rów *sm G.* **rowu** 1. (*przekop*) ditch; **~ melioracyjny** drainage ditch; *aut.* **wjechać do rowu** to ditch one's car 2. *wojsk.* trench 3. *geol.* trough

rówien *zob.* **równy**

rówieśnica *sf* girl <woman> of the same age (**czyjaś** as sb); contemporary

rówieśnictwo *sn singt* equal age (of two or more persons)

rówieśnicz|ka *sf pl G.* **~ek** = **rówieśnica**

rówieśnik *sm* 1. (*jednolatek*) boy <man> of the same age (**czyjś** as sb); contemporary 2. (*równy stanowiskiem itd.*) (sb's) equal

równacz *sm techn.* plane

równa|ć *v imperf* [I] *vt* 1. (*wyrównywać*) to level; to even; (*wygładzać*) to smooth out; **~ć z ziemią** to raze to the ground; to level with the ground 2. *wojsk.* to dress; **~j front!** dress right <left>! 3. (*zrównywać*) to equalize 4. † (*porównywać*) to compare [II] *vr* **~ć się** 1. (*stawać w równym szeregu*) to fall into line; *wojsk.* to dress 2. (*być jednoznacznym*) to be equal (**z czymś** to <with> sth); to amount (**z czymś** to sth); to be tantamount (**z czymś** to sth); **dwa i dwa ~ się cztery** two and two equal <make> four; **to się ~ powiedzeniu „tak"** it is tantamount to <it is as much as> saying "yes"; **to się ~ przyrzeczeniu** it is a virtual promise 3. (*zrównywać się*) to draw up (with sb) 4. (*dorównywać*) to equal <to match, to parallel> (**z kimś, czymś** sb, sth); to rank (with sb); to stand on a par (with sb) 5. (*być przyrównywanym*) to compare (*vi*) 6. (*stawać się prostym*) to straighten (up, out)

równanie *sn* 1. (↑ **równać**) (*zrównywanie*) equalization; (*porównanie*) comparison 2. *mat.* equation; **~ całkowe** integral equation; **~ czasu** equation of time

równi|a *sf* plane; level; *fiz.* **~a pochyła** inclined plane; *przen.* **toczyć się po ~ pochyłej** to follow <to be on> the downward path

na ~ on a level; on a par; on an equal footing; in common; **być na ~ z kimś, czymś** to rank with sb, sth; **stać na ~ z kimś** to measure up to sb

równiacz *sm techn.* = **równacz**

równiak *sm pl N.* **~i** *techn.* (*młot*) face hammer

równiar|ka *sf pl G.* **~ek** 1. *techn.* (*maszyna*) grader 2. *stol.* plane

równie *adv* equally; (just) as (good, well, pretty etc.); no less ... (**jak** than); every bit as (**dobry itd. jak ...** good etc. as ...)

również *adv* also; too; likewise; as well; **~ nie** not... either; nor

równik *sm geogr.* equator; **~ magnetyczny** magnetic equator; *meteor.* **~ termiczny** thermal equator

równikowy *adj* equatorial

równin|a *sf* plain; level <flat> country; **~a zalewowa** flood plain; **mieszkaniec ~y** plainsman

równinność *sf* flat <level> surface; flatness

równinny *adj* flat; even

równiusieńki *adj* (*dim* ↑ **równy**) as flat <even, level, straight> as can be; perfectly flat <even, level, straight>

równiusieńko *adv* (*dim* ↑ **równo**) as flat <even, level, straight> as can be; perfectly flat <even, level, straight>; **bruk był ~ ułożony** the pavement was laid perfectly flat

równo[1] *adv* 1. (*gładko*) evenly; even <flat, level> (with sth) 2. (*prosto*) straight 3. (*w jednej linii*) on a level (with sb, sth); **~ z powierzchnią czegoś** flush with sth 4. (*miarowo*) evenly; regularly; steadily; uniformly 5. (*dokładnie*) exactly

równo-[2] *praef* equi-

równobieżny *adj* parallel

równoboczny *adj* equilateral

równobrzmiący *adj* 1. (*jednakowo brzmiący*) consonant (words, syllables) 2. (*dosłowny*) identical

równoczesność *sf singt* 1. (*odbywanie się w tej samej chwili*) simultaneousness; synchronism 2. (*współczesność*) contemporaneity; contemporaneousness

równoczesny *adj* 1. (*odbywający się w tej samej chwili*) simultaneous; synchronous; coincident; conterminous 2. (*współczesny*) contemporaneous

równocześnie *adv* 1. (*w tej samej chwili*) simultaneously; at the same time; **robić dwie rzeczy ~** to do two things at once; **~ to i tamto** this together with that; both this and that 2. (*współcześnie*) contemporaneously

równokątność *sf singt mat.* equiangularity; isogonality

równokątny *adj* equiangular; isogonic, isogonal

równokierunkowość *sf singt* isotropy, isotropism

równokierunkowy *adj* isotropic

równokształtność *sf singt* isomorphism

równokształtny *adj* isomorphic, isomorphous

równolat|ek *sm G.* **~ka** coeval; person of the same age (**czyjś** as sb)
równolat|ka *sf pl G.* **~ek** girl <woman> of the same age (**czyjaś** as sb)
równolegle *adv* parallel (**do czegoś** to <with> sth); **droga biegnie ~ do rzeki** the road runs parallel to the river
równoległoboczny *adj* equilateral
równoległobok *sm G.* **~u** *mat.* parallelogram
równoległościan *sm G.* **~u** *mat.* parallelepiped
równoległościenny *adj* parallelepipedal
równoległość *sf singt* parallelism
równoległ|y [I] *adj* parallel (**do czegoś** to <with> sth); collateral; *muz.* **~e gamy <tonacje>** parallel keys <tonalities> [II] *spl* **~e** *mat.* parallel lines
równoletni *adj* coeval; of the same age (**z kimś** as sb)
równoleżnik *sm geogr.* parallel (of latitude)
równoleżnikowy *adj* lying <running> evenly with a parallel of latitude
równomiernie *adv* steadily; uniformly; evenly; regularly
równomierność *sf singt* steadiness; uniformity; evenness; regularity
równomierny *adj* steady; uniform; even; regular
równonoc *sf astr.* equinox
równonocny *adj* equinoctial
równon|óg *sm G.* **~oga** *zool.* isopodan; *pl* **~ogi** (*Isopoda*) (*rząd*) the order Isopoda
równoodległy *adj* equidistant
równoosiowy *adj* equiaxed; equiaxial
równopostaciowość *sf singt* isomorphism
równopostaciowy *adj* isomorphic, isomorphous
równoprawny *adj* possessing equal rights
równoramienny *adj* isosceles (triangle etc.)
równorzędnie *adv* coordinately; equivalently; side by side
równorzędność *sf singt* coordinance; parity; equivalence; equiponderance
równorzędny *adj* coordinate; equivalent; equiponderant
równoskrzydł|y *zool.* [I] *adj* homopterous [II] *spl* **~e** (*Homoptera*) the order Homoptera
równoś|ć *sf* 1. (*tożsamość*) identity; *mat.* **~ci algebraiczne** algebraic identities 2. (*w znaczeniu społecznym — równouprawnienie*) equality; parity 3. (*fakt, że coś jest proste*) straightness 4. (*gładkość powierzchni*) evenness
równouprawnić *vt perf* — **równouprawniać** *vt imperf* 1. (*nadać równe prawa*) to give equal rights (**kogoś, coś** to sb, sth) 2. (*uczynić równorzędnym*) to put on an equal footing
równouprawnienie *sn* (↑ **równouprawnić**) equality of rights; **~ kobiet** woman's <women's> rights
równowa|ga *sf singt* 1. (*stan równoważenia*) equilibrium; balance; stability; equipoise; poise; **brak ~gi** disequilibrium; lack of balance; *fiz.* **~ga chwiejna <obojętna, stała>** unstable <neutral, stable> balance; *meteor.* **~ga cieplna** thermic balance 2. (*zachowanie pewnej postawy — w znaczeniu fizycznym*) balance; *anat.* **narząd ~gi** organ of the labyrinthine sense; **naruszyć ~gę czegoś** to unbalance sth; to throw sth out of balance; **stracić <zachować> ~gę** to lose <to keep> one's balance; **trzymać coś w ~dze** to poise sth; **trzymać coś w ~dze na palcu <na nosie>** to keep sth balanced on one's finger <nose> 3. (*zachowanie pewnej postawy — w znaczeniu psychicznym*) balance; poise; ballast; **powrócić do ~gi** to regain one's balance <one's poise of mind>; **wytrącić <wyprowadzić> kogoś z ~gi** a) (*spowodować zaburzenie psychiczne*) to unhinge sb b) (*zirytować*) to upset <to vex> sb; **ten człowiek mnie wyprowadza z ~gi** I have no patience with the fellow 4. (*jednakowy układ sił*) balance (of power etc.) 5. *tenis* deuce; game all
równowartościowy *adj* equivalent; equipollent
równowartość *sf singt* (an) equivalent; value; *chem.* equivalence; equivalent; *ekon.* **~ obcej waluty** exchange value of a currency
równoważenie *sn* ↑ **równoważyć**
równoważnik *sm* 1. (*ekwiwalent*) equivalent 2. *chem.* equivalent; **~ cieplny <elektrochemiczny>** thermic <electrochemical> equivalent of heat; Joule's equivalent ‖ *gram.* **~ zdania** sentence word; elliptical sentence
równoważność *sf singt* equipoise; equiponderance; *filoz.* equipollence
równoważny *adj* equivalent; equiponderant; *filoz.* equipollent
równoważyć *v imperf* [I] *vt* to equalize; to balance; to poise; to counterpoise; to even up [II] *vr* **~ się** to equalize <to balance> (*vi*); to be equalized <balanced>
równowąski *adj bot.* linear; ensiform (leaves etc.)
równowiekowy *adj* = **równoletni**
równozgłoskowy *adj* perisyllabic
równoznacznik *sm* (*jednoznacznik*) equivalent; synonym
równoznaczność *sf singt* synonymity
równoznaczn|y *adj* (*jednoznaczny*) tantamount (**z czymś** to sth); *jęz.* synonymous; **to jest ~e z odmową** it amounts to a refusal
równ|y [I] *adj* 1. (*płaski*) flat; even; level; smooth; *pot.* **rozbój na ~ej drodze** downright robbery 2. (*prosty*) straight; **zerwać się <skoczyć> na ~e nogi** to spring to one's feet 3. (*jednakowy*) equal; **~a walka** close fight; **płacić ~ą monetą** to give tit for tat; **siły są ~e** the forces are balanced <even>; **strony mają ~y zapis** the score is even; **w ~ym stopniu, w ~ej mierze** in equal degree <measure>; equally 4. (*dorównujący*) equal; **~i wiekiem** of the same age; **być komuś ~ym** to be sb's equal <sb's peer>; **nie mieć ~ego sobie** to be unparalleled <without parallel>; **trafić na ~ego sobie** to find <to meet> one's match 5. (*zrównoważony*) even-tempered 6. (*jednostajny*) uniform; even; steady; regular 7. *pot.* (*pełny, cały, okrągły*) full <whole> (hour, year etc.); round (sum); even (number) ‖ *gram.* **stopień ~y** the positive degree [II] *sm* **~y** (sb's, one's) equal <peer>; **jak ~i z ~ymi** on equal terms [III] *sn* **~e** *rz.* (*równy teren*) flat ground
rózeczka *sf dim* ↑ **rózga**
róz|ga *sf pl G.* **~g** <**~eg**> 1. (*witka*) twig; (*narzędzie kary*) birch; rod; *hist.* **~gi liktorskie** fasces; **biec przez ~gi** to run the gauntlet 2. (*uderzenie rózgą*) lash; *pl* **~gi** flogging; the lash
róż *sm G.* **~u** 1. (*różowość*) pink 2. *poet.* (*rumieniec*) blush 3. (*środek kosmetyczny*) rouge; **słoik na ~** rouge-pot

róż|a *sf* 1. *bot.* (*Rosa*) rose; **dzika ~a** briar-rose, brier-rose; **~a alpejska** rhododendron; **~a chińska** (*Hibiscus rosa sinensis*) China rose; **~a miesięczna** monthly rose; **~a stulistna** (*Rosa centifolia*) cabbage-rose; *przysł.* **nie ma ~y bez kolców** no rose without a thorn; we must take the bitter with the sweet 2. (*kwiat*) rose; **pączek ~y** rose-bud; **płatek ~y** rose-leaf; *mar.* **~a kompasowa** compass rose <card>; mariners' compass; *meteor.* **~a wiatrów** wind rose; *hist.* **Wojna Dwóch Róż** the Wars of the Roses; *przen.* **życie usłane ~ami** bed of roses; **spoczywać na ~ach** to be on a bed of roses 3. *med.* erysipelas; St. Anthony's fire

różanecznik *sm bot.* rhododendron

róża|niec *sm G.* **~ńca** *kośc.* rosary; beads; **odmawiać ~niec** to tell one's beads; *przen.* **on jest do tańca i do ~ńca** he is game for anything; you can always rely on him ‖ *med.* **~niec krzywiczy** rachitic rosary

różan|ka *sf pl G.* **~ek** 1. *ogr.* rose-garden 2. *zool.* (*Rhodeus sericeus*) bitterling

różan|y [I] *adj* 1. (*odnoszący się do róży*) rose- (bush, water etc.); **drewno <drzewo> ~e** rosewood; **olejek ~y** rose oil 2. *lit.* (*różowy*) pink; rosy; rose-(-coloured) [II] *spl* **~e** *bot.* (*Rosoidae*) (*podrodzina*) the subfamily Rosoidae

różańcowy *adj* Rosary — (devotions etc.)

różdż|ka *sf pl G.* **~ek** 1. (*witka*) twig; **~ka czarodziejska** fairy's <magic> wand; **jak za dotknięciem ~ki czarodziejskiej** as if by magic 2. (*sprzęt różdżkarza*) divining <dowsing> rod; diviner's wand

różdżkarstw|o *sn singt* dowsing; **zajmować się ~em** to work the twig

różdżkarz *sm* dowser; diviner

różnic|a *sf* 1. (*różność*) difference; dissimilarity; distinction; disparity; **niewielka ~a** much of a muchness; **jaka tu ~a?** where's the difference?; what's the odds?; **między nimi nie ma żadnej ~y** there's nothing to choose between them; **nie ma tu żadnej ~y** it's six of one and half a dozen of the other <six one way and half a dozen the other>; **robić ~ę** to make a difference; to matter; **to mi nie robi ~y** it makes no difference <it's all the same> to me; **to robi wielką ~ę** it matters a lot; **w tym cała ~a** that's what makes all the difference; **bez ~** without distinction 2. (*niezgodność*) disagreement; **~a zdań** dissent 3. *mat.* result (of a subtraction)

różnicować *v imperf* [I] *vt* to differentiate [II] *vr* **~ się** to be <to become> differentiated

różnicowanie *sn* (↑ **różnicować**) differentiation

różnicowy *adj* differential; *techn.* **mechanizm ~** differential gear

różnicz|ka *sf pl G.* **~ek** *mat.* differential

różniczkować *vt imperf mat.* to differentiate

różniczkowanie *sn* (↑ **różniczkować**) differentiation

różniczkowy *adj mat.* differential (calculus, equation)

różni|ć *v imperf* [I] *vt* 1. (*czynić różnym*) to differentiate (**kogoś, coś od kogoś, czegoś** sb, sth from sb, sth) 2. † (*siać niezgodę*) to set (people) at variance [II] *vr* **~ć się** 1. (*być różnym*) to differ (**czymś od kogoś, czegoś** in sth from sb, sth); **bardzo <niewiele> się ~ć od czegoś** to be far <not far> removed from sth; **~ć się w zdaniach** to differ in opinion; **~my się w zdaniach** we differ in opinion; our opinions differ; **zdania się ~ą co do tego** opinions differ <vary> about that <on that point> 2. † (*być w niezgodzie*) to be at variance

różnie *adv* 1. (*odmiennie*) differently; otherwise; in a different manner; not always alike; (to do sth) another way 2. (*rozmaicie*) variously; **~ bywa** it depends (on circumstances); **~ o nim mówią** there are those who have a low opinion of him; **~ się przedstawiać** to vary; **w życiu ~ bywa** there are ups and downs in life

różnienie się *sn* (↑ **różnić się**) differentiation

różno- *praef* vari-; hetero-; **~barwny** varicoloured; **~rodny** heterogeneous

różnobarwnie *adv* in many <in different> colours; colourfully

różnobarwność *sf singt* variety <diversity> of colours; colourfulness; variegation

różnobarwny *adj* variegated; many-coloured; varicoloured; motley; particoloured

różnoboczny *adj* scalene (triangle)

różnogatunkowy *adj* 1. (*różniący się pod względem gatunku*) of different quality 2. (*należący do różnych gatunków*) of different kinds; heterogeneous

różnoimienny *adj* unlike (*mat.* quantities; *fiz.* poles); *mat.* of different denominations; *fiz.* of different poles

różnojęzyczny *adj* multilingual

różnokierunkowy *adj* anisotropic

różnokolorowo *adv* in different colours; colourfully

różnokolorowy *adj* = **różnobarwny**

różnokształtność *sf singt rz.* variety <diversity> of shapes; variformity; diversiformity

różnokształtny *adj* of different forms <shapes>; variform; diversiform

różnolitość *sf singt* diversity; heterogeneity; variety; patchiness

różnolity *adj* diversified; heterogeneous; varied; varying; patchy

różnonarodowy *adj* of different nations

różnoosiowy *adj miner.* multiaxial

różnoplemie|niec *sm G.* **~ńca** (member) of another tribe

różnoplemienny *adj* of different tribes; of another tribe

różnopostaciowość *sf singt* variformity; diversiformity

różnopostaciowy *adj* diversiform

różnoraki *adj* different; varied; diversified; omnifarious

różnorako *adv* variously

różnorakość *sf singt* diversity; variety

różnorodnie *adv* variously

różnorodność *sf singt* variety; diversity; multiplicity; heterogeneity; medley

różnorodny *adj* various; varied; miscellaneous; manifold; motley; omnifarious; heterogeneous

różnorytmiczny *adj* heterometric

różnoskrzydł|y *zool.* [I] *adj* heteropterous [II] *spl* **~e** (*Heteroptera*) (*rząd*) the order Heteroptera

różnoś|ć *sf* 1. = **różnorodność** 2. (*różnica*) difference; discrepancy; disagreement 3. *pl* **~ci** *pot.* (*także* **różne ~ci**) sundries; miscellany; medley

różnowiekowy *adj* of different ages

różnowierczy *adj* heretical

różnowierstwo *sn singt lit.* heresy

różnowierszowy *adj* heterosyllabic

różnozarodnikowy *adj bot.* heterosporous

różn|y [I] *adj* 1. (*rozliczny*) different; various; (*rozmaity*) miscellaneous; sundry; varied; *pot.* **~e różności** sundries; miscellany; medley 2. (*różniący się*) different; unlike; disparate [II] *spl* **~i** various <different> people

różokrzyżow|iec *sm G.* **~ca** *hist.* Rosicrucian

różować *v imperf* [I] *vt* to rouge (one's face) [II] *vr* **~ się** to rouge oneself <one's cheeks>

różowat|y *bot.* [I] *adj* rosaceous [II] *spl* **~e** (*Rosaceae*) (*rodzina*) the family Rosaceae

różowawo *adv* in pinkish colour

różowawy *adj* pinkish

różowić *v imperf* [I] *vt* to colour (sth) pink; to render (sth) rose-coloured [II] *vr* **~ się** to assume a pink colour; to turn pink; to become rose-coloured; to become <to turn> rosy; to blush; (*o policzkach itd.*) to go pink

różow|iec *sm G.* **~ca** *bot.* (*Rhodotypos scalens*) jet-bead; white kerria; *pl* **~ce** (*Rosales*) (*rząd*) the order Rosales

różowie|ć *vi imperf* **~je** 1. = **różowić** *vr* 2. (*mieć różowy kolor*) to be pink <rosy>; (*odróżniać się różowym kolorem*) to appear like a pink spot, patch <like pink spots, patches>; to form a pink <rose-coloured> patch; to form rose-coloured patches; to show pink

różowienie *sn* ↑ **różowić, różowieć**

różowiutki *adj* (*dim* ↑ **różowy**) *emf.* of a perfectly pink colour

różowo *adv* 1. (*w kolorze różowym*) in rose-colour; in pink; **barwić się na ~** to assume a pink hue <pink hues>; **pomalować coś na ~** to paint sth pink; **~ było pod krzewem** the ground under the shrub was pink 2. *przen.* (*optymistycznie*) in rose-colour; **patrzeć ~** to take rose-coloured views; **to się nie przedstawia ~** it is not rosy

różowolila *indecl* lilac-pink

różowosiny *adj* livid pink

różowosrebrny *adj* silvery pink

różowość *sf singt* rose-colour; pinkness; carnation

różowozłoty *adj* golden pink

różowożółty *adj* yellow pink

różow|y [I] *adj* 1. (*o kolorze*) rose-coloured; rosy; pink; carnation; (*o twarzy, cerze*) ruddy; **~a cera** rosy complexion; lilies and roses 2. *przen.* (*o widokach itd. — pogodny*) rosy (prospects etc.); rose-coloured; **być w ~ym nastroju** to be in high spirits <in high feather>; **patrzeć na coś przez ~e okulary** to see sth through rose-coloured spectacles; **widzieć coś w ~ych barwach** to take a rose-coloured view of sth [II] *spl* **~e** = **różowce** (*zob.* **różowiec**)

różyca *sf* 1. = **rozeta** 1., 3. 2. *wet.* purples; swine fever; hog-cholera

różyczka *sf* 1. *dim* ↑ **róża** 2. (*ozdoba*) rosette; *bot.* **~ liści** rosette 3. (*diament*) rose diamond 4. *med.* roseola; German measles

różyczkowy *adj* rosette — (shoot, offset etc.)

rtęciawy *adj chem.* mercurous

rtęciowy *adj chem.* mercuric (compounds etc.); mercurial (ointment etc.); mercury — (arc, lamp etc.)

rtę|ć *sf chem.* mercury; quicksilver; **słupek ~ci** mercury column; *med.* **zatrucie ~cią** mercurialism

rubacha *pot.* [I] *sm* (*decl* = *sf*) (*człowiek rubaszny*) boor; churl [II] *sf* = **rubaszka**

rubasz|ka *sf pl G.* **~ek** Russian blouse

rubasznie *adv* coarsely; gruffly; bluffly

rubaszność *sf singt* coarseness; gruffness; bluffness; ill manners

rubaszny *adj* coarse; gruff; bluff; ill-mannered; ribald; foul-tongued; **~ śmiech** guffaw

rubato *sn muz.* rubato

rub|el *sm G.* **~la** rouble

rubensowski *adj* Rubensian

ruberoid *sm G.* **~u** *techn.* kind of tar-paper

rubid *sm G.* **~u** *chem.* rubidium

rubież *sf pl N.* **~e** 1. *lit.* (*granica*) border; boundary; *pl* **~e** confines; outskirts 2. *wojsk.* line; **~ obronna** defensive line

rubieżny *adj* boundary — (posts etc.)

rubikon *sm G.* **~u** *w zwrocie:* **przejść <przekroczyć> ~** to cross the Rubicon

rubin *sm G.* **~u** 1. *miner.* ruby 2. *przen.* (*ciemna czerwień*) ruby (red)

rubinowoczerwony *adj* ruby red

rubinowy *adj* 1. (*z rubinu*) ruby — (stud, bracelet etc.) 2. (*mający barwę rubinu*) ruby(-coloured)

rublowy *adj* rouble — (coin etc.)

ruboleum *sn techn.* a floor covering

rubrycela *sf kośc.* church calendar; ordo

rubryczka *sf dim* ↑ **rubryka**

rubryka *sf* 1. (*w formularzach*) blank space 2. (*w czasopismach*) column; section 3. (*tytuł rozdziału*) rubric; head(ing)

rubrykacja *sf pot.* rubrication

rubrykować *vt imperf* 1. (*kreślić rubryki*) to divide (a sheet etc.) into sections 2. (*wykonywać nagłówki*) to rubricate

ruch *sm G.* **~u** 1. (*posuwanie się*) motion; movement; **organy ~u zwierzęcia** locomotive organs of an animal; *fiz. techn.* **~ falowy** vibratory motion; **~ jałowy** free movement; **~ jednostajny** uniform motion; **~ jednostajnie zmienny** uniform variable motion; **~ przyspieszony** accelerated motion; **~ wahadłowy** swing; **~ wirowy** spin; whirl; **~ wsteczny** retrogressive movement; *anat.* **~ robaczkowy** peristaltic movement <motion>; *bot.* **~y autonomiczne <samoistne>** autonomic movements; **~y nastyczne** nastic movements; *geol.* **~y górotwórcze** orogenetic movements; *med.* **~y mimowolne** spontaneous movement; **nadać ~ pociskowi** to propel a missile; **puścić <wprawić> coś w ~** to set <to put> sth in motion; to set sth going; **wykonywać ~y pływania itd.** to make the motions of swimming etc.; **bez ~u** motionless; (*o człowieku*) stock-still; (*o maszynie*) at rest 2. (*obrót towarów*) circulation of commodities 3. (*poruszenie*) movement; gesture; (*w grach*) move; **mieć swobodę ~ów** to be free to move about; **ty masz ~** it's your move 4. *pl* **~y** (*sposób poruszania się człowieka*) deportment; bearing; carriage; gait 5. (*ćwiczenia dla sprawności fizycznej*) exercise; **zażywać ~u** to take exercise 6. (*krzątanina*) activity; stir; agitation; **być w ~u** to be active <*pot.* on the move, on the go>; **jest ~ <słaby ~> w interesie** business is brisk <is slack> 7. (*prąd, kierunek społeczny*) (social, revolutionary, co-operative etc.) movement; **~ robotniczy** labour movement; **~ oporu** resistance (movement) 8. (*poruszanie się lu-*

dzi, pojazdów) traffic; **przepisy ~u** traffic regulations; **~ jednokierunkowy <dwukierunkowy>** one-way <two-way> traffic; **~ kolejowy** railway traffic; **~ kołowy** vehicular traffic; **~ pieszy** pedestrian traffic; **~ prawostronny <lewostronny>** right <left> driving; **kierować ~em** to regulate the traffic 9. (*wzmożenie zakupów*) rush; **godziny wzmożonego ~u** rush hours 10. *wojsk.* movement; manoeuvre

ruchaw|ka *sf pl G.* **~ek** *pot.* disturbance; riot; outbreak of violence; disorders

ruchawy *† adj* active; dapper

ruchliwie *adv* 1. (*z ożywieniem*) actively; busily; **tam jest ~** it is a busy place <a place full of movement> 2. (*żwawo*) actively; briskly; friskily

ruchliwość *sf singt* 1. (*ruchomość*) mobility; motivity; *chem.* **~ cieczy** mobility of a liquid 2. (*wzmożony ruch*) activity; business 3. (*żwawość*) activity; briskness; liveliness; friskiness

ruchliwy *adj* 1. (*ruchomy*) moving; mobile; flickering; restless 2. (*ożywiony*) busy (street etc.); full of movement 3. (*żwawy*) active; brisk; bustling; lively; spry; dapper; frisky 4. *przen.* (*rzutki*) enterprising

ruchomo *adv* movably

ruchomoś|ć *sf* 1. *singt* (*zdolność wykonywania ruchów*) movability; flexility 2. *pl* **~ci** (*mienie ruchome*) movables; belongings; chattels; effects; personal property; (one's) things

ruchom|y *adj* 1. (*poruszający się*) moving; (*o krze*) floating 2. (*przenośny*) movable; mobile; flexile; displaceable; **~e schody** escalator; **skala ~a** sliding scale; *jęz.* **akcent ~y** shifting accent <stress>; *ekon.* **majątek ~y** = **ruchomość** 2.; *geol.* **piaski ~e** quicksands; *kość.* **święta ~e** movable feasts

ruchowo *adv* in respect of movement

ruchowy *adj* motorial; motor __ (centre, nerve, muscle); motive (power etc.)

ruciany *adj* rue __ (oil etc.)

ruczaj *sm G.* **~u** brook

ruda *sf* ore; *geol.* **~ darniowa** bog iron stone

rudaw|iec *sm G.* **~ca** *leśn.* iron hardpan

rudawka *sf* brownish water

rudawo *adv* with reddish hues

rudawoblond *adj* reddish blond <sandy> (hair)

rudawobrązowy *adj* reddish brown

rudawoszary *adj* reddish grey

rudawy *adj* reddish; sandy

rudbeki|a *sf GDL.* **~i** *bot.* (*Rudbeckia*) rudbeckia

ruder|a *sf* ramshackle <tumbledown> house; shanty; hovel; ruin; (*w ubogiej dzielnicy*) **usuwanie ~** slum clearance

ruderaln|y *adj bot.* **rośliny ~e** ruderal plants; *geol.* **~a gleba** lithosol

ruderowaty *adj* ramshackle; tumbledown

rudlonogi *zool.* [I] *adj* steganopodous [II] *spl* **~e** (*Steganopodes*) (*rząd*) the order Steganopodes

rudnica *sf zool.* (*Euproctis chrysorrhoea*) brown-tail moth

rudny *adj górn.* ore __ (dust, bed etc.)

rudo[1] *adv* in red <reddish, russet> colour; **ufarbować na ~** to dye red

rudo-[2] *praef* red-, russet

rudoblond *indecl* red-blond; sandy (hair)

rudobrody *adj* red-bearded

rudobrunatny *adj* red-brown

rudoczerwony *adj* red-scarlet; russet-red

rudonośny *adj geol. górn.* ore-bearing

rudopomarańczowy *adj* red-orange

rudorzęsy *adj* with red lashes

rudoszary *adj* red-grey

rudość *sf singt* the colour russet; redness

rudowęglow|iec *sm G.* **~ca** *mar.* (ore-and-coal, coal-ore) collier; coal-ship

rudowłosy *adj* red-haired; *pot.* carroty

rudozielony *adj* russet-green

rodozłoty *adj* red-gold

rudożółtawy *adj* russet-yellowish

rud|y [I] *adj* (*o kolorze*) russet; ginger; foxy; rufous; (*o człowieku*) red-haired; ginger-haired; (*w nazwach ptaków*) ruddy [II] *sm* **~y**, *sf* **~a** red-haired <ginger-haired> person; *sl.* carrots

rudymentarność *sf singt rz.* rudimentariness

rudymentarny *adj lit.* rudimentary

rudyst *sm paleont.* rudistan; *pl* **~y** (*Rudistae*) the Rudistae

rudzie|ć *vi imperf* **~je** (*przybierać barwę rudą*) to turn russet; to assume a russet hue

rudziel|ec *sm G.* **~ca** *pl N.* **~cy** *pot.* carrots

rudzik *sm zool.* (*Erithacus rubecula*) robin (redbreast)

ruf|a *sf mar.* stern; poop; after deck; (*na łodzi, szalupie*) stern sheets; **na ~ie** abaft; astern

rufow|y *adj mar.* stern — (rail, hatchway etc.); **koło ~e** (*dawnego parowca*) stern-wheel

rug *zob.* **rugi**

ruga *sf pot.* jawing; dressing-down; scolding

rugać *vt imperf pot.* to jaw; to dress (sb) down; to scold

rugbista *sm sport* rugby player

rugby *indecl sport* rugby (football)

rugi *spl hist.* displacement; ejection; eviction; expulsion

rugować *vt imperf* 1. (*wysiedlać*) to displace; to evict; to turn out; to eject; to expulse; (*wydziedziczyć z własności*) to dispossess 2. (*wypierać*) to oust 3. *chem.* to eliminate

rugowanie *sn* 1. ↑ **rugować** 2. *hist.* displacement; ejection; eviction; expulsion 3. *chem. mat.* elimination

ruin|a *sf* 1. (*stan zniszczenia*) ruin; devastation; destruction; wreck; dilapidation; **doprowadzić kogoś, coś do ~y** to bring sb, sth to ruin; **popaść w ~ę** to go to ruin <to (w)rack and ruin>; **w ~ie** dilapidated; in ruin 2. *przen.* (*o człowieku*) wreck 3. (*krach majątkowy*) ruin; crash; **stanął w obliczu ~y** ruin stared him in the face; **to go doprowadziło do ~y** that was his undoing; that was the ruin of him 4. *pl* **~y** (*gruzy, szczątki*) ruins (of a castle, city etc.); debris (of a building); wreckage

ruja *sf GDL.* **rui** heat; rut (of deer etc.); oestrum

ruj|ka *sf pl G.* **~ek** *myśl.* roar of a stag during the season of rut

rujnacja *sf pot.* ruination

rujnować *v imperf* [I] *vt* 1. (*doprowadzać do ruiny*) to ruin <to wreck> (sb, sth); (*niszczyć*) to destroy; to ravage; to demolish 2. (*nadwerężać*) to undermine; to wreck (sb's health etc.) [II] *vr* **~ się** to ruin oneself (**na kogoś, coś** on <for> sb, sth); **~ się dla kogoś** to bleed oneself white for sb

rujnowanie *sn* (↑ **rujnować**) (*niszczenie*) destruction;

ravage; demolition
rujnująco *adv* ruinously
rujnujący *adj* ruinous
rujowisko *sn myśl.* rutting time; season of rut
ruk|iew *sf G.* **~wi** *bot.* (*Nasturtium officinale*) water-cress
rukwiel *sm bot.* (*Cakile maritima*) sea-rocket
rukwiśla|d *sm G.* **~du** *L.* **~dzie** *bot.* (*Erucastrum*) European pale mustard
rulada *sf muz.* roulade; run; vocal flourish
ruleta *sf* 1. (*gra*) roulette 2. (*urządzenie do gry*) roulette wheel
rulet|ka *sf pl G.* **~ek** 1. *dim* ↑ **ruleta** 2. *techn.* (*taśma miernicza*) linen <measuring> tape; tape measure
ruletowy *adj* roulette _ (table etc.)
rulon *sm G.* **~u** 1. (*zwój*) roll (of paper etc.) 2. (*monety*) rouleau
rulonik *sm dim* ↑ **rulon** 1.
rum *sm G.* **~u** (*napój*) rum
rumak *sm lit.* steed; palfrey; charger; courser
rumb *sm G.* **~u** <**~a**> *mar.* rhumb; compass point
rumba *sf* (*taniec*) rumba
rumian *sm G.* **~u** *bot.* (*Anthemis*) (*rodzaj*) the genus Anthemis; **~ psi** (*Anthemis cotula*) mayweed; dog-fennel
rumian|ek *sm G.* **~ku** *bot.* (*Matricaria*) camomile; (*napar*) camomile tea
rumiano *adv* ruddily; **wyglądać ~** to have a ruddy complexion <ruddy cheeks>
rumianość *sf singt rz.* (*rumiany kolor*) ruddy complexion; floridity
rumiany *adj* 1. (*mający rumieńce*) ruddy; florid; rubicund 2. (*o pieczywie*) baked brown; browned
rumieni|ć *v imperf* [I] *vt* (*przypiekać*) to brown (meat etc.) [II] *vr* **~ć się** 1. (*o człowieku — czerwienić się*) to blush; to redden; to colour (*vi*); (**kłamać itd.**) **nie ~ąc się** (to lie etc.) unblushingly; **~ć się ze wstydu** to blush for shame 2. (*o roślinach itd.*) to redden; to show red (against a background)
rumie|niec *sm G.* **~ńca** 1. (*rumianość twarzy*) ruddiness; floridity; (*zarumienienie twarzy*) blush; *pl* **~ńce** ruddy complexion <cheeks>; **silne ~ńce** high colour; **nabrać ~ńców** to colour (*vi*); to grow ruddy; **jej twarz pokryła się ~ńcem** her colour rose; **zapłonąć ~ńcem** to blush; to flush; **z ~ńcem na twarzy** flushed; blushing 2. (*zaróżowienie owoców itd.*) colour
rumieniowy *adj med.* erythemic
rumień *sm med.* erythema
rumieńczyk *sm* (*dim* ↑ **rumieniec**) slight blush
rumor *sm G.* **~u** din; rumble; racket; clatter
rumosz *sm G.* **~u** *geol.* rubble
rumoszowy *adj* rubbly
rumowisko *sn* 1. (*gruzy*) rubble; debris; brash 2. *geol.* rubble
rumowiskowy *adj* rubbly
rumowy *adj* rum _ (flavour etc.); (smell etc.) of rum
rump|el *sm G.* **~la** *mar.* (hand) tiller; helm
rumsztyk *sm G.* **~u** *kulin.* rumpsteak
Rumun *sm*, **Rumun|ka** *sf pl G.* **~ek** (a) R(o)umanian
rumuńsk|i *adj* R(o)umanian (language etc.); **po ~u** in R(o)umanian
run *sm G.* **~u** 1. *bank.* run (on a bank) 2. *przen.* (*masowy pęd*) rush (for a commodity etc.)
runąć *vi perf* 1. (*upaść*) to fall (down); to come down; to crash; to tumble down; to topple over; to descend 2. *przen.* (*rozlec się hukiem*) to boom; to resound 3. *przen.* (*załamać się*) to fall; to collapse; to break up 4. (*rzucić się*) to swoop (**na zdobycz, na wroga itd.** on one's prey, on the enemy etc.)
runda *sf sport* 1. (*cykl rozgrywek*) round; (*w zapaśnictwie*) fall; bout; **~ eliminacyjna** qualifying round 2. (*okrążenie toru*) lap; **~ honorowa** lap of honour; victory lap
runiczny *adj* runic
runić się *vr imperf*, **runie|ć** *vi imperf* **~je** to grow green
runięcie *sn* 1. ↑ **runąć** 2. (*upadek*) (down)fall; **grozić ~m** to totter 3. (*załamanie się*) collapse; break-up 4. (*rzucenie się z gwałtowną siłą*) (a) swoop
runko *sn techn.* fleece
runo *sn* 1. (*wełniste włosy*) fleece; (*skóra z wełną*) fell; *mitol.* **złote ~** the golden fleece 2. *leśn.* undergrowth 3. (*włókna*) fleece 4. (*włókna dywanu*) nap
runodajny *adj* fleece-bearing
runolog *sm* runologist
runowy *adj* = **runiczny**
run|y *spl G.* **~** *hist.* runes
ruń *sf singt* greenness growth (of young corn and grass)
rupi|a[1] *sf GDL.* **~i** *pl G.* **~i** *bot.* (*Ruppia*) (*rodzaj*) the genus Ruppia
rupi|a[2] *sf GDL.* **~i** *pl G.* **~i** (*jednostka monetarna*) rupee
rupieciarnia *sf* lumber-room; *sl.* glory-hole
rupieciarstwo *sn singt* collecting of odds and ends
rupieciarz *sm* collector <hoarder> of odds and ends
rupie|ć *sm* piece of junk; *pl* **~cie** odds and ends; oddments; junk; lumber
ruptura *sf med.* hernia; rupture
rupturowy *adj* **pas ~** truss
rur|a *sf* 1. *techn.* pipe; tube; *pl* **~y** (*instalacja*) piping; tubing; **~a ceramiczna** tile; **~a gazowa** gas pipe; **~a spustowa** rain-water pipe; down-pipe; discharge pipe; **~a wodociągowa** water-main pipe; **~a wydechowa** exhaust-pipe 2. (*lufa*) barrel 3. (*kość szpikowa*) marrowbone; *wulg.* **~a do barszczu** duffer; muff; oaf; bungler; **~a mu zmięknie** he will sing another tune; he will sing small 4. *reg.* (*piekarnik*) Dutch oven
ruralista *sm* (*decl* = *sf*) specialist in rural planning
rurecznik *sm zool* (*Tubifex*) a worm of the family Tubificidae
rurk|a *sf* 1. (*wąska rura*) tube; **zwinąć coś w ~ę** to roll sth up; to make a scroll of sth 2. (*coś w kształcie rurki*) tubular object; *bot.* **~i mleczne** lactiferous tubes <vessels>; **~i sitowe** sieve tubes 3. † *pl* **~i** (*karbówki*) curling-irons, curling-tongs
rurkokwiatow|y *adj bot.* **rośliny ~e** the Tubuliflorae
rurkonose *spl* (*decl* = *adj*) *zool.* (*Procellariformes*) (*rząd*) the order Procellariformes
rurkopławy *spl zool.* (*Siphonophora*) (*rząd*) the order Siphonophora
rurkować † *vt imperf* 1. (*fryzować*) to curl (**sobie włosy** one's hair) with curling-irons 2. (*fałdować*) to goffer; to quill
rurkowato *adv* in the form of a tube
rurkowaty *adj*, **rurkowy** *adj* tubular; vasiform

rurkozębne *spl zool.* (*Tubulidentata*) (*rząd*) the order Tubulidentata

rurociąg *sm G.* **~u** pipeline; piping; run of pipes

rurociągowy *adj* piping — (work etc.)

rurować *vt imperf górn.* to tube

rurownia *sf techn.* tube works

rurowy *adj* tubular

rusał|ka *sf pl G.* **~ek** 1. *mitol.* water nymph 2. *zool.* (*Vanessa*) vanessa

rusk|i *adj* 1. (*dotyczący Rusi*) Ruthenian; *kulin.* **pierogi ~ie** half-moon shaped ravioli filled with cottage cheese and potato paste; *przen.* **~i miesiąc** till doomsday; **po ~u** in Ukrainian; **z ~a** with a Ukrainian accent 2. *pot.* (*rosyjski*) Russian

rusofil *sm* Russophile

rusofilski *adj* Russophil

rusofilstwo *sn singt* Russophilism

rusofobi|a *sf singt GDL.* **~i** Russophobia

rustyka *sf arch. bud.* rock-faced <pitch-faced, rusticated> finish; rustic work; rustication

rustykalny *adj lit.* rustic

rusycysta *sm* (*decl* = *sf*) student of <specialist in> Russian studies <philology>

rusycystyczny *adj* pertaining to Russian studies <philology>

rusycystyka *sf singt* 1. (*nauka*) Russian studies 2. (*dział filologii*) Russian philology

rusycyzm *sm G.* **~u** Russicism, Russian idiom

rusyfikacja *sf singt* Russification

rusyfikacyjny *adj* Russifying

rusyfikator *sm* Russificator

rusyfikatorski *adj* Russifying

rusyfikować *vt imperf* to Russify

rusyfikowanie *sn* (↑ **rusyfikować**) Russification

rusyzm *sm G.* **~u** Ukrainianism; Ukrainian idiom

rusz|ać *v imperf* — **rusz|yć** *v perf* [I] *vt* 1. (*dotykać*) to touch; (*dotykać tego, czego nie wolno*) to tamper <to monkey about> (**coś** with sth); **nie ~ać, ~yć czegoś** not to touch sth; to keep one's hands off sth; **nie ~ać, ~yć palcem** not to do a stroke of work; not to raise a finger; **~ać kołyską** to rock a cradle; **~ać ramionami** to shrug one's shoulders; **sumienie go ~yło** he felt guilty; *pot.* **~yć głową <konceptem>** to think of sth 2. (*wykonywać ruchy*) to move <to stir> (**ręką, nogą** one's arm, one's leg) 3. (*zmieniać położenie czegoś*) to remove <to take (sth) away, to withdraw (sth)> (**skądś** from a place); *myśl.* **~yć zwierzynę** to rouse <to spring> game [II] *vi* 1. (*wyruszać*) to start (on a journey); to set off <forth>; to make a move; *wojsk.* to march <to rank> off; *mar.* to set sail; to sail away; **nie ~ać, ~yć krokiem <nogą> skądś** not to stir <not to budge> from a place; **~yć w dalszą drogę** to move on; to set forth; **~ać, ~yć w drogę powrotną** to start back; **rzeka <kra> ~a** the ice breaks up; **statek ~ył** the ship is underway; *pot.* **ani ~** nohow; *sl.* **~aj!** off you go!; *am.* beat it! [III] *vr* **~ać, ~yć się** 1. (*wykonywać ruch*) to move; to stir 2. (*ruszać z miejsca*) to set off; to go; **gdzie się ~ysz** wherever you go; right and left; **nie ~yć się w czyjejś obronie** not to come to sb's assistance; not to raise a finger to help sb; to leave sb in the lurch; **nie ~ył się z miejsca** he did not budge <move a step> 3. *zw. imperf* (*być w ruchu*) to stir; to be astir; **nie mamy gdzie się ~yć** we are cramped for space; there isn't room to swing a cat; **nie ~ać się** not to stir; to keep still; to stand stock-still 4. (*zaczynać działanie*) to get moving <underway> 5. (*chwiać się*) to stir; (*o zębach itd.*) to be loose; **zęby mi się ~ają** my teeth are loose

ruszcze|ć *vi imperf* **~je** to become Russified <Russianized>

ruszczyć *vt imperf* to Russify; to Russianize

ruszczyzna *sf* 1. *jęz.* Russian studies 2. (*ogół rzeczy ruskich*) things Russian

ruszenie *sn* ↑ **ruszyć**; *hist. wojsk.* **pospolite ~** levy in mass

rusznica *sf hist.* harquebus

rusznicowy *adj* harquebus — (fire etc.)

rusznikarnia *sf hist. wojsk.* gunsmithery

rusznikarski *adj* gunsmith's (implements etc.)

rusznikarstwo *sn singt* gunsmithing

rusznikarz *sm* gunsmith

ruszt *sm G.* **~u** 1. (*część paleniska*) grate 2. (*urządzenie do pieczenia mięsa itd.*) gridiron; grill; **mięso z ~u** grill 3. *bud.* grille; grillwork; grillage 4. *mar.* grate; grid

rusztować *vt imperf pot.* 1. (*budować rusztowanie*) to scaffold (a building) 2. (*oczyszczać ruszty*) to clean the grate (**piec** of a stove)

rusztowanie *sn* 1. ↑ **rusztować** 2. (*wiązanie budowlane*) scaffolding; **wiszące ~** cradle 3. † (*szafot*) scaffold

rusztowina *sf techn.* bar (of a stove grate); fire-bar

rusztow|y *adj* 1. (*dotyczący rusztu piecowego*) grate — (surface etc.) 2. (*dotyczący rusztu budowlanego*) grille — (bars etc.) || *geogr.* **góry ~e** ridge-and-valley mountains

ruszyć *zob.* **ruszać**

ruta *sf bot.* (*Ruta graveolens*) rue

ruten *sm G.* **~u** *chem.* ruthenium

rutenista *sm* (*decl* = *sf*) student of <specialist in> Ruthenian languages

rutenizm *sm G.* **~u** *jęz.* Ruthenic idiom

rutew|ka *sf pl G.* **~ek** *bot.* (*Thalictrum*) meadow rue

rutk|a *sf dim* ↑ **ruta**; *przen. iron.* **siać ~ę** to be on the shelf

rutowat|y *bot.* [I] *adj* rutaceous [II] *spl* **~e** (*Rutaceae*) (*rodzina*) the family Rutaceae

rutwica *sf bot.* (*Galega*) goat's rue

rutyl *sm G.* **~u** *chem.* rutile

rutyn|a *sf* 1. (*wprawa*) practice; experience; (*biegłość*) proficiency; competence 2. (*szablon*) groove; rut; daily business; **to należy do codziennej ~y** it's all in the day's work

rutyniarsko *adv pot.* routinely

rutyniarstwo *sn singt pot.* routinism

rutyniarz *sm* routinist

rutynowany *adj* experienced; proficient; competent

rwa *sf med.* neuralgia, neuralgy; **~ kulszowa** sciatica; ischias

rwać *v imperf* **rwę, rwie, rwij** [I] *vt* 1. (*rozrywać*) to tear; (*o rzece — zrywać*) to burst (**brzegi** its banks); *przysł.* **cicha woda brzegi rwie** still waters run deep 2. (*mocno ciągnąć*) to draw; to pull; to tug; *przen.* **rwie mnie do niej** I feel drawn to her 3. (*wyciągać*) to tear <to pull> out <up>; **~ kwiaty <jagody>** to pluck <to pick> flowers <berries>; **~ z korzeniem** to pull up by the roots; **~ zęby** to draw <to extract> teeth; **~ sobie włosy (z głowy)** to tear one's hair [II] *vi* 1. (*sprawiać ból*) to shoot; to twinge 2. *pot.* (*szybko biec, o rzece — płynąć*) to rush; **rwąca rzeka** rushing stream; torrent 3. *pot.* (*gnać*) to tear <to race, to bowl, to spank> along [III] *vr* ~ **się** 1. (*ulegać zerwaniu*) to tear (*vi*); **rwana linia** irregular line; **rwany głos** broken voice 2. (*pękać*) to snap; (*wybuchać*) to burst 3. (*mocno chcieć*) to be keen (**do czegoś** on sth); to be eager (**do czegoś** for sth; **do robienia czegoś** to do sth)

rwanie *sn* 1. ↑ **rwać** 2. (*ból*) shooting <lancinating> pain; twinge

rwący *adj* (*o bólu*) shooting; lancinating; (*o rzece*) rushing; rapid; impetuous; swift-flowing

rwetes *sm G.* ~**u** *pot.* 1. (*hałas z bieganiną*) hubbub; agitation; stir 2. (*zamieszanie*) bustle; commotion; turmoil; huddle

ryb|a *sf* (*także pot. zbior.*) fish; (*znak zodiaku*) *pl* **Ryby** Pisces, Fishes, the Fish; **hodowla** ~ fish-breeding; **czuć się jak** ~**a w wodzie** to be in one's element; **iść na** ~**y** to go fishing <angling>; **milczeć jak** ~**a** to be as mute as a fish; **zdrów jak** ~**a** as fit as a fiddle; fresh as a daisy; *przen.* **gruba** ~**a** bigwig; big gun; *sl.* big noise <bug>; **łowić** ~**y w mętnej wodzie** to fish in troubled waters; ~**a połknęła haczyk** he has swallowed the bait

rybacki *adj* 1. (*należący do rybaka*) fisherman's (tackle, gear etc.) 2. (*związany z rybołówstwem*) fishing (net, boat etc.); **kuter** ~ fishing smack; **miasteczko** ~**e** fishing town <village>

rybactwo *sn singt* 1. (*gałąź gospodarki*) fishing industry 2. (*rybołówstwo*) fishing

rybaczka *sf* 1. (*kobieta trudniąca się rybołówstwem*) fisherwoman 2. (*żona rybaka*) fisherman's wife

rybak *sm* fisherman

rybałt *sm hist.* minstrel

rybałtowski *adj* minstrel __ (show etc.)

rybeńka *sf* 1. *dim* ↑ **ryba** 2. *pieszcz.* darling; sweetheart; *am.* honey; baby

rybi *adj* 1. (*dotyczący ryby*) fish's (scales, fins etc.); fish- (tail etc.); (*w języku naukowym*) piscine; **klej** ~ fish glue; isinglass; ~**e oczy** fishy eyes; **zapach** ~ smell of fish; fishy smell; *med.* ~**a łuska** ichthyosis 2. *przen.* (*pozbawiony temperamentu*) cold-blooded

rybiarz *sm pot.* person fond of fish

rybik *sm zool.* ~ **cukrowy** (*Lepisma saccharina*) silverfish

rybitwa *sf zool.* (*Sterna hirundo*) common tern; sea swallow

rybk|a *sf* 1. *dim* ↑ **ryba; drobne** ~**i** fry; **złote** ~**i** goldfish 2. *przen. pieszcz.* = **rybeńka**

rybn|y *adj* fish- (**staw itd.** pond etc.); fishing- (**handel itd.** trade etc.); **konserwy** ~**e** tinned <*am.* canned> fish; **mączka** ~**a** fish meal <pomace>; **rzeka** ~**a** fishy river; **sklep** ~**y** fishmonger's shop; **targ** ~**y** fish market

ryboflawina *sf* riboflavin

rybojaszczur *sm paleont.* Ichthyosaurus

rybojeż *sm zool.* = **jeżówka**

rybokształtny *adj rz.* pisciform

rybołów *sm G.* ~**owa** *zool.* (*Pandion haliaëtus*) osprey

rybołów|ka *sf pl G.* ~**ek** = **rybitwa**

rybołówstwo *sn singt* fishing; fishery; ~ **(daleko)-morskie** deep-sea fishing <fishery>; ~ **przybrzeżne** coastal <inshore> fishery

rybostan *sm G.* ~**u** *pot.* stock <supply> of fish (in a river, pond); **wyłowić cały** ~ **ze stawu** <**z rzeki**> to fish out a pond <a river>

rybożerny *adj* ichthyophagous; piscivorous

rycersk|i *adj* 1. (*związany ze stanem rycerskim*) knight's (accolade, spurs, sword etc.); knightly (service etc.); ~**ie czasy** the age <days> of chivalry; **stan** ~**i** knighthood; **zakon** ~**i** Order of Knights 2. (*właściwy rycerzowi*) knightly; chivalrous; **po** ~**u** chivalrously 3. (*kurtuazyjny*) chivalrous; gallant; courteous

rycersko *adv* chivalrously

rycerskość *sf singt* (*kurtuazja*) chivalry; gallantry; courtesy

rycerstwo *sn hist.* 1. (*warstwa społeczna*) knighthood; (*ogół rycerzy*) knighthood; knightage; **błędne** ~ knight-errantry; ~ **krzyżowe** crusaders 2. (*godność*) knighthood

rycerz *sm hist.* knight; **błędny** ~ knight-errant; ~**e maltańscy** Knights of Malta; ~**e mieczowi** Knights of the Sword; *przen.* ~ **przemysłu** chevalier d'industrie; ~ **salonowy** carpet-knight

rych|ło *adv* 1. (*wnet*) soon (after); ~**ło patrzeć** any minute 2. (*rano*) early; *iron.* ~**ło w czas** high time; **co** ~**lej** with all speed

rychłozrost *sm G.* ~**u** *med.* healing by first intention

rychły *adj* forthcoming; approaching; early; prompt; speedy

rychtować *v imperf gw.* [I] *vt* (*przygotowywać*) to prepare; to get (sth) ready; (*naprawiać*) to mend; to fix [II] *vr* ~ **się** to get ready

rycie *sn* ↑ **ryć**

rycina *sf* illustration; picture; cartoon; drawing; *druk.* figure; plate

rycyna *sf* 1. (*olej*) castor oil 2. *farm.* (*jad*) castor-oil pomace

rycynina *sf chem. farm.* ricinine

rycynowy *adj farm.* castor __ (oil etc.)

rycynus *sm G.* ~**u** 1. *rz.* = **rycyna** 1. 2. *bot.* (*Ricinus*) castor-oil **plant**

ryczałt *sm G.* ~**u** (*suma globalna*) global <lump> sum; ~**em** globally; in the lump; **kupić** <**sprzedać**> ~**em** to buy <to sell> outright

ryczałtować *vt imperf ekon.* to lump (in one sum)

ryczałtowo *adv* globally; in the lump

ryczałtowy *adj* global; lump-sum (payment etc.)

ryczeć *vi imperf* **ryczy** — **ryknąć** *vi perf* 1. (*o bydle domowym*) to moo; to low; (*o lwie*) to roar; (*o niedźwiedziu*) to growl; (*o słoniu*) to trumpet; (*o ośle*) to bray; (*o jeleniu*) to bellow; to troat 2. (*o morzu itd. — huczeć*) to roar; (*o gromie*) to peal; (*o syrenie*) to hoot; (*o wybuchu*) to boom 3. *pot.* (*o ludziach — wrzeszczeć*) to scream; to roar; to yell; to vociferate; **ryczeć ze śmiechu** to roar with laughter; **towarzystwo ryczało** the company <the table> was in a roar 4. *pot.* (*płakać*) to blubber; to cry; to wail

ryczenie *sn* ↑ **ryczeć**; (*wrzask*) roars; screams; vociferation

ryć *v imperf* **ryje, ryty** [I] *vt* 1. (*kopać*) to dig; to excavate; (*o zwierzęciu*) to root <to burrow, to grout, to tunnel> (the ground); *pot.* ~ **dołki pod kimś** to scheme against sb; to backbite sb 2. *przen.* (*o zmarszczkach*) to furrow <to plough> (**komuś twarz** sb's face) 3. (*wyrzynać*) to engrave; to inscribe; to incise; (*na metalu*) to dry-point [II] *vi* (*o zwierzęciu*) to root; to burrow; to grout; to tunnel; *przen. pot.* ~ **nosem** to tumble <to topple> down [III] *vr* ~ **się** 1. *emf.* = ~ *vt* 1.; to sink (**w ziemi** into the ground; *przen.* **w pamięci** into the memory) 2. (*być rytym*) to be engraved <inscribed, incised>

ryd|el *sm G.* ~**la** spade; spud; **kopać** ~**lem** to spade; to dig

rydel|ek *sm G.* ~**ka** (small) spade <spud>

rydlisko *sn* spade handle

rydwan *sm G.* ~**u** *hist.* chariot; **woźnica** ~**u** charioteer

rydz *sm bot.* (*także* ~ **mleczaj**) (*Lactarius deliciosus*) an edible species of agaric; **wyglądać jak** ~ to look the picture of health; **zdrów jak** ~ sound as a bell; sound in wind and limb; *przysł.* **lepszy** ~ **niż nic** half a loaf is better than no bread

ryg *sm G.* ~**u** *górn.* rig; boring <drilling> jig <machine>

ryga *sf* (*liniuszek*) underlines

ryg|iel *sm G.* ~**la** 1. (*zasuwa*) bolt; bar 2. *bud.* (spandrel) beam; girder; nogging piece; transom 3. *techn.* lock; bolt 4. *geogr.* threshold (of a glacial cirque)

ryglować *vt imperf* to bolt <to bar, to secure> (a door etc.)

ryglowy *adj bud.* (*o konstrukcji, ścianach*) half-timbered

rygo|r *sm G.* ~**ru** 1. (*surowe przepisy*) rigour; severity; strictness; **trzymać kogoś w** ~**rze** to keep a tight rein over sb 2. (*karność*) discipline; **rozluźnienie** ~**ru** laxity 3. *prawn.* penalty; **pod** ~**rem egzekucji** on pain of seizure

rygorozum † *sn* examination for a doctor's degree

rygoryst|a *sm* (*decl* = *sf*), **rygoryst|ka** *sf pl G.* ~**ek** rigorist; precisian

rygorystycznie *adv* rigorously; strictly

rygorystyczność *sf singt* rigour; rigorism; strictness

rygorystyczny *adj* rigorous; strict

rygoryzm *sm singt* rigour; rigorism; strictness

ryj *sm* 1. (*u zwierząt*) snout 2. *przen. obelż.* (*twarz*) phiz; snout; *wulg.* **zamknij** ~! hold your jaw!

ryj|ek *sm G.* ~**ka** 1. *dim* ↑ **ryj** 2. (*u owadów*) snout; sucker

ryjkowaty *adj* snouty; snoutlike

ryjkow|iec *sm G.* ~**ca** *zool.* curculionid; weevil; *pl* ~**ce** (*Curculionidae*) (*rodzina*) the weevils

ryjowato *adv* snoutlike

ryjowaty *adj* snoutlike; snouty

ryjowisko *sn* pasture ground for swine

ryjów|ka *sf pl G.* ~**ek** *zool.* (*Sorex*) shrew

ryk *sm G.* ~**u** 1. (*głos zwierząt*) low <moo> (of cattle); roar (of a lion); growl (of a bear); trumpet (of an elephant); bray (of a donkey); troat (of a stag etc.) 2. (*głos przypominający ryk zwierzęcia*) roar; yell; vociferation(s); blast <hoot> (of a siren); peal (of thunder); boom (of a detonation etc.); *pot.* **uderzyć w** ~ to burst into tears

ryknąć *zob.* **ryczeć**

rykoszet *sm G.* ~**u** rebound; ricochet; **odbić się** ~**em** to glance aside <off>; to rebound

rykoszetować *vi perf rz.* to glance aside <off>; to rebound

rykowisko *sn myśl.* 1. (*zachowanie się jeleni itd.*) rut 2. (*miejsce schadzek*) (stag's) rutting ground

ryksiarz *sm* = **rykszarz**

ryksza *sf* jinri(c)ksha

rykszarz *sm* jinrikiman

ryl|ec *sm G.* ~**ca** etching-needle; dry-point; burin, graver; ~**ec do matryc woskowych** cyclostyle pen

rym[1] *sm G.* ~**u** rhyme, rime; rhyme word; ~ **męski** <**żeński**> masculine <feminine> rhyme <rime>; **dobrać** ~ **do czegoś** to find a rhyme word to sth <a word to rhyme with sth>; *pot.* ~**y częstochowskie** doggerel verse

rym[2] *interj* crash!; bang!

rymarnia *sf* saddler's (work)shop

rymarski *adj* saddler's (tools etc.)

rymarstwo *sn singt* saddlery; harness making

rymarz *sm* saddler; harness maker

rymesa *sf handl.* bill (of exchange)

rymnąć *vi perf* 1. (*spaść z hukiem*) to come down with a bang; (*gruchnąć*) to go bang 2. *pot.* (*runąć*) to plump down; to come a cropper <a mucker>; ~ **jak długi** to go sprawling

rymotwórczy *adj* rhyme-composing <versifying> (ability etc.)

rymować *v imperf* [I] *vt* (*dobierać do rymu*) to rhyme (words) [II] *vi* (*tworzyć wiersze*) to rhyme; to versify; (*stanowić rym*) to rhyme (*vi*) [III] *vr* ~ **się** to rhyme <to tag> (*vi*)

rymowy *adj lit.* rhyming

ryms *interj* crash!; bang!

rynchocefal *sm paleont.* rhynchocephalian; *pl* ~**e** (*Rhynchocephalia*) (*rząd*) the order Rhynchocephalia

ryn|ek *sm G.* ~**ku** 1. (*plac*) market square; market-place 2. (*stosunki handlowo-gospodarcze*) market; **czarny** ~**ek** the black market; ~**ek wewnętrzny** home market; ~**ek zbytu** (ready) market; outlet 3. (*środowisko odbiorców*) field (of music, of the theatre etc.)

ryngraf *sm G.* ~**u** ornamental pectoral plate; gorget

rynien|ka *sf pl G.* ~**ek** 1. (*mała rynna*) trough; channel; conduit 2. (*patelenka*) stew-pan

rynienkowaty *adj* trough-like; trough-shaped

ryn|ka *sf pl G.* ~**ek** *reg.* stew-pan; skillet

rynkowy *adj* 1. (*znajdujący się na rynku*) market-place <market-square> (lamps, shops, stalls etc.) 2. (*odnoszący się do stosunków handlowo-gospodarczych*) market — (prices etc.)

ryn|na *sf pl G.* ~**ien** 1. (*koryto do odprowadzania wody*) gutter; *przen.* **wpaść** <**dostać się**> **z deszczu pod** ~**nę** to jump <to fall> from the frying-pan into the fire 2. *techn. górn.* trough; chute; sluice; channel; vale 3. *geogr.* gully

rynnica *sf zool.* (*Melasonia*) a species of leaf beetle

rynnow|y *adj geogr.* **dolina** ~**a** tunnel valley; **jezioro** ~**e** tunnel-valley lake

rynolaryngologi|a *sf singt GDL.* ~**i** *med.* rhinolaryngology

rynologi|a *sf singt GDL.* ~**i** *med.* rhinology

rynoplastyka *sf singt med.* rhinoplasty

rynsztok *sm* 1. (*ściek uliczny*) gutter; drain 2. *przen.* the gutter

rynsztokowy *adj* 1. (*dotyczący rynsztoka*) drain — (water etc.) 2. *przen.* (*ordynarny*) gutter — (witticism etc.); (language etc.) of the gutter; scurrilous (stories, songs etc.)

rynsztun|ek *sm G.* **~ku** *hist.* equipment; outfit; kit; *wojsk.* kit

ryński *adj gw.* = **reński**

ryp|ać *v imperf* **~ie** [I] *vt* = **rypnąć** [III] *vi pot.* (*pędzić*) to run like mad

rypnąć *vt perf* — **rypać** *vt imperf pot.* (*uderzyć*) to lunge out (**kogoś** at sb)

ryposta *sf* = **riposta**

ryps *sm G.* **~u** *tekst.* rep(p); ribbed silk

rypsowy *adj* rep — (garment etc.)

rys *sm G.* **~u** 1. (*zarys*) sketch; outline 2. (*cecha*) trait; characteristic feature 3. *pl* **~y** (*układ twarzy*) features; countenance; **o delikatnych, grubych ~ach** fine-featured, coarse-featured

rysa *sf* 1. (*skaza*) flaw 2. (*draśnięcie*) scratch 3. (*pęknięcie*) crack; rift; crevice; chink; cranny; fissure 4. *przen.* rift

rysak *sm* (*koń*) trotter

rysi *adj* 1. (*dotyczący rysia*) lynx's (pelt, eyes etc.) 2. (*taki, jak u rysia*) lynx-like; **człowiek z ~mi oczami** lynx-eyed person 3. (*o futrze*) lynx — (fur)

rysica *sf myśl.* she-lynx

rysik *sm* slate pencil; *techn.* scriber; marking point; scratch <marking> awl

rysopis *sm G.* **~u** description (of a person on his passport etc.); signalment

rysować *v imperf* [I] *vt* 1. (*kreślić*) to draw; to make a drawing <drawings> (**coś** of sth); to pencil; (*sporządzać plan itd.*) to draft, to draught; to trace; to design 2. *przen.* (*opisywać*) to describe 3. (*uwydatniać kontury*) to show; to outline; to delineate 4. (*robić rysy*) to scratch; to line 5. *przen.* (*o przejściach, bólu itd.*) to line <to furrow, to plough> (**komuś twarz** sb's face) [III] *vr* **~ się** 1. (*zarysowywać się*) to show (*vi*); to appear; to stand out (in relief); to be profiled <outlined, silhouetted> (**na tle czegoś** against sth) 2. (*pokrywać się rysami*) to get scratched <lined>; to flaw

rysownica *sf techn.* drawing-board

rysowni|k *sm*, **rysowni|czka** *sf pl G.* **~czek** 1. (*grafik*) drawer; illustrator 2. (*kreślarz*) draughtsman, draftsman; designer

rysun|ek *sm G.* **~ku** 1. (*ilustracja*) drawing; illustration; cartoon; **~ek techniczny** draft, draught; design 2. (*zarys*) sketch; outline; delineation 3. (*sztuka*) draftsmanship, draughtsmanship 4. *pl* **~ki** *szk.* drawing-lesson; **nauczyciel ~ków** drawing-master

rysunkowo *adv* in respect of draughtsmanship; as regards the drawing

rysunkow|y *adj* 1. (*stosowany przy rysowaniu*) drawing- (block, board etc.) 2. (*narysowany*) drawn; **film ~y** cartoon-film; animated cartoon; **pismo ~e** lettering

ryś *sm G.* **rysia** 1. *zool.* (*Lynx lynx*) lynx 2. *pl* **rysie** (*futro*) lynx(es)

ryśnik *sm techn.* **~ traserski** surface gauge; scribing block

ryt[1] *sm G.* **~u** engraving

ryt[2] *sm G.* **~u** *kośc.* rite

rytm *sm G.* **~u** rhythm; metre; cadence

rytmicznie *adv* rhythmically; regularly

rytmiczność *sf singt* rhythmicity, rhythmicality

rytmiczny *adj* rhythmic(al); cadenced; regular; measured

rytmik|a *sf singt* 1. (*charakter rytmiczny*) rhythmicity 2. (*ćwiczenia gimnastyczne*) callisthenics; **nauczyciel ~i** posture-master

rytmizacja *sf singt lit. muz.* rhythmization

rytmizować *vt imperf lit. muz.* to rhythmize

rytmizowanie *sn* (↑ **rytmizować**) rhythmization

rytmotwórczy *adj lit.* cadenced

rytornel *sm G.* **~u** *muz.* ritornello

rytować *vt imperf* to engrave

rytownictwo *sn singt* engraving; die-sinking

rytowniczy *adj* engraver's <die-sinker's> (work, instrument etc.)

rytownik *sm* engraver; die-sinker

rytualizm *sm singt G.* **~u** ritualism

rytualnie *adv* ritualistically; ritually

rytualny *adj* ritual; **~ mord** ritual murder; **ubój ~** kosher butchering

rytuał *sm G.* **~u** 1. (*obrzęd*) ritual 2. *kośc.* (*księga*) ritual (book)

rywal *sm* rival; competitor; contestant

rywalizacja *sf* rivalry; emulation; competition

rywalizować *vi imperf* to rival <to emulate> (**z kimś** sb); to compete <to vie, to contend> (**w czymś, z kimś, o coś** in sth, with sb, for sth)

rywalizowanie *sn* (↑ **rywalizować**) rivalry; emulation; competition

rywalka *sf* = **rywal**

ryza[1] *sf* ream (of paper)

ryz|a[2] *sf obecnie w zwrotach*: **trzymać kogoś w ~ach** to hold sb in leash; to hold a tight rein on sb; to keep sb under; **trzymać się w ~ach** to control one's temper; to tutor oneself; **wziąć kogoś w ~y** to curb <to restrain> sb

ryzalit *sm G.* **~u** *bud.* break; projection

ryzować *vt perf* to carve

ryzowanie *sn* (↑ **ryzować**) (a) carving

ryzyk *indecl pot. w wyrażeniu*: **~ fizyk** happen what may; at all hazards; sink or swim

ryzykancki *adj* rash; reckless; venturesome; devil-may-care

ryzykanctwo *sn singt* rashness; recklessness; venturesomeness; devil-may-care disposition

ryzykant *sm*, **ryzykant|ka** *sf pl G.* **~ek** dare-devil; gamester; **to ~** he is rash <reckless, venturesome>; he takes risks <chances>

ryzyk|o *sn singt* 1. (*przedsięwzięcie, którego wynik jest niepewny*) venture; **gotów ponieść każde ~o** ready for any venture 2. (*możliwość, że się coś uda albo nie*) risk(s); hazard; chance(s); **bez ~a** safely; **grać bez ~a** to play a winning game; **narazić się na ~o** to take <to incur> risks; **unikać wszelkiego ~a** to take no risks; to play for safety; **na własne ~o** at one's peril <risk>; *pot.* **robić coś na ~o** to take chances 3. (*odważenie się na niebezpieczeństwo*) risk(iness); **~o było wielkie** it was very risky

ryzyk|ować *v imperf* [I] *vi* to take risks; to venture; to hazard; to gamble; **nie będę ~ował** I'll take no risks; **kto nie ~uje, ten nic nie ma** nothing venture nothing have [III] *vt* to risk <to venture> (**życie, majątek itd.** one's life, one's fortune etc.); **~ować jakąś kwotę** to stake a sum; **~ować twierdzenie** to venture <to hazard> an opinion; **~owałbym życie** it would be as much as my life is worth

ryzykownie *adv* riskily; hazardously; perilously; venturesomely

ryzykowność *sf singt* riskiness; hazardousness; venturesomeness

ryzykowny *adj* risky; hazardous; perilous; venturesome

ryż *sm G.* **~u** *bot.* (*Oryza sativa*) rice; **budyń z ~u** rice-pudding; rice-milk; **łuszczarnia ~u** rice-mill; **odwar z ~u** rice-water; **~ nie łuskany** paddy

ryżawy *adj* (*rudawy*) reddish

ryżowisko *sn* rice-field; rice stubble

ryżowłosy *adj* red-haired; ginger-haired

ryżow|y *adj* rice — (grains, flour, straw etc.); **papier ~y** rice-paper; **puder ~y** rice powder; **szczotka ~a** scrubbing brush

ryży *adj* 1. (*o kolorze*) rufous; red-brown; russet; ginger; foxy 2. (*o człowieku*) red-haired; ginger-haired

rzadkawy *adj* thinnish

rzadk|i *adj* 1. (*lejący się*) thin; watery; weak; washy; *przen. pot.* **~a mina** confusion; embarrassment; abashment 2. (*o powietrzu, gazach*) thin; (*rozproszony*) sparse; (*nie zbity*) loose; lax (texture etc.); **ziemie ~ie** rare earths 3. (*o włosach, brodzie*) thin; straggling; straggly 4. (*nieczęsto spotykany*) rare; scarce; scattered; (*o ludziach, zjawiskach itd.*) rare; uncommon; unusual

z ~a 1. (*niegęsto*) sparsely; here and there; at intervals; far apart <between> 2. (*nieczęsto*) rarely; unfrequently; occassionally; once in a while; from time to time

rzadko *adv* 1. (*niegęsto*) sparsely; thinly; far between <apart>; **~ rosnący <rozsiany>** thin; scattered; straggling; **gotować <rozrobić> coś na ~** to boil <to temper> sth thin 2. (*nieczęsto*) rarely; seldom; uncommonly; unusually; exceptionally; *w wyrażeniach*: **jak ~ kiedy, jak ~ kto, jak ~ bywa** exceptionally; unusually; **~ kiedy** hardly <scarcely> ever; *pot.* once in a blue moon; **~ kto** hardly anybody; **~ się zdarza, żeby ktoś ...** it is rare for sb to ...

rzadkopłynność *sf singt techn.* thinness

rzadkopłynny *adj techn.* thin

rzadkość *sf* 1. *singt* (*płynność*) thinness; wateriness 2. *singt* (*rzadkie rozmieszczenie*) sparseness 3. *singt* (*nieczęstość występowania*) rareness; rarity; scarcity; scarceness 4. (*o zjawisku, zdarzeniu, osobie*) (a) scarcity; (a) rarity; (*o przedmiocie*) (a) curiosity; curio

rzadziutki *adj* (*dim* ↑ **rzadki**) (*o płynach, gazach*) extremely thin; (*bardzo rzadko rozproszony*) very sparsely scattered

rzadzizna *sf* sparseness; *techn.* **~ skurczowa** micro-shrinkage; shrinkage porosity

rzaz *sm G.* **~u** *techn.* curf, kerf; saw cut

rząd[1] *sm G.* **rzędu** 1. (*szereg*) line; row; range; rank; tier (of seats etc.); *wojsk.* file; **długi ~ wspomnień <wypadków itd.>** a vista of reminiscences <events etc.>; **~ zębów** set <row> of teeth; **iść rzędem** to walk in single <in Indian> file; *roln.* **siać rzędami** to drill; to sow <to plant> in drills; **stać rzędami** to stand in a row <in line>; **ustawić coś w rzędach** to line sth up; **ustawić się w rzędach** to line up (*vi*); (*o obrazach*) **wisieć w rzędach na ścianach** to line the walls; **po kilka dni z rzędu** for days together; **w pierwszym rzędzie** in the first place; in chief; primarily; essentially; to start with; **z rzędu, pod ~** in succession; on end; **trzy dni z rzędu <pod ~>** three days running; three consecutive days 2. (*kategoria*) category; order; **łajdactwo ostatniego rzędu** villainy of the worst description; **łajdak ostatniego rzędu** arrant <thoroughgoing> scoundrel; **najwyższego rzędu** of the highest order; transcendent (genius etc.) 3. *bot. zool.* order 4. *hist.* caparison; trappings; *przen.* **konia z rzędem temu, kto ...** he is jolly smart who will <can etc.> ... 5. *mat.* order

rząd[2] *sm G.* **~u** 1. *polit.* (a) government; *am.* administration; (*rada ministrów*) cabinet; **szef ~u** head of government; prime minister 2. (*zw. pl*) (*sprawowanie władzy*) government; régime; rule; administration; (*panowanie*) reign; **forma ~u** system of government; **złe ~y** misrule; maladministration; **sprawować ~y** to govern; **za ~ów ...** under ... ‖ *jęz.* **związek <składnia> ~u** government; regimen; syntactic relationship

rządca *sm* (*administrator nieruchomości*) administrator; (*administrator majątku ziemskiego*) land-steward

rząd|ek *sm G.* **~ka** *dim* ↑ **rząd**[1]; **~kiem** in a row; in a single file

rządkowy *adj techn.* **splot ~** twill weave

rządowy *adj* government — (offices, circles, organ etc.); State — (schools, administration etc.); **na koszt ~** at the public expense

rządzenie *sn* 1. ↑ **rządzić** 2. (*sprawowanie rządów*) government; rule 3. (*kierownictwo*) management; control 4. *gram.* regimen; construction (**jakimś przypadkiem** with a given case)

rządz|ić *v imperf* **~ę** [I] *vt vi* 1. (*sprawować rządy*) to govern <to rule, to sway> (**państwem** a state); to rule (**narodem** over a people); to be in power; to hold the reins of government; **źle ~ić** to misgovern 2. (*kierować*) to manage <to control, to run> (**instytucją itd.** an institution etc.); *sl.* to be the boss; to boss the show; **nie dam sobą ~ić** I won't be dictated to; **ona w tym domu ~i** she wears the breeches 3. *gram.* to govern (**jakimś przypadkiem** a given case); to be construed (**jakimś przypadkiem** with a given case) [III] *vr* **~ić się** 1. *emf.* = **rządzić** *vt* 1. 2.; **~ić się jak szara gęś** to rule the roast; *sl.* to boss the show 2. (*sprawować rządy u siebie*) to govern one's State <province etc.>; to have one's home rule 3. (*być rządzonym*) to be governed (by a ruler, a set of laws etc.) 4. (*kierować się czymś w swym postępowaniu*) to be controlled (**uczuciem itd.** by one's feelings etc.); to listen to the voice (**rozumem itd.** of reason etc.) 5. (*prowadzić swoje interesy*) to manage <to run> one's affairs

rząp *sm G.* **~ia** *górn.* sump; sink; receiving pit

rzępica *sf zool.* (*Lipavis*) tussock moth

rze|c *vt vi perf* **~kę** <**~knę**>, **~cze** <**~knie**>, **~knij, ~kł, ~czony** *lit.* to say; to utter; **by nie ~c ...** not to say ...; **jak się ~kło, jak ~kłem** as I said (before); **~c można, że tak ~kę** so to say; **to ~kłszy ...** with these words ...; † **~cze** quoth he <she>

rzecz *sf pl N.* **~y** 1. (*przedmiot*) thing; object; **być <stać się> czyjąś ~ą** to be <to become> sb's property 2. *pl* **~y** (*mienie*) (sb's) things <belongings,

ługgage, *pot.* traps>; **pakuj swoje ~y** pack up your traps 3. (*to, co jest jadalne*) sth to eat; *pl* **~y** things to eat; food; **jedliśmy dobre ~y** we had good things to eat 4. (*dzieło sztuki*) work; composition; painting; book; **~ dobrze napisana** a good piece of writing; **~ dobrze namalowana** a good painting; the work of a good brush 5. (*temat*) subject; theme; **spis ~y** (table of) contents 6. (*przedmiot myśli*) object; **dobrze ~ oddać** to render the idea well 7. (*zakres*) matter; business; concern; **~ ludzka** something natural; **~ męska <kobieca, chłopięca>** something proper to a man <a woman, a boy>; **~ publiczna** the public weal; common good; **~ sentymentu** a matter of sentiment; **nic z tych ~y** nothing of the kind <of the sort>; **pilnuj swoich ~y** mind your own business; **to ich ~** that's their concern; let them worry; **to moja ~** that's my business <*pot.* my pigeon>; **to nie twoja ~** that's no concern of yours <none of your business>; **znać się na ~y** to know one's business; to know what's what; to be competent; **na ~ kogoś, czegoś** for the benefit <on behalf, in favour, in support> of sb, sth 8. (*treść wypowiedzi*) matter; point; **istota <sedno> ~y** the core of the matter; **niestworzone ~y** unheard-of stories; **nazywać ~y po imieniu** to be blunt; to call a spade a spade; not to mince matters; **odchodzić od ~y** to stray from the point; to digress; **przystąpić do ~y** to set to work; to tackle a job; to get down to brass tacks; **wracać do ~y** to return to the point <to the subject>; **do ~y** a) (*sensownie*) sensibly; with sense; à propos; to the point; to the purpose; **mówić do ~y** to speak to the point; to speak sensibly; to talk sense; **mówić nie do ~y** to talk nonsense b) (*w związku z tematem*) relevantly; **co to ma do ~y?** what connexion is there between the two things?; the two things have nothing in common; **to nie ma nic do ~y** that's quite irrelevant; it's neither here nor there c) *pot.* (*o człowieku*) **być do ~y** to be clever; **on jest całkiem do ~y** he is quite a clever chap; **od ~y** irrelevant; beside the point; **mówić od ~y** to talk nonsense; to drivel; to dote; **mówisz od ~y** you're absurd; **nie od ~y byłoby ...** it wouldn't be a bad thing to ...; it wouldn't be amiss if ...; **nie od ~y będzie dodać** it may be as well to add that ...; **ogólnie ~ biorąc** generally speaking; **~ prosta <jasna>** of course; naturally; **~ w tym, że ...** the fact of the matter is that ...; **ściśle ~ biorąc, w istocie ~y** as a matter of fact; in point of fact; **w tym cała ~** that's just the point <just it>; **dziwna ~!** how strange!; **i cała ~** that's all; **słyszane to ~y!** that is unheard-of!; **wielka ~!** what a wonder! 9. (*czyn*) act; *pl* **~y** things; (*okoliczności*) affairs; **pogląd na ~y** standpoint; viewpoint; point of view; **stan ~y** state <posture> of affairs; **jak ~y stoją** as matters stand; **na wieczną ~y pamiątkę** in eternal memory of the event; **~y idą** things take their course; **w gruncie ~y** as a matter of fact; **w samej ~y** in effect; **z natury ~y, siłą ~y** quite naturally; as is but natural 10. (*sprawa*) affair; question; matter; **powiem ci, o co ~ idzie** I'll tell you what it's all about; **~ idzie o ...** it is a question of ...; **tak się ~ nie przedstawia** that is not the case

rzecz|ka *sf pl G.* **~ek** (*dim* ↑ **rzeka**) brook

rzecznictwo *sn singt* advocacy; *prawn.* **~ patentowe** patent agency

rzeczni|czka *sm,* **rzeczni|k** *sm* spokesman; advocate; mouthpiece; intercessor; *prawn.* **~k patentowy** patent agent

rzeczny *adj* river- (bed, fish, sand etc.); fluvial

rzeczony [I] *pp* ↑ **rzec** [II] *adj †* the said —; before-mentioned

rzeczownie *adv rz.* substantivally

rzeczownik *sm gram.* substantive; noun; **~ odsłowny** gerund

rzeczownikowo *adv* substantivally

rzeczownikowy *adj* substantival

rzeczowny *adj* substantival

rzeczowo *adv* objectively; soberly; sedately; **mówić ~** to speak to the point

rzeczowość *sf singt* objectivity; sobriety; sedateness

rzeczowy *adj* 1. (*dotyczący rzeczy*) material 2. (*oparty na faktach*) factual; **dowód ~** piece of evidence; legal document 3. (*trafny*) to the point; (*obiektywny*) objective; sober; sedate; matter-of-fact

rzeczoznawca *sm* (*decl* = *sf*) expert; authority (**w danych sprawach** on certain matters); specialist

rzeczoznawstwo *sn singt* expertise

rzecz|pospolita *sf* (*decl* = *adj*) *G.* **~ypospolitej** *pl N.* **~ypospolite** republic; **~pospolita ludowa** People's Republic

rzeczułka *sf* (*dim* ↑ **rzeczka**) brooklet

rzeczywistoś|ć *sf singt* reality; actuality; the facts (of the case); the real; **dziedzina ~ci** the concrete; **twarda ~ć** hard fact; **mieć poczucie <zmysł> ~ci** to have a sense of reality <of realities>; to be conscious; **stać się ~cią** to be realized; to materialize (*vi*); **to odpowiada ~ci** it corresponds with the facts; **w ~ci** in (actual) fact; indeed; in reality; to all intents and purposes; virtually

rzeczywist|y *adj* 1. (*obiektywnie istniejący*) real; actual; effective; tangible; *chem.* **gazy ~e** actual gases; *mat.* **liczby ~e** real numbers; *gram.* **tryb ~y** indicative mood 2. (*autentyczny*) real; actual; genuine; (*faktyczny*) factual; practical; virtual; **on jest ~ym kierownikiem** he has practical control; he is virtual manager

rzeczywiście *adv* 1. (*faktycznie*) really; in reality; actually; indeed; in (actual) fact; **i ~** and sure enough ... 2. (*w zdaniach potwierdzających*) indeed; so; **zimno jest dzisiaj — Rzeczywiście** it is cold to-day — Indeed <So it is; That it is>; **myślałem, że wygrają <że on pójdzie itd.> i ~** I thought they would win <he would go etc.> and win they did <and go he did etc.>

rzed|nąć *vi imperf* **~ł** 1. (*stawać się płynnym*) to thin; *przen.* **mina mu ~nie** he becomes confused <embarrassed>; he loses countenance 2. (*stawać się rozproszonym*) to thin <to scatter, to disperse> (*vi*); (*stawać się mniej zbitym*) to loosen (*vi*) 3. (*stawać się mniej częstym*) to become scarce <more rare, less frequent>

rzednie|ć *vi imperf* **~je** to thin; to scatter; to disperse

rzek|a *sf* 1. river; watercourse; **brzeg ~i** river-bank; riverside; **budynki stojące nad ~ą** the riverside buildings; **koryto ~i** river-bed; **źródło ~i** river-head; **nad ~ą** on <at> the riverside; **po tej <tamtej> stronie ~i** on this <the other> side of the water; **w dół ~i** down-stream; **w górę ~i** up-stream 2. *przen.* stream (of people, of vehicles etc.); **pojazdy płynęły ~ą** the vehicles came in streams

rzekomo *adv* supposedly; allegedly; professedly; ostensibly; pretendedly; by all accounts; according to rumour; **ona jest ~ bardzo piękna** she is said <reputed> to be very beautiful; **on jest ~ znawcą** a) (*jak sam mówi*) he professes <pretends> to be an expert b) (*jak ludzie mówią*) he is supposed to be an expert

rzekom|y *adj* (*nie istniejący w rzeczywistości*) imaginary; would-be; so-called; (*pozorny*) alleged; supposed; ostensible; professed; (*fałszywy*) spurious; *med.* **białaczka ~a** pseudoleukemia; **dur ~y** paratyphoid fever; *bot.* **owoc ~y** spurious fruit; *chem.* **roztwór ~y** colloidal solution

rzekot|ka *sf pl G.* **~ek** *zool.* (*Hyla*) tree-toad, tree-frog

rzemienny *adj* leather — (strap etc.); † *przen.* **~m dyszlem** by easy stages

rzemie|ń *sm G.* **~nia** 1. (*pas*) belt; (*pasek*) strap; thong; leather band; (*u tornistra, plecaka*) shoulder-strap 2. (*skóra u zwierzęcia*) skin

rzemieślnictwo *sn singt* crafts

rzemieślniczka *sf* craftswoman

rzemieślnicz|y *adj* (handi)craftsman's, (handi)craftsmen's; craft — (guild, union etc.); **szkoła ~a** polytechnic school

rzemieślnik *sm* (handi)craftsman; artisan; mechanic; tradesman

rzemiosło *sn* 1. (*wytwórczość*) (handi)craft 2. (*kunszt*) craft 3. (*zajęcie*) craft; trade; job; business

rzemlik *sm zool.* (*Saperda*) a beetle of the genus Saperda

rzemycz|ek *sm G.* **~ka** *dim* ↑ **rzemyk**; *przysł.* **od ~ka do koniczka** he that will steal a pin <an egg> will steal a better thing <an ox>

rzemyk *sm* strap; thong; (*u czapki*) chin-strap

rzep *sm G.* **~u** bur(r); **przyczepić się jak ~ do psiego ogona** to stick like a leech <a bur(r)>

rzepa *sf bot.* (*Brassica rapa*) turnip; **zdrów jak ~** as sound as a bell

rzepak *sm G.* **~u** *bot.* (*Brassica napus*) rape; cole, colza

rzepakow|iec *sm G.* **~ca** *zool.* (*Meligethes aenus*) a nitidulid

rzepakowy *adj* rape- (oil, seed etc.); colza- (oil); **makuch ~** rape-cake

rzepicha *sf bot.* (*Rorippa*) a herb of the genus Rorippa

rzep|ień *sm G.* **~nia** *bot.* (*Xanthium*) cocklebur

rzepik *sm G.* **~u** *bot.* 1. (*Brassica rapa*) turnip 2. (*Agrimonia*) agrimony

rzepk|a *sf dim* ↑ **rzepa**; *anat.* **~a kolanowa** knee-cap; knee-pan; *przysł.* **każdy sobie ~ę skrobie** every one for himself and the devil take the hindmost

rzepnica *sf* = **ognicha**

rzepnik *sm zool.* (*Pieris rapae*) cabbage white butterfly

rzesza *sf* 1. (*tłum*) crowd; throng; multitude; mass (of people) 2. **Rzesza** *hist. polit.* the Reich

rzeszoto *sn* riddle; **podziurawiony jak ~** riddled; honeycombed

rześki *adj* 1. (*pełen werwy*) full of vigour; vivacious; (*zdrowy*) fresh (as a daisy); (*żwawy*) spry; sprightly; lively 2. *przen.* (*orzeźwiający*) refreshing; brisk; bracing <keen> (air etc.)

rześko *adv* with vigour; briskly; **czuć się ~** a) (*pełnym werwy*) to be full of vigour b) (*zdrowym*) to be fresh (as a daisy); *przen.* **popędzić ~** to run ahead at a lively pace

rześkość *sf singt* vigour; vivacity; sprightliness; briskness

rzetelnie *adv* 1. (*uczciwie*) honestly; straightforwardly; solidly; **~ z kimś postąpić** to be square with sb; to give sb a sporting chance 2. *pot.* (*na dobre*) really; genuinely; soundly; in earnest; **~ go zbił** he gave him a sound thrashing

rzetelność *sf singt* 1. (*uczciwość*) honesty; straightforwardness; solidity; dependability; reliability 2. (*prawdziwość*) genuineness; earnestness

rzetelny *adj* 1. (*uczciwy*) honest; straightforward; fair; just; sterling; solid; dependable; reliable 2. (*prawdziwy*) real; genuine; earnest 3. (*należyty*) suitable

rzewień *sm* = **rabarbar**

rzewliwie *adv* = **rzewnie**

rzewliwość *sf singt* = **rzewność**

rzewliwy *adj* = **rzewny**

rzewnie *adv* 1. (*w sposób wzruszający*) touchingly; movingly 2. (*tkliwie*) tenderly; mawkishly 3. (*żałośnie*) melancholically; mournfully; **~ płakać** to shed bitter tears

rzewność *sf singt* 1. (*tkliwość*) tenderness; mawkishness 2. (*żałośliwość*) melancholy; mournfulness

rzewn|y *adj* 1. (*wzruszający*) moving; touching 2. (*tkliwy*) tender; mawkish; maudlin; sloppy 3. (*żałosny*) melancholy; mournful; **~e łzy** bitter tears

rzezak *sm* 1. (*nóż*) knife 2. (*rzeźnik żydowski*) kosher butcher 3. *rel.* circumciser

rzeza|niec † *sm G.* **~ńca** castrate

rzezimiesz|ek *sm G.* **~ka** 1. (*rabuś*) cutpurse 2. (*bandyta*) cutthroat

rze|ź *sf pl N.* **~zie** 1. (*ubój zwierząt*) slaughter 2. (*mordowanie*) massacre; shambles; carnage; butchering; **urządzić ~ź wśród ludności** to massacre <to slaughter, to butcher> the population; *rel.* **~ź niewiniątek** the Massacre of the Innocents

rzeźb|a *sf* 1. (*sztuka*) sculpture; sculpturing; statuary art; *geogr.* **~a powierzchni ziemi <terenu>** sculpture of the earth's surface 2. (*dzieło*) (a) sculpture; carving; *pl* **~y** sculptures; *zbior.* statuary

rzeźbiarka *sf* sculptress

rzeźbiarski *adj* sculptor's (studio, chisel etc.)

rzeźbiarsko *adv* sculpturally

rzeźbiarstwo *sn singt* sculpture; sculpturing; statuary art

rzeźbiarz *sm* sculptor

rzeźbić *vt vi imperf* 1. *plast.* to sculpture; to carve 2. *geol. geogr.* to sculpture (the forms of the earth's surface)

rzeźbienie *sn* (↑ **rzeźbić**) statuary art

rzeźbotwórczy *adj geol. geogr.* sculpturing (elements etc.)

rzeźnia *sf* slaughter-house; **~ końska** knackery

rzeźnicki *adj* butcher's <slaughtering> (knife etc.); **jatki ~e** shambles

rzeźnictwo *sn singt* butchering

rzeźniczka *sf* butcheress; proprietress of a butcher's shop

rzeźniczy *adj* butcher's (shop etc.); butchering (trade etc.)

rzeźnik *sm* 1. butcher 2. *przen.* (*człowiek krwiożerczy*) butcher <slaughterer> (of people)

rzeźn|y *adj* fit for slaughter; fattened; **bydło ~e** beef cattle; **waga ~a** dead meat

rzeźwiąco *adv* refreshingly; bracingly

rzeźwić *v imperf* [I] *vt* 1. (*orzeźwiać*) to refresh; to cool 2. (*ożywić*) to invigorate 3. (*trzeźwić*) to sober [III] *vr* **~ się** to refresh <to cool> oneself

rzeźw|o *adv* 1. (*żwawo*) briskly; **~o mi było** I felt spry <sprightly, lively> 2. (*orzeźwiająco*) refreshingly; **tam było ~iej** one felt refreshed there; the air there was bracing

rzeźwość *sf singt* 1. (*żwawość*) briskness; sprightliness 2. (*orzeźwienie*) bracingness

rzeźwy *adj* 1. (*żwawy*) spry; sprightly; lively; brisk; hearty 2. (*orzeźwiający*) refreshing; brisk; bracing <crisp, keen> (air etc.)

rzeżącz|ka *sf pl G.* **~ek** *med.* gonorrh(o)ea

rzeżączkowy *adj med.* gonorrh(o)eal

rzeżucha *sf bot.* (*Cardamine pratensis*) cuckoo-flower, lady's-smock

rzeżusz|ka *sf pl G.* **~ek** *bot.* (*Hutchinsia*) hutchinsia

rzędn|a *sf* (*decl = adj*) *mat.* ordinate; **oś ~ych** y-axis; y-line

rzędowo *adv* in rows

rzędowy *adj* placed <standing, lying> in rows; *roln.* **siewnik ~** drill

rzępolenie *sn* ↑ **rzępolić**

rzępolić *vi imperf* to fiddle; to scrape the fiddle; to rasp (on a fiddle)

rzępoła *sm pog.* fiddler

rzęs|a *sf* 1. (*zw. pl*) (*włoski na brzegu powieki*) eyelash; *pot.* **robić sobie ~y** to dye <to henna> one's eyelashes; *przen. żart.* **chodzić na ~ach** to be plastered 2. *singt bot.* (*Lemna*) duckweed

rzęsist|ek *sm G.* **~ka** *med.* Trichomonas

rzęsistość *sf singt* plentifulness; abundance; copiousness

rzęsist|y *adj* 1. (*obfity*) plentiful; abundant; **~e brawa <oklaski>** warm applause; **~e światła** glaring lights; **~y deszcz** heavy rain 2. (*pękaty*) copious 3. (*dziarski*) perky

rzęsiście *adv* plentifully; abundantly; copiously; **deszcz padał ~** it rained heavily

rzęs|ka *sf pl G.* **~ek** 1. *dim* ↑ **rzęsa** 1. 2. *pl* **~ki** *bot. zool.* cilia

rzęskowy *adj bot. zool.* ciliary (body etc.)

rzęsor|ek *sm G.* **~ka** *zool.* (*Neomys*) water shrew

rzęsowat|y *bot.* [I] *adj* lemnaceous [II] *spl* **~e** (*Lemnaceae*) (*rodzina*) the duckweeds

rzęst *sm G.* **~u** *bot.* (*Epacris*) epacris

rzęśl *sf bot.* (*Callitriche*) water starwort, star grass

rzęślowat|y *bot.* [I] *adj* callitrichaceous [II] *spl* **~e** (*Callitrichaceae*) (*rodzina*) the family Callitrichaceae

rzęśnia *sf bot.* (*Onobrychis sativa*) sainfoin

rzę|zić <rzę|żeć> *vi imperf* **~żę** to ruckle

rzężenie *sn* (↑ **rzęzić, rzężeć**) (a) ruckle

rznąć *zob.* **rżnąć**

rzodk|iew *sf G.* **~wi** *pl N.* **~wie** *bot.* (*Raphanus*) the genus Raphanus

rzodkiew|ka *sf pl G.* **~ek** *bot.* (*Raphanus sativus*) radish

rzodkiewnik *sm bot.* (*Arabidopsis*) the genus Arabidopsis

rzuc|ać *v imperf* — **rzuc|ić** *v perf* **~ę** [I] *vt* 1. (*ciskać*) to throw <to cast, to fling, *pot.* to chuck> (**coś, czymś na kogoś, coś** sth at sb, sth); *sport* to pitch (**piłkę, oszczep** a ball, a javelin etc.); **~ać, ~ić coś <czymś> na dół** to throw <to fling> sth down; **~ać, ~ić coś, czymś na wszystkie strony** to throw sth <things> about; to throw sth <things> right and left; **~ać, ~ić coś <czymś> w górę** to throw <to toss> sth in the air; to send sth up in the air; **~ać, ~ić coś z powrotem** to throw sth back; **~ać, ~ić cień** to cast a shadow (on the ground etc.); **~ić karty na stół** to throw up one's cards; **~ić list do skrzynki** to post a letter; **~ać, ~ić obraz na ekran** to project a picture on the screen; **~ać, ~ić sieci** to cast a net <nets>; **~ać, ~ić światło** a) (*oświetlać*) to shed light (on sth) b) (*wyjaśnić*) to throw some light (**na jakąś sprawę** on a matter); **~ać ziarno** to sow seeds; *przen.* **słowa ~one na wiatr** fair words <promises>; **~ać, ~ić kamieniem na kogoś** to set one's face against sb; **~ać komuś piaskiem w oczy** to throw dust in sb's eyes; **~ać, ~ić na kogoś błotem** to fling mud <dirt> at sb; **~ać pieniądze <pieniędzmi>** to squander money; **~ać pieniądze w błoto** to throw money down the drain; *pot.* **rzuć we mnie papierosem** chuck me over a cigarette 2. (*uderzać*) to dash <to hurl> (**kogoś <kimś> o mur itd.** sb against a wall etc.; **statek <statkiem> o skałę** a ship against a rock) 3. (*potrząsać*) to toss (**głową** one's <its> head) 4. (*gwałtownie kołysać*) to toss (**szalupą na falach** a boat on the waves); to sway (**drzewami** trees) back and forth 5. *przen. w zwrotach*: **~ać, ~ić broń** to lay down arms; **~ić czar na kogoś** to bewitch sb; **~ić klątwę na kogoś** to excommunicate sb; **~ić myśl** to make a suggestion; to propose; **~ić oskarżenie na kogoś** to lay a charge against sb; **~ić oszczerstwo** to slander; **~ać pioruny <gromy> na kogoś, coś** to thunder at <against> sb, sth; **~ać przekleństwa** to curse and swear 6. (*kierować gdzieś*) to send (a unit to the attack etc.); *handl.* **~ić towar na rynek** to put goods on the market 7. (*budować*) to throw (**most przez rzekę itd.** a bridge across <over> a river etc.) 8. (*wypowiadać*) to bandy <to exchange> (words); **~ić coś komuś w oczy** to tell sb sth to his face; to fling sth in sb's teeth 9. (*opuszczać*) to leave <*pot.* to chuck> (sb, a job etc.); **~ić męża <żonę>** to walk out on one's husband <wife>; **~ić narzeczonego** to jilt one's fiancé 10. *myśl.* (*o zwierzętach — wydać na świat*) to throw <to bring forth> (young) [II] *vi w zwrocie*: (**w samolocie, na morzu**) **~ało** we were tossed [III] *vr* **~ać, ~ić się** 1. (*skakać w dół*) to fling <to hurl> oneself (**w przepaść, w morze itd.** into a precipice, the sea etc.) 2. (*zerwawszy się skierować się pędem*) to rush (**ku**

drzwiom itd. to <for> the door etc.; **komuś z pomocą** to sb's assistance); to precipitate oneself; **~ić się chciwie na coś** to grab <to grasp> at sth; **~ić się na coś** to pounce <to swoop> on sth; to make a dash for sth; **~ić się naprzód** to lunge forward; **~ono się ku drzwiom** there was a rush <a stampede> for <to> the door; *przen.* **~ać się w oczy** to stand out; to be conspicuous; to be obvious <self-evident>; **nie ~ający się w oczy** unobtrusive; inconspicuous; **~ający się w oczy** obvious; self-evident; glaring 3. (*przypadać ciałem*) to throw <to fling> oneself (on the ground, on one's bed etc.); **~ać, ~ić się na kolana** to fall on one's knees; **~ić się komuś na szyję** to fall on sb's neck 4. (*miotać się*) to struggle (and kick); to fling about 5. (*napadać*) to assail (**na kogoś** sb); to jump <to spring> (**na kogoś** at sb); **~ić się komuś do gardła** to fly at sb's throat 6. (*brać się do czegoś z zapałem*) to give oneself up (**na książki** to reading; **w zabawy itd.** to dissipation etc.); **~ić się na jędzenie** to fall on one's food; **~ić się do czynu** to attack a task; **~ać, ~ić się na spekulacje** to embark upon speculations 7. *pot.* (*o chorobach*) to attack <to affect> (**na niektóre organy ciała** certain organs); (*o gangrenie itd.*) to develop (*vi*); **krew ~iła mu się ustami** blood gushed from his mouth; **krew ~iła mu się do głowy** the blood rushed to his head; **łzy ~iły się z jej oczu** tears gushed from her eyes

rzucanie *sn* ↑ **rzucać**; **~ oszczepem** <**dyskiem, młotem**> throwing the javelin <the discus, the hammer>

rzucawka *sf med. wet.* eclampsia

rzucenie *sn* 1. (↑ **rzucić**) (a) throw <fling, toss>; **~ rękawicy** throwing down the glove; challenge; act of defiance 2. **~ się** (a) rush <dash, pounce, swoop>

rzucić *zob.* **rzucać**

rzucik *sm G.* **~u** (*wzór*) spotted design

rzut *sm G.* **~u** 1. (*rzucenie*) throw; cast; fling; toss; *pot.* shy; (*w piłce nożnej*) kick; *sport* **~ dyskiem** <**młotem, oszczepem**> throwing the discus <the hammer, the javelin>; **~ karny** penalty kick; **~ rożny** corner-kick; **siła ~u** projectile force 2. (*szybki ruch*) movement; (*u zwierząt*) leap; **~ głowy** toss of the head; **~ oka** glance 3. *przen.* (*przegląd*) general view (**na jakiś temat** of a subject); **~ oka wstecz** retrospect, retrospection; **na pierwszy ~ oka** at first sight <view, blush>; on the face of it; prima facie; **na pierwszy ~ oka widać, że ...** one sees at once that ... 3. *mal.* (*pociągnięcie pędzlem, ołówkiem*) stroke (of the brush, of the pencil) 4. (*zarys*) sketch 5. (*część całości*) portion; instalment; lot <consignment> (of goods etc.); (*etap*) stage 6. *mat.* projection 7. *techn. bud.* view; throw; **~ z boku** side view; **~ z przodu** <**z tyłu**> front <back> view 8. *wojsk.* echelon; group; **~ ogniowy** <**walczący**> gun <fighting> group 9. (*u zwierząt*) dropping (of young); (*potomstwo*) litter

rzut|ka *sf G.* **~ek** *mar.* hauling <heaving> line

rzutki *adj* active; pushing; enterprising; go-ahead; *am.* up-and-coming; **~ człowiek** hustler; *am.* go-getter

rzutkość *sf singt* spirit of enterprise; initiative

rzutkow|iec *sm G.* **~ca** *sport* marksman

rzutnia *sf* 1. *mat.* projective plane; projection surface 2. *sport wojsk.* rim of the throwing circle

rzutnik *sm* 1. *fot.* enlarger 2. *techn.* projector; projection lantern

rzutować *v imperf* [I] *vt mat. bud. fot.* to project [III] *vi* (*odbijać się, mieć powiązanie*) to have a bearing <a repercussion> (on sth); to react

rzutowy *adj* 1. *mat.* projective (geometry etc.) 2. *roln.* broadcast (sowing); **siewnik ~** broadcaster 3. *fot.* diffused (light)

rzyć *sf gw.* arse

rzygacz *sm pl G.* **~y** <**~ów**> *arch.* gargoyle

rzyg|ać *v imperf* — **rzyg|nąć** *v perf* [I] *vi sl.* to spew; to puke; to cat; to vomit; **krew ~ała z rany** blood gushed from the wound; **~ać się chce** it's (simply) disgusting; it makes one sick [II] *vt* to belch out <to eject, to emit> (flames, clouds of smoke etc.); *sl.* **~ać krwią** to gush blood

Rzymian|in *sm pl N.* **~ie, Rzymian|ka** *sf pl G.* **~ek** (a) Roman

rzymsk|i *adj* Roman; **kościół ~i** the Church of Rome; **obrządek ~i** Roman <Latin> Rite; **~i katolik** Roman Catholic; **łaźnia ~a** steam <vapour> baths; **~i nos** Roman nose; *mat.* **cyfry ~ie** Roman numerals; *kulin.* **pieczeń ~a** minced meat; *techn.* **waga ~a** steelyard

rzymskokatolicki *adj* Roman Catholic (Church etc.)

rżeć *vi imperf* **rży** 1. (*o koniu*) to neigh; **~ z cicha, radośnie** to whinny 2. *przen. pot.* (*śmiać się*) to guffaw

rżenie *sn* (↑ **rżeć**) neigh <whinny> (of a horse)

rżn|ąć <**rzn|ąć**> *v imperf* [I] *vt* 1. (*ciąć*) to cut; (*piłować*) to saw; **~ąć na kawałki** to cut (sth) up; to saw (sth) up 2. (*ryć*) to cut (glass); to carve; **~ięte szkło** cut glass 3. (*zabijać*) to butcher; to slaughter 4. (*wpijać się boleśnie*) to hurt; *pot.* **~ęło go w żołądku** <**w kiszkach**> he had gripes <colics> 5. *pot.* (*robić coś namiętnie*) to do (sth) with abandon <zest, passion, fury, a vengeance>; to go at it hammer and tongs; **~ąć mazura** to dance the mazurka with abandon <zest>; **~ąć prawdę** to speak the unvarnished truth 6. *perf pot.* (*uderzyć*) to whack; to slog; to let fly (**kogoś** at sb) 7. *perf pot.* (*cisnąć*) to fling <to shy> (**czymś** sth) 8. *wulg.* (*mieć stosunek*) to screw (a woman) [II] *vi* 1. *pot.* (*robić coś namiętnie*) to do (**w coś** sth) with abandon <zest, passion, fury, a vengeance>; to go at it hammer and tongs; **~ąć w karty** to be engrossed <lost> in a game of cards; **~ąć z karabinu maszynowego** to fire furiously from one's machine gun 2. *perf pot.* (*uderzyć*) to whack; to slog; to let fly (**kogoś** at sb) 3. *wulg.* (*mieć stosunek*) to screw (a woman) 4. *wulg.* (*oddać kał*) to shit [III] *vr* **~ąć się** 1. (*bić się*) to fight 2. *perf pot.* (*uderzyć się*) to come bang (**o coś** against sth)

rżniącz|ka *sf pl G.* **~ek** *bot.* (*Dactylis glomerata*) orchard grass; cock's-foot

rżnięcie *sn* 1. ↑ **rżnąć** 2. *pot.* (*w żołądku, w kiszkach*) gripes; colics; cramps

rżniętka *sf rz. wulg.* (a) hiding; (a) thrashing

rżysko *sn roln.* rye field <stubble>

S

S, s *sn indecl* 1. (*litera*) the letter s 2. (*głoska*) the sound s

sabadyla *sf bot. farm.* (*Sabadilla officinalis*) Sabadilla

sabat[1] *sm hist. wojsk.* Hungarian mercenary

sabat[2] *sm G.* **~u** *rel.* sabbath (day); **~ czarownic** witches' sabbath; coven

sabatowy *adj* sabbatic(al)

Sabaudczyk *sm* Savoyard

sabina *sf bot.* (*Juniperus sabina*) savin, savine

sabot *sm G.* **~a** <**~u**> sabot

sabotaż *sm G.* **~u** sabotage; **uprawiać ~** to commit acts of sabotage

sabotażowy *adj* (act etc.) of sabotage

sabotażysta *sm* (*decl* = *sf*) saboteur

sabotować *vt imperf* to sabotage (a scheme etc.); to ratten

sabotowanie *sn* (↑ **sabotować**) acts of sabotage; **~ pracy** absenteeism

sacharoza *sf chem.* saccharose; sucrose

sacharydy *spl chem.* saccharides

sacharymetr *sm G.* **~u** *chem.* saccharimeter

sacharymetri|a *sf singt GDL.* **~i** *chem.* saccharimetry

sacharyna *sf chem.* saccharin(e)

sad *sm G.* **~u** orchard

sadł|o *sn singt* fat; *kulin.* lard; suet; *przen.* **góra ~a** fatty; **porastać w ~o** to line one's purse; to feather one's nest; **zalać komuś ~a za skórę** to give sb hell; to make things lively for sb

sadowić *v imperf* [I] *vt* to seat (sb) [III] *vr* **~ się 1.** (*siadać wygodnie*) to seat <to settle> oneself comfortably; (*o ptaku*) to settle 2. (*obierać sobie miejsce*) to seat oneself; to take one's seat; to sit down

sadownictwo *sn* fruit-growing; fruit-farming

sadowniczy *adj* 1. (*dotyczący sadownika*) fruit-grower's; fruit-farmer's 2. (*dotyczący sadownictwa*) fruit-growing <fruit-farming> (line)

sadownik *sm* fruit-grower; fruit-farmer; orchardman; orchardist

sadowy *sm* (*ogrodnik*) orchard-keeper

sadyba *sf* human habitation; dwelling-house; home

sadyst|a *sm* (*decl* = *sf*), **sadyst|ka** *sf pl G.* **~ek** sadist

sadystyczny *adj* sadistic

sadyzm *sm singt G.* **~u** sadism

sadz *sm ryb.* live box

sadza *sf* soot; smoke-black

sadzać *vt imperf* (*sadowić, usadzać kogoś*) to make (sb, people) sit down; to seat <to place> (**gości do stołu itd.** one's guests at table etc.); **~ chleb do pieca** to put bread in the oven to bake; **~ kogoś do lekcji** <**do książki**> to set sb doing his lessons <reading a book>; to make sb do his lessons <read a book>; **~ kogoś do więzienia** to send <to put, to throw> sb into prison <to gaol>; **~ kogoś za kraty** to put sb behind prison bars; **~ kogoś na urząd** to put sb in office; **~ kury na jajach** to set hens on eggs; **~ na pal** to impale (sb)

sadzak *sm ogr.* dibble; dibber

sadzar|ka *sf pl G.* **~ek** *roln.* planting machine; planter; **~ka ziemniaków** potato dibbler

sadzaw|ka *sf pl G.* **~ek** pool; pond; **~ka zarybiona** fish-pond

sadzeniak *sm roln. pl* **~i** seed-potatoes

sadzenie *sn* ↑ **sadzić**

sadzeniowy *adj leśn.* **materiał ~** seedlings

sadz|ić *v imperf* **~ę** [I] *vt* 1. (*flancować, zasadzać*) to plant (seedlings etc.); to set (plants etc.); to grow (vegetables, flowers) 2. = **sadzać** 3. (*wysadzać*) to set (**coś klejnotami itd.** sth with jewels etc.); **~ić błędy** to make mistake after mistake [II] *vi pot.* (*biec, iść szybko, pędzić*) to run; to speed; **~ić susami** to leap || **~ić przekleństwami** <**dowcipami itd.**> to lard one's talk with curses <witticisms etc.> [III] *vr* **~ić się** 1. (*prześcigać się*) to vie with one another 2. (*silić się*) to exert oneself to shine (**na dowcip itd.** in wit etc.); **~ić się na grzeczność dla kogoś** <**na pochwały**> to be profuse in one's attentions to sb <in one's praise>

sadziec *sm G.* **sadźca** *bot.* (*Eupatorium*) thoroughwort

sadzik *sm G.* **~a** <**~u**> *dim* ↑ **sad**

sadzon|ka *sf pl G.* **~ek** 1. (*pęd odcięty do sadzenia*) quickset; cutling 2. (*flanca*) seedling

sadzonkować *vt imperf ogr. roln.* to plant quicksets <seedlings>; to bed (plants)

sadzonkowy *adj* (plantation etc.) of seedlings; **materiał ~** seedlings

sadzowy *adj* sooty; fuliginous

sadzul|ec *sm G.* **~ca** *ogr. leśn.* dibber; dibble

sadź *sf* hoar-frost

safandulstwo *sn singt* oafishness

safanduła *sm* (*decl* = *sf*) oaf; duffer; muff

safes *sm G.* **~u** safe; *bank.* safe deposit

safian *sm G.* **~u** saffian; morocco (leather)

safianowy *adj* saffian — (upholstery etc.); morocco — (binding etc.)

safick|i *adj lit.* sapphic (verse etc.); **strofa** <**zwrotka**> **~a** sapphic stanza

safraniny *spl* (*barwnik*) safranines

sag|a[1] *sf* saga; **~i skandynawskie** Icelandic sagas

sag|a[2] *sf gw.* **na ~ę** on the slant; slantwise

sagan *sm* 1. (*naczynie kuchenne*) pot; kettle 2. *reg.* (*imbryk*) tea-urn

sagan|ek *sm dim* ↑ **sagan**

sagitalny *adj anat.* sagittal; **szew ~** sagittal suture

sago *sn singt kulin.* sago

sagowc|e *spl G.* **~ów** *bot.* (*Cycas*) the genus Cyoas; the sago palms

sagowcowate *spl bot.* (*Cycadaceae*) (*rodzina*) the Cycas family

sagowy *adj* sago (palm, pith etc.)

sahajdaczny *adj hist.* **hetman ~** a Cossack headman <hetman>

sahajdak *sm hist.* quiver

saharyjski *adj geogr.* Saharan, Saharian, Saharic

saintsimonista [sęs-] *sm* (*decl* = *sf*) *filoz.* Saint-Simonian

saintsimonizm [sęs-] *sm singt G.* **~u** *filoz.* Saint-Simonianism

sajdak *sm* = **sahajdak**

sajeta † *sf* a fine costly fabric

sak[1] *sm G.* **~a** <**~u**> 1. (*torba*) travelling bag; (*wo-

rek) sack 2. (*sieć na ryby*) fishing net 3. *dosł. i przen.* (*pułapka*) trap 4. † (*płaszcz męski*) sack, sac, sacque

sak[2] *sm G.* **~u** <**~a**> (*skóra cielęca wyprawna*) calfskin; *przen.* **głupi jak ~** as stupid as an owl

sakiew|ka *sf pl G.* **~ek** purse; money-bag

sakowy *adj* (*zrobiony z saka*) calfskin — (shoes etc.)

sakpalto † *sn* = **sak**[1] **4.**

sakra *sf* 1. *hist.* (*namaszczenie monarchy*) anointing (of a king) 2. *rel.* (*święcenie duchowne*) consecration (of a bishop)

sakralny *adj* sacral (formula etc.)

sakramencki *adj* (*w przekleństwach*) god-damn; ruddy; **ty ~ idioto!** you blooming idiot!

sakrament *sm G.* **~u** *rel.* sacrament; **Najświętszy ~** the Holy <Blessed> Sacrament; **~ małżeństwa** the sacrament of matrimony; **opatrzony świętymi ~ami** fortified with the rites of the Church; **przyjmować ~** to receive the sacrament

sakramentalnie *adv* sacramentally

sakramentalny *adj* 1. (*mający moc sakramentu*) sacramental 2. (*uświęcony zwyczajem*) sacramental; time-honoured

sakrament|ka *sf G.* **~ek** nun of the Order of the Holy Sacrament

sakshorn *sm G.* **~u** *muz.* saxhorn

saksofon *sm G.* **~u** *muz.* saxophone

saksofonista *sm* (*decl* = *sf*) saxophonist

saksofonowy *adj* saxophone — (part etc.)

Saksończycy *spl* the Saxons

saks|y *spl G.* **~ów** seasonal labour; **chodzić** <**iść**> **na ~y** to seek seasonal labour

sak|wa *sf pl G.* **~w** <**~iew**> 1. *lit.* (*worek podróżny, torba*) travelling-bag; wallet 2. (*woreczek na pieniądze*) purse; money-bag 3. (*torba do obroku dla koni*) nose-bag

sakwojaż † *sm* hold-all; travelling-bag

sala *sf* 1. (*wielki pokój*) room; (banqueting- etc.) hall; **~ balowa** ball-room; **~ chorych** ward; **~ gimnastyczna** <**sportowa**> gym hall; **~ jadalna** dining-room; **~ konferencyjna** conference room; **~ lekcyjna** schoolroom, class-room; **~ obrad** conference room; **~ operacyjna** operating-theatre; **~ teatralna** auditorium; **~ wykładowa** lecture hall 2. (*publiczność zebrana w sali*) audience; **cała ~ śpiewała** the entire audience sang

salamandra *sf zool.* (*Salamandra*) salamander

salamandrowate *spl zool.* (*Salamandridae*) (*rodzina*) the family Salamandridae

salami *sn indecl* salami

salangana *sf zool.* (*Collocalia*) swift

salater|ka *sf pl G.* **~ek** salad bowl; vegetable dish

salcefi|a *sf GDL.* **~i** = **salsefia**

salceson *sm G.* **~u** headcheese; (mock) brawn

saldo *sn księgow.* balance; **~ dodatnie** <**ujemne**> credit <debit> balance; **~ kasowe** balance <cash> in hand

saletra *sf* saltpetre; nitre; **~ amonowa** Norway saltpetre; **~ chilijska** Chile saltpetre <nitre>; **~ potasowa** saltpetre; nitre; **~ sodowa** soda saltpetre; **~ wapniowa** lime saltpetre

saletrować *vt imperf* to treat with saltpetre

saletrzarnia *sf techn.* saltpetre works

salicyl *sm G.* **~u** salicyl

salicylan <**salicylat**> *sm G.* **~u** *chem.* salicylate

salicylowy *adj* salicylic

salina *sf* 1. *górn.* (*zakład produkujący sól*) salt-works 2. (*kopalnia soli*) salt-mine

saling *sm G.* **~u** *mar.* cross-trees; spreader; outrigger

salipiryna *sf chem. farm.* salipyrine

sal|ka *sf pl G.* **~ek** *dim* ↑ **sala**

salmiak *sm G.* **~u** *chem.* sal-ammoniac

salol *sm G.* **~u** *chem. farm.* salol

salomonowy *adj* Solomonic; *przen.* (*mądry*) wise; (*sprawiedliwy*) just

salon *sm G.* **~u** 1. (*pokój do przyjmowania gości*) drawing-room; parlour; salon 2. (*lokal*) saloon; **~ artystyczny** salon; **~ fryzjerski** hair-dressing <shaving> saloon; **~ literacki** literary salon; **~ wystawowy** exhibition room

salonik *sm G.* **~u** parlour

salon|ka *sf pl G.* **~ek** saloon carriage; *am.* parlor car

salonow|iec † *sm G.* **~ca** (*człowiek elegancki, wytworny*) man of fashion <of the world>

salonowo *adv* with refinement; with polished manners

salonowość *sf singt rz.* refinement; polished manners

salonow|y *adj* 1. (*właściwy salonom*) refined; polished; **~a muzyka** drawing-room music; *przen.* **~a lalka** doll; **~y lew** carpet-knight; lady's man 2. (*nadający się do salonu*) drawing-room — (furniture etc.); **~y piesek** lap-dog; **wagon ~y** = **salonka**

salopa *sf* mantle

salopka *sf dim* ↑ **salopa**

salow|a *sf*, **salow|y** *sm* (hospital-)ward attendant

salsefi|a *sf GDL.* **~i** *pl G.* **~i** *bot.* (*Trogopogon porrifolius*) salsify, salsafy

salto *sn* <*sn indecl*> somersault; **~ mortale** double somersault

salut *sm G.* **~u** salute

salutować *vt imperf* to salute; **~ banderą** to dip one's flag; **~ szablą** to carry swords

salutowanie *sn* (↑ **salutować**) (a) salute

salw|a[1] *sf* salvo; volley; **~a honorowa** salute; **dać ~ę** a) (*na powitanie*) to fire a salute b) (*do nieprzyjaciela*) to discharge a volley; *przen.* **~a braw** storm <burst> of applause; **~a śmiechu** peal <storm> of laughter

salwa[2] † *sf* (*ratunek, ocalenie*) salvation

salwarsan *sm G.* **~u** *chem. farm.* salvarsan

salwini|a *sf GDL.* **~i** *pl G.* **~i** *bot.* (*Salvinia rotundifolia*) floating moss

salwować † *v perf imperf* I *vt* to save III *vr* **~ się** to save oneself; **~ się ucieczką** to resort to flight

salwowanie *sn* (↑ **salwować**) salvation

sałaciarz *sm pl G.* **~y** *pot. pog.* cabby

sałat|a *sf* 1. *bot.* (*Lactuca*) lettuce; **główka ~y** head of lettuce 2. *kulin.* salad

sałat|ka *sf pl G.* **~ek** *kulin.* salad

sałatkowy *adj kulin.* salad — (dressing, oil etc.)

sam[1] *pron N.* **~** *m* <**~a** *f*, **~o** *n*> (*decl* = *adj*) *pl N.* (*męsko-osobowe*) **~i**, (*niemęsko-osobowe*) **~e** 1. (*w znaczeniu wyróżniającym, precyzującym, przeciwstawiającym*) oneself; (*w znaczeniu uściślającym*) very; right; **drzwi się ~e otworzyły** the door opened of itself; **pasuje w ~ raz** it's just <exactly> right; **przybyć w ~ą porę** to come in the nick of time; **przyjść ~o z siebie** to come of itself; **zawdzięczać wszystko ~emu sobie** to have only oneself to thank for everything; **zrobię to ~** I'll do it myself; **do ~ego końca** to the very end; **do ~ego szczytu** right to the top; **od ~ego początku** from the very beginning; **~o przez się** by itself; **~o w sobie** in itself; **w ~ środek, w ~ym środku** right in the middle; *przen.* **mieć pracy po ~e łokcie** to be up to the elbows in work; **zaczerwienić się po ~e uszy** to go as red as a peony 2. (*bez towarzystwa*) alone; by oneself; **~ jeden** (quite) alone; **mieszkam ~** I live alone; **zostałem ~** I am quite alone 3. (*bez towarzystwa innych przedmiotów, domieszek, dodatków*) nothing but; so much; **czytać ~e poważne książki** to read nothing but serious books; **mówić ~ą prawdę** to speak nothing but the truth; **zawierać ~e tylko fakty** to contain nothing but facts; **to ~e śmiecie** it's so much rubbish 4. (*nagromadzony w szczególnym stopniu*) nothing but; **dostawać ~e złe oceny** to get nothing but bad marks; **doświadczać ~ego powodzenia i pomyślności** to meet with nothing but success 5. (*stanowiący wystarczającą przyczynę*) mere; very; **drżeć na ~o wspomnienie** to tremble at the mere <very> thought; **~o jego imię napełniało trwogą** the mere mention of his name filled people with terror; **za ~o „dziękuję"** for a bare thank you || **~ na ~** tête-à-tête (with sb); **przelotne ~ na ~** a passing tête-à-tête; **przebywać z kimś ~ na ~** to be tête-à-tête with sb; **jedno i to ~o** one and the same (thing); **odczuwać to ~o co inni** to feel the same as other people; **nie ten ~** not the same; no longer the same (man etc.); **to nie ta ~a kobieta** she is not herself; **to nie ten ~ człowiek** he is not himself; **taki ~** an identical one; **tak ~o** the same (way); similarly; likewise; **tak ~o jak** just as; **ten ~** the very same; (*w ten sposób, skutkiem tego*) **tym ~ym** thus; thereby

sam[2] *sm G.* **~u** *pot.* (*sklep samoobsługowy*) self-service shop <*am.* store>

samar *sm G.* **~u** *chem.* samarium

samarytanin *sm* 1. *hist.* Samaritan 2. (*człowiek miłosierny*) good Samaritan

samarytan|ka *sf G.* **~ek** good Samaritan

samarytański *adj* Samaritan (kindness)

samba *sf* samba

samcz|y *adj* 1. (*właściwy samcowi*) male (instinct etc.) 2. *bot.* **narecznica ~a, paproć ~a** (*Aspidium filix-mas*) shield <buckler> fern

samczyk *sm* (a) male

samica *sf* (*zwierzę oraz pog. kobieta*) female

samicz|ka *sf pl G.* **~ek** female

samicz|y *adj* 1. (*dotyczący samicy*) female 2. *bot.* **storczyk ~y** (*Orchis morio*) male orchis; **wietlica ~a** (*Athyrium filix-femina*) lady fern

sam|iec *sm G.* **~ca** *pl N.* **~ce** male; **dopuszczać ~ca do samicy** to take a female animal to be served

samiuteńki *adj*, **samiutki** *adj* quite <all> alone

sam|ka † *sf pl G.* **~ek** = samica

samo- *praef* self-

samoanaliza *sf* self-analysis

samobiczowanie *sn* self-castigation

samobieżny *adj* self-acting

samobójca *sm* (*decl* = *sf*) (a) suicide

samobójczo *adv* suicidally

samobójcz|y *adj* suicidal; *sport* **bramka ~a** a kick into one's own goal; **mania ~a** suicidal mania; **śmierć ~a** suicide

samobójczyni *sf* (a) suicide

samobójstwo *sn* suicide; **popełnić ~** to commit suicide

samocentrujący *adj techn.* self-centring

samochcąc <*rz.* **samochcący**> *adv* voluntarily; of one's own free will; through one's own fault

samochodow|y *adj* motor-car — (parts etc.); motor — (show, industry etc.); automobile — (club etc.); car — (park etc.); **jazda ~a** motoring; **komunikacja ~a** motor transport; **kurs ~y** driving lessons; **obsługa ~a** auto service; **wycieczka ~a** a) (*organizowana*) excursion by car b) (*prywatna*) a drive

samochodziarz *sm pl G.* **~y** <**~ów**> *pot.* motorist

samoch|ód *sm G.* **~odu** motor-car; *am.* automobile; *pot.* car; **~ód ciężarowy** lorry; *am.* truck; **~ód osobowy** passenger car; **~ód pancerny** armoured car; **~ód terenowy** touring car; **~ód wyścigowy** racing car; **~ód-wywrotka** tipping-lorry; **jeździć ~odem** to motor; **kierować ~odem** to drive

samochwalca *sm* (*decl* = *sf*) = **samochwał**

samochwalczy *adj* boastful; braggart

samochwalstwo *sn singt* brag; boastfulness; boastful talk; rodomontade; gasconade

samochwał *sm*, **samochwała** *sf*, *sm* (*decl* = *sf*) braggart; boaster; *am. sl.* blow-hard

samoczwart † *sm* the four of us <you, them>

samoczynnie *adv* automatically

samoczynny *adj* automatic; self-acting

samodoskonalenie (się) *sn singt* self-improvement

samodział *sm G.* **~u** homespun (cloth)

samodziałowy *adj* 1. (*zrobiony z samodziału*) homespun 2. (*zrobiony domowym sposobem*) home-made

samodzielnie *adv* 1. (*bez niczyjej pomocy*) by oneself; unaided; single-handed 2. (*odrębnie, samoistnie*) independently; individually; separately

samodzielność *sf singt* independence; self-dependence

samodzielny *adj* 1. (*nie uzależniony od nikogo*) independent; self-dependent; **być ~m** to depend on oneself 2. (*tworzący odrębną całość*) separate; individual; self-contained

samodzierżawie *sn singt* autocracy

samodzierżca *sm* (*decl* = *sf*) autocrat

samogłos|ka *sf pl G.* **~ek** *jęz.* vowel; vocal

samogłoskowy *adj* vocal; vocalic

samogł|ów *sm G.* **~owa** *zool.* (*Mola*) sunfish

samogon *sm singt G.* **~u**, **samogon|ka** *sf singt pl G.* **~ek** illicitly distilled liquor; rot-gut; moonshine; *am.* hooch

samograj *sm pot.* child's play

samograjacy *adj* automatic

samogwałt *sm singt G.* **~u** onanism; self-abuse

samohamowny *adj techn.* self-locking

samohartowność *sf singt* self-hardening (of steel)

samohartowny *adj*, **samohartujący się** *adj techn.* self-hardening (steel)

samoindukcja *sf fiz.* self-induction

samoinkaso *sn singt* collecting (of money)

samoistnie *adv* autonomously; spontaneously; *med.* idiopathically

samoistność *sf singt* 1. (*istnienie samoistne*) autonomy; spontaneity; spontaneousness; *med.* idiopathy 2. (*samodzielność*) independence; self-containedness

samoistny *adj* 1. (*istniejący niezależnie*) autonomous; spontaneous; *med.* idiopathic 2. (*tworzący odrębną całość*) independent; self-contained

Samojed *sm* Samoyed

samojezdny *adj techn.* self-propelled

samokierowanie *sn techn.* homing (guidance)

samokontrola *sf* self-observation

samokrytycyzm *sm singt G.* **~u** self-criticism

samokrytycznie *adv* self-critically

samokrytyczny *adj* self-critical

samokrytyka *sf singt* self-criticism; self-accusation; self-condemnation

samokształcenie *sn singt* self-education; self-teaching; self-improvement

samokształceniow|y *adj* **kółko ~e** mutual improvement circle

samolicząc|y *adj* **maszyna ~a** electronic computer

samolot *sm G.* **~u** (aero)plane; air-plane; (air)craft; **~ bojowy** fighter plane; **~ bombardujący** bomber; **~ myśliwski** chaser; **~ odrzutowy** <**rakietowy**> jet plane; **~ pasażerski** <**komunikacyjny**> liner; **~ szkolny** trainer; **~ turbo-śmigłowy** turboprop; **~ wodny** sea-plane; **~em** by air; by plane

samolotowy *adj* aeroplane ___ (propeller etc.); aircraft ___ (station etc.)

samolub *sm pl N.* **~y** egoist; **być ~em** to be selfish

samolubny *adj* selfish; egoistic; self-seeking

samolubstwo *sn* selfishness; egoism

samoładowanie *sn górn.* self-loading

samołap|ka *sf pl G.* **~ek**, **samołów|ka** *sf pl G.* **~ek** trap; snare

samonakładacz *sm pl G.* **~y** automatic feeder; feeding apparatus

samonastawność *sf singt techn.* self-adjustment; self-aligning

samonastawny *adj techn.* self-adjusting; self-aligning

samoobrona *sf* self-defence

samoobserwacja *sf psych.* self-observation; introspection

samoobsługa *sf* self-service

samoobsługowy *adj* self-service ___ (shop, store); **bar ~** self-service bar; *am.* cafeteria

samoodnowa *sf* regeneration

samoofiara *sf* self-offering; self-devotion; self-sacrifice

samoograniczenie *sn* self-limitation

samookaleczenie *sn wojsk.* self-mutilation

samookreślenie *sn singt* self-determination

samoopanowanie *sn singt* self-control

samoopróżniacz *sm pl G.* **~y** <**~ów**> *techn.* self-tipping lorry <truck>

samooskarżenie *sn singt* self-accusation

samopał *sm G.* **~u** *hist.* an old-time fire-arm

samopas *adv* 1. (*osobno*) alone; singly; individually; independently 2. (*bez opieki*) unheeded; uncared-for 3. (*samowolnie*) loosely; **chodzić ~** to straggle; to wander at large; to loiter; (*o młodzieży*) to run wild

samopis *sm G.* **~u** *fiz. techn.* recorder; self-recording instrument <device>; *telegr.* inker

samopiszący *adj* self-registering; self-recording

samopłodny *adj bot.* autogamous, autogamic; self-fertilizing

samopłonność *sf bot.* self-sterility

samopłonny *adj* self-sterile

samopoczucie *sn singt* 1. (*stan psychiczny*) frame of mind; **mieć dobre ~** to be in a good frame of mind <in fine fettle, in high feather>; *am.* to feel good; **mieć złe ~** to be in a bad frame of mind <indisposed>; to feel seedy <*pot.* rotten>; **jak ~?** how are you feeling? 2. (*poczucie osobowości*) self-consciousness 3. (*stan fizyczny*) **dobre ~** comfort; **złe ~** discomfort; **~ chorego jest dobre** the patient feels comfortable

samopodawacz *sm pl G.* **~y** <**~ów**> self-feeder

samopodział *sm singt G.* **~u** *biol.* spontaneous division; fission

samopomoc *sm* 1. (*wzajemna pomoc*) mutual aid 2. (*zrzeszenie*) mutual aid society

samoponiżanie (się) *sn singt rz.* self-abasement

samopotępienie *sn singt* self-condemnation

samopowtarzalny *adj wojsk.* automatic

samopoznanie *sn singt psych.* the study of self; self-knowledge

samoprząśnica *sf* self-acting mule

samopyln|y *adj bot.* autogamous, autogamic; self-fertilizing; **rośliny ~e** autogamous plants

samoregulacja *sf singt biol.* self-regulation; self-control; inherent regulation

samorejestrujący *adj techn.* self-registering

samoreklama *sf singt rz.* self-advertising

samorod|ek *sm G.* **~ka** *miner.* nugget

samorodność *sf singt* spontaneous generation

samorodny *adj* 1. (*wynikający z cech wrodzonych*) inborn; natural; genuine 2. (*spontaniczny*) spontaneous 3. † (*będący wytworem natury — o metalu itd.*) virgin

samorozw|ój *sm singt G.* **~oju** self-development

samorództwo *sn singt biol.* spontaneous generation; autogeny

samorząd *sm G.* **~u** autonomy; self-government; **~ miejski** municipal government <administration>; municipality

samorządny *adj rz.* autonomous

samorządow|iec *sm G.* **~ca** *pl N.* **~cy** member of the local government

samorządowy *adj* (*mający samorząd*) self-governed; (*związany z samorządem miejskim*) municipal

samorzutnie *adv* spontaneously; of one's own accord <volition>; voluntarily

samorzutność *sf singt* spontaneity

samorzutny *adj* spontaneous; voluntary

samosąd *sm G.* **~u** mob law; lynch; Lynch law; **dokonać ~u nad kimś** to lynch sb

samosiej *sm bot.* species of flax cultivated for its seed

samosiej|ka *sf pl G.* **~ek** 1. *pot.* (*tytoń*) illicitly cultivated tobacco 2. = **samosiew**

samosiew *sm G.* **~u** 1. (*wysianie nasion*) self-seeding 2. (*roślina*) self-sown plant

samosiew|ka *sf pl G.* **~ek** = **samosiew** 2.

samosmar *sm G.* **~u** *techn.* self-lubrication

samostanowienie *sn singt polit.* self-determination

samosterujący *adj fiz. wojsk.* self-steered

samostrzał *sm G.* **~u** *hist.* cross-bow

samosynchronizacja *sf* automatic synchronization

samoświadomość *sf singt* the consciousness of self

samoświecący *adj rz.* self-luminous
samotnia *sf* seclusion; solitude; place of retirement
samotnica *sf* recluse
samotnictwo *sn singt* seclusion; retirement
samotnicz|ka *sf pl G.* **~ek = samotnica**
samotniczo *adv* solitarily; in seclusion; in retirement; in loneliness
samotniczy *adj* (life etc.) of a recluse; solitary; retired
samotnie *adv* solitarily; **latać ~** to fly solo; **żyć ~** to live in seclusion <in retirement>; to live a lonely life
samotnik *sm* 1. (*człowiek*) recluse; solitary; hermit 2. *myśl.* rogue
samotność *sf singt* solitude; retirement; loneliness
samotn|y *adj* 1. (*żyjący w odosobnieniu*) solitary; recluse; (life etc.) of retirement; (*nie mający towarzystwa*) lonely; forlorn; friendless 2. (*sam*) all alone; (*o dziewczynie, kobiecie*) unescorted; (*o drzewie, budynku, zwierzęciu*) single; **~e życie** single life 3. (*ustronny*) solitary; secluded (spot) 4. (*nieżonaty, niezamężna*) single; unmarried
samotok *sm G.* **~u** *techn.* roll table
samotrawienie (się) *sn biol.* self-digestion; autolysis
samotrzask *sm G.* **~u** *myśl.* trap; snare
samoubóstwienie *sn* self-admiration
samouctwo *sn singt* self-instruction
samoucz|ek *sm G.* **~ka** (*podręcznik*) "teach yourself" manual; manual for self-instruction
samou|k *sm pl N.* **~cy** <**~ki**> self-taught person; autodidact; **jestem ~kiem** I am self-taught
samoumartwienie *sn* self-mortification; self-torment
samouspokojenie *sn* self-appeasement
samoutlenianie *sn* self-oxidation
samouwielbienie *sn* self-admiration
samowar *sm* samovar
samowarek *sm* 1. *dim* ↑ **samowar** 2. *pot. żart.* (*kolejka*) narrow-gauge railway
samowiedza *sf singt lit.* 1. (*wiedza o samym sobie*) self-knowledge 2. (*uświadamianie sobie*) consciousness 3. *psych.* self-recognition
samowładca *sm* (*decl = sf*) *lit.* autocrat
samowładny *adj lit.* sovereign; despotic
samowładztwo *sn lit.* 1. (*rządy absolutne*) autocracy 2. (*arbitralność*) arbitrariness
samowola *sf singt* lawlessness; licence
samowolnie *adv* 1. (*kierując się własną wolą*) wilfully; arbitrarily 2. (*ignorując prawo*) lawlessly; illicitly
samowolny *adj* 1. (*kierujący się własną wolą*) wilful; arbitrary 2. (*ignorujący prawo*) lawless 3. † (*zależny od własnej woli*) wilful
samowtór † *adv* the two of us <you, them>
samowychowanie *sn singt rz.* self-education
samowyleczenie *sn rz med.* self-cure; autotherapy
samowyładowanie *sn* self-dumping <self-discharging> (of loads)
samowyładowczy *adj techn.* self-dumping <self-discharging, self-tipping> (vehicle)
samowyłączenie *sn singt* self-release
samowystarczalność *sf singt* self-sufficiency
samowystarczalny *adj* self-sufficient; self-supporting; self-contained; unsubsidized
samowyzwalacz *sm fot.* time releaser
samozachowawczy *adj psych.* (instinct) of self-preservation
samozadowolenie *sn singt* (self-)complacency; **z ~m** complacently
samozagrzewanie (się) *sn singt roln.* **~ się siana** mowburn
samozakażenie *sn med.* self-infection
samozapalający (się) *adj górn. techn.* self-igniting
samozapalenie (się) *sn singt górn. techn.* self-ignition
samozapalność *sf singt górn. techn.* spontaneous inflammability
samozapalny *adj* self-igniting
samozaparcie (się) *sn singt* self-abnegation; self-denial
samozapisujący *adj techn.* self-recording; self-registering
samozapłodnienie *sn biol.* self-fertilization
samozapłon *sm G.* **~u** *techn.* spontaneous ignition <combustion>; self-ignition; auto-ignition
samozapylający się *adj bot.* autogamous; self-fertile
samozapylenie *sn bot. ogr.* self-fertilization; autogamy
samozasiew *sm G.* **~u** *ogr. roln.* self-seeding
samozatrucie (się) *sn med.* autointoxication
samozłuda *sf* self-deception; self-delusion
samozryw *sm G.* **~u** *techn.* breaking length
samozwa|niec *sm G.* **~ńca** *pl N.* **~ńcy** usurper; pretender; **Dymitr Samozwaniec** the false Demetrius
samozwańczy *adj* usurpatory; self-styled
samozwańtwo *sn singt rz.* usurpation
samożywność *sf singt bot. zool.* self-nourishment; autotrophy
samożywn|y *adj bot. zool.* autotrophic (plant etc.); **rośliny ~e** autotrophic plants
sampan *sm mar.* sampan
samum *sm G.* **~u** *meteor.* simoom, simoon; dust-storm
samura *sf myśl.* wild sow
samuraj *sm pl N.* **~owie** <**~e**> samurai
samurka *sf dim* ↑ **samura**
sanacja *sf* 1. (*uzdrowienie*) sanitation; purge <reform> (in an administration etc.) 2. *polit.* (*w Polsce*) the "sanacja" regime <system> (Piłsudski's followers after 1926)
sanatorium *sn med.* sanatorium; *am.* sanitarium; nursing home; (*dla ozdrowieńców*) convalescent house; rest home
sanatoryjny *adj med.* sanatorium — (treatment etc.)
sandacz *sm pl G.* **~y** <**~ów**> *zool.* (*Lucioperca sandra*) pike-perch; zander
sandaczowy *adj* zander — (fishing etc.)
sandał[1] *sm* (*rodzaj obuwia*) sandal
sandał[2] *sm G.* **~u = sandałowiec**
sandałowat|y *bot.* [I] *adj* santalaceous [II] *spl* **~e** (*Santalaceae*) (*rodzina*) the family Santalaceae
sandałow|iec *sm G.* **~ca** *bot.* (*Santalum album*) sandalwood; sandal-tree; sanders
sandałow|y *adj bot.* sandalwood (oil, tan etc.); **drzewo ~e** sandal-tree
sandarak *sm*, **sandaraka** *sf chem. techn.* sandarac
sandomierka *sf singt roln.* a Polish variety of wheat
sandr *sm G.* **~u** *geogr. geol.* outwash
sandrowy *adj geogr.* outwash — (sands etc.)
sandwicz *sm* 1. (*kanapka*) sandwich 2. *rz.* (*człowiek*) sandwich-man

sandżak *sm hist.* sanjak

saneczkarski *adj* luge — (chute, contest etc.)

saneczkarstwo *sn sport.* lugeing; sledging

saneczkarz *sm pl G.* **~y** <**~ów**> luger

saneczki *spl* (*dim* ↑ **sanki**) (*dziecinne*) sledge; (*sportowe*) luge

saneczkować *vi imperf rz.* to sledge; *sport* to luge

saneczkowy *adj* sledge — (run etc.); *sport* luge — (chute etc.); **sport ~ = saneczkarstwo**

sangwina *sf* (*kredka oraz rysunek*) sanguine

sangwiniczny *adj psych.* sanguine

sangwinik *sm psych.* man of sanguine disposition

sanhedryn *sm G.* **~u** *hist. rel.* Sanhedrin

sanica *sf* (*zw. pl*) runner(s)

sani|e *spl G.* **sań** <**~**> sledge; (*pojazd*) sleigh; **dzwoneczki u sań** sleigh-bells; **jazda ~ami** sledging; **jeździć ~ami** to sledge; to sleigh

sanitari|a *spl G.* **~ów** sanitary arrangements

sanitariat *sm G.* **~u** sanitary authorities

sanitariusz *sm* (*szpitalny*) hospital orderly; (*wojskowy*) stretcher-bearer; (*w marynarce*) sick-bay rating

sanitariusz|ka *sf pl G.* **~ek** nurse

sanitar|ka *sf pl G.* **~ek** 1. (*samochód*) ambulance 2. *rz.* (*samolot*) ambulance plane

sanitarn|y *adj* health — (service, officer etc.); sanitary — (arrangements etc.); **pociąg ~y** hospital train; *wojsk.* **punkt ~y** dressing-station; **rozdzielczy punkt ~y** clearing station; **urządzenia ~e** sanitation

sankarz *sm pl G.* **~y** <**~ów**> sledge-driver

sankcj|a *sf prawn.* 1. (*środek przymusu*) sanction; **zastosować ~e** to apply sanctions 2. (*usankcjonowanie*) sanction; approval; **nadać ~ę prawną czemuś** to sanction sth 3. (*w prawie międzynarodowym*) sanction || *hist.* **~a pragmatyczna** the Pragmatic Sanction

sankcjonować *vt imperf prawn.* to sanction; to authorize; to countenance

san|ki *spl G.* **~ek** 1. = **sanie**; *sport* **~ki wodne** surf-boards 2. (*mały pojazd*) sledge 3. *techn.* slipper

sankiulot † *sm*, **sankiulota** *sm* (*decl = sf*) *hist.* sansculotte

sanktuarium *sn dosł. i przen.* sanctuary

sanna *sf* 1. (*jazda*) sledging 2. (*droga*) sleighing conditions

sanować *vt imperf rz.* to reform (conditions); to purge (an administration etc.)

sanskrycki *adj* Sanskrit <Sanscrit> (writings etc.)

sanskryt *sm singt G.* **~u** *jęz.* Sanskrit, Sanscrit

sanskrytolo|g *sm pl N.* **~dzy** <**~gowie**> Sanskritist, Sanscritist

santonina *sf singt chem. med.* santonin(e)

sap *sm G.* **~u** *rz.* (*odgłos*) wheezing

sapa *sf wojsk.* sap

sap|ać *vi imperf* **~ie** — **sap|nąć** *vi perf* 1. (*oddychać*) to breathe heavily; to puff (and blow); to snort; to wheeze; to gasp (**ze złości** with rage) 2. *przen.* (*o parowozie*) to chug; to puff

sapanie *sn* ↑ **sapać**

saper *sm wojsk.* sapper; engineer

saper|ka *sf pl G.* **~ek** (*krótka łopatka*) shovel

saperski *adj* engineer — (work, store etc.)

sapieżan|ka *sf pl G.* **~ek** *ogr.* a variety of pear

sap|ka *sf pl G.* **~ek** *med.* snuffles; rhinitis; coryza

sapliwy *adj* wheezing.

sapnąć *zob.* **sapać**

saponina *sf chem.* saponin(e)

sapowisko *sn geol.* flat of poorly drained sandy soil

saprofag *sm* (*zw. pl*) *zool.* saprophagan

saprofit *sm* (*zw. pl*) *biol. bot.* saprophyte

saprofityczny *adj biol.* saprophytic

sapropel *sm G.* **~u** *pl G.* **~i** <**~ów**> *miner.* sapropel

sapropelit *sm G.* **~u** *miner.* sapropelite

sapropelowy *adj geol. miner.* sapropelic

sapy *spl geogr.* poorly drained sandy soil

sarabanda *sf muz.* saraband

Saracen *sm pl N.* **~i** *hist.* Saracen

saraceński *adj* Saracenic

saradela *sf* = **seradela**

sarafan *sm G.* **~a** <**~u**> sarafan

sardela *sf zool.* (*Engraulis encrasicholus*) anchovy

sardelowy *adj kulin.* anchovy — (paste etc.)

sardonicznie *adj* sardonically

sardoniczny *adj lit.* sardonic (smile etc.)

sardonik *sm G.* **~u**, **sardonyks** *sm G.* **~u** *miner.* sardonyx

sardyn|ka *sf pl G.* **~ek** *zool.* (*Sardina pilchardus*) sardine

sarenka *sf dim* ↑ **sarna**

sarepsk|i *adj bot.* **gorczyca ~a** (*Brassica juncea*) Sarepta mustard

sargass|o *sn L.* **~ie** *bot.* (*Sargassum*) sargasso (weed); gulfweed

sargassowy *adj* **Morze Sargassowe** Sargasso Sea

sark|ać *vi imperf* — **sark|nąć** *vi perf* 1. (*narzekać*) to grumble <to repine> (**na coś** at <against> sth); to murmur <to complain> (**na coś** at <about> sth) 2. (*zw. perf*) (*burknąć*) to snort out (an order, an answer etc.)

sarkanie *sn* (↑ **sarkać**) murmurs; complaints

sarkasta *sm* (*decl = sf*) sarcast

sarkastycznie *adv* sarcastically

sarkastyczność *sf singt rz.* sarcasm

sarkastyczny *adj* sarcastic (smile etc.)

sarkazm *sm G.* **~u** sarcasm

sarknąć *zob.* **sarkać**

sarkofag *sm G.* **~u** sarcophagus

sarkoma *sf med.* sarcoma

sarmacki *adj* Sarmatian; old-Polish; *geol.* **Morze Sarmackie** Sarmatian Sea

sarmackość *sf singt* old-Polish traits

sarmat *sm G.* **~u** *geol.* Sarmatian (stage of the Miocene)

Sarmata *sm* (*decl = sf*) 1. (*Polak starej daty*) (an) old-Polish character 2. *hist.* (*członek starożytnych plemion irańskich*) (a) Sarmatian

Sarmat|ka *sf pl G.* **~ek** (an) old Polish character; woman of the old-Polish type

sar|na *sf pl G.* **~n** <*rz.* **~en**> *zool.* (*Capreolus capreolus*) roe-deer

sarni *adj* roe-deer's; *kulin.* **~ comber** saddle of venison

sarniak *sm myśl.* 1. *myśl.* (*samiec sarny*) roebuck 2. (*śrut*) buck-shot

sarn|iec *sm G.* **~ca** = **sarniak** 1.

sarnina *sf* venison

sarong *sm G.* **~u** *etn.* sarong

Sas *sm pl N.* **~i** 1. (*mieszkaniec Saksonii*) Saxon 2. *hist.* (*król polski z dynastii saskiej*) elector of Saxony raised to the throne of Poland

sasan|ek *sm G.* **~ka, sasan|ka** *sf pl G.* **~ek** *bot.* (*Pulsatilla*) pasque-flower

sask|i *adj* Saxonic; **~a porcelana** Saxon porcelain; Dresden china

saszet|ka *sf pl G.* **~ek** sachet

sataniczny *adj* 1. (*mający cechy przypisywane szatanowi*) satanic(al) 2. (*związany z kultem szatana*) satanistic

satanizm *sm singt G.* **~u** Satanism

satelicki *adj przen.* **kraje ~e** satellite states

satelita *sm* (*decl* = *sf*) 1. *astr.* satellite 2. *przen. polit.* attendant 3. *techn.* (*w zespole napędowym samochodu*) planet pinion

satelitarny *adj rz.* satellite ‗ (station etc.)

satem *indecl jęz.* satem

satemowy *adj jęz.* satem ‗ (languages)

satrapa *sm* (*decl* = *sf*) 1. *hist.* satrap 2. *przen.* (*despotyczny władca*) tyrant

satrapi|a *sf G.* **~i** *hist.* satrapy

satrap|ka *sf pl G.* **~ek** *rz. iron.* tyrant

saturacja *sf singt chem. techn.* saturation

saturator *sm* saturator

saturnali|e <**saturnali|a**> *spl G.* **~ów** <**~i**> Saturnalia

saturnizm *sm singt G.* **~u** *med.* saturnine poisoning

satyna *sf tekst.* (*bawełniana*) sateen; (*jedwabna*) satin

satynaż *sm singt G.* **~u** *techn. druk.* hot-pressing (of paper etc.)

satyneta † *sf* satinette

satynować *vt imperf techn. druk.* to hot-press <to glaze> (paper etc.)

satynowanie *sn* ↑ **satynować**

satynowany *adj* hot-pressed <glazed> (paper etc.)

satynowy *adj* satin (cloth etc.)

satyr *sm pl N.* **~y** <**~owie**> *mitol. i przen.* satyr

satyra *sf lit.* satire

satyrowy *adj lit.* satiric (drama)

satyrycznie *adv* satirically

satyryczność *sf singt* satirical character (of a remark etc.)

satyryczny *adj* satiric(al)

satyryk *sm* satirist

satyryzować *vt imperf rz.* to satirize

satysfakcj|a *sf singt* 1. (*zadowolenie*) satisfaction; **to była prawdziwa ~a** it was a treat 2. (*zadośćuczynienie*) satisfaction (for a wrong); **~a honorowa** satisfaction for an offence; **dać ~ę komuś** to give sb satisfaction; **odmówić ~i komuś** to refuse sb satisfaction

sawann|a *sf pl N.* **~y** *G.* **~** (*zw. pl*) *bot. geogr.* savanna(h)

sawannowy *adj* savanna (forest etc.)

sawant|ka *sf pl G.* **~ek** *iron.* bluestocking

sawina *sf* = **sabina**

sazan *sm zool.* (*Cyprinus carpio*) carp

sącz|ek *sm pl G.* **~ka** 1. *chem.* filter 2. *med.* drain; drainage tube; seton 3. *bud. roln. techn.* tile

sączenie *sn* 1. ↑ **sączyć** 2. (*wydzielanie cieczy*) exudation; *przen.* **~ słów** drawl 3. (*przepuszczanie przez filtr*) filtration 4. **~ się** (a) trickle; seepage; percolation

sączkować *vt imperf med.* to drain

sączkowanie *sn* (↑ **sączkować**) drainage

sączkowy *adj* tile ‗ (drain etc.)

sącz|yć *v imperf* [I] *vt* 1. (*wydzielać z siebie jakąś ciecz*) to exude; to ooze out (moisture etc.); to drip (**krew itd.** with blood etc.); *przen.* (*wolno mówić*) **~yć wyrazy** to drawl out (one's words) 2. (*powoli wlewać jakiś płyn*) to drip <to trickle> (**coś do naczynia itd.** sth into a vessel etc.); *przen.* **~yć w ziemię pot** to moisten the soil with the sweat of one's brow 3. (*pić powoli*) to sip (one's coffee, wine etc.) 4. (*przepuszczać płyn przez filtr*) to filter <to drip, to trickle> (a liquid through <into> sth); to percolate [II] *vr* **~yć się** 1. (*wypływać, wyciekać kroplami*) to ooze; to drip; to trickle; to seep; (*strumykiem*) to run; (*o świetle*) to sift 2. (*wlewać się*) to percolate; to permeate; to pervade

sączy|niec *sm G.* **~ńca** *bot.* (*Sapota achras*) sapodilla; naseberry(-tree)

sączyńcow|y *bot.* [I] *adj* sapotaceous [II] *spl* **~e** (*Sapotaceae*) (*rodzina*) the sapodilla family

sąd *sm G.* **~u** 1. (*organ wymiaru sprawiedliwości*) court of justice; law court, tribunal; **obraza ~u** contempt of court; **prezes ~u** Chief Justice; **sprawa w sądzie** lawsuit; **~ apelacyjny** court of appeal; **~ boży** ordeal; wager of battle; **~ dla nieletnich** juvenile court; **~ doraźny** court martial; **~ honorowy** court of honour; **~ koleżeński** arbitration by one's fellow-workers; **~ konkursowy** jury; **~ ławniczy** court of assessors; **~ ostateczny** the Last Judgment; **~ pierwszej instancji** court of first instance; **~ polowy** field court martial; **~ polubowny** court of arbitration; **~ przysięgłych** jury; (*w starożytnej Grecji*) **~ skorupkowy** ostracism; **~ wojenny** court martial; **iść do ~u** to go to law; **iść pod ~** to be court-martialled; **podać kogoś do ~u** to bring sb up before the court; **podać sprawę do ~u** to prosecute an action; **postawić kogoś przed ~em** to arraign sb; **stanąć przed ~em** to appear before the court; *wojsk.* to be court-martialled; **stanąć przed ~em boskim** to go to one's account; *przen.* **~ sumienia** the bar of conscience 2. (*przeprowadzenie rozprawy sądowej*) trial; (*sądzenie*) adjudication; **oddać sprawę pod czyjś ~** to submit a case to sb's judgment; **odprawiać** <**odbywać**> **~ nad kimś** to try sb; **powieszono go bez ~u** he was hanged without trial; **~y odbywały się przy drzwiach zamkniętych** <**otwartych**> the case was tried within closed doors <in open court> 3. (*gmach*) law court 4. (*akt psychiczny*) opinion; judgment; estimation; discretion; **z góry powzięty ~** preconception; preconceived notion; **podzielać czyjś ~** to share sb's opinion; **wypowiadać ~y o czymś** <**wydać ~ o kimś**> to express an opinion of sth <of sb>; **zdać się na własny ~** to use one's own discretion 5. *filoz.* (*w logice*) proposition 6. † (*zdolność trafnego sądzenia*) reason; **pozbawić kogoś ~u** to blind sb; **tracić resztę ~u** to lose one's reason 7. † (*wyrok*) verdict; **wydać ostateczny ~ w jakiejś sprawie** to give a final verdict in a matter

sąd|ek *sf G.* **~ka** *gw.* barrel

sądny *adj* **~ dzień** a) *rel.* doomsday; (*w religii mojżeszowej*) Day of Expiation b) *przen.* (*zamieszanie*) turmoil; hubbub; hurly-burly

sądownictwo *sn singt* 1. (*organy władzy państwowej*) judicature; justiciary; judiciary 2. (*władza sądowa*) jurisdiction

sądowniczy|y *adj* judicatory; **władza ~a** the judicature; judicial power

sądownie *adv* at law <court>; **odpowiadać za coś ~** to be legally responsible for sth; **ścigać kogoś ~** to prosecute sb; to bring sb up before the court

sądownik *sm* official of the Court of Justice <of a law court>

sądow|y *adj* judicial; judiciary; **izba ~a** court-room; **koszty ~e** law-costs; **medycyna ~a** forensic medicine; **postępowanie ~e** prosecution; **procedura ~a** judicial proceedings; **przewód ~y** legal proceedings; **sprawa ~a** lawsuit; litigation; **urzędnik ~y = sądownik**; **na drodze ~ej** at court; at law; *przen.* (*odpowiadać przed sądem*) **stanąć przed kratami ~ymi** to appear at the bar

sądz|ić *v imperf* **~ę** [I] *vt* 1. (*decydować w sądzie*) to judge (**kogoś, sprawę** sb, a case); to pass judgment (**kogoś** on sb); to try (**kogoś** sb); to hear (**sprawę** a case); to adjudicate (**sprawę** upon a question); **być ~onym** to undergo trial; to be judged 2. (*wydawać sąd o kimś*) to judge; **~ić innych podług siebie** to judge others by oneself <another man's foot by one's own last>; **~ić kogoś dobrze** <**źle**> to have a good <bad> opinion of sb; **~ić z pozorów** to judge by appearances 3. † (*przeznaczać coś komuś*) to doom (**coś komuś** sb to sth); **~ono mi umrzeć** I was doomed to die; **to było ~one** it was fated [II] *vi* 1. (*sprawować władzę sądową*) to judge; to pass judgment; to adjudicate 2. (*mniemać*) to think; to believe; to suppose; to expect; to presume; to reckon; to consider; to be of (the) opinion (that ...); *am.* to guess; to calculate; **co o nim ~isz?** what do you think <make> of him?; **czy ludzie ~ą, że ja jestem bogaty** <**głupi itd.**>? am I supposed <considered> to be rich <stupid etc.>?; **~ę, że tak** <**że nie**> I think <believe, suppose, expect, *am.* guess> so <not>; **~ę, że to jest możliwe** I consider it possible; **~ąc według ...** to judge by ...; **tak ~ę** yes, I believe so

sąg *sm G.* **~a** <**~u**> 1. (*stos*) cord <fathom> (of cut-wood) 2. (*szczapa*) log

sąsi|ad *sm* neighbour; *pl* **~edzi** neighbours; the neighbourhood; **chłopiec od ~adów** a boy from next door; **mój ~ad z prawej** <**lewej**> **strony** my right-hand <left-hand> neighbour; **~edzi zza ściany** next-door neighbours; **najbliżsi ~edzi** immediate neighbours

sąsiadować *vi imperf* 1. (*mieszkać obok*) to be neighbours; to live in the same neighbourhood (**z kimś** as sb); (*siedzieć obok*) to sit next (**z kimś** to sb) 2. (*graniczyć z czymś*) to abut; to adjoin; to border (**z czymś** on sth)

sąsiadowanie *sn* ↑ **sąsiadować**

sąsiedni *adj* 1. (*położony w pobliżu czegoś*) neighbouring (villages etc.); adjoining (estates etc.); **~ pokój** <**przedział itd.**> the next room <compartment etc.> 2. † (*będący czyimś sąsiadem*) neighbouring (States etc.)

sąsiedzk|i *adj* 1. (*należący do sąsiada*) neighbour's (estate etc.) 2. (*dobrosąsiedzki*) neighbourly **po ~u** in neighbourly fashion

sąsiedztw|o *sn singt* 1. (*sąsiadowanie*) nearness; proximity; **bezpośrednie ~o fabryki** <**dworca itd.**> the immediate vicinity of a factory <railway station etc.>; **mieszkać w ~ie czegoś** <**kogoś**> to live next to sth <next door to sb> 2. (*okolica, miejsce najbliżej czegoś położone*) neighbourhood; vicinity; environs 3. (*o osobach*) neighbours; **pojechać w ~o** to go and see <to visit, to call on> one's neighbours

sąsiek *sm* 1. (*przedział w stodole*) mow 2. (*w spichrzu*) meal chest

sąż|eń *sm G.* **~nia** 1. (*dawna miara długości*) ancient measure of length (approximately 6 feet) 2. † = **sąg**

sążniowy *adj* approximately 6 feet long <in diameter etc.>

sążnistość *sf singt rz.* lengthiness

sążni|sty *adj* lengthy (letter etc.)

sążniście *adv* lengthily; at great length

sążyca *sf roln.* mixed crop of rye and wheat

scal|ać *v imperf* — **scal|ić** *v perf* [I] *vt* to unite; to bring together; to merge; to lump [II] *vr* **~ać, ~ić się** to unite <to merge> (*vi*)

scalenie *sn* (↑ **scalić**) union; merger

scaleniowy *adj* uniting <merging> (process etc.)

scalić *zob.* **scalać**

scałkować *vt perf* 1. *lit.* (*połączyć w całość*) to unite; to merge 2. *mat.* to integrate

scałkowanie *sn* (↑ **scałkować**) 1. (*połączenie*) union; merger 2. *mat.* integration

scałow|ać *vt perf* — **scałow|ywać** *vt imperf* to kiss away (sb's tears etc.)

scedować *vt perf* (*przekazać*) to cede <to transfer> (**dług** <**prawo itd.**> **na kogoś** a debt <a right etc.> to sb)

scedz|ić *vt perf* **~ę** — **scedz|ać** *vt imperf* to decant <to strain, to pour off> (a liquid)

scementować *v perf* [I] *vt* to cement [II] *vr* **~ się** to become cemented

scementowan|y *adj* **~a skała** cemented rock

scen|a *sf* 1. (*podwyższenie w sali teatralnej*) stage; **~a obrotowa** revolving stage; **~a otwarta** platform; **przerobić utwór na ~ę** to adapt a literary composition for the stage; **ukazać się na ~ie** to appear on the stage; **występować na ~ie** to act; to walk the boards; *przen.* (*o aktorze*) **zejść ze ~y** to retire from the stage 2. *przen.* the arena (of diplomacy, politics etc.) 3. (*teatr*) (the Warsaw, Cracow etc.) theatre 4. (*część aktu w sztuce*) scene 5. (*zdarzenie, sytuacja życiowa*) scene; **przykra ~a** distressing incident; *przen.* **~y dantejskie** hair-raising scenes 6. *pot.* (*kłótnia*) scene; flare-up; row; **~a rodzinna** family wrangle; **robić ~y** to make scenes

scenariusz *sm* scenario; (*filmowy*) screenplay; (*filmowy, radiowy, telewizyjny*) script book

scenariuszowy *adj* scenario — (writing etc.)

scenarzyst|a *sm* (*decl = sf*), **scenarzyst|ka** *sf pl G.* **~ek** scenarist

sceneri|a *sf pl GDL.* **~i** *dosł. i przen.* scenery

scenicznie *adv* scenically

sceniczn|y *adj* scenic; stage — (effects, whisper etc.); **deski ~e** the boards; **utwór ~y** stage play; **wymowa ~a** stage pronunciation

scenka *sf dim* ↑ **scena** 1., 3.

scenograf *sm* scenographer

scenografi|a *sf singt GDL.* **~i** scenography

scenograficzny *adj* scenographic

scenopis *sm G.* **~u** *film* screenplay

scenopisarski *adj* dramaturgic(al)

scenopisarstwo *sn singt* dramaturgy; stagecraft

scenopisarz *sm pl G.* **~y** <**~ów**> *rz.* dramaturgist
scentralizować *v perf* [I] *vt* (*skoncentrować*) to centralize [II] *vr* **~ się** to become centralized
scentralizowanie *sn* (↑ **scentralizować**) centralization
scentrowa|ć *vt perf sport* (*w kolarstwie*) to put (a wheel) out of true; (*w piłce nożnej*) to centre <center> (the ball); (*o kole rowerowym*) **~ne** out of true
sceptycyzm *sm singt G.* **~u** (*kierunek filozoficzny oraz nastawienie człowieka*) scepticism; *am.* skepticism
sceptycznie *adj* sceptically; **odnosić się ~ do czegoś** to be sceptical about sth
sceptyczność *sf singt* scepticism
sceptyczny *adj* 1. (*o filozofii*) sceptical, *am.* skeptical 2. (*nie dowierzający*) sceptical <*am.* skeptical> (smile etc.)
scepty|k *sm* 1. (*wyznawca sceptycyzmu*) Sceptic, *am.* Skeptic; *pl* **~cy** the Sceptics <*am.* Skeptics> 2. (*człowiek powątpiewający*) sceptic, *am.* skeptic
schab *sm G.* **~u** joint <roast> of pork
schabik *sm dim* ↑ **schab**
schabowy *adj* (cut etc.) off the joint; **kotlet ~** pork chop
schadz|ka *sf pl G.* **~ek** appointment; **dom ~ek** house of ill fame <of prostitution>
schamie|ć *vi perf* **~je** to coarsen; to roughen; to become boorish <churlish, vulgar>
schamienie *sn* (↑ **schamieć**) boorishness; churlishness
scharakteryzować *vt perf* to characterize
scharakteryzowanie *sn* (↑ **scharakteryzować**) characterization
scheda *sf lit.* heritage; inheritance; heirloom
schemat *sm G.* **~u** 1. (*zarys*) schema; draft; outline 2. (*szablonowy wzór*) stencil; established pattern 3. (*rysunek*) schematic diagram; *elektr.* scheme; diagram
schematycznie *adv* 1. (*w ogólnych zarysach*) schematically; in general outline 2. (*szablonowo*) schematically; according to an established pattern
schematyczność *sf singt* 1. (*zarys*) schematization 2. (*szablon*) schematic treatment
schematyczn|y *adj* 1. (*mający charakter schematu*) schematic; **~e obliczenie** rough estimate; **~y rysunek** schematic drafting 2. (*szablonowy*) schematic; conformed to an established pattern
schematysta *sm* (*decl* = *sf*) schematist
schematyzacja *sf singt* 1. (*układanie według schematu*) schematization 2. (*nabieranie cech schematu*) conformity to an established pattern
schematyzm *sm singt G.* **~u** (*opieranie się na szablonach*) schematism
schematyzować *vt imperf* to schematize
schematyzowanie *sn* (↑ **schematyzować**) schematization
scherlały [I] *pp* ↑ **scherleć** [II] *adj* flagging; sickening; limp; wasted; sickly
scherle|ć *vt perf* **~je** to flag; to sicken; to waste away
scherlenie *sn* (↑ **scherleć**) sickliness; invalidism
scher|y [szk-] *spl G.* **~** <**~ów**> *geogr.* skerry
scherzo [skerco] *sn muz.* scherzo
schińszcze|ć *vi perf* **~je** to submit to Chinese influence; to adopt the Chinese way of life

schińszczenie *sn* (↑ **schińszczeć**) submission to Chinese influence; adoption of the Chinese way of life
schizma *sf* schism
schizmatycki *adj* schismatic
schizmatyk *sm* (a) schismatic
schizofreni|a *sf singt GDL.* **~i** *med. psych.* schizophrenia
schizofrenik *sm med. psych.* (a) schizophrenic
schizogoni|a *sf singt GDL.* **~i** *biol.* schizogony, schizogenesis
schizoidalny *adj psych.* schizoid
schizotymi|a *sf singt GDL.* **~i** *psych.* schizothymia
schizotymiczny *adj psych.* schizothymic; schizothymous
schizotymik *sm psych.* (a) schizothyme
schlać się *vr perf wulg.* to get sozzled <blotto>
schlap|ać *v perf* **~ie** [I] *vt* to splash; to spatter [II] *vr* **~ać się** to be <to get> splashed <spattered> (with mud, lime etc.)
schlastać *v perf* [I] *vt* 1. (*mocno czymś zapryskać*) to splash; to spatter 2. (*zbić mocno, boleśnie*) to lash; to swish; *przen.* (*mocno skrytykować*) to castigate (sb, a work) with slashing criticism [II] *vr* **~ się** to be <to get> splashed <spattered> (with mud, lime etc.)
schlastanie *sn* ↑ **schlastać**
schlebiacz *sm*, **schlebiacz|ka** *sf pl G.* **~ek** *rz.* adulator; flatterer
schlebi|ać *vi imperf* — **schlebi|ć** *vi perf rz.* 1. (*pochlebiać*) to adulate <to flatter, to wheedle> (**komuś** sb) 2. (*dogadzać*) to indulge (**komuś** sb); to gratify (**czyimś kaprysom itd.** sb's fancies <whims> etc.); to soothe (**czyjejś próżności** sb's vanity)
schlebianie *sn* (↑ **schlebiać**) adulation; flattery
schlebić *zob.* **schlebiać**
schlebienie *sn* ↑ **schlebić**
schludnie *adv*, **schludno** *adv* tidily; neatly; **~ wyglądać** to look spruce <natty>; **tam było ~** the place was tidy <neat, trim>
schludność *sf singt* tidiness; cleanliness; trimness; nattiness; neatness
schludny *adj* (*o pokoju, mieszkaniu*) tidy; cleanly; neat; trim; slick; (*o człowieku, ubraniu*) spruce; trim; natty; neat; slick
schlu|stać *vt perf* **~szcze** to spatter; to splash
schlustanie *sn* ↑ **schlustać**
schł|adzać *vt imperf* — **schł|odzić** *vt perf* **~odzę**, **~ódź** *techn.* to cool
schładzanie *sn* ↑ **schładzać**
schłodzenie *sn* ↑ **schłodzić**
schłodzić *zob.* **schładzać**
schłopi|eć *vi perf* **~eje** to become countrified <rustic>; to acquire rustic manners; **on całkiem ~ał** he is altogether rustic
schłopienie *sn* (↑ **schłopieć**) rustic manners
schło|stać *vt perf* **~szczę**, **~szcze** to lash; to flog
schmurnie|ć *vi perf* **~je** to cloud over; to darken
schmurzenie *sn* ↑ **schmurzyć**
schmurzyć *v perf* [I] *vt* 1. (*pokryć chmurami*) to cloud 2. (*uczynić chmurnym*) to cloud; to darken; to obscure [II] *vr* **~ się** 1. (*zachmurzyć się*) to cloud over 2. (*stać się chmurnym*) to darken
schnąć *vi imperf* **schł**, **schła** 1. (*stawać się suchym*) to dry; to become <to go> dry; (*o chlebie*) to become stale; (*o ustach*) to parch; to become

parched; (*o farbie*) **szybko schnąca** siccative 2. (*o roślinach*) to wither 3. (*o człowieku — chudnąć*) to waste away; to languish; to pine away (**ze zmartwienia itd.** with grief etc.)

schnięcie *sn* ↑ **schnąć**

schod|ek *sm G.* **~ka** 1. (*stopień*) stair; step; **~ki sztormowe** rope-ladder; **wyjść** <**zejść**> **po trzech ~kach** to go up <down> three steps 2. *pl* **~ki** (*przedmioty lub elementy ułożone w formie stopni*) tiers; **ułożone w ~ki** arranged in tiers

schodkować *vt imperf* to arrange (sth) in tiers

schodkowanie *sn sport* side-step climbing

schodkowany *adj* arranged in tiers; stepped

schodkowato *adv* in steps; stepwise

schodkowaty *adj* stepped; steplike

schodkowo *adv* = **schodkowato**

schodkow|y *adj* = **schodkowaty**; **funkcja ~a** step function

schodnia *sf* 1. *bud.* duck board 2. *mar.* gangway

schodowaty *adj* steplike

schodow|y *adj* stair- (rail, carpet etc.); **klatka ~a** staircase

schod|y *spl G.* **~ów** 1. (*do wchodzenia i schodzenia*) stairs; staircase; **~y frontowe** front stairs <staircase>; **~y kręcone** <**kręte**> winding stairs; **~y kuchenne** backstairs; **~y ruchome** escalator; **~y zapasowe** fire escape; **zrzucić kogoś ze ~ów** to kick sb downstairs; **do góry po ~ach** upstairs; **na dół po ~ach** downstairs; **ze ~ów** downstairs; down the stairs 2. (*elementy lub przedmioty w formie stopni*) tiers

schodzeni|e *sn* 1. (↑ **schodzić**) (*zstępowanie*) descent 2. **~e się** (*spotykanie się*) (a) gathering; **miejsce ~a się** meeting-place 3. **~e się** *przen.* (*zbliżanie się dróg, linii itd.*) convergence 4. **~e się** (*odbywanie się jednocześnie*) coincidence

schodz|ić *v imperf* **~ę — zejść** *v perf* **zejdę, zejdzie, zszedł** <**zeszedł**>, **zeszła** [I] *vi* 1. (*zstępować*) to go <to come, to walk, to step> down (**ze schodów, z góry** the stairs, a hill); to descend (**z góry itd.** a hill etc.); **~ić, zejść z drabiny** to go <to come, to step> down a ladder; to get off a ladder; **zejść do podziemi** to go underground; **zejść do rzędu ...** to be brought down to the level of ...; **zejść na szpiega** <**służącego itd.**> to sink to the level of a spy <a servant etc.>; **widzisz na co mi zeszło** you see how I have come down in the world; **zejść na psy** <**na dziady**> to go to the dogs 2. (*ustępować, usuwać się skądś*) to leave (**z posterunku itd.** one's post etc.); **zejść komuś z drogi** to make way for sb; **zejść komuś** <**ludziom**> **z oczu** to get out of sb's <people's> way; **zejść na bok** to step aside; **zejść z drogi obowiązku itd.** to swerve <to stray> from the path of duty etc.; **zejść ze świata** to pass away; **zejść z kursu** to change one's course; **zejść z pola** to leave the field; **zejść z trawnika** to step <to get> off the grass 3. (*zsiadać*) to dismount (**z konia, roweru** from a horse, a bicycle) 4. (*o samolocie*) to descend; to plane down; (*o łodzi podwodnej*) to submerge 5. (*być usuwanym, zdejmowanym*) to come off; **nie ~ić** to stay on; **uśmiech nie ~i jej z ust** she wears a set smile; **zboże ~i z pola** the corn is (being) carted home 6. (*łuszczyć się, ścierać się*) to peel off; (*o plamach itd.*) to come off; (*w praniu*) to wash off; **opalenizna zeszła mu z twarzy** he has lost his tan 7. *imperf* (*obniżać się*) to descend; to go <to come> down; to sink 8. (*o czasie*) to pass; to go by; **~i dzień za dniem** day passes after day; the days go by; **wieczór nam zeszedł przyjemnie** we spent a pleasant evening; **~ić na niczym** to come to nothing; to flash in the pan [II] *vt perf* **~ić, zejść** (*wydeptać*) to tread (**ścieżki górskie itd.** mountain paths etc.); to wander (**cały świat** the world through); **nie ~ona droga** untrodden path; *pot.* **~ić buty** to wear out one's boots; **~ić nogi** to walk oneself off one's feet [III] *vr* **~ić, zejść się** 1. (*gromadzić się*) to gather; to come together; to arrive 2. *przen.* (*o drogach, liniach itd. — zbliżać się*) to meet; to converge 3. (*o ludziach — przychodzić na spotkanie*) to meet; to come <to get> together 4. (*o czynnościach itd. — odbywać się jednocześnie*) to coincide 5. (*dochodzić do porozumienia*) to come to an understanding; to agree (to do sth) 6. (*łączyć się w pary*) to mate 7. *perf* (*zmęczyć się chodzeniem*) to walk oneself off one's legs

schola|r *sm pl N.* **~rzy** <**~rowie**> *hist.* student

scholastycyzm *sm singt G.* **~u** scholasticism

scholastyczny *adj* scholastic (philosophy etc.)

scholastyk *sm* (a) scholastic; schoolman

scholastyka *sf singt* 1. *filoz.* Scholasticism 2. *pot.* (*formalistyczne dociekania*) scholasticism

scholi|a *spl G.* **~ów** *lit.* scholium

scholiasta *sm* (*decl* = *sf*) *lit.* scholiast

schorować się *vr perf rz.* to be <to fall> ill; **ciężko się ~** to be seriously ill

schorowany *adj* ailing; ill; sick; afflicted with illness; **~ człowiek** sick man

schorzały *adj* 1. = **schorowany** 2. (*o narządach organizmu*) affected (with a disease)

schorzenie *sn med.* illness; disease; sickness; complaint

schowa|ć *v perf* [I] *vt* 1. (*położyć w bezpiecznym miejscu, ukryć*) to hide; to conceal; to put <to tuck> (sth) away; **~ć coś przed kimś** to keep sth hidden from sb; *przen.* **on to przede mną ~ł** he kept it secret from me; **~ć coś pod klucz** to lock sth up; *przen.* **nie wiedzieć, gdzie oczy ~ć** to feel ashamed; to blush for shame; **~ć głowę w piasek** to skulk 2. (*odłożyć, zostawić na później*) to save <to put (sth) by> (for the future); *pot.* **~ć coś dla siebie** to keep sth for oneself; **~ć coś na krytyczną chwilę** to keep sth against a rainy day [II] *vr* **~ć się** 1. (*skryć się*) to hide <to conceal> oneself; to lie in hiding; *pot.* **niech się ~** he can't hold a candle to you <him, her etc.> 2. (*zniknąć z oczu*) to disappear; to vanish; to be lost from view; **on mi się ~ł** I lost sight of him

schowanie *sn* 1. ↑ **schować** 2. (*kryjówka*) hiding-place; place of concealment; shelter; refuge; *pot.* hide-out

schow|anko *sn pl G.* **~anek, schow|ek** *sm G.* **~ka** recess; closet; cubby; cupboard; *bank.* safe

schron *sm G.* **~u** shelter; **~ przeciwatomowy** atomic shelter; **~ przeciwlotniczy** air-raid shelter

schronić *v perf rz.* [I] *vt* to shelter; to give refuge (**kogoś** to sb); *przen.* **nie mieć gdzie głowy ~** to be shelterless <homeless> [II] *vr* **~ się** to take refuge; to take cover; to find shelter (from the rain etc.); *przen.* ~ **się pod czyjeś skrzydła** to shelter oneself under sb's wing

schronienie *sn* 1. *singt* ↑ **schronić** 2. (*miejsce*) refuge; shelter; retreat; asylum; harbour; **dać ~ komuś** to shelter <to harbour> sb; to give refuge to sb

schronisko *sm* 1. (*schronienie*) hiding-place; refuge; shelter 2. (*turystyczne*) shelter-home; hospice; ~ **młodzieżowe** hostel 3. (*przytułek*) hospice; (old people's etc.) home

schroniskowy *adj* shelter-house — (amenities etc.)

schrup|ać *vt perf* **~ie** to munch; to crunch

schrypie|ć *vi perf* **~je** *rz.* to get hoarse

schrypły *adj* hoarse

schryp|nąć *vi perf* **~nie, ~ły** <**~nięty**> to get hoarse

schrypnięcie *sn* (↑ **schrypnąć**) hoarseness

schrypnięty [I] *pp* ↑ **schrypnąć** [II] *adj* = **schrypły**

schrzanić *vt perf wulg.* to bungle

schud|nąć *vi perf* **~ł** to grow thin <lean>; to lose weight; (*o kobiecie*) to slim

schudnięci|e *sn* ↑ **schudnąć**; **ćwiczenia dla ~a** slimming exercise

schwał *zob.* **na schwał**

schwyc|ić *v perf* **~ę, ~ony** [I] *vt* 1. (*wziąć coś gwałtownie*) to grasp; to catch hold (**coś** of sth); *przen.* to take (power etc.) into one's hands 2. (*o mrozie itd. — zjawić się nagle*) to come; (*owładnąć*) to overcome (sb) 3. (*spostrzec*) to perceive [II] *vr* **~ić się** 1. (*schwycić samego siebie*) to take (**za głowę, za kolano itd.** one's head, one's knee etc.) into one's hands 2. (*ująć jeden drugiego*) to catch <to take> each other (by the hand etc.) 3. (*zostać schwyconym*) to get caught 4. *emf.* = **schwycić** *vt* 1.

schwytać *vt perf* 1. (*złapać, pojmać*) to catch <to track down> (a thief etc.); ~ **kogoś na czymś** to catch sb at sth <doing sth>; ~ **kogoś na gorącym uczynku** to catch sb red-handed 2. (*uchwycić, schwycić, ująć*) to grasp (**kogoś za kark** sb by the scruff of the neck)

schyl|ać *v imperf* — **schyl|ić** *v perf* [I] *vt* to bend (down); **~ać, ~ić głowę** <**kark**> to bow one's head; **~ać, ~ić głowę przed kimś** to bow before sb; **~ony wiekiem** bent with age [II] *vr* **~ać, ~ić się** to bend <to bow, to stoop, to droop> (*vi*); **głowy się ~ają przed kimś** heads are bowed down before sb

schylenie *sn* (↑ **schylić**) (a) droop

schylić *zob.* **schylać**

schylony [I] *pp* ↑ **schylić** [II] *adj* bent; stooping; drooping

schył|ek *sm G.* **~ku** decline (of day, of life etc.); close (of a period etc.); **mieć się ku ~kowi** to draw to a close; to decline; to be on the wane; to ebb away; **u ~ku** towards the close

schyłkow|iec *sm G.* **~ca** (a) decadent

schyłkowość *sf singt* decadence

schyłkowy *adj* decadent

schytrze|ć *vt perf* **~je** *rz.* to learn to use one's head; to get smart

schyzma *sf* = **schizma**

scjentyzm *sm singt G.* **~u** learnedness

scudzoziemcze|ć *vi perf* **~je** to lose one's national traits

scukrować *vt perf rz.* = **scukrzyć**

scukrz|ać *v imperf* — **scukrz|yć** *v perf* [I] *vt* to saccharify; to convert into sugar; (*o przetworach*) **~ony** sugary [II] *vr* **~ać, ~yć się** to become saccharified

scukrzyć *zob.* **scukrzać**

scyntylacja *sf singt astr. fiz.* scintillation

scypuł *sm G.* **~u** *myśl.* velvet (of antlers)

scysj|a *sf* dispute; altercation; conflict; clash; **doszło do ~i** it came to a clash; a quarrel broke out; words ran high

Scyt|owie *spl G.* **~ów** the Scythians

scytyjski *adj* Scythian

scyzoryk *sm* penknife; pocket-knife; clasp-knife

sczepi|ać *v imperf* — **sczepi|ć** *perf* [I] *vt* to join; to fasten together; to link; to couple; to shackle [II] *vr* **~ać, ~ć się** 1.(*łączyć się*) to get caught <linked, hooked together> 2. (*obejmować jeden drugiego walcząc*) to get locked together (in a struggle)

sczernie|ć *vi perf* **~je** to blacken (*vi*); to become <to grow, to turn> black

sczerstwie|ć *vi perf* **~je** 1. (*o pieczywie*) to become <to grow> stale 2. (*o ludziach*) to look healthy <healthier>

sczerwienić *v perf rz.* [I] *vt* to redden (sth); to colour <to stain, to paint, to dye> (sth) red [II] *vr* ~ **się** to redden (*vi*); to become <to grow, to turn> red

sczerwienie|ć *vi perf* **~je** 1. (*stać się czerwonym*) to redden (*vi*); to become <to turn> red 2. (*dostać rumieńców na twarzy*) to redden (*vi*); to blush; to flush

scze|sać *vt perf* **~sze** — **scze|sywać** *vt imperf* 1. (*czesząc zgarnąć*) to comb (**na bok** aside; **do tyłu** back) 2. (*oczyścić z czegoś*) to comb (sth) out 3. *przen.* (*skrytykować*) to take (sb) up sharply

sczez|nąć *vi perf* **~ł** 1. (*zginąć*) to vanish; to disappear 2. (*zmarnować się*) to go to the bad; to come to a bad end

sczochrać *vt perf* to tangle

sczy|szczać *vt imperf* **~szczę** — **sczy|ścić** *vt perf* to clean off (dirt, grease etc.)

sczyt|ać *vt perf* — **sczyt|ywać** *vt imperf* to collate

seans *sm G.* **~u** *pl N.* **~e** <**~y**> (*kinowy*) performance; showing; film programme; (*spirytystyczny*) séance; (*w szachach*) simultaneous game of chess; **pierwszy** <**drugi itd.**> ~ first <second etc.> house

secesj|a *sf singt* 1. (*wystąpienie z czegoś*) secession; **dokonać ~i** to secede 2. *hist. arch. plast.* Secession

secesjonista *sm* (*decl* = *sf*) secessionist; *hist. arch. plast.* Secessionist; *am. hist.* Confederate

secesyjn|y *adj* 1. *hist.* secessional; secessionist; break-away (province etc.); **wojna ~a** the War of Secession 2. *arch. plast.* (Viennese) Secession — (movement, style etc.)

sedentarny *adj* sedentary

sedes *sm G.* **~u** toilet <lavatory> seat <cover>; ~ **pokojowy** close-stool

sedn|o *sn singt* essence <substance> (of the matter); the point; **~o sprawy** gist <crux, kernel, the heart> (of the matter); **dostać się do ~a rzeczy** to get to the bottom of things; **nie w tym ~o sprawy** that is not the point; **trafić w ~o** to get down to the crux of the matter; *przen.* to hit the nail on the head

sedyment *sm G.* **~u** *chem. geol.* sediment

sedymentacja *sf singt* 1. *chem.* sedimentation; settlement 2. *geol.* sedimentation

sef *sm G.* **~u** = **sejf**

segars *sm G.* **~u** *żegl.* hoop

segment *sm G.* **~u** 1. (*wyodrębniona część*) segment; section 2. *mat. med.* segment 3. *zool.* segment; somite

segmentacja *sf singt* segmentation

segmentowy *adj* sectional

segregacja *sf singt* 1. (*dzielenie na grupy*) segregation; **~ rasowa** colour bar 2. *techn.* (*wada odlewu stali*) segregation

segregator *sm* (*teka*) file; (*szafa*) pigeon-hole desk

segregować *vt imperf* to segregate; to classify, to class; to assort; to pigeon-hole

segregowanie *sn* (↑ **segregować**) segregation; classification; assortment

sejf *sm G.* **~u** safe; strong-box

sejm *sm G.* **~u** Seym; diet

sejmik *sm G.* **~u** *hist.* regional council

sejmikować *vi imperf* to debate

sejmować *vi imperf* to deliberate

sejmowy *adj* (session etc.) of the Seym <diet>

sejner *sm mar.* seiner

sejpak *sm G.* **~u** a kind of tapestry

sejsmiczność *sf geol.* seismicity

sejsmiczny *adj geol.* seismic (wave etc.)

sejsmograf *sm G.* **~u** *geol.* seismograph

sejsmografi|a *sf singt GDL.* **~i** *geol.* seismography

sejsmograficzny *adj geol.* seismographic

sejsmogram *sm G.* **~u** *geol.* seismogram

sejsmolo|g *sm pl N.* **~gowie** <**~dzy**> seismologist

sejsmologia *sf singt GDL.* **~i** *geol.* seismology

sejsmologiczny *adj geol.* seismologic

sejsmometr *sm G.* **~u**, **sejsmoskop** *sm G.* **~u** *geol.* seismometer

sejzing *sm G.* **~u** *mar.* seizing

sekans *sm G.* **~u** *mat.* secant

sekator *sm ogr.* pruning shears; secateur; flower <pruning> scissors; **~ na drągu** averruncator

sekatorować *vt imperf* to prune

sekciarski *adj* sectarian

sekciarstwo *sn singt* sectarianism

sekciarz *sm* (a) sectarian

sekcj|a *sf* 1. (*oddział*) section; division; department; **dzielić się na ~e** to fall into sections 2. *med.* dissection; autopsy 3. *techn.* unit 4. † *wojsk.* (*część plutonu*) subsection

sekcjonować *vt imperf med.* to dissect

sekcyjnie *adv med.* autopsically

sekcyjn|y *adj* 1. (*oddziałowy*) sectional; section — (head etc.) 2. *med.* autopsical; **badanie ~e** = = **sekcja** 2.

sek|el <**sek|l**> *sm G.* **~la** = **sykl**

sekować † *vt imperf* to worry; to plague; to badger; to keep on (**kogoś** at sb)

sekrecik *sm G.* **~u** *dim* ↑ **sekret**

sekrecja *sf singt* secretion

sekre|t *sm G.* **~tu** 1. (*tajemnica*) secret; mystery; **dopuścić kogoś do ~tu** to let sb into a secret; **nie mieć ~tów przed kimś** to have no secrets from sb; **powiedzieć coś komuś w ~cie** to tell sb sth in secret <in private>; **zrobić coś w ~cie** to do sth in secret; **pod ~tem** under the seal of secrecy 2. (*sposób wykonywania czegoś znany niewielu osobom*) (trade) secret

sekreta *sf liturg.* secreta

sekretariat *sm G.* **~u** 1. (*urząd sekretarza*) secretaryship; **~ stanu** Secretaryship of State 2. (*dział instytucji*) (secretary's) office; (*w ONZ itd.*) Secretariat(e) 3. (*zespół pracowników*) secretarial staff

sekretar|ka *sf pl G.* **~ek** secretary

sekretarski *adj* secretarial; secretary's

sekretarstwo *sn singt* secretaryship

sekretarz *sm* 1. (*urzędnik*) secretary; (*na zebraniu*) reporter; minuter; **~ stanu** Secretary of State; **stanowisko ~a stanu** Secretaryship of State 2. *zool.* (*Sagittarius serpentarius*) secretary-bird

sekretarzować *vi imperf pot.* to be secretary (to sb); (*na zebraniu*) to keep the minutes

sekretarzyk *sm*, **sekretera** *sf* bureau; escritoire; davenport; secretary

sekretnie *adv* in secret; secretly; confidentially

sekretność *sf singt* secrecy

sekretny *adj* secret; confidential

sekretyna *sf singt biol.* secretin

seks *sm singt G.* **~u** *pot.* sex

seksapilowaty *adj rz. pot.* **być ~m** to have (plenty of) sex appeal

seksta *sf* 1. *muz.* sixth 2. *sport* sixte

sekstans *sm G.* **~u**, **sekstant** *sm G.* **~u** sextant

sekstet *sm G.* **~u** *muz.* sextet(te)

sekstyna *sf lit.* sestina

seksualizm *sm singt G.* **~u** sexualism

seksualnie *adv* sexually

seksualność *sf singt* sexuality

seksualny *adj* sexual; sex- (call, appeal, urge etc.)

seksuologi|a *sf singt GDL.* **~i** sexology

sekta *sf* sect

sektor *sm* (*wycinek*) section; *ekon. mat. sport. techn.* sector

sektorow|y *adj* sectorial; sector — (gear, wheel etc.); *mar.* **światło ~e** sectored light

sekularny *adj rz. lit.* secular (perturbations, variations etc.)

sekularyzacja *sf singt* secularization (of schools, estates etc.)

sekularyzować *v perf imperf* [I] *vt* to secularize <to laicize> (schools etc.); to secularize (an ecclesiastic, an estate etc.) [II] *vr* **~ się** to become secularized

sekularyzowanie *sn* (↑ **sekularyzować**) secularization; laicization

sekund|a *sf* 1. (*jednostka miary czasu, kąta, łuku*) second; **~a gwiazdowa** sidereal second 2. *przen.* (*moment*) instant; **co do ~y** to a split second 3. *handl.* seconds 4. *muz.* second (**wielka** major; **mała** minor) 5. *sport* seconde

sekundan|t *sm pl N.* **~ci** (*przy pojedynku, w boksie*) (sb's) second

sekund|ka *sf pl G.* **~ek** *pot.* (*chwilka, moment*) jiffy

sekundnik *sm* second hand (of a watch)

sekundogenitura *sf hist.* secundogeniture

sekundomierz *sm pl G.* **~y** <**~ów**> stop-watch

sekundować *vi imperf* 1. (*pomagać, wspierać, towarzyszyć*) to second <to support> (**komuś** sb); to back (**komuś** sb) up 2. (*być sekundantem*) to be (**komuś** sb's) second (in a duel)

sekundowy *adj* second — (hand of a watch etc.)

sekutnica *sf* shrew; vixen; scold

sekwencja *sf kino muz. lit.* sequence

sekwens *sm G.* **~u** *karc.* run; flush; tier; quart; straight
sekwestr *sm G.* **~u** *prawn.* sequestration; confiscation; distraint; **obłożyć ~em** to sequester; to confiscate
sekwestracja *sf prawn.* sequestration; confiscation
sekwestrator *sm* sequestrator; distrainer
sekwestrować *vt imperf perf* to sequester; to confiscate
sekwestrowanie *sn* (↑ **sekwestrować**) sequestration; confiscation
sekwo|ja *sf pl GDL.* **~i** *bot.* (*Sequoia*) sequoia; redwood
selcersk|i *adj* **woda ~a** seltzer-water, soda-water
seledyn *sm G.* **~u** celadon; willow-green
seledynowo *adv* in willow green (colour)
seledynowość *sf singt* willow green colour
seledynowy *adj* celadon; willow green
selekcja *sf singt* 1. (*dobór przez eliminację*) selection 2. *biol.* (natural) selection
selekcjoner *sm pot.* selector
selekcjonować *vt imperf* to select
selekcjonowanie *sn* (↑ **selekcjonować**) selection
selekcyjny *adj* selective; selection — (system, value etc.)
selektor *sm techn.* selector
selektywnie *adv* selectively
selektywność *sf singt* selectivity
selektywny *adj* selective
selen *sm singt G.* **~u** *chem.* selenium
selen|ek *sm G.* **~ku** *chem.* selenide
selenit *sm G.* **~u** *miner.* selenite
selenita *sm* (*decl* = *sf*) (a) selenite
selenograf *sm astr.* selenographer
selenografi|a *sf singt GDL.* **~i** *astr.* selenography
selenowy *adj chem. fiz.* selenic (acid etc.); selenium — (cell etc.)
seler *sm bot.* (*Apium*) celery
selerowaty *adj ogr. roln.* bifurcate
selerowy *adj* celery — (seeds etc.)
selfaktor *sm techn.* self-actor; self-acting mule
selskinowy *adj* sealskin — (fur, jacket, cap etc.)
selskin|y *spl G.* **~ów** sealskins
selwas *sm G.* **~u** *geogr.* selva
semafor *sm* semaphore; **ramię ~a** semaphore arm
semaforowy *adj* semaphore — (operator etc.)
semantycznie *adv język.* semantically; semasiologically
semantyczny *adj język.* semantic; semasiological
semantyk *sm* semanticist; semasiologist
semantyka *sf singt język.* semantics; semasiology
semazjologi|a *sf singt GDL.* **~i** *język.* semasiology
semazjologiczny *adj język.* semasiological
semestr *sm G.* **~u** semester; half-year
semestralny *adj* semestral; half-yearly
Semi|ci *spl G.* **~tów** Semites
semicki *adj* Semitic
seminarium *sm* 1. (*ćwiczenia*) seminar 2. (*zakład naukowy*) seminar 3. (*zakład kształcący przyszłych duchownych*) (theological) seminary 4. † (*szkoła dla przyszłych nauczycieli*) training college <school>
seminaryjny *adj* seminar — (lectures etc.)
seminarzysta *sm* (*decl* = *sf*) seminarist
semiologi|a *sf GDL.* **~i** *med.* sem(e)iology, symptomatology
semiotyka *sf singt język. med.* sem(e)iotics
Semita *sm* (*decl* = *sf*) Semite
semitolog *sm* = **semitysta**
semitologi|a *sf singt GDL.* **~i** = **semitystyka**
semitysta *sm* (*decl* = *sf*) *język.* Semitist
semitystyka *sf singt język.* Semitics
semityzacja *sf singt rz.* Semitization
sempiterna *sf eufem. żart.* bottom
sen *sm G.* **snu** *L.* **śnie** 1. (*spanie*) sleep; slumber; **~ wieczny** the last sleep; **~ zimowy** winter sleep; dormancy; *przen.* torpidity; **środek** <**pastylki**> **na ~** sleeping draught <tablets>; (a) soporific; **pogrążony we śnie** sleeping; asleep; slumbering; **chodzić jak we śnie** to moon about; **kłaść, położyć kogoś do snu** to put sb to bed; **mieć dobry, mocny** <**lekki**> **~** to be a sound <a light> sleeper; **odbierać komuś ~, spędzać komuś ~ z powiek** to keep sb awake (at night); **pamiętać coś jak przez ~** to have a vague recollection of sth; **pobudzać kogoś do snu** to make sb drowsy; **spać snem sprawiedliwego** to sleep the sleep of the just; **spać snem zimowym** to lie dormant; **wywoływać ~** to send (one) to sleep; **jak przez ~** dimly; **we śnie, przez ~** in one's sleep; when sleeping 2. (*obraz widziany w czasie spania*) dream; **koszmarny** <**zły**> **~** nightmare; **kraina snów** dream-land; **~ na jawie** day-dream; **przyjemnych snów!** sweet <pleasant> dreams!; **widzieć kogoś, coś we śnie** to dream of sb, sth; **zniknąć jak ~** to vanish into thin air
senacki *adj* senate — (house etc.)
senat *sm G.* **~u** 1. (*izba parlamentu*) senate; Upper House 2. *uniw.* senate
senato|r *sm pl N.* **~rowie** <**~rzy**> senator
senator|ka *sf pl G.* **~ek** senatress; (*w starożytnym Rzymie*) senatrix
senatorsk|i *adj* senatorial (seat, duties etc.); **izba ~a** Upper House
senatorstwo *sn* senatorship; senatorial dignity
senes *sm singt G.* **~u** senna leaves <pods>
senio|r *sm pl G.* **~rzy** <**~rowie**> 1. (*starszy wiekiem*) senior; elder; *polit.* doyen 2. *sport* senior 3. *hist.* feudal lord; seignior
senioralny *adj hist.* seigniorial
seniorat *sm G.* **~u** *hist.* lordship; seigniory
senior|ka *sf pl G.* **~ek** senior
sennie *adv* sleepily; drowsily; torpidly
sennik *sm* dream-book
senność *sf singt* sleepiness; somnolence; drowsiness; torpor; **~ ogarnia** <**bierze**> **kogoś** one gets sleepy
sennowłóctwo *sn singt psych.* somnambulism; sleep-walking
senn|y *adj* 1. (*śpiący*) sleepy; somnolent; drowsy; torpid; **chodzić** <**pracować**> **jak ~y** to moon about 2. (*związany ze snem*) dreamy (eyes); **~a mara** nightmare; **~e marzenia** <**widzenia**> dreams
senon *sm singt G.* **~u** *geol.* Senonian era
senoński *adj geol.* Senonian
sens *sm G.* **~u** 1. (*logiczna treść*) substance; gist; purport <drift> (of sb's words etc.); **~ moralny** (the) moral 2. (*znaczenie*) meaning; significance; sense; **bez ~u** meaningless; nonsensical; **mówić z ~em** to talk sensibly; **to ma ~** that's sensible; **to nie ma ~u** that's nonsense; **w pewnym ~ie** in a way 3. (*cel*) point; use; **coś w tym ~ie** sth of the sort; **czy to ma ~?** will that be of any use?;

nie ma ~u gadać <płakać itd.> it's no use <no good> talking <crying etc.>; there's no point in talking <crying etc.>; **powiedział coś w tym ~ie** he said sth to that effect

sensacj|a *sf* sensation; **pogoń za ~ami** pursuit of the sensational; **wzbudzić <wywołać> ~ę** to create <to make, to cause> a sensation; to make a hit

sensacyjność *sf singt* sensational character (of an event etc.); the sensational

sensacyjn|y *adj* sensational; exciting; thrilling; **~a powieść <sztuka>, ~y romans <film>** thriller; **~a wiadomość** sensation; *dzien.* front-page news

sensat *sm*, **sensatka** *sf* sobersides

sensomotoryczny *adj psych.* sensorimotor

sensoryczny *adj* sensorial; sensory (nerve etc.)

sensownie *adv* sensibly; rationally; reasonably

sensowność *sf singt* sensibleness

sensowny *adj* sensible; rational; reasonable

sensowy *adj* sense — (organ etc.)

sensualista *sm* (*decl* = *sf*) *filoz.* sensualist

sensualistyczny *adj filoz.* sensualistic

sensualizm *sm singt G.* **~u** *filoz.* sensualism

sensualny *adj* 1. (*postrzegalny za pomocą zmysłów*) sensory 2. (*zmysłowy*) sensual

sensybilizacja *sf singt* 1. *biol.* sensibility 2. *fot.* sensitiveness

sensybilizator *sm biol. fot.* sensitizer

sensybilizować *vt imperf biol.* to sensibilize

sensytometr *sm G.* **~u** *fot.* sensitometer

sensytometri|a *sf singt GDL.* **~i** *fot.* sensitometry

sentencja *sf* maxim; dictum

sentencjonalny *adj* sententious

sentyment *sm G.* **~u** 1. (*skłonność, sympatia*) fondness <partiality> (**do kogoś** for sb); **mieć ~ do czegoś** to be attached to sth; **mieć ~ do kogoś** to be fond of sb <partial to sb>; **nie bawić się w ~y** not to sentimentalize; **on się nie bawi w ~y** he is hard-headed; **w polityce, w interesach nie ma ~u** there is no sentimentalizing in politics, in business 2. *singt* (*uczuciowość*) feeling; sentimentality

sentymentalista *sm* (*decl* = *sf*) sentimentalist

sentymentalizm *sm singt G.* **~u** sentimentalism; sentimentality

sentymentalność *sf* 1. *singt* (*przesadna uczuciowość*) sentimentality; sloppiness; mawkishness 2. (*coś sentymentalnego*) sentimental <sloppy, mawkish> composition

sentymentalny *adj* (*ckliwy*) sentimental; sloppy; mawkish; lackadaisical; *pot.* soft

separacja *sf* 1. (*rozłączenie małżonków*) separation from bed and board; **żyć w ~i** to live apart from one's wife <husband> 2. (*izolacja*) isolation

separacyjny *adj* separation — (order, decree etc.)

separat|ka *sf pl G.* **~ek** 1. (*w zakładzie leczniczym*) isolation ward; single-bed ward 2. (*w więzieniu*) solitary confinement cell

separator *sm* separator; divider

separatysta *sm* (*decl* = *sf*) (a) separatist; irredentist

separatystyczny *adj* separatist (tendencies etc.)

separatyzm *sm singt G.* **~u** separatism; irredentism

separować *v perf imperf rz.* **I** *vt* 1. (*izolować*) to separate; to isolate 2. (*przeprowadzać separację małżonków*) to separate (a married couple) **II** *vr* **~ się** to separate (*vi*)

separowanie *sn* (↑ **separować**) separation; isolation

sepi|a *sf GDL.* **~i** 1. *zool.* (*Sepia officinalis*) cuttle(-fish) 2. (*barwnik*) sepia

sepiowy *adj* sepia — (paper etc.)

seplenić *vi imperf* to lisp; to have a lisp; to speak with a lisp

seplenienie *sn* (↑ **seplenić**) (a) lisp

septari|a *sf GDL.* **~i** (*zw. pl*) *geol.* septaria

septariowy *adj* septarian

septet *sm G.* **~u** *muz.* septet(te)

septyczny *adj med.* septic

septyka *sf med.* sepsis

septyma *sf* 1. *sport* septime 2. *muz.* (a) seventh

ser *sm* cheese; **~ biały <krowi>** cottage cheese; **~ holenderski** Dutch cheese; **~ szwajcarski** gruyère cheese

seradela *sf bot.* (*Ornithopus*) serradella; bird's-foot

seradelowy *adj* bird's-foot — (chaff etc.)

seraf *sm pl N.* **~y** <**~owie**> = **serafin**

seraficzny *adj poet.* seraphic

serafin *sm pl N.* **~y** *rel.* seraph

seraj *sm G.* **~u** *hist.* seraglio

serak *sm geol.* serac; jagged ice pinnacles

Serb *sm*, **Serb|ka** *sf pl G.* **~ek** (a) Serbian

serbochorwacki *adj* Serbo-Croatian

serbski *adj* Serbian

sercan|ka *sf pl G.* **~ek** nun <sister> of the Order of the Sacred Heart

serc|e *sm* 1. *anat.* heart; *med.* **atak ~a** heart attack; **bicie ~a** heart-beat; **niedomoga ~a, udar ~a** heart-failure; *rel.* **Serce Jezusowe** the Sacred Heart; *zool.* **~e limfatyczne** lymph heart; **mieć słabe ~e** to have a weak heart; **miewać bicie ~a** to have palpitations of the heart; *przen.* **~e bije <wali> młotem** the heart beats like mad; **~e bije nadzieją <radością>** (sb's) heart beats with hope <with joy>; **~e przestaje bić** the heart fails <beats no longer>; **z drżeniem ~a** with (a) beating heart 2. *singt* (*okolica piersi*) heart; bosom; **przycisnąć kogoś do ~a** to clasp sb to one's heart; **z ręką na ~u** in all conscience 3. (*natura człowieka*) heart; **anielskie <gołębie, złote> ~e** heart of gold; **bratnie ~e** a man after one's own heart; **dwoje zakochanych ~** two loving hearts; **~e macierzyńskie <ojcowskie>** a mother's <father's> heart; **miał ~e dziecka** he was as tender-hearted as a child; **w prostocie ~a** candidly; ingenuously; frankly; **z dobrego ~a** willingly 4. *singt* (*siedlisko uczuć*) heart; kindness; kind-heartedness; **brak ~a** cold-heartedness; **(człowiek) bez ~a** (man) with a heart of stone; heartless (person); **człowiek z ~em** a man with his heart in the right place; **przyjaciel <przyjaciółka> od ~a** bosom friend; **bliski <miły> ~u** dear to one's heart; **rozdzierający ~e** heart-rending; **brać coś do ~a** a) (*przejąć się*) to take sth to heart b) (*zmartwić się*) to take sth badly; **być ~em przy kimś** to be with sb in spirit; **kamień mi spadł z ~a** it is a load off my heart; **mieć coś na ~u** to have sth at heart; **mieć ~e dla kogoś** to be partial to sb; **mieć ~e na dłoni** to wear one's heart on one's sleeve; **okazać komuś ~e** to show kindness <to be kind> to sb; **otworzyć ~e przed kimś** to open one's heart to sb; **przemówić komuś do ~a** to bring sth home to sb; **rozdzierać ~e** to rend the heart; **rozpierać komuś ~e** to fill sb's heart; **~e mięknie <taje,**

rozpływa się, topnieje> one's heart melts; ~e się kraje one's heart bleeds; to mi leży na ~u I am very particular <anxious> about that; to mu ciąży na ~u it weighs on his heart; ująć kogoś za ~e to touch sb to the heart; wkładać ~e w przedsięwzięcie to put one's heart into an undertaking; z bólem ~a coś robić to be loath to do sth; zdjąć komuś kamień z ~a to take a load off sb's heart; zrobić ofiarę spod ~a to offer sth at great cost to oneself; całym ~em, z całego ~a whole-heartedly; with all one's heart <soul>; na dnie ~a in one's heart of hearts; at bottom; szczerym ~em candidly; w głębi ~a in one's heart of hearts; at heart; in one's heart's core; z bólem ~a a) (*z przykrością*) with an aching heart b) (*niechętnie*) reluctantly; z ciężkim ~em with a heavy heart; heavy-hearted; z dobrego ~a out of kindness; z głębi ~a from the bottom of one's heart; z głębi ~a płynący heart-felt; z lekkim ~em with a light heart; light-heartedly; z rozpaczą w ~u heart-sick; heart-sore 5. (*siedlisko miłości*) heart; love; affection(s); dama ~a lady-love; pogromca ~ lady-killer; wkraść się w czyjeś ~e to worm oneself into sb's heart; zdobyć <podbić> czyjeś ~e to win sb's heart <sb's affection>; to endear oneself to sb; złamać komuś ~e to break sb's heart; ze złamanym ~em heart-broken 6. (*odwaga*) heart; pluck; spunk; ubogiego ~a poor in spirit; dodawać komuś ~a to put fresh <a new> heart <to put spunk> into sb; to put sb in good heart; mieć zajęcze ~e to be chicken-hearted; przybyło mu ~a he took heart again; stracić ~e to lose heart 7. (*przedmiot o kształcie serca*) heart; heart-shaped object 8. (*środek*) heart (of a forest, desert etc.) 9. (*w dzwonie*) clapper <tongue> (of a bell)

sercowaty *adj* heart-shaped; cordate

sercowo *adv rz. w zwrocie*: **chory ~** suffering from heart disorder

sercow|y *adj* 1. (*dotyczący serca*) heart — (attack, disease etc.); *med.* **mięsień ~y** myocardium 2. (*miłosny*) love — (affair, secret etc.) 3. *sl.* (*chory na serce*) cardiac (sufferer); **on jest ~y** he is a cardiac 4. *ogr.* **liście ~e** beet-heart leaves

serców|ka *sf pl G.* **~ek** 1. (*czereśnia*) a variety of cherry 2. (*łopata*) heart-shaped spade 3. *techn.* **~ka liny** rope eye 4. *zool.* (*Cardium*) cockle

serdak *sm* sleeveless jacket

serdecznie *adv* 1. (*szczerze*) heartily; sincerely; cordially; **~ kogoś kochać** to love sb dearly 2. (*życzliwie*) whole-heartedly; warmly 3. (*z całego serca*) from the bottom of one's heart 4. (*bardzo, naprawdę*) very; really; *pot.* awfully; **bawiliśmy się ~** we had real fun; **dziękuję ci ~** thanks awfully; **~ ci zazdroszczę** I envy you whole-heartedly; **~ się wyspać** to have a real good sleep

serdecznik *sm bot.* (*Leonorus*) motherwort

serdeczność *sf* 1. *singt* heartiness; cordiality; warmth (of a welcome) 2. (*zw. pl*) (*objawy życzliwości*) endearments; caresses; (*pozdrowienia*) sincere greetings; love (**dla** ... for ...)

serdeczn|y *adj* 1. (*życzliwy*) hearty; cordial; sincere; whole-hearted; warm (welcome etc.); **~i przyjaciele** close <bosom, intimate> friends 2. (*będący wyrazem szczerych uczuć*) heartfelt; deep-felt; hearty (laugh etc.); **~y płacz** bitter tears || **palec ~y** ring <annular> finger

serdel|ek *sm G.* **~ka** kind of smoked sausage

serdelow|y *adj* **kiełbasa ~a** minced-meat sausage

serduszko *sn dim* ↑ **serce**

ser|ek *sm G.* **~ka** (a) cheese

serenad|a *sf muz.* serenade; **wyprawić komuś ~ę** to serenade sb

seri|a *sf GDL.* **~i** *pl G.* **~i** 1. (*pewna liczba, zbiór*) series; set; succession; round (of visits etc.); run (of luck, of misfortune); train (of events etc.); *wojsk.* burst (of shots); **nieszczęścia zawsze idą ~ą, to jest prawo ~i** misfortunes never come alone; it never rains but it pours 2. *geol.* series

serio [I] *adv* seriously; **brać kogoś, coś ~** to take sb, sth seriously; **traktować coś ~** to mean business; **czy mówisz ~?** are you serious?; *sl.* you're not kidding?; **na ~** a) (*w poważny sposób*) in (real, good) earnest b) (*naprawdę*) really; **~!** honestly! [II] *adj indecl* serious

sernica *sf zool.* (*Phiophila casei*) cheese-fly

sernik *sm* 1. *kulin.* (*placek*) cheese-cake 2. *biol.* (*kazeina*) casein

sernikowy *adj* casein — (paint etc.)

serodiagnostyka *sf singt biol.* serodiagnosis

serojad|ka *sf pl G.* **~ek** *bot.* (*Russula*) a fungus of the genus Russula

serologi|a *sf singt GDL.* **~i** *biol. med.* serology

serologiczny *adj biol. med.* serologic(al)

seroterapi|a *sf singt GDL.* **~i** *med.* serotherapeutics, serum therapy

serowacieć *vi imperf med.* to undergo caseification

serowar *sm* cheese-maker

serowarni|a *sf pl G.* **~** *techn.* cheese-dairy

serowarski *adj* cheese-maker's (trade etc.)

serowarstwo *sn singt* cheese-making

serowaty *adj chem.* caseous

serowiec *sm rz.* = **sernik**

serowy *adj* cheese — (production etc.)

serpentyn *sm G.* **~u** *miner.* serpentine

serpentyna *sf* 1. (*droga*) serpentine; hairpin bend(s) 2. (*taśma papierowa*) streamer 3. *hist.* (*szabla*) curved sword

serpentynit *sm G.* **~u** *miner.* serpentine marble

serpentynowy[1] *adj* (*kręty*) serpentinous

serpentynowy[2] *adj miner.* (*związany z minerałem serpentynem*) serpentine — (rocks etc.)

serum *sn singt biol.* serum

serw *sm G.* **~u** *sport* serve, service

serwal *sm zool.* (*Felis serval*) serval

serwant|ka *sf pl G.* **~ek** (glazed) cabinet

serwat|ka *sf pl G.* **~ek** whey

serweta *sf* 1. (*obrus*) table-cloth 2. = **serwetka**

serwet|ka *sf pl G.* **~ek** 1. (*do wycierania ust*) napkin; serviette 2. (*mały obrus*) doily

serwetkow|y *adj* **bibuła ~a** paper-napkin

serwilista *sm* (*decl* = *sf*) flunkey; toady

serwilistyczny *adj* servile; fawning; cringing

serwilizm *sm singt G.* **~u** servilism

serwis[1] *sm G.* **~u** 1. (*komplet naczyń*) service; set; **~ do herbaty** tea-service 2. *pot.* (*komplet artykułów itp.*) service; **~ radiowy** broadcasting service

serwis[2] *sm G.* **~u** = **serw**

serwitut *sm G.* **~u** *prawn.* easement

serwitutowy *adj* easement — (rights etc.)

serwolat|ka *sf pl G.* **~ek** (kind of) German sausage

serwomechanizm *sm G.* **~u** *techn.* servomechanism; servocontrol; servo
serwomotor *sm G.* **~u** *techn.* servomotor
serw|ować *vt imperf sport* to serve; **ty ~ujesz** your serve
serwus *indecl pot.* hullo! what-ho!; *am.* hi!
serycyna *sf singt zool.* sericin
serycyt *sm G.* **~u** *miner.* sericite
serycytowy *adj* sericitic
seryjnie *adv* serially; in series; **produkować ~** to mass-produce; **produkowany ~** mass-produced; **układać ~** to serialize
seryjność *sf singt* serial <mass> production
seryjn|y *adj* 1. (*jeden z serii*) serial; **~a produkcja** serial production; repetition work 2. (*kolejny*) consecutive
sesj|a *sf* (*posiedzenie*) session <sitting> (of a commission etc.); **~a naukowa** symposium; **mieć ~ę** to be in session
sesterc *sm,* **sestercja** *sf* sesterce
sestyna *sf lit.* sestina
sesyjny *adj* session — (minutes etc.)
set *sm sport* set
setbol *sm sport* set ball <point>
seter *sm* setter
seter|ka *sf pl G.* **~ek** setter bitch
set|ka *sf pl G.* **~ek** 1. (*zbiór*) a hundred; (*liczba*) the figure 100; **jechać ~ką** to drive at <to do, to be doing> 100 kilometers an hour 2. *pl* **~ki** hundreds (of people, times etc.); **~ki tysięcy** hundreds of thousands; **przychodzili (całymi) ~kami** they came <flocked> in their hundreds 3. *pot.* (*w systemie pieniężnym*) a hundred (zlotys, francs, pounds etc.); a hundred-zloty note 4. (*tkanina*) 100% woollen cloth 5. (*dziesiąta część litra wódki*) one tenth of a litre of vodka 6. (*mapa*) map on the scale of 1 : 100 7. *sport* a hundred-metre race 8. (*autobus itd.*) N°100 (bus, tram, room etc.); **mieszkam pod ~ką** I live at N° 100 <in room N° 100>
setkarz *sm pl G.* **~y** <**~ów**> *sport* racer in the hundred-metre race
setnie † *adv* (*mocno*) thoroughly; (*świetnie*) splendidly; **~ się zabawić** to have good fun; to have a marvellous time; **~ się zmęczyć** to get thoroughly tired
setnik *sm hist.* foreman of a gang of one hundred workmen; *wojsk.* centurion
setn|y [I] *num* hundredth; **~a część** the <a> hundredth part; **waga ~a** platform balance <scale>; **~a rocznica** centenary; **po raz ~y** for the hundredth time [II] *sf* **~a** *mat.* one hundredth; **dwie itd. ~e** two etc. hundredths
sewrski *adj* Sèvres — (ware, porcelain)
sezam *sm G.* **~u** 1. (*w bajkach*) hoard; treasure; **~ie otwórz się!** open sesame! 2. *bot.* (*Sesamum*) sesame
sezam|ki *spl G.* **~ek** sesame candy
sezamowy *adj* sesame — (oil etc.)
sezon *sm G.* **~u** 1. (*pora roku*) (the summer, winter etc.) season 2. (*okres*) (holiday, hunting etc.) season; **jest ~ na ostrygi, truskawki itd.** oysters, strawberries etc. are in; **~ na ostrygi, truskawki itd. minął** oysters, strawberries etc. are out; **w pełni ~u** when the season is at its height; *przen.* **martwy** <**ogórkowy**> **~** the dull <dead, off> season
sezonować *vt imperf leśn.* (*suszyć*) to season (timber)
sezonow|iec *sm G.* **~ca** *rz.* seasonal labourer
sezonowo *adv* seasonally
sezonowość *sf singt* seasonal character <seasonality> (of a production, cultivation etc.)
sezonowy *adj* seasonal (rates, labour, industries etc.); occasional <casual> (labour); **robotnik ~** (a) casual (labourer)
sęczek *sm* (*dim* ↑ **sęk**) small knot
sędzi|a *sm GA.* **~ego** <**~**> *D.* **~emu** *I.* **~ą** *L.* **~m** *pl N.* **~owie** *GA.* **~ów** 1. *sąd.* judge; magistrate; *pl* **~owie** (*ciało sędziowskie*) the Bench; **~a polubowny** arbiter; **~a przysięgły** juryman; **~owie przysięgli** jurymen; *zbior.* the jury; **~a śledczy** examining magistrate; **zostać ~ą** to be appointed judge; to be raised to the Bench 2. (*ten, kto wypowiada opinię, ocenia*) judge (in matters of music, art etc.) 3. *sport* (*w piłce nożnej, boksie itd.*) referee; (*w tenisie itd.*) umpire
sędzielina † *sf* = **sadź**
sędzina *sf rz.* (*kobieta sędzia*) woman judge
sędziostwo *sn* (*urząd, funkcja*) judgeship
sędziować *vi imperf* 1. *sąd.* to judge; to be judge 2. *sport.* (*w piłce nożnej, boksie itd.*) to referee (**na meczu** a match); (*w tenisie itd.*) to umpire (**na rozgrywce** a game)
sędziowanie *sn* 1. ↑ **sędziować** 2. *sąd.* judgeship 3. *sport* (*w piłce nożnej itd.*) acting as referee; (*w tenisie itd.*) umpireship
sędziowsk|i *adj* 1. *sąd.* judicial; magisterial; **ława ~a** the bench; **urząd ~i** judgeship; **władza ~a** magistracy; judicial authority 2. *sport* referee's; umpire's
sędziwość *sf singt* old age
sędziwy *adj* 1. (*o człowieku*) grey-headed; hoary; venerable 2. *przen.* ancient; of great antiquity
sęk *sm G.* **~u** <**~a**> knot; knag; knar; **deski bez ~ów** clean timber; **w tym ~** that's (just) the point; there's the rub <the snag>; that's where the shoe pinches; **w tym ~, że ...** the devil of it is that ...
sękacz *sm pl G.* **~y** <**~ów**> 1. (*kij*) gnarled <knotty> stick 2. (*ciasto*) pyramidal cake 3. *leśn.* gnarled tree
sękar|ka *sf pl G.* **~ek** *leśn. techn.* holesaw; plugging machine
sękatość *sf singt* knottiness; gnarliness; nodosity
sękat|y *adj* 1. (*pełen sęków*) knotty; knaggy; gnarly; nodose; **~e palce** gnarled fingers 2. *przen.* (*chropowaty*) rugged 3. *przen.* (*uparty*) obstinate; self-willed
sęp *sm zool.* vulture
sępi *adj* 1. (*należący do sępa*) vulture's (claws etc.) 2. (*taki jak u sępa*) vulturine (nose etc.); vulturous (nature etc.)
sępota *sf bot.* (*Cobaea*) cobaea
sfabrykować *vt perf* 1. (*wyprodukować*) to make; to produce 2. (*sfałszować*) to fabricate; to forge 3. (*wymyślić*) to make up; to invent
sfalcować *vt perf druk.* to fold
sfaleryt *sm G.* **~u** *miner.* sphalerite
sfalowa|ć *v perf* [I] *vt* 1. (*zburzyć*) to ruffle 2. (*zw. pp*) (*ułożyć w fale*) to wave; to undulate; to corrugate; (*o włosach itd.*) **~ny** wavy [II] *vr* **~ać się** 1. (*stać się wzburzonym*) to become <to grow> rough 2. (*ułożyć się falisto*) to become wavy

sfałdować *v perf* [I] *vt* 1. (*zebrać w fałdy*) to gather into folds <pleats, rucks, puckers> 2. (*pokryć fałdami*) to crease; to wrinkle; to corrugate (iron etc.) 3. *geogr. geol.* to bend into a fold <folds>; to fold [II] *vr* ~ **się** 1. (*zmarszczyć się*) to take a fold; to fall into folds; to wrinkle <to crease> (*vi*)

sfałdowanie *sn* 1. ↑ **sfałdować** 2. (*fałd, falistość*) fold(ing); waviness; wrinkles

sfałszować *v perf* [I] *vt* (*podrobić*) to counterfeit; to adulterate; to imitate; (*dokonać fałszerstwa*) to forge [II] *vi* (*w grze, śpiewie*) to sing <to play> out of tune

sfanatyzowa|ć *vt perf* to fanaticize; **~ny** fanatic; bigoted

sfastrygować *vt perf* to baste; to tack

sfaszyzować *v perf* [I] *vt* to fascistize [II] *vr* ~ **się** to become imbued with the principles of fascism

sfatygowa|ć *v perf* [I] *vt* 1. (*zmęczyć*) to tire (sb) out 2. *żart.* (*zniszczyć*) to deteriorate; to impair; **~ny** deteriorated; dilapidated; battered; shabby [II] *vr* **~ć się** to get tired; to work oneself tired

sfaulować *vt perf sport* to foul

sfederować *v perf* [I] *vt zw. pp* to federate [II] *vr* ~ **się** to federate (*vi*)

sfenoi|d *sm G.* **~du** *L.* **~dzie** *miner.* sphenoid

sfer|a *sf* 1. (*przestrzeń wokół Ziemi*) sphere; atmosphere (of the upper air) 2. (*kula, glob*) sphere; orb; globe; **muzyka ~** music of the spheres 3. (*pas ziemi, obszar*) zone 4. (*zakres*) sphere (of interest etc.); realm; area; domain 5. (*warstwa społeczna, środowisko*) class; *pl* **~y** circles; world (of art, sport etc.); **ludzie wszystkich ~** people of every state <walk of life>

sfermentować *vt perf* to ferment

sfermentowanie *sn* (↑ **sfermentować**) fermentation

sferoida *sf mat.* spheroid

sferoidalny *adj mat.* spheroidal

sferoli|t *sm G.* **~tu** *L.* **~cie** *miner.* spherulite

sferycznie *adv* spherically

sferyczny *adj* spherical (aberration, geometry, triangle etc.)

sfiksować *vi perf pot.* (*stracić rozsądek*) to go mad <crazy>

sfilcować *vt perf techn.* to felt

sfilistrze|ć *vi perf* **~je** to become a Philistine; to grow smug <narrow-minded>

sfilmować *vt perf* to film; to screen (a novel etc.); to shoot (a scene)

sfinalizować *vt perf* to settle; to conclude; to bring to an end; to sign (a treaty etc.)

sfinalizowanie *sn* (↑ **sfinalizować**) settlement; conclusion

sfinansować *vt perf* 1. (*dostarczyć środków*) to finance (an undertaking) 2. (*opłacić*) to cover the cost <to defray, to bear the expense> (**coś** of sth)

sfingować *vt perf* 1. (*udawać*) to simulate 2. (*sfałszować*) to fake

sfinks *sm* 1. (*dosł. i przen.*) sphinx 2. *zool.* (*Sphinx*) sphinx <hawk> moth

sfinksowaty *adj* sphinx-like

sfinksowość *sf singt* sphinxian character (of a woman etc.)

sfinksowy *adj* sphinxian; enigmatic

sflaczały [I] *pp* ↑ **sflaczeć** [II] *adj* flabby; limp; flaccid

sflacze|ć *vi perf* **~je** *dosł. i przen.* to become flabby <limp, flaccid>

sflaczenie *sn* (↑ **sflaczeć**) flabbiness; limpness; flaccidity

sfolgować *vi perf* 1. (*rozluźnić, popuścić*) to slacken; to reduce the pressure <the tension, the strain> (**komuś, czemuś** on sb, sth); to loosen one's grip (**komuś, czemuś** on sb, sth) 2. (*zelżeć, złagodnieć*) to abate; to subside

sfora *sf pl G.* **sfor** <**sfór**> 1. (*gromada psów*) pack (of hounds); kennel; (*para*) couple; brace 2. *przen.* band; gang 3. (*smycz*) leash 4. (*rzemień u cepa*) swingle strap

sformalizować *vt perf* to formalize; **~ wyrażenie** to formulate an expression

sformować *v perf* [I] *vt* 1. (*ukształtować*) to form; to shape; to fashion 2. (*zorganizować, ustawić*) to form (ranks etc.); to draw up; to organize [II] *vr* ~ **się** 1. (*wytworzyć się*) to be formed <shaped, fashioned>; to take shape 2. (*zorganizować się*) to be organized; to arise 3. (*ustawić się*) to form <to draw up> into line

sformowanie *sn* (↑ **sformować**) formation; organization

sformułować *v perf* [I] *vt* to formulate; to express; to put into words; to draw up (a text etc.) [II] *vr* ~ **się** to be formulated <expressed, put into words drawn up>

sformułowanie *sn* (↑ **sformułować**) formulation; expression; wording

sforsować *v perf* [I] *vt* 1. (*zmęczyć*) to overstrain (sb); to sprain (a muscle); **~ sobie głos** to force one's voice 2. (*pokonać przeszkodę*) to overcome (an obstacle); **~ drzwi** to force a door; **~ zamek** to force a lock 3. *karc.* to force [II] *vr* ~ **się** to overstrain oneself

sforsowanie *sn* (↑ **sforsować**) overstrain

sfotografować *v perf* [I] *vt* to photograph; to take a picture (**kogoś, coś** of sb, sth) [II] *vr* ~ **się** to have one's picture taken

sfragistyczny *adj* sphragistic

sfragistyka *sf singt hist.* sphragistics

sfrancuzić *vt perf* to frenchify

sfrancuzie|ć *vi perf* **~je** to become frenchified

sfrancuzienie *sn* (↑ **sfrancuzieć**) frenchification

sfrunąć *vi perf* — **sfruwać** *vi imperf* (*odlecieć*) to fly away; (*przylecieć*) to come (**na parapet okienny itd.** to the window sill etc.)

sfrunięcie *sn* ↑ **sfrunąć**

sfrustrowany *adj* frustrated

sfruwać *zob.* **sfrunąć**

sfukać *vt perf* to reprimand; to rebuke

sfuszerować *vt perf* to bungle; to botch; *pot.* to foozle

sfuszerowanie *sn* (↑ **sfuszerować**) (a) bungle; (a) botch; (a) foozle

sgraffit|o *sn pl G.* **~ów** *plast.* sgraffito; scratch-work

si *indecl muz.* h

siać *v imperf* **sieje, siali** <**sieli**> [I] *vt* 1. *roln.* to sow (corn etc.) 2. *przen.* (*szerzyć*) to sow (terror, the seeds of discord etc.); to inspire (hatred etc.); to disseminate (rumours etc.); to spread (panic etc.) 3. (*przesypywać przez sito*) to sift 4. (*gubić*) to lose; to drop [II] *vi* (*padać gęsto*) to pour; **deszcz**

siał it rained fast [III] *vr* ~ **się** 1. (*być rozsiewanym*) to be sown 2. (*być przesiewanym*) to be sifted

siad *sm G.* ~**u** sitting posture

siadać *vi imperf* — **siąść** *vi perf* **siądę, siądzie, siądź!, siadł, siedli** 1. (*przybierać pozycję siedzącą*) to sit down; to take a seat <a chair>; **siadać, siąść do pociągu** <**do dorożki, do samochodu, na statek itd.**> (*rozpocząć podróż, jazdę*) to take the train <a cab, a car, a boat etc.>; **siadać, siąść do pociągu** (*zajmować miejsce*) to take one's seat in the train; **siadać, siąść do stołu** <**do pracy itd.**> to sit down to table <to work etc.>; **siąść na koń** <**na rower, na tron**> to mount one's horse <one's bicycle, the throne>; **siąść w kucki** to squat (down); **proszę siadać!** take your seats, please!; *przen.* **takie, że proszę siadać** such as you'll seldom meet 2. (*o koniu*) to come down on its haunches; (*o ptakach*) to light; to settle; to take its perch; *przen. sl.* **mucha nie siada** tip-top; first-rate; O.K. 3. (*o łodzi*) to run aground; to get stranded 4. *lotn.* to land 5. *techn.* (*o maszynie itd.*) to break down; (*o oponach, gumach*) to go flat; **opony ci siadły** your tyres are flat

siadywa|ć *vi imperf* to sit (sometimes, often, now and then); **miejsce, gdzie matka** ~**ła** the place where mother used to sit; the seat mother used to occupy

siadywanie *sn* ↑ **siadywać**

siak † otherwise; *obecnie w zwrotach*: **czy tak, czy** ~ in any case; **(i) tak i** ~ in all manner of ways; by fair means and foul; **ni tak, ni** ~ nohow; in no manner; **tak czy** <**albo**> ~ anyway; this way or that

siaki † *obecnie w zwrotach*: **ni taki, ni** ~; **ani taki, ani** ~ neither one thing nor the other; ~ **taki** passable; pretty good

siako † *obecnie w zwrocie*: ~ **tako** pretty well <fair>

sial [s-i] *sm G.* ~**u** *geol.* sial

sianie *sn* ↑ **siać**

sian|o *sn singt* hay; **strych na** ~**o** hay-loft; **wałek zgrabionego** ~**a (w polu)** windrow; **suszyć** ~**o** to make hay; *przen.* **pies na** ~**ie** dog in the manger; **wykręcić się** ~**em** to shuffle; to quibble

sianokosy *spl* haymaking

sianożęcie † *sn* = **sianokosy**

siar|a *sm DL.* ~**rze** *med. zool.* beestings

siarczan *sm G.* ~**u** *chem.* sulphate; vitriol; ~ **kwaśny** hydrogen sulphate; ~ **miedziowy** copper sulphate; ~ **sodu** <**sodowy**> sodium sulphate

siarczan|y *adj* sulphur — (acid etc.); sulphureous (exhalations etc.); **źródło** ~**e** sulphur spring; *chem.* **kwiat** ~**y** flowers of sulphur

siarcz|ek *sm G.* ~**ku** *chem.* sulphide; ~**ek rtęci** <**rtęciowy**> mercuric sulphide

siarczkować *vt imperf fot.* to sulphate

siarczyn *sm G.* ~**u** *chem.* sulphite

siarczynowy *adj chem. techn.* sulphite — (pulp etc.)

siarczysty *adj* 1. (*żwawy, dziarski*) spirited; racy; lively; fiery 2. (*silny*) strong; ~ **mróz** ringing frost; ~ **policzek** sound box on the ears <slap in the face>

siarczyście *adv* 1. (*raźno*) spiritedly; racily 2. (*ostro*) violently; ~ **kląć** to swear like a bargee <like a trooper>

siark|a *sm singt chem. miner.* sulphur; brimstone; ~**a granulowana** drop-sulphur; ~**a w bryłach** roll sulphur; *przen.* **czuć** ~**ę w powietrzu** there is thunder in the air

siarkawy *adj chem.* sulphurous (acid, anhydride etc.)

siarkonośny *adj chem.* sulphur-bearing

siarkować *vt imperf* 1. (*nasycać siarką*) to sulphur (matches etc.) 2. *roln.* (*opylać siarką*) to sulphur (plants etc.) 3. *techn.* to sulphurize

siarkowanie *sn* (↑ **siarkować**) sulphuration

siarkowce *spl chem.* sulphur group

siarkowodorow|y *adj chem.* hydrosulphuric (acid etc.); **woda** ~**a** hydrogen sulphide water

siarkowod|ór *sm singt G.* ~**oru** *chem.* sulphuretted hydrogen

siarkowy *adj* sulphuric (acid etc.); sulphur — (match etc.)

siateczka *sf dim* ↑ **siatka**; ~ **żarowa** gas mantle

siateczkowy *adj* reticular

siat|ka *pl G.* ~**ek** 1. (*ażurowa plecionka*) net; netting; ~**ka do włosów** hair-net; ~**ka druciana** wire-netting; (*w wagonie itd.*) ~**ka na bagaż** rack; ~**ka na motyle** butterfly net; ~**ka na zakupy** marketing net; net bag; ~**ka od much** fly-net; ~**ka pszczelarska** bee veil 2. *przen.* (*splątane krzyżujące się linie*) criss-cross; network 3. (*rozmieszczenie, rozkład*) schedule; *fiz. opt.* ~**ka dyfrakcyjna** diffraction grating; ~**ka przestrzenna** lattice 4. *fot. opt.* reticle, reticule; graticule 5. *mat. sport* net 6. *druk.* half-tone block

siatkar|ka *sf pl G.* ~**ek** = **siatkarz**

siatkarski *adj sport* volley-ball — (team etc.)

siatkarstwo *sn singt techn.* netting; netter's trade

siatkarz *sm pl G.* ~**y** <~**ów**> volley-ball player

siatkoskrzydł|y [I] *adj* neuropterous [III] *spl* ~**e** *zool.* (*Neuroptera*) (*rząd*) the order Neuroptera

siatkować *vt imperf rz.* to reticulate

siatkowanie *sn* (↑ **siatkować**) reticulation

siatkowaty *adj* reticulate; retiform

siatkow|y *adj* net — (tracery etc.); reticular; meshy; *bot. zool.* cancellated; **klisza** ~**a** half-tone block; **pończochy** ~**e** mesh stockings

siatków|ka *sf pl G.* ~**ek** 1. *anat. zool.* retina 2. *sport* volley-ball

siatkówkowy *adj anat. zool.* retinal

siąkać *v imperf* — **siąknąć** *v perf* [I] *vi* (*pociągać nosem*) to sniff [III] *vt* (*wycierać nos*) to wipe <to blow> (one's nose)

siąpać *vi imperf* — *rz.* **siąpnąć** *vi perf* 1. = **siąpić** 2. = **siąkać** 3. (*chlupać*) to flop

siąpanie *sn* ↑ **siąpać**

siąpawica *sf* drizzle

siąpić *vi imperf* to drizzle

siąpienie *sn* (↑ **siąpić**) (a) drizzle

siąpnąć *zob.* **siąpać**

siąść *zob.* **siadać**

sicz *sf hist.* the Zaporogian Cossacks

siczow|iec *sm G.* ~**ca** Zaporogian Cossack

sidełko *sn dim* ↑ **sidło**

sidli|ć *vt imperf* ~**j!** *rz.* to snare

sid|ło *sn pl G.* ~**eł** (*zw. pl*) snare; *przen.* trap; **wpaść we własne** ~**ła** to be hoist with one's own petard; **wpaść w** ~**ła** to be <to get> snared; **zaciągnąć w** ~**ła** to decoy; **zastawiać** <**nastawić**> ~**ła** to lay <to set> a snare <snares>; **złapać w** ~**ła** to snare (a bird etc.); to trap (sb)

siebie *pron GDL.* **sobie** *A.* **siebie** <**się**> *I.* **sobą** 1. (*siebie samego*) oneself; one; **samego siebie**

oneself; **coś robić ze sobą** to do sth with oneself; **przed siebie** <**sobą**> before one; **przy sobie** near one; with one; **u siebie** a) (*w sobie samym*) in one b) (*w domu*) at home; **za siebie** behind one 2. (*wzajemnie*) one another; each other; **bliżej siebie** closer to one another <each other>; **dalej od siebie** farther away from one another <each other>

sie|c *vt imperf* **~kę, ~cze, ~kł** 1. (*ciąć, płatać*) to hack; to slash 2. (*chłostać, smagać*) to lash; to slash 3. *przen.* (*o karabinach maszynowych*) to mow; (*o deszczu, wichrze*) to drive 4. *dial.* to mow <to scythe> (grass, corn)

sieciar|ki *spl G.* **~ek** *zool.* (*Neuroptera*) (*rząd*) the order Neuroptera

sieciar|nia *sf pl G.* **~ni** <**~ń**> *techn.* net-making shop

sieciarstwo *sn singt* net-making

sieciarz *sm pl G.* **~y** <**~ów**> *rz.* 1. (*rzemieślnik*) netter; net-maker 2. (*w starożytnym Rzymie*) retiarius

sieciowy *adj* net __ (meshes etc.)

sieczenie *sn* ↑ **siec**

sieczk|a *sf singt* 1. (*pocięta słoma*) chaff; **porżnąć** <**roznieść**> **na ~ę** to hack to pieces; **z ~ą w głowie** empty-headed; *am.* dead from the neck up 2. (*drobne paciorki*) beads

sieczkar|nia *sf pl G.* **~ni** <**~ń**> chaff-cutter

sieczna *sf* (*decl = adj*) *mat.* secant

sieczn|y *adj* cutting; edge __ (tool etc.); *zbior.* **broń ~a** side-arms; *anat. zool.* **zęby ~e** incisors; (*u konia*) nippers

sie|ć *sf pl N.* **~ci** 1. (*sprzęt rybacki*) net; fishing-net; *przen.* (*zw. pl* **~ci**) trap; snare; **~ć zmarszczek** network of wrinkles; **zakładać ~ci** to spread nets; **zarzucić ~ć** to cast a net; **złapać kogoś w ~ci** to trap <to ensnare> sb 2. (*nitki pajęcze*) web; *przen.* **~ć fabuły** the ramifications of a plot; **~ć intryg** web of intrigues 3. (*rozgałęzienie, rozmieszczenie*) system; network; *elektr.* grid; mains; *kolej.* system; trackage; **~ć kanalizacyjna** sewer system; **~ć wodociągowa** water mains 4. *anat.* omentum; reticulum

sied|em *num GDL.* **~miu** *I.* **~miu** <**~mioma**> seven; **~em cudów świata** the seven wonders of the world; **~miu braci śpiących** the Seven Sleepers; **brzydki jak ~em grzechów głównych** as ugly as sin; **od ~miu boleści** pitiable; **skrzywiony jak ~em nieszczęść** the very picture of misery; **za ~mioma górami** over the hills and far away; **było ich ~miu** there were seven of them; **mieć ~em lat** to be seven (years old); **zamknąć drzwi na ~em spustów** to double-lock the door

siedemdziesi|ąt *num GDL.* **~ęciu** *I.* **~ęciu** <**~ęcioma**> seventy; three score and ten; **mieć ~ąt lat** to be seventy (years old)

siedemdziesiąt|ka *sf pl G.* **~ek** 1. (*liczba*) seventy; number 70; (*autobus* <*pokój itd.*>) bus <room etc.> N° 70 2. (*wiek*) seventy years of age; **on ma ~kę** he is past seventy; **on ma ~kę na karku** he is getting on for 70

siedemdziesiąt|y *adj* seventieth; **~e lata (stulecia, czyjegoś wieku)** the seventies

siedemdziesięcioleci|e *sn pl G.* **~** 1. (*okres*) period of seventy years 2. (*rocznica*) seventieth anniversary

siedemdziesięcioletni *adj* seventy years old; **człowiek ~** a man of seventy

siedemnast|ka *sf pl G.* **~ek** 1. (*liczba*) seventeen; the figure 17 2. (*coś oznaczonego numerem 17*) (bus, tram, room etc.) N° 17

siedemnastolat|ek *sm pl G.* **~ka** boy of seventeen; boy seventeen years old; a seventeen-year-old boy

siedemnastoletni *adj* seventeen years old; seventeen-year-old

siedemnastowieczny *adj* seventeenth-century __ (building etc.)

siedemnast|y *num* [I] *adj* seventeenth [II] *sf* **~a** (one, two etc.) seventeenth(s)

siedemna|ście *num GDL.* **~stu** *I.* **~stu** <**~stoma**> seventeen

siedemnaścior|o *num G.* **~ga** *DL.* **~gu** *I.* **~giem** seventeen

siedemset *num* seven hundred

siedemsetny *num* seven-hundredth

siedlisko *sn* 1. (*miejsce zamieszkania*) habitation; abode 2. *przen.* (*centrum, skupisko*) seat (of a disease etc.); hotbed (of sedition etc.); nest (of brigandage etc.); nidus (of vermin etc.) 3. *biol.* habitat; biotope

siedliskowy *adj* biotopic; habitat __ (group etc.)

siedmiobarwny *adj* seven-coloured

siedmiobok *sm* septangle

siedmiodniowy *adj* seven-day __ (periods etc.); lasting seven days; seven days' __ (work, journey etc.)

siedmiogodzinny *adj* seven-hours' __ (journey, work etc.); seven-hour __ (period etc.); of seven hours; lasting seven hours

siedmiokąt *sm* heptagon; septangle

siedmioklasowy *adj* seven-class __ (school)

siedmiokrop|ka *sf pl G.* **~ek** *zool.* **biedronka ~ka** ladybird

siedmiokrotnie *adv* seven times

siedmiokrotny *adj* repeated <reiterated> seven times; septuple

siedmioksiąg *sm* Heptateuch

siedmiolat|ek *sm G.* **~ka** 1. (*chłopiec*) boy of seven; a seven-year-old boy 2. (*drzewo, zwierzę*) seven-year-old

siedmiolat|ka *sf pl G.* **~ek** 1. (*dziewczyna*) girl of seven; a seven-year-old girl 2. (*szkoła*) seven-class school

siedmioletni *adj* 1. (*mający siedem lat*) seven years old; (boy) of seven; (*o zwierzęciu, drzewie*) seven-year-old 2. (*trwający siedem lat*) septennial; seven years' __ (work etc.); lasting seven years; of seven years' duration; **okres ~** septennate

siedmiomiesięczny *adj* seven months' (work, pay etc.); of seven months; lasting seven months; of seven months' duration; (*o dziecku*) seven months old

siedmiomilow|y *adj* seven-league; *przen.* **~e buty** seven-league boots; **kroki ~e** giant strides

siedmioosobowy *adj* (committee etc.) of seven persons

siedmiopiętrowy *adj* seven storeys high; seven-storey __ (building)

siedmioraki *adj* sevenfold; of seven different kinds

siedmioramienny *adj* seven-branched

siedmior|o *num G.* **~ga** *DL.* **~gu** *I.* **~giem** seven

siedmiostrzałowy *adj* **rewolwer ~** sevenshooter

siedmiościan *sm G.* **~u** *mat.* heptahedron

siedmiowartościowy *adj* septivalent

siedmiozgłoskow|iec *sm G.* **~ca** *lit.* heptastich

siedmiozgłoskowy *adj* septisyllabic

siedząc|y *adj* 1. (*będący w pozycji siedzącej*) sitting (posture); sedentary (occupation etc.) 2. (*przeznaczony do siedzenia*) sitting (room etc.); **miejsca ~e** seats; **sala ma 50 miejsc ~ych** the room seats 50 people 3. *bot.* (*o liściu*) sessile

siedzenie *sn* 1. ↑ **siedzieć**; **~ w domu** staying at home 2. (*sprzęt*) seat 3. (*pośladki*) bottom; behind; seat

siedziba *sf dosł. i przen.* abode; seat (of government etc.); habitat (of an animal)

siedzi|eć *vi imperf* **~** 1. (*znajdować się w pozycji siedzącej*) to sit (on a chair, in an armchair, at table etc.); (*nie wstawać z miejsca*) to remain seated; (*nie kłaść się spać*) to sit up (till *x* o'clock at night etc.); **~eć bez końca** to sit on and on; **~eć cicho** to keep quiet; to hold one's tongue; **~eć dłużej od innych gości** to outsit the other guests; **~eć do portretu** to sit for a portrait; **~eć nad czymś** to sit over sth; **~eć na koniu** to sit a horse <on horseback>; **~eć po turecku** to sit Turkish fashion; **~eć prosto** to sit up <straight>; **~eć w kucki** to squat; **~eć w pociągu, tramwaju itd.** to ride in a train, tram etc.; **niewygodnie się na tym ~** it's uncomfortable to sit on; *przen.* **~eć komuś na karku** a) (*doganiać*) to pursue sb closely; to tread on sb's heels b) (*przeszkadzać*) to be a millstone round sb's neck; **~eć na pieniądzach** to roll in money 2. (*o zwierzęciu*) to rest on its haunches; (*o ptaku*) to be perched; **~eć na jajach** to hatch <to incubate> eggs 3. (*przebywać*) to stay; to remain; **nie ~eć na miejscu** to be (constantly) in and out of the house; **~eć w domu** to stay <to be> at home; **~eć na stanowisku** to occupy a post; **~eć na posadzie** to have a job 4. (*być osiedlonym*) to be settled (somewhere) 5. (*tkwić*) to stick (**mocno** tight); to stay put; **klamra słabo ~** the cramp won't stay put 6. *pot.* (*być aresztowanym*) to be in prison; to do time

sie|ja *sf GDL.* **~i** *zool.* (*Coregonus lavaretus* <*maraena*>) lavaret

siejba *sf* (*siew*) sowing; (*okres siewu*) sowing time

siekacz *sm* 1. (*narzędzie*) chopper; butcher's cleaver 2. *anat. zool.* incisor 3. *roln.* kind of sickle

sieka|ć *vt imperf* 1. (*ciąć*) to chop up; to cut up; to hash <to mince> (meat); **~ne kotlety** minced collops; **~ne mięso** hash 2. (*razić, zabijać*) to hack; to slash 3. (*chłostać*) to lash; to flog 4. (*o wietrze, deszczu — zacinać*) to drive; to slash

sieka|niec *sm G.* **~ńca** buck-shot

siekanina *sf* 1. (*bezładne siekanie*) chopping up; cutting up 2. (*to, co jest posiekane*) chopped <cut> up material <stuff> 3. (*mięso siekane*) hash; minced meat 4. (*bijatyka*) butchery

siekan|ka *sf pl G.* **~ek** 1. (*potrawa*) hash; minced meat 2. (*rodzaj kaszy*) clipped barley

siekier|a *sf* axe; hatchet; *pot.* **człowiek od ~y** rough-hewn fellow; **metody od ~y** rough-and--ready methods; *przen.* **~ę tu można zawiesić** the room is frowsy

siekierk|a *sf* (*dim* ↑ **siekiera**) hatchet; *przysł.* **zamienił stryjek ~ę na kijek** he made a losing bargain; he lost the substance for the shadow

siekiernica *sf bot.* (*Hedysarum*) hedysarum

siekierzysko *sn* (hatchet) handle; helve

sielan|ka *sf pl G.* **~ek** 1. (*utwór poetycki*) idyl(l); pastoral; bucolic 2. (*beztroskie życie*) idyl(l) 3. (*miłość*) idyl(l)

sielankopisarz *sm pl G.* **~y** <**~ów**> idyllist

sielankowo *adv* idyllically

sielankowość *sf singt* idyllic character (of a scene etc.)

sielankowy *adj* 1. *lit.* (*dotyczący sielanki*) idyllic; pastoral; bucolic 2. (*pogodny, szczęśliwy*) idyllic

sielawa *sf zool.* (*Coregonus albula*) a European whitefish

sielski *adj* 1. (*dotyczący wsi*) rural 2. (*sielankowy*) idyllic; **~e czasy pokoju** the piping times of peace

sielskość *sf singt* idyllic character (of a neighbourhood etc.)

siemieniat|ka *sf pl G.* **~ek** *gw.* 1. (*kura*) spotted hen 2. (*zupa*) a soup of hemp seed

siemieniaty *adj* (*o kurach*) spotted

siemi|ę *sn singt G.* **~enia** bird-seed; canary-seed; **~ę lniane** flax-seed

siennik *sm* straw mattress; pallet; paillasse

sienny *adj* hay — (waggon etc.); **katar ~** hay fever

sie|ń *sf pl N.* **~nie** vestibule; entrance-hall; *am.* hallway

siepacz *sm pl G.* **~y** myrmidon; hired assassin; bravo

siep|ać *vt imperf* **~ie** — **siep|nąć** [I] *vt perf rz. pot.* 1. (*szarpać*) to tug 2. (*bić, smagać*) to slash [II] *vr* **~ać, ~nąć się** (*szamotać się*) to struggle

sierdz|ić † *v imperf* **~ę** *rz.* [I] *vt* to anger; to irritate [II] *vr* **~ić się** to storm

siermięga *sf* peasant's coat of rough homespun

siermiężny *adj* peasant's, peasants'

sieroci|niec *sm G.* **~ńca** orphanage

sieroco *adv lit.* lonesomely; **czuć się ~** to feel lonesome

sieroctwo *sn singt* orphanhood; bereavement

sierocy *adj lit.* 1. (*dotyczący sieroty*) orphan's (fate etc.) 2. (*osamotniony*) lonesome; solitary; bereaved

sierota *sf sm* (*decl* = *sf*) 1. (*dziecko*) orphan 2. (*człowiek osamotniony*) orphaned <solitary, abandoned, bereaved, lonesome> person 3. *przen.* poor fellow <creature>

sierot|ka *sf sm* (*decl* = *sf*) *pl G.* **~ek** *dim* ↑ **sierota** 1.

sierp *sm* 1. *roln.* sickle; reaping hook; **~ księżyca** crescent of the moon; *przen.* **wyginać się w ~** to arch; to curve 2. *sport* hook

sierpak *sm ogr. roln.* billhook

sierp|ień *sm G.* **~nia** August

sierpik *sm G.* **~a** <**~u**> 1. *dim* ↑ **sierp** 2. *bot.* (*Serratula tinctoria*) saw-wort; (*rodzaj kwiatostanu*) drepanium

sierpnica *sf bot.* (*Falcaria*) falcaria

sierpniowy *adj* August — (weather etc.)

sierpowato *adv* in the shape of a sickle

sierpowat|y *adj* sickle-shaped; falcate; falciform; *bot.* **lucerna ~a** yellow-flowered alfalfa

sierpowy [I] *adj* sickle-shaped; falcate; falciform [II] *sm sport* hook; **cios ~** hook; **uderzyć ~m** to hook

sierściow|y *adj* **zwierzyna ~a** game beasts

sierść *sf singt* 1. (*uwłosienie ciała zwierząt*) (animal's) hair <coat>; jacket, fur; pelage; **~ zimowa** undercoat 2. *myśl.* (*zwierzyna łowna*) game beasts

sierżancki *adj* sergeant's (rank, duties etc.)

sierżant *sm* sergeant; **starszy ~** company sergeant

siew *sm G.* **~u** 1. (*rzucanie nasion*) sowing; **pora ~u** seed time; **~ rzędowy** drill 2. (*posiew*) *dosł. i przen.* seeds

siewca *sm* (*decl* = *sf*) sower

siew|ka *sf pl G.* **~ek** 1. (*młoda roślina*) seedling 2. *zool.* (*Charadrius*) plover

siewkowate *spl zool.* (*Linicolae*) the shore birds

siewnik *sm roln.* sowing-machine; seeder

siewn|y *adj* seed- (corn, flax etc.); sowing — (seed, peas etc.); **akcja <kampania> ~a** the sowing

siewruga *sf zool.* (*Acipenser*) sterlet

się *pron. A.* ↑ **siebie** 1. (*siebie samego*) oneself; **samo przez ~** a) (*odrębnie*) separately b) (*własną mocą*) by itself; spontaneously c) (*z własnej inicjatywy*) of one's own accord d) (*bez widocznej przyczyny*) of itself 2. (*wzajemnie*) one another; each other 3. (*nieosobowo*) one; you; **idzie ~ prosto** one goes <you go> straight on; **nigdy ~ nie wie** one never knows <can tell>; you never know <can tell>

sięgacz *sm pl G.* **~y** <**~ów**> *bud.* perpend; bondstone

sięg|ać *v imperf* — **sięg|nąć** *v perf* [I] *vt* 1. (*docierać*) to reach (**kogoś, czegoś** sb, sth) 2. (*dosięgać*) a) (*w ilości, liczbie*) to come up (*x* **osób, złotych, rubli itd.** to *x* people, zlotys, roubles etc.) b) (*w czasie*) to date (**lat szkolnych itd.** from one's school days etc.); to go back (**średniowiecza itd.** to the Middle Ages etc.) [II] *vi* 1. (*wyciągać rękę, żeby wziąć*) to reach (**po coś** for sth); to reach out with one's hand (**pod poduszkę, za firankę itd.** under the pillow, behind the curtain etc.); to dive (**do kieszeni, worka itd.** into one's pocket, a sack etc.); **~ać, ~nąć po cudze** to grasp at other people's property 2. (*docierać*) to reach (**dokądś** as far as <up to> sth); (*o pocisku itd.*) to range (**na odległość** *x* **metrów** over a distance of *x* meters); (*o granicach*) to extend <to stretch, to spread> (**dokądś** to ...); (*o broni itd.*) **daleko ~ać** to have a long range; **jego ambicje wysoko ~ają** he has high aspirations; **~ać, ~nąć wstecz** a) (*o pamięci, myślach*) to reach back b) (*o historii itd.*) to go back (to a given period etc.) 3. (*czerpać*) to borrow information <inspiration> (**do książki, źródła** from a book, a source) 4. (*starać się uzyskać*) to strive (**po władzę itd.** for <after> power etc.) 5. (*dochodzić do pewnej granicy*) a) (*w przestrzeni*) to reach (**do pięt <do sufitu itd.>** down to the heels <up to the ceiling>) b) (*w czasie*) to reach <to go> (**wstecz do ...** back to ...); to come down <to reach ahead> (**do obecnych czasów** to modern times <to the present day>); **jak okiem ~nąć** far and near; far and wide; **jak ~nąć pamięcią** from times immemorial

sięgnięcie *sn* (↑ **sięgnąć**) (a) reach (of the hand); (a) dive (into one's pocket etc.)

siga [s-i] *sf* smoked lavaret

sigilari|a [s-i] *sf GDL.* **~i** *paleont.* a fossil tree of the genus Sigillaria

sigma [s-i] *sf* sigma

signori|a [s-i] *sf GDL.* **~i** *hist.* signory

sikać *vi imperf* — **siknąć** *vi perf* 1. *pot.* (*lecieć cienkim strumieniem*) to trickle; (*tryskać*) to spirt; to gush; to spout 2. *wulg.* to piss

sikaw|ka *sf pl G.* **~ek** fire-engine

sik|i *spl G.* **~ów** *wulg.* piss

siklawa *sf* mountain waterfall

siknąć *zob.* **sikać**

sikora *sf* 1. *zool.* (*Parus*) coalmouse, colemouse; coal-tit 2. *rz.* (*podlotek*) flapper

sikorka *sf dim* ↑ **sikora**

siksa *sf pot.* hussy

sil [s-i] *sm G.* **~u** *geol.* sill

silan [s-i] *sm G.* **~u** *chem.* silane

sil|ić się *vr imperf* to exert oneself (**na to, żeby coś zrobić** to do sth); to strain (**na efekt itd.** after effect etc.); to go out of one's way (**na to, żeby komuś pomóc** to help sb; **na grubiaństwo** to be rude); **nie ~ąc się na grzeczność** with scant courtesy; **~ić się na dowcipy** to try to be funny

silikat [s-i] *sm G.* **~u** = **sylikat**

silikazel [s-i] *sm G.* **~u** *chem.* silicazel

silikon [s-i] *sm G.* **~u** *chem.* silicon

silikonowy [s-i] *adj* silicon — (hydride etc.)

silikoza [s-i] *sf med.* silicosis

silni|a *sf pl G.* **~** *mat.* (a) factorial

silnie *adv* 1. (*mocno*) strongly; mightily; powerfully; (to hit, to strike) hard; smartly; (to shine) brightly; keenly; **trzymać ~** a) (*o człowieku*) to hold tight b) (*o przedmiocie — tkwić*) to hold firm(ly) <fast, tight>; **wiatr dął ~** there was a strong wind 2. (*bardzo*) very; much; greatly 3. (*intensywnie*) intensely; intensively; vividly; violently; vehemently; **~ potłuczony** badly hurt <wounded> 4. (*w wysokim stopniu*) markedly; notably; strikingly

silnik *sm techn.* engine; motor; **~ elektryczny** electric motor; **~ gazowy** gas motor <engine>; **~ odrzutowy** jet engine; **~ spalinowy** internal combustion engine

silnikowy [I] *adj* engine <motor> — (propulsion etc.); **wagon ~** rail-car; rail-motor [II] *sm* rail-car <rail-motor> driver

siln|y [I] *adj* 1. (*odznaczający się siłą*) strong; mighty; powerful; (*krzepki*) sturdy; hefty; lusty; robust; stalwart; husky; (*o uderzeniu*) hard; stiff; nasty; smart <heavy> (blow); (*o uścisku*) tight (grip); (*o wietrze*) strong; vehement; violent; high; **on jest ~y jak koń <wół>** he has the strength of a horse <an ox>; **rządzić ~ą ręką** to rule with a rod of iron 2. (*intensywny*) strong (smell, wind etc.); powerful (poison etc.); intense (emotion; heat etc.); vivid (emotion etc.); violent <acute> (pain etc.); severe <bad> (cold); potent (argument, medicine etc.); keen <brilliant> (light) 3. (*odporny*) strong <fortified> (outpost etc.); (*trwały*) solid; durable (cloth etc.); (*o przekonaniu itd.*) firm 4. (*wyrazisty*) marked; distinct; strong (words, individuality etc.) 5. (*biegły w czymś*) strong (in a subject); (*o uczniu*) good (**w rachunkach itd.** at sums etc.); *przen.* **czyjaś ~a strona** sb's strong point; sb's forte; **grzeczność nie jest jego ~ą stroną** politeness is not his strong point [II] *sm* **~y** (*zw. pl*) the strong; **to jest prawo ~iejszego** might is right

silos [s-i] *sm G.* **~u** 1. *roln.* silo; (store-)pit 2. *techn.* **~ zbożowy** grain elevator

silosować [s-i] *vt imperf roln.* to silage, to ensilage; to silo

silosow|y [s-i] *adj* silo <silage> — (tower etc.); **dół ~y** store-pit; **rośliny <zielonki> ~e** silage crops; **sieczkarnia ~a** silo cutter

silumin [s-i] *sm techn.* silumin

sił|a¹ *sf DL.* **sile** 1. (*moc*) strength; power; energy; force; might; (*energia człowieka*) strength; energy, energies; vigour; robustness; sturdiness; **brak ~** weakness; strengthlessness; **próba ~** test; trial; **próba ~ na polu literackim itd.** literary etc. venture; **~a fizyczna** main force; **~a nabywcza** buying power; *psych.* **~a woli** will-power; **~a wyższa** circumstances outside one's <our> control; **~y niebieskie** the powers above; **~y żywotne** stamina; sap; **użycie ~y** use of force; violence; **pełen ~** vigorous; sturdy; robust; **w pełni ~** in one's prime; **biec co ~** to run as fast as one can <as fast as one's legs can carry one, at full pelt>; to run for dear life; **czuć się <nie czuć się> na ~ach coś zrobić** to feel equal <unequal> to doing sth; **dodać komuś ~** to strengthen <to support> sb; to nerve sb; to brace sb up; **ile mi ~ starczy** as hard as I can; **nie szczędzić ~** to spare no pains; **odzyskać ~y** to recuperate; to rally; **opaść z ~** to weaken; to lose one's strength; **próbować ~ w czymś** to try hard <one's very best>; to put one's shoulder to the wheel; **~ą coś zdobyć od kogoś** to obtain sth from sb by constraint; **stracić na sile** to slacken; to abate; **tracić ~y** to be on the decline; to sink; **użyć ~y w stosunku do kogoś** to lay violent hands on sb; **wracać do ~** to recuperate; **wróciłem do ~** I am strong again; **wytężyć wszystkie ~y** to strain every nerve; **znaleźć ~y do zrobienia czegoś** to bring oneself to do sth; **bez ~** faint; limp; strengthless; effete; **co ~** with might and main; full sail; **o własnych ~ach** unaided; **~ą** by force; by sheer strength; forcefully; **~ą rzeczy** naturally; **u kresu ~** exhausted; at the end of one's tether; **według ~** as far as in one lies; **z całych ~** hammer and tongs; for all one's worth; as hard as you possibly can; (to hit, to strike) straight from the shoulder 2. (*nasilenie, natężenie*) intensity; intenseness; vehemence <violence, fury> (of the wind, storm etc.); volume (of sound); poignancy <impressiveness> (of an artistic composition etc.); stress (of circumstances etc.); potency (of an argument, a medicine etc.); brunt (of an attack); **w sile wieku** in one's prime 3. (*pracownik*) employee; specialist; (farm, factory) hand; **~a robocza** man power; **~a pociągowa** beast of draught 4. (*zw. pl*) (*grupa społeczna*) forces (of labour, the revolution, peace etc.) 5. *fiz.* force; **~a dośrodkowa <odśrodkowa, pociągowa, napędowa itd.>** centripetal <centrifugal, tractive, motive etc.> force; **~a wodna <elektryczna>** water <electric> power 6. *pl* **~y** *wojsk.* forces; **~y główne <lądowe, morskie, pancerne itd.>** main <land, naval, armoured etc.> forces; **oddział w sile 400 ludzi** a detachment 400 strong

siła² *adv gw.* much; many; *przysł.* **~ złego na jednego** too much (evil) for one man to cope with

siłacz *sm pl G.* **~y <~ów>, siłacz|ka** *sf pl G.* **~ek** athlete

siłomierz *sm pl G.* **~y <~ów>** *techn.* dynamometer

siłować się *vt imperf* 1. (*mocować się*) to wrestle (with sb); to struggle <to contend> (with sth) 2. (*wysilać się*) to exert oneself

siłowanie się *sn* (↑ **siłować się**) exertions

siłowni|a *sf G.* **~** *techn.* power-station; power-plant; power-house; electricity works; generating station; **~a wodna** water-power plant

siłownik *sm techn.* servo-motor

siłowskaz *sm G.* **~u** *techn.* indicator

siłowy *adj* strength-testing — (exercise, contest etc.)

sima [s-i] *sf geol.* sima

simentalerski [s-i] *adj*, **simentalski** [s-i] *adj* a Swiss breed of cattle

sinantrop *sm antr.* Peking man

sinawy *adj* bluish

sing|el [s-i] *sm G.* **~la** 1. *tenis* singles 2. *karc.* singleton

singelton [s-i] *sm karc.* singleton; **wychodzić w ~a** to lead a singleton

siniaczyć *vt imperf* to bruise; *med.* to ecchymose

siniak *sm* 1. = **siniec** 2. *bot.* (*Boletus Cyanescens*) a boletus (an edible fungus) 3. *zool.* (*Columba oenas*) stockdove

sinic|a *sf* 1. *pl* **~e** *bot. paleont.* (*Cyanophyceae*) the algae Cyanophyceae 2. *med.* cyanose, cyanosis

siniec *sm G.* **sińca** bruise; *med.* ecchymosis; contusion; **cały w sińcach** bruised all over; **siniec pod okiem** black eye

sinie|ć *vi perf* **~je** 1. (*stawać się sinym*) to become <to grow, to turn, to go> blue <livid> 2. (*wyglądać sino*) to assume a bluish hue; (*odróżniać się od tła sinym kolorem*) to form a blue patch <blue patches>; to show blue (against a background)

sinienie *sn* ↑ **sinieć**

sino *adv* in blue; **w pokoju ~** everything in the room is blue

Sinobrody *sm* (*decl* = *adj*) Bluebeard

sinoczarny *adj* blue-black

sinolog [s-i] *sm pl N.* **~owie** Sinologist

sinologi|a [s-i] *sf singt GDL.* **~i** Sinology

sinostalowy *adj* blue-steely

sinoszary *adj* blue-grey

siność *sf singt* 1. (*kolor*) blue colour; lividness 2. *med.* lividity

sinozielony *adj* blue-green

sinto *indecl* Shinto

sintoizm *sm G.* **~u** Shintoism

sinus [s-i] *sm G.* **~u <~a>** *mat.* sine

sinusoida [s-i] *sf mat.* sinusoid

sinusoidalny [s-i] *adj mat.* sinusoidal

sin|y *adj* livid; glaucous; blue (nose etc.); (*o człowieku*) blue in the face; purple (**z zimna** with cold); **~y kamień** bluestone; *żart. poet.* **pójść w ~ą dal** to vanish into thin air

sio¹ † *pron obecnie w zwrotach*: **ni to ni ~** neither fish, flesh, nor fowl; neither fish, flesh nor good red herring; nondescript; **to i ~** this, that and the other

sio² *indecl* pish!

siodeł|ko *sn G.* **~ek** 1. *dim* ↑ **siodło** 1. 2. (*w motocyklu — siedzenie kierowcy*) saddle; (*siedzenie pasażera*) pillion; (*siedzenie wioślarza*) sliding seat 3. *bud.* vaulting cell 4. *geogr.* pass

siodełkowaty *adj* saddle-shaped

siodełkowy *adj sport* **wyciąg ~** ski <chair> lift

siodlarni|a *sf pl G.* ~ (*pracownia*) saddler's workshop; (*miejsce przechowania uprzęży*) saddle rack

siodlarski *adj* saddler's (trade, workshop etc.)

siodlarstwo *sn singt* saddlery

siodlarz *sm pl G.* ~y <~ów> saddler

siodłać *vt imperf* to saddle (a horse)

siodłanie *sn* ↑ **siodłać**

siodłaty *adj* saddlebacked (goose etc.)

siod|ło *sn pl G.* ~**eł** 1. (*siedzenie wkładane na konia*) saddle; **koń pod ~łem** saddle-horse; **~ło damskie** side-saddle; **siedzieć na ~le** to be in the saddle; **wysadzić kogoś z ~ła** a) *dosł.* to unsaddle sb b) *przen.* (*pozbawić kogoś stanowiska*) to knock sb off his perch; *przen.* **siedzieć mocno w ~le** to be saddle-fast 2. *geol.* saddle; anticline 3. *meteor.* saddle

siodłowaty *adj* saddle-shaped

siodłowy *adj* saddle — (girth, strap etc.); *geol.* anticlinal; *bud.* **dach ~** saddle roof

sioło *sn pl G.* **siół** *lit.* village

sionka *sf dim* ↑ **sień**

siorb|ać *v imperf* ~**ie** — **siorbnąć** *v perf* [I] *vt* (*chlipać*) *imperf* to lap; *perf* to lap up [II] *vi rz.* (*pociągać nosem*) to sniff

siorbanie *sn* (↑ **siorbać**) (a) sniff

siorp|ać *vt vi imperf* ~**ie** — **siorpnąć** *vt vi perf* = = **siorbać**

siostr|a *sf pl G.* **sióstr** 1. (*córka tych samych rodziców*) *dosł. i przen.* sister; **miłość rodzonej ~y** sisterly love; **niegodne ~y** unsisterly; **~a cioteczna** <**stryjeczna**> cousin; **~a mleczna** foster-sister; **~a przyrodnia** step sister 2. (*zakonnica*) sister; **~a zakonna** nun; **~a miłosierdzia** Sister of Charity 3. (*pielęgniarka*) nurse

siostrzan|y *adj* 1. (*właściwy siostrze*) sisterly; **po ~emu** in (a) sisterly fashion; **postąpiła nie po ~emu** it was unsisterly of her 2. *przen.* (*bardzo podobny*) twin

siostrzenica *sf* niece

siostrze|niec *sm G.* **~ńca** *pl N.* **~ńcy** nephew

siostrzyca *sf poet.* sister

siostrzyczka *sf* (*dim* ↑ **siostra**) young <younger> sister; siss(y)

siódem|ka *sf pl G.* **~ek** 1. (*cyfra, liczba*) (a) seven; the figure seven 2. (*siedem osób, sztuk*) group <party> of seven; **~ka nas** <**ich itd.**> the seven of us <them etc.> 3. (*autobus, tramwaj itp.*) (bus, tram, room etc.) N° 7 4. *karc.* the seven (of hearts, spades etc.)

siódmacz|ek *sm G.* **~ka** *bot.* (*Trientalis*) a herb of the genus Trientalis

siódmoklasista *sm* (*decl* = *sf*) *pot.* seventh-grade <seventh-form> pupil

siódm|y [I] *num* seventh; **aż ~e poty biją** <**występują**> till one is bathed in sweat; **być w ~ym niebie** to be in paradise <in heaven>; **za ~ą górą, za ~ą rzeką** beyond the hills and far away [II] *sf* **~a** 1. (*część jedności*) one <two etc.> seventh(s) 2. (*godzina*) seven (o'clock); **już ~a wybiła** it is past seven; **o ~ej** at seven (o'clock)

sirocco <**sirokko**> [s-i] *sm* (*decl* = *sn*) *singt meteor.* sirocco

sirot|ka *sf pl G.* **~ek** *zool.* (*Acerina acerina*) a percid

sisal [s-i] *sm G.* **~u** 1. *bot.* (*Agave sisalana*) Bahama sisal 2. *techn.* (*włókno*) sisal hemp

sisalowy [s-i] *adj* sisal — (hemp etc.)

sit *sm G.* **~u** *bot.* (*Juncus*) rush

sitak *sm* = **sitarz** 2.

sitarz *sm G.* **~y** <**~ów**> 1. (*rzemieślnik*) sieve maker 2. *bot.* (*Boletus bovinus*) (a) boletus (an edible fungus)

sit|ek *sm G.* **~ka** *pot.* 1. (*chleb*) rye bread 2. = = **sitarz** 2.

sit|ko *sn pl G.* **~ek** strainer; dredger; sifter; (*u polewaczki*) rose; spreader

sitkowy *adj* **chleb ~** = **sitek** 1.

sito *sm* 1. (*sprzęt gospodarski*) sieve; strainer; bolter 2. *techn.* riddle

sitokrzew *sm G.* **~u** *bot.* (*Spartium*) Spanish broom

sitowate *spl bot.* (*Juncaceae*) (*rodzina*) the rush family

sitowi|e *sn pl G.* ~ *bot.* (*Scirpus*) bulrush

sitowisko *sn* rushy ground <area>

sitowy *adj* cribriform (*anat.* plate etc.; *bot.* cell, tissue etc.); *anat.* ethmoid (bone); *bot.* sieve — (cell, tissue)

sitów|ka *sf pl G.* **~ek** *bud.* perforated brick

sitwa *sf pot.* gang

siu *indecl pot.* *w wyrażeniach*: **(to) tu, (to) ~, to ~, to tam** here and there

siuch|ta *sf GL.* **~cie** *pot.* collusion

siuchtować *vi imperf pot.* to be in collusion <*am.* in cahoots>

siur|ać *v imperf*, **siur|czeć** *v imperf* **~czy** — **siurknąć** *v perf pot.* [I] *vt* to spirt (a liquid) [II] *vi* to spirt, to spout

siusiać *vi imperf pot.* to piss; *dziec.* to pee; to piddle

siwak *sm* earthen pot

siwawy *adj* greying

siw|ek *sm G.* **~ka** grey horse; (a) grey

siwerniak *sm zool.* (*Anthus spindetta*) pipit

siwie|ć *vi imperf* **~je** 1. (*stawać się siwym*) to become <to go, to turn> grey 2. (*odcinać się od tła*) to appear as a grey patch <grey patches>; to show grey (against a background)

siwienie *sn* ↑ **siwieć**

siwiuteńki *adj*, **siwiutki** *adj* (*dim* ↑ **siwy**) quite grey

siwi|zna *sf singt DL.* **~źnie** 1. (*zabarwienie włosów*) (the) grey (of sb's hair); hoar, hoariness; **przyprószony ~zną** touched with grey; greying; pepper-and-salt 2. *przen.* (*starość*) grey hair 3. (*szarość*) (the) grey (of dawn etc.)

siw|ka *sf pl G.* **~ek** 1. (*klacz*) grey mare 2. *reg.* (*farbka do bielizny*) laundry-blue

siwobrody *adj* 1. (*mający siwą brodę*) grey-bearded 2. *przen. żart.* as old as the hills

siwogłowy *adj* grey-headed

siwooki *adj* grey-eyed

siwopopielaty *adj* ashen grey

siwosz *sm pl G.* **~y** <**~ów**> grey horse

siwoszary *adj* ashen grey

siwość *sf singt rz.* grey (colour)

siwowąsy *adj* grey-moustached

siwowłosy *adj* grey-haired

siwucha *sf pot.* rot-gut

siwy [I] *adj* 1. (*o włosach*) grey; white; grizzly; **~ jak gołąb** snow-white; *przen.* **~ włos** grey hair; old age 2. (*o przedmiocie, dymie itd.* — *jasnoszary*) grey; grizzly; **~ mróz** white frost 3. *przen.* (*sędziwy*) grey-haired; white-haired; hoary [II] *sm* 1. (*człowiek*) grey-haired <white-haired> old man 2 (*koń*) grey (horse)

sizal [s-i] *sm bot.* sisal
sjamski *adj* Siamese
sjena *sf plast.* sienna
sjenit *sm G.* **~u** *miner.* syenite
sjenitowy *adj* syenitic; **porfir ~** syenitic-porphyry
sjesta *sf* siesta
skabioza *sf bot.* (*Scabiosa*) a herb of the genus Scabiosa
skaczący *adj* (*o zwierzęciu*) leaping; (*o pająku*) saltigrade; **~ owad** hopper
skafand|er *sm G.* **~ra** 1. (*kurtka*) wind jacket 2. *lotn.* **~er ciśnieniowy** pressure suit 3. *mar.* (*strój nurka*) diving suit <dress, gear>
skakać *vi imperf* **skacze — skoczyć** *vi perf* 1. (*wykonywać skok*) to jump; to leap; to spring; (*o dziecku, baranku itd.*) to skip; to gambol; **skakać na wszystkie strony** to jump about; **skakać, skoczyć do wody** to dive; to plunge; **skakać, skoczyć na jednej nodze** to hop; **skakać, skoczyć na odległość** *x* **metrów** to clear *x* meters; **skakać, skoczyć na równe nogi** to jump <to spring> to one's feet; **skakać, skoczyć na zdobycz** to pounce on one's <its> prey; **skakać, skoczyć na ziemię** to alight; to jump down; *sport* **skakać, skoczyć o tyczce** to pole-vault; **skakać, skoczyć w bok** <**w tył**> to jump <to spring> aside <back>; **skakać, skoczyć ze spadochronem** to parachute; **skakać, skoczyć z podparciem rąk** to vault; *przen.* **skakać, skoczyć z radości** to dance for joy; to kick up one's heels 2. (*rzucać się*) to dive (into a side street etc.); **skoczyliby w ogień dla swego dowódcy** they would go through fire and water for their commander; *przen.* **skakać z tematu na temat** to skip from one subject to another; to be desultory 3. (*odbijać się, podskakiwać*) to bounce; *pot.* **skakać, skoczyć na kogoś** to jump at sb; *przen.* **skakać, skoczyć komuś** <**sobie wzajemnie**> **do oczu** to fly at sb's <one another's> throat(s) 4. (*o cenach*) to be unsteady; **ceny skoczyły** the prices shot up 5. † (*tańczyć*) to dance; *obecnie w zwrocie:* **skakać jak ktoś zagra** to dance to sb's piping; **skakać przed kimś** to dance attendance on sb *zob.* **skoczyć**
skakanie *sn* (↑ **skakać**) jumps; leaps; skips; gambols
skakan|ka *sf pl G.* **~ek** skipping-rope; *am.* jumping-rope; **bawić się ~ką** to skip
skal|a *sf* 1. (*podziałka na przyrządach*) scale; graduation (of a thermometer etc.); **ruchoma ~a** sliding scale; *ekon.* **~a podatkowa** graduation of taxes; graduated taxation; **~a twardości** <**wysokości itd.**> hardness <altitude etc.> scale 2. *przen.* (*miara*) scale; range; scope; compass; extent; **~a zainteresowań** range <gamut> of interests; **na małą ~ę** in a small way; in little; **na wielką, dużą ~ę** on a large scale; in a large way; in large; **zakrojony na wielką ~ę** far-flung (scheme etc.); **żyć na wielką ~ę** to live in great style 3. (*na rysunku, mapie*) scale; **mapa w ~i ...** map in the scale of ...; **nakreślić mapę, plan według ~i** to scale a map, a plan; **zmniejszyć** <**powiększyć**> **~ę czegoś** to scale sth down <up> 4. *muz.* (*układ dźwięków*) scale 5. *muz.* (*rozpiętość głosu*) diapason
skalać † *v perf* [I] *vt* 1. (*zabrudzić*) to foul 2. *przen. lit.* (*zhańbić*) to defile; **~ reputację** to defile <to sully> (one's, sb's) reputation [III] *vr* **~ się** to blemish one's reputation

skalanie *sn* (↑ **skalać**) defilement
skalar *sm G.* **~u** 1. *fiz. mat.* scalar 2. *zool.* (*Pterophyllum scalare*) cichlid of the Amazon
skalarny *adj fiz. mat.* scalar
skald *sm pl N.* **~owie** scald, skald
skaleczenie *sn* 1. ↑ **skaleczyć** 2. (*miejsce skaleczone*) (a) hurt; (a) wound; (a) cut
skalecz|yć *v perf* [I] *vt* to hurt; to wound; to injure; (*nożem itd.*) to cut; (*igłą itd.*) to prick; **~ona noga** (one's) game leg [III] *vr* **~yć się** to hurt oneself; **~yć się w palec** to hurt <to cut, to prick> one's finger
skaleniow|iec *sm G.* **~ca** *miner.* a mineral closely related to feldspar
skaleń *sm miner.* feldspar
skalibrować *vt perf techn.* to calibrate
skalibrowanie *sn* (↑ **skalibrować**) calibration
skalica *sf geol. geogr.* a Jurassic limestone
skalistość *sf* rockiness
skalisty *adj* 1. (*pełen skał, kamienisty*) rocky (shore etc.) 2. (*będący skałą*) rock __ (bottom etc.); rocky
skalkulować *vt perf* to calculate; to reckon; to compute; to work out
skalkulowanie *sn* (↑ **skalkulować**) calculation
skalnica *sf bot.* (*Saxifraga*) saxifrage
skalnicowate *spl bot.* (*Saxifragaceae*) (*rodzina*) the saxifrage family
skalnik *sm* stone <rock> breaker
skalny *adj* 1. (*dotyczący skały*) rocky (shore, shelf etc.); rock __ (crystal, oil etc.) 2. (*właściwy terenom pokrytym skałami*) rock __ (lily, maple, rat etc.); **ogródek ~** rock-garden
skalować *vt imperf* 1. *fiz.* to graduate (a thermometer scale etc.) 2. *techn.* to calibrate
skalowanie *sn* (↑ **skalować**) *fiz.* graduation; *techn.* calibration
skalp *sm G.* **~u** scalp
skalpel *sm pl N.* **~i** <**~ów**> scalpel
skalpować *vt imperf* to scalp
ska|ła *sf* 1. (*zespół minerałów*) stone; rock; **~ła macierzysta** mother-rock; **~ła magmowa** <**wulkaniczna**> effusive rock; *górn.* **~ła płonna** barren rock <matter>; gangue; **~ła podwodna** shoal; reef 2. (*góra kamienna*) (a) rock; crag; **strome ~ły nadmorskie** cliffs; **wykuty w ~le** rock-hewn
skałka *sf* 1. *dim* ↑ **skała** 2. (*krzemień do krzesania ognia*) flint 3. = **skalica**
skałków|ka *sf pl G.* **~ek** flint-lock
skałolubny *adj zool.* rock-dwelling
skałotocz *sm zool.* (*Pholas dactylus*) piddock
skałotoczny *adj bot. zool.* rock-boring
skałotwórczy *adj miner.* rock-forming
skamielina *sf geol.* fossil
skamieniać *vt imperf* — **skamienić** *vt perf rz. dosł. i przen.* to petrify
skamieniałość *sf* (*zw. pl*) 1. (*skamielina*) fossil 2. *przen.* (*nieczułość*) petrifaction
skamieniał|y *adj* fossil (flora etc.); *przen.* **~a twarz** face of stone
skamienić *zob.* **skamieniać**
skamienie|ć *vi perf* **~je** *dosł. i przen.* to be petrified; to turn into stone
skamlać <**skamłać**> *vi imperf* 1. (*o psie*) to yelp; to whine 2. *pot.* (*prosić*) to crave; to implore; to whine; to whimper; to yammer

skamlanie *sn* ↑ **skamleć**

skamleć *vi imperf* = **skamlać**

skanalizowa|ć *vt perf* to provide (a town etc.) with a sewer system; **miasto jest <nie jest> ~ne** the town has a <has no> sewer system

skanalizowanie *sn* ↑ **skanalizować**

skand *sm G.* **~u** *chem.* scandium

skandal *sm G.* **~u** 1. (*rzecz gorsząca*) scandal; outrage; **wywołać ~** to scandalize; to give rise to scandal; **co za ~!** what a shame!; this is outrageous! 2. (*awantura*) row; brawl; **zrobić ~** to make a row; to create a scandal

skandalicznie *adv* scandalously; shockingly; atrociously; outrageously; shamefully

skandaliczność *sf singt* shameful <outrageous> state

skandaliczn|y *adj* 1. (*mający cechy skandalu*) scandalous 2. (*oburzający*) shocking; shameful; outrageous; atrocious; **rzecz ~a** an atrocity 3. (*bardzo zły*) execrable; disgraceful; **to jest <było> ~e** it is <was> a disgrace

skandalik *sm* (*dim* ↑ **skandal**) something of the nature of a scandal; minor scandal

skandalizować *vt imperf rz.* to scandalize

skandować *vt imperf* to scan (verses)

skandowanie *sn* (↑ **skandować**) scansion

skandowce *spl chem.* scandium subgroup

Skandynaw *sm* (a) Scandinavian

skandynawski *adj* Scandinavian

skansen *sm G.* **~u** Skansen museum

skansenowski *adj* Skansen — (museum)

skapcani|eć *vi perf* **~eje** *pot.* to sink; to droop; to flag; to have no kick left in one; **~ałem** I'm an old crock

skapitalizować *vt perf* to capitalize

skapitulować *vi perf* 1. (*podpisać akt kapitulacji*) to capitulate 2. (*ustąpić*) to give up the struggle; to throw <*pot.* to chuck> up the sponge

skapnąć *vi perf* 1. (*kapnąć*) to drip 2. *przen.* (*o pieniądzach*) to come in

skapolit *sm G.* **~u** *miner.* scapolite

skapotować *vt perf pot.* to turn <to nose> over

skapotowanie *sn* (↑ **skapotować**) (a) turn-over

skapować *vt perf* (*także vr* **~ się**) *sl.* to twig; to tumble to; to get wise (**coś** to sth)

skaptować *vt perf pot.* to win over; to conciliate to one's side

skap|ywać *vi imperf* — *rz.* **skap|ać** *vi perf* **~ie** to drip

skapywanie *sn* ↑ **skapywać**

skarabeusz *sm pl G.* **~y** <**~ów**> *zool.* (*Scarabaeus sacer*) scarab

skaranie *sn rz.* **~ boskie** a pest; a plague; a visitation

skarb *sm G.* **~u** 1. (*zw. pl*) (*zbiór kosztowności*) treasure(s); **~y sztuki** treasures of art; **znaleziony ~** treasure-trove; find 2. (*zw. pl*) (*majątek*) riches; **gromadzić ~y** to hoard riches; **za ~y świata, za żadne ~y** not for the world; not for love or money 3. (*rzecz drogocenna*) treasure 4. *przen.* (*osoba kochana*) (one's) beloved; (*osoba ceniona*) a treasure; a jewel; **~ie!** dearest!; darling!; my love! 5. (*ukryte cenne przedmioty*) hoard 6. † *singt* (*majątek państwa*) the Treasury; *obecnie w zwrotach*: **minister skarbu** the Minister of Finance; **ministerstwo ~u** the Ministry of Finance; the Exchequer; **przejść na ~ państwa** to become State property; *ekon.* **~ państwa** the public purse; the coffers of the State

skarbczyk *sm* jewel-box

skarb|iec *sm G.* **~ca** 1. (*pomieszczenie*) treasury; treasure-house; strong-room; *bank.* safe deposit 2. (*zbiór kosztowności*) treasury

skarbikowany *adj techn.* curly

skarbnica *sf* 1. (*pomieszczenie*) treasury; treasure-house 2. (*zbiór kosztowności*) treasury 3. *przen.* (*zbiór, zapas*) storehouse; repository <source> (of knowledge etc.)

skarbnicz|ka *sf G.* **~ek** treasurer

skarbnik *sm* treasurer; purse-bearer; cashier; *wojsk.* paymaster; *hist.* Minister of Finance

skarbon|ka *sf pl G.* **~ek** money-box; **~ka na datki dla ubogich** poor-box

skarbow|iec *sm G.* **~ca** revenue official

skarbowość *sf singt ekon.* finances; financial matters

skarbowy *adj* fiscal; Treasury — (bonds etc.); taxation — (authorities etc.); revenue — (office etc.)

skarc|ić *vt perf* **~ę, ~ony** to rebuke; to reprimand; to scold; to upbraid; to rate; **~ić kogoś wzrokiem** to look sb down

skarg|a *sf* 1. (*żalenie się*) complaint; grievance (**na kogoś** against sb); **~i, chodzenie na ~i** talebearing; **chodzić na ~i** to tell tales; **pójść na ~ę, wnieść ~ę na kogoś o coś** to complain against sb of sth 2. (*oskarżenie kogoś*) charge 3. *prawn.* plaint; action at law; gravamen; complaint; **wnosić ~ę na kogoś o coś** to lodge a complaint <to bring an action> against sb about sth; to sue sb for sth

skarlać *vt imperf* — **skarlić** *vt perf rz.* to dwarf; to stunt (in growth)

skarlały *adj* stunted; dwarfish

skarle|ć *vi perf* **~je** (*stać się karłem*) to become dwarfed <stunted>; (*zmaleć*) to lessen; to diminish; to dwindle; to decrease

skarlenie *sn* ↑ **skarleć**

skarłowacenie *sn* ↑ **skarłowacieć**

skarłowaciały *adj* stunted; dwarfish

skarłowacie|ć *vi perf* **~je** = **skarleć**

skarmiać *vt imperf* — **skarmić** *vt perf pot.* to feed (sth to the cattle)

skarn *sm G.* **~u** *geol.* skarn

skarogniady [I] *adj* bay [II] *sm* bay horse

skarp *sm zool.* (*Rhombus laevis*) brill

skarpa *sf* 1. (*podpora muru*) buttress 2. (*spadzista płaszczyzna*) slope; escarp 3. *wojsk.* escarpment

skarpeta *sf*, **skarpet|ka** *sf pl G.* **~ek** sock

skarpiowate *spl zool.* (*Bothidae*) (*rodzina*) the family Bothidae

skarpować *vt imperf bud.* to buttress (a building, wall etc.)

skarpowanie *sn* 1. ↑ **skarpować** 2. (*skarpy*) buttresses

skarpowaty *adj* buttress-like

skartabellat *sm G.* **~u** *hist.* limited rights of nobility granted to aliens

skartelizować *vt vi perf ekon.* to cartelize

skartografować *v perf geogr.* to map <to chart> (an area etc.)

skartować *v perf geogr.* = **skartografować**

skaryfikacja *sf med.* scarification

skaryfikator *sm med. roln.* scarifier

skarykaturować *vt perf* to caricature

skarykaturowanie *sn* ↑ **skarykaturować**; (a) caricature

skarżący [I] *adj* complaining; accusatory [III] *sm* complainant; *sąd.* the prosecution

skarżyć *v imperf* [I] *vt* 1. (*oskarżać*) to complain (**na coś** of sth, **na kogoś** against sb); to accuse <to sue> (**kogoś** sb); to bring an accusation (**na kogoś** against sb) 2. (*donosić*) to tell tales <to tell, to sneak> (**na kogoś** on sb) [III] *vr* ~ **się** to complain (**na coś przed kimś** of sth to sb); to air <to state> one's grievances; *med.* **na co się pan skarży?** what is your complaint?

skarżypyt|a *sm sf pl N.* ~**y** *G.* ~**ów** <~> *A.* ~**ów** <~**y**> *szk.* telltale; talebearer; sneak

skasować *vt perf* = **kasować**

skasowanie *sn* ↑ **skasować**

skastrować *vt perf* = **kastrować**

skat *sm karc.* skat

skatalogować *vt perf* to catalogue

skatalogowanie *sn* ↑ **skatalogować**

skatować *vt perf* to beat mercilessly; to torture

skaut *sm* boy scout

skauting *sm singt G.* ~**u** Boy Scouts; Girl Guides

skaut|ka *sf pl G.* ~**ek** girl guide

skautowski *adj* scout — (badge, camp, oath etc.)

skawal|ić *v perf* — **skawal|ać** *v imperf* [I] *vt* to clot (sth) [III] *vr* ~**ić**, ~**ać się** to clot (*vi*); to get clotted

skaz|a *sf* 1. (*rysa, szczelina*) flaw; defect; spot; speck; (*w odlewie*) barb; (*w szlachetnym kamieniu*) feather; **(wyrób) ze** ~**ą** imperfect (product) 2. *przen.* stain; taint; blemish; **bez** ~**y** a) (*o człowieku*) unblemished <unimpeachable> (person) b) (*o przedmiocie, wykonaniu*) flawless; spotless c) (*o reputacji*) unsullied; untarnished; spotless 3. *med.* diathesis; ~**a krwotoczna** <**wysiękowa itd.**> haemorrhagic <exudative etc.> diathesis

ska|zać *v perf* ~**że** — **ska|zywać** *v imperf* [I] *vt* 1. (*wydać wyrok*) to pass judgment <sentence> (**kogoś** on sb); ~**zać kogoś na więzienie, na karę śmierci** to sentence sb to imprisonment, to death; ~**zany na śmierć** under sentence of death 2. *przen.* (*być przeznaczonym*) **być** ~**zanym** to be doomed (**na zapomnienie itd.** to oblivion etc.); to be fated (**na niepowodzenie itd.** to fail etc.) [III] *vr* ~**zać**, ~**zywać się** to condemn oneself (to exile etc.)

skazanie *sn* (↑ **skazać**) condemnation; (a) sentence

skaza|niec *sm G.* ~**ńca** *pl N.* ~**ńcy** man condemned to death <under sentence of death>; **cela** ~**ńca** condemned cell

skazan|y [I] *pp* ↑ **skazać** [III] *sm* ~**y**, *sf* ~**a** = **skazaniec**

ska|zić *v perf* ~**żę** — *rz.* **ska|żać** *v imperf* [I] *vt* 1. *perf* (*zepsuć*) to corrupt; to vitiate <to debauch> (sb's taste, judgement etc.) 2. (*zanieczyścić*) to contaminate; to pollute; to taint; to vitiate (air, blood etc.); **spirytus** ~**żony** denaturated <methylated> spirit [III] *vt* ~**zić**, ~**żać się** to become contaminated <polluted>

skazywać *zob.* **skazać**

skażać *zob.* **skazić**

skażenie *sn* (↑ **skazić**) corruption; vitiation; contamination; pollution

skąd *adv* 1. (*w funkcji pytajnej*) from where?; where from?; ~ **ci to przyszło na myśl** <**do głowy**>? what put that into your head?; what makes you think so?; ~ **to masz?** where did you get that from?; how do you happen to have this?; ~ **wiesz?** how do you know? 2. (*w funkcji względnej*) from where; from which place <spot, point>; from which source; **miejsce,** ~ **wszystko widać** a spot from where everything can be seen 3. (*wykrzyknikowo*) why no!; nothing of the kind <sort>!

skądciś <**skądsiś**> *adv pot.* from somewhere or other; from some place <source> or other; no one knows where from

skądinąd *adv* 1. (*z innego miejsca*) from somewhere else; from another place <spot> 2. (*z innego źródła*) from somewhere else; from another source 3. (*z innego względu*) otherwise

skądkolwiek *adv* no matter from where; from whichever place <spot, source> you like

skądsiś *zob.* **skądciś**

skądś <**skądeś**> *adv* = **skądciś**

skądże *adv emf.* = **skąd** 3.

skąp|ać *v perf* ~**ie** [I] *vt* to bathe; to dip; to plunge; *przen.* ~**any we krwi** bathed in blood; ~**any w słońcu** basking in the sun [III] *vr* ~**ać się** to bathe (*vi*); to take a dip; to plunge (*vi*)

skąpanie *sn* (↑ **skąpać**) (a) bath; (a) dip; (a) plunge

skąpica *sf pot.* niggardly woman; niggard; miser

skąpić *vt imperf* to stint <to skimp> (**komuś jedzenia, pieniędzy itd.** sb in food, money etc.); ~ **sobie czegoś** to stint oneself of sth; **nie** ~ **pieniędzy** to spend <to give money> unstintingly <freely>; **nie** ~ **starań** <**wysiłków**> to spare no pains

skąp|iec *sm G.* ~**ca** *V.* ~**cze!** *pl N.* ~**cy** miser; niggard; skinflint; hunks

skąpirad|ło *sn pl G.* ~**eł** *pot.* miser; *am. sl.* tight-wad

skąpo *adv* 1. (*bardzo mało*) scantly; meagrely; sparingly; charily 2. (*oszczędnie*) parsimoniously; stingily; sparingly; niggardly 3. (*biednie, licho*) poorly; shabbily

skąposzczety *spl zool.* (*Oligochaeta*) the order Oligochaeta of worms

skąpość *sf singt* scantiness; skimpiness; meagreness

skąpożywn|y *adj bot.* **rośliny** ~**e** oligotrophic plants

skąpstwo *sn singt* avarice; parsimony; stinginess; miserliness; meanness; sordidness

skąpy [I] *adj* 1. (*nadmiernie oszczędny*) avaricious; parsimonious; stingy; niggardly; miserly; mean; tight-fisted; cheese-paring; *przen.* chary (**w pochwałach itd.** of praise etc.) 2. (*zbyt mały*) scant; meagre; barely sufficient; short; (*o oświetleniu, odżywianiu itd.*) inadequate; insufficient [III] *sm* = **skąpiec**

skecz *sm G.* ~**u** *lit.* sketch

skędzierzawi|ć *vt perf* to curl; ~**ony** curled, curly

skiba *sf* 1. *roln.* ridge 2. (*duża porcja czegoś, kromka*) chunk (of bread etc.); slice (of cheese etc.) 3. *geogr. geol.* (*fałd skalny*) overthrust fold

skibka *sf dim* ↑ **skiba**

skiełkować *vi perf* to sprout; to shoot

skier|ka *sf pl G.* ~**ek** *lit. dim* ↑ **skra**

skierow|ać *v perf* — *rz.* **skierow|ywać** *v imperf* [I] *vt* 1. = **kierować** 1.; ~**ać kogoś do szpitala** to send sb to the hospital; ~**ać list** to address a letter; ~**ać rozmowę na inny temat** to switch (the conversation) to another subject; ~**ać spra-**

wę do sądu to bring a case before the court 2. = = kierować 2.; ~ać lufę pistoletu na kogoś to point a gun at sb; ~ać strumień wody na płomienie <latarkę na kogoś> to play a jet of water on the flames <a torchlight on sb> [II] *vr* ~ać, *rz.* ~ywać się = kierować się 1.

skierowanie *sn* ↑ skierować

skierowywać *zob.* skierować

skiff *sm G.* ~u *sport* skiff

skikjöring [szijer-] *sm G.* ~u *sport* skijoring

skiksować *vi perf* 1. *żart.* (*o śpiewaku*) to squeak 2. *sport* to muff a ball

skinąć *v perf* [I] *vt* to nod <to bow> (głową one's head); ~ głową na znak zgody to nod <to bow> assent; (*przywołać kogoś*) ~ na kogoś ręką to beckon to sb [II] *vi* to make a sign (na kogoś to sb); to motion (na kogoś, żeby coś robił to sb to do sth)

skinienie *sn* ↑ skinąć; ~ głową (a) nod; (a) bow; ~ ręką (a) motion <sign> of the hand; być gotowym <do usług> na każde ~ to be at sb's beck and call; podziękować ~m głowy to bow <to nod> one's thanks; jednym ~m ręki with a motion <gesture> of the hand

skip *sm G.* ~u *górn.* skip

skipi|eć *vi perf* ~ (*o płynach*) to boil over

skipowy *adj górn.* skip — (traction etc.)

ski|sić *vt perf* ~szę *rz.* to sour <to ferment> (sth)

skisły [I] *pp* ↑ skisnąć [II] *adj* sour; ~ dzień listopadowy dank November day

ski|snąć *vi perf* ~śnie to go <to turn> acid <sour>; (*o mleku*) to turn; to sour; *przen.* (*o człowieku*) to lie sunk in dullness <in sluggishness>

skiszenie *sn* (↑ skisić) fermentation

skitować *vt perf* to cement

sklamrować *vt perf* = klamrować

sklamrzeć *vi imperf* to whimper; to whine

sklamrzenie *sn* (↑ sklamrzeć) (a) whimper; (a) whine

sklarować *v perf* [I] *vt* = klarować 1. [II] *vr* ~ się = klarować się 1.

sklarowanie *sn* (↑ sklarować) clarification; purification

sklasycyzować *vt perf rz.* to classicize

sklasyfikować *vt perf* = klasyfikować

sklasyfikowanie *sn* (↑ sklasyfikować) classification

skląć *vt perf* sklnę, sklnie, sklnij!, zeklnę, zeklnie, zeklnij!, sklął, sklęła, sklęty to swear <to let out> (kogoś at sb)

sklecać *zob.* sklecić

sklecenie *sn* ↑ sklecić

sklec|ić *v perf* ~ę, ~ony — **sklec|ać** *v imperf* [I] *vt* to knock <to patch> together; to rig up; to botch up; ~ona kolacja scrappy dinner; ~ona robota botched piece of work; *przen.* ~ić, ~ać wiersze to hammer out some lines of verse [II] *vr* ~ić, ~ać się to get knocked <patched> together; to get rigged up

skle|ić *v perf* ~ję, ~j!, ~jony — **skle|jać** *v imperf* [I] *vt* 1. (*spoić*) to stick <to glue, to paste> together; ~jone oczy bunged up eyes; *przen.* zmęczenie ~jało mu powieki weariness sealed his eyes; he could not keep his eyes open for weariness 2. *pot.* (*zorganizować, ułożyć*) to knock <to patch> together [II] *vr* ~ić, ~jać się to stick (*vi*) together; oczy się ~jają the eyes are heavy with sleep

sklejacz *sm pl G.* ~y <~ów> patcher (of broken wares, china etc.)

sklejać *zob.* skleić

sklejanie *sn* ↑ sklejać

sklejar|ka *sf pl G.* ~ek *techn.* veneering-press

sklejenie *sn* ↑ skleić

sklej|ka *sf pl G.* ~ek *techn.* plywood

sklejkowy *adj techn.* plywood — (construction etc.)

sklep *sm G.* ~u shop; *am.* store; otworzyć ~ to set up shop; prowadzić ~ to keep a shop; to be in trade

sklep|ać *vt perf* ~ie — **sklepywać** *vt imperf* (*złączyć*) to hammer together; (*spłaszczyć*) to hammer out (metal)

sklepanie *sn* ↑ sklepać

sklepiać *zob.* sklepić

sklepiczar|ka *sf pl G.* ~ek shopkeeper; tradeswoman

sklepiczarz *sm pl G.* ~y <~ów> shopkeeper

sklepi|ć *v perf imperf* — **sklepi|ać** *v imperf* [I] *vt* to vault [II] *vr* ~ć, ~ać się to form a vault <*przen.* a canopy>

sklepienie *sn* 1. *singt* ↑ sklepić 2. *bud.* vault; vaulting; dome; *anat.* ~ czaszki brain-pan; *anat.* ~ stopy arch of the foot; ~ beczkowe <gwiaździste, krzyżowe> barrel <lierne, groined> vault 3. *astr. poet.* ~ niebieskie firmament; canopy of heaven

sklepieniowy *adj*, **sklepienny** *adj arch.* vault — (rib etc.); vaulting — (pillar etc.)

sklepik *sm G.* ~u *dim* ↑ sklep

sklepikar|ka *sf G.* ~ek shopkeeper; tradeswoman

sklepikarski *adj* tradesman's (mentality etc.); shallow; trivial; trifling

sklepikarstwo *sn rz.* trade; shopkeeping

sklepikarz *sm* shopkeeper; tradesman

sklepow|y [I] *adj* 1. (*o lokalu sklepowym*) shop — (premises etc.); wystawa ~a shop window; † panna ~a saleswoman [II] *sm* ~y, *sf* ~a shop attendant; *pl* ~i salespeople

sklepywać *zob.* sklepać

sklepywanie *sn* ↑ sklepywać

skleroproteina *sf chem.* scleroprotein; albuminoid

skleroskop *sm G.* ~u *techn.* scleroscope; sclerometer

sklerotycznie *adv* sclerotically

sklerotyczny *adj med.* sclerotic

sklerotyk *sm* (a) sclerotic

skleroza *sf med.* sclerosis

sklerykalizować *vt perf* to clericalize

sklęsły *adj* reduced (swelling)

sklę|snąć *vi perf* ~śnie, ~sł (*zapaść się*) to sink; (*o obrzęku — stęchnąć*) to subside

sklęśnięcie *sn* (↑ sklęsnąć) subsidence; reduction

skluszczony *adj* lumpy

skłaczyć *vt perf* to ravel; to tangle; to mat (hair)

skła|d *sm G.* ~du 1. (*magazyn*) warehouse; storehouse; emporium; *wojsk.* depot; ~d amunicji ammunition dump; magazine; ~d apteczny pharmacy; *am.* drug-store; ~d drzewa <węgla> timber <coal> yard; leżący na ~dzie unsold; mieć coś na ~dzie to have sth in stock 2. (*zbiór*) store; accumulation 3. (*grupa*) composition; make-up; rząd <komisja itd.> w pełnym ~dzie the entire government <committee etc.>; *rel.* ~d apostolski Apostles' Creed; *druk.* ~d zecerski composition; setting; **wchodzić w ~d czegoś** (*o części składowej*) to enter into the composition of ...; to go to the making of ...; (*o członku zespołu*) to belong to ...; to be a member of ... 4. (*układ, budowa*) composition; framework (of society etc.); **bez ładu i ~du** a) (*bezładnie*) in utter confusion; pell-mell; higgledy-piggledy b) (*bez związku*) without rhyme or reason 5. *roln.* division <section> of a ploughed field

składacz *sm pl G.* **~y** <**~ów**> compositor; type--setter

składać *v imperf* — **złożyć** *v perf* **złóż** [I] *vt* 1. (*zginać, załamywać*) to fold (linen, a sheet of paper etc.); to furl (an umbrella, a fan etc.); **składać ręce** to join one's hands (in supplication etc.); to clasp one's hands; **składać usta do czegoś** to compose one's lips for sth 2. (*łączyć w całość*) to put together; to assemble; to set together; **składać litery** to syllabicate (words); **składać rymy** <**wiersze**> to compose verse; **złożyć kończynę** <**kość**> to set a limb <a bone> 3. (*gromadzić*) to gather; to assemble; to put together; to deposit; to store; **składać papiery** <**listy**> **do akt** to file documents <letters>; **składać pieniądze** to save money; to put money by; to put money in the bank; **składać, złożyć pieniądze na cel dobroczynny** to subscribe a sum to a charity 4. (*opuszczać na ziemię*) to put (sth) down; to deposit; to lay; **składać do grobu** to commit (a body) to the earth; **składać ikrę** to spawn; **złożony chorobą** <**niemocą**> brought low by illness; **złożyć głowę na czymś** to rest one's head on sth 5. (*oddawać*) to pay (money, a contribution, ransom etc.); to lay down (arms, one's life etc.); to deposit <to pay> (a sum etc.); **składać dary** to bring gifts; **składać dowody** <**świadectwo**> to give proof (of sth); **składać egzamin** to pass an examination; **składać hołd** a) *hist.* to pay homage (to one's feudal lord) b) *przen.* (*oddawać cześć*) to render homage (to sb for sth); **składać litery** to spell out; **składać meldunek o czymś** <**raport, sprawozdanie z czegoś**> to report sth; **składać ofertę** (*proponować coś*) to make an offer <a bid>; **składać pocałunek** to implant a kiss; **składać podziękowanie** to express one's thanks <wishes>; **składać przysięgę** <**ślub**> to take an oath <a vow>; **składać ukłon** to bow (to sb); **składać usta do czegoś** to shape one's lips for sth; **składać wizytę** <**uszanowanie**> to pay a visit <one's respects> (to sb); **składać, złożyć zeznanie o czymś** to depose to sth; **składać, złożyć zeznanie o dochodzie** to return the details of one's income; **złożyć skargę** to lodge a complaint 6. (*uwalniać się*) to resign <to give up> (a post, the crown etc.); **składać kogoś z urzędu** to divest sb of an office; **składać na kogoś winę** <**odpowiedzialność**> to shift the guilt <the responsibility for sth> upon sb; **złożyć rezygnację na czyjeś ręce** to tender one's resignation into sb's hands; *przen.* **składać broń** <**oręż**> a) (*zaprzestać walki*) to throw down one's arms b) (*zrezygnować z dalszej walki*) to give up the struggle 7. *druk.* to set (type) [II] *vr* **składać, złożyć się** 1. (*tworzyć całość*) to consist <to be composed, to be made up> (**z czegoś, z** *x* **części itd.** of sth, of *x* parts etc.); to compose <to make up> (**na coś, na całość** sth, a whole); (*o okolicznościach itd.*) **składać, złożyć się na to, żeby ...** to combine to ...; to contribute (**na czyjeś szczęście, jakieś nieszczęście itd.** to sb's happiness, to a catastrophe etc.) 2. (*zginać się, załamywać się*) to fold (*vi*); **składać się jak scyzoryk** a) (*zginać się*) to bend double b) (*być układnym*) to be extremely courteous; to bow and scrape 3. (*o okolicznościach — składać się*) to fall out; to happen; **tak się składa, że nie możemy ...** it so happens that we cannot ...; **tak się złożyło, że nie było ...** it so happened <fell out> that there was no ...; **dobrze się ~ada, że ...** it is rather fortunate that ... 4. (*robić składkę*) to pool <to club> together (**na prezent itd.** for a present etc.) 5. (*być organizowanym*) to be arranged <contrived, organized, made up>; **nie złożył się nam brydż** we could not arrange <make up> a game of bridge; **złożyło się zebranie towarzyskie** a social evening was arranged <contrived, organized, made up> 6. (*przybierać dogodną postawę*) to level (**z karabinu** a gun); **składać się do cięcia** to make as if to strike; **składać się do strzału z karabinu** to take aim

składak *sm* 1. (*kajak*) collapsible <folding> canoe 2. (*nóż*) clasp-knife

składanie *sn* 1. ↑ **składać** 2. (*łączenie całości*) composition 3. *druk.* (*praca składacza*) type-setting

składan|ka *sf pl G.* **~ek** 1. (*zabawa*) subscription party 2. *muz. lit.* miscellany; medley

składankowy *adj* miscellaneous

składany [I] *pp* ↑ **składać** [II] *adj* folding (knife etc.); collapsible (canoe etc.); miscellaneous (programme, composition etc.); *bank.* compound (interest); *bot.* plicate (leaf); *geol.* plicate (stratum)

składar|ka *sf pl G.* **~ek** *techn.* folder; folding machine; *druk.* composing <type-setting> machine

skład|ka *sf pl G.* **~ek** 1. (*składanie na coś pieniędzy*) collection 2. (*składanie się*) pooling <clubbing> together 3. (*kwota dana do wspólnej kasy*) share in <contribution to> (a common fund); **~ka członkowska** membership fee; subscription (**w klubie** to a club); **~ka dobrowolna** contribution (to a charity etc.); **~ka ubezpieczeniowa** insurance premium; (*o pomniku*) **wzniesiony ze ~ek publicznych** raised by public subscription

składkowo *adv* from a common fund; by subscription

składnia *sf gram.* syntax

składnica *sf* store; repository; *wojsk.* depot

składnie *adv* (*porządnie*) in orderly fashion; (*sprawnie*) efficiently; **~ mu to szło** he was efficient

składnik *sm* 1. (*część składowa*) element; component; constituent; ingredient; integral part 2. *mat.* component; constituent

składniowo *adv jęz.* syntactically

składniowy *adj* syntactic(al)

składny *adj* well-shaped; well-constructed; well--turned; neat; nice; deft; lissom

składować *vt imperf* to warehouse; to store (away)

składowanie *sn* (↑ **składować**) storage

składow|y [I] *adj* 1. (*dotyczący składu*) storage — (dues, charges etc.); **plac ~y** goods yard 2. (*będący częścią całości*) component; constituent; integrant [II] *sf* **~a** *techn.* element; (a) component [III] *sn* **~e** *prawn.* storage dues <charges>

składzik *sm dim* ↑ **skład** 1., 2.

skłam|ać *vi perf* **~ie** to tell a lie <an untruth>; to lie; **żeby nie ~ać** to tell the truth; to be precise

skłaniać *zob.* **skłonić**

skłanianie *sn* 1. (↑ **skłaniać**) inducement 2. **~ się** inclination; tendency

skłębi|ć *v perf* — **skłębi|ać** *v imperf* [I] *vt* 1. (*porobić kłęby*) to whirl; to swirl; **~ony** whirling; swirling 2. (*wzburzyć*) to tumble; to mat together [II] *vr* **~ć, ~ać się** to whirl <to swirl> (*vi*); to billow

skłębienie *sn* (↑ **skłębić**) whirls; convolutions; billows

skłon *sm G.* **~u** 1. (*stok*) slope; declivity; *przen.* **~ nieba** <**niebieski**> firmament 2. (*schylenie się*) bend; (*ukłon*) bow; **lekki ~** nod

skł|onić *v perf* — **skł|aniać** *v imperf* [I] *vt* 1. (*wpłynąć na czyjąś decyzję*) to induce; to impel; to incline; to dispose; to prompt; to determine (sb to do sth) 2. *lit.* (*pochylić*) to incline <to bend> (one's head etc.); **~onić głowę** (*do snu*) to rest one's head; **~onić przed kimś głowę** (*na znak pokory*) to bow down before sb; to defer to sb; **~onić ucho** <**ucha**> **ku czemuś** to incline one's ear to sth [II] *vr* **~onić, ~aniać się** 1. (*ukłonić się*) to bow 2. (*przychylić się*) to incline <to lean> (**do czegoś** to <towards> sth) 3. *zw. imperf* (*mieć inklinację*) to be inclined <to be prone, to tend> (**do robienia czegoś** to do sth); to be disposed (**ku czemuś** to sth) 4. (*pochylić się*) to slope; (*o słońcu*) to verge (**ku zachodowi** towards the west)

skłonienie *sn* 1. ↑ **skłonić** 2. (*wpłynięcie*) inducement 3. (*pochylenie*) inclination 4. **~ się** (*ukłon*) bow 5. (*inklinacja*) inclination

skłonnoś|ć *sf* 1. (*upodobanie, inklinacja*) inclination (**do czegoś, do robienia czegoś** to <for> sth, to do sth); tendency <disposition> (**do czegoś, do robienia czegoś** to sth, to do sth); **dobre i złe ~ci** good and bad inclinations; **mieć ~ć do czegoś** <**do robienia czegoś**> to be inclined <to tend> to sth <to do sth> 2. *singt* (*predyspozycja*) proneness (**do czegoś** to sth); bent (**do czegoś** for sth); leaning (**do czegoś** to <towards> sth); **mieć ~ć do czegoś** to be prone <liable, given> to sth; **~ć do zeza** a cast in the eye 3. † *singt* (*sympatia*) liking <foible> (for sb) 4. (*łatwość podlegania*) susceptibility; **mieć ~ć do przeziębień** to be susceptible to colds

skłonny *adj* inclined; disposed; prone; apt; **~ do gniewu** irascible; **~ do podejrzeń** <**przesądów itd.**> open to suspicion <prejudice etc.>; **~ do przeziębień** susceptible to colds; **jestem ~ uważać, że ...** I rather think that ...; **nie być ~m do zrobienia czegoś** to be unwilling <reluctant> to do sth

skłopotany *adj* worried

skłócać *zob.* **skłócić**

skłócenie *sn* ↑ **skłócić**

skłóc|ić *v perf* **~ę, ~ony** — **skłóc|ać** *v imperf* [I] *vt* 1. (*zmieszać*) to stir (a liquid) 2. (*doprowadzić do kłótni*) to set (people) at variance <by the ears> 3. (*wprowadzić zamieszanie*) to disturb; to agitate [II] *vr* **~ić, ~ać się** to quarrel

skłu|ć *vt perf* **~je, ~ty** — *rz.* **skłu|wać** *vt imperf* (*zabić*) to stab to death; (*pokłuć*) to stab; to pierce; to transfix; to gore; to prick; **ciało ~te zastrzykami** a body pricked all over with injections

skneblować *vt perf rz.* to gag

sknera *sm* (*decl = sf*) miser; niggard; skinflint

sknerstwo *sn* stinginess; niggardliness; cheese-paring

sknoc|ić *v perf* **~ę, ~ony** *pot.* to bungle; to botch; to muff

skoagulować *vt perf chem. fiz.* to coagulate

skob|el *sm G.* **~la** staple

skocz|ek *sm G.* **~ka** 1. (*akrobata*) jumper, acrobat, dancer 2. *sport* jumper; **~ek spadochronowy** parachutist; **~ek szachowy** knight 3. *zool.* (*Jaculus jaculus*) jerboa; *pl* **~ki** (*Dipodidae*) (*rodzina*) the family Dipodidae, the jerboas

skoczenie *sn* (↑ **skoczyć**) (a) jump

skocznia *sf* take-off (for ski-jumping contests)

skocznie *adv* at a lively pace

skoczność *sf singt* 1. (*żywość*) lively pace (of a dance etc.) 2. (*sprawność skaczącego*) jumping ability (of an athlete)

skoczny *adj* 1. (*o melodii, tańcu*) lively 2. (*chętny do skakania*) vivacious 3. (*dotyczący skoku*) saltatory

skoczogon|ki *spl G.* **~ek** *zool.* (*Collembola*) (*rząd*) the order Collembola

skoczyć *vi perf* 1. = **skakać** 2. (*rzucić się*) to make a dash; (*pośpieszyć*) to speed; to hurry; to hasten; **~ komuś z pomocą** <**do ataku**> to spring to sb's help <to the attack>; **~ na równe nogi** to spring to one's feet 3. *pot.* (*pobiec*) to run <to pop> over (to the chemist's, baker's etc.)

skodyfikować *vt perf* to codify

skodyfikowanie *sn* (↑ **skodyfikować**) codification

skojarzenie *sn* (↑ **skojarzyć**) union; connection; association (of ideas etc.)

skojarzeniowy *adj psych.* associational

skojarz|yć *v perf* — *rz.* **skojarz|ać** *v imperf* [I] *vt* = **kojarzyć** [II] *vr* **~yć,** *rz.* **~ać się** = **kojarzyć się**

skok *sm G.* **~u** 1. (*czynność skoczenia*) jump; leap; spring; bound; skip; *przen.* (*krótkotrwały romans*) **~ w bok** <**na bok**> (an) affair 2. (*gwałtowny zwrot*) transition; abrupt change; **posuwać się ~ami** to move <to advance> in jerks; *przen.* **~i cen** <**temperatury**> violent fluctuations in prices <in temperature> 3. *rz.* (*galop*) gallop; **jechać ~iem** to gallop 4. (*zw. pl*) *myśl.* (*nogi zająca*) hare's legs 5. *muz.* leap 6. *sport* jump; **~ do wody** dive; plunge; **~ narciarski** ski jump; **~ o tyczce** pole vault; **~ w dal** long jump; **~ wzwyż** high jump; **~i spadochronowe** parachuting 7. *techn.* **~ śruby** <**gwintu**> slip; pitch; **~ tłoka** travel <course, throw> of a piston 8. (*część nogi ptaka*) tarsometatarsus

skokietować *vt perf* to turn (**kogoś** sb's) head; to ingratiate oneself (**kogoś** with sb)

skokowo *adv* 1. (*skacząco*) by leaps 2. (*w sposób nieciągły*) stepwise

skokow|y *adj* 1. (*dotyczący skoków*) jumping (skis etc.); *anat.* **kość ~a** ankle bone; *techn.* **objętość ~a (cylindra)** displacement volume 2. (*nieciągły*) step (function etc.)

skoków|ki *spl G.* **~ek** *sport* (*narty*) jumping skis

skoksować *v perf techn.* [I] *vt* to coke (coal) [II] *vr* **~ się** to be coked; to undergo coking

skoksowanie *sn* ↑ **skoksować**

skolacjonować *vt perf* to collate

skolekcjonować *vt perf* to collect

skolekcjonowanie *sn* (↑ **skolekcjonować**) collection
skolektywizować *vt perf* to collectivize
skolektywizowanie *sn* (↑ **skolektywizować**) collectivization
skoligacenie † *sn* (↑ **skoligacić**) affinity; connection by marriage
skoligac|ić † *v perf* **~ą, ~ony** [I] *vt* to connect by marriage [II] *vr* **~ić się** (*spowinowacić się*) to be <to become> connected by marriage
skolioza *singt med.* scoliosis
skolit|y *spl G.* **~ów** *paleont.* scolites
skolonizować *vt perf* to colonize
skolonizowanie *sn* (↑ **skolonizować**) colonization
skolopendra *sf zool.* (*Scolopendra*) centipede
skołatany [I] *pp* ↑ **skołatać** [II] *adj* (*o człowieku*) troubled; harassed; (*o statku*) weather-beaten; (*o organizmie itd.*) weakened; battered
skołowacenie *sn* (↑ **skołowacieć**)
skołowaci|eć *vi perf* **~eje** 1. (*zdrętwieć*) to stiffen; **~ały** numb; **język mu ~ał** he was tongue-tied 2. (*stać się półprzytomnym*) to lose one's head; to be stunned <paralysed>
skołować *vt perf* to exhaust; to confound; to muddle
skołowany [I] *pp* ↑ **skołować** [II] *adj* 1. (*wyczerpany*) exhausted; powerless; prostrate 2. (*oszołomiony*) staggered; **byłem ~** my mind was in a whirl
skołowanie *sn* (↑ **skołować**) exhaustion; prostration
skołtuni|ć *v perf* [I] *vt* to tangle <to mat> (sb's hair); **~one włosy** matted hair [II] *vr* **~ć się** to become <to get> tangled <matted>
skołtunie|ć *vi perf* **~je** 1. (*o włosach*) to become <to get> tangled <matted> 2. (*o ludziach*) to become <to grow> smug
skołtunienie *sn* ↑ **skołtunić, skołtunieć** 1. *singt* (*kołtuństwo*) smugness 2. (*kołtun*) tangled <matted> hair; *med.* plica
skomasować *vt perf* to combine into a whole; to integrate
skomasowanie *sn* (↑ **skomasować**) integration
skombinować *vt perf* = **kombinować**
skomentować *vt perf* = **komentować**
skomentowanie *sn* ↑ **skomentować** = **komentowanie**
skomercjalizować *vt perf* to commercialize
skomercjalizowanie *sn* (↑ **skomercjalizować**) commercialization
skoml|eć *vi imperf* **~i, ~ij** *dosł. i przen.* to whimper; to whine
skomlenie *sn* (↑ **skomleć, skomlić**) (a) whimper; (a) whine
skomlić *vi imperf* = **skomleć**
skompensować *vt perf* = **kompensować**
skompensowanie *sn* (↑ **skompensować**) compensation
skompilować *vt perf* to compile
skompilowanie *sn* (↑ **skompilować**) compilation
skompletować (się) *vt vr perf* = **kompletować (się)**
skompletowanie *sn* (↑ **skompletować**) completion
skomplikować (się) *vt vr perf* = **komplikować (się)**
skomplikowanie *sn* (↑ **skomplikować**) complication; entanglement
skomplikowany [I] *pp* ↑ **skomplikować** [II] *adj* complicated; complex; elaborate; difficult
skomponować *vt perf* = **komponować**
skomponowanie *sn* (↑ **skomponować**) composition
skompromitować (się) *vt vr perf* = **kompromitować (się)**
skompromitowany [I] *pp* ↑ **skompromitować** [II] *sm polit.* person held in suspicion; avowed oppositionist
skomunikować *v perf* [I] *vt* to bring (sb) into contact (with sb else) [II] *vr* **~ się** to come into contact <to get in touch> (with sb)
skomunikowanie *sn* ↑ **skomunikować**
skon *sm G.* **~u** *lit.* decease; (natural) death
skona|ć *vi perf* 1. (*skończyć życie*) to die; to pass away; to give up the ghost; *pot.* **niech ~m!** strike me dead! 2. *przen.* (*urwać się*) to break off; to cease
skonanie *sn* (↑ **skonać**) decease; (natural) death
skonany *adj pot.* fagged out; dead tired; dead-beat; all in; dog-tired
skoncentrować (się) *vt vr perf* = **koncentrować (się)**
skoncentrowanie *sn* (↑ **skoncentrować**) concentration; convergence; accumulation
skondensowa|ć *v perf* [I] *vt* 1. (*zgęścić*) to condense; **mleko ~ne** condensed milk; **~na masa** condensation 2. (*skupić coś*) to compress [II] *vr* **~ć się** to condense; to concentrate (*vi*)
skondensowanie *sn* (↑ **skondensować**) condensation; compression
skonfederować *v perf* [I] *vt hist.* to confederate [II] *vr* **~ się** to confederate (*vi*)
skonfederowanie *sn* (↑ **skonfederować**) confederation
skonfederowany [I] *pp* ↑ **skonfederować** [II] *adj* confederate (States etc.) [III] *sm* (a) confederate
skonfiskować *vt perf* = **konfiskować**
skonfiskowanie *sn* (↑ **skonfiskować**) confiscation; sequester; seizure; forfeiture
skonfrontować *vt perf* = **konfrontować**
skonfrontowanie *sn* (↑ **skonfrontować**) confrontation; collation (of documents etc.)
skonfundować (się) *vt vr perf* = **konfundować (się)**
skonfundowanie *sn* (↑ **skonfundować**) confusion
skonkretyzować (się) *vt vr perf* = **konkretyzować (się)**
skonkretyzowanie *sn* (↑ **skonkretyzować**) concretion; substantiation; realization; materialization
skonsolidować (się) *vt vr perf* = **konsolidować (się)**
skonsolidowanie *sn* (↑ **skonsolidować**) consolidation
skonsonantyzować *vt perf jęz.* to consonantize
skonstatować *vt perf* = **konstatować**
skonstatowanie *sn* (↑ **skonstatować**) statement <ascertainment> (of a fact)
skonsternowa|ć *v perf* [I] *vt* to dismay; to fill with dismay <with consternation>; **być ~nym** to stand aghast [II] *vr* **~ć się** to be dismayed <filled with dismay, with consternation>
skonsternowanie *sn* (↑ **skonsternować**) consternation; dismay
skonstruować *vt perf* to construct; to build; to make
skonstruowanie *sn* (↑ **skonstruować**) construction
skonsultować się *vr perf* = **konsultować się**
skonsultowanie (się) *sn* (↑ **skonsultować (się)**) consultation
skonsumować *vt perf lit.* = **konsumować**
skonsumowanie *sn* (↑ **skonsumować**) consumption (of goods etc.)

skonsygnować *vt perf rz.* to alert

skontaktować *v perf* [I] *vt* to bring (sb) into contact (with sb else) [II] *vr* ~ **się** to come into contact <to get in touch> (with sb); to contact (**z kimś** sb)

skontaktowanie *sn* ↑ **skontaktować**

skonto *indecl handl.* discount

skontrastować *vt perf* to put (things) in contrast; to contrast (one thing with another)

skontrolować *vt perf* = **kontrolować**

skontrolowanie *sn* (↑ **skontrolować**) check-up; inspection; verification

skontrować *vt perf* = **kontrować**

skontrum *sn księgow.* auditing (of accounts)

skonturować *vt perf rz.* to outline

skonwencjonalizować *vt perf* to conventionalize

skonwencjonalizowanie *sn* (↑ **skonwencjonalizować**) conventionalization

skonwertować *vt perf* to convert (securities etc.)

skonwertowanie *sn* (↑ **skonwertować**) conversion (of securities)

skończeni|e [I] *sn* 1. ↑ **skończyć** 2. *rz.* (*koniec, kres*) end; **do ~a świata** till doomsday [II] *adv* extremely; excessively

skończoność *sf singt* 1. (*ograniczoność*) finiteness; limitations; boundaries 2. (*doskonałość*) perfection

skończon|y [I] *pp* ↑ **skończyć; mieć coś do połowy ~e** to be half through with sth [II] *adj* 1. (*kompletny*) complete; absolute; utter; accomplished <perfect> (artist etc.); consummate (beauty etc.); arrant <downright, thorough, unmitigated> (scoundrel etc.); **~e bzdury** clotted <stark> nonsense; **~y dureń** born <out and out> fool 2. (*wykwalifikowany*) qualified; full-fledged 3. (*nie mający perspektyw*) played out; **to ~y człowiek** he is a goner 4. *mat.* finite

skończ|yć *v perf* [I] *vt* = **kończyć** *vt;* **~yć 20 <30 itd.> lat** to be turned twenty <thirty etc.>; **sprawa ~ona** there's an end; that's that; that's all there is to be said [II] *vi* 1. (*ukończyć*) to end <to finish> (**na czymś** by doing sth); **począwszy od dyrektora, a ~ywszy na woźnym** from the manager down to the janitor 2. (*zaprzestać*) to stop (**z czymś** doing sth); **~ z tym czytaniem** stop that reading 3. (*zerwać*) to have done (**z czymś** with sth); **~yć z kimś** a) (*zerwać*) to be through with sb b) (*zniszczyć*) to make away with sb; **~yć z sobą** to take away one's life 4. *w zwrotach:* **źle ~yć** to come to a bad end; **on ~y w kryminale <obłąkaniem>** he will end his days behind prison bars <in a lunatic asylum> [III] *vr* **~yć się** 1. = **kończyć się** 1., 2., 5., 6. 2. (*o artyście itd.* — *wyczerpać się*) to wear oneself out; **~ył się** a) (*o artyście*) he is finished b) (*o pisarzu*) he is written out

skooperować *vt perf* to embody into a co-operative

skoordynować *vt perf* to co-ordinate

skoordynowanie *sn* (↑ **skoordynować**) co-ordination

skop *sm* wether

skop|ać *vt perf* **~ie** — **skop|ywać** *vt imperf* 1. (*wzruszyć ziemię*) to dig (one's garden etc.) 2. (*zrzucić coś z siebie*) to kick off (one's bedclothes) 3. *perf* (*zbić*) to kick (sb) black and blue

skopanie *sn* ↑ **skopać**

skopcić † *perf* [I] *vt* (*pokryć sadzami*) to blacken with soot [II] *vr* ~ **się** *wulg.* to fart

skopci|eć *vi perf* **~eje** (*pokryć się kopciem*) to get blackened with soot; **~ały** black with soot

skop|ek[1] *sm G.* **~ka** *rz.* (*baranek*) young wether

skop|ek[2] *sm G.* **~ka** (*naczynie*) pail; (**pełny**) **~ek mleka** pailful of milk

skopić[1] *vt perf* (*zebrać w kopę*) to cock (hay); to shock (corn sheaves)

skopić[2] *vt imperf gw.* (*kastrować*) to castrate (wethers)

skopienie *sn* ↑ **skopić**[1,2]

skopiować *vt perf* = **kopiować**

skopiowanie *sn* ↑ **skopiować**

skopolamina *sf farm.* scopolamine

skopowy *adj* wether's (horns etc.); *kulin.* mutton — (chop etc.); **łój** ~ mutton fat

skopywać *zob.* **skopać**

skorci|ć *vt perf* to tempt; **~ło mnie** I was tempted

skor|ek *sm G.* **~ka** *zool.* (*Forficula*) earwig

skorelować *vt perf lit.* to correlate

skorkowacenie *sn* (↑ **skorkowacieć**) suberization

skorkowacie|ć *vi perf* **~je** *leśn.* to become suberized

skoro [I] † *adv* (*prędko, rychło*) quickly; soon; **nie ~ mi do ...** I am in no hurry to ...; **~ mi do ...** I would as lief ...; **skorzej bym ...** I would rather ... [II] *conj* 1. (*określa dzianie się*) (*także* **~ ... natychmiast <zaraz>**) when; as soon as; **~ go ujrzysz, daj mi znać** when <as soon as> you see him, let me know; **~ przyszedł, natychmiast <zaraz> przystąpił do pracy** when <as soon as> he came, he at once set to work; **~ świt** at daybreak; at break of day; at sunrise 2. (*wprowadza warunek*) if; **to jest dobre ~ jest świeże** it is good if fresh 3. (*wprowadza uzasadnienie*) since; seeing (that); once; now that; as; **~ wszyscy tu jesteśmy, zaczynajmy** since <seeing that> we are all here, let us begin; **~ zacząłeś, musisz ciągnąć dalej** once <now that> you have begun, you must go on 4. (*podkreśla kontrast*) since; **po co mamy się męczyć, ~ to się na nic nie zda?** why should we exert ourselves since no good will come of it? 5. (*w związkach wyrazowych*) **~ już** as; since; **~ już dalsza podróż jest niemożliwa, wracajmy** as <since> further travel is impossible, let us go back; **~ tylko** as soon as; directly; immediately; **~ tylko zawołałem, żołnierz przybył** as soon as <directly, immediately> I called, the soldier came

skoroszyt *sm G.* **~u** folder; letter file

skoroszytowy *adj* folder — (kind etc.)

skorowidz *sm* 1. (*spis alfabetyczny*) index 2. (*notes*) thumb-indexed note-book

skorpion *sm* 1. *zool.* scorpion; *pl* **~y** (*Scorpionidae*) (*rząd*) the order Scorpionida(e); scorpions 2. **Skorpion** (*znak Zodiaku*) Scorpio

skorpionowy *adj* scorpionic; scorpion — (shell etc.)

skorumpować *vt perf* = **korumpować**

skorumpowany [I] *pp* ↑ **skorumpować** [II] *adj* venal; corrupt

skorup|a *sf* 1. *dosł. i przen.* (*powłoka*) crust; shell; hull; incrustation; **~a jaja** egg-shell; **~a orzecha** nutshell; **~a ziemska** earth's crust <rind>; *przen.* (*o człowieku*) **wyjść ze swej ~y** to come out of one's shell; **zamknąć się w ~ie** to retire into one's shell 2. (*zw. pl*) (*czerep*) potsherd 3.

paleont. zool. shell; hull; test; carapace (of a turtle etc.)

skorupiak *sm zool.* crustacean; bivalve; shellfish; *pl* **~i** (*Crustacea*) (*gromada*) the class Crustacea; **~i liścionogie** the Phyllopoda

skorupiakowy *adj* crustacean; testaceous

skorupiast|y *adj* crustaceous; crusty; *bot.* **porosty ~e** crustaceous lichens

skorupie|ć *vi imperf* **~je** to crust

skorupienie *sn* (↑ **skorupieć**) crustation

skorupik *sm zool.* (*Lepidosaphes ulmi*) apple scale insect

skorupka *sf dim* ↑ **skorupa**; **czym ~ za młodu nasiąknie, tym na starość trąci** what is bred in the bone will come out in the flesh

skorupkow|y *adj zool. bot.* testaceous; *miner.* **blenda ~a** a variety of blende; *hist.* **sąd ~y** ostracism

skorupnik *sm rz.* turtle-shell; tortoise-shell

skorupowaty *adj bot.* crustaceous (lichens etc.)

skorupowy *adj* crusted; shelled; carapaced

skory *adj* prone (**do czegoś** to sth <to do sth>); prompt (**do czynu itd.** to act etc.); quick (**do gniewu** to anger; **do obrazy itd.** to take offence etc.); swift (**do czynu itd.** to action etc.); eager (**do usług itd.** to be helpful etc.); **~ do uśmiechu** <**do wzruszeń itd.**> readily smiling <moved etc.>; **~ do nauki** docile; studious; **~ do gniewu** irascible; bad-tempered

skorygować *vt perf* = **korygować**

skorygowanie *sn* (↑ **skorygować**) correction

skorzystać *vi perf* = **korzystać**

skos *sm G.* **~u** (*powierzchnia ukośna*) slant; bevel; cant; rake; **kroić ze ~u** to cut on the bias; **na ~, w ~** aslant; obliquely; slantwise; on the bias; askew

skosić *vt perf* **skoszę, skoszony** — *rz.* **skaszać** *vt imperf* = **kosić**

skosmacić *vt perf* to mat <to ruffle> the hair

skosmopolityzować *vt perf rz.* to cosmopolitanize

skostniałość *sf singt* 1. (*tkanka kostna*) ossification; ossified tissue 2. (*zesztywnienie*) numbness 3. (*utrwalenie się w tradycyjnej postaci*) fossilization

skostniały [I] *pp* ↑ **skostnieć** [II] *adj* 1. (*o tkance*) ossified 2. (*o człowieku, kończynie itd.*) numb; stiff 3. (*o poglądach itd.*) fossilized

skostnie|ć *vi perf* **~je** 1. (*stać się tkanką kostną*) to ossify (*vi*) 2. (*zesztywnieć*) to grow numb <stiff> (with cold etc.) 3. *przen.* (*utrwalić się w tradycyjnej postaci*) to become fossilized <mummified>

skostnienie *sn* 1. ↑ **skostnieć** 2. (*stwardnienie tkanki kostnej*) ossification 3. (*zesztywnienie*) numbness 4. (*utrwalenie się w tradycyjnej postaci*) fossilization

skoszarować *vt perf* to quarter (soldiers, D.P.'s etc.) in barracks

skoszarowanie *sn* ↑ skoszarować

skoszenie *sn* ↑ **skosić**

skoszlawić *zob.* **skoślawić**

skoszlawieć *zob.* **skoślawieć**

skosztować *vt perf* 1. (*próbować smaku*) to try <to taste, to have a taste of> (a dish, wine etc.) 2. (*zjeść, wypić*) to have (some food, a beverage etc.) 3. *przen.* (*doświadczyć*) to taste (**szczęścia, nieszczęścia, władzy itd.** happiness, ill-fortune, power etc.)

skosztowanie *sn* (↑ **skosztować**) *dosł. i przen.* a taste (of sth)

skoślawić *vt perf rz.* 1. (*zrobić krzywym*) to make (sth) crooked <lop-sided>; to distort; to put (sth) out of shape 2. (*uczynić krzywonogim*) to render (sb) <to cause (sb) to be> knock-kneed

skoślawie|ć *vi perf* **~je** to become crooked <lop-sided, distorted, knock-kneed>

skośnica *sf techn.* bevel

skośnie *adv* obliquely; aslant; slantwise; on the bias; askew; **~ osadzone oczy** slanting eyes

skośnik *sm mar.* trysail

skośno *zob.* **skośnie**

skośnooki *adj* slanting-eyed

skośnoszczęki *sm* (*decl = adj*) *antr.* prognathous

skośnoszczękowość *sf singt antr.* prognathism

skośność *sf singt* obliqueness; slant; bevel; bias

skośnożaglowy *adj mar.* fore-and-aft rigged

skośn|y *adj* oblique; slanting; inclined; **~e oczy** slanting eyes; *tekst.* **splot ~y** twill weave; *mar.* **żagiel ~y** fore-and-aft sail; *przen.* **rzucić ~e spojrzenie na kogoś, coś** to look askance at sb, sth

skotłowa|ć *v perf* [I] *vt* to agitate; to whirl <to swirl> (sth); **~ny** agitated; whirling; swirling; seething; **~ć komuś głowę** to bother <to worry> sb; to drive sb crazy [II] *vr* **~ć się** to be agitated; to whirl <to swirl, to seethe> (*vi*)

skotysta *sm* (*decl = sf*) *rel.* Scotist

skotyzm *sm singt G.* **~u** *filoz.* Scotism

skowa *sf bud.* fastener

skowron|ek *sm G.* **~ka** *zool.* (*Alanda arvensis*) skylark; lark; **wstawać ze ~kiem** to rise with the lark

skowronkowy *adj* skylark's <lark's> (song etc.)

skowycz|eć *vi imperf* **~y** to yelp; to squeal; to whimper; to whine

skowyczenie *sn* (↑ **skowyczeć**) (a) yelp; (a) squeal; (a) whimper; (a) whine

skowyt *sm* (*zw. singt*) *G.* **~u** yelp; squeal; whimper; whine

skowytać = **skowyczeć**

skowytanie *sn* ↑ **skowytać**

skozaczyć *v perf* [I] *vt* to merge (a part of the population etc.) into the Cossack community [II] *vr* **~ się** to turn Cossack

skoziołkować *vi perf* to somersault

skó|ra *sf* 1. (*u człowieka*) skin; *żart.* hide; (*u zwierzęcia*) skin; hide; coat; (*z nie zdjętym włosem*) fell; (*u zwierząt futerkowych oraz barana, kozy*) pelt; (*o człowieku*) **~ra i kości** a bag of bones; *anat.* **~ra właściwa** true <inner> skin; derm; *med.* **zapalenie ~ry** dermatitis; **rozebrany do gołej ~ry** in buff; **być w czyjejś ~rze** to be in sb's skin <boots>; **czuć coś przez ~rę** to scent sth; **dać komuś w ~rę, dobrać się komuś do ~ry** to give sb a hiding <a thrashing>; to tan sb's hide; **dostać w ~rę** <**po ~rze**> to get a hiding <a thrashing>; *przen.* to be taught a lesson; **doświadczyć** <**poznać**> **na własnej ~rze** to learn (sth) to one's cost; **drżeć o własną ~rę** to tremble for one's hide; **obdzierać** <**drzeć, łupić**> **kogoś** <**zwierzę**> **ze ~ry** to skin <to flay> sb <an animal>; *przen.* to flay (a customer etc.); **o mało ze ~ry nie wyskoczyć** to be ready to leap out of one's skin; pacjent jest w złej ~rze the patient is in a bad way; ratować własną ~rę to save one's skin <one's bacon, one's neck>; ~ra na mnie cierpnie it makes my flesh creep; wejść w nową ~rę to become a new man; wychodzić <wyłazić> ze ~ry, żeby ... to make desperate efforts to ...; zedrzeć z kogoś ~rę to skin <to fleece> sb; (o zwierzęciu) zrzucać ~rę to peel; to moult; (o wężu) to slough; przen. gęsia ~ra the creeps 2. (produkt do wyrobu obuwia itd.) leather; (w całości wygarbowana skóra wołowa) crop; (futerko) pelt; barania ~ra sheepskin; ~ra lamparcia leopard-skin; (rodzaj dywanu) ~ra niedźwiedzia bearskin; ~ra tygrysia tiger skin; świńska ~ra pigskin; oprawiony w ~rę leather-bound; calf-bound; przen. na wołowej ~rze by nie spisał ... there's no end to ...; it would take volumes to describe ...; (nie opłaca się) nie staje skóra za wyprawę the game is not worth the candle

skór|ka sf pl G. ~ek 1. (delikatna skóra ludzi i zwierząt) skin; (u ludzi) cuticle; (przy paznokciu) agnail; przen. gęsia ~ka the creeps; dostaję gęsiej ~ki gdy ... it gives me the creeps to ... (see, hear etc.) 2. (futerko) pelt; fur; skin; ~ka królicza rabbitskin; ~ka lisia foxskin 3. (zewnętrzna powłoka — na chlebie, placku itd.) crust; (na serze itd.) rind; (na kiełbasie, mleku itd.) skin; (na kiju bilardowym) tip 4. bot. ogr. peel; kulin. ~ka pomarańczowa <cytrynowa> w cukrze candied orange <lemon> peel

skórkowaty adj rz. leathery

skórkowy adj leather — (gloves etc.)

skórnictwo sn singt techn. tanning; tawing

skórniczy adj techn. tanning <tawing> — (trade etc.); tanner's <tawer's> (work etc.)

skórnik sm 1. pot. (dermatolog) specialist in skin diseases 2. techn. (garbarz) tanner; tawer

skórn|y adj cutaneous; dermal; skin — (diseases etc.); (w szpitalu) oddział ~y dermatological department; department of skin diseases; pasożyty ~e external parasites

skórować vt imperf techn. to flay

skórzak sm 1. (grzyb) fungus with leatherlike cap 2. med. (nowotwór) dermoid cyst 3. pl ~i gw. (spodnie ze skóry) leathers

skórzan|y adj 1. (zrobiony ze skóry) leather — (jacket, binding, belt etc.); ~e rękawiczki kid-gloves; ~e spodnie leathers 2. (mający konsystencję skóry) leathery

skórzast|y adj leathery; med. torbiel ~a dermoid cyst

skórzni|a sf gw. 1. pl ~e (buty) knee-boots 2. pl ~e (spodnie) leathers

skra sf pl G. skier gw. poet. spark

skr|acać v imperf — skr|ócić v perf ~ócę, ~ócony [I] vt 1. (czynić krótszym) to shorten; to cut down; to curtail; to lessen; to truncate; mar. to douse <to scandalize, to hand> (a sail); ~acać, ~ócić czas to while away <to beguile> the time; ~acać, ~ócić sobie drogę śpiewem to cheer the way by singing; mat. ~acać, ~ócić ułamek to reduce a fraction 2. (czynić zwięzłym) to abridge (an article, an edition etc.); ~ócony wyraz abbreviation [III] vr ~acać, ~ócić się 1. (stawać się krótszym) to grow shorter; to contract <to lessen> (vi) 2. rz. (kończyć swą wypowiedź) to cut one's speech short

skracalny adj abridg(e)able; reducible

skracanie sn (↑ skracać) reduction; abridgement; abbreviation (of words)

skrachować v perf rz. [I] vi to crash; to go bankrupt [III] vr ~ się to go bankrupt

skrada|ć się vr imperf to creep <to steal> up; to slink; to advance stealthily; ~jące się kroki stealthy <furtive> steps

skradanie się sn (↑ skradać się) stealthy <furtive> steps <advance>

skradziony [I] pp ↑ skraść [II] adj stolen

skraj sm G. ~u border; edge; fringe; rand; outskirts <periphery> (of a city); ciągnąć się <jechać itd.> ~em lasu <wsi itd.> to skirt a forest <village etc.); na ~u przepaści on the brink of a precipice

skrajać zob. skroić

skraj|ka sf pl G. ~ek gw. (piętka chleba) heel (of a loaf)

skrajnia sf techn. outline (of a building etc.); (pod mostem) road-clearance; ~ ładunkowa loading-gauge

skrajnie adv extremely; intensely; radically; in the extreme; to extreme limits

skrajnik sm techn. loading-gauge; mar. peak

skrajność sf (the) extreme; popaść w ~ to go to extremes

skrajn|y adj extreme; intense; utmost; polit. radical; ultra; (o nędzy) abject <utter, dire> (misery); ~e poglądy radicalism; ultraism

skr|apiać v imperf — skr|opić v perf [I] vt 1. (polewać) to sprinkle (sth with wine, scent etc.) 2. przen. (nawadniać, zwilżać) to moisten; to damp; to water [III] vr ~apiać, ~opić się to sprinkle oneself (with scent etc.)

skrapianie sn ↑ skrapiać

skraplacz sm pl G. ~y <~ów> techn. condenser

skr|aplać v imperf — skr|oplić v perf [I] vt 1. (zamienić substancję lotną na ciekłą) to precipitate (vapour); to condense <to liquefy> (gases); to resolve (steam into water); ~oplony gaz liquid gas [III] vr ~aplać, ~oplić się (o gazach i parach) to condense <to liquefy> (vi); (o parze na szybach itd.) to form into drops

skraplanie sn (↑ skraplać) condensation; liquefaction; precipitation

skraplar|ka sf pl G. ~ek techn. condensing unit

skra|ść vt perf ~dnę, ~dnie, ~dnij, ~dł, ~dziony to steal; to pilfer

skraśnie|ć vi perf ~je lit. to redden

skrawać vt imperf to cut <to slice> off

skrawalność sf singt techn. machinability

skrawalny adj techn. machinable

skrawanie sn ↑ skrawać

skraw|ek sm G. ~ka 1. (ścinek) (a) cutting; clipping; snip 2. (nieduży kawałek) fragment; patch; scrap; pl ~ki parings

skrążać vt imperf — skrążyć vt perf roln. to sift

skrecz sm G. ~u sport retirement from a tennis match

skredytować v perf [I] vi (udzielić kredytu) to give credit [III] vt (sprzedać coś na kredyt) to sell (sth) on credit

skreper sm bud. scraper

skreśl|ać *vt imperf* — **skreśl|ić** *vt perf* 1. (*kasować*) to cancel; to cross <to strike> out; to delete; to erase; (*o cenzurze*) to blue-pencil; **~ać, ~ić kogoś z rejestru** to take sb's name off the books; **~ać, ~ić pozycję ze spisu** to strike an item off a list; **~ać, ~ić ustępy w książce** to expurgate a book 2. (*wyrażać rysunkiem*) to draw (sth); (*wyrażać gestem*) to gesture (sth); (*charakteryzować w słowach*) to depict; (*pisać*) to note; to jot down; to write

skreśle|nie *sn* 1. ↑ **skreślić** 2. (*unieważnienie*) cancellation; deletion; erasure; expurgation; **wydanie bez ~ń** unexpurgated edition 3. (*to, co zostało skreślone*) (a) drawing; (*to, co zostało napisane*) (a) writing; note

skreślić *zob.* **skreślać**

skretynie|ć *vi perf* **~je** *pot.* to become <to grow> cretinous

skretynienie *sn* ↑ **skretynieć**

skrewić *vi perf pot.* to let (sb, people) down; to flinch; **nie ~** to be game

skręc|ać *v imperf* — **skręc|ić** *v perf* [I] *vt* 1. (*łączyć kręcąc*) to strand <to lay> (a rope); to throw (silk); to braid (a cable); to kink (a wire) 2. (*kręcąc zwijać*) to twist; to bend; *perf* to give a twist (coś to sth); to curl (hair, one's moustache etc.); to roll (sth) up; to contort (sb's features etc.); *fiz.* **~anie płaszczyzny polaryzacji światła** optical rotatory power; *techn.* **moment ~ający** torque; **głód ~a kiszki** one is famished <ravenous>; **~ać, ~ić kurek** to turn off the tap; **~ać, ~ić nogę** <**rękę**> to sprain one's foot <one's wrist>; **~ać, ~ić radio** <**gaz**> to turn down the radio <the gas>; **~ić kark** <**łeb**> to break one's neck 3. (*zmieniać pozycję czegoś*) to turn (sth) round; to veer; *perf* to give (the wheel etc.) a turn [II] *vi* 1. (*wykonywać skręt — o wietrze, pojeździe, lecącym przedmiocie itd.*) to veer; to wheel round; to turn; (*o człowieku, pojeździe*) to turn (round) the corner; to take a turning; to turn (to the right <left>) 2. *przen.* (*o rozmowie — przechodzić na inny temat*) to shift (to a different subject, topic) 3. *przen.* (*o drodze, rzece itp.*) to fork (to the right <left>) [III] *vr* **~ać, ~ić się** 1. (*przybierać pozycję skurczoną*) to coil oneself <itself> up; to be convulsed; **~ać się z bólu** to writhe with pain; *przen.* **~ać się ze śmiechu** to be convulsed with laughter 2. (*zwijać się*) to get twisted <coiled, contorted, convoluted>

skręcalność *sf singt fiz.* optical rotation

skręcalny *adj* torsional

skręcar|ka *sf pl G.* **~ek** *techn.* twister

skręcenie *sn* (↑ **skręcić**) twist; turn; bend; contortion; convolution; torsion; *med.* sprain

skręc|ić *vt vi perf* **~ę, ~ony** 1. *zob.* **skręcać** 2. *pot.* (*oszukać*) to spoof; to swindle

skręcony [I] *pp* ↑ **skręcić** [II] *adj* convolute; tortile; *bot.* volute

skrępować *vt perf* = **krępować**

skrępowanie *sn* 1. (↑ **skrępować**) restraint; hindrance; inconvenience; discomfort 2. (*uczucie onieśmielenia*) embarrassment

skrępowany [I] *pp* ↑ **skrępować** [II] *adj* 1. (*związany*) hampered; impeded 2. (*ograniczony*) restricted 3. (*onieśmielony*) embarrassed; ill at ease; uncomfortable

skręt *sm G.* **~u** 1. (*zmiana kierunku poruszania się*) (a) turn; (a) veer; *med.* **~ kiszek** volvulus; twisting of the bowels; **zrobić ~** to turn; to veer 2. (*zakręt*) turn <turning, bend> (of the road) 3. *pl* **~y** (*sploty, zwoje*) windings, twists; meanderings; coils; torsions; convolutions 4. (*G.* **~a**) *pot.* (*papieros*) fag 5. *techn.* (*skręcenie włókien, nitek*) strand; bight (in a rope); kink (in a wire)

skrętny *adj* (*skręcający*) torsional; **ruch ~** twist; wrench

skrętomierz *sm pl G.* **~y** *tekst.* twist tester

skrętow|y *adj* torsional; **waga ~a** torsion balance

skrobacz *sm* scraper

skrobacz|ka *sf pl G.* **~ek** 1. (*narzędzie do skrobania*) scraper; rasp; *med.* curette; raspatory 2. (*do błota*) foot-scraper

skrob|ać *v imperf* **~ie** — **skrob|nąć** *v perf* [I] *vt* 1. (*zw. imperf*) (*zdrapywać wierzchnią warstwę*) to scrape; to rasp; **~ać rybę** to scale (fish); *przen.* (*deptać po piętach*) **~ać marchewkę** to tread on sb's heels 2. *perf przen.* (*uderzyć tnącym narzędziem*) to stab; to prod; to spear 3. *pot.* (*drapać*) to scratch; (*o psie*) **~ać, ~nąć łapą do drzwi** to paw the door 4. *pot. żart.* (*pisać*) to scribble [II] *vr* **~ać, ~nąć się** *pot.* to scratch oneself; *dosł. i przen.* **~ać się w głowę** <**za uchem**> to scratch one's head

skrobak *sm* scraper; shave-hook; *chir.* curette

skrobanie *sn* ↑ **skrobać**

skrobanina *sf pot. pog.* scribble

skroban|ka *sf pl G.* **~ek** *pot.* (procured) abortion

skrobia *sf singt biol. chem.* starch; farina; **~ wątrobiana** glycogen; animal starch

skrobiawica *sf med.* amyloidosis

skrobiowaty *adj med.* amyloid

skrobiowy *adj* starchy; amylaceous

skrobipiór|ek *sm G.* **~ka** *pl N.* **~ki** <**~kowie**> *pog. żart.* ink-slinger; pen pusher

skrob|ka *sf pl G.* **~ek** scraper; rasp

skrobnąć *zob.* **skrobać**

skrobnięcie *sn* (↑ **skrobnąć**) (a) scratch

skrocz *sm singt* amble

skrofuliczny *adj* scrofulous

skroful|y *spl G.* **~ów** *med.* scrofula

skr|oić *vt perf* **~oję, ~ój, ~ojony,** *rz.* **skr|ajać** *vt perf* — **skr|awać** *vt imperf* 1. (*usunąć wierzchnią warstwę*) to cut (sth) off 2. *perf* (*wykroić*) to cut (a garment to be sewn); *przen.* **~oić komuś kurtę** to give sb hell 3. *perf* (*pociąć, pokrajać*) to cut (sth) up <to pieces> 4. *perf przen.* (*ciąć, uderzyć*) to lash

skrojenie *sn* ↑ **skroić**

skrom *sm G.* **~u** hare's fat

skromnie *adv* 1. (*nieśmiało*) modestly; coyly; shyly; maidenlike 2. (*niezarozumiale*) unassumingly; unassertively 3. (*niezamożnie*) modestly; **~ żyć** to live in a small way 4. (*niepokaźnie*) inconspicuously; inostensibly 5. (*nierozrzutnie*) sparingly; scantily; frugally 6. (*umiarkowanie*) unpretentiously; **~ powiedziawszy ...** nothing less than ...; **~ się wyrażając** to say the least

skromnie|ć *vi imperf* **~je** to become <to grow> more (and more) modest

skromnisia *sf, rz.* **skromniś** *sm* prim <prudish, demure> person

skromniutki *adj dim* ↑ **skromny**

skromniutko *adv dim* ↑ **skromnie**

skromność *sf singt* 1. (*powściągliwość, nieśmiałość*) modesty; decency; coyness; **przez ~** out of modesty 2. (*brak zarozumiałości*) unambitious <unassuming, self-effacing> disposition; unassertiveness 3. (*brak wystawności*) simplicity; unostentatiousness; unobtrusiveness 4. (*prostota*) modesty; simplicity; frugality 5. (*niepokaźność*) inconspicuousness

skromny[1] *adj* 1. (*powściągliwy, nieśmiały*) modest; decent; coy; maidenlike; chaste 2. (*niezarozumiały*) unambitious; unassuming; self-effacing; unassertive 3. (*prosty, niewyszukany*) quiet (colours etc.); simple (dress etc.); (*o człowieku*) unostentatious; unobtrusive 4. (*nie przynoszący dużych zysków*) modest 5. (*niezamożny*) modest; lowly 6. (*niepokaźny*) inconspicuous; inostensible; homely 7. (*umiarkowany*) unpretentious; (*o posiłku*) frugal; meagre; spare; scant; (*o oszacowaniu, ocenie*) sober; (*o obliczeniu*) conservative; **moim ~m zdaniem** in my humble opinion

skromny[2] *adj* (*o zającu*) in fat

skroniowy *adj* temporal

skro|ń *sf pl N.* **~nie** *anat.* temple

skropić *zob.* **skrapiać**

skropienie *sn* ↑ **skropić**

skroplenie *sn* 1. ↑ **skroplić** 2. (*przemiana w ciecz*) condensation

skroplić *zob.* **skraplać**

skroplina *sf chem. techn.* condensate

skroplony *adj* liquid

skroś *adv lit.* 1. (*na wylot*) (right) through; (all the way) across; from end to end 2. *przen.* (*całkowicie*) completely; utterly; fundamentally

skróce|nie *sn* 1. ↑ **skrócić** 2. (*skrót*) abridg(e)ment; **bez ~ń** in full; **w ~niu** abridged; in short

skrócić *zob.* **skracać**

skró|t *sm G.* **~tu** 1. (*to, co zostało skrócone*) shortening; summary; abridg(e)ment; digest; epitome; abbreviation 2. (*skracanie czegoś*) shortening; **w błyskawicznym <telegraficznym> ~cie** in short; *radio* **wiadomości w ~cie** the news headlines 3. (*krótsza droga*) short cut; cross-cut; **pójść na ~ty** to take a short cut 4. (*połączenie pierwszych liter wyrazów*) abbreviation 5. *plast.* foreshortening

skrótow|iec *sm G.* **~ca** acronym

skrótowo *adv* in short; **mówiąc ~** shortly speaking

skrótowość *sf singt* shortened character (of a description etc.)

skrótowy *adj* shortened

skruber *sm techn.* scrubber

skruch|a *sf singt* repentance; compunction; *rel.* contrition; attrition; **okazać ~ę za coś** to repent of sth; **ze ~ą** with compunction; contritely

skrupi|ać się *vr imperf* — **skrupi|ć się** *vr perf* to be the scapegoat; to bear the brunt (of sb's displeasure etc.); **to się na mnie ~** I'll be the scapegoat; I'll bear the brunt <stand the racket, *am.* stand the gaff>

skrupula|nt *sm pl N.* **~nci, skrupula|t** *sm pl N.* **~ci** stickler; **to ~nt <~t>** he is scrupulous <conscientious, meticulous>

skrupulat|ka *sf pl G.* **~ek** = **skrupulat**

skrupulatnie *adv* scrupulously; precisely; conscientiously; meticulously; with great precision

skrupulatność *sf singt* scrupulosity; precision; conscientiousness; meticulous care

skrupulatny *adj* 1. (*dokładny*) scrupulous; precise; conscientious; punctilious; meticulous 2. (*wykonany z dokładnością*) scrupulous; exact; conscientious; meticulous; finical

skrupuł *sm G.* **~u** 1. (*wątpliwość*) scruple (of conscience); qualm; misgiving; **mieć ~y** to have qualms of conscience; **nie mieć żadnych ~ów** to stick at nothing; **zrobić coś bez ~ów** not to scruple to do sth; **bez ~ów** (*przydawkowo*) unscrupulous; unprincipled; (man) of no scruples; (*okolicznikowo*) unscrupulously 2. *farm.* scruple

skruszać *zob.* **skruszyć**

skrusz|eć *vi perf* **~eje** 1. (*stać się kruchym*) to become <to grow> brittle <friable>; to crumble 2. (*o mięsie*) to become tender; **~ałe mięso** gamy <high(-flavoured)> meat

skruszenie *sn* ↑ **skruszeć**

skruszony *adj* contrite; remorseful; repentant; apologetic; *rel.* penitent (sinner)

skrusz|yć *v perf* — *rz.* **skrusz|ać** *v imperf* Ⅰ *vt* 1. = **kruszyć** 2. (*przywieść do skruchy*) to bring (sb) to repentance 3. (*przywieść do uległości*) to break down (**kogoś** sb's) stubbornness <pride> Ⅱ *vr* **~yć się** 1. (*zostać skruszonym*) to crumble (*vi*); to be crushed 2. (*poczuć skruchę*) to repent; to be repentant

skrutacyjn|y *adj* **komisja ~a** returning committee

skrutator *sm* returning officer; scrutineer (at an election)

skrwawi|ć *v perf* — **skrwawi|ać** *v imperf* Ⅰ *vt perf* (*pokrwawić*) to inflict bleeding wounds (**kogoś** on sb); **~ony** bleeding; gory; blood-stained Ⅱ *vr* **~ć, ~ać się** *dosł. i przen.* to bleed; (*umrzeć z upływu krwi*) to bleed to death

skrwawienie *sn* ↑ **skrwawić**

skrwawiony *adj dosł. i przen.* bleeding

skrycie[1] *sn* (↑ **skryć**) concealment

skrycie[2] *adv* secretly; in secret; underhand; on the sly

skry|ć *v perf* **~ję, ~j** — **skry|wać** *v imperf* Ⅰ *vt* = **kryć** 1., 2., 3., 4. Ⅱ *vr* **~ć, ~wać się** = **kryć się** 1., 3.

skrypt *sm G.* **~u** 1. (*zbiór wykładów*) lecture(s) run off on the duplicator 2. *handl. prawn.* promissory note; I.O.U.

skryptorium *sn hist.* scriptorium

skrystalizować *v perf* Ⅰ *vt* 1. (*zmienić w kryształy*) to crystallize 2. (*sprecyzować*) to specify Ⅱ *vr* **~ się** 1. (*przybrać postać kryształów*) to crystallize; to become crystallized 2. (*przybrać określoną formę*) to take shape

skrystalizowanie *sn* (↑ **skrystalizować**) crystallization

skrystalizowan|y Ⅰ *pp* ↑ **skrystalizować** Ⅱ *adj* fully formed; **to jeszcze nie jest ~e** it is still in the melting-pot

skryt|ka *sf pl G.* **~ek** hiding-place; **~ka bankowa** safe; **~ka pocztowa** post-office box

skrytobójc|a *sm* (*decl* = *sf*) *pl N.* **~y** *lit.* assassin; sniper

skrytobójczo *adv* treacherously

skrytobójczy *adj* treacherous; **~ strzał** sniper's shot

skrytobójstwo *sn* treacherous assassination

skrytokrystaliczn|y *adj miner.* cryptocrystalline (rocks); **~e skały** subcrystalline rocks
skrytokwiatowy *adj bot.* cryptogamous (plants)
skrytopączkow|y *adj bot.* cryptogamic; **rośliny ~e** cryptogams
skrytopłciowość *sf singt bot.* cryptogamy
skrytopłciowy *adj* cryptogamous (plants)
skrytoś|ć *sf singt* secretiveness; uncommunicativeness; **w ~ci** in secret; **w ~ci serca <ducha>** in the secrecy of one's heart
skryty *adj* 1. (*zamknięty w sobie*) secretive; uncommunicative 2. (*tajemny*) secret; clandestine; mysterious; underhand
skrytykować *vt perf* = **krytykować**
skrywać *zob.* **skryć**
skrywanie *sn* (↑ **skrywać**) concealment
skrzat *sm pl N.* **~y** 1. (*malec*) sprat; (tiny) tot; *pot.* kid 2. (*w bajkach*) imp; gnome
skrzący się *adj* sparkling
skrzeczący *adj* screeching; stridulant
skrzecz|eć *vi imperf* **~y** (*o ptaku, zwierzęciu, przen. o człowieku*) to screech; (*o żabie*) to croak
skrzeczenie *sn* (↑ **skrzeczeć**) (a) screech
skrzek *sm singt G.* **~u** 1. (*skrzeczący głos*) screeching; (a) screech; (a) croak 2. *zool.* frog-spawn
skrzekliwy *adj* screechy
skrzekot *sm G.* **~u** hybrid grouse
skrzel <skrzel|a> *sf*, **skrzel|e** *sn pl G.* **~i** *zool.* gill
skrzelodyszn|y *zool.* I *adj* branchiate II *spl* **~e** (*Branchiata*) (*podtyp*) the Branchiata
skrzelowy *adj* branchial
skrzenie *sn* (↑ **skrzyć**) sparkle
skrzep *sm G.* **~u** 1. (*skrzepła krew*) clotted <coagulated> blood; grume; *med.* thrombus 2. (*ciało skrzepnięte*) (a) coagulation 3. (*skrzepnięcie*) coagulation 4. *techn.* skull; bear; sow; salamander
skrzepić *vt perf* — **skrzepiać** *vt imperf* = **pokrzepić** 1.
skrzeplina *sf med.* thrombus
skrzepły I *pp* ↑ **skrzepnąć** II *adj* coagulated; clotted; grumous
skrzep|nąć *vi perf* **~ł** = **krzepnąć** 1., 2., 3.
skrzepnięcie *sn* (↑ **skrzepnąć**) coagulation; congealment; congelation
skrzepowy *adj* thrombotic
skrze|sać *vt perf* **~sze** = **krzesać**
skrzesanie *sn* ↑ **skrzesać**
skrzesany I *pp* ↑ skrzesać II *adj* abrupt; steep; perpendicular
skrzętnie *adv* (*pilnie*) assiduously; sedulously; diligently; busily; (*sumiennie*) scrupulously
skrzętność *sf singt* 1. (*zapobiegliwość*) providence; thrift 2. (*pracowitość*) assiduity; sedulity; diligence
skrzętny *adj* 1. (*pracowity*) diligent 2. (*zapobiegliwy*) provident; thrifty 3. (*krzątający się*) busy
skrzycz|eć *vt perf* **~y** to shout (**kogoś** at sb); to rate (**kogoś** at sb); to jump down (**kogoś** sb's) throat; *sl.* to sail (**kogoś** into sb); to rag (sb)
skrzy|ć *vi imperf* **~j** (*także vr* **~ć się**) to sparkle; to shimmer; to coruscate
skrzydeł|ko *sn pl G.* **~ek** 1. *dim* ↑ **skrzydło** 1., 5. 2. *bot.* (*na nasionach*) wing 3. *bot.* (*płatek*) wing 4. *pl* **~ka** (*oznaka lotnicza*) wings
skrzydełkow|y *adj* wing-shaped; winglike; aliform; **nakrętka ~a** wing nut
skrzydlak *sm bot.* key (fruit); winged seed; samara; **~ jesionu** ash-key
skrzydlaty *adj* 1. (*mający skrzydła*) winged; alar 2. (*podobny do skrzydeł*) wing-shaped; winglike; aliform; alar
skrzydlik *sm med.* pterygium
skrzydłak *sm ryb.* a kind of fishing net
skrzyd|ło *sn pl G.* **~eł** 1. *zool. lotn. i przen.* wing (of a bird, aeroplane, insect etc.); *zool.* **tylne ~ło owada** underwing; **brać kogoś pod swe opiekuńcze ~ło** to take sb under one's wing; **dodać komuś ~eł** to add <to lend> sb wings; to lend wings to sb's flight; **opadły mu ~ła** he lost heart; **podciąć komuś ~ła** to clip sb's wings; **przestrzelić ptakowi ~ła** to wing a bird; **przybyć na ~łach** to come on the wings of the wind; **rozwinąć ~ła do lotu** to spread out one's wings 2. *bud.* wing; outbuilding; *am.* extension 3. *wojsk.* (*flanka*) flank; wing; *lotn.* (*jednostka bojowa*) wing 4. *polit.* wing; fraction 5. (*część ruchoma czegoś*) leaf (of a table, door, bridge etc.); brim (of a hat); (sail-)arm (of a windmill); fan (of a propeller) 6. *sport* wing
skrzydłowy I *adj* 1. (*dotyczący skrzydeł ptaków, owadów*) alar; wing — (feathers etc.) 2. *sport* wing — (halves etc.) 3. *wojsk.* flank — (attack etc.) II *sm* 1. *myśl.* wing beat 2. *sport* (left, right) wing
skrzyk|nąć *v perf* — **skrzyk|iwać** *v imperf* I *vt* to call (people) together; to muster (a gang etc.) II *vr* **~nąć, ~iwać się** to muster (*vi*); to get (people etc.) together
skrzyneczka *sf dim* ↑ **skrzynka**
skrzynia *sf* 1. (*paka*) box; case; bin; chest; hutch; crate; *ogr.* **~ inspektowa** garden frame 2. (*ozdobny kufer*) chest; coffer 3. (*część nadwozia*) platform (of a lorry) 4. *handl.* box <case> of 5000 boxes of matches 5. *techn. aut.* **~ korbowa** crank case; **~ powietrzna** air-belt; wind-box; wind belt (of a cupola)
skrzy|niec *sm G.* **~ńca** *arch.* coffer <caisson> (in ceiling)
skrzyn|ka *sf pl G.* **~ek** 1. (*mała skrzynia*) box; chest; case; coffer; *aut.* **~ka biegów** gear-box, gear-case; *techn.* **~ka formierska** flask; **~ka narzędziowa** toll kit; **~ka pocztowa <na listy>** letter-box; **wrzucić list do ~ki** to post a letter 2. (*korytko na kwiaty*) flower-box; (*w oknie*) window-box
skrzynkarski *adj techn.* **zakład ~** box-maker's shop
skrzynkowy *adj* box — (camera, bed etc.)
skrzyńcowy *adj arch.* coffer <caisson> — (ceiling)
skrzyp *sm G.* **~u** 1. (*odgłos*) creak (of hinges etc.); crunch (of snow, gravel etc.) 2. *bot.* (*Equisetum*) horsetail
skrzypacz|ka *sf pl G.* **~ek** (woman) violinist
skrzyp|ce *spl G.* **~iec** *muz.* violin; *pot. pog.* fiddle; **pudło na ~ce** violin case; *muz.* **pierwsze <drugie> ~ce** first <second> violin; *przen.* **grać pierwsze ~ce** to play first fiddle
skrzypcowaty *adj* fiddle-shaped
skrzypcowy *adj* violin — (string, case etc.); *muz.* **klucz ~** treble clef; **koncert ~** violin concerto

skrzyp|ek *sm G.* **~ka** (*muzyk*) violinist; (*grajek*) fiddler

skrzyp|ieć *vi imperf* **~i** — **skrzyp|nąć** *vi perf* (*o zawiasach itd.*) to creak; to grind; (*o śniegu, żwirze itd.*) to crunch; (*o pojeździe, kole*) to squeak; to gride; (*o piórze przy pisaniu*) to scratch; **~iący głos** squeaky voice

skrzypienie *sn* (↑ **skrzypieć**) (a) creak; (a) crunch; (a) squeak

skrzyp|ki *spl G.* **~ek** *pot.* fiddle

skrzypliwie *adv* squeakily; stridently

skrzypliwy *adj rz.* squeaky; grinding (sound); strident

skrzypłocz *sm zool.* (*Limulus*) king-crab

skrzypnąć *zob.* **skrzypieć**

skrzypnięcie *sn* (↑ **skrzypnąć**) (a) creak; (a) crunch; (a) squeak; grinding sound

skrzypowat|y [I] *adj* **~y** equisetaceous [II] *spl* **~e** *bot.* (*Equisetaceae*) (*rodzina*) the family Equisetaceae; the horsetails; the scouring rushes

skrzywdzenie *sn* (↑ **skrzywdzić**) (a) wrong; harm; damage; prejudice

skrzywdz|ić *vt perf* **~ę, ~ony** = **krzywdzić**

skrzywdzony [I] *pp* ↑ **skrzywdzić** [II] *sm* person who has suffered a wrong

skrzywi|ć *v perf* — *rz.* **skrzywi|ać** *v imperf* [I] *vt* 1. (*zrobić krzywym*) to bend; to twist; to distort; to contort; to put (sth) awry; **~ć usta** to make a wry face <mouth> 2. *przen.* (*wypaczyć*) to distort (facts etc.) [II] *vr* **~ć się** 1. (*ulec skrzywieniu*) to bend (*vi*); to get bent <twisted, distorted, contorted> 2. (*zrobić kwaśną minę*) to make a wry face

skrzywienie *sn* 1. ↑ **skrzywić** 2. (*zniekształcenie*) twist; bend; distortion; contortion; *med.* **~ kręgosłupa** spinal curvature; **szydercze ~ warg** curl of the lips 3. **~ się** wry face <mouth>

skrzywion|y [I] *pp* ↑ **skrzywić** [II] *adj* 1. (*wykrzywiony grymasem*) contorted; distorted 2. (*nadąsany*) wry; **~a mina** wry face <mouth>

skrzyżny *adj sport* cross-legged

skrzyżow|ać *v perf* — *rz.* **skrzyżow|ywać** *v imperf* [I] *vt* 1. (*ułożyć na krzyż*) to cross; to intersect; **~ać szable** to cross swords (with sb) 2. *biol.* to cross; to hybridize; *zool.* to interbreed; *bot.* to cross-fertilize [II] *vr* **~ać, ~ywać się** = **krzyżować się**

skrzyżowani|e *sn* 1. *singt* ↑ **skrzyżować** 2. (*miejsce przecinania się*) crossing; intersection; junction; **~e dróg** cross-road; **na ~u** at the cross-roads 3. *biol.* hybridization; *zool.* cross-breeding; *bot.* cross-fertilization

skrzyżowywać *zob.* **skrzyżować**

skub|ać *vt imperf* — **skub|nąć** *vt perf* 1. (*szarpać*) to pluck (**wąsy itd.** at one's moustache etc.); *przen.* **~ać kogoś** to fleece sb; *wulg.* **~ać dziewki** to pinch girls' thighs <buttocks> 2. (*obrywać*) to pluck (fowl etc.); (*o zwierzętach*) to nibble; **~ać, ~nąć trawę** to browse; to graze 3. (*rozdzierać*) to pick (oakum etc.); to tease (wool, flax)

skubanie *sn* ↑ **skubać**

skubnąć *zob.* **skubać**

skucie *sn* ↑ **skuć**

sku|ć *vt perf* **~ję, ~ty** — **sku|wać** *vt imperf* 1. (*złączyć przez kucie*) to forge <to hammer> together; to weld 2. (*spiąć kajdanami*) to put (sb) in chains; to shackle 3. *przen.* **~ty lodem** ice-bound 4. *perf przen. pot.* **~ć komuś pysk <mordę>** to beat sb to a mummy <to a jelly>

skud *sm* scudo

skudlić *vt perf* = **skudłacić**

skudłacenie *sn* 1. ↑ **skudłacić** 2. (*kłak*) ravel; tangle; matted hair

skudła|cić *v perf* **~cę, ~cony, skudła|czyć** *v perf,* **skudła|ć** *v perf* [I] *vt* to ravel; to tangle; to dishevel; to tousle; to mat (hair) [II] *vr* **~cić, ~czyć, ~ć się** to tangle (*vi*); to get tangled <dishevelled, tousled, matted>

skulać *zob.* **skulić**

skulenie *sn* ↑ **skulić**

skul|ić *v perf* [I] *vt* to bend (one's shoulders etc.); **~ony** curled up; crouching [II] *vr* **~ić się** to curl up; to crouch

skuling *sm G.* **~u** *sport* sculling

skuła *sf rz.* cheek-bone

skumać się *vr perf pot.* to make friends (with sb)

skumbri|a *sf GDL.* **~i** *pl G.* **~i** mackerel

skumbriowy *adj* mackerel — (preserve etc.)

skumulować *vt perf* = **kumulować**

skuner *sm* = **szkuner**

skunks *sm* 1. *zool.* (*Mephitis mephitis*) skunk 2. *pl* **~y** (*futro*) skunk fur; skunks

skunksowy *adj* skunk — (fur etc.)

skup *sm G.* **~u** purchasing centre (of agricultural products etc.)

skupczyna *sf singt* = **skupszczyna**

skupi|ać *v imperf* — **skupi|ć**[1] *v perf* [I] *vt* 1. (*skoncentrować*) to concentrate; to assemble; to collect; **~ać, ~ć myśli** to concentrate (one's thoughts); **~ać, ~ć na sobie oczy wszystkich** to be the cynosure of every eye; **~ać, ~ć uwagę na czymś** to fix <to focus> one's attention on sth 2. (*łączyć*) to rally (one's partisans etc.) 3. (*być ośrodkiem*) to be the converging point (**coś** of sth) [II] *vr* **~ać, ~ć się** 1. (*gromadzić się*) to assemble <to collect> (*vi*); to cluster; to bunch; to rally 2. (*ześrodkowywać myśli*) to concentrate <to fix, to focus> (one's thoughts) 3. (*ogniskować się*) to converge; to centre

skupić[2] *vt perf* — **skupować** *vt imperf, rz.* **skupywać** *vt imperf* to buy up; to purchase

skupieni|e *sn* 1. ↑ **skupić** 2. (*skupisko*) concentration; conglomeration; agglomeration; compression; (*miejsce gromadzenia się*) centre; (*zogniskowanie*) focussing; convergence; **stan ~a** density 3. *singt* (*koncentracja myśli*) concentration; self-communion; **brak ~a** abstraction

skupina *sf* cluster

skupiony [I] *pp* ↑ **skupić** [II] *adj* 1. (*o człowieku*) collected; (*o uwadze*) close <rapt> (attention) 2. (*zwarty*) dense

skupisko *sn* 1. (*zbiór*) concentration; conglomeration; agglomeration; compression 2. (*miejsce nagromadzenia*) centre; converging point

skupować *zob.* **skupić**[2]

skupszczyna *sf singt polit.* Skupshtina

skupywać *zob.* **skupić**[2]

skurcz *sm G.* **~u** 1. (*ściąganie się*) contraction; constriction; *med.* (*kurcz*) cramp; spasm; twitch; **~ serca** systole; *sport* **~ ramion** bending of the arms 2. (*kurczenie się*) shrinking; shrinkage

skurczać *zob.* **skurczyć**
skurczenie *sn* (↑ **skurczyć**) (*ściągnięcie*) contraction; retraction; (*zmniejszenie, zmniejszenie się*) diminution
skurczliwość *sf singt* contractility; retractility
skurczny *adj techn.* contractile
skurczowy *adj* 1. *med.* spasmodic; systolic 2. *techn.* contractile
skurczybyk *sm wulg.* scamp; scoundrel; rascal; rogue; son of a gun
skurcz|yć *v perf* — *rz.* **skurcz|ać** *v imperf* [I] *vt* = **kurczyć** [II] *vr* **~yć,** *rz.* **~ać się** = **kurczyć się**
skurwysyn *sm VL.* **~ie** <**~u**> *wulg.* son of a whore <of a bitch>; bastard; *wojsk. sl.* sod
skurz|yć *vt perf* — **skurz|ać** *vt imperf* 1. *reg.* (*zetrzeć kurz*) to dust; to wipe the dust (**coś** off sth) 2. *perf pot.* (*wypalić*) to smoke (*x* ounces of tobacco, *x* cigarettes etc.)
sku|sić *v perf* **~szę, ~szony** [I] *vt* to induce <to prompt> (**kogoś na coś, do czegoś** sb to do sth); **~siła go gra na giełdzie** he was tempted to speculate on change; **~siła ją ciekawość** she was tempted by curiosity [II] *vr* **~sić się** to yield to the temptation (**na coś** of doing sth); to be induced (**na coś** to do sth)
skuszenie *sn* (↑ **skusić**) inducement; temptation
skutecznie *adv* with good result; successfully; efficiently; effectively; efficaciously
skuteczność *sf singt* efficiency; efficacy; good result(s)
skuteczny *adj* efficient; efficacious; effective; (*o leku*) potent; powerful
skut|ek *sm G.* **~ku** 1. (*wynik*) result; effect; outcome; consequence; upshot; **niszczycielskie ~ki wojny** <**choroby itd.**> the ravages of war <illness etc.>; **być ~kiem czegoś** to come of sth; **nie wywierać ~ku** to be ineffective; **ponieść ~ki** to bear the consequences; to stand the racket; to foot the bill; **~ek był taki, że ...** the result <the upshot> was that ...; **wywrzeć ~ek** to be effective; to have the desired effect; to tell (**na kimś** on sb); (*o uwadze, wypowiedzi*) to go home; **bez ~ku** without result; to no effect; to no purpose; in vain; **bez wielkiego ~ku** to little effect <purpose>; **do ~ku** to the end; to the very <the bitter> end; till the end <the aim> is reached 2. † (*ziszczenie*) realization; *obecnie w zwrotach:* **dojść do ~ku** to materialize (*vi*); **doprowadzić coś do ~ku** to realize sth; **nie dojść do ~ku** to fall through
  ~kiem, na ~ek in consequence <as a result, on account> (**czegoś** of sth); owing <due> (**czegoś** to sth); through (**choroby itd.** illness etc.; **tego, że się coś zrobiło** <**czegoś nie zrobiło**> having done <not having done> sth); **na ~ek wytężonej pracy, wytrwałości itd.** by dint of hard work, perseverance etc.; **~kiem tego** consequently; hence; therefore; that is why
skuter *sm* motor scooter
skutk|ować *vi imperf* to be effective; to produce the desired effect; to work; **to nie ~uje** it is ineffective; it does not work; **to powinno ~ować** that ought to do the trick
skutkowość *sf singt jęz.* consecutiveness
skutkowy *adj jęz.* consecutive (clause)
skutynizowany *adj bot.* cutinized
skuwać *zob.* **skuć**
skuw|ka *sf pl G.* **~ek** tag (of boot lace); tip <ferrule> (of cane); chafe (of scabbard point); point-protector (on pencil etc.)
skuzynowa|ć się *vr perf* to become related (**z kimś** to sb); **on jest ~ny ze mną** he is a cousin <a relation, a relative> of mine
skwapliwie *adv* eagerly; willingly; gladly; readily; with alacrity; **~ się zgodzić** to jump <to leap> at an offer
skwapliwość *sf singt* eagerness; willingness; readiness; alacrity
skwapliw|y *adj* eager; willing; ready; **~a usłużność** sedulous attentions
skwar *sm G.* **~u** swelter; scorching heat; torridity
skwar|ek *sm G.* **~ka, skwar|ka** *sf pl G.* **~ek** crackling; *pl* **~ki** cracklings; greaves
skwarkowy *adj* crackling — (flour etc.)
skwarn|ie *adv,* **skwarn|o** *adv* swelteringly; scorchingly; torridly; **~ie, ~o było** it was scorching hot <a sweltering day>
skwarzenie *sn* ↑ **skwarzyć**
skwarzenina *sf* fry
skwarzyć *v imperf* [I] *vt* 1. *kulin.* to fry (meat, fish etc.); to cook <to broil> (a steak) 2. (*o słońcu*) to broil; to scorch [II] *vr* **~ się** 1. *kulin.* to fry (*vi*); to be frying 2. (*piec się w upale*) to broil (*vi*)
skwa|sić *v perf* **~szę, ~szony** — *rz.* **skwa|szać** *v imperf* [I] *vt* = **kwasić** [II] *vr* **~sić, ~szać się** = **kwasić się**
skwaszenie *sn* 1. ↑ **skwasić** 2. (*kwaśny humor*) ill-humour; glumness; wry mouth; vinegar countenance
skwaszony [I] *pp* ↑ **skwasić** [II] *adj* sour; glum; crab-faced
skwaśnie|ć *vi perf* **~je** 1. (*skisnąć*) to ferment; to go <to turn> sour; to sour; (*o mleku*) to turn 2. *przen.* (*o człowieku*) to become ill-tempered; to sour
skwater *sm* squatter
skwer *sm G.* **~u** square
skweres † *sm G.* **~u** confusion; turmoil; hubbub
skwerowy *adj rz.* square — (benches, trees etc.)
skwiercz|eć *vi imperf* **~y** 1. (*syczeć*) to frizz; *pot.* to sizzle; *przen. pot.* **bieda aż ~y** extreme poverty; **u niego bieda aż ~y** he's down and out 2. (*skrzypieć*) to screech; to creak
skwierczenie *sn* 1. ↑ **skwierczeć** 2. (*syczenie*) (a) sizzle 3. (*skrzyp*) (a) screech
skwierk *sm G.* **~u** 1. (*skwierczenie*) (a) sizzle 2. (*świergot*) chirrup
skwir *sm G.* **~u** chirrup
skwitowa|ć *v perf* [I] *vt* 1. (*zwolnić z należności*) to acquit (**kogoś z długu** sb of a debt) 2. (*spłacić*) to pay (**kogoś z majątku** sb for his share in a property); **~ć rachunki z kimś** to square accounts with sb 3. (*zbyć*) to put (sb) off (**uśmiechem itd.** with a smile etc.) [II] *vr* **~ć się** to square accounts <scores> (with sb); **będziemy ~ni** we'll call it square; **~liśmy się** we are quits
slalom *sm G.* **~u** *sport* slalom; **~ gigant** giant slalom

slalomowy *adj sport* slalom — (course etc.)
slawista *sm* (*decl* = *sf*) Slavist, Slavic scholar
slawistyczny *adj* Slavic; Slavonic
slawistyka *sf singt* Slavonic studies
slawizacja *sf singt* Slavization
slawizm *sm G.* **~u** Slavism
sleeping [slip-] *sm G.* **~u** sleeping-car
slip *sm G.* **~u** *mar.* marine railway; slipway; patent slip
sliping *sm G.* **~u** = **sleeping**
slip|y *spl G.* **~ów** slips; bathing-drawers
slogan *sm G.* **~u** 1. (*komunał*) catchword; commonplace 2. (*hasło propagandowe*) slogan
sloganowo *adv* by the use of catchwords <commonplaces>
sloganowość *sf singt* commonplaceness; sloganeering
sloganowy *adj* commonplace — (reply etc.)
slojd *sm singt G.* **~u** sloid, sloyd
slot *sm* (*zw. pl*) *lotn.* slat
Slowen *sm* Slovene
słoweński *adj* Slovenian
slums|y *spl G.* **~ów** slums
slup *sm G.* **~u** *mar.* sloop
słabawy *adj* weakish; pretty <rather> weak
słabeusz *sm pot.* weakling
słabiuchno *adv emf.* (*dim* ↑ **słabo**) very weakly
słabiusieńki *adj*, **słabiutki** *adj emf* (*dim* ↑ **słaby**) very weak
słabizna *sf* (*o utworze literackim itd.*) poor stuff
słabnący *adj* weakening; declining; (*o uwadze itd.*) flagging; faltering; unsustained
słab|nąć *vi imperf* **~ł** 1. (*stawać się słabszym*) to weaken; to decline; to grow weaker; to lose one's strength; to be ebbing away 2. (*tracić na sile, na intensywności*) to abate; to diminish; to decline; to slacken; to slack off; to wane; (*o świetle, blasku*) to dim
słabnięcie *sn* (↑ **słabnąć**) decline; abatement
słabo *adv* 1. (*niemocno*) weekly; feebly; faintly; **czuć się ~** to be faint; to feel ill <unwell, sick, shaky>; **~ mi się zrobiło (na tę wiadomość itd.)** my heart sank (at the news etc.) 2. (*marnie*) poorly; indifferently; **~ rozwinięty** underdeveloped; (*o interesach*) **~ iść** to be slack; **~ mówić jakimś językiem** to speak a language imperfectly
słabosilny *adj pot.* weak
słabost|ka *sf pl G.* **~ek** weakness; foible; **taką mam ~kę** it's a weakness of mine
słaboś|ć *sf* 1. (*upadek sił*) weakness; infirmity; debility; loss of strength; fragility <frailty> (of human nature etc.); **chwila ~ci** unguarded moment 2. (*brak siły politycznej*) weakness; impotence 3. (*brak mocy, zwartości*) frailty; flimsiness 4. (*skłonność*) weakness; bent <inclination> (**do czegoś** for sth) 5. (*sympatia*) weakness <partiality> (**do kogoś** for sb)
słabowitość *sf singt* sickliness; weak constitution; puniness; infirm health; valetudinarianism; fragility
słabowity *adj* sickly; puny; of infirm health; valetudinarian; fragile
słab|y *adj* 1. (*mający małą siłę fizyczną*) weak; feeble; powerless; infirm; **~a płeć** the weaker <softer> sex; **~y na umyśle** weak-minded; feeble-minded; **był coraz ~szy** he declined <deteriorated, sank>; **jestem jeszcze ~y** I am still weak <shaky, groggy); **jestem ~y jak mucha** I feel limp as a rag; **on ma ~e oczy <serce>** he is weak-eyed <weak-hearted>; *przen.* **trzymać podwładnych ~ą ręką** to keep a slack hand on one's subordinates 2. *przen.* (*o człowieku*) frail; lacking character 3. (*odznaczający się małym nasileniem, małą intensywnością*) faint (sound, smell, idea of sth etc.); glimmering <wan> (light); poor (visibility, comfort etc.); slender (hope, possibility etc.); lame (excuse); distant (recollection, likeness); remote (likeness); inferior (quality); weak <languid> (voice); lax (attendance); irretentive (memory); weak (tea, solution etc.) 4. (*mało odporny*) weak (fortress, army etc.); flimsy (fortifications etc.); **~y punkt** weak point <spot, side>; (sb's) shortcoming; **to jest jego ~y punkt** that's where he is vulnerable 5. (*niedostatecznie działający*) poor (health etc.); bad (memory etc.); ineffective (means, measures) 6. (*posiadający małą wartość, umiejętność — o uczniu*) dull; weak (in mathematics etc.); **~y utwór** poor composition <work>
słać[1] *vt imperf* **śle, ślij** to send
słać[2] *v imperf* **ściele** I *vt* (*rozścielać*) to spread (a carpet, a table-cloth etc.); to strew (**pole bitwy trupami** a battle-field with the dead); **~ gniazdo** to build <to make> a nest; **~ len** to ret flax; **~ łóżko** to make a bed II *vi* (*kłaść słomę w stajni, w oborze*) to litter down (**bydłu** the cattle); to litter (**w stajni, oborze** the stable) III *vr* **~ się** (*o mgle, dymie*) to float (**po ziemi** over the ground)
słaniać się *vr imperf* to stagger; to totter; to lurch; to reel
słanianie się *sn* (↑ **słaniać się**) stagger; lurch; staggering <tottering> steps <gait>
słanie *sn* ↑ **słać**[1,2]
sław|a I *sf singt* 1. (*chwała*) glory; (*rozgłos*) fame; renown; eminence; **człowiek światowej ~y** world-famous man; **cieszyć się ~ą** to be famous <renowned>; **mieć ~ę człowieka uczciwego <rozpustnika itd.>** to be renowned for one's honesty <depravity etc.>; **zdobyć ~ę** to gain renown; to win fame; to rise to eminence; to become famous <renowned> 2. (*reputacja*) reputation; repute; good <ill> name; **lokal złej ~y** place of ill repute; **cieszyć się dobrą ~ą** to have a good name; **cieszyć się ~ą uczciwego człowieka** to be reputed honest; **mieć złą ~ę** to have an ill name 3. (*sławna postać*) (a) celebrity; (a) notability; (a) notoriety III *interj* glory!; hail!
sławetny *adj iron.* famous; notorious
sławić *vt imperf* to praise (**pod niebiosa** to the skies); to celebrate; to laud; to glorify; to blazon
sławienie *sn* (↑ **sławić**) praises; glorification
sławnie *adv* gloriously; **~ umrzeć** to die a glorious death
sławny *adj* (*chwalebny*) glorious; (*znakomity*) celebrated; illustrious; (*głośny*) famous; renowned; well-known; prominent; **~ człowiek** a personage of renown <of note>; **~ Olivier z filmu** the Olivier of the silver screen; **~ specjalista** specialist of repute; **stać się ~m** to become known <famous>; to make one's mark
sławoj|ka *sf pl G.* **~ek** *iron.* (village) latrine
ślęp *sm G.* **~u** *ryb.* a kind of fishing-net

słoboda *sf hist.* (Ukrainian) settlement
słodkawo *adv* sweetishly
słodkawy *adj* 1. (*lekko słodki*) sweetish 2. (*mający odcień ckliwości*) mawkish
słodk|i [I] *adj* 1. (*o smaku*) sweet; **~a woda do picia** fresh water; **mieć ~i smak** to taste sweet 2. *przen.* (*o zapachach, dźwiękach*) sweet; **mieć ~i zapach** to smell sweet 3. (*o doznaniach*) sweet, happy 4. (*o usposobieniu*) sweet; gentle; (*o sposobie postępowania*) bland; suave; affable 5. (*będący wyrazem słodyczy — o uśmiechu*) sweet; (*o słowach*) honeyed; sugared; **robić ~ie oczy do kogoś** to look lovingly; to make (sheep's) eyes at sb [III] *sn* **~ie** dessert; sweats; sweat dish
słodko *adv* 1. (*ze słodyczą*) sweetly; sweet; **~ brzmieć <pachnieć, smakować>** to sound <to smell, to taste> sweet; **~ śpiewać** to sing sweetly 2. (*przyjemnie*) sweetly; happily; **~ marzyć** to dream happy dreams 3. (*łagodnie*) blandly; suavely; affably; **patrzyć ~ na kogoś** to look lovingly at sb
słodkobrzmiący *adj poet.* sweet-sounding
słodkogórz *sm bot.* (*Solanum dulcamara*) bittersweet; woody nightshade
słodkomdlący *adj* sickly (smell)
słodkooki *adj* sweet-eyed
słodkopłynny † *adj* mellifluous; honeyed
słodkoś|ć *sf* 1. *singt* (*cecha*) sweetness 2. *pl* **~ci** (*słodycze*) sweets; dessert; sweet dish
słodkowodn|y *adj* fresh-water (fishes etc.); **jezioro ~e** fresh-water lake
słodlin *sm bot.* (*Wistaria*) wistaria
słodować *vt imperf techn.* to malt
słodownia *sf techn.* malt-house
słodownictwo *sn singt* malting (industry); maltster's trade
słodowniczy *adj* malting (industry etc.); maltster's (trade etc.)
słodownik *sm* maltster
słodowy *adj chem. farm. techn.* malt — (extract, sugar, vinegar etc.)
słodycz *sf pl N.* **~e** 1. (*cecha smaku, zapachu, brzmienia*) sweetness; sweet taste <smell, sound(s)> 2. (*miłe uczucie*) sweetness; bliss 3. (*dobroć*) gentleness; affability; suavity 4. *pl* **~e** sweets; sweetmeats; *szk. sl.* tuck; *am.* candy; **sklep ze ~ami** sweet-shop; **lubić ~e** to have a sweet tooth; to be fond of sweets 5. (*nektar kwiatów*) honey
słodzenie *sn* ↑ **słodzić**
słodz|ić *vt imperf* **~ę, ~ony, słódź** to sweeten; to sugar; **herbata jest ~ona** there is some sugar in the tea; **~ić sobie herbatę <kawę>** to put some sugar in one's tea <coffee>
słodzin|y *spl G.* **~** (brewer's) draff; grains
słodziusieńki *adj*, **słodziutki** *adj emf* (*dim* ↑ **słodki**) extremely sweet; honey-sweet
słodziutko *adv* (*dim* ↑ **słodko**) most sweetly
słoiczek *sm* (*dim* ↑ **słoik**) phial
słoik *sm* (*szklany*) jar; pot; (*gliniany, porcelanowy*) gallipot; **~ na konfitury** jam-jar
słoistość *sf singt techn.* graininess <veininess> (of wood)
słoisty *adj techn.* (*o drewnie*) grainy; veined
słojowanie *sn techn.* grain; veins (in wood)
słojowaty *adj* veined
słom|a *sf* straw; **dach kryty ~ą** thatched roof
słomian|ka *sf pl G.* **~ek** 1. (*wycieraczka*) doormat (of plaited straw) 2. (*kosz*) basket of plaited straw
słomianożółty *adj* straw-yellow
słomian|y *adj* 1. (*zrobiony ze słomy*) straw — (mattress etc.); **~y dach** thatched roof; *przen.* **~y ogień** short-lived zeal; transient ardour; **~y wdowiec** grass widower; **~a wdowa** grass widow 2. (*podobny do słomy*) strawy; straw-coloured
słomiasty *adj* strawy
słom|ka *sf pl G.* **~ek** 1. (*źdźbło*) (a) straw; **ssać lemoniadę przez ~kę** to sip lemonade through a straw 2. (*specjalna słoma na kapelusze*) buri straw 3. † = **słonka**
słomkowożółty *adj* = **słomianożółty**
słomkowy *adj* 1. (*zrobiony ze słomy*) straw — (hat etc.) 2. (*jasnożółty*) straw-coloured
słonawy *adj* saltish; *chem.* salty; (*o wodzie*) brackish
słoneczko *sn dim* ↑ **słonko**
słonecznice *spl zool.* (*Heliozoa*) the order Heliozoa
słonecznie *adv* sunnily; **było ~** it was a sunny day; **zrobiło się ~** it cleared up
słonecznik *sm bot.* (*Helianthus*) sunflower
słonecznikow|y [I] *adj* sunflower — (oil, seeds etc.) [III] *spl* **~e** *bot.* (*Helianthae*) the helianthaceous plants
słoneczność *sf singt* sunny weather
słoneczn|y *adj* 1. (*dotyczący słońca*) solar (year, calendar, system etc.); sun- (bath, rays, spots etc.); **naświetlanie ~e** insolation; **udar ~y** sunstroke; **zegar ~y** sun-dial 2. (*nasłoneczniony*) sunny (side, weather etc.); **~a pogoda** sunshine
słoniąt|ko *sn pl G.* **~ek** young <calf> elephant
słonica *sf* cow elephant
słonik *sm* 1. (*dim* ↑ **słoń**) young <calf> elephant 2. *pl* **~i** *zool.* (*Curculionidae*) (*rodzina*) the snout beetles
słonina *sf singt* 1. *kulin.* back fat; pork fat; bacon 2. (*guma na podeszwy*) crêpe rubber
słoni|niec *sm G.* **~ńca** *miner.* steatite
słoninka *sf singt dim* ↑ **słonina**
słoninowy *adj* fattened (hog)
słoniowacina <**słoniowatość**> *sf singt med. wet.* elephantiasis
słoniowaty *adj* elephantine
słoniow|y *adj* 1. (*dotyczący słonia*) elephant's (tusks etc.); **kość ~a** ivory; **z kości ~ej** ivory (keys etc.); *bot.* **trawa ~a** (*Pennisetum spicatum*) a grass of the genus Pennisetum 2. (*mający cechy słonia*) elephantine
słon|ka *sf pl G.* **~ek** *zool.* (*Scolopax rusticola*) woodcock
słonko *sn* 1. *dim* ↑ **słońce** 2. *przen.* darling; sweetheart 3. *singt* (*blask*) sunshine
słono *adv* saltily; *przen.* **~ kosztować** to cost a pretty penny <a stiff price>; **~ zapłacić** to pay through the nose
słonogorzki *adj* bitter salt
słonorośl *sf pl N.* **~e** *bot.* halophyte
słoność *sf singt* saltness; salinity
słonowodny *adj* salt-water — (fishes etc.)
słon|y *adj* salt, salty; saline (lake, marsh); **~e źródło** salt-spring; *przen.* **~a cena** stiff price; **~y dowcip** broad <spicy> joke

sło|ń *sm zool.* (*Elephas*) elephant; **~ń morski** (*Mirounga leonina*) elephant seal, sea elephant; *przen.* **~ń w składzie porcelany** a bull in a china shop; **robić z muchy ~nia** to make a mountain out of a mole-hill

słońc|e *sn* 1. (*ciało niebieskie*) sun; *rel.* **czciciele ~a** sun-worshippers; **wschód ~a** sunrise; sun-up; **zachód ~a** sunset; sundown; **oświetlony ~em** sunlit; **suszony w ~u** sun-dried 2. *przen.* (*ktoś ukochany*) the light of one's eyes 3. *singt* (*blask słoneczny*) sunshine; sunlight; sun; **jaskrawe ~e** brilliant sunshine; **patrzeć na coś pod ~e** to look at sth with the sun in one's eyes; **siedzieć w ~u** to sit in the sun; *przen.* **najlepsi przyjaciele pod ~em** the best friends ever

słota *sf* bad <rainy, foul, stormy, inclement> weather

słotno *adv* **jest ~** the weather is bad

słotny *adj* rainy; wet; rough; raw

Słowianin *sm* (a) Slav

słowianizm *sm G.* **~u** Slavic idiom

Słowianka *sf* (a) Slav (woman)

słowianofil *sm pl G.* **~ów** *polit.* Slavophil

słowianofilski *adj polit.* Slavophil (tendencies etc.)

słowianofilstwo *sn singt polit.* Slavophilism

słowianoznawczy *adj* Slavistic

słowianoznawstwo *sn singt* Slavistic studies

słowiańsk|i *adj* Slav; Slavonic (languages etc.); **filologia ~a** Slavonic studies

słowiańskość *sf singt* Slav character <characteristics>

słowiaństwo *sn singt* 1. **Słowiaństwo** (*Słowianie*) the Slavs 2. = **słowiańskość**

słowiańszczyzna *sf singt* 1. (*narody słowiańskie*) the Slavs 2. (*języki, kultura, literatura*) Slav languages <culture, literature>; things Slavic

słowiczek *sm dim* ↑ **słowik**

słowiczy *adj* nightingale's (song etc.)

słowień *sm roln.* (*Linum vulgare*) a variety of flax

słowik *sm zool.* (*Luscinia*) nightingale

słownictwo *sn singt* vocabulary

słownicz|ek *sm G* **~ka** (*mały słownik*) pocket dictionary; (*zbiór wyrazów specjalistycznych*) glossary

słownie *adv* 1. (*napisanymi słowami*) say; **100 funtów (~ sto funtów)** £100 (say one hundred pounds) 2. † (*w słowach*) by word of mouth

słownik *sm* 1. (*publikacja*) dictionary; **~ geograficzny** gazetteer 2. (*słownictwo*) vocabulary; language

słownikarski *adj* lexicographic

słownikarstwo *sn singt* lexicography

słownikarz *sm* lexicographer

słownikowo *adv* in respect of vocabulary <of language>

słownikowy *adj* 1. (*dotyczący słownika*) lexical 2. (*dotyczący słownictwa*) linguistic

słowność *sf singt* dependability; reliability

słowny *adj* 1. (*wyrażony mową*) verbal (promise etc.); wordy (warfare etc.) 2. (*o człowieku — dotrzymujący słowa*) dependable; reliable; **to człowiek ~** he is a man of his word

słow|o *sn pl G.* **słów** 1. word; *pl* **~a** words; wording; (poetic etc.) accents; terms (of praise etc.); **dar ~a** a ready tongue; *pot.* the gift of the gab; **dobre ~o** a kind word; **gra słów** pun; **mocne ~a** strong terms; **obfitość słów** wordiness; verbiage; **ostatnie ~o mody <techniki itd.>** the last word in fashions <technology etc.>; **piękne ~a** phrases; fair speeches; display of fireworks; **przykre ~a** hard words; asperities; **puste ~a** twaddle; hot air; **~a prawdy** the naked truth; **wielkie ~a** bombast; **zasób słów** vocabulary; **brak mi słów na określenie tego** I have no words to express it; **czy to twoje ostatnie ~o?** is that final?; **im mniej słów na ten temat tym lepiej** the less said the better; **mieć ostatnie ~o w interesie** to boss the show; **napisz mi parę słów** drop me a line; **nie dać nikomu przyjść do ~a** to do all the talking; to engross the conversation; **nie można dojść do ~a** you can't put a word in edgewise; **nie trać słów na darmo** keep your breath to cool your porridge; **od słów przeszedł do czynów** he suited the action to the word; **oto cała sprawa w paru ~ach** that's the whole thing in a nutshell; **powtarza to co ~o** he keeps repeating it; **powtórzyć coś co do ~a** to repeat sth word for word <literatim>; **przerwać komuś w pół ~a** to cut sb short; **rzucać wielkie ~a, operować wielkimi ~ami** to talk big; **skończy się na ~ach** it will end in talk; **szukać słów** to fumble for words; to hum and haw; **zamienić parę słów z kimś** to have a word with sb; **innymi ~y ...** in other words ...; that's as good as saying ...; **jednym ~em** in sum; in fine; briefly speaking; in short; **od ~a do ~a** one word led to another; **tymi ~ami** in so many words; **w całym tego ~a znaczeniu** in the full sense of the word; **według słów Platona** as Plato has it; **w paru ~ach** in short; briefly; **ani ~a o tym!** don't breathe a word of this!; *rel.* **~o ciałem się stało** the word was made flesh; *sl.* **wypluń to ~o!** touch wood! 2. (*mowa*) speech; word; **~o mówione** the spoken word; **~o wstępne** foreword; introduction; **wolność ~a** freedom of speech 3. (*obietnica*) word; promise; (*poręczenie*) word (of honour); **nie dotrzymać ~a** to break one's promise; **trzymać kogoś za ~o** to take sb at his word; to nail sb down to his promise; **uwierzę ci na ~o** I'll take your word for it; **wierzyć na ~o** to take things on trust; **pod ~em** honour bright; **~o daję!** my word!; *przysł.* **~o się rzekło, kobyłka u płotu** be true to your word 4. † *gram.* verb; **~o posiłkowe** auxiliary verb

słowotwórczo *adv* formatively; in respect of word-formation

słowotwórczy *adj jęz.* formative; pertaining to word-formation

słowotwórstwo *sn singt jęz.* word-formation

słód *sm G.* **słodu** malt; grist

słój *sm G.* **słoja** 1. (*naczynie*) jar; pot; **zjedli dwa pełne słoje konfitur** they consumed two jarfuls of jam 2. (*warstwa w drewnie, kamieniu*) vein; grain; **drewno z gęstym <grubym> słojem** close-grained <coarse-grained> timber; **roczny słój drzewa** annual ring of a tree

słów|ko *sn pl G.* **~ek** 1. *dim* ↑ **słowo; czułe ~ka** endearments; **operujący pięknymi ~kami** smooth-tongued; **służyć sprawie pięknymi ~kami** to do lip-service to a cause; **szepnąć ~ko za kimś** to say <to put in> a good word for sb; **ani ~ka** never a word!; mum's the word! 2. *pl* **~ka** (*obce wyrazy*) words; **ucz się ~ek** learn your words

słuch *sm G.* ~u 1. *singt* (*zmysł*) (the sense of) hearing; audition; (*o wrażeniach*) **odbierany narządem ~u** audile; **mieć przytępiony ~** to be hard of hearing; **~ o nim zaginął** there is no news of him; no one knows what has become of him; **zamienić się w ~** to be all attention <all ears>; **w zasięgu** <**poza zasięgiem**> **~u** within <out of> ear-shot 2. *singt* (*słuch muzyczny*) an ear for music; **pozbawiony ~u** tone-deaf; **grać ze ~u** to play by ear 3. (*zw. pl*) (*pogłoska*) rumour; **wiem o tym ze ~u** I know it from hearsay 4. (*zw. pl*) *myśl.* (*uszy*) (hare's etc.) ears

słuchacz *sm pl G.* ~y <~ów>, **słuchacz|ka** *sf pl G.* ~ek 1. (*słuchający*) hearer; listener; auditor; *radio* listener; *pl* ~e audience 2. *uniw.* student

słucha|ć *vt vi imperf* 1. (*uważać*) to listen (**kogoś, czegoś** to sb, to sth); to hearken (**kogoś** to sb); **mów dalej, ja ~m** speak on I am attending <I follow you>; **nie ~ć kogoś, czegoś** to turn a deaf ear to sb, sth; **oni tego chętnie ~ją** they lap it up; **~ć czyjegoś śpiewu** <**czyjejś gry**> to listen to sb singing <playing>; **~ć głosu sumienia** to follow one's conscience; **~ć nie przerywając opowiadającemu** to be a good listener; **~ć radia** to listen to the radio; to listen in; **~ć wykładów** to attend lectures; **umieć ~ć** to be a good listener; **~j!** listen!; look here!; come now!; I say!; *am.* see here!; say!; **~jcie!** listen!; hark!; **~jcie go!** hark at him! 2. (*być posłusznym*) to obey (**kogoś, rozkazów** sb, orders); **ślepo ~ć** to obey implicitly

słuchający *sm* = **słuchacz**

słuchanie *sn* ↑ **słuchać**

słuchaw|ka *sf pl G.* ~ek 1. *telef.* receiver; (ear-) phone; **~ki** (*na uszy*) headphones; **odłożyć ~kę** to hang up the phone; **proszę nie odkładać ~ki!** hold the line! 2. *med.* stethoscope

słuchawkowy *adj* **~ odbiór radiofonii** listening in with the headphones

słuchiwa|ć *vt vi imperf* to listen (now and then, sometimes, from time to time); **~łem** I used to listen; I was wont to listen

słuchow|iec *sm G.* ~ca (an) audile

słuchowisko *sn* drama <comedy> (adapted for broadcasting); (radio-)play

słuchowiskowy *adj* adapted for broadcasting

słuchowo *adv* aurally

słuchowo-wzrokowy *adj* (*o pomocach naukowych*) audiovisual

słuchowy *adj* 1. (*dotyczący organu słuchu*) aural (nerve, surgery etc.) 2. (*dotyczący funkcji narządu słuchu*) auditory (memory etc.)

słucki *adj hist.* **pas ~** gold sash

słu|ga *sf sm* (*decl* = *sf*) *m pl N.* ~dzy <~gi> *lit.* servant; *przen.* minion; *rel.* **~ga Boży** Venerable

sługiwa|ć *vi imperf* to serve (now and then, sometimes, from time to time); **jako chłopiec ~łem do mszy** as a boy I used to serve mass; **~ł w cudzoziemskich wojskach** he used to serve <he served> in foreign armies

sługus *sm* flunkey; *dosł. i przen.* lackey

słup *sm* 1. (*element konstrukcyjny*) pillar; column; (gate- etc.) post; (*wolno stojący*) pylon; (telegraph- etc.) pole; (goal- etc.) post; **~ graniczny** border stone; *przen.* landmark; *dosł. i przen.* **~ milowy** milestone; **~ ogłoszeniowy** bill-post; **postawić** <**mieć**> **oczy w ~** to stare; to look on with a fixed stare; (*o koniu*) **stanąć ~a** <**w ~**> to rear; (*pionowo*) **~em** vertically; pillarlike; pillarwise 2. (*warstwa, pasmo*) column (of smoke, water etc.) 3. *geol.* column; pinnacle; neck; tor; pillar; *przen.* **zamienić się w ~ soli** to be petrified

słup|ek *sm* 1. (*element konstrukcyjny oraz wolno stojący*) post; stake; pile; stanchion; stud; (*w balustradzie*) rail; (*o zającu*) **stanąć, stawać ~ka** to sit up; to stand on its hind legs; **~kiem** pillarwise 2. (*smuga gazu, ciecz wypełniająca rurkę*) column 3. (*zw. pl*) (*ścieg szydełkowy*) bars 4. (*tortura*) crucifying 5. *anat.* optic stalk 6. *bot.* pistil; carpel

słupiasty *adj* 1. (*składający się ze słupów*) pillared 2. (*mający kształt słupa*) pillarlike

słupica *sf roln.* plough-beam

słupkowie *sn zbior. bot.* pistils

słupkowy *adj* 1. (*mający cechy słupka*) pillar-shaped 2. *bot.* pistillar

słupnik *sm* stylite; pillar saint

słupołazy *spl* climbing-irons

słupow|y *adj* pillared (construction etc.); **podzielność ~a** columnar jointing

słusznie *adv* 1. (*zgodnie z prawdą*) justly; rightly; pertinently; aptly; fittingly; with reason; **~j byłoby powiedzieć ...** to be more exact ...; **~ można twierdzić, że ...** you <one> may well say that ... 2. (*racja, rzeczywiście*) (perfectly) right; quite so; true; oh yes 3. (*w sposób usprawiedliwiony*) fairly; in justice; duly; deservedly; as is <was> only just; **~ postąpił** he did the right thing <what was right>

słusznoś|ć *sf singt* 1. (*cecha*) justness; rightness; pertinence; aptness; legitimacy (of a claim etc.); **mieć ~ć** to be right; **nie mieć ~ci** to be wrong; **nie bez ~ci** not unfittingly; not unaptly; **~ć wymaga, żebyś ...** it is only right that you should ... 2. † (*sprawiedliwość*) justice; fairness; equity

słuszn|y *adj* 1. (*uzasadniony*) just; pertinent; apt; fitting; (*o sprzeciwie, argumencie*) valid; (*mający rację*) right; correct; **pozornie ~y** specious 2. (*sprawiedliwy*) just; fair; equitable; due; **~a nagroda** well-earned reward 3. (*właściwy*) proper; **jest rzeczą ~ą, żebyś ...** it's only right <it is proper> that you should ... 4. † (*o człowieku — postawny*) (*także* **~ego wzrostu**) well-built; strapping <lusty> (man, fellow)

służalczo *adv* servilely; obsequiously; cringingly; subserviently

służalczość *sf singt* servility; obsequiousness; subservience; flunkeyism

służalczy *adj* servile; obsequious; cringing; subservient; oily

służal|ec *sm G.* ~ca flunkey; lackey

służalstwo *sn singt* flunkeyism

służąc|y [I] *ppraes* ↑ **służyć** [II] *sm* ~y servant; manservant; domestic; (a) menial [III] *sf* ~a servant; maid

służb|a *sf* 1. (*spełnianie posług*) (domestic) service; **być u kogoś na ~ie** to be in service with sb; to be in sb's employ; **pójść do ~y** to go into service; **dziękować za ~ę** a) (*odejść*) to leave (sb's) service b) *żart.* (*o ubraniu, sprzęcie*) to have seen enough service; to need replacing; to have had its day; **przyjąć kogoś na ~ę** to take sb into one's service; **wydalić kogoś ze ~y** to dismiss sb from one's service 2. (*praca oraz instytucja*) (Civil, consular, military, postal, health etc.) service; **~a boża** the ministry; *wojsk.* **w ~ie czynnej** in active service; (*o oficerze*) on the Army List 3. (*obowiązki służbowe*) duty; **mieć ~ę** <**nie mieć ~y**> to be on <off> duty; **w ~ie** on duty 4. (*praca dla idei*) service(s) (**dla sprawy** to a cause) 5. *singt zbior.* (*służący*) the servants; the dependants; the household; (*w gospodarstwie*) the people; the farm hands 6. *singt* (*personel*) the staff

służbista *sm* (*decl = sf*) martinet; strict disciplinarian; stickler for authority

służbistość *sf singt* discipline

służbisty *adj* formal; stiff

służbiście *adv* formally; stiffly

służbowo *adv* officially; **~ wyjechać** <**wyjść**> to be called away on business

służbow|y [I] *adj* 1. (*urzędowy*) official; business (trip etc.); **mieszkanie ~e** tied flat; **mundur ~y** service uniform; **tajemnica ~a** official <State> secret; **drogą ~ą** through official channels 2. (*związany z godzinami pracy*) office — (hours etc.); (*o człowieku*) on duty; doing duty [II] *sm* **~y** *wojsk.* orderly; (*w instytucji*) person on duty <doing duty>

służbów|ka *sf pl G.* **~ek** duty room

służebność *sf prawn.* servitude

służebny † *adj* 1. (*służący*) menial; domestic 2. (*pomocniczy*) ancillary

służenie *sn* ↑ **służyć**

służ|yć *vi imperf* 1. (*spełniać posługi osobiste*) to serve (**komuś** sb); to be in (**komuś** sb's) service 2. (*być wojskowym*) to serve (in the army) 3. (*być podporządkowanym*) to serve (a cause etc.); **dwom panom ~yć** to serve two masters 4. (*usługiwać*) to wait (**komuś** on <upon> sb); to attend (**komuś** to sb); to minister (**komuś** to sb's needs <wants>); **chętnie ci tym ~ę** you are welcome to this; **czym mogę ~yć?** what can I do for you?; **czy mogę czymś ~yć?** can I help you?; **~ę pani** <**panu**>! (I am) at your service, Madam <Sir>! 5. (*być do dyspozycji*) to be at (**komuś** sb's) disposal; **~yć komuś na każde zawołanie** to be at sb's beck and call 6. (*być używanym do czegoś*) to serve (**za łóżko itd.** as a bed etc.); to do duty (**za lustro itd.** for a looking glass etc.); to act (**za przewodnika, jako przewodnik itd.** as guide etc.); **~yć jakiemuś celowi** to serve a purpose 7. (*o klimacie, potrawie itd.—wychodzić na zdrowie*) to agree (**komuś** with sb); to suit (**komuś** sb); to be good (**komuś** for sb); **powietrze górskie mu nie ~y** the mountain air does not suit him <disagrees with him, is bad for him> 8. (*o szczęściu itd — dopisywać*) to favour (**komuś** sb); to prove favourable (**komuś** for sb); **apetyt** <**zdrowie itd.**> **mu nie ~y** he has a poor appetite <health etc.>; **apetyt** <**zdrowie itd.**> **mu ~y** he has <he enjoys> a good appetite <health etc.>; **oczy mi nie ~ą** my sight is failing; *przysł.* **używaj świata, póki ~ą lata** go while the going is good 9. (*przydawać się*) to do good service; (*o materiale, ubraniu*) to wear well; to last 10. (*o psie*) to beg; to sit up 11. *pot.* (*przysługiwać komuś*) **ten przywilej ~y mi** I am entitled to the privilege

słych † *sm G.* **~u** *obecnie w zwrotach*: **ani ~u, ani widu ani ~u, ani ~u ani dychu** (**o kimś, czymś**) there's no trace (of, sb, sth); **ze ~u** from hearsay

słychać *vt imperf obecnie w bezokoliczniku* 1. (*dać się słyszeć*) to be heard; to be audible; to resound; **ledwo go było ~** he was scarcely audible; **po całych dniach ~ jego głos** you can hear his voice all day long; **~** <**~ było**> **grzmoty** peals of thunder can be heard <could be heard, were audible, resounded> 2. (*mówi się*) they <people> say; (*coś jest wiadome*) there is news (**o kimś, czymś** of sb, sth); **co ~?** what news?; what's the news?; how are things going on?; how's the world treating you?; **co ~ z moją książką** <**kąpielą itd.**>? what about my book <my bath etc.>?; **co z nim ~?** what has become of him?; how is he getting on?; **nic nie ~ z** (**kimś, czymś**) there's no news <there's no trace> of (sb, sth); **źle ~ z nim** there's bad news of him; he is in a bad way

słychiwać *vt imperf* 1. (*słyszeć co jakiś czas*) to hear (sth) now and then <from time to time> 2. (*dowiadywać się z różnych źródeł*) to hear from various sources

słyną|ć *vi imperf* to be celebrated <renowned, famous, (far-)famed> (**z czegoś** for sth); **obraz cudami ~cy** miraculous image; *przen.* **nie ~ć ... (skromnością, ze skromności itd.)** not to err on the side of ... (modesty etc.); to be none too ... (modest etc.)

słynny *adj* celebrated <illustrious, renowned, famous, far-famed, well-known> (**z czegoś** for sth); in great repute; of great renown; **~ na cały świat** world-famous

słyszalnie *adv* audibly

słyszalnoś|ć *sf singt* audibility; **próg ~ci** threshold of audibility

słyszalny *adj* audible; audile

słysz|eć *v imperf* **~y** [I] *vt* to hear (sb, sth); **już to ~ałem** I've heard that tale before; **nic nie ~ę** I can't hear anything; **nikt nie mógł tego ~eć** it was said out of anybody's hearing; **przypadkowo coś ~eć** to overhear sth; **~ałem to na własne uszy** it was said within my hearing; **~eć radiostację** to pick up a broadcasting station; **~ane to rzeczy!** it is incredible!; *przysł.* **małe dzieci wszystko ~ą** little pitchers have long ears [II] *vi* 1. (*mieć słuch*) to hear; **babka źle ~y** grandmother is hard of hearing; **dziadek nie ~y** grandfather cannot hear <is deaf>; **nie chcę o tym ~eć** I won't hear of it; **~ałem, jak on to mówił** I heard him say it; *pot.* **pierwsze ~ę** I have never heard of it 2. (*dowiadywać się*) to hear <to understand, to be told> (**że ...** that ...) [III] *vr* **~eć się** 1. (*słyszeć siebie wzajemnie*) to hear one another 2. (*brzmieć — zw.* **dać się ~eć**) to (re)sound; to be heard; to meet the ear; (*o dzwonku*) to ring

słyszeni|e *sn* ↑ **słyszeć; wiedzieć o czymś ze ~a** to know sth from hearsay; **znać kogoś ze ~a** to know sb by name <by repute>; to have heard of sb

smacz|ek *sm G.* **~ku** (*dim* ↑ **smak**) faint taste; flavour; relish; **mieć ~ek czegoś** to taste <to savour, to flavour, to smack> of sth

smacznie *adj* 1. (*w sposób smaczny*) appetizingly; **jeść ~** to eat with appetite <with relish>; **karmić ~** to serve good <savoury> food 2. (*w sposób świadczący o apetycie*) with relish, with gusto; with zest; *przen.* **~ spać** to sleep soundly

smaczność *sf* 1. (*cecha*) savouriness 2. (*zw. pl*) *rz.* dainty

smaczn|y *adj* good; tasty; savoury; palatable; **~ego!** good appetite!

smag|ać *vt imperf* — **smag|nąć** *vt perf* to whip; to flog; to swish; *dosł. i przen.* to (s)lash; **wiatr <grad> ~ał mu twarz** a cutting wind <the hail> lashed his face

smaganie *sn* (↑ **smagać**) lashes

smagławy *adj* swartish; darkish-skinned

smagłolicy *adj* dark-complexioned

smagłość *sf singt* dark complexion; swarthiness

smagły *adj* swarthy; dark-complexioned

smagnąć *zob.* **smagać**

smagnięcie *sn* (↑ **smagnąć**) (a) lash

smak *sm G.* **~u** 1. (*zmysł*) (sense of) taste; relish (**do czegoś** for sth); **przypaść <trafić> komuś do ~u** a) (*być smacznym*) to be to sb's taste; **potrawa przypadła mi do ~u** I found the dish palatable; I liked <relished> the dish b) (*podobać się*) to appeal to sb; **on mi przypadł do ~u** I took a fancy to him; I warmed to him (at once); I liked him; he appealed to me; **jego uwaga była mi <nie była mi> w ~** I found his remark palatable <unpalatable>; his remark was <was not> to my taste; **stracić ~ do czegoś** to have no more relish for sth 2. (*właściwość potrawy*) taste; savour; flavour; relish; **bez ~u** tasteless; not palatable; (*o napoju*) vapid; dull; **dodać ~u potrawie, poprawić ~ potrawy** to relish <to sauce> a dish; **dodaj pieprzu <cukru itd.> do ~u** add pepper <sugar etc.> to taste; **mieć ~ czegoś** to taste of sth; **nabrać ~u do czegoś** to acquire <to develop> a taste for sth; to come to like sth; **obejść się ~iem** to go <to do> without 3. (*zdolność oceny czegoś pod względem smaku*) taste; palate 4. (*apetyt*) appetite; liking; relish (**do czegoś** for sth); **jeść coś ze ~iem** to relish sth; to eat sth with gusto <with zest> 5. (*gust*) taste; **urządzone ze ~iem** tastefully arranged; **urządzone bez ~u** arranged without taste <in bad taste, tastelessly> 6. *pot.* (*przyprawa*) flavour; *pl* **~i** flavourings

smakołyk *sm G.* **~u** dainty; relish; titbit; choice morsel

smakosz *sm* gourmand; gourmet; *dosł. i przen.* judge (of good food, music etc.)

smakoszostwo *sn singt* gourmandism; connoisseurship

smakoszowsk|i *adj* gourmand's; gourmet's; connoisseur's; **po ~u** in the manner of a gourmand <gourmet>; with connoisseurship

smak|ować *v imperf* I *vt* 1. (*kosztować*) to taste (a dish, wine etc.) 2. (*delektować się*) to relish (a dish, wine etc.); *przen.* to relish; to delight (**dowcip itd.** in wit etc.) II *vi* 1. (*mieć smak*) to taste <to have a taste> (**jak miód, ananas itd.** of honey, pineapple etc.); **jak to ~uje?** what does it taste like? 2. (*przypadać do smaku*) **~ować komuś** to be to sb's liking; **czy panu ~uje ta nasza potrawa?** do you like this dish of ours?; do you find this dish of ours palatable?; is this dish of ours to your liking?; **~ował mi obiad** I enjoyed the dinner 3. *przen.* to taste <to be> (**jak ...** like ...); **czy wiesz jak ~uje bieda?** do you know what poverty tastes <is> like?; do you know the taste of poverty?; **pokazać komuś jak ~uje praca na roli** to give sb a taste of farm work 4. (*być smacznym*) to taste good; to have relish

smakowanie *sn* ↑ **smakować; ~ potraw** gustation

smakowicie *adv* 1. (*smacznie*) appetizingly 2. *przen.* (*ze smakiem*) with <in> good taste 3. (*w sposób świadczący o apetycie*) with relish; with gusto; with zest

smakowitość *sf singt* 1. (*cecha*) savouriness 2. (*zw. pl*) (*smakołyk*) dainty; titbit; choice morsel

smakowity *adj* 1. (*smaczny*) tasty; appetizing; savoury; palatable 2. (*świadczący o apetycie*) expressive of enjoyment

smakowo *adv* 1. (*za pomocą zmysłu smaku*) through the sense of taste 2. (*pod względem smaku*) in respect of taste

smakowy *adj* 1. *anat.* gustatory (cells, nerves etc.) 2. (*dotyczący smaku potraw*) (quality, intenseness etc.) of taste; **pod względem ~m** in respect of taste

smal|ec *sm G.* **~cu** lard; grease; fat; **gęsi ~ec** goose grease

smalić *vt imperf* 1. (*opalać z wierzchu*) to singe 2. (*grzać*) to scorch 3. (*piec*) to broil; to grill ‖ **~ cholewy do dziewczyny** to court <to make up to> a girl

smalta *sf chem.* smalt

smaltyn *sm G.* **~u** *miner.* smaltite

smar *sm G.* **~u** grease; lubricant; lubricating oil; **~ do nart** ski wax

smard *sm hist.* serf; villein

smardz *sm bot.* (*Morchella*) morel

smark *sm sl.* 1. (*wydzielina*) snot; snivel 2. = **smarkacz**

smarkacz *sm pl G.* **~y** <**~ów**> stripling; callow youth; raw lad

smarkaczostwo *sn* 1. (*bycie smarkaczem*) rawness 2. (*postępek*) freak worthy of a callow youth

smarkaczowato *adv pot.* like a callow youth

smarkaczowaty *adj pot.* callow; raw

smarkaczowsk|i *adj* befitting a callow youth; **po ~u** like a callow youth

smar|kać *vi imperf* **~ka** <**~cze**> — **smar|knąć** *vi perf sl.* to blow <to wipe> one's nose

smarkateri|a *sf singt GDL.* **~i** callow youths; raw lads; *przen.* small fry

smarkatowaty *adj* rawish

smarkat|y I *adj* callow; raw III *sf* **~a** = **smarkula**

smarknąć *zob.* **smarkać**

smarkula *sf żart.* a chit of a girl

smarność *sf singt techn.* lubricity; lubricating <oiling> properties

smarny *adj techn.* lubricating; oiling

smarochłodziwo *sn techn.* cutting fluid <compound, oil>

smarowacz *sm pl G.* **~y** <**~ów**> oiler; greaser; lubricator

smarować *v imperf* I *vt* 1. (*powlekać smarem*) to smear (sth with grease); to grease; to oil; to lubricate; **~ coś farbą** to coat sth with paint; **~**

coś smołą to tar sth 2. (*powlekać tłuszczem jadalnym*) to spread (**chleb dżemem <miodem itd.>** jam <honey etc.> on bread); ~ **kromkę chleba masłem** to butter a slice of bread 3. (*powlekać maścią itd.*) to smear <to rub> (**nogę maścią** one's leg with an ointment); ~ **palec jodyną** to paint one's finger with iodine; to apply iodine to one's finger; *przen.* ~ **komuś łapę** to oil sb's palm 4. *pot.* (*pisać, rysować*) to scribble (**po papierze** on a sheet of paper) 5. *przen.* (*oczerniać*) to pick (sb) to pieces 6. (*brudzić*) to soil [II] *vi* 1. *pot.* (*jechać*) to scorch along 2. (*dawać łapówki*) to oil <to grease> people's palms

smarowanie *sn* 1. (↑ **smarować**) lubrication; grease; ~ **samoczynne** self-oiling 2. (*to, co służy do wcierania*) ointment; unguent

smarowid|ło *sn pl G.* ~**eł** (*smar*) grease; lubricant; (*maść*) ointment; unguent

smarownica *sf techn.* oiler; lubricator; greaser; grease-box; ~ **kapturowa** grease-cup; ~ **wciskowa <tłoczkowa>** grease gun

smarowniczy [I] *adj techn.* lubricating __ (oil etc.); oil __ (groove, hole etc.) [II] *sm* lubricator; oiler; greaser

smarownik *sm* = **smarowacz**

smarowność *sf singt* lubricity

smarowny *adj* lubricating; oiling

smarowy [I] *adj techn.* lubricating; oiling [II] *sm* = = **smarowacz**

smażenina *sf* fry; fritter

smaż|yć *v imperf* [I] *vt* 1. *kulin.* to fry; **jajka <mięso itd.>** ~**one** fried eggs <meat etc.>; **ziemniaki** ~**one** sauté potatoes; (*o owocach*) ~**one w cukrze** candied 2. (*prażyć*) to scorch [II] *vr* ~**yć się** 1. *kulin.* to be fried; to frizzle 2. (*prażyć się*) to bake in the sun

smecz *sm G.* ~**u** *tenis* (a) smash

smeczować *vt vi imperf tenis* to smash (the ball)

smerd|a *sf sm* (*decl* = *sf*) *pl G.* ~ <~**ów**> *pog.* youngster; lad

smęc|ić *v imperf* ~**ę** *lit. poet.* [I] *vt* to sadden [II] *vr* ~**ić się** to grieve; to be doleful; to give oneself up to melancholy

smęt|ek *sm G.* ~**ku** *lit. poet.* melancholy; dolour

smętnie *adv lit. poet.* dolefully; sadly; **tu jest** ~ this is a doleful <melancholy> place

smętnie|ć *vi imperf* ~**je** *lit. poet.* to be doleful <melancholy>

smętność *sf singt lit. poet.* dolour; melancholy

smętny *adj lit. poet.* melancholy; doleful; dolorous

smitsonit *sm G.* ~**u** *miner.* smithsonite

smocz|ek *sm G.* ~**ka** 1. (*zabawka niemowlęca*) (baby's) dummy; comforter; soother; nipple 2. *techn.* injector; ejector 3. *zool.* proboscis; sucking organ; (*narząd gębowy owadów*) sucker-like mouth; (*narząd gębowy minogów*) oral funnel

smoczkoust|y [I] *adj* cyclostomate [II] *spl* ~**e** *zool.* (*Cyclostomata*) (*gromada*) the class Cyclostomata

smocznik *sm zool.* (*Trachinus draco*) greater weever

smocz|y *adj* dragon's (den etc.); *bot.* ~**e drzewo** = = **smokowiec**

smok *sm* 1. (*potwór*) dragon; *zool.* ~ **latający** (*Draco volans*) dragon 2. *techn.* (*na kominie*) revolving cowl 3. *techn.* (*pompa*) strainer of a pump; suction rose

smoking *sm G.* ~**u** dinner-jacket; *am.* tuxedo; **wdziać** ~ to dress (for dinner etc.)

smokingowy *adj* dress __ (shirt etc.)

smokow|iec *sm G.* ~**ca** *bot.* (*Dracaena*) dragon tree

smok|tać *v imperf* ~**cze** <~**ta**> [I] *vt* 1. (*cmoktać*) to suck (**fajkę, cukierek itd.** at a pipe, sweetmeat etc.) 2. *żart.* (*całować*) to give (sb) a smacking kiss [II] *vr* ~**tać się** to kiss (*vi*)

smolak *sm* log of resinous wood

smolarnia *sf techn.* primitive wood-distillers' works

smolarz *sm* wood-distiller

smolej *sm G.* ~**u** *techn.* tall oil

smolić *v imperf* **smól** <**smal**> [I] *vt* to soil; to dirty [II] *vr* ~ **się** to get soiled <dirty>

smolist|y *adj* 1. (*zawierający smołę*) tarry; pitchy; **drzazgi** ~**e** resinous chips; ~**a papa** tar-paper; **blenda** ~**a** black blende 2. *przen.* (*czarny*) pitch-black

smoliście *adv* like pitch

smolny *adj* tarry; pitchy; resinous

smolt *sm ryb.* smolt

smoluch *sm* sloven

smoła *sf pl G.* **smół** tar; pitch; ~ **skalna** maltha; ~ **szewska** cobbler's wax; ~ **ziemna** bitumen; **czarny jak** ~ pitch-black

smołobeton *sm G.* ~**u** *bud.* tar concrete

smołować *vt imperf* to pitch; to tar

smołowaty *adj* tarry; pitchy

smołowcowy *adj* tar __ (paper etc.)

smołow|iec *sm G.* ~**ca** 1. (*smoła*) tar 2. *miner.* pitchstone

smołow|y *adj* tar __ (paper etc.); *chem.* **olej** ~**y** tar oil; *bot.* **sosna** ~**a** (*Pinus rigida*) pitch-pine

smorgońsk|i *adj* **szkoła <akademia>** ~**a** bear-training academy

smół|ka *sf pl G.* ~**ek** 1. (*żywica*) galipot; white resin 2. *bot.* (*Viscaria*) catchfly; fly-bane 3. *med.* meconium 4. *miner.* (*także* ~**ka uranowa**) black blende

smreczyna *sf*, **smrek** *sm dial.* spruce

smrod|ek *sm G.* ~**ku** (*dim* ↑ **smród**) slight stench

smrodliwie *adv* stinkingly; **było** ~ it stank; there was a stink

smrodliwy *adj* stinking; rank; foul

smrody|nia *sf pl G.* ~**ni** <~**ń**> *dial.* black currant

smrodz|ić *vi imperf* ~**ę** 1. (*wydawać smród*) to stink 2. *wulg.* to fart

smrodzie|niec *sm G.* ~**ńca** asafoetida

smrodzieńcow|y *adj bot.* **zapaliczka** ~**a** <**zapalnicznik** ~**y**> the plant Ferula asafoetida

smrodzik *sm G.* ~**u** (*dim* ↑ **smród**) *iron.* slight stench

smrodzina *sf* = **smrodynia**

smr|ód *sm G.* ~**odu** 1. (*woń*) stink; stench 2. (*G.* ~**oda**) *obelż. wulg.* whipper-snapper

smucenie *sn* ↑ **smucić**

smuc|ić *v imperf* ~**ę** [I] *vt* to sadden; to grieve; to afflict; to distress [II] *vr* ~**ić się** to be sad <afflicted, distressed>; to grieve <to sorrow> (**czymś** at <for, over> sth)

smug *sm G.* ~**u** meadow

smuga *sf* (*pas*) streak; strip; stripe; trail; waft (of odour); *lotn.* ~ **kondensacyjna** condensation trail, contrail

smugowatość *sf singt ogr. roln.* streakiness

smugowaty *adj* streaky; striped

smugowy *adj* streaked; striped; **pocisk ~** tracer bullet <shell>

smukło *adv* slenderly

smukłość *sf singt* slenderness; slimness; gracility

smukły *adj* slender; slim; gracile; willowy

smut|ek *sm G.* **~ku** sadness; mournfulness; grief; affliction; sorrow; **pogrążony w ~ku** grief-stricken; woebegone; **ze ~kiem** sadly; sorrowfully

smutnawy *adj* saddish

smutnie *adv* 1. (*ze smutkiem*) sadly; sorrowfully; cheerlessly; tearfully 2. (*w sposób pożałowania godny*) sadly; deplorably; lamentably; pitiably

smutnie|ć *vi imperf* **~je** to become <to grow> sad

smutno *adv* 1. = **smutnie** 1.; **~ mi** I feel sad; **~ u nas** it is not gay here; **~ wyglądać** to look sad; **to ~, że ...** it is sad that ... 2. = **smutnie** 2.

smutny *adj* 1. (*nacechowany smutkiem*) sad; sorrowful; cheerless; tearful; mournful; grief-stricken; woebegone 2. (*pożałowania godny*) sad; deplorable; lamentable; pitiable

smuż *sm G.* **~u** *myśl.* hareskin; rabbitskin

smużka *sf dim* ↑ **smuga**

smużkowaty *adj* thinly streaked <striped>

smużyć się *vr imperf* to trail

smycz *sf* 1. (*rzemień*) leash; dog-lead; **spuścić psa ze ~y** to unleash a dog; **trzymać psa na ~y** to hold a dog in leash; **wziąć psa na ~** to put a dog on the leash 2. (*para chartów*) brace of greyhounds

smycz|ek *sm G.* **~ka** 1. (*przyrząd*) bow; *pot.* fiddlestick; **pociągnięcie ~kiem w dół** <**w górę**> down-bow <up-bow>; **prowadzić ~ek po strunach** to draw the bow across the strings 2. *pl* **~ki** *muz. pot.* the strings

smyczkowanie *sn muz.* bowing

smyczkowy *adj* string ___ (band, quartet etc.); stringed (instrument)

smyk *sm żart.* kid; whipper-snapper

smyk|ać *v imperf* — **smyk|nąć** *v perf* [I] *vt* 1. (*oskubywać*) to pluck (leaves, flowers etc.) 2. *pot.* (*kraść*) to pinch [III] *vi* (*czmychać*) to scamper away <off>

smykałk|a *sf singt pot.* gumption; nous; know-how; **mieć ~ę do czegoś** to have a flair for sth

smyrgać *vi imperf* — **smyrgnąć** *vi perf* 1. (*uciekać*) to scamper away <off> 2. (*ciskać*) to fling

snadnie *adv lit.* easily; **może ~ być, że ...** it may well be that ...

snadź *adv lit.* apparently

snajper *sm sport wojsk.* marksman; sniper

snąć *vi imperf* **snę, śnie** (*o rybach*) to die

snob *sm* snob

snobistycznie *adv* snobbishly

snobistyczny *adj* snobbish

snobizm *sm G.* **~u** snobbery; snobbishness

snobizować się *vr imperf* = **snobować się**

snob|ka *sf pl G.* **~ek** = **snob**

snobowa|ć się *vr imperf* to do <to practise, to affect> sth out of sheer snobbery; **on ~ł się na proletariusza** out of snobbery he affected the proletarian; **Wiedeń ~ł się psychoanalizą** out of sheer snobbery psychoanalysis became the rage in Vienna

snop *sm* 1. (*pęk zboża*) sheaf; **wiązać w ~y** to sheaf (wheat etc.) 2. (*wiązka*) bunch (of flowers etc.); bundle (of straw etc.); pencil (of beams); shaft (of light) 3. *wojsk.* sheaf (of trajectories)

snop|ek *sm G.* **~ka** small sheaf (of corn); bunch (of flowers, letters etc.); bundle (of straw, hay)

snopienie *sn singt elektr.* brush discharge; corona brush

snopowiązał|ka *sf pl G.* **~ek** *roln.* sheaf-binder; self-binder

snowa|dło *sn pl G.* **~deł, snowa|rka** *sf pl G.* **~rek** *tekst.* warping machine <mill>

snoza *sf pszcz.* skewer (through skep)

snucie *sn* ↑ **snuć**

snu|ć *v imperf* **~je, ~ty** [I] *vt* 1. (*wysnuwać z kłębka*) to reel off <to unreel> (a thread etc.) 2. (*prząść*) to spin (cotton etc.) 3. *przen.* to spin out (a tale) 4. (*o pająku*) to spin (its web); **pająki ~jące pajęczyny** retiary spiders 5. (*układać plany*) to think out <to devise> (plans); **~ć domysły** to conjecture 6. *techn.* to warp (a texture); to weave [III] *vr* **~ć się** 1. (*rozwijać się z kłębka*) to unreel (*vi*) 2. (*być przędzionym*) to be spun 3. *przen.* (*o opowieści*) to be spun out 4. (*ciągnąć się w powietrzu*) to float on the air; (*o myślach*) to revolve (**po głowie** in one's head) 5. (*wić się*) to wind (*vi*) 6. (*włóczyć się*) to moon about

snut|ka *sf pl G.* **~ek** a decorative lace

snycerka *sf singt* wood-carving

snycerski *adj* wood-carver's (chisel etc.)

snycerstwo *sn singt* wood-carving

snycerz *sm* wood-carver

sobaczy *adj gw. a. lit.* dog's (life etc.); *wulg.* **~ syn** son of a bitch

sobaczyć *vt vi imperf sl.* to jaw

sobą *pron I.* ↑ **siebie**

sob|ek *sm G.* **~ka** egoist; selfish fellow

sobie 1. *pron DL.* ↑ **siebie** 2. (*wyraz o charakterze ekspresywnym — przy przymiotnikach*) quite (ordinary, simple, gay etc.); (*przy czasownikach*) just; quietly; **żartujesz ~** you are just joking; **pogryzał ~ kawałek chleba** he was quietly munching a piece of bread; **szedł ~ ulicą** he was quietly walking along the street ‖ **co ty ~ myślisz?** what do you think?; **dobry ~!** he's a good one, he is!; **taki ~** so-so; not too bad; **był ~ ...** there was once ...; **tak ~** not so bad; might be better; *pot.* **niczego ~** not too bad; quite tolerable

sobiepan *sm L.* **~ie** <**~u**> *pl N.* **~owie** <**~y**>, **sobiepan|ek** *sm G.* **~ka** *rz. iron.* independant gentleman

sobiepański *adj* high-handed; cavalier

sobiepaństwo *sn singt rz.* cavalier <high-handed> manner

sobkostwo *sn singt* egoism; selfishness

sobkowski *adj* egoistic; selfish

soboli *adj* = **sobolowy**

sobolowaty *adj* chestnut (horse)

sobolowy *adj* sable ___ (fur etc.)

soborowy *adj* conciliar

sobot|a *sf* Saturday; **Wielka Sobota** Holy Saturday; **~a i niedziela** week-end; **spędzić ~ę i niedzielę gdzieś** to week-end somewhere; **wycieczkowicze** <**wczasowicze**> **wyjeżdżający** <**przyjeżdżający**> **na ~ę i niedzielę** week-enders

sobotni *adj* Saturday ___ (magazine etc.); Saturday's (paper etc.)

sobowtór *sm* 1. (*drugi okaz*) (sb's) double; (sb's) second <other> self 2. † (*dusza*) wraith; double-ganger

sob|ól *sm G.* **~ola** 1. *zool.* (*Martes zibellina*) sable 2. (*zw. pl*) (*futro*) sable fur <coat>

sob|ór *sm G.* **~oru** 1. (*zjazd*) (oecumenical) council; **dotyczący ~oru** conciliar 2. (*cerkiew*) Orthodox church

sobót|ka *sf pl G.* **~ek** 1. (*zw. pl*) (*święto ludowe*) bonfires traditionally lit by country-folk on Midsummer Day 2. (*ognisko*) bonfire

sobótkowy *adj* Midsummer Day __ (bonfires etc.)

socha *sf* (primitive) plough

socjaldemokracja *sf singt polit.* Social Democratic party

socjaldemokrata *sm* (*decl* = *sf*) *polit.* Social Democrat

socjaldemokratyczny *adj polit.* Social Democratic

socjaldemokratyzm *sm singt G.* **~u** Social Democratic movement

socjalist|a *sm* (*decl* = *sf*), **socjalist|ka** *sf pl G.* **~ek** (a) socialist

socjalistyczny *adj* socialist (party etc.); socialistic (tendencies etc.)

socjalizacja *sf singt ekon.* socialization

socjalizm *sm singt G.* **~u** *ekon. polit.* socialism

socjalizować *v imperf* [I] *vi* to favour socialism [II] *vr* **~ się** to socialize

socjalizowanie *sn* 1. ↑ **socjalizować** 2. (*skłanianie się ku socjalizmowi*) socialistic tendencies 3. (*uspołecznianie*) socialization

socjalnie *adv* socially

socjalny *adj* 1. (*towarzyski*) social (standing etc.) 2. *polit.* social (services etc.); welfare __ (State etc.)

socjeta *sf singt pot.* society; the (world of) fashion

socjografi|a *sf singt GDL.* **~i** sociography

socjograficzny *adj* sociographic

socjolog *sm* sociologist

socjologi|a *sf singt GDL.* **~i** sociology; social science; *bot.* **~a roślin** phytosociology

socjologicznie *adv* sociologically

socjologiczny *adj* sociological

socjologizm *sm singt G.* **~u** sociologism

socjologizować *vi imperf* to sociologize

socynian|in *sm pl G.* **~ów** *rel.* (a) Socinian

socynianizm *sm singt G.* **~u** *rel.* Socinianism

socyniański *adj* Socinian

socz|ek *sm G.* **~ku** *dim* ↑ **sok**

soczewa *sf geol.* lenticle

soczewic|a *sf* 1. *bot.* (*Lens esculenta*) lentil 2. *kulin.* lentils; *przen.* (*oddać, sprzedać*) **za miskę ~y** for a mess of pottage

soczew|ka *sf pl G.* **~ek** 1. *fiz. fot.* lens; *anat.* (crystalline) lens 2. *geol.* lenticle

soczewkowato *adv* lenticularly

soczewkowaty *adj* lenticular

soczewkowy *adj* lenticular

soczystość *sf singt* 1. (*obfitość soku*) sappiness; succulence; juiciness 2. (*cecha barw, dźwięku*) richness; mellowness 3. (*dosadność*) pithiness; lusciousness

soczysty *adj* 1. (*pełen soku*) sappy; succulent; juicy; lush 2. (*o barwach, dźwięku*) rich; mellow 3. (*o dowcipie, stylu*) pithy; luscious; (*rubaszny*) coarse

soczyście *adv* 1. (*z obfitością soku*) sappily; succulently; juicily 2. (*z intensywnością barwy, dźwięku*) richly; mellowly 3. (*dosadnie*) pithily; lusciously; (*rubasznie*) coarsely; in coarsest terms

soda *sf singt chem.* soda; **~ kaustyczna <oczyszczona>** caustic <baking> soda; **~ rodzima** natron

sodalicja *sf rel.* sodality

sodalis *sm*, **sodalis|ka** *sf pl G.* **~ek** *rel.* sodalist

sodalit *sm G.* **~u** *miner.* sodalite

sodoma *sf* **~ i gomora** a) (*zamieszanie*) topsy-turvy b) (*rozpusta*) orgy

sodomi|a *sf singt GDL.* **~i** sodomy; buggery

sodowany *adj techn.* soda __ (lime etc.)

sodowiarz *sm pl G.* **~y** <**~ów**> *pot. żart.* coxcomb

sodowy[1] *adj* (*sodu*) sodic; sodium __ (nitrate, carbonate etc.)

sodow|y[2] *adj* (*sody*) soda __ (ash etc.); **woda ~a** a) (*napój musujący*) soda-water b) *przen.* conceit; swelled head

sodów|ka *sf pl G.* **~ek** *pot.* soda-fountain

sofa *sf* sofa; couch; settee

sofista *sm* (*decl* = *sf*) 1. (*filozof*) sophist 2. *przen.* word-splitter

sofisteri|a *sf singt GDL.* **~i** sophistry

sofistycznie *adv* sophistically

sofistyczny *adj* sophistic(al)

sofistyka *sf singt* 1. (*u Greków*) sophistry 2. (*wykrętne argumentowanie*) sophistication; sophistry; word-splitting

sofizmat *sm G.* **~u** sophism; fallacy; *pl* **~y** chicanery; **bawić się w ~y** to sophisticate

sofka *sf* (*dim* ↑ **sofa**) settee

soja *sf singt GDL.* **soi** *bot.* (*Soja hispida*) soya bean

soj|ka *sf pl G.* **~ek** = **sójka**

sojowy *adj* soya-bean __ (oil etc.)

sojusz *sm G.* **~u** alliance

sojusznicz|ka *sf pl G.* **~ek** ally

sojuszniczy *adj* allied

sojusznik *sm* ally

sok *sm G.* **~u** 1. *bot.* sap; **~ komórkowy** cell sap 2. (*płyn z owoców*) a) (*naturalny*) juice b) (*przyrządzany z cukrem*) syrup; *przen.* **wyciskać ~i z kogoś** to keep sb's nose to the grindstone; to bleed sb white 3. *fizj.* juice; **~ żołądkowy <jelitowy>** gastric <intestinal> juice; *przen.* **~i żywotne** life-blood

sokolę *sn* eyas

sokoli *adj* hawk's; accipitral; *przen.* **~ wzrok** keen sight

sokolnictwo *sn singt myśl.* falconry; hawking

sokolniczy *adj* falconer's; hawker's; **kaptur ~** falcon's hood

sokolnik *sm* falconer; hawker

sokołowate *spl* (*decl* = *adj*) *zool.* (*Falconidae*) (*rodzina*) the family Falconidae

sok|ół *sm G.* **~oła** 1. *zool.* (*Falco*) falcon (**wędrowny** peregrine) 2. *przen.* darling 3. (*pl N.* **~oli**) *hist.* member of the athletic club "Sokół"

soków|ka *sf pl G.* **~ek** *ogr.* variety of juicy cherry

sokratyczny *adj* Socratic

sol *indecl muz.* sol

sola[1] *sf zool.* (*Solea*) sole

sola[2] *indecl handl.* **~ weksel** sola bill of exchange

solanina *sf singt chem.* solanine

solan|ka *sf pl G.* **~ek** 1. (*bułeczka*) salted bread roll 2. *bot.* (*Salsola kali*) glasswort 3. *chem.* brine 4. *geogr.* (*woda słona*) salt <saline> groundwater; saline water 5. (*słone źródło*) salt spring

solankować *vt imperf* to soak in brine
solankow|y *adj* salt — (marsh etc.); **kąpiel ~a** salt brine bath; saline bath
solarium *sn* solarium
solarny *adj geogr.* solar
solarymetr *sm G.* **~u** *meteor.* solarimeter
solaryzacja *sf singt fot.* solarization
solarz *sm pl G.* **~y** <**~ów**> salter
sold *sm* soldo
soldateska *sf singt rz.* licentious soldiery
solecyzm *sm G.* **~u** *rz.* solecism
solenie *sn* ↑ **solić**
solenizant *sm,* **solenizant|ka** *sf pl G.* **~ek** person celebrating his <her> nameday <birthday>
solennie *adv lit.* solemnly; in solemn fashion
solenny *adj lit.* solemn
solenoid *sm G.* **~u** *fiz.* solenoid, coil
solfatara *sf geol.* solfatara
solfataryczny *adj geol.* solfataric
solfeggio [-dżio] *sn a. indecl,* **solfeż** *sm G.* **~u** *muz.* sol-fa, solfeggio
solfug|a *sf zool.* solifuge; *pl* **~i** (*Solifugae*) (*rząd*) the order Solpugida
solić *vt imperf* 1. (*dla nadania smaku*) to put some salt (**coś** on sth) 2. (*dla zakonserwowania*) to salt; to cure; to souse <to kipper> (herrings etc.)
solidarnie *adv* solidarily; jointly and severally; in sympathy (with others)
solidarnościowy *adj* sympathetic (strike etc.)
solidarnoś|ć *sf singt* solidarity; fellowship; corporate feeling; *prawn.* joint and several responsibility; **poczucie ~ci** esprit de corps; **przez ~ć z kimś** in sympathy with sb
solidarny *adj* solidary; joint and several
solidarystyczny *adj ekon. polit.* solidaristic
solidaryzm *sn singt G.* **~u** *ekon. polit.* solidarism
solidaryzować się *vr imperf* to solidarize; to sympathize; to stand in (**z innymi** with the others)
solidnie *adv* 1. (*w sposób wzbudzający zaufanie*) solidly; reliably; securely 2. (*rzetelnie*) reliably; honestly; in businesslike fashion 3. (*gruntownie*) soundly
solidność *sf singt* 1. (*uczciwość*) solidity; reliability; honesty; soundness 2. (*masywność*) massiveness; solidity; substantiality
solidn|y *adj* 1. (*taki, na którym można polegać*) solid; reliable; safe 2. (*rzetelny*) reliable; honest; businesslike; sterling (fellow); **człowiek ~y** a man of his word 3. (*gruntowny*) sound (thrashing etc.); (*o posiłku*) square; hearty; substantial; **~a robota** a good piece of work 4. *pot. żart.* (*pokaźny*) whopping
soliflukcja *sf singt* solifluction
solipsysta *sm* (*decl* = *sf*) *filoz.* solipsist
solipsystyczny *adj filoz.* solipsistic
solipsyzm *sm singt G.* **~u** *filoz.* solipsism
solir|ód *sm G.* **~odu** *bot.* (*Salicornia herbacea*) glasswort
solista *sm* (*decl* = *sf*), **solist|ka** *sf pl G.* **~ek** soloist
solistyczny *adj* solo — (composition etc.)
solistyka *sf singt rz.* solo performances
soliter *sm* 1. *zool.* (*Taenia solium*) tapeworm 2. *ogr.* solitary tree 3. † (*kamień szlachetny*) solitaire
solmizacja *sf singt muz.* solmization
solmizacyjny *adj muz.* solmization — (system etc.)
solnictwo *sn singt* salt working
solnicz|ka *sf pl G.* **~ek** salt-cellar
solnik *sm myśl.* salt-lick
solnisko *sn* soil impregnated with salts; salt pan <flat>
solniskowy *adj* **teren ~** = **solnisko**
solny *adj* salt — (bed, spring etc.); salt- (mine, works etc.); *chem.* **kwas ~** muriatic acid; *techn.* **piec ~** salt-bath furnace
solo [I] *sn indecl* solo [II] *adj* solo — (composition etc.)
solodajny *adj* salt-bearing; saliferous
solomierz *sm pl G.* **~y** <**~ów**> salinometer
solomit *sm G.* **~u** *bud.* a type of insulating plates
solon|ka *sf pl G.* **~ek** salt-cured vegetables <mushrooms, meat>
solonośny *adj geol.* saliferous; salt-bearing
solony [I] *pp* ↑ **solić** [II] *adj* (*posypany solą*) salt(ed); (*zakonserwowany w soli*) salt-cured
solowy *adj* solo — (composition etc.)
solów|ka *sf pl G.* **~ek** *pot.* 1. *muz.* solo composition 2. *sport* motor cycle without side-car
solutreński *adj antr.* Solutrean
solwatacja *sf singt chem.* solvation
sołdacki *adj* soldier's (life etc.); military <army> (training etc.)
sołdactwo *sn singt* soldiery
sołectwo *sn* village administrator's office
sołtys *sm* village administrator
sołtysi *adj* village administrator's (functions etc.)
sołtysostwo *sn,* **sołtystwo** *sn* post <functions, office> of village administrator
soma *sf singt biol.* soma
somatologi|a *sf singt GDL.* **~i** *biol.* somatology
somatopsychiczny *adj rz.* somatopsychic
somatyczny *adj* somatic
somatyzm *sm singt G.* **~u** *filoz.* somatism
sombrero *sn a. indecl* sombrero
somnambuliczny *adj* somnambulistic
somnambulik *sm* somnambulist; sleep-walker
somnambulizm *sm singt G.* **~u** *psych.* somnambulism; sleep-walking; noctambulism; night-walking
sonant *sm* **~u** *jęz.* sonant
sonantyczny *adj jęz.* sonantal, sonantic
sonata *sf muz.* sonata
sonatina *sf muz.* sonatina
sonatowy *adj muz.* sonata — (form etc.)
sond|a *sf* 1. *mar.* lead; sound(er); plummet; plumb(-line); *meteor.* **balon-~a** sounding balloon 2. *med.* searcher; probe; explorer; stylet; **~a żołądkowa** stomach-pump; stomach-tube; **zbadać ranę ~ą, zapuszczać ~ę do rany** to probe a wound
sondaż *sm G.* **~u** *pl G.* **~y** <**~ów**> *dosł. i przen.* sounding(s)
sondażowy *adj* sounding (rocket etc.)
sondować *vt imperf* 1. *mar.* to sound; to plumb; to take soundings (**wybrzeże** along the coast) 2. *med.* to probe <to search, to sound> (a wound); to sound (a patient) 3. *przen.* to sound <to probe, to investigate, to explore> (public opinion etc.)
sondowanie *sn* 1. ↑ **sondować** 2. *mar.* soundings
sonecik *sm dim* ↑ **sonet**
sonet *sm G.* **~u** *lit.* sonnet

sonetyzować *vi imperf żart.* to sonnet
song *sm G.* **~u** *muz.* song
sonometr *sm G.* **~u** *fiz.* sonometer
sonorny *adj jęz.* sonorant (consonant)
sonoryzacja *sf singt jęz.* vocalization
sop|el *sm G.* **~la** icicle
sople|niec *sm G.* **~ńca** *geol.* stalactite
soplowy *adj* icicle-like
sopor *sm G.* **~u** *med.* sopor
sopran *sm G.* **~u** *muz.* (*głos oraz śpiewak, śpiewaczka*) soprano; treble; **~ dramatyczny <koloraturowy, liryczny>** dramatic <coloratura, lyric> soprano
sopranista *sm* (*decl* = *sf*), **sopranist|ka** *sf pl G.* **~ek** *muz.* (a) soprano (singer)
sopranowy *adj muz.* soprano — (clef, saxophone etc.)
sorbent *sm G.* **~u** *fiz. chem.* sorbent
sorbet *sm G.* **~u** *kulin.* sorbet, sherbet
sorbit *sm G.* **~u** 1. *chem.* sorbite; sorbitol 2. *techn.* sorbite
sorbować *vt imperf ogr.* to absorb
sorbowanie *sn* (↑ **sorbować**) absorption
sor|ek *sm G.* **~ka** *zool.* (*Sorex*) shrew-mouse
sorgo *sn a. indecl bot.* (*Andropogon sorghum*) sorghum
sorpcja *sf singt chem.* sorption
sorter *sm* sorter; sorting-machine
sortowacz *sm pl G.* **~y** <**~ów**> sorter; selector; *górn.* grader
sortowacz|ka *sf pl G.* **~ek** sorter; selector
sortować *vt imperf* to sort; to class; to classify; to pick; to separate; to range; to grade; to unscramble; (*według wielkości*) to size
sortowanie *sn* (↑ **sortować**) classification; graduation; *górn.* separation
sortownia *sf techn.* sorting <screening, grading> plant
sortowniczy *sm* = **sortowacz**
sortownik *sm techn.* sorting <grading> machine; sorter; classifier
sortyment *sm G.* **~u** assortment; range (of goods); size (of coal)
sortymentow|y *adj* assorted; **księgarnia ~a** general bookseller(s)
sortymentysta *sm* (*decl* = *sf*) general bookseller
soryt *sm G.* **~u** *filoz.* sorites
sos *sm G.* **~u** *kulin.* (*rodzaj przyprawy*) sauce; dressing; (*spod pieczeni*) gravy; dripping; *przen. pot.* **w dobrym ~ie** in a good mood; in good temper; **w złym ~ie** out of sorts
sosenka *sf* (*dim* ↑ **sosna**) young pine
sosjer|ka *sf pl G.* **~ek** sauce-boat; gravy-boat; butter-boat
sosjeta *sf* = **socjeta**
sos|na *sf pl G.* **~en** 1. *bot.* (*Pinus*) pine(-tree) 2. (*drewno*) pine-wood; pine boards
sosnowat|y *bot.* I *adj* pinaceous II *spl* **~e** (*Pinaceae*) (*rodzina*) the pine family
sosnow|iec *sm G.* **~ca** *zool.* insect which feeds on pine-trees
sosnowy *adj* 1. (*odnoszący się do sosny*) pine- (tree, cone, forest etc.) 2. (*zrobiony z drewna sosnowego*) pine-wood (table, bench etc.)
sosowany *adj* flavoured

sosz|ka *sf pl G.* **~ek** sulky plough
sośnina *sf* 1. (*las*) pine wood 2. (*drzewo*) pine-tree 3. (*gałęzie*) pine branches 4. (*drewno*) pine-wood; pine boards
sotern *sm G.* **~u** Sauternes (wine)
sotnia † *sf* unit of 100 men; *hist.* **Czarna ~** Black Hundred(s)
sous *sm a. sn indecl* = **su**
sowa *sf pl G.* **sów** *zool.* (*Striges*) owl
sowchoz *sm G.* **~u** sovkhoz
sowi *adj* owl's; owlish
sowicie *adv* lavishly; amply; abundantly; richly; plentifully
sowiecki *adj* = **radziecki**
sowietnik *sm hist.* (tsarist) counsellor
sowiooki *adj poet. lit.* owl-eyed
sowity *adj* lavish; ample; abundant; rich; plentiful
sowizdrzalski *adj* (*urwisowski*) mischievous; roguish; (*trzpiotowaty*) scatter-brained
sowizdrzalstwo *sn rz.* 1. (*zachowanie*) mischievousness; roguishness 2. (*postępek*) prank
sowizdrzał *sm* scamp; scapegrace; scatter-brain; whipper-snapper; (*dziewczyna*) tomboy; hoyden
sód *sm G.* **sodu** *chem.* sodium
sój|ka *sf pl G.* **~ek** 1. *zool.* (*Garrulus glandarius*) jay 2. *pot.* (*kuksaniec*) clout; rap; knock; punch
sól *sf G.* **soli** 1. (*chlorek sodu*) salt; **kopalnia soli** salt-mine; **~ kamienna** rock-salt; **~ kuchenna** table <common> salt; **dieta bez soli** saltless diet; *przen.* **~ attycka** Attic salt; **~ ziemi** the salt of the earth; **być komuś solą w oku** to be a thorn in sb's side; **zjeść z kimś beczkę soli** to eat a peck of salt with sb 2. *chem.* bitter <Glauber('s), mineral, neuter etc.> salt
sówecz|ka *sf pl G.* **~ek** *zool.* (*Glaucidium passerinum*) a species of small owl
sów|ka *sf pl G.* **~ek** 1. *dim* ↑ **sowa** 2. *zool.* (*Athene noctua*) little owl of Europe 3. *pl* **~ki** *zool. Noctuidae*) (*rodzina*) the family Noctuidae of moths
spacer *sm G.* **~u** (a) walk; stroll; (*dla zdrowia*) (a) constitutional; **iść ~em** to saunter; **pójść na ~** to go out for a walk <stroll>; **wziąć kogoś na ~** to take sb out for a walk <stroll>
spacer|ek *sm G.* **~ku** short walk; **iść ~kiem przez aleję** to saunter along the avenue
spacerować *vi imperf* to walk about; to stroll; to saunter; **~ ulicami miasta** to rove the streets
spacerowanie *sn* (↑ **spacerować**) walks; strolls
spacerowicz *sm* stroller; saunterer
spacerow|y *adj* walking <strolling, sauntering> (pace); **statek ~y** excursion boat; **strój ~y** morning-dress; **ubranie ~e, garnitur ~y** lounge suit
spacja *sf druk.* space
spacjować *vt imperf druk.* to set <to space> out
spacyfikować *vt perf* to pacify
spaczać *zob.* **spaczyć**
spaczenie *sn* (↑ **spaczyć**) (a) warp; (a) twist; distortion
spacz|yć *v perf* — *rz.* **spacz|ać** *v imperf* I *vt* 1. (*spowodować wykrzywienie*) to warp <to twist> (timber) 2. *przen.* (*wypaczyć*) to distort; to twist (sb's words etc.) II *vr* **~yć, ~ać się** to warp (*vi*); to get twisted
spa|ć *vi imperf* **śpi, śpij** 1. (*być pogrążonym we śnie*) to sleep; to slumber; to lie asleep; **chce mi się ~ć** I am sleepy; **dobrze <źle> ~ć** to have a good

<a bad> night; **iść ~ć** to go to bed; *pot.* to turn in; **jak ci się ~ło?** did you sleep well?; did you have a good night?; **nie dać komuś ~ć** to keep sb awake at night; **nie kłaść się ~ć** to keep <to stay> up; **nie ~ć** to lie <to be> awake; **~ć do wytrzeźwienia** to sleep oneself sober; **~ć jak zabity** to sleep like a log; **~ć jak zając** to sleep with one eye open; **~ć poza domem** to sleep out; *pot.* **~ć z kimś** to go to bed with sb 2. *przen.* (*być pogrzebanym*) to lie

spaćkać *vt perf pot.* to daub (a canvas etc.); to make a mess (**coś** of sth)

spad *sm G.* **~u** 1. (*nachylenie*) slope 2. (*w budownictwie wodnym*) head 3. *ogr.* windfall

spa|dać *vi imperf* — **spa|ść** *vi perf* 1. (*ulec upadnięciu*) to fall (down); to tumble (down <over>); to come <to go> down; to have a spill; **~ść ze schodów <z drabiny>** to fall down the stairs <off a ladder>; *przen.* **on jakby z księżyca ~dł** he is all at sea; **~ść na cztery nogi** to fall on one's feet; **to mi z nieba ~dło** it was a godsend; it came as a blessing; *wulg.* **z byka ~dłeś, czy co?** are you crazy?; *przysł.* **jak ~ść to z dobrego konia** as well be hanged for a sheep as for a lamb 2. (*uderzać, trafić*) to fall; to strike; to hit; to come down; **ciosy ~dają gęsto** blows fall thick and fast; **jego krew ~dnie na was** his blood shall be on your head; **wina (za to) ~da na nich** they are to blame (for this); they bear the blame 3. (*o nieszczęściach itd.*) to come (upon sb); to afflict (**na kogoś** sb); (*o obowiązkach*) to devolve (upon sb); **na mnie ~da obowiązek zrobienia tego** it falls <it devolves> upon me to do that 4. (*napadać niespodziewanie*) to come down <to pounce> (on the enemy, on one's prey); to burst in (on sb); *przen.* **~ść komuś na kark** to come at the wrong moment 5. (*kierować się szybko w dół*) to come down; (*o ptaku*) to alight; (*o ptaku drapieżnym*) to pounce (**na ofiarę** on its prey) 6. (*obsuwać się, opadać*) to drop; to sink; to slip down 7. (*osiągnąć niższy poziom*) to drop; to come <to go> down; to be on the down-grade <on the decrease>; to sink; *giełd.* to slump; (*o cenach*) to run low; (*o szybkości, tempie*) to slacken; **~ść w cenie** to cheapen; **~ść z sił** to decline 8. *imperf* (*zwisać*) to come down; to reach (**do kostek itd.** to the ankles etc.); (*o włosach*) to hang down (**na ramiona** on the shoulders) 9. *imperf* (*obniżać się*) to drop; to descend; to sink

spadanie *sn* ↑ **spadać**

spad|ek *sm G.* **~ku** 1. (*spadnięcie*) fall; downfall 2. (*obniżanie się poziomu*) drop (**liczby, cen, poziomu itd.** in number, prices, level etc.); (*malenie*) decrease; diminution; (*zmniejszanie się intensywności itd.*) decline; *giełd.* **nagły <gwałtowny> ~ek cen <kursów>** slump; **~ek akcji <cen>** break in stocks <prices>; **~ek wartości** depreciation 3. (*nachylenie*) acclivity; declivity; inclination; slope; depression; dip; down grade 4. *prawn.* inheritance; bequest; heritage; legacy; heirloom; **nieoczekiwany ~ek** windfall; **otrzymać coś w ~ku** to inherit sth; to succeed to sth; **otrzymać ~ek** to come into an inheritance; **pozostawić w ~ku** to bequeath; to legate 5. *prozod.* cadence; fall of voice 6. *pl* **~ki** *techn.* bosh

spadkobierca *sm* (*decl* = *sf*) *prawn.* heir; inheritor; successor; devisee; **~ ustawowy** heir apparent

spadkobierczyni *sf prawn.* heiress; inheritress

spadkobranie *sn singt prawn.* inheriting; heritage

spadkodawca *sm*, **spadkodawczyni** *sf prawn.* devisor; testator

spadkomierz *sm techn.* inclinometer

spadkowicz *sm pl G.* **~ów** *sport* drop-out

spadkow|y *adj* 1. *prawn.* inheritance — (tax etc.); **masa ~a** hotchpot(ch); **prawo ~e** law of succession; **sąd dla spraw ~ych** Probate Court 2. (*malejący*) declining

spadlać *zob.* **spodlić**

spadnięcie *sn* (↑ **spaść**) fall; drop; descent

spadochron *sm G.* **~u** parachute; **~ otwierany samoczynnie** statichute; **~ plecowy <siedzeniowy>** back-type <seat-type> parachute

spadochroniar|ka *sf pl G.* **~ek** woman parachutist

spadochroniarnia *sf lotn.* parachute store-room

spadochroniarski *adj* parachutist's; (course etc.) for parachutists

spadochroniarstwo *sn singt lotn.* parachuting; parachutism; parachute jumping

spadochroniarz *sm* parachutist; paratrooper

spadochronik *sm lotn. meteor.* parachute

spadochronow|y *adj* parachute — (troops, cords etc.); **rakieta ~a** parachute flare; **skoczek ~y** parachute jumper

spadow|y *adj techn.* **młot ~y** drop-hammer; **próba ~a** drop-test

spadziowy *adj pszcz.* honey-dew — (honey etc.)

spadzisto *adv* steeply (inclined etc.)

spadzistość *sf* 1. *singt* (*cecha*) steepness 2. (*stok*) slope; declivity

spadzisty *adj* (*o terenie*) sleep; declivitous; precipitous; (*o ramionach*) sloping

spadziście *adv* = **spadzisto**

spadź *sf* honey-dew

spahis *sm hist.* spahi

spajać[1] *v imperf* — **spoić** *v perf* **spój, spójcie** [I] *vt* 1. (*łączyć*) to join; to unite; to couple; to connect; to bond; *dosł. i przen.* to cement; to piece <to knit, to knead, to hold> together 2. *techn.* (*spawać*) to weld (together); (*lutować*) to solder (together) [II] *vr* **spajać, spoić się** to unite <to join> (*vi*); *dosł. i przen.* to become cemented <kneaded together>

spajać[2] *zob.* **spoić**

spajanie *sn* 1. ↑ **spajać**[1,2] 2. (*łączenie*) union; junction

spakować *v perf* [I] *vt* to pack [II] *vr* **~ się** to pack one's things; to get one's things packed; to pack up

spalać *zob.* **spalić**

spalanie *sn* 1. ↑ **spalać** 2. *fiz.* combustion; consumption 3. *chem.* deflagration 4. *med.* cauterization 5. *biol.* oxidization; **~ się substancji w ciele** the breaking down of substances in the body

spalatalizować *vt perf jęz.* to palatalize

spalenie *sn* 1. ↑ **spalić** 2. *fiz.* combustion; consumption 3. *chem.* deflagration 4. *med.* cauterization 5. *biol.* oxidization

spalenisko *sn* site of a fire <of a conflagration>

spalenizn|a *sf* 1. (*woń*) (*także* **swąd <woń> ~y**) smell of burning 2. (*dym*) smoke of sth burnt <scorched>

spal|ić *v perf* — **spal|ać** *v imperf* [I] *vt* 1. (*zniszczyć ogniem*) to burn; to commit (sth) to the flames; *chem.* to deflagrate; **~ić coś na popiół** to burn sth to a cinder; **~ić kogoś <czyjąś nieruchomość>** to burn down sb's property; to burn sb out of house and home; **~ić kogoś na stosie** to burn sb at the stake; **~ić (stare graty itd.) dla uciechy** to make a bonfire (of old junk etc.); **~ić wieś <budynek>** to burn down a village <a building>; *przen.* **~ić za sobą mosty** to burn one's boats; to burn one's bridges behind one 2. (*przypiec*) to singe; to scorch; to parch; to shrivel; **~one usta** parched lips 3. (*o słońcu — opalić*) to tan; to bronze 4. (*zniszczyć środkiem żrącym*) to sear; to cauterize; to corrode; to calcine 5. (*zużyć jako paliwo*) to consume; to use up (petrol etc.); to burn (coal etc.) 6. *szk.* to pluck (a candidate) 7. *biol.* to oxidize 8. *fiz.* to blow (**żarówkę, korek** a bulb, a fuse) 9. *sport* to put <to catch> (a player) out; **~ony!** out! [II] *vi* (*o broni palnej*) to fire; *przen.* **~ić na panewce** to come to nothing; to fizzle out; to end in smoke; to go wrong [III] *vr* **~ić, ~ać się** 1. (*spłonąć*) to burn (*vi*); to be <to get> burnt; **~ić się żywcem** to be burnt alive; *przen.* **~ić się ze wstydu** to blush for shame 2. (*opalić skórę*) to get sunburnt 3. *rz.* (*ulec wysuszeniu gorącem*) to get scorched <parched, shrivelled> 4. *biol.* to become oxidized 5. (*o korku elektrycznym*) to blow out; (*o żarówce*) to burn out

spalinow|y *adj techn.* internal-combustion — (engine); **gazy ~e** fumes; combustion gases

spalin|y *spl G.* **~** *techn.* fumes; combustion <waste> gas

spała *sf leśn.* tap (in a log)

spałaszować *vt perf pot.* to dispatch <to discuss, to demolish> (a dish)

spałowanie *sn leśn.* tapping (of a log)

spamiętać *vt perf* to remember

spani|e *sn* 1. ↑ **spać; pora ~a** bedtime 2. (*posłanie*) a place to sleep; berth; **urządzić komuś ~e** to make sb a bed

spaniel *sm zool.* spaniel

spap|rać *vt perf* **~rze** *pot.* to mess (sth) up; to bungle (a job)

sparafrazować *vt perf* to paraphrase

sparaliżować *vt perf dosł. i przen.* to paralyse; *przen.* to cripple

sparcie|ć *vi perf* **~je** to get spongy <pithy>

spardek *sm G.* **~u** *mar.* spar-deck

sparing *sm G.* **~u** *sport* sparring

sparingowy *adj sport* sparring — (partner etc.)

sparodiować *vt perf* to parody

sparować[1] *vt perf techn.* (*poddać działaniu pary*) to steam (fruits etc.)

sparować[2] *v perf* [I] *vt* to pair <to mate> (animals) [III] *vr* **~ się** to pair <to mate> (*vi*)

sparsz|eć *vi perf* **~eje, sparsz|ywieć** *vi perf* **~ywieje** to get the mange <the scab>

sparszywiały [I] *pp* ↑ **sparszywieć** [III] *adj* mangy; scabby

sparszywienie *sn* (↑ **sparszywieć**) manginess; scabbiness

spartaczyć *vt perf pot.* to bungle; to botch; to scamp; to make a mess (**coś** of sth); *sl.* to foozle

spartakiada *sf sport* athletic meet

spartanin *sm* 1. **Spartanin** *hist.* (a) Spartan 2. *przen.* (*człowiek prowadzący surowy tryb życia*) (a) Spartan

spartańsk|i *adj* Spartan

po ~u in Spartan fashion

sparteina *sf farm.* sparteine

sparteria *sf singt techn.* sparterie

spartia|ta *sm pl N.* **~ci** *hist.* Spartiate

spartolić *vt perf pot.* = **spartaczyć**

spartować *vt perf muz.* to score <to orchestrate> (a musical composition)

sparzenie *sn* 1. ↑ **sparzyć** 2. (*miejsce oparzenia*) (a) burn; (a) scorch; (a) scald

sparzy|ć[1] *v perf* [I] *vt* 1. (*przypiec*) to burn (superficially); to scorch; to singe 2. (*wywołać zadrażnienie*) to blister (the skin); (*o mrozie*) to blight (plants); **rośliny sparzone mrozem** plants nipped by the frost 3. (*zalać wrzątkiem*) to scald; to parboil [III] *vr* **~ć się** 1. (*oparzyć się*) to get scorched <scalded>; to burn one's fingers; *przysł.* **kto raz się (na gorącym) ~ł ten na zimne dmucha** once bitten twice shy 2. **~ć się pokrzywą** to get nettled <stung with nettles>

sparzyć[2] *vt perf rz.* to pair <to mate> (animals)

spasać *zob.* **spaść[2]**

spasienie *sn* ↑ **spaść[2]**

spaskudz|ić *v perf* **~ę** *sl.* [I] *vt* 1. = **spartaczyć** 2. (*zabrudzić*) to soil; *dosł. i przen.* to foul [III] *vr* **~ić się** *rz.* to soil oneself <one's reputation>; **~ony** fly-blown

spasły *adj* stout; fat; obese

spasować *vi perf karc.* to call: "no bid"

spastyczny *adj med.* spastic

spaść[1] *zob.* **spadać**

spa|ść[2] *v perf* **~sę, ~sie, ~ś, ~sł, ~śli, ~siony** — **spa|sać** *v imperf* [I] *vt* 1. (*skarmić*) to pasture <to graze> (a field etc.) 2. *perf* (*utuczyć*) to fatten [III] *vr* **~ść, ~sać się** to get fat; to put on flesh

spaśny *adj* 1. (*o zwierzęciu*) fat; fattened 2. *pot.* (*o człowieku*) stout; fat; obese

spat *sm G.* **~u** *miner* spat

spatałaszyć *vt perf sl.* = **spartaczyć**

spatki *indecl dziec.* to go to bye-bye

spatrolować *vt perf* to patrol

spatynować *v perf* [I] *vt* to patinate [III] *vr* **~ się** to become patinated <coated with patina>

spatynowanie *sn* 1. ↑ **spatynować** 2. (*patyna*) patina

spatynowany [I] *pp* ↑ **spatynować** [III] *adj* patinated (bronze etc.); patina — (green)

spauperyzować *v perf lit.* [I] *vt* to pauperize [III] *vr* **~ się** to become pauperized

spauperyzowanie *sn* (↑ **spauperyzować**) pauperization

spauzować *vi perf* to pause; to make a pause

spaw *sm G.* **~u** *techn.* 1. (*miejsce spawane*) junction; weld 2. (*czynność*) weld

spawacz *sm*, **spawaczka** *sf* welder

spawać *vt imperf* to weld

spawal|nia *sf pl G.* **~ni <~ń>** *techn.* welding shop

spawalnica *sf techn.* arc welding set

spawalnictwo *sn singt techn.* welding technology

spawalniczy *adj techn.* welding — (machine etc.)

spawalnik *sm rz.* welder

spawalność *sf singt techn.* weldability

spawalny *adj techn.* weldable

spawani|e *sn* ↑ **spawać; miejsce ~a** junction; weld; **~e autogeniczne** <**acetylenowe**> autogenic <oxy-acetylene> welding

spawarka *sf techn.* welder; welding machine; **~ łukowa** arc welder; welding plant <set>

spawka *sf techn.* (a) weld

spazm *sm G.* **~u** 1. *med.* spasm; convulsion; **~y śmiechu** screams <shrieks> of laughter 2. *pl* **~y** (*płacz*) convulsive sobbing; **dostać ~ów** to be seized with a fit of convulsive sobbing

spazmatycznie *adv* spasmodically; convulsively

spazmatyczny *adj* spasmodic; convulsive

spazmować *vi imperf* to be convulsed <seized with fits>; to be seized with a fit of histeria; **zaczęła ~** she was seized with a fit of sobbing

spazmowanie *sn* 1. ↑ **spazmować** 2. (*płacz*) spasms; convulsions

spaźniać się *vi imperf* = **spóźniać się**

spąg *sm G.* **~u** 1. *geol.* floor (underlying a stratified deposit) 2. *górn.* floor; sill; sole; thill; *am.* pavement

spągow|iec *sm G.* **~ca** *geol.* **~iec czerwony** new red sandstone

spąsowie|ć *vi perf* **~je** to turn crimson

speaker *sm*, **speakerka** *sf* = **spiker, spikerka**

spec *sm pot.* dab <dab hand, dabster, *am.* (a) sharp> (**od czegoś** at sth); specialist <expert> (**od czegoś** in sth); **to dobry ~** he knows his job

specjacja *sf singt biol.* speciation

specjalista *sm*, **specjalistka** *sf* specialist; expert

specjalistyczny *adj* specialistic; technical

specjalizacja *sf singt* specialization; *uniw.* post-graduate <honours> course; special subject (of study); *am.* major

specjalizacyjny *adj* (period etc.) of specialization

specjalizować *v imperf* [I] *vt* 1. (*czynić specjalistą*) to specialize 2. (*dzielić na specjalności*) to classify according to speciality 3. (*wyodrębniać*) to earmark for special purposes [II] *vr* **~ się** to specialize (*vi*)

specjalnie *adv* specially; particularly; expressly; in particular

specjalność *sf* 1. (*dziedzina*) speciality; peculiarity 2. (*przedmiot szczególnego zainteresowania*) speciality; specialty; (**sb's**) special <particular> line <subject, lepartment>

specjaln|y *adj* special; particular; express (purpose etc.); **bez ~ego powodu** for no particular reason; **~e wydanie** extra edition

specjał *sm G.* **~u** 1. (*przysmak*) dainty; delicacy; tit-bit 2. (*osobliwość*) rarity; curio

specyficznie *adv* specifically; particularly; concretely; peculiarly

specyficzność *sf singt* specificity; specific <peculiar> character (of a phenomenon etc.)

specyficzny *adj* specific; particular; concrete; peculiar

specyfik *sm G.* **~u** *farm.* specific; drug; patent medicine

specyfik|a *sf singt* = **specyficzność; być ~ą czyjąś, czegoś** to be peculiar to sb, sth

specyfikacja *sf handl.* specification

specyfikować *vt vi imperf* to specify

spedycja *sf singt handl.* forwarding <shipping, dispatching> (of goods)

spedycyjny *adj handl.* forwarding- (agents etc.); shipping — (documents etc.)

spedytor *sm handl.* forwarding-agent; forwarder

spektakl *sm G.* **~u** spectacle; performance; show

spektralny *adj chem. fiz.* spectral (analysis etc.)

spektro- *praef* spectro-

spektrochemia spectrochemistry

spektrofotografia *sf singt fiz.* spectrography

spektrofotograficzny *adj fiz.* spectrographic

spektrofotometr *sm G.* **~u** *astr. fiz.* spectrophotometer

spektrofotometria *sf singt astr. fiz.* spectrophotometry

spektrograf *sm G.* **~u** *astr. fiz.* spectrograph

spektrografia *sf singt astr. fiz.* spectrography

spektrograficzny *adj astr. fiz.* spectrographic

spektrogram *sm G.* **~u** *fiz.* spectrogram

spektroheliograf *sm G.* **~u** *astr.* spectroheliograph

spektroheliogram *sm G.* **~u** *astr.* spectroheliogram

spektrohelioskop *sm G.* **~u** *astr.* spectrohelioscope

spektrometr *sm G.* **~u** *fiz.* spectrometer

spektroskop *sm G.* **~u** *astr. fiz.* spectroscope

spektroskopia *sf singt astr. fiz.* spectroscopy

spektroskopow|y *adj astr. fiz.* spectroscopic; **gwiazda ~a** spectroscopic binary

spekulacj|a *sf* 1. (*myślenie abstrakcyjne*) speculation 2. *handl.* speculation; venture; **~e giełdowe** agiotage; **dokonywać ~i czymś** to speculate in sth

spekulacyjka *sf* (*dim* ↑ **spekulacja**) *rz.* scalp

spekulacyjnie *adv* as a speculation; *pot.* on spec

spekulacyjny *adj* 1. *filoz.* speculative (philosophy etc.) 2. *handl.* speculative (purchases etc.)

spekulant *sm* speculator; gambler; profiteer; **~ czarnorynkowy** *sl.* spiv

spekulantka *sf* = **spekulant**

spekulatywnie *adv filoz.* speculatively

spekulatywny *adj filoz.* speculative (philosophy etc.)

spekulować *vi imperf* to speculate; to gamble; to profiteer; *giełd.* to operate

spekulowanie *sn* (↑ **spekulować**) speculations

speleolog *sm geol.* speleologist

speleologi|a *sf singt G.* **~i** *geol.* speleology

speleologiczny *adj geol.* speleological

spelunka *sf* den; haunt; *am.* dive; joint; hang-out

spełni|ać *v imperf* — **spełni|ć** *v perf* [I] *vt* to fulfil <to execute, to discharge, to perform> (a duty etc.); to do (one's duty); to execute <to obey> (orders); to comply with <to meet> (requirements); to accomplish (a task); to keep <to redeem, to make good> (one's promise); to hear (a request); to answer <to grant> (a prayer); to gratify <to indulge in, to satisfy> (sb's desire); to realize (hopes); to consummate (a sacrifice); *imperf* to attend (**obowiązki** to one's duties); **nie ~ć nadziei** to disappoint (sb's) hopes; **nie ~ać, ~ć obowiązków** to neglect <to fail in> one's duties; **~ać obowiązki dyrektora** <**stróża itd.**> to act as manager <janitor etc.>; **~ać warunek** to satisfy a condition; **to ~a swe zadanie** it serves its turn; **to ~a zadanie hamulca** it acts as brake; *mat.* **~ać równanie** to satisfy an equation [II] *vr* **~ać, ~ć się** to be fulfilled <realized>; (*o nadziejach, przepowiedniach itd.*) to come true;

moje nadzieje nie ~ły się I was disappointed in my hopes; my hopes were frustrated <thwarted>
spełnienie *sn* (↑ **spełnić**) fulfilment <execution, discharge> (of a duty); compliance (**wymagań** with requirements); gratification (of a desire); realisation (of hopes); consummation (of a sacrifice)
spełz|nąć *vi perf* **~ł** <*rz.* **|~nął**> **|~ła** — **spełz|ać** *vi imperf* 1. (*zsunąć się*) to slip <to creep, to crawl> down 2. *perf* (*spławiać*) to fade 3. (*nie dojść do skutku*) *obecnie w zwrocie:* **|~nąć na niczym** to miscarry; to misfire; to prove abortive; *przen.* to go phut
spenetrować *vt perf* to assess (the value of sth etc.); to get to the bottom (**coś** of sth); to penetrate (a secret etc.)
spensjonowa|ć *vt perf* to pension (sb) off; **|~ny** retired; superannuated
sperlić *v perf* [I] *vt* to bedew; to moisten [II] *vr* **~ się** to bead (**komuś na czole** on sb's brow)
sperma *sf biol.* sperm; semen
spermacet *sm G.* **~u** *zool.* spermaceti
spermatocyt *sm G.* **|~u** *biol.* spermatocyte
spermatogeneza *sf singt biol.* spermatogenesis
spermatogoni|a *sf GDL.* **~i** *pl G.* **~i** *biol.* spermatogonium
spermatozoi|d *sm G.* **~du** *L.* **~dzie** *biol.* spermatozoid
spermatyda *sf biol.* spermatid
spesz|yć *v perf* [I] *vt* to disconcert; to abash; to put (sb) out of countenance; to confound; *sl.* to flummox; **mieć ~oną minę** to look small; to be crestfallen; **nie był bynajmniej |~ony** he was quite unabashed [II] *vr* **|~yć się** to lose countenance
spetryfikować *vt perf* to petrify
spęcz|ać *vt imperf* — **spęcz|yć** *vt perf techn.* to upset; to swage
spęczenie *sn* (↑ **spęczać**) upset; swage
spęcznie|ć *vi perf* **|~je** to swell; to bulge; to bilge
spęcznienie *sn* (↑ **spęcznieć**) bulge
spęczyć *zob.* **spęczać**
spęd *sm G.* **~u** round-up (of cattle)
spędz|ać *vt imperf* **~ę** — **spędz|ić** *vt perf* **~ę** 1. (*zganiać*) to drive (sb, sth) away; **~ić płód** to procure an abortion; *przen.* **~ać komuś sen z powiek** to keep sb awake at night; **~ać winę za coś na kogoś** to blame sb for sth; to lay the blame for sth at sb's door 2. (*gromadzić*) to bring together; to gather; to round up (cattle) 3. (*przebywać*) to spend <to pass> (**czas na czymś** one's time doing sth)
spędzić *vt perf* 1. *zob.* **spędzać** 2. (*zmęczyć*) to tire out (a horse etc.)
spękanie *sn* rifts; cracks
spętać *vt perf* to fetter (a horse); *dosł. i przen.* to trammel; to hamper
spętanie *sn* 1. ↑ **spętać** 2. *dosł. i przen.* (*skrępowanie*) fetters; trammels
spi|ąć *vt perf* **zepnę, zepnie, zepnij, ~ął, ~ęła, |~ęty** — **spi|nać** *vt imperf* 1. (*połączyć*) to fasten <to clasp, to chain> together; to couple (railway cars, trucks); **|~ąć, ~nać klamerką** to buckle; **|~ąć, |~nać klamrą** to brace; **~ąć spinaczem** to clip together; **broszura ~ęta drutem** wire-stitched pamphlet 2. (*związać*) to bind <to strap> together; (*ścisnąć paskiem*) to gird ‖ **|~ąć konia ostrogami** to set <to clap> spurs to a horse; to dig spurs into one's horse
spichc|ić *vt perf* **|~ę** *pot.* to cook
spichlerz *sm pl G.* **~y** <**~ów**>, **spichrz** *sm roln.* granary
spichrzow|y *adj bot.* **tkanka |~a** storage tissue
spiczasto *adv* (to dip, to sharpen) to a point; (ending) in a point; taperingly
spiczastość *sf singt* pointed shape
spiczasty *adj* pointed; peaked; tapering; sharp; acuminate
spi|ć *v perf* **|~je, |~ty** — **spi|jać** *v imperf* [I] *vt* 1. (*upić górną warstwę*) to drink off (some of the contents); (*zebrać płyn*) to drink up 2. (*upoić kogoś*) to ply <to prime> (sb) with liquor; to make (sb) drunk [II] *vr* **~ć, |~jać się** to get drunk
spie|c *v perf* **~kę, ~cze, ~kł, ~czony** — **spie|kać** *v imperf* **~kany** [I] *vt* 1. (*osmalić*) to parch; to scorch; **~czona skórka chleba** well-done crust of bread; *przen.* **~c raka** to turn crimson 2. *techn.* to sinter (ore); to cake (coal) [II] *vr* **|~c, |~kać się** 1. (*ulec osmaleniu*) to get parched <scorched> 2. *techn.* to cake (*vi*)
spieczony [I] *pp* ↑ **spiec** [II] *adj* (*o wargach itd.*) parched; (*o terenie*) arid
spiek *sm G.* **|~u** *techn.* agglomerate; crust; sinter
spiekać *zob.* **spiec**
spiekalnia *sf techn.* agglomerating plant
spiekanie *sn techn.* agglomeration; sintering
spiekły *adj* parched (lips); scorched (earth etc.); arid (region etc.)
spiekota *sf* (scorching) heat; swelter
spieni|ć *v perf* — **spieni|ać** *v imperf* to froth (beer etc.); **|~ony** foaming; covered with foam; (*o koniu*) in a foam [II] *vr* **~ć się** to foam (*vi*); to be <to get> covered with foam
spienięż|ać *vt imperf* — **spienięż|yć** *vt perf* to cash (a cheque etc.); to realize <to negotiate> (securities, property etc.); to capitalize (an invention etc.)
spieniężeni|e *sn* (↑ **spieniężyć**) realization <negotiation> (of securities etc.); capitalization (of an invention etc.); **możliwy do ~a** realizable; negotiable
spieniężyć *zob.* **spieniężać**
spieprzyć *vt perf wulg.* to bungle; to botch; to scamp; to make a mess (**coś** of sth)
spierać[1] *v imperf* — **zeprzeć** *v perf* **zeprze, sparł, sparty** [I] *vt* to cause a spasm; **sparło mnie we wnętrzu** it took my breath away [II] *vr* **spierać się** (*toczyć spór*) to contend <to argue, to quarrel, to dispute, to join issue> (**z kimś o coś** with sb about sth)
spierać[2] *v imperf* — **sprać** *v perf, rz.* **zeprać** *v perf* **spiorę, spierze, zeprał** [I] *vt* to wash (sth) off; to wash off (a stain etc.) [II] *vr* **spierać, sprać,** *rz.* **zeprać się** 1. (*o brudzie itd.*) to wash off (*vi*); to come off in the wash 2. (*o materiale*) to fade
spieranie *sn* 1. ↑ **spierać**[1,2] 2. **|~ się** contention; quarrel; dispute
spiernicze|ć *vi perf* **|~je** *sl.* to sink into dotage
spieronować *vt perf reg.* to blow (sb) up
spierzch|nąć *vi perf* **|~ł** to chap
spierzchnięcie *sn* 1. ↑ **spierzchnąć** 2. (*skóra spierzchnięta*) chapped skin

spie|szczać *vt imperf* — **spie|ścić** *vt perf* **~szczę** to use baby-talk (**sposób mówienia** in one's speech); to give caressing tones (**głos** to one's voice)

spieszczenie *sn* 1. ↑ **spieścić** 2. (*wyraz zdrobniały*) (a) diminutive

spiesznie *zob.* **śpiesznie**

spieszno *zob.* **śpieszno**

spieszny *zob.* **śpieszny**

spieszyć[1] *zob.* **śpieszyć**

spieszyć[2] *v perf* [I] *vt wojsk.* to dismount (a cavalry unit) [II] *vr* **~ się** to dismount from horseback

spieścić *zob.* **spieszczać**

spietrać się *vr perf sl.* to get into a funk

spięcie *sn* 1. ↑ **spiec** 2. (*połączenie*) clasp; brace; buckle; clip 3. *elektr.* (*także* **krótkie ~**) short-circuit 4. *przen.* (*wybuch narastającego sporu*) collision; clash

spiętrz|ać *v imperf* — **spiętrz|yć** *v perf* [I] *vt* to bank up; to heap; to pile; to accumulate; **~yć rzekę** to dam up <to pond back> a river [II] *vr* **~ać, ~yć się** to accumulate (*vi*); to tower

spiętrzeni|e *sn* 1. ↑ **spiętrzyć** 2. (*coś spiętrzonego*) accumulation; heap 3. *rz.* (*tama*) dam; **wysokość ~a** lift

spiętrzyć *zob.* **spiętrzać**

spijać *zob.* **spić**

spiker <**speaker**> *sm*, **spiker|ka** <**speaker|ka**> *sf pl G.* **~ek** *radio* announcer; **tekst zapowiedzi ~a** <**~ki**> script 2. *polit.* (*w Anglii i USA*) Speaker

spiknąć *v perf sl.* [I] *vt* to bring (sb) into contact (with sb else) [II] *vr* **~ się** to conspire

spikować *vi perf lotn.* to nose-dive

spilśni|ać *v imperf* — **spilśni|ć** *v perf* [I] *vt* (*wytwarzać filc*) to felt; to mill; to full [II] *vr* **~ać, ~ć się** to felt <to mill, to full> (*vi*)

spiłować *vt perf* — **spiłowywać** *vt imperf* 1. (*piłą*) to saw (up) 2. (*pilnikiem*) to file off <away> (a surface); to file up (an object)

spin *sm G.* **~u** *fiz.* spin

spinacz *sm* 1. (*przedmiot do spinania papierów*) clip; fastener 2. *kolej.* coupler 3. *mar.* (angle) clip; clamp; lug piece

spinaczka † *sf singt* = **wspinaczka**

spinać *zob.* **spiąć**

spinaker *sm mar.* spinnaker

spinel *sm miner.* spinel

spinet *sm G.* **~u** *muz.* spinet

spin|ka *sf pl G.* **~ek** (*przy buciku*) buckle; (*do włosów*) clasp; bobby-pin; (*do kołnierzyka*) stud; (*do mankietu*) cuff-link; *techn.* holdfast; staple; belt-fastener

spinning *sm G.* **~u** *wędk.* spinning

spinningow|iec *sm G.* **~ca** spinner

spinningowy *adj wędk.* spinning (tackle etc.)

spinningów|ka *sf pl G.* **~ek** *wędk.* spinning-rod

spionować *vt perf rz.* to plumb (masonry etc.)

spiorunować *vt perf* 1. (*porazić*) to paralyse (sb); **~ kogoś wzrokiem** to cast a withering glance at sb 2. *rz.* (*zwymyślać*) to fulminate (**kogoś** at sb)

spiral|a *sf* spiral (curve); volute; helix; coil; scroll; *astr.* spiral; *lotn.* spiral glide; *techn.* **~a grzejna** heating coil; *mat.* **~a logarytmiczna** logarithmic spiral; **skręcić się w ~ę** to curl; to coil; to wind; *lotn.* **kreślić ~e** to spiral

spiralnie *adv* spirally; in a spiral; in coils; helically

spiralność *sf singt* spirality

spiraln|y [I] *adj* spiral; involute(d); helical; *bot.* **naczynie ~e** trachea; *arch.* **ornament ~y** scroll-work [II] *sf* **~a** *mat.* (Archimedean) spiral

spirant *sm G.* **~u** *jęz.* (a) spirant

spirantyczny *adj jęz.* spirant

spirantyzacja *sf singt jęz.* spirantization, spirantizing

spirea *sf bot.* (*Spiraea*) spiraea

spirochet *sm biol.* spiroch(a)ete

spirometr *sm G.* **~u** *med.* spirometer

spirylla *sf biol.* spirillum

spirytuali|a *spl G.* **~ów** spirits; drinks

spirytualista *sm* spiritualist

spirytualistyczny *adj filoz.* spiritualistic

spirytualizm *sm singt G.* **~u** *filoz.* spiritualism

spirytus *sm G.* **~u** (*roztwór*) spirit; alcohol; (*napój alkoholowy*) spirit(s); **~ denaturowany** methylated spirit; denaturated alcohol; **~ drzewny** wood spirit <alcohol>; **~ rektyfikowany** rectified <proof> spirit

spirytusowy *adj* spirit- (lamp, stove etc.)

spiryty|sta *sm* (*decl* = *sf*) *DL.* **~ście** *pl N.* **~ści** *GA.* **~stów**, **spiryty|stka** *sf pl G.* **~stek** spiritist, spiritualist

spirytystyczny *adj* spiritistic

spirytyzm *sm singt G.* **~u** spiritism, spiritualism

spis *sm G.* **~u** 1. (*wykaz*) list; register; record; roll; **~ członków towarzystwa** books of a society; **~ instytucji, mieszkańców itd. miasta** directory; **~ ludności** census; **~ potraw** bill of fare; menu; **figurować w ~ie** to be on the list <records, books> 2. (*spisywanie*) registration

spisa *sf* lance

spi|sać *v perf* **~szę** — **spi|sywać** *v imperf* [I] *vt* 1. (*sporządzić wykaz*) to make a list (**coś** of sth) 2. (*ułożyć tekst*) to write down; to write (a diary etc.); *bank.* to book (**na straty** <**zysk**> to the debit <to the credit> of an account); *przen.* **nie ~sałbyś na wołowej skórze** it would take volumes to describe 3. *pot.* (*wypisać*) to use up (a pencil) [II] *vr* **~sać, ~sywać się** 1. (*o ołówku — zostać zużytym*) to be <to get> used up 2. (*popisać się*) to acquit oneself (**dobrze, źle** well, ill); **~sać się wspaniale** <**kiepsko**> to cut a brilliant <a poor> figure

spis|ek *sm G.* **~ku** plot; conspiracy; **(u)knuć ~ek** to hatch a plot

spiskować *vi imperf* to plot; to conspire; to be in conspiracy; to scheme

spiskow|iec *sm G.* **~ca** conspirator; plotter

spiskowo *adv rz.* conspiratorially

spiskowy *adj* conspiratorial

spisowy *adj* registration — (data etc.)

spisywać *zob.* **spisać**

spitra|sić *vt perf* **~szę, ~ś, ~szony** *żart.* to cook

spity *adj* drunk

spiż *sm G.* **~u** 1. (*metal*) (red) bronze; **~ armatni** gun-metal; ordnance metal <bronze>; government bronze 2. (*działo*) cannon

spiżarka *sf dim* ↑ **spiżarnia**

spiżarnia *sf* cupboard; pantry; larder; buttery

spiżarniany *adj* pantry — (stores etc.)

spiżowy *adj* 1. (*ulany ze spiżu*) (red) bronze — (statue etc.) 2. *przen.* (*o głosie*) booming 3. (*o człowieku — nieugięty*) indomitable

splajtować *vi perf pot.* to go flop <bankrupt>

splami|ć *v perf* [I] *vt* 1. (*zrobić plamę*) to stain; to soil 2. *przen.* to soil; to tarnish <to sully> (one's reputation etc.); **ręce ~one krwią** blood-stained hands [III] *vr* **~ć się** 1. (*zabrudzić*) to soil one's hands <clothes, face> 2. (*okryć się hańbą*) to tarnish <to sully> one's good name

splanować *vi perf lotn.* to volplane

splantować *vt perf* to level (a piece of ground)

spl|atać *v imperf* — **spl|eść** *v perf* **~otę, ~ecie, ~ótł, ~otła, ~etli, ~eciony** [I] *vt* to plait; to braid; to interweave; to interlock; to intertwine; to interlace; **~eść palce** to clasp one's hands [III] *vr* **~atać, ~eść się** to interlock <to intertwine, to interlace> (*vi*); (*o roślinach*) to intergrow

splądrować *vt perf* 1. (*spustoszyć rabując*) to plunder; to pillage; to sack <to ravage, to loot> (a city) 2. (*przeszukać*) to ransack (a drawer etc.)

splądrowanie *sn* (↑ **splądrować**) plunder <sack> (of a city etc.)

splą|tać *v perf* **~cze** — **splą|tywać** *v imperf* [I] *vt* to tangle; to ravel; to confuse; to muddle up [III] *vr* **~tać, ~tywać się** to get <to become> tangled <ravelled, confused, muddled up>

splątanie *sn* (↑ **splątać**) entanglement; confusion; muddle

spląt|ek *sm G.* **~ka** *bot.* protonema

splątywać *zob.* **splątać**

splecenie *sn* (↑ **spleść**) plait; braid

spleen *zob.* **splin**

splendor † *sm G.* **~u** splendour; glamour

spleść *zob.* **splatać**

spleśniały [I] *pp* ↑ **spleśnieć** [III] *adj* mouldy; mildewy; musty

spleśnie|ć *vi perf* **~je** to mould; to go mouldy <musty>; to mildew

spleśnienie *sn* (↑ **spleśnieć**) mouldiness; mustiness

splewki *spl zool.* (*Branchiura*) (*rząd*) the order Branchiura

splin <**spleen**> *sm G.* **~u** spleen; hip; blues

splis *sm G.* **~u** *mar.* splice

splisować[1] *vt perf* (*ułożyć w fałdy*) to pleat; to fold; to crease

splisować[2] *vt perf mar.* to splice (ropes)

splot *sm G.* **~u** 1. (*splecenie*) tangle; (*we włosach*) braid; plait 2. *przen.* entanglement; **~ okoliczności** coincidence; juncture; **~ zbrodni** tissue of crimes 3. *anat.* plexus 4. *mar.* splice 5. *tekst.* weave; splice

splot|ka *sf pl G.* **~ek** *gw.* (hair) ribbon (in a tress)

splugawi|ć *v perf* — *rz.* **splugawi|ać** *v imperf* [I] *vt* to defile; to taint; to pollute; to contaminate; to foul [III] *vr* **~ć, ~ać się** to defile <to taint> one's reputation

splugawienie *sn* (↑ **splugawić**) contamination

splu|nąć *vi perf* — **splu|wać** *vi imperf* to spit; to expectorate; *przen.* **~nąć komuś w oczy** to hold sb up to scorn; to trample sb under foot; **~nąć, ~wać na kogoś, coś** to snap one's fingers at sb, sth

splunięci|e *sn* ↑ **splunąć**; **to nie warte ~a** it is beneath contempt

spluwa *sf sl.* barker; shooting-iron; gun

spluwacz|ka *sf pl G.* **~ek** spittoon; *am.* cuspidor

spluwać *zob.* **splunąć**

spłac|ać *v imperf* — **spłac|ić** *v perf* **~ę** [I] *vt* 1. (*wywiązać się z zobowiązania*) to repay <to pay off> (a debt, a creditor); to acquit <to clear> (a debt); *przen.* **~ać, ~ić dług wdzięczności** to repay sb's kindness 2. (*płacić stopniowo*) to pay (back) in instalments [III] *vr* **~ać, ~ić się** to pay off one's dues

spłacalny *adj* repayable

spłacenie *sn* (↑ **spłacić**) repayment; redemption (of a debt)

spłach|eć *sm G.* **~cia** 1. (*część obszaru*) patch (of snow, sand etc.) 2. (*plaster*) slice

spłacić *zob.* **spłacać**

spładzać *zob.* **spłodzić**

spłaka|ć się *vr perf* **spłacze się** to weep (**nad czymś** over sth); **~ć się rzewnie** to weep <to cry> one's heart out; **~liśmy się ze śmiechu** we laughed till the tears came; (*o człowieku*) **~ny** in tears; **~ny głos** tearful voice; **~na twarz** tear-stained face; **~ne oczy** tear-swollen eyes

spłakanie (się) *sn* (↑ **spłakać się**) tears

spłaszać *zob.* **spłoszyć**

spłaszczać *zob.* **spłaszczyć**

spłaszczenie *sn* 1. ↑ **spłaszczyć** 2. (*miejsce spłaszczone*) flatness; (a) flattening; oblateness (of a spheroid)

spłaszcz|yć *v perf* — **spłaszcz|ać** *v imperf* [I] *vt* to flatten [III] *vr* **~yć, ~ać się** 1. (*ulec spłaszczeniu*) to flatten out (*vi*) 2. *przen.* (*upokorzyć się*) to humble oneself

spłat|a *sf* repayment; refund; part payment; *ekon.* amortization; **kupić coś na ~y** to buy sth on the instalment system

spłata|ć *vt perf* to play (**figla** <**psikusa**> **komuś** a joke <a trick> on sb; to be up to some mischief; **coś ty ~ł?** what mischief have you been up to?

spław *sm G.* **~u** 1. (*spławianie*) floating (of timber etc.) down a river; rafting 2. (*to, co jest spławiane*) floated timber <goods>; raft(s) 3. *techn.* = = **spławiak**

spławi|ać *vt imperf* — **spławi|ć** *vt perf* 1. (*przewozić drogą wodną*) to float <to raft> (timber etc.); **~any** river-borne 2. *przen. pot.* (*pozbyć się*) to get rid (**kogoś, coś** of sb, sth); to shunt (a project)

spławiak *sm techn.* (*w cukrowni*) **~ do buraków** beet flume

spławianie *sn* ↑ **spławiać**

spławik *sm ryb.* (a) float

spławność *sf singt* navigability

spławn|y *adj* navigable; **droga** <**rzeka**> **~a, kanał ~y** waterway

spławowy *adj* floating <rafting> — (base etc.)

spł|odzić *vt perf* **~odzę, ~ódź** — **spł|adzać** *vt imperf lit.* 1. (*spowodować poczęcie*) to generate 2. *przen.* to put out <to produce> (a literary composition); to be delivered (**wiersze itd.** of verses etc.)

spłonąć *vi perf* 1. (*spalić się*) to burn down; to be burnt (down); to go up in flames; to be consumed by fire 2. *przen.* (*zaczerwienić się*) to redden; (*o rumieńcu*) to suffuse (**na czyichś policzkach** sb's cheeks)

spłonienie *sn* 1. ↑ **spłonić** 2. (*rumieniec*) blush

spłoniony *adj* blushing

spłon|ka *sf pl G.* **~ek** *techn.* 1. (*część naboju*) percussion cap; primer 2. (*rurka z materiałem wybuchowym*) detonator; exploder

spł|oszyć *vt perf* — *rz.* **spł|aszać** *vt imperf* to frighten <to scare away>; to flush (birds); to startle (sb); **~oszony** in a flutter; **ze ~oszoną miną** confused; embarrassed

spłowiałość *sf singt* faded appearance; discoloured state

spłowie|ć *vi perf* **~je** to fade; to become discoloured <weather-stained>

spłuczyny *spl rz.* rinsings

spłu|kać *v perf* **~cze** — **spłu|kiwać** *v imperf* [I] *vt* 1. (*zmyć brud*) to rinse; to swill out; to sluice; to flush; to wash out; **~kać coś** to give sth a wash <a rinse, a swell, a sluice> 2. (*o wodzie, pędzie wody*) to wash away; to flush; **~kać muszlę klozetową** to pull the plug [II] *vr* **~kać, ~kiwać się** 1. (*zmyć brud*) to wash oneself 2. *przen. pot.* (*zgrać się*) to have gambled everything away; to be on the rocks

spłukanie *sn* (↑ **spłukać**) (a) wash; (a) rinse; (a) swill; (a) sluice

spłyc|ać *v imperf* — **spłyc|ić** *v perf* **~ę** [I] *vt* 1. (*robić coś płytszym*) to shallow; to make sth shallow 2. *przen.* to shallow; to make <to render> sth shallow <trite> [II] *vr* **~ać, ~ić się** 1. (*robić się płytszym*) to shallow (*vi*); to become shallow; to grow less deep 2. *przen.* to shallow (*vi*); to become shallow <trite>

spłycie|ć *vi perf* **~je** to shallow; to become <to grow> shallow

spłynąć *zob.* **spływać**

spływ *sm G.* **~u** 1. (*spływanie*) flow; run-off 2. (*zbieg rzek*) confluence 3. *przen.* confluence 4. (*impreza kajakowców*) canoeing rally <race> 5. *geogr.* soil fluction

spły|wać *vi perf* — **spły|nąć** *vi imperf* to flow; to drift (with the current, down-stream); to float (down-stream); **~nąć na powierzchnię** to rise to the surface; **~nąć po bystrzynie** to shoot the rapids; **z wieży kościoła ~wała niebieska wstęga** blue bunting streamed from the church tower; *przen.* **~wać krwią** to run with blood; **~wał potem** he was streaming with perspiration; **~wające włosy, ~wająca broda** flowing hair, beard; **to ~nęło po nim (jak woda po gęsi)** he was unruffled; it slid off him like water off a duck's back

spływanie *sn* (↑ **spływać**) flow; drift; **~ lodowca** ice flowage; *geol.* **~ ziemi** solifluction, soil fluction

spływowy *adj* flow- (pipe etc.); **kanał ~** sewer

spocenie (się) *sn* (↑ **spocić się**) perspiration; sweat

spoc|ić się *vr perf* **~ę się** to be in a sweat <in perspiration>; **~iły mu się ręce** his hands were moist with sweat; **~ony** perspiring; in a sweat; all of a sweat; in perspiration

spocz|ąć *vi perf* **~nę, ~nie, ~nij, ~ął, ~ęła** — **spocz|ywać** *vi imperf emf. lit.* 1. (*usiąść*) *perf* to sit down; *imperf* to sit; (*położyć się*) *perf* to lie down; *imperf* to lie; (*odpocząć*) *perf* to have <to take> a rest; *imperf* to rest; to be at rest; **nie ~ąć póki się czegoś nie zrobi** to know no rest <not to rest> until one has done sth; **proszę ~ąć** do <please> sit down; take a seat, will you?; **~ąć po trudach** to rest from one's labour; *wojsk.* **~nij!** stand easy!; **stać na ~nij** to stand at ease; *przen.* **~ąć w grobie** to be consigned to one's grave <to one's last resting-place>; **~ywać w grobie** to lie in one's grave 2. *przen.* (*o wietrze itd.*) to calm down 3. (*zostać gdzieś położonym*) *perf* to be put away; *imperf* to lie <to be> (somewhere); *przen.* **~ąć, ~ywać w czyichś rękach** a) (*o decyzji, władzy itd.*) to rest with sb b) (*o uprawnieniach itd.*) to be vested in sb 4. *przen.* (*o wzroku, promieniu światła, belce, głowie itd.*) to rest (on sth)

spoczęcie *sn* (↑ **spocząć**) rest

spocznik *sm bud.* landing; foot-pace

spoczwarz|ać *vt imperf* — **spoczwarz|yć** *vt perf* to deface; to disfigure; to deform; to distort

spoczwarzenie *sn* (↑ **spoczwarzyć**) defacement; disfiguration; disfigurement; deformation; distortion

spoczwarzyć *zob.* **spoczwarzać**

spoczyn|ek *sn G.* **~ku** 1. (*odpoczynek*) rest; repose; *wojsk.* retirement; *biol. bot.* **stan ~ku** state of repose; **roślina w stanie ~ku** dormant plant; **przejść w stan ~ku** to retire; **zostać przeniesionym w stan ~ku** to be pensioned off; **w stanie ~ku** retired; (*o oficerze*) on the retired list; *przen.* **miejsce wiecznego ~ku** last resting-place; **złożyć kogoś na miejsce wiecznego ~ku** to lay sb to rest 2. (*sen*) (night's) rest; **udać się na ~ek** to retire (for the night) 3. (*spokój*) quiet; quietude; tranquillity 4. *fiz.* quiescence; state of rest; **w stanie ~ku** at rest; quiescent

spoczynkowy *adj* 1. (*odpoczynkowy*) (moments etc.) of rest; resting (stage etc.); *biol. bot.* **okres ~** state of repose 2. *fiz.* static

spoczywać *zob.* **spocząć**

spoczywanie *sn* (↑ **spoczywać**) rest

spod *praep* 1. (*od spodu*) from under (czegoś sth) 2. (*z okolic*) from the neighbourhood (of Cracow etc.) 3. (*z zakresu*) from under (sb's influence, authority etc.) || **~ igły** brand-new

spodarka *sf techn.* levelling head <substage> (of a microscope etc.)

spode *praep* = **spod**; **~ drzwi** from under the door; **patrzeć ~ łba na kogoś** to look askance <to scowl> at sb

spodecz|ek *sm G.* **~ka** *dim* ↑ **spodek**

spod|ek *sm G.* **~ka** 1. (*podstawka pod filiżankę itd.*) saucer; **latające ~ki** flying saucers 2. *mat.* foot

spodem *zob.* **spód**

spode|ńki *spl G.* **~niek, spode|nki** *spl G.* **~nek** 1. *dim* ↑ **spodnie** 2. (*spodnie z krótkimi nogawkami*) (knee-)breeches; knickerbockers; **~ńki <~nki> kąpielowe** bathing-drawers; bathing-trunks

spodle|ć *vi perf* **~je** to disgrace <to debase, to demean> oneself

spodlenie *sn* (↑ **spodleć, spodlić**) debasement; (a) meanness

spodlić *v perf* — *rz.* **spadlać** *v imperf* [I] *vt* to degrade; to debase [II] *vr* **spodlić, spadlać się** to disgrace <to debase, to demean> oneself

spodni *adj* bottom — (drawer, part of sth etc.)

spodniarz *sm* tailor specializing in the sewing of trousers

spodni|e *spl G.* **~** trousers; breeches; *am.* pants; **sztuczkowe ~e** striped trousers; **w ~ach** wearing trousers, trousered; (*o chłopcu*) breeched

spodniow|y *adj* **materiały ~e** trouserings

spodoba|ć się *vr perf* to appeal (to sb); to take (**komuś** sb's) fancy; **ilekroć ci się ~** whenever you like <feel like it, feel inclined>; **~ło mi się to** I liked it; I enjoyed it

spodoust|y *zool.* [I] *adj* selachoid, selachian [II] *spl* **~e** (*Selachoidei*) (*rząd*) the Selachians

spodumen *sm G.* **~u** *miner.* spodumene

spodzi|ać się *vr perf* **~eje** *dial.* 1. (*przewidzieć*) to expect; **kto by się ~ał?** who would have thought it? 2. (*spostrzec*) to notice; **zamkną cię ani się ~ejesz** they'll lock you up before you know where you are

spodziewa|ć się *vr imperf* 1. (*mieć nadzieję*) to hope (**czegoś** for sth); **~m się, że tak <że nie>** I hope so <not> 2. (*przypuszczać*) to think (that sth will happen, that sb will do sth); **kto by się tego ~ł?** who would have thought it?; (*wykrzyknikowo*) **~m się!** I should think so!; *pot.* you bet!; **~m się, że tak <że nie>** I think so <not> 3. (*oczekiwać*) to expect (**czegoś** sth; **że się coś stanie** sth to happen, that sth will happen; **że ktoś coś zrobi** sb to do sth, that sb will do sth); **jak można było się ~ć** as was to be expected; not unnaturally; **należy się ~ć, że to się stanie, że oni przyjdą itd.** it is likely to happen, they are likely to come etc.; **prędzej bym się ~ł ...** I would sooner have expected ...; **~ć się czegoś po kimś** to expect sb to do <to become, to achieve etc.> sth; **~m się, że tak <że nie>** I expect so <not>; **tego się ~łem** I expected as much; **wszystkiego można się po nim ~ć** he is capable of anything; anything can be expected of him 4. (*wyglądać*) to expect (sb, guests, a baby etc.)

spodziewanie (się) *sn* (↑ **spodziewać się**) hopes; expectations

spodziewan|y [I] *pp* ↑ **spodziewać się** [II] *adj* prospective; expected; hoped-for (results etc.); **~e wydarzenia** events in the offing

spoglądać *zob.* **spojrzeć**

spoić *v perf* **spoję, spój** — *rz.* **spajać** *v imperf* [I] *vt* to ply <to prime> (sb) with liquor; to make (sb) drunk [II] *vr* **spoić, spajać się** *rz.* to get drunk

spoid|ło *sn pl G.* **~eł** 1. *techn.* cementing agent; (an) adhesive 2. *anat.* commisure (of the brain)

spoina *sf* 1. *arch. bud.* (mortar) joint 2. *techn.* (fusion) weld; junction

spoinowani|e *sn arch. bud.* jointing; pointing; **zaprawa do ~a** pointing mortar

spoinowy *adj arch. bud.* joint — (edges etc.)

spointować *vt perf* = **spuentować**

spoistość *sf singt* 1. (*cecha ciał*) compactness; cohesion; density; tenacity 2. (*cecha moralna*) closeness (of a friendship etc.); **~ rodziny** close family ties; family unity

spoisty *adj* compact; coherent; cohesive; dense; tenacious

spoiwo *sn* binder; binding agent <medium>; adhesive; cement

spojenie *sn* 1. ↑ **spoić**^{1,2} 2. = **spoina**; *anat.* **~ łonowe** pubic symphysis

spojów|ka *sf pl G.* **~ek** *anat.* conjunctiva; **zapalenie ~ek** conjunctivitis

spojówkowy *adj* conjunctival

spo|jrzeć *v perf* **~jrzy, ~jrzyj <spójrz>** — **spo|glądać** *v imperf* [I] *vi* 1. (*popatrzeć*) to look <to glance, to gaze> (**na kogoś, coś** at sb, sth); **nie śmiem ~jrzeć ludziom w oczy** I daren't look people in the face; **~jrzeć komuś prosto w oczy** to look sb straight in the face; **~jrzeć krzywym okiem <spode łba> na kogoś** to scowl at sb; **~jrzeć na kogoś, coś** to cast a glance <to have a look> at sb, sth; **~jrzeć na kogoś z góry** to look down one's nose at sb; **~jrzeć na kogoś życzliwie <surowo, pogardliwie>** to give sb a kind <severe, scornful> look; **~jrzeć po sobie** to exchange glances; **~jrzeć w dół <w górę>** to look down <up>; **gdzie ~jrzeć** wherever one looks <you look>; on all sides; right and left; *przen.* **nie chcieć ~jrzeć prawdzie <faktom> w oczy** to blink the facts; **~jrzeć prawdzie <faktom> w oczy** to face the facts; **~jrzeć śmierci <niebezpieczeństwu> w oczy** to look death <danger> in the face; **~jrzeć w przyszłość** to look ahead 2. (*potraktować*) to look (**na kogoś, coś jako na ...** on sb, sth as ...); to consider to view (**na kogoś, coś jako na ...** sb, sth as ...) [II] *vr* **~jrzeć, ~glądać się** *pot.* = = **~jrzeć, ~glądać** *vi* 1.

spojrzeni|e *sn* 1. ↑ **spojrzeć** 2. (*rzut oka*) glance; look; gaze; peep; **obrzucić kogoś, coś ~em** to give sb, sth a glance; **onieśmielić kogoś surowym ~em** to stare sb out of countenance; **przeszyć kogoś ~em** to give sb a piercing glance; **rzucać ukośne ~a** to throw sidelong glances; **rzucić komuś ~e pełne nienawiści** to look daggers at sb; **utkwić ~e w kimś** to fix one's gaze <one's eye> on sb; **jednym ~em** at a glance; **od pierwszego ~a** at first glance 3. *przen.* **~e na świat** outlook

spokojnie *adv* 1. (*ze spokojem*) quietly; composedly; with composure; **najspokojniej w świecie** with utmost composure; **możesz ~ spać** you needn't worry; you may sleep in peace; **~ siedź** sit still; keep quiet; **stać ~** to stand still; (*uspokajająco*) **~, ~!** don't (let us) get excited 2. (*bezpiecznie*) safely; **można ~ twierdzić <przyjąć>, że ...** one can safely say <assume> that ... 3. (*w spokoju*) quietly; calmly; peacefully; **tam było <nie było> ~** the place was peaceful, calm <restless, in a turmoil>; quiet reigned <there was unrest> there 4. (*cicho, wolno*) quietly; leisurely

spokojniuteńki *adj emf.* (↑ **spokojny**) very very <perfectly> quiet

spokojniuteńko *adv emf.* (↑ **spokojnie**) very very quietly

spokojn|y *adj* 1. (*niegwałtowny*) quiet; good-tempered; (*zrównoważony*) composed; self-possessed; cool-headed; even-minded; sedate; **bądźcie ~i** don't worry; set your minds at rest; **bądź ~y!** never fear!; don't you fear!; **bądź ~y o niego** you can be easy about him <on his behalf>; don't worry about him; **bądź ~y o to** you can be easy <you needn't worry> on that score; **mam ~e sumienie** I have a clear conscience; my conscience is at rest <at peace> 2. (*cichy*) quiet; still; tranquil; pacific; calm; serene; placid 3. (*o czasach*) peaceful; uneventful 4. (*o kolorach*) sober; mellow

spokornie|ć *vi perf* **~je** to sober down; to draw in one's horns; to lower one's tone; to sing small

spok|ój *sm G.* **~oju** 1. (*równowaga psychiczna*) quiet; calm; composure; self-possession; serenity; placidity; sedateness; tranquillity; equanimity; coolness; **dać komuś ~ój** to leave sb alone <in peace>; to let sb be; **można z całym ~ojem ...** one <you, we> can quite safely ...; **nie dawać ko-**

muś ~oju a) (*o ludziach*) to pester <to nag, to keep at> sb b) (*o myślach itd.*) to haunt <to obsess, to worry> sb; **nie mieć ~oju z powodu czegoś** to be uneasy in one's mind about sth; **ta myśl nie daje mi ~oju** I have that on my brain; it keeps running through my head; **w ~oju ducha** complacently; **zachować ~ój** to keep cool; **z największym ~ojem** as cool as a cucumber; *przen.* **dać czemuś ~ój, dać sobie ~ój z czymś** to give sth up; to throw the helve after the hatchet; **daj temu ~ój!** drop it! 2. (*cisza*) stillness; hush; **pełen ~oju** restful; **tchnący ~ojem** restful; **proszę o ~ój!** silence, please!; **dla świętego ~oju** for the sake of peace; **w ~oju** at rest; *rel.* **niech spoczywa w ~oju** let him rest in peace 3. (*pokój*) peace; **~ój publiczny** the public peace; **ceniący ~ój domowy, miłujący ~ój** peace-loving

spokrewni|ć *v perf* — **spokrewni|ać** *v imperf* [I] *vt* 1. (*związać pokrewieństwem*) to connect by marriage; **(blisko) ~ony** (closely) related **(z kimś** to sb); **jesteśmy ~eni** he <she> is a connexion of mine; they are connexions of ours 2. *przen.* (*o językach, sprawach itd.*) related [III] *vr* **~ć, ~ać się** to become related

spokrewnienie *sn* (↑ **spokrewnić**) relation; connection, connexion

spolaryzować *vt perf fiz.* to polarize

spolerować *vt perf* — **spolerowywać** *vt imperf* to polish

spoliczkować *vt perf* to slap **(kogoś** sb's) face

spolimeryzować *vt perf chem.* to polymerize

spolimeryzowanie *sn* (↑ **spolimeryzować**) polymerization

spolonizować *v perf* [I] *vt* to Polonize [III] *vr* **~ się** to become Polonized

spolonizowanie *sn* (↑ **spolonizować**) Polonization

spolszcze|ć *vi perf* **~je** to become Polonized

spolszcz|yć *v perf* — **spolszcz|ać** *v imperf* [I] *vt* 1. (*spolonizować*) to Polonize 2. (*przetłumaczyć*) to translate into Polish [III] *vr* **~yć, ~ać się** to become Polonized

społeczeństwo *sn* 1. (*ogół ludzi*) society 2. (*obywatele kraju, miasta itd.*) the public; community; people 3. (*środowisko*) community; circle(s); *zool.* community

społecznica *sf* = **społecznik**

społecznictwo *sn* social <welfare> work

społecznicz|ka *sf pl G.* **~ek** = **społecznica**

społecznie *adv* socially; as a community; with reference to society <to the community>; **pracować ~** to carry on welfare work; **ludzie myślący ~** socially-minded people

społecznik *sm* social <welfare> worker

społecznikować *vi imperf* to carry on (real, fictitious) welfare work

społeczność *sf* community

społeczn|y *adj* 1. (*odnoszący się do społeczeństwa*) social (evil, scale, psychology etc.); **instynkt ~y** sociality; **wróg ~y** public enemy 2. (*będący własnością ogółu*) public (property etc.) 3. (*przeznaczony dla społeczeństwa*) welfare (institutions etc.); **praca ~a** welfare work; **ubezpieczenie ~e** social services 4. (*zbiorowy*) collective; communal

społem *adv* jointly; unitedly; in common; together

spomiędzy *praep* from among; from the midst (of a group)

sponad *praep* from over; **patrzeć ~ okularów** to look over the top of one's glasses

spondaiczny <**spondeiczny**> *adj prozod.* spondaic

spondej *sm prozod.* spondee

spongina *sf chem.* spongin

sponginowy *adj* spongin — (fibers etc.)

spongioblast *sm G.* **~u** *anat.* spongioblast

sponiewierać *v perf* [I] *vt* 1. (*zmaltretować*) to ill-treat; to maltreat; to batter 2. *przen.* (*znieważyć*) to abuse; to revile [III] *vr* **~ się** to fall into distress; to go to the dogs

sponiewieranie *sn* (↑ **sponiewierać**) ill-treatment; maltreatment

spontanicznie *adv* spontaneously; of one's own accord; voluntarily; **działać ~** to act on impulse <on the spur of the moment>; **zrobić coś ~** to do sth unbidden <unsolicited>

spontaniczność *sf singt* spontaneity; spontaneousness

spontaniczn|y *adj* spontaneous; voluntary; unsolicited; unbidden; *biol.* **~e mutacje** natural mutations

sponurze|ć *vi perf* **~je** (*o człowieku*) to gloom; to start moping; to turn gloomy; (*o twarzy*) to cloud over

spopiel|ać *v imperf* — **spopiel|ić** *v perf* [I] *vt* 1. (*zamienić w popiół*) to burn <to reduce> to ashes; to incinerate (a substance etc.) 2. (*nadawać barwę popiołu*) to render (sth) ash-grey; to give an ash-grey appearance **(coś** to sth); **~ony** ash-grey [III] *vr* **~ać, ~ić się** to be burnt <reduced> to ashes

spopielanie *sn* (↑ **spopielać**) incineration

spopiel|eć *vi perf* **~eje** 1. (*zamienić się w popiół*) to burn (*vi*) <to be burnt, to be reduced> to ashes 2. (*przybrać barwę popiołu — o człowieku, twarzy*) to turn <to go> ashy pale; (*o przedmiotach*) to assume an ash-grey appearance; **~ały** ash-grey

spopielić *zob.* **spopielać**

spopularyzować *v perf* [I] *vt* to popularize [III] *vr* **~ się** to become popularized

spopularyzowanie *sn* (↑ **spopularyzować**) popularization

spora *sf* 1. *biol.* spore 2. *geol.* (*w węglu*) spores in coal

sporadycznie *adv* sporadically; occasionally; in isolated cases; on and off, off and on; by fits and starts

sporadyczność *sf singt* sporadicity

sporadyczny *adj* sporadic; occasional; isolated; stray

sporawy *adj* fairish (amount, size, number etc.)

sporność *sf singt* debatability; questionableness; contestability; contentiousness; controversial character (of a question)

sporn|y *adj* 1. (*dający się kwestionować*) debatable; questionable; controversial; contestable; contentious; disputable; **kwestia ~a** a matter of argument; **sprawy ~e** matters at issue 2. *prawn.* litigant (party); litigious (point, case); **postępowanie ~e** litigation

sporo *adv* 1. (*przy rzeczowniku w sing*) quite a lot <a good lot> (of trouble, rain, business etc.); a good deal; **~ czasu** quite a long time; a good long time; **człowiek, który ~ czyta(ł)** <**podróżował**> widely-read <widely-travelled> person 2. (*przy rzeczowniku w pl*) quite a few; a good

many; a considerable number (of people, houses etc.)
sporofil *sm G.* **~u** *bot.* sporophyll
sporofit *sm G.* **~u** *bot.* sporophyte
sporogon *sm G.* **~u** *bot.* sporogonium
sporogoni|a *sf singt GDL.* **~i** *zool.* sporogony
sporokarpium *sn bot.* sporocarpium
sporow|iec *sm zool.* sporozoan; *pl* **~ce** (*Sporozoa*) (*gromada*) the Sporozoa
sport *sm G.* **~u** 1. (*ćwiczenia*) athletics; (*gry*) sports; **miłośnik ~ów** sporting man; **zajmować się ~em** to practise sports; to go in for athletics 2. (*dziedzina sportowa*) game; **~y zimowe** winter games 3. *ogr.* sport; mutation
sportować się *vr imperf pot.* to practise sports
sportow|iec *sm G.* **~ca** sportsman; athlete; sporting man; **rzecz godna <niegodna> prawdziwego ~ca** sportsmanlike <unsportsmanlike> action
sportowo *adv* (*o ubraniu*) **~ skrojony** with a sports cut; **~ ubrany** in sports clothes; casually dressed; in tweeds
sportow|y *adj* athletic (club, equipment etc.); sports (clothes etc.); **ośrodek ~y** playground
po ~emu (*w sposób właściwy sportowcom*) in sportsmanlike fashion; **ubrany po ~emu** in sports clothes
sportretować *vt perf* to make a portrait (**kogoś** of sb); to represent (sb) in painting
sportsmen *sm* = **sportowiec**
sportsmen|ka *sf pl G.* **~ek** *rz.* sportswoman; athlete
spor|y *adj* pretty big; pretty large; fair-sized; considerable (quantity; amount etc.); quite a large (number etc.); **~a chwila** quite a while; **~a suma** a tidy sum; **~y kawał drogi** quite a distance; a good (long) way
sporysz *sm G.* **~u** *bot.* (*Claviceps purpurea*) ergot
sporysznik *sm farm.* ergotin
sporządz|ać *vt imperf* — **sporządz|ić** *vt perf* **~ę** 1. (*wykonać*) to make <to prepare> (**coś do zjedzenia, picia** sth to eat, to drink); to make up <to dispense> (a medicine) 2. (*spisać, wypisać*) to make up (a list etc.); to draw up <to write out> (a document etc.); **~ać, ~ić kosztorys** to estimate costs; **~ać, ~ić plan** to lay out a plan; **~ać, ~ić wykres** to plot a graph
sporządzenie *sn* (↑ **sporządzić**) (*wykonanie*) preparation (of a meal etc.)
sporządzić *zob.* **sporządzać**
sposępnie|ć *vi perf* **~je** = **sponurzeć**
sposobnoś|ć *sf* opportunity; occasion; chance; **będzie wiele ~ci do ...** there will be many occasions <much scope> for ...; **czekać na dogodną ~ć** to bide one's time; **dać komuś ~ć do zrobienia czegoś** to give sb a chance <the opportunity> to do sth; **skorzystać ze ~ci, żeby ...** to take <to avail oneself of> the opportunity to ...; **gdy się ~ć nadarzy** when the opportunity occurs <presents itself>; when you get a chance; **przy pierwszej ~ci** at the first occasion; **przy ~ci** a) (*skoro o tym mówimy*) incidentally; by the way; while we are about it b) (*w dogodnej chwili*) on occasion; when the opportunity occurs <presents itself>
sposobn|y *adj lit.* 1. (*zdolny*) capable; able 2. (*odpowiedni*) suitable; convenient; **czekać ~ej chwili to bide one's time**
sposobowy *adj jęz.* (clause) of manner
spos|ób *sm G.* **~obu** 1. (*tryb postępowania*) manner; fashion; way; method; means; **~ób, w jaki ktoś coś robi** the way sb does sth; sb's manner of doing sth; **innego ~obu nie ma** there is no other way; **innym ~obem, w inny ~ób** otherwise; differently; in a different manner; **jakimś ~obem <w jakiś ~ób>** somehow; by some means or other; **na <w> żaden ~ób** nohow; by no means; **w jakiś ~ób** somehow; **w jakikolwiek ~ób** somehow or other; by some means or other; **w ten ~ób** like this <that>; this <that> way; thereby; thus; by this <that> means; **wszelkimi ~obami** by all possible means; **w żaden ~ób** nohow; by no means; **w żaden ~ób nie możesz ...** you can't possibly ... 2. *arch. lit. sport* (*styl*) style; **malować <pisać itd.> na czyjś ~ób** to paint <to write etc.> after the manner of sb 3. (*fortel*) expedient; trick; dodge; **wziąć się na ~ób** to resort to an expedient <a trick, a dodge>; **znaleźć ~ób na coś** to contrive sth
spospoliciały [I] *pp* ↑ **spospolicieć** [II] *adj* commonplace; hackneyed
spospolicie|ć *vi perf* **~je** to lapse into vulgarity; to coarsen; to become commonplace
spospolitować *v perf* [I] *vt* to vulgarize [II] *vr* **~ się** not to stand on one's dignity; to hob-nob with the riff-raff
spostponować *vt perf* to treat (sb) slightingly
spostrze|c *v perf* **~gę, ~gł, ~że, ~żony** — **spostrze|gać** *v imperf* [I] *vt* 1. (*uświadomić sobie*) to perceive; to observe; to become aware <conscious> (**coś** of sth) 2. (*dojrzeć*) to notice; to discern; to espy; to spot; to catch sight (**kogoś, coś** of sb, sth) [II] *vi* (*uświadomić sobie*) to perceive; to become aware <conscious> (**że ...** of the fact that ...); to discover <to realize, to see> (**że ...** that ...) [III] *vr* **~c, ~gać się** (*zdać sobie sprawę*) to realize (**coś** sth; **że ...** that ...); to become aware (**coś** of sth; **że ...** of the fact that ...); **~głem się, co za błąd popełniłem** I realized what mistake I had made
spostrzegalny *adj* perceivable; perceptible; discernible
spostrzeganie *sn* (↑ **spostrzegać**) perception; awareness
spostrzegawczość *sf singt* observation; perceptivity; perceptiveness
spostrzegawczy *adj* observant; perceptive; quick of observation
spostrzeżenie *sn* 1. (↑ **spostrzec**) awareness; realization; notice 2. (*uwaga*) observation; remark 3. *psych.* perception; apperception
spostrzeżeniowy *adj psych.* perceptive (faculty etc.)
spośrodka *praep* 1. (*z samego środka*) from the very middle (of sth); from the inside (of sth) 2. (*spomiędzy*) from among; from the midst (of a group etc.)
spośród *praep* from among; from the midst (of a group)
spotęgować *v perf* [I] *vt* to strengthen; to increase; to intensify; to aggravate; to enhance; to magnify; to step up [II] *vr* **~ się** to strengthen <to increase, to intensify> (*vi*); to be intensified
spotęgowanie *sn* (↑ **spotęgować**) intensification; increase

spotężnie|ć vi perf ~je to gain <to acquire> power <might>; to become powerful <mighty>

spot|kać v perf — spot|ykać v imperf [I] vt 1. (natknąć się) to meet <to come, to run across> (sb, sth); (o oczach) to meet (vi); ~kałem jej oczy our eyes met; rzadko ~(y)kany rare; scarce; często ~ykany of frequent occurrence 2. (poznać) to meet (sb); to make (kogoś sb's) acquaintance 3. (w 3 pers sing — zdarzyć się) to happen (kogoś to sb); (o nieszczęściu itd.) to befall (sb) 4. (znajdować) to find; typy, jakie ~ykamy na obrazach types (which) we find on paintings [III] vr ~kać, ~ykać się to meet (vi); to come together; ~kać się z kimś to meet <to come up against> sb; ~kamy się jutro I'll be seeing you to-morrow; ~kamy się na rogu I'll rejoin you at the corner; przen. ~kać się z trudnościami <z odmową, z serdecznym przyjęciem> to meet with difficulties <with a refusal, with a kindly reception>; to się rzadko ~yka it is unusual

spotkani|e sn 1. ↑ spotkać 2. (zejście się) meeting; miejsce ~a meeting-place; wyjść komuś na ~e a) (pójść na stację itd.) to meet sb (at the station etc.) b) przen. (potraktować przychylnie czyjeś żądanie) to meet sb half way; co za szczęśliwe ~e! well met! 3. (randka) appointment; date; rendez-vous; przyjść <nie przyjść> na ~e to keep <to break> an appointment; wyznaczyć komuś ~e to make an appointment with sb 4. (starcie) encounter <brush, engagement> (with the enemy)

spotni|eć vi perf ~eje 1. (o człowieku) to sweat; to perspire; ~ałem I am <was> sweating <perspiring>; ~ały sweating; perspiring; covered with sweat <perspiration> 2. (o szybach itd.) to mist over; to get covered with steam; (o ścianach) to sweat

spotrzebow|ać vt perf — spotrzebow|ywać vt imperf to consume; to require; to use (up)

spotrzebowanie sn (↑ spotrzebować) consumption

spotrzebowywać zob. spotrzebować

spotulnie|ć vi perf ~je to grow meek <tame>

spotwarz|ać vt imperf — spotwarz|yć vt perf to slander; to defame; to calumniate

spotwarzenie sb (↑ spotwarzać) slander; defamation; calumny

spotwarzyć zob. spotwarzać

spotwornie|ć vi perf ~je rz. to become an eyesore; to assume a monstrous appearance

spotykać zob. spotkać

spoufal|ać v imperf — spoufal|ić v perf [I] vt to let (sb) become familiar (with one); to let (sb) treat one with great familiarity; ~ony z kimś familiar <unceremonious, matey> with sb; ~ony z czymś familiar with sth [III] vr ~ać, ~ić się 1. (stawać się poufałym) to become familiar <unceremonious, matey> (with sb); not to stand on ceremony <to take liberties> (with sb); nie pozwalać komuś ~ić się to tolerate no familiarity from sb; to keep sb in his place 2. przen. to familiarize oneself (with sth)

spoufalenie (się) sn ↑ spoufalić (się); familiar <unceremonious> behaviour

spowalniacz sm chem. fiz. moderator

spowa|lniać <spow|olniać> vt imperf — spow|olnić vt perf ~olnij rz. to slow down (neutrons etc.)

spoważnie|ć vi perf ~je 1. (stać się stateczniejszym) to settle down; (nabrać powagi) to acquire more gravity <greater dignity, staidness, demureness> 2. (przestać się śmiać) to become serious; to assume a serious attitude; to look grave

spoważnienie sn (↑ spoważnieć) gravity; greater dignity <staidness, demureness>; serious attitude

spowiadać v imperf [I] vt to confess (a penitent) [II] vi to hear confessions; to confess [III] vr ~ się 1. (wyznawać grzechy) to go to confession; to confess one's sins 2. przen. (zwierzać się) to confide (komuś z czegoś sth to sb)

spowiadanie sn 1. ↑ spowiadać 2. (słuchanie spowiedzi) hearing confessions 3. ~ się (one's) confession(s)

spowicie sn ↑ spowić

spowić vt perf, spowinąć vt perf — spowijać vt imperf lit. 1. (zakryć) to wrap <to cover, to shroud> (we mgłę itd. in mist etc.); (o chmurach) to wreathe (a mountain-top) 2. (zawinąć w powijaki) to wrap up (a baby)

spowiednica sf rz. confessional

spowiedniczo adv as in confession

spowiedniczy adj rz. (dotyczący spowiedzi) (seal etc.) of confession; (taki jak na spowiedzi) confession-like

spowiednik sm rel. (father) confessor

spowie|dź sf pl N. ~dzi 1. rel. confession; ~dź wielkanocna Easter duty; tajemnica ~dzi the seal of confession; słuchać ~dzi to confess (vi); to hear confessions; słuchać czyjejś ~dzi to confess sb; to hear sb's confession; umrzeć bez ~dzi to die unconfessed 2. przen. (zwierzenie się) confidence; secret(s) confided to sb

spowijać, spowinąć zob. spowić

spowinowac|ać v imperf — spowinowac|ić v perf [I] vt to ally (families) by marriage; ~ony related (by marriage) [III] vr ~ać, ~ić się to become related (by marriage)

spowinowacenie sn (↑ spowinowacić) affinity; relations <relationship> by marriage

spowodow|ać vt perf — rz. spowodow|ywać vt imperf 1. (stać się przyczyną) to cause; to occasion; to produce; to give occasion <rise> (coś to sth); to bring (sth) about; to induce; to generate; to provoke (laughter etc.) 2. (pociągnąć za sobą) to entail; to result (coś in sth); ~any czymś owing <due> to sth; niczym nie ~any unwarranted

spowolniać, spowolnić zob. spowalniać

spowolni|eć vi perf ~eje to slow down (vi); ~ały slower in one's movements; grown sluggish

spowszedni|eć vi perf ~eje to lose (its) attractiveness <(o człowieku) one's charm>; to become hackneyed <trite, commonplace>; ~ały hackneyed; trite; commonplace

spoza praep (zza przedmiotu) from behind ...; (zza jakiejś przestrzeni) from beyond <across> ...; (z innego środowiska) from outside ...

spozierać vi imperf rz. gw. = spoglądać

spoziomować vt perf techn. to level

spożycie sn 1. ↑ spożyć 2. (konsumpcja) consumption; ~ pożywienia <kalorii, płynów> food <caloric, fluid> intake

spoży|ć vt perf ~je, ~ty — spoży|wać vt imperf lit. to consume; to eat; to drink; ~ć, ~wać posiłek to partake of <to take, to have> a meal; *med.* ~te pokarmy ingesta

spożywanie *sn* (↑ spożywać) consumption; *fizjol.* intake

spożywca *sm* (*decl* = *sf*) consumer

spożywcz|y *adj* alimentary; edible; nutritive; **artykuły ~e** food products; articles of food; groceries; edibles; comestibles; **dostawca artykułów ~ych** caterer; **dział artykułów ~ych** catering department; **przemysł ~y** food industry; **sklep ~y** grocer's shop; *am.* delicatessen; **wartość ~a** nutritive value

spód *sm G.* **spodu** 1. (*dolna część*) bottom; foot (of a piece of furniture etc.); **na spodzie, u spodu** at the bottom; at the foot; **od spodu** a) (*przysłówkowo*) from the bottom; from underneath; from below b) (*przyimkowo*) from under (sth); *boks* **uderzenie od spodu** undercut; **pod spodem** underneath; down below; **sąsiedzi mieszkający pod spodem** our downstair neighbours; **nosić coś pod spodem** to wear sth under one's outer garments; **spod spodu** from underneath 2. (*dolna strona*) underside, the under side; **od spodu** underneath; **kołdra ma zielony wierzch i żółty ~** the quilt is green outside and yellow underneath 3. (*podbicie sukni*) foundation

spodem *adv* down below; underneath

spódnic|a *sf* skirt; petticoat; *przen.* **trzymać kogoś przy swojej ~y** to keep sb tied to one's apron-strings; **trzymać się matczynej ~y** to be tied to mother's apron-strings; *przen. żart.* **latać za każdą ~ą** to be always after a petticoat

spódnicow|y *adj* **materiały ~e** skirtings

spódniczka *sf* 1. *dim* ↑ **spódnica;** *przen. żart.* **latać za ~mi** to be always after a petticoat 2. (*część męskiego stroju narodowego Szkotów*) kilt

spódniczyna *sf* worn <grimy> skirt

spój|ka *sf pl G.* **~ek** *jęz.* copula

spójnia *sf* union; tie; bond; link

spójnik *sm jęz.* conjunction

spójnikowy *adj jęz.* conjunctive (phrase etc.)

spójnoś|ć *sf singt* 1. *fiz.* cohesion; **siły ~ci** cohesive force 2. *pot.* (*spoistość*) compactness

spójny *adj* (*spoisty*) compact

spółdzielca *sm* (*decl* = *sf*) member of a co-operative (society)

spółdzielczo *adv rz.* on a co-operative basis; collectively

spółdzielczość *sf singt* co-operative movement

spółdzielczy *adj* co-operative (movement, society, store etc.); collective

spółdzielnia *sf* 1. (*zrzeszenie*) co-operative (society); *pot.* co-op; **~ mieszkaniowa** building society; housing co-operative; **~ produkcyjna** collective farm 2. (*sklep*) co-operative (store); *pot.* co-op

spółgłos|ka *sf pl G.* **~ek** *jęz.* consonant

spółgłoskowy *adj jęz.* consonantal

spół|ka *sf pl G.* **~ek** 1. (*umowny związek*) partnership; **kupiliśmy to na ~kę** we bought this between us; **wejść z kimś do ~ki** to go <to enter> into partnership with sb; **zrobić coś do ~ki** to do sth jointly 2. (*instytucja*) society; company; **~ka akcyjna** joint stock company; **~ka z ograniczoną odpowiedzialnością** limited liability company

spółkować *vi imperf* to copulate

spółkowanie *sn* (↑ **spółkować**) copulation; coition

spółotwarty *adj jęz.* liquid (sound)

spór *sm G.* **sporu** 1. (*spieranie się*) contestation; contention; dispute; **przedmiot sporu** the matter in contestation <in dispute> 2. (*polemika*) controversy 3. (*zatarg*) quarrel; dispute; altercation 4. *sąd.* litigation; **strony sporu** the litigant parties

spóźni|ać się *vr imperf* — **spóźni|ć się** *vr perf* 1. (*przybywać z opóźnieniem*) to come <to be> late; to be behind time; **dlaczego się tak ~łeś?** why are you <what made you> so late?; **~ć się na pociąg <do autobusu itd.>** to miss one's train <the bus etc.>; **~ać, ~ć się z czymś <z płatnością itd.>** to be behindhand <in arrears> with sth <with a payment etc.> 2. (*o zegarze — opóźniać się*) a) (*pokazywać niedokładny czas*) to be slow b) (*tracić*) to lose (**o x minut dziennie** x minutes a day) 3. (*odbywać się z opóźnieniem*) to be late; to be delayed (**skutkiem niepogody itd.** by bad weather etc.)

spóźnialska *sf* (*decl* = *adj*), **spóźnialski** *sm* (*decl* = *adj*) *pot. żart.* laggard

spóźnieni|e *sn* 1. ↑ **spóźnić się** 2. (*niepunktualność*) delay; late-coming; late arrival; **pociąg ma ~e <ma x minut ~a>** the train is late, overdue <is x minutes late>; **przepraszam za ~e** I'm sorry I'm late; please excuse the delay; **~e nastąpiło wskutek mgły** the delay was caused by the fog 3. (*zaległość*) arrears; time lag; delayed execution (of an order etc.); **trzydniowe ~e w wykonaniu zamówienia** three-days' delay in the execution of an order

spóźni|ony [I] *pp* ↑ **spóźnić się** [II] *adj* 1. (*niepunktualny*) late; delayed; **~eni goście** late arrivals <comers>; **~ona pora <godzina>** late hour; **~ony w rozwoju** backward (child); **~one wpłaty** overdue payments; **zbiory są ~one** the harvest is backward 2. (*niewczesny*) belated <tardy> (repentance etc.); **~ona miłość** Martinmas summer of love

spracować się *vr perf* to exhaust oneself; to tire oneself out; to have worked hard

spracowanie *sn* (↑ **spracować się**) exhaustion

spracowan|y [I] *pp* ↑ **spracować się** [II] *adj* exhausted; tired out; **ręce ~e** toil-worn hands

spra|ć *vt perf* **spiorę, spierze** 1. *zob.* **spierać**[2]; (*o kolorach tkaniny*) **~ny** washed out 2. *pot.* (*zbić*) to beat; to trounce; to give (sb) a hiding <a thrashing>; **~ć batem** to flog; to whip; to thrash

spragnion|y *adj* 1. (*odczuwający pragnienie*) thirsty 2. *przen.* (*o ziemi, roślinach*) craving for moisture **~e rośliny** thirsty plants 3. (*żądny*) thirsting <eager, starving> (**czegoś** for sth)

spraktykować *vt perf* to learn <to get to know> (sth) in practice

sprasow|ać *vt perf* — **sprasow|ywać** *vt imperf* 1. (*spłaszczyć pod ciężarem*) to press; to compress; to squeeze 2. *przen.* to squeeze

spr|aszać *vt imperf* — **spr|osić** *vt perf* to invite (guests); to gather <to convoke> (the members of a collective body)

spraw|a *sf* 1. (*fakt, wydarzenie*) question; matter; affair; job; business; **nieczysta ~a** shady business; **~a dwóch, trzech dni** a question <matter> of two, three days; **~a otwarta** an open question;

~a sercowa love affair; ~a skończona! and that's that!; and that settles the matter!; ~a sumienia a matter of conscience; ~a życia i śmierci a matter of life and death; stan ~ the posture <state> of affairs; godny lepszej ~y worthy of a better cause; to jest inna ~a that's a different question <*sl.* proposition>; that's another story; to moja ~a that's my business <look-out>; to nie ma związku ze sprawą that is beside the point; to nie twoja ~a that's no business <no concern> of yours; that's none of your business; you keep out of this; zdawać sobie ~ę z czegoś to realize <to appreciate, to understand> sth; z tym jest trudna <łatwa> ~a that's quite a problem <no problem>; gorsza ~a, że ... what is worse ...; *pot.* the devil of it is that ...; inna ~a, że ... another aspect of the question is that ...; we must <let us> remember, however, that ...; jak ~a stoi as things stand· na dobrą ~ę as a matter of fact; strictly speaking; to tell the truth; now I come to think of it; w czyjejś ~ie on sb's behalf; on behalf of sb; w ~ie ... regarding <as regards, concerning, respecting> ...; za czyjąś ~ą at the instance of sb 2. (*interes*) thing; matter; *handl.* deal; transaction; (*także pl* ~y) business; mnóstwo ~ do załatwienia many things <much business> to settle; ~y, które nasze zebranie ma do omówienia the business before this meeting; omówiliśmy wiele ~ we have covered much ground; pan w jakiej ~ie? what is your business?; przystąpić do ~y to come to the point; ubić ~ę to settle a deal 3. (*wielkie zadania, wzniosłe cele*) cause; ~a pokoju the cause of peace 4. *prawn. sąd.* (law)suit; case (at court); action (o zniesławienie, o zapłatę itd. for libel, for payment etc.); wytoczyć komuś ~ę to bring an action against sb; wygrać <przegrać> ~ę to win <to lose> one's case 5. (*dzieło*) (sb's) doing; (*czyn*) action; deed; to ~a tego psa that was this dog's doing; ładne ~y! fine doings, these! 6. † (*sprawozdanie*) account; report; zdać ~ę z czegoś to give an account of sth; to report sth

sprawca *sm* (*decl* = *sf*) originator; author (of a deed); perpetrator (of a crime etc.); malefactor; culprit; delinquent; moralny ~ instigator; nieznany ~ an unknown person; ~ wypadku the cause of the accident

sprawczy *adj* causative

sprawczyni *sf* = sprawca

sprawdz|ać *v imperf* — **sprawdz|ić** *v perf* ~ę [I] *vt* to check (up) <*am.* to check up on> (sth); to inspect; to verify; to test; to ascertain (coś sth; czy, kto itd. if, who etc.); to make sure (coś of sth; czy ... if ...) [III] *vr* ~ać, ~ić się 1. (*spełniać się*) to come <to prove> true; to materialize; to be realized 2. (*potwierdzać się*) to prove correct

sprawdzalność *sf singt* verifiability; testability; provableness

sprawdzalny *adj* verifiable; testable; provable

sprawdzanie *sn* (↑ sprawdzać) inspection; verification; ascertainment

sprawdzeni|e *sn* (↑ sprawdzić) check; inspection; verification; test; ascertainment; to jest <nie jest> do ~a it is verifiable <unverifiable>

sprawdzian *sm G.* ~u (*kryterium*) criterion; test; touchstone; (*miara*) gauge; *techn.* strickle; calibration; template

sprawdzić *zob.* sprawdzać

sprawi|ać *v imperf* — **sprawi|ć** *v perf* [I] *vt* 1. (*wywoływać*) to cause; to occasion; to bring (sth) about; to afford (pleasure etc.); to give (komuś przyjemność <kłopot> sb pleasure <trouble>); to make (difficulties); ~ać, ~ć komuś przykrość to grieve <to vex> sb; ~ć komuś zaszczyt przybycia ... to do sb the honour of coming <of attending> ...; ~ć komuś zawód to disappoint sb; ~ać wrażenie czegoś <że ...> to give the impression of sth <that ...> 2. (*kupować*) to buy (komuś <sobie> coś sb <oneself> sth) 3. (*wyprawiać*) to give (a party, ball, reception); ~ć komuś lanie to give sb a thrashing <a dressing-down> 4. (*przygotowywać*) to dress (a fowl); to gut (a fish) 5. † = sprawować [II] *vi* to cause (że się coś staje sth to take place; że ktoś coś robi sb to do sth); to make (że ktoś coś robi sb do sth; że coś funkcjonuje sth work); to render (że coś staje się możliwe <niemożliwe, prawdopodobne itd.> sth possible <impossible, probable etc.>) [III] *vr* ~ać, ~ć się to behave <to conduct> oneself; on się dobrze ~ł he gave a good account of himself; on się źle ~ł he conducted himself badly

sprawiedliwie *adv* justly; fairly; rightly; equitably; postąpić ~ wobec kogoś to do sb right; to give sb a square deal; to treat sb squarely

sprawiedliwoś|ć *sf singt* 1. (*sprawiedliwe postępowanie*) justice; fairness; equity; righteousness; uprightness; mieć ~ć po swojej stronie to be in the right; oddać komuś ~ć to be fair to sb; to do <to render> justice to sb; to give sb his due; trzeba mu oddać tę ~ć it must be said to his credit; chcąc mu oddać ~ć in justice to him; jak tego ~ć wymaga as is only just; *pot.* po ~ci in all justice; by rights 2. (*sądownictwo*) justice; judicature; minister ~ci the Minister of Justice; (*w Anglii*) the Lord High Chancellor; oddać kogoś w ręce ~ci to bring sb to justice; szukać ~ci to seek redress; wymierzać ~ć to dispense justice; samemu wymierzyć ~ć to take the law into one's hands

sprawiedliw|y [I] *adj* 1. (*o człowieku, sądzie, decyzji*) just; fair; equitable; square; (*o człowieku*) righteous; upright; ~e traktowanie square deal 2. (*słuszny*) just [II] *sm* just man; *pl* ~i the just; spać snem ~ego to sleep the sleep of the just

spraw|ka *sf pl G.* ~ek 1. (*drobny występek*) misbehaviour; minor offence 2. (*wybryk*) (sb's) doing; prank; trick; ładne ~ki! fine doings, these!

sprawnie *adv* efficiently; ably; adroitly; competently

sprawnościow|y *adj sport* ćwiczenia ~e agility exercises

sprawnoś|ć *sf singt* 1. (*zdolność do wykonywania czynności*) efficiency; competence; proficiency; *techn.* performance <output> (of a machine, motor etc.); próba ~ci efficiency test 2. (*zręczność*) dexterity; adroitness; ~ć harcerska scout proficiency

sprawny *adj* 1. (*zręczny w ruchach*) proficient; dexterous; adroit 2. (*dobrze działający*) efficient; competent

sprawować *v imperf* [I] *vt* to perform <to discharge, to fulfil> (duties, functions etc.); ~ poselstwo to act as envoy; ~ urząd to hold an office <a post>;

~ **władzę** to be in authority; to wield power [III] *vr* ~ **się** to behave; to conduct oneself

sprawowanie *sn* 1. ↑ **sprawować** 2. (*pełnienie*) performance <discharge, fulfilment> (of duties etc.) 3. ~ **się** (*zachowanie się*) conduct; behaviour; **złe** ~ **się** misconduct

sprawozdanie *sn* report; account; statement; ~ **z działalności naukowej** transactions <proceedings> (of a society); **złożyć** ~ **z czegoś** to report on sth; to render an account of sth

sprawozdawca *sn* (*decl* = *sf*) reporter; interviewer; *radio* commentator

sprawozdawczość *sf singt* reporting; accountancy

sprawozdawcz|y *adj* reporter's (statement etc.); reporting (staff etc.); **arkusz** ~**y** report sheet; **dział** ~**y** reporting department <section>; **notatka** ~**a** report; *księgow.* **okres** ~**y** reporting period; **rok** ~**y** financial <budgetary> year

sprawstwo *sn singt rz.* authorship (of a deed); perpetration (of a crime); delinquency; causation

sprawun|ek *sm G.* ~**ku** purchase; *pl* ~**ki** shopping; **kosz na** ~**ki** market-basket; **pójść na** ~**ki** to go out shopping; **załatwiać** ~**ki** to do some <one's> shopping

sprażyć *vt perf rz.* to parch

sprecyzować *vt perf* to specify; to state (sth) precisely; to be explicit (**coś** about sth); to define (sth) accurately

sprecyzowanie *sn* (↑ **sprecyzować**) explicitness

sprecyzowan|y [I] *pp* ↑ **sprecyzować** [II] *adj* explicit; **nie mieć** ~**ego zdania o czymś** to be vague about sth

sprefabrykować *vt perf* to prefabricate

spreparować *vt perf* = **preparować**

sprezentować *vt perf* 1. † (*przedstawić*) to present; *obecnie w zwrocie*: ~ **broń** to present arms 2. *dial* to make (sb) a present (**coś** of sth)

spręż *sm singt G.* ~**u** *techn.* compression

spręż|ać *v imperf* — **spręż|yć** *v perf* [I] *vt* 1. (*napinać*) to tense (the muscles) 2. *chem. fiz.* to compress (air, gases) 3. *bud.* to prestress (concrete etc.) [II] *vr* ~**ać**, ~**yć się** 1. (*zwierać się w sobie*) to stiffen <to tauten> (*vi*) 2. (*ulegać sprężaniu*) to undergo compression

sprężar|ka *sf pl G.* ~**ek** *techn.* air-compressor

sprężarkowy *adj* compressed-air — (hammer etc.)

sprężenie *sn* (↑ **sprężyć**) 1. *chem. fiz.* compression (of gases) 2. *bud.* prestress <tensioning> (of concrete)

sprężyca *sf bot.* elater

sprężyć *zob.* **sprężać**

sprężyk *sm zool.* (*Elater*) elater; click beetle

sprężykowat|y *zool.* [I] *adj* elaterid [II] *spl* ~**e** (*Elateridae*) (*rodzina*) the family Elateridae

sprężyn|a *sf* 1. (*przedmiot sprężysty*) spring; *przen.* (*o człowieku*) **być główną** ~**ą** to be a prime mover <a mainspring>; **poruszyć wszystkie** ~**y** to pull all the strings; to leave no stone unturned 2. (*bodziec*) impulse; incentive; mainspring

sprężyn|ka *sf pl G.* ~**ek** *dim* ↑ **sprężyna** 1.

sprężynować *v imperf* [I] *vt* 1. *rz.* (*zaopatrywać w sprężyny*) to spring (a mattress etc.); to fit (a mattress etc.) with springs 2. *roln.* to cultivate (a field) [II] *vi* to spring (*vi*); to be resilient <elastic>

sprężynow|y *adj* spring — (bed, balance etc.); **nóż** ~**y** flick-knife; *roln.* **brona** ~**a** = **sprężynówka**

sprężynów|ka *sf pl G.* ~**ek** *roln.* spring-tooth harrow

sprężystość *sf singt* 1. (*elastyczność*) resilience; elasticity 2. (*gibkość*) springiness; buoyancy; nimbleness 3. (*sprawność*) efficiency; (*siła*) firmness; energy

sprężysty *adj* 1. (*elastyczny*) springy; resilient; elastic 2. (*zwinny*) nimble; (*gibki*) buoyant; springy 3. (*sprawny*) efficient; (*silny*) firm; (*energiczny*) energetic

sprężyście *adv* 1. (*elastycznie*) springily; resiliently; elastically 2. (*zwinnie*) nimbly; (*gibko*) buoyantly; springily 3. (*sprawnie*) efficiently; (*silnie*) firmly; (*energicznie*) energetically

sprint *sm G.* ~**u** *sport* sprint

sprinter *sm*, **sprinter|ka** *sf pl G.* ~**ek** *sport* sprinter

sprinterski *adj* sprinter's; sprint — (race)

sprofanować *vt perf* to desecrate; to profane; to violate

sprofanowanie *sn* (↑ **sprofanować**) desecration; profanation; violation

sprofesjonalizować *vt perf rz.* to professionalize

sprokurować *vt perf pot.* to procure (**komuś coś** sth for sb; **sobie coś** oneself sth)

sproletaryzować *vt perf* to proletarianize; to proletarize

sprolongować *vt perf* to prolong <to extend> (the validity of a document etc.); *handl. ekon.* to renew (a bill of exchange)

spromienie|ć *vi perf* ~**je** to radiate (**radością itd.** with joy etc.); to beam (**szczęściem itd.** with happiness etc.)

spropagować *vt perf* to propagate

sprosić *zob.* **spraszać**

sprostać *vi perf* 1. (*dorównać*) to be a match (**komuś** for sb); to equal (**komuś** sb); to come up (**komuś** to sb); to keep pace (**komuś** with sb) 2. (*podołać*) to cope (**czemuś** with sth); to be equal (**zadaniu** to a task)

sprostow|ać *v perf* — *rz.* **sprostow|ywać** *v imperf* [I] *vt* 1. (*skorygować*) to correct; to rectify; to right (a mistake); **dający się** ~**ać** rectifiable 2. † (*wyprostować*) to straighten (sth) out [II] *vr* ~**ać**, *rz.* ~**ywać się** to get straight

sprostowanie *sn* 1. ↑ **sprostować** 2. (*prostująca notatka, zdanie, artykuł*) rectification; correction; *polit.* démenti

sprostowywać *zob.* **sprostować**

sprostytuować *vt perf* to prostitute

sproszenie *sn* ↑ **sprosić**

sproszkow|ać *v perf* ~**any** — **sproszkow|ywać** *v imperf* ~**ywany** [I] *vt* to reduce <to grind> to powder; to pulverize; to levigate; to triturate; **mleko** ~**ane** powdered <dried> milk [II] *vr* ~**ać**, ~**ywać się** to be reduced <ground> to powder

sproszkowanie *sn* (↑ **sproszkować**) pulverization; levigation; trituration

sproszkowan|y *adj* ~**e mleko** powdered milk

sprośnie *adv* obscenely; grossly; lewdly

sprośnik † *sm* ribald

sprośność *sf* 1. *singt* (*cecha*) obscenity; ribaldry; grossness; lewdness 2. (*zw. pl*) (*rzecz sprośna*) obscenity; ribaldry; bawdy talk; gross joke

sprośny *adj* 1. (*nieprzyzwoity*) obscene; ribald (story etc.); bawdy (talk etc.); foul (language etc.); gross (joke etc.); salacious (story etc.) 2. (*rozpustny*) lewd; licentious

sprowadz|ać *v imperf* **~any — sprowadz|ić** *v perf* **~ę, ~ony** [I] *vt* 1. (*dostarczać*) to bring (sb, an animal etc. somewhere; goods from somewhere); to import <to get> (sth from abroad); **co ciebie ~a?** what brings you here?; **~ać, ~ić lekarza** <**specjalistę**> to have <to call> in a doctor <a specialist>; to fetch a doctor <a specialist>; **~ać, ~ić robotników z zagranicy** to immigrate foreign labour 2. (*doprowadzać*) to convey (water, gas etc.) 3. (*sprawiać, wywoływać*) to cause <to bring about> (a change etc.); to give rise (**ferment itd.** to ferment etc.); to induce (sleep) 4. (*zmieniać kierunek*) to turn away (**z tropu itd.** from a scent etc.); to switch (a train to a line; the conversation to a topic etc.); *przen.* **~ać kogoś z (właściwej) drogi** <**na manowce**> to lead sb astray 5. (*prowadzić na dół*) to lead <to take, to show> (**kogoś na dół** <**do piwnicy itd.**> sb downstairs <to the cellar etc.>) 6. (*ograniczać, zacieśniać*) to reduce (**coś do pewnego prawa** sth to a rule; **coś do niedorzeczności** sth to an absurdity; *mat.* **ułamki do wspólnego mianownika** fractions to a common denominator) [II] *vi* (*o schodach itd. — ciągnąć się w dół*) to lead (down below) [III] *vr* **~ać, ~ić się** 1. (*przybywać, osiedlać się*) to move (to another lodging, city etc.); to settle down (somewhere) 2. (*o zagadnieniu itd.*) to resolve itself (**do czegoś** into sth); **rzecz ~a się do ...** it resolves itself into <it boils down to> ...; **to się ~a do powiedzenia ...** it's as good as saying ...

sprowadzanie *sn* ↑ **sprowadzać**

sprowadzenie *sn* ↑ **sprowadzić**; *mat.* reduction; **~ czegoś z zagranicy** importation

sprowadzić *zob.* **sprowadzać**

sprowokowa|ć *vt perf* **~ny** to provoke; to cause; to bring about; to occasion <to challenge> (**kogoś do czegoś** sb to sth <to do sth>); **niczym nie ~na obelga** wanton <unprovoked> insult

spróbować *v perf* [I] *vt* 1. (*skosztować*) to taste (**potrawy, wina itd.** a dish, wine etc.); *przen.* **~ wszystkiego** to try of everything 2. (*poddać próbie*) to test (**czegoś** sth); to put (**czegoś** sth) to the test; **~ sił na jakimś polu** <**szczęścia**> to try one's hand at sth <one's luck> [II] *vi* 1. (*zrobić coś na próbę*) to try (**coś zrobić** to do <and do> sth); to attempt; to endeavour; to have a try <a go, a shy, a fling> (**coś zrobić** at doing sth) 2. *pot.* (*ośmielić się*) to try; **spróbuj!** you just try! [III] *vr* **~ się** to measure oneself (**z kimś** with sb)

spróbowanie *sn* (↑ **spróbować**) 1. (*skosztowanie*) a taste (of sth) 2. (*poddanie próbie*) (a) test 3. (*zrobienie czegoś na próbę*) a try; a go; a shy; a fling

spróchniałość *sf singt* rot; decay

spróchnicować *vt perf roln.* to humify

spróchni|eć *vi perf* **~eje, ~ały** 1. (*rozsypać się w próchno*) to moulder; to rot; to decay 2. (*o zębach*) to decay; to grow carious; **~ały ząb** carious <decayed> tooth

spróchnienie *sn* (↑ **spróchnieć**) 1. (*drewna*) dry-rot 2. (*zębów*) cariosity; caries

sprósz|yć *vt perf* **~ony** (*o prochu, mące itd.*) to cover (sb, sth); **~ony** dusty; covered with dust

spru|ć *vt perf* **~je, ~ty** (*coś zeszytego*) to rip (a seam etc.); (*coś dzianego*) to undo <to unknit> (a jersey etc.); **~ć sweter** to unpick <*am.* to unravel> a knitted garment

spryciar|a *sf*, **spryciar|ka** *sf pl G.* **~ek** *pot.* artful <cunning> lass

spryciarz *sm pl G.* **~y, ~ów** *pot.* artful <cunning> chap; dodger; deep file; slyboots; **to ~** he's fly; he knows how many beans make five

sprymityzowa|ć *vt perf* **~ny** to present (sth) in primitive form; to give a primitive character (**coś** to sth)

sprysk|ać *vt perf* — **sprysk|iwać** *vt imperf* 1. (*zrosić*) to sprinkle (**coś wodą itd.** sth with water etc.); to splash (**coś błotem** <**wodą**> **itd.** sth with mud <water etc.>, mud <water etc.> on sth) 2. (*opryskać*) to spray (fruit-trees etc. with insecticides)

spryskiwacz *sm ogr.* sprayer; spraying machine

spryskiwać *zob.* **spryskać**

spryszczenie *sn med.* pustulation

spryt *sm singt G.* **~u** 1. (*zdolność radzenia sobie*) quick wits; smartness; shrewdness; *pot.* gumption; **on ma ~** he is smart <shrewd, cute> 2. (*zręczność do czegoś*) skill (**do czegoś** in doing sth); flair (**do czegoś** for sth); **on ma ~ do tych rzeczy** he is clever at these things

sprytnie *adv* smartly; shrewdly; cutely; cleverly; ingeniously

sprytny *adj* 1. (*umiejący sobie radzić*) smart; shrewd; canny; cute; full of gumption; **chłopiec jest ~** the boy has plenty of know-how 2. (*zręczny*) clever (**do czegoś** at sth) 3. (*znamionujący spryt*) shrewd; cunning 4. *pot.* (*pomysłowo zrobiony*) clever; ingenious (mechanism etc.); *am.* cute

sprz|ąc *v perf* **~ęgę, ~ęże, ~ągł, ~ęgła, ~ęgli, ~ężony, sprz|ęgnąć** *v perf* **~ęgnięty — sprzęgać** *v imperf* [I] *vt* 1. (*zespolić*) to unite; to connect; *techn.* to couple; *mat.* **~ężone liczby** conjugate numbers 2. (*połączyć w zaprzęgu*) to team (horses, oxen etc.) [II] *vr* **~ąc, ~ęgnąć, ~ęgać się** to team up (with sb); *przen.* to unite (*vi*); to become <to be> connected

sprzącz|ka *sf pl G.* **~ek** buckle; clasp

sprz|ąg *sm G.* **~ęgu** = **sprzęg**

sprzągla *sf zool.* (*Salpa*) salp

sprz|ąść *vt perf* **~ędę, ~ędzie, ~ądź, ~ądł, ~ędła, ~ędziony** to spin

sprzątacz *sm pl G.* **~y** street-sweeper

sprzątacz|ka *sf pl G.* **~ek** scrub-woman; charwoman

sprząt|ać *v imperf* — **sprząt|nąć** *v perf* [I] *vt* 1. (*usuwać*) to remove; to take (sth) away; to clear <to clean up> (the mess etc.); **~nąć komuś coś sprzed nosa** to take sth from under sb's nose; *przen.* **~nąć komuś dziewczynę** to take away sb's girl 2. (*zbierać z pola*) to take in <to gather> (the harvest, the crops) 3. *pot.* (*porywać*) to snatch (sth) away 4. *pot.* (*spałaszować*) to polish off <to dispatch> (a meal etc.) 5. *perf pot.* (*zabić*) to do away (**kogoś** with sb); to settle (**kogoś** sb's) hash [II] *vi* 1. (*robić porządki domowe*) to tidy <to do> (**w pokoju** a room); to do the housework; *imperf* (*o sprzątaczce*) to char (**u kogoś** for sb) 2. (*usuwać naczynie*) to clear (**ze stołu** the table) 3. (*robić porządek po kimś, czymś*) to clean up (**po kimś, czymś** after sb, sth); to clear up the mess

sprzątani|e *sn* (↑ **sprzątać**) housework; **chodzić do ~a** to go out charring

sprzątnąć *zob.* sprzątać

sprzątnięcie *sn* (↑ sprzątnąć) (*usunięcie*) removal

sprzeciw *sm G.* ~u resistance; opposition; objection; demur; głos ~u dissentient voice; nie uznaję ~u I won't take "no" for an answer; ton nie znoszący ~u assertive tone; uchwałę przyjęto bez ~u the resolution was passed unopposed; nie zgłaszać ~u to make no demur; zgłosić ~ to counter (a motion)

sprzeciwi|ać się *vr imperf* — **sprzeciwi|ć się** *vr perf* 1. (*występować przeciw komuś, czemuś*) to oppose (komuś, czemuś sb, sth); to stand out (komuś, czemuś against sb, sth); to object <to take exception> (komuś, czemuś to sb, sth); to set one's face (czemuś against sth); to resist (komuś, czemuś sb, sth); nie ~ać się czemuś to have no objection to sth; nie ~am się I don't mind <object>; pan się nie ~a, ale ja się stanowczo ~am you don't mind but I mind a lot; stanowczo się ~ać komuś, czemuś to be dead against sb, sth 2. (*zw. imperf*) (*być sprzecznym z czymś*) to be contrary (czemuś to sth); to clash (czemuś with sth); ~ać się czyimś interesom to run against sb's interests; ~ać się czyjemuś życzeniu to go against sb's desire 3. *imperf* (*dokuczać*) to tease (komuś sb)

sprzeciwianie się *sn* (↑ sprzeciwiać się) opposition; resistance; objection

sprzeciwić się *zob.* sprzeciwiać się

sprzeczać się *vr imperf* 1. (*prowadzić spór*) to argue <to dispute, to contend> (o coś about sth) 2. (*kłócić się*) to squabble; to quarrel

sprzeczanie się *sn* 1. ↑ sprzeczać się 2. (*spory*) disputes; contentions 3. (*kłótnie*) squabbles, quarrels

sprzecz|ka *sf pl G.* ~ek altercation; tiff; squabble; quarrel; ostra ~ka flare-up

sprzecznie *adv* contrary <contrarily> (z czymś to sth)

sprzecznoś|ć *sf* discrepancy; inconsistency; contradiction; być <stać> w ~ci to be at variance <at odds, out of accordance, in conflict> (with sth); to clash (with sth)

sprzeczny *adj* contradictory <repugnant> (z czymś to sth); incompatible <inconsistent> (with sth); discrepant (z czymś from sth)

sprzed *praep* (*w przestrzeni i w czasie*) from before

sprzeda|ć *v perf* ~dzą — **sprzeda|wać** *v imperf* ~je, ~waj, ~wany [I] *vt* 1. (*odstąpić*) to sell; to dispose (towar of a commodity); towar nie ~ny unsold <undisposed-of> goods; ~ć, ~wać papiery wartościowe to negotiate securities; umieć ~ć swoją wiedzę itd. to turn one's knowledge etc. to good account 2. (*oddać za korzyści materialne*) to trade away (a secret etc.); drogo ~ć swe życie to sell one's life dearly; ~ć, ~wać swój honor to barter away one's honour [II] ~ć, ~wać się (*o towarze*) to sell (*vi*); to be sold (po ... at ...)

sprzedający *sm* seller

sprzedajność *sf singt* venality

sprzedajny *adj* venal; corrupt; corruptible

sprzedani|e *sn* ↑ sprzedać; do ~a to be sold; for sale; to be disposed of

sprzeda|wać *vt imperf* 1. *zob.* sprzedać 2. (*być sprzedawcą*) to sell; to deal (jakiś towar in a commodity); my nie ~jemy tych rzeczy we don't keep those things; those things are not in our line

sprzedawani|e *sn* ↑ sprzedawać; umiejętność ~a towaru salesmanship

sprzedawc|a *sm* (*decl* = *sf*) *pl N.* ~y *G.* ~ów (*w sklepie*) salesman; shop attendant; (*właściciel sklepu*) shopkeeper; dealer (jakiegoś artykułu in a commodity); (*na ulicy, placu targowym*) vendor; seller; *pl* ~y salespeople

sprzedawczyk *sn pog.* traitor; renegade; rat; ratter

sprzedawczyni *sf* saleswoman; shop attendant; shop girl

sprzedaż *sf* sale; disposal (towaru of a commodity); cena ~y selling price; dział ~y sales department; ~ papierów wartościowych negotiation of securities; ~ publiczna auction; ~ uliczna street vending; open-air market; ~ wiązana conditional sale; „godziny ~y od 9-ej do 12-ej" "open from 9 to 12"; do ~y, na ~ for sale; nadający się do ~y sal(e)able; marketable; nie nadający się do ~y unsal(e)able; unmarketable

sprzedażn|y *adj* marketable (goods); selling (price); (*o papierach wartościowych itd.*) negotiable; umowa ~a bill of sale

sprzeniewierz|ać *v imperf* ~any — **sprzeniewierz|yć** *v perf* ~ony [I] *vt* to embezzle <to misappropriate, to peculate, to divert> (funds) [II] *vr* ~ać, ~yć się (*dopuszczać się zdrady*) to be <to prove> faithless <unfaithful, disloyal> (to sb, sth); (*dopuszczać się odstępstwa*) to depart (zasadzie itd. from a principle etc.)

sprzeniewierzenie *sn* ↑ sprzeniewierzyć 1. (*defraudacja*) embezzlement; misappropriation of funds; peculation (of funds); breach of trust 2. ~ się faithlessness; disloyalty; departure (from a principle etc.)

sprzeniewierzyć *zob.* sprzeniewierzać

sprzęcik *sm dim* ↑ sprzęt

sprzęg *sm G.* ~u 1. (*zaprzęg*) team (of horses, oxen etc.) 2. *techn.* coupler; coupling; *kolej.* draw-bar, drag-bar

sprzęgać *zob.* sprząc

sprzęg|ło *sn L.* ~le *pl G.* ~iel *techn.* clutch; coupler; coupling; attachment; włączyć ~ło to clutch in; wyłączyć ~ło to declutch

sprzęgłowy *adj techn.* clutch — (shaft etc.)

sprzęgnąć *zob.* sprząc

sprzę|t *sm G.* ~tu *L.* ~cie 1. (*przedmiot użytkowy*) implement; utensil; piece of furniture; *pl* ~ty implements; utensils; furniture; chattels; tackle; outfit; accessories; fittings; paraphernalia; (sb's) things 2. *zbior.* (*przedmioty związane z jakąś dziedziną*) equipment; *wojsk.* matériel 3. *singt roln.* harvesting; gathering (of a crop, of crops)

sprzętarstwo *sn singt* production of domestic implements; manufacture of household <domestic> implements

sprzężaj *sm G.* ~u 1. (*zaprzęgane zwierzęta*) beasts of draught 2. (*zaprzęg*) team (of horses); yoke (of oxen)

sprzężajny *adj* relating to <performed by> beasts of draught

sprzężenie *sn* (↑ sprząc) union; connection; linkage

sprzężnice *spl bot.* (*Conjugatae*) the Conjugatae

sprzężny *adj* harnessed

sprzyja|ć *vi imperf* 1. (*być przychylnym*) to be friendly (to sb, sth); to favour (komuś, czemuś sb, sth); to further <to promote> (**czemuś** sth); to side <to sympathize> (**komuś, czemuś** with sb, sth); **nie ~ komuś, czemuś** to be averse to sb, sth; to be against sb, sth 2. (*dopisywać, służyć*) to be propitious <favourable> (to sb, sth) 3. (*tworzyć dobre warunki dla czegoś*) to be conducive to sth; **nie ~ć** to be unpropitious <unfavourable, uncongenial>; **przy ~jących warunkach atmosferycznych** weather permitting

sprzykrzy|ć *v perf* [I] *vi* **~ć sobie** to tire (**coś** of sth); **~łem to sobie** I am weary of it; it is beginning to pall on me [II] *vr* **~ć się** to pall (**komuś** on sb); **~ło mi się to** I am weary <tired, sick> of it

sprzymierzać *zob.* **sprzymierzyć**

sprzymierzenie *sn* ↑ **sprzymierzyć**

sprzymierze|niec *sm G.* **~ńca** *pl N.* **~ńcy** ally; confederate

sprzymierzeńczy *adj* allied (forces etc.)

sprzymierz|yć *v perf* — **sprzymierz|ać** *v imperf* [I] *vt* to ally (**kogoś, coś z kimś, czymś** sb, sth to <with> sb, sth) [II] *vr* **~yć, ~ać się** to ally <to league, to confederate, to unite> (with sb); to join (**z kimś** sb)

sprzysi|ąc się *vr perf* **~ęgnę, ~ągł, ~ęgła, ~ężony** — **sprzysięgać się** *vr imperf* to conspire; to plot; *przen.* to conspire; to concur

sprzysiężenie *sn* 1. ↑ **sprzysiąc się** 2. (*spisek*) conspiracy; plot

sprzysiężony [I] *pp* (↑ **sprzysiąc się**) conspiring; plotting [II] *sm* conspirator

spsoc|ić *vt perf* **~ę, ~ony** to play a prank <a trick>; **coś ty ~ił?** what mischief have you been up to?

spuchli|zna *sf DL.* **~źnie** *rz.* swelling

spuch|nąć *vi perf* **~ł** 1. (*obrzęknąć*) to swell; **~ła mi noga** my leg is <was> swollen 2. *przen. pot.* (*osłabnąć*) to weaken; to flag

spuchnięcie *sn* 1. ↑ **spuchnąć** 2. (*obrzęk*) swelling

spudłować *vi perf pot.* to miss (one's mark)

spuentowa|ć *vt perf lit.* to give a point (**opowiadanie itd.** to a story etc.); **~na nowela** a story with a point to it

spulchniacz *sm pl G.* **~y** *roln.* cultivator; scarifier

spulchni|ać *vt imperf* **~any** — **spulchni|ć** *vt perf* **~j, ~ony** 1. (*czynić pulchnym*) to make (sth) fluffy 2. *roln.* to cultivate <to loosen, to scarify> (the soil) 3. *kulin.* to leaven (dough)

spurpurowi|eć *vi perf* **~eje, ~ały** to go <to turn> purple <crimson>

spurt *sm G.* **~u** *sport* spurt

spu|st *sm G.* **~stu** 1. (*u broni palnej*) trigger; **z palcem na ~ście** trigger-happy 2. (*w zamku drzwiowym itd.*) release; catch; **zamknąć drzwi na dwa <na wszystkie możliwe> ~sty** to double-lock a door 3. (*rodzaj koryta*) chute 4. *techn. hutn.* pour 5. *pot. w zwrocie:* **mieć dobry ~st** to have a tremendous twist

spustoszenie *sn* 1. ↑ **spustoszyć** 2. (*zniszczenie*) devastation; ravage(s); desolation; ruin

spustoszyć *vt perf* to devastate; to ravage; to havoc; to lay waste; to make havoc (**okolicę** of a region)

spustow|y *adj* trigger — (guard etc.); **język ~y** trigger; *techn.* **drzwi ~e** scuttle; **rura ~a** spout; *fot.* **wężyk ~y** cable release

spuszczać *zob.* **spuścić**

spuszczanie *sn* ↑ **spuszczać**

spuszczel *sm zool.* (*Hylotrupes*) a Cerambycid

spuszczenie *sn* ↑ **spuścić**

spu|ścić *v perf* **~szczę, ~szczony** — **spu|szczać** *v imperf* [I] *vt* 1. (*puścić z góry na dół*) to let (sth) down; to lower; to drop <to let fall, to throw down> (a stone etc.); to put <to pull, to roll, to send> (sth) down; to release (**bombę, sprężynę, cyngiel itd.** a bomb, spring, trigger etc.); **~ścić, ~szczać banderę** to haul down a flag; **~ścić głowę** to droop one's head; **~ścił głowę** his head sank; (*w dzianiu*) **~ścić oczko** to drop <to cast off> a stitch; **~ścić, ~szczać psa** a) (*ze smyczy*) to unleash a dog b) (*z łańcucha*) to let a dog loose; **psy są ~szczone** the dogs are loose; **~ścić statek na wodę** to launch a ship; **nie ~szczaj go z oka** don't let him out of your sight; don't take your eyes off him; **~ścić, ~szczać oczy** to cast down one's eyes; **~ściła oczy** her eyes fell; **stała ze ~szczonymi oczami** she stood with downcast eyes; *przen.* **~ścić z tonu** to come down a peg; to climb down; **~ścił z tonu** he sings small; *pot.* **~ścić komuś lanie** to give sb a thrashing 2. (*wypuścić płyn*) to let off <to draw off> (a liquid); to drain <to sluice> (a pond); **~ścić zawartość z beczki** to tap a cask 3. *pot.* (*zbyć*) to sell (sth) at a low price 4. *pot.* (*zniżyć cenę*) to knock (*x* zlotys) (off a price); to lower (one's price) 5. † (*ściąć*) to fell (a tree) 6. † (*spławić*) to float (timber) downstream [II] *vr* **~ścić, ~szczać się** 1. (*zsunąć się*) to let oneself down; to lower oneself (**do studni itd.** into a well etc.) 2. (*zejść, zjechać*) to come <to go> down; to descend 3. *przen.* (*zdać się*) to rely <to depend> (**na kogoś, coś** on sb, sth) 4. *imperf* (*zwisnąć*) to hang (from the ceiling etc.) 5. *wulg.* (*doznać ejakulacji*) to come (off); to eject the seminal fluid

spuścizn|a *sf* 1. (*spadek*) heritage; legacy; inheritance; succession; bequest; **objąć ~ę po kimś** to succeed to sb 2. (*dzieła nieżyjącego autora*) posthumous works (of a writer, composer)

sputnik *sm* sputnik

spychacz *sm pl G.* **~y** <**~ów**> 1. = **spycharka** 2. *hutn.* stripper

spychać *vt imperf* **spychany** — **zepchnąć** *vt perf* **zepchnięty** 1. (*pchać*) to push <to thrust, to shove> (sb, sth) (**w dół** down; **na bok** aside); to precipitate (**w przepaść** into a precipice); **spychać ludzi na bok** to elbow people aside; (*o wietrze, falach*) **spychać, zepchnąć statek na skały** to drive a ship on the rocks; *przen.* **spychać, zepchnąć kogoś, coś na drugi plan** to crowd sb, sth out; **spychać pracę <odpowiedzialność> na kogoś** to shift the work <a responsibility> upon sb; **spychać robotę** to botch a job <a piece of work>; **spychać sprawy z dnia na dzień** to keep putting things off from one day to the next; to procrastinate 2. (*zmuszać do ustępowania*) to drive (the enemy) before one

spychak *sm*, **spychar|ka** *sf pl G.* **~ek** bulldozer

spytać (się) *vi vt vr perf* to ask

spyt|ki *spl G.* **~ek** *w zwrocie:* **wziąć na ~ki** to pump (sb); to haul (sb) up; *sąd.* to cross-examine; *am.* to grill (a prisoner)

sracz *sm wulg.* 1. (*smarkacz*) (a) snot 2. (*ustęp*) jakes; shit-house

sracz|ka *sf pl G.* **~ek** *wulg.* diarrhoea

srać *vi imperf wulg.* to shit
sraka *sf wulg.* arse
sraluch *sm wulg.* = **sracz** 1.
srebrawy *adj chem.* argentous
srebrnie|ć *vi imperf* ~**je** to show silvery; to form a silvery patch <silvery patches> (against a background)
srebrnik *sm* 1. *hist.* (*pieniądz*) silver coin 2. *bot.* (*Potentilla*) cinquefoil
srebrno[1] *adv* of the colour silver; in silvery lines; with a silver lustre
srebrno-[2] *praef* silver-
srebrnobiały *adj* silver-white
srebrnobrody *adj* silver-bearded
srebrnogłowy *adj* silver-headed
srebrnolistny *adj* silver-leafed
srebrnolity *adj lit.* 1. (*lany ze srebra*) of solid silver 2. (*utkany ze srebrnych nici*) silver-threaded
srebrnołuski *adj* silver-scaled
srebrnopióry *adj poet.* silver-feathered
srebrnopopielaty *adj* silver-grey
srebrnoruny *adj poet.* silver-fleaced
srebrnoszary *adj* silver-grey
srebrnowłosy *adj poet.* silver-haired
srebrnozłoty *adj* silver-golden
srebrn|y *adj* 1. (*zrobiony ze srebra*) silver — (medal, crucifix etc.); *przen.* ~**e gody** <**wesele**> silver wedding 2. *przen.* (*dźwięczący jak srebro*) silvery (voice, laugh etc.) 3. (*mający kolor srebra*) silvery (clouds etc.); ~**y lis** (*Vulpes argenteus*) silver-fox
sreb|ro *sn pl G.* ~**er** 1. *chem.* silver; **chińskie** ~**ro** silver-plated alpaca; **nowe** ~**ro** alpaca; German silver; ~**ro koloidalne** colloidal silver; ~**ro rogowe** horn-silver; cerargyrite; ~**ro w arkuszach** silver foil; ~**ro w sztabach** bullion; *pot.* **żywe** ~**ro** quicksilver, mercury; *przen.* **żywe** ~**o z tego chłopca** the boy has quicksilver in his veins; *przysł.* **mowa jest** ~**rem, a milczenie złotem** speech is silvern, silence is golden 2. *singt* (*pieniądze*) silver 3. (*wyroby*) silver plate; silver-ware
srebrodajny *adj*, **srebronośny** *adj* silver-bearing; yielding silver; argentiferous
srebrze|ć *vi imperf* ~**je** 1. (*przybierać barwę srebra*) to turn silvery 2. (*odróżniać się srebrnym kolorem od tła*) to form a silver patch <silver patches>; to show silvery (against a background)
srebrzenie *sn* ↑ **srebrzyć**
srebrzyca *sf med.* argyria
srebrzyć *v imperf* [I] *vt chem. fot. przen.* to silver; *chem.* to silver-plate; to wash with silver [II] *vr* ~ **się** 1. (*błyszczeć*) to shine with a silvery lustre 2. = **srebrzeć** 2.
srebrzystobiały *adj* silver-white
srebrzystolistny *adj* silver-leafed
srebrzystość *sf singt* silvery lustre
srebrzysty *adj* (*o barwie, połysku i dźwięku*) silvery
srebrzyście *adv* with a silvery lustre <sound>
sroczka *sf* 1. *dim* ↑ **sroka** 2. *przen.* (*żywa dziewczyna*) flibbertigibbet; (*szczebiotka*) magpie
sroczy *adj* magpie's (nest etc.)
srodze *adv* 1. † = **srogo** 2. *lit.* (*bardzo*) sorely (perplexed, distressed, tired etc.); extremely (fond etc.)
srogi *adj* 1. (*surowy*) strict; stern; severe 2. (*okrutny*) cruel; grim; relentless; fierce; ruthless; ferocious 3. (*odznaczający się dużym stopniem natężenia*) fierce (wind, hatred etc.); severe (frost etc.); grim (necessity etc.)
srogo *adv* sternly; severely; cruelly; relentlessly; fiercely; ruthlessly; ferociously
srogość *sf singt* severity; sternness; strictness; *przen.* severity (of a climate etc.); rigour <harshness> (of a punishment etc.)
sro|ka *sf* 1. *zool.* (*Pica pica*) magpie; **on nie wypadł** ~**ce spod ogona** he's no upstart <not a mere nobody>; **patrzeć jak** ~**ka w kość** to stand <sit> staring; **trzymać dwie** ~**ki za ogon** to have too many irons in the fire; to run after two hares 2. *przen.* (*gadatliwa kobieta*) magpie; chatterbox
srokacz *sm pl G.* ~**y** <~**ów**> pied <dappled> horse
srokaty *adj* 1. (*łaciaty*) pied; dappled; piebald 2. *przen.* (*o ziemi — pokryty gdzieniegdzie śniegiem*) with patches of snow 3. *przen.* (*różnobarwny*) many-coloured; gaudy; variegated; patchy
srokosz *sm pl G.* ~**y** <~**ów**> *zool.* (*Lanius exubitor*) butcher-bird; European shrike
srom *sm G.* ~**u** *anat.* vulva; pudenda
sromo|ta *sf DL.* ~**cie** *lit.* shame; disgrace; ignominy; opprobrium
sromotnie *adv* shamefuly; disgracefully; ignominiously; ~ **kogoś pobić** to beat sb hollow
sromotnik *sm bot.* ~ **bezwstydny** (*Ithyphallus impudicus*) stinkhorn
sromotnikowat|y *bot.* [I] *adj* phallaceous [II] *spl* ~**e** (*Phallaceae*) (*rodzina*) the stinkhorns
sromotn|y *adj* shameful; ignominious; disgraceful; infamous; disreputable (act, deed etc.); burning (shame etc.); ~**a klęska** overwhelming defeat
sromowy *adj anat.* vulvar; pudendal
srożyć się *vr imperf* **sróż się** 1. (*złościć się*) to rage; to storm 2. (*przybierać srogą minę*) to assume a stern countenance; to look severe 3. (*być okrutnym*) to harass <to oppress> (**nad ludnością itd.** a population etc.); to be ruthless (**nad kimś** with sb) 4. (*o klęskach, chorobach itd.*) to rage; to be rife <rampant>; (*o burzy*) to rage; (*o zimie*) to be severe
ssać *v imperf* **ssę, ssie, ssij, ssany** [I] *vt* 1. (*pociągać ustami*) to suck (one's mother's milk etc.); **zwierzę ssące** = **ssak;** ~ **cukierek** to suck a sweet <at a sweet>; **ssie mnie w żołądku** I have a pain in my stomach <a stomach-ache>; *przysł.* **pokorne cielę dwie matki ssie** modesty pays 2. *przen.* (*gnębić*) to torment (sb) 3. *przen.* (*wyzyskiwać*) to exploit (sb); to suck (sb) dry; to bleed (sb) white 4. *techn.* (*o przyrządach*) to aspirate [II] *vi* (*pić mleko z piersi matki*) to suck
ssak *sm zool.* mammalian; mammal; *pl* ~**i** (*Mammalia*) (*gromada*) the Mammalia
ssakokształtn|y *paleont. zool.* [I] *adj* theromorph [II] *spl* ~**e** (*Theromorpha*) the Theromorpha
ssakozębn|y *paleont. zool.* [I] *adj* theriodont [II] *spl* ~**e** (*Theriodontia*) the Theriodontia
ssanie *sn* (↑ **ssać**) *fiz. techn.* suction
ssawczy *adj zool.* **narząd** ~ sucker
ssaw|ka *sf pl G.* ~**ek** 1. *bot.* sucker; haustorium 2. *zool.* (*u owada*) siphonet
ssawn|y *adj techn.* **komora** ~**a** suction chamber <box>; **rura** ~**a** suction pipe
ssąco-tłocząc|y *adj techn.* **pompa** ~**a** draw-lift <lifting-and-forcing, lift-and-force> pump

ssący *adj* (*o organie owada*) suctorial
stabilizacja *sf singt* stabilization
stabilizator *sm* 1. *chem.* stabilizer; filler 2. *elektr.* equalizer 3. *lotn.* stabilizer
stabilizować *v imperf* [I] *vt* to stabilize; (*w geodezji*) to mark; to fix [III] **~ się** to become stabilized
stabilizowanie *sn* (↑ **stabilizować**) stabilization
stabilnie *adv* stably
stabilność *sf singt* stability
stabilny *adj* stabile; stable
stabulacja *sf singt roln.* stabulation; keeping (cattle) in sheds
staccato [-kk-] *sn indecl muz.* staccato
staccatowy *adj* [-kk-] staccato — (passage etc.)
stachanow|iec *sm G.* **~ca** *pl N.* **~cy** Stakhanovite
stacj|a *sf* 1. *kolej.* (railway) station; *am.* depot; **naczelnik <zawiadowca> ~i** station-master; **~a końcowa** terminus; terminal 2. (*zakład*) station; **doświadczalna ~a morska** marine biological station; **~a benzynowa** refilling station; *radio* **~a nadawcza** broadcasting station; **~a telewizyjna** TV station; **~a wodna** water tower 3. *rel.* **Stacja Drogi Krzyżowej** Station of the Cross
stacjonar|ka *sf pl G.* **~ek** (*placówka lecznicza*) infirmary
stacjonarn|y *adj* stationary; **studia ~e** intramural studies
stacjonować *vi imperf wojsk.* to be stationed; to quarter; to be in garrison
stacyj|ka *sf pl G.* **~ek** *kolej.* minor station
stacyjny *adj* station — (hotel, bus etc.)
staczać *zob.* **stoczyć**
staczanie *sn* ↑ **staczać**
stać *vi imperf* **stoję, stoi, stój, stał** 1. (*być na nogach*) to stand; (*o psie myśliwskim*) to point (**do zwierzyny** game); **pojechał jak stał** he left as he stood; *przen.* **~ na (własnych) nogach** to stand on one's legs 2. (*trwać nieruchomo*) to stand (still); to be at a standstill; (*o pociągu itd.*) to be (at the station etc.); *gram.* to be (**w mianowniku, bierniku itd.** in the nominative, accusative etc.); **lód stoi na rzece, rzeka stoi** the river is iced over; **nie stój w drzwiach** stand clear of the door; **~ na uboczu** to stand aside <aloof>; **~ otworem** to stand wide open; (*o polach itd.*) **~ pod wodą** to lie under water <submerged>; **~ przy kimś** to stand by sb <at sb's side>; **~ pustką** to stand empty; to be deserted; **~ w miejscu** to be at a standstill; **~ w ogniu** to stand in flames; **stoją na rogu i gadają** they stand chattering at the corner of the street; **zegar stoi** the clock has stopped; *szk.* **dobrze <źle> ~ z jakiegoś przedmiotu** to be well up <backward> in a subject; **dobrze ~ z matematyki <historii itd.>** to be good at mathematics <history etc.>; to be well up in mathematics <history etc.>; **źle ~ z matematyki <historii itd.>** to be weak in mathematics <history etc.>; **łzy stały mi w oczach** tears stood in my eyes; **on mi stoi przed oczami** I have him before my eyes; **~ jak wryty** to stand stock-still; (*o sytuacji, interesach itd.*) **~ dobrze <źle>** to be in good <bad> shape; (*w pytaniu*) **jak sprawy stoją?** how do things stand?; **~ na czele** to be at the head; **~ nad kimś (jak diabeł nad dobrą duszą)** to stand (relentlessly) over sb; **~ na przeszkodzie** to hinder; **nic nie stoi na przeszkodzie** there is no objection; **~ na stanowisku, że ...** to be of opinion that ...; **~ poza czymś** to be excluded from sth <out of the reach of sth>; **~ w gotowości** to stand by; to be on the qui vive; **~ w obliczu czegoś <ruiny itd.>** to be facing sth <ruin etc.>; **~ w pąsach** to go as red as a peony; **~ za kimś** to defend <to shield, to screen> sb; **ugoda stoi** the contract stands; *przen.* **muszę wiedzieć na czym stoję** I must know where I stand; (*w grach*) **jak stoimy?** what's the score?; *pot.* **tak stoi w gazecie** it says so in the paper; **w książce stoi, że ...** in the book it says that ...; **~!, stój!** halt!; **nie ~ w miejscu!** move on! 3. (*o przedmiotach — znajdować się w położeniu pionowym*) to be upright; (*o budynku, górach itd.*) to rise; (*o meblach itd.*) to stand; **stół stoi niepewnie <mocno>** the table is shaky <is steady, stands firm> 4. (*sterczeć*) to stand upright; to be erect; (*o włosach, sierści*) to bristle; **włosy mu stały na głowie** his hair stood on end 5. (*o zakładach pracy — być nieczynnym*) to stand idle; to be at a standstill; (*o hucie*) to be out of blast; (*o wodzie w terenie oraz przen.*) to stagnate; **maszyna stoi** the machine stands idle <does not work, has stopped working> 6. † (*mieć jakiś kurs — o cenach*) to stand (high, low); (*o walutach, papierach wartościowych*) to be rated; **jak stoi dolar?** what is the rate of exchange of the dollar? 7. † (*z przeczeniem — zabraknąć*) to go; **co zrobimy, kiedy rodziców nie stanie?** what shall we do when our parents have gone? 8. *w zwrocie:* **~ <nie ~> kogoś na coś** to be within <beyond> one's means; **~ <nie ~> mnie na to <na to, żeby ...>** I can <I cannot> afford it <afford to ...>; **nie ~ mnie na to, żeby ponieść taką stratę** I can ill afford such a loss; **zrobię wszystko, na co mnie tylko ~** I shall do all <everything> I possibly can; I shall exert myself to the utmost of my ability
sta|ć się *vr perf* **~nę się, ~nie się, ~ł się — sta|wać się** *vr imperf* **~je się, ~waj się** 1. (*zdarzyć się*) to happen; to take place; to occur; to come about <to pass>; **co się ~ło?** what's the matter?; what's wrong?; what's up?; **co mu się ~ło?** a) (*zdziwienie*) what has come over him? b) (*prośba o informację*) what has happened to him?; what's the matter with him?; **co się z nim ~ło?** what has become of him?; **czy ci się coś ~ło?** are you hurt?; are you all right?; **czy ~ło się coś złego?** is anything wrong?; **dobrze się ~ło, że ...** its a good thing that ...; **co się ~ło, to się nie odstanie** what's done can't be undone; it's no use crying over spilt milk; **gdyby się coś ~ło ...** if anything should happen ...; **jak się to ~ło, że ...?** how is it that ...?; **nic mi się złego nie ~ło** there's nothing wrong with me; I'm all right, I'm O.K.; **nic złego się nie ~ło** no harm has been done; **nic złego się nie ~nie, jeżeli spróbujemy** there's no harm in trying; **~ł się wypadek** there was an accident; **wtedy ~ło się najgorsze** then the worst came; **~ło się!** it's done!; it has happened! 2. (*zostać czymś, jakimś*) to become (a hero, a renegade etc.); to grow (old, green, blue etc.); to go <to turn> (red, pale etc.); to get (hot, cold etc.) *zob.* **stawać się**
stadiał *sm G.* **~u** *geogr. geol.* substage (of glaciation)

stadion *sm G.* ~**u** stadium

stadium *sn* 1. (*faza, etap*) stage; phase; period; *med.* stadium 2. (*miara u starożytnych Rzymian*) stadium

stadko *sn dim* ↑ **stado**

stad|ło *sn L.* ~**le** *pl G.* ~**eł** *lit.* pair; (married) couple; brace (of ducks, partridges etc.)

stadniczy *adj* stud-(horse)

stadnik *sn* stud-horse, stallion

stadnina *sf* stud; ~ **koni wyścigowych** racing stable

stadn|y *adj* gregarious; sociable; **instynkt** ~**y** herd instinct; **księga** ~**a** stud-book; herd-book

stad|o *sn* herd; flock; bevy; drove; run; flight <flock> (of birds); pride (of lions); pod (of seals, whales); pack (of wolves); **chodzić** ~**ami** to herd <to flock> together; **odłączyć się od** ~**a** to stray

stafilokok *sm med.* staphylococcus; *pl* ~**i** staphylococci

stagnacj|a *sf singt* stagnancy, stagnation; *handl.* depression; recession; **być w** ~**i** to stagnate; *handl.* to be at a low ebb

sta|ja *sf GDL.* ~**i** *gw.* = **staje**

staj|ać *vi imperf* ~**e** to thaw; to melt

staj|e *sn pl G.* ~ *gw.* an ancient linear and square measure

stajen|ka *sf pl G.* ~**ek** *dim* ↑ **stajnia**

stajenny I *adj* stable — (door etc.) II *sm* stable-boy; groom

staj|nia *sf pl G.* ~**ni** <~**en**> 1. (*budynek*) stable; *am.* barn; *dosł i przen.* ~**nia Augiasza** Augean stables 2. (*stado koni*) stable; stud

stal *sf* steel; ~ **szybkotnąca** high-speed tool steel; ~ **węglowa** carbon steel; **metalurgia** ~**i** siderurgy; (*o przedmiocie*) **ze** ~**i** steel — (blade etc.); *przen.* **twardy** <**zimny**> **jak** ~ steely

stalag *sm G.* ~**u** prison camp for NCO's and men in Nazi Germany

stalagmi|t *sm G.* ~**tu** *L.* ~**cie** *geol.* stalagmite

stalagmitowy *adj geol.* stalagmitic

stalagmometr *sm G.* ~**u** *techn.* stalagmometer

stalakty|t *sm G.* ~**tu** *L.* ~**cie** *geol.* stalactite

stalaktytowy *adj geol.* stalactitic

stale *adv* constantly; incessantly; for ever; permanently; ~ **coś robić** to keep <to be for ever> doing sth

stalinizm *sm singt G.* ~**u** Stalinism

stalinowski *adj* Stalin's (principles etc.); (period etc.) of Stalinism

staliwny *adj* cast-steel — (frame, part etc.)

staliwo *sn techn.* cast steel

stalle *spl* stalls

stalory|t *sm G.* ~**tu** *L.* ~**cie** (*technika oraz odbitka*) steel engraving

stalorytnictwo *sn singt* siderography; art of engraving in steel

stalorytnik *sm* siderographer

staloskop *sm G.* ~**u** *techn.* sideroscope

stalować *vt imperf pot.* to order (goods, sth to be made etc.)

stalowanie *sn* (↑ **stalować**) an order (for sth to be made, delivered etc.)

stalownia *sf techn.* steel plant <works, mill>

stalownictwo *sn singt techn.* siderurgy

stalowniczy *adj* siderurgical

stalownik *sm* steel-worker

stalowoniebieski *adj* steel-blue

stalowoszary *adj* steel-grey

stalow|y *adj* 1. (*ze stali*) steel (wire, plate etc.); **hutnictwo** ~**e** siderurgy 2. *przen.* (*o człowieku itd.*) steely 3. *przen.* (*o mięśniach*) wiry 4. (*mający kolor stali*) steely; steel-grey

stalów|ka *pl G.* ~**ek** 1. (*do pisania*) nib 2. (*lina*) steel cable 3. (*haczyk*) hook

staluga *sf* = **sztaluga**

stalun|ek *sm G.* ~**ku** order (for goods, clothes, shoes to be made etc.)

stalunkowy *adj* made to order

stałocieplność *sf singt* homoiothermism

stałocieplny *adj* homoiothermic, homoiothermal, homoiothermous; warm-blooded

stałopalny *adj* **piec** ~ slow-combustion stove

stałoś|ć *sf singt* 1. (*nieprzenośność*) stability; immovability; fixity; fixedness 2. (*trwałość*) constancy; permanence, permanency; steadiness; immutability; durability, durableness; persistence, persistency; **brak** ~**ci** inconstancy

stał|y I *adj* 1. *fiz.* solid (body, food, fuel etc.); *geogr.* ~**y ląd** mainland; **smar** ~**y** set grease 2. (*nieruchomy, nieprzenośny*) stable; fixed; immovable; stationary; firm; **lód** ~**y** ice pack; permanent ice; ~**a gwiazda** fixed star; *elektr.* **prąd** ~**y** direct current; **równowaga** ~**a** stable equilibrium; **rzeka** ~**a** permanent river; **sprzęgło** ~**e** constant-mesh clutch; ~**y most** permanent bridge; **wojsko** ~**e** regular <permanent> army; **źródło** ~**e** permanent spring 3. (*nie zmieniający się*) constant; permanent; unchanging; regular; steady; immutable; enduring; durable; lasting; persistent; **komisja** ~**a** standing committee; **ludność** ~**a** resident population; **miejsce** ~**ego pobytu** permanent address <abode>; (*w szpitalu*) **pacjent** ~**y** in-patient; ~**y gość** regular customer; (*w lokalu*) habitué; **teatr** ~**y** repertory theatre II *sf* ~**a** *astr. mat. fiz. filoz.* constant; *fiz.* ~**a grawitacyjna** constant of gravity; *astr.* ~**a słoneczna** solar constant

na ~**e** for good; **przybył** <**przyjechał**> **na** ~**e** he has come to stay; **przytwierdzony** <**zamocowany, wprawiony**> **na** ~**e** immovable

stamtąd *adv* from there; (*o wymienionym przedmiocie, pojemniku*) out of it; **otworzył szafę i wyjął** ~ ... he opened the wardrobe and took out of it ...

stan *sm G.* ~**u** 1. (*sytuacja*) state; condition; state of repair <of preservation> (of a building); **budynek w surowym** ~**ie** a building in the raw state; **oficer w** ~**ie spoczynku** retired <pensioned> officer; (*u kobiety*) **poważny** ~ pregnancy; **w poważnym** ~**ie** pregnant; ~ **bezżenny** <**małżeński**> single <married> state; ~ **bojowy** fighting strength; ~ **oblężenia** state of siege; ~ **wojenny** <**pokojowy**> state of war <of peace>; ~ **wyjątkowy** state of emergency <of martial law>; ~ **pogody** weather conditions; ~ **prawny** legal status; ~ **wód** water level; ~ **zdrowia** state of health; *handl.* ~ **bierny, czynny** liabilities, assets; **urząd** ~**u cywilnego** registry; ~ **rzeczy** <**spraw**> state <posture> of affairs; **drogi są w** ~**ie nadającym się** <**nie nadającym się**> **do jazdy** the roads are practicable <impracticable>; **postawić kogoś w** ~ **os-**

karżenia to indict sb; **sprawy moje były w opłakanym ~ie** I was in a sorry plight; **żyć ponad ~** to live beyond one's means; **w beznadziejnym ~ie** a) (*o zdrowiu*) in a hopeless state; in hopeless condition b) (*o budynku, sprzęcie*) beyond repair; **w dobrym <złym, kiepskim> ~ie** a) (*o zdrowiu*) in good <bad> condition; in a good <bad> way b) (*o budynku, sprzęcie*) in (good) repair <out of repair>; in good <bad> condition c) (*o samopoczuciu, formie, o stanie rzeczy*) in good trim <out of trim>; **w nietrzeźwym ~ie** in a state of intoxication; under the influence of drink; **w pierwszorzędnym <doskonałym, znakomitym> ~ie zdrowia** in prime condition; **w jakim ty jesteś ~ie!** what a state you're in! 2. (*możność*) position; **być w ~ie coś zrobić** to be in a position <to be able> to do sth; to find it possible to do sth; to feel up to doing sth; **nie być w ~ie czegoś zrobić** not to be in a position <to be unable> to do sth; to find it impossible to do sth; not to feel up to <to be unfit for> doing sth; to be in no condition to do sth 3. (*postać*) (solid, liquid etc.) state 4. (*liczba*) (*także* **~ liczebny**) number(s); **~ pogłowia** population; *wojsk.* **~ wojenny <pokojowy>** peace <war> establishment 5. (*ilość*) quantity; amount; **~ gotówki** cash in hand 6. (*nastrój*) state (of nerves etc.); frame (of mind) 7. (*talia*) waist; (*o sukience, osobie*) **z długim ~em** long-waisted 8. (*część sukni*) bodice 9. (*część państwa*) state; **Stan Ohio** the State of Ohio; **Stany Zjednoczone** the United States; the Union 10. *hist.* (*warstwa społeczna*) estate; order; class; **~ chłopski <wiejski>** country folk; **~ mieszczański** townsfolk, townspeople; **~ średni** middle class; **~ trzeci** third estate; **~ ziemiański** gentry 11. † (*zajęcie*) occupation; **~ aktorski <nauczycielski, wojskowy>** the theatrical <teaching, military> profession; **~ duchowny** the ministry 12. (*w związkach wyrazowych*) **mąż ~u** statesman; **podsekretarz ~u** undersecretary of State; **sekretarz ~u** secretary of State; minister; **racja ~u** reasons of State; **tajemnica ~u** State secret; **zamach ~u** coup d'état; **zdrada ~u** high treason

sta|nąć *vi perf* — **sta|wać** *vi imperf* **~je, ~waj, ~wał** 1. (*wstać*) to stand up; (*także* **~nąć na nogi**) to rise; to set foot (**gdzieś** somewhere); (*po upadku*) to recover one's legs; to regain <to get on to> one's feet; to tread (**na coś, na węża itd.** on sth, on a snake etc.; **komuś na nagniotek** on sb's corn); (*dźwignąć się*) to climb <to mount> (**na krześle itd.** on <to> a chair etc.); **~nąć, ~wać dęba** a) (*o koniu*) to rear b) *przen.* (*o człowieku — zbuntować się*) to revolt; **~nąć na głowie** a) *dosł.* to stand on one's head b) *przen.* to do one's utmost <*pot.* one's damnedest>; *przen.* **~nąć na mocnych nogach** to stand firm 2. (*o przedmiotach*) to stand erect; (*o włosach*) to stand on end; (*o sierści*) to bristle; (*o budowli*) to be raised <erected>; to stand 3. (*zatrzymać się w ruchu*) to stop; to come to a halt <to a stop, to a stand, to a standstill>; to fetch up; (*o woźnicy, powozie*) to pull up; to draw up; (*o samochodzie*) to halt; (*o pociągu*) to stop <to call> (**na wszystkich stacjach itd.** at all stations etc.); (*ugrzęznąć*) to get stuck; (*stężeć, ściąć się*) to set; **~nąć, ~wać w miejscu** to stop dead; to come to a dead stop; **wszystko ~nęło** everything came to a full stop; (*w czytaniu itd. — po przerwie, dygresji*) **na czym ~nęliśmy?** where did we leave off? 4. (*o tęczy, cieniach itd — pojawić się*) to appear; (*znaleźć się gdzieś*) to reach (a zenith, a climax etc.); to stand (**na progu** on the threshold; **wobec kogoś, czegoś <przed kimś, czymś>** face to face with sb, sth — ruin etc.); to confront (danger etc.); to be confronted (**wobec zagadnienia itd.** with a problem etc.); **łzy ~nęły mi w oczach** tears stood in my eyes; **~nąć między x a y** to interpose <to stand> between x and y; **~nąć na wysokości zadania** to rise to the occasion; **~nąć po czyjejś stronie** to range oneself on the side of ...; to side with sb; **~nąć w pąsach** to go as red as a peony; **~nąć w płomieniach** to stand in flames; **~nąć za kimś** to side with sb; to support sb; **~nąć za czymś** to be in favour of sth 5. (*zająć określoną pozycję*) to stand (**kołem** in a circle; **rzędem** in a row) 6. (*przybyć*) to appear (somewhere); to come up (before the court); to present oneself (**do egzaminu** for an examination); to enter (**do współzawodnictwa** into competition) 7. † (*zostać uchwalonym*) to be decided; *obecnie w zwrotach:* **na tym ~nęło** there the matter dropped; **~nęło na tym, że ...** it was decided that ...

stanca *sf prozod.* stave; stanza

stancj|a *sf* lodgings; lodging-house; **być na ~i** to live in lodgings <in a lodging-house>

stancyjn|y *adj* (books etc.) of a lodging-house; **chłopcy ~i** lodger-boys

standar|d *sm G.* **~du** *L.* **~dzie** standard; norm; pattern; type; **~d złota** the gold standard

standardowy <standartowy> *adj* standard — (measure, weight etc.); conventional

standaryzacja *sf singt* standardization

standaryzacyjny *adj* standardization — (rules etc.)

standaryzować *vt imperf* to standardize

standaryzowanie *sn* (↑ **standaryzować**) standardization

stangret *sm* (liveried) coachman; driver (of a private carriage)

stanic|a *sf* 1. (*osada kozacka*) stanitsa, stanitza; Cossack village 2. (*strażnica graniczna*) watch-tower 3. (*schronisko*) riverside hostel 4. *pl* **~e** *hist.* (*u pogańskich Słowian*) religious emblems and trophies

stanicz|ek *sm G.* **~ka** *dim* ↑ **stanik**

stanie *sn* ↑ **stać**

stanie|ć *vi perf* **~je** to cheapen

stanięcie *sn* ↑ **stanąć**

stanik *sm* 1. (*część sukni*) corsage; camisole; bodice; *am.* waist 2. (*biustonosz*) brassière; *pot.* bra

stanin *sm G.* **~u** *miner.* stannine

staniol *sm G.* **~u** tin foil; silver paper

stanowczo *adv* 1. (*bezwarunkowo*) decidedly; positively; definitely; absolutely; emphatically; **~ najważniejszy <najlepszy itd.>** by far the most important <the best etc.>; the most important <the best etc.> single (event, publication etc.); **~ tak** most certainly; **~ nie** most certainly not; by no means; under no consideration 2. (*w sposób kategoryczny*) peremptorily; categorically; resolutely; trenchantly

stanowczoś|ć *sf singt* resoluteness; resolution; fixity of purpose; assertiveness; trenchancy <decisive-

ness, conclusiveness> (of a pronouncement etc.); **z całą ~cią** most emphatically

stanowcz|y *adj* 1. (*nie ulegający wahaniu*) resolute; firm; stable; unhesitating 2. (*nieodwołalny*) peremptory; definitive; emphatic; positive; trenchant; categorical; assertive; **~a odmowa** downright <flat> refusal; **~e zaprzeczenie** flat denial; **~y opór** sturdy resistance 3. (*rozstrzygający*) conclusive; decisive; final

stan|owić *v imperf* **~ów** [I] *vi* (*decydować o czymś*) to determine (**o losie itd.** the fate etc.); to make (**o szczęściu itd.** for happiness etc.); to be decisive (**o czymś** of sth); to decide (**o czyimś losie itd.** sb's fate etc.) [II] *vt* 1. (*ustanawiać*) to proclaim (laws etc.) 2. (*tworzyć*) to make (a whole, a difference etc.); to compose <to constitute> (a majority etc.); to go to make (a good specialist etc.); **jedna jaskółka nie ~owi lata** one swallow does not make a summer; **wszystko to, co ~owi męża stanu** all that goes to make a statesman 3. *myśl.* to point (**zwierza** game) 4. (*dopuszczać samca do samicy*) to have (a female) covered

stanowieni|e *sn* ↑ **stanowić; okres ~a** breeding season

stanowisk|o *sm* 1. (*miejsce*) post; stand; position; *astr.* place <position> (of a star etc.); *bot. zool.* station; locality; **~o dorożek** cabstand; **~o taksówek** taxi-rank; **zająć ~o** to post oneself; to take a position (near the door, window etc.) 2. (*rola*) position <rank> (in a community etc.); **~o społeczne** social standing (of a person) 3. (*zajęcie*) post; office; appointment; **człowiek na ~u** person of (high) standing <of rank> 4. (*sposób zapatrywania się*) standpoint; position; attitude (**wobec jakiejś sprawy** to a question); **stać na ~u, że ...** to be of opinion that ...; **zająć <zajmować> przychylne <wrogie> ~o wobec czegoś** to assume <to maintain> a friendly <hostile> attitude towards sth; **zająć twarde ~o w jakiejś sprawie** to take a strong line in a question; **zmienić swoje ~o** to veer 5. *myśl.* (*miejsce myśliwego*) stand 6. *wojsk.* (*pozycja*) position; (*kwatera*) quarters 7. *wojsk.* (*miejsce usytuowania podczas walki*) station; **zająć ~a bojowe** to take up action stations

stanowość *sf singt* caste system

stanowy *adj* 1. *gram* (verbs etc.) of state 2. (*dotyczący części państwa*) state __ (administration, courts etc.) 3. *hist.* (*dotyczący warstwy społecznej*) class __ (system etc.)

stanów|ka *sf pl G.* **~ek** breeding season

stańczyk *sm hist. polit.* (a) conservative

stap|el *sm G.* **~la** 1. *mar.* slip 2. *techn.* staple (of wool, cotton, flax)

stapiać *zob.* **stopić**

staplowy *adj techn.* staple (length of fibre)

starać się *vr imperf* 1. (*usiłować*) to try <to endeavour, to do one's best> (to do sth) 2. (*zabiegać*) to seek <to try, to endeavour, to strive, to make efforts> (**o coś to obtain** <to get> sth); to seek (**o posadę itd.** a job etc.); to look (**o kogoś, coś** for sb, sth); **~ o czyjeś względy** to court sb's favour; **~ o pannę** to seek a woman in marriage; to court <to woo> a woman 3. (*być gorliwym w pracy*) to try hard; to do one's best; to do all one can

starający się [I] *pp* (↑ **starać się**) earnest (worker etc.) [II] *sm* suitor

stara|nie *sn* (*zw. pl*) effort; endeavour; exertion; *pl* **~nia** pains; **dokładać ~ń** to make efforts; to try hard <one's best>; to take pains; to exert oneself; to do what one can; **nie szczędzić ~ń** to spare no pains; **robić <czynić> ~nia o coś = starać się 2.**; **robić ~nia o stanowisko** to scramble for a post; **przy odpowiednich ~niach** if <on condition that> efforts are made in the right direction

staranie się *sn* ↑ **starać się**

starannie *adv* carefully; with care; with accuracy <exactitude, precision>; conscientiously; scrupulously; **bardzo ~** with great care

staranność *sf singt* care; accuracy; exactitude; precision; conscientiousness; scrupulosity; scrupulousness; nattiness

staranny *adj* (*cecha człowieka oraz wykonania*) careful; painstaking; solicitous; conscientious; scrupulous; accurate; exact; precise; sedulous

starasić *vt perf gw.* to trample under foot; to crush; **~ słomę** to tread the straw

starasować *vt perf* to terrace (a slope etc.)

starawy *adj* oldish; getting on in years; no longer young

starci|e *sn* 1. ↑ **zetrzeć** 2. (*potyczka*) encounter; (*manifestantów z policją itd.*) scuffle; *am.* heat 2. *przen.* (*sprzeczka*) altercation; squabble; tiff; **zawzięte ~e** high words 3. (*uszkodzenie skóry*) abrasion; **nie do ~a** indelible

starczać *zob.* **starczyć**

starczo *adv* senilely

starczość *sf singt* senility

starcz|y *adj* senile; (diseases etc.) of old age; old-age (insurance, pension etc.); **~a utrata władz umysłowych** anility

starcz|yć *vi perf* — **starcz|ać** *vi imperf* to suffice; to be sufficient; to be enough (**na kogoś, coś, na jakiś czas** for sb, sth, for a space of time); **jedno spojrzenie ~yło** a glance was enough; **już ~y tego** that will do; that's enough; **ledwie ~yło** it was barely enough; **on ~y za trzech** he can stand for three; **~yć komuś na jakiś czas** to serve sb for a time; **to nam nie ~y na życie** that won't be enough for us to live on

stareńki *adj reg. pieszcz.* very very old; **mój piesku ~** my dear old doggie

stargać *v perf* [I] *vt* 1. (*zwichrzyć*) to tousle 2. (*podrzeć*) to tear (up) 3. (*zerwać*) to snap (a string etc.) 4. (*zniszczyć*) to ruin <to impair, to wreck> (one's health etc.); to fray out (one's nerves) [II] *vr* **~ się** 1. (*zostać podartym*) to get <to be> torn up; (*zostać zerwanym*) to snap (*vi*) 2. (*zniszczyć się*) to ruin <to impair, to wreck> one's health

stargować *v perf* [I] *vt* to agree as to the price (**coś** of sth) [II] *vi* to arrive at a price

star|ka *sf pl G.* **~ek** 1. (*wódka*) rye vodka of long standing; mature rye vodka 2. *myśl.* brood hen (of game bird)

starmosić *vt perf rz.* to pull <to knock> (sb) about

staro[1] *adv* **wyglądać ~** to look old

staro-[2] *praef* old (English, German, French etc.); early (American, English etc.)

staroangielski *adj* Old English

starocerkiewny *adj jęz.* Old Church Slavic <Slavonic>

starochrześcijański *adj* Early Christian

starocie *spl pot.* old stuff <rubbish>

starodawność *sf singt* antiquity; ancientness

starodawny *adj* ancient; antique; primeval; old-time; (*o zwyczaju itd.*) time-honoured; old-world; of ages gone by

starodruk *sm G.* **~u** old print; ancient publication

starodrzew *sm G.* **~u, starodrzew|ie** *sn pl G.* **~i** (*las*) ancient forest; (*drzewostan*) old trees; over-mature stand

starodrzewny *adj* full-grown (trees)

starogrecki *adj* Old Greek

starohelleński *adj* Old Hellenic

starokawalerski *adj* old-bachelorish

starokawalerstwo *sn singt* old-bachelorhood, old--bachelorship

staroklasyczny *adj* old classic

staromiejski *adj* old-town — (streets etc.); old-city — (buildings etc.)

staromieszczański *adj* of the ancient middle class

staromodnie *adv* old-fashionedly; after the ancient <age-old> custom

staromodny *adj* 1. (*niemodny*) old-fashioned; outmoded; antiquated 2. (*o ludziach*) old-fashioned

staropanieński *adj* old-maidish; spinsterish

staropanieństwo *sn singt* spinsterhood

staropiastowski *adj* of the early Piast period

staropolski *adj* Old Polish

staropolszczyzna *sf singt* 1. (*język*) old Polish 2. (*obyczaje*) old-Polish way of life

starorzecze *sn geogr.* old river-bed

starorzymski *adj* of ancient Rome

starosłowiański *adj* Old-Slav — (way of life etc.); **język ~** Old Slavic <Slavonic>

starosłowiańszczyzna *sf* Old Slavic <Slavonic>

starost|a *sm* (*decl = sf*) *pl N.* **~owie** *GA.* **~ów** 1. (*kierownik*) foreman; *reg.* **~a (weselny)** wedding--host 2. *hist.* starost (of a district)

starostować *vi imperf* 1. (*na weselu*) to be wedding--host 2. (*o administracji*) to be starost (of a district)

starostwo *sn hist.* 1. (*godność*) starosty 2. *singt* (*starosta z żoną*) the starost and his wife

staroszlachecki *adj* of the ancient nobility

starościna *sf* 1. (*przewodniczka*) forewoman; *gw.* **~ (weselna)** wedding-hostess 2. † (*żona starosty*) starost's wife

starościński *adj* starost's

staroś|ć *sf singt* 1. (*okres życia*) old age; **późna ~ć** extreme old age; **ubezpieczenie na ~ć** old-age insurance; **zabezpieczyć komuś wygodną ~ć** to make sb comfortable for the rest of his days; *przysł.* **~ć nie radość, śmierć nie wesele** Anno Domini is the trouble 2. (*stan*) age; antiquity; **czarny <spłowiały itd.> ze ~ci** black <faded etc.> with age

staroświecczyzna *sf singt* 1. (*cecha*) old-fashionedness 2. (*przedmioty*) relics of days gone by

staroświeck|i *adj* 1. (*właściwy dawnym czasom*) old--fashioned; outmoded; antiquated; out of date; **po ~u** after the old fashion <the ancient custom> 2. (*zacofany*) antiquated

staroświecko *adv* old-fashionedly; after the old fashion <the ancient custom>

staroświeckość *sf singt* old-fashionedness

starotestamentalny *adj*, **starotestamentowy** *adj* Old Testament — (apocrypha etc.)

starować *vt perf* to tare (the packing, box etc.)

starowierca *sm kośc.* old-believer

starowin *sm G.* **~u** a well-matured vodka

starowina *sf sm* (*decl = sf*) old man <gentleman>; old woman <lady>; (*stara baba*) crone

starozakonny [I] *adj* (*odnoszący się do Starego Testamentu*) Old Testament <Scriptural> (doctrines etc.) [II] *sm* Orthodox Jew

starożytnictwo *sn singt hist.* antiquarianism

starożytniczy *adj hist.* antiquarian

starożytnik *sm hist.* (an) antiquarian

starożytnoś|ć *sf* 1. *singt* (*okres historii*) antiquity; ancient times 2. *pl* **~ci** antiquities; antiques; **skład ~ci** antique shop; **sprzedawca ~ci** antique dealer 3. *singt* (*starożytni*) the ancients

starożytn|y [I] *adj* 1. (*odnoszący się do starożytności*) ancient; antique; old-world 2. (*prastary*) ancient; age-old [II] *spl* **~i** the ancients

Starówka *sf pot.* Old Warsaw

starszak *sm pot.* older child in nursery and infant school

starszawy *adj* oldish; elderly

starszeństw|o *sn singt* seniority; superiority; **po ~ie** by seniority; **według ~a** according to seniority

starszyzna *sf* the seniors; the elders; the chiefs; *wojsk.* the superior officers

start *sm G.* **~u** 1. *sport* (*rozpoczęcie biegu*) start; **~ lotny** flying start; **~ niski** block starting; **~ wysoki** standing start; **~!** go! 2. *sport* (*miejsce*) starting line; scratch; (*na wyścigach konnych*) starting post 3. *lotn.* take-off 4. (*początek pracy itd.*) start

starter *sm* 1. *sport* starter 2. *techn.* (*rozrusznik*) starter

startować *vi imperf* 1. *sport* to start (in a race) 2. *lotn.* to take off 3. (*rozpoczynać pracę*) to make a start

startow|y *adj* starting (line, block, hole etc.); *lotn.* **pas ~y** runway; **pole ~e** tarmac

startujący *sn sport* competitor (in a race)

staruch *sm* (*augment* ↑ **staruszek**) old geezer

starucha *sf* (*augment* ↑ **staruszka**) old woman <geezer>

starusz|ek *sm G.* **~ka** old man <gentleman>; *pl* **~kowie** old couple

starusz|ka *sf pl G.* **~ek** old woman <lady>

staruszkowaty *adj* fit for old people

star|y [I] *adj* 1. (*istniejący, żyjący od dawna*) old; **~a panna** old maid; spinster; **~e dziecko** grown--up child; (*o chłopcu*) **~y koń <byk>** big boy; **~y kawaler** old bachelor; *szk.* **~sza klasa** upper class <form>; **~szy** a) (*w rodzeństwie*) elder (brother, son etc.) b) (*wcześniej urodzony, dłużej istniejący*) older (**niż ...** than ...); **~szy rangą <stanowiskiem>** superior; *wojsk.* **~szy strzelec** lance--corporal; *pot.* **pan ~szy** Mr + *nazwisko*; **pani ~sza** Mrs + *nazwisko*; **panie ~szy!** I say, gov'nor!; *sl. żart.* (*pośladki*) **~a pani** bum; *przysł.* **~y, ale jary** hale and hearty 2. (*świadczący o starości*) old; old-looking; **na ~e lata** in one's old age 3. (*wytrawny, doświadczony*) old (friend etc.); **~a gwardia** old guard; *przen.* **~y lis** sly fox <dog> 4. (*dawny*) old; former (address etc.);

previous (occupation etc.); (friendship, custom etc.) of long standing; **~y kawał** stale joke; **Stary Świat** the Old World; **Stary Testament** the Old Testament; (*o człowieku*) **~ej daty** old-fashioned; antiquated; (*w znaczeniu dodatnim*) **to człowiek ~ej daty** he is one of the old school 5. (*o produktach żywnościowych — nieświeży*) stale (bread etc.); not fresh [II] *sm* **~szy** 1. (*o synu, bracie*) elder son <brother> 2. (*ktoś mający wyższą rangę, stanowisko*) superior; senior [III] *sf* **~sza** (*o córce*) elder daughter [IV] *sn* **~e** the old <the prevailing> state of things

po ~emu as formerly; as before; as hitherto

sta|rzec *sm G.* **~rca** 1. (*człowiek*) old man; *pl* **~rcy** old people; **rządy ~rców** gerontocracy 2. *bot.* (*Senecio*) ragwort; **~rzec zwyczajny** (*Senecio vulgaris*) groundsel

starze|ć się *vr imperf* **~je się** 1. (*stawać się starym*) to grow old; to age; to be senescent 2. (*o produktach żywnościowych*) to go bad; (*o pieczywie*) to grow stale

starzyć *vt imperf techn.* to age-harden

starzyzn|a *sf* 1. (*rupiecie*) junk; rubbish; rummage; **handlarz ~ą** junk-dealer; old-clothesman 2. (*to, co jest przestarzałe*) the obsolete

stasimon [s-i] *sm G.* **~u** *lit.* stasimon

stasować *vt perf karc.* to shuffle (the cards)

staszczyć *vt perf* to tug

staśmienie *sn myśl.* fasciation

staśmiony *adj bot.* fasciated, fascicled

statecz|ek *sm G.* **~ku** *dim* ↑ **statek**

statecznie *adv* (*poważnie, z równowagą*) sedately; staidly; (*o kobiecie*) in matronly fashion; **zachowywać się ~** to keep stable

statecznik *sm lotn.* stabilizer; **~ dolny** rudder

stateczność *sf singt* 1. (*powaga, zrównoważenie*) sedateness; staidness; sober-mindedness 2. (*właściwość ciała, konstrukcji*) stability

stateczny *adj* 1. (*o człowieku*) sedate; staid; sober-minded; (*o kobiecie*) matronly 2. (*o statku, budowli etc.*) stable

stat|ek *sm G.* **~ku** 1. *mar.* ship; boat; craft; vessel; (*żaglowiec*) sail; sailing vessel <craft>; (*parowiec*) steamship; steamer; **~ek-baza** mother-ship; **~ek-cysterna** (oil-)tanker; **~ek handlowy** merchant vessel; merchantman; trader; cargo-boat; **~ek kosmiczny** space ship <craft>; *lotn.* **~ek powietrzny** airship; **~ek-prom** ferry-boat; **~ek przewożący pociągi** train-ferry; ferry-bridge; **wsiąść na ~ek** to go on board; to take ship; **na ~ku** on board (ship); **~kiem** by boat <ship, steamer> 2. *pl* **~ki** (*naczynia*) utensils

stater *sm* (*w starożytnej Grecji*) stater

statocysta *sf biol.* statocyst

statolit *sm G.* **~u** *biol.* statolith

stator *sm G.* **~u** <**~a**> *techn.* stator

statoskop *sm G.* **~u** *fiz.* statoscope

statu|a *sf G.* **~y** <**~i**> *DL.* **~i** *pl G.* **~i** statue

statuaryczny *adj pot.* statuary

statuet|ka *sf pl G.* **~ek** figurine; statuette

statuować *vt imperf prawn.* to decree; to ordain; to enact

statut *sm G.* **~u** 1. (*przepisy*) statutes; rules and regulations 2. *kośc.* statute

statutowo *adv* statutorily

statutowy *adj* statutory

statycznie *adv* statically

statyczność *sf singt* static equilibrium; stability

statyczny *adj* static(al) (friction, load etc.)

statyk *sm* specialist in matters of statics

statyka *sf singt* 1. (*nauka*) statics 2. (*równowaga*) equilibrium

statysta *sm* (*decl* = *sf*) 1. *teatr* supernumerary 2. *przen.* (*osoba nie biorąca udziału*) dummy; mute

statyst|ka *sf pl G.* **~ek** *teatr* supernumerary; show-girl

statystować *vi imperf teatr* to play walking parts

statystycznie *adv* statistically

statystyczny *adj* statistic(al)

statystyk *sm* statistician

statystyka *sf* statistics; returns

statyw *sm G.* **~u** (telescope etc.) stand; *fot.* tripod

statywowy *adj* stand — (camera etc.)

staurolit *sm G.* **~u** *miner.* staurolite

stauropigia *sf kość.* stauropegion

staw *sm G.* **~u** 1. (*zbiornik wód*) pond; **~ gospodarski** horsepond; **~ rybny** nursery; **~ zasilający młyn** mill-pond; *przysł.* **według ~u grobla** to cut one's coat according to the cloth 2. *anat.* joint; articulation; **wyłamywać palce ze ~ów** to crack one's finger-joints

stawa *sf mar.* beacon

stawać *zob.* **stanąć**

stawać się *vr imperf* 1. *zob.* **stać się** 2. (*zostać jakimś*) to grow (green, big, scarce etc.); **~ się mądrzejszym** <**piękniejszym itd.**> to grow in wisdom <beauty etc.>

stawiacz *sm pl G.* **~y** <**~ów**> *wojsk. mar.* mine-layer

stawiać *v imperf* [I] *vt* 1. (*umieszczać*) to put <to place, to set> (sth, sb somewhere); to stand (an umbrella on the floor etc.); to post <to station> (sb somewhere); **~ coś z powrotem** to replace sth; to put sth back (where it was); **~ dziecko do kąta** to put a child in the corner; **~ komuś horoskop** to cast sb's horoscope; (*przy chodzeniu*) **~ nogi do środka** <**na zewnątrz**> to turn in <out> one's toes; **~ sidła** <**pułapkę**> to set a trap; **~ stopnie** to give (a pupil) marks; **~ wartę** to set a guard; **~ wymagania** to make demands; *przen.* **~ coś na głowie** to put the cart before the horse; **~ coś wyżej czegoś** <**ponad coś**> to put sth (honour etc.) before sth (wealth etc.); **~ czoło komuś, czemuś** to defy sb, sth; **~ kogoś w trudnej sytuacji** to put sb in a difficult position; **~ na swoim** to have <to get> one's way; to carry one's point; **~ pacjenta na nogi** to pull a patient through; **~ pierwsze kroki w czymś** to take <to make> one's first steps in sth; **~ przeszkody** to raise difficulties 2. (*podnosić do góry*) to raise; to put (sth) upright <on end, endways>; to put up (**rusztowanie, drabinę itd.** a scaffolding, a ladder etc.); *mar.* **~ żagle** to set sail 3. (*budować*) to raise <to build, to erect> (monuments etc.) 4. (*wysuwać*) to move (**wniosek** a resolution); **~ czyjąś kandydaturę** to propose sb as candidate; **~ diagnozę** to make a diagnosis; to diagnose; **~ kogoś, coś za wzór** to set sb, sth as a pattern to be followed; **~ pytania** to put <to ask, to pose> questions; **~ warunki** to lay down <to impose> conditions;

~ **żądania** to make demands 5. (*zakładać się*) to stake (a sum on a horse, number, colour etc.); ~ **wszystko na jedną kartę** to stake one's all upon a single cast; to put one's shirt on a horse 6. *pot.* (*fundować*) to stand (**komuś wódkę, kolację itd.** sb a drink, a dinner etc.); to treat (**komuś coś** sb to sth) [II] *vi* 1. (*zakładać się*) to stake a sum <to back> (**na konia itd.** a horse etc.) 2. (*fundować*) to stand a round of drinks; to stand treat; **ja stawiam** I am standing treat; this is on me [III] *vr* ~ **się** 1. (*zgłaszać się*) to come; to turn up; to appear; to make an appearance; **nie ~ się** to fail to appear; to absent oneself; to default; **~ się** <**nie ~ się**> **na umówione spotkanie** to keep <to break> an appointment 2. (*ustawiać się*) to stand (**rzędem** in a row, in line) 3. *przen.* (*ustosunkowywać się*) to assume an attitude; to place oneself in a position; to consider oneself (**na równi z kimś** equal to <with> sb) 4. *pot.* (*przeciwstawiać się*) to be saucy <rude>; **ostro się ~** to assert oneself 5. *pot.* (*chwalić się*) to boast (**czymś** of sth) 6. *rz.* (*budować sobie dom*) to build a house of one's own <oneself a house>

stawiarstwo *sn singt rz.* fish-breeding in ponds

stawiarz *sm pl G.* **~y** <**~ów**> fish-breeder

stawić się *vr perf* = **stawiać** *vr* 1.

stawid|ło *sn pl G.* **~eł** 1. (*w kanale itd.*) flood-gate; sluice-gate 2. *techn.* throttling control; valve gear

stawienie *sn* ↑ **stawić**

stawiennictw|o *sn singt* appearance (before the court); **nakaz ~a** summons

stawik *sm dim* ↑ **staw 1.**

stawk|a *sf* 1. (*wymiar opłaty*) rate; *pl* **~i** rates; scale <schedule> of charges 2. (*w grach*) stake; **grać o niskie** <**wysokie**> **~i** to play low <high>; *przen.* **ostatnia ~a** the last resort; **pójdę o każdą ~ę** I'll stake you anything 3. *sport* the starters

stawonogi *zool.* [I] *adj* arthropodan, arthropodous [II] *spl* **~e** (*Arthropoda*) (*typ*) the phylum Arthropoda

stawon|óg *sm G.* **~oga** arthropod

stawow|y *adj* 1. (*dotyczący zbiornika wód*) pond — (life etc.); **gospodarstwo ~e** fish-breeding ponds 2. *anat.* articular (cartilage etc.); joint — (pains etc.); (rheumatism etc.) of the joints; **torebka ~a** synovial capsule

staż *sm G.* **~u** (*praktyka*) training; practice; period of special training; (*po dyplomie*) junior position after graduation

stażowy *adj* (period etc.) of training <practice>

stażysta *sm* (*decl* = *sf*) student assistant; research student; person occupying a junior position after graduation; intern

stąd *adv* 1. (*z tego miejsca*) from here; from there; **ja nie jestem ~** I am a stranger; **niedaleko ~** near here 2. (*dlatego*) hence; therefore; that is why; **cóż ~?** what of it?; **ni ~, ni zowąd** suddenly; quite unexpectedly; à propos of nothing in particular 3. (*od tego*) from that; **~, że ...** from the fact that ...

stąg|iew *sf G.* **~wi** vat

stąp|ać *vi imperf* — **stąp|nąć** *vi perf* to tread; to step; to pace; **ciężko ~ać** to plod <to lumber> along; **dumnie ~ać** to strut; **lekko ~ać** to tread softly; to walk with soft steps; **ostrożnie ~ać** to pick one's way <one's steps>; **~ać na palcach** to walk on tiptoe; **~ać po ziemi, która ...** to tread the soil which ...; **to człowiek, który ~a po ziemi** he is a matter-of-fact type of man; **źle ~nąć** to miss one's footing

stąpanie *sn* (↑ **stąpać**) tread; step; pace; **ciężkie ~** plod; **dumne ~** strut

stąpi|ć † *vi perf* to take a step; *obecnie w zwrotach*: **gdzie ktoś nogą ~** wherever one happens to be; **nie ~ć gdzieś nogą** not to appear somewhere; **nie móc kroku ~ć** to be unable to take a step

stąpnąć *zob.* **stąpać**

stchórzyć *vi perf* to take fright; *sl.* to funk; to get <to have> the wind up

stearan *sm G.* **~u** *chem.* = **stearynian**

stearowy *adj* = **stearynowy**; **~ krem kosmetyczny** vanishing cream

stearyna *sf* stearin

stearynian *sm G.* **~u** *chem.* stearate

stearynowy *adj* stearic (acid etc.)

steatyt *sm G.* **~u** *miner.* steatite; soap-stone

steatytowy *adj* steatitic; steatite — (bed etc.)

stebnować *vt imperf* to quilt

stebnów|ka *sf pl G.* **~ek** quilted work; quilting

stebnowanie *sn* 1. ↑ **stebnować** 2. = **stebnówka**

stechiometri|a *sf singt GDL.* **~i** *chem.* stoich(e)iometry

stechiometryczny *adj chem.* stoich(e)iometric(al)

steelon *sm G.* **~u** = **stylon**

stegocefal *sm paleont.* stegocephalian; *pl* **~e** (*Stegocephalia*) (*rząd*) the order Stegocephalia

stegozaur *sm paleont.* (*Stegosaurus*) stegosaurus

stek[1] *sm G.* **~u** 1. *zool.* cloaca 2. † (*nagromadzenie*) *obecnie w zwrotach*: **~ kłamstw** pack <web, tissue> of lies; **~ wyzwisk** shower of abuse

stek[2] *sm G.* **~u** *kulin.* steak

stekow|iec *sm G.* **~ca** *zool.* monotreme; *pl* **~ce** (*Monotremata*) (*podgromada*) the subclass Monotremata

stela *sf arch.* stele

stelarny *adj astr.* stellar

stelaż *sm G.* **~u** rack; music-stand

stellit *sm G.* **~u** *techn.* stellite

stelmach *sm* (*miejski*) carriage-builder, coach-builder; (*wiejski*) cart-wright; (*kołodziej*) wheelwright

stelwaga *sf*, **sztelwaga** *sf* doubletree (of a waggon)

stemp|el *sm G.* **~la** 1. (*przyrząd*) stamp; die 2. (*odbitka*) stamp; impression; **~ pocztowy** postmark 3. (*opłata skarbowa*) stamp duty; (*znaczek skarbowy*) inland revenue stamp; receipt stamp 4. (*młot do ubijania*) rammer; beetle 5. *bud.* land-tie shore; *górn.* prop 6. *techn.* punch; die; stamping-machine 7. *hist.* ramrod

stemplować *vt imperf* 1. (*znaczyć stemplem*) to stamp (documents); to mark (goods) 2. *bud. górn.* to prop

stemplownica *sf pot.* letter stamper

stemplownik *sm* (*robotnik*) brick-maker

stemplowy *adj* 1. (*wyciśnięty stemplem*) stamp — (impression, mark etc.) 2. (*związany ze stemplem skarbowym*) stamp — (duty etc.); **papier ~** stamped paper 3. *bud. górn.* prop — (stakes etc.) 4. *techn.* stamping- (machine etc.)

stemplów|ka *sf pl G.* **~ek** *techn.* stamper; stamping-machine

sten *sm* Sten (pistol)
stenga *sf mar.* topmast
steniczny *adj psych.* sthenic (emotions)
stenograf *sm* stenographer; shorthand writer
stenografi|a *sf GDL.* ~**i** *pl G.* ~**i** <~> shorthand (writing); stenography
stenograficzn|y *adj* shorthand — (writing etc.); **maszyna** ~**a** stenograph; **znaki** ~**e** shorthand symbols
stenografować *vt imperf* to take (sth) down in shorthand
stenografowanie *sn* (↑ **stenografować**) shorthand writing
stenogram *sm G.* ~**u** shorthand notes <report>
stenotermiczny *adj biol.* stenothermal
stenotypi|a *sf singt GDL.* ~**i** stenotypy; typed shorthand
stenotypista *sm* (*decl* = *sf*), **stenotypistka** *sf* shorthand typist
stentor *sm tylko w wyrażeniu*: **głos** ~**a** stentorian voice
stentorowski *adj*, **stentorowy** *adj*, **stentorski** *adj* stentorian
stenwanta *sf mar.* topmast shroud
steoretyzować *vt vi perf* to theorize
step *sm G.* ~**u** *geogr.* steppe
stepowanie *sn* step <tap> dancing
stepow|iec *sm G.* ~**ca** inhabitant of the steppe(s)
stepowie|ć *vi imperf* ~**je** to acquire the characteristics of a steppe
stepowisko *sn* steppe-like tract
stepowy *adj* steppe — (grass, soil etc.); *geogr. meteor.* **klimat** ~ steppe climate
ster[1] *sm G.* ~**u** *mar.* (*koło steru*) helm; (*pióro steru*) rudder; *lotn.* rudder; control; *dosł. i przen.* **człowiek u** ~**u** the man at the wheel; *przen.* ~ **państwa** the helm of the State
ster[2] *sm G.* ~**u** (*metr sześcienny*) stere
stera|ć *v perf* [I] *vt* to wear (sb) out with hard work; ~**ny** jaded; worn out (with hard work) [II] *vr* ~**ć się** to wear oneself out
sterbort *sm G.* ~**u**, **sterburta** *sf mar.* starboard
stercz *sm anat.* prostate
sterczący *adj* protruding; prominent; outstanding; salient; **ze** ~**mi uszami** prick-eared
stercz|eć *vi imperf* ~**y** 1. (*wystawać*) to protrude; to project; to stick <to jut> out; (*o brzuchu, wybrzuszeniu*) to bulge 2. *pot.* (*tkwić w miejscu*) to stand like a post
sterczenie *sn* (↑ **sterczeć**) protrusion, projection
sterczowy *adj med.* prostatic
sterczyna *sf arch.* pinnacle
stereochemi|a *sf singt GDL.* ~**i** *chem.* stereochemistry
stereochromi|a *sf singt GDL.* ~**i** *plast.* stereochromy
stereofoni|a *sf singt GDL.* ~**i** *fiz.* sound recording
stereofonicznie *adv* stereophonically
stereofoniczny *adj* stereophonic
stereofotografi|a *sf GDL.* ~**i** *pl G.* ~**i** 1. (*technika*) stereophotography 2. (*obraz*) stereophotograph
stereofotograficzny *adj* stereophotographic
stereografi|a *sf singt GDL.* ~**i** stereography
stereograficzny *adj* stereographic
stereogram *sm G.* ~**u** *techn.* stereogram, stereograph
stereokardiograf *sm G.* ~**u** *med.* stereocardiograph
stereokomparator *sm fiz.* stereocomparator
stereometri|a *sf singt GDL.* ~**i** stereometry
stereoskop *sm G.* ~**u** *fiz. fot.* stereoscope
stereoskopi|a *sf singt GDL.* ~**i** *fiz. fot.* stereoscopy
stereoskopowy *adj* stereoscopic; **aparat** ~ stereoscopic camera
stereotyp *sm G.* ~**u** 1. *psych.* stereotypy (of attitude, movement, speech) 2. *druk.* stereotype; *pot.* stereo
stereotypi|a *sf singt GDL.* ~**i** *med. druk.* stereotypy
stereotypować *vt vi druk.* to stereotype
stereotypowo *adv* in stereotype fashion
stereotypowy *adj* stereotyped; hackneyed; cut-and-dried; conventional
sterlet *sm zool.* (*Acipenser ruthenus*) sterlet
sterletowy *adj* sterlet — (caviar etc.)
sterling *zob.* **szterling**
sternictwo *sn singt rz.* helmsmanship
sternicz|ka *sf pl G.* ~**ek** (woman) steerer
sternik *sm mar.* coxwain; steersman; helmsman; wheelman; the man at the wheel <at the helm>; ~ **automatyczny** gyropilot; automatic steerer; iron quartermaster
steroidy *spl chem.* steroids
sterole *spl chem.* sterols
sterować *v imperf* [I] *vt* 1. *mar.* to steer (**statkiem** a ship); *lotn.* to pilot (**samolotem** an aircraft) 2. (*kierować*) to guide (**kimś** sb); to control (**mechanizmem itd.** a mechanism etc.); **zdalnie** ~ to govern (sth) by remote control [II] *vi* to steer one's course (**dokądś** for a place)
sterow|iec *sm G.* ~**ca** dirigible (balloon); airship
sterowni|a *sf pl G.* ~ *mar.* wheelhouse; pilothouse
sterownica *sf* 1. *lotn.* (flying) controls 2. *mar.* (rudder) tiller; rudder crosshead; helm
sterowniczy *adj* steering- (column, compass, gear etc.)
sterowność *sf singt lotn. mar.* navigability; controllability; steerability
sterowny *adj* navigable; controllable; steerable
sterowy *adj mar.* steering- (wheel, gear etc.); *lotn.* **drążek** ~ control lever <stick>; *sl.* joystick
sterów|ka *sf pl G.* ~**ek** 1. = **sterownia** 2. *zool.* rectrix; *pl* ~**ki** rectrices
sterroryzować *vt perf* to terrorize
stert|a *sf* 1. *roln.* rick; stack; **ułożyć snopy** <**słomę, siano**> **w** ~**y** to stack <to rick> sheaves <straw, hay> 2. (*stos*) pile; heap
stertnik *sm* 1. (*robotnik*) ricker; stacker 2. (*maszyna*) stacker
stertować *vt imperf* to rick; to stack
sterylizacja *sf singt med.* sterilization
sterylizacyjny *adj* sterilizing (tray etc.); (procedure etc.) of sterilization
sterylizator *sm med. techn.* sterilizer
sterylizować *vt imperf* to sterilize
sterylizowanie *sn* (↑ **sterylizować**) sterilization
sterylnie *adv* sterilely; by sterilization
sterylny *adj* sterile
steryna *sf chem.* sterols
stetoskop *sm G.* ~**u** *med.* stethoscope
stetrycze|ć *vi perf* ~**je** to turn sulky <ill-tempered, cankered>
stewa *sf mar.* ~ **dziobowa** stern; ~ **rufowa** stern-post; stern-frame

stewar|d *sm pl G.* ~**dzi** <~**dowie**> steward

stewardesa *sf* stewardess

stębnować *vt imperf* = **stebnować**

stęchlizna *sf singt, rz.* **stęchłość** *sf singt* fustiness; frowst; mustiness

stęchły [I] *pp* ↑ **stęchnąć** [II] *adj* fusty; frowsty; musty

stęch|nąć *vi perf* ~**ł** to grow fusty <frowsty, musty>

stęk *sm G.* ~**u** *rz.* = **stęknięcie**

stękać *vi imperf* — **stęknąć** *vi perf* 1. (*głośno wzdychać*) *imperf* to groan; *perf* to utter <to fetch> a groan; *przen.* to groan 2. *imperf* (*uskarżać się*) to complain; to mutter (**na coś** at <against> sth) 3. *imperf* (*recytować*) to stutter out 4. *myśl.* (*o łosiu*) to troat

stękanie *sn* 1. ↑ **stękać** 2. (*głośne westchnienia*) groans 3. (*uskarżanie się*) complaints; mutterings

stęknąć *zob.* **stękać**

stęknięcie *sn* (↑ **stęknąć**) (a) groan

stęp *sm G.* ~**a** <~**u**> 1. *singt* (*chód*) (a) walk; walking pace; **jechać** ~**a** to move at a walk; to drive at a walking pace <at a foot-pace> 2. *anat.* tarsus; instep

stępa *sf* 1. (*przyrząd do kruszenia ziarna*) grain crushing mill 2. (*samotrzask*) bear trap

stępi|ać *v imperf* — **stępi|ć** *v perf* [I] *vt* to blunt (a knife etc.); to take the edge off (a tool etc.) [II] *vt* ~**ać,** ~**ć się** to get dull <blunted>; to lose its edge

stępica *sf* trap

stępić *zob.* **stępiać**

stępie|ć *vi perf* ~**je** *dosł. i przen.* to dull (*vi*); to grow dull

stępienie *sn* (↑ **stępieć, stępiać**) dul(l)ness

stępka *sf mar.* keel

stępor *sm* 1. (*tłuczek*) crusher; pestle 2. *górn.* (*nabijak*) rammer 3. *techn.* (*baba do ubijania*) rammer; beetle

stępować *vt imperf* to walk (a horse)

stęsknić się *vr perf* to long (**za kimś, czymś** <**do kogoś, czegoś**> for sb, sth); to hanker (**za kimś, czymś** <**do kogoś, czegoś**> after sb, sth); ~ **się za domem, rodziną, krajem** to be homesick <nostalgic>

stęskniony *adj* longing (**za kimś, czymś** <**do kogoś, czegoś**> for sb, sth); hankering (**za kimś, czymś** <**do kogoś, czegoś**> after sb, sth); ~ **za domem, rodziną, krajem** homesick; nostalgic

stężać *vt imperf* — **stężyć** *vt perf* 1. (*czynić gęstym*) to concentrate <to graduate> (a solution etc.) 2. (*doprowadzić do stanu stałego*) to solidify

stężałość *sf singt* (*gęsty stan*) concentration; (*stan stały*) solidification

stęże|ć *vi perf* ~**je** 1. (*zgęstnieć*) to concentrate (*vi*) 2. (*zakrzepnąć*) to coagulate

stężenie *sn* 1. (↑ **stężeć, stężać**) 2. *chem.* concentration; strength (of a solution etc.) ‖ *med.* ~ **pośmiertne** rigor mortis

stężyć *zob.* **stężać**

stigmari|a *spl pl G.* ~**ów** *paleont.* stigmariae

stil *sm G.* ~**u** *techn.* magnetic <recording> tape

stilb *sm G.* ~**u** *fiz.* stilb

stilo *sn indecl* = **stil**

stiuk *sm G.* ~**u** *arch.* stucco; **pokrywać** ~**iem** to stucco; **pokryty** ~**iem** stuccoed

stiukowy *adj* stuccoed; stucco-adorned

stle|ć *vi perf* ~**je** *rz.* to be <to get> burnt

stlić *v perf* [I] *vt* to burn [II] *vr* ~ **się** to be <to get> burnt

stłaczać *zob.* **stłoczyć**

stłam|sić *vt perf* ~**szę** (*zgnieść*) to crush; (*zdusić*) to stifle; to smother

stłoczenie *sn* ↑ **stłoczyć**

stł|oczyć *v perf* — **stł|aczać** *v imperf* [I] *vt* to crowd (things) together; to pack; to cram; to jam; to squeeze; to pile up [II] *vr* ~**oczyć,** ~**aczać się** to crowd together (*vi*); to herd together

stłu|c *v perf* ~**kę,** ~**cze,** ~**kł,** ~**czony** [I] *vt* 1. (*rozbić*) to break; to shatter; to smash 2. *pot.* (*spowodować obrażenie*) to hurt <to injure, to bruise, to contuse> (**sobie kolano, czoło itd.** one's knee, forehead etc.) 3. *pot.* (*zbić*) to beat (sb) up; ~**c kogoś na kwaśne jabłko** to beat sb to a mummy <to a jelly> 4. *pot.* (*zniszczyć*) to smash; to shatter; to bash in [II] *vr* ~**c się** to get broken; to get <to be> smashed <shattered>

stłuczenie *sn* (↑ **stłuc**) bruise; contusion; injury

stłucz|ka *sf pl G.* ~**ek** 1. (*stłuczony przedmiot*) chipped <cracked> (piece of) china <glass>; ~**ki** a) (*jaja*) cracked eggs b) (*przedmioty stłuczone*) chipped crockery 2. (*złom szklany*) broken glass; cullet

stłumić *vt perf* — **stłumiać** *vt imperf* 1. (*przyciszyć*) to muffle <to dull, to deaden> (a sound) 2. (*zdławić*) to suppress (a revolt etc.); to stifle <to restrain> (a cry etc.); to put out <to smother> (fire etc.); to subdue (one's passions etc.)

stłumienie *sn* (↑ **stłumić**) suppression (of a revolt etc.)

stłumiony [I] *pp* ↑ **stłumić** [II] *adj* muffled <dull, dead> (sound); subdued (voice)

stłu|szczać *vt imperf* — **stłu|ścić** *vt perf rz.* to grease; ~**szczony** greasy

stłuszczenie *sn* 1. ↑ **stłuścić** 2. *med.* steatosis

stłuścić *zob.* **stłuszczać**

sto *num G.* **stu** *I.* ~**ma** 1. (*liczba*) a <one> hundred; ~ **jeden** a hundred and one; **dożyjesz stu lat** you'll live to be a hundred; **x od sta x** per cent; **w stu procentach uczciwy** <**sprawny itd.**> a hundred per cent honest <efficient etc.>; *pot.* **na** ~ **dwa** first-rate; tip-top; *żart.* **moje** ~ **tysięcy!** my treasure! 2. (*mnóstwo*) no end (**ludzi, rzeczy** of people, things); ~ **razy** times without number; over and over again

stoa *indecl arch.* stoa; portico

stochastyczny *adj* stochastic; conjectural

stocze *sn* = **stok**

stocz|ek *sm G.* ~**ka** 1. (*cienka świeczka*) taper 2. (*pochyłość*) dip; slope

stoczenie *sn* ↑ **stoczyć**

stocznia *sf* shipyard; shipbuilding yard; dockyard

stoczniow|iec *sm G.* ~**ca** dockyard worker

stoczniowy *adj* shipbuilding — (industry etc.)

stoczyć *v perf* — **staczać** *vi imperf* [I] *vt* 1. (*przesunąć z góry na dół*) to roll <to tumble> (**coś z pagórka itd.** sth down a hillock etc.) 2. (*rozegrać*) to fight (a battle); to wage (a war) 3. *perf* (*spowodować spróchnienie*) to gnaw away; to eat away; (*o kwasach itd.*) to corrode; **stoczony przez robaki** worm-eaten 4. *rz.* (*obtoczyć*) to turn (sth) on the lathe [II] *vr* **stoczyć, staczać się** to roll <to tumble>

(**ze schodów, z górki** down the stairs, down a hill); *imperf* to be on the down grade; **staczać się na drogę występku** to slide into crime

stod|oła *sf pl G.* **~ół** barn

stodółka *sf dim* ↑ **stodoła**

stogować *vt imperf roln.* to rick (straw, hay etc.)

stoicki *adj* 1. *filoz.* stoic(al) 2. (*niezachwiany*) stoical; unflinching; impassive; **ze ~m spokojem** unflinchingly

stoicko *adv* stoically; unflinchingly; impassively

stoicyzm *sm singt G.* **~u** 1. *filoz.* Stoicism 2. (*niewzruszony spokój*) stoicism; impassiveness

stoik *sm* 1. *filoz.* Stoic 2. (*człowiek panujący nad sobą*) (a) stoic

stoisko *sn* 1. (*dział sklepu*) department 2. (*punkt sprzedaży na kiermaszu itd.*) stall

stoiskowy *adj* stall — (rent etc.)

stojaczek *sm dim* ↑ **stojak**

stojak *sm* 1. (*urządzenie do ustawiania*) stand; rack; upright; (billiard-cue etc.) rest; (*na ręczniki*) towel horse 2. *bud. górn.* post; prop; underlay **na ~a** *pot.* (to travel etc.) standing

stojan *sm techn.* stator

stojąco *adv w wyrażeniu:* **na ~** standing; in a standing posture; **śniadanie spożyte na ~** stand-up lunch; *sl.* perpendicular; **przyjęcie <cocktail> na ~** sherry party; *sl.* perpendicular

stojąc|y *adj* standing; upright; erect; stand-up (collar etc.); **miejsca ~e** standing room; (*w tramwaju, autobusie*) **pasażer ~y** strap-hanger; **woda ~a** stagnant <ditch> water

stok *sm G.* **~u** slope; slant; flank; mountain-side; hill-side; **wznosić się <opadać> ~iem** to slope up <down>

stoker *sm techn.* stoker

stokfisz *sm* = **sztokfisz**

stokłosa *sf bot.* (*Bromus*) brome grass

stokowy *adj* hill-side — (syncline etc.)

stokroć *adv* 1. (*sto razy*) a hundred times 2. (*pod względem intensywności: bardzo*) hundredfold

stokrot|ka *sf pl G.* **~ek** *bot.* (*Bellis*) daisy; **wianuszek ze ~ek** daisy-chain

stokrotnie *adv* a hundred times; hundredfold; **~ dziękuję <przepraszam>** a thousand thanks <apologies>

stokrotn|y *adj* hundredfold repeated; **~e dzięki** a thousand thanks

stokrót|ka *sf pl G.* **~ek** daisy

stola *sf hist.* stole

stolar|ka *sf singt pl G.* **~ek** 1. *bud.* woodwork; joinery 2. (*stolarstwo*) joinery; carpentering, carpentry

stolarni|a *sf pl G.* **~** joiner's <carpenter's> shop

stolarski *adj* joiner's <carpenter's> (work etc.); **roboty ~e** woodwork

stolarstwo *sn singt* joinery; carpentering; carpentry

stolarszczyzna *sf singt* 1. (*przedmioty z drzewa*) joinery; *bud.* woodwork 2. (*rzemiosło*) joinery; carpentering

stolarz *sm* joiner; carpenter; **~ artystyczny** cabinet-maker

stolcow|y *adj* faecal; rectal; *anat.* **kiszka ~a** rectum

stol|ec *sm G.* **~ca** 1. (*wydalina*) stool; faeces; excrement; **zaparcie ~ca** constipation; **oddać ~ec** to clear one's bowels; to relieve nature; to defecate 2. *bud.* queen-post 3. † (*fotel monarchy*) throne

stolic|a *sf* 1. (*państwa*) capital (of a country); **pociąg do <ze> ~y** up <down> train 2. (*okręgu*) chief town (of a district)

stoliczek *sm dim* ↑ **stolik**

stolik *sm* small table; *techn.* **~ mierniczy <geodezyjny>** plane <surveyor's> table; **~ nocny** bedside table; **zielony ~, ~ do gry** a) (*mebel*) card-table b) *przen.* (*gra*) the gambling table; **~ na kółkach <na rolkach>** dinner-wagon

stolikow|y *adj techn.* **kierownica ~a** sight rule

stoliwo *sn geogr.* tableland

stolnica *sf* moulding-board; paste-board

stolnik *sm hist.* esquire carver

stolon *sm G.* **~u** *bot. zool.* stolon

stolonowy *adj* stolonate

stołb † *sm G.* **~u** keep; tower; dungeon

stołecz|ek *sm G.* **~ka** 1. (*mały stołek*) footstool 2. (*splecione dłonie*) lady-chair

stołeczność *sf singt* metropolitan status (of a city)

stołeczny *adj* capital (town, city); metropolitan (luxury etc.)

stoł|ek *sm G.* **~ka** stool; *przen.* **podstawić komuś ~ka** to trip sb up; **siedzieć na dwóch ~kach** to serve two masters

stołować *v imperf* I *vt* to board (lodgers etc.) II *vr* **~ się** to board (*vi*) (**u kogoś** at sb's house)

stołowni|czka *sf pl G.* **~czek, stołowni|k** *sm* boarder; **przyjmować ~ków** to take in boarders

stołow|y I *adj* 1. (*dotyczący stołu*) table — (leg, top etc.); *geol.* **góry ~e** tableland; plateau; *bot.* **~a postać <forma> drzew** flat-topped crown of trees; *sport* **tenis ~y** table tennis; *pot.* **głupi jak ~e nogi** as stupid as an owl 2. (*dotyczący stołu jadalnego*) table- (spoon, cloth, ware etc.); **bielizna ~a** napery; table-linen; **srebro ~e** cutlery; silver 3. (*nadający się do spożywania*) table- (wine, beer etc.) II *sm* 1. (*pokój*) dining-room 2. (*komplet mebli*) dining-room suite

stołów|ka *sf pl G.* **~ek** canteen; mess; **bezpłatna ~ka** soup-kitchen

stołówkowy *adj* canteen — (meals etc.)

stołp † *sm G.* **~u** = **stołb**

stomatolo|g *sm pl N.* **~gowie <~dzy>** dentist

stomatologi|a *sf GDL.* **~i** dentistry

stomatologiczny *adj* dental

ston|ka *sf pl G.* **~ek** *zool.* Colorado beetle; potato-beetle, potato-bug

stonkowat|y *zool.* I *adj* chrysomelid II *spl* **~e** (*Chrysomelidae*) the leaf beetles

ston|oga *sf pl G.* **~óg** wood-louse

stonogow|iec *sm G.* **~ca** *bot.* (*Scolopendrium*) hart's-tongue

stonować *vt perf* 1. (*zharmonizować*) to tone <to harmonize> (colours etc.) 2. (*osłabić intensywność*) to tone down; to soften; to sober

stop[1] *sm G.* **~u** alloy; **~ drukarski** linotype alloy; printer's metal; **~ lekki** light alloy; **~ łożyskowy** bearing <anti-friction> alloy

stop[2] *interj* stop!; halt!; hold on!

stop|a *sf* 1. *anat.* foot; (*u owadów*) tarsus; **płaska ~a** flat-foot; **z płaską ~ą** flat-footed; **zniekształcona ~a** club-foot; **ze zniekształconą ~ą** club-

-footed; **ziemia nie tknięta ~ą ludzką** untrodden soil; **od stóp do głów** from head to foot 2. (*zw.pl*) *przen.* (*dolna część czegoś*) foot (of a table, bed, mountain etc.); **u stóp zamku** at the foot of <under> the castle 3. (*część pończochy*) foot (of a stocking etc.); **dorobić ~ę u pończochy** to foot a stocking 4. *bud.* toe (of an embankment, dam etc.) 5. *bot.* foot (in mosses) 6. *prozod.* foot 7. (*jednostka długości*) foot 8. *techn.* base; *bud.* **~ fundamentowa** base of foundation; footing 9. (*w terminach specjalnych — stan czegoś*) standard (of living etc.); *bank.* **~a dyskontowa** discount rate; **~a procentowa** bank rate; *prawn.* **być na wolnej ~ie** to be at liberty; **żyć z kimś na dobrej ~ie** to be on friendly terms with sb; **na ~ie wojennej <pokojowej>** on a war <peace> footing

stoper *sm* 1. (*rodzaj zegarka*) stop-watch 2. *mar.* stopwater

stopić *v perf* — *rz.* **stapiać** *v imperf* [I] *vt* 1. (*roztopić*) to melt (fats, sugar etc.); to smelt <to fuse> (metals); (*o słońcu, cieple*) to thaw (snow, ice); **stopiony metal** molten metal 2. (*topiąc złączyć*) to fuse together; to blend 3. (*zdeformować*) to fuse [II] *vr* **stopić, stapiać się** 1. (*roztopić się*) to melt (*vi*); (*o śniegu, lodzie*) to thaw (*vi*); *przen.* (*o majątku itd.*) to melt away; to dwindle; to shrink 2. (*zostać złączonym*) to fuse together 3. (*stracić kształt*) to fuse (*vi*)

stopienie *sn* 1. (↑ **stopić**) 2. (*roztopienie metali*) fusion

stop|ień *sm G.* **~nia** 1. (*element schodów*) step (of stairs); stair; (*w skale*) ledge; (*u samochodu*) running board; (*u powozu*) step; **składane ~nie** folding steps; *wojsk.* **~ień strzelecki** fire-step; banquette; **nie trafić na ~ień** to miss one's footing 2. (*szczebel w hierarchii*) rank; grade; (*w klasyfikacji*) degree (of relationship; *med.* of burns etc.); *mat.* index (of the power); degree (of equation) 3. *szk.* mark; *am.* grade; **~ień naukowy** (university) degree 4. (*jednostka skali*) degree 5. (*poziom intensywności*) degree; extent; **do jakiego ~nia?** how far?; to what degree <extent>?; **do najwyższego ~nia** to the highest degree; supremely; to the full; **do pewnego ~nia, w pewnym ~niu** to a certain degree; to some extent; in some measure; after a fashion; rather; **być do pewnego ~nia artystą <bohaterem itd.>** to be somewhat <something> of an artist <a hero etc.>; **do tego ~nia, że ...** to such a degree <so much so> that ...; **do tego ~nia, ażeby ...** so far as to ...; **w najwyższym ~niu** most; extremely; exceedingly; **w poważnym ~niu** in great part; greatly; largely; in great measure; **w większym <mniejszym> ~niu** more <less> so; **w wysokim ~niu** to a high degree; highly; intensely; remarkably; vastly; **w żadnym ~niu** in no wise 6. *jęz.* (*forma przymiotnika, przysłówka*) degree of comparison; **~ień równy <wyższy, najwyższy>** the positive <comparative, superlative> (degree) 7. *muz.* step

stoping *sm G.* **~u** *sport* 1. (*w grach piłkarskich*) stopping the ball 2. (*w boksie*) stop

stopiwo *sn techn.* 1. (*materiał powstały ze stopienia*) fusion 2. (*metal natopiony*) deposited metal

stop|ka *sf pl G.* **~ek** 1. *dim* ↑ **stopa** 2. (*szklaneczka*) (wine) glass 3. (*okucie kolby karabinu*) butt plate 4. *reg. elektr.* fuse 5. *techn.* (*element maszyny do szycia*) presser foot 6. *techn.* (*część szyny*) rail foot <flange>

stopnica *sf bud.* tread (of a stair step)

stopni|eć *vi perf* **~eje** 1. (*stopić się*) to melt (away) 2. *przen.* (*zmaleć*) to dwindle; to shrink 3. *przen.* (*zmięknąć*) to soften; to melt; **serce mu ~ało** his heart melted

stopniować *vt imperf* 1. (*stosować gradację*) to grade; to grad(u)ate 2. *jęz.* to compare <to inflect> (an adjective, an adverb)

stopniowanie *sn* 1. ↑ **stopniować** 2. (*gradacja*) grad(u)ation 3. *jęz.* comparison <inflection> (of an adjective, an adverb)

stopniowo *adv* gradually; progressively; by degrees; little by little; bit by bit; step by step; inch by inch

stopniowość *sf singt* graduation; progressiveness

stopniowy *adj* gradual; progressive

stopochodność *sf singt zool.* plantigrady

stopochodny *adj zool.* plantigrade

stopować *vt vi imperf sport* to stop

stopowy[1] *adj techn.* alloy — (steel etc.)

stopowy[2] *adj ogr.* basal (roots etc.)

stopow|y[3] *adj aut.* **światła ~e** stop-lights

stora *sf* blind; *am.* shade

storczyk *sm bot.* (*Orchis*) orchis; orchid

storczykarnia *sf ogr.* greenhouse for the cultivation of orchids

storczykowat|y *bot.* [I] *adj* orchidaceous [II] *spl* **~e** (*Orchidaceae*) (*rodzina*) the orchid family

storczykowy *adj rz.* orchid — (family etc.)

storfie|ć *vi perf* **~je** to turn into peat

storni|a *sf pl G.* **~** *zool.* (*Pleuronectes flesus*) flounder

storno *sn księgow.* cross entry

stornować *vt imperf księgow.* to write off; to contra; to reverse

storpedować *vt perf* 1. *wojsk. mar.* to torpedo 2. *przen.* (*nie dopuścić do czegoś*) to torpedo <to bring to naught> (a plan of action etc.)

storturować *vt perf* to put (sb) to the torture; to torture; to maim; to mutilate

storzan *sm G.* **~u** *bot.* = **nadbrodnik**

storzysz|ek *sm G.* **~ka** *bot.* (*Clinopodium*) calamint

stos *sm G.* **~u** 1. (*kupa*) heap; pile; accumulation; **ułożyć w ~** to heap <to pile> (up); *fiz.* **~ atomowy** atomic pile; † **~ pacierzowy** vertebral column 2. (*sterta drewna dla spalenia ciała itd.*) stake; pyre; **zginąć na ~ie** to suffer <to perish> at the stake 3. *górn.* crib; chock; cog

stosina *sf* 1. (*biczysko*) whipstock 2. *zool.* (*trzon pióra*) shaft (of a feather)

stosować *v imperf* [I] *vt* 1. (*zastosowywać*) to employ; to use; to adhibit (a medicine); to resort (**siłę itd.** to force etc.); to observe (**przepis itd.** a rule etc.) 2. (*wprowadzać w życie*) to put into practice <into operation> 3. (*dostosowywać*) to adapt <to suit> (**coś do czegoś** sth to sth) 4. (*odnosić coś do kogoś, czegoś*) to apply (sth to sb, sth); **źle ~** to misapply [II] *vr* **~ się** 1. (*przestrzegać*) to comply (**do czegoś — wymogów itd.** with sth — requirements etc.); to adhere <to stick, to conform oneself> (**do przepisów itd.** to rules etc.); to keep (**do nakazów itd.** the laws etc.); **~ się**

do czyjejś prośby to meet sb's request; **~ się do mody** to follow the fashion 2. (*dostosowywać się*) to adapt oneself 3. (*odnosić się*) to apply (*vi*); **to się także stosuje do ciebie** this applies to you as well; this is also true of you

stosowalność *sf singt* applicability

stosowanie *sn* 1. ↑ **stosować** 2. (*posługiwanie się*) employment; use; usage (of a word etc.); **niewłaściwe ~** misuse 3. (*przestrzeganie*) observance (of rules etc.) 4. (*dostosowanie*) adaptation 5. (*odnoszenie czegoś do kogoś, czegoś*) application; **złe, niewłaściwe ~** misapplication 6. **~ się** (*przestrzeganie*) compliance (**do czegoś** with sth); adherence (to sth)

stosowany [I] *pp* (↑ **stosować**) applied (art, sciences etc.) [II] *adj* (*przyjęty powszechnie*) conventional; (*o dziedzinie, wiedzy itd.*) practical; (*będący w użyciu*) in use; **przestać być ~m** to fall into disuse

stosownie *adv* in compliance <in accordance, in conformity> (**do czegoś** with sth); according (**do czegoś** to sth); **~ do postanowień umowy** <**do czyjegoś testamentu itd.**> under an agreement <sb's will etc.>; **~ do rozmiaru czegoś** in proportion to the size of sth; **~ do tego** accordingly; **~ do wzoru** <**mody itd.**> after a pattern <a fashion etc.>

stosowność *sf singt* 1. (*odpowiedniość*) suitability; propriety; expedience; timeliness; pertinence 2. (*właściwość*) relevance; fitness; decorum

stosown|y *adj* 1. (*odpowiedni*) suitable; proper; appropriate; expedient; (*o pogodzie*) seasonable; (*o wypowiedzi itd.*) pertinent (remark etc.); **powiedziany** <**zrobiony**> **w ~ej chwili** well-timed; timely; **uważać za ~e coś zrobić** to think it fit to do sth; **zrób, co uważasz za ~e** do as you think fit <as you please>; have your way 2. (*właściwy*) opportune; relevant; fitting; becoming; decorous 3. (*nadający się*) appropriate <suitable> to the occasion; worthy (**czegoś** sth, of sth); **słowa ~e do uroczystości** words worthy (of) the occasion

stosun|ek *sm G.* **~ku** 1. (*związek, zależność*) relation (of one person, thing to another); **~ek wzajemny** mutual relation <relationship>; *prawn.* privity; **pozostawać** <**stać**> **w pewnym ~ku do kogoś, czegoś** to bear a relation to sb, sth; **w ~ku do kogoś, czegoś** a) (*w porównaniu, zestawieniu*) in comparison <compared> with sb, sth b) (*w odniesieniu do*) in relation to sb, sth; regarding sb, sth 2. (*relacja*) ratio; proportion; rate; **oprocentowanie w ~ku 5 od sta** interest at 5 per cent; **w ~ku wprost** <**odwrotnie**> **proporcjonalnym do czegoś** in direct <inverse> ratio to sth 3. (*proporcja*) proportion; **stać w pewnym ~ku** <**nie stać w żadnym ~ku**> **do ...** to be in proportion to <to bear no proportion to, to be out of all relation to, to be incommensurate with> ... 4. (*odnoszenie się, traktowanie*) attitude (**do kogoś, czegoś** towards sb, sth) 5. *pl* **~ki** (*łączność, kontakty*) relations (with sb, sth); **być w ~kach z kimś** to hold intercourse with sb; to deal with sb; **być w dobrych** <**w złych**> **~kach z kimś** to be on good <bad> terms with sb 6. *pl* **~ki** (*znajomości*) connections, connexions; contacts; acquaintances; **posiadający dobre ~ki** well-connected; **rozległe ~ki** a wide acquaintance 7. *pl* **~ki** (*warunki*) conditions; **jak na dzisiejsze ~ki** as things go 6. (*romans*) affair; liaison; connexion 9. (*akt spółkowania*) sexual intercourse <relations>; commerce; **mieć ~ek z kimś** to have sexual intercourse with sb 10. *mat.* (*iloraz*) quotient; ratio

stosunkowo *adv* comparatively; relatively (speaking); **sprawa ~ ważna** a matter of relative importance; **~ łatwo** with relative ease; **~ wygodnie** in relative comfort

stosunkowy *adj* 1. (*proporcjonalny*) proportional 2. (*względny*) relative; comparative

stowaina *sf farm.* stovaine

stowarzyszać się *vr imperf* — **stowarzyszyć się** *vr perf* 1. (*tworzyć stowarzyszenie*) to form an association; to club together 2. (*stawać się towarzyszem*) to associate (with sb)

stowarzyszenie *sn* association; club

stowarzyszeniowy *adj* association — (building etc.)

stowarzyszony [I] *pp* ↑ **stowarzyszyć się** [II] *adj* associate [III] *sm* member of an association

stożar *sm roln.* stacking elevator

stoż|ek *sm G.* **~ka** 1. (*przedmiot stożkowaty*) cone; *anat.* **~ek tętniczy** arterial cone; *bot.* **~ek wzrostowy** (conical) growing point 2. *geol.* talus; **~ek napływowy** alluvial cone 3. *mat.* cone; **~ek ścięty** truncated cone

stożenie *sn* ↑ **stożyć**

stożkogłowy *adj antr.* oxycephalic

stożkowato *adv* conically

stożkowatość *sf singt* conicalness

stożkowaty *adj* cone-shaped; conical

stożkow|y [I] *adj* cone-shaped; conical; **~e koło** level gear [II] *sf* **~a** (a) conic

stożyć *vt imperf* to rick <to stack> (hay, straw)

stóg *sm G.* **stogu** rick; stack; **~ siana** hayrick, haystack; **układać siano w ~** to rick <to stack> hay

stój|ka *sf pl G.* **~ek** 1. (*stanie*) standing at attention 2. (*kołnierzyk*) stand-up <mandarin> collar 2. *myśl.* (*zatrzymanie się psa*) set

stójkowy † *sm* (*decl = adj*) policeman

stół *sm G.* **stołu** *L.* **stole** 1. (*mebel*) table; **~ konferencyjny** conference table; *geol.* **~ lodowcowy** glacier table; rock-capped ice pillar; **~ prezydialny** *dosł.* the chairman's table; *przen.* presiding committee; *rel.* **Stół Pański** Holy Communion; **~ plastyczny** relief map; **szczyt stołu** the head of the table; **zielony ~** gaming table; **siąść do stołu** to sit down to table; **wyłożyć pieniądze na ~** to pay down <in (hard) cash> 2. (*jedzenie*) fare; board; table; **dobry** <**skromny**> **~** good <plain> living <fare>; **uciechy** <**rozkosze**> **stołu** the pleasures of the table 3. *hist.* (*dobra ziemskie*) domain; estate 4. *techn.* bench

stówka *sf pot.* a hundred-zloty note

strace|nie *sn* 1. ↑ **stracić** 2. (*strata*) loss; (*skazanie na utratę życia*) doom; **miejsce ~ń** place of execution; **iść na ~nie** to go to meet one's doom; **mieć wiele** <**nie mieć nic**> **do ~nia** to stand to lose a great deal <nothing>

strace|niec *sm G.* **~ńca** desperado; madcap; **oddział ~ńców** storming party; forlorn hope

straceńczy *adj* desperate

strach *sm G.* **~u** 1. (*lęk*) fear; dread; terror; fright; awe; *sl.* funk; wind-up; **budzić** <**siać**> **~** to strike terror; to inspire (people) with awe; **drżeć ze ~u** to tremble with fear; **mieć ~a** to be frightened

<scared, in terror>; *pot.* to have cold feet; *sl.* to funk; **mieć ~a przed kimś** to stand in awe of sb; **napędzić komuś ~a** to frighten sb out of his wits; *pot.* to put the wind up sb; **nie ma ~u!** no fear!; **nie ma ~u, żeby się to stało** there's no fear <no danger> if its happening; **patrzył <słuchał> bez ~u** he looked on <listened> unawed; **wymusić coś od kogoś ~em** to frighten sb into doing sth; **umierać ze ~u** to be in deadly fear; to be scared out of one's wits; **bez ~u** fearlessly; **pod ~em** in (deadly) fear; **w ~u** scared; frightened; terrified; terror-struck; **w ~u przed kimś, czymś** in fear of sb, sth; **~ pomyśleć;** terribly!; awfully!; something terrible <awful> (!); **~y na Lachy!** fee-faw-fum! 2. (*duch*) ghost; **opowiadanie o ~ach** ghost-stories 3. (*kukła*) (*także* **~ na wróble**) scarecrow; (a) fright

strachać się *vr imperf gw.* to be afraid (**o coś, coś robić** of sth, of doing sth)

strachajło *sn żart.* milksop; poltroon; coward; white-livered fellow

strachliwie *adv* timidly; fearfully

strachliwy *adj* timid; fearful; cowardly

strac|ić *v perf* **~ę, ~ony** [I] *vt* 1. (*zostać pozbawionym*) to lose (an object, one's beloved, one's reason, hope, patience etc.); to cast (leaves etc.); to shed (leaves, feathers, teeth etc.); to give up (hope etc.); to ruin (one's reputation etc.); **~ić cnotę** to lose one's virtue <virginity>; **~ić grunt pod nogami** to go <to get> out of one's depth; **~ić kierunek <drogę>** to lose one's way; to get lost; **~ić kogoś, coś z oczu** to lose sight of sb, sth; **~ić kogoś z oczu, ~ić kontakt** to lose track of sb; **~ić orientację** to get confused; **~ić panowanie nad sobą <nad czymś>** to lose control of oneself <of sth>; (*zniechęcić się*) **~ić serce** to lose heart; **~ić życie** to lose one's life; to perish; **nic nie ~ić na czymś** to be none <nothing> the worse for sth; **nic nie ~isz na tym, że poczekasz** you'll lose nothing by waiting; **nie ~ić swego stanu posiadania** to keep one's possessions; **nie ~ić kogoś z oczu** to keep sb in sight 2. (*ponieść stratę*) to lose (a fortune, one's job etc.); **możemy wiele ~ić** we stand to lose a great deal; **~iłem na tym 1000 złotych** I am 1000 zlotys to the bad <out of pocket> 3. (*zmarnować*) to waste (one's time, words etc.); to miss (**okazję do zrobienia czegoś** an opportunity to do sth); **daremnie czas ~iłem** I went on a fool's errand; **dużo ~iłeś** you've missed a lot; *szk.* **~ić rok (nauki)** to repeat a class 4. (*wykonać wyrok*) to execute; **~ono go na szafocie** he suffered <perished> on the scaffold [II] *vi* to sustain a loss; to lose (**na wadze** weight, flesh); **~ić na sile** to weaken; to abate; **~ić na siłach** to lose strength; **~ić na wartości <jakości, zainteresowaniu>** to lose in value <quality, interest>; **~ić w czyichś oczach** to sink in sb's estimation; **on nic nie ~ił w moich oczach** I like him none the worse; **ten człowiek ~ił na popularności** the man's popularity is waning; the man is losing in public esteem [III] *vr* **~ić się** 1. (*zniknąć*) to disappear; to vanish; **~ić się z oczu** a) (*przestać się widzieć*) to lose sight of each other b) (*przestać się kontaktować*) to lose track of each other 2. (*zabłąkać się*) to lose one's way 3. (*zmieszać się*) to get confused 4. † (*spowodować swoją zgubę*) to bring oneself to ruin

stracon|y [I] *pp* ↑ **stracić** [II] *adj* lost; doomed; fated; forlorn; past help; (*o pacjencie itd.*) past recovery; **~y trud** a waste of energy; **bezpowrotnie ~y** irrecoverable; **jeszcze nic ~ego** all can still be saved <mended>; all is not yet lost; **uważać kogoś za ~ego** to give sb up for lost

stragan *sm G.* **~u** (market) stall; booth; stand; **baba zza ~u** fishwife

straganiar|ka *sf pl G.* **~ek** = **straganiarz**

straganiarski *adj* 1. (*odnoszący się do straganiarza*) (market-) stall keeper's (business etc.) 2. (*odnoszący się do straganu*) (market-) stall — (wares etc.)

straganiarz *sm* (market-) stall keeper <holder>

straganow|y *adj* (*sprzedawany na straganach*) tawdry; **kupiec ~y** street vendor; **literatura ~a** penny dreadfuls; trash

strajk *sm G.* **~u** strike; turn-out; *am.* walk-out; **~ głodowy** hunger-strike; **~ powszechny** general strike; **~ okupacyjny <włoski>** sit-down strike; **~ na znak solidarności** sympathetic strike

strajkować *vi imperf* to be on strike; to strike; to be out

strajkowanie *sn* (↑ **strajkować**) strikes

strajkowicz *sm* striker

strajkowy *adj* strike — (clause, insurance etc.); **zasiłek ~** strike pay

strajkujący *sm* striker

strapić *v perf* [I] *vt* to sadden; to pain; to distress; to afflict; to grieve; to worry [II] *vr* **~ się** to be saddened <pained, distressed, afflicted, grieved>

strapienie *sn* 1. ↑ **strapić** 2. (*troska*) pain; distress; grief; heartache; heartsore; worry

strapiony [I] *pp* ↑ **strapić (się)** [II] *adj* dejected; crestfallen; heartsore; disconsolate; worried; distressed

straponten *sm G.* **~a <~u>** flap-seat; tip-up seat

stras *sm G.* **~u** strass; paste (diamond)

strasburski *adj* Strasbourg <Strassburg> (pie etc.)

straszak *sm* 1. (*imitacja rewolweru*) bird-scarer (in the form of a pistol); cap pistol 2. (*postrach*) bog(e)y; bugbear; (*strach na wróble*) scarecrow

straszenie *sn* ↑ **straszyć**

straszliwie *adv* = **strasznie**

straszliwość *sf* 1. *singt* (*potworność*) monstrosity; gruesomeness 2. (*rzecz, sprawa straszliwa*) (a) monstrosity

straszliwy *adj* = **straszny**

strasznie *adv* 1. (*przerażająco*) terribly; frightfully; horribly; terrifically; awesomely; dreadfully; **zrobiło mi się ~** I was terrified <horrified> 2. (*okropnie*) terribly; awfully; **~ będzie żyć** life will be awful 3. *pot.* (*bardzo*) awfully; terribly; frightfully; **~ się cieszę** I'm awfully <jolly, ever so> glad; **~ się nudziłem** I was bored stiff; **jest ~ zimno** it's beastly cold; **to ~ boli** it's beastly painful; **to ~ zabawne** it's no end of fun

straszn|y *adj* 1. (*wzbudzający strach*) terrible; terrific; horrible; awesome; dreadful; frightful; gruesome; **~y dwór** the haunted mansion 2. (*okropny*) terrible; awful; frightful; formidable; eerie 3. *pot.* (*niezmierny*) awful; terrific; tremendous; **to ~y ból** it's awfully painful; **to ~y kłopot** it's no end of trouble; **to coś ~ego** it's something awful

straszy|ć *v imperf* [I] *vt* 1. (*przerażać*) to frighten; to terrify; to scare 2. (*grozić*) to threaten; to menace; to bluff [II] *vi* (*o duchach*) to haunt; **w tym domu ~** the house is haunted; there are ghosts in the house

straszyd|ło *sn pl G.* **~eł** (a) fright

straszykowat|y *zool.* [I] *adj* phasmatid [II] *spl* **~e** (*Phasmatidae*) (*rząd*) the leaf <the stick> insects

strat|a *sf* loss; bereavement (of one dear to us); waste (of time etc.); *pl* **~y** (*w ludziach*) casualties; **ponieść ~ę** to meet with <to sustain> a loss; **ponieść (ciężkie) ~y** to lose (heavily); **ponieść poważne ~y na skutek czegoś** to be hard hit by sth; **ponieść wielką ~ę wskutek groszowych oszczędności** *przen.* to spoil a ship for a ha'p'orth of tar; **sprzedać ze ~ą** to sell at a sacrifice <below par>; **zadać ~y nieprzyjacielowi** to inflict losses on the enemy; **zapobiec dalszym ~om** to cut one's losses

strate|g *sm pl N.* **~dzy <~gowie>** strategist; (*w starożytnej Grecji*) strategus

strategi|a *sf GDL.* **~i** *pl G.* **~i** strategy; generalship

strategicznie *adv* strategically

strategiczny *adj* strategic

strategik *sm* strategist

stratność *sf singt fiz.* **~ dielektryczna** dielectric loss

stratny *adj praed* **być ~m** to lose; to be the loser

stratocumulus *sm meteor.* stratocumulus

stratosfera *sf* stratosphere

stratosferyczny *adj* stratospheric(al)

stratować *vt perf* to trample; to tread under foot

stratowulkan *sm G.* **~u** *geol.* stratovolcano

stratus *sm meteor.* stratus

stratyfikacja *sf geol. roln.* stratification

stratyfikować *vt imperf* to stratify

stratygraf *sm* stratigrapher

stratygrafi|a *sf GDL.* **~i** stratigraphy

stratygraficzny *adj* stratigraphic (geology etc.)

straw|a *sf* food; nourishment; pabulum; **ciepła ~a** hot meal; **łyżka ~y** a bite of food; **~ duchowa** mental pabulum

strawestować *vt perf* to travesty

strawić *v perf* [I] *vt* 1. (*o żywym organizmie*) to digest 2. (*ścierpieć*) to bear <to stand, to stomach> (sth); **nie mogę ~ jego zachowania** I cannot bear <stand> his conduct; **nie mógł ~ tej obrazy** he could not stomach the insult 3. (*zniszczyć — o ogniu*) to consume; to destroy; (*o chorobie*) to ruin <to sap> (sb's health); (*o troskach*) to prey (**kogoś** on sb's mind) 4. (*spędzić*) to spend (time on sth) 5. *techn.* to etch away (a metal) [II] *vr* **~ się** 1. (*zostać zniszczonym*) to be consumed <destroyed> (by fire etc.); to be sapped (by disease etc.) 2. (*zostać spędzonym*) to be spent (on sth)

strawienie *sn* ↑ **strawić**

strawność *sf singt* digestibility

strawn|y [I] *adj* digestible; *przen.* palatable [II] *sm* **~e** *hist.* board money; *wojsk.* ration allowance

straż 1. (*strzeżenie*) guard; **więzień pod (ścisłą) ~ą** prisoner under (strict) guard <in safe custody>; **stać na ~y** to stand <to be> on guard; to mount guard; *przen.* (*bronić*) to safeguard <to vindicate> (one's rights etc.); **stać na ~y ustaw** to uphold the law; **zaciągać ~ przy czymś** to set a guard over <on> sth 2. (*posterunek*) sentry; (*warta*) guard; watch; escort; convoy; **leśna ~ ogniowa** fire-guard; **~ ogniowa <pożarna>** fire-brigade; *am.* fire-department; **~ przyboczna** body-guard; *wojsk.* **~ boczna** flank guard; **~ przednia** advance guard; vanguard; **~ tylna** rear guard 3. *hist.* the king in council

strażacki *adj* 1. (*odnoszący się do strażaka*) fireman's 2. (*odnoszący się do straży pożarnej*) fire- (engine, hose etc.)

strażak *sm* fireman; *am.* fire-fighter

strażnica *sf* watch-tower

strażnicöw|ka *sf pl G.* **~ek** *pot.* watchman's cabin <shelter>

strażnicz|ka *sf pl G.* **~ek** wardress; guard

strażnicz|y *adj* sentry- (box etc.); **wieża ~a** watch-tower

strażnik *sm* guard; sentry; watchman; **~ więzienny** gaoler; warder

strażować *vi imperf* to watch; to keep guard <watch>

strażowy *adj* of the guard; of the watch(men)

strąbić *v perf* [I] *vt* to summon by trumpet blast [II] *vr* **~ się** 1. (*zebrać się wzajemnie*) to summon each other by trumpet blasts 2. *pot.* (*spić się*) to get drunk <tight, sozzled>

strąc|ać *v imperf* — **strąc|ić** *v perf* **~ę** [I] *vt* 1. (*zrzucać*) to thrust <to hurl> (sth) down; to knock (sth) off; to flick (the ash off one's cigarette etc.); **owoc ~ony przez wiatr** windfall; **~ony anioł** the fallen angel 2. (*zrzucić strzałem*) to bring down <to shoot down, to down> (an aeroplane etc.) 3. (*potrącać*) to deduct (a part of sb's salary etc.); to knock (*x* per cent off a price) 4. *chem.* to precipitate; **środek <czynnik> ~ający** precipitant [II] *vr* **~ać się** 1. (*zrzucić się wzajemnie*) to thrust <to hurl> one another down 2. *chem.* to become precipitated

strącenie *sn* 1. ↑ **strącić** 2. *chem.* precipitation

strącić *zob.* **strącać**

strącz|ek *sm G.* **~ka** *dim* ↑ **strąk**

strączkow|y *adj* leguminous; podded; **rośliny ~e** pulse (crops)

strączyna *sf* stripped pods <husks, hulls>

strączy|niec *sm G.* **~ńca** *bot.* (*Cassia*) cassia

strąk *sm* pod; hull; husk; legume

strąkow|iec *sm G.* **~ca** *zool.* lariid; *pl* **~ce** (*Laridae*) (*rodzina*) the lariids

strą|t *sm G.* **~tu** *L.* **~cie** *chem.* precipitate; precipitation

strefa *sf* zone; area; belt; region

stref|ić *v perf, rz.* **stref|nić** *v perf rel.* [I] *vt* to make ritually impure <unclean> [II] *vr* **~ić, ~nić się** to become ritually impure <unclean>

strefowy *adj* zonal

stremowa|ć *v perf* [I] *vt* to make (sb) nervous; **~ny** nervous [II] *vr* **~ć się** to get nervous

strenować *vt perf* to reduce one's weight by dint of training <of physical exercise>

streptokok *sm biol.* streptococcus

streptomycyna *sf singt farm.* streptomycin

stres *sm G.* **~u** 1. *psych.* stress 2. *geol.* stress

stre|szczać *v imperf* — **stre|ścić** *v perf* **~szczę** [I] *vt* 1. (*zwięźle sformułować*) to summarize; to recapitulate; to condense; to sum up; to boil down (an article, a book, a speech etc.) 2. *imperf* (*zawierać* *w skondensowanej postaci*) to be a concision <an epitome> (**coś** of sth) [II] *vr* **~szczać, ~ścić się** 1. (*wyrażać się zwięźle*) to be brief <concise>; **proszę się ~szczać** cut it short 2. = **~szczać** *vt* 2.

streszczenie *sn* 1. ↑ **streścić** 2. (*skrót*) summary; recapitulation; condensation; digest; synopsis; epitome; précis

streścić *zob.* **streszczać**

stręczenie *sn* ↑ **stręczyć**; **~ do nierządu** procurement

stręczyciel *sm pl G.* **~i** <**~ów**> pander; pimp; procurer; go-between

stręczyciel|ka *sf pl G.* **~ek** pander; pimp; procuress; bawd; go-between

stręczycielstwo *sn* procurement

stręczyć *vi imperf* to pander; to procure

strętwa *sf zool.* (*Electrophorus electricus*) electric eel

strętwowat|y *zool.* [I] *adj* gymnotid [II] *spl* **~e** (*Gymnotidae*) (*rodzina*) the family Gymnotidae

strip-teas|e *smG.* **~u** strip-tease

striptizowy *adj* strip-tease — (performer etc.)

stroboskop *sm G.* **~u** *fiz.* stroboscope

strocz|ek *sm G.* **~ka** *bot.* (*Merulius*) the house fungus

stroczyć *vt perf rz.* to strap

strofa *sf* 1. *prozod.* stanza; verse 2. (*w chórze greckim*) strophe

strofantyna *sf farm.* strophantin

stroficzność *sf singt prozod.* strophic form (of a poem)

stroficzny *adj prozod.* strophic(al)

strofka *sf dim* ↑ **strofa**

strofować *vt imperf* 1. (*udzielać napomnienia*) to admonish; to sermonize 2. (*karcić*) to reprimand; to rebuke; to chide; to scold; to upbraid; to objurgate

strofowanie *sn* 1. ↑ **strofować** 2. (*napomnienie*) admonishment; admonition; sermon 3. (*nagana*) reprimand; rebuke; objurgation

strofująco *adv* rebukingly; by way of reprimand

stroiciel *sm* (piano-)tuner

stroicz|ka *sf pl G.* **~ek** *bot.* (*Lobelia*) lobelia

str|oić *v imperf* **~oję, ~ojony, ~ój** [I] *vt* 1. (*przystrajać*) to deck; to trim; to adorn; to rig out 2. (*stanowić ozdobę*) to adorn; to add beauty (**coś** to sth) 3. *muz. radio* to tune 4. † (*wyprawiać*) to arrange; *obecnie w zwrotach*: **~oić figle** to play pranks; **~oić kpiny** to mock (**z czegoś** at sth); to make fun (**z czegoś** of sth); to banter; to scoff; **~oić miny** to pull faces; **~oić żarty** to jest; to crack jokes [II] *vr* **~oić się** to deck <to prank, to trick> oneself out; to spruce oneself up; to overdress oneself; **~oić się w cudze piórka** to deck oneself in borrowed plumes

stroik *sm G.* **~u** <**~a**> 1. (*część regionalnego stroju*) head-dress (in regional costume) 2. *muz.* reed

stroikow|y *adj muz.* reeded; **instrumenty ~e** the reeds; **piszczałka ~a** reedpipe

stroisz *sm singt G.* **~u** fascine

strojenie *sn* (↑ **stroić**) adornment

strojeniowy *adj* tuning- (hammer, peg etc.); tuning — (condenser etc.)

strojnica *sf muz.* neck (of a harp)

strojnie *adv* beautifully <smartly> dressed; (*o kobiecie*) **~ ubrana** decked out in all her finery

strojnisia *sf żart.* slave of fashion; dressy woman

strojniś *sm iron.* dandy; fop; spark

strojność *sf singt* dressiness; smartness

strojny *adj* 1. (*wystrojony*) elegant; spruce; fashionably dressed 2. (*przybrany*) decked out; adorned

strojowy *adj muz.* tuning (fork etc.)

stromatopora *sf paleont.* the genus Stromatopora

stromizna *sf* steep slope; steepness

stromo *adv* steeply; abruptly; precipitously; arduously; sheer

stromość *sf singt* steepness; abruptness; precipitousness; arduousness

stromotorowy *adj wojsk.* high-trajectory (missile etc.)

stromy *adj* steep; abrupt; precipitous; arduous; sheer

stron|a *sf* 1. (*bok*) side; (*rzeki, jeziora*) bank; **głęboka** <**płytka**> **~a basenu** the deep <shallow> end of the pool; *dosł. i przen.* **druga** <**odwrotna**> **~a medalu** the reverse of the medal; *księgow.* **~a „ma"** <**„winien"**> the credit <the debit> side; *mat.* **~a równania** member of an equation; **być po czyjejś ~ie, brać** <**trzymać**> **czyjąś ~ę** to be on sb's side; to take sides with sb; to stand by sb; **każda sprawa ma dwie ~y** there are two sides to every question; **mieć kogoś po swojej ~ie** to have sb on one's side; **przeciągnąć kogoś na swoją ~ę** to gain sb over; **włożyć coś na lewą ~ę** to put sth on outside in; *przen.* (*o człowieku*) **działać na dwie ~y** to face both ways; **na wszystkie ~y** on all sides; **po lewej** <**prawej**> **~ie, z lewej** <**prawej**> **~y** on the left(-hand) <right(-hand)> side; **po tamtej ~ie ulicy** over the way; across the street; **ze wszystkich ~** from all sides 2. (*stronica*) page 3. (*cecha*) (the good, the bad) side (of sth); aspect; angle; bearing; point; **jasne i ciemne ~y życia** the rough and the smooth; **mocna ~a** a) (*czyjaś*) (sb's) strong point b) (*czegoś*) the advantage <the beauty> (of an invention etc.); **rozpatrzyć sprawę ze wszystkich ~** to consider a question from all angles <in all its bearings>; **widzieć coś z właściwej ~y** to see sth in its true aspect; **znać czyjeś dobre i złe ~y** to know the length of sb's foot; **z jednej ~y ..., z drugiej ...** on the one hand ... on the other ...; **z drugiej zaś ~y** then again ...; but then ...; on the other hand ... 4. (*kierunek*) way; direction; quarter <point> (of the compass); (the father's, the mother's) side; part; *geogr.* **cztery ~y świata** the four quarters of the globe; **to było ładnie z twojej ~y** it was nice of you; **gdzieś w ~ę Zakopanego** somewhere Zakopane way; **ja ze swej ~y ...** I, for my part, ...; **na wszystkie ~y** right and left; on all sides; all around; up and down; **w drugą ~ę** the other way (round); in the other direction; (*o podróży*) **w obie ~y** both ways; there and back; **w ~ę czegoś** towards sth; **w tę** <**w tamtą**> **~ę** this <that> way; **ze ~y ojca** <**matki**> on the father's <mother's> side; **ze ~y znajomych** from one's friends; **w którą ~ę?** which way?; **z której ~y?** from where?; where from? 5. *pl* **~y** (*miejscowość, okolica*) parts; neighbourhood; **w tych ~ach** in these parts; in this neighbourhood; about here; hereabouts; **w tamtych ~ach** thereabouts 6. (*uczestnik sporu, układu*) party (**umowy** to a contract; **w sporze** to a suit); *prawn.* **~a bierna** the defence; **~a czynna** the suitor; the prosecution;

handl. **~a wysyłająca towar <przesyłkę>** freighter 7. *jęz.* voice; **~a czynna <bierna, zwrotna>** active <passive, reflexive> voice

~ami on both sides; right and left; in places

na ~ę on the side; aside; **odłożyć coś na ~ę** to put sth aside; **żarty na ~ę** joking apart; **pójść na ~ę** to go and ease nature

na ~ie aloof; **pozostawać na ~ie** to keep aloof; *teatr* **słowa wypowiedziane na ~ie** (an) aside; (a) stage whisper

stronic|a *sf* page; **tytułowa ~a gazety** front page of a newspaper; (*na początku lub końcu książki*) **pusta ~a** fly-leaf; *przen.* **piękne ~e historii** fine pages of history

stronicowy *adj* paginal

stronicz|ka *sf pl G.* **~ek** *dim* ↑ **stronica**

stroni|ć *vi imperf* to avoid <to shun> **(od kogoś, czegoś** sb, sth); to keep **(od czegoś** off sth); **on ~ od alkoholu** he never touches liquor; **nie ~ć od czegoś** to be partial to sth

stronnictwo *sn* (political) party

stronnicz|ka *sf pl G.* **~ek** partisan; supporter; follower; upholder; adherent

stronniczo *adv* partially; with partiality <undue bias>; in a spirit of partiality; not impartially; unfairly

stronniczość *sf singt* partiality; bias; one-sidedness; unfairness

stronniczy *adj* partial; bias(s)ed; one-sided; unfair

stronnik *sm* partisan; supporter; follower; upholder; adherent; henchman; backer; **on ma wielu ~ów** he has a great following

stront *sm G.* **~u** *chem.* strontium

strop[1] *sm G.* **~u** 1. *bud.* ceiling; roof; **~ belkowy** beam framed floor 2. *geol.* **~ jaskini, groty** roof <ceiling> of a cave 3. *górn.* roof

strop[2] *sm G.* **~u** *mar.* sling

stropić *v perf* [I] *vt* to disconcert; to put (sb) out of countenance; to abash; to confound [II] *vr* **~ się** to be disconcerted <abashed>; to lose countenance

stropienie *sn* (↑ **stropić**) confusion; abashment

stropnica *sf górn.* girder; tree; cap (piece); roof-bar; cross-bar

stropodach *sm G.* **~u** *arch. bud.* flat roof

stropować *vt imperf* to ceil

stropowanie *sn bud.* ceiling

stropowy *adj* ceiling — (board, floor etc.)

stroskanie *sn* sorrow; grief; distress; dejection; worry

stroskany *adj* sorrowful; distressed; dejected; worried; woebegone

stroszyć *v imperf* [I] *vt* to raise; to erect; (*o ptaku*) to ruffle (its feathers); (*o zwierzęciu*) to bristle (its hair) [II] *vr* **~ się** to stand erect; to bristle up

strój *sm G.* **stroju** 1. (*ubiór*) dress; attire; *dosł. i przen.* garb; *zool.* **~ bobrowy** castoreum; **~ godowy ptaków** nuptial plumage; **~ ludowy** national <regional> costume; **~ plażowy** seaside wear; **~ wieczorowy** evening <full> dress; **w stroju domowym** in undress; *żart.* **w stroju adamowym** in one's birthday suit; in buff; stark naked 2. *muz.* tune; pitch; key

stróż *sm* caretaker; *dosł. i przen.* guardian; **~ nocny** watchman

stróża *sf hist.* watch; guard

stróż|ka *sf pl G.* **~ek** (woman) caretaker

stróżostwo *sn singt* functions <duties> of caretaker

stróżować *v imperf* [I] *vi* to be caretaker [II] *vt* to keep watch **(kogoś, czegoś** on <over> sb, sth)

stróżowski *adj* caretaker's (lodge etc.)

stróżów|ka *sf pl G.* **~ek** caretaker's <watchman's> lodge

struchlały [I] *pp* ↑ **struchleć** [II] *adj* terrified; paralysed <overcome> with fear

struchleć *vi imperf* to take fright; to be terrified; to be paralysed <overcome> with fear

struchlenie *sn* (↑ **struchleć**) terror

strucie *sn* ↑ **struć; ~ się** food poisoning

strucl|a *sf pl G.* **~i** *kulin.* twist (of bread)

stru|ć *v perf* **~je, ~ty** [I] *vt* 1. (*zaszkodzić zdrowiu*) to poison 2. *przen.* (*zmartwić*) to depress; to deject; to dishearten 3. (*zaprawić goryczą*) to embitter [II] *vr* **~ć się** 1. (*zaszkodzić swemu zdrowiu*) to poison oneself; to get poisoned with food 2. *przen.* (*zmartwić się*) to be depressed <dejected, disheartened>

strud|el *sm G.* **~la** *pl G.* **~li <~lów>** *kulin.* strudel

strudzenie *sn* 1. ↑ **strudzić** 2. (*stan*) weariness; fatigue; tiredness; exhaustion; lassitude

strudz|ić *v perf* **~ę** [I] † *vt* to tire out; to exhaust; *obecnie w pp:* **~ony** tired out; exhausted [II] *vr* **~ić się** to tire oneself out; to exhaust oneself

strug *sm stol.* plane; **nóż ~a** plane-iron; **oprawa <korpus> ~a** plane-stock; **~ profilowy** moulding <cornice> plane

strug|a *sf* 1. (*strumień*) stream; **mała <wąska> ~a** trickle; **deszcz lał ~ami** the rain came down in sheets; **lać się <płynąć> ~ą <~ami>** to stream; to flow in streams; **płynąć małą <wąską> ~ą** to trickle; **puścić ~ę wody <oliwy itd.>** to spout water <oil etc.> 2. (*rzeczka*) stream

strugacz *sm* hewer

strugacz|ka *sf pl G.* **~ek** *rz.* pencil-sharpener

stru|gać *vt imperf* **~ga <~że>** 1. (*ociosywać*) to plane <to shave, to whittle> (wood); **~gać ołówek** to sharpen a pencil; *przen.* **~gać komuś kołki na głowie** to ill-treat <to bully> sb 2. (*wyrzynać*) to cut (sth) out (of wood etc.); to carve; *przen. pot.* **~gać ważniaka** to put it on; to give oneself airs 3. (*skrobać*) to scrape (carrots etc.)

struganie *sn* ↑ **strugać**

strugar|ka *sf pl G.* **~ek** 1. *techn.* planer; planing machine; **~ka poprzeczna** shaper; shaping machine; **~ka-wyrówniarka** surfacer 2. (*strugaczka*) pencil-sharpener

strugarski *adj techn.* **nóż ~** plane-iron

strugnica *sf stol.* joiner's bench

strugowy *adj* **nóż ~** plane-iron

struktura *sf* 1. *singt* (*budowa*) structure; texture; make-up 2. (*zespół*) framework

strukturalistyczny *adj* structuralist

strukturalizm *sm G.* **~u** *filoz. jęz.* structuralism

strukturalnie *adv* structurally

strukturaln|y *adj* structural (geology, psychology etc.); constructional; *chem.* **wzory ~e** structural formulae

strumienica *sf fot.* spotlight

strumieniowy *adj* stream — (power, wheel etc.); fluvial; *zool.* **minóg ~** (*Petromyzon planeri*) lamprey; *lotn.* **silnik ~** ramjet; athodyd; continuous thermal duct

strumieniów|ka *sf pl G.* **~ek** *zool.* (*Locustella fluviatilis*) a species of warbler

strumie|ń *sm G.* **~nia** 1. (*woda płynąca w korycie*) stream; water-course; *fiz.* **~ń magnetyczny** magnetic flux; **~ń świetlny** flow of light; luminous <light> flux 2. (*płynąca ciecz*) stream; flow; flux; jet; torrent; **deszcz lał ~niami** the rain came down in streams <sheets, torrents>; **lać się ~niami** <**~niem**> to stream; to flow in streams

strumycz|ek *sm G.* **~ka** rivulet; rill; brooklet

strumyk *sm* brook; streamlet

strun|a *sf* string (of a musical instrument, tennis-racket etc.); cord; (*metalowa*) wire; *anat.* **~y głosowe** vocal cords; **wyciągnąć** <**wyprężyć**> **się jak ~a** to stand as stiff as a poker; *przen.* **przeciągnąć ~ę** to overstrain the cord; to go too far; to overplay one's hand; **uderzyć we właściwą ~ę** to strike the right note; to touch the right chord; **uderzyć w ~ę sentymentu** to put on the pathetic stop || *zool.* **~a grzbietowa** notochord

struniak *sm med.* chordoma

strunka *sf* 1. *dim* ↑ **struna** 2. *bot.* (*Chorda*) (a) cordaceous alga

strunnik *sm muz.* tailpiece (of violin etc.)

strunobeton *sm G.* **~u** *bud.* long-line prestressed concrete

strunowanie *sn sport* strings (of a tennis racket)

strunow|iec *sm G.* **~ca** *zool.* chordate; *pl* **~ce** (*Chordata*) (*typ*) the phylum <subkingdom> Chordata

strunow|y *adj muz.* string — (peg etc.); stringed (instrument); **instrumenty ~e** the strings || *bud.* **beton ~y** = **strunobeton**

strup *sm med.* crust; scab

strupie|ć¹ *vi perf* **~je** to be a dead body

strupieć² *vi imperf med.* to scab

strup|ień *sm G.* **~nia** *med.* tinea; **~ień woszczynowy** favus

strupieszałość *sf singt* decrepitude

strupieszały *adj* decrepit

strupiesze|ć *vi perf* **~je** 1. (*zgrzybieć*) to grow decrepit 2. *przen.* (*stać się przestarzałym*) to become obsolete <antiquated>

strupieszenie *sn* (↑ **strupieszeć**) decrepitude

struposz *sm singt ogr.* (*parch gruszowy*) (*Venturia pirini*) pear-scab; (*jabłkowy*) (*Venturia inaequalis*) apple-scab

strupowaty *adj* scabby

strupow|y *adj wet.* **grzybica ~a** maduromycosis

strusi *adj* ostrich- (farm, feather, plume etc.); *bot.* **pióropusznik ~** (*Onoclea struthiopteris*) a fern of the genus Struthiopteris; **~ żołądek** the digestion of an ostrich; **prowadzić ~ą politykę** to pursue an ostrich policy

strusiowat|y *zool.* [I] *adj* struthious [II] *spl* **~e** (*Struthioniformes*) the order Struthioniformes

stru|ś *sm G.* **~sia** *zool.* (*Struthio*) ostrich; **~ś amerykański** (*Rhea americana*) nandu; rhea

struty [I] *pp* ↑ **struć** [II] *adj w zwrocie*: **chodzić jak ~** to be crestfallen <dejected>

struż|ka¹ *sf pl G.* **~ek** (*dim* ↑ **struga**) streamlet

struż|ka² *sf pl G.* **~ek** *techn.* shavings

strużyny *spl* shavings; parings; abatement

strwolotka *sf zool.* (*Dactylopterus volitans*) flying gurnard

strwonić *vt perf* to waste (time); to squander away (a fortune etc.)

strw|ożyć *v perf* **~óż** [I] *vt* to frighten; to scare; to startle [II] *vr* **~ożyć się** to take fright; to be scared

strych *sm G.* **~u** garret; attic; loft

strycharstwo *sn singt* brickmaking; brickmaker's work

strycharz *sm pl G.* **~y** <**~ów**> brickmaker

strychnina *sf chem. farm.* strychnine

strychować *v imperf* [I] *vt* (*o koniu*) to interfere [II] *vr* **~ się** to interfere

strychowy *adj* attic <garret> — (space etc.)

strychul|ec *sm G.* **~ca** 1. (*deszczułka do wyrównywania*) strickle; **podciągnąć pod jeden ~ec** to make no distinctions; to employ one standard for all regardless of distinctions 2. *techn.* strike

strycz|ek *sm G.* **~ka** 1. (*sznur*) halter 2. (*pętla*) noose 3. (*kara śmierci*) the halter; the rope; *przen.* **to pachnie ~kiem** it's a hanging matter

stryj *sm* (paternal) uncle

stryjasz|ek *sm G.* **~ka** *dim* ↑ **stryj**

stryjeczn|y [I] *adj* **brat ~y, siostra ~a** cousin (german); **~y dziadek** great-uncle [II] *sm* **~y**, *sf* **~a** cousin (german)

stryj|ek *sm G.* **~ka** *dim* ↑ **stryj**

stryjen|ka *sf pl G.* **~ek** aunt

stryjostwo *sn singt* uncle and aunt

stryjowski *adj* uncle's

stryk *sm* = **stryczek**

strysz|ek *sm G.* **~ka** cock-loft

strywializować *vt perf* to trivialize

strywialnie|ć *vi perf* **~je** to become <to grow> trivialized <commonplace, humdrum>

strzał *sm G.* **~u** 1. (*wystrzał*) shot; *pl* **~y** shots; rifle-fire; **ostry** <**ślepy**> **~** ball-cartridge <blank-cartridge> shot; **~ z karabinu, z rewolweru, z łuku** rifle-shot, pistol-shot, bowshot; **~ z zasadzki** snipe; **wymiana ~ów** gun-play; **bez ~u** without a shot being fired; **na ~, o ~** within rifle-shot 2. *górn.* shot 3. *sport* (*rzut piłki*) shot (at the goal)

strzał|a *sf* 1. (*pocisk do łuku*) arrow; bolt; **kształtu ~y** arrowy; **lotem ~y** like a shot; **prosty jak ~a** bolt upright 2. (*zw. pl*) *przen.* shafts <barbs, stings> (of sarcasm, ridicule etc.) 3. = **strzałka** 4., 6. 4. *leśn.* (*pień drzewa*) trunk; spire

strzał|ka *sf pl G.* **~ek** 1. (*pocisk do łuku*) arrow 2. *przen.* shaft (of light etc.) 3. *techn.* arrow; needle; finger; height (of an arch) 4. (*znak kierunkowy*) pointer; *aut.* trafficator 5. *kolej.* switch-toe; switch-rail 6 .(*na czole konia*) star; **koń ze ~ką** bald-faced horse 7. *anat.* fibula 8. *bot.* (*Sagittaria*) arrow-head; short shoot || *geol.* **~ka kalcytowa** vein of calcite (in a flaggy sandstone); **~ka piorunowa** fulgurite

strzałkowaty *adj* sagittate (leaf etc.)

strzałkow|y *adj anat.* sagittal; fibular; **kość ~a** fibula

strzałowo *adv sport* with respect to <as regards> shooting at the goal

strzałow|y [I] *adj* 1. (*dotyczący wystrzału*) (report etc.) of a shot 2. *górn.* blasting — (equipment etc.); **otwór ~y** shot-hole 3. *sport* (*w piłce nożnej*) **pozycja ~a** shooting position [II] *sm górn.* shot-firer

strzaskać *v perf* [I] *vt* to shatter; to smash (sth) to pieces [II] *vr* ~ **się** to get <to be> shattered <smashed to pieces>

strząchać (się) *vt vr imperf* — **strząchnąć (się)** *vt vr perf* = **strząsać, strząsnąć**

strząs|ać *v imperf* — **strząs|nąć** *v perf* [I] *vt* 1. (*strzepywać*) to shake (sth) down <off>; to flick (the ash off one's cigarette); to brush away 2. (*potrząsać*) to shake (**głową** one's head) [II] *vr* ~**ać,** ~**nąć się** to shake (*vi*)

strząśnięcie *sn* (↑ **strząsnąć**) (a) shake

strzelba *sf zool.* (*Phoximus*) minnow

strze|c *v imperf* ~**gę,** ~**że,** ~**ż,** ~**gł,** ~**żony** [I] *vt* 1. (*pilnować*) to guard (**kogoś, czegoś** sb, sth); to keep watch (**kogoś, czegoś** over sb, sth); to watch (**kogoś, czegoś** sb, sth); **bacznie kogoś** ~**c** to keep a sharp eye on sb; **nie** ~**żony przejazd kolejowy** unbarred crossing; ~**c czegoś jak oka w głowie** to keep sth like the apple of one's eye; *przysł.* ~**żonego Pan Bóg** ~**że** God helps them who help themselves; forewarned is forearmed 2. (*opiekować się*) to protect (**kogoś, czegoś** sb, sth) 3. (*przestrzegać*) to observe (**ustaw itd.** the law etc.); to abide by <to adhere to> (**przepisów itd.** the rules etc.); to keep (**tajemnicy** a secret) [II] *vr* ~**c się** to beware (of trains, pickpockets, the dog etc.); to be on one's guard; to keep away (**złego** from evil); ~**c się figlów** to keep out of mischief

strzech|a *sf* 1. (*dach*) thatched roof; **pokryć** ~**ą** to thatch 2. *przen.* (*włosy*) thick head of hair; *pot.* thatch 3. (*chata*) thatched cottage

strzechwa *sf bot.* (*Grimmia*) a moss of the genus Grimmia

strzego|tać *vi imperf* ~**cze** <~**ce**> to chirrup; to chirp

strzel|ać *v imperf* — **strzel|ić** *v perf* [I] *vi* 1. (*posługiwać się bronią palną*) to shoot <to fire a shot> (**do kogoś, czegoś** at sb, sth); **dobrze** <**źle**> ~**ać** to be a good <a bad> shot; ~**ać,** ~**ić do kogoś z rewolweru** to shoot at sb with a pistol; ~**ać,** ~**ić do kogoś z karabinu** to fire one's rifle at sb; ~**ać,** ~**ić z łuku** to shoot a bow; ~**ać,** ~**ić z zasadzki** to snipe; ~**ić komuś w łeb** to blow sb's brains out; to shoot sb dead; ~**ić na wiatr** to shoot in the air; *przen.* **coś mu** ~**iło do głowy** sth came over him; he was seized with an idea; ~**ać dowcipami** to crack jokes; ~**ać oczami** to cast (anxious etc.) glances; ~**ać oczami do kogoś** to ogle sb; *przysł.* **człowiek** ~**a, a Pan Bóg kule nosi** man proposes but God disposes 2. (*o broni palnej — rozładować się*) to fire; to go off 3. *imperf* (*polować*) to go shooting; to shoot game 4. (*trzaskać*) to crack (**z bicza** a whip) (*o korku*) to (go) pop; ~**ać palcami** to snap one's fingers; ~**ać,** ~**ić obcasami** to click one's heels 5. *imperf* (*wznosić się*) to shoot up (**w górę** in the air) 6. *górn.* to fire (a mine) 7. *sport* to shoot (at the goal) [II] *vt w zwrotach*: ~**ić bąka** <**byka, głupstwo**> to stumble; to commit a blunder; to put one's foot on it; ~**ić kogoś w gębę** <**w twarz**> (*o mężczyźnie*) to punch sb's head; to land sb one in the jaw <in the eye>; (*o kobiecie*) to slap sb's face; *sport* ~**ić bramkę** to shoot <to score> a goal [III] *vr* ~**ać się** to duel; to fight with pistols

strzelający *sm* shooter; ~ **z zasadzki** sniper

strzelani|e *sn* 1. ↑ **strzelać**; **dobre** ~**e** marksmanship 2. (*strzelanina*) (rifle) shots; rifle fire; gun-play 3. *wojsk.* (*także* **ćwiczenia w** ~**u**) target practice

strzelanina *sf singt* (rifle) shots; rifle fire; gun-play; fusillade

strzelb|a *sf* gun; (*myśliwska*) fowling-piece; (*karabin*) rifle; **brać zwierza na** ~**ę** to shoot game

strzelczyk *sm zool.* (*Toxotes jaculator*) archer-fish

strzel|ec *sm G.* ~**ca** 1. (*ten, kto strzela*) shooter; rifleman; **dobry** <**kiepski**> ~**ec** good <bad> shot; **wyborny** <**celny**> ~**ec** sharpshooter; (good) marksman; **zaczajony** ~**ec** sniper 2. *wojsk.* rifleman; fusilier; gunner; *pl* ~**cy** rifles; fusiliers; ~**ec samolotowy** air gunner; **starszy** ~**ec** lance-corporal 3. *sport* (*zawodnik specjalizujący się w strzelaniu*) shooter 4. *sport* (*w grach piłkarskich*) scorer; (good) kick 5. **Strzelec** *astr.* Sagittarius

strzelecki *adj* 1. (*związany ze sportem strzeleckim*) shooting — (match etc.); **związek** ~ rifle club 2. *wojsk.* rifle — (brigade, practice etc.); **dół** ~ rifle pit; **rów** ~ trench; **stopień** ~ banquette

strzelectwo *sn singt* game shooting; (big-game) hunting

strzelenie *sn* 1. ↑ **strzelić** 2. (*strzał*) shot

strzelić *zob.* **strzelać**

strzelisto *adv* = **strzeliście**

strzelistość *sf singt* 1. (*smukłość*) slenderness 2. (*ognistość*) fieriness

strzelist|y *adj* 1. (*wysmukły*) slender; tapering; spiry; ~**a wieża** spire 2. (*niebotyczny*) soaring 3. (*ognisty*) fiery; impetuous; passionate 4. (*żarliwy*) ardent (prayer)

strzeliście *adv* 1. (*wysmukło*) slenderly 2. (*żarliwie*) ardently

strzeliwo *sn* ammunition

strzelnica *sf* 1. (*teren*) rifle-range; ~ **jarmarczna** shooting-gallery 2. *wojsk.* embrasure 3. *hist.* (*otwór w murze warowni*) loop-hole; dream-hole

strzelnicow|y *adj* **szczelina** ~**a** loop-hole; dream-hole

strzelnicz|y *adj* shooting — (range etc.); *chem.* **bawełna** ~**a** gun-cotton; **proch** ~**y** gunpowder; *górn.* **roboty** ~**e** shooting and blasting

strzemiącz|ko *sn pl G.* ~**ek** 1. (*taśma u dołu spodni*) strap 2. *anat.* stirrup(-bone); stapes 3. *ogr.* hoe

strzemienn|y [I] *adj* stirrup- (bar, leather etc.) [II] *sn* ~**e** stirrup-cup

strzemi|ę *sn G.* ~**enia** *pl NA.* ~**ona** *G.* ~**on** *D.* ~**onom** *I.* ~**onami** *L.* ~**onach** 1. (*część uprzęży*) stirrup; **wypaść ze** ~**on** to lose one's stirrup 2. *techn.* stirrup; binder; hanger; shackle

strzemion|ko *sn pl G.* ~**ek** = **strzemiączko** 1., 2.

strzep|nąć *vt perf,* **strzep|ać** *vt perf* — **strzep|ywać** *vt imperf* 1. (*usunąć*) to shake (sth) down <off>; to whisk (sth) away <off>; to flick (the ash off one's cigarette); to brush away 2. ~**nąć,** ~**ywać** (*potrząsnąć*) to shake (**rękami** one's hands); to beat the air (with one's hands); (*o ptaku*) to flutter (its wings)

strzepnięcie *sn* (↑ **strzepnąć**) (a) flick; (a) whisk

strzepywać *zob.* **strzepnąć**

strzeżenie *sn* ↑ **strzec**

strzęp *sm G.* ~**u** shred (of cloth etc.); scrap (of paper etc.); *pl* ~**y** rags; tatters; ~**y rozmowy** snatches of talk; **porwać coś na** ~**y** to tear sth to rags <to shreds>; **pójść w ~y** to be reduced <worn> to rags; **w ~ach** in rags; ragged; in tatters; tattered

strzęp|ek *sm G.* **~ka** shred; fragment

strzępi|a *sf pl G.* **~** *bud.* racking back; toothing; bonding

strzępiasty *adj* jagged; *bot.* (*o liściu*) laciniated

strzępić *v imperf* [I] *vt* 1. (*wystrzępiać*) to shred; to fray; to pick (rags etc.); *przen.* **~ sobie język** to wag one's tongue 2. *bud.* to tooth (a wall) [III] *vr* **~ się** to shred <to fray> (*vi*); to be reduced to shreds

strzępig|ęba *sf sm* (*decl = sf*) *pl G.* **~ębów** <**~ąb**> *żart.* chatterbox

strzępina *sf zool.* fringes

strzępki *spl bot.* hyphae

strzęplica *sf bot.* (*Koeleria*) a fodder grass

strzęsienie *sn* ↑ **strząść**

strzy|c *v imperf* **ˈ~gę, ~że, ~ż, ~gł, ~żony** [I] *vt* 1. (*ciąć*) to cut (**kogoś** sb's hair); to shear <to fleece> (sheep); to trim (a dog); to mow (grass); to poll (shrubs); **ˈ~c oczami na kogoś** to ogle sb; **ˈ~c uszami** to prick (one's ears) 2. (*o zwierzętach*) to graze 3. (*ćwierkać*) to chirrup [II] *vi* (*ścinać włosy*) to cut people's hair [III] *vr* **~c się** to have <to get> one's hair cut (**na jeża itd.** in a stubble etc.)

strzyga *sf* vampire; lamia

strzygad|ło *sn pl G.* **ˈ~eł** shearer

strzygoni|a *sf pl G.* **~i** *zool.* (*Panolis flammea*) a noctuid destructive of pine trees

strzyk *sm zool.* teat

strzyk|ać *vi imperf* — **strzyk|nąć** *vi perf* 1. (*tryskać*) to gush; to spout; to squirt 2. (*boleć*) to ache; **ˈ~a mnie w uchu** <**boku itd.**> I have shooting pains in the ear <the side etc.> 3. (*ćwierkać*) to chirrup; to chirp

strzykaw|ka *sf pl G.* **ˈ~ek** (hypodermic) syringe

strzyknąć *zob.* **strzykać**

strzyknięcie *sn* 1. ↑ **strzyknąć** 2. (*tryśnięcie*) (a) gush; (a) squirt 3. (*ból*) shooting pain

strzykowy *adj zool.* **zbiornik ~** teat cistern; lactiferous sinus

strzykw|a *sf zool.* holothurian; sea cucumber; *pl* **ˈ~y** (*Holothurioidea*) the sea cucumbers

strzyża *sf* 1. (*strzyżenie*) fleecing; sheep-shearing 2. (*wełna*) fleece 3. (*okres strzyżenia*) shearing time

strzyżar|ka *sf pl G.* **ˈ~ek** shearing-machine

strzyżeni|e *sn* (↑ **strzyc**) hair-cutting; (*owiec*) sheep--shearing; **maszynka do ˈ~a trawy** lawn-mower

strzyżony [I] *pp* ↑ **strzyc** [II] *adj* cut; cropped; clipped; **krótko ~** close-cropped

strzyżyk *sm zool.* (*Troglodytes troglodytes*) wren

stu- *praef* a hundred —; **~funtowy ciężar** a hundred pound weight; **~złotowy banknot** a hundred zloty bank-note

stubarwny *adj* multicoloured; variegated

studenciak *sm pot. żart.* young student

studencik *sm* young student

studencki *adj* student's, students'; student — (hostel etc.); undergraduate's, undergraduates'; undergraduate — (days etc.)

student *sm* student; undergraduate; **~ pierwszego roku** freshman

studenteri|a *sf singt GDL.* **~i** *pl G.* **~i** *pot.* student folks

studentka *sf* (woman) student; *żart.* undergraduette

studia *zob.* **studium**

studi|o *sn pl G.* **~ów** studio; **~o filmowe** atelier

studiować *v imperf* [I] *vt* 1. (*badać*) to study; to investigate; to peer (**mapę itd.** at a map etc.) 2. (*odbywać studia*) to study <to be a student of> (medicine, law etc.) 3. *plast.* to draw a study <studies> (**coś** of sth) [II] *vi* (*być studentem*) to go to college

studiowanie *sn* 1. ↑ **studiować** 2. (*badanie*) study, studies; investigation(s); research work

studi|um *sn* 1. (*badanie*) study; investigation; *pl* **ˈ~a** research 2. *pl* **ˈ~a** (*nauka na wyższej uczelni*) university studies; **być na ˈ~ach** to study; to go to college; **mieć wyższe ~a** to have a university education <a degree>; **ukończyć ˈ~a** to finish one's studies; to graduate; to take one's degree 3. (*dzieło*) study 4. (*pracownia naukowa*) department (of foreign languages etc.); **ˈ~um zaoczne** extramural studies 5. *muz. plast.* study

stu|dnia *sf pl G.* **ˈ~dzien** <**~dni**> 1. (*zbiornik wody*) well; **czuć się jak pies w ˈ~dni** to be at bay; **we mnie jak w ˈ~dni** <**~dnię**> my lips are sealed; **wykopać ˈ~dnię** to sink a well; *przen.* **ˈ~dnia bez dna** bottomless pit 2. *przen.* (*dom czynszowy z oficynami*) tenement-house with annexes

studniarz *sm pl G.* **ˈ~y** <**~ów**> well-sinker

studniowy[1] *adj* a hundred days' — (cure etc.)

studniowy[2] *adj* = **studzienny**

studniów|ka *sf pl G.* **~ek** customary party arranged by schoolfellows a hundred days before school--leaving examinations

studzenie *sn* ↑ **studzić**

studz|ić *v imperf* **~ę** [I] *vt* to cool (one's tea etc.); **ˈ~ić czyjś zapał** to damp sb's zeal [III] *vr* **~ić się** to cool (*vi*)

studzienina *sf gw.* meat jelly; aspic

studzienka *sf* 1. *dim* ↑ **studnia** 2. *bud.* (*zbiornik*) catch basin

studzienny *adj* well- (water, shaft etc.)

stugębn|y *adj* of a hundred mouths; **~a plotka** rumour in everybody's mouth; **~y wrzask** scream from a hundred mouths

stugłowy *adj* (monster etc.) with a hundred heads

stugramowy *adj* a hundred gram — (dose etc.)

stujęzyczny *adj* of a hundred tongues

stuk[1] *interj* (*także* **~ puk**) rat-tat

stuk[2] *sm G.* **~u** 1. (*stuknięcie*) knock; tap; rap; bang 2. (*stukanie*) patter; clutter; clatter

stuk|ać *v imperf* — **stuk|nąć** *v perf* [I] *vi* to knock; to hit; to tap <to rap> (**w drzwi, w stół** the door, the table, at the door, at the table); *imperf* to patter; to clatter; to rattle; to drum; *perf* to give a knock <a rap, a tap> [II] *vr* **~ać, ~nąć się** *w zwrotach*: **~ać, ~nąć się w czoło** to tap one's forehead; **~ać, ~nąć się z kimś kieliszkiem, szklanką** to clink glasses

stukanie *sn* (↑ **stukać**) knock(s); tap(s); rap(s); patter; clatter; clutter; rat-tat

stukaratowy *adj rz.* a hundred carat — (diamond etc.)

stukilometrowy *adj* a hundred kilometre — (sector etc.)

stuknąć *vt perf* 1. *zob.* **stukać** 2. *pot.* (*zastrzelić*) to shoot (sb) 3. *pot. rz.* (*silnie uderzyć*) to hit; to whack; *przen.* **ˈ~ kogoś po kieszeni** to hit sb hard

stuknięcie *sn* (↑ **stuknąć**) knock; hit; tap; rap

stuknięty [I] *pp* ↑ **stuknąć** [II] *adj pot.* daft; barmy; a bit mad

stukonny *adj* of a hundred horses; *wojsk.* a hundred horse — (detachment); *techn.* a hundred horse-power — (machine)

stukot *sm G.* **~u** (*stuknięcie*) knock; tap; rap; bang; (*stukanie*) din; patter; clutter; clatter; **posuwać się ze ~em** to clatter along

stuko|tać *vi imperf* **~ce** <**~cze**> to knock; to rattle; to patter; to clatter

stukotanie *sn* (↑ **stukotać**) knocks; rattle; patter; clatter

stukrotny *adj* = **stokrotny**

stuku *interj* (*zw.* **~ puku**) rat-tat

stukułka *sf singt* a gambling card game

stul|ać *v imperf* — **stul|ić** *v perf* [I] *vt* to close up; to press close together; to coil up; (*o ptaku, motylku*) **~ać, ~ić skrzydła** to close its wings; (*o psie*) **~ić ogon** to hold its tail between its legs; *pot.* (*o człowieku*) **~ić pysk** <**buzię**> to shut up; *przen.* **~ić uszy** to cover; to draw in one's horns [II] *vr* **~ać, ~ić się** to nestle; to coil up (*vi*); to cower

stuleci|e *sn pl G.* **~** 1. (*sto lat*) century; (a) hundred years; (an) age 2. (*rocznica*) centenary

stulejka *sf anat.* phimosis

stulenie *sn* ↑ **stulić**

stuletni *adj* 1. (*mający sto lat*) a hundred years old; secular (tree etc.); (custom etc.) of a hundred years standing; age-old; **~ starzec** centenarian 2. (*trwający sto lat*) a hundred years' (war, captivity etc.)

stulić *zob.* **stulać**

stulistn|y *adj* of a hundred leaves; many-leaved; *bot.* **róża ~a** (*Rosa centifolia*) cabbage rose

stulisz *sm bot.* (*Sisymbrium*) hedge mustard; **~ lekarski** (*Sisymbrium officinale*) hedge mustard

stulitrowy *adj* a hundred litre — (cask, tank etc.)

stu|ła *sf DL.* **~le** *kośc.* stole

stułbi|a *sf pl G.* **~i** *zool.* (*Hydra*) hydra

stułbiopław *sm zool.* hydrozoan; *pl* **~y** (*Hydrozoa*) (*gromada*) the class Hydrozoa

stumanić *vt perf pot.* (*oszukać*) to hoodwink; to humbug

stumanie|ć *vi perf* **~je** *pot.* (*zgłupieć*) to turn <to go> silly <stupid>

stumarkowy *adj* a hundred mark — (bank-note, expense etc.)

stumetrowy *adj* a hundred metre — (race etc.)

stumetrówka *sf sport* (a) hundred metre race

stumilow|y *adj* a hundred mile — (journey etc.); (*w bajce*) **buty ~e** seven-league boots

stuoczny *adj* (Argus etc.) of a hundred eyes; hundred-eyed — (Argus etc.)

stupa *sf* stupa

stupaj|ka *sf sm* (*decl* = *sf*) *pl G.* **~ek** *pog.* (*policjant*) (tsarist) cop; *am. sl.* flatfoot

stupiętrowy *adj* a hundred storey — (tower etc.)

stupor *sm G.* **~u** *med.* stupor

stuprocentowo *adv pot.* a hundred per cent (efficient etc.)

stuprocentow|y *adj* 1. (*zawierający sto procent*) a hundred-per-cent (attendance etc.) 2. *pot.* (*całkowity*) entire; complete; (*o substancji itd.*) pure; **~e zaufanie** full confidence

sturamienny *adj* hundred-armed; hundred-branched

sturczyć *v perf* [I] *vt* to Turkify [II] *vr* **~ się** to turn Turk; to be Turkified

sturlać *v perf pot.* [I] *vt* to roll (sth) down; to send (sth) rolling down [II] *vr* **~ się** to roll down

sturublowy *adj* a hundred rouble — (bank-note etc.)

sturublów|ka *sf pl G.* **~ek** *pot.* a hundred rouble note

sturzarz *sm* bungler

stusz|ować *v perf* — *rz.* **stusz|owywać** *vi imperf* [I] *vt* to touch (sth) up; to tone (sth) down [II] *vr* **~ować, ~owywać się** to be toned down

stuświecow|y *adj* a hundred candle (candelabrum etc.); *pot.* **żarówka ~a** a hundred candle-power bulb

stutonowy *adj* a hundred ton — (weight etc.)

stutysięcznik *sm pot.* (craft of) a hundred thousand tons displacement

stutysięczny *adj* 1. *num* a <one> hundred thousandth 2. (*składający się ze stu tysięcy*) of a hundred thousand (inhabitants, copies etc.)

stuwierszowy *adj* (composition etc.) of a hundred lines

stuzłotowy *adj* a hundred zloty (bank-note, expense etc.)

stuzłotów|ka *sf pl G.* **~ek** *pot.* a hundred zloty note

stwardniały [I] *pp* ↑ **stwardnieć** [II] *adj* hard; hard-set; *med.* sclerotic

stwardnie|ć *vi perf* **~je** 1. (*stać się twardym*) to harden; to indurate; (*stać się sztywnym*) to stiffen; to grow <to become> stiff; (*o cemencie itd.*) to set 2. *przen.* (*o człowieku*) to harden; to grow callous <insensible, impervious> 3. *jęz.* to harden

stwardnienie *sn* 1. ↑ **stwardnieć**; induration 2. *med.* **~ skóry** callosity; **~ tętnic** arteriosclerosis; **~ rozsiane rdzenia** multiple <disseminated> sclerosis

stw|arzać *v imperf* — **stw|orzyć** *v perf* **~órz** [I] *vt* to create; to produce; to call into being <to set up> (an institution etc.); to compose (a poem etc.); **~arzać sobie** to invent; **taki, jak go Pan Bóg ~orzył** a) (*pierwotny*) in the primitive state b) (*nagi*) stark naked; **~orzony do czegoś** cut out for sth; born to be sth [II] *vr* **~arzać się** *perf* to come into being; *imperf* to be in the making

stwarzanie *sn* (↑ **stwarzać**) creation

stwierdz|ać *vt imperf* — **stwierdz|ić** *vt perf* **~ę** [I] *vt* to ascertain (sth); to state <to record> (a death etc.) [II] *vi* to ascertain <to find, to discover, to note> (that ...); **~iłem, że ...** I have satisfied myself that ...

stwierdzenie *sn* (↑ **stwierdzić**) ascertainment; statement (of a fact)

stwierdzić *zob.* **stwierdzać**

stw|ora *sf pl G.* **~ór** monster

stworzenie *sn* 1. (↑ **stworzyć**) creation; formation 2. (*istota żywa*) (a) being; creature; **jak nieboskie ~** as <like> one not of this world; monstrous 3. *zbior.* (*świat*) creation 4. *gw.* (*zwierzę*) animal

stworzon|ko *sn pl G.* **~ek** *pieszcz.* little being; dear thing; poor creature

stworzyciel *sm pl G.* **~i** creator

stworzyć *zob.* **stwarzać**

stw|ór *sm G.* **~oru** monster

stwórca *sm* (*decl* = *sf*) creator

stychiczny *adj lit.* stichic

stycz|eń *sm G.* **~nia** January; **pierwszego ~nia** New Year's Day
stycznie *adv* contiguously
stycznik *sm elektr.* contactor
styczniowy *adj* January — (frosts etc.)
stycznoś|ć *sf singt* 1. (*kontakt*) contact; contiguity; adjacency; **być w ~ci z kimś** to be in contact <in touch> with sb; **wejść w ~ć z ...** to enter into contact with ... 2. *mat.* tangence; osculation; **punkt ~ci** point of osculation 3. *wojsk.* contact (with the enemy); **nawiązać ~ć** to establish contact; **stracić ~ć** to lose touch; **utrzymywać ~ć** to keep in touch
styczn|y [I] *adj* contiguous; adjacent; *mat.* tangential; tangent (**z czymś** to sth); oscular; **płaszczyzna ~a** tangent <tangential> plane; **punkt ~y** tangential point [II] *sf* **~a** *mat.* (a) tangent
stygmat *sm G.* **~u** 1. (*piętno*) stygma 2. (*zw. pl*) *rel.* stigma (*pl* stigmata)
stygmatyk *sm*, **stygmatyczka** *sf* stigmatist
stygmatyzacja *sf singt* stigmatization
styg|nąć *vi perf* **~ł** to cool; *przen.* **krew ~nie w żyłach** (one's) blood runs cold; **słowa ~ną na ustach** words remain unspoken
stygnięci|e *sn* ↑ **stygnąć**; *techn.* **krzywa ~a** cooling curve
styk *sm G.* **~u** 1. (*miejsce stykania się*) point <line> of junction <of contact>; meet; *techn.* butt; joint; seam; **łączyć coś na ~** to butt 2. *elektr.* contact
stykać *v imperf* — **zetknąć** *v perf* [I] *vt* 1. (*przytykać*) to put (things) together; to connect; to make (things) meet <adjoin> 2. (*powodować znajomość*) to bring (people) into contact (with each other); to put (people) in touch [II] *vr* **stykać, zetknąć się** 1. (*przylegać*) to adjoin <to touch> (*vi*); (*o terenach itd.*) to border on each other; to be contiguous; (*o liniach*) to meet; to osculate 2. (*o ludziach — być w kontakcie*) to be in contact <in touch>; to meet; **zetknąć się nos w nos <oko w oko>** to meet face to face
stykanie *sn* ↑ **stykać** 2. **~ się** contact; contiguity; *geom.* osculation
stykowy *adj* contact — (corrosion, print etc.)
styksowy *adj mitol.* Stygian
styl[1] *sm G.* **~u** 1. (*w mowie, piśmiennictwie, sporcie, sztuce, sposobie obliczania kalendarza*) style; (*w pływaniu*) stroke 2. *arch.* style; (*w architekturze greckiej*) order 3. *pot.* (*sposób postępowania*) style; fashion; **te rzeczy nie są w moim ~u** I don't approve of such things; **to w jego ~u** it's just like him; **to nie było w twoim ~u** it was unlike you (to do <say> that) 4. (*rylec*) style
styl[2] *sm G.* **~u** *gw.* = **stylisko**
stylik *sm* (*trzonek*) handle; helve
stylisko *sn* handle; helve; shaft
stylist|a *sm* (*decl* = *sf*), **stylist|ka** *sf pl G.* **~ek** stylist
stylistycznie *adv* stylistically; *szk.* as regards composition
stylistyczny *adj* stylistic; **pod względem ~m** in respect of <as regards> style <*szk.* composition>; stylistically
stylistyka *sf* stylistics; study of style <*szk.* of composition>
stylita *sm* (*decl* = *sf*) *rel.* stylite
stylizacja *sf* 1. (*stylistyczne opracowanie tekstu*) mode of expression 2. *plast.* stylization

stylizacyjny *adj* (manner etc.) of stylization
stylizator *sm* stylizer
stylizatorstwo *sn singt* 1. (*stylizacja*) stylization 2. *pot.* (*przesadna stylizacja*) overstylizing
stylizować *v imperf* [I] *vt* 1. (*nadawać dziełu cechy określonego stylu*) to adapt (a composition) to a certain style; to stylize [II] *vi* (*formułować*) to adapt a mode of expression; to conform to a style [III] *vr* **~ się** to pose (**na artystę itd.** as an artist etc.)
stylizowanie *sn* (↑ **stylizować**) stylization
stylo *sn techn.* = **stil**
styloba|t *sm G.* **~tu** *L.* **~cie** *arch.* stylobate
styloli|t *sm G.* **~tu** *L.* **~cie** *geol.* stylolite
stylometri|a *sf singt GDL.* **~i** style analysis
stylon *sm G.* **~u** 1. (*tworzywo*) steelon 2. *pl* **~y** (*pończochy*) steelons; steelon stockings
stylonowy *adj* steelon — (stockings etc.)
stylowo *adv* in respect of <as regards> style
stylowość *sf singt* 1. (*styl*) style 2. (*cechy stylu*) conformance to a style
stylowy[1] *adj* 1. (*dotyczący stylu*) (forms etc.) of style 2. *plast.* (*mający cechy stylu*) in (a given) style; (*o kostiumach, meblach itd.*) period — (furniture etc.)
stylowy[2] *adj* **pędzel ~** paintbrush
stylus *sm* style
stymulacja *sf biol. med.* stimulation
stymulacyjny *adj* stimulating
stymulator *sm biol. med.* stimulator
stymulować *vt imperf* to stimulate
styn|ka *sf pl G.* **~ek** *zool.* (*Osmerus eperlanus*) European smelt; sparling
stynkowate *spl zool.* (*Osmeridae*) (*rodzina*) the family Osmeridae
stypa *sf* 1. (*uczta pogrzebowa*) funeral banquet 2. *pot.* (*uciecha*) fun; (a) lark
stypendialny *adj* scholarship <exhibition> — (funds etc.)
stypendium *sn* scholarship; research grant; exhibition; bursary
stypendyst|a *sm* (*decl* = *sf*), **stypendyst|ka** *sf pl G.* **~ek** holder of a scholarship; exhibitioner; bursar
stypizować *vt perf pot.* to standardize
stypny *adj* 1. **~ poczęstunek** = **stypa** 1. 2. *pot.* (*pocieszny*) funny
stypulacja *sf prawn.* stipulation
styrakowcowat|y *bot.* [I] *adj* styracaceous [II] *spl* **~e** (*Styracaceae*) (*rodzina*) the storax family
styraks *sm G.* **~u** 1. *bot.* (*Styrax*) storax 2. *chem.* storax
styraksowy *adj* storax — (family, benzoin etc.)
styranizować *vt perf* to tyrannize
styren <**styrol**> *sm G.* **~u** *chem.* styrene
su *sm indecl* sou
sub- *praef* sub-; **~ordynacja** subordination
subaeralny *adj geogr. geol.* subaerial
subantarktyczny *adj* subantarctic
subarktyczny *adj* subarctic
subarmenoidalny *adj antr.* sub-Armenoid
subdiakon *sm kośc.* subdeacon
subdiakonat *sm G.* **~u** *kośc.* subdeanery
subdominanta *sf muz.* subdominant
suberyna *sf singt bot.* suberin(e)
subglacjalny *adj geol.* subglacial
subhastacja *sf hist.* subhastation

subiekcj|a † *sf* inconvenience; **robić komuś ~ę** to inconvenience sb

subiek|t *sn L.* **~cie** 1. (*G.* **~tu**) *filoz.* subject 2. † (*G.* **~ta** *pl N.* **~ci**) (*ekspedient*) shop assistant; salesman

subiektywista *sm* (*decl* = *sf*) subjectivist

subiektywistyczny *adj filoz.* subjectivistic

subiektywizacja *sf* subjectivization

subiektywizm *sm G.* **~u** *filoz.* subjectivism

subiektywnie *adv* subjectively

subiektywność *sf singt* subjectivity

subiektywny *adj* subjective

subkonto *sn handl.* subaccount

sublimacj|a *sf* sublimation; **ulec ~i** to sublime (*vi*)

sublima|t *sm G.* **~tu** *L.* **~cie** *chem.* 1. (*produkt sublimacji*) sublimate 2. (*chlorek rtęciowy*) (corrosive) sublimate; mercuric chloride

sublimować *vt imperf* [I] *vt psych.* to sublimate; to sublime [III] *vi chem. fiz.* (*ulegać sublimacji*) to sublime (*vi*)

sublimowanie *sn* (↑ **sublimować**) sublimation

sublitoral *sm G.* **~u** *geogr.* sublittoral region

sublitoralny *adj* sublittoral

sublokato|r *sm pl N.* **~rzy** <**~rowie**>, **sublokator|ka** *sf pl G.* **~ek** subtenant

submikroskopowy *adj* submicroscopic

subniwalny *adj* subniveal

subordynacja *sf* subordination

subregion *sm G.* **~u** *geogr.* subregion

subret|ka *sf pl G.* **~ek** *teatr* soubrette

subsekwentny *adj* subsequent (stream)

subskrybent *sm* subscriber (**publikacji** to a publication)

subskrybować *vt perf imperf* to subscribe (**publikację** to a publication; **akcje** for shares)

subskrypcja *sf* subscription

subskrypcyjny *adj* subscription — (fund etc.)

substancja 1. (*materia*) matter; substance 2. *filoz. prawn.* substance

substancjalizm *sm G.* **~u** *filoz.* substantialism

substancjalność *sf singt* substantiality

substancjalny *adj* substantial; pertaining to substance

substantywacja *sf*, **substantywizacja** *sf singt jęz.* substantivization

substra|t *sm G.* **~tu** *L.* **~cie** *biol. chem. filoz.* substratum

substytucja *sf* substitution

substytuować *vt imperf* to substitute; to replace

substytuowanie *sn* (↑ **substytuować**) substitution; replacement

substytut *sm prawn. techn.* substitute

subsumcja *sf singt* subsumption

subsumcyjny *adj* subsumptive

subsumować *vt imperf filoz. prawn.* to subsume

subsumowanie *sn* (↑ **subsumować**) subsumption

subsydiarny *adj prawn.* subsidiary

subsydiować *vt imperf* to subsidize

subsydium *sn* subsidy

subtelizować *vt imperf lit.* to subtilize

subtelnie *adv* subtly; **bardzo ~** with great subtlety

subtelnie|ć *vi imperf* **~je** to grow subtle; to acquire subtlety <refinement>

subtelnoś|ć *sf* 1. *singt* (*cecha*) subtlety; subtleness; delicacy; nicety 2. (*szczegół*) subtlety; *pl* **~ci** subtleties; **wdawać się w ~ci** to subtilize 3. (*bystrość*) subtleness 4. (*wyrafinowanie*) refinement

subtelny *adj* 1. (*delikatny, nieznaczny*) subtle; (*o różnicy, odcieniu*) nice <fine, fine-drawn> (distinction etc.) 2. (*bystry*) subtle 3. (*wyrafinowany*) refined 4. (*o sprawie — drażliwy*) delicate; ticklish

subtropikalny *adj geogr.* subtropical

subtylina *sf farm.* subtilin

subtylizacja *sf lit.* subtilization

subtylizować *v imperf* [I] *vt* to subtilize [III] *vr* **~ się** to become subtilized

subtylizowanie *sn* (↑ **subtylizować**) subtilization

subwencja *sf* subvention; subsidy; grant-in-aid

subwencjonowa|ć *vt imperf* to subsidize; **~ny** subventioned; **~ny przez państwo** State-aided; **~ny z podatków lokalnych** rate-aided

subwencyjny *adj* subventionary

suchar *sm* 1. (*rodzaj pieczywa*) biscuit; *mar.* hard tack 2. *pot. żart.* (*bardzo szczupły człowiek*) bag of bones

suchar|ek *sm G.* **~ka** biscuit; *sm.* cracker

suchawy *adj* dryish; (*o chlebie*) somewhat stale

Such|edni *spl G.* **~ychdni** *kośc.* Ember Days

suchedniowy *adj kośc.* Ember — (days, weeks)

sucho *adv* 1. (*bez wilgoci*) dryly; **mieć ~ w gardle** to feel dry; **na ~** (*na czczo*) with an empty stomach; **rozeszli się na ~** they went their several ways without drinking a parting cup; (*po transakcji*) they did not wet the deal; **uszło mu to na ~** he got away with it; he went scot free <unpunished>; **nie ujdzie ci to na ~** you shan't get away with it; you shall smart for it; **zjeść na ~** to eat one's food <meal> without anything to wash it down 2. (*bez deszczu*) dry weather; **było za ~** the weather was too dry 3. (*ozięble*) dryly 4. (*niezajmująco*) dryly; uninterestingly 5. (*wydając suchy odgłos*) with a dry sound <rustle>

suchoczub *sm* tree with a withered crown

suchodrzew *sm G.* **~u** *bot.* (*Lonicera*) honeysuckle

suchoro|st *sm G.* **~stu** *L.* **~ście** *bot.* xerophyte

suchorostowy *adj* xerophytic

suchorośl *sf bot.* = **suchorost**

suchoroślowy *adj bot.* = **suchorostowy**

suchory|t *sm G.* **~tu** *L.* **~cie** dry-point engraving

suchość *sf singt dosł. i przen.* dryness; **~ odezwania się** abruptness

suchotnica ↑ *sf* (a) consumptive

suchotniczy *adj* consumptive

suchotnik *sm* (a) consumptive

suchotraw *sm G.* **~u** *bot.* (*Sclerochloa*) a weed

suchot|y *spl G.* **~** consumption

suchowiej *sm G.* **~u** dry wind

suchusieńki *adj*, **suchuteńki** *adj*, **suchutki** *adj* extremely <perfectly> dry

such|y [I] *adj* 1. (*nie wilgotny*) dry; (*o drzewie budowlanym*) seasoned; **kawałek ~ego chleba a crust**; **~a destylacja** <**masa, sterylizacja itd.**> dry distillation <substance, wet-steam sterilization etc.>; **~a łaźnia** hot air bath; **~a zaprawa narciarska, wioślarska** dry skiing, dry rowing; **~e oczy** tearless eyes; **~y chleb** <**kaszel itd.**> dry bread <cough etc.>; *karc.* **~y rober** love game; *bud.* **~y tynk** plaster board; **~y jak pieprz** bone-dry; dry as dust; **przejść ~ą nogą** to walk across dry-shod; **wytrzeć** <**wyżąć, wypompować**> **do ~a** to wipe

<to wring, to pump> dry; **zmoknąć do ~ej nitki** to get wet to the skin; **żyć o ~ym chlebie** to live on dry bread; *przen.* **nie zostawić na kimś ~ej nitki** to pick sb to pieces; **wyjść z czegoś ~ą nogą** a) (*bez szwanku*) to escape scatheless b) (*bezkarnie*) to go scot free <unpunished> 2. *meteor.* dry 3. (*wychudły*) lean; lank 4. (*uschnięty*) dry; withered; *przen.* **skończyć na ~ej gałęzi** to end one's life on the gallows 5. (*cierpki, oziębły*) dry; abrupt 6. (*niezajmujący*) dry; uninteresting; bald (style) 7. (*o odgłosie*) dry (rustle etc.) [III] *sn* ~**e** 1. (*teren*) dry ground 2. *pot.* (*prowiant*) dry provisions

sucz|ka *sf pl G.* ~**ek** bitch

suczy *adj* bitch's (milk etc.)

sudan|ka *sf pl G.* ~**ek** *bot.* (*Sorghum vulgare sudanese*) Sudan grass

Sudańczyk *sm* (a) S(o)udanese

sudańsk|i *adj* S(o)udanese; Sudanic (languages); Sudan (formation); *bot.* **trawa ~a = sudanka**

sudecki *adj* Sudetic (Mountains etc.); *bot.* **gnidosz ~** (*Pedicularis Sudetica*) a plant of the genus Pedicularis

sufata *sf* a kind of fishing net

sufiks *sm G.* ~**u** *jęz.* suffix

sufiksacja *sf jęz.* suffixation

sufiksalny *adj jęz.* suffixal

sufit *sm G.* ~**u** ceiling

sufitowy *adj* ceiling — (floor etc.)

sufizm *sm G.* ~**u** *singt rel.* Sufism

sufle|r *sm N.* ~**rzy** *teatr* prompter; **grać bez ~ra** to act unprompted

sufler|ka *sf pl G.* ~**ek** 1. (*kobieta-sufler*) (woman) prompter 2. *pot.* (*zawód suflera*) prompting; prompter's job

suflersk|i *adj* prompter's; **budka ~a** prompt- <prompter's> box; **egzemplarz ~i** prompt-book

sufle|t *sm G.* ~**tu** *L.* ~**cie** *kulin.* soufflé

suflować *vi imperf* to prompt (**aktorowi** an actor)

sufragan *sm* suffragan

sufragana|t *sm G.* ~**tu** *L.* ~**cie, sufragani|a** *sf GDL.* ~**i** suffragan see

sufrażyst|ka *sf pl G.* ~**ek** suffragist, suffragette

sugerować *v imperf* [I] *vt* to suggest; to allude (**coś** to sth); to hint (**coś** at sth); ~ **komuś odpowiedź** to prompt sb with an answer [II] *vi* to suggest <to hint, to insinuate> (**że ...** that ...); to give one to understand <to lead one to believe> (**że ...** that ...) [III] *vr* ~ **się** to be influenced (**czymś** by sth)

sugest|ia *sf GDL.* ~**ii** <~**yj**> 1. (*wpływanie*) suggestion; ~**ia hipnotyczna** hipnotic suggestion 2. (*poddawanie*) suggesting (**myśli, opinii itd.** certain thoughts, opinions etc.) 3. *pot.* (*propozycja*) (a) suggestion; motion; proposal

sugestionować *v imperf* [I] *vt* to suggestion (sb) [II] *vr* ~ **się** to be suggestioned

sugestywnie *adv* suggestively; presentatively

sugestywność *sf singt* suggestiveness

sugestywny *adj* suggestive (style, speech etc.); presentative (art etc.)

suhak *sm zool.* (*Saiga tatarica*) saiga

suita *sf muz.* suite

suk|a[1] *sf* 1. (*samica zwierząt z rodziny psów*) bitch 2. *wulg.* (*wyzwisko*) bitch; **wsiąść na kogoś jak na burą ~ę** to blow sb up; to revile sb in the most opprobrious terms 3. *górn.* truck 4. *muz.* a popular stringed instrument

suka[2] *sf* coat (in the Cracow regional costume)

sukces *sm G.* ~**u** success; triumph; **odnieść ~** (*o aktorze itd.*) to make a hit; (*o książce, sztuce itd.*) to be a success; **zdobywać ~y** to achieve triumphs

sukcesja *sf* succession; inheritance; devolution

sukcesor *sm* heir

sukcesorka *sf* heiress

sukcesywnie *adv* successively; gradually; by stages

sukcesywność *sf singt* successiveness

sukcesywny *adj* successive; gradual; consecutive

sukcynit *sm G.* ~**u** *miner.* succinite; amber

sukienczyna *sf* miserable <wretched> dress <frock>

sukieneczka *sf dim* ↑ **sukienka**

sukien|ka *sf pl G.* ~**ek** dress; frock; *przen.* cover

sukien|ko *sn pl G.* ~**ek** cloth

sukienkow|y *adj* **tkaniny ~e** skirtings

sukiennic|e † *spl G.* ~ (*budynek przeznaczony na składy sukna*) cloth hall

sukiennik † *sm* clothier; draper

sukienny *adj* cloth — (slippers etc.)

sukinsyn *sm VL.* ~**u** <~**ie**> *pl N.* ~**y** *wulg.* son of a bitch

sukmana *sf* peasant's russet overcoat

suk|nia *sf pl G.* ~**ni** <~**ien**> dress; gown; frock; ~**nia domowa** <**wieczorowa**> morning <evening> dress; ~**nia wizytowa** tea-gown; † ~**nia duchowna** cassock; the cloth; *przysł.* **nie ~nia zdobi człowieka** it is not the cowl that makes the monk

sukniar|ka *sf pl G.* ~**ek** dressmaker

suk|no *sn L.* ~**nie** *pl G.* ~**ien** 1. (*tkanina*) woollen cloth; *przen.* **schować sprawę pod ~no** to shelve a matter 2. *pl* ~**na** *pot.* woollen floor-polishers

sukulen|t *sn L.* ~**cie** *bot.* succulent plant

sukurs † *sm pl N.* ~**y** <~**a**> *G.* ~**u** succour; *obecnie w zwrocie:* **iść w ~ komuś** to succour sb

sulfamid *sm G* ~**u** *chem. med.* sulphamide

sulfamidowy *adj chem. med.* sulphamidic

sulfanilowy *adj chem.* sulphanilic (acid)

sulfatiazol *sm G.* ~**u** *med.* sulphatiazole, sulfathiazole

sulfon *sm G.* ~**u** *chem.* sulphone, sulfone

sulfonamid *sm G.* ~**u** *chem. med.* sulphonamide

sulfonować *vt imperf* to sulphonate, to sulfonate

sulfonowanie *sn* (↑ **sulfonować**) sulphonation

sulfonowy *adj* sulfonic

sulica *sf hist.* spear

sułtan *sm* sultan

sułtana|t *sm G.* ~**tu** *L.* ~**cie** sultanate

sułtan|ka *sf pl G.* ~**ek** 1. (*małżonka itd. sułtana*) sultana 2. *pl* ~**ki** (*rodzynki*) sultanas

sułtanowa *sf* (*decl = adj*) (*żona sułtana*) sultana

sułtański *adj* sultan's; sultanic

sum *sm zool.* (*Silurus glanis*) wels; sheatfish; European catfish

sum|a *sf* 1. (*wynik dodawania*) sum (total); *mat.* ~**a algebraiczna** algebraic sum 2. (*zbiór*) sum; entirety; entireness; whole; aggregate; **w ~ie** in sum; in the aggregate 3. (*kwota*) sum (of money); amount; **bajońskie ~y** huge <enormous> sums 4. *rel.* high mass

sumak *sm bot.* (*Rhus*) sumac(h)

sumarycznie *adv lit.* globally; in the mass; all in all

sumaryczny *adj* 1. (*zawierający całość*) total; global; summed up 2. (*skrócony*) summary; concise

sumator *sm techn.* adding machine; adder

sumiasty *adj* bushy; ~ **wąs** bushy whiskers; walrus <long drooping> moustache

sumieni|e *sn singt* conscience; **czyste** <**spokojne**> ~**e** a clear <clean> conscience; **nieczyste** ~**e** a guilty conscience; **wolność** ~**a** liberty of conscience; **wyrzuty** ~**a** qualms of conscience; remorse; *rel.* **rachunek** ~**a** self-examination; **nie miałem** ~**a tego zrobić** it went against my conscience to do it; **roztrząsać komuś** ~**e** to lecture sb; **to mi ciążyło na** ~**u** it weighed on my conscience; **uspokoić swe** ~**e** to hush the voice of one's conscience; **zrobić coś z czystym** ~**em** to make no scruple to do sth; not to scruple to do sth; **bez** ~**a** unscrupulous; **dla czystego** ~**a** for conscience' sake; just to satisfy one's conscience

sumiennie *adv* conscientiously; scrupulously; thoroughly

sumienność *sf singt* conscientiousness; scrupulosity, scrupulousness; thoroughness

sumienny *adj* conscientious; scrupulous; thorough

sumik *sm zool.* ~ **karłowaty amerykański** (*Ameiurus nebulosus*) a species of catfish

sumikowate *spl zool.* (*Ameiuridae*) (*rodzina*) the family Ameiuridae

sumitować się *vr imperf rz.* 1. (*usprawiedliwiać się*) to explain; to justify oneself; to plead 2. (*zaklinać się*) to swear

sumować¹ *v imperf* [I] *vt* to add up; to sum <to reckon, to figure, to cast> up; to put together [II] *vr* ~ **się** to sum up (*vi*) (**na** ... to ...); to accumulate (*vi*)

sumować² (**się**) *vi vr imperf gw.* (*martwić się*) to worry

sumowanie¹ *sn* (↑ **sumować¹**) addition

sumowanie² *sn* (↑ **sumować²**) worries

sumowat|y *zool.* [I] *adj* silurid [II] *spl* ~**e** (*Siluridae*) (*rodzina*) the family Siluridae of catfishes

sump|t *sm G.* ~**tu** *L.* ~**cie** *lit.* **własnym** ~**tem** at one's own expense

sunąć *v imperf* [I] *vi* to glide; to skim <to spank, to scud> along; to bowl along [II] † *vt* (*posuwać*) to push ‖ ~ **komuś pieniądz do ręki** to slip a coin into sb's hand [III] *vr* ~ **się** = **sunąć** *vi*

sunięcie *sn* (↑ **sunąć**) (a) glide

Sunna *sf rel.* Sunna(h)

sunni|ta *sm* (*decl* = *sf*) *DL.* ~**cie** *pl N.* ~**ci** *GA.* ~**tów** *rel.* Sunnite

sup|eł *sm G.* ~**ła** knot; kink

supeł|ek *sm dim* ↑ **supeł**; **ciągnąć** ~**ki** to draw lots

supełkować *vt imperf* to knot (a string, thread etc.)

super- *praef* super-

superarbit|er *sm G.* ~**ra** *L.* ~**rze** *pl N.* ~**rowie** umpire

supera|ta *sf DL.* ~**cie** *handl.* surplus

superdywidenda *sf chem.* superdividend

superfilm *sm G.* ~**u** outstanding film

superforteca *sf lotn.* superfortress

superfosfa|t *sm G.* ~**tu** *L.* ~**cie** *chem.* superphosphate

superfosfatowy *adj* superphosphate — (production etc.)

superheterodyna *sf radio* superheterodyne

superheterodynowy *adj radio* superheterodyne — (receiver etc.)

superintendent *sm* superintendent

superior *sm rel.* Father Superior

superkut|er *sm G.* ~**ra** a type of fishing smack

superlatyw *sm G.* ~**u** 1. *gram.* (a) superlative 2. *pl* ~**y** (*słowa uznania*) superlatives; **wyrażać się** ~**ami** <**w samych** ~**ach**> to speak in superlatives

superlatywny *adj* superlative

supermarket *sm G.* ~**u** *rz.* supermarket

supernowoczesny *adj* ultramodern

superrewizja *sf singt druk.* revised proof

supersam *sm G.* ~**u** supermarket

supersonik *sm G.* ~**u** *lotn.* supersonic aircraft

supertankow|iec *sm G.* ~**ca** *lotn.* supertanker plane

supinacja *sf med.* supination

supinum *sn gram.* supine

suplemen|t *sm G.* ~**tu** *L.* ~**cie** supplement

suples *sm G.* ~**u** *sport* a manner of grasping in wrestling

supletywizm *sm G.* ~**u** *jęz.* (use of) suppletory word(s)

supletywny *adj jęz.* suppletory (word)

suplika † *sf* supplication

suplikacja *sf* 1. *rel.* supplication 2. † = **suplika**

suplikacyjny *adj* supplicatory; (words) of supplication

suplować *vt imperf techn.* to supple (silk)

supłać *vt imperf* 1. (*robić węzły*) to make knots (**sznur itd.** in a string etc.); to kink 2. (*wydostawać*) to take out

supor|t *sm G.* ~**tu** *L.* ~**cie** *techn.* saddle; rest; slide(-rest); carriage

supozycja *sf* 1. (*przypuszczenie*) supposition 2. *filoz.* supposition

suprapor|ta *sf DL.* ~**cie** *arch.* fronton; overdoor

suprema *sf bud.* insulating board

supremacj|a *sf singt* supremacy; dominance, domination; **mieć** ~**ę nad kimś, czymś** to dominate sb, sth <over sb, sth>

suprema|t *sm G.* ~**tu** *L.* ~**cie** *kośc.* supremacy

sura *sf rel.* sura

surdu|t † *sm L.* ~**cie** 1. (*dawny ubiór wizytowy*) frock-coat 2. (*okrycie wierzchnie*) overcoat

surdyna *sf muz.* sordine (for violin, cornet etc.)

surma *sf muz. wojsk.* trumpet

surmi|a *sf GDL.* ~**i** *pl G.* ~**i** *bot.* (*Catalpa*) catalpa

surmiowat|y *bot.* [I] *adj* bignoniaceous [II] *spl* ~**e** (*Bignoniaceae*) (*rodzina*) the family Bignoniaceae

suroga|t *sm G.* ~**tu** 1. (*namiastka*) substitute (**czegoś** for sth) 2. † (*G.* ~**ta** *pl N.* ~**ci**) (*sędzia duchowny*) surrogate

surojad|ka *sf pl G.* ~**ek** *bot.* (*Russula*) a fungus of the genus Russula

surowcowy *adj* 1. (*dotyczący produktu surowego*) (supply etc.) of raw materials <of staples> 2. (*dotyczący skóry surowej*) raw-hide — (strap etc.)

surowica *sf med.* serum

surowiczy *adj* serous (fluid, membrane, reaction)

surow|iec *sm G.* ~**ca** 1. (*produkt surowy*) raw material; stock; staple 2. (*skóra surowa*) raw hide

surowie|ć *vi imperf* ~**je** (*stawać się surowym*) to assume a look of severity

surowizna *sf* 1. (*surowy stan*) raw state; rawness 2. (*surowe jarzyny, owoce*) raw vegetables, fruits 3. *techn.* pig-iron

surowo *adv* 1. (*bez pobłażania*) severely; strictly; sternly; harshly; ~ **kogoś sądzić** to be hard on

sb; **~ mi nakazano** I was given strict orders 2. (*skromnie, bez ozdób*) austerely
na ~ in the raw state; in the rough; **jeść owoce <jarzyny, mięso> na ~** to eat fruits <vegetables, meat> raw

surowość *sf singt* 1. (*surowy stan*) raw state; rawness; crudeness 2. (*brak wyrozumiałości*) severity; sternness; harshness; (*w przepisach*) strictness; stringency; (*w zasadach*) rigidity 3. (*cecha klimatu*) rigour; severity; inclemency; (*cecha krajobrazu*) ruggedness; roughness 4. (*cecha architektury, zdobnictwa*) austerity

surow|y *adj* 1. (*o surowcach*) raw; crude; coarse; rough; (*o materiale drzewnym*) unseasoned; (*o metalu*) unwrought; (*o płótnie*) unbleached; *bud.* **budynek w ~ym stanie** unfinished building; building in unfinished state; **cegła ~a** unbaked brick; *techn.* **olej ~y** raw oil; **spirytus ~y** unrectified spirit 2. (*o produktach żywnościowych*) raw; uncooked; unboiled; unbaked 3. (*o człowieku — nie wdrożony do zawodu*) fresh; raw; inexperienced; unskilled; (*bez ogłady*) raw; coarse 4. (*nie mający wyrozumiałości*) stern; severe; strict; harsh; (*o przepisach*) strict; stringent; rigorous; hard and fast; (*o zasadach*) rigid; **być ~ym dla kogoś** to be hard on sb 5. (*pozbawiony ozdób*) severe; austere; (*o stylu*) rude; coarse 6. (*o klimacie — ostry*) severe; rigorous; harsh; inclement 7. (*spartański*) austere

surówczany *adj gw.* of unbleached linen

surów|ka *sf pl G.* **~ek** 1. (*potrawa z surowych jarzyn*) salad; (*z owoców*) fruit salad 2. (*płótno*) unbleached linen 3. *bud.* (*cegła*) unbaked <green> brick 4. (*stop żelaza*) pig-iron 5. (*spirytus*) unrectified spirit 6. (*skóra*) raw-hide

surreali|sta *sm* (*decl = sf*) *DL.* **~ście** *pl N.* **~ści** *GA.* **~stów** surrealist

surrealistyczny *adj* surrealistic

surrealizm *sm G.* **~u** surrealism

sus *sm L.* **~ie** leap; spring; bound; jump; **dać ~a** to leap; to take a leap <a spring>; **jednym ~em** at a bound

susać *vi imperf* to scamper

sus|eł *sm G.* **~ła** *L.* **suśle** *zool.* (*Citellus*) spermophile; gopher; **spać jak ~eł** to sleep like a top

susów|ka *sf pl G.* **~ek** *zool.* (*Haltica*) flea beetle

suspendować *vt imperf kośc.* to suspend (an ecclesiastic)

suspensa *sf kośc.* suspension (of an ecclesiastic)

suspensorium *sn med.* suspensory

suspensywność *sf singt prawn.* suspensory condition

suspensywny *adj prawn.* suspensory

susseksy *spl* Sussex fowls

susz [I] *sm G.* **~u** 1. (*wysuszone owoce itd.*) dried fruits <vegetables, herbs> 2. (*chrust*) dry twigs; fascine [II] *sf gw.* drought

susza *sf* drought; dry weather

suszar|ka *sf pl G.* **~ek** dryer; desiccator; drying apparatus; **~ka do bielizny** clothes dryer; *fot.* **~ka do klisz** plate-rack

suszarnia *sf* drying house <plant, room>; kiln

suszenie *sn* (↑ **suszyć**) desiccation

susz|ka *sf pl G.* **~ek** 1. (*przyrząd biurowy*) blotter 2. (*susz*) dried fruits <vegetables, herbs> 3. *techn.* siccative; (quick-)drier

susznik *sm techn.* dry felt

susz|yć *v imperf* [I] *vt* to dry; to cure (meat, fish etc.); to desiccate (fruits, eggs, milk); to dehydrate (goods etc.); to season <to kiln-dry> (wood); to ted (hay); **cegły ~one na słońcu** sun-dried bricks; *przen.* **~yć komuś głowę** to pester sb (to death); **~yć sobie głowę nad czymś** to puzzle <to rack, to cudgel> one's brains for sth [II] *vi* (*pościć*) to fast [III] *vr* **~yć się** 1. (*schnąć*) to dry; to get dry 2. (*osuszać się*) to dry one's clothes

sutann|a *sf* cassock; soutane; *przen.* **wdziać ~ę** to take holy orders; **zrzucić ~ę** to unfrock oneself

sutasz *sm G.* **~u** braid; soutache

sut|ek *sm G.* **~ka** *anat. zool.* nipple; teat; mamilla

sutener *sm* souteneur; bully; *sl.* ponce; fancy man; *am.* cadet

sutenerstwo *sn singt* living on the earnings of a prostitute

suterena *sf bud.* basement

suterenowy *adj* basement — (rooms etc.)

sut|ka *sf pl G.* **~ek = sutek**

sutkowy *adj anat. zool.* mamillary; **wyrostek ~** mastoid process of the temporal bone

suto *adv* (*obficie*) copiously; plentifully; amply; abundantly; richly; (*hojnie*) lavishly; generously

sutość *sf singt* copiousness; ampleness; abundance; richness

suty *adj* 1. (*obfity*) copious; plentiful; ample; abundant; rich; (*hojny*) lavish; generous 2. (*fałdzisty*) voluminous

suw *sm G.* **~u** *techn.* stroke; **~ sprężania <wydechu, pracy>** compression <exhaust, expansion> stroke; **~ ssania** suction <inlet induction> stroke

suwacz|ek *sm G.* **~ka** (*zamek błyskawiczny*) zip fastener

suwać *v imperf* [I] *vt* to push; to shove; **~ nogami** to shuffle one's feet; **~ palcem po czymś** to draw one's finger across sth [II] *vr* **~ się** to slide; to slip

suwak *sm* 1. (*przesuwana część przyrządu*) slider; *mat.* **~ logarytmiczny** slide-rule 2. *pot.* (*zamek błyskawiczny*) zip fastener 3. *muz.* (*część puzonu*) slide 4. *techn.* slider; (slide) valve

suwar|ka *pl G.* **~ek** *sf techn.* (*suwmiarka*) slide cal(l)iper

suweren[1] *sm* 1. *hist.* seigneur; feudal lord 2. *polit.* sovereign

suweren[2] *sm* (*moneta*) sovereign

suwerenność *sf singt* 1. (*samodzielność*) sovereignty 2. (*najwyższa władza*) supreme power

suwerenny *adj* 1. (*niezależny*) sovereign (state) 2. (*panujący*) supreme (power)

suwmiar|ka *sf pl G.* **~ek** slide cal(l)iper

suwnica *sf techn.* gantry, gauntry

suwnicowy *adj techn.* **żuraw ~** overhead underhung jib crane

suwn|y *adj techn.* **tarcie ~e** sliding friction

suzeren *sm hist.* liege lord; overlord; suzerain

swa *zob.* **swoja**

swad|a *sf singt* 1. (*płynność w mówieniu*) fluency <ready flow> of speech; glibness; volubility; (*zacięcie pisarskie*) fluent style; **człowiek <mówca> ze ~ą** fluent <voluble> speaker 2. (*zapał*) zest; gusto

swarliwie *adv* quarrelsomely; cantankerously; contentiously

swarliwość *sf singt* quarrelsomeness; cantankerousness; contentiousness

swarliwy *adj* quarrelsome; cantankerous; contentious; nagging; (*o kobiecie*) shrewish
swary *spl* quarrels; squabbles; strife; dissensions
swarzyć się *vr imperf* to quarrel; to squabble
swastyka *sf* swastika
swat *sm* 1. (*pośredniczący w zawarciu małżeństwa*) matchmaker; **on mi ni brat, ni ~** he is nothing to me 2. *pl* **~y** (*swatanie*) matchmaking; **iść w ~y** to woo a girl
swatać *vt imperf* to want to match (sb with sb)
swat|ka *sf pl G.* **~ek** matchmaker
swatowski *adj* matchmaking (schemes etc.)
swawol|a *sf pl G.* **~i** 1. (*figle*) frolics; gambols; pranks; antics 2. (*cecha*) playfulness; wantonness; **ze ~i** playfully; wantonly; out of wantonness 3. † (*samowola*) licence; insubordination
swaw|olić *vi imperf* **~ól** to frolic; to play pranks; to gambol; to skylark
swawolnica *sf* romp; kitten; tomboy; prancing girl
swawolnie *adv* 1. (*beztrosko*) playfully; wantonly 2. † (*samowolnie*) wilfully; refractorily
swawolnik *sm* playful <frolicsome, sportive> youth
swawolny *adj* 1. (*figlarny*) frolicsome; playful; wanton; (*o dziewczynie*) kittenish 2. (*samowolny*) wilful; refractory 3. † (*niemoralny*) immoral; dissolute
swąd *sm G.* **swędu** 1. (*zapach spalenizny*) smell of burning 2. (*fetor*) stench; smell || **psim swędem** by chance; by good luck; by fluke
swet|er *sm G.* **~ra** jersey; sweater; pull-over; jumper; slip-on; (*rozpinany*) cardigan
swędzenie *sn* (↑ **swędzić**) (an) itch
swędz|ić <**swędz|ieć**> *vt imperf* **~ą** to itch; *przen.* **~iała mnie ręka, żeby ...** my hand itched <tingled> to ...; **~iał mnie język, żeby coś powiedzieć** I itched to say sth
swing *sm* 1. *muz.* swing (music); **tańczyć ~a** to swing 2. *sport* (*w boksie*) swing; round-arm blow
swob|oda *sf singt* 1. (*brak skrępowania*) freedom; liberty; unconstraint; latitude (of thought etc.); **~oda działania** discretion; liberty <freedom> of action; **~oda ruchów** liberty <freedom, ease> of movement; **mieć ~odę działania** to be at liberty <to be free> to do what one thinks fit; to have a free hand; **puścić psa na ~odę** to let a dog loose; **wypuścić kogoś na ~odę** to set sb free; **na ~odzie** at liberty; at large 2. (*naturalna łatwość zachowania się*) easy manners; disengagement 3. *pl* **~ody** (*uprawnienia*) liberties; privileges
swobodnie *adv* 1. (*bez przymusu*) freely; without restraint; unconstrainedly; **oddychać ~** to breathe freely 2. (*będąc na wolności*) freely; at liberty; **czuć się ~** to feel free 3. (*luźno*) loosely 4. (*niewymuszenie*) naturally; with an easy manner; **zachowywać się ~** to be natural; to be at one's ease
swobodn|y *adj* 1. (*nie podlegający przymusowi*) free; unconstrained; **mieć ~ą głowę** to be free-minded <free of care>; **mieć ~ą rękę** to have a free hand (to do sth); *dosł. i przen.* **mieć ~y oddech** to breathe freely 2. (*będący na wolności*) free; unrestrained; at liberty; unconfined; (*o zbrodniarzu*) at large 3. (*nie związany z niczym*) loose; (*o akcencie*) free; movable; *fiz.* **ciało ~e** free body; **~e części maszyny** loose parts of a machine 4. (*o zachowaniu*) easy; natural; unceremonious; **zanadto ~y** overfree 5. (*frywolny*) indecorous; immodest; lax 6. (*nie zamknięty granicami w przestrzeni*) open (space etc.) || **strój ~y** loose garment
swoistość *sf singt* characteristic <specific, individual, peculiar> feature; specificity; peculiarity
swoisty *adj* characteristic; specific; individual; peculiar; (beauty etc.) all its own
swoiście *adv* characteristically; specifically; in a peculiar manner
swoja *zob.* **swój**
swojacz|ka *sf pl G.* **~ek** countrywoman
swojak *sm* 1. (*rodak*) countryman 2. (*tytoń*) home-grown tobacco; (*papieros*) cigarette of home-grown tobacco
swoje *zob.* **swój**
swojski *adj* 1. (*nieobcy*) homely; familiar; friendly 2. (*oswojony*) tame; domesticated; **człowiek ~ego chowu** churlish fellow, rustic
swojsko *adv* familiarly; **brzmieć ~** to sound familiar; **czuć się ~** to feel at home
swojskość *sf singt* homeliness
swojszczyzna *sf singt* homely <familiar> surroundings
swołocz *sf wulg.* rascal; scoundrel
sworz|eń *sm G.* **~nia** bolt; cotter; pin; pintle
sworzniowy *adj* bolt — (attachment etc.)
swój *m* **swoja** <**swa**> *f,* **swoje** <**swe**> *n G.* **swojego** <**swego**> *D.* **swojemu** <**swemu**> *IL.* **swoim** <**swym**> *GDL.* **swojej** <**swej**> *AI.* **swoją** <**swą**> *pl N.* (*męsko-osobowe*) **swoi** (*niemęsko-osobowe*) **swoje** <**swe**> *GL.* **swoich** <**swych**> *D.* **swoim** <**swym**> *I.* **swoimi** <**swymi**> [I] *pron* 1. (*w połączeniu z rzeczownikiem*) one's; my; his; her; its; our; your; their; one's own; **jedyny w swoim rodzaju** unparalleled; **nie swój** not one's own <sb's, sb else's> (book, hat etc.); **swojej roboty** home-made; **iść swoim trybem** to follow its course; **każda liszka** <**pliszka**> **swój ogon chwali** there's nothing like one's own; one's own is always best; **pilnuj swego nosa** mind your own business; **to swój chłopak** you can trust him; **jak na swój wiek** for his age (he is ...); **na swoją rękę** on one's own; *sl.* on one's own hook; **na swój sposób** after one's own fashion; **swego czasu** once (upon a time); **w swoim czasie** a) (*w chwili właściwej*) when the right moment comes b) (*niegdyś*) once (upon a time); **w swoim imieniu** in one's own name 2. (*w zastosowaniu samodzielnym*) one's; mine; his; hers; ours; yours; theirs; of one's own; **dziękuję ci za książkę, mam swoją** thanks for the book I have mine <I have a copy of my own>; **nie podoba im się nasz wóz, wolą swój** they don't like our car, they prefer theirs [II] *sm* **swój** one's countryman; *pl* **swoi** one's countrymen; one's folks; one's familiars; *sport* the home team; **swój swego znajdzie** birds of a feather flock together; like will to like [III] *sf* **swoja** one's countrywoman [IV] *sn* **swoje** 1. (*własne*) one's property; **gospodarować na swoim** to farm one's own land; **wyjść na swoje** to suffer no loss 2. (*własne zdanie*) one's point; **oberwać za swoje** to get one's deserts; *sl.* to cop it; **postawić na swoim** to carry one's point; **robić po swojemu** to have one's own way; **rób po swojemu** have your way; do as you please; **te nieszczęścia robią**

swoje those misfortunes tell; **to zrobiło swoje** it was effective; it produced the desired effect; **po swojemu** after one's own mind <fashion>
sybarycki *adj* sybaritic
sybaryta *sm* (*decl = sf*) sybarite; voluptuary
sybarytyzm *sm singt G.* **~u** sybaritism
syberyjski *adj* Siberian
sybili|czny *adj*, **sybili|jski** *adj*, **sybili|ński** *adj* sibylline; **Księgi ~czne** <**~jne, ~ńskie**> Sibylline Books
sybilla *sf* sibyl
sybiracz|ka *sf pl G.* **~ek** Siberian (woman)
sybirak *sm* 1. (*zesłaniec*) Siberian deportee 2. (*mieszkaniec*) (a) Siberian
sybirsk|i *adj* Siberian; *przen.* **droga ~a** deportation; exile to Siberia
sycarnia *sf* mead-fermenting plant
sycący *adj* (*o potrawie*) cloying; stodgy
sycenie *sn* 1. ↑ **sycić** 2. (*nasycanie*) satiation 3. (*przerabianie miodu*) fermentation of mead
syc|ić *v imperf* **~ę** [I] *vt* 1. (*nasycać*) to sate; to satiate; **~ić głód** to appease one's hunger; *przen.* **~ić oczy czymś** to feed <to feast, to regale> one's eyes on sth 2. (*wzmacniać*) to feed (a fire etc.); to support (sb's strength, hopes etc.) 3. (*o świetle, zapachu itd. — napełniać*) to fill (the air, atmosphere etc.); *pszcz.* **~ić miód** to ferment mead [II] *vr* **~ić się** to sate <to satiate> oneself
Sycylijczyk *sm* (a) Sicilian
sycylijski *adj* Sicilian; **nieszpory ~e** Sicilian Vespers
sycząco *adv* with a hiss; **wymawiać ~** to sibilate
syczeć *vi imperf* **syczy, sykać** *vi imperf* — **syknąć** *vi perf* 1. (*wydawać syk*) to hiss; to whiz(z); to sizzle; (*o czajniku*) to sing; *jęz.* **spółgłoska sycząca** (a) sibilant 2. *tylko* **syczeć, syknąć** (*mówić ze złością*) to hiss 3. *tylko* **sykać, syknąć** to attract sb's attention; to enjoin silence with a "pst"
syczenie *sn* (↑ **syczeć**) (a) hiss; whiz(z); wheezing; sizzle; sibilation
syderyczny *adj astr.* sidereal
syderyt *sm G.* **~u** *miner.* siderite
syderytowy *adj miner.* sideritic
syfilis *sm singt G.* **~u** *med.* syphilis
syfilityk *sm* (a) syphilitic
syfon *sm G.* **~u** 1. (*butelka*) siphon bottle 2. *geol.* siphon 3. *techn.* siphon; (air-)trap; water-seal; interceptor; (*do przelewania cieczy*) crane 4. *zool.* siphon
syfonow|y *adj techn.* **rura ~a** siphon
sygilari|a *sf GDL.* **~i** *pl G.* **~i** *paleont.* (*Sigillaria*) Sigillaria
sygmatyczny *adj jęz.* sigmatic (aorist)
sygnalista *sm* (*decl = sf*) signaller; signal-man; *górn.* hanger-on
sygnalizacja *sf singt* 1. (*czynność*) signalling 2. (*urządzenie*) signalling apparatus
sygnalizacyjny *adj* signalling <signal> — (lamp, flag etc.)
sygnalizator *sm* = **sygnalista**
sygnalizować *vt vi imperf* to signal; **~ za pomocą flag** to flag; to signal by means of flags; *am.* to wigwag
sygnalizowanie *sn* (↑ **sygnalizować**) signals
sygnał *sm G.* **~u** 1. (*umowny znak*); **~ czasu** time-signal; **~ trąbką** trumpet call; **~ alarmowy** <**ostrzegawczy**> distress <warning> signal; **~ mgłowy** fog-signal; **~ pożarowy** fire-alarm; **~ świetlny** flare; **dać ~ czegoś** to signal <to signalize> sth; **dawać ~y klaksonem** to toot; to hoot
sygnałowy *adj* signal — (light, flag etc.)
sygnałów|ka *sf pl G.* **~ek** 1. (*trąbka*) signalling trumpet; (*flaga*) signal flag 2. *mar.* (*latarnia*) signal beacon
sygnatariusz *sm* (co-)signatory
sygnatura *sf* 1. (*znak mający znaczenie podpisu*) signature 2. (*znak biblioteczny*) call number; pressmark 3. *druk.* signature 4. (*podpis artysty*) signature 5. † *farm.* signature
sygnatur|ka *sf pl G.* **~ek** (*dzwon*) ave-bell
sygnet *sm G.* **~u** 1. (*pierścień*) signet(-ring) 2. *druk.* publisher's <printer's> imprint <colophon>
sygnować *vt imperf* to sign
syjamski *adj* Siamese; *dosł. i przen.* **bracia** <**siostry**> **~e** Siamese twins
syjonista *sm* (*decl = sf*) (a) Zionist
syjonistyczny *adj* Zionist
syjonizm *sm singt G.* **~u** Zionism
syk *sm G.* **~u** hiss; whiz(z); wheezing; fizzle; sizzle; sibilation
sykać *zob.* **syczeć**
sykatywa *sf chem. techn.* siccative
sykl *sm* shekel
syknąć *zob.* **syczeć**
sykofancki *adj* sycophantic
sykofant *sm hist. i przen.* sycophant
sykomor *sm*, **sykomora** *sf bot.* (*Ficus sycomorus*) sycamore
sykomorowy *adj* sycamore — (wood etc.)
sykstyńsk|i *adj* **kaplica ~a** the Sistine Chapel
sylaba *sf jęz.* syllable
sylabiczność *sf singt jęz. lit.* syllabification; syllabication
sylabiczny *adj jęz. lit.* syllabic
sylabika *sf singt lit.* syllabication
sylabista *sm* (*decl = sf*) *lit.* author of syllabic verse
sylabizacja *sf singt rz.* syllabizing
sylabizm *sm singt G.* **~u** *lit.* syllabism
sylabizować *vt vi imperf* to syllabize; to spell
sylabotwórczy *adj jęz.* vocalic
sylabow|iec *sm G.* **~ca** 1. *jęz.* (*wyraz*) syllabic abbreviation 2. *lit.* (*wiersz*) syllabic verse
sylabowy *adj* syllabic (characters)
sylabus *sm kośc.* syllabus
sylen *sm mitol.* silenus
sylf *sm mitol.* sylph
sylfida *sf mitol.* sylphid
sylifikacja *sf singt* silification
sylikat *sm G.* **~u** *bud. miner.* silicate
sylikatowy *adj* silica — (brick etc.)
sylikatów|ka *sf pl G.* **~ek** *bud.* silica brick
sylikon *sm G.* **~u** *chem.* silicon
sylikonowy *adj chem.* silicon — (carbide etc.)
sylikoza *sf med.* silicosis
sylimanit *sm singt G.* **~u** *chem. miner.* sillimanite; fibrolite
sylogistyczny *adj filoz.* syllogistic
sylogistyka *sf singt filoz.* syllogistic
sylogizm *sm G.* **~u** *filoz.* syllogism; **operować ~ami** to syllogize
sylur *sm singt G.* **~u** *geol.* the Silurian system

sylurski *adj*, **syluryjski** *adj geol.* Silurian (formation etc.)

sylwa *sf lit.* annals

sylwest|er *sm singt G.* **~ra** New Year's Eve

sylwestrowy *adj* New Year's Eve — (dance, party)

sylwet|a *sf*, **sylwet|ka** *sf pl G.* **~ek** 1. (*kształt postaci*) silhouette; profile; outline; **rzucać swą ~kę na coś** to be profiled against sth; **~ka (miasta, gór) na tle nieba** skyline 2. *przen.* (*postać*) figure; **znana ~ka** a character 3. (*opis*) outline 4. *fot.* silhouette

sylwetkowo *adv* in profile

sylwetkowość *sf singt* silhouetted representation

sylwetkowy *adj* silhouetted; represented in outline

sylwin *sm singt G.* **~u** *chem. miner.* sylvine

sylwinit *sm G.* **~u** *miner.* sylvinite

symbiont *sm G.* **~u** *biol.* symbiont

symbiotycznie *adv biol.* symbiotically; in symbiosis

symbiotyczny *adj biol.* symbiotic

symbioza *sf singt biol.* symbiosis

symbol *sm G.* **~u** symbol; emblem; denotation; *bot. mat. muz.* sign

symbolicznie *adv* symbolically; **~ kogoś uśmiercić** to burn sb in effigy

symboliczność *sf singt* symbolization

symboliczn|y *adj* symbolic(al); **~a opłata** token payment; nominal sum

symbolika *sf singt* symbols; symbolism; symbolic representation

symbolista *sm* (*decl* = *sf*) symbolist

symbolistyczny *adj* symbolistic

symbolistyka *sf singt rz.* = **symbolika**

symbolizm *sm singt G.* **~u** symbolism

symbolizować *vt imperf* to symbolize

symbolizowanie *sn* (↑ **symbolizować**) symbolization

symetralna *sf* (*decl* = *adj*) *mat.* bisectrix

symetri|a *sf singt GDL.* **~i** symmetry; **~a dwuboczna** dissymmetry

symetrycznie *adv* symmetrically

symetryczność *sf singt* symmetricalness

symetryczny *adj* symmetrical

symetryzować *vt imperf* to symmetrize

symetryzowanie *sn* (↑ **symetryzować**) symmetrization

symfoni|a *sf GDL.* **~i** *pl G.* **~i** *dosł. i przen.* symphony

symfoniczny *adj* symphonic (poem, ode etc.); symphony — (concert, orchestra etc.)

symfonista *sm* (*decl* = *sf*) symphonist; composer of symphonies

symoni|a *sf singt GDL.* **~i** *hist.* simony

sympati|a *sf GDL.* **~i** *pl G.* **~i** 1. *singt* (*stosunek do kogoś*) liking (**do kogoś** for sb); attraction (**do kogoś** to sb); **cieszyć się czyjąś ~ą** to be liked by sb; to be in sb's good books; to stand high in sb's favour; **czuć ~ę do kogoś** to feel attracted <drawn> to sb; to like sb; **nie cieszyć się czyjąś ~ą** to be in sb's bad books; **poczuć ~ę do kogoś** to take a fancy <a liking> to sb; to warm to sb; **poczułem ~ę do niego** my heart went out <I warmed> to him; **stracić czyjąś ~ę** to fall out of favour with sb; **stracić ~ę otoczenia** to make oneself unpopular; **zyskać ~ę** to make oneself liked 2. *pot.* (*osoba płci odmiennej*) sweetheart; (sb's) boy <girl> friend

sympatycznie *adv* 1. (*pociągająco*) attractively; pleasingly; agreeably 2. (*życzliwie*) in friendly terms; favourably; sympathetically

sympatyczność *sf singt* attractiveness; likableness

sympatyczny *adj* 1. (*miły*) attractive; likable; prepossessing; agreeable; pleasing; amiable; nice 2. (*życzliwy*) friendly; congenial; well-disposed 3. *anat. biol.* sympathetic (system, nerve) 4. *techn.* invisible ink

sympatyjk|a *sf* (*dim* ↑ **sympatia**) liking (for sb); (short-lived) friendship; **~i i antypatyjki** likes and dislikes

sympatyk *sm* sympathizer; well-wisher

sympatyzować *vi imperf* 1. (*sprzyjać*) to sympathize (**komuś, z kimś** with sb) 2. (*podzielać uczucia*) to symphatize (**komuś, z kimś** with sb); to feel (**komuś, z kimś** for sb)

sympatyzowanie *sn* (↑ **sympatyzować**) sympathy

symplicystyczny *adj* simplistic

symplifikacj|a *sf pl G.* **~i** simplification

symplifikować *vt imperf* to simplify

symplifikowanie *sn* (↑ **symplifikować**) simplification

symplistyczny *adj lit.* simplistic

sympozjarcha *sm* (*decl* = *sf*) *hist.* symposiarch

sympozjon *sm G.* **~u**, **sympozjum** *sn* 1. (*w starożytnej Grecji*) symposium 2. (*zebranie specjalistów*) symposium

symptom *sm G.* **~u**, **symptomat** *sm G.* **~u** symptom; sign; prognostic

symptomatologia *sf singt* symptomatology, semeiology

symptomatyczny *adj* symptomatic(al)

symulanctwo *sn singt* simulating; simulation; pretence; make-believe

symulant *sm*, **symulantka** *sf* simulator; shammer; *wojsk.* malingerer

symulator *wojsk.* simulator

symulować *v imperf* [I] *vt* to simulate; to sham; to feign; to affect [II] *vi* to pretend; to make believe; *wojsk.* to malinger; *sl.* to swing the lead

symulowanie *sn* (↑ **symulować**) simulation; pretence; sham; make-believe

symultanizm *sm singt G.* **~u** *lit. teatr.* simultaneous action

syn *sm L.* **~u** son; **Syn Boży** the Son of God; **Syn Człowieczy** the Son of Man; **~ marnotrawny** prodigal son; **~u!** son, sonny; **w imię Ojca i Syna!** oh dear, oh dear!

synagoga *sf* synagogue

synagogalny *adj* synagogal, synagogical

synal *sm*, **synal|ek** *sm G.* **~ka** *pl N.* **~kowie** ◁**~ki**▷ (that scamp of a) son

synapizm *sm G.* **~u** *farm.* sinapism; mustard plaster

synapsa *sf biol.* synapsis

synchroni|a *sf singt GDL.* **~i** *lit.* synchrony

synchronicznie *adv* synchronously

synchroniczność *sf singt* synchronousness

synchroniczny *adj* synchronous

synchronistyczny *adj* synchronistic

synchronizacja *sf singt* synchronization; timing; *kino fiz.* synchronism

synchronizacyjny *adj* synchronizing

synchronizator *sm aut.* synchromesh

synchronizować *v imperf* [I] *vt* to synchronize [II] *vr* **~ się** to synchronize (*vi*); to be synchronous
syncio *sn* sonny boy
syndetikon *sm G.* **~u** glue
syndy|k *sm pl N.* **~cy** <**~kowie**> *prawn.* syndic; legal adviser; *hist.* **~k miejski** town clerk
syndykalista *sm* (*decl* = *sf*) *polit.* syndicalist
syndykalistyczny *adj polit.* syndicalist(ic)
syndykalizm *sm singt G.* **~u** *polit.* syndicalism
syndykalny *adj* syndical
syndykat *sm G.* **~u** *ekon.* syndicate; (*we Francji — związek zawodowy*) syndicat; labor union
syndykowski *adj* syndic's; syndical
syneczek *sm dim* ↑ **synek**
syn|ek *sm* young son; sonny; **~ku!** sonny (boy)!; **mamin ~ek** mother's pet
synekdocha *sf lit.* synecdoche
synekura *sf* sinecure; *pot.* cosy <fat> job
synekurzysta *sm* (*decl* = *sf*) sinecurist
synergista *sn* (*decl* = *sf*) *anat.* synergetic muscle
synergizm *sm singt G.* **~u** *med.* synergism
synestezja *sf singt psych.* synesthesia
syngenetyczny *adj geol.* syngenetic
syngeneza *sf singt geol.* syngenesis
syng|iel *sm G.* **~la** 1. = **syngielton** 2. *sport* singles
syngielton *sm karc.* singleton
syngulatywny *adj jęz.* indicative of the singular
synhedrion *sm singt G.* **~u** = **sanhedryn**
synklina *sf geol.* syncline; trough; synclinal fold
synklinalny *adj geol.* synclinal
synklinorium *sn geol.* synclinorium
synkopa *sf muz.* syncopation; *jęz.* syncope
synkopowany *adj muz.* syncopated
synkopowy *adj* syncopal
synkretyczny *adj* syncretic(al)
synkretyzm *sm G.* **~u** syncretism
synobójca *sm* (*decl* = *sf*) murderer of one's son; filicide
synobójstwo *sn singt* murder of one's son; filicide
synod *sm G.* **~u** *kośc.* synod
synodalny *adj kośc.* synodal
synodujący *sm* synodist
synodyczny *adj astr.* synodical (month etc.); **obieg ~** synodical period
synogarlica *sf zool.* (*Streptopelia risoria*) ring-dove
synogarliczy *adj* ring-dove's (plaintive cooing etc.)
synonim *sm G.* **~u** synonym; *przen.* byword (for iniquity etc.)
synonimiczność *sf singt* synonymy
synonimiczny *adj* synonymous; synonymic
synonimika *sf singt* 1. (*dział leksykologii*) synonymy 2. (*dobór synonimów*) synonymizing 3. (*synonimy*) synonyms
synoptyczn|y *adj* synoptic; *meteor.* **mapy ~e** synoptic weather charts
synoptyka *sf singt* 1. *lit.* (*krótki przegląd*) synopsis 2. *meteor.* synoptic meteorology
synostwo *sn singt* 1. (*pochodzenie*) filiation; sonship 2. (*syn z żoną*) (one's) son and his wife; (one's) son and daughter-in-law
synowa *sf* (*decl* = *adj*) daughter-in-law
synowsk|i *adj* filial; son's (love etc.) **po ~u** like a good <loving, dutiful> son
syntaksa *sf singt jęz.* syntax
syntaktycznie *adv* syntactically
syntaktyczny *adj* syntactic
syntetycznie *adv* synthetically
syntetyczność *sf singt* syntheticism
syntetyczny *adj* synthetic (languages, rubber, foods etc.)
syntetyk *sm* 1. (*człowiek*) synthesizer 2. (*produkt*) (a) synthetic
syntetyzować *vt vi imperf* to synthesize; to synthetize
syntetyzowanie *sn* (↑ **syntetyzować**) synthesization; synthetization
synteza *sf chem. filoz.* synthesis
syntezowy *adj* synthetic
syntoni|a *sf singt GDL.* **~i** *psych.* syntony; syntonic disposition
synuś *sm pieszcz.* sonny
syp|ać *v imperf* **~ie** — **syp|nąć** *v perf* [I] *vt* 1. (*powodować opadanie*) to pour <to spill> (sand, grain etc.); to sprinkle (cinders etc. over sth); to dredge (flour, sugar etc. on meat, cakes etc.); to heap (coal etc.); *przen.* **~ać, ~nąć ludziom piaskiem** <**piasek**> **w oczy** to throw dust in people's eyes; **~ać, ~nąć oko do kogoś** to wink at sb 2. (*hojnie rozdawać*) to shower (blows etc.); to be lavish <profuse> (**pochwałami itd.** in one's praise etc.); to be prodigal (**pieniędzmi** of one's money); to reel off (**kawałami** jokes); *przen.* **~nąć pieniędzmi** to loosen the purse-strings 3. *pot.* (*pędzić*) to spank along 4. (*mówić na śledztwie*) to betray (all the) secrets; *pot.* to own up (**wszystko** to everything); to blow the gaff 5. *imperf* (*tworzyć sypaniem*) to raise <to build> (a dyke, entrenchments etc.) [II] *vi* 1. (*o śniegu*) to fall; **śnieg ~ie** it is snowing 2. *pot.* (*składać obciążające zeznania*) to give away one's accomplices; to turn informer; to revel <to divulge> a secret; *pot.* to peach; *am.* to spill the beans [III] *vr* **~ać, ~nąć się** 1. (*rozsypywać się*) to run; *przen.* **wąs** <**broda**> **mu się ~ie** he is sprouting a moustache <a beard>; **zboże się ~ie** the corn is seeding 2. (*o ciosach, nieszczęściach itd.*) to rain; to pour; **~nęły się ciosy, zaproszenia, obelgi** there was a shower of blows, invitations, insults 3. *pot.* (*zdradzać się*) to give oneself away 4. (*zdradzać się wzajemnie*) to give one another away; *pot.* to peach against one another 5. (*rozpadać się*) to fall to pieces 6. (*popełniać błędy*) to make mistakes
sypia|ć *vi imperf* to sleep (sometimes, habitually, very often etc.); **dobrze ~ć** to be a sound sleeper; **~łem na podłodze** I used to sleep on the floor
sypialka *sf reg. dim* ↑ **sypialnia**
sypialnia *sf* 1. (*pokój*) bedroom 2. (*meble*) bedroom suite
sypialn|y [I] *adj* sleeping — (**pokoje** accommodation); **sala ~a** dormitory; **wagon ~y** sleeper, sleeping-car [II] *sm* **~y** = **wagon ~y**
syp|ka *sf pl G.* **~ek** *pot. teatr* mistake
sypki *adj* friable; loose; **ciała ~e** granular substances; dry goods; **kartofle ~e** floury potatoes; **skały ~e** loose rocks
sypkość *sf singt* friability; granularity
sypnąć *zob.* **sypać**
syren|a *sf* 1. (*przyrząd*) hooter; siren; **~a mgłowa** fog-horn 2. *mitol.* mermaid 3. *przen.* (*o kobiecie*) mermaid 4. (*herb Warszawy*) emblem of the city of Warsaw 5. (*samochód*) trade name of a Polish motor-car 6. *zool.* sirenian; *pl* **~y** (*Sirenia*) (*rząd*) the order Sirenia; the sirenians

syreni *adj* sirenical; siren — (song etc.); ~ **gród** Warsaw
syrenka *sf* 1. *dim* ↑ **syrena** 1. 5. 2. (*gra liczbowa*) a number lottery
syrop *sm G.* ~**u** *kulin. farm.* syrup
syropowaty *adj* syrupy
Syryjczyk *sm* (a) Syrian
syryjski *adj* Syrian
sysak *sm* suckling
system *sm G.* ~**u** (metric, nervous, monetary etc.) system; form (of government)
systematycznie *adv* systematically; regularly; methodically; neatly; (*w naukach przyrodniczych*) taxonomically
systematyczność *sf singt* system; method; regularity; neatness; orderliness
systematyczny *adj* 1. (*uporządkowany*) systematic; regular; methodical 2. (*o człowieku — dokładny*) systematic(al); methodical; orderly; neat; **człowiek** ~ a man of method 3. (*dotyczący systematyki roślin i zwierząt*) taxonomic(al)
systematyk *sm* taxonomist
systematyka *sf* systematics; method; ordination; (*w naukach przyrodniczych*) taxonomy
systematyzacja *sf singt* systematization; methodization
systematyzować *vt imperf* to systematize; to methodize
systematyzowanie *sn* (↑ **systematyzować**) systematization; methodization
syt *zob.* **syty**
syta *sf DL.* **sycie** 1. (*pokarm dla pszczół*) syrup (for feeding bees) 2. (*napój*) mead
sytny *adj* satiating; nourishing; substantial
syto *adv* having eaten one's fill
sytość *sf singt* satiety; satiation
sytuacj|a *sf* 1. (*położenie*) situation; position; circumstances; things; conjuncture; state of affairs; **beznadziejna** ~**a** hopeless plight; **krytyczna** ~**a** extremity; **socjalna** ~**a człowieka** a man's social status; **być w ciężkiej** ~**i** to be on one's beam ends; **być w fałszywej** ~**i** to be in a false position; **być w gorszej** ~**i niż przedtem** to be worse off; **ocalić** <**ratować**> ~**ę** to save the situation; ~**a się poprawia** things look brighter; ~**a wygląda niewesoło** things look gloomy; the outlook is not bright; **znajdować się w pomyślnej** ~**i** to be well situated <circumstanced>; to be well off; **zorientować się w** ~**i** to see how the land lies; to study the lie of the land; **w obecnej** ~**i** as things are; **w takiej (jak wtedy)** ~**i** as matters stood
sytuacyjny *adj* situational
sytuować *vt imperf* to locate
sytuowanie *sn* (↑ **sytuować**) location
sytuowany [I] *pp* ↑ **sytuować** [II] *adj* (*przestrzennie*) situated; placed; (*materialnie*) conditioned; **być dobrze** ~**m** to be well off <well-to-do>; to be in easy circumstances; **być lepiej** ~**m** to be better off; **być źle** ~**m** to be badly off
syt|y *adj* (*także* **syt** *adj praed*) 1. (*nie głodny*) satiated; well-fed; full; ~**(y) sławy** sated with fame; ~**(y) rozkoszy** cloyed with pleasures 2. (*sycący*) satiating; nourishing; substantial 3. (*bogaty w żywność*) (land etc.) of plenty
do ~**a** to satiety; to the full; to one's heart's content <desire>; **mieć czegoś do** ~**a** to have one's fill of sth; **najeść się do** ~**a** to eat one's fill
syzyfow|y *adj* ~**e prace** Sisyphean labours; **wykonywać** ~**ą pracę** to plough the sands
syzygi|a *sf singt GDL.* ~**i** *astr.* syzygy
sza *interj* hist!; hush!; mum!
szabas *sm G.* ~**u** the sabbath; sabbath day
szabasowy *adj* sabbatic(al)
szabasów|ka *sf pl G.* ~**ek** 1. (*świeczka*) tallow candle (burnt ritualistically by Jews on sabbath day) 2. (*wódka*) sabbath-day vodka 3. (*czapka*) Jew's ritualistic cap
szabaśnik † *sm* 1. (*u Żydów*) (ritualistic) seven-branched candlestick 2. (*piekarnik*) Dutch oven; roaster
szabelk|a *sf dim* ↑ **szabla**; **potrząsanie** <**brząkanie**> ~**ą** sabre-rattling
szab|er[1] *sm singt G.* ~**ru** (*tłuczeń*) (road-)metal
szab|er[2] *sm G.* ~**ru** (*przywłaszczenie rzeczy opuszczonych w czasie wojny*) loot; **chodzić** <**jeździć**> **na** ~**er** to go looting
szab|la *sf pl G.* ~**li** <~**el**> 1. (*broń — w piechocie*) sword; (*w kawalerii*) sabre; cavalry sword; **cięcie** ~**lą** sword-cut; sabre-cut; **pojedynek na** ~**le** duel with swords; **goła** <**naga**> ~**la** drawn sword; **porwać się do** ~**li** to draw the sword; **roznieść kogoś na** ~**lach** to make mincemeat of sb 2. *przen.* (*kawalerzysta*) cavalryman; **w sile tysiąca** ~**li** a thousand horse strong 3. *pl* ~**le** *myśl.* (*kły dzika*) wild boar's tusks
szablak *sm G.* ~**u** *reg.* (*fasola*) scarlet runner
szablasty *adj* sabre-shaped; *paleont.* ~ **tygrys** sabre-toothed tiger
szablista *sm* (*decl* = *sf*) swordsman
szablisty *adj* sabre-shaped
szablodzi|ób *sm G.* ~**oba** *zool.* (*Recurvirostra avosetta*) avocet, avoset
szablogrzbiet *sm zool.* (*Orca*) killer whale
szablon *sm G.* ~**u** 1. (*forma*) pattern; mould; stencil; templet, template 2. (*schemat bezmyślnie stosowany*) routine; stereotype
szablonowo *adv* in stereotyped fashion; tritely; conventionally
szablonowość *sf singt* triteness; commonplaceness
szablonowy *adj* trite; commonplace; hackneyed; conventional, stock (phrase etc.); routine-(work etc.)
szablowy *adj* sabre — (contest etc.)
szabota *sf techn.* anvil-block
szabrować *vt vi imperf* to loot
szabrowanie *sn* ↑ **szabrować**
szabrownictwo *sn singt* looting
szabrownicz|ka *sf pl G.* ~**ek** looter
szabrowniczy *adj* looter's <looters'> (spoils etc.); looting (gangs etc.)
szabrownik *sm* looter
szach *sm* 1. (*pl NV.* ~**owie**) (*monarcha*) shah 2. *pl* ~**y** (*gra*) chess; (*figury*) chess-men 3. (*pozycja atakująca króla w grze*) check; **dać** ~**a królowi** to check the king; ~ **i mat** checkmate; *przen.* **trzymać kogoś w** ~**u** to hold <to keep> sb in check
szacher|ka *sf pl G.* ~**ek** *pot.* = **szachrajstwo**
szachist|a *sm* (*decl* = *sf*), **szachist|ka** *sf pl G.* ~**ek** chess player

szachować *vt imperf* (*w grze w szachy*) to check (**przeciwnikowi króla** the opponent's king); *przen.* **~ kogoś** to hold <to keep> sb in check <at bay>

szachownic|a *sf* 1. (*tablica do gry*) chess-board; draught-board; *am.* checker-board 2. *przen.* arena (of diplomacy etc.) 3. (*wzór*) chequered pattern; (*układ podłogi, bruku*) tassellation; **w ~ę** chequer-wise 4. (*o polach*) patchwork; **krajobraz w ~ę** patchy landscape 5. *bot.* (*Fritillaria*) fritillaria 6. *zool.* (*Melanargia galathea*) marbled white butterfly

szachowy *adj* chess — (tournament etc.); chess- (club etc.)

szachraj *sm*, **szachraj|ka** *sf pl G.* **~ek** swindler; cheat; trickster; sharper; *sl.* crook

szachrajski *adj* swindling; cheating

szachrajstwo *sn* swindle; (piece of) trickery; hanky-panky

szachrować *vi imperf* to swindle; to cheat; to jockey

szachrowanie *sn* (↑ **szachrować**) swindle

szacht *sm G.* **~u** *górn.* mine-shaft

szachtowy *adj* shaft — (kiln etc.)

szacować *vt imperf* to value <to appraise; to assess, to estimate, to reckon> (**coś <kogoś> na *x* złotych** sth <sb> at *x* zlotys); to put (**coś na jakąś kwotę** sth at a figure); **~ czyjąś wartość moralną** to gauge sb; *pot.* to size sb up; **zbyt nisko <wysoko> coś ~** to underestimate, to undervalue <to overvalue, to overestimate> sth

szacowanie *sn* (↑ **szacować**) valuation; appraisement; assessment; estimate

szacowny *adj* (*cenny*) valuable; (*szanowny*) respectable; estimable

szacun|ek *sm G.* **~ku** 1. (*poważanie*) respect; regard; esteem; deference; **brak ~ku** disrespect; irreverence; **godny ~ku** respectable; worthy of respect; **pełen ~ku** deferential; **zasługujący na ~ek** respectable; estimable; **cieszyć się ~kiem** to have the respect (of a community etc.); to be held in respect; **darzyć kogoś ~kiem, mieć ~ek dla kogoś** to hold sb in respect <in esteem>; to have a high opinion of sb; **domagać się należytego ~ku** to assert oneself; **nie okazywać komuś należytego ~ku** to be inconsiderate towards sb; **okazywać komuś ~ek** to show respect <to be deferential> to sb; to show regard for sb; **stracić ~ek u kogoś** to fall in sb's esteem; **wzbudzać ~ek** to command respect; (*w liście*) **proszę przyjąć wyrazy głębokiego ~ku** your obedient servant; **przez ~ek dla kogoś** out of regard for sb; **z wyrazami <w dowód> ~ku** with compliments; with kind regards; *pot.* (*powitanie*) **~ek!** hello (Sir)!; (*pożegnanie*) good day <good-bye> (Sir)! 2. (*oszacowanie*) valuation; appraisement; assessment; estimate

szacunkowo *adv* **obliczyć <oznaczyć, określić> ~** to value; to assess; to estimate; to reckon

szacunkowy *adj* estimated (value etc.); (committee etc.) of appraisal

szadź *sf singt* 1. (*osad lodowy*) hoar-frost; rime 2. *bot.* pruinescence

szafa *sf* wardrobe; cupboard; **grająca ~** music box; **~ amerykańska** roller-blind cabinet; **~ na książki** bookcase; **~ pancerna <ogniotrwała>** safe; *bud.* **~ ścienna <w ścianie>** built-in wardrobe; **~ zamykana na klucz** locker; *sl.* **~ gra** everything's O.K.

szafar|ka *sf pl G.* **~ek, szafarz** *sm* dispenser

szafeczka *sf* (*dim* ↑ **szafa**) cupboard

szaf|el *sm G.* **~la** = **szaflik**

szafiasty *adj* **ołtarz ~** reredos

szafir *sm G.* **~u** 1. (*kamień*) sapphire 2. (*kolor*) sapphire blue; sky-blue

szafir|ek *sm G.* **~ka** 1. *dim* ↑ **szafir** 2. *bot.* (*Muscari*) grape hyacinth

szafirowo *adv* in sapphire blue; in sky-blue colour

szafirowy *adj* 1. (*z szafiru*) sapphire — (ring etc.) 2. (*ciemnoniebieski*) sapphire-blue — (petals etc.); sapphirine

szaf|ka *sf pl G.* **~ek** cupboard; cabinet; **oszklona ~ka** glass case; **~ka nocna** bedside <night> table; **~ka wystawowa** show-case; (*w szatni sportowców itd.*) **~ka zamykana na klucz** locker

szafkowy *adj* case — (clock etc.); **ołtarz ~** reredos

szaflik *sm* (*naczynie murarskie*) hod; (*naczynie kuchenne*) wash-up basin; washing-up bowl

szafo|t *sm G.* **~tu** scaffold; **zginąć na ~cie** to perish on the block

szafować *vt imperf* 1. (*nieoszczędnie używać*) to be liberal <prodigal> (**czymś** of sth); to be profuse <lavish> (**czymś** in <of> sth) 2. (*trwonić*) to squander (**pieniędzmi** one's money)

szafowanie *sn* (↑ **szafować**) lavishness; prodigality

szafowy *adj* = **szafkowy**

szafran *sm G.* **~u** 1. *bot.* (*Crocus*) saffron 2. *kulin. farm.* (*proszek*) saffron

szafra|niec *sm G.* **~ńca** *bot.* (*Curcuma*) curcuma

szafranowy *adj* 1. (*zaprawiony szafranem*) saffron — (oil, sauce etc.) 2. (*koloru szafranowego*) saffron-coloured

szafun|ek *sm G.* **~ku** dispensation; bestowal

szagryn *sm G.* **~u** *techn.* shagreen

szagrynow|y *adj techn.* shagreen — (leather etc.); **waliza ~a** shagreen suitcase

szaj|ka *sf pl G.* **~ek** band <gang, set> (of thieves etc.)

szakal *sm* 1. *zool.* (*Canis aureus*) jackal 2. *przen.* (*o człowieku*) vulture

szakali *adj przen.* (*ohydny*) vulturous

szakl|a *sf pl G.* **~i** *mar.* shackle

szakłak *sm G.* **~u** *bot.* (*Rhamnus*) buckthorn

szakłakowat|y *bot.* [I] *adj* rhamnaceous [II] *spl* **~e** (*Rhamnaceae*) (*rodzina*) the buckthorn family

szakłakow|y [I] *adj* rhamnal [II] *spl* **~e** *bot.* (*Rhamnales*) (*rząd*) the order Rhamnales

szal *sm* (*okrycie głowy, ramion*) shawl; (*okrycie szyi*) scarf; muffler

szal|a *sf* 1. (*część wagi*) scale (pan); **rzucić na ~ę** to throw (sth) into the scale; **zaważyć na ~i** to turn the scale 2. *górn.* (*klatka*) cage

szalanda *sf mar.* (dump) scow; dump barge

szalbierczo *adv* fraudulently; deceitfully

szalbiersk|i *adj* fraudulent; deceitful; false; sham **po ~u** fraudulently; deceitfully

szalbierstwo *sn* fraud; imposition; swindle

szalbierz *sm* quack; fraud; impostor; swindler; sharper

szale|ć *vi imperf* **~je** 1. (*zachowywać się jak szaleniec*) to rage; to be frantic <rabid>; *przen.* to be transported <delirious> (**z radości** with joy); to be frantic <mad> (**z rozpaczy** with despair <grief>); **~ć za kimś** to be mad <crazy> about sb; to be madly in love <to be infatuated> with sb; **wszyscy za tym ~ją** it is all the rage 2. (*o burzy*) to rave; (*o deszczu, wietrze*) to storm; (*o epidemii*) to rage; **burza przestała ~ć** the storm (has) raved itself out 3. (*hulać*) to revel; to carouse; to riot; to have a hectic time

szalej *sm G.* **~u** *bot.* (*Cicuta*) cowbane; water hemlock

szalejowy *adj* cowbane _ (root etc.)

szalenie[1] *sn* ↑ **szaleć**

szalenie[2] *adv* very; extremely; *pot.* awfully; terribly; like anything; like mad; not half

szale|niec *sm G.* **~ńca** 1. (*wariat*) madman; lunatic 2. (*narwaniec*) madcap; daredevil; desperado

szaleńczo *adv* madly; insanely; dementedly; distractedly; recklessly; **~ kogoś kochać** to love sb to distraction

szaleńcz|y *adj* mad; insane; frantic; reckless; **~a jazda** furious driving

szaleństw|o *sn* 1. *singt* (*choroba*) madness; insanity; folly; frenzy; **doprowadzić kogoś do ~a** to drive sb mad 2. *singt* (*stan człowieka ogarniętego silnym uczuciem*) madness; folly; frenzy; craze; **odważny** <**śmiały**> **do ~a** reckless; fool-hardy; **kochać do ~a** to be madly in love; to love (sb) to distraction 3. (*postępek*) act <piece> of folly; extravagance; prank; **to istne ~o** this is pure folly 4. (*hulaszcza zabawa*) revel; carouse

szalet *sm G.* **~u** 1. (*domek szwajcarski*) (Swiss) chalet 2. (*ustęp*) public convenience; street lavatory

szalik *sm* scarf; muffler; belcher

szalka *sf dim* ↑ **szala** 1.

szalkow|y *adj* scale _ (beam etc.); **waga ~a** scales

szalon|y [I] *adj* 1. (*obłąkany*) mad; insane; lunatic; *przen.* **~a głowa** madcap; daredevil; desperado 2. (*właściwy szaleńcowi*) foolish; silly; crazy; extravagant; reckless; wild <hare-brained> (scheme etc.); furious (driving etc.); tearing (pace etc.); **~y czyn** piece of folly 3. (*nieopanowany*) frantic, phrenetic; **~y gniew** fury; frenzy 4. (*hulaszczy*) hectic; extravagant; rakish; **~e życie** life of dissipation 5. *pot.* (*ogromny*) terrific; tremendous; maddening (pain etc.) [II] *sm* **~y** madman; (a) lunatic [III] *sf* **~a** madwoman; (a) lunatic
po ~emu = **szalenie, szaleńczo**

szalotka *sf bot.* (*Allium ascalonicum*) shallot; scallion

szalować *vt imperf* to timber; to board; to case; to tub (a shaft etc.)

szalowanie *sn* 1. ↑ **szalować** 2. (*warstwa desek*) timbering; shuttering; framework; falsework; *mar.* ceiling; wood lining

szalun|ek *sm G.* **~ku** = **szalowanie**

szalunkowy *adj* timbering _ (boards etc.)

szalupa *sf mar.* launch; ship's boat

sza|ł *sm G.* **~łu** 1. *med.* (*obłęd*) madness; insanity; frenzy 2. (*stan wielkiego podniecenia*) frenzy; rage; fury; folly; **~ł gniewu** tearing rage; **~ł za czymś** a craze for sth; **śmiały do ~łu** reckless; **doprowadzić kogoś do ~łu** to drive sb mad <crazy, wild>; to send sb into fits; **wpaść w ~ł** to go rabid <savage>; to go berserk; **do ~łu** to the point of folly; **w ~le** wildly; in a frenzied rage 3. (*hulaszcza zabawa*) orgy; debauch

szałamaja *sf* an old-time musical wind instrument

szałaput *sm pl N.* **~y, szałaput|a** *sm* (*decl* = *sf*) *pl G.* **~ów** trifler; care-free <easy-going, trifling> fellow; giddy pate

szałas *sm G.* **~u** 1. (*tymczasowe schronienie*) shelter; shed; *rel.* **święto ~ów** the Feast of Tabernacles 2. (*domek*) hut; shanty; cabin; chalet

szałaśnictwo *sn singt* summer-time pasturing of sheep in the mountains

szławi|ła *sm* (*decl* = *sf*) *DL.* **~le** *pl N.* **~ły** *GA.* **~łów** = **szałaput(a)**

szałow|iec *sm* **~ca** raving madman; **cela szpitalna dla ~ców** padded cell

szałowy *adj* 1. *pot. żart.* (*robiący oszałamiające wrażenie*) scrumptious; (*o kobiecie*) smashing; *am.* swell 2. *med.* frenzied

szałwi|a *sf GDL.* **~i** 1. *bot.* (*Salvia*) salvia; **~a lekarska** (*Salvia officinalis*) sage 2. (*napar*) infusion of sage leaves

szaman *sn pl N.* **~i** shaman

szamanizm *sm singt G.* **~u** shamanism

szamański *adj* shamanic; shamanistic

szambelan *sm pl N.* **~owie** <**~i**> chamberlain; **~ papieski** camerlingo

szambelani|a *sf singt GDL.* **~i, szambelaństwo** *sn singt hist.* chamberlainship

szambo *sn* cesspool; septic tank

szamerować *vt imperf* to braid; to trim with braid

szamerowanie *sn* (↑ **szamerować**) braid

szamerun|ek *sm G.* **~ku** braid(ing)

szamot *sm G.* **~u, szamota** *sf techn.* fire-clay

szamo|tać *v imperf* **~cze** <**~ce**> [I] *vt* to jerk; to pull (sb) about; (*o wietrze*) to sway (tree-tops) [II] *vr* **~tać się** to struggle; to tussle; to flounce; to scuffle

szamotanie *sn* 1. (↑ **szamotać**) jerks 2. **~ się** (a) struggle <tussle, flounce, scuffle>; set-to

szamotownia *sf techn.* fire-brick works

szamotowy *adj* fire-clay <fire-brick> _ (lining etc.)

szamozyt *sm G.* **~u** *miner.* chamoisite, chamosite

szampan *sm* champagne

szampan|ka *sf pl G.* **~ek** 1. (*kieliszek*) champagne glass 2. (*ciastko*) biscuit

szampański [I] *adj* 1. (*z Szampanii*) champagne _ (wine etc.) 2. *przen.* (*wesoły*) exhilarating (atmosphere etc.) 3. *przen.* (*o kobiecie*) captivating; delightful [II] *sn* **~e** champagne (wine)

szampańsko *adv* exhilaratingly

szampinion *sm* champignon; mushroom

szampion *sm sport* champion

szampit|er *sm G.* **~ra** *żart.* (*szampan*) pop; *sl.* fizz; bubbly

szampon *sm G.* **~u** shampoo

szandek *sm G.* **~u** *mar.* gunwale

sza|niec *G.* **~ńca** 1. *wojsk.* earthwork; field-work; entrenchment 2. *mar.* quarter-deck

szank|ier *sm G.* **~ra** *med.* chancre

szan|ować *v imperf* [I] *vt* 1. (*poważać*) to respect; to esteem; to have regard (**kogoś** for sb); **bardzo kogoś ~ować** to have great respect for sb; to hold sb in high esteem 2. (*postępować zgodnie z czymś*) to respect (the law, tradition, sb's desire, silence etc.) 3. (*otaczać troskliwością*) to take care (**zdro-**

wie, swoje rzeczy of one's health; of one's things); to be careful (**swoje książki itd.** of one's books etc.) [III] *vr* **~ować się** 1. (*mieć poczucie własnej godności*) to have self-respect; to preserve one's dignity; **~ujący się pisarz** <**artysta itd.**> self-respecting writer <artist etc.> 2. (*poważać jeden drugiego*) to respect one another 3. (*dbać o siebie*) to take care of oneself <of one's health>; to spare one's strength; **on się nie ~uje** he does not spare himself

szanowanie *sn* 1. ↑ **szanować** 2. (*poważanie*) respect 3. **~ się** self-respect 4. *pot.* (*formułka*) good day!

szanowany [I] *pp* 1. ↑ **szanować** [II] *adj* respectable; (person) of good reputation

szanowność *sf singt rz.* respectability

szanown|y *adj* honourable; respectable; worthy; **~a pani!** Madam!; (*w mowie bezpośredniej i listach*) **Szanowni Panowie!** Gentlemen!; (*w listach*) **Szanowny Panie!** Dear Sir! Dear Mr NN

szans|a *sf* likelihood; chance(s); odds; **równe ~e** even chances; fair field and no favour; **słabe ~e na coś** little prospect of sth; **sportowiec mający ~e wygrania** a probable winner; **~a życiowa, jedyna ~a w życiu** the chance of a lifetime; **istnieją ~e, że się to uda** the chances <the odds> are that it will succeed; it is likely <not unlikely> that it will succeed; **mieć ~e wygrania** to stand (a chance) to win; to be in a fair way to win; **nie masz najmniejszej ~y** you haven't the ghost of a chance; **niewielkie są ~e, żeby ...** there is little likelihood of ...

szanta *sf bot.* (*Marrubium*) horehound

szantaż *sm G.* **~u** blackmail; extortion

szantażować *vt vi imperf* to blackmail; *pot.* to make (sb) squeal

szantaży|sta *sm* (*decl* = *sf*) *DL.* **~ście** *pl N.* **~ści** *G.* **~stów, szantaży|stka** *sf pl G.* **~stek** blackmailer; extortioner

szańcowy *adj* entrenchment — (works etc.); **kosz ~** siege-basket

szapirograf *sm G.* **~u** *techn.* a type of duplicator

szapoklak *sm* opera-hat; crush hat

szaraban *sm* char-à-banc(s)

szaracz|ek *sm G.* **~ka** 1. *dim* ↑ **szarak** 1. 2. † (*pl N.* **~kowie**) = **szarak** 2.

szarada *sf* charade

szarag|i *spl G.* **~ów** coat-rack

szarak *sm* 1. *zool.* (*Lepus europaens*) hare 2. † *hist.* yeoman

szarańcz|a *sf pl G.* **~y** 1. *zool.* (*Locusta migratoria*) locust 2. *przen.* (*chmura*) swarm

szarańczak *sm zool.* orthopteran; *pl* **~i** (*Orthoptera*) (*rząd*) the order Orthoptera

szarawar|y *spl G.* **~ów** galligaskins

szaraw|ka *sf pl G.* **~ek** *zool.* tussock moth

szarawo *adv* in greyish colour; **jest ~** it is dusky

szarawobiały *adj* greyish white

szarawozielony *adj* greyish green

szarawy *adj* greyish

szarf|a *sf DL.* **~ie** sash; **opasany ~ą** sashed

szargać *v imperf* [I] *vt przen.* (*bezcześcić*) to slander (sb); to tarnish <to slur> (**czyjeś imię** sb's reputation); **~ czyjąś opinię** to drag sb through the mire; to desecrate (**świętość** what is held sacred) [III] *vr* **~ się** *gw.* to soil one's clothes

szarganie *sn* (↑ **szargać**) slander; desecration (**świętości** of what is held sacred)

szarlatan *sm* charlatan; impostor; quack; mountebank

szarlataneri|a *sf* (*zw. singt*) *GDL.* **~i** charlatanry; imposture; quackery; mountebankery

szarlatański *adj* charlatanish; impostorous; quackish

szarlataństwo *sn* = **szarlataneria**

szarlot|ka *sf pl G.* **~ek** *kulin.* apple-pie; charlotte; apple-tart

szarłat *sm G.* **~u** *bot.* (*Amaranthus*) amaranth; **~ zwisły** (*Amaranthus candatus*) love-lies-bleeding

szarłatowat|y *bot.* [I] *adj* amaranthaceous [III] *spl* **~e** (*Amaranthaceae*) (*rodzina*) the amaranth family

szarmancki *adj* gallant

szarmancko *adv* gallantly

szarmanteri|a † *sf GDL.* **~i** *pl G.* **~i** gallantry

szaro[1] *adv* 1. (*w szarym kolorze*) in grey; **malować na ~** to paint grey; *przen. pot.* **zrobić kogoś na ~** to cut sb up; to bring sb low 2. *przen.* (*monotonnie*) dully; in a humdrum way 3. (*niesłonecznie*) duskily; **robi się ~** it grows dusk

szaro-[2] *praef* grey-

szarobiały *adj* grey-white

szarobłękitny *adj* grey-blue

szarobrunatny *adj* grey-brown

szarobury *adj* grey-dun

szaroczarny *adj* grey-black

szarogę|sić się *vr imperf* **~szę** *pot. iron.* to run <to boss> the show

szarogłaz *sm G.* **~u** *miner.* (grey)wacke

szarogłazowy *adj* (grey)wacke — (conglomerate etc.)

szaroliliowy *adj rz.* grey-purple

szaroniebieski *adj* grey-blue

szarooki *adj* grey-eyed

szaropióry *adj* grey-feathered

szaroróżowy *adj* grey-pink

szarosrebrny *adj* grey-silvery

szarość *sf* 1. (*szary kolor*) grey colour; greyness; grey tint 2. *przen.* (*monotonia*) dul(l)ness; humdrumness 3. (*brak słońca*) grey sky; duskiness; **wieczorna ~** dusk

szarot|ka *sf pl G.* **~ek** *bot.* (*Leontopodium*) edelweiss

szarozielony *adj* grey-green

szaroziem *sm G.* **~u** *reg. roln.* sierozem; grey-desert soil

szarożółty *adj* grey-yellow

szarów|ka *sf pl G.* **~ek** 1. (*zmierzch*) dusk 2. (*przedświt*) grey hour of the morning; morning twilight

szarpacz *sm techn.* licker-in; devil

szarp|ać *v imperf* **~ie** — **szarp|nąć** *v perf* **~nięty** [I] *vt* 1. (*targać*) to jerk <to wrench> (**coś, czymś** sth); to pull (**kogoś za włosy** sb's hair); *perf* to give a jerk <a wrench, a pull> (**coś, czymś** at sth); *imperf* (*tarmosić*) to tousle; to knock (sb) about; **~ać struny instrumentu muzycznego** to pluck the strings of a musical instrument; **~ać, ~nąć kogoś za rękaw** to pluck <to twitch> sb by the sleeve; to tug at sb's sleeve; *przen.* **~ać nerwy** to fray <to shatter> the nerves 2. *imperf przen.* (*dokuczać*) to prey (**komuś serce, duszę** on sb's mind); (*o głodzie, wyrzutach sumienia itd.*) to gnaw (**kogoś** at sb) 3. *imperf przen.* (*napadać zbrojnie lub słownie*) to assail; **~ać czyjeś dobre imię** to tarnish <to slur> sb's reputation; to slander sb 4. (*skubać*) to pluck; (*o rybie*) **~ać przynętę** to nibble 5. *przen.* (*nadwerężać*) to impair (a fortune etc.) [II] *vi* 1. (*o pojeździe, maszynie*) to jerk 2. (*o broni palnej*) to recoil [III] *vr* **~ać, ~nąć się** 1. (*mocować się*) to struggle; (*o psie*) to tear (**na łańcuchu** at the chain); to strain (**na smyczy** at the leash) 2. *przen.* (*gryźć się*) to worry; to fret; (*burzyć się*) to revolt 3. *perf przen.* (*zdobyć się na duży wydatek*) to untie one's purse strings; to draw heavily on one's resources 4. (*targać*) to pluck (**za brodę, wąsy** at one's beard, moustache) 5. (*napadać jeden na drugiego*) to assail one another

szarpalnia *sf techn.* shredding house

szarpanie *sn* (↑ **szarpać**) jerks; tugs; tousle

szarpanina *sf* (*zw. singt*) 1. (*szamotanie się*) struggle 2. *przen.* (*martwienie się*) worry; fretting 3. (*gwałtowne szarpanie*) tug(s)

szarpan|y [I] *pp* ↑ **szarpać** [II] *adj* 1. (*nierówny*) rugged 2. *muz.* **instrumenty ~e** plucked instruments

szarpar|ka *sf pl G.* **~ek** *techn.* shredder; tearing machine

szarpiąco *adv* jerkily; by jerks

szarpiący *adj* (*o bólu*) shooting; lancinating

szarpi|e *spl G.* **~** lint

szarpnąć *zob.* **szarpać**

szarpnięcie *sn* (↑ **szarpnąć**) (a) jerk <tug, wrench, pull, twitch>

szartreza *sf* chartreuse

szaruga *sf* spell of foul weather; grey skies

szarwark *sm G.* **~u** statutory work for the upkeep of roads and highways

szar|y *adj* 1. (*koloru popiołu*) grey; ashen; ashy; *farm.* **~a maść** blue <mercurial> ointment; *anat.* **~a substancja** grey matter; **~e mydło** soft soap; *tekst.* **~e płótno** brown <unbleached> linen; **~y papier** brown <wrapping> paper; *kulin.* **~y sos** sweetish <grey onion> sauce; *przen.* **być na ~ym końcu** to bring up the rear; to sit at the bottom of the table; *przysł.* **w nocy wszystkie koty ~e** when the candles are away all cats are grey 2. (*o człowieku — przeciętny*) average; **~a eminencja** éminence grise; **~y człowiek** the man in the street; plain man; **~y tłum** the rabble; the million 3. (*jednostajny*) dull; drab; humdrum; workaday (world) 4. (*bezsłoneczny*) dusky; **~a godzina** dusk; **o ~ej godzinie** at dusk

szaryt|ka *sf pl G.* **~ek** *pot.* Sister of Charity

szarze|ć *vi imperf* **~je** 1. (*stawać się szarym*) to grow grey 2. (*rysować się szaro*) to form a grey patch; to show grey (against a background) 3. *impers* **~je** it is getting dusky

szarzyzna *sf* 1. (*szarość*) greyness 2. *przen.* (*jednostajność, nuda*) dul(l)ness; humdrumness 3. (*mrok*) duskiness

szarż|a *sf* 1. (*atak*) charge; **wykonać ~ę na oddział nieprzyjaciela** to charge an enemy unit 2. *wojsk.* (*stopień*) rank; **otrzymać ~ę** to get one's stripes 3. (*osoba mająca stopień*) officer 4. *teatr* (*przesada w grze*) overacting (a role)

szarżować *vi imperf* 1. (*atakować*) to charge (**na nieprzyjaciela** the enemy) 2. *teatr* (*przesadzać w grze*) to overact (a role); *pot.* to put it on

szase|r *sn pl N.* **~rzy** *hist. wojsk.* rifleman

szasnąć *zob.* **szastać**

szast *interj* flop!, plop!; plump!; wallop; **~-prast** in a trice

szas|tać *v imperf* — **szas|tnąć** *v perf rz.*, **szas|nąć** *v perf* **szaśnie, szaśnij** [I] *vi* (*szeleścić*) to rustle [II] *vt* 1. (*wykonywać zamaszyste ruchy*) to scrape (**nogą** a leg); **~tać ukłony** to bow and scrape 2. *pot.* (*trwonić*) to squander (**pieniędzmi** one's money) [III] *vr* **~tać, ~tnąć,** *rz.* **~nąć się** 1. (*poruszać się zamaszyście*) to bustle about; to fuss; to spread oneself 2. *pot.* (*rzucać pieniędzmi*) to squander one's money; to spend lavishly; to be extravagant 3. *pot.* (*włóczyć się*) to gad about

szaszłyk *sm G.* **~u** *kulin.* shashlik (slices of mutton broiled on a spit)

sza|ta *sf emf.* garment; vestment; gown; *pl* **~ty** robes; *dosł. i przen.* attire; **~ta zewnętrzna książki** the get-up of a book; *przen.* **podać starą historię w nowej ~cie** to rehash an old story

szatan *sm* 1. (*diabeł*) Satan; **~ i wszystko co jego jest** the devil and his works; *przen.* **~ wcielony** a devil incarnate 2. *bot.* (*Boletus satanus*) a poisonous boletus 3. *pot.* (*kawa*) an extra strong coffee

szatan|ek *sm G.* **~ka** 1. *dim* ↑ **szatan** 2. *przen.* (*o dziewczynie*) little devil

szatański *adj* satanic; devilish; infernal

szatańsko *adv* satanically; devilishly; infernally; *pot.* like hell

szatkować *vt imperf* to slice <to shred> (vegetables etc.)

szatkownica *sf* (cabbage-)slicer; vegetable-shredder

szatkownik *sn* cabbage-slicer

szatnia *sf* cloak-room

szatniar|ka *sf pl G.* **~ek, szatniarz** *sm* cloak-room attendant

szatobriand *sm kulin.* grilled steak; porter-house steak

szatra *sf* 1. (*namiot*) tent 2. (*obóz cygański*) gipsy camp

szatyn *sm* auburn-haired person

szatynka *sf* auburn-haired woman

szawłok † *sm* wine-skin

szcz|ać *vi imperf* **~ę, ~yj** *wulg.* to piss

szczapa *sf* chip; sliver; **chudy jak ~** as thin as a lath

szczapowaty *adj* lathy

szczaw *sm G.* **~iu** 1. *bot.* (*Rumex*) sorrel 2. *pot.* (*zupa*) sorrel soup

szczawian *sm G.* **~u** *chem.* oxalate

szczawik *sm G.* **~u** *bot.* (*Oxalis*) oxalis

szczawikowat|y *bot.* [I] *adj* oxalidaceous [II] *spl* **~e** (*Oxalidaceae*) (*rodzina*) the sorrel family

szczawiowy *adj chem.* oxalic (acid etc.)

szczawiór *sm bot.* (*Oxyria*) mountain sorrel

szczął|ek *sm* remnant; rudiment; fragment; vestige; *pl* **~ki** remains; reliquiae; **~ki rozbitego statku** wreck(age); **śmiertelne ~ki** mortal remains; **rozlecieć się na ~ki** to fly into flinders

szczątkowo *adv* rudimentarily; vestigially

szczątkowy *adj* residual; residuary; rudimentary; rudimental; vestigial

szczeb|el *sm G.* **~la** *pl G.* **~li** 1. (*u drabiny*) rung; spoke; round 2. (*w hierarchii*) grade; *polit. dypl.* **rozmowy na najwyższym ~lu** summit talks; **rozmowy na ~lu ministerialnym** talks at minister level; **być na jednym ~lu z kimś** to be sb's equal

<on a level with sb>; **o ~el wyżej od kogoś** a cut above sb
szczebiot *sm G.* **~u** chirp <chirrup, chatter, warble> (of birds); babble <chatter, prattle, lisp> (of children)
szczebio|tać *vi imperf* **~cze** <**~ce**> 1. (*o ptakach*) to chirp; to chirrup; to chatter; to warble 2. (*o dzieciach*) to babble; to warble; to lisp 3. (*paplać*) to chatter; to prattle
szczebiotanie *sn* (↑ **szczebiotać**) chirp <chirrup, chatter, warble> (of birds); bubble <warble, lisp> (of children); chatter <prattle> (of young people etc.)
szczebiot|ka *sf pl G.* **~ek** *pieszcz. żart.* chatterbox
szczebiotliwość † *sf singt* garrulity
szczebiotliwy *adj* babbling; chattering; prattling
szczeblina *sf bud.* window bar
szczecina *sf* 1. (*sztywne włosy świni*) (hog's) bristles 2. *przen.* (*zarost*) stubble (on a man's face)
szczeciniasty *adj* 1. (*podobny do szczeciny*) bristly 2. *przen.* (*o nieogolonej twarzy*) stubbly
szczecin|ka *sf pl G.* **~ek** 1. *dim* ↑ **szczecina** 2. *bot.* seta; striga
szczecinowaty *adj* bristly; (*o nieogolonej twarzy*) stubbly; *bot.* setose; strigose; hispid
szczecinowy *adj* (brush etc.) of bristles
szczeciogon *sm G.* **~u** 1. *bot.* (*Chairutus*) a labiate 2. *zool.* = **szczeciogonka**
szczeciogon|ka *sf pl G.* **~ek** *zool.* bristletail; *pl* **~ki** (*Thysanura*) (*rząd*) the order Thysanura
szczecion|óg *sm G.* **~oga** *zool.* chaetopod; *pl* **~ogi** (*Chaetopoda*) (*gromada*) the class Chaetopoda
szczecioszczęki *sm* (*decl* = *adj*) *zool.* chaetognath; *pl* **~e** (*Chaetognatha*) (*typ*) the class Chaetognatha
szczeciowat|y *bot.* I *adj* dipsaceous II *spl* **~e** (*Dipsaceae*) (*rodzina*) the family Dipsaceae
szczeć *sf* 1. *singt* = **szczecina** 2. *bot.* (*Dipsacus silvester*) wild teasel 3. *zool.* seta; chaeta
szczególik *sm G.* **~u** minor detail
szczególnie *adv* 1. (*zwłaszcza*) particularly; in particular; especially; principally; chiefly; above all; **był ~ uprzejmy** he was more than usually kind; **nie mów, a ~ nie pisz takich rzeczy** don't say, least of all write such things 2. (*osobliwie*) peculiarly; singularly
szczególnoś|ć *sf* 1. *singt* (*cecha*) peculiarity; singularity; specific character (of a phenomenon etc.) 2. (*rzecz osobliwa*) (a) peculiarity; specific phenomenon
  w ~ci *adv* = **szczególnie**
szczególn|y *adj* (*specjalny*) special; particular; remarkable; (*osobliwy*) singular; specific; **nic ~ego** a) (*nic osobliwego*) nothing particular; nothing out of the way b) (*nic cudownego*) no great scratch; **cecha ~a** = **szczególność** 1.; (*w rysopisie*) **znaki ~e** distinguishing marks
szczegó|ł *sm G.* **~łu** 1. (*drobny składnik*) detail; point (of interest); *pl* **~ły** details; particulars; **opowiadać ze ~łami** to relate at great length <with full particulars>; **w każdym ~le** in every detail; at all points 2. (*drobiazg*) trifle
  w ~le = **szczególnie** 1.
szczegółowo *adv* in detail; with full particulars; full; **badać ~** to examine with great care <closely, narrowly>; **mówić o czymś (dość) ~** to go into a subject at (some) length; **~ coś opisać** to give a detailed description of sth
szczegółowość *sf singt* minuteness of detail
szczegółowy *adj* detailed; minute; lengthy; thorough
szczek *sm G.* **~u** bark (of a dog etc.)
szczekacz *sm dosł. i przen. iron.* barker
szczekaczka *sf* 1. *pot. pog.* German propaganda-diffusing street loud speaker (in World War II) 2. (*kłótliwa kobieta*) termagant
szczek|ać *vi imperf* — **szczek|nąć** *vi perf* 1. (*o psach itd.*) to bark 2. *przen.* (*o broni palnej*) to bark 3. *sl.* (*oczerniać*) to abuse; to revile; to slander
szczekanie *sn* 1. (↑ **szczekać**) bark 2. *sl.* (*oczernianie*) abuse; slander
szczekanina *sf* bark(ing)
szczekliwy *adj* (*o głosie oraz o psie*) barking
szczeknąć *zob.* **szczekać**
szczekot *sm G.* **~u** *rz.* rattle
szczeko|tać *vi imperf* **~cze** <**~ce**> *rz.* to rattle
szczelina *sf* 1. (*szpara*) slit; chink; crevice; interstice; fissure; rift; slot; (*rysa*) crack 2. *fot.* aperture (in a drop-shutter)
szczelin|ka *sf pl G.* **~ek** (*dim* ↑ **szczelina**) aperture
szczelinomierz *sm pl G.* **~y** *techn.* feeler <gap, clearance> gauge
szczelinowaty *adj* creviced; fissured
szczelinowość *sf singt jęz.* frictional rustling of the breath
szczelinow|y *adj* crevice <fissure> — (opening etc.); slotted (washer etc.); *fot.* **migawka ~a** drop-shutter; *jęz.* **spółgłoska ~a** fricative
szczelinów|ka *sf pl G.* **~ek** *bud.* a kind of air-brick
szczeliwo *sn techn.* packing; stuffing; packing-ring (of piston)
szczelnie *adv* hermetically; tight; **~ przylegać** to adhere closely; **~ zapełniony** full up; cram-full; *teatr* **~ zapełniona widownia** full house
szczelność *sf singt* tightness; air-tightness; imperviousness
szczelny *adj* hermetic; tight; tight-fitting; air-tight; air-proof; leak-proof
szczeniacki *adj* puppyish
szczeniacko *adv* like a pup
szczeniackość *sf singt* puppydom
szczeniactwo *sn pot. żart.* 1. (*dzieciństwo*) childhood 2. (*zachowanie*) puppyism; (*młodzi*) kids
szczeniak *sm* 1. (*młody pies*) pup 2. (*chłopiec*) pup; kid; **znam go od ~a** I have known him from a kid
szczeniąt|ko *sn pl G.* **~ek** (*dim* ↑ **szczenię**) = **szczeniak 1.**
szczenić się *vr imperf* to pup; to whelp (**czterema itd. młodymi** four etc. young)
szczenię *sn* = **szczeniak** 1.
szczenięco *adv* like a pup
szczenięctwo *sn singt* (*okres życia szczenięcia oraz chłopca*) puppyhood
szczenięc|y *adj dosł. i przen.* puppyish; *przen.* **~e lata** callowness
szczenna *adj* in pup
szczep *sm G.* **~u** 1. (*plemię*) tribe; **członek ~u** tribesman 2. *biol.* tribe 3. *bot. ogr.* seedling 4. *roln.* (*szczepionka*) graft
szczep|ek *sm G.* **~ka** *bot. ogr.* seedling

szczepić *v imperf* [I] *vt* 1. *ogr.* to graft 2. *med.* to vaccinate, to inoculate [III] *vr* **~ się** to get vaccinated

szczepienie *sn* 1. ↑ **szczepić** 2. *ogr.* grafting; **~ gleby** soil vaccination; **~ na przystawkę** whip grafting; **~ w klin** saddle grafting 3. *med.* vaccination; inoculation

szczepion|ka *sf pl G.* **~ek** *med. roln.* vaccine

szczepionkowy *adj ogr.* graft __ (hybrid etc.)

szczepowy *adj* (*plemienny*) tribal

szczerba *sf* 1. (*wyrwa*) gap; notch; nick; dent; (*w naczyniu porcelanowym itd.*) chip 2. *przen.* (*strata*) loss

szczerbacze *spl*, **szczerbaki** *spl zool.* (*Xenarthra*) (*rząd*) the order Xenarthra

szczerbaty *adj* 1. (*wyszczerbiony*) jagged; notched 2. (*bez jednego lub kilku zębów*) gap-toothed

szczerbić *v imperf* [I] *vt* 1. to jag <to notch> (a knife etc.); to chip (a plate etc.) 2. *przen.* (*powodować uszczerbek*) to impair [III] *vr* **~ się** to be <to get> jagged <notched>

szczerb|iec *sm G.* **~ca** *hist.* the coronation sword of the kings of Poland

szczerbina *sf wojsk.* (*w przyrządzie celowniczym*) sighting-notch; peep sight

szczerk *sm G.* **~u** *geol.* rubble

szczerkać *vi imperf* to chirp

szczeropolski *adj* (hospitality etc.) of a true born Pole

szczerosrebrny *adj* of pure silver

szczeroś|ć *sf singt* sincerity; frankness; candour; outspokenness; open-heartedness; whole-heartedness; **z całą ~cią powiem** in all sincerity <honesty> I must say ...

szczerozłoty *adj* of pure gold

szczer|y *adj* 1. (*nie udany*) sincere; frank; candid; outspoken; forthright; open-hearted; (*o śmiechu itd.*) whole-hearted; (*o uczuciach — wdzięczności, smutku itd.*) deep-felt; (*o rozmowie*) heart-to-heart; (*o gratulacjach itd.*) hearty; **~a prawda** the simple <plain, unadorned> truth 2. (*prawdziwy*) genuine; pure; **~e pole** the open country

szczerze *adv* sincerely; frankly; candidly; forthright; whole-heartedly; **~ mówiąc** frankly speaking; to tell the truth; (*w listach*) **~ oddany** yours truly <sincerely, affectionately>; **~ ucieszony** right glad

szczerzenie *sn* ↑ **szczerzyć**; **~ zębów** (a) grin

szczerzyć *v imperf* [I] *vt w zwrotach*: **~ zęby** to grin; *przen.* **~ zęby do kogoś** to grin at sb; **~ zęby na kogoś** to show sb one's teeth [III] *vr* **~ się** (*być widocznym*) to show (*vi*); to appear

szczetnice *spl zool.* (*Echiuroidea*) bonellia

szczeżu|ja *sf GDL.* **~i** *zool.* (*Anodonta cygnea*) swan mussel

szczędz|ić *vt imperf* **~ę, ~ony** to grudge; to stint; to be sparing (**coś** of sth); **nie ~ąc** ungrudgingly; lavishly; unstintingly; **nie ~ąc wysiłku** with might and main; **nie ~ić czegoś — pochwał itd.** to be lavish <prodigal> of sth — of praise etc.; **nie ~ić pieniędzy** to be free with one's money; **nie ~ić wysiłku** to put one's back into it; **walić nie ~ąc** to smite hip and thigh

szczęk *sm G.* **~u** clash; clang; jangle; rattle

szczęk|a *sf* 1. *anat.* jaw; *dent.* **sztuczna ~a** denture; plate 2. (*u owadów*) mandible 3. *techn.* clamp; *pl* **~i** jaws <cheeks> (of a vice); *aut.* **~a hamulcowa** brake shoe

szczęk|ać *vi imperf* — **szczęk|nąć** *vi perf* to clash; to clang; to jangle; to rattle; **~ałem zębami** my teeth chattered

szczękoczuł|ki *spl G.* **~ek** *zool.* chelicera

szczękoczułkowc|e *spl G.* **~ów** *zool.* (*Chelicerata*) (*podtyp*) the suborder Chelicerata

szczękonóż|a *spl G.* **~y** *zool.* chela

szczękoroż|a *spl G.* **~y** = **szczękoczułki**

szczękościsk *sm G.* **~u** *med.* lock-jaw; trismus

szczękouste *spl* (*decl* = *adj*), **szczękowc|e** *spl G.* **~ów** *zool.* (*Gnathostomata*) (*nadgromada*) the division Gnathostomata

szczękow|y *adj* 1. *anat.* gnathic; maxillary; **kość ~a** jaw-bone 2. *techn.* shoe (brake etc.)

szczęściar|a *sf*, **szczęściar|ka** *sf pl G.* **~ek** *pot.* lucky girl

szczęściarz *sm pot.* lucky blighter <devil, beggar>

szczęś|cić *v imperf* [I] *vi* to favour <to prosper> (**komuś, przedsięwzięciu** sb, an enterprise); **~ć Boże!** God speed you! [III] *vr* **~cić się** *impers* **~ci się mu <im itd.>** he is <they are etc.> thriving <prosperous>; **~ciło się mu <im itd.>** he was <they were etc.> successful; he <they etc.> succeeded <met with success>

szczęści|e *sn* 1. (*powodzenie*) success; **mieć ~e** to succeed; to be successful; to meet with success; **mieć ~e u kobiet** to be popular with women; **nie mieć ~a** to be unsuccessful; to fail; **~e dopisuje mu** he is prosperous <thriving>; **~e odwróciło się od niego** the tide of his success (has) turned; **wznieść toast na czyjeś, czegoś ~e, wypić za czyjeś, czegoś ~e** to drink success to sb, sth; *przysł.* **głupi ma ~e** fortune favours fools 2. (*szczęśliwość*) happiness; bliss; **mieć ~e w małżeństwie** to be happily married; **mącić <zakłócić> komuś ~e** to mar sb's happiness 3. (*traf*) (a piece of) good luck; good fortune; **niespodziewane ~e** a windfall; **uśmiech ~a** a stroke of luck; **masz ~e** you're lucky; you're fortunate; **miałem ~e zobaczyć <znaleźć itd.>** I had the good fortune to see <to find etc.>; **nie mam ~a** I'm out of luck; **spróbować ~a** to try one's luck; **to jest kwestia ~a** it's a gamble; **to przynosi ~e** it's lucky; it brings luck; **na los ~a** at random; at haphazard; hit-or-miss; **na ~e** fortunately; luckily; happily; **co za ~e!** how lucky!; what a mercy!; **takie to moje ~e!** that's just my luck!; **życzę ~a!** good luck!

szczęśliwie *adv* 1. (*ze szczęściem*) happily; blissfully; in bliss 2. (*pomyślnie*) successfully; **~ przybyć <wrócić>** to arrive <to come back> safely 3. (*pomyślnym trafem*) luckily

szczęśliw|iec *sm G.* **~ca** lucky person <chap, fellow>; **to ~iec** he is lucky

szczęśliw|y *adj* 1. (*mający powodzenie*) successful; thriving; prosperous 2. (*uszczęśliwiony*) happy; joyful; gay; blissful 3. (*darzący szczęściem*) lucky; fortunate; happy; (*o chwili*) opportune; **uważaj się za ~ego** you may bless your stars; **pod ~ą gwiazdą** under a lucky star; **~ego Nowego Roku!** a Happy (and Prosperous) New Year!; **~ej drogi** happy journey

szczęt † *sm G.* **~u**, *obecnie w zwrotach*: **do ~u, ze ~em** completely; utterly; thoroughly, sweepingly; *przen.* root and branch; lock, stock and barrel

szczodrobliwość *sf singt* generosity; munificence

szczodrobliwy *adj* generous; munificent

szczodrość *sf singt* generosity; munificence; open-handedness

szczodr|y *adj* 1. (*hojny*) generous; munificent; open-handed; unstinting 2. (*obfity*) abundant; plenteous; copious; ample; **~e obietnice** profuse promises

szczodrze *adv* 1. (*nie skąpiąc*) generously; munificently; openhandedly; unstintingly; without stint 2. (*obficie*) abundantly; plentifully; copiously; amply; profusely

szczodrze|niec *sm G.* **~ńca** *bot.* (*Cytisus*) laburnum

szczotecz|ka *sf pl G.* **~ek** 1. (*mała szczotka*) brush; **~ka do zębów** tooth-brush 2. *zool.* (*włoski na nodze pszczoły*) brush; pollen comb 3. (*włoski na aksamicie*) pile

szczotecznica *sf zool.* **~ szarawka** (*Dasychira pudibunda*) a lymantriid; pale tussock

szczot|ka *sf pl G.* **~ek** 1. (*narzędzie do czyszczenia*) brush; **~ka do butów** shoe-brush; **~ka do froterowania** floor-polisher; **~ka do szorowania** scrubbing-brush; **~ka do ubrania** clothes-brush; **~ka do włosów** hair-brush 2. *miner.* druse 3. *pot. druk.* galley proof 4. *techn. elektr.* brush 5. (*u konia*) **~ka pęcinowa** tuft of hair on a horse's fetlock

szczotkar|ka *sf pl G.* **~ek** *techn.* brushing machine <mill>

szczotkarski *adj* brush maker's (shop etc.); brush-making (industry etc.)

szczotkarz *sm* brush maker

szczotkować *vt imperf* to brush; **~ konia** to brush down a horse; **~ podłogę** to polish the floor

szczotkowaty *adj* brushlike

szczotkow|y *adj druk.* **odbitka ~a** galley proof

szczotlicha *sf bot.* **~ siwa** (*Corynephorus canescens*) a species of grass

szczu|ć *vt imperf* **~je, ~ty** 1. (*polować*) to halloo 2. (*podjudzać*) to bait (**zwierzę psami** an animal with dogs); **~ć kogoś psami** to set dogs on sb 3. *przen.* (*podżegać*) to embitter (**kogoś na kogoś innego** sb against sb else)

szczudla(s)ty adj stiltlike

szczud|ło *sn pl G.* **~eł** 1. (*kula*) crutch 2. *pl* **~ła** (*kije do chodzenia*) stilts 3. *bud. techn.* stilt

szczudłonogi *zool.* [I] *adj* ciconiiform [III] *spl* **~e** (*Ciconiiformes*) (*rząd*) the order Ciconiiformes of wading birds

szczudłowaty *adj* stiltlike

szczupacz|ek *sm G.* **~ka** (*dim* ↑ **szczupak**) jack

szczupaczy *adj* pike's

szczupak *sm* 1. *zool.* (*Esox lucius*) pike 2. (*skok*) leap

szczupakokształtn|y *zool.* [I] *adj* esociform [III] *spl* **~e** (*Esociformes*) (*podrząd*) the esociform fishes

szczupakowate *spl zool.* (*Esocidae*) (*rodzina*) the family Esocidae

szczupleć *vi imperf* 1. (*chudnąć*) to slim; to thin; to grow <to become> thin 2. (*maleć*) to diminish; to dwindle; to shrink

szczuplutki *adj* (*dim* ↑ **szczupły**) very <extremely, awfully> thin <lean>

szczupło *adv* 1. (*nie grubo*) slimly; slenderly; **wyglądać ~** to look slim <thin, lean> 2. (*w małej ilości*) scantily; sparely

szczupłość *sf singt* 1. (*smukłość*) leanness; slimness; thinness 2. (*niewielka ilość*) scantiness; spareness; paucity; meagreness; **~ miejsca** narrowness

szczup|ły *adj* 1. (*niegruby*) lean; slim; thin; slender; slight; **nadać ~lejszy wygląd** to slim 2. (*nieobfity*) scanty; spare; meagre

szczur *sm zool.* (*Rattus*) rat; **~ faraonów** (*Mungus ichneumon*) mongoose; *przen. żart.* **~ lądowy** landlubber

szczur|ek *sm G.* **~ka** 1. *dim* ↑ **szczur** 2. *przen. żart.* (*o kimś mającym chudą, drobną twarz*) rat-faced person <chap, fellow> 3. *zool.* **~ek pszczołojad** (*Merops apiaster*) a bee eater

szczurołap *sm* rat catcher

szczurzy *adj* rat's

szczut|ek *sm G.* **~ka** fillip

szczwany *adj* sly; cunning; *przen.* **~ lis** deep file

szczw|ół *sm G.* **~ołu** *bot.* (*Conium maculatum*) hemlock

szczyc|ić się *vr imperf* **~ę się** 1. (*chlubić się*) to take pride <to glory> (**czymś** in sth); to be proud <to boast> (**czymś, z czegoś** of sth) 2. (*mieć, odznaczać się*) to boast (**czymś, z czegoś** sth); **szkoła ~i się bogatą biblioteką** the school boasts a rich library

szczyg|ieł *sm G.* **~ła, szczyglica** *sf, zool.* (*Carduelis carduelis*) goldfinch

szczyny *spl wulg.* piss

szczyp|ać *vt imperf* **~ie** — **szczyp|nąć** *vt perf* 1. (*ściskać boleśnie*) to pinch; to tweak; *perf* to give (sb) a pinch <a tweak>; (*ścisnąć dla pieszczoty*) to squeeze 2. *imperf przen.* (*o mrozie, wietrze*) to nip, to bite; (*o przyprawach itd.*) to sting; (*o napoju musującym*) to prickle (**w język** the tongue); **oczy mnie ~ią** my eyes smart 3. (*skubać*) to browse 4. (*szarpać palcami*) to pluck

szczypawica *sf*, **szczypaw|ka** *sf pl G.* **~ek** *zool.* (*Carabus*) carabus

szczypawkowat|y *zool.* [I] *adj* carabideous [III] *spl* **~e** (*Carabidae*) (*rodzina*) the ground beetles

szczyp|ce *spl G.* **~iec** 1. (*kleszcze*) pincers; pliers; tongs; claws; nippers; **~ce do bielizny** clothes-pegs; **~ce do cukru** sugar tongs; **~ce do węgla** fire-tongs 2. *zool.* (*narząd chwytny*) claws; (a) forceps (*pl* forceps(es)

szczypczyk|i *spl G.* **~ów** tweezers; forceps

szczypica *sf* = **szczypawka**

szczypi|or <**szczypi|ór**> *sm G.* **~oru** onion leaves

szczypior|ek *sm G.* **~ku** 1. *dim* ↑ **szczypior** 2. *bot.* (*Allium schoenoprasum*) chive

szczypiorkowy *adj* alliaceous

szczypiorniak *sm* handball

szczypiór *zob.* **szczypior**

szczypnąć *zob.* **szczypać**

szczypnięcie *sn* (↑ **szczypać**) pinch; tweak

szczypta *sf* pinch (of snuff, salt etc.); sprinkle; sprinkling; scattering

szczyr *sm G.* **~u** *bot.* (*Mercurialis perennis*) dog's mercury

szczy|t *sm G.* **~tu** 1. (*wierzchołek*) top; peak; summit; apex; **~t góry** summit <crest> of a mountain; **~t masztu** mast-head; *mar.* **~t masztu głównego** maintop; **~t wzgórza** hill-top; **zdobycie ~tu gór-**

skiego ascent of a mountain; **na sam ~t** all the way up; to the very top; **u ~tu** at the top 2. (*najwyższy stopień*) climax; acme; the highest pitch; pinnacle; meridian; zenith; height <hey-day> (of fame etc.); **konferencja na ~cie** summit talks; **~t brzydoty** a triumph of ugliness; **on minął ~t swej świetności** he is past his prime; **u ~tu kryzysu** in the thick of the crisis; **u ~tu talentu** at one's best; **to ~t wszystkiego!** that beats everything 3. *bud.* gable 4. *anat.* vortex

szczytnica *sf bot.* (*Epacris*) epacris

szczytnicowat|y *bot.* [I] *adj* epacridaceous [II] *spl* **~e** (*Epacridaceae*) (*rodzina*) the family Epacridaceae

szczytnie *adv* 1. (*chwalebnie*) laudably; commendably 2. (*podniośle*) loftily; sublimely

szczytn|y [I] *adj* 1. (*chwalebny*) laudable; commendable 2. (*zaszczytny*) proud (title etc.) 3. (*wzniosły*) lofty; sublime; noble [II] *sn* **~e** the sublime; *przysł.* **~e od śmiesznego odgranicza tylko jedna cieniuchna linia** there is but one step from the sublime to the ridiculous

szczytowy *adj* 1. (*wierzchołkowy*) uppermost; top — (surface, branches etc.); peak — (production, consumption etc.); *bot.* terminal; **pęd ~** leader 2. (*kulminacyjny*) climactic; culminant; meridian; crowning; supreme 3. *bud.* gable — (roof etc.) 4. *anat.* vortical

szczytów|ka *sf pl G.* **~ek** *mar.* blinker

szedowy *adj bud.* **dach ~** saw-tooth roof

szedyt *sm G.* **~u** *chem.* cheddite

szef *sm* chief; master; manager; principal; *pot.* boss; governor; *wojsk.* **~ kompanii** company quartermaster sergeant *polit.* **~ rządu** prime minister; **~ sztabu** Chief of Staff

szefostwo *sn singt* 1. (*zwierzchnictwo*) management; leadership 2. (*stanowisko*) post of chief

szefowa *sf* (*decl = adj*) *pot.* 1. (*kierowniczka*) manageress; mistress 2. (*żona szefa*) chief's <master's, manager's> wife

szejk *sm pl N.* **~owie** *polit. rel.* sheik(h)

szekl|a *sf G.* **~i** *mar.* shackle

szekspirolog *sm* (a) Shak(e)spe(a)rian

szekspirowski *adj* Shak(e)spe(a)rian

szelak *sm G.* **~u** shellac

szeląg *sm* 1. *hist.* an old-time Polish coin 2. *przen.* penny; copper; **jestem bez ~a** I haven't got a penny to bless myself with; **do ostatniego** <**co do**> **~a** to a penny; **jak zły ~** like a bad penny

szelążnik *sm* = **szelężnik**

szelesnąć *zob.* **szeleścić**

szelest *sm G.* **~u** rustle (of dry leaves, paper, silk etc.); sough <whisper> (of leaves in the wind)

szelestnica *sf singt wet.* gas gangrene; black leg; black quarter

szeleszcząco *adv* with a rustle

szeleszczący *adj* rustling; crinkly (sound)

szeleszczenie *sn* (↑ **szeleścić**) rustle

szele|ścić *vi imperf* **~szczę** — *rz.* **szele|snąć** *vi perf* to rustle; (*o liściach*) to sough <to whisper> (in the wind); **przeszła ~szcząc jedwabiami** she went by rustling in silks

szelężnik *sm bot.* (*Rhinanthus*) cockscomb

szelf *sm G.* **~u** *geol. geogr.* shelf

szelfowy *adj* shelf — (ice etc.)

szelinga *sf* breaker

szeliniak *sm zool.* (*Hylobius abietis*) pine weevil

szel|ka *sf pl G.* **~ek** strap; belt; *pl* **~ki** (*do podtrzymywania spodni*) braces; *am.* suspenders

szelm|a *sf sm* (*decl = sf*) *pl G.* **~** <**~ów**> *A.* **~y** <**~ów**> rogue; rascal; knave; wretch

szelmecz|ka *sf pl G.* **~ek** (*dim* ↑ **szelma**) *żart.* skittish girl <little thing>

szelmostwo *sn* 1. (*niegodziwość*) piece of roguery; rascally trick; (*cecha*) roguery; rascality 2. (*zalotność*) skittishness; (*urwisostwo*) impishness

szelmowski *adj* 1. (*hultajski*) roguish; rascally 2. (*filuterny*) skittish; (*figlarny*) impish

szelmowsko *adv* 1. (*hultajsko*) roguishly; like a very rascal; like the rascal that he is 2. (*filuternie*) skittishly

szelski *adj archeol.* Chellean (epoch)

szem|rać *vi imperf* **~rze** 1. (*wydawać szmer*) to murmur; to babble; to ripple; to prattle 2. (*mruczeć*) to mutter; (*szeptać*) to whisper 3. (*sarkać*) to murmur <to mutter> (**na coś** at <against> sth); to grumble (**na coś** about <over> sth); to repine (**przeciw komuś** at <against> sb)

szemrani|e *sn* 1. ↑ **szemrać** 2. (*szmer*) murmur <babble, ripple> (of a stream etc.) 3. (*mruczenie*) mutter; whispers 4. (*sarkanie*) murmur; **bez ~a** without a murmur; unrepiningly

szeplenić *vi imperf* = **seplenić**

szepnąć *zob.* **szeptać**

szepnięcie *sn* (↑ **szepnąć**) (a) whisper

szept *sm G.* **~u** 1. (*cicha mowa*) whisper; *dosł. i przen.* murmur; **głośny ~** stage whisper; **głośnym ~em** audibly; **~em** in a whisper; in a low voice; under one's breath 2. (*pogłoska*) (a piece of) gossip; rumour

szep|tać *v imperf* **~cze** <**~ce**>, — **szep|nąć** *v perf* [I] *vi* 1. (*mówić szeptem*) to whisper; *dosł. i przen.* to murmur 2. (*prowadzić konszachty*) to conspire; to scheme [II] *vt* 1. (*mówić szeptem*) to whisper (**komuś coś na ucho** sth into sb's ear) 2. (*podpowiadać*) to prompt (**komuś jakąś myśl** a thought to sb)

szeptanie *sn* (↑ **szeptać**) whispers; whisperings

szeptanina *sf* whispers; whisperings; whispered conversation

szeradyzacja *sf techn.* sheradizing

szereg *sm G.* **~u** 1. (*rząd*) row; series; range (of buildings, arches etc.); succession <chain> (of events etc.); suite (of rooms); train (of admirers, circumstances etc.); variety (of reasons etc.); line (of persons, soldiers etc.); **kroczyć w pierwszych ~ach** ... to be in the van of ...; **ustawić ludzi w ~** to line people up; **ustawić się w ~** to line up (for the cinema, the rations etc.); **złamać ~i nieprzyjaciela** to break the enemy's ranks; **w zwartych ~ach** in close array 2. *pl* **~i** *wojsk.* the ranks; (*o oficerze*) **wyjść z ~ów** to rise from the ranks 3. *pl* **~i** (*organizacja*) membership (of an organization); **wstąpić w ~i organizacji** to join an organization 3. (*liczba*) (*zw.* **cały ~**) a number (of people, cases, accidents etc.); quite a few 4. *chem. mat. muz.* sequence

szeregować *v imperf* [I] *vt* (*podporządkować*) to arrange; to classify [II] *vr* **~ się** to be arranged <disposed> according to an order

szeregowanie *sn* (↑ **szeregować**) arrangement; classification

szeregow|iec *sm G.* **~ca** *wojsk.* private (soldier)

szeregowo *adv* (to connect, to arrange) in series

szeregow|y [I] *adj* arranged in rows; *techn.* **silniki ~e** series-wound motors [III] *sm* **~y** = **szeregowiec**; *wojsk. pl* **~i** the men

szermierczy *adj* fencing (contest etc.)

szermier|ka *sf pl G.* **~ek** 1. (*dziedzina sportu*) fencing; swordsmanship 2. *przen.* (*polemika*) fight; advocacy (of a cause); **~ka słowna** sword-play; (the) thrust-and-parry; (the) cut-and-thrust 3. (*protagonistka*) = **szermierz** 2.

szermierski *adj* fencer's (skill etc.); (art etc.) of fencing

szermierstwo *sn singt* = **szermierka** 1., 2.

szermierz *sm* 1. *sport* fencer; swordsman 2. (*protagonista*) advocate <champion, protagonist> (of a cause)

szermować *vi imperf* 1. † (*walczyć białą bronią*) to fence 2. *przen.* (*posługiwać się*) to bandy (arguments, slogans); **~ wymową** to fence with words

szerokawy *adj* widish; broadish

szerok|i *adj* 1. (*mający dany wymiar poprzeczny*) broad; wide; **mężczyzna o ~ich barach** <**~iej klatce piersiowej**> broad-shouldered <broad-chested> man; **szczelina ~a na palec** a chink of a finger's breadth; **~i na *x* metrów** <**kroków, mil**> *x* meters <paces, miles> wide; *przen.* **jak kraj długi i ~i** through the length and breadth of the land; **jakie to ~ie?** how wide is it? 2. (*rozległy*) extensive; **~a przestrzeń** wide expanse (of water, sand etc.); *przen.* **człowiek o ~ich poglądach** broadminded <liberal> person; **~a natura** expansive temperament; **~ie poglądy** broad views; **~i gest** open-handedness; **~i ogół, szersza publiczność** the general public; the public at large; **~i świat** the wide world; **~i uśmiech** broad smile; **odbić się ~im echem** to have wide repercussions 3. (*o głosie*) of a wide range 4. (*o ubraniu*) ample

szeroko *adv* 1. (*pod względem wymiaru poprzecznego*) widely; broadly; wide; **brama była ~ otwarta** the gate stood wide open; *przen.* **~ rozpowszechniony** widespread; **mieć oczy ~ otwarte** to keep one's eyes wide open; **~ opowiadać o czymś** to speak at large about sth; to enlarge upon one's theme; **~ żyć** to live in affluence 2. (*na pewną odległość w poprzek*) in breadth; **na *x* metrów** <**mil itd.**> **~** *x* meters <miles etc.> across 3. (*daleko dookoła*) far and wide

szeroko- broad-; **~bary** broad-shouldered

szerokogłowy *adj antr.* eurycephalic; *zool.* **węgorz ~** conger eel, leptacephalus

szerokokątny *adj fot.* wide-angle (lens)

szerokolicy *adj lit.* broad-faced

szerokolistny *adj bot.* latifolious

szerokonosy *adj* broad-nosed

szerokoskrzydły *adj* broad-winged (hawk etc.); **~ kapelusz** broad-brimmed hat

szerokoś|ć *sf* 1. (*wymiar poprzeczny*) breadth, width; *geogr.* latitude; *kolej.* **~ć toru** gauge; **ile to ma ~ci?** how wide is it?; **na ~ć** in breadth; breadthwise; *przen.* **~ć poglądów** broadmindedness 2. (*rozległość*) extensiveness; spread; **~ć poglądów** broadmindedness; **~ć zainteresowań** range of (sb's) interests

szerokotorowy *adj kolej.* broad-gauge (railway)

szerokotorów|ka *sf pl G.* **~ek** *pot. kolej.* broad-gauge railway

szerszeń *sm zool.* (*Vespa crabro*) hornet

szerść *sf singt reg.* = **sierść**

szerting *sm G.* **~u** *tekst.* shirting

szer|y *spl G.* **~** <**~ów**> = **szkiery**

szeryf[1] *sm* (*w Anglii i Stanach Zjednoczonych*) sheriff

szeryf[2] *sm* (*w krajach muzułmańskich*) sherif

szerzenie *sn* 1. ↑ **szerzyć** 2. (*propagowanie*) propagation; dissemination; promulgation 3. (*roztaczanie*) spread; diffusion; radiation 4. **~ się** spread; pervasion

szerzyciel *sm* propagator; promulgator

szerzyć *v imperf* [I] *vt* 1. (*propagować*) to propagate; to promulgate; to disseminate 2. (*roztaczać*) to spread; to diffuse; to radiate; **~ zniszczenie** to play havoc; to deal destruction [III] *vr* **~ się** 1. (*rozpowszechniać się*) to spread (*vi*); to pervade (**wśród społeczeństwa itd.** a community etc.) 2. (*sięgać coraz dalej*) to spread (*vi*); (*o epidemii itd.*) to rage; (*o nałogu itd.*) to be rampant <rife>

szesnast|ka *sf pl G.* **~ek** 1. (*cyfra*) the figure sixteen 2. (*pokój, tramwaj itd.*) (room, tram, bus etc.) N° 16 3. (*grupa, zbiorowość*) group <lot> of sixteen 4. (*część całości*) a <one> sixteenth 5. *muz.* semiquaver 6. (*format*) sextodecimo, decimo-sexto 7. *mar.* (a) sixteen-oar

szesnasto- sixteen-; **~godzinny** sixteen-hour — (shifts etc.); of sixteen hours

szesnastolat|ek *sm G.* **~ka** a boy of sixteen

szesnastolat|ka *sf pl G.* **~ek** a girl of sixteen

szesnastoletni *adj* 1. (*mający 16 lat*) sixteen-year-old; **chłopiec ~** a boy of sixteen; **dziewczyna ~a** a girl of sixteen 2. (*trwający 16 lat*) sixteen years' (service etc.); (period etc.) of sixteen years

szesnastowieczny *adj* sixteenth-century — (building, literature etc.)

szesnast|y [I] *adj* sixteenth [II] *sf* **~a** sixteen hours; four p.m. [III] *sm* **~y** the sixteenth (of the month); **~ego** on the sixteenth (of May etc.)

szesna|ście *num GDL.* **~stu** *I.* **~stu** <**~stoma**> sixteen

szesnaścior|o *num G.* **~ga** *DL.* **~gu** *I.* **~giem** sixteen

sześcian *sm G.* **~u** *geom.* (*bryła*) cube; *mat.* **~ liczby** cube <third power> of a number; **podnieść do ~u** to raise to the third power

sześcienny *adj geom.* cubic; *mat.* **pierwiastek ~** third power; cube

sześcio- six; hexa-; sex-; **~boczny** six-sided, hexahedral, hexagonal

sześciobok *sm G.* **~u** *geom.* (*figura*) hexahedron; hexagon; (*bryła*) hexahedron; **~ foremny** regular hexagon

sześcioczłonowy *adj* sexarticulate

sześciodniówka *sf* six-day period <*sport* fixture etc.>

sześciograniasty <**sześciogranny**> *adj* hexahedral; hexagonal

sześciokąt *sm* = **sześciobok**

sześciokątny *adj* six-sided, hexagonal

sześcioklasowy *adj* six-class — (school etc.)

sześciokonny *adj* drawn by six horses; **powóz ~** a carriage and six
sześciokrotnie *adv* six times; sixfold
sześciokrotny *adj* sixfold; sixtuple
sześciolat|ek *sm G.* **~ka** (*chłopiec*) (a) boy of six; (*zwierzę*) (a) six-year-old
sześciolat|ka *sf pl G.* **~ek** 1. (*okres*) six-year <sexennial> period; *ekon.* six-year plan 2. (*dziewczynka*) (a) girl of six
sześcioleci|e *sn pl G.* **~** 1. (*okres*) six-year <sexennial> period 2. (*rocznica*) sixth anniversary
sześcioletni *adj* 1. (*mający sześć lat*) six-year-old; **chłopiec ~** boy of six; **dziewczynka ~a** girl of six 2. (*trwający sześć lat*) six-year (period etc.); of six years' duration 3. (*przypadający za sześć lat*) sexennial
sześciomiarowy *adj prozod.* hexameter; hexametric
sześciomiejscowy *adj* (compartment etc.) for six (passengers etc.); **wóz ~** six-seater; six-passenger car
sześciomiesięczny *adj* 1. (*mający sześć miesięcy*) six-month-old 2. (*trwający sześć miesięcy*) six-month (period etc.); of six months' duration
sześcionogi *adj* hexapod(al)
sześciopiętrowy *adj* six-storey(ed)
sześciopokojowy *adj* six-room (suite etc.)
sześcioprocentowy *adj* six per cent (solution, shares etc.)
sześcioraczk|i *spl G.* **~ów** sixtuplets
sześcioraki *adj* sixfold
sześcioramienny *adj* six-branched (candelabrum etc.)
sześcior|o *num G.* **~ga** *DL.* **~gu** *I.* **~giem** six
sześciorzędowy *adj* six-rowed (barley etc.)
sześciostopniowy *adj* of six degrees; **był mróz ~** there were six degrees of frost
sześciostopowy *adj* 1. (*w odniesieniu do miary długości*) six-foot (boards etc.) 2. *prozod.* hexameter, hexametric
sześciostrunny *adj* six-stringed (instrument)
sześciostrzałowy *adj* six-chambered (revolver); **rewolwer ~** six-shooter
sześciosylabowy *adj* six-syllable (verse); hexasyllabic
sześciotygodniowy *adj* 1. (*mający sześć tygodni*) six-week-old 2. (*trwający sześć tygodni*) six-week (periods etc.); of six weeks' duration
sześciowartościowy *adj chem.* sexavalent
sześciowiekowy *adj* (period etc.) of six centuries <of six centuries' duration>; of 600 years' standing
sześciowiersz *sm pl G.* **~y** *prozod.* sestina, sextain, sixtain
sześciowierszowy *adj prozod.* six-line (stanza)
sześciozłotowy *adj* six-zloty (expense etc.)
sześ|ć *num GDL* **~ciu** *I.* **~ciu** <**~cioma**> six; **pal ~ć** never mind!; hang!
sześćdziesi|ąt *num GDL.* **~ęciu** *I.* **~ęciu** <**~ęcioma**> sixty; three score; *karc.* **~ąt sześć** a card game
sześćdziesiąt|ka *sf pl G.* **~ek** 1. (*liczba*) sixty; (*numer*) N° 60; (*szybkość jazdy*) sixty kilometers an hour 2. (*o wieku człowieka*) sixty; **mieć ~kę** to be sixty (years old)
sześćdziesiąt|y *adj* sixtieth; **lata ~e** the sixties
sześćdziesięcioletni *adj* 1. (*mający 60 lat*) sixty years old 2. (*trwający 60 lat*) sixty-year (period etc.); of sixty years' duration; (*istniejący od 60 lat*) of sixty years' standing
sześćdziesięcior|o *num G.* **~ga** *DL.* **~gu** *I.* **~giem** sixty; three score
sześćkroć *adv* = **sześciokrotnie**
sześ|ćset *num GDL.* **~ciuset** six hundred
sześćsetny *adj* six hundredth
szetland *sm G.* **~u** *tekst.* Shetland wool
szew *sm G.* **szwu** 1. (*miejsce zszycia*) seam; (*o pończosze, także techn. o rurze*) **bez szwu** seamless; **ubranie trzeszczy** <**puszcza**> **w szwach** the clothes are too tight 2. *anat. zool.* (*naturalne połączenie*) stitch; raphe 3. *bot.* raphe 4. *med.* (*zszycie*) suture; stitch 5. *techn.* seam; stitch; juncture
szewc *sm* shoemaker; bootmaker; **kląć jak ~** to swear like a trooper; **pijany jak ~** as drunk as a lord; *przysł.* **~ bez butów chodzi** the cobbler's wife is always the worst shod
szewiot *sm G.* **~u** *tekst.* cheviot (cloth)
szewiotowy *adj tekst.* cheviot — (wool, cloth)
szewro *indecl* kid(-skin)
szewsk|i *adj* shoemaker's (shop etc.); **przybory ~ie** grindery; *przen.* **~a pasja** fury; **doprowadzony do ~iej pasji** flushed with rage; **ogarnęła mnie ~a pasja** I went mad
szewstwo *sn singt* shoemaking; the shoemaking trade
szezlong *sm G.* **~u** couch
szimi *sn indecl* (*taniec*) shimmy
szkalować *vt imperf* to slander; to backbite; to defame; to calumniate
szkalowanie *sn* (↑ **szkalować**) slander; backbiting; defamation; calumniation
szkapa *sf* jade; screw; crock
szkapie|ć *vi imperf* **~je** *pot.* to flag; to crock
szkapina *sf* poor jade
szkaplerz *sm pl G.* **~y** <*rz.* **~ów**> scapular
szkarada † *sf* (*osoba, rzecz*) eyesore; (a) fright; (an) abomination
szkaradnie *adv* 1. (*w sposób budzący wstręt*) hideously, loathsomely; repulsively 2. (*paskudnie*) nastily; badly; terribly; awfully
szkaradność *sf singt* hideousness; ugliness; unshapeliness
szkaradny *adj* 1. (*brzydki*) hideous; unsightly; ugly 2. (*niecny*) hideous; repulsive; revolting; abominable 3. (*okropny*) nasty; awful; terrible; execrable
szkaradzieństwo *sn* 1. (*cecha*) hideousness; ugliness; unshapeliness 2. (*osoba, rzecz*) eyesore; (a) fright; (an) abomination 3. (*postępek*) monstrosity; abominable <execrable> deed <act>
szkarlatyna *sf singt med.* scarlet fever; scarlatina
szkarłacica *sf zool.* (*Pleuronectes cynoglossus*) a flatfish
szkarłat *sm G.* **~u** 1. (*kolor*) scarlet; crimson; purple 2. (*tkanina, strój*) purple robe <cloth>
szkarłat|ka *sf pl G.* **~ek** *bot.* (*Phytolacca*) poke(weed)
szkarłatnie *adv* (to paint, to turn) scarlet <crimson, purple>
szkarłatnie|ć *vi imperf* **~je** to turn scarlet <crimson, purple>; to form a scarlet <crimson, purple> patch <patches>; to show scarlet <crimson, purple> (against a background)
szkarłatnoczerwony *adj* scarlet-red
szkarłatny *adj* scarlet; crimson; purple
szkarłup|ień *sm G.* **~nia** *zool.* echinoderm; *pl* **~nie** (*Echinodermata*) (*typ*) the phylum Echinodermata

szkarp *sm G.* **~ia** *reg.* = **skarp**
szkarpa *sf reg.* = **skarpa**
szkarpet|ka *sf pl G.* **~ek** *reg.* = **skarpetka**
szkatuła † *sf* 1. (*skrzynka*) casket 2. *przen.* (*środki pieniężne*) funds
szkatułka *sf dim* ↑ **szkatuła**
szkic *sm G.* **~u** 1. (*plan*) sketch; (*projekt*) draught; skeleton tracing; (*rysunek*) outline; skeleton tracery 2. (*artykuł, praca*) essay; study 3. *plast.* sketch; study
szkicować *vt vi imperf* to sketch; to outline; to draw up; to design; to trace; to pencil; to chalk out
szkicowanie *sn* ↑ **szkicować**
szkicownik *sm* sketch-book; sketch-block
szkicowo *adv* sketchily
szkicowość *sf singt* sketchiness
szkicowy *adj* 1. (*nakreślony w zarysie*) sketchy 2. (*dotyczący szkicu*) sketching — (board etc.)
szkielet *sm G.* **~u** 1. (*kościec*) skeleton; **~ zewnętrzny** exoskeleton 2. *bud. techn.* framework 3. *przen.* (*ruiny*) shell; carcass
szkieletować *vt imperf roln.* to skeletonize
szkieletowy *adj* 1. (*dotyczący szkieletu, podobny do szkieletu*) skeletal 2. *bud.* framework — (construction etc.)
szkieł|ko *sn pl G.* **~ek** (piece of) glass; pane; slide; **~ko od lampy naftowej** lamp chimney; **~ko od zegarka** watch-glass; *am.* crystal; **~ko przedmiotowe** <**podstawowe**> **mikroskopu** object glass; microscopic slide
szkier|y *spl G.* **~ów** *geogr.* skerries
szklak *sm pot.* sandpaper; glass-paper
szklaneczka *sf* (*dim* ↑ **szklanka**) small glass
szklanica *sf* rummer; large, decorative glass
szklan|ka *sf pl G.* **~ek** 1. (*naczynie*) glass; (*zawartość*) glassful; **burza w ~ce wody** a storm in a teacup 2. (*odmiana wiśni*) morello 3. (*gołoledź*) glazed frost 4. *pl* **~ki** *mar.* bells
szklanny † *adj* = **szklany**
szklan|y *adj* glass — (jar, button etc.); vitreous; **huta ~a** glasshouse; glassworks; **papier ~y** glass-paper; **~e drzwi** glazed door; **wata ~a** glass wool; *przen.* **~e oczy, ~y wzrok** glassy eyes
szklar|ka *sf pl G.* **~ek** 1. *singt pot.* (*szklarstwo*) glazing; glazier's trade; glaziery 2. *zool.* (*ważka*) dragon-fly
szklarnia *sf* greenhouse; glasshouse
szklarniany *adj* greenhouse — (building etc.)
szklarniowy *adj* greenhouse — (cultivation etc.)
szklarski *adj* glazier's (trade etc.)
szklarstwo *sn singt* glazier's trade; glaziery
szklarz *sm* 1. (*rzemieślnik*) glazier 2. *pot.* (*ważka*) a species of dragon-fly
szklenie *sn* 1. ↑ **szklić** 2. (*praca szklarza*) glaziery, glazing 3. (*kłamanie*) brag 4. **~ się** sparkle; glitter
szkli|ć *v imperf* **~j** [I] *vt* 1. (*wprawiać szkło*) to glaze 2. *pot.* (*kłamać*) to brag [II] *vr* **~ć się** to sparkle; to glitter; to shine
szklistość *sf singt* glassiness
szklist|y *adj* glassy; glazy; vitreous; *techn.* hyaline; *anat.* **ciałko ~e** vitreous body <humour>; **papier ~y** glass-paper
szkliście *adv* glassily
szkliwić *vt imperf* to glaze
szkliwiernia *sf techn.* glazing shop
szkliw|ka *sf pl G.* **~ek** = **szklanka 2.**
szkliwo *sn* 1. (*glazura*) glaze; *geol.* **~ pustynne** desert varnish; glaze; *geol.* **~ wulkaniczne** obsidian; volcanic glass 2. (*emalia nazębna*) enamel
szk|ło *sn pl G.* **~ieł** 1. (*substancja*) glass; **czeskie ~ło** flint glass; **~ło jenajskie** Jena glass; **~ło kryształowe** crystal glass; **~ło mleczne** frosted <unpolished> glass; **~ło pian(k)owe** expanded <foam> glass; **~ło wodne** water glass; soluble glass; **~ło zbrojone** armoured <wire> glass; **tłuczone ~ło** cullet 2. (*szyba*) pane; *dosł. i przen.* **pod** <**za**> **~łem** under glass; **~ło bezpieczne** safety glass 3. (*przedmioty ze szkła*) crockery; **~ło do lampy** lamp chimney; **~ło powiększające** magnifying <reading> glass 4. *pl* **~ła** (*okulary*) glasses; **~ła kontaktowe** contact lenses
szkock|i *adj* Scotch; Scottish; **po ~u** Scot(t)ice, in Scotch; **~a krata** tartan
szk|oda [I] *sf pl G.* **~ód** 1. (*uszczerbek*) harm; damage; detriment; injury; hurt; mischief; **przynieść ~odę komuś, czemuś** to harm <to hurt> sb, sth; **uczynić coś ze ~odą dla kogoś, czegoś** to do sth to the prejudice <detriment, injury> of sb, sth; **wyrządzić ~odę** to cause harm; to do damage <mischief, a disservice>; **bez ~ody dla kogoś, czegoś** without detriment to sb, sth 2. (*niszczenie plonów*) damage; **bydło w ~odzie** cattle causing damage; **zająć bydło w ~odzie** to impound cattle [II] *adv* 1. *w połączeniu z czasownikiem:* it's no use (**płakać, czekać, mówić itd.** crying, waiting, talking etc.); it is useless (**sprzeciwiać się, wysilać się itd.** to resist, to exert oneself etc.) 2. *w połączeniu z rzeczownikiem:* it is a waste (**pieniędzy, czasu, wysiłku itd.** of money, time, energy etc.); **~oda łez!** nothing doing!; **~oda słów!** a) (*tracisz czas*) you're wasting your breath b) (*lepiej nic nie mówić*) least said soonest mended 3. *w połączeniu ze zdaniem podrzędnym:* it is a pity; it is unfortunate <too bad> (**że ...** that ...); I am sorry (**że nie mam, nie mogę, nie wiem itd.** I haven't, I can't, I don't know etc.); I wish (**że nie mam, nie mogę, nie wiem itd.** I had, I could, I knew etc.); **tym większa ~oda, że ...** it is the more to be regretted as <since> ... [III] *interj* what a pity!; what a shame!; that's too bad!; I'm sorry about that!; how annoying!; **tym większa ~oda!** more's the pity!
szkodliwie *adv* 1. (*przynosząc szkodę*) harmfully; injuriously; hurtfully; destructively; (*szkodząc zdrowiu*) noxiously 2. (*przynosząc ujmę*) detrimentally; damagingly
szkodliwość *sf singt* harmfulness; injuriousness; destructiveness; perniciousness; noxiousness
szkodliwy *adj* 1. (*przynoszący szkodę*) harmful; injurious; hurtful; destructive; pernicious; **~ dla zdrowia** unwholesome; noxious; noisome 2. (*przynoszący ujmę*) detrimental; damaging
szkodnictwo *sn singt* 1. (*powodowanie strat*) harmful <injurious, damaging> activities; sabotage 2. (*wyrządzanie szkód przez zwierzęta — szkodniki*) destruction (of crops etc.)
szkodnik *sm* 1. (*wyrządzający szkody*) person causing damage <harm> 2. (*zwierzę*) pest; nuisance; noxious insect

szkodny *adj* causing damage
szkodzenie *sn* 1. ↑ **szkodzić** 2. (*złośliwa działalność*) mischief-making
szkodz|ić *vi imperf* **~ę** 1. (*być szkodliwym*) to injure (**komuś, czemuś** sb, sth); to be harmful <injurious, noxious>; to cause damage; to do harm; (*o potrawie, klimacie*) to disagree (**komuś** with sb); to be bad (**komuś** for sb; **na żołądek, wątrobę itd.** for the stomach, liver etc.); (*o potrawie*) to interfere (**komuś** with sb); **nie chciałem nikomu ~ić** I meant no harm; **~ić zdrowiu <na cerę>** to impair (sb's) health <complexion>; *przysł.* **co jednemu wyjdzie na zdrowie, to drugiemu ~i** one man's meat is another man's poison 2. (*przynosić uszczerbek*) to damage (**czyjejś reputacji** sb's reputation); to detract (**czyjejś reputacji** from sb's reputation) 3. *w zwrotach:* **co to ~i ?** what harm is there in that?; **nie ~i!** never mind!; it doesn't matter; it's all right!; **to nic a nic nie ~i** it doesn't matter a bit
szkolarz *sm* formalist
szkolenie *sn* 1. (↑ **szkolić**) instruction; schooling; **~ przyzakładowe** training within an industry 2. (*kurs*) course of instruction
szkoleniow|iec *sm G.* **~ca** instructor
szkoleniowy *adj* (course etc.) of instruction, schooling — (centre etc.)
szkolić *v imperf* [I] *vt* to instruct; to give (people) instruction <training, schooling>; to school (sb) [II] *vr* **~ się** to follow <to take> a course of instruction
szkolnictwo *sn singt* educational system; education
szkoln|y *adj* school — (report, furniture, fee etc.); **budynek ~y** schoolhouse; **inspektor ~y** school-inspector; **kolega ~y** schoolfellow; schoolmate; **lata ~e** school-days; **młodzież ~a** school children; **podręcznik ~y** school-book; **statek ~y** school-ship, training-ship
szk|oła *sf pl G.* **~ół** 1. (*zakład*) school; **dyrektorka ~oły** headmistress; **dyrektor ~oły** headmaster; **~oła koedukacyjna** mixed school; **~oła podstawowa** elementary <primary> school; **~oła średnia** secondary school; high school; college; **~oła sztuk pięknych** art school; **~oła tańca <muzyki>** school of dancing <of music>; **chodzić <uczęszczać> do ~oły** to go to school; to be educated; **oddać chłopca do ~oły** to put a boy to school 2. *pot.* (*godziny nauki*) school; **po ~ole <przed ~olą>** after <before> school; **chodzić za ~olę** to play truant 3. (*młodzież i personel*) school; **cała ~oła się o tym dowiedziała** the whole school heard of it 4. *przen.* school (of adversity etc.); **przejść twardą ~olę** to go through the mill; **zdobył swój fach w twardej ~ole** he learnt his job in a severe school; *pot.* **dać komuś ~olę** to make sb sit up; to put sb through the mill 5. (*kierunek w sztuce itd.*) (the Dutch, Italian etc.) school 6. (*wyćwiczenie*) schooling, training 7. (*podręcznik*) manual; handbook; (violin, piano etc). school
szkop *sm L.* **~ie** *pl N.* **~y** 1. *pog.* (*Niemiec*) Hun 2. *gw.* = **skop**
szkop|ek *sm G.* **~ka** bucket; milk pail
szkopuł *sm G.* **~u** hitch; impediment; stumbling-block; hindrance
szkorbut *sm singt G.* **~u** *med.* scurvy
szkorbutowy *adj* scorbutic
Szko|t[1] *sm* Scotchman; Scot; *pl* **~ci** the Scotch
szkot[2] *sm G.* **~u <~a>** *mar.* sheet
szkotowy *adj mar.* sheet — (bend etc.)
szkółka *sf* 1. *dim* ↑ **szkoła** 2. *leśn. ogr.* nursery (of young trees); nursery-garden
szkółkarski *adj* nurseryman's (work etc.); nursery — (catalogue etc.)
szkółkarz *sm* nurseryman; nursery-gardener
szkrab *sm pl N.* **~y** tot; chick; mite
szkud *sm* = **skud**
szkuna *sf*, **szkuner** *sm mar.* schooner
szkuta *sf mar.* barge
szkutnictwo *sn singt mar.* boatbuilding
szkutniczy *adj* boatbuilder's; shipwright's
szkutnik *sm* boatbuilder; shipwright
szkwalisty *adj* squally (weather)
szkwał *sm G.* **~u** squall; flaw
szkwałowy *adj* squall — (cloud etc.); squally
szla *sf pl G.* **szli** = **szleja**
szlaban *sm G.* **~u <~a>** barrier
szlachcian|ka *sf pl G.* **~ek** gentlewoman; noblewoman
szlachcic *sm* gentleman; nobleman
szlachciur|a *sm pl GA.* **~ów** *pog.* yeoman
szlacheck|i *adj* gentleman's; nobleman's; gentle <noble> (birth etc.); **stan ~i** the nobility; **po ~u** in gentlemanly fashion; like a gentleman
szlacheckość *sf singt* (*pochodzenie*) noble descent
szlachectwo *sn singt* nobility; **nabyć <nadać> ~** to rise <to raise (sb)> to the rank of nobility
szlachetczyzna *sf singt* the nobility
szlachetk|a *sm* (*decl* = *sf*) *pl N.* **~i <~owie>** petty nobleman; yeoman
szlachetnie *adv* 1. (*w sposób prawy*) nobly; high-mindedly; in gentlemanly fashion; like a gentleman; **~ grać** to play fair; **~ urodzony** of noble birth 2. (*wywołując wrażenie godności*) in elegant <dignified, refined> manner
szlachetnie|ć *vi imperf* **~je** to be elevated; to acquire refinement <elegance, dignity>
szlachetność *sf singt* 1. (*prawość*) nobleness; high-mindedness; noble-mindedness; greatness of soul 2. (*godność*) elegance; refinement; dignity 3. (*przednia jakość*) high quality
szlachetn|y *adj* 1. (*prawy*) noble; high-minded; noble-minded; of noble birth; **~a gra** fair play 2. (*wywołujący wrażenie godności*) elegant; refined; dignified 3. (*o gatunkach — przedni*) noble (gas, coral etc.); precious (stones, metals)
szlachta *sf singt* nobility; **drobna ~** yeomanry
szlachtować *vt imperf dosł. i przen.* to slaughter
szlacz|ek *sm G.* **~ka** *dim* ↑ **szlak** 1., 2.
szlafrok *sm* (*męski*) dressing-gown; (*damski*) wrapper
szlag *sm G.* **~u** *sl. w zwrotach:* **~ go trafił** he got a stroke; **~ mnie trafia** I get furious; **żeby cię <to itd.> ~ trafił** to hell with you <that etc.>; **jak ~** like the very devil
szlagier *sm pot.* hit; clou; *am. sl.* wow
szlagierow|y *adj pot.* **~a piosenka** = **szlagier**
szlagon *sm iron.* squire; country gentleman
szlagoński *adj iron.* country gentleman's (traditions etc.)

szlajer *sm singt G.* ~**u** *fot.* haze

szlak *sm G.* ~**u** 1. (*droga*) route; track; trail; ~ **handlowy** trade route; ~ **lotniczy** air lane; **utarty** ~ the beaten track 2. (*motyw dekoracyjny*) border; band; selvage; frieze 3. *myśl.* trail; scent

szlaka *sf hut.* slag; cinders

szlakować *vt imperf myśl.* to track (game)

szlakowy [I] *adj* track — (level, mark etc.) [II] *sm wiośl.* stroke-oar

szlam *sm G.* ~**u** silt; ooze; mud; slime; ~ **rudny** pulp; ~ **wiertniczy** sludge

szlamnik *sm zool.* (*Limosa*) godwit

szlamować *vt imperf* to scour; ~ **rów** to clean out a ditch

szlamowaty *adj* slimy; oozy; silty; sludgy

szlamow|y *adj* slime <sludge> — (deposit etc.); *techn.* **pompa** ~**a** sludger; sludge pump

szlamów|ka *sf pl G.* ~**ek** *górn.* sand bucket; sludger; sludge pump; mud socket

szlara *sf zool.* facial disk

szlauch *sm* rubber pipe; hose

szle|ja *sf GDL.* ~**i** *pl G.* ~**i** breast-harness

szlem *sm karc.* grand slam

szlemik *sm* little slam

szlif *sm G.* ~**u** 1. (*powierzchnia drogiego kamienia*) cut (of a gem) 2. *metal.* microsection; metallographic specimen

szlif|a *sf* epaulet(te); **zdobyć** ~**y oficerskie** to win one's epaulettes; ~**y generalskie** the rank of general

szlifibruk † *sm* loafer; gutter-snipe

szlifierczy *adj* = **szlifierski**

szlifier|ka *sf pl G.* ~**ek** 1. (*zajęcie*) polishing; grinding 2. (*kobieta*) grinder; polisher; surfacer 3. (*maszyna*) grinder; grinding machine

szlifiernia *sf* (*dział zakładu*) polishing shop; grindery

szlifierski *adj* grinding <polishing> — (machine etc.); abrasive (disc, paper etc.); grinder's — (work etc.); lapidary (art etc.); **kamień** ~ grindstone

szlifierz *sm* 1. (*robotnik szlifujący*) grinder; polisher; ~ **diamentów** diamond cutter; ~ **drogich kamieni** lapidary; ~ **kryształów** glass-cutter 2. (*rzemieślnik ostrzący noże itd.*) knife-grinder

szlifować *vt imperf* 1. (*nadawać przedmiotom gładkość, kształt*) to cut (glass, diamonds etc.); to grind (knives etc.); to polish (metals etc.) 2. *przen.* to polish up (a literary composition etc.)

szlifowani|e *sn* ↑ **szlifować**; **przyrząd do** ~**a** grinder; polisher

szloch *sm G.* ~**u** sob; ~**ami przerywać opowiadanie** to sob out a tale

szlocha|ć *vi imperf* to sob; ~**ła rozdzierająco** she was sobbing her heart out

szlochanie *sn* (↑ **szlochać**) sobs

szluf|ka *sf pl G.* ~**ek** 1. (*u paska*) belt loop 2. (*skuwka*) ferrule

szlumer|ek *sm G.* ~**ka** nap; forty winks

szlup *sm mar.* sloop

szlupbel|ka *sf pl G.* ~**ek** *mar.* davit

szlus *indecl sl.* (*zw.* **i** ~!) there's an end!; that settles the matter; and nothing more is to be said!

szmaciak *sm* 1. (*chodnik*) rag carpet 2. *pl* ~**i** *pot.* (*obuwie*) carpet slippers 3. *bot.* (*Spassis*) a clavariaceous edible fungus

szmacian|ka *sf pl G.* ~**ek** *pot.* rag ball

szmacian|y *adj* rag — (paper, doll etc.); *pot.* ~**e rękawiczki** fabric <cotton> gloves

szmaciar|ka *sf pl G.* ~**ek** rag-picker

szmaciarz *sm* rag-and-bone man; rag-picker; junk-dealer

szmacina *sf* rag

szmajser *sm pot.* a German automatic pistol

szmaragd *sm G.* ~**u** 1. (*kamień*) emerald 2. (*kolor*) emerald green

szmaragdowozielony *adj* emerald-green

szmaragdowy *adj* 1. (*zrobiony ze szmaragdu*) emerald — (ear-rings etc.) 2. (*koloru szmaragdu*) emerald-green

szmat *sm G.* ~**u** 1. (*znaczna część*) a good bit; expanse (of plough-land, forest etc.); ~ **ziemi** tract of land 2. *przen.* (*dużo*) a lot (of work etc.); ~ **czasu** a very long time; ~ **drogi** a very long way

szmat|a *sf* 1. (*gałgan*) rag; clout 2. *pog.* (*o mężczyźnie*) fellow with no moral backbone 3. *pog.* (*o kobiecie*) trollop 4. *pog.* (*o gazecie*) rag 4. *pl* ~**y** *pot.* (*ubranie*) duds; (*zniszczone ubranie*) rags; tatters

szmatław|iec *sm G.* ~**ca** *pog.* (*brukowa gazeta*) rag

szmatławy *adj reg.* 1. (*nędzny*) vile; shabby; scurvy; lousy 2. (*ubrany w podartą odzież*) tattered 3. (*zataczający się*) groggy; tottering

szmelc *sm singt G.* ~**u** (*odpadki metalowe*) scrap(-iron, -metal); (*grat*) junk; rubbish; (*o maszynie itd.*) **pójść na** ~ to be scrapped; **wyrzucić coś na** ~ to throw sth on the scrap-heap

szmelcarz *sm* = **szmelcerz**

szmelcarnia † *sf* foundry

szmelcerz *sm* founder

szmer *sm G.* ~**u** 1. (*szum*) murmur; whisper (of tree-leaves); ripple (of a brook); susurration; **najmniejszego** ~**u nie było słychać** not a sound was heard 2. *med.* murmur; souffle

szmerać *vi imperf rz.* to murmur

szmerg|iel *sm G.* ~**la** <~**lu**> *techn.* emery

szmerglowy *adj* emery — (cloth, paper, powder etc.)

szmin|ka *sf pl G.* ~**ek** 1. (*kosmetyk*) rouge; paint; make-up; ~**ka do oczu** eye-shade; ~**ka do warg** lipstick 2. *przen.* (*ozdoba*) embellishments

szminkować *v imperf* [I] *vt* to paint (one's face); to rouge (one's cheeks etc.) [II] *vr* ~ **się** to paint one's face; to make oneself up

szminkowanie *sn* (↑ **szminkować**) make-up

szmira *sf* (*o sztuce, filmie, utworze literackim*) trash; muck; literary garbage

szmirgiel *sm* = **szmergiel**

szmirowaty *adj* trashy

szmizet|ka *sf pl G.* ~**ek** chemisette

szmizjer|ka *sf pl G.* ~**ek** blouse

szmonces *sm G.* ~**u** Jewish quip

szmuctytuł *sm G.* ~**u** *druk.* fly title

szmug|iel *singt sm G.* ~**lu** 1. (*przemytnictwo*) smuggling; contraband 2. (*towar*) smuggled goods; contraband; **jeździć za** ~**lem** to go smuggling

szmugler *sm*, **szmugler|ka** *sf pl G.* ~**ek** smuggler; contrabandist

szmuglerski *adj* smugglers', smuggler's; **proceder ~** smuggling

szmuglować *vt vi imperf* to smuggle (goods); to engage in smuggling

szmuglowanie *sn* (↑ **szmuglować**) contraband

szmuklerz † *sm* haberdasher

szmygać *vi imperf* — **szmygnąć** *vi perf reg.* to scamper; to scurry; to flit by

szmyrgać *v imperf* — **szmyrgnąć** *v perf* [I] *vi* = **szmygać** [III] *vt* to fling; to thrust; to shove

szmyrgiel *sm* = **szmergiel**

szmyrgnąć *zob.* **szmyrgać**

sznaps *sm sl.* vodka; schnaps

sznur *sm* 1. (*powróz*) rope; line; (*postronek*) string; cord; twine; twist; tape; **~ do bielizny** clothes--line; **~ do lampy <żelazka itd.>** cord; flex; **~ gęsi w locie** string of geese in flight; **~ gości zwiedzających <wielbłądów itd.>** train of visitors <camels etc.>; **~ pereł** string of pearls; *anat.* **~ pępkowy** umbilical cord; navel-string; **~ pojazdów <barek itd.>** string of vehicles <barges etc.>; **pod ~** by the line; by rule and line 2. (*tratwa*) raft

sznurecz|ek *sm G.* **~ka** 1. (*cienki sznurek*) string 2. *anat. bot.* funicle

sznur|ek *sm G.* **~ka** (*dim* ↑ **sznur**) bit of string; **~ek do dzwonka** bell-pull; *przen.* **trzymać <prowadzić, wodzić> kogoś na ~ku** to have sb on a string <in the hollow of one's hand>

sznurkowy *adj* string — (soles, net etc.)

sznurowa|ć *v imperf* [I] *vt* 1. (*przewlekać sznurek przez dziurki*) to lace; to lace up (one's shoes etc.); **suknia ~na z przodu <z tyłu itd.>** dress that laces in front <at the back etc.>; *przen.* **~ć usta** to purse one's lips 2. † (*związać*) to tie [II] *vi* (*o zwierzętach — biec*) to run; to trot [III] *vr* **~ć się** 1. (*nosić gorset*) to wear stays 2. (*ściskać się gorsetem*) to lace one's stays

sznurowad|ło *sn pl G.* **~eł** lace; **~ło do butów** shoe-lace; shoe-string

sznurowanie *sn* 1. ↑ **sznurować** 2. (*sznurowana część bucika, sukni itd.*) lacing

sznurowaty *adj* stringy

sznurow|y *adj* rope- (ladder etc.); string — (soles etc.); *archeol.* **ceramika ~a** string pottery

sznurów|ka *sf pl G.* **~ek** 1. *dial.* (*sznurowadło*) lace; shoe-lace 2. † (*gorset*) stays; corset

sznyc|el *sm G.* **~la** *kulin.* veal cutlet; *reg.* (*kotlet siekany*) minced collop

sznyt *sm G.* **~u** *pot.* smartness; stylishness; style

sznyt|ka *sf pl G.* **~ek** *reg.* sandwich

szodon *sm G.* **~u** *kulin.* mulled wine; caudle

szofer *sm* chauffeur; **~ ciężarówki** lorry driver

szofer|ka *sf pl G.* **~ek** 1. (*część ciężarówki*) cab 2. *singt pot.* (*szoferstwo*) (motor-car) driving 3. *pot.* (*kobieta kierowca*) (woman) driver

szoferować *vi imperf pot.* to drive a motor-car; to be a chauffeur <a lorry driver>

szoferski *adj* chauffeur's; lorry driver's

szoferstwo *sn singt* motor-car driving

szok *sm G.* **~u** 1. (*wstrząs*) nervous shock 2. *med.* (cardiac, cerebral etc.) shock

szokować *vt imperf* to shock; *sl.* to rattle (sb)

szokująco *adv* shockingly; **działać ~** to shock; to be shocking

szoner *sm* = **szkuner**

szop *sm* 1. *zool.* (*Procyon*) rac(c)oon 2. *pl* **~y** (*futro*) rac(c)oons; rac(c)oon fur

szop|a *sf* 1. (*budynek*) shed 2. *sl.* (*heca*) lark; fun; **dosyć tej ~y!** stop that monkey business! 3. *pot.* (*zmierzwione włosy na głowie*) thatch

szopenfeldziarz *sm sl.* shop-lifter

szopenowski *adj* Chopin — (competition etc.)

szopiasty *adj* thatchy

szopka *sf* 1. (*mała szopa*) little shed; outhouse 2. (*model stajenki betlejemskiej*) (Christ-child's) crib 3. (*teatrzyk*) home-made (Christ-child's) crib carried about by carollers 4. (*widowisko satyryczne*) satirical performance 5. *żart.* (*heca*) lark; fun; farce

szopkarstwo *sn singt* production of carollers' cribs

szopkarz *sm* caroller with a crib

szopowy *adj* rac(c)oon — (fur, collar etc.)

szor[1] *sm G.* **~u** (*zw. pl*) (*rodzaj uprzęży*) breast--harness

szor[2] *sm G.* **~u** *ryb.* (*bagno nadmorskie*) vegetated salt marsh; schorre

szor|ować *v imperf* [I] *vt* to scrub (a floor etc.); to scour (pots and pans etc.) [III] *vi* 1. (*ocierać*) to rub <to grate> (**o coś** against sth) 2. *pot.* (*pędzić*) to run; **~uj!** run along!; off you go!; make tracks!

szorowani|e *sn* ↑ **szorować**; **szczotka do ~a** scrubbing-brush

szorstki *adj* 1. (*chropowaty*) rough; coarse; rugged 2. (*opryskliwy*) curt; blunt; brusque; short; crisp; crude (manner etc.) 3. (*o dźwiękach*) harsh

szorstko *adv* 1. (*chropowato*) roughly; coarsely 2. (*opryskliwie*) curtly; bluntly; brusquely; crudely

szorstkolistn|y *bot.* [I] *adj* boraginaceous [III] *spl* **~e** (*Boraginaceae*) (*rodzina*) the borage family

szorstkość *sf singt* 1. (*chropowatość*) roughness; coarseness; ruggedness; asperity 2. (*opryskliwość*) curtness; bluntness; brusqueness; crudeness (of manner) 3. (*ostrość dźwięku*) harshness

szorstkowaty *adj* roughish

szorstkowłosy *adj* wiry-haired

szorty *spl* shorts

szosa *sf* (high) road; highway; **główna ~** arterial road

szosow|iec *sm G.* **~ca** *sport* road cyclist

szosowy *adj* road — (surface etc.)

szot[1] *sm G.* **~u** *mar.* sheet

szot[2] *sm G.* **~u** *geogr.* shott; playa (lake)

szotowy *adj mar.* sheet — (block etc.)

szowinista *sm*, **szowinist|ka** *sf pl G.* **~ek** jingoist, chauvinist

szowinistyczny *adj* jingoist(ic); chauvinistic

szowinizm *sm G.* **~u** jingoism, chauvinism

szóstak *sm* 1. (*jeleń*) six-antlered stag 2. *hist.* (*moneta*) an old-time coin

szóst|ka *sf pl G.* **~ek** 1. (*cyfra*) the figure six 2. (*sześć osób, sztuk*) group <party, batch> of six; **~ka nas <was itd.>** the six of us <you etc.> 3. (*sześć koni w zaprzęgu*) team of six horses 4. (*autobus, pokój itd.*) bus <room, tram etc.> N° 6 5. (*karta*) (the) six (of spades, hearts etc.) 6. (*pieniądz*) copper

szóstoklasi|sta *sm* (*decl* = *sf*) *DL.* **~ście** *pl N.* **~ści** *GA.* **~stów** sixth-form schoolboy

szóstoklasist|ka *sf pl G.* **~ek** sixth-form schoolgirl

szóst|y [I] *adj* sixth; **~y zmysł** the sixth sense [II] *sm* **~y** (*dzień*) the sixth (of the month) [III] *sf* **~a** 1. (*godzina*) six o'clock 2. (*część całości*) (one, two, etc.) sixth(s)

szpachel|ka *sf pl G.* **~ek** spatula; putty-knife; stopping-knife

szpach|la *sf pl G.* **~li** <**~el**> 1. *bud.* spatula; putty-knife; stopping-knife; **~la do skrobania starej farby** chisel knife 2. *plast.* palette-knife

szpachlować *vt vi imperf bud.* to fill (holes etc.); to stop up <to fill> (crevices etc.)

szpachlowy *adj techn.* filling <stopping> — (putty etc.)

szpachlów|ka *sf pl G.* **~ek** *techn.* filler; (a) stopping; painter's putty

szpacz|ek *sm G.* **~ka** *dim* ↑ **szpak**

szpad|a *sf* 1. (*broń*) sword; **cięcie ~ą** sword-cut; **pchnięcie ~ą** sword-thrust; **skrzyżować ~y z kimś** to cross <to measure> swords with sb 2. *przen.* (*szermierz*) swordsman 3. *sport* (*konkurencja*) epée fencing

szpad|el *sm G.* **~la** spade

szpadryna *sf* knuckle-duster; brass knuckles

szpadzi|sta *sm* (*decl = sf*) *DL.* **~ście** *pl N.* **~ści** *GA.* **~stów** swordsman

szpagat *sm G.* **~u** 1. (*sznurek*) string; cord; twine; twist; packthread 2. *sport* splits

szpagatowy *adj* string — (net etc.)

szpak *sm* 1. *zool.* (*Sturnus vulgaris*) starling; † *przen.* **~ami karmiony** deep file 2. (*koń*) grey horse

szpakowacie|ć *vi imperf* **~je** to be turning grey

szpakowatość *sf singt* greyish hair

szpakowaty *adj* 1. (*o człowieku, włosach*) greyish; turning grey; grizzly; (*o włosach*) touched with grey 2. (*o koniu*) grey; roan

szpaler *sm G.* **~u** 1. (*dwa szeregi drzew*) double row of trees; (*szeregi krzewów*) hedge; **drzewo wyprowadzone w ~** wall-tree 2. (*dwa szeregi ludzi*) lane; **utworzyć <przejść przez> ~** to form <to pass through> a lane 3. (*tkanina*) tapestry

szpalernik *sm* tapestry maker <weaver>

szpalta *sf* 1. (*łam*) column (of a paper etc.) 2. *druk.* slip; **w ~ch** in slip form 3. *garb.* split; skive

szpaltować *vt imperf* 1. *druk.* to set up in columns 2. *garb.* to skive

szpaltow|y *adj* column — (lines etc.); **korekta ~a** galley proof

szpaltówka *sf garb.* split; skive

szpara *sf* chink; crack; slit; gap; interstice; crevice; rift; cranny

szparag *sm* 1. *bot.* (*Asparagus officinalis*) asparagus 2. *kulin.* asparagus (shoots)

szparagarni|a *sf pl G.* **~** asparagus-bed

szparagowy *adj* asparagus — (shoots etc.)

szparagów|ka *sf pl G.* **~ek** *zool.* (*Platyparaea poeciloptera*) a fly destructive of asparagus

szparecz|ka *sf pl G.* **~ek** narrow chink

szparga|ł *sm G.* **~łu** *L.* **~le** 1. (*świstek*) scrap of paper 2. *pl* **~ły** (*pisma*) minor writings

szparing *sm G.* **~u = sparing**

szpar|ka *sf pl G.* **~ek** narrow slit; chink; *bot.* **~ka oddechowa** stomatal apparatus

szparki *adj* swift; brisk

szparko *adv* swiftly; briskly

szparkosz *sm pl G.* **~y** *biol.* (*Balantidium coli*) balantidium

szparkow|y *adj bot.* **komórka ~a** stomatal-mother-cell

szparowaty *adj* slitlike

szpas *sm G.* **~u** *pot.* joke

szpat[1] *sm G.* **~u** *wet.* bone spavin

szpat[2] *sm G.* **~u** *miner.* spar

szpatowy *adj miner.* sparry (iron)

szpatuł|ka *sf pl G.* **~ek** *med.* spatula; depressor, tongue-depressor

szpecenie (*sn* ↑ **szpecić**) disfiguration; disfigurement

szpec|ić *vt imperf* **~ę** to disfigure; to blemish; to impair <to mar> beauty

szpeciel *sm zool.* (*Eriophyes pyri*) pear leaf blister mite

szpera *sf pot.* door-keeper's tip for opening the door at night

szperacki *adj* rummaging (disposition etc.)

szperactwo *sn singt* rummaging; rummaging disposition

szperacz *sm pl G.* **~y** <**~ów**> 1. (*człowiek szperający w archiwach itd.*) rummager; searcher 2. *wojsk.* sniper; scout

szperać *vi imperf* to rummage; to poke about; to search books <archives etc.>

szperanie *sn* ↑ **szperać**

szperanina *sf singt rz.* rummaging; searching

szper|ka *sf pl G.* **~ek** bacon; lard; pork fat

szpetnie *adv* 1. (*brzydko*) uglily; in an ugly fashion; **~ wyglądać** to look ugly 2. (*paskudnie*) badly (hurt etc.) 3. (*niemoralnie*) shabbily; basely; odiously; vilely

szpetność *sf singt* ugliness

szpetny *adj* 1. (*brzydki*) ugly; unsightly; **~ jak grzech śmiertelny** as ugly as sin <as a toad> 2. (*ujemny pod względem moralnym*) shabby; odious; base; vile

szpeto|ta *sf DL.* **~cie** ugliness; unsightliness

szpic *sm* 1. (*wierzchołek*) point; peak; cusp; (*u bucika*) toe; **bródka w ~** pointed beard; **zaciąć w ~** to sharpen; **zakończyć się ~em** to taper 2. (*pies*) spitz, spitz-dog; Pomeranian

szpica *sf wojsk.* picket; point (of advance guard)

szpicak *sm górn.* pick

szpicbród|ka *sf pl G.* **~ek** *rz.* pointed beard

szpic|el *sm G.* **~la** *pl G.* **~li** <**~lów**> *pog.* 1. (*tajniak*) plain-clothes policeman; ferret; *sl.* nark 2. (*szpieg*) spy; (*donosiciel*) informer

szpiclostwo *sn singt* spying

szpiclować *vi vt imperf* to spy (**kogoś** upon sb)

szpiclowanie *sn* ↑ **szpiclować**

szpiclowski *adj* spy's (work etc.); spy — (system etc.)

szpicru|ta *sf DL.* **~cie** riding-whip; hunting-crop

szpiczak *sm myśl.* one-antlered stag

szpiczasto *adv* taperingly; (ending) in a point

szpiczasty *adj* pointed; tapering

szpieg *sm* 1. (*tajniak*) plain-clothes policeman; sleuth-hound; *am.* sleuth 2. (*agent obcego wywiadu*) spy; intelligencer

szpiegostwo *sn singt* spying; espionage

szpiegować *vi vt imperf* to spy (**kogoś** upon sb); to watch <to shadow> (sb); to eavesdrop

szpiegowanie *sn* ↑ **szpiegować**

szpiegowsk|i *adj* spy's (occupation etc.); spy — (system etc.); **afera ~a** spy affair

szpiegów|ka *sf pl G.* **~ek** *pog.* (woman) spy
szpik *sm G.* **~u** *anat.* medulla; marrow; **demokrata <dżentelmen itd.> do ~u kości** a democrat <gentleman etc.> to the core <to the backbone; to his finger tips>; every bit <every inch> a democrat <gentleman etc.>; **zziębnięty do ~u kości** chilled to the marrow
szpikować *vt imperf* 1. *kulin.* to lard (meat etc.) 2. *przen. żart.* to lard <to interlard> (one's speech with foreign words etc.); to stuff (sb with information etc.) 3. (*przebijać szpadą itd.*) to run (sb) through (with one's sword etc.)
szpikow|y *adj* medullary; marrow — (fat etc.); **kość ~a** marrowbone
szpikul|ec *sm G.* **~ca** larding-pin; skewer; spit
szpila *sf* bodkin
szpilecz|ka *sf pl G.* **~ek** *dim* ↑ **szpilka**
szpil|ka *sf pl G.* **~ek** 1. (*pręcik*) pin; **główka od ~ki** pin-head; **koniec ~ki** pin-point; **~ka do kapelusza** hat-pin; **~ka do krawata** tie-pin; **ukłucie ~ki** pinprick; **siedzieć jak na ~kach** to be on tenter-hooks <on thorns, on pins and needles>; *przen.* **szukać ~ki w stogu siana** to look for a needle in a bottle of hay 2. (*drucik do upinania włosów*) hairpin 3. (*ćwieczek szewski*) peg 4. (*obcas*) stiletto heel 5. *bot.* needle (of conifer)
szpilkowaty *adj* needle-like
szpilkow|y [I] *adj* 1. *szew.* (*przybity szpilkami*) pegged (soles) 2. (*o obcasach*) stiletto 3. *bot.* (*o drzewach, lasach*) coniferous [II] *pl* **~e** *bot.* (*iglaste*) the conifers
szpinak *sm G.* **~u** *bot.* (*Spinacia*) spinach, spinage
szpinet *sm G.* **~u** *muz.* spinet
szpinetowy *adj* spinet — (keys etc.)
szpital *sm* hospital; **~ polowy** field hospital
szpitalik *sm* infirmary
szpitalniany *adj* = **szpitalny**
szpitalnictwo *sn singt* (science of) hospital management
szpitalnik *sm hist.* hospital(l)er
szpitalny *adj* hospital — (ambulance, nurse etc.); **okręt ~** hospital ship; *hist.* **Zakon braci ~ch** Order of Hospital(l)ers
szpon *sm* talon; claw; *pl* **~y** *przen.* clutches; **dostać się w czyjeś ~y** to fall into sb's clutches; **w ~ach nędzy** in the grip of poverty
szpona *sf mar.* **~ gafla** (gaff)-jaw
szpond|er *sm G.* **~ra** *L.* **~rze** sirloin
szponiasty *adj* 1. (*opatrzony szponami*) clawed 2. (*przypominający szpony*) claw-like
szponton *sm G.* **~u** *hist.* spontoon
szpotaw|y *adj* deformed; **stopa ~a** club-foot; **człowiek ze ~ą stopą** club-footed person
szpros *sm G.* **~u** *bud.* window bar
szprot *sm*, **szprot|ka** *sf pl G.* **~ek** *zool.* (*Clupea sprattus*) sprat
szprotowy *adj* sprat — (fishing etc.)
szpryca *sf* syringe
szprycha *sf* spoke
szprychowy *adj* spoked (wheel)
szprycować *vt imperf* to syringe
szprync *sm* scapegrace
szpryng *sm G.* **~u** = **spring**
szpula *sf* spool; reel; coil
szpular|ka *sf pl G.* **~ek** spooler; reeler
szpularnia *sf* spooling <reeling> shop
szpul|ka *sf pl G.* **~ek** bobbin
szpulkowy *adj* bobbin-wound — (thread, silk etc.)
szpulować *vt imperf* to reel; to spool
szpunt *sm G.* **~u** 1. (*zatyczka*) bung; peg; plug 2. *stol.* feather; tongue
szpuntowy *adj* **otwór ~** bung-hole
szraf *sm G.* **~u, szrafa** *sf* hachure
szrafowanie *sn singt* hachuring
szrama *sf* scar; gash; slash; sword-cut
szran|ki *spl G.* **~ków** <*rz.* **~ek**> 1. *hist.* (*plac*) tilt-yard; lists; **wstępować w ~ki z kimś** to enter the lists against sb 2. (*granice*) bounds; barriers 3. (*ryzy*) reins; **utrzymać w ~kach** to hold in leash
szrapnel *sm* shrapnel; bomb-shell
szrapnelowy *adj* shrapnel — (fire etc.)
szrenc *sm G.* **~u** brown <wrapping> paper
szreń *sf* névé
szron *sm G.* **~u** hoar-frost; rime
szron|ka *sf pl G.* **~ek** dappled mare
sztab *sm G.* **~u** staff; headquarters; **~ generalny** General Staff
sztaba *sf* (*szyna*) bar; **~ złota <srebra>** ingot of gold <silver>
sztabik *sm druk.* furniture
sztab|ka *sf pl G.* **~ek** billet; bar
sztabow|iec *sm G.* **~ca** *pl N.* **~cy** staff <field> officer
sztabow|y[1] *adj* staff — (officer etc.); **mapa ~a** ordnance map
sztabowy[2] *adj* bar — (metal etc.)
sztabów|ka *sf pl G.* **~ek** *pot.* ordnance map
sztache|ta *sf DL.* **~cie** rail (of a fence); *pl* **~ty** railing
sztachetowy *adj* rail — (fence etc.)
sztachnąć się *vr perf pot.* to inhale cigarette smoke
sztafaż *sm G.* **~u** *plast.* accessories <figures> in a painting <in a photograph>
sztafażowy *adj* accessorial
sztafeta *sf sport* relay race
sztafetowy *adj* relay — (race)
sztafirować się *vr imperf pot.* to deck oneself out; to titivate oneself
sztag *sm G.* **~u** *mar.* stay
sztaga *sf bud.* duck-board; gang-board
sztaglina *sf* = **sztag**
sztagżag|iel *sm G.* **~la** = **sztaksel**
sztajer *sm A.* **~a** *chor.* Styrian waltz
sztaks|el *sm G.* **~la** *mar.* staysail
sztaluga *sf* (*zw. pl*) easel
sztam|a *sf pot.* good understanding; **między nimi jest ~a** they are as thick as thieves; **trzymać ~ę z kimś** to cotton together (with sb)
sztambuch † *sm G.* **~u** <*rz.* **~a**> album
sztamow|y *adj* standard (shrub); **róża ~a** standard rose; rose-tree
sztampa *sf* set pattern
sztanca *sf pot.* stamp; die; punch
sztancować *vt imperf pot.* to stamp (sth) out <to punch (sth)> with a die
sztancowanie *sn* ↑ **sztancować**
sztandar *sm G.* **~u** flag; standard; banner; **Order Sztandaru Pracy (Pierwszej itd. Klasy)** Order of the Banner of Labour (First etc. Class); **walczyć pod czyimiś ~ami** to fight under sb's banner

sztandarow|y [I] *adj* 1. (*dotyczący sztandaru*) flag — (room etc.); **drzewo ~e** wind-trained tree; **poczet ~y** colour party 2. *przen.* (*reprezentacyjny*) leading (writer, composer etc.) [II] *sm* **~y** standard-bearer

sztanga *sf* 1. (*drąg*) bar (of iron etc.) 2. *sport* weight; bar-bells

sztangista *sm* (*decl* = *sf*) weight-lifter

sztap|el *sm G.* **~la** stack; pile; heap

sztaplar|ka *sf pl G.* **~ek** *techn.* stacker, stacking-machine

sztapler *sm* stacker

sztaplować *vt imperf* to stack; to pile; to heap

sztaplowanie *sn* ↑ **sztaplować**

sztaplowisko *sn* stacks; sawn-timber store

sztauer *sm mar.* stevedore; stower

sztauerka *sf singt mar.* stowage

szterling <**sterling**> *sm* sterling; **10 funtów ~ów** ten pounds sterling

sztok † *sm G.* **~u** log; *pot. obecnie w zwrocie:* **pijany** <**zalany**> **w ~** blind <dead> drunk

sztokfisz *sm* stockfish; cod

sztolni|a *sf pl G.* **~** *górn.* adit; gallery; drift; tunnel; level

szton *sm G.* **~a** <**~u**> counter; fish

sztora *sf* (window) blind

sztorc † *sm G.* **~u** *obecnie w wyrażeniach:* **na ~, ~em** upright; endwise, endways; end on; on end; *pot.* **stawać ~em** to resist; to kick against the pricks

sztorcować *vt imperf* 1. *pot.* (*strofować*) to blow (sb) up; to jaw (sb) 2. *roln.* to plough

sztorm *sm G.* **~u** *mar.* gale; storm

sztorman *sm* = **szturman**

sztormować *vi imperf mar.* to weather the storm

sztormowanie *sn* ↑ **sztormować**

sztormow|y *adj* squally; **latarnia ~a** hurricane lamp; **schodki ~e** storm-ladder; **sygnał ~y** storm-signal

sztormów|ka *sf pl G.* **~ek** (*lampa*) hurricane lamp

sztormtrap *sm G.* **~u** storm-ladder; rope <jack> ladder

sztos *sm G.* **~u** 1. *bil.* stroke; *przen.* **być w ~ie** a) (*mieć szczęście*) to be in luck b) (*być w dobrym nastroju*) to be <to feel> fit 2. *wulg.* sexual connection

sztraba *sf* (*zw. pl*) *bud.* toothing

sztraf *sm G.* **~u** *gw.* penalty; fine

sztrasburski *adj* = **strasburski**

sztreka *sf* 1. *reg. górn.* gallery 2. † (*tor*) railway track

sztruks *sm G.* **~u** *tekst.* ribbed velveteen

sztruksow|y *adj* velveteen — (coat etc.); **~e spodnie** velveteens

sztub|a † *sf szk.* school; **wyjść ze ~y** to leave school

sztubacki *adj pot.* schoolboy's; school kid's

sztubactwo *sn pot. pog.* 1. (*sposób postępowania*) schoolboy's prank 2. *singt* (*sztubacy*) schoolboys

sztubak *sm pot.* schoolboy; school kid

sztubow|y [I] *adj* school- (work etc.) [II] *sm* **~y**, *sf* **~a** room supervisor <senior> (in Nazi concentration camp)

sztuca *sf sport* football sock

sztucer *sm* sporting rifle

sztucz|ka *sf pl G.* **~ek** 1. (*fortel*) dodge; artifice; manoeuvre 2. (*popis zręczności*) trick; juggle; legerdemain; sleight of hand 3. (*utwór sceniczny*) play 4. *muz.* short musical composition 5. (*kawałek tkaniny*) piece of cloth 6. † (*jednostka*) piece; *obecnie w zwrocie:* **chytra** <**zdolna**> **~ka** slyboots; clever chap

sztucznie *adv* 1. (*nienaturalnie*) artificially; by artificial means; **~ karmić dziecko** to feed a baby artificially 2. (*fałszywie*) falsely; affectedly; factitiously; **~ się uśmiechnąć** to force a smile; **~ się śmiać** to laugh a forced laugh

sztuczność *sf singt* artificiality; (*w zachowaniu*) affectation; primness; stiltedness; sophistication

sztuczn|y *adj* 1. (*naśladujący coś naturalnego*) artificial; **dobór ~y** cross-breeding; **nawozy ~e** fertilizers; **ognie ~e** fireworks; **promieniotwórczość ~a** artificial radioactivity; **~e lodowisko** artificial ice rink; **~e oddychanie** artificial respiration; rescue breathing; **~e odżywianie** a) (*oseska*) artificial feeding b) (*dorosłego*) extrabuccal feeding; **~e poronienie** abortion; **~e światło** lamplight; **~e zapłodnienie** insemination; **tworzywo ~e** plastic; synthetic substance 2. (*udawany*) sham; affected; insincere; (*o zachowaniu*) sophisticated; stilted; prim; miminy-piminy 3. (*fałszywy*) not genuine; false (hair, teeth etc.); imitation (pearls etc.)

sztuczyd|ło *sn pl G.* **~eł** *pog.* paltry <beggarly, miserable, wretched> play

sztućce *spl* knife, fork and spoons; cutlery; table silver

sztufada *sf kulin.* stewed beef

sztuk|a *sf* 1. (*twórczość artystyczna*) art; **~a czysta** pure art; **~a dramatyczna** the stage; **~a stosowana** applied art; **~i piękne** <**plastyczne**> fine <applied> arts; **~a dla ~i** art for art's sake 2. (*utwór dramatyczny*) play; **~a historyczna** costume <period> play 3. (*umiejętność*) craft; art (**wojenna, żeglarska itd.** of war, of navigation etc.); **~a rządzenia** kingcraft; statecraft; *hist.* **~i wyzwolone** the liberal arts; **opanować ~ę robienia czegoś** to get the knack of doing sth 4. (*dowód zręczności*) trick; stunt; hocus-pocus; legerdemain; piece of jugglery <of sorcery>; (*w cyrku itd.*) turn; performance; **cała ~a w tym, żeby ...** it's only a question of ...; **dokazać tej ~i, żeby ...** to manage <to contrive> to ...; **pokazywać ~i** to perform; to show tricks; **to nie ~a!** there's nothing <no sorcery, no wizardry> in it!; **wielka ~a!** it's no achievement! 5. (*pojedyncza rzecz, jedno zwierzę itd.*) piece; specimen; unit; head (of cattle); **płaca od ~i** pay by the piece; **robota od ~i** piece-work; (*o człowieku*) **chytra** <**zdolna**> **~a** slyboots; clever fellow <chap, *am.* guy> 6. (*ilość tkaniny*) piece <length> (of cloth); **~a płótna** bolt of linen

sztukamięs *sm pot.* boiled beef

sztukas *sm* German bomber

sztukateri|a *sf GDL.* **~i** *pl G.* **~i** stucco work

sztukateryjny *adj* stucco — (decorations etc.)

sztukator *sm* stucco-worker

sztukatorski *adj* stucco-worker's; stucco — (decorations etc.)

sztukatorstwo *sn singt* stucco work

sztukmistrz *sm* performer; juggler; conjurer

sztukmistrzowski *adj* performer's <juggler's, conjurer's> (accessories etc.)

sztukować *vt vi imperf* to piece out; to lengthen; to eke out; to supplement; to patch up
sztukowanie *sn* (↑ **sztukować**) addition; supplement; patch
szturch|ać *vt imperf* **~any** — **szturch|nąć** *vt perf* **~nięty** to poke (**coś kijem itd.** sth with a stick etc.); to prod; to jab; to push; to jostle; to knuckle; *imperf* to knock (sb) about; *perf* to give (sb) a prod <a rap, clout, cuff, buffet, a jab>
szturchanie *sn* (↑ **szturchać**) prods; jabs; clouts; cuffs; buffets
szturcha|niec *sm G.* **~ńca** rap; clout; cuff; buffet; prod; jab
szturchnięcie *sn* (↑ **szturchnąć**) rap; clout; cuff; buffet; prod; jab
szturm *sm G.* **~u** storm; assault; onslaught; **przypuścić ~ do pozycji nieprzyjaciela** to storm <to assault> the enemy positions; *dosł. i przen.* **wziąć ~em** to take by storm
szturmak *sm* 1. *hist.* blunderbuss 2. † (*popychadło*) drudge
szturman *sm mar.* mate
szturmować *v imperf* [I] *vt* to storm; to assault [II] *vi* 1. (*zdobywać szturmem*) to storm; to assault 2. *przen.* to molest <to harass> (**do redakcji pisma itd.** the offices of a newspaper etc.)
szturmow|iec *sm G.* **~ca** *pot.* bomber
szturmowość *sf singt pot.* unsystematic work
szturmowy *adj* 1. *wojsk.* storming — (party etc.); **oddział ~** shock troops 2. *pot.* (*o pracy*) unsystematic
szturmów|ka *sf pl G.* **~ek** flag <banner> (carried in a procession etc.)
szturpak *sm rz. pog.* drudge
sztyblet|y *spl G.* **~ów** elastic-sides
sztych *sm G.* **~u** 1. (*szpic*) point (of a sword etc.) 2. (*pchnięcie*) thrust; **wystawić na ~** to jeopardize 3. (*rycina*) engraving; etching; print; woodcut 4. *ogr.* spade 5. (*zagłębienie w ziemi*) spade's depth
sztychar|nia *sf pl G.* **~ni** <**~ń**> engraver's <etcher's, woodcutter's> atelier
sztycharstwo *sn singt* engraving; etching; woodcutting
sztycharz *sm G.* **~y** <**~ów**> engraver; etcher; woodcutter
sztychować *vt imperf* to etch; to make engravings <prints, woodcuts>
sztychowanie *sn* ↑ **sztychować**
sztychowy *adj* 1. (*ostry*) biting (wind) 2. (*przedstawiony w rycinie*) engraved; etched
sztyfcik *sm* nail; chape (of buckle)
sztyft *sm G.* **~u** pin; spike; needle; peg; sparable; fang; prong
sztyga *sf* (*zw. pl*) *gw. roln.* shock (of corn sheaves)
sztygar *sm górn.* foreman; underviewer; banksman; overman
sztyk *sm pot.* bayonet
sztylet *sm G.* **~u** 1. (*broń*) dagger; poniard; stiletto 2. *druk.* (*także* **~ zecerski**) bodkin; spike
sztyletować *vt imperf* to stab; to poniard; *przen.* **~ kogoś wzrokiem** to look daggers at sb
sztylpy *spl* 1. (*buty do konnej jazdy*) riding boots 2. (*cholewy nakładane na buty*) leggings
sztym|ować *vi pot. w 3 pers sing* **~uje** O.K.; it's O.K.; **coś nie ~uje** there's something wrong
sztywniactwo *sn singt pot.* stiffness (of manner)
sztywnia|k *sm pl N.* **~ki** <**~cy**> *pot.* stiff-mannered chap <*am.* guy>
sztywnie|ć *vi imperf* **~je** 1. (*stawać się sztywnym*) to stiffen; to get <to grow, to become> stiff 2. *przen.* (*stawać się oschłym*) to assume a stiffness of manner
sztywnik *sm* stiffener
sztywno *adv dosł. i przen.* stiffly; **~ stąpać** to stump; to strut; to stalk; **trzymać się ~** to be stiff
sztywność *sf singt* 1. (*cecha przedmiotów, materiałów itd.*) stiffness; rigidity; inflexibility; starkness; **~ cen** steadiness of prices 2. *przen.* (*cecha zachowania*) stiffness; offishness
sztywn|y *adj* 1. (*twardy*) stiff; rigid; inflexible; unpliant; (*o włosach*) wiry; *fiz.* **~e ciało** rigid body; **~y układ** invariable system 2. *przen.* (*nienaruszalny*) fixed; rigid (principles etc.); cast-iron <hard and fast> (rules etc.) 3. (*niegibki*) stiff; erect; unbending; stark; (*o ruchach*) wooden; **~y krok** (a) strut; *przen.* **mieć ~y kark** to be proud <haughty, puffed up, bumptious> 4. *przen.* (*oschły*) stiff; formal; offish
szubak *sm zool.* (*Attagenus pellio*) a dermestid
szubienic|a *sf* gallows; **uszedł ~y** he cheated the gallows; **za to grozi ~a** it's a hanging matter
szubieniczny *adj* gallows — (look etc.); **humor ~** grim humour
szubraw|iec *sm G.* **~ca** rogue; rascal; blackguard
szubrawstwo *sn* 1. (*czyn*) roguery; rascally trick 2. *zbior.* (*szubrawcy*) rabble
szufel|ka *sf pl G.* **~ek** shovel; scoop
szufla *sf* 1. (*narzędzie*) shovel 2. (*zawartość*) shovelful 3. *druk.* galley
szuflad|a *sf* drawer; *przen.* **włożyć projekt** <**podanie itd.**> **do ~y** to shelve <to shunt> a project <an application etc.>
szuflad|ka *sf pl G.* **~ek** *dim* ↑ **szuflada**
szufladkować *vt imperf* to pigeonhole; to categorize; to classify
szuflować *vt imperf* to shovel
szu|ja *sf sm* (*decl = sf*) *GDL.* **~i** *pl G.* **~jów** <**~j**> *obelż.* rogue; rascal; blackguard; scoundrel
szujowaty *adj* roguish; rascally; scoundrelly
szukać *vt imperf* 1. (*starać się znaleźć*) to look (**czegoś** for sth); to seek (**czegoś** sth); to search (**czegoś** for sth); to cast about <to hunt (about)> (**czegoś** for sth); **~ czegoś po omacku** to feel about for sth; **~ czegoś w kieszeniach** to feel for sth in one's pockets; **~ czegoś w pamięci** to rack one's brains for sth; **~ pociągu w rozkładzie jazdy** <**słowa w słowniku**> to look up a train in the railway guide <a word in the dictionary>; **~ słów** to be at a loss for words; **przykładów nie trzeba daleko ~** examples are not far to seek; **ze świecą ~ takich ludzi** search the world for such people; **szukaj wiatru w polu!** gone with the wind 2. (*dążyć do czegoś*) to be bent (**przyjemności itd.** on pleasure etc.); to be out (**czegoś** for sth); **nie szukałem zwady** the quarrel was none of my seeking; **~ chleba** to go <to migrate> in search of work; **~ nieszczęścia** to court disaster
szukanie *sn* (↑ **szukać**) search <quest> (**czegoś** for sth)

szuler *sm* rook; (card-)sharper; sharp; cheat
szuler|ka *sf singt pl G.* **~ek** card-sharping
szuler|nia † *sf pl G.* **~ni** <**~ń**> gambling den
szulerski *adj* card-sharper's, card-sharping
szulerstwo *sn singt* card-sharping
szum[1] *sm G.* **~u** 1. (*odgłos*) noise; sound(s); roar (of the waves etc.); throbbing <purring> (of engines etc.); hum (of machines, voices etc.); rustle (of silks, leaves etc.); sough (of trees etc.); whirr (of a ventilator etc.); spatter (of rain etc.); murmur (of a brook etc.); **~ w głowie** <**w uszach**> buzzing in the ears 2. (*zamieszanie*) commotion; uproar; ado; **robić ~ dokoła sprawy** to make a noise about a matter
szum[2] *sm G.* **~u** (*szumowina*) scum, froth
szumi|eć[1] *vi imperf* **~** (*o falach itd.*) to roar; (*o wichurze*) to bluster; (*o maszynach itd.*) to throb; to purr; (*o maszynach, głosach ludzkich itd.*) to hum; (*o jedwabiach, liściach, wietrze itd.*) to rustle; (*o drzewach na wietrze*) to sough; (*o deszczu itd.*) to spatter; (*o strumyku itd.*) to murmur; (*o wentylatorze itd.*) to whirr; **czajnik ~** the kettle sings; **~ało mi w głowie** <**w uszach**> my ears buzzed; **wino ~ało wesoło w głowach** the wine had gone to their <our> heads
szumieć[2] *vi imperf* 1. (*musować*) to sparkle; to effervesce; *pot.* to fizz 2. *przen.* (*hulać*) to amuse oneself; to revel; to carouse; to dissipate; to sow one's wild oats 3. *sl.* (*awanturować się*) to make a fuss
szumienie (*sn* ↑ **szumieć**) 1. (*musowanie*) sparkle; effervescence 2. *przen.* (*hulanie*) amusement; dissipation
szum|ka *sf pl G.* **~ek** Ukrainian song
szumnie *adv* 1. (*z wielkim szumem*) noisily; boisterously; with a rustle <hum, buzz>; (*wesoło*) uproariously 2. *przen.* (*górnolotnie*) with bombast; sonorously; grandiloquently 3. *przen.* (*wystawnie*) with pomp; sumptuously
szumność *sf singt* 1. (*szum*) noise; boisterousness; rustling; humming; buzz; (*wesołość*) uproariousness 2. *przen.* (*pompatyczność*) bombast; grandiloquence 3. *przen.* (*wystawność*) pomp; sumptuousness
szumn|y[1] *adj* 1. (*pełen szumu*) noisy; boisterous; resonant; rustling; humming; buzzing; (*o wesołym zgromadzeniu*) uproarious; **~a zabawa** flare-up 2. *przen.* (*górnolotny*) bombastic; sonorous; grandiloquent; high-sounding; full-mouthed 3. *przen.* (*wystawny*) pompous; sumptuous
szumny[2] *adj* sparkling; effervescent; frothy
szum|ować *v imperf* [I] *vt* to skim (boiling syrop, molten metal etc.) [III] † *vi* to foam; to froth; **~ujące piwo** frothy beer
szumowina *sf* (*zw. pl*) 1. (*piana*) scum 2. *przen.* (*męty społeczne*) scum <lees, dregs> of society
szungit *sm G.* **~u** *miner.* shungite
szupasem *adv* under escort
szupin *sm G.* **~u** *bot.* (*Sophora*) sophora; **~ japoński** (*Sophora japonica*) Japanese pagoda tree
szupin|ka *sf pl G.* **~ek** *bot.* induvia floralis
szupinkowaty *adj bot.* induvial
szur|ać *vi imperf* — *rz.* **szur|nąć** *vi perf* 1. (*trzeć*) to scrape (**o coś** against sth); to shuffle (**nogami** one's feet); *pot.* **~aj!** off you go!; off with you! 2. (*powodować szmer*) to rasp 3. *imperf sl.* (*awanturować się*) to brawl; to kick up a row; (*występować agresywnie*) to bluster *zob.* **szurnąć**
szuranie *sn* (↑ **szurać**) (*tarcie*) (a) scrape; (a) shuffle
szurf *sm G.* **~u** *górn.* bore-hole
szurg|ać *vi imperf* — **szurg|nąć** *vi perf* = **szurać**; **~ać, ~nąć nogą** to scrape one's foot on the floor
szurgot *sm G.* **~u** shuffling (sound)
szurgo|tać *vi imperf* **~cze** <**~ce**> to shuffle
szurnąć *v perf* [I] *vt* 1. *zob.* **szurać** 2. *pot.* (*rzucić*) to fling [III] *vi pot.* to buzz off
szurpaty *adj pot.* coarse; rugged; shaggy
szurum-burum *sn indecl* hurly-burly
szus *sm* 1. *pot.* (*wybryk*) freak; **miewać ~y** to be freakish <fitful> 2. *sport* (*zjazd na nartach*) straight down(ward) run; schuss
szusnąć *zob.* **szustać**
szusować *vi sport* to make a straight downward run
szusowaty *adj* freakish; fitful; **on jest ~** he is a madcap
szust *sm G.* **~u** (*szelest*) rustle
szustać *vi imperf* — **szu|snąć** *vi perf* **~śnie, ~śnij, ~snął** to whisk
szu|ścić *vi imperf* **~szczę** *rz.* to rustle
szut|er *sm G.* **~ru** *bud.* broken stone; (road-)metal; *geol.* coarse gravel; rubble
szutrować *vt imperf* to metal (a road)
szutrowisko *sn geol.* coarse gravel; rubble
szutrowy *adj* (surface) of road-metal
szuwaks † *sm singt G.* **~u** blacking
szuwarowy *adj* rush — (bushes etc.)
szuwary *spl* rushes
szwab *sm* 1. **Szwab** *pog.* Hun; Fritz; Boche; the detested German invader 2. *pot.* (*karaluch*) black--beetle
szwabach *sm G.* **~u**, **szwabacha** *sf singt druk.* schwabacher type
szwabić *vt imperf rz.* to cheat; to swindle
szwabski *adj* (language, practices etc.) of the detested German invader; *kulin.* **~ salceson** kind of headcheese <brawn>
szwacz|ka † *sf pl G.* **~ek** seamstress; needlewoman
szwadron *sm G.* **~u** *wojsk.* (cavalry) squadron; troop
szwadronowy *adj* squadron — (barracks etc.)
szwag|ier *sm G.* **~ra** *L.* **~rze** *pl N.* **~rowie** brother--in-law
szwagier|ka *sf pl G.* **~ek** sister-in-law
szwagrostwo *sn singt* 1. (*szwagier z żoną*) brother--in-law and wife 2. (*szwagrowie i szwagierki*) (one's) in-laws
szwagrowa *sf* (*decl* = *adj*) brother-in-law's wife
szwagrowski *adj* brother-in-law's
szwajcar † *sm* 1. (*portier*) commissionaire 2. (*w kościele*) verger
Szwajca|r *sm*, **Szwajca|rka** *sf* (a) Swiss; *pl* **~rzy** the Swiss
szwajcarski *adj* Swiss; Helvetian; **domek ~** chalet; **ser ~** Emmenthaler <Gruyère> cheese
szwajcować <**szwejcować**> *vt imperf techn.* to weld
szwalni|a *sf pl G.* **~** tailor's <tailoring> shop; sewing work-room
szwalny *adj* sewing — (thread etc.)
szwank *sm G.* **~u** injury; loss; **narazić czyjeś dobre imię na ~** to jeopardize sb's good name <reputation>; to injure sb; **narazić kogoś na ~, przynieść**

komuś ~ to injure sb; ponieść ~ to suffer an injury <a loss>; **przybyć bez ~u** to arrive safe and sound; wyjść **bez ~u** to escape unhurt <uninjured, scatheless>; to sustain no loss; **wyjść z opresji bez ~u** to go <to get off> scot-free; **wystawić kogoś, coś na ~** to jeopardize <to endanger> sb, sth

szwank|ować *vi imperf* 1. (*mieć braki*) to be deficient; (*mieć wady*) to be defective <faulty>; **coś tu ~uje** there's something wrong <amiss> here 2. (*być w złym stanie*) to be impaired; to be out of order

szwankowanie *sn* (↑ **szwankować**) defectiveness; faultiness; impairment

szwarc *sm singt G.* **~u** *pot.* smuggling; contraband

szwarccharakter *sm G.* **~u** *pl N.* **~y** *pot. żart. teatr.* villain (in the play)

szwarcowa|ć *v imperf* **~ny** [I] *vt* to smuggle (in <out>) [II] *vi* to smuggle [III] *vr* **~ć się** to steal in <out, by>; to dodge the customs officials; to gate--crash

szwarcowanie *sn* ↑ **szwarcować**

szwargot *sm G.* **~u** gibberish; jabber; lingo

szwargo|tać *vi imperf* **~cze** <**~ce**> to gibber; to jabber

szwargotanie *sn* (↑ **szwargotać**) gibberish; jabber; lingo

Szwe|d *sm* Swede; **~dzi** the Swedes

szwedzk|i *adj* Swedish; **gimnastyka ~a** Swedish gymnastics; **~a broda** pointed beard; **zapałki ~ie** safety matches; *techn.* **klucz ~i** crescent--type spanner; *bot.* **koniczyna ~a** (*Trifolium hybridum*) alsike clover; **mucha ~a** (*Oscinella frit*) frit fly

szwe|ja *sf GDL.* **~i** *zool.* (*Alburnoides bipunctatus*) a cyprinid

szwejsować *zob.* **szwajsować**

szwendać się *vr imperf pot.* to hang about; to gad about; to lop about; to loiter

szwendanie się *sn* ↑ **szwendać się**

szwert *sm G.* **~u** *mar.* centre-board; drop keel

szwind|el *sm G.* **~la** <**~lu**> *pl G.* **~lów** <**~li**> *pot.* swindle; trickery; hanky-panky; *am.* shenanigan

szwindlarz *sm pl G.* **~y** *pot.* swindler; trickster; crook; sharper

szwindlować *vi imperf pot.* to swindle; to cheat; to sharp

szwoleże|r *sm L.* **~rze** *pl G.* **~rzy** <**~rowie**> light--cavalryman

szwyc *sm (zw. pl) roln.* a Swiss breed of cattle

szyb *sm G.* **~u** 1. *górn.* shaft; pit; well; groove 2. *hutn.* stack

szyba *sf* 1. (*szklana*) (window-)pane; *auto* **~ przednia** windscreen; *am.* wind-shield 2. *przen.* (*tafla*) sheet (of water)

szybciej *adv comp* ↑ **szybko**; **~!** hurry up!; jump to it!

szyb|er *sm G.* **~ra** 1. (*zasuwa w kanale kominowym*) baffle 2. (*łopata piekarska*) peel; battledore

szybik *sm G.* **~a** <**~u**> *górn.* small shaft; fore--shaft

szyb|ka *sf pl G.* **~ek** glass panel; piece of glass; **~ka w witrażu** glass fragment in a stained-glass window; *przen.* **chcieć ~ki z okna** to cry for the moon

szybki *adj* 1. (*prędki*) quick; rapid; fast; speedy; prompt; cursory (glance); sharp (walk); smart (pace); **robić ~e postępy** to progress by leaps and bounds 2. (*natychmiastowy*) instant; immediate

szybko[1] [I] *adv* quick; quickly; fast; rapidly; speedily; swiftly; promptly; apace; hand over fist; hot--foot; at a quick <rattling> pace; in a hurry; **jak najszybciej** as quick as you can; **nie tak ~** not in a hurry; not just yet; **~ coś załatwić** to hurry <to rush> sth through; to expedite sth; to dash sth off; to make short work of sth; **~ jechać** to bowl along; **~ wrócić** <**zejść, wyjść na górę**> to hurry back <down(stairs), up(stairs)> [II] *interj* **~!** hurry up!; look sharp!; *sl.* buck up!

szybko-[2] *praef* quick-; rapid-; **~działający** quick--acting; **~strzelny** rapid-firing

szybkobiegacz *sm*, **szybkobiegaczka** *sf sport* sprinter

szybkobieżny *adj* high-speed (machine etc.)

szybkonogi *adj* swift-footed; light-footed

szybkoobrotowy *adj* high-speed

szybkosprawny *adj bud.* **cement ~** rapid-hardening <rapidly setting> cement

szybkostrzelny *adj* rapid-fire <rapid-firing, quick--firing> (gun)

szybkościomierz *sm pl G.* **~y** speedometer; tachometer

szybkościow|iec *sm G.* **~ca** (*budynek*) building raised in record time

szybkościowo *adv* in record time

szybkościowy *adj* high-speed (engine etc.); **budynek ~ = szybkościowiec**; *sport.* **trening ~** speed training

szybkoś|ć *sf singt* speed; rapidity; velocity; rate; quickness; fastness; promptitude; expedition; **maksymalna ~ć** speed limit; **przybierać** <**tracić**> **na ~ci** to gather <to lose> momentum; **z maksymalną ~cią** at full <top> speed; **z ~cią *x* mil na godzinę** at a rate of *x* miles an hour

szybkotnąc|y *adj techn.* **stal ~a** high-speed tool steel

szybkowar *sm* pressure cooker

szybkowiążący *adj* **cement ~** fast-setting cement

szybkozmienny *adj* high-frequency (current etc.)

szybować *vi imperf* 1. (*unosić się w powietrzu*) to soar; to tower; (*o ptaku*) to ride; to sail (**w przestworzach** the sky) 2. *lotn.* to glide; to plane; to volplane

szybowcowy *adj* glider — (hangar etc.)

szybow|iec *sm G.* **~ca** (motorless) glider

szybowisko *sn* gliding field

szybownictwo *sn singt* gliding

szybowniczy *adj* gliding — (instructor etc.)

szybownik *sm* glider pilot

szybowy[1] *adj* 1. *górn.* shaft — (head etc.); pit — (hand, boss etc.); **górnik ~** shaftman 2. *techn.* **piec ~** shaft furnace

szybowy[2] *adj* sheet <window> — (glass)

szybowy[3] *adj lotn.* gliding; **lot ~** glide; volplane

szych *sm G.* **~u** 1. (*nić*) tinsel 2. *przen.* (*blichtr*) gimcrackery; trumpery

szychowy *adj* 1. (*dotyczący nici*) tinselled (finery etc.) 2. *przen.* (*pozornie świetny*) gimcrack

szycht|a *sf* 1. *pot. górn.* (*zmiana*) shift; **pracować na ~y** to work in relays 2. *rz. bud.* course (of stone etc. in building)

szyci|e *sn* 1. ↑ **szyć; maszyna do ~a** sewing-machine; *introl.* sewing-press; **przybory do ~a** work-bag 2. (*robota kobieca*) needlework

szy|ć *v imperf* **~je, ~ty** [I] *vt* 1. (*łączyć nićmi*) to sew; (*o krawcu*) to make (clothes, a suit etc.); (*o szewcu*) to make (shoes, boots); **kto ci ~ł to ubranie?** who made that suit for you?; *przen.* **~ć komuś buty** to scheme <to plot, to intrigue> against sb 2. *med.* to sew up (a wound) [II] *vi* 1. (*biec*) to run; (*lecieć*) to fly 2. (*strzelać*) to shoot

szydeł|ko *sn pl G.* **~ek** crochet hook <needle>

szydełkować *vi vt imperf* to crochet

szydełkowanie *sn* ↑ **szydełkować**

szydełkowy *adj* crochet — (work etc.)

szyderca *sm* (*decl* = *sf*) scoffer; giber; railer

szyderczo *adv* scoffingly; sneeringly; jeeringly; with a sneer; **uśmiechać się ~** to sneer (at sth)

szyderczy *adj* scoffing; sneering; derisive; jeering; **~ uśmiech** sneer; fleer

szyderstwo *sn* scoff; sneer; jeer; derision; gibe; flout; raillery

szyd|ło *sn pl G.* **~eł** awl; pricker; *przen.* **~ło z worka zawsze wyjdzie** murder will out; *przysł.* **wyszło ~ło z worka** the murder is out; that's the nigger in the woodpile

szydłowaty *adj* subulate; awl-shaped

szydzenie *sn* ↑ **szydzić**

szydz|ić *vi imperf* **~ę** to scoff <to sneer, to jeer, to gibe, to flout, to rail> (**z kogoś, czegoś** at sb, sth); to deride <to taunt> (**z kogoś, czegoś** sb, sth)

szyf|er *sm G.* **~ra** *geol.* slate

szyfer|ek † *sm G.* **~ka** slate-pencil

szyfon *sm G.* **~u** *tekst.* chiffon

szyfr *sm G.* **~u** code; cipher; **podać wiadomość ~em** to send a message in code

szyfrant *sm* cryptographer; coder

szyfrogram *sm G.* **~u** code message; cryptogram

szyfrować *vt imperf* to code <to cipher> (a message etc.)

szyfrowy[1] *adj* (*związany z pismem umownym*) code <cipher> — (message etc.)

szyfrowy[2] *adj* (*związany z łupkiem*) slate — (roof etc.)

szyfrów|ka *sf pl G.* **~ek** *pot.* code message

szyita *sm* (*decl* = *sf*) *rel.* Shiite

szyj|a *sf GDL.* **szyi** 1. *anat.* neck; **po ~ę** up to one's neck; neck-deep; **rzucić się komuś na ~ę** to fall on sb's neck; **unieść ~ę** to save one's carcass; *przen.* **być komuś kamieniem u szyi** to be a millstone round sb's neck; **na złamanie szyi** headlong; **pobić kogoś na ~ę** to make mincemeat of sb; **położyć ~ę pod miecz** to lay one's head on the block 2. (*wąskie przejście*) neck; bottleneck; gullet 3. (*zwężona część przedmiotu*) neck 4. *mar.* (*u kotwicy*) throat

szyjka *sf* 1. *dim* ↑ **szyja**; *bot.* **~ korzeniowa** hypocotyl; root neck; *anat.* **~ macicy** neck of the uterus; *bot.* **~ słupka** style; *pot.* **~ rakowa** tail of a crayfish; *techn.* **~ szyny** web of a rail; **~ zęba** neck of a tooth 2. *muz.* neck (of a stringed instrument)

szyj|ny, szyj|owy *adj* cervical (region, vertebrae etc.); **tętnica ~na** carotid; **żyła ~na** jugular vein

szyk[1] *sm G.* **~u** (*elegancja*) smartness; style; elegance; chic; **zadać ~u** to cut a brilliant figure; **z (wielkim) ~iem** in (great) style

szyk[2] *sm G.* **~u** 1. *singt* (*porządek*) order; arrangement; array; formation; **w ~u bojowym** <**zwartym**> in battle array <in close order>; *lotn.* **w ~u kluczowym** in Vic formation 2. *pl* **~i** *lit.* (*szeregi*) ranks (of an army); *przen.* **pomieszać** <**popsuć**> **komuś ~i** to thwart sb; to play the deuce with sb; to put sb's nose out of joint; to upset sb's apple-cart 3. *gram.* word-order

szykana *sf* 1. (*zw. pl*) (*utrudnienie*) difficulties; vexations; mortifications; petty annoyances 2. *żart.* *w wyrażeniach*: **z ~mi** in (great) style; (*o samochodzie itd.*) **z wszystkimi możliwymi ~mi** with all sorts of sophisticated appliances

szykanowa|ć *vt imperf* **~ny** to annoy; to nag; to worry; to persecute; *am.* to pick (**kogoś** at sb)

szykanowanie (*sn* ↑ **szykanować**) difficulties; vexations; mortifications; petty annoyances

szyk|ować *v imperf* **~owany** [I] *vt* 1. (*przygotować*) to prepare; to get (sth) ready 2. † (*ustawiać w szyku*) to marshal <to array> (an army etc.) [II] *vr* **~ować się** 1. (*przygotować się*) to prepare (*vi*); to get ready (**do czegoś** for sth) 2. (*kroić się*) to be in prospect (**komuś** for sb) 3. (*dziać się*) to get along; **dobrze mu się ~uje** he is getting along nicely; **źle mu się ~uje** he is up against it

szykownie *adv* elegantly; with elegance; smartly; fashionably; stylishly; in style

szykowny *adj* elegant; smart; fashionable; stylish; chic; classy; dressy; *pot.* swish; swagger; **w ~m kapelusiku** with a saucy little hat

szyl|d *sm G.* **~du** *L.* **~dzie** sign-board; shop sign; facia; **malarz ~dów** sign-painter

szyldkret *sm G.* **~u** = **szylkret**

szyldowy *adj* sign- (painter etc.)

szyldziarstwo *sn singt* sign-painting

szyldzik *sm G.* **~a** <**~u**> *dim* ↑ **szyld**

szyling *sm* 1. (*angielska jednostka monetarna*) shilling; twelvepence; **(towaru) za jednego ~a** a shilling's worth 2. (*austriacka jednostka monetarna*) schilling

szylkret *sm G.* **~u** tortoise-shell; *zool.* **~ olbrzymi** (*Chelonia mydas*) green turtle

szylkretowy *adj* tortoise-shell — (comb etc.)

szympans *sm zool.* (*Pan troglodytes*) chimpanzee

szympansica *sf* female chimpanzee

szyn|a *sf* 1. (*kolejowa, tramwajowa*) rail; *pl* **~y** track; metals; **wyskoczyć z ~** to leave the metals; *techn.* **~a ślizgowa** slide-bar 2. *med.* splint

szynel *sm wojsk.* greatcoat

szyniak *sm kolej.* dog-nail; rail <track> spike

szynion *sm G.* **~u** chignon; *pot.* bun

szynk *sm G.* **~u** pub; tap-room; *am.* saloon

szyn|ka *sf pl G.* **~ek** ham; **bułka z ~ką** ham sandwich

szynkarz † *sm pl G.* **~y** <**~ów**> publican; bar-keeper; *am.* saloon keeper

szynkwas *sm G.* **~u** (pub) counter

szynow|y *adj* rail — (track etc.); **komunikacja ~a** transport by rail

szynszyl|a *sf pl G.* **~i** 1. *zool.* (*Chinchilla*) chinchilla 2. *pl* **~e** (*futro*) chinchilla fur(-coat)

szynszylowy *adj* chinchilla — (hare etc.)
szyp *sm zool.* (*Acipenser nudiventris*) sturgeon
szyp|er *sm G.* **~ra** *mar.* skipper
szyperski *adj* skipper's
szyperstwo *sn singt* skippership
szypot *sm G.* **~u** rapids
szyprować *vi imperf* to skipper (a boat)
szypszyna *sf bot.* (*Rosa canina*) dogrose
szypuła *sf anat.* peduncle; pedicel; stalk; stem; pedicle
szypułka *sf bot.* petiole; stalk; stem; peduncle; shank
szypułkowy *adj* petiolar; peduncular; pedicellate
szyrting *sm G.* **~u** *tekst.* shirting
szyszak *sm* 1. *hist. wojsk.* helmet 2. *zool.* (*Musophaga*) touraco
szysz|ka *sf pl G.* **~ek** 1. *bot.* cone; strobile; **~ka chmielu** hop cone; hop 2. *pot. żart.* (*gruba ryba*) bigwig; *am. sl.* big noise
szyszkojag|oda *sf pl G.* **~ód** *bot.* berry-like cone
szyszkowaty *adj rz.* pineal
szyszkow|y [I] *adj* cone — (tree etc.); *anat.* **gruczoł ~y** pineal gland [III] *spl* **~e** *bot.* conifers
szyszyn|ka *sf pl G.* **~ek** *anat.* pineal gland <body>
szywa|ć *vi vt imperf rz.* to (sometimes, often) sew; **~ła** she used to sew
szyzma † *sf rel.* schism

Ś

ś 1. (*litera*) the letter ś 2. (*głoska*) the sound ś
ścian|a *sf* 1. *bud.* wall; *bud.* **~a działowa** partition(ing); division wall; **~a kapitalna <główna>** main wall; **~a konstrukcyjna <nośna>** bearing <load-bearing> wall; **~a wypełniająca** curtain <panel> wall; **ślepa ~a** blank <blind> wall; **biały jak ~a** white as a sheet; **choć bij łbem o ~ę** you might as well run your head against a wall; **mieszkać przez ~ę** to live next door; *przen.* **pójść pod ~ę** to face the firing squad; **~y mają uszy** walls have ears 2. (*zewnętrzna płaszczyzna*) wall; *bot.* **~y komórek** cell-walls 3. (*stromy stok góry*) (mountain) wall 4. *górn.* (breast <front, side etc.>) wall 5. *mat.* face (of a polyhedron etc.)
ścianka *sf* 1. *bud.* partition; bulkhead 2. (*bok*) facet (of a precious stone)
ści|ąć *v perf* **zetnę, zetnie, zetnij, ~ął, ~ęła, ~ęty** — **ści|nać** *v imperf* **~nany** [I] *vt* 1. (*oddzielić od całości*) to cut off (branches, one's tresses etc.); to cut (one's hair short etc.); to cut down <to hew, to fell> (trees etc.); to mow (grass, corn); **~ąć, ~nać czemuś górę <wierzchołek>** to truncate sth; **~ąć, ~nać skośnie** to bevel; to chamfer; **~nać zakręty** to cut off corners; *przen.* **~ąć kogoś z nóg** to exhaust sb 2. (*uciąć*) to cut off; to clip; to shear; to remove (a limb etc.); *fiz.* **naprężenie ~nające** shear pressure <stress> 3. (*odciąć głowę*) to cut (**kogoś** sb's) head off; to behead; to decapitate 4. (*spowodować skrzepnięcie*) to coagulate; to clot; to congeal; to fix; **widok ~nający krew w żyłach** blood-curdling sight 5. *pot. szk.* to pluck <*am.* to flunk> (a candidate in an examination) 6. *sport tenis.* to smash (a ball); (*w piłce nożnej*) to kill (the ball) 7. † *perf* (*o komarach itd.*) to sting [III] *vr* **~ąć, ~nać się** 1. (*o cieczach*) to coagulate <to clot, to congeal, to fix> (*vi*); *przen.* **krew ~na się w żyłach** it's blood-curdling 2. *pot. szk.* to get plucked <*am.* flunked>; to come a cropper; to fail
ściąg *sm G.* **~u** *bud.* tie-beam; stay
ściągacz *sm* 1. *techn.* turn-buckle; right-and-left nut 2. *bud.* wall tie 3. *dziew.* **welt**
ściągacz|ka *sf pl G.* **~ek** *szk.* crib; *am.* horse; pony
ściągaczowy *adj dziew.* **ścieg ~** ribbing
ściąg|ać *v imperf* — **ściąg|nąć** *v perf* [I] *vt* 1. (*opuszczać*) to pull <to fetch> (sb, sth) down; **~nąć coś z czegoś** to pull sth off sth; **~nąć kogoś z łóżka** to pull sb out of bed; **~nąć kogoś z placówki <z posterunku>** to withdraw <to remove, to recall> sb from a post 2. (*zdejmować z siebie*) to take off (one's clothes etc.); **~nąć z kogoś płaszcz <futro>** a) (*pomóc zdjąć*) to help sb off with his coat <his fur> b) (*obrabować*) to strip sb of his coat <his fur> 3. (*pobierać*) to gather <to raise> (taxes); to collect (a debt etc.) 4. (*gromadzić*) to gather; to assemble; **~nąć cyngiel** to pull the trigger; *karc.* **~ać atuty** to draw the trumps 5. *przen.* (*przyciągać*) to attract (crowds, attention, people's gaze etc.) 6. *przen.* (*być sprawcą*) to draw <to bring down> (**nieszczęście, przekleństwa itd. na siebie** misfortune, curses etc. on oneself); to incur (sb's anger etc.) 7. (*mocno wiązać*) to bind; to strap; to pull (a rope etc.) tight; to tighten (one's belt etc.); **~nąć konia** to draw rein 8. (*kurczyć*) to constrict; to contract (the features etc.); to shrink (the skin etc.); (*o mrozie*) to pinch (sb's face); **~ać, ~nąć brwi** to knit one's brow; (*o leku itd.*) **~ający** astringent; astrictive; styptic 9. (*dokonywać kontrakcji*) to contract (words etc.) 10. (*zlewać ciecz*) to draw <to rack> off (wine etc.); **~ać, ~nąć sok z drzewa** to tap a tree 11. *pot.* (*kraść*) to pinch (sth from sb); to pilfer; to filch; **ktoś mi ~nął ołówek** sb has pinched my pencil 12. *pot. szk.* (*odpisywać*) to crib (another boy's exercise) 13. (*o mrozie itd.* — *ścinać*) to congeal [II] *vi* (*gromadzić się*) to arrive; to come together; to assemble [III] *vr* **~ać, ~nąć się** 1. (*ściskać się*) to lace oneself <one's waist>; to tighten one's belt 2. (*kurczyć się, ulegać kontrakcji*) to contract (*vi*)
ściąganie *sn* 1. ↑ **ściągać** 2. (*pobieranie*) exaction (of taxes) 3. (*kurczenie*) constriction 4. (*dokonywanie kontrakcji*) contraction
ściągaw|ka *sf pl G.* **~ek** = **ściągaczka**
ściągły *adj* oblong; (*o twarzy*) oval
ściągnąć *zob.* **ściągać**
ścib|ać *vt vi imperf* **~ie, ścibić** <**ścibolić**> *vt vi imperf pot.* to sew after a fashion <somehow or other, as best one can>
ścich|ać *vi imperf* — **ścich|nąć** *vi perf* **~ł** to quiet

<to calm> down; to subside into silence; to grow <to become> silent <quiet>

ścichnąć *zob.* **ścichać**

ście|c *vi perf* **~cze, ~kł, ~kły,** *rz.* **ściekną** *vi perf* **~kł — ściekać** *vi imperf* to flow down; to trickle; to drip; to gutter

ścieczenie *sn* ↑ **ściec**

ścieg *sm G.* **~u** 1. (*w szyciu i dzianiu*) stitch; **~ kryty** blind stitch; **~ łańcuszkowy** chain-stitch; **~ namiotowy** tent-stitch; **~ pończoszniczy** stocking-stitch; **~ sznureczkowy** back-stitch 2. *mar.* (*na żaglu*) seam

ściek *sm G.* **~u** 1. (*zanieczyszczone wody*) sewage; sewerage; sullage; **~i miejskie** municipal sewage; **~i przemysłowe** industrial wastes 2. (*rynsztok*) gutter 3. (*kanał*) drain; sewer; gully

ściekać *zob.* **ściec**

ściekną *zob.* **ściec**

ściekow|y *adj* sewer — (pipes etc.); **rura ~a** waste-pipe; **wody ~e** sew(er)age; sullage

ścielić *vt imperf reg.* = **słać**

ściemniacz *sm pl G.* **~y** <**~ów**> *elektr.* (light) dimmer

ściemni|ać *v imperf* — **ściemni|ć** *v perf* **~j** *rz.* [I] *vt* to dim; to darken; to obscure; to turn down the light [II] *vr* **~ać, ~ć się** to darken (*vi*); to grow dark; *impers* **~a się** it grows dark; the sky clouds over

ściemni|eć *vi perf* **~eje** to darken (*vi*); to grow dark <darker>; *impers* **~ało** it grew <has grown> dark; the sky clouded <has clouded> over; *przen.* **~ało mi w oczach** everything went black

ścieniać *vt imperf* — **ścienić** *vt perf* to thin (down) (a plank etc.)

ścienie|ć *vi perf* **~je** 1. (*stać się cieńszym*) to grow <to become> thin 2. (*zeszczupleć*) to grow <to become> thin <lean>; to lose flesh

ścienn|y [I] *adj* 1. (*do wieszania na ścianie*) wall — (map, clock, calendar etc.) 2. (*znajdujący się na ścianie*) mural (painting etc.) 3. (*do budowy ścian*) wall <partition> — (boards etc.) [II] *spl* **~e** *bot.* (*Parietales*) (*rząd*) the order Parietales

ścier *sm G.* **~u** *techn.* **~ drzewny** wood pulp; groundwood

ścierać *v imperf* — **zetrzeć** *v perf* **zetrę, zetrze, zetrzyj, starł, starty** [I] *vt* 1. (*usuwać zewnętrzną warstwę*) to rub (sth) off <away>; to grind (sth) down; to abrade (one's skin etc.); to wear off; **zetrzeć coś do gładkości** to wear sth smooth 2. (*rozdrabniać na proch*) to reduce (sth) to dust; to pulverize; (*miażdżyć*) to pound 3. *przen.* (*unicestwić*) to obliterate <to destroy, to smash> (the enemy); **zetrzeć z powierzchni ziemi** to raze to the ground 4. (*zmazywać*) to wipe (**coś** sth; **coś z czegoś** sth off sth); to efface; to obliterate; **ścierać coś do czysta** to wipe sth clean; **ścierać, zetrzeć kurze z mebli** to dust the furniture [II] *vr* **ścierać, zetrzeć się** 1. (*zdzierać się*) to wear away <down>; to rub off <out> 2. (*być zmazywanym*) to be wiped off <away>; to be effaced 3. (*wpadać jeden na drugiego*) to join issue; to encounter; to clash 4. *przen.* (*o poglądach itd.*) to clash; to collide; to be in conflict

ścierak *sm techn.* 1. (*kamień*) pulpstone 2. (*maszyna*) (pulp) grinder

ścieralni|a *sf pl G.* **~** *techn.* grindery; pulp mill

ścieralność *sf singt* abrasibility; abrasiveness; grindability

ścieranie *sn* 1. (↑ **ścierać**) abrasion; abrasive action 2. (*powodowanie ubytku*) detrition; attrition 3. (*zmazywanie*) obliteration 4. **~ się** abrasive wear; attrition

ścierecz|ka *sf pl G.* **~ek** *dim* ↑ **ścierka** 1.

ścier|ka *sf pl G.* **~ek** 1. (*szmata do naczyń*) dish-cloth; glass-cloth; clout; (*do kurzu*) duster; wiper; (*do podłogi*) floor cloth 2. *wulg.* (*kobieta złego prowadzenia się*) trollop; strumpet

ścierni|a *sf pl G.* **~** *reg.* = **ściernisko**

ściernica *sf techn.* abrasive <grinding> wheel <disk>

ściernisko *sf* 1. (*pole*) stubble field 2. *rz.* (*części źdźbeł*) stubble

ścierniskowy *adj* stubble — (crop, goose etc.)

ścierniwo *sn* (an) abrasive

ściern|y *adj techn.* abrasive; **papier ~y** glass-paper; emery-paper; **tarcza ~a** = **ściernica**

ścierpi|eć *vt perf* **~** to suffer; to endure; to bear; to stand; to tolerate; to put up (**coś** with sth); *przen.* to stomach (an affront etc.); **nie mogę go ~eć** I can't bear him; I detest the fellow

ścierp|nąć *vi perf* **~ł** 1. (*o kończynach*) to get numb; **noga mi ~ła** my leg is numb <has gone to sleep>; I have pins and needles in my leg <foot>; **skóra mi ~ła** it gave me the creeps 2. (*o zębach*) to be set on edge; **zęby mi ~ną, kiedy ...** it will set my teeth on edge to ...

ścierpnięcie *sn* (↑ **ścierpnąć**) numbness (**kończyny** of a limb)

ścierwiarz *sm myśl.* pot-hunter

ścierwica *sf zool.* (*Sarcophaga*) flesh-fly; blowfly

ścierwnik *sm zool.* (*Neophron percnopterus*) Egyptian vulture

ścierwo *sn* 1. (*zabite lub padłe zwierzę*) carcass; (*mięso zdechłego zwierzęcia*) carrion; (*mięso*) meat 2. *wulg.* (*ciało ludzkie*) (dead) body 3. (*wyzwisko*) scoundrel; dirty swine

ścierwojad|y *spl G.* **~ów** *zool.* (*Cathartae*) (*podrząd*) the suborder Cathartae

ścieś|niać *v imperf* — **ścieś|nić** *v perf* **~nij** <**~ń**> [I] 1. (*czynić ciasnym*) to restrict; to cramp; to confine; (*czynić wąskim*) to narrow 2. (*ściskać*) to pack; to crib; **~niać, ~nić szeregi** to close ranks 3. (*zgęszczać*) to condense 4. *jęz.* to close (a vowel) [II] *vr* **~niać, ~nić się** 1. (*stawać się ciasnym*) to become restricted <cramped, confined>; (*stawać się węższym*) to narrow (*vi*) 2. (*tworzyć zwartą gromadę*) to crush (*vi*)

ścieśnienie *sn* 1. ↑ **ścieśnić** 2. (*ciasność*) restriction; confinement 3. (*zgęszczenie*) condensation 4. **~ się** (a) crush

ścieżecz|ka *sf pl G.* **~ek** (*dim* ↑ **ścieżka**) narrow path

ścież|ka *sf pl G.* **~ek** (foot-)path; (*w ogrodzie*) alley; **boczna ~ka** by-path; **~ka flisacka** tow-path; (*u Indian*) **~ka wojenna** war-path; *kino* **~ka dźwiękowa** sound-track

ścieżyna *sf* narrow path

ścięcie *sn* 1. ↑ **ściąć; ~ wierzchołka** truncation; *hist.* (*o zbrodniarzu*) **skazany na ~** sent to the block 2. (*skrzepnięcie*) coagulation; congealment

ścięgnisty *adj* tendinous; **odruch ~** tendon reflex

ścięg|no *sn pl G.* **~ien** 1. *anat.* tendon; sinew; **~no Achillesowe** the tendon of Achilles 2. *lotn.* binding <bracing> wire
ścięgnowy *adj* tendon — (sense etc.)
ścięty [I] *pp* ↑ **ściąć** [II] *adj* (*o stożku, liściu, piórze ptasim itd.*) truncate; **skośnie ~** bevelled; chamfered; (*o butach*) **ze ~m szpicem** square-toed (shoes)
ściga *sf zool.* (*Tetropium*) a cerambycid beetle
ścigacz *sm mar.* motor torpedo boat; **~ artyleryjski** motor gun boat
ścigać *v imperf* [I] *vt* 1. (*gonić*) to pursue; to chase; to hunt (**kogoś, coś** for sb, sth); to run after (sb, sth); to follow up (a routed army etc.) 2. *prawn.* to prosecute (a wrongdoer etc.); (*prześladować*) to persecute [II] *vr* **~ się** 1. (*gonić się*) to race 2. (*współzawodniczyć*) to vie with each other
ścinać *zob.* **ściąć**
ścinak *sm techn.* chisel
ścin|ek *sm G.* **~ka** clipping; scrap; shred; trimming; *pl* **~ki** cuttings; chips; **~ki krawieckie** cabbage
ściół|ka *sf pl G.* **~ek** (*w lesie oraz w oborze, stajni*) litter; bedding; **podrzucać bydłu ~kę** to litter down the cattle
ściółkować *vt imperf* to mulch (delicate plants)
ściółkowy *adj* **materiał ~** mulch
ścisk *sm G.* **~u** 1. *singt* (*tłok*) crowd; throng; press; crush; **bez ~u** comfortably 2. *techn.* clamp; cleat; cramp; hand-screw
ściskacz *sm pl G.* **~y** <**~ów**> = **ścisk** 2.
ści|skać *v imperf* — **ści|snąć** *v perf* **~śnie** [I] *vt* 1. (*gnieść*) to squeeze; to press; to compress; to clasp; *przen.* **coś mnie ~skało w gardle** I had <felt> a lump in my throat; **coś mnie ~snęło w gardle** I gulped; **głód ~skał nam kiszki** we felt the twinges of hunger in our insides; **~skać coś w rękach** to grasp <to clutch> sth; **~skać** <**mocno ~skać**> **komuś dłoń** to clasp <to wring> sb's hand; **~skało mnie w dołku** I felt queasy; **wzruszenie ~ska serce** emotion wrings one's heart; **żal serce ~ska** one's heart bleeds 2. *przen.* (*nękać*) to harass 3. *przen.* (*ograniczać*) to cramp; to hamper 4. *przen.* (*opasywać*) to gird; to enclose 5. (*mocno ściągać*) to bind; (*o kołnierzyku*) to strangle; **~snąć kogoś gorsetem** to lace sb's stays; **~snąć pas** to tighten one's belt 6. (*obejmować*) to hug; to embrace; to fold (sb) in one's arms; to clasp (sb) to one's breast; *imperf* to cuddle <to nurse> (a child); (*w liście*) **~skam cię** <**was**> yours affectionately 7. (*mocno zwierać*) to clench (one's first, one's teeth); *przen.* (*ścierpieć w milczeniu*) **~snąć zęby** to bear (sth) with set teeth 8. (*stłaczać*) to cram; to pack; to pile; to heap [II] *vi w zwrocie:* **mróz ~ska** there is a nipping frost [III] *vr* **~skać, ~snąć się** 1. (*ulegać ściśnieniu*) to contract (*vi*); *przen.* **serce się ~ska** the heart bleeds; it makes one's heart bleed 2. (*mocno siebie opasywać*) to lace oneself; to tighten one's belt 3. *przen.* (*ograniczać się w wydatkach*) to be careful of one's money 4. (*zaciskać się*) to clench; **ręce mu się ~skały** his fingers clenched 5. (*o wielu ludziach*) to squeeze together; to crowd together 6. (*brać się nawzajem w objęcia*) to hug each other; to embrace (*vi*); **~skać się za ręce** to clasp <to wring> each other's hands
ściskadło *sn techn.* press-screw
ściskanie *sn* 1. ↑ **ściskać** 2. (*gniecenie*) compression; pressure 3. (*zwarcie*) grip; clutch
ścisło *adv rz.* = **ściśle**
ścisłoś|ć *sf singt* 1. (*spoistość*) compactness; cohesion; cohesiveness; density 2. (*dokładność*) exactness; precision; accuracy; strictness; fidelity (of a translation etc.); reliability (of a piece of news etc.); **dla ~ci** to be precise; **jeżeli chodzi o ~ć** as a matter of strict fact; **z wielką ~cią** narrowly
ści|sły *adj* **~śli** 1. (*zwarty, gęsty*) compact; dense; close <close-knit, close-woven> (texture etc.); **~słe grono** <**kółko**> select group; narrow <inner> circle; **w ~słym gronie** in strict privacy 2. *przen.* (*serdeczny*) close (friendship etc.) 3. *przen.* (*bezpośredni*) immediate <direct> (relation etc.) 4. (*dokładny*) precise; exact; accurate; **nauki ~słe** exact sciences 5. (*bezwzględny*) strict; rigorous; hard and fast (rules etc.); *leśn.* **rezerwat ~sły** natural monument reservation; **~sły nadzór** close watch; **w ~słym tego słowa znaczeniu** in the strict sense of the word
ścisnąć *zob.* **ściskać**
ścisz|ać *v imperf* — **ścisz|yć** *v perf* [I] *vt* to silence; to hush; **~ać, ~yć radio** to turn down the receiver <the (volume of the) radio> [II] *vr* **~ać, ~yć się** to be hushed; (*o wietrze, burzy*) to subside; to abate
ściśle *adv* 1. (*spoisto*) compactly; closely; **~ związany z czymś** closely connected with sth 2. (*dokładnie*) exactly; precisely; accurately; narrowly; **~ mówiąc** <**rzecz biorąc**> strictly speaking; in effect; to all intents and purposes
ściśliwość *sf singt chem. fiz. techn.* compressibility; contractility
ściśliwy *adj* 1. *chem. fiz. techn.* compressible; contractile 2. *gw.* (*skąpy*) stingy
ściśnięcie *sn* (↑ **ścisnąć**) squeeze; pressure; clasp; grip; embrace
ściemni|ć *v perf* **~j** — **ściemni|ewać** *v imperf rz.* [I] *vt* to dim; to darken; to obscure [II] *vr* **~ć, ~ewać się** to be dimmed <darkened, obscured>
ślad *sm G.* **~u** 1. (*zw. pl*) (*odcisk stóp*) trace; footstep; footprint; **iść w ~ za kimś** a) (*dążyć*) to follow sb <sb's traces> b) (*brać przykład*) to follow in sb's wake <footsteps>; to take example by sb; **w ~ za kimś** close behind sb; **w ~ za czymś** soon after sth 2. (*odcisk pozostały po przejechaniu*) track; trail; traces; **~ statku na morzu** ship's wake 3. (*odcisk nóg zwierzęcia*) scent; track; spoor 4. (*pozostałość po czymś*) trace; sign; mark; remains; vestige; **~y palców** finger-marks; **być na śladzie zbrodni** to be on the clue of a crime; **przepaść bez ~u** to be missing; **ani ~u kogoś, czegoś** not a trace <sign> of sb, sth; **bez ~u zdziwienia** without a hint of surprise 5. (*znikoma ilość*) trace 6. (*szlak*) trail
śladowy *adj chem.* vestigial
ślamazar|a *sf sm* (*decl* = *sf*) *pl G.* **~** <**~ów**> *A.* **~y** <**~ów**> sluggard; slow-coach
ślamazarnie *adv* sluggishly; lackadaisically; listlessly
ślamazarność *sf singt* sluggishness; lackadaisicalness; listlessness
ślamazarny *adj* sluggish; lackadaisical; listless
ślamazarstwo *sn singt* = **ślamazarność**
ślaz *sm G.* **~u** *bot.* (*Malva*) mallow

ślazik *sm G.* **~u** *bot.* (*Malva silvestris*) wild mallow
ślazowat|y *bot.* [I] *adj* malvaceous [II] *spl* **~e** (*Malvaceae*) (*rodzina*) the mallow family
ślazowy *adj* marsh-mallow — (sweets etc.)
ślazów|ka *sf pl G.* **~ek** *bot.* (*Lavatera*) tree-mallow
śląsk|i *adj* Silesian; *bot.* **wierzba ~a** (*Salix silesiaca*) a species of willow
Śląza|k *sm,* **Śląza|czka** *sf pl G.* **~czek** (a) Silesian
śledczy [I] *adj* (court etc.) of inquiry; **sędzia ~** investigating magistrate [II] *sm* investigating magistrate
śledzenie *sn* ↑ **śledzić**
śledz|ić *vt imperf* **~ę** 1. (*tropić*) to spy (**kogoś** upon sb); to dog (**kogoś** sb, sb's steps); to shadow (sb); to watch (**kogoś** sb, sb's movements) 2. (*obserwować*) to follow (sb, sth, the progress of sth); to observe; to keep track (**coś** of sth)
śledziennica *sf* 1. *rz.* = **śledziennik** 2. *bot.* (*Chrysosplenium*) golden saxiphrage
śledziennictwo † *sn singt* hypochondria
śledziennik † *sm* hypochondriac
śledzienny *adj* = **śledzionowy**
śledzik *sm dim* ↑ **śledź**
śledziona *sf anat.* spleen; milt; **powiększona ~** ague cake
śledzionowy *adj anat.* splenic; splenetic
śledziowat|y *zool.* [I] *adj* clupeid [II] *spl* **~e** (*Clupeidae*) (*rodzina*) the family Clupeidae
śledziowy *adj* herring — (oil, salad etc.); *zool.* **żarłacz ~** (*Lamma cornubica*) porbeagle
śledziów|ka *sf pl G.* **~ek** herring barrel
śledztw|o *sn* examination; inquiry; investigation; (*w sprawach nagłej lub nienaturalnej śmierci*) inquest; **poddać kogoś ~u** to submit sb to an interrogatory
śle|dź *sm G.* **~dzia** 1. *zool.* (*Clupea harengus*) herring; **gnieść się jak ~dzie w beczce** to be packed like sardines; **~dź wędzony** gloater; red herring; **wyglądać jak ~dź** to look wan <haggard> 2. (*zabawa karnawałowa*) Shrove Tuesday dance 3. (*klin do namiotu*) tent-peg
ślemię *sn bud.* transom bar
ślep *sm,* **ślep|ie** *sn* (*zw. pl*) *pl G.* **~i** <**~iów**> eye; *pl* **~ia** *sl.* lights
ślepak *sm* 1. (*z niechęcią o źle widzącym człowieku*) purblind chap 2. *pot. lotn.* blind flying 3. *pot. wojsk.* blank cartridge 4. *zool.* (*Chrysops*) horse-fly
ślepawy *adj* purblind
ślep|ek *sm G.* **~ka, ślep|ko** *sn pl G.* **~ek** <**~ków**> eye
ślepica *sf* = **robaczyca** 2.
ślepić *v imperf* [I] *vi* to look intently; to strain one's eyes [II] *vt* (*razić oczy*) to dazzle
ślepie *zob.* **ślep**
ślep|iec *sm G.* **~ca** 1. (*człowiek ślepy*) blind man 2. *zool.* (*Spalax*) great mole-rat
ślepi|ęta *spl G.* **~ąt** = **ślepie**
ślepik *sm zool.* jassid
ślep|nąć *vi imperf* **~ł** to go blind; to lose one's eyesight
ślepo *adv* 1. (*nie mając wzroku*) blindly 2. *przen.* (*bezkrytycznie*) implicitly; blindly 3. (*o ulicy itd. — bez wylotu, bez wyjścia*) (to end) blindly **na ~** at haphazard; in a haphazard way; at random; **próba na ~** haphazard attempt
ślepota *sf* 1. *singt* (*utrata wzroku*) blindness; cecity; **~ barwna** colour-blindness; daltonism; **~ zmierzchowa, kurza ~** night-blindness; nyctalopia 2. *dial.* = **ślepak** 1.
ślepowron *sm zool.* (*Nycticorax nycticorax*) night heron
ślepuch *sm ogr.* a species of poppy
ślepuszon|ka *sf pl G.* **~ek** *zool.* (*Ellobins*) a rodent
ślep|y [I] *adj* 1. (*nie widzący*) blind; **całkowicie ~y** totally blind; stone-blind; **częściowo ~y** gravel-blind; (*ciuciubabka*) **~a babka** blindman's buff; **~a latarka** dark lantern; *chem.* **~a próba** blank test; **~e ciosy** random blows; **~y na jedno oko** blind of one eye; **~y na kolor niebieski** <**zielony**> blue <green> blind; **~y na kolory** colour-blind; *lotn.* **~y pilotaż** blind flying; *przen.* **~e narzędzie** instrument (in sb's hands); **~y na coś — na wady dzieci itd.** blind to sth — to the defects of one's children etc.; **trafiło mu się, jak ~ej kurze ziarnko** he got it by a fluke 2. (*o posłuszeństwie, wierze*) implicit; unquestioning 3. (*przypadkowy*) blind (forces etc.) 4. (*nie mający wyjścia, otworu*) blind (alley, hole); dead-end (street); blank <blind> (wall, window); dumb (door, window); **~a kiszka** appendix; **~a siła** <**materia**> brute force <matter>; *wojsk.* **~a rota** blank file; *górn.* **~y przodek** blind end; *leśn.* **~y sęk** blind knot; *kolej.* **~y tor** side-track; stub track; *przen.* **w ~ej uliczce** in an impasse [II] *sf* **~a** blind woman [III] *sm* **~y** blindman; *pl* **~i** the blind
ślęcz|eć *vi imperf* **~y** to plod <to drudge, to slog away> (**nad czymś** at sth); to boggle (**nad jakimś zadaniem** over a task); to pore (**nad książką** over a book)
ślęczenie *sn* (↑ **ślęczeć**) drudgery
ślicznie *adv* beautifully; delightfully; exquisitely; **pani jest ~ w tej sukience** you look lovely in that frock; **tu jest ~** it's lovely here
śliczniutki *adj dim* ↑ **śliczny**
śliczniutko *adv dim* ↑ **ślicznie**
ślicznoś|ć *sf* 1. *singt* (*ładność*) loveliness; beauty 2. *pl* **~ci** beautiful <lovely> things; **same ~ci** nothing but loveliness
ślicznot|ka *sf pl G.* **~ek** lovely girl
śliczn|y *adj* lovely; beautiful; exquisite; delightful; *pot.* dinky; *am. pot.* dandy; **~e dziecko** a love of a child; **~y kapelusik** a love of a hat; *iron.* **~y bałagan** a precious mess
ślimacz|ek *sm G.* **~ka** *dim* ↑ **ślimak**
ślimacznica *sf* 1. *arch.* scroll; helix 2. *techn.* worm-wheel; helix
ślimaczy *adj* 1. (*odnoszący się do ślimaka*) snail's (shell etc.) 2. (*spiralny*) spiral 3. (*powolny*) snail-like; **w ~m tempie** at a snail's pace
ślimaczyć się *vr imperf* 1. *med.* to suppurate 2. (*popłakiwać*) to blubber 3. (*wlec się*) to advance <to progress> at a snail's pace
ślimak *sm* 1. *zool.* snail; (*nagi*) slug 2. (*motyw dekoracyjny*) scroll 3. *anat.* cochlea; helix 4. *muz.* (*część skrzypiec itd.*) scroll 5. *techn.* endless screw; worm; (*urządzenie transportowe*) conveyer worm 6. (*w zegarku*) fusee
ślimakowato *adv* spirally; helically
ślimakowaty *adj* 1. (*spiralny*) spiral; helical; vermicular; *bot.* circinate 2. = **ślamazarny**

ślimakow|y *adj* 1. (*dotyczący ślimaka*) snail's (shell etc.) 2. *techn.* **koło ~e** screw-wheel; **przekładnia ~a** worm gear; **przenośnik ~y** conveyer worm 3. (*ślamazarny*) sluggish

ślin|a *sf singt* saliva; spittle; slaver; slobber; drivel; spit; **mieszać spożywaną strawę ze ~ą** to insalivate one's food; **pryskać ~ą przy mówieniu** to sputter; *przen.* **mówić co ~a na język przynosi** to speak at random; to say whatever comes uppermost

śliniacz|ek *sm G.* **~ka** *dim* ↑ **śliniak**

śliniak *sm* bib; diaper

ślinian|ka *sf pl G.* **~ek** *anat.* salivary gland

ślinić *v imperf* [I] *vt* to moisten <to smear> with saliva; to slaver; to lick (a stamp etc.) [II] *vr* **~ się** 1. (*doznawać wypływu śliny*) to salivate; to slobber; to slaver; to dribble; to drivel 2. *przen. pot.* (*całować się*) to slobber (*vi*)

ślinka *sf singt dim* ↑ **ślina**; *przen.* **~ mi idzie do ust na myśl o ...** my mouth waters at the thought of ...; the thought of ... makes my mouth water

ślinotok *sm G.* **~u** *med.* salivation

ślinowy *adj* salivary (gland)

ślip *sm*, **ślip|ie** *sn* (*zw. pl*) = **ślep**

śliski *adj* 1. *dosł. i przen.* slippery; (*o piskorzu itd.*) slimy 2. (*o temacie itd. — dwuznaczny*) scabrous; **poruszać ~ temat** to skate over thin ice

ślisko *adv* slipperily; **jest <było> ~** it is <was> slippery under foot

śliskość *sf singt* slipperiness; slippery state (of the roads etc.); sliminess (of an eel etc.)

śliwa *sf bot.* (*Prunus domestica*) (*węgierska*) plum-tree; **~ tarnina** (*Prunus spinosa*) blackthorn, sloe

śliweczka *sf dim* ↑ **śliwka**

śliw|ka *sf pl G.* **~ek** plum; **~ka suszona** prune, French plum; *przen.* **wpaść jak ~ka w kompot** to come at the wrong moment

śliwkownik *sm*, **śliwnik** *sm ogr.* plum orchard

śliwkowy *adj* plum — (jam etc.)

śliwków|ka *sf pl G.* **~ek** plum vodka <liqueur>

śliwowica *sf* plum vodka

śliwow|y [I] *adj* plum- (tree etc.) [II] *spl* **~e** *bot.* (*Prunoidae*) the subfamily Prunoidae

śliz *sm* 1. (*G.* **~u**) *górn.* cage guide 2. *zool.* (*Nemachilus barbatulus*) loach

ślizg *sm G.* **~u** 1. *lotn.* sideslip; **~ na ogon** tail slide 2. *sport* running surface (of skis) 3. (*bojer*) ice yacht <boat, *am.* scooter> 4. (*zjazd na sankach*) run 5. *techn.* slide (block)

ślizgacz *sm* speed-boat

ślizgać się *vr imperf* 1. (*tracić równowagę*) to slip; *pot.* to slither; (*posuwać się po śliskiej powierzchni*) to slide; to glide; (*o pojeździe, kołach — obsuwać się*) to skid; *przen.* (*o wzroku itd.*) **~ po jakiejś powierzchni** to skim over a surface 2. (*uprawiać sport łyżwiarski*) to skate

ślizgawica *sf singt* glazed frost; glaze; silver thaw; **była ~** it was slippery out of doors

ślizgaw|ka *sf pl G.* **~ek** (*specjalny teren*) skating rink; (*na stawie, rzece*) slide; **dzieci poszły na ~kę** the children went sliding

ślizgawkowy *adj* rink — (entrance, fence etc.)

ślizgowate *spl zool.* (*Blenniidae*) (*rodzina*) the family Blenniidae

ślizgow|iec *sm G.* **~ca** = **ślizgacz**

ślizgow|y *adj* sliding; gliding; *lotn.* **lot ~y** side-slip; **łożysko ~e** sliding bearing

ślub *sm G.* **~u** 1. (*zawarcie związku małżeńskiego*) marriage; wedding; nuptials; **dzień ~u** wedding day; **~ cywilny** civil marriage; **~ kościelny** church wedding; **brać ~ (z kimś)** to be married (to sb); to marry (sb); to take (sb) in marriage; **udzielić ~u młodej parze** to marry <to wed> a bride and bridegroom; **żyć bez ~u** to live unwed; *przen.* **nie braliśmy ~u** there's nothing to bind us 2. (*ślubowanie*) vow; **~y zakonne <klasztorne>** monastic vows; **składać ~y zakonne** to take the vows; **uczynić ~** to take a pledge

ślubnie *adv* maritally

ślubn|y *adj* wedding — (ring, present etc.); nuptial <marriage> (ceremony etc.); (*o potomstwie*) legitimate; lawful; born in wedlock; **~a para** the newly-married couple; *przen.* **stanąć na ~ym kobiercu** to go to the altar

ślubowa|ć *vt* to take an oath; to pledge oneself <to vow> (to do sth); **~ć wstrzymanie się od alkoholu** to swear off drink; **~łem, że będę <że nie będę> ...** I am under a vow to <not to> ...

ślubowanie *sn* 1. ↑ **ślubować** 2. (*przysięga*) oath; vow; pledge; **składać ~** = **ślubować**

ślusarczyk *sm pl N.* **~i** metal-worker's <ironworker's, locksmith's> apprentice

ślusarka *sf singt pot.* = **ślusarstwo**

ślusarnia *sf* ironworker's <metal-worker's, locksmith's> shop; ironworks

ślusarski *adj* ironworker's; metal-worker's; locksmith's; **wyroby ~e** ironwork; metal-work

ślusarstwo *sn singt* ironwork; metal-work; locksmithing

ślusarszczyzna *sf singt* 1. (*wyroby ślusarskie*) ironwork; metal-work 2. = **ślusarstwo**

ślusarz *sm* ironworker; metal-worker; locksmith

ślusarzowa *sf* (*decl* = *adj*) ironworker's <metal-worker's, locksmith's> wife

śluz *sm G.* **~u** 1. *fizjol.* mucus 2. *bot.* mucilage; mucus

śluza *sf* sluice; flood-gate; (canal) lock; **~ pływowa** tide-gate; tide-lock

śluzak *sm med.* myxoma

śluzakowaty *adj med.* myxomatous

śluzawica *sf zool.* muzzle

śluzica *sf zool.* (*Myxine*) hagfish

śluzoropotok *sm G.* **~u** *med.* mucopurulent discharge

śluzotok *sm G.* **~u** *med.* blennorrhoea; mucorrh(o)ea

śluzowacenie *sn* ↑ **śluzowacieć**

śluzowacie|ć *vi imperf* **~je** to slime (*vi*); to become slimy

śluzować *vt imperf techn.* to lock (a ship etc.)

śluzowanie *sn* (↑ **śluzować**) lockage

śluzowaty *adj* slimy; mucilaginous

śluzow|iec *sm G.* **~ca** *bot.* myxomycete; *pl* **~ce** (*Myxophyta*) the myxophyta

śluzownica *sf zool.* (*Caliroa limacina*) pear slug

śluzow|y[1] *adj* mucous; **błona ~a** mucous membrane; mucosa; **gruczoły ~e** mucous glands

śluzow|y[2] *adj* sluice — (system etc.); **komora ~a** lock; **opłaty ~e** lockage

śluzów|ka *sf pl G.* **~ek** *rz. anat.* mucous membrane; mucosa

śluźni|a *sf pl G.* ~ *bot.* plasmodium

śmi|ać się *vr imperf* **~eję się, ~ali** <**~eli**> **się** 1. (*objawiać wesołość*) to laugh; **cicho się ~ać** to chuckle; **głośno się ~ać** to laugh aloud; **koń by się ~ał** it's enough to make a cat laugh; **oczy się jej ~eją** her eyes sparkle; **oczy się komuś ~eją do czegoś** sb looks at sth avidly <greedily>; **~ać się do rozpuku** to burst one's sides with laughter; **~ać się od ucha do ucha** to grin like a Cheshire cat; **~ać się w kułak** to laugh in one's sleeve; **~aliśmy się do łez** we laughed till the tears came; *przysł.* **ten się dobrze ~eje, kto się ~eje ostatni** he laughs best who laughs last 2. (*wyśmiewać się*) to laugh <to scoff> (**z kogoś** at sb); to make sport (**z kogoś, czyimś kosztem** of sb) 3. (*lekceważyć*) to pay no attention (**z kogoś, czegoś** to sb, sth); to take no notice (**z kogoś, czegoś** of sb, sth); **~eję się z tego** I don't care a rap <a hang>

śmiał|ek *sm G.* **~ka** *pl N.* **~ki** <**~kowie**> 1. (*człowiek*) daredevil; madcap 2. *bot.* (*Deschampsia*) a grass of the genus Deschampsia

śmiałkostwo *sn singt* recklessness; swagger; foolhardiness

śmiało *adv comp* **śmielej** 1. (*bez obawy*) courageously; bravely; boldly; daringly; pluckily 2. (*z pewnością siebie*) resolutely; audaciously; as bold as brass; (*z rozmachem*) boldly 3. (*bez wątpliwości*) unhesitatingly; without hesitation <hesitating>; safely; well; **można ~ powiedzieć** <**przyjąć, że itd.**> we can safely say <assume that etc.>; **~ idź** <**powiedz itd.**> don't hesitate to go <to say etc.>; **~ może się okazać, że ...** it may (very) well be that ...

śmiałość *sf singt* 1. (*odwaga*) courage; bravery; boldness; daring; temerity; pluck; a stout heart; *sl.* guts; **mieć ~ powiedzieć** <**coś zrobić itd.**> to make bold <to dare, to have the boldness> to say <to do sth etc.> 2. (*pewność siebie*) resoluteness; audacity; face <cheek> (to say, to do sth) 3. (*rozmach*) boldness (of a painting, of style etc.)

śmia|ły [I] *adj* 1. (*odważny*) courageous; brave; bold; daring; plucky; adventurous; *lit.* temerarious 2. (*pewny siebie*) resolute; audacious; spirited; as bold as brass; cheeky; *am. pot.* brash 3. (*wykonany z rozmachem*) bold (painting, style etc.) [II] *sm* brave <courageous> man; daredevil; *pl* **~li** the brave

śmianie się *sn* (↑ **śmiać się**) laughter

śmich *sm G.* **~u** *gw.* laughter; *pot.* **~y-chichy** giggles; giggling; **to nie ~y-chichy** it's no laughing matter

śmiecenie *sn* ↑ **śmiecić**

śmiech *G.* **~u** laughter; (a) laugh; **homeryczny** <**srebrzysty, spazmatyczny**> **~** Homeric <silvery, convulsive> laughter; **rubaszny ~** horse-laugh; **zduszony ~** chuckle; **beczka ~u!** it was too funny for words!; **~u warte** ridiculous; absurd; preposterous; **a on w ~** he just burst out laughing; **konać** <**umierać, pękać**> **ze ~u** to be convulsed <to burst one's sides> with laughter; **narazić się na ~** to make oneself ridiculous; **nie będzie ci do ~u** you'll laugh on the wrong side of your mouth; **obrócić coś w ~** to laugh sth off; **pokryć zmieszanie ~em** to laugh off one's confusion; **porwał mnie pusty ~** I laughed outright; I couldn't help laughing; **~ mnie bierze** I feel like laughing; **~ powiedzieć** it's a mockery; **wystawić kogoś na ~** to hold sb up to ridicule; **wywołać ogólny ~** to set the company in a roar; **zrobić coś dla ~u** to do sth for fun

śmiechulska *sf* (*decl* = *adj*) *gw.* giggling hussy

śmiechulski *sm* (*decl* = *adj*) *gw.* giggler

śmieciar|ka *sf pl G.* **~ek** 1. (*kobieta*) rag-picker 2. (*zsyp na śmieci*) rubbish chute 3. (*samochód zakładu oczyszczania miasta*) garbage truck; rubbish disposal van

śmieciarski *adj* garbage — (truck etc.)

śmieciarz *sm* rag-picker; rag-and-bone man

śmiec|ić *vi imperf* **~ę** to throw litter about; **~ić papierosami** <**cygarami**> **w pokoju** to mess up a room with cigarettes <cigars>

śmiecie *sn singt zbior.* = **śmieci** *zob.* **śmieć**

śmieciusz|ka *sf pl G.* **~ek** *zool.* (*Galerita cristata*) crested lark

śmie|ć¹ *sm G.* **~cia** 1. (*odpadek*) rag; shred; scrap of paper; *pl* **~ci** rubbish; refuse; garbage; litter; sweepings; **kosz do ~ci** dust-bin; ash-bin; *przen.* **na swoich** <**na własnych**> **~ciach** at home; under one's own roof; under one's vine and fig-tree; **być na własnych ~ciach** to be cock on one's dung-hill 2. *przen. pog.* trash; chaff; worthless stuff; **traktować kogoś jak ~ć** to treat sb like dirt

śmi|eć² *vi imperf* **~em, ~e, ~ej, ~ały, ~eli** 1. (*mieć odwagę*) to dare; to venture; to have the courage (to do, say, write etc.) 2. (*ośmielić się*) to dare; to make bold; **nie ~em się narazić na jego niezadowolenie** I can't afford to displease him

śmiele † *adv* = **śmiało**

śmiercionośny *adj emf.* lethal; deadly; murderous

śmier|ć *sf* 1. (*zgon*) death; *prawn.* decease; demise; **akt** <**świadectwo**> **~ci** death certificate; **bój** <**walka**> **na ~ć i życie** mortal <death> struggle; **gwałtowna ~ć** violent death; *prawn.* **kara ~ci** capital punishment; **komora ~ci** lethal chamber; **lekka ~ć** painless death; **nagła ~ć** sudden <instantaneous> death; **przyjaźń na ~ć i życie** sworn friendship; **~ć bohaterska** <**męczeńska, żołnierska**> a hero's <martyr's, soldier's> death; **~ć głodowa** starvation; **wyrok ~ci** death sentence; **blady jak ~ć** as pale as a sheet; **na ~ć się obraził** he was <is> mortally offended; **na ~ć się zanudzać** to be bored stiff <to death>; **na ~ć zapomniałem** I clean forgot; **on jest między ~cią a życiem** his life is in the balance; **ponieść ~ć** to die; **do ~ci** till death; to one's dying day; for life; **u progu ~ci** at death's door

śmierdząc|y *adj pot.* stinking; foul; putrid; fetid; noisome; fetulent; malodorous; *przen.* **~a sprawa** fishy business; a business <an affair> with a bad smell about it

śmierdz|ieć *vi imperf* **~ę, ~i** *pot.* to stink; to smell (**padliną itd.** of carrion etc.); to reek (**wódką, nikotyną itd.** of vodka, nicotine etc.); *przen. sl.* **nie ~ę groszem** I am stony-broke; I haven't got a penny to bless myself with

śmierdziel *sm* 1. *zool.* (*Mephites*) skunk 2. *wulg.* (*o człowieku*) skunk; stinkard; stinker

śmierdziuch *sm sl.* 1. (*człowiek cuchnący*) skunk; stinkard; stinker 2. (*malec*) kid

śmierdziucha *sf sl. am.* hooch

śmierdziusz|ek *sm G.* **~ka** *bot.* (*Cagetes erectus*) cagetes

śmiertelnicz|ka *sf pl G.* **~ek** (a) mortal

śmiertelnie *adv* 1. mortally; deadly; fatally (wounded etc.); **~ blady** deadly <ghastly> pale; **~ chory** on one's death-bed; **~ się zaziębić** to catch one's death of cold 2. *przen.* (*ogromnie*) deadly (dull etc.); dead (tired); **~ się nienawidzić** to hate each other like poison; **~ się nudzić** to be bored to death; **~ zagniewany** mortally offended

śmiertelnik *sm* (a) mortal

śmiertelnoś|ć *sf singt* 1. (*podleganie śmierci*) mortality; (*cecha jadu itd.*) deadliness 2. (*liczba zgonów*) death rate; **tabela ~ci** life-table

śmierteln|y [I] *adj* 1. (*odnoszący się do śmierci*) death- (blow, rattle etc.); (throes etc.) of death 2. (*powodujący śmierć*) mortal <fatal> (wound etc.); deadly; lethal; *rel.* mortal (sin); *przen.* **brzydki jak grzech ~y** as ugly as a toad 3. (*podlegający śmierci*) mortal; **jesteśmy wszyscy ~i** we are all mortal(s) 4. (*trudny do zniesienia*) deadly (dull etc.); mortal <killing> (anxiety etc.) 5. (*nieprzejednany*) mortal (enemy) [II] *sm* (a) mortal; *pl* **~i** mortals

śmiesz|ek *sm G.* **~ku** 1. (*śmiech*) laughter; (a) laugh 2. (*zw. pl*) (*drwiny*) scoffs; taunts; (*żarty*) drolleries 3. (*G.* **~ka** *pl N.* **~ki** <**~kowie**>) (*żartowniś*) (a) droll; (*błazen*) jester

śmieszenie *sn* ↑ **śmieszyć**

śmiesz|ka *sf pl G.* **~ek** giggler; **młoda ~ka** giggling hussy; *zool.* **mewa ~ka** (*Larus ridibundus*) black-headed gull

śmiesznie *adv* 1. (*zabawnie*) amusingly; drolly; comically; **~ wyglądać** to look funny 2. (*dziwacznie*) ridiculously; **to ~ niska cena** it's dirt-cheap; it's a give-away price

śmiesznost|ka *sf pl G.* **~ek** drollery; comic trait; amusing peculiarity

śmiesznoś|ć *sf* 1. *singt* (*komiczność*) comicality; drollery; **aż do ~ci** to the point of being <becoming> ridiculous; **poczucie ~ci** sense of the ridiculous 2. (*śmieszna rzecz, cecha*) comic trait; amusing peculiarity

śmieszny *adj* 1. (*zabawny*) funny; amusing; comic; droll; humorous 2. (*dziwaczny*) ridiculous; nonsensical; absurd; **nie bądź ~** don't be absurd

śmieszyć *vt imperf* to amuse; to make (people) laugh; to cause laughter

śmietana *sf singt* sour <clotted> cream

śmietanczar|nia *sf pl G.* **~ni** <**~ń**> creamery

śmietank|a *sf G.* **~i** *singt* 1. (*słodka śmietana*) cream; **zbierać ~ę z mleka** to skim milk 2. *przen.* (*najlepsza część*) cream <flower> (of society, youth etc.); **sama ~a** the pick of the basket; **~a społeczeństwa** the élite

śmietankow|y *adj* 1. (*zrobiony ze śmietanki*) cream __ (cheese, cake etc.); **lody ~e** ice-cream 2. (*kremowy*) creamy

śmietanowy *adj* cream __ (sauce etc.)

śmiet|ka *sf pl G.* **~ek** *zool.* anthomyiid fly

śmietnicz|ka *sf pl G.* **~ek** dustpan

śmietnik *sm* rubbish <refuse> heap; laystall; (*skrzynia*) dust-bin

śmietnisko *sf* refuse heap <dump>; *dosł. i przen.* scrap-heap; **wyrzucić coś na ~** to throw sth on the scrap-heap; to scrap sth

śmiga *sf* sail (of a windmill)

śmigać *v imperf* — **śmignąć** *v perf* [I] *vt* 1. (*uderzać*) to swish; to flick 2. (*ciskać*) to fling <to throw> (**oszczepem itd.** a javelin etc.) [II] *vi* 1. (*machać*) to swish (**laską itd.** a cane etc.) 2. (*przelatywać*) to flit (about, by, to and fro) 3. (*gnać*) to swish (off, away) 4. (*strzelać w górę*) to shoot (up); to rise

śmig|ło[1] *sn pl G.* **~ieł** 1. *lotn.* propeller; airscrew; **ramię ~ła** propeller-blade; **wał ~ła** propeller-shaft 2. *techn.* screw

śmigło[2] *adv* 1. (*smukło*) slenderly 2. (*chyżo*) swiftly; nimbly; *lit.* fleetly

śmigłość *sf singt* 1. (*smukłość*) slenderness; tallness 2. (*chyżość*) swiftness; nimbleness; *lit.* fleetness

śmigłowcowy *adj* helicopter __ (pilot etc.)

śmigłow|iec *sm G.* **~ca** helicopter

śmigłowy *adj* 1. *lotn.* propeller __ (drive etc.) 2. *techn.* screw __ (wheel etc.)

śmigły *adj* 1. (*smukły*) slender; tall 2. (*chyży*) swift; nimble; *lit.* fleet

śmignąć *zob.* **śmigać**

śmignięcie *sn* (↑ **śmignąć**) swish; flick; whisk

śmigownica *sf* 1. *hist. wojsk.* falconet 2. *gw. zbior.* (*śmigi*) sails (of a windmill)

śmigus *sm G.* **~a** <**~u**> = **dyngus** 1.

śmirus *sm sl.* tippler; soaker; toper

śniadać † *vi imperf* to have (one's, some) breakfast

śniadanie *sn* 1. ↑ **śniadać** 2. (*posiłek*) breakfast; **drugie ~** lunch, luncheon

śniadaniowy *adj* breakfast __ (table, hour etc.)

śniadaniów|ka *sf pl G.* **~ek** *pot.* plastic sandwich bag; elevenses

śniadanko *sn* (*dim* ↑ **śniadanie**) nice breakfast

śniadankowy *adj* breakfast <luncheon> __ (room)

śniadawy *adj* darkish-complexioned

śniadolicy *adj rz. lit.* swarthy-complexioned

śniadość *sf singt* swarthiness; duskiness; tawniness

śniady *adj* swarthy; dusky; tawny

śnica *sf* futchel

śnicie † *sn* (↑ **śnić**) dream(s)

śni|ć *v imperf* **~j** [I] *vt* to dream (**coś** of sth); **~ć sen** to have a dream [II] *vi* to dream (**że ...** that ...; **o kimś** of <about> sb; **o sławie itd.** of glory etc.); **~ć na jawie** to daydream [III] *vr* **~ć się** to appear (to sb) in a dream; **~łeś mi się** I dreamt of you; I saw you in my <in a> dream; **~ło mi się, że ...** I dreamt that ...; **~ mu się, że będzie ...** he is dreaming of ... (doing sth etc.); **to się wtedy nikomu nie ~ło** it was undreamed of at the time; *przen.* **ani mi się ~ to robić** I haven't the slightest intention <I have no intention whatever> of doing that; **ani mi się ~!** not on your life!

śnieć *sf bot.* (*Tilletia*) (corn-)smut; blight

śnied|ek *sm G.* **~ka** *bot.* (*Ornithogalum*) star-of-Bethlehem

śniedzie|ć *vi imperf* **~je** to gather patina; to become covered with verdigris

śniedź *sf* patina; verdigris

śnieg *sm G.* **~u** snow; (*także pl* **~i**) *mal.* snowscape; **granica wiecznych ~ów** snow-line; **na wpół stajały ~** slush; **~ pada** it snows; **~ z deszczem** sleet; **wieczny ~** perpetual snow; **zasypany ~iem** snow-bound; **zasypać kogoś, coś ~iem** to snow sb, sth in

śniegow|iec *sm G.* **~ca** (*zw. pl*) snow-boot; overshoe; galosh

śniegow|y *adj* snow — (flakes, field, goggles etc.); **linia ~a** snow-line; *techn.* **gaśnica ~a** carbon-dioxide extinguisher; *bot.* **pleśń ~a** (*Fusarium nivale*) an imperfect fungus

śniegulicz|ka *sf pl G.* **~ek** *bot.* (*Symphoricarpus*) snow-berry

śnieguła *sf zool.* (*Plectrophenox nivalis*) snow bunting

śniegul|ka *sf pl G.* **~ek** = **śnieżyczka**

śnież|ek *sm G.* **~ku** (*dim* ↑ **śnieg**) light snow

śnież|ka *sf pl G.* **~ek** snow-ball; **Królewna Śnieżka** Snow White

śnieżnobiały *adj* snow-white

śnieżn|y *adj* 1. (*śniegowy*) snow — (man etc.); snow- (field, cap etc.); **lawina ~a** snow-slide; avalanche; **pług ~y** snow-plough; **zaspa ~a** snow-bank; snow-drift; *med.* **~a ślepota** snow-blindness 2. = **śnieżnobiały**

śnieżyca *sf* 1. *meteor.* snow-storm; blizzard 2. *bot.* (*Leucoium*) summer snowflake

śnieżycz|ka *sf pl G.* **~ek** *bot.* (*Galanthus*) snowdrop

śnieży|ć *vi imperf* (*także vr* **~ć się**) *tylko w 3. pers sing*: **~ (się)** it snows

śnieżyn|ka *sf pl G.* **~ek** snow-flake

śnieżysty *adj* 1. (*pokryty śniegiem*) snow-covered; snow-clad 2. = **śnieżnobiały**

śnięcie *sn* death (of fishes)

śnięty *adj* dead (fish)

śpiąc *adv* when asleep; while sleeping; in one's sleep

śpiąco *adv* sleepily; drowsily

śpiący *adj* sleepy; drowsy; slumberous; **Śpiąca Królewna** the Sleeping Beauty

śpiącz|ka *sf pl G.* **~ek** 1. *med.* coma; **~ka afrykańska** sleeping sickness 2. *pot.* (*senność*) drowsiness; **napada mnie ~ka** I feel sleepy 3. *przen.* (*ospałość*) sluggishness; languour

śpiączkowy *adj med.* comatose; somnolent; soporific

śpichlerz *sm*, **śpichrz** *sm* = **spichlerz, spichrz**

śpichrzowy *adj* = **spichrzowy**

śpiczak *sm* (*jeleń*) brocket

śpiczasto *adv* = **spiczasto**

śpiczasty *adj* = **spiczasty**

śpiesznie <*rz.* **spiesznie**> *adv* quickly; hurriedly; hastily; in (great) haste; hotfoot

śpieszno <*rz.* **spieszno**> † *adv obecnie w zwrotach*: **~ mi** <**mu itd.**> I am <he is etc.> in a hurry; **~ mu było zobaczyć** <**usłyszeć itd.**> he was eager to see <to hear etc.>

śpieszny <*rz.* **spieszny**> *adj* quick; hurried; hasty

śpiesz|yć <*rz.* **spiesz|yć**> *v imperf* [I] *vi* 1. (*pośpieszać*) to hurry <to hasten> (**dokądś** somewhere) 2. (*kwapić się*) to be eager (to do sth) [II] *vr* **~yć się** 1. (*wykonywać z pośpiechem*) to hurry <to hasten> (to do sth); to be quick (in doing sth); to make haste; to be in a hurry; to have no time; **nie ~yć się** to take one's time; **nie ~ się!** take your time!; take it easy!; **~ się!** hurry up!; make haste!; be quick!; look sharp!; **~ się powoli** slow and steady wins the race; **trzeba się ~yć** sharp's the word; *przysł.* **gdy się człowiek ~y to się diabeł cieszy** more haste less speed 2. = **~yć** *vi* 2. 3. (*o zegarze, zegarku*) to be fast

śpiew *sm G.* **~u** 1. (*śpiewanie*) singing; songs; **monotonny ~** singsong; **nauczyciel ~u** singing-master; **~ gregoriański** Gregorian chant; **~ kościelny** church singing; *przen.* **łabędzi ~** swan song 2. *szk.* singing lesson 3. (*dźwięki wydawane przez ptaki*) song <warble> (of birds) 4. † (*wiersz*) song; canto

śpiewacki *adj* singing (club etc.); choral (society etc.); **zespół ~** choir; *am.* glee club

śpiewactwo *sm singt* choral <common> singing

śpiewacz|ka *sf pl G.* **~ek** singer; cantatrice

śpiewaczy *adj* = **śpiewacki**

śpiewa|ć *v imperf* [I] *vt* 1. (*wykonywać melodię*) to sing (a song, a part etc.) 2. *pot.* (*mówić na śledztwie*) to betray (secrets); to own up (**wszystko** to everything) 3. (*rozsławiać*) to sing the praises (**coś** of sth) [II] *vi* 1. (*wykonywać melodię*) to sing (**przy akompaniamencie fortepianu, gitary itd.** to the piano, guitar etc.; **unisono** in unison); **~ć basem** <**sopranem itd.**> to sing in a bass <soprano etc.> voice; **~ć fałszywie** to sing out of tune; **~ć komuś do snu** to sing sb to sleep; *przen.* **cienko ~ć** a) (*być w biedzie*) to be in straits b) (*spuszczać z tonu*) to sing small; **inaczej ~ć** to sing another tune; to change one's tune <one's note>; **imbryk ~** the kettle sings 2. (*o ptakach*) to sing; to warble 3. *pot.* (*mówić na śledztwie*) to betray secrets; to own up; to blow the gaff 4. *szk.* to rattle off the answers

śpiewająco *adv* easily; with a wet finger

śpiewając|y[1] [I] *adj* singing; **ptak ~y** singing bird; song-bird; songster [II] *spl* **~e** (*Oscines*) *zool.* the singing birds

śpiewający[2] *adv* = **śpiewająco**

śpiewak *sm* 1. (*artysta*) singer 2. (*ptak*) songster; song-bird; singing bird 3. † (*piewca*) singer

śpiewanie *sn* (↑ **śpiewać**) songs; **uśpić dziecko ~m** to sing a baby to sleep

śpiewan|ka *sf pl G.* **~ek** song

śpiew|ka *sf pl G.* **~ek** song; ditty; **stara** <**zwykła, ta sama**> **~ka** the same old story

śpiewnicz|ek *sm G.* **~ka** song-book

śpiewnie *adv* (*melodyjnie*) melodiously; (*w sposób przypominający śpiew*) (to speak) in a singsong <with a singsong accent>

śpiewnik *sm* song-book; **~ kościelny** hymn-book

śpiewno *adv* = **śpiewnie**

śpiewność *sf singt* 1. (*melodyjność*) melodiousness; (*śpiewny akcent*) singsong accent 2. *rz.* (*muzykalność*) natural musicality (of Italians etc.)

śpiewny *adj* 1. (*melodyjny*) melodious 2. (*o akcencie — przypominający śpiew*) singsong — (accent)

śpioch *sm*, **śpiocha** *sf rz.* lie-abed; sleepyhead; slug-abed

śpiosz|ek *sm G.* **~ka** 1. *dim* ↑ **śpioch** 2. *pl* **~ki** crawler

śpioszka *sf dim* ↑ **śpiocha**

śpiw|ór *sm G.* **~ora** sleeping-bag

śpiżarnia *sf* pantry; larder

śpiżowy † *adj* = **spiżowy**

średni [I] *adj* 1. (*przeciętny*) average; *astr. mat. meteor.* mean (time, temperature etc.) 2. (*pośredni*) intermediary; middle; medium; **człowiek w ~m wieku** middle-aged person; *fiz. radio* **fale ~e** medium waves; *polit.* **klasa ~a** middle class; *techn.*

olej ~ middle oil; *sport* **pięściarz ~ej wagi** middle-weight boxer; **szkoła ~a** secondary school; **~e wykształcenie** secondary education; *filoz.* **termin ~** undistributed middle term; **wieki ~e** Middle Ages 3. (*niezły*) mediocre; passable; fairly good; **~a przyjemność** not what you would call a pleasure; no pleasure [II] *sf* **~a** (the) average

średniak *sm pot.* owner of a middle-sized farm

średnian *sm G.* **~u** *druk.* English <14 pt> type

średniawy *adj pot.* about middle-sized

średnic|a *sf* 1. (*miara*) diameter; **~a otworu** bore; inside measurement; **o ~y x cm** *x* cm in diameter; of *x* cm bore 2. *muz.* middle register

średnicomierz *sm leśn.* tree caliper(s)

średnicowy *adj* cross-town (railway line)

średnik *sm* semicolon

średnio[1] *adv* 1. (*przeciętnie*) on an <the> average 2. (*będąc pośrodku*) middling (good, fast etc.); fairly (well, quick etc.); **~ wydajny** of average efficiency; **~ wykształcony** with a secondary education

średnio-[2] *praef* medium- (sized, powered etc.); of medium (height, length etc.)

średniogórz|e *sn pl G.* **~y** *geogr.* highland

średniopłat *sm G.* **~u** *lotn.* mid-wing monoplane

średniopolsk|i *adj* **epoka ~a** period of Polish history extending from the 16th to the latter half of the 18th century

średnioprężny *adj techn.* medium-compression (engine)

średniorolny [I] *adj* possessing a medium-sized farm [II] *sm* owner of a medium-sized farm

średniostopowy *adj techn.* medium-alloy (steel)

średnioterminowy *adj* **kredyt ~** intermediate credit

średniowieczczyzna *sf singt* = **średniowieczyzna**

średniowiecze *sn singt* the Middle Ages

średniowiecznie *adv* medi(a)evally

średniowieczność *sf singt* medi(a)eval character (of a composition etc.)

średniowieczny *adj* medi(a)eval

średniowieczyzna *sf singt lit.* 1. (*okres*) Middle Ages 2. (*cechy*) medi(a)evalism

średniozamożn|y *adj* (person) of moderate means; moderately wealthy; **~a burżuazja** the middle class

średniów|ka *sf pl G.* **~ek** 1. *prozod.* caesura; **~ka męska <żeńska>** masculine <feminine> caesura 2. *pot.* (*uposażenie*) average wage

śreżoga *sf* 1. (*zwarzenie liści*) wilting of leaves 2. (*mgła*) haze

środa *sf pl G.* **śród** Wednesday; **~ popielcowa** Ash Wednesday; **Wielka Środa** Holy Wednesday; *przen.* **krzywić się jak ~ na piątek** to make a wry face

środeczek *sm dim* ↑ **środek** 1., 3.

środ|ek *sm G.* **~ka** 1. (*punkt centralny*) centre; middle; midst; *sport* **~ek ataku** centre forward; *meteor.* **~ek burzy** storm centre; *fiz.* **~ek ciężkości <masy, ruchu, obrotu>** centre of gravity <mass, motion, rotation>; *wojsk.* **~ek tarczy** bull's-eye; **złoty ~ek** the golden mean; **iść ~kiem drogi, chodnika itd.** to walk in the middle of the road, pavement etc.; **w samym ~ku czegoś** in the very middle of sth; **w ~ku lata <zimy>** in midsummer <midwinter>; **w ~ku pracy** in the midst of one's work; **w ~ku tygodnia <miesiąca, roku>** in the middle of the week <month, year> 2. (*wnętrze*) (the) inside; interior (of a building, country etc.); **dostać się do ~ka czegoś** to get inside sth; **od ~ka zamknięty** closed from the inside; **wydostać się ze ~ka czegoś** to get out from inside sth 3. (*to, co umożliwia*) medium (of advertising, circulation, propagation etc.); (*sposób*) expedient; contrivance; device; vehicle (for advertising etc.); (*rada*) (*zw. pl* **~ki**) measures; steps; means; action; **~ki zaradcze <zabezpieczenia, ostrożności>** preventive <protective, precautionary> measures; **przedsięwziąć energiczne ~ki przeciw czemuś** to take prompt action against sth; **przedsięwziąć ~ki, żeby ...** to take steps in order to ...; **nie przebierając w ~kach** by fair means or foul; by hook or by crook 4. (*specyfik*) remedy; medicine; (chemical etc.) agent 5. *pl* **~ki** (*zasoby*) means (of subsistence); funds; resources; **skromne ~ki egzystencji** a modicum of living; **bez ~ków** without means; moneyless; in distress 6. *ekon.* means (of payment, transport, production, communication etc.); **~ek obiegowy** circulating medium

środkować *vt imperf techn.* to centre

środkowo *adv* centrally; medially

środkow|y [I] *adj* central; centre — (line, zone, wheel etc.); middle — (finger, drawer, room etc.); medial; intermediate; *anat. zool. mat.* median; **Europa Środkowa** Central Europe; *mat.* **kąt ~y** central angle; (*w piłce nożnej*) **pomocnik ~y** inside (left, right); **~y bieg rzeki** middle part <tract> of a stream; *anat.* **ucho ~e** middle ear [II] *sf* **~a** *mat.* (the) median [III] *sm* **~y** (*w piłce nożnej*) a) (*w ataku*) centre forward b) (*w pomocy*) inside left <right>

środnik *sm techn.* web (plate)

środowisko *sn* 1. (*zespół ludzi*) (scientific, theatrical, musical etc.) circle; environment; surroundings 2. *biol.* habitat; range; biotope 3. *chem. fiz.* medium

środowiskotwórczy *adj zool. bot.* biotope-forming

środowiskowy *adj* environmental

środowy *adj* Wednesday — (afternoons, concerts etc.); mid-week — (half holiday etc.)

śród[1] † *praep* among(st); amid(st); in the midst of (one's friends etc.); in the middle (of a lesson etc.)

śród-[2] *praef* inter-; centro-; endo-; mes-, meso-; mid-

śródbłon|ek *sm G.* **~ka** *anat. zool.* endothelium

śródciał|ko *sn pl G.* **~ek** *biol.* centrosome

śródczaszkowy *adj med.* intracranial

śródgórski *adj geogr.* mountainous

śródlądowy *adj* 1. (*otoczony lądem*) inland <landlocked> (sea etc.) 2. (*odbywający się na rzekach, jeziorach*) inland (navigation etc.)

śródlekcyjny *adj* (performed etc.) during lesson <school> hours

śródlodowcowy *adj geol.* interglacial

śródłożne *spl bot.* (*Centrospermae*) (*rząd*) the order Centrospermae, chenopodiales

śródmiąższow|y *adj anat.* interstitial; **~e zapalenie płuc** interstitial pneumonia

śródmiejsk|i *adj* down-town (shops, streets etc.); **dzielnica ~a** central quarter <centre> of the town

śródmieści|e *sn* centre of the town; **pojechał do ~a** he has gone down town; **w ~u** down town

śródmięśniowo *adv* intramuscularly

śródmięśniowy *adj* intramuscular

śródm|orze *sn pl G.* **~órz** *lit.* the open sea

śródmózgowi|e *sn pl G.* **~**, **śródmóżdże** *sn anat.* midbrain; mesencephalon

śródnocny *adj lit. poet.* nightly; midnight __ (silence etc.)

śródokręci|e *sn pl G.* **~** *mar.* midship frame; waist; **w ~u** (a)midships

śródosiowce *spl zool.* (*Mesaxonia*) (*rząd*) the mesaxonic order

śródowocnia *sf bot.* endocarp

śródpiersi|e *sn pl G.* **~** *anat.* mediastenum; *pot.* bosom

śródplon *sm G.* **~u** *roln.* intercrop; catch crop

śródplonowy *adj roln.* catch-crop __ (plants)

śródpolny *adj* field __ (path etc.)

śródpoście *sn singt* mid-Lent

śródręcze *sn anat.* metacarpus

śródręczny *adj* metacarpal

śródskórni|a *sf pl G.* **~** *bot.* endodermis

śródskórnie *adv* intradermically, intradermally

śródskórny *adj* intradermic, intradermal

śródstopi|e *sn pl G.* **~** *anat. zool.* metatarsus; *zool.* shank

śródścienny *adj* intramural

śródtkankowy *adj anat. zool.* **płyn ~** lymph

śródtułowi|e *sn pl G.* **~**, **śródtuł|ów** *sm G.* **~owia** *anat. zool.* mesothorax

śródziemnomorski *adj* Mediterranean

śródziemny *adj* inland <landlocked> (sea etc.)

śródżylnie *adv med.* intravenously

śródżylny *adj med.* intravenous (injection)

śrub|a *sf* 1. *techn.* screw; bolt; **skok ~y** lead <pitch> of a screw; **~a bez końca** endless screw; **~a do drewna <do metali>** wood <metal> screw; **~a kotwowa** rag bolt; **~a mikrometryczna** micrometric screw; *muz.* **~a u smyczka** nut; *stol.* **~a zaciskowa** clamp; *przen.* **przykręcić ~ę (dyscypliny itd.)** to put the screw(s) on; to tighten the screws 2. *mar.* screw-propeller

śrubeczka *sf* (*dim* ↑ **śrubka**) (little, very delicate) screw

śrubka *sf* (*dim* ↑ **śruba**) (little) screw

śrubokręt *sm G.* **~u** screwdriver; turn-screw

śrubowa|ć *vt, vi imperf* to screw; **~ne razem** screwed together; **~ny do czegoś** screwed on <down> to sth; *przen.* **~ć ceny** to put up the prices; **~no ceny** prices soared <shot up>

śrubowato *adv* spirally

śrubowaty *adj* helical; spiral; corkscrew __ (curl etc.)

śrubow|iec *sm G.* **~ca** *mar.* screw-driven steamer

śrubowo *adv techn.* spirally

śrubow|y [I] *adj* 1. (*dotyczący śruby*) screw __ (bolt, thread, wheel etc.); (*mający kształt śruby*) helical; spiral; **linia ~a** helix; **przenośnik ~y** conveyer worm 2. *mar* screw-driven (steamer) [II] *sf* **~a** *mat.* helix

śrubsztak † *sm* vice

śrucina *sf* (a) shot; pellet

śrut *sm G.* **~u** 1. *myśl. zbior.* shot; **gruby ~** buck-shot; **~ ptasi** bird shot 2. (*krążek kruszcu, z którego ma być wybita moneta*) flan 3. *roln.* = **śruta**

śruta *sf* 1. *roln.* (*śrutowane ziarno*) bruised <ground> grain 2. (*zmiażdżone makuchy*) oil-meal

śrutować *vt imperf roln.* to bruise <to kibble, to grind, to crack> (grain)

śrutowanie *sn* (↑ **śrutować**) grinding

śrutownik *sm roln.* grinding mill; grinder

śrutowy[1] *adj* (*dotyczący śrutu*) shot __ (cartridge etc.)

śrutowy[2] *adj* **jęczmień ~** barley-feed; crusted barley; **owies ~** ground oat

śrutów|ka *sf pl G.* **~ek** *myśl.* fowling-piece; shot-gun

śryz <**śryż**> *sm G.* **~u** brash-ice

świadczeni|e *sn* 1. ↑ **świadczyć** 2. (*dowody*) testimony 3. (*zeznanie*) evidence 4. *pl* **~a** (*obowiązki wobec kogoś*) services; **~a w naturze** services in kind

świadczy|ć *v imperf* [I] *vi* 1. (*być dowodem*) to testify <to attest, to bear witness, testimony> (**o czymś** to sth); to betoken <to evidence, to manifest, to betray, to bespeak> (**o czymś** sth); **dobrze o kimś ~ć** to speak well for sb; to do sb credit; **źle o kimś ~ć** to condemn sb; to reflect discredit on sb; **to wymownie ~ o ...** it speaks volumes for ... 2. (*składać zeznania*) to give evidence (**o czymś** of sth); to testify (**że ...** that ...; **na korzyść czyjąś** in favour of sb; **przeciw komuś, na niekorzyść czyjąś** against sb); **~ć w sądzie** to depose <to testify> in court [II] *vt* (*okazywać*) to render (**usługi komuś** services to sb); **~ć ludziom dobrodziejstwa** to do people kindnesses; to show kindness <favours> to people; to extend kindnesses to people; **~ć uszanowanie komuś** to show respect to sb [III] *vr* **~ć się** to call (**kimś, czymś** sb, sth) to witness

świadectw|o *sn* 1. (*dokument*) certificate; **~o dojrzałości** secondary-school certificate; **~o pochodzenia** certificate of origin; **~o sanitarne** certificate of health; *mar.* bill of health; **~o szkolne** school certificate <record>; **~o urodzenia <ślubu, zgonu>** birth <marriage, death> certificate; **~o z pracy** testimonial; reference; character; **wystawić komuś dobre ~o** to give sb a good character 2. (*fakt, dowód*) evidence; testimony (**czyjeś, czegoś, o czymś** of sb, sth, to sth); **być wymownym ~em czegoś** to speak volumes for sth; **dać ~o czegoś, o czymś, być ~em czegoś** = **świadczyć** *vi* 3. (*potwierdzenie świadka*) evidence; testimony; deposition

świad|ek *sm G.* **~ka** 1. (*osoba składająca zeznanie*) deponent; (*osoba obecna przy akcie prawnym*) witness; **~ek oskarżenia <obrony>** witness for the prosecution <for the defence>; **Świadkowie Jehowy** a religious sect 2. (*osoba obecna przy czymś*) witness; **naoczny ~ek** eyewitness; **Bóg mi ~kiem** I swear to God; **być ~kiem czegoś** to witness sth; to see sth done <being done>; **byliśmy ~kami ich aresztowania <tego, jak ich bito>** we saw them arrested <being beaten>; **powołać kogoś na ~ka** to call sb in testimony; **bez ~ków** with no one to witness; **przy ~kach** in the presence of witnesses 3. *geol.* (erosion) outlier <butte>

świadkować *vi pot.* to bear witness; to testify; to depose

świadkowanie *sn* (↑ **świadkować**) deposition

świadomie *adv* consciously; wittingly; knowingly; of set purpose; **działać ~** to act in full consciousness

świadomoś|ć *sf singt* consciousness; awareness; notice (of sth); **~ć klasowa** class consciousness; **czyn popełniony z całą ~cią** wilful act; **nie mieć ~ci zrobienia czegoś** to be unconscious of doing <having done> sth; **stracić <odzyskać> ~ć** to lose <to regain> consciousness; **z całą ~cią = świadomie**

świadom|y *adj* (*także* **świadom** *adj praed*) 1. (*o człowieku*) conscious; aware <sensible, cognizant> (**czegoś** of sth); **~y niebezpieczeństwa swego położenia** awake to the danger of one's position 2. (*o czynie*) conscious; wilful; voluntary; **~e macierzyństwo** birth control

świ|at [I] *sm L.* **~ecie** 1. (*glob ziemski*) (the) world; (the) earth; creation; **części ~ata** the parts of the world; the five continents; **jak ~at ~atem** (*w zdaniu przeczącym*) never in your <my> life; **koniec ~ata** a) *dosł.* the end of the world; the crack of doom b) (*okrzyk*) that beats everything!; *sport* **mistrz <rekord> ~ata** world champion <record>; **na tym ~ecie** here below; **Nowy Świat** the New World; **obywatel ~ata** citizen of the world; **naj- ... w ~ecie** most <quite> ...; **stary jak ~at** as old as the hills; **tamten ~at** the next world; **jakiego ~at nie widział** unheard-of; **nie wiedzieć o Bożym ~ecie** to be utterly unconscious; **odcięty od ~ata** cut off from the rest of the world; **pójść na tamten ~at** to pay one's debt to nature; **przyjść na ~at** to be born; to see the light of day; **puścić w ~at** to publish; to release (a piece of news etc.); **~ata nie widzieć poza kimś** to be infatuated with sb; to dote upon sb; **wyprawić kogoś na tamten ~at** to dispatch sb; **zapomnieć o Bożym ~ecie** to be unconscious of one's surroundings <of what is going on>; **za skarby ~ata nie ...** not for worlds; **cholerny ~at** damn it all!; **~at się kończy! = koniec ~ata!** 2. (*każda planeta*) (a) world 3. *singt* (*kosmos*) the Universe; the world cosmos 4. (*najbliższa przestrzeń*) one's <our, this> world; (*na dworze*) **na ~ecie** outside; out of doors 5. (*okolica*) region; world; **dwa ~aty** two (contrasting) worlds; *przen.* **~at zabity deskami** God-forsaken place 6. (*dalekie strony*) the wide world; **ze ~ata** from far-away lands; from overseas 7. *singt* (*ludzkość*) humanity; mankind; society; (literary, artistic etc.) circles; **~at pracy** the working classes; **~at przestępczy** the underworld; the world of crime; felonry; **wielki ~at** society; the fashionable world; **bywać w ~ecie** to go about a good deal; **rządzić ~atem** to rule; **żyć z dala od ~ata** to live in seclusion <in obscurity>; **na oczach ~ata** in public 8. (*skupienie organizmów, tworów*) (organic, inorganic etc.) world; *przen.* the world (of music, art etc.) [II] *adv* (*bardzo dużo*) no end (of sth); **~at drogi** an awfully long way

świat|ek *sm G.* **~ka** 1. *dim* ↑ **świat** 2. 2. (*niewielkie środowisko*) restricted circle; community 3. (*skupisko*) small world (of animals, plants etc.)

światełko *sn* (*dim* ↑ **światło**) glimmer; glow; (*błysk*) flash; spark

świ|atło *sn L.* **~etle** 1. *singt fiz.* light; **słabe ~atło** glimmer; **~atło magnezjowe** flash-light; **~atło reflektorów** flare of searchlights; **~atło słońca, księżyca, gwiazd** sunlight, moonlight, starlight; *rel.* **~atło wiekuiste** light eternal; **rzucać ~atło na jakąś sprawę** to throw light on a matter; **pod ~atło** against the light; **przy ~etle księżyca <lampy, świec>** by moonlight <lamplight, candle-light>; **w ~etle tych faktów** in the light of these facts 2. (*jasność*) luminosity; light; **emitować ~atło** to radiate light; *przen.* **~atła i cienie zwycięstwa <sławy itd.>** the two sides <the advantages and drawbacks> of victory <fame etc.>; *dosł. i przen.* **ujrzeć ~atło dzienne** to see the light of day; **wywlec, wyciągnąć coś na ~atło dzienne** to bring sth to light; to ventilate sth 3. *przen.* (*oświecenie*) light; **ludzie ~atła i nauki** men of light and learning 4. (*urządzenie świetlne*) light; *mar.* **~atła nawigacyjne** navigation lights; *aut.* **~atła postojowe <główne, migowe, tylne, stopowe>** parking <head, blinker, rear, stop> lights; **~atła sygnalizacyjne** signal-lights 5. (*blask*) flash; **~atła klejnotów** sparkle of jewels 6. *techn.* (*przekrój*) inside measurement; bore (of a cylinder etc.) 7. *mal.* **~atła i cienie obrazu** lights and darks of a picture 8. *kolej* distance between sleepers 9. *druk.* blank

światłobarwny *adj mal.* luminist (painting etc.)

światłochłonny *adj* light-absorbing

światłocieniowy *adj mal.* chiaroscuro <light-and-shade> (effects etc.)

światłocień *sm mal.* chiaroscuro; light-and-shade effects

światłoczułość *sf singt fiz.* photosensitivity, photosensitiveness

światłoczuł|y *adj fiz.* photosensitive; **komórka ~a** photo-cell; **kopia ~a** blue print; **papier ~y** sensitive paper

światłodruk *sm G.* **~u** *druk.* collotype

światłodrukowy *adj druk.* collotype — (process etc.); collotypic

światłolecznictwo *sn singt med.* phototherapy

światłolubny *adj bot.* photophilous, photophillic, light-loving

światłomierz *sm fot.* photometer

światłoszczelny *adj rz.* lightproof; light-tight

światłość *sf singt* 1. (*światło*) light; brilliance; *rel.* **~ wiekuista** light eternal 2. *fiz.* (*natężenie źródła światła*) luminosity

światłowstręt *sm singt G.* **~u** *med.* photophobia; intolerance of light

światłożądny *adj* = **światłolubny**

światł|ły *adj* enlightened; wise; **ludzie ~li** men of intellect

światoburca *sm* (*decl* = *sf*) *lit.* world-shaking revolutionary

światoburczy *adj lit.* world-shaking; world-destroying

światopogląd *sm G.* **~u** outlook on life; philosophy of life

światopoglądowy *adj* (problems etc.) connected with people's outlook on life

światow|iec *sm G.* **~ca** man of the world; worldling

światowładny *adj lit.* (ideology etc.) of world-domination

światowość *sf singt* refinement of fashionable society

światow|y *adj* 1. (*odnoszący się do wszystkich narodów*) world — (peace, literature, congress etc.);

global; (*powszechny*) universal; world-wide — (fame etc.) 2. (*odnoszący się do życia towarzyskiego*) fashionable; society — (circles etc.); (*wyrobiony towarzysko*) refined; polished; (man, woman) of fashion <of the world>; **~a dama** mondaine

świąd *sm G.* **~u** *med.* itch(ing); prurigo; pruritus

świądzik *sm G.* **~u** *zool.* (*Trombicula autumnalis*) larva of the saprophyte Trombicula autumnalis

świątecznie *adv* festively; **~ ubrany** in one's Sunday best; in festive attire

świąteczn|y *adj* 1. (*związany ze świętem*) holiday — (mood, rest etc.); festive (attire etc.); **dzień ~y** holiday; feast-day; **ferie ~e** holidays; vacation; **~y strój** festive attire; one's Sunday best; **życzenia ~e** Christmas <New Year's, Easter> greetings 2. (*uroczysty*) solemn; (*odświętny*) festive

świąt|ek *sm G.* **~ka** 1. (*figura*) holy image (exposed in a wayside shrine and carved by a home-bred village artist) 2. † (*święto*) holiday; *obecnie w zwrotach:* **Zielone Świątki** Whitsuntide; **piątek-świątek, świątek czy piątek** every single day of the week

świątkarz *sm pl G.* **~y** <**~ów**> home-bred village artist carving holy images for wayside shrines

świątobliwie † *adv* in saintly manner; piously

świątobliwość *sf singt* saintliness; sanctity; **Jego Świątobliwość (papież Leon XIII itd.)** His Holiness (pope Leo XIII etc.)

świątobliwy *adj* = **świętobliwy**

świątynia *sf lit.* temple; place of worship; *dosł. i przen.* shrine; sanctuary

świątynny *adj rz.* temple — (precincts etc.)

świątyńka *sf* (*dim* ↑ **świątynia**) shrine

świb|ka *sf pl G.* **~ek** *bot.* (*Triglochin*) arrow grass

świd|er *sm G.* **~ra** *górn. stol. techn.* drill; borer; perforator; **~er dentystyczny** burr-drill; **~er korbowy** breast-drill; **~er nożny** foot-drill; **~er pneumatyczny** air-drill; **~er ręczny** hand-drill; auger

świder|ek *sm G.* **~ka** gimlet

świderkowato *adv* piercingly

świderkowaty *adj* piercing

świdośliw|ka *sf pl G.* **~ek** *bot.* (*Amelanchier*) June-berry; shadbush

świdrak *sm zool.* **~ okrętowiec** (*Teredo navalis*) ship-worm; teredo

świdr|ować *vt imperf* to bore; to drill; to perforate; *dosł. i przen.* to pierce; *przen.* **~ować kogoś, coś wzrokiem** to look at sb, sth piercingly; (*o dźwiękach*) **~ować uszy** to pierce the ear; **~ujące oczy** gimlet eyes

świdrowat|y *adj* spiral; **~e oczy** a) † (*przenikliwe*) piercing <gimlet> eyes b) *pot.* (*zezowate*) squinting

świdrow|iec *sm G.* **~ca** trypanosome; *zool. pl* **~ce** (*Trypanosoma*) (*rodzaj*) the genus Trypanosoma

świdrowy *adj* bore — (hole etc.)

świdrująco *adv* piercingly

świdrzyk *sm zool.* (*Clausilia*) snail of the genus Clausilia

świdwa *sf bot.* (*Cornus sanguinea*) red dogwood

świec|a *sf* 1. (*przedmiot oświetlający*) candle; **~a dymna** smoke producer; **prosty jak ~a** straight as a ram-rod <as a die>; **przy świetle ~** by candle-light 2. (*rakieta*) rocket 3. *fiz.* candle-power 4. *lotn.* zooming 5. *myśl. pl* **~e** lights 6. *sport* skyer; *gimn.* shoulder stand 7. *techn.* spark(ing)-plug

świecący *adj* luminous; brilliant; radiant

świecenie *sn* (↑ **świecić**) glare; blaze; glitter; brilliance; irradiation; luminosity

świec|ić *v imperf* **~ę** [I] *vi vt*1. (*wysyłać światło*) to shine; to emit light; to irradiate; **~ić tysiącem świateł** to be ablaze with a thousand lights; *przen.* **bieda ~iła mu w oczy** destitution stared him in the face 2. (*oświetlać*) to burn (**świecami, naftą itd.** candles, kerosene <kerosine> etc.); **~ić oczami za kogoś** to be ashamed of sb; **~ić przykładem** to set an example; **~ić sobie latarką elektryczną** to light one's way with <to do sth by the light of> an electric torch; *przen.* **~ić zniczem** to beacon 3. (*błyszczeć*) to shine; to glitter; to sparkle; to glisten; to gleam; **jego oczy ~iły radością** his eyes sparkled with joy 4. (*jaśnieć*) to be visible; to show (*vi*); **buty ~iły dziurami** his shoes were worn into holes; **sala ~iła pustkami** the room was half-empty; **~ić nieobecnością** to be conspicuous by one's absence; **~ił golizną** his naked body showed through his torn clothes; **~ił łatami** his clothes were patched; **ziemia ~iła łysinami piasku** patches of sand could be seen <appeared> on the ground [II] *vi* (*oświetlać*) to light (up) (a room, street etc.); **~ić światło** to burn the light; to have one's light on [III] *vr* **~ić się** 1. = **~ić** *vt* 1.; (*o lampie itd.*) to be alight 2. = **~ić** *vt* 3.; **oczy mu się ~iły do tego motocykla** he looked avidly <with avid eyes> at the motor-cycle 3. = **~ić** *vt* 4. 4. *imp* **~i się** (*jest światło*) the light is <the lights are> on; (*jest widno*) it is broad daylight

świecideł|ko *sn pl G.* **~ek** tinsel; trinket; spangle; falderal; gewgaw; *pl* **~ka** frippery; trinketry

świecid|ła *spl G.* **~eł** tinsels; frippery; trinketry

świeck|i [I] *adj* 1. (*nie związany z religią*) laic; worldly; mundane; secular; profane (music etc.); temporal (affairs etc.); (*nie zakonny*) secular (clergy); **szkoła ~a** secular <undenominational> school 2. (*nie duchowny*) lay; **ubrany po ~u** in secular clothes [II] *sm* **~i** layman

świeckość *sf singt* worldliness; mundaneness; secularity

świecz|ka *sf pl G.* **~ek** candle; **gra niewarta ~ki** the game is not worth the candle; *przen.* **~ki mi stanęły w oczach** I saw the stars; *przysł.* **Panu Bogu ~kę i diabłu ogarek** (to have) a foot in both camps

świecznik *sm* chandelier; **ludzie na ~u** luminaries; prominent personages

świekra *sf* mother-in-law

świerczek *sm dim* ↑ **świerk**

świerczyna *sf* 1. (*drzewo*) spruce-tree; (*gałązki*) spruce branches 2. *zbior.* (*świerki*) spruce-trees

świergolić *vi imperf* = **świergotać**

świergot *sm G.* **~u** twitter; warble; chirp; chirrup; tweet

świergo|tać *vi imperf* **~cze** <**~ce**> to twitter; to warble; to chirp; to chirrup; to tweet

świergotanie *sn* (↑ **świergotać**) twitter; warble; chirp; chirrup; tweet

świergot|ek *sm G.* **~ka** *zool.* (*Anthus*) pipit; titlark

świergotliwy *adj* twittering; chirping; warbling

świerk *sm bot.* (*Picea*) spruce

świerk|ać *vi imperf* — **świerk|nąć** *vi perf* = **świergotać**

świerkowina *sf zbior.* spruce-trees

świerkowy *adj* spruce — (forest, wood etc.)

świerszcz *sm pl G.* **~y** <**~ów**> *zool.* (*Grillus*) cricket; **ćwierkanie ~y** the chirp of crickets

świerszczowy *adj* cricket's — (chirp etc.)

świerszczyk *sm dim* ↑ **świerszcz**

świerząb|ek *sm G.* **~ka** *bot.* (*Chaerophyllum*) chervil

świerzb *sm G.* **~u** *med.* itch; scabies; *wet.* mange; scab

świerzbiącz|ka *sf pl G.* **~ek** *med.* prurigo

świerzbi|eć *vt imperf* **~**, **świerzbi|ć** *vt imperf* to itch; **plecy mnie ~ą** my back is itching; *przen.* **język go ~** he is itching to speak; **ręka mnie ~ała, żeby mu dać klapsa** my fingers were tingling to box his ears

świerzbienie *sn* (↑ **świerzbieć, świerzbić**) (an) itch

świerzbnica *sf bot.* (*Knautia*) scabious

świerzbow|iec *sm G.* **~ca** 1. *med. wet.* (*Sarcoptes scabiei*) itch mite 2. *pot.* (*człowiek chory na świerzb*) person affected with itch

świerzop *sm G.* **~u** *bot.* (*Sinapis*) white mustard

świetlanobarwny *adj* bright-coloured

świetlany *adj* (*świecący*) luminous; (circle, patches etc.) of light; (*jasny*) bright; *przen.* (*nieziemski*) unearthly

świetlica *sf* club room; day-room; community centre

świetlicow|iec *sm G.* **~ca** club manager

świetlicowy [I] *adj* club — (activities etc.) [II] *sm* club manager

świetliczek *sm dim* ↑ **świetlik**

świetlik *sm* 1. *bot.* (*Euphrasia*) eyebright, euphrasy 2. *bud.* skylight; lantern 3. *zool.* (*Lampyris*) glow-worm; fire-fly

świetlistość *sf singt* brightness; luminosity

świetlisty *adj* bright; luminous; shining

świetliście *adv* brightly; luminously

świetln|y *adj* luminous; light — (signals etc.); **energia ~a** luminous energy; *fot.* **filtr ~y** light-filter; **gaz ~y** lighting-gas; **rok ~y** light-year

świetlów|ka *sf pl G.* **~ek** *elektr.* fluorescent lamp <tube>

świetnie *adv* splendidly; excellently; magnificently; supremely well; signally; in great style; in splendid fashion; **~ się bawić** to have a glorious <*pot.* rattling good, rare> time; **~ się czuć** a) (*być w znakomitym humorze*) to be in high spirits b) (*być w doskonałym zdrowiu*) to feel fine; **~ się mieć** to be in perfect health; **to ~!** that's fine!

świetnoś|ć *sf singt* splendour; magnificence; glamour; lustre; **dodać ~ci czemuś** to lend a glamour to <to throw a glamour over> sth; **minął okres jego ~ci** he has had his day

świetn|y *adj* 1. (*doskonały*) excellent; splendid; capital; signal; first-rate; *pot.* grand; ripping; topping; corking; stunning; smashing; *am. pot.* swell; great; dandy; *pot.* **coś ~ego** topper; stunner; spanker; **~a zabawa** rare <rorty> time; **~y pomysł** splendid <bright> idea; **w ~ym humorze** in high spirits 2. (*intratny*) excellent; profitable 3. (*okazały*) splendid; magnificent

świeżar|ka *sf pl G.* **~ek** *techn.* puddling furnace

świeżenie *sn* ↑ **świeżyć**

świeżo *adv* 1. (*niedawno*) recently; lately; freshly; newly; just (finished, cooked, published, received etc.); **mam to ~ w pamięci** it's fresh in my memory; (*w napisie*) „**~ malowane**" "wet <fresh> paint"; **~ przybyły** newly arrived; **~ przybyły z Londynu, Afryki itd.** fresh from London, Africa etc.; **~ rozpoczęty rok itd.** young year etc.; **~ upieczony doktor** <**inżynier itd.**> freshly qualified doctor <engineer etc.>; **~ wprowadzone wyrazy** words of modern <recent> coinage 2. (*zdrowo, młodo*) **~ wyglądający** with a fresh complexion; **wyglądać ~** to look young <healthy> 3. (*orzeźwiająco*) freshly; briskly; crisply; **jest ~** it is cool 4. (*schludnie*) nattily; sprucely; tidily

świeżość *sf singt* 1. (*istnienie od niedawna*) recency; freshness; newness 2. (*hożość*) freshness; ruddiness 3. (*rześkość*) freshness; sprightliness 4. (*żywość barw*) freshness 5. (*chłód*) freshness; cool; coolness; briskness; crispness 6. (*niebanalność*) newness; freshness

świeżuchny *adj*, **świeżuteńki** *adj*, **świeżutki** *adj emf.* (*dim* ↑ **świeży**) very, very fresh; extremely fresh

świeżutko *adv* (*dim* ↑ **świeżo**) (*niedawno*) quite recently; only just; **~ było** it was rather cool; **~ wyglądać** to look nice and young

śwież|y *adj* 1. (*od niedawna istniejący*) recent; fresh (flowers, milk, bread etc.); new (hat, suit etc.); (*o rekrucie, pracowniku itd.*) raw; **~a bielizna** fresh linen; **~a farba** wet <fresh> paint; **~a roślinność** young vegetation; **~e jaja** new-laid eggs; **~e masło** sweet butter; **~y ślad zwierza** hot scent; **~y śnieg** new-fallen snow; **~ej daty** recent; of yesterday 2. (*hoży*) fresh; ruddy 3. (*rześki*) fresh; sprightly 4. (*żywy*) fresh (colours etc.); **jeszcze ~e wspomnienia** memories still green 5. (*chłodny*) fresh; cool; brisk; crisp; breezy; sharp; **~e powietrze** fresh air; **na ~ym powietrzu** in the open (air); (*o imprezie*) **odbywający się na ~ym powietrzu** open-air (concert, dance etc.) 6. (*nieoklepany*) new; fresh; unhackneyed 7. (*inny niż przedtem*) new (manager, pupil etc.) 8. (*współczesny*) new <latest> (fashion); **~e wiadomości** the latest news

świeżyć *vt imperf techn.* to puddle (iron)

święceni|e *sn* 1. ↑ **święcić** 2. (*świętowanie*) observance (of a holiday etc.); celebration (of an anniversary etc.) 3. *rel.* consecration 4. *pl* **~a** *rel.* holy orders; **przyjąć ~a** to take holy orders; to be ordained

święc|ić *v imperf* **~ę** [I] *vt* 1. (*świętować*) to keep <to observe> (Sunday, a holiday, a saint's day); to celebrate (an anniversary etc.); **~ić czyjąś pamięć** to commemorate sb; **~ić sukces, triumf** to score a success, to achieve a triumph 2. *rel.* to bless; to consecrate; **~ona woda** holy water; **~one jajko** Easter egg blessed in church 3. (*wyświęcać*) to ordain (a priest); to consecrate (a bishop) [II] *vr* **~ić się** 1. (*zanosić się*) to be in the wind <brewing, afoot>; **coś się ~i** there is sth in the wind <afoot>; mischief is brewing 2. (*być obchodzonym uroczyście*) to be observed; to be celebrated

święcie *adv* firmly (convinced of sth); **~ dotrzymać warunków** to faithfully observe the conditions (of a treaty etc.); ~ **obiecywał, że ...** he faithfully promised to ...; ~ **wierzyć, że ...** to firmly believe that ...

święcon|ka *sf pl G.* ~**ek** traditional display of festive food on a separate table at Easter; (*zabawka*) miniature imitation of the same made of sugar, marzipan etc. for the amusement of children

święcon|y I *pp* ↑ **święcić** III *sn* ~**e** 1. (*potrawy*) festive delicacies blessed by the priest on Holy Saturday 2. (*śniadanie wielkanocne*) Easter Sunday festive luncheon

świ|ęto *sn pl G.* ~**ąt** holiday; feast; feast-day; festivity; ~**ęta ruchome** <**nieruchome**> movable <immovable> feasts; ~**ęto kościelne** church holiday; ~**ęto narodowe** national holiday; ~**ęto pierwszomajowe** the international holiday of the 1st of May; **uroczyste** ~**ęto** solemnity; *przen.* (**raz**) **od wielkiego** ~**ęta** once in a blue moon

świętobliwie *adv* = **świątobliwie**

świętobliwość *sf singt* = **świątobliwość**

świętobliwy *adj* saintly; pious

świętojan|ka *sf pl G.* ~**ek** June river-flood <spate> (due to heavy rains common in that month)

świętojański *adj* St. John's-day — (festivities etc.); *bot.* **chleb** ~ (*Ceratonia siliqua*) carob; **robaczek** ~ glow-worm; fire-fly; *gw.* **ziele** ~**e** St. John's-wort

świętokradca *sm* (*decl* = *sf*) perpetrator of a sacrilege

świętokradczo *adj* sacrilegiously

świętokradczy *adj*, **świętokradzki** *adj* sacrilegious

świętokradzko *adv* = **świętokradczo**

świętokradztwo *sn rel.* sacrilege

świętokr|ąg *sm G.* ~**ęgu** *rz.* aureole

świętokupca *sm* (*decl* = *sf*) *hist.* simoniac

świętokupstwo *sn singt hist. rel.* simony

świętopietrze *sn singt rel. hist.* Peter('s)-penny <pence>

świętosz|ek *sm G.* ~**ka** sanctimonious hypocrite; Tartuf(f)e; Pecksniff; bigot; **miny** ~**ka** sanctimonious airs

świętosz|ka *sf pl G.* ~**ek** sanctimonious hypocrite; bigot; **ona ma minę** ~**ki** she looks as if butter would not melt in her mouth

świętoszkostwo *sn singt* hypocrysy; cant; bigotry

świętoszkowato *adv* sanctimoniously

świętoszkowatość *sf singt* = **świętoszkostwo**

świętoszkowaty *adj* sanctimonious

świętoś|ć *sf* 1. (*cecha świętego*) sainthood; holiness 2. (*cecha przedmiotów kultu*) sanctity; sacredness 3. (*to, co jest tradycyjnie otoczone szacunkiem*) (a) sanctity; ~**ć narodowa** object of national devotion; (*budynek*) national shrine; (*postać*) sacred national figure; ~**ć nietykalna** taboo; **przysięgać komuś** <**zaklinać kogoś**> **na wszystkie** ~**ci** to swear to sb <to conjure sb> by all that one holds sacred 4. (*przedmiot kultu*) devotional article

świętować *vt vi imperf* to celebrate; to keep (a holiday)

świętowanie *sn* (↑ **świętować**) celebration; rejoicings; fiesta

świętów|ka *sf pl G.* ~**ek** *rz.* day off work without pay

święt|y I *adj* 1. (*będący przedmiotem kultu*) holy; (*przydawka*) Saint, (*w pisowni* St.); ~**y Piotr** St. Peter; **Najświętsza Panna** the Holy Virgin; *przen.* **na** ~**y nigdy** at later Lammas; on the Greek calends; ~**y Boże nie pomoże** nothing can be done 2. (*cnotliwy*) saintly; pious; **od** ~**ej pamięci** long ago; long since; years <ages> ago; ~**ej pamięci** late; ~**ej pamięci p. X** the late Mr. X 3. (*należący do przedmiotów kultu*) holy; sacred; sacrosanct; *rel.* **Grób** ~**y** the Holy Sepulchre; **Ojciec** ~**y** the Holy Father; **oleje** ~**e** the holy oil; **Pismo** ~**e** the Scriptures; ~**e oburzenie** righteous indignation; ~**y gaj** (**pogan**) holy grove; ~**y świętych** the Holy of Holies; **Ziemia** ~**a** the Holy Land 4. (*nietykalny*) sacrosanct; sacred (rights etc.); inviolable; inviolate; **najświętsze słowo honoru** honour bright; I swear on my honour; ~**a cierpliwość** the patience of a saint; ~**e obowiązki** the sanctities (of the home etc.); (**twój, nasz itd.**) ~**y obowiązek** (your, our etc.) bounden duty; ~**y przybytek** sanctum; **dajcie mi** ~**y spokój** leave me alone; stop bothering me; **dla** ~**ego spokoju** for peace' sake II *sm* ~**y** (a) saint; **dzień** ~**ego patron** saint's day; **dzień Wszystkich Świętych** All Saints' day; *przen.* **goły jak** ~**y turecki** (*bez grosza*) stony-broke III *sf* ~**a** (a) saint

świ|nia *sf* 1. *zool.* (*Sus*) hog; swine; pig; **hodowla** ~**ń** pig-breeding; pig-farm; **mieszkają jak** ~**nie w chlewie** they pig together; *pot.* **nie pasłem** ~**ń z tobą** keep your distance, man; I have no truck with the likes of you; **obeżreć się jak** ~**nia** to make a pig of oneself; **urżnąć się jak** ~**nia** to drink oneself blind 2. (*obelżywie o człowieku*) dirty swine

świniak *sm* pig; hog

świniar|ek *sm G.* ~**ka** *pot.* young swine-herd

świniar|ka *sf pl G.* ~**ek** 1. *pot.* (*kobieta*) pig-tender 2. (*gatunek owcy*) a breed of sheep

świniarz *sm pot.* swine-herd

świnić *v imperf* I *vi* 1. (*zanieczyszczać*) to mess <to litter> up (**w pokoju, na podłodze** a room, the floor) 2. (*postępować nieuczciwie*) to play dirty <shabby> tricks (on people) II *vr* ~ **się** 1. (*brudzić się*) to dirty <to soil> one's hands <clothes> 2. (*postępować po świńsku*) = **świnić** *vi* 2.

świnina *sf* pork

świniobicie *sn singt pot.* pigsticking

świniopas <**świnopas**> *sm* 1. *dosł.* swine-herd 2. *przen. wulg.* (*gbur*) churl

świniowat|y I *adj* suid, suidian II *spl* ~**e** *zool.* (*Suidae*) (*rodzina*) the family Suidae; the suids <swine>

świn|ka *sf pl G.* ~**ek** 1. (*dim* ↑ **świnia**) little <young> pig; *dziec.* piggy-wiggy; *zool.* ~**ka morska** (*Cavia porcellus*) cavy; guinea-pig 2. (*karc.* a card-game 3. *pot.* (*pięciorublówka*) five-rouble gold coin 4. *med.* mumps 5. *zool.* (*Chondrostoma nasus*) a cyprinid

świnopas *zob.* **świniopas**

świntuch *sm pot.* 1. (*człowiek niemoralny*) rake 2. (*brudas*) dirty pig

świntuszyć *vi imperf pot.* (*popełniać świństewka*) to play dirty <shabby> tricks (on people); (*mówić świństwa*) to talk obscenities

świńsk|i *adj* 1. (*odnoszący się do świni*) hog's <swine's> (grease, bristles etc.); ~**a skóra** pig-skin; *pot. iron.* ~**i blondyn** pig-eyed blond; *wulg.* ~**i ryj** pig-face 2. (*podły*) swinish; **postąpić po** ~**u** to play sb a dirty <shabby, scurvy> trick

świństew|ko *sn pl G.* **~ek** (petty) meanness; lousy trick

świństw|o *sn* 1. (*łajdactwo*) meanness; dirty <shabby, scurvy> trick; **zrobić komuś ~o** to play sb foul 2. *pot.* (*paskudztwo*) wretched <nasty> stuff 3. (*lichota*) trash 4. *pl* **~a** (*tłuste kawały*) obscenities; smutty stories 5. (*nieczystości*) dross; impurities

świron *sm*, **świron|ek** <**świeron|ek**> *sm G.* **~ka** *gw.* granary; crib

świrzepa *sf bot.* 1. (*Rapistrum*) a weed 2. = **świerzop** 3. (*rzodkiew*) (*Raphanus raphanistrum*) wild raddish

świ|snąć *v perf* **~śnie** [I] *vt pot.* 1. (*ukraść*) to pinch (sb's property) 2. (*trzasnąć*) to land (sb) one; **niech cię dunder ~śnie** damn you! [II] *vi* 1. *zob.* **świstać** 2. *pot.* (*uciec*) to bolt; to skedaddle

świst *sm G.* **~u** 1. (*gwizd*) whistle; zip <whizz> (of a bullet, an arrow); ping <singing> (of a bullet); swish (of a cane, whip etc.) 2. (*śpiew ptasi, głos świstaka itd.*) whistle (of a blackbird, marmot etc.)

świ|stać *vi imperf* **~szcze** — **świsnąć** *vi perf* 1. (*o człowieku, o gwizdku itd.*) to whistle; (*o kulach, strzałach itd.*) to whistle; to zip; to whiz(z); (*o kuli*) to ping 2. (*śmigać*) to swish (**batem, laską itd.** a whip, a cane etc.)

świstak *sm zool.* (*Marmota marmota*) marmot; *am.* woodchuck, ground hog, whistler

świstanie *sn* (↑ **świstać**) whistle <zip, whiz(z)> (of a bullet, an arrow etc.); ping <singing> (of a bullet); swish (of a cane, whip etc.); whistle (of a blackbird, of a marmot)

świstaw|ka *sf pl G.* **~ek** whistle

świst|ek *sm G.* **~ka** scrap <slip> of paper

świstun *sm zool.* (*Anas penelope*) widgeon

świstun|ka *sf pl G.* **~ek** *zool.* (*Phylloscopus*) willow-warbler

świszcząco *adv* with a zip <whiz(z), ping, swish>

świszcz|eć † *vi imperf* **~y** = **świstać** 1.

świszczypał|a *sm* (*decl* = *sf*) *pl G.* **~** <**~ów**> *A.* **~y** <**~ów**> *rz.* (*człowiek lekkomyślny*) harum-scarum; (*postrzeleniec*) madcap

świśnięcie *sn* (↑ **świsnąć**) whistle; zip <whiz(z)> (of a bullet, an arrow etc.); ping <singing> (of a bullet); swish (of a cane, whip etc.)

świ|t *sm G.* **~u** 1. (*początek ranka*) dawn; daybreak; break <peep> of day; sunrise; cock-crow; **wstawać o ~cie** to rise with the sun; **od ~tu do nocy** from dawn till dusk; **o ~cie, skoro ~t** at daybreak; at sunrise 2. *przen.* dawn (of an era etc.)

świta *sf* suite; train; retinue; followers

świta|ć *vi imperf* 1. (*o słońcu, księżycu*) to rise; (*o dniu*) to dawn; to break; to peep; **zaczęło mi ~ć, że ...** it dawned upon me that ...; **zaczyna mi ~ć w głowie** I begin to see daylight 2. *imp* **~** it dawns

świtanie *sn* (↑ **świtać**) dawn; daybreak; break <peep> of day; sunrise; cock-crow

świt|ek *sm dim* ↑ **świt**; **przed ~kiem** before dawn <daybreak>

świtezian|ka *sf pl G.* **~ek** 1. (*rusałka*) water-nymph 2. *zool.* (*Calopteryx*) calopteryx

świt|ka *sf pl G.* **~ek** frogged coat; kind of old-fashioned overcoat

T

T, t *sn indecl* 1. (*litera*) the letter t; **kształtu litery T** T-shaped; **przedmiot kształtu litery T** (a) tee 2. (*głoska*) the sound t

ta[1] *indecl emf. reg. pot. rz.* why; **~ idę** why, I'm coming; I'm coming, a'n't I?

ta[2] *pron f GDL.* **tej** *A.* **tę** *I.* **tą** *pl NA.* **te** *GL.* **tych** *D.* **tym** *I.* **tymi** *zob.* **ten**

tabaczka *sf singt dim* ↑ **tabaka**

tabaczkowy *adj* tobacco brown; mummy brown; snuff-coloured

tabaczny *adj* tobacco — (factory, monopoly etc.)

tabak|a *sf* snuff; **szczypta** <**niuch**> **~i** a pinch of snuff; **zażywać ~i, niuchać ~ę** to take snuff; *przen.* **nie wart niucha ~i** he isn't worth a pinch of snuff; **on jest ciemny jak ~a w rogu** he isn't up to snuff; he doesn't know B from a bull's foot; **tyle co niuch ~i** as little as makes no difference

tabakier|a *sf*, **tabakier|ka** *sf pl G.* **~ek** snuff-box

tabakowy *adj* tobacco — (leaves etc.)

tabel|a *sf* (mathematical, synoptic etc.) table; list; **ułożyć, zestawić cyfry** <**fakty itd.**> **w ~ę** to tabulate figures <facts etc.>

tabelarycznie *adv* tabularly

tabelaryczny *adj* tabular

tabernakulum *sn rel.* ciborium; tabernacle

tabes *sm G.* **~u** *med.* tabes

tabetycznie *adv* tabidly

tabetyczny *adj* tabetic; tabid

tabetyk *sm* (a) tabetic

tablet|ka *sf pl G.* **~ek** (aspirin etc.) tablet

tabletkować *vt imperf* to compress into tablets

tabletkowy *adj* in tablet form

tablic|a *sf* 1. (*płyta*) board; (*tafla*) slab; **~a firmowa** signboard; **~a ogłoszeniowa** notice-board; *am.* bulletin-board; **~a pamiątkowa** commemorating plate; plaque; *techn.* **~a rozdzielcza** switchboard; distributing <distribution> board <panel>; control board; dashboard; power panel 2. (*sprzęt szkolny*) blackboard 3. (*tabela*) (astronomical etc.) table; **~e logarytmiczne** <**statystyczne itd.**> logarithmic <statistical etc.> tables 4. *druk.* cut 5. (*drogi kamień*) table-cut diamond

tabliczka *sf* (*dim* ↑ **tablica**) tablet; plate; panel; **~ czekolady** tablet <bar, cake> of chocolate; *mat.* **~ mnożenia** multiplication table; **~ rejestracyjna samochodu** licence plate; **~ z nazwiskiem na drzwiach** door-plate, name-plate

tabliczkowy *adj* tablet-shaped; tabular

tabor *sm G.* **~u** 1. *wojsk.* train (of transport); supply column; *kolej.* rolling-stock 2. (*obóz*) camp; **~ cygański** gypsy camp; **rozłożyć się ~em** to camp

taborecik *sm dim* ↑ **taboret**

taboret *sm G.* **~u** stool

taboretowy *adj hist.* (privilege etc.) of the tabouret

taborowy *adj* train — (vehicles etc.)

taboryta *sm* (*decl* = *sf*) (*zw. pl*) *hist.* Taborite

tabu *indecl dosł. i przen.* taboo

tabula *sf reg.* registry of mortgages <of real property>

tabularn|y *adj reg.* hypothecary; **posiadłość ~a** landed property; real estate; **właściciel ~y** landowner

tabulatura *sf muz.* 1. (*notacja*) tabulature 2. (*reguły kompozycji i śpiewu*) Tabulatur

tabun *sm G.* **~u** 1. (*stado koni*) herd; flock (of horses) 2. *myśl.* flock (of wild geese or bustards)

tabunowy *adj* flock — (master etc.)

taburet † *sm G.* **~u** = **taboret**

tac|a *sf* tray; salver; **~a do kwestowania** plate; **~a kanapek** trayful of sandwiches; **~a z zastawą na podwieczorek** tea-tray; *kośc.* **chodzić z ~ą** to collect

tachać *vt imperf pot.* to carry; to drag; to lug

tachilit *sm G.* **~u** *miner.* tachylyte

tach|imetr <**tach|ymetr**> *sm G.* **~imetru** <**~ymetru**> *geol. techn.* tachymeter

tach|imetria <**tach|ymetria**> *sf singt G.* **~imetrii** <**~ymetrii**> *geol. techn.* tachymetry

tachimetryczny <**tachymetryczny**> *adj geol. techn.* tachymetric

tach|istoskop <**tach|ystoskop**> *sm G.* **~istoskopu** <**~ystoskopu**> *psych.* tachistoscope

tachistoskopowy <**tachystoskopowy**> *adj psych.* tachistoscopic

tachograf *sm G.* **~u** *techn.* tachograph

tachometr *sm G.* **~u** *techn.* tachometer; (*w pojeździe*) speed meter, speedometer

tachymetr *zob.* **tachimetr**

tachymetryczny *zob.* **tachimetryczny**

tachystoskop *zob.* **tachistoskop**

tacka *sf* (*dim* ↑ **taca**) salver

taczać *v imperf* [I] *vt* 1. (*kulać, turlać*) to roll (a barrel etc.); to trundle (a hoop etc.) 2. (*tarzać*) to roll (sb in mud etc.) [III] *vr* **~ się** 1. (*kulać się, turlać się*) to roll (*vi*) 2. (*zataczać się*) to reel; to stagger

taczan|ka *sf pl G.* **~ek** *wojsk.* machine-gun cart

taczkarz *sm* barrow-man

tacz|ki *spl G.* **~ek** (wheel-)barrow; **pchać ~ki** to wheel a barrow; **wieźć coś na ~kach** to wheel sth in a barrow

taczkowy *adj* barrow — (truck, wheel etc.)

tacznik *sm* barrow-man

tael *sm* tael

tafel|ka *sf pl G.* **~ek** tile; tablet; slab; pane; *przen.* patch (of colour, light etc.); **~ka lodu** ice flow

tafelkowaty *adj* tile-like

tafi|a *sf GDL.* **~i** taffia

taf|la *sf pl G.* **~li** <**~el**> 1. (*płyta*) tile; slab; pane; panel; flagstone 2. *przen.* (*gładka powierzchnia*) sheet <tract> (of water)

taflować *vt imperf* to tile (a surface); to pave <to flag> (a court etc.)

taflow|y *adj* tiled; flagged (court, pavement); **~e szkło** pane glass

tafonomi|a *sf singt GDL.* **~i** *paleont.* a branch of pal(a)eontology

tafta *sf* taffeta

taftowy *adj* taffeta — (blouse, gown etc.)

taić *v imperf* **taję, taj, tajony** [I] *vt* to conceal; to hold back; to hide; to suppress <to keep dark> (a feeling etc.); to make a secret (**coś** of sth); **~ dech** <**oddech**> to hold one's breath [III] *vr* **~ się** 1. (*o człowieku*) to conceal (**z czymś** sth); to make a secret (**z czymś** of sth); **nie ~ się z czymś** to make no secret of sth; to be frank about sth 2. (*o uczuciu itd.*) to lurk (in sb's heart etc.)

taj *indecl gw.* and; too; and also

taj|ać *vi imperf* **~a** <**~e**> 1. (*topić się*) to melt; to thaw 2. (*rozmarzać*) to thaw 3. *przen.* (*łagodnieć*) to thaw

tajanie *sn* (↑ **tajać**) thaw; **zaczęło się ~** a thaw set in

tajemnic|a *sf* 1. (*rzecz zagadkowa*) mystery; **okryty ~ą** wrapped in a shroud of mystery 2. (*sekret*) secret; **ścisła ~a** top secret; **~a stanu** State secret; **dochować ~y** to keep a secret; **dopuścić kogoś do ~y** to let sb into a secret; **jestem związany ~ą** I am tongue-tied; my lips are sealed; **nie mam przed nim ~** he shares all my secrets; **nie robić z czegoś ~y** to make no secret of sth; **nie robiono z tego ~y** there was no secrecy about the matter; *przen.* **~a poliszynela, publiczna ~a** open secret 3. (*niewyjawianie*) secrecy; **~a listowa** secrecy of correspondence; **~a spowiedzi** pledge of confession; **powiedzieć coś w ~y** to say sth in private <confidentially>; **robić coś w ~y** to do sth in secret <*pot.* on the quiet, on the sly>; **trzymać coś w ~y** to keep sth secret <(in the) dark>; **w najgłębszej ~y** in the strictest secrecy; **w ~y przed kimś** without sb's knowledge 4. *pl* **~e** (*tajniki*) arcana; the know-how <secret> (of production etc.)

tajemniczo *adv* (*zagadkowo*) mysteriously; (*w tajemnicy*) in secret; **zachowywać się ~** to be secretive

tajemniczoś|ć *sf singt* mysteriousness; weirdness; inscrutability; **otaczać się ~cią** to shroud oneself in mystery

tajemniczy *adj* 1. (*zagadkowy*) mysterious; inscrutable; weird; uncanny; recondite 2. † (*ukryty*) secret

tajemnie *adv* secretly; clandestinely; surreptitiously; furtively; *pot.* on the quiet; on the sly

tajemny *adj* (*tajny*) secret; clandestine; surreptitious; furtive; (*zagadkowy*) mysterious; (*o wiedzy, praktykach*) occult; esoteric; recondite

tajenie *sn* (↑ **taić**) concealment

tajęża *sf bot.* (*Goodyera repens*) an orchidaceous plant

tajfun *sm G.* **~u** typhoon

tajga *sf* taiga

tajniak *sm pot.* plain-clothes policeman; sleuth (-hound)

tajnie *adv* secretly; surreptitiously; furtively; clandestinely; in secret; *pot.* on the quiet; on the sly

tajnik *sm* 1. (*tajemnica*) secret; *pl* **~i** secrets; ins and outs 2. (*kryjówka*) hiding-place; recess; *pl* **~i** recesses; penetralia; **najgłębsze ~i serca** the innermost recesses of the heart

tajność *sf singt* secrecy

tajn|y *adj* 1. (*utrzymywany w tajemnicy*) secret; clandestine; surreptitious; (*o myślach itd.*) inner; inward; (*o wiedzy, praktykach*) occult; esoteric; recondite; (*o transakcji, handlu*) hole-and-corner;

Tajna Pieczęć Privy Seal; ~a policja secret police; ~e głosowanie secret vote; ~y agent secret agent; ściśle ~y top secret; na ~ym posiedzeniu in closed session 3. (*utajony*) secret

tak *indecl* 1. (*w taki sposób*) like this <that>; this <that> way; in this <that> manner <fashion>; thus; a ~ ... like this ...; gdyby nie to, pojechałbym z tobą, a ~ muszę tu zostać if it wasn't for this I should go along with you, like this I must stay here; aż ~ to that extent; czy ~, czy ~ <owak> one way or the other; either way; in any case; anyhow; i ~ dalej and so on; and so forth; etcetera; ot ~ (*bez specjalnego powodu*) just like that; ~ ... jak as ... so ...; ~ jak wszyscy like everybody else; ~ nie jest that is not the case; ~ samo just the same; ~ samo dobry <cenny, bliski itd.> just as <equally> good <precious, near etc.>; ~ sobie so-so; ~ ty jak i ja both you and me <myself>; że ~ powiem so to say; if I may so express myself 2. (*jako nasilenie — przy przymiotnikach, przysłówkach*) so <so very> (kind, pretty, well etc.); (*przy czasownikach*) so very much; ~ bym chciał być z tobą I should like so very much to be with you 3. (*jako nawiązanie do zdania określającego stopień nasilenia*) so (że ... that ...); ~ się zmartwił, że ... he was so upset that ... 4. (*jako przyczyna, uzasadnienie*) so much; such; odjeżdżając płakały, ~ lubiły życie na wsi when leaving they wept so much did they like country life; wszyscy umilkli, ~ wielkie wrażenie wywołała ta wiadomość they all remained silent, such was the impression caused by the news 5. (*jako przyłączenie rozwinięcia orzeczenia*) like this; so; ~ a ~ so-and-so; nazywam się ~ a ~ my name is so-and-so; ~ mi się zdaje so I think; to było ~ it was like this 6. (*jako potwierdzenie*) yes; *mar.* ay; *wojsk.* ~ jest yes, Sir; right, Sir!; ~, ~ yes; albo ~, albo nie take it or leave it; no ~, ale ... that's all very well, but... 7. (*w formułkach przysiąg*) so; ~ mi dopomóż Bóg! so help me God! 8. (*w zdaniu następującym po czasownikach*: believe, say, suppose, hope, think etc.) so; czy będzie pogoda? — myślę <mam nadzieję itd.>, że ~ will it be fine? — I suppose <I hope etc.> so; (*w zdaniu uzupełniającym*) ~ też i ... and so; powiedziałem, że ma bzika ~ też i jest I said he is crazy and so he is

tak|aż *pron GDL.* ~iejże *A.* ~ąż *zob.* takiż

takcik *sm G.* ~u *dim* ↑ takt

takelować *vt imperf* = takielować

takelun|ek *sm G.* ~ku = takielunek

taki[1] *pron* (*decl* = *adj*) *pl N.* tacy 1. (*w połączeniu z rzeczownikiem*) such; such as this <*pl* these>; ~ człowiek such a man; a man such as this; tacy ludzie such people; people such as these; w ~m razie in such case; then; jeżeli nie, w ~m razie co? if not then what?; w ~ sposób, że ... so as to ...; in such a manner <in such fashion> as to <that> ...; (*w sentencjach i przysłowiach*) jaki ... ~ ... like ... like ...; such ... such ...; *przysł.* jaki pan ~ kram like master like man; such master such servant 2. (*gdy treść, o którą chodzi następuje po rzeczowniku*) like this; the following; tekst depeszy był ~: jutro ... the wording of the wire was like this <the following>: to-morrow ...; ~ już jestem I am that way 3. (*w połączeniu z przymiotnikiem*) such; so; (*z równoczesnym gestem*) this (gruby, wysoki itd. big, high etc.); ~ zdolny człowiek such a clever man; so clever a man; ~e ważne wydarzenie such an important event; so important an event; (*aż tak*) nie jestem znowu ~ głupi I am not so foolish; byłem ~ słaby, że nie mogłem ... I was so weak that I could not ...; ona jest taka ładna, jaka była she is as pretty as ever; on jest ~ gruby, jaki był he is as big as ever 4. (*bez przymiotnika lub rzeczownika*) coś ~ego something like this <that>; something of the <this, that> sort; coś ~ego! the idea!; well, I never!; you don't say so!; jako ~ as such; państwo jako ~e the State as such; to nie zbrodnia, ale może być uważane za taką it is not a crime, but may be considered as such; jeden ~ próbował, ale próby nie powtórzył there was a man who tried, but only once; nic ~ego nothing of that sort; nic ~ego się nie stało nothing important happened; to nic ~ego it's nothing serious; ~ a ~ so-and-so; such-and-such; jestem ~ a ~ my name is so-and-so; w ~m to a ~m dniu on such-and-such a day; ~ lub owaki <siaki> (wynik, powód itd.) some kind of (result, reason etc.); (to be) like this or like that; this way or that (way); good or bad; suitable or unsuitable; right or wrong; ty ~ owaki! you rogue <rascal, son of a gun>!; ~ sam similar; identical; on ~ sam lord <znawca itd.> jak ja he is no more a lord <an expert etc.> than I am; ~ sobie passable; so-so; not so bad; ~, że ... such that ...; such as to ...; trudności były takie, że to każdego odstraszało the difficulties were such as to deter everybody 5. (*w funkcji samodzielnej*) such; tacy, którzy <co> wiedzą <słyszeli itd.> such as knew <heard etc.>; tacy nie giną such people always get along in life; byli tacy, którym się to podobało there were those who liked it; some liked it 6. (*przy imieniu własnym*) a; ~ Szekspir <Chopin itd.> potrafi ... a Shakespeare <Chopin etc.> will ...

taki[2] *indecl reg.* (*przecież, jednak*) all the same; nevertheless; a ~ pojadę all the same I shall go

takielarz *sm* rigger

takielaż *sm G.* ~u = takielunek

takielować *vt imperf mar.* to rig (a ship)

takielun|ek *sm G.* ~ku *mar.* rigging; tackle

takieta *sf sport* bar

takir *sm G.* ~u takyr

takiż *pron m,* takież *pron n G.* takiegoż *D.* takiemuż *A.* (*męsko-osobowe*) takiegoż (*niemęsko-osobowe*) takiż *IL.* takimże *pl N.* tacyż *GL.* takichże *D.* takimże similar

takla *sf* (*zw. pl*) *ryb.* (fishing) tackle

takowy † *pron* (*on*) it; (*taki*) such; ~ krok such a step

takoż † *adv* also; likewise; similarly

taks *sm* basset; dachshund

taksa *sf* 1. (*stała opłata*) fixed <official> price; fixed rate; fee 2. *pot.* = taksówka

taksator *sm* appraiser; (professional) valuer; assessor; estimator

taksatorski *adj* appraiser's; (professional) valuer's; assessor's; estimator's

taksiarz *sm pot.* taxi-driver

taksja *sf singt biol.* taxis

taksofon *G.* **~u** *techn.* pay-phone

taksologi|a *sf singt GDL.* **~i** = **taksonomia**

taksometr † *sm G.* **~u** taximeter

takson *sm G.* **~u** *biol.* unit of classification

taksonomi|a *sf singt GDL.* **~i** *biol.* taxonomy

taksonomiczny *adj* taxonomic

taksować *vt imperf* to appraise; to value; to make <set, draw-up> a valuation (**coś** of sth)

taksowanie *sn* († **taksować**) appraisal; valuation; assessment

taksowy *adj* assessing <valuating> (expert etc.)

taksów|ka *sf pl G.* **~ek** taxi; cab

taksówkarz *sm pl G.* **~y** <**~ów**> taxi-driver; cabman

takt *sm G.* **~u** 1. (*cecha człowieka*) tact; **brak ~u** tactlessness; coarseness 2. *prozod.* cadence 3. *muz.* (*jednostka podziału*) bar; stave; (*rytm*) time; **pierwsze ~y walca** the first staves of the waltz; **~ 3/4 itd.** triple etc. time; **wybijać ~** to beat time; **w ~ muzyki** in time with the music; **nie w ~** out of time 4. *techn.* stroke; **silnik pracujący na zasadzie dwóch <czterech> ~ów** two-stroke <four-stroke> engine

taktometr *sm G.* **~u** *med.* tactometer

taktomierz *sm muz.* metronome

taktownie *adv* tactfully; with tact; **postąpić ~** to use tact

taktowność *sf singt* tact

taktowny *adj* tactful; considerate (**wobec kogoś** towards <to> sb); **człowiek ~** man of tact

taktow|y *adj muz.* time — (noting etc.); **oznaczenie ~e** time-signature

taktycznie *adv* tactically

taktyczny *adj* tactical

taktyk *sm* tactician

taktyk|a *sf singt* 1. *wojsk.* tactics; **przewyższyć ~ą** to outgeneral; to outmanoeuvre 2. (*metoda postępowania*) tactics; policy; **to zła ~a** it is bad policy

takuśki *adj*, **takuteńki** *adj* (*dim* † **taki**) exactly the same; identical

także *adv* (*też*) also; too; as well; likewise; alike; **~ nie** nor; neither; (*w połączeniu z wyrazem przeczącym*) either; **ja tego nie chcę, oni ~ nie** I don't want it, neither do they <and they don't either>; **wiem o tym i on ~** I know it and so does he; *iron.* **~ dowcipy!** what sort of a joke is that?; that's meant <supposed> to be a joke, is it?

tal *sm G.* **~u** *singt chem. fiz.* thallium

talar *sm* thaler

talar|ek *sm G.* **~ka** 1. *dim* † **talar** 2. (*krążek*) (round) slice; disk

talarowy *adj* (one-)thaler — (coin etc.)

talawy *adj chem.* thallous

talbotypi|a *sf singt fot. GDL.* **~i** calotype, talbotype

talcyt *sm G.* **~u** *miner.* talcite

talencik *sm G.* **~u** (*dim* † **talent**) talent of a minor order

talent *sm G.* **~u** 1. *singt* (*zdolność*) talent; gift (**do czegoś** for sth); *pl* **~y** accomplishments; endowments; **człowiek bez ~u** untalented <talentless> person; **dzieło wielkiego ~u** able piece of work; **mieć ~ do czegoś <do robienia czegoś>** to have a talent for sth <for doing sth> 2. (*człowiek obdarzony niezwykłą zdolnością*) (a) talent 3. (*jednostka monetarna oraz wagi w starożytności*) talent

talerz *sm* 1. (*naczynie stołowe*) plate; (*zawartość*) plateful; **głęboki <płytki> ~** soup <dinner> plate; **oczy jak ~e** saucer eyes; **zjadłem dwa ~e zupy** I ate two platefuls of soup 2. *anat.* ilium 3. *myśl.* rump <escutcheon> (of deer) 4. (*zw. pl*) *muz.* cymbal 5. *techn.* disk 6. *leśn.* planting scalp; scalp for planting

talerzowaty *adj* plate-like

talerzow|y *adj techn.* disk — (bit etc.); *roln.* **brona ~a** disk harrow; *techn.* **sprzęgło ~e** plate clutch; **zawór ~y** disk <mushroom> valve

talerzów|ka *sf pl G.* **~ek** *roln.* disk harrow

talerzyk *sm* 1. (*mały talerz*) dessert plate 2. (*szalka wagi*) scale 3. *sport* (*krążek u kijka narciarskiego*) stick disk; snow ring

talerzykowy *adj* disk — (valve etc.)

tali|a *sf GDL.* **~i** 1. (*kibić*) waist; middle 2. (*część sukni*) waist 3. *karc.* pack (of cards) 3. *mar. techn.* tackle

talidomid *sm singt G.* **~u** *farm.* thalidomide

talion *sm G.* **~u** *karc.* stock; talon

talizman *sm G.* **~u** talisman

talk *sm singt G.* **~u** 1. (*minerał*) talc, talcum; steatite 2. (*proszek*) talcum powder

tal|ka *sf pl G.* **~ek** *gw.* hank (of cotton etc.)

talkować *vt imperf* to powder (sth) with talc

talkowy *adj miner.* **łupek ~** talc schist

Talmud *sm G.* **~u** Talmud

talmudowy *adj*, **talmudyczny** *adj* Talmudic

talmudysta *sm* (*decl* = *sf*) Talmudist

talmudyzm *sm G.* **~u** 1. *rel.* talmudism 2. *przen.* (*ścisłe przestrzeganie przepisów*) hermeneutics

talmudzista *sm* (*decl* = *sf*) = **talmudysta**

talon *sm G.* **~u** coupon

talonow|y *adj* **sprzedaż ~a** restricted <reserved, limited, privileged> sale

talowy *adj chem.* thallic

talrep *sm G.* **~u** *mar.* lanyard

tałałajstwo *sn singt*, **tałatajstwo** † *sn singt* rabble; riff-raff; ragtag (and bob-tail); canaille

tałes *sm G.* **~u** *rel.* tallith

tam *adv* 1. (*miejsce*) (over) there; yonder; **kto ~?** who's there?; **i ~, ~ też** where; **udał się do Londynu i ~ <~ też> wkrótce stał się sławny** he went to London, where he soon became famous; **~ a ~** at such-and-such a place; **~ gdzie** where (one can etc.); **~ i z powrotem** <*pot.* **~ i nazad**> this way and that; to and fro; back and forth; hither and thither; up and down (**po pokoju itd.** the room etc.); **~ na dole <na górze, wewnątrz, na zewnątrz>** down there <up there, in there, out there>; **~ skąd ...** from where ...; **~ skąd ja pochodzę** where I come from; **~ w Polsce <w Ameryce itd.>** over in Poland <in America, in the States etc.>; **to było ~** that is the place; **tu i ~** here and there; **ej, ~!** hullo, there! 2. *emf. pej.* or other; **którąś ~ rocznica** some anniversary or other; **ma ~ jakieś ordery** he has an order or other; **kto ~ wie?** who knows?; **co ~?** what is it?; (*lekceważąco*) **co ~!** what do I care?!; never mind!

tam|a *sf* 1. (*na rzece*) dike, dyke; dam; weir, wear; **kłaść ~ę czemuś** to stem sth; to put a stop to sth 2. *górn.* brattice; stopping; groyne; **~a ogniowa** fire-bridge

tamarynda *sf*, **tamaryndow|iec** *sm G.* **~ca**, **tamaryndus** *sm bot.* (*Tamarindus*) tamarind

tamarysz|ek *sm G.* **~ka** *bot.* (*Tamarix*) tamarisk, tamarix

tamaryszkowat|y *bot.* [I] *adj* tamaricaceous [II] *spl* **~e** (*Tamaricaceae*) (*rodzina*) the family Tamaricaceae

tambor *sm G.* **~u** 1. *techn.* drum 2. *wojsk.* drummer

tambor|ek *sm G.* **~ka** tambour

tambur *sm G.* **~u** *arch. fort.* tambour

tambura *sf muz.* tamb(o)ura

tambur|ek *sm G.* **~ka** = **tamborek**

tamburyn *sm G.* **~u** *muz.* tambourine, timbrel

tameczny † *adj* = **tamtejszy**

Tamil *sm* (a) Tamil

tamilski *adj* Tamil (language etc.)

tamować *vt imperf* (*utrudniać przepływ*) to dam up; to stem; to stop; to check; (*krępować swobodę*) to encumber; to hamper; to trammel; to obstruct; to clog; to interfere (**coś** with sth); **nie ~ ruchu** to stand clear (**przy drzwiach itd.** of the door etc.); **~ krew** to sta(u)nch (the flow of) blood

tamowani|e *sn* (↑ **tamować**) encumbrance; check; obstruction; **laseczka do ~a krwi przy goleniu** styptic

tamowy *adj geogr.* obstructed <dammed> (lake)

tampon *sm G.* **~u** tampon; wick; swab; sponge tent

tamponada *sf med.* tamponade, tamponage

tamponik *sm dim* ↑ **tampon**

tamponować *vt imperf* to tampon; to swab; to plug; **~ krew** to sta(u)nch blood

tamponowanie *sn* (↑ **tamponować**) tamponade, tamponage

tam|ta *pron f GDL.* **~tej** *A.* **~tę** *I.* **~tą** *pl NA.* **~te** *zob.* **tamten**

tam-tam *sm G.* **~u** *muz.* tom-tom

tamtejsz|y *adj* local (climate, people, school etc.); (customs, inhabitants etc.) of the place (mentioned); (friend, relative etc.) living there; (conditions etc.) prevailing there

po ~emu according to the local custom

tam|ten *pron m G.* **~tego** *D.* **~temu** *A.* (*męskoosobowe*) **~tego** (*niemęsko-osobowe*) **~ten** *IL.* **~tym** *pl N.* **~ci** *GL.* **~tych** *D.* **~tym** *A.* (*męsko-osobowe*) **~tych** (*niemęsko-osobowe*) **~te** 1. (*w połączeniu z rzeczownikiem*) that <yonder> (man, picture, building etc.); *pl* **~ci, ~te** those <yonder> (men, pictures, buildings etc.); (*po uprzednim użyciu zaimka* **ten**) that one; the other one; *pl* **~ci, ~te** those; the others; (*z równoczesnym wskazywaniem*) that (tree, cow, house etc.) over there; yonder (tree, cow, house etc.); **droga w ~tą stronę** the outward journey; **~ten świat** the other world; **na ~tym świecie** in the other world; **te książki i ~te** these books and those; **ten chłopiec i ~ten** this boy and that one; **ten chłopiec jest starszy od ~tego** this boy is older than that one; **wezmę te książki, ale ~tych nie** I'll take these books but not the others 2. (*w użyciu rzeczownikowym — w odniesieniu do użytego uprzednio rzeczownika*) **ten ... ~ten** the one ... the other; **obie panny były śliczne — ta była blondynką, ~ta ognistą brunetką** both girls were lovely: the one was a fair-haired blonde, the other a fiery brunette; (*zamiast rzeczownika domyślnego — jedni ... inni*) some ... others; **wszyscy go poznali — ten po głosie, ~ten po ruchach** everybody recognized him — some by his voice, others by his demeanour

tamtędy *adv* (*tamtą drogą*) that way; (*nie tędy*) the other way

tamto *pron n zob.* **tamten**

tamtowieczny *adj* of that <the> century

tamujący *adj* obstructive

tamże *adv* (*w tym samym miejscu*) there; at which place ...; (*u tegoż autora*) ibidem

tan *sm G.* **~u** (*zw. pl*) *żart.* dance; **puścić się w ~y** to begin <to join> the dance

tanagryjski *adj* Tanagra — (statuette, figurine)

tanalbina *sf chem.* tannalbin, albutannin

tancbuda *sf pot.* popular dance-house; shilling-hop

tancer|ka *sf pl G.* **~ek** (*artystka*) dancer; ballet-dancer; (*na balu*) dancer; partner; **~ka kabaretowa** dancing-girl; **~ka rewiowa** chorus-girl

tancerz *sm* dancer; **artysta ~** ballet-dancer

tancmistrz *sm* dancing-master; ballet-master

tandeciarz † *sm* old-clothesman

tandem *sm G.* **~u** 1. (*rower*) tandem (bicycle) 2. *techn.* tandem engine <compound, dynamo>

tandemowy *adj* tandem (arrangement etc.)

tandeta *sf* 1. (*towar, przedmioty*) trash; rubbish; truck; trumpery; shoddy (goods) 2. *reg.* (*miejsce handlu*) rag fair; flea fair <market>

tandetnie *adv* trashily; **~ zbudowany** jerry-built

tandetność *sf singt* trashiness; shoddiness

tandetn|y *adj* trashy; shoddy; tinpot; **~e budownictwo** jerry-building

tanecznia *sf* (*w starożytnym teatrze greckim*) circle; orchestra

taneczníc|a *sf* = **tancerka**; *przysł.* **złej ~y fartuch na zawadzie** a bad workman always quarrels with his tools

tanecznie *adv* 1. (*w odniesieniu do tańca*) in respect of <as regards> choreography 2. (*w tanecznych ruchach*) in dancing motions

taneczny *adj* 1. (*dotyczący tańca*) dancing-(school, master, hall etc.); dance — (music, step, band etc.) 2. (*tańczący*) dancing (couples etc.)

tangens *sm G.* **~u** *mat.* tangent; **~ hiperboliczny** hyperbolic tangent; **~ kąta** tangent of an angle

tangensoida *sf mat.* tangential curve

tangent *sm G.* **~u** *muz.* tangent

tango [I] *sn muz.* tango [II] *adj indecl* of the colour tango

tani *adj* cheap; inexpensive; *przen.* cheap (success etc.); **~e ceny** low prices; **~m kosztem** (to get sth) at little cost; **~m kosztem wyplątać się z biedy** to get off cheaply; **~m sposobem** on the cheap; **za ~e pieniądze** (to buy sth) cheap (*adv*); *pot.* **śmiesznie ~** dirt-cheap

taniec *sm G.* **tańca** 1. (*tańczenie*) dance; **~ ludowy** folk-dance; **~ śmierci** dance of death, danse macabre; *med.* **~ św. Wita** St. Vitus's dance; **~ wojenny** war-dance 2. *muz.* dance 3. *pl* **tańce** *pot.* (*zabawa*) (a) dance; dancing-party

tanie|ć *vi imperf* **~je** to cheapen; to grow cheaper; **pomarańcze ~ją** oranges are falling in price

tanienie *sn* (↑ **tanieć**) drop in prices

tanina *sf singt chem.* tannin

taninion *sm G.* **~u** *chem.* tannate

tani|o *adv* cheap; inexpensively; at little cost; **można było to ~ej kupić** you could have got it cheaper <for less>; **~o coś dostać** to get sth cheap

<for a song>; **~o jak barszcz** dirt-cheap; *przen.* **~o się okupić** to get off cheaply

taniocha *sf pot.* cheap stuff; **to ~** it's dirt-cheap

taniość *sf singt* cheapness

taniuchny *adj*, **taniusi** *adj*, **taniutki** *adj emf.* (*dim* ↑ **tani**) dirt-cheap

tanizna *sf singt pot.* cheap stuff; trash; shoddy

tank *sm G.* **~u** 1. (*pojemnik*) tank 2. *fot. wojsk.* tank

tankiet|ka *sf pl G.* **~ek** *wojsk.* whippet tank

tankować *vi vt imperf* to refuel; to fuel (up)

tankow|iec *sm G.* **~ca** *mar.* tanker; oiler

tantal *sm singt G.* **~u** *chem.* tantalum

Tantal *sm mitol.* Tantalus; **cierpieć męki ~a** to suffer tantalizing torments; **zadawać komuś męki ~a** to tantalize sb

tantalit *sm singt G.* **~u** *miner.* tantalite

tantalowy *adj chem.* tantalic; tantalum — (lamp etc.)

tantiema *sf ekon.* 1. (*procent zysków*) dividend 2. (*udział autora*) royalty

tantiemowy *adj ekon.* dividend — (payment etc.); royalty — (dues etc.)

tańc|ować † *vi imperf* = **tańczyć**; *przysł.* **myszy ~ują, gdy kota nie czują** when the cat's away the mice will play

tańcowywa|ć *vi imperf* to dance (sometimes, often, now and again); **~ł po całych nocach** he used to dance all night long

tańców|ka *sf pl G.* **~ek** *pot.* (a) dance; dancing-party

tańcujący *adj* dancing-(party etc.)

tańczenie *sn* ↑ **tańczyć**

tańczy|ć *v imperf* [I] *vt* to dance (**walca itd.** a waltz etc.) [II] *vi* to dance; **dobrze ~ć** to be a good dancer <good at dancing>; **~ć do upadłego** to dance one's head off; (*w walcu*) **~ć w przeciwnym kierunku** to reverse; **~ć w takt <bez taktu>** to dance in time <out of time>; *przen.* **czarne płatki ~ły mi przed oczami** I had black spots in front of my eyes; **~ć jak ktoś komuś zagra** to dance to sb's tune <piping>; **~ć koło kogoś** to dance attendance upon sb; **~ć na wulkanie** to dance over a volcano

taoista *sm* (*decl* = *sf*) *rel.* (a) Taoist

taoistyczny *adj* Taoist(ic)

taoizm *sm singt G.* **~u** Taoism

tapczan *sm G.* **~u** <**~a**> couch

tape|t † *sm G.* **~tu** conference table; *obecnie w zwrotach*: **być na ~cie** to be on the carpet; **wejść na ~t** to come up for discussion

tapet|a *sf* wallpaper; *pl* **~y** paper-hangings; **obijać pokój ~ami** to hang <to decorate> a room with wallpaper; to paper a room; **zmienić ~y w pokoju** to redecorate <to repaper> a room

tapetowanie *sn* (↑ **tapetować**) paper-hanging

tapetowy *adj* 1. (*odnoszący się do tapety*) wallpaper — (decoration etc.) 2. (*pokryty tapetą*) papered (room, door etc.)

tapicer *sm* upholsterer

tapicerka *sf singt* 1. (*rzemiosło*) upholstering 2. (*miękkie części mebla, samochodu itd.*) upholstery

tapicer|nia *sf pl G.* **~ni** <**~ń**> upholstery shop

tapicerować *vt imperf* to upholster

tapicerowanie *sn* 1. ↑ **tapicerować** 2. (*robota tapicerska*) upholstery

tapicersk|i *adj* upholsterer's (shop etc.) **po ~u** expertly (in respect of upholstering)

tapicerstwo *sn singt* upholstering; upholstery

tapioka *sf singt kulin.* tapioca

tapir *sm zool.* (*Tapirus*) tapir; *pl* **~y** (*Tapiridae*) (*rodzina*) the tapirs

tapirować *vt imperf* to comb back (one's <sb's> hair)

tapirowat|y *paleont. zool.* [I] *adj* tapiroid [II] *spl* **~e** (*Tapiroidea*) the Tapiroidea

taplać *v imperf pot.* [I] *vt* to dabble (one's hands, feet in water, mud) [II] *vr* **~ się** 1. (*zanurzać się*) to dabble <to paddle, to puddle, to splash> about (in water, mud) 2. (*brnąć*) to wade

tar|a *sf* tare; **potrącenie na ~ę** allowance for tare

taraban *sm muz.* kettle-drum

tarabanić † *v imperf* [I] *vi* to beat the drum [II] *vr* **~ się** *pot.* 1. (*jechać z hałasem*) to rattle along 2. (*gramolić się*) to scramble

tarakan *sm*, **tarakon** *sm reg.* cockroach

taran *sm* 1. *hist.* battering ram; *dosł. i przen.* **bić <walić> w coś ~em** to pound at sth 2. *hist. mar.* ram; stemhead 3. *górn.* (water <hydraulic>) ram

taran|ek *sm G.* **~ka** *bud. techn.* rammer

taraniarz *sm pl G.* **~y** <**~ów**> rammer

tarant *sm* dappled horse

tarantas *sm* tarantass

tarantela *sf muz.* tarantella

tarantowaty *adj*, **tarantowy** *adj* dappled

tarantula *sf zool.* (*Tarentula*) tarantula

tarapat|y *spl G.* **~ów** trouble; predicament; tangle; scrape; straits; (a) fix; sad <sorry> plight <pickle>; **być w ~ach** to be in trouble <on one's beam-ends>; *pot.* to be up a tree; *sl.* to be in a hole <in Queer Street>; **popaść, wpaść w ~y** to get into trouble <into a tangle, a strait>

taras *sm G.* **~u** 1. (*weranda*) terrace 2. *bud.* bench; platform 3. *geol.* terrace

tarasić *vt imperf gw.* to tread (straw etc.); **~ trawę** to tread on the grass

tarasować *vt imperf* 1. (*znajdować się na drodze*) to bar <to obstruct, to block, to stand in> the way 2. (*barykadować*) to barricade (a door)

tarasowato *adv* (to rise, to slope) in terraces

tarasowatość *sf singt* terracing

tarasowaty *adj* terraced

tarasowo *adj* (to rise, to slope) in terraces

tarasowy *adj* 1. (*odnoszący się do tarasu*) terrace — (rail etc.) 2. (*ukształtowany w tarasy*) terraced

taratat|ka *sf pl G.* **~ek** old-fashioned kind of cape

tarcic|a *sf* deal; plank; board; *pl* **~e** sawn timber

tarci|e *sn* 1. ↑ **trzeć** 2. *singt fiz. techn.* friction; attrition; drag; **kąt ~a** angle of friction; **~e wewnętrzne** internal friction 3. *pl* **~a** *pot.* (*nieporozumienia*) friction; discord; clashes

tarciowy *adj meteor.* frictional

tarcza *sf* 1. *wojsk. i przen.* shield 2. *herald.* coat of arms; escutcheon 3. (*cel do strzelania*) target 4. *wojsk.* (*osłona stalowa przy karabinie maszynowym*) bullet-shield 5. (*okrągła płaszczyzna*) disk; **~ słoneczna <księżycowa>** the sun's <moon's> disk; *bot.* **~ zarodkowa** blastodisc 6. *szk.* school badge 7. *geol.* shield 8. *techn.* (*kolisty element maszyny, przyrządu*) disk; (*w zegarze*) face; (*w liczniku itd.*) dial (plate); (*przyrząd ochronny spawacza*) face-screen; **~ obrotowa** a) *kolej.* turntable

b) (*w gramofonie, adapterze*) turntable || *anat.* ~ **nerwu wzrokowego** optic disc

tarcz|ka *sf pl G.* **~ek** 1. *dim* ↑ **tarcza** 2. *zool.* shield (of snakes and lizards); **~ka zarodkowa** germinal disk || *anat.* **~ka powiekowa** tarsus

tarczkow|y *adj anat.* **spojówka ~a** tarsus

tarcznik *sm zool.* (*Aspidiotus*) aspidiotus

tarczogł|ów *sm G.* **~owa** 1. *paleont. pl* **~owy** (*Stegocephalia*) (*grupa*) the order Stegocephalia 2. *zool.* (*Echeneis*) remora 3. *zool. pl* **~owy** (*Echeneidae*) (*rodzina*) the family Echeneidae

tarczowat|y *adj* shield-like; *biol.* clypeate; scutate; *bot.* peltate; *anat.* **chrząstka ~a** thyroid <scutiform> cartilage; *bot.* **~y liść** peltate leaf

tarczownica *sf* 1. *bot.* (*Parmelia*) parmelia 2. *techn.* folded plate

tarczownicowat|y *bot.* [I] *adj* parmeliaceous [II] *spl* **~e** (*Parmeliaceae*) (*rodzina*) the family Parmeliaceae

tarczownik *sm hist. wojsk.* shielded warrior

tarczow|y *adj* 1. *wojsk.* shielded (warrior) 2. *biol.* clypeate; *anat.* **chrząstka ~a** thyroid <scutiform> cartilage; *geol.* **wulkan ~y** shield volcano 3. *techn.* disk-(wheel etc.); *kolej.* **koło ~e** plate wheel; **piła ~a** circular saw

tarczów|ka *sf pl G.* **~ek** 1. *techn.* circular bench 2. *zool. pl* **~ki** (*Pentatonidae*) (*rodzina*) the family Pentatonidae

tarczyca *sf* 1. *anat.* thyroid (gland) 2. *bot.* (*Scutellaria*) skull-cap

tarczycowy *adj* thyroid

tarczyk *sm* = **tarcznik**

tarczykowy *adj* thyroid

targ *sm G.* **~u** 1. (*plac i czynności z nim związane*) market 2. *pl* **~i** fair; **Targi Poznańskie** <**Lipskie**> the Poznań <Leipzig> fair 3. (*spór o cenę*) bargaining; haggling; *przen. pl* **~i** negotiations; **dobić ~u, ubić ~** to strike a bargain; **krakowskim ~iem** by way of compromise; by splitting the difference; **zgódźmy się krakowskim ~iem** let's split the difference; † **~ w ~** after much haggling <bargaining> 4. (*utarg*) returns; receipts

targ|ać *v imperf* — **targ|nąć** *v perf* [I] *vt* 1. (*szarpać*) *imperf* to pull (sb) about; to tousle; to hustle; to pull (**kogoś za włosy** sb by the hair); *perf* to jerk; to give (sth) a jerk; to pull (sth) with a jerk; **słoma ~ana** matted straw; **~ać kogoś za uszy** to pull sb's ears 2. *przen.* (*o uczuciach, gniewie, rozpaczy itd.*) to prey (**kimś** upon sb <upon sb's mind>); **niepokoje ~ały nim** he worried himself to death; **~ać nerwy** to shatter the nerves 3. *pot.* (*dźwigać*) to lug [II] *vr* **~ać, ~nąć się** 1. (*ciągnąć, szarpać siebie za coś*) to pluck (**za brodę, włosy** one's beard, one's hair) 2. (*szamotać się*) to struggle; **pies ~ał się na łańcuchu** the dog strained at its chain 3. † (*występować agresywnie*) to attack <to assail> (sb); *obecnie w zwrocie*: **~nąć się na życie** to lay violent hands on oneself

targanie *sn* (↑ **targać**) jerks

targan|ka *sf pl G.* **~ek** *roln.* matted straw

targlic|a *sf wędk.* spoon; spoon-bait; **łowić na ~ę** to spoon

targnięcie *sn* (↑ **targnąć**) (a) jerk; (a) pull; (a) lug

targować *v imperf* [I] *vi* 1. (*handlować*) to trade <to deal> (**czymś** in sth); to sell 2. (*układać się o kupno*) to bid (**coś** for sth); *przen.* **~ kota w worku** to buy a pig in a poke [II] *vr* **~ się** to bargain; to haggle; to higgle; to chaffer

targowanie *sn* 1. (↑ **targować**) trade (**czymś** in sth) 2. **~ się** chaffer

targowica *sf* 1. (*miejsce targu*) trade centre; mart 2. (*targ bydła*) cattle market 3. **Targowica** *hist.* confederation formed at Targowica protesting against the constitution of May 3rd 1791; *przen.* treason

targowicki *adj hist.* (confederation of) Targowica

targowiczanin *sm hist.* Targowician

targowisko *sn* 1. (*miejsce targów*) market; mart; emporium 2. (*targ*) trade

targowiskowy *adj* market-place — (sales etc.)

targow|y *adj* market (place, day, town etc.); market — (price etc.); **hala ~a** covered market

tar|ka[1] *sf pl G.* **~ek** 1. (*sprzęt kuchenny*) grate; rasper 2. *techn.* rasp 3. (*sprzęt pralniany*) wash-board 4. *zool.* radula

tar|ka[2] *sf pl G.* **~ek** = **tarnina**

tarkow|y *adj zool.* **kieszonka ~a** radula sheath

tarlak *sm zool.* spawner

tarlatan *sm G.* **~u** tarlatan (muslin)

tarlatanowy *adj* tarlatan — (frock etc.)

tarlica *sf reg.* flax-comb; hackle; scutcher

tarlisko *sn* spawning-ground

tarliskowy *adj* spawning-(ground etc.)

tar|ło *sn singt* 1. (*okres godowy u ryb*) spawning-time, spawning-season; **ryba po ~le** spent fish 2. (*składanie ikry*) spawning

tarłowy *adj* spawning — (migrations etc.)

tarmo|sić *v imperf* **~szę** *pot.* [I] *vt* to pull (sb) about; to tousle; to hustle; to pull (**kogoś za włosy** <**za ramię**> sb by the hair <by the arm>); to pull (**kogoś za uszy** sb's ears); to tug (**coś** at sth) [II] *vr* **~sić się** to scuffle; to scramble; to tussle

tarmoszenie *sn* 1. ↑ **tarmosić** 2. **~ się** (a) scuffle <scramble, tussle>

tarnik *sm techn.* rasp; **obrabiać coś ~iem** to rasp sth; **ścierać coś ~iem** to rasp sth away <off>

tarnin|a *sf bot.* (*Prunus spinosa*) blackthorn; sloe; **owoc ~y** sloe plum

tarniów|ka *sf pl G.* **~ek** sloe gin

tarninowy *adj* blackthorn (wood, bush etc.); **krzak ~** sloe bush

tarn|ka *sf pl G.* **~ek** *bot.* **~ka cierniowa** = **tarnina**

tarnowicyt *sm G.* **~u** *miner.* tarnowitzite

tarok *sm singt* taroc

tarować *vt imperf* to tare

tarpan *sm zool.* (*Equus caballus gmelini*) tarpan

tarpejski *adj* Tarpeian (rock)

tarpon *sm zool.* (*Megalops atlanticus*) tarpon

tartacznictwo *sn singt techn.* timber-sawing; saw-milling

tartaczn|y *adj* sawmill — (management etc.); **odpady ~e** sawmill waste; **surowiec ~y** timber

tartak *sm G.* **~u** sawmill

tartan *sm G.* **~u** *tekst.* tartan

tartana *sf mar.* tartan

tartin|ka *sf pl G.* **~ek** slice of bread and butter <jam, ham, cheese etc.>

tart|y *pp* ↑ **trzeć**; **~a bułka** crumbs; **~e jarzyny** purée

taryf|a *sf* scale <schedule> of charges; (postal, telegraph etc.) rates; **~a celna** tariff (of duties, customs); **~a kolejowa** table of fares; **~a ulgowa** a) *dosł.* reduced rates b) *przen.* (*łagodne ocenianie*) concession(s); laxity; **stosować ~ę ulgową** to make allowances

taryfikacja *sf ekon.* tariffing; tariffication; rating

taryfikator *sm ekon.* scale <schedule> of charges; rates

taryfow|y *adj* tariff — (reform, wall etc.); **~a opłata** regular charge

tarzać *v imperf* [I] *vt* to roll (sb, sth in mud, dust, snow etc.) [II] *vr* **~ się** to roll (*vi*); to welter; to wallow; **~ się ze śmiechu** to be convulsed <to split one's sides> with laughter

tasak *sm* chopper

tarzawisko *sn* wallow

tasiemcowy *adj* 1. (*tasiemca*) tapeworm's (segments etc.) 2. *przen.* (*długi*) lengthy; unending; interminable

tasiemeczka *sf dim* ↑ **tasiemka**

tasiem|iec *sm G.* **~ca** *zool.* tapeworm; cestoid; taenia; *pl* **~ce** (*Cestoda*) (*gromada*) the cestodes

tasiem|ka *sf pl G.* **~ek** ribbon; tape

tasiemkowy *adj* ribbon — (factory etc.)

tasiemnica *sf bot.* (*Zostera*) eel-grass

taskać *vt imperf pot.* = **taszczyć**

tasmanit *sm G.* **~u** *miner.* tasmanite

tasmański *adj antr. jęz.* Tasmanian

tasować *vt imperf* to shuffle (cards)

tasowanie *sn* (↑ **tasować**) shuffle

tast|er *sm G.* **~ra** *druk.* keyboard (in monotype)

tasza *sf zool.* (*Cyclopterus lumpus*) lumpfish; lump-sucker

taszczyć *v imperf pot.* [I] *vt* to lug [II] *vr* **~ się** to plod; to clamber

tasznik *sm bot.* **~ pospolity** (*Capsella bursa-pastoris*) shepheard's-purse

taszowat|y *zool.* [I] *adj* cyclopterous [II] *spl* **~e** (*Cyclopteridae*) (*rodzina*) the family Cyclopteridae

taśm|a *sf* 1. (*wstęga*) ribbon; belt; band; tape; **~a filmowa** film reel; film (stock); **~a izolacyjna** insulating tape; **~a magnetofonowa** recording tape; **~a miernicza** tape measure; measuring tape; **~a stalowa** steel band <strip>; **~a tapicerska** webbing 2. *sport* (*u mety*) tape; **przerwać ~ę** to breast the tape 3. *techn.* conveyor <conveyer> belt 4. *wojsk.* ammunition belt

taśmoteka *sf* collection of tape recordings

taśmowaty *adj* ribbon-like

taśmow|iec *sm G.* **~ca** *techn.* auto-stitcher; gatherer and stitcher

taśmow|y *adj* belt- (carrier etc.); band- (steel etc.); tape- (measure); **hamulec ~y** band-brake; belt-brake; **piła ~a** band-saw; **produkcja ~a** conveyor-belt <mass> production; *przen.* mechanical production; **przenośnik ~y** band-conveyer; belt-conveyer; **system ~y** conveyor-belt system; **żelazo ~e** band-iron; hoop-iron

tata *sm* papa; dad, daddy

tata|r *sm* 1. **Tatar** (*pl N.* **~rzy**) (a) Ta(r)tar 2. *pot.* (*befsztyk tatarski*) steak Tatare

tatarak *sm G.* **~u** *bot.* (*Acorus*) sweet flag <rush>; calamus

tatarakowy *adj* calamus — (root etc.)

tatarczany *adj* buckwheat — (porridge etc.)

tatar|ka *sf pl G.* **~ek** 1. **Tatarka** (a) Ta(r)tar (woman) 2. *bot.* (*Fagopyrum tataricum*) Tartarian buckwheat

tatarsk|i *adj* Ta(r)tar <Tartarian> (language, republic etc.); **po ~u** Tatar-fashion; *kulin.* **befsztyk ~i** <**po ~u**> steak Tatare; **sos ~i** tartar(e) sauce

tatarszczyzna *sf singt* 1. (*Tatarzy*) the Ta(r)tars 2. (*wszystko, co tatarskie*) the Ta(r)tar way of life

taternicki *adj* mountain-climbing <Alpine> (club etc.)

taternictwo *sn singt* mountain-climbing <mountaineering> (in the Tatra mountains)

ternicz|ka *sf pl G.* **~ek** (woman) mountaineer <mountain-climber>

taternik *sm* mountaineer; mountain-climber; alpinist

tatko *sm dim* ↑ **tata**

tatła *sf* a Turkish delicacy

tato *sm dim* ↑ **tata**

tatryt *sm G.* **~u** variety of granite composing the Tatra mountains

tatrzański *adj* (fauna, flora etc.) of the Tatra mountains

tatuaż *sm G.* **~u** tatoo(ing); tatooing design

tatuażowy *adj* tatoo — (design, marks etc.)

tatul|ek *sm G.* **~ka, tatunio** <**tatuńcio**> *sm dim* ↑ **tato**

tatuować *vt imperf* to tatoo

tatuowanie *sn* (↑ **tatuować**) tatoo; tatoo design <marks>

tatusin *adj*, **tatusiowy** *adj* dad's; daddy's; papa's

tatuś *sm* 1. *pieszcz.* dad; daddy; papa 2. *żart.* (*starszy pan*) dad

taumaturg *sm rz.* thaumaturge; miracle-worker

taumaturgi|a *sf singt GDL.* **~i** *rz.* thaumaturgy; the working of miracles

tautologi|a *sf GDL.* **~i** tautology

tautologiczny *adj* tautologic(al)

tautologizm *sm G.* **~u** tautologism

tautomeri|a *sf singt GDL.* **~i** *chem.* tautomerism; dynamic isomerism

tautomeryczny *adj* tautomeric, tautomerical

tawerna *sf rz. lit.* tavern

tawlina *sf bot.* (*Sorbaria*) a plant of the genus Sorbaria

tawuła *sf bot.* (*Spirea*) meadowsweet

tawułka *sf bot.* (*Astilbe*) a plant of the genus Astilbe

tawułowe *spl bot.* (*Spiraeoidae*) (*podrodzina*) the subfamily Spiraeoidae

tayloryzm *sm G.* **~u** *ekon.* Taylorism

taż *pron f GD.* **tejże** *A.* **tęż** *I.* **tąż** *L.* **tejże** *pl NA.* **też** *GL.* **tychże** *D.* **tymże** *I.* **tymiż** *lit.* the same

tąpnięcie *sn* 1. ↑ **tąpnąć** 2. *górn.* crump; bounce; bump

tchawica *sf anat.* trachea; windpipe

tchawicowy *adj*, **tchawiczny** *adj* tracheal

tchaw|ki *sf pl G.* **~ek** *zool.* tracheae

tchawkodyszn|y *zool.* [I] *adj* tracheate [II] *spl* **~e** (*Tracheata*) the tracheates

tchem *zob.* **dech**; **jednym ~** in one breath; **wypić jednym ~** to swallow sth <to empty a glass> at one gulp; **z zapartym ~** with bated breath

tchnący *adj* instinct <pervaded> (**poezją, siłą itd.** with poetry, force etc.); redolent (**wiosną itd.** of spring etc.)

tchn|ąć *vt imperf perf* 1. *imperf* (*zionąć*) to breathe (**miłością, nienawiścią itd.** love, hatred etc.); **uczucia, którymi ~ie ...** the feelings that pervade ... 2. *imperf* (*wydzielać*) to exhale <to be redolent of>

(**siarką itd.** sulphur etc.) 3. *perf* (*wdmuchnąć*) to insufflate; *obecnie w zwrotach*: **~ąć życie w ludzi <instytucję itd.>** to inspire people <an institution etc.> with life; to infuse life in people <an institution etc.>; **~ąć nowe życie w instytucję** to revive an institution

tchnienie *sn* 1. (↑ **tchnąć**) breath; **ostatnie ~** (one's) last gasp; **wydał ostatnie ~** he breathed his last 2. (*powiew*) breath (of wind, spring etc.); waft; whiff

tchnięcie *sn* ↑ **tchnąć**

tchór|ek *sf G.* **~ka** ferret

tchórz *sm* 1. (*człowiek*) coward; craven; poltroon; *pot.* funk; **podszyty ~em** cowardly; chicken-hearted; **~ go obleciał** he took fright; he flinched <quailed, *pot.* funked> 2. *zool.* (*Mustela putorius*) polecat, foumart, fitchew 3. *pl* **~e** (*futro*) fitchews

tchórzliwie *adv* in cowardly fashion; like a coward; timorously

tchórzliwość *sf singt* cowardice; faint-heartedness; chicken-heartedness; timorousness

tchórzliwy *adj* cowardly; faint-hearted; chicken-hearted; white-livered; timorous; *pot.* funky

tchórzostwo *sn singt* cowardice

tchórzowsk|i *adj* cowardly; **po ~u** in cowardly fashion

tchórzyć *vi imperf* to turn coward; to flinch; to quail; to show the white feather

tchu *zob.* **dech**

te[1] *interj sl.* I say!; *am.* say!

te[2] *pron pl* (↑ **ta, to**) these; **te, które** those who <which> *zob.* **ten**

team *sm G.* **~u** *sport* team

teat|r *sm G.* **~ru** 1. *singt* (*dziedzina sztuki*) the theatre; the stage; **pisać dla ~ru** to write for the stage 2. (*instytucja, budynek, twórczość sceniczna*) theatre; (*widownia*) the room; **byliśmy w ~rze** we were at the play; **~r był pełny** the auditorium was full; there was a full room 3. *pot.* (*przedstawienie*) the theatre; the play 4. † (*teren wypadków*) theatre; *obecnie w zwrocie*: **~r wojny <działań wojennych>** theatre <seat> of war <of war operations>

teatrali|a *spl G.* **~ów** theatricalities

teatralizacja *sf singt* staging

teatralizować *vt imperf* to adapt for the stage

teatralnie *adv* 1. (*w sposób teatralny*) theatrically 2. *przen.* (*sztucznie*) stagily; melodramatically

teatralność *sf singt* theatricalness; staginess; melodrama

teatraln|y *adj* 1. (*dotyczący teatru*) theatrical; scenic; stage — (effects, properties; manager etc.); **technika ~a** stagecraft 2. (*sztuczny*) theatrical (pose etc.); stagy; spectacular

teatrolog *sm* theatrologist; expert in theatrical matters

teatrologi|a *sf singt GDL.* **~i** science of theatrical matters

teatroman *sm* theatromaniac; theatre-goer; play-goer

teatromani|a *sf singt GDL.* **~i** theatromania

teatromanka *sf* = **teatroman**

teatrzyk *sm G.* **~u** (*dim* ↑ **teatr**) small theatrical company; **~ rewiowy** variety theatre

teatyn *sm rel.* Theatin(e)

teatyński *adj rel.* Theatin(e) — (monastery etc.)

tebaina *sf singt farm.* thebaine

tebek *sm hist. polit.* member of a militant group of the Polish Socialist Party previous to World War I

technet *sm G.* **~u** *singt chem. fiz.* technetium, masurium

technicystyczny *adj* technicalist — (mania etc.)

technicyzm *sm singt G.* **~u** technicalism, technicism

technicznie *adv* technically; in respect of technics <of technology>; as regards technique; *chem.* **~ czysty** commercially pure

techniczn|y *adj* 1. (*odnoszący się do techniki*) technical (terms, school, difficulties etc.); technological (progress etc.); mechanical (drawing, accessories etc.); **kierownik ~y** chief engineer; **personel ~y** operating personnel; *lotn.* ground staff; **strona ~a** (*wykonania czegoś itd.*) technics; **szkoła ~a** engineering school 2. *pot.* (*dotyczący sposobu załatwienia*) technical (impossibility etc.)

technik *sm* technician; engineer; mechanic; **~ dentystyczny** dental mechanic; **~ rentgenowski** X-ray operator

technika *sf* 1. (*metoda pracy*) technics; technique 2. *singt* (*wytwarzanie dóbr materialnych*) technology; engineering

technikologicznie *adv* technicologically

technikologiczny *adj* technicological

technikolor *sm kino* Technicolor

technikum *sn szk.* technical <engineering> school

technizacja *sf singt* technicalization

technokracja *sf singt* technocracy

technokrat|a *sm* (*decl* = *sf*) *pl G.* **~ów** technocrat

technokratyczny *adj* technocratic

technolo|g *sm pl N.* **~gowie <~dzy>** technologist

technologi|a *sf singt GDL.* **~i** 1. (*nauka o metodach przeróbki i obróbki materiałów*) technology; production engineering 2. (*technika*) technics; technique

tecz|ka *sf pl G.* **~ek** 1. (*torba skórzana, płócienna itd.*) brief-case; portfolio 2. (*okładka z papieru, tektury*) jacket; folder; binder

tedy *conj lit.* 1. (*więc*) so 2. (*to, w takim razie*) then

tefryt *sm G.* **~u** *miner.* tephrite

tegoroczny *adj* this year's

tegowieczny *adj* of the present century

teina *sf singt chem.* theine

teista *sm* theist

teistyczny *adj* theistic

teizm *sm singt G.* **~u** theism

tek *sm bot.* (*Tectona*) teak

tek|a *sf* 1. (*teczka*) brief-case; portfolio; **~a ministerialna <ministra>** minister's portfolio; **minister bez ~i** minister without portfolio 2. (*zbiór rysunków itd.*) case; folder; file 3. *zool.* theca

tekowy *adj bot.* teak — (wood etc.)

tek|st *sm G.* **~stu** text; wording; tenor <version> (of a document etc.); *druk.* copy; **błąd w ~ście** textual error; **pod względem <odnośnie> ~stu** textually

tekstologi|a *sf singt GDL.* **~i** textual criticism

tekstologiczny *adj* textual (criticism etc.)

tekstow|y *adj* textual; *druk*; **czcionka ~a** text letter

tekstualny *adj* textual

tekstura *sf* 1. *miner.* texture 2. *druk.* black letter; church-text

tekstyli|a *spl G.* **~ów** textiles; fabrics; piece-goods; *am.* dry goods
tekstyln|y *adj* textile; **kupiec z branży ~ej** draper; clothier
tekszl|a *sf pl G.* **~i** *bot.* (*Rubus arcticus*) a species of raspberry
tektogeneza *sf singt geol.* tectogeny
tektonicznie *adv geol.* tectonically
tektonika *sf singt geol. arch.* tectonics
tektura *sf* cardboard, pasteboard; **~ falista** corrugated cardboard; **~ smołowcowa** tar paper; roofing felt
tekturnica *sf techn.* (card)board machine
tekturow|y *adj* cardboard — (box etc.); **okładka ~a** binding in boards
telamon *sm G.* **~u** *arch.* telamon
telautograf *sm G.* **~u** *techn.* telautograph
tele- *praef* tele-
teleelektryka *sf singt techn.* electrical communications engineering
teleelektryczny *adj* teleelectric
telefon *sm G.* **~u** 1. (*urządzenie*) telephone; *lotn.* **~ pokładowy** intercom; **~ wewnętrzny** extension telephone; **czy pan ma ~ (w domu)?** are you on the phone? 2. (*aparat*) (tele)phone; receiver; **~ wewnętrzny** extension; **przez ~** by phone; **Kowalski przy ~ie** Mr Kowalski speaking 3. (*rozmowa*) (tele)phone call; **odebrać ~** to take a call; to answer the telephone; **~ do pana** you're wanted on the phone
telefoni|a *sf singt GDL.* **~i** telephony
telefonicznie *adv* by (tele)phone; **osiągnąć kogoś ~** to get sb on the phone
telefoniczn|y *adj* telephone — (call, exchange, directory, wires etc.); **dostać połączenie ~e z kimś** to get through to sb; to get sb on the phone
telefonist|a *sm*, **telefonist|ka** *sf pl G.* **~ek** operator; telephonist
telefonizacja *sf* telephone services
telefonogram *sm G.* **~u** message received by phone
telefonować *vi imperf* to telephone; **~ do kogoś** to call <to ring> sb up; to telephone sb
telefotografi|a *sf singt GDL.* **~i** *techn.* telephotography; picture telegraphy
telefotograficzny *adj* telephotographic
telefotogram *sm G.* **~u** telephotograph
telegraf *sm G.* **~u** 1. (*urządzenie*) telegraph; *mar.* **~ maszynowy** engine room telegraph 2. (*aparat*) telegraphic apparatus 3. *pot.* (*biuro*) telegraph office
telegrafi|a *sf singt GDL.* **~i** telegraphy
telegraficznie *adv* by telegram <telegraph>; by wire; by cable; **zawezwać kogoś ~** to wire for sb
telegraficzność *sf singt* telegraphic style <sentences>
telegraficzn|y *adj* telegraphic (alphabet, address, code etc.); telegraph — (office, wire, form etc.); **styl ~y** telegraphese; **wiadomość ~a** (a) wire
telegrafista *sm* telegraphist; telegraph operator
telegrafować *vt vi imperf* to telegraph; to wire; to cable; to send (sb) a wire
telegram *sm G.* **~u** telegram; wire; cable(gram)
telekino *sn* telecinematography
telekinowy *adj* telecinematographic
telekomunikacja *sf singt* telecommunication
telekomunikacyjny *adj* telecommunication — (industry etc.)
telekinezja *sf singt* telekinesis
telekonferencyjn|y *adj* telecon; **łącznica ~a** radio-teletype conference device
telekonkurs *sm G.* **~u** TV competition
telekontrol|a *sf pl G.* **~i** *techn.* (*kontrola zdalna*) remote control
telemark *sm sport* Telemark (turn)
telemechanik *sm* telemechanician
telemechanika *sf singt techn.* telemechanics; remote control engineering
telemetr *sm G.* **~u** *fiz. techn.* telemeter
telemetri|a *sf singt GDL.* **~i** *fiz. techn.* telemetry; remote measurements
telemetryczny *adj* telemetric
telemonter *sm techn.* telecommunication mechanic
teleobiektyw *sm G.* **~u** *fot.* telephoto lens
teleolog *sm* teleologist
teleologi|a *sf singt GDL.* **~i** *filoz.* teleology
teleologiczny *adj* teleological
teleologizm *sm G.* **~u** teleologism
telepać się *vr imperf pot.* 1. (*dygotać*) to shake; to tremble 2. (*chwiać się*) to swing; to sway 3. (*jechać ociężale*) to jolt <to rattle, to jog> along
telepajęczarstwo *sn singt pot.* black viewing
telepajęczarz *sm pot.* black viewer
telepati|a *sf singt GDL.* **~i** telepathy; thought transference
telepatycznie *adv* by telepathy
telepatyczny *adj* telepathic
teleran *sm G.* **~u** *lotn.* teleran
telerekording *sm singt G.* **~u** *kino* telerecording
teleskop *sm G.* **~u** 1. (*przyrząd optyczny*) telescope 2. (*zw. pl*) *zool.* telescope fish 3. *techn.* (*u motocykla*) telescopic springing
teleskopowo *adv rz.* in telescope fashion
teleskopowy *adj* telescopic
telesterowanie *sn singt techn.* remote control
teletechniczny *adj* communications — (engineer etc.)
teletechnik *sm* technician in telephone and teletype service
teletechnika *sf singt* telephone and teletype service
teletransmisja *sf* transmission of television signals
teleturniej *sm G.* **~u** TV competition; quiz; quiz show <game, contest>
teletypista *sm* teletypesetter
telewidz *sm pl N.* **~owie** television viewer, televiewer
telewizj|a *sf* television, TV, tele; *pot.* telly; **oglądać ~ę** to teleview; to look in to the TV; to watch the TV programme
telewizor *sm* televisor; television <TV> receiver; television set
telewizyjnie *adv* by television; **nadawać ~** to televise
telewizyjny *adj* television <TV> — (set, programme, studio etc.)
telękać *vi imperf myśl.* (*o głuszcu*) to toot; to call (at mating time)
tellur *sm G.* **~u** *chem. fiz.* tellurium
tellur|ek *sm G.* **~ku** *chem.* telluride
tellurium *sn astr.* tellurian, tellurion
temacik *sm G.* **~u** *dim* ↑ **temat**; minor subject <theme>
temat *sm G.* **~u** 1. (*przedmiot pracy, utworu itd.*) subject; theme; subject-matter; (*przedmiot roz-*

mowy) topic; (przedmiot przemówienia, kazania) text; czyjś ulubiony ~ sb's hobby; główny ~ rozmowy the staple of the conversation; nagle zmienić ~ to fly off at a tangent; odbiegać od ~u to stray from the <one's> point; poruszyć ~ to touch on a subject; to bring up a subject; wciąż powracać do tego samego ~u to keep harping on the same string; nie w związku z ~em beside the point; not to the point 2. jęz. stem <theme> (of a word) 3. muz. theme; proposition (of a fugue)

tematowo *adv* thematically

tematowy *adj* thematic; topical

tematycznie *adv* thematically; as regards subject-matter

tematyczny *adj* thematic; topical

tematyka *sf singt* 1. (*w utworze literackim, rozmowie*) subject matter 2. (*w utworze muzycznym*) themes

temblak *sm G.* **~a** <**~u**> 1. *med.* sling; **z ręką na ~u** with one's arm in a sling 2. *wojsk.* sword-knot

tembr *sm G.* **~u** timbre

temper|a *sf mal.* distemper; **malować ~ą** to paint in distemper

temperamencik *sm G.* **~u** (*dim* ↑ **temperament**) (no mean) temperament

temperament *sm G.* **~u** 1. (*układ cech psychicznych*) temperament; nature; mettle; **człowiek z ~em** person full of mettle; temperamental person; person of temperamental nature; **~ sangwiniczny** <**choleryczny, melancholiczny, flegmatyczny**> sanguine <choleric, melancholic, phlegmatic> temperament 2. (*wysoki stopień pobudliwości*) temperament

temperamentny *adj pot.* temperamental; mettlesome

temperatur|a *sf* 1. (*stan cieplny*) temperature; **~a ciała** blood-heat; **~a krytyczna** critical temperature <point>; **~a pokojowa** room temperature; **~a topnienia** melting point; fusion temperature; **~a wrzenia** boiling-point; **~a zamarzania** freezing-point 2. *pot.* (*gorączka*) fever; (a) temperature; **mieć (wysoką) ~ę** to have a (high) temperature; to be feverish; **zmierzyć ~ę** to take (one's, sb's) temperature; **bez ~y** free from fever

temperaturowy *adj fiz. chem. techn.* temperature — (coefficient etc.)

temperowa|ć *vt imperf* 1. (*zaostrzać*) to sharpen <to point> (a pencil etc.) 2. † (*powściągać*) to mitigate ‖ *muz.* **strój ~ny** temperament

temperow|y *adj* **farba ~a** distemper; **obraz ~y** painting in distemper

temperów|ka *sf pl G.* **~ek** pencil-sharpener

templariusz *sm hist.* (Knight) Templar

temp|o *sn* 1. (*szybkość*) rate; pace; speed; (*w gimnastyce*) motion; **ćwiczenia na ~a** exercises in motions; **przy takim ~ie** at that rate; **szybkim** <**powolnym**> **~em** at a quick <slow> pace; **w szalonym ~ie** at a great rate; *pot.* at a rare bat; **w ~ie** *x* **mil na godzinę** at a rate of *x* miles an hour 2. (*takt, rytm*) pace; **nadawać ~o** to set the pace 3. *muz.* tempo; time; measure

temu *adv* ago; **dawno ~** long ago; long since; **godzinę** <**dwa lata itd.**> **~** an hour <two years etc.> ago; **jak dawno ~?** how long ago?

ten *pron m G.* **tego** *D.* **temu** *A.* **tego** <**~**> *IL.* **tym** *pl N.* **ci** <**te**> *GL.* **tych** *D.* **tym** *A.* **tych** <**te**> 1. (*w połączeniu z rzeczownikiem*) this; *pl* **ci** these; (*z gestem wskazującym*) this <that, yonder> (boy, tree etc.); **tego roku** this year; **w tej chwili** this minute; at once; at present; **w tym tygodniu** <**miesiącu itd.**> this week <month etc.>; (*w rachunkach, kosztorysach itd.*) **w tym koszt przesyłki** inclusive of transport costs; (*z przymiotnikiem zastępującym rzeczownik*) **ten duży** <**mały, gruby, zielony itd.**> the large <small, big, green etc.> one 2. (*zamiast rzeczownika wspomnianego uprzednio w kontekście*) this one; the; he; **ta** she; **to** it; **który krawat weźmiesz? — ten** which tie will you take? — this one; **prosiłem dyrektora, ale ~ odmówił** I asked the manager, but he refused; **wiele przeczytałem na ~ temat** I have read a great deal on the subject 3. (*z zaimkiem dzierżawczym*) **~ mój** <**twój, nasz itd.**> **wujek** <**nauczyciel itd.**> that uncle <teacher etc.> of mine <yours, ours etc.> 4. (*w zdaniach złożonych*) **~ ..., który** <**kto, co**> the ... which; **~ dom, w którym mieszkam** the house in which I live; (*bez rzeczownika*) the one who <which>; *pl* **ci, którzy** those who <which>; **~, który ukradł zegarek** the one who stole the watch; **~, który kupiłem** the one (which) I bought; **ta, którą widzieliśmy** the one we saw; **ci, z którymi pracuję** those with whom I work; **ci, co słyszeli** those who heard; (*w rozporządzeniach, przestrogach*) **~, kto (zabije itd.)** whoever (kills etc.); (*w sentencjach i przysłowiach*) **~, który kto, co** he who; **~, co nie pracuje, nie będzie jadł** he who does not work shall not eat; **kto szuka, ~ znajdzie** he who seeks shall find 5. (*w połączeniu z dalszymi zaimkami i spójnikami*) **~ i ów** some; **~ a ~** such-and-such; **dnia tego a tego** on such-and-such a day; **~ albo tamten** the one or the other; either (one); **~ sam** the same; **~ sam co ...** the one who ...; (*przeciwstawnie*) **~ ... ~ ...** some ... others ...; **nie ~ co trzeba** the wrong one; **to nie ~ sam człowiek** he is no longer the man he was <no longer what he was>; **tym samym** thereby; **i tym samym spowodował ...** and thereby caused ...; **a ~, ...** who ...; **powiedział to Piotrowi, a ~ Pawłowi** he said it to Peter who said it to Paul; **tę trochę** what little; **dałem mu tę trochę pieniędzy, jakie miałem** I gave him what little money I had; **pan ~ tego, jak mu tam** Mr What's his name; *pot.* **panie tego** hm

tenak|el *sm G.* **~la** *druk.* copy-holder

tendencj|a *sf* 1. (*skłonność*) tendency <inclination> (**do czegoś** to sth); proclivity (**do czegoś** to <towards> sth); *meteor.* **~a barometryczna** barometric tendency; *giełd.* **~a zwyżkowa** <**zniżkowa**> upward <downward> tendency; **mieć ~ę do przesady** <**chwalenia się itd.**> to tend to exaggerate <to boast etc.> 2. (*dążność w utworze literackim, dziele naukowym*) drift; trend; bias

tendencyjnie *adv* tendentiously; with a bias <tendency>

tendencyjność *sf singt* tendentiousness; tendency; bias; drift

tendencyjn|y *adj* tendentious; biassed; **powieść ~a** novel of purpose

tend|er *sm G.* **~ra** *kolej. mar.* tender

tendrzak *sm techn.* tank locomotive <engine>

tenis *sm singt A.* **~a** *sport* tennis; **~ stołowy** table tennis; ping-pong

tenisist|a sm, **tenisist|ka** sf pl G. **~ek** tennis player
tenisowy adj tennis — (racket, match, shoes etc.); tennis- (ball, court etc.)
tenisów|ki spl G. **~ek** tennis <canvas> shoes; plimsolls
teno|r sm muz. 1. (głos) tenor voice 2. (pl N. **~rzy**) (śpiewak) tenor; **~r bohaterski** <**liryczny**> dramatic <lyric> tenor
tenorek sm (dim ↑ **tenor**) light tenor
tenor|ka sf pl G. **~ek** muz. a folk musical instrument akin to the oboe
tenorowy adj tenor — (voice, part etc.)
tenotomi|a sf GDL. **~i** chir. tenotomy
tenrek sm zool. (Centetes ecaudatus) tenrec
tensometr sm G. **~u** fiz. lotn. tensometer; extensometer; strain gauge <meter>
tensor sm mat. tensor
tensorowy adj mat. **rachunek ~** tensor calculus
tent sm G. **~u** mar. awning
tentego indecl pot. what-d'ye-call-it; thingamy; thingumajig; thingumbob
tentegować vt vi imperf pot. to what-d'ye-call-it
tenuta sf 1. prawn. (czynsz) rent 2. hist. (dzierżawa) tenure; lease
tenże pron m. G. **tegoż** D. **temuż** A. **tegoż** <**~**> IL. **tymże** pl N. **ciż, też** GL. **tychże** D. **tymże** A. **tychże** <**też**> I. **tymiż** lit. the same
teobromina sf singt chem. farm. theobromine
teocentryczny adj filoz. theocentric
teodolit sm G. **~u** theodolite
teodyce|a sf singt G. **~i** filoz. rel. theodicy
teogonia sf theogony
teokracja sf singt hist. theocracy
teokrata sm (decl = sf) theocrat
teokratyczny adj hist. theocratic
teokratyzm sm singt G. **~u** hist. theocracy
teolo|g sm pl N. **~gowie** <**~dzy**> theologian
teologi|a sf GDL. **~i** 1. (nauka) theology 2. † uniw. Faculty of Theology
teologiczny adj theological
teologizować vi imperf to theologize
teorban sm G. **~a** <**~u**> muz. theorbo
teorbista sm muz. theorbist
teoremat sm G. **~u** filoz. mat. theorem
teoretycznie adv theoretically; in theory
teoretyczn|y adj theoretical; speculative; **~a strona czegoś** the theoretics of sth
teoretyk sm theoretician; theorist
teoretyzować vi imperf to theorize
teor|ia sf GDL. **~ii** theory (of cosmic evolution, natural selection, relativity, errors etc.); **~ia kwantów** quantum theory; **~ia materialistyczna** materialism; **~ia prawdopodobieństwa** probability mathematics
teoriopoznawczy adj gnosiological; epistemological
teoryjka sf (dim ↑ **teoria**) pog. would-be theory
teownik sm techn. T-bar, tee-bar; (stalowy) T-iron, tee-iron
teow|y adj techn. T-shaped; **żelazo ~e** T-iron
teozof sm pl N. **~owie** theosopher, theosophist
teozofi|a sf singt GDL. **~i** filoz. rel. theosophy
teozoficzny adj filoz. rel. theosophic(al)
teów|ka sf pl G. **~ek** = **teownik**
tepedowski adj pertaining to the Society of the Friends of Children
tepidarium sn hist. ogr. tepidarium
tepować vt imperf mal. to tap
ter sm G. **~u** techn. tar
terać † vi imperf 1. (niszczyć) to spoil; to wear out (one's clothes etc.) 2. (marnować) to waste
terakociarz sm bud. tiler
terakota sf 1. singt (materiał) terracotta 2. (przedmiot) (a) terracotta 3. singt (kolor) the colour terracotta
terakotowy adj terracotta — (figurine etc.)
terapeutyczny adj therapeutic
terapi|a sf GDL. **~i** therapy
terasa sf terrace
teratogenny adj biol. teratogenic
teratologi|a sf singt GDL. **~i** biol. teratology
teratologiczny adj biol. teratological
teraz adv 1. (w tej chwili) now; at present; at this moment; just now; right away; **a ~ co?** what next?; **~ trzeba ...** the next thing (to do) is ...; **~, gdy o tym mówisz ...** now that you mention it ...; **na ~** for the present; for the time being 2. (współcześnie) nowadays
terazzo [-cco] indecl bud. terazzo, lastrico
teraźniejszość sf singt the present
teraźniejszy adj present; gram. **czas ~** the present (tense)
terb sm G. **~u** chem. terbium
terceron sm pl N. **~i** terceron
tercet sm G. **~u** 1. (zespół) trio; terzetto 2. (utwór) trio
tercja sf 1. rel. terce, tierce 2. muz. third, terce, tierce 3. druk. Columbian (16 pkt) 4. sport (w szermierce) tierce
tercjan † sm school janitor
tercjar|ka sf pl G. **~ek** rel. tertiary; grey sister
tercjarski adj rel. tertiary (order etc.)
tercjarstwo sn rel. third order
tercjarz sm rel. tertiary; grey brother
tercjowy adj muz. third (interval etc.)
tercyna sf prozod. triplet, tercet, terza rima
tercynowy adj prozod. triplet — (verses etc.)
tere fere (kuku) indecl pot. nonsense; clotted nonsense; fiddle-dee-dee
teren sm G. **~u** 1. (część powierzchni ziemi) ground; soil; area; locality; country; space; terrain; **~ budowy** building site <ground>; **~ do prób** testing ground; **~y sportowe** sports grounds; athletic field; **~y zielone** greens; **układ** <**topografia**> **~u** the lay of the land 2. przen. (widownia wypadków) seat (of war etc.); scene (of strife etc.); (dziedzina) sphere <field> (of activity); **przygotować ~** to pave <to smooth> the way (for sb, sth); **wysondować ~** to feel the ground; to see how the land lies; **znać ~** to be sure of one's ground 3. (podległy komuś obszar) region; range; **być w ~ie** to be out of town; to be away <on tour> 4. (obręb fabryki, gmachu itd.) premises; **być na ~ie** to be on the premises
terenow|iec sm G. **~ca** pot. regional activist
terenowo adv in respect of locality; as regards the region
terenow|y adj local; regional; ground — (conditions etc.); **sporty ~e** field sports
terenoznawc|a sm (decl = sf) pl N. **~y** G. **~ów** topographer

terenoznawstwo *sn singt* topography; chorography
terenów|ka *sf pl G.* **~ek** *pot.* 1. (*pojazd*) roadster 2. *wojsk.* operational unit
tergal *sm G.* **~u** *tekst.* tergal
terier *sm* terrier
teriologi|a *sf singt GDL.* **~i** theriology
terkot *sm G.* **~u** 1. (*łoskot*) rattle; clatter; rat-tat--tat (of a machine-gun etc.) 2. *rz. pot.* (*trajkotanie*) rattle; chatter
terko|tać *vi imperf* **~cze** <*rz.* **~ce**> 1. (*grzechotać*) to rattle; to clatter 2. *pot.* (*trajkotać*) to rattle (away); to chatter
terkotanie *sn* (↑ **terkotać**) rattle; clatter
terkot|ka *sf pl G.* **~ek** *rz.* (*gadatliwa kobieta*) chatterbox
terkotliwy *adj* rattling; clattering
terlica *sf* 1. *hist.* kind of saddle 2. *reg.* = **tarlica**
terlikać *vi imperf pot.* (*o ptakach*) to chatter
term|a *sf pl G.* **~** <**~ów**> 1. (*cieplica*) hot spring 2. *pl* **~y** *hist.* hot baths 3. *pot.* (*grzejnik*) warmer
termakadam *sm G.* **~u** *techn.* tar macadam
termaln|y *adj* thermal; *hist.* **~e zakłady** thermae
termicznie *adv* thermically
termiczny *adj* thermal (equator, baths, springs etc.); thermic (anomaly, balance, capacity etc.); **prąd ~** thermal current
termik *sm* specialist in matters of thermology
termika *sf singt* 1. (*nauka*) thermology 2. *meteor.* thermal conditions <air currents>
termin *sm G.* **~u** 1. (*wyznaczony czas*) time-limit; appointed time; fixed date; (*czas dany komuś na zrobienie czegoś*) notice; **ostateczny** <**nieprzekraczalny**> **~** dead-line; **przedłużenie ~u** prolongation; **dotrzymać** <**pilnować**> **~u** to be prompt <punctual>; **przed ~em** ahead of time; **zrobić coś przed ~em** to be beforehand with sth; **w ~ie** in (due) time; **w ~ie 10-ciominutowym** <**jednodniowym itd.**> at 10 minutes' <one day's etc.> notice; **przyjść w ~ie** to come in time 2. (*wyraz, nazwa*) (technical, scientific etc.) term; expression 3. (*nauka rzemiosła*) apprenticeship; **oddać chłopca do ~u** to apprentice a lad 4. *filoz. log.* term; **~ mniejszy** <**średni, większy**> minor <middle, major> term
terminarz *sm* 1. (*układ terminów*) time-table 2. (*kalendarz*) agenda
terminator *sm* 1. (*uczeń rzemieślniczy*) apprentice 2. *astr.* terminator
terminatorski *adj* apprentice's
terminologi|a *sf GDL.* **~i** nomenclature; terminology
terminologiczny *adj* terminological
terminować *vi imperf* to do one's apprenticeship
terminowo *adv* punctually; promptly; in due time
terminowość *sf singt* punctuality; promptness
terminow|y *adj* punctual; prompt; (task, execution etc.) with a fixed time limit; **depesza ~a** priority wire
termistor *sm techn.* termistor; temperature-sensitive resistor
termit[1] *sm zool.* termite, white ant
termit[2] *sm G.* **~u** *techn.* thermit(e)
termitiera *sf zool.* termitary, termitarium
termo- *praef* thermo-
termobarometr *sm G.* **~u** *meteor.* thermobarometer
termobet *sm G.* **~u** *bud.* foamed <expanded> slag
termochemi|a *sf singt GDL.* **~i** thermochemistry
termodynamiczny *adj fiz.* thermodynamic(al)
termodynamik *sm* specialist in thermodynamics
termodynamika *sf singt fiz.* thermodynamics
termoelektryczny *adj fiz.* thermoelectric(al)
termoelement *sm G.* **~u** *elektr.* thermocouple; thermo-element; thermopile
termofilny *adj biol.* thermophilous
termofit *sm G.* **~u** *bot.* thermophilous plant; thermophyte
termofon *sm G.* **~u** *radio* thermophone
termofor *sm G.* **~u** hot-water bottle
termofosfat *sm G.* **~u** *chem. roln.* calcined phosphate; silico-phosphate
termograf *sm G.* **~u** *meteor.* thermograph; self--registering thermometer; recording thermometer; temperature recorder
termografi|a *sf singt GDL.* **~i** *fiz.* thermography
termogram *sm G.* **~u** *meteor.* thermogram
termojądrowy *adj fiz.* thermonuclear (reaction, bomb etc.)
termoklina *sf geogr.* thermocline
termoluminescencja *sf singt fiz.* thermoluminescence
termometr *sm G.* **~u** thermometer; **~ normalny** <**gazowy, oporowy, piszący, rtęciowy, termoelektryczny itd.**> standard <gas, resistance, recording mercury-in-glass, thermo-electric etc.> thermometer
termometri|a *sf singt GDL.* **~i** *fiz. med.* thermometry
termometryczny *adj* thermometric
termon *sm G.* **~u** fuel-saving appliance used in connection with pile stoves
termonuklearny *adj fiz.* thermonuclear (energy, reaction, bomb etc.)
termoogniwo *sn*, **termopara** *sf* = **termoelement**
termoplastyczny *adj techn.* thermoplastic
termoregulacja *sf* thermoregulation
termoregulacyjny *adj techn.* thermoregulating
termoregulator *sm techn.* thermoregulator
termos *sm G.* **~u** thermos <vacuum> bottle <flask>
termoskop *sm G.* **~u** *techn.* thermoscope
termostat *sm G.* **~u** *techn.* thermostat
termostatowy *adj techn.* thermostatic
termostatyka *sf singt fiz.* thermostatics
termostos *sm G.* **~u** thermopile
termosyfon *sm G.* **~u** *techn.* thermosiphon; thermal siphon
termosyfonowy *adj techn.* thermosiphon — (cooler etc.)
termoterapi|a *sf GDL.* **~i** *med.* thermotherapy
termotropizm *sm singt G.* **~u** *biol.* thermotropism
termoutwardzalny *adj techn.* heat-hardening, heat convertible; thermosetting
ternew *sm* Newfoundland dog
terno *sn* tern
terocefal|e *G.* **~i** <**~ów**> *spl paleont.* (*Therocephalia*) the Therocephalia
terofity *spl bot.* therophytes
teromorf *sm paleont.* 1. (*gad*) theromorph 2. *pl* **~y** (*Theromorpha*) (*grupa*) the order Theromorpha
teropod *sm paleont.* 1. (*gad*) theropod 2. *pl* **~y** (*Theropoda*) (*grupa*) the suborder Theropoda
terować *vt imperf techn.* to tar; to daub with tar

terowy *adj* tar — (oil etc.)

terp|ać *vt imperf* **~ie** *gw.* to pull (sb) about; to tousle; to hustle

terpentyn|a *sf chem.* turpentine (oil); **~a balsamiczna** gum turpentine; **nacierać ~ą** to turpentine

terpentyniarnia *sf* turpentine distillery

terpentynowy *adj* (oil, spirits etc.) of turpentine

terpen|y *spl G.* **~ów** *chem.* terpenes

terramycyna *sf farm.* terramycin

terrarium *sn* terrarium

terro|r *sm singt G.* **~ru** terror; **szerzyć ~r** to spread terror; **~rem doprowadzić kogoś do czegoś** to terrify sb into doing sth; **trzymać ludność w ~rze** to keep the population under <down>

terrorysta *sm* (*decl* = *sf*) terrorist

terrorystyczny *adj* terroristic

terroryzm *sm singt G.* **~u** terrorism; the Reign of Terror

terroryzować *vt imperf* to terrorize (sb, a population etc.); to bully (sb)

terroryzowanie *sn* (↑ **terroryzować**) terrorization

terygeniczny *adj geol.* terrigenous

terylen *sm singt G.* **~u** *tekst.* terylene

terytorialnie *adv* territorially

terytorialny *adj* territorial (autonomy, waters etc.)

terytorium *sn* territory

tespijski *adj* Thespian

test *sm G.* **~u** *psych. med. chem.* test

testamen|t *sm G.* **~tu** testament; (last) will; **brak ~tu** intestacy; **umrzeć nie pozostawiwszy ~tu** to die intestate; **zapisać coś komuś ~tem** <**w ~cie**> to bequeath sth to sb; *rel.* **Nowy** <**Stary**> **Testament** the New <Old>Testament

testamentowo *adv* by testament

testamentowy *adj* testamentary

testato|r *sm pl N.* **~rzy** <**~rowie**> *prawn.* testator

testator|ka *sf pl G.* **~ek** *prawn.* testatrix

testować[1] *vt imperf prawn.* to bequeath

testować[2] *vt imperf* 1. *bud.* to point (the joints); to joint (a wall) 2. *stol.* to joint (boards) 3. *med. psych. chem.* to test

testowy *adj psych.* test — (questions etc.)

teściow|a *sf* (*decl* = *adj*) *V.* **~o** mother-in-law

teś|ć *sm pl N.* **~ciowie** *G.* **~ciów** father-in-law

tetrachord *sm G.* **~u** *muz.* tetrachord

tetraedr *sm G.* **~u** *mat.* tetrahedron

tetraedryt *sm G.* **~u** *mat.* tetrahedrite

tetragon *sm G.* **~u** *mat.* tetragon

tetragonalny *adj mat.* tetragonal

tetralina *sf chem.* Tetralin

tetralogi|a *sf GDL.* **~i** *lit.* tetralogy

tetralogiczny *adj* tetralogic

tetrametr *sm G.* **~u** *prozod.* tetrameter

tetramorfa *sf plast.* tetramorph

tetrapodi|a *sf GDL.* **~i** *prozod.* tetrapody

tetrarcha *sm* (*decl* = *sf*) *hist.* tetrarch

tetraspora *sf bot.* tetraspore

tetroda *sf fiz. radio* tetrod

tetrycze|ć *vi imperf* **~je** to sour; to become peevish <acrimonious, atrabilious, crusty, curmudgeonly>

tetryczny † *adj* peevish; acrimonious; atrabilious; crusty; curmudgeonly

tetryczyć *vi imperf* to growl; to grumble; to be querulous

tetryk *sm* grumbler; curmudgeon; peevish <acrimonious, crusty> person <fellow>

tetryl *sm singt G.* **~u** *chem. wojsk.* tetryl

teutonizm *sm singt G.* **~u** *lit.* Teutonism

teutoński *adj lit.* Teutonic

tez|a *sf* 1. (*twierdzenie*) argument; point; thesis; proposition; **postawić ~ę** to submit a proposition; **obronić swoją ~ę** to carry one's point; to uphold one's thesis 2. *mat.* proposition (to be demonstrated)

tezauryzacja *sf singt ekon.* thesaurization

tezauryzować *vt imperf lit.* to thesaurize (gold etc.)

tezow|y *adj lit.* (book etc.) with a point (to it); **sztuka ~a** problem play

też[1] *adv* 1. (*również*) also; too; as well; likewise; **~ nie** nor; neither; not ... either; **wiem o tym i on** <**oni**> **~** I know it and so does he <do they>; **nie wiedziałem o tym i on** <**oni**> **~ nie** I did not know it neither did he <did they> 2. *emf. w zwrotach:* **albo** <**lub**> **~** or else; **ale bo ~** but then; **dlatego ~** that is why; **... czy ~ nie** ... or not; **zwłaszcza ~** particularly

też[2] *zob.* **tenże, taż, toż**

tęch|nąć *vi imperf* **~ł** *pot.* 1. (*stawać się stęchłym*) to grow mouldy <musty> 2. (*stawać się mniej nabrzmiałym*) to become reduced; to reduce (*vi*)

tęcz|a *sf* 1. (*zjawisko świetlne*) rainbow; **wszystkie barwy ~y** all the colours of the rainbow; **wpatrywać się w kogoś jak w ~ę** to look rapturously at sb 2. (*zespół barw*) the colours of the spectrum 3. *arch.* rood-screen

tęcznik *sm zool.* (*Calosoma*) calosoma

tęczow|iec *sm G.* **~ca** *zool.* (*Apatura iris*) purple emperor butterfly

tęczowo *adv* colourfully

tęczowy *adj* 1. (*barwny*) rainbow-hued; colourful; *zool.* **pstrąg ~** (*Salmo iridéns*) rainbow trout; *przen.* **przedstawiać coś w ~ch barwach** to portray sth in bright colours 2. *arch.* rood-screen — (arch etc.)

tęczów|ka *sf pl G.* **~ek** *anat.* iris; *med.* **zapalenie ~ki** iritis

tędy *adv* this way; **czy ~ do Londynu?** is this right for London?; **proszę ~!** step this way, please!; **~ albo tamtędy** this way or that; either way; **~ i tamtędy** hither and thither; up and down (the room etc.); **~ (i) owędy** a) (*tu i tam*) here and there b) (*tak lub inaczej*) one way or another; somehow or other; *przen.* **nie ~ droga** (*nie w ten sposób, jeżeli się chce coś załatwić*) we're <you're> on the wrong track

tęgawy *adj* stoutish; on the fat side

tęg|i *adj* 1. (*gruby*) stout; portly; big; burly; corpulent 2. (*masywny*) stout; strong; (*o człowieku*) sturdy; brawny; **~a mina** (a look of) self-assurance; **~i kij** <**powróz**> stout stick <rope>; **~i mróz** hard frost 3. (*wybitny w swojej dziedzinie*) able; competent; **to ~a głowa** he has a head on his shoulders 4. (*wykonany z siłą*) hard (knock, blow etc.); sound (thrashing, beating etc.) 5. (*mocny*) strong (wine, coffee, wind etc.)

tęgo *adv* 1. (*mocno*) mightily; powerfully 2. (*grubo*) stoutly (built etc.) 3. (*sprawnie*) ably; competently 4. (*obficie*) amply; profusely; copiously; unsparingly

tęgopokryw|y *zool.* I *adj* coleopterous II *spl* **~e** (*Coleoptera*) (*rząd*) the order Coleoptera; the beetles and weevils

tęgoryj|ec *sm G.* **~ca** *zool.* (*Ancylostoma duodenale*) hookworm

tęgoskór *sm bot.* **~ pospolity** (*Scleroderma vulgare*) a fungus of the family Sclerodermataceae

tęgoskórowate *spl* (*decl* = *adj*) *bot.* (*Sclerodermataceae*) (*rodzina*) the family Sclerodermataceae

tęgość *sf singt* 1. (*tusza*) corpulence; bulk; stoutness 2. (*moc*) strength

tępacz|ka *sf pl G.* **~ek** *rz.* = **tępak**

tępak *sm pot.* dunderhead; dullard

tępawy *adj* bluntish

tępiciel *sm* exterminator; destroyer; annihilator; butcher; slaughterer

tępić *v imperf* [I] *vt* 1. (*walczyć*) to combat; to fight (**coś** with sth); to be opposed (**coś** to sth) 2. (*niszczyć*) to destroy (vermin etc.); (*prześladować*) to persecute 3. (*czynić tępym*) to dull <to blunt> (a knife, razor etc.) [II] *vr* **~ się** 1. (*wyniszczać się wzajemnie*) to exterminate one another 2. (*ulegać stępieniu*) to dull <to blunt> (*vi*)

tępie|ć *vi imperf* **~je** 1. (*o narzędziu itd.*) to dull <to blunt> (*vi*); to grow blunt 2. (*głupieć*) to grow dull <stupid> 3. (*tracić sprawność*) to become <to grow> blunted <dulled>

tępienie *sn* 1. ↑ **tępieć, tępić** 2. (*zwalczanie*) fight (**czegoś** with sth); opposition (**czegoś** to sth) 3. (*niszczenie*) destruction; extermination; (*prześladowanie*) persecution 4. (*głupienie*) dul(l)ness

tępo *adv* 1. (*nieostro*) dully; bluntly 2. (*apatycznie*) blankly; vacuously; stupidly 3. (*głucho*) dully; with a thud

tępogłów *sm zool.* (*Mugil cephalus*) striped mullet

tępość *sf singt* dul(l)ness; bluntness

tępota *sf singt* 1. (*ograniczoność umysłowa*) dul(l)ness; bluntness; opacity; obtuseness 2. (*otępienie*) vacuity; stolidity; a vacant mind

tępy *adj* 1. (*o narzędziu itd.* — *stępiony*) blunt; dull(-edged) 2. (*ścięty*) obtuse; truncate 3. (*ograniczony umysłowo*) dull; dense; thick; obtuse; slow-witted; mutton-headed 4. (*odrętwiały*) stolid; vacuous 5. (*o zmysłach, bodźcach*) dulled

tęskni|ć *vi imperf* **~j** 1. (*odczuwać brak*) to hanker (**za kimś, czymś** after <for> sb, sth); to be nostalgic; **~ć za krajem <domem, rodziną>** to be homesick 2. (*pragnąć*) to long; to pine <to yearn, to crave, to weary> (**za kimś, czymś** for sb, sth)

tęsknie *adv* = **tęskno**

tęsknienie *sn* (↑ **tęsknić**) nostalgia; homesickness

tęskno *adv* sadly; melancholically; wistfully; lingeringly; longingly; yearningly; **robi się komuś ~** one feels melancholy; **~ mi do ciebie <niej, za tobą, nią itd.>** I long <yearn> for you <her etc.>; I miss you <her etc.>

tęsknot|a *sf singt* 1. (*uczucie wywołane rozłąką*) hankering; pining; homesickness; nostalgia 2. (*pragnienie pozyskania*) longing <yearning, craving> (**za kimś, czymś** for sb, sth); **umierać z ~y** to eat one's heart out; **z ~ą** longingly; yearningly

tęskny *adj* sad; melancholy; wistful; lingering; longing; yearning

tętent *sm G.* **~u** tramp; hoof-beats; pit-a-pat (of horses' hoofs)

tętniak *sm med.* aneurism

tętniący *adj* pulsating; **~ życiem** vibrant with activity

tętnic|a *sf anat.* artery; *med.* **przecięcie ~y** arteriotomy; opening of an artery

tętnicz|ka *sf pl G.* **~ek** *anat.* arteriole

tętniczy *adj* arterial (blood etc.)

tęt|nić *vi imperf* **~ń <~nij>** 1. (*dudnić*) to tramp <to pound, to clump> (**po drodze** the roadway) 2. (*wydawać odgłos pod uderzeniem*) to ring <to echo, to resound> (**od kopyt końskich** with hoof-beats; **od ciężkich stąpań** with the trample of feet) 3. *dosł. i przen.* (*pulsować*) to pulsate; to throb; to vibrate; **~ życiem** to be vibrant with life 3. (*brzmieć*) to resound 4. (*rozbrzmiewać*) to echo <to ring> (**hukiem armat** with the sound of gun-fire)

tętnienie *sn* (↑ **tętnić**) heart-throbs; pulsation; vibration; **~ wiatru** wind-pulsation

tętno *sn* (*rytm*) pulse; heartbeats; (*liczba uderzeń na minutę*) pulse rate; *przen.* pulsations; vibrations

tężcowy *adj med.* tetanic

tęż|ec *sm G.* **~ca** *med.* tetanus; lockjaw

tęże|ć *vi imperf* **~je** 1. (*ścinać się*) to set; to clot; to curdle; to coagulate; to solidify 2. (*drętwieć*) to stiffen 3. (*krzepnąć*) to grow stronger; to acquire strength <vigour>; **mróz ~je** the frost hardens

tężenie *sn* 1. ↑ **tężeć** 2. (*ścinanie się*) coagulation; solidification

tężnia *sf* chimney cooler; graduation tower

tężnik *sm bud.* brace; stay

tężycz|ka *sf pl G.* **~ek** *med.* tetany

tężyzna *sf singt* vigour; thews; brawn; robustness; *pot.* grit

tfu *interj* pish!

tiamina *sf biol.* thiamin

tiara *sf* tiara

tik *sm G.* **~u** tic; twitch(ing)

tik-tak *sn indecl* tic-tack

tilbury [-beri] *sm* tilbury

tilit *sm G.* **~u** *geol.* tillite

tingel-tang|el *sm G.* **~la** second-rate music-hall

tinta *sf* 1. *mal.* tint; colour gradation 2. *druk.* tint

tiocyjan *sm G.* **~u** *chem.* thiocyan

tiokol *sm G.* **~u** *chem.* thiocol

tiokwas *sm G.* **~u** *chem.* thioacid

tioplast *sm G.* **~u** *chem.* thioplast

tiosiarczan *sm G.* **~u** *chem.* thiosulphate; hyposulphite

tiowęglan *sm G.* **~u** *chem.* thiocarbonate

tip-top *indecl pot.* tiptop; posh

tiu tiu tiu *interj* chick chick chick

tiul *sm G.* **~u** *tekst.* tulle

tiulowy *adj* tulle — (veil, blouse etc.)

tiurniura *sf* = **turniura**

tkack|i *adj* weaver's; **przemysł ~i** textile industry; **robota ~a** (the) weave; **warsztat ~i** loom

tkactwo *sn singt* weaving; weaver's craft

tkacz *sm* 1. (*rzemieślnik*) weaver 2. *zool.* (*ptak*) weaver-bird 3. *pl* **~e** *zool.* (*Ploceidae*) (*rodzina*) the weaver-birds

tkacz|ka *sf pl G.* **~ek** (woman) weaver

tka|ć *vt vi imperf* **~, ~j** 1. (*sporządzać tkaninę*) to weave (**tkaninę** a fabric; **materię z nitek** threads into cloth) 2. *pot.* (*wsuwać*) to thrust <to poke> (**coś komuś do ręki <do kieszeni>** sth into sb's hand <pocket>)

tkalnia *sf* 1. (*pracownia*) weaver's shop 2. (*fabryka*) weaving-mill; weaving plant
tkalnictwo *sn singt* weaving industry
tkanie *sn* ↑ **tkać**
tkanina *sf* (woven) fabric; texture; cloth; material; tissue; ~ **dekoracyjna** tapestry
tkaninow|y *adj* cloth <fabric> _ (designs etc.); **drukarstwo** ~**e** cloth printing
tkan|ka *sf pl G.* ~**ek** *anat. bot.* tissue
tkankowc|e *spl G.* ~**ów** *zool.* (*Eumetazoa*) the Eumetazoa
tkany *pp* (↑ **tkać**) woven; **materiał gęsto** <**luźno**> ~ a fabric of close <loose> texture
tkliwie *adv* lovingly; affectionately; tenderly
tkliwość *sf singt* 1. (*czułość*) love; affection; tenderness 2. *med.* (*wrażliwość*) sensitivity
tkliwy *adj* 1. (*czuły*) loving; affectionate; tender 2. (*wyrażający czułość*) loving; tender; full of love 3. *med.* (*wrażliwy*) sensitive
tknąć *vt perf* — *lit.* **tykać** *vt imperf* 1. (*także vr* **tknąć, tykać się**) (*poruszyć*) to touch; **nie tknąć jedzenia** <**napoju**> not to touch food <drink>; **nie tknąć roboty** not to do a stroke of work 2. (*także vr* **tknąć, tykać się**) (*uderzyć*) to strike; **nie tknąć kogoś palcem** not to lay a finger on sb 3. *perf* (*o uczuciach — opanować*) to seize (sb); to come over (sb); **tknęło mnie podejrzenie** <**przeczucie**> I had a suspicion <a presentiment, an inkling> 4. *perf* (*o nieszczęściach itd.*) to affect; to come upon (sb)
tknięcie *sn* ↑ **tknąć**
tkwiący *adj* inherent; immanent; intrinsic; (privileges etc.) resident (in a class etc.); **głęboko** ~ deep-seated
tkwi|ć *vi imperf* ~**j** 1. (*być umocowanym*) to stick; to be stuck <inserted, embedded> (in sth) 2. (*trwać nieruchomo*) to stand; to sit; to stay; to remain (somewhere) 3. (*być zawartym*) to inhere <to be inherent> (in sb, sth); to lie <to reside> (in sb, sth); (*o przekonaniach itd.*) to be instilled <infused, rooted> (in sb, in people); (*o prawach, zasadach itd.*) ~**ć u podstaw czegoś** to underlie sth; ~**ć w przesądach** to be steeped in prejudice; **w czym** ~ **niebezpieczeństwo?** wherein lies the danger?
tle|ć *vi imperf* ~**je** (*także vr* ~**ć się**) to smoulder
tlen *sm singt G.* ~**u** *chem.* oxygen
tlen|ek *sm G.* ~**ku** *chem.* oxide; ~**ek glinowy** alumina; aluminium oxide; ~**ek miedzi** <**ołowiu, azotu**> copper <lead, nitric> oxide; ~**ek wapniowy** quicklime; calcium oxide; ~**ek żelazawy** ferrous oxide; protoxide of iron; ~**ki metali ziem rzadkich** rare earths
tlenić *vt imperf* to oxidize, to oxidise
tlenie (się) *sn* ↑ **tleć, tlić się**
tlenochlor|ek *sm G.* ~**ku** *chem.* oxychloride
tlenow|iec *sm G.* ~**ca** 1. *biol.* aerobe; aerobic bacterium 2. *pl* ~**ce** *chem.* oxygen group
tlenowodorowy *adj chem.* oxyhydrogen _ (gas, light etc.)
tlenowy *adj* oxygenic; oxygen _ (compound, bottle, cylinder etc.)
tli|ć się *vr imperf* ~**j się** 1. *dosł. i przen.* (*palić się*) to smoulder 2. (*żarzyć się*) to glow
tłam|sić *v imperf* ~**szę,** ~**szony** [I] *vt* to smother; to stifle; to crush; to squash; to squelch [II] *vr* ~**sić się** to squeeze together; to crush <to crowd> (*vi*)
tłamszenie *sn* ↑ **tłamsić**
tło *sn pl G.* **teł** (*w przestrzeni, obrazie, stosunkach*) background; (*w obrazie*) ground(work); ~ **opowiadania** setting of a story; **na tym tle powstały zamieszki itd.** this gave rise to disturbances etc.; **stanowić** ~ **czegoś** to provide a background for sth; to constitute the background of sth; **na tle (czegoś)** against a background (of sth)
tłoczar|ka *sf pl G.* ~**ek** press
tłoczarnia *sf* 1. = **tłoczarka** 2. *techn.* press-shed
tłoczarz *sm* presser
tłocz|ek *sm G.* ~**ka** pusher; rammer; piston; (*w pompie*) sucker; pump bucket
tłoczenie *sn* 1. ↑ **tłoczyć** 2. *techn.* (*wytłaczanie*) expression; (*wyciskanie*) punching
tłoczkow|y *adj* **pompa** ~**a** piston pump
tłoczliwość *sf singt techn.* drawability
tłoczliwy *adj techn.* drawable
tłocznia *sf* 1. (*prasa*) press 2. *druk.* printing press
tłocznictwo *sn singt techn.* sheetmetal working
tłoczno *adv w zwrocie*: **jest** <**było**> ~ there is <was> a crowd; the place is <was> crowded <packed>
tłoczny *adj* 1. (*zatłoczony*) crowded; packed 2. *techn.* pressure _ (pump etc.); **przewód** ~ pressure <delivery> piping <conduit>
tłoczyć *v imperf* [I] *vt* 1. (*wyciskać*) to press (fruits etc.) 2. *druk.* to print 3. *techn.* to stamp (metals); to impress (a figure on a model etc.) [III] *vr* ~ **się** (*cisnąć się*) to crowd; to swarm; to throng; to crush; to huddle together
tłoczysko *sn techn.* (*część młota*) piston rod
tłok *sm* 1. (*G.* ~**u**) (*ciżba*) crowd; crush; throng; squeeze; **godziny wielkiego** ~**u** rush hours; **jest straszny** ~ the place is packed; *przen. pot.* **ujdzie w** ~**u** it is passable <not so very bad>; might be worse 2. (*G.* ~**a**) *techn.* piston; plunger; (*u pompy*) sucker; pump bucket
tłokować *vt imperf techn.* to pump
tłoka *sf* neighbourly help (in farm work)
tłokowy *adj* piston _ (rod etc.)
tłomaczenie † *sn* 1. ↑ **tłomaczyć** 2. = **tłumaczenie**
tłomaczyć † *v imperf* [I] *vt* = **tłumaczyć** *vt* 1., 2. [II] *vi* = **tłumaczyć** *vi* [III] *vr* ~ **się** = **tłumaczyć się** *vr* 1.
tłomok † *sm* = **tłumok** *sm* 1.
tłu|c *v imperf* ~**kę,** ~**cze,** ~**cz,** ~**kł,** ~**czony** [I] *vt* 1. (*rozbijać*) to break; to shatter; to smash; (*miażdżyć*) to grind; to pestle; to bray; to pound; ~**c kamienie** to knap stone; ~**c orzechy** to crack nuts 2. *pot.* (*bić*) to beat; to cudgel; to pommel; to belabour 3. *pot.* (*zabijać*) to kill [II] *vi* (*kołatać*) to batter <to rattle, to hammer> (**w drzwi** at the door); ~**c głową o mur** to run one's head against a stone wall [III] *vr* ~**c się** 1. (*ulegać rozbiciu*) to break (*vi*); to go to pieces; to get shattered; **nie** ~**kący się** unbreakable 2. (*bić się wzajemnie*) to fight 3. (*uderzać*) to pound (**o coś** at sth) 4. (*hałasować*) to rattle; to make a noise; **serce mi się** ~**kło** my heart beat thick <went pit-a-pat> 5. (*włóczyć się*) to roam <to wander> (**po świecie itd.** about the world etc.)
tłuczar|ka *sf pl G.* ~**ek** *górn.* stamping-mill
tłucz|ek *sm G.* ~**ka** 1. (*do moździerza*) pestle; (*w maselnicy*) dasher 2. *górn.* dolly; beater; stamp

tłuczenie *sn* ↑ **tłuc**

tłucz|eń *sm singt G.* **~nia** *bud.* broken stone; break-stone; (*do robót drogowych*) road metal; **~eń ceglany** crushed brick

tłucz|ka *sf pl G.* **~ek** chipped pottery; broken glass; cracked eggs; breakage

tłuczniowy *adj bud.* road-metal ___ (surface etc.)

tłuczniów|ka *sf pl G.* **~ek** *bud.* bitulithic surface

tłuczon|y *pp* ↑ **tłuc; ~e ziemniaki** mashed potatoes; purée

tłuk *sm* 1. *górn.* stamp 2. *sl.* (*garkotłuk*) drudge

tłum *sm G.* **~u** 1. (*wielka liczba ludzi*) crowd; throng; multitude; train (of admirers etc.) 2. *przen.* (*wielka liczba*) host (of birds etc.) 3. (*pospólstwo*) mob; rabble; herd

~em, ~ami in crowds; in their thousands; **przybyć ~em** to crowd; to throng

tłumacz *sm* 1. (*autor przekładu*) translator 2. (*pośrednik tłumaczący ustnie*) interpreter; **być ~em** to interpret

tłumaczenie *sn* 1. ↑ **tłumaczyć; równoczesne ~** simultaneous translation 2. (*utwór*) translation; **robić ~** to translate 3. (*wyjaśnienie*) explanation; interpretation; **fałszywe <mylne, błędne> ~** misinterpretation; misconstruction 4. (*wymówka*) excuse; **to nie jest żadne ~** this is no excuse

tłumaczeniowy *adj* translator's (work, rendering etc.); translational

tłumacz|ka *sf pl G.* **~ek** = **tłumacz**

tłumaczy|ć *v imperf* [I] *vt* 1. (*wyjaśniać*) to explain; to expound; to comment (**coś** on sth); (*interpretować*) to interpret; **fałszywie coś ~ć** to distort <to misinterpret, to misunderstand> sth; **fałszywie ~ć czyjeś słowa** to put a bad <wrong> construction on sb's words; **~ć czyjeś słowa na swój sposób** to put one's own construction on sb's words; **~ć sny** to read dreams; **~ć sobie czyjeś słowa jako mające znaczyć, że ...** to understand sb to mean that ...; **to wszystko ~** that explains matters; *przen.* that accounts for the milk in the coconut; **właściwie coś ~ć** to put the proper construction on sth 2. (*przekładać na inny język*) to translate; to render (**na inny język** into another language); *szk.* to construe (a passage etc.); **na nowo coś ~ć** to retranslate sth 3. (*usprawiedliwiać*) to justify; to excuse (sb, sth) [II] *vi* (*być tłumaczem*) to act as interpreter; to interpret (*vi*) [III] *vr* **~ć się** 1. (*umożliwiać przekład*) to translate (*vi*); **to się łatwo ~ <da się łatwo ~ć>** it translates easily; **to się nie da ~ć** it is untranslatable 2. (*usprawiedliwiać się*) to explain <to excuse, to justify> oneself 3. (*znajdować uzasadnienie*) to be explained; to be accounted for; **to się łatwo ~** this can easily be explained <accounted for>

tłumiciel *sm* suppressor

tłumić *vt imperf* 1. (*likwidować*) to suppress <to stamp out, to repress> (a rebellion etc.); to extinguish <to put out> (a fire) 2. (*opanowywać coś w sobie*) to stifle <to restrain, to smother, to quell, to choke> (a feeling, one's emotions etc.); to gulp down (one's tears); to keep down (one's anger etc.); **~ bezsilny gniew** to champ the bit 3. (*przyciszać*) to muffle; to deaden (sounds, noise); *muz.* to mute (a violin etc.); to damp (the strings of a piano)

tłumienie *sn* ↑ **tłumić** 1. (*likwidowanie*) suppression; repression 2. (*opanowywanie*) restraint 3. (*przyciszanie*) damping (of sound); *elektr.* attenuation ‖ **~ wstrząsów** shock absorption; buffering

tłumik *sm* 1. *muz.* mute; sordine; damper 2. *techn.* silencer; muffler; damper; baffler; noise-suppressor; **~ drgań** vibration damper; antivibrator

tłumnie *adv* in crowds; in great numbers; **~j** in greater numbers; **~ przybywać <wychodzić, wyjeżdżać>** to pour in <out>; **~ się gromadzić** to crowd; to gather in masses; to swarm; to throng; to flock together; (*o zjawiskach*) **~ występować** to be numerous

tłumn|y *adj* numerous; **~a manifestacja** mass manifestation; **~a ulica** populous <crowded> street

tłumocz|ek *sm dim* ↑ **tłumok**

tłumok *sm* 1. (*tobół*) bundle; package; parcel 2. *pog.* (*kobieta*) drudge

tłustaw|y *adj* 1. (*trochę tłusty*) fattish; *przen.* **~a anegdota** somewhat risky <spicy> anecdote <story> 2. (*lekko pokryty tłuszczem*) somewhat greasy; lightly greased

tłusto *adv* 1. (*z dużą ilością tłuszczu*) (to cook food) with plenty of grease <lard> 2. (*błyszcząco jak tłuszcz*) unctuously

tłustoczwartkowy *adj* (amusements etc.) of the last Thursday of carnival

tłustosz *sm bot.* (*Pinguicula*) butterwort

tłustoszowaty *adj bot.* succulent

tłustość *sf singt* greasiness; unctuousness

tłust|y *adj* (*comp* **~szy <tłuściejszy>**) 1. (*zawierający tłuszcz*) fat (meat, pig etc.); podgy (fingers); greasy <oily> (rag etc.); rich <mellow, fat> (earth, lands); rich (milk); **~y czwartek** last Thursday of carnival; **~y dowcip** coarse <smutty> joke; **~y druk** bold-faced <full-faced> type; **~ym drukiem** in bold-face; **~y kąsek** titbit; **~y węgiel** fat coal; **~y wtorek** Shrove Tuesday 2. (*zatłuszczony*) greasy <oily> (stains, clothes etc.) 3. (*intratny*) fat (job, benefice); **~e lata** years of plenty 4. (*otyły*) fat; corpulent; obese; adipose; fatty

tłuszcz *sm G.* **~u** fat; grease; **~ z wełny owczej** wool-fat; wool-oil; yolk; *kulin.* **~ spod pieczeni** dripping; **polewać pieczeń ~em** to baste a roast

tłuszcza *sf singt* rabble; mob; riff-raff

tłuszczak *sm med.* fatty tumour; lipoma

tłuszczak|i *spl G.* **~ów** *zool.* (*Steatornithidae*) (*rodzina*) the guacharo; the oil-birds

tłuszczenie *sn* ↑ **tłuścić**

tłuszczomierz *sm pl G.* **~y** *techn.* (*do mleka*) butyrometer

tłuszczoodporność *sf singt* grease-proofness

tłuszczoodporny *adj* grease-proof

tłuszczow|y *adj chem.* aliphatic; *med.* lardaceous; fatty; sebaceous; **tkanka ~a** adipose tissue; **związki ~e** aliphatic compounds; **zwyrodnienie ~e** fatty degeneration

tłuszczyk *sm G.* **~u** *dim* ↑ **tłuszcz**

tłu|ścić *vt imperf* **~szczę, ~szczony** to grease; to smear <to stain> with grease

tłuścieć *vi imperf* to grow fat

tłuścioch *sm pl N.* **~y, tłuściocha** *sf* fatty; squab

tłuścioszek *sm*, **tłuścioszka** *sf dim* ↑ **tłuścioch, tłuściocha**

tłuściuchny *adj*, **tłuściutki** *adj* (*dim* ↑ **tłusty**) plump

tnący *adj* 1. *zob.* ciąć 2. (*ostry*) cutting; keen-edged; (*o owadzie*) stinging

tniak *sm pot.* chisel

to [I] *pron n G.* **tego** *D.* **temu** *A.* **to** *IL.* **tym** *pl NA.* **te** *GL.* **tych** *D.* **tym** *I.* **tymi** 1. (*zob.* **ten**) this; that; it 2. (*w nawiązaniu do przedmiotów liczonych i do ilości*) **tego** of them; of it; **jest tego masa** there is a lot <plenty> of it; there are many of them 3. (*z przyimkami*) **do tego** to this <that>; to it; *prawn. lit.* thereto; **do tego jeszcze ...** added to this ...; moreover ...; **na to** on this <that>; on it; *prawn. lit.* thereon; **od tego** from this <that>; from it; *prawn. lit.* therefrom; **poza tym** besides; moreover; otherwise; **on jest uparty, ale poza tym sympatyczny** he is stubborn but otherwise likeable; **(już) przed tym** before this <that, then>; **przez to** by this <that>; by it; *prawn. lit.* thereby; **przy tym** together with this <that>; in conjunction with this <that>; **w tym** in this <that>; in it; *prawn. lit.* therein; **za to** for this <that>; for it; *prawn. lit.* therefor; **z tym** with this <that>; with it; *prawn. lit.* therewith; **z tym wszystkim** none the less; **z tym, że ...** on the understanding <on condition> that; *pot.* **nie od tego jestem ...** I am not unwilling <reluctant> ... 4. (*w zdaniu następującym po czasownikach*: believe, say, suppose, tell etc.) so; **ja tego nie mówiłem** I didn't say so; **kto to mówi?** who says so? ‖ **co za tym idzie** consequently; **dajmy na to** let us say; suppose; **rób to, co uważasz za wskazane** do what you think best; **to co ...** what ...; **to i owo** one thing and another; **ni to, ni owo** neither one thing nor the other; **to samo** the same (thing); **to, że (jesteś, widzimy, chcą itd.)** the fact that (you are, we see, they want etc.); **tym gorzej** all the worse; so much the worse; **tym lepiej** all the better; so much the better [II] *wyraz nieodmienny o charakterze ekspresywnym* it; they; it is <was> ... that ...; **czas to pieniądz** time is money; **co to za jeden?** who is he?; **co to za ludzie?** who are these people?; **to Tomek** it's Tom; **było to wczoraj** it was yesterday; **czy to tu wysiadamy?** is it here that we get off; **to oni jutro przyjeżdżają, nie dzisiaj** it is to-morrow that they are coming, not to-day ‖ **alboż to ...** ... or what?; **alboż to ci źle?** are you unhappy or what?; **ale to ...** but then ...; **ale to tak przyjemnie wspominać** but then it's so pleasant to recall; **co <cóż> to za ...** what; what a ...; **cóż to za uroda!** what beauty!; **co za hałas!** what a noise!; **i to ...** and that; and ... at that; **idź, i to szybko** go and that quickly; **węgla było mało, i to w kiepskim gatunku** there was little coal and of poor quality at that; **jeżeli ... to** if ... then ...; **jeżeli chcesz jechać, to się gotuj do drogi** if you want to go then get ready for the journey; **to ci dopiero!** well, well, well!; **to ..., to ...** now ... then ... (again); by turns; whenever ... invariably; **to jedno, to drugie <to coś innego>** now one thing then another; **robiło mi się to gorąco, to zimno** I went hot and cold by turns; **mieszkałem to tu, to tam** I lived now in one place then in another; **co strzelił, to spudłował** whenever he shot he invariably missed the mark; **O, to to to** that's just it!

toalet|a *sf* 1. (*mebel*) toilet-table; dressing-table 2. (*strój*) dress; **~a balowa** ball-dress; **~a poranna** morning-dress 3. (*mycie, ubieranie się, strojenie się*) toilet; **robić swoją ~ę** to make one's toilet; **uporządkować swoją ~ę** to tidy oneself up 4. (*umywalnia*) toilet; lavatory

toalet|ka *sf pl G.* **~ek** toilet-table; dressing-table

toaletow|y [I] *adj* toilet- (paper, set etc.); toilet — (soap, vinegar etc.) [II] *sf* **~a** toilet <lavatory> attendant

toast *sm G.* **~u** toast; **wznieść ~ za czyjeś zdrowie** to propose the toast <the health> of sb; to drink the health <to the health> of sb; **wznieść ~ za powodzenie ...** to drink to the success of ...

toaścik *sm G.* **~u** *dim* ↑ **toast**

tobiasz *sm zool.* (*Ammodytes tobianus*) sand launce

tobogan *sm G.* **~u** *sport* toboggan

tobołek *sm G.* **~ka** 1. *dim* ↑ **tobół** 2. *bot.* (*Thlaspi*) penny-cress

tob|ół *sm G.* **~ołu** bundle; package; parcel

toccata [-ka-] *sf muz.* toccata

toczak *sm pot.* grindstone

tocz|ek[1] *sm G.* **~ku** <**~ka**> 1. *biol.* (*Volvox*) volvox 2. *muz.* grace-notes 3. *techn.* **~ek formierski** jolley; **~ek garncarski** potter's wheel

tocz|ek[2] *sm G.* **~ka** <**~ku**> (*kapelusik*) (woman's) toque

toczenie *sn* ↑ **toczyć**

tocze|niec *sm G.* **~ńca** pebble <cobble> (of an unconsolidated rock); clay pebble

tocz|eń *sm G.* **~nia** *med.* lupus; noli-me-tangere

toczkowe *spl* (*decl = adj*) *bot.* (*Volvocales*) (*klasa*) the order Volvocales

toczniowy *adj med.* lupous

toczn|y *adj* rolling; turning; *techn.* **łożysko ~e** anti-friction bearing; **obwód ~y koła** tread of a wheel

toczony [I] *pp* ↑ **toczyć** [II] *adj* round(ed)

toczyć *v imperf* [I] *vt* 1. (*obracając posuwać*) to roll (a barrel, a ball etc.); (*o dziecku*) **~ kółko** to trundle a hoop; *przen.* **~ oczami** to roll one's eyes 2. (*wieźć na kołach*) to wheel (a barrow, a patient in a chair etc.); to draw (a vehicle) 3. (*prowadzić, wieść*) to carry on (a conversation, discussion etc.); **~ rokowania** to conduct negotiations; **~ spór z kimś o coś** to contend with sb about sth; **~ wojnę** to wage war 4. (*obrabiać na tokarce*) to turn (sth on the lathe); **wyroby <ozdoby> toczone** turnery 5. (*kształtować, formować*) to shape; to fashion (pottery etc.); to turn (on the lathe) 6. (*drążyć*) to bore; (*o drewnie*) **toczone przez korniki** worm-eaten 7. *przen.* (*o uczuciach*) to rankle <to fester> (**czyjeś serce** in sb's heart <mind>) 8. (*ściągać płyn*) to draw (beer, wine etc. from a barrel etc.); **~ krew <łzy>** to shed blood <tears>; **~ pianę z ust** to foam at the mouth; (*o rzece*) **~ swe wody** to roll its waters (to the sea etc.) [II] *vr* **~ się** 1. (*posuwać się obracając się*) to roll (**w dół** down; **skądś** out of sth; **aż do czegoś** up to sth) 2. (*posuwać się na kołach*) to roll along; (*o pociągu, pojeździe*) to run (on rails, wheels); (*o kółku dziecięcym*) to trundle (along) 3. (*o rzece, łzach — płynąć*) to roll 4. (*o czasie — mijać*) to roll by; (*o procesie, akcji — odbywać się*) to go on; to be in process; to be under way; to be pending; to take place; **~ się dalej** to proceed 5. *pot.* (*iść ociężale*) to waddle (along, off, away)

toczyd|ło *sn pl G.* **~eł** grindstone; grinding stone

toć *indecl gw.* why; **~ to piąta godzina** why, it's five o'clock

toffi *sm sn indecl* toffy
toga *sf pl G.* **tog** <**tóg**> 1. (*u Rzymian*) toga; **w todze** toga'd 2. (*u profesorów, sędziów itd.*) gown; **w todze** gowned; *przen.* **toga sędziowska** the ermine
toina *sf bot.* (*Apocynum*) dog('s)-bane; (*Apocynum cannabinum*) Indian hemp
toinowat|y *bot.* [I] *adj* apocynaceous [II] *spl* **~e** (*Apocynaceae*) (*rodzina*) the dogbane family
tojad *sm G.* **~u** *bot.* (*Aconitum*) aconite, monk's--hood
tojeść *sf bot.* (*Lysimachis vulgaris*) loosestrife; **~ rozesłana** (*Lysimachis nummularia*) moneywort
tok[1] *sm G.* **~u** 1. (*przebieg*) progress; advance; course (of events etc.); procedure; **codzienny ~ zajęć** routine; **być w ~u** to be in progress; to go on; to take place; to be pending; to be under way; **być w pełnym ~u** to be in full swing; **w ~u czegoś** in the course of ... 2. (*bieg*) the run <drift> (**myśli itd.** of one's thoughts etc.); **wciągnąć się w ~ swych zajęć** to get into one's stride 3. *hist.* lance rest 4. *prozod.* meter (of verse) 5. *myśl.* tooting; love-song (of the heath cock etc.) 6. *reg.* (*koryto*) trough 7. *reg.* (*klepisko*) threshing-floor
tok[2] *sm G.* **~u** (*kapelusz*) toque
tokaj *sm singt G.* **~u** Tokay (wine)
tokajski *adj* Tokay — (wine)
tokarenka *sm dim* ↑ **tokarnia**; **~ ręczna** turn-bench
tokar|ka *sf pl G.* **~ek, tokarnia** *sf* (turning) lathe; (*do drewna*) wood-turning lathe; turning machine
tokarski *adj* lathe- (bearer, carrier, bed etc.); turning — (tool etc.); turner's — (work, shop etc.); **warsztat ~** turnery
tokarstwo *sn singt* turnery; turning
tokarz *sm* turner; lathe hand
tokata *sf* = **toccata**
tokować *vi imperf* 1. (*o głuszcu itd.*) to toot 2. *przen.* (*o człowieku*) to declaim (about one's achievements etc.); to toot one's own horn
tokowisko *sn* 1. *myśl.* tooting-grounds 2. *reg.* (*klepisko*) threshing-floor
tokowy *adj myśl.* tooting — (time etc.)
toksemi|a *sf singt GDL.* **~i** *med.* toxemia
toksycznie *adv* toxically
toksyczność *sf singt med.* toxicity
toksyczny *adj* toxic; (*trujący*) poisonous
toksykologi|a *sf singt GDL.* **~i** toxicology
toksykoza *sf singt med.* toxicosis
toksyna *sf chem. med.* toxin
tolerancja *sf* 1. *singt* (*wyrozumiałość*) tolerance; latitude; liberality; broad-mindedness 2. *singt med.* tolerance (**na coś** for sth) 3. *techn.* tolerance
tolerancyjnie *adv* tolerantly
tolerancyjny *adj* tolerant; liberal; broad-minded
tolerowa|ć *vt imperf* to tolerate; to suffer (**kogoś, coś** sb, sth; **żeby coś robiono** sth to be done; **żeby ktoś coś robił** sb to do sth); to stand (**coś** sth <*pot.* for sth>); (*o człowieku, zjawisku*) **być ~nym** to be on sufferance; **nie będę tego ~ć** I won't stand this
tolerowanie *sn* (↑ **tolerować**) tolerance; sufferance
toluen *sm singt G.* **~u** *chem.* toluene
toluol *sm singt G.* **~u** *chem. techn.* toluol
tołumbas *sm G.* **~u** *muz.* kettle-drum
tom *sm G.* **~u** volume; **drugi ~** (*tej samej pracy*) companion volume
tomahawk *sm* tomahawk
tomasowski *adj techn.* Thomas (steel)
tomasówka *sf singt*, **tomasyna** *sf singt chem. roln.* Thomas slag
tombak *sm G.* **~u** tombac; pinchbeck; red brass
tombakow|y *adj* tombac <pinchbeck, gimcrack> (ornament etc.); **~e świecidełka** gimcrackery
tomik *sm G.* **~u** *dim* ↑ **tom**
tomił|ek *sm G.* **~ka** = **heliotrop** 1.
tomisko *sn* (*augment* ↑ **tom**) big <huge> volume
tomista *sm* (*decl* = *sf*) Thomist
tomizm *sm singt G.* **~u** *filoz.* Thomism
tom|ka *sf pl G.* **~ek** *bot.* (*Anthoxanthum*) vernal <spring> grass
tomograf *sm G.* **~u** *fiz.* tomograph
tomografi|a *sf singt GDL.* **~i** *med.* tomography
tomowy *adj rz.* one-volume — (publication etc.)
tomsonit *sm G.* **~u** *miner.* thomsonite
ton[1] *sm G.* **~u** 1. *fiz. muz.* tone; *pl* **~y** tones; strains, sounds (of music); *med.* (heart's) tones; **podnieść głos o ~** to raise one's voice; *przen.* **spuścić z ~u** to come down a peg; to draw in one's horns; **zacząć z innego ~u** to change one's tone <note>; to go on in another strain 2. (*charakter wypowiedzi*) tone; note (of impatience etc.); **mówić ~em łagodnym** <**poważnym itd.**> to speak in a gentle <serious etc.> tone 3. (*kolor*) tone; tint 4. (*konwenans*) form; **nadawać ~** to take the lead; **to jest w dobrym** <**złym**> **~ie** it is good <bad> form; it is the proper thing to do <it is indecorous>
ton[2] *sm G.* **~u** (*glinka*) clay; potter's earth
tona *sf* ton; **~ metryczna** <**rejestrowa**> metric <register> ton
tonacj|a *sf* 1. *muz.* key; pitch; mode; **oznaczenie ~i** key signature 2. *jęz.* tone; pitch 3. *mal.* tone
tonalit *sm G.* **~u** *miner.* tonalite
tonalność *sf singt muz.* tonality
tonalny *adj* tonal
tonaż *sm singt G.* **~u** (*pojemność statku*) tonnage <burden> (of a ship); **~ kraju** the tonnage <the shipping> of a country
tonący *sm* drowning man; *przysł.* **~ brzytwy się chwyta** a drowning man clutches <catches> at a straw
tonąć *vi imperf* 1. (*o istocie żywej*) to drown; to get drowned; (*o przedmiocie, statku*) to sink; to go under; to go to the bottom; *pot.* **~ po uszy w pracy** to be up to the ears in work; *przen.* **~ w długach** to be sunk in debt; **~ we łzach** to cry one's heart <one's eyes> out 2. (*zagłębiać się*) to sink; to be buried <lost>; to be deep (in sth)
tondo *sn mal.* tondo
tonicznie *adv* tonally; tonically
toniczny *adj* 1. *muz.* tonal (fugue etc.); tonic (chord, key etc.); *jęz.* tonic (accent etc.) 2. *med.* tonic (spasm etc.)
tonięcie *sn* ↑ **tonąć**
tonika *sf muz.* tonic; keynote
toniz|ować *vt imperf med.* to tone up (the system); **środek ~ujący** (a) tonic
ton|ka *sf pl G.* **~ek** = **tomka**
tonkin *sm singt G.* **~u** a variety of bamboo
tonokilometr *sm techn.* ton-kilometer
tonomila *sf techn.* ton-mile

tonować *vt imperf* 1. *mal.* to tone down <to scumble> (a painting); to gradate (a colour) 2. *fot.* to tone down
tonsura *sf* tonsure
tonus *sm G.* **~u** *biol.* tonus; **podnieść komuś ~** to tone sb up
toń *sf pl N.* **tonie** deep sea; depths (of water etc.)
top[1] *sm G.* **~u** *techn.* (*topienie*) smelting; *hut.* furnace charge
top[2] *sm G.* **~u** *mar.* top; mast-head
topaz *sm G.* **~u** *miner.* topaz
topazolit *sm G.* **~u** *miner.* topazolite
topazowy *adj* topaz-coloured, topaz-yellow
topenanta *sf mar.* topping-lift; vang
topian *sm G.* **~u** *bot.* (*Pistia*) water-lettuce
topiarz *sm* melter
topiczny *adj* topical (form etc.)
topić *v imperf* I *vt* 1. (*zatapiać*) to drown (sb, an animal, *przen.* one's cares, sorrows in wine etc.); *przen.* to sink (money in an enterprise etc.) 2. (*zamieniać w ciecz*) to melt (butter, ice etc.); to thaw (snow etc.); to smelt (metals) II *vr* **~ się** 1. (*utapiać się*) to drown; to get drowned; *przen.* to sink 2. (*stawać się płynnym*) to melt (*vi*); to thaw; to turn liquid; to flux
topiel *sf pl G.* **~i** 1. (*głębokie miejsce*) deep water; (*wir*) whirlpool 2. *przen.* gulf; abyss; whirlpool
topiel|ec *sm G.* **~ca** 1. (*człowiek, który się topił*) drowning man; (*człowiek, który się utopił*) drowned man; *pl* **~cy** the drowned 2. (*duch*) water-spirit; kelpie
topielica *sf* 1. (*kobieta, która się topiła*) drowning woman; (*kobieta, która się utopiła*) drowned woman 2. (*duch*) water-spirit; kelpie
topielisko *sn* deep water; whirlpool
topielnica *sf zool.* (*Ranatra*) an insect of the genus Ranatra
topienie *sn* 1. ↑ **topić** 2. *fiz.* fusion (of metals)
topik *sm* 1. *techn.* fuse 2. *zool.* (*Argyoneta aquatica*) water-spider
topika *sf singt* (*w logice i retoryce*) topic
topikowy *adj techn.* fuse — (cutter etc.)
topinambur *sm G.* **~u** *bot. ogr.* (*Helianthus tuberosus*) Jerusalem artichoke
topliwoś|ć *sf singt* fusibility; **punkt ~ci** melting-point; fusion point
topliwy *adj* fusible; liquescent; fluxible; **trudno ~** refractory
topnie|ć *vi imperf* **~je** 1. (*przechodzić w stan ciekły*) to melt; to fuse; to flux; (*o śniegu, lodzie*) to thaw 2. *przen.* (*ubywać*) to melt <to dwindle> away; to shrink; to lessen
topnieni|e *sn* ↑ **topnieć; ciepło ~a** heat of fusion; **punkt ~a** melting-point; fusion point
topnik *sm techn.* flux
topografi|a *sf singt GDL.* **~i** 1. (*technika*) topography 2. (*ukształtowanie terenu*) layout; lay of the land
topograficzn|y *adj* topographic(al); *med.* **anatomia ~a** topographic anatomy; *geogr.* **mapa ~a** topographic map
top|ola *sf pl G.* **~oli** <**~ól**> *bot.* (*Populus*) poplar
topolina *sf* poplar wood
topolo|g *sm pl N.* **~dzy** <**~gowie**> topologist
topologi|a *sf singt GDL.* **~i** *mat.* topology
topologiczny *adj* topologic(al)
topolowy *adj* poplar — (avenue etc.)
toponimiczny *adj* toponymic(al)
toponimika *sf singt* toponymics, toponymy
toponomastyczny *adj* toponymic(al)
toponomastyka *sf singt jęz.* toponymics; toponymy
topor|ek *sm G.* **~ka** hatchet
topornie *adv* clumsily; **idzie mi to ~** I find it a tough job
toporność *sf singt* 1. (*niedelikatność*) coarseness 2 (*niezdarność*) clumsiness
toporny *adj* 1. (*niedelikatny*) coarse 2. (*niezgrabny*) clumsy; unwieldy; inelegant
toporzysko *sn* helve; axe-handle
topowy *adj* top — (lights etc.)
top|ór *sm G.* **~ora** axe; **~ór wojenny** battle-axe
tops|el *sm G.* **~la** *mar.* topsail
tor[1] *sm G.* **~u** 1. (*trasa*) track; course; path; route; (*pas jezdni*) lane; **~ pocisku** trajectory; **iść czyimś ~em** to follow in sb's track; *przen.* **iść** <**toczyć się**> **swoim ~em** to take its normal course 2. *kolej.* track; **boczny ~** branch line; **ślepy ~** side-track; *przen.* **właściwy ~** the right track; **sprowadzić rozmowę na inny ~** to switch the conversation to another subject 3. *sport* running-track; racing-path; (*trasa pojedynczego człowieka w biegach*) lane; **~ saneczkowy** toboggan-run; *mar.* **~ wodny** fairway; **~ wyścigowy** racecourse; **~ żużlowy** cinder-path
tor[2] *sm singt G.* **~u** *chem.* thorium
Tora *sf* tora(h)
torakoplastyka *sf singt med.* thoracoplasty
torakotomi|a *sf singt GDL.* **~i** *med.* thoracotomy
tor|ba *sf pl G.* **~b** <**~eb**> 1. (*worek*) bag; (*zawartość*) bagful; **~ba konduktora tramwajowego, autobusowego** tram conductor's, bus man's money-bag; **~ba listonosza** postman's satchel; **~ba myśliwska** game-bag; **~ba na narzędzia** hold-all; kit; **~ba na obrok** nosebag; **~ba papierowa** paper-bag; **~ba podróżna** travelling-bag; carpet-bag; **~ba przy siodle** saddle-bag; **~ba skórzana** leather-bag; **~ba szkolna** satchel; **~ba żebracza** beggar's wallet; *przen.* **spodnie z ~bami na kolanach** trousers baggy at the knees; **mieć ~by pod oczami** to have bags under the eyes; **puścić kogoś z ~bami** to reduce sb to beggary; **pójść z ~bami** to be reduced to beggary 2. *zool.* (kangaroo's etc.) pouch; **~ba lęgowa** brood chamber; **~ba żwacza** ruminant's rumen
torbacz *sm zool.* marsupial; *pl* **~e** (*Marsupialia*) (*podgromada*) the order Marsupialia; the marsupials
torbanit *sm singt G.* **~u** *miner.* torbanite
torbiasty *adj* baggy; pouch-like
torbiel *sf pl N.* **~e** 1. *med.* cyst; **~ podjęzykowa** ranula; **~ skórzasta** dermoid cyst 2. *leśn. ogr.* (*zniekształcony owoc*) cystic fruit
torbielowaty *adj* cystoid
torbielowy *adj* cystic
torcik *sm* (*dim* ↑ **tort**) small cake
toreador *sm* toreador
toreb|ka *sf pl G.* **~ek** 1. (*opakowanie*) (paper, plastic etc.) bag; (*zawartość*) bagful 2. (*rodzaj portfela noszonego przez kobiety*) handbag; *pot.* bag; (*na przybory toaletowe*) vanity bag <case> 3. *biol.*

capsule; cyst; pouch; sac; *anat.* bursa; **~ka stawowa** articular capsule 4. *bot.* pouch; seed-vessel; pericarp; pod (of beans etc.); boll (of flax, cotton etc.); follicle (of peonies etc.); pyxidium (of plantains etc.)
torebkowy *adj* capsular; cystic; pouchy; follicular
torebnica *sf zool.* (*Tetraneura ulmi*) an aphidid
torf *sm G.* **~u** peat; **cegiełka ~u** block <sod> of peat
torfiar|ka *sf pl G.* **~ek** *techn.* peat-machine
torfiarstwo *sn singt* peat-digging
torfiarz *sm pl G.* **~y** <**~ów**> peat-digger
torfiasty *adj* peaty
torfie|ć *vi imperf* **~je** to turn into peat
torfniak *sm* = **torfowisko**
torfow|iec *sm G.* **~ca** *bot.* (*Sphagnum*) peatmoss
torfowisko *sn* peatbog; turbary
torfowiskowy *adj* peat — (soil etc.)
torfowy *adj* peaty; peat — (moor etc.); **mech ~** peatmoss
torkret *sm G.* **~u** *techn.* gunite; shotcrete
torkretnica *sf techn.* cement <spray> gun; concreting sprayer; grout machine
tornado *sn meteor.* tornado
tornist|er *sm G.* **~ra** *wojsk.* pack, knapsack; (officer's) valise; *szk.* satchel
toromierz *sm kolej.* track gauge
toromistrz *sm* platelayers' <track-layers'> foreman
toron *sm singt G.* **~u** *chem.* thoron
toros *sm G.* **~u** *geogr.* ice hummock
torować *vt imperf* to clear (**drogę, przejście** a path); **~ drogę dla następców** to show the way; **~ drogę do czegoś** <**dla kogoś**> to pave the way for sth <for sb>; **~ sobie drogę** to clear a way for oneself; **~ sobie drogę dokądś** to work one's way to a place; (*o statku*) **~ sobie drogę przez mielizny** <**przez pola lodowe**> to reeve the shoals <an ice-pack>; **~ sobie drogę przez tłum** to elbow one's way through the crowd; **~ sobie drogę w walce** to fight one's way; *przen.* **~ sobie drogę po trupach do władzy** to wade through slaughter to power; **~ sobie drogę w świecie** to push forward
torow|iec *sm G.* **~ca** 1. *kolej.* platelayer, track-layer 2. *sport* track-racer
torowisko *sn* (railway, tramway) line; track-way; (*nasyp ziemny*) subgrade; *elektr.* **~ przewodów** raceway
torowy[1] *adj* track — (gauge, level, racing etc.); *mar.* **ślad ~** wake (of a ship)
torowy[2] *adj chem.* thorium — (emanation etc.)
torpeda *sf* 1. *wojsk. mar.* torpedo; **~ powietrzna** aerial torpedo 2. *kolej.* motor-driven railway carriage; rail car
torpedo *sn* 1. (*hamulec rowerowy*) hub brake 2. (*typ samochodu*) open touring car
torpedować *vt imperf dosł. i przen.* to torpedo (a ship, negotiations etc.; *górn.* a shaft)
torpedow|iec *sm G.* **~ca** *mar. wojsk.* torpedo-boat
torpedowy *adj* torpedo- (tube etc.); **samolot ~** torpedo-plane
Torricell|i *sm* **~ego** Torricellian (law, tube, vacuum etc.)
tors *sm G.* **~u** *anat. plast.* torso; trunk
torsj|e *spl G.* **~i** vomition
torsyjn|y *adj techn.* **waga ~a** torsion balance
tort *sm G.* **~u** layer cake
tortownica *sf* tart-pan; cake-pan; cake-tin
tortow|y *adj* cake — (baker etc.); **ciastko ~e** (piece <slice> of) layer cake
tortur|a *sf* 1. (*także pl*) (*męczarnia*) torture; **narzędzie ~** instrument of torture; **poddawać kogoś ~om** to put sb to torture <to the rack, to the question>; **znosić ~y reumatyzmu itd.** to be a martyr to rheumatism etc. 2. (*męczarnie moralne*) torment; **zadawać komuś ~y** to torment sb; **znosić ~y** to be in torment; *przen.* **znosić ~y ciekawości itd.** to be tormented by curiosity etc.
torturować *vt imperf* 1. (*poddawać torturom*) to torture (sb); to put (sb) to torture 2. (*dręczyć*) to torment
torturowanie *sn* (↑ **torturować**) torture; torment
toruński *adj* Toruń — (honey-cake etc.); (University etc.) of Toruń
torus *sm G.* **~u** *mat.* torus
torys *sm hist.* Tory; *pl* **~i** the Tories
toryt *sm G.* **~u** *miner.* thorite
toryzm *sm singt G.* **~u** *hist. polit.* Toryism
Toskanka *sf*, **Toskańczyk** *sm* (a) Tuscan
toskański *adj* Tuscan (*arch.* order, *jęz.* language etc.)
tost *sm G.* **~u** *kulin. lit.* toast
totalizator *sm* 1. (*gra na wyścigach*) totalizator; pari-mutuel; sweepstake; **~ sportowy** (football etc.) pool 2. *meteor.* totalizer
totalizm *sm G.* **~u** *polit.* totalitarianism
totalność *sf singt* totality; entirety
totaln|y *adj* total; entire; **państwo ~e** totalitarian state; **wojna ~a** total war
tot|ek *sm G.* **~ka** *pot.* (football etc.) pool
totem *sm G.* **~u** *etn.* totem
totemiczny *adj etn.* totemic
totemizm *sm singt G.* **~u** *etn.* totemism
toteż *conj* so; and so; therefore; that is why
toto *sn indecl żart.* (*o człowieku*) the fellow; the poor creature; (*o dziecku*) the little dot
toto-lot|ek *sm G.* **~ka** = **totalizator sportowy**
totumfacki *sm*(*decl* = *adj*)handy man; factotum; man-of-all-work
totus *sm karc.* the winning of all the tricks (in preference)
tournée [tur'ne] *sm indecl* tour; **odbyć** <**dokonać**> **~ po jakimś kraju** to tour a country; **odbywać ~ (koncertowe) po jakimś kraju** to be on tour <on a concert tour> in a country; **powrócić z ~ (koncertowego) za granicą** to return from a (concert) tour abroad
towar *sm G.* **~u** commodity; merchandise; article (of trade); *pl* **~y** commodities; merchandise; goods; wares; articles; **odebrać zakupiony ~** to collect one's purchase(s); **płacić w towarze** to pay in kind; *przen.* **handel żywym ~em** white-slave traffic; white slavery; **handlarz żywym ~em** white-slaver
towarow|iec *sm G.* **~ca** *mar.* freight-ship
towarowo *adv* in respect of goods <commodities, merchandise>
towarowość *sf singt ekon.* yield of marketable agricultural produce
towarowy *adj* (manufacture, output etc.) of goods; goods — (train, station, lift etc.); *am.* freight — (train, station); **dom ~** stores; department store

towaroznawca *sm* (*decl* = *sf*) specialist in the field of the science of commodities

towaroznawczy *adj* pertaining to the science of commodities

towaroznawstwo *sn singt* science of commodities

towarów|ka *sf pl G.* **~ek** *pot. rz.* goods train; *am.* freight train

towarzysk|i *adj* 1. (*lubiący towarzystwo*) sociable; genial; gregarious; matey; *zool.* **zwierzęta ~ie** gregarious animals 2. (*polegający na kontaktach między znajomymi*) social (contacts, gathering etc.); informal (party etc.); **gry ~ie** parlour games; **formy ~ie** (good, bad) form; **telefon ~i** party-line 3. (*dotyczący towarzystwa jako uprzywilejowanego kręgu*) society — (circles etc.); **kronika ~a** society news; personal column

towarzysko *adv* socially

towarzyskość *sf singt* sociability; geniality

towarzystw|o *sn* 1. (*obecność przy kimś*) company; companionship; **być bez ~a** to be by oneself; **być w czyimś ~ie** to be in sb's company; **dotrzymać komuś ~a** to bear <to keep> sb company; **narzucać się komuś z swoim ~em** to inflict <to thrust> oneself upon sb; **nie robić czegoś w ~ie** not to do <to avoid doing> sth in company; **przyszła bez ~a** <**w ~ie starszego pana**> she came unescorted <escorted by an elderly man>; **zrobić coś dla ~a** to do sth for the sake of company; † **pani do ~a** companion 2. *singt* (*otoczenie*) company; entourage; **przebywać w złym ~ie** to frequent <to keep> bad <low> company; **to nie ~o dla ciebie** he is no fit company for you 3. (*krąg znajomych*) company; (*przy stole*) the table; **bawić ~o** to keep the company <the table> amused 4. (*uprzywilejowane kręgi*) (fashionable) society; **człowiek z ~a** man of the world; **kwiat ~a** the élite; **pani z ~a** society woman; mondaine; **poszukiwany w ~ie** sought after in society 5. (*organizacja*) company; society; **~o akcyjne** joint-stock company; **~o naukowe** learned society

towarzysz *sm* 1. (*przebywający z kimś*) companion; comrade; associate; pal; chum; **~ broni** comrade in arms; **~ niedoli** companion in distress; **~ podróży** fellow-traveller; travelling companion; **~ szkolny** schoolmate; **~ zabaw dziecinnych** playmate; **~ życia** partner in life; helpmate 2. (*członek partii*) comrade ‖ **~ sztuki drukarskiej** type-setter

towarzyszący *adj* concurrent (forces, lines etc.); (*o objawach itd.*) concomitant (**czemuś** with sth); (*o okolicznościach itd.*) attendant (**czemuś** upon sth)

towarzyszenie *sn* 1. ↑ **towarzyszyć** 2. *muz.* (*wspólny występ*) accompaniment

towarzysz|ka *sf pl G.* **~ek** 1. (*przebywająca z kimś*) companion; comrade; associate; **~ka niedoli** companion in distress; **~ka podróży** fellow-traveller; travelling companion; **~ka szkolna** schoolmate; **~ka zabaw dziecięcych** playmate; *przen. emf.* **~ka życia** partner in life; helpmate 2. (*członkini partii*) comrade

towarzysz|yć *vi imperf* 1. (*przebywać z kimś, czymś*) to accompany (**komuś, czemuś** sb, sth); **~yć komuś** a) (*dotrzymać towarzystwa*) to keep sb company b) (*asystować*) to attend upon sb; to escort sb 2. (*występować jednocześnie*) to accompany (**czemuś** sth); to go together (**czemuś** with sth); **nieszczęścia ~ące wojnie** the misfortunes <calamities> following in the wake of war 3. *muz.* to accompany (**komuś** sb)

towianizm *sm singt G.* **~u** *hist.* creed of Andrzej Towiański (1799—1878) making of Poland a messiah among nations

towot *sm singt G.* **~u** *techn.* semi-liquid grease

towotnica *sf techn.* pressure-oiler; grease-gun; grease-injector

toż [I] *pron n G.* **tegoż** *D.* **temuż** *A.* **~** *IL.* **tymże** *pl NA.* **też** *GL.* **tychże** *D.* **tymże** *I.* **tymiż** *lit.* the same; **~ samo** the very same [III] *conj w zwrotach:* **~ oni tam byli** they were there, weren't they?; **~ on tu przyjdzie** he will come here, won't he?; **~ ty wiesz o tym** you know about it, don't you?

tożsamościow|y *adj* identification — (mark etc.); *mat.* **równanie ~e** identical equation; identity

tożsamoś|ć *sf singt* 1. (*identyczność*) identity; sameness; **dowód ~ci** identity card; **dowody ~ci** identification papers; *wojsk.* **znak, krążek ~ci** identity <identification> disk 2. *mat.* identity

tożsamy *adj* identical

tprr *interj*, **tpru** *interj* wo, whoa

tra *interj pot.* (*lekceważąco*) phew

traban|t *sm* 1 *rz.* (*satelita*) satellite 2. *aut.* trade name of a motor-car 3. *pl* **~ci** *hist.* life-guardsmen

trach *interj* bang

tracheida *sf bot.* tracheid

tracheotomi|a *sf GDL.* **~i** *med.* tracheotomy

trachit *sm G.* **~u** *miner.* trachyte

trachitowy *adj miner.* trachytic

trachodon *sm G.* **~u** *paleont.* trachodont

trachoma *sf singt med.* trachoma

trac|ić *v imperf* **~ę, ~ony** [I] *vt* 1. (*gubić*) *dosł. i przen.* to lose (sth, one's parents etc., one's patience, hope, one's head, one's life etc.); (*o drzewach*) to shed (leaves, needles); **~ić oddech** to get out of breath; to be unable to catch one's breath; **~ić prawo do czegoś** to forfeit a right to sth; **~ić władzę w nodze, ręce** to lose the use of one's leg, arm; *przen.* **~ić grunt pod nogami** to lose one's footing; to get out of one's depth; *dosł. i przen.* **~ić kogoś z oczu** to lose sight of sb; **~ić miarę w czymś** to know no measure in sth 2. (*ponosić stratę materialną*) to lose 3. (*marnować*) to waste (one's money, one's time); to spend (**pieniądze na coś** one's money on sth; **czas na coś** one's time doing sth); **bezmyślnie ~ić czas** to moon about; **nie ~ić kontaktu z kimś, czymś** to keep in contact with sb, sth; **nie ~ić odwagi** to keep up one's courage; **nie trać czasu** don't dally; be quick; hurry up; don't let the grass grow under your feet; **~ić czas** a) (*nie śpieszyć się*) to dally; to dawdle b) (*czekać na kogoś, coś*) to kick <to cool> one's heels 4. (*wykonać wyrok śmierci*) to execute (sb) [II] *vi* 1. (*ponosić stratę materialną*) to sustain a loss; to be the loser 2. (*wydawać się gorszym*) to lose (**na czymś** by sth); **~ić w czyichś oczach** to lose in sb's esteem; **~ić na wartości** to lose value; to fall in value 3. (*ubywać*) to lose (**na sile** in strength <force>); **~ić na wadze** to lose weight [III] *vr* **~ić się** 1. *lit.* (*gubić się*) to get lost 2. *pot.* (*mieszać się*) to be confused <put out>; to lose countenance

track|i[1] *adj techn.* saw- (**dół** pit); **piła ~a** pit-saw

tracki[2] *adj geogr.* Thracian

tracz[1] *sm* (*robotnik*) sawyer

tracz[2] *sm zool.* merganser; **~ długodzioby** sawbill; *pl* **~e** (*Merginae*) (*podrodzina*) the mergansers

traczny *adj techn.* saw-pit _ (frame etc.)

tradeskancja *sf bot.* (*Tradescantia*) tradescantia

tradycja *sf* tradition

tradycjonalistyczny *adj lit.* traditionalistic

tradycjonalizm *sm singt G.* **~u** traditionalism

tradycyjnie *adv* traditionally

tradycyjny *adj* traditional; time-honoured; **~ żart, dowcip** standing joke

traf *sm G.* **~u** chance; luck; hazard; accident; coincidence; **szczęśliwy ~** good fortune; **~ zrządził** <**trzeba ~u**>, **że ...** as luck would have it
  ~em *adv* by accident; by a mere coincidence; by chance; **szczęśliwym ~em** happily

trafi|ać *v imperf* — **trafi|ć** *v perf* [I] *vi* 1. (*nie pudłować*) to hit one's mark; (*o pocisku*) to go home; (*zgadując*) to guess right; **byłbyś ~ł** you weren't far wrong; **nie ~ić** a) (*w cel*) to miss (one's aim); b) (*zgadując*) to guess wrong; to be beside the mark; **~ć do dziurki od klucza** to find the keyhole; **~ć do rękawa** to find one's way into the sleeve; **~ć w samo sedno** to hit home; to hit the nail on the head 2. (*znajdować drogę dokądś*) to find one's way <to get> (**dokądś** somewhere <to a place — the station, one's hotel etc.>); **~ć do kogoś** (*zjednać sobie*) to win sb over; **~ć komuś do przekonania z czymś** to bring sth home to sb 3. (*dostawać się dokądś*) to get (**dokądś** somewhere); **~ć do szpitala** <**więzienia itd.**> to land in hospital <in jail etc.>; *przen.* **dobrze** <**źle**> **~ć** to fall on the right <wrong> person; **szczęśliwie ~ć** to make a lucky hit; **~ć z deszczu pod rynnę** to jump out of the frying-pan into the fire 4. (*zjawić się w jakimś momencie*) to happen <to chance> (**na coś** upon sth); to come (**w porę itd.** at the right moment etc.) 5. (*napotykać*) to come across (**na kogoś** sb); to meet (**na przeszkodę** an obstacle); *przysł;* **~ł swój na swego, ~ła kosa na kamień** he has met his match [II] *vt* 1. (*nie pudłować*) to hit <to bring down> (game, sb, one's adversary etc.); **~ić kogoś w nos, w szczękę** to catch sb on the nose, on the jaw; *pot.* **apopleksja go ~ła, szlag go ~ł** he had a stroke (of apoplexy); **szlag mnie ~a** I'm furious <wild>; *przen.* **~ć kogoś w czułe miejsce** to touch sb's sore spot; **niech cię** <**go**> **szlag ~!** damn you <him>! 2. (*o nieszczęściu itd. — przydarzyć się*) to hit (sb) [III] *vr* **~ć, ~ać się** 1. (*zdarzyć się*) to happen (to sb); **to się rzadko ~a** it's quite unusual; **wszystko, co mi się ~** anything that comes my way 2. (*o zjawiskach, roślinach, zwierzętach — występować w danej okolicy*) to occur

trafienie *sn* 1. (↑ **trafić**) hit; **~ w środek celu** direct hit 2. (*w grach hazardowych itd. — zgadnięcie*) guess; lucky hit

trafika *sf* tobacco-shop

trafnie *adv* 1. (*celnie*) accurately; with accurate aim; **~ rzucony** <**wystrzelony**> **pocisk** well-aimed missile; **~ strzelać** to aim true; to be a dead shot 2. (*w sposób właściwy*) right; rightly; pertinently; relevantly; aptly; to the point; (to say sth) happily

trafność *sf singt* 1. (*celność*) accuracy (of aim) 2. (*stosowność*) rightness <pertinence, relevancy, fitness, pointedness> (of a reply, remark, comment, opinion); soundness <cogency> (of an argument)

trafny *adj* 1. (*celny*) accurate (aim); well-aimed (missile, shot) 2. (*stosowny*) right <pertinent, relevant, apt, fit, pointed> (reply, remark, comment, opinion); sound <cogent> (argument); happy <felicitous> (expression)

trafun|ek *sm G.* **~ku** *gw.* = **traf**

tragan|ek *sm G.* **~ka** *bot.* (*Astragalus*) tragacanth

tragarz *sm* porter (at railway station)

tragedi|a *sf GDL.* **~i** 1. (*utwór dramatyczny*) tragedy 2. (*nieszczęście*) tragedy; misfortune; **robić ~ę z czegoś** to make a tragedy of sth

tragediopisarz *sm* tragedian

trag|i *spl G.* **~** <**~ów**> (*do noszenia ciężarów*) hand-barrow; (*do noszenia rannych*) stretcher

tragicz|ka *sf pl G.* **~ek** tragedienne

tragicznie *adv* tragically

tragiczność *sf singt* (essence of) tragedy; the tragic; luridness

tragiczny *adj* tragic (role, scene, life etc.); tragical (event etc.)

tragidraka *sf żart.* tragicomedy

tragifarsa *sf lit.* tragicomedy

tragik *sm* (*pisarz, aktor*) tragedian

tragikomedi|a *sf GDL.* **~i** *lit.* tragicomedy

tragikomiczny *adj* tragicomic

tragizm *sm singt G.* **~u** tragic nature <tragedy> (of a situation, of an event etc.)

tragizować *vi imperf* to take a tragic view of things; to tragedize

trajektori|a *sf singt GDL.* **~i** trajectory

trajkot *sm G.* **~u** 1. (*mówienie*) jabber; gabble; chatter 2. (*terkot*) chatter; rattle (of machine-guns etc.)

trajko|tać *vi imperf* **~cze** <**~ce**> 1. (*mówić*) to jabber; to gabble; to rattle 2. (*terkotać*) (*o maszynie itd.*) to chatter; (*o karabinie maszynowym itd.*) to rattle

trajkotanie *sn* 1. ↑ **trajkotać** 2. (*mówienie*) jabber; gabble; chatter 3. (*terkot*) chatter (of machine parts etc.); rattle (of machine-guns etc.)

trajkot|ka *sf pl G.* **~ek** 1. *pot.* (*kobieta gadatliwa*) chatterbox; gabbler 2. *zool.* **~ka czerwona** (*Psophus stridulus*) an acridian locust

trajlować *vi imperf* to talk nineteen to the dozen

trajs|el *sm G.* **~la** *mar.* trysail

Trak *sm* Thracian

trak *sm leśn. techn.* (*do drewna*) frame sawing machine; (*do kamienia*) frame saw

trakcja *sf singt techn.* traction

trakcyjny *adj techn.* traction _ (current, cable, wheels etc.)

traken *sm zool.* a breed of horses

trak|t *sm G.* **~tu** 1. (*gościniec*) road; high road; highway; route 2. † (*ciąg*) course; *obecnie w zwrocie:* **gmach w ~cie budowy** <**naprawy**> building under construction <repair>; **w ~cie czegoś** in the course of ...; in <during> the process of ...; **w ~cie pisania** <**opowiadania itd.**> when <while> writing <relating etc.>

traktacik *sm G.* **~u** *dim* ↑ **traktat**

traktat *sm G.* **~u** 1. (*układ międzynarodowy*) treaty 2. (*rozprawa naukowa*) treatise; tract

traktatowo *adv* by treaty; under the terms of a treaty

traktatowy *adj* treaty — (obligations etc.); (clauses etc.) of a treaty

traktor *sm* 1. *techn.* tractor; agrimotor; traction-engine 2. *pot. pl* **~y** (*obuwie*) thick rubber-soled shoes; shoes with deep-tracked vibram soles

traktorowy *adj* tractor — (plough, digger etc.)

traktorzysta *sm* (*decl* = *sf*), **traktorzyst|ka** *sf pl G.* **~ek** tractor-driver

traktować *v imperf* [I] *vt* 1. (*obchodzić się*) to treat (sb kindly, roughly etc.); to deal (**kogoś, coś dobrze** <**źle**> well <badly> with sb, sth); to behave <to conduct oneself> (**kogoś dobrze** <**źle**> well <badly> towards sb); **lekko coś ~** to trifle with sth; **~ życie lekko** to take life easily <lightly>; **~ kogoś, coś poważnie** to take sb, sth seriously; **nie można go ~ poważnie** he cannot be taken seriously 2. *chem.* to treat (**coś kwasem itd.** sth with an acid etc.) 3. † (*częstować*) to treat (**gościa czymś** one's guest to sth) [III] *vi* (*rozprawiać o czymś*) to treat (**o czymś** of sth); to discuss (**o jakimś temacie** a subject)

traktowanie *sn* (↑ **traktować**) treatment; behaviour <conduct> (**kogoś** towards sb); usage (of an apparatus etc.); **niewłaściwe ~ maszyny** misuse of a machine

tralala *sn indecl pot.* (*rozgłos*) fuss; **robić wielkie ~ koło kogoś, czegoś** to make a fuss about sb, sth

tral|ka *sf pl G.* **~ek** *arch.* baluster; banister

tralkowanie *sn arch.* balustrade

tralkowy *adj arch.* baluster <banister> — (type etc.)

trał *sm G.* **~u** 1. *ryb.* (*włok*) trawl-net; drag-net 2. *wojsk. mar.* sweeping gear; trawl-boat

trałować *v imperf* [I] *vt* (*łowić ryby*) to trawl (fish) [III] *vi wojsk. mar.* to sweep for mines

trałowanie *sn* (↑ **trałować**) *wojsk. mar.* mine-sweeping

tram *sm G.* **~u** *bud.* footing beam

trama *sf* (*przędza*) woof; weft

tramontana *sf* 1. *meteor.* tramontana, north wind 2. *mar.* tramontane, North Star

tramp *sm* 1. *pl N.* **~y**(**~owie**)(*obieżyświat*) tramp; vagrant; vagabond 2. *mar.* tramp

tramping *sn G.* **~u** *mar.* tramping

tramp|ki *spl G.* **~ek** rubber-soled sports canvas shoes

trampolina *sf sport* 1. (*do skoków w wodę*) diving-board 2. (*do skoków w terenie*) spring-board

trampować *vi imperf* to tramp

trampowski *adj* tramp's (mode of life etc.)

trampowy *adj mar.* tramping (steamer etc.)

tramwaj *sm G.* **~u** tramway, *pot.* tram; *am.* street car; **pojechać ~em** to go (somewhere) by tram; to take the tram

tramwajarski *adj* tramway servant's — (occupation etc.)

tramwajow|y *adj* tram- (car, line, conductor, driver etc.); **opłata ~a** tram-fare

tran *sm G.* **~u** *med. farm.* cod-liver oil; *techn.* **~ wielorybi** whale-oil

tranowy *adj* cod-liver oil — (production etc.)

trans *sm G.* **~u** *psych.* trance; *rel.* ecstasy; **wprawić kogoś w ~** to send sb into a trance; **wpaść w ~** to fall <to go> into a trance

transakcja *sf handl.* transaction; deal

transarktyczny *adj* transarctic

transatlantycki *adj* transatlantic

transatlantyk *sm G.* **~u** *mar.* transatlantic steamer <liner>

transcendentalizm *sm singt G.* **~u** *filoz.* transcendentalism

transcendentalność *sf singt filoz.* transcendentality

transcendentalny *adj*, **transcendentny** *adj filoz.* transcendental

transduktor *sm techn.* transducer

transept *sm G.* **~u** *arch.* transept

transfer *sm G.* **~u** *handl. prawn.* transfer

transfiguracja † *sf* transfiguration

transformacja *sf* transformation

transformator *sm fiz.* transformer; converter

transformatornia *sf techn.* transformer station

transformatorowy *adj* transformer — (station etc.)

transformista *sm* (*decl* = *sf*) 1. (*zwolennik teorii transformizmu*) transformist 2. *teatr* quick-change actor

transformistyczny *adj* 1. (*dotyczący teorii transformizmu*) transformistic 2. *pot. teatr* quick-change actor's (tricks etc.)

transformizm *sm singt G.* **~u** transformism

transformować *vt imperf elektr. techn.* to transform; to convert

transformowanie *sn* (↑ **transformować**) transformation; conversion

transfuzj|a *sf med.* transfusion; **dokonać ~i** (**krwi**) to transfuse blood; **zrobić pacjentowi ~ę** to transfuse a patient

transfuzyjny *adj* transfusion — (shock etc.)

transgresja *sf singt geol. geogr.* transgression

transkontynentalny *adj geogr.* transcontinental

transkrybować *vt imperf jęz.* to transcribe

transkrybowanie *sn* (↑ **transkrybować**) transcription

transkrypcja *sf jęz. muz.* transcription; transcript

translacja *sf singt elektr. telegr.* translation

transliteracja *sf singt jęz.* transliteration

transliterować *vt imperf jęz.* to transliterate

translokacja *sf lit.* translocation

transmisja *sf* 1. *fiz.* transmission; *radio* (*czynność*) broadcasting; radio transmission; (*program radiowy*) broadcast; programme 2. *techn.* transmission gear; drive

transmisyjny *adj* 1. *radio* broadcasting <transmitting> — (station etc.) 2. *techn.* driving — (belt, gear etc.)

transmitować *vt vi imperf radio* to broadcast; to transmit; to be on the air

transmutacja *sf chem.* transmutation

transoceaniczny *adj* transoceanic; ocean — (liner etc.)

transparencja *sf singt* transparency

transparent *sm G.* **~u** 1. (*na pochodzie*) banner 2. (*malowidło na materiale przeświecającym*) (a) transparency; *fot.* transparent positive

transparentowo *adv* transparently

transparentowy *adj* transparent

transpiracja *sf singt bot.* transpiration

transpiracyjny *adj bot.* transpiration — (current etc.)

transpirować *vi imperf bot.* to transpire

transpirowanie *sn* (↑ **transpirować**) transpiration

transplantacja *sf singt bot.* transplantation; grafting

transplantat *sm G.* **~u** *med.* (a) transplant

transplantować *vt imperf perf* to transplant; to graft

transplantowanie *sn* (↑ **transplantować**) transplantation

transpolarny *adj* transpolar

transponować *vt imperf* 1. (*tłumaczyć*) to translate 2. (*przenosić*) to transfer 3. *muz.* to transpose

transponowanie *sn* 1. ↑ **transponować** 2. (*tłumaczenie*) translation 3. (*przeniesienie*) transfer 4. *muz.* transposition

transport *sm G.* **~u** 1. (*przewóz*) transport; transportation; carriage; conveyance; haulage; **koszty ~u** freight charges; carriage; **~ lądowy <powietrzny, wodny>** land <water-borne, aerial> transport 2. (*to, co jest transportowane*) consignment; arrival (of troops etc.) 3. *geol.* deposit 4. *księgow.* carrying forward 5. *techn.* traction

transportacja *sf singt rz.* transportation

transporter *sm* 1. *techn.* conveyer 2. *wojsk.* transporter

transportować *vt imperf* 1. (*przewozić*) to transport; to convey; to haul 2. (*przewozić pod strażą*) to transport (convicts etc.) 3. *geol.* to transfer (rock detritus) 4. *księgow.* to carry forward 5. *techn.* (*przemieszczać*) to transfer

transportowanie *sn* (↑ **transportować**) transport(ation); carriage; haulage; conveyance

transportow|iec *sm G.* **~ca** 1. *pl N.* **~cy** (*pracownik*) transport worker 2. *lotn.* troop-carrier 3. *mar.* troopship

transportow|y *adj* (means etc.) of transport; **przedsiębiorstwo ~e** forwarding agents; transporters

transpozycja *sf singt* 1. (*przystosowanie*) tansposition; rearrangement 2. (*przekład*) translation 3. *muz.* transposition

transpozycyjny *adj* transpositional

transsubstancjacja *sf singt rel.* transsubstantiation

transuran *sm G.* **~u**, **transuranow|iec** *sm G.* **~ca** *chem.* transuranium

transwersalny *adj lit.* transversal

transze|ja *sf GDL.* **~i** *pl G.* **~i** *wojsk* trench

tranzystor *sm fiz. radio* transistor

tranzystorowy *adj fiz. radio* transistor — (radio etc.)

tranzyt *sm singt G.* **~u** *ekon.* transit; **jechać ~em przez kraj** to travel <to pass> through a country; **pasażer jadący <wagon idący> ~em** through passenger <carriage>; **towary wstrzymane <zagubione> w czasie ~u** goods delayed <lost> in transit

tranzytowy *adj* transit — (duty etc.); through (traffic, passenger, carriage)

trap[1] *sm G.* **~u** 1. *mar.* accommodation-ladder 2. *geol.* trap, trap-rock

trap[2] *sm G.* **~u** *teatr* vampire(-trap)

traper *sm* trapper; woodcraftsman

traperski *adj* trapper's — (craft etc.)

trapez *sm G.* **~u** 1. *mat.* trapezium 2. *sport* trapeze

trapezoid *sm G.* **~u** *mat.* trapezoid

trapezowy *adj rz.* trapezial; trapeziform

trapi|ć *v imperf* [I] *vt* to torment; to worry; to annoy; to bother; *pot.* to plague; **co cię ~?** what are you worrying <fretting> about? [III] *vr* **~ć się** to worry <to fret; to worry one's head> (**kimś, czymś, o kogoś, coś** about sb, sth); **nie trap się tym** don't let that worry you

trapist|a *sm* (*decl* = *sf*) Trappist; **ser ~ów** a kind of cheese

tras *sm G.* **~u** *miner.* trass

trasa *sf* 1. (*szlak*) route; (tram, bus) line 2. (*wyznaczona komuś droga*) itinerary

trasant *sm handl.* payer <drawer> (of a bill)

trasat *sm handl.* drawee

traser *sm* 1. *mar.* mock-up maker 2. *techn.* tracer

trasować[1] *vt imperf* to trace <to draw> (line, designs)

trasować[2] *vt imperf handl.* to draw (a bill); to make a draft <to draw> (on sb)

trasz|ka *sf pl G.* **~ek** *zool.* (*Triturus*) newt

trat|a *sf handl.* draft; **wystawić ~ę na kogoś** to make a draft <to draw (a bill)>on sb

tratewka *sf dim* ↑ **tratwa**

tratować *vt imperf* to trample; to tread down; **~ końmi manifestantów itd.** to ride down manifestants etc.

trat|wa *sf pl G.* **~w <~ew>** raft; float; **~wa ratunkowa** life-raft

tratwiarstwo *sn singt* rafting

tratwiarz *sm* rafter; raftsman

trauler *sm* = **trawler**

traumatologi|a *sf singt GDL.* **~i** *med.* traumatology

traumatyczny *adj med.* traumatic

traumatyzm *sm singt G.* **~u** *med.* traumatism

traw|a *sf* grass; *bot. pl* **~y** (*Gramineae*) (*rodzina*) the family Gramineae; the grasses; **~a alfa** (*Stipa tenacissima*) esparto; **~a chińska** (*Boehmeria nivea*) China-grass; **~a morska** (*Zostera marina*) sea-grass; **porosły ~ą** grassy; **obsiać grunt ~ą** to put land under grass; (*w napisie*) **„Nie deptać ~y"** "Keep off the grass"; *przen. pot.* **wiedzieć, co w ~ie piszczy** to be in the know

trawers *sm G.* **~u** 1. (*na rzece*) dam 2. (*w pojeździe*) horn-bar; splinter-bar 3. *bud.* cross-beam; *techn.* cross-bar 4. *lotn. mar.* traverse; **na ~ie** abeam; athwart 5. *sport* (*odcinek trasy*) traverse; (*przebywanie trasy*) traversing

trawersować *vt vi imperf lotn. sport* to traverse

trawersowanie *sn* (↑ **trawersować**) (a) traverse

trawersowy *adj sport* traversing <traverse> — (run etc.)

trawertyn *sm G.* **~u** *geol.* travertine

trawertynowy *adj geol.* travertine — (deposits etc.); tufaceous

trawestacja *sf lit.* travesty

trawestować *vt imperf* to travesty

trawestowanie *sn* ↑ **trawestować**

trawiacz *sm pl N.* **~y <~ów>** *druk.* etcher

trawiar|ka *sf pl G.* **~ek** *roln.* grass-mower

trawiastokształtny *adj* graminiform; gramineous

trawiastozielony *adj* grass-green

trawiast|y *adj* 1. (*porosły trawą*) grassy; **rośliny ~e** gramineous plants 2. (*koloru trawy*) grass-green

trawi|ć *v imperf* [I] *vt* 1. *fizj.* to digest 2. (*niszczyć*) (*o żywiołach, pożarze itd.*) to consume; (*o chorobach itd.*) to waste <to wear away> (**organizm** the system) 3. (*o uczuciach, namiętnościach itd. — przenikać do głębi*) to consume; to devour; to prey (**kogoś** upon sb's mind); **być ~onym rozpaczą, lękiem itd.** to be a prey to <devoured by> despair, anxiety etc. 4. (*spędzać czas*) to spend <*uj.* to waste> (**czas na czymś** one's time doing sth) 5. *chem. techn.* to etch; to treat (sth with acid etc.); (*o kwasach itd.*) to corrode <to eat into> (sth) [II] *vi fizj.* to digest; **dobrze <źle> ~ć** to have a good <poor> digestion [III] *vr* **~ć się** (*dręczyć się*) to waste away

trawienie *sn* 1. ↑ **trawić** 2. *fizj.* digestion

trawie|niec *sm G.* **~ńca** *zool.* maw; abomasum

trawienn|y *adj fizj.* digestive (system, enzyme etc.); peptic; *techn.* **kąpiel ~a** pickle

trawion|ka *sf pl G.* **~ek** etching

traw|ka *sf pl G.* **~ek** grass; (*źdźbło*) blade of grass; *bot.* **psia ~ka** (*Nardus stricta*) mat-grass; *dosł. i przen.* **na zielonej ~ce** at grass; *przen. pot.* **pójść na zieloną ~kę** to lose one's job; to find oneself out of work

trawl *sm G.* **~u** *ryb.* trawl-net; drag-net

trawler *sm mar. ryb.* trawler; trawl-boat

trawlować *vt vi imperf* = **trałować**

trawnik *sm* lawn; the green; the grass; (*w napisie*) **„Nie deptać ~ów"** "Keep off the grass"

trawny *adj rz.* grassy

trawojad *sm* herbivorous animal

trawopolny *adj roln.* two-field ― (system)

trawożerny *adj zool.* herbivorous

trąb|a *sf* 1. *muz.* trumpet; horn; *mar.* **~a sygnałowa** signalling horn; *przen. pot.* **puścić kogoś, coś w ~ę** to have done with <to chuck> sb, sth 2. *przen. żart.* (*ktoś niezaradny*) ninny 3. *meteor.* whirlwind; cyclone; **~a morska** waterspout, wind-spout 4. *zool.* proboscis; (elephant's) trunk

trąbiasty *adj zool.* proboscis ― (monkey)

trąbić *vi imperf* 1. (*grać na trąbie*) to play the trumpet; (*dawać sygnały trąbą*) to sound the bugle 2. *przen. pot.* (*głośno mówić*) to roar; to bellow; to blare 3. (*używać klaksonu*) to hoot; to toot 4. *pot.* (*rozgłaszać*) to proclaim (**o czymś** sth) from the house-tops 5. *pot.* (*pić alkohol*) to tipple; to tope; to soak

trąbienie *sn* (↑ **trąbić**) blare; toot; hoot

trąb|ka *sf pl G.* **~ek** 1. *muz.* trumpet; cornet; bugle; **~ka myśliwska** hunting-horn; **zwinąć coś w ~kę** to roll sth up; **zwinąć kawałek papieru w ~kę** to make a cornet of a piece of paper; **zwinąć rękę w ~kę** to make a trumpet of one's hand 2. (*coś, co przypomina trąbkę*) (paper) cornet; twist; **~ka akustyczna** ear-trumpet; **~ka jajowa** uterine tube; *anat.* **~ka Eustachiusza** Eustachian tube 3. *zool.* (*ssawka owada*) proboscis

trąbkarz *sm* trumpeter

trąbow|iec *sm G.* **~ca** *zool.* proboscidian; *pl* **~ce** (*Proboscidea*) (*rząd*) the order Proboscidea

trąc|ać *v imperf* — **trąc|ić** *v perf* **~ę, ~ony** [I] *vt* to strike; to knock; to tip; to touch; to jostle (the passers-by etc.); **~ać łokciem** to nudge; *przen. pot.* (*zbzikowany*) **lekko ~ony** touched; *wulg.* **pies cię <go> ~ał** go <let him go> to hell [III] *vr* **~ać się** to tip <to jostle> one another; **~ać się kieliszkami** to chink <to clink> glasses; **~ać się łokciami** to nudge one another

trącenie *sn* ↑ **trącić**; **~ łokciem** (a) nudge

trącić *v perf* [I] *vt zob.* **trącać** [II] *vi* † to smell; **~ stęchlizną** to be fusty; *obecnie przen. w zwrocie:* **~ czymś** (*odznaczać się*) to border on <to savour of> (**zuchwalstwem itd.** impudence etc.); **~ myszką** to be fusty <out of date> [III] *vr* **~ się** *zob.* **trącać** *vr*

trąc|y *adj jęz.* **głoska ~a** fricative

trąd *sm G.* **~u** *med.* leprosy; **zarażony ~em** leprous

trądzik *sm G.* **~u** *med. techn.* acne; *wet.* whelk

tref *sm singt G.* **~u** terephah

trefel|ek *sm G.* **~ka** *karc. żart.* club

trefić *vt imperf rel.* to make (food) ritually unclean

trefl *sm karc.* club; **~e są atutem** clubs are trumps

treflowy *adj* (ace, five, ten etc.) of clubs

trefny *adj rel.* ritually unclean; not kosher

trejaż *sm G.* **~u** *ogr.* trellis(-work); lattice-work

trel *sm G.* **~u** trill; *pl* **~e** *żart.* (*śpiew*) singing; *pot.* **~e morele** nonsense; fiddle-de-dee

trelować *vi imperf rz.* to trill; to sing; (*o ptakach*) to trill; to warble

trelowanie *sn* (↑ **trelować**) trills

trema *sf singt* stage fright; nervousness; jitters

tremo *sn a. indecl* pier glass

tremolando *sn a. indecl muz.* tremolando

tremolit *sm G.* **~u** *miner.* tremolite

tremolo *indecl muz.* tremolo

tremolować *vi imperf muz.* to quaver

tren[1] *sm G.* **~u** *lit. muz.* threnody; lament

tren[2] *sm G.* **~u** train (of lady's dress)

trencz *sm* trench coat; dust-cloak

trener *sm* coach; trainer

trenerski *adj* trainer's (work etc.)

trenerstwo *sn singt sport* coaching

trening *sm G.* **~u** *sport* training; practice; work-out

treningowy *adj sport* training ― (exercises etc.)

treningów|ka *sf pl G.* **~ek** *sport* track suit

trenować *v imperf* [I] *vt* 1. (*o trenerach*) to coach <to train> (a team etc.) 2. (*o sportowcach*) to practise (volley-ball etc.) [II] *vi* (*także vr* **~ się**) (*o sportowcach*) to practise; to train

trenowanie *sn* (↑ **trenować**) training; practice

trent *sm G.* **~u** *mar.* trend (of an anchor)

trep *sm* (*zw. pl*) clog

trepak *sm* trepak (a lively Russian dance)

trepan *sm G.* **~u** *med.* trepan; trephine

trepanacja *sf med.* trepanation

trepanator *sm med.* trepanner

trepanować *vt vi imperf med.* to trepan; to trephine

trep|ek *sm G.* **~ka** sandal

treser *sm* trainer (of animals); (lion etc.) tamer; horse-breaker

treserski *adj* trainer's (whip etc.)

tresować *vt imperf* to train (animals); to tame (lions etc.); to break in (horses)

tresura *sf* training (of animals); taming (of wild animals)

tresurowy *adj* training (installation etc.)

treściowo *adv* in respect of <as regards> contents <subject matter>

treściwie *adv* concisely; succinctly; tersely; briefly

treściwość *sf singt* 1. (*zwięzłość*) conciseness; succinctness; terseness; brevity 2. (*w pożywieniu*) substantialness; richness

treściw|y *adj* 1. (*o utworze literackim*) pithy; meaty; marrowy; full of substance 2. (*zwięzły*) concise; succinct; terse; brief 3. (*o pożywieniu*) substantial; rich; *roln.* **pasza ~a** protein food

treś|ć *sf pl N.* **~ci** 1. (*wątek*) contents; essence; substance; jist; tenor <purport> (of a document); *prawn.* purview (of a paragraph etc.); **spis ~ci** table of contents; **~ć filmu <powieści itd.>** plot of a film <novel etc.>; **wiadomość tej ~ci, że ...** news to the effect that ... 2. (*istota*) essence; pith; marrow; **~ć życia** purport <meaning> of life; (*o książce, artykule, mowie*) **bez ~ci** vapid; pithless; watery 3. (*zawartość*) content

trębacz *sm pl G.* **~y** trumpeter; *wojsk.* (*w piechocie*) bugler; (*poza piechotą*) trumpeter

trędowaty [I] *adj* leprous [II] *sm* leper; **szpital dla ~ch** lazar-house, lazaret

trędownik *sm bot.* (*Scrophularia*) figwort

trędownikowat|y *bot.* [I] *adj* scrophulariaceous [II] *spl* **~e** (*Scrophulariaceae*) (*rodzina*) the figwort family

tręzla *sf* snaffle

triada *sf chem. muz.* triad

trializm *sm singt G.* **~u** *polit.* trialism

triang|el *sm G.* **~la** *muz.* triangle

triangulacja *sf singt astr. geod.* triangulation

triangulacyjny *adj* triangulation — (point etc.)

triangul *sm G.* **~u** = **triangel**

trias *sm singt G.* **~u** *geol.* Trias

triasowy *adj geol.* Triassic

triboluminescencja *sf singt chem.* triboluminescence

trick *zob.* **trik**

trier <**tryjer**> *sm roln.* separator (for corn); assorting engine

triera *sf hist.* trireme

triforium *sm arch.* triforium

tri|k <**tri|ck**> *sm G.* **~ku** <**~cku**> trick

trikowy <**trickowy**> *adj film* trick — (picture)

trini|a *sf GDL.* **~i** *bot.* (*Trinia glauca*) honewort

tri|o *sn pl G.* **~ów** *muz.* (*zespół, utwór oraz część utworu*) trio

trioda *sf fiz. radio* triode

triola *sf muz.* triolet

triolet *sm G.* **~u** *lit.* triolet

trioza *sf (zw. pl) chem.* triose

trirema *sf* = **triera**

triumf *sm G.* **~u** = **tryumf**

triumfalnie *adv* = **tryumfalnie**

triumfator *sm*, **triumfator|ka** *sf pl G.* **~ek** = **tryumfator**

triumfować *vi imperf* = **tryumfować**

triumwir *sm hist.* triumvir

triumwirat *sm hist. G.* **~u** triumvirate

trivium *sn*, **triwium** *sn hist.* trivium

trocha † *sf* = **trochę**

trocheiczny *adj prozod.* trochaic

trochej *sm G.* **~u** *prozod.* trochee

trochę *adv* 1. (*w małej ilości*) a little; a bit; some; **daj mi ~ pieniędzy** give me some money; **on potrzebował farby <węgla itd.> więc dałem mu ~** he needed some paint <coal etc.> so I gave him some; **ani ~** not at all; not a bit; not a whit; **ani ~ taki duży <dobry itd.>** nothing like <nowhere near> so big <good etc.>; **choćby ~** at least a little; *pot.* **do diabła i ~** no end; a hell of a lot 2. (*w pewnym stopniu*) somewhat; a little 3. (*przez pewien czas*) a little; awhile; (*przez krótki czas*) a few minutes, a moment; (for) a spell; **musisz ~ poczekać** you must wait awhile <for a spell>; **muszę ~ popisać <poczytać itd.>** I must do a spell of <some> writing <reading etc.>; **trzeba ci ~ popracować w ogrodzie <warsztacie stolarskim itd.>** you must do a spell of gardening <carpentering etc.>

trochoida *sf mat.* trochoid

trocicz|ka † *sf pl G.* **~ek** pastille

trociniak *sm pot.* sawdust-fuelled stove

trociniar|ka *sf pl G.* **~ek** *zool.* (*Cossus cossus*) goat moth

trocinobeton *sm singt G.* **~u** *bud.* sawdust concrete

trocinow|iec *sm G.* **~ca** *pot.* structure of sawdust plates

trocinowy *adj* sawdust — (plates etc.); **beton ~** = **trocinobeton**

trocin|y *spl G.* **~** 1. (*wiórki drewniane*) sawdust 2. *przen.* scraps (of verse etc.)

troczek *sm dim* ↑ **trok**

tro|ć *sf pl N.* **~cie** *zool.* (*Salmo trutta*) bulltrout

trofe|um *sn* (*zw. pl*) trophy; **~a myśliwskie** trophies of the chase; **~a wojenne** spoils of war

troficzny *adj fizjol.* trophic

trofika *sf singt biol. fizjol.* trophicity

troglodyta *sm* (*decl* = *sf*) *paleont.* troglodyte; cave-dweller

troi|ć *v imperf* **trój** [I] *vt* 1. (*potrajać*) to triple; to increase (sth) threefold 2. *pot.* (*jeść*) to gorge [II] *vr* **~ć się** to triple, to increase (*vi*) threefold; **dwoić się i ~ć (się)** to be in two or three different places at the same time; *pot.* **~ ci się w głowie** you're dreaming; you're letting your imagination run away with you; **~ mi się w oczach** I can't see a thing

troisty *adj* triple; treble; threefold; trine; triplex

trojacz|ek *sm G.* **~ka** 1. *dim* ↑ **trojak** 2. *pl* **~ki** triplets

trojak *sm* 1. (*taniec*) a dance performed by one dancer with two women partners 2. *bud.* three-roomed dwelling house 3. (*moneta*) ancient three-grosz coin 4. *pl* **~i** *gw.* triple earthenware pot

trojaki *adj* triple; treble; threefold; triplex

trojako *adv* threefold; in a threefold manner; in three different ways; trebly

trojan|ek *sm G.* **~ka** liverwort

trojański *adj mitol.* Trojan; **koń ~** the Trojan horse

troj|e *num G.* **~ga** *DL.* **~gu** *A.* **~e** *I.* **~giem** three; **jedno z ~ga** one of three things <possibilities, solutions>; **złożyć na ~e** to fold in three; **we ~e** the three of us <them etc.>

trojeściowat|y *bot.* [I] *adj* asclepiadaceous [II] *spl* **~e** (*Asclepiadaceae*) (*rodzina*) the milkweed family

trojeść *sf bot.* (*Asclepias*) milkweed

trok *sm G.* **~u** (*zw. pl*) strap

trokar *sm G.* **~u** *med. wet.* trocar

trolej *sm G.* **~u** *techn.* 1. (*drezyna*) trolley 2. (*krążek przy tramwajowym odbieraku prądu*) trolley

trolejbus *sm G.* **~u** trolley bus

trolejbusowy *adj* trolley-bus — (conductor etc.); *sl. reg.* **w wieku ~m** in his <her> fifties

trolit *sm singt G.* **~u** *techn.* a plastic mass

trombina *sf biol.* thrombin

trombita *sf muz.* a popular wind instrument like the alpenhorn

trombocyt *sm G.* **~u** *biol.* thrombocyte

trombon *sm G.* **~u** *muz.* trombone

trombonista *sm* (*decl* = *sf*) *muz.* trombonist

trompa *sf arch.* pendentive

tromtadracja *sf singt iron.* blimpery, blimpishness; *am.* spread-eaglism

tromtadrata *sm* (*decl* = *sf*) *iron.* (a) Colonel Blimp; *am.* spread-eaglist

tron *sm G.* ~**u** 1. (*fotel monarszy*) throne; **objąć** <**wstąpić na**> ~ to come to <to ascend, to mount> the throne; **strącić z** ~**u** to cast from the throne; **złożyć z** ~**u** to dethrone; to depose; **zrzec się** ~**u** to renounce the throne 2. (*władza królewska*) the throne; **następca** ~**u** heir to the throne

tronować *vi imperf lit.* to reign

tronowanie *sn* (↑ **tronować**) (a) reign

tronow|y *adj* throne — (room etc.); **mowa** ~**a** speech from the throne

trop[1] *sm G.* ~**u** trail; scent; track; spoor; slot; runway; foil; **świeży** ~ blazing scent; **być na** ~**ie zwierza** <**zbrodniarza**> to be on an animal's <a criminal's> trail <track, scent>; **być na właściwym** <**fałszywym**> ~**ie** to be on the right <the wrong, a false> track <scent>; **naprowadzić ludzi** <**policję**> **na czyjś** ~ to set people <the police> on sb's trail; **sprowadzić ludzi z** ~**u, zmylić** ~ to throw people off the trail <scent>; **ścigać kogoś** ~ **w** ~ to be hot in pursuit <on the track> of sb; *przen.* **podążać w** ~ to be hot on the trail <scent>; **zbić kogoś z** ~**u** to discountenance sb; to put sb out; **nic go nie zbije z** ~**u** nothing can abash him; he never gets put out

trop[2] *G.* ~**u** (*zw. pl*) *filoz. lit. muz.* trope

tropiciel *sm dosł. i przen.* sleuth-hound; trailer

tropiczny[1] *adj* tropical

tropiczny[2] *adj lit.* (*przenośny*) figurative

tropić *vt imperf* 1. *myśl.* to hunt; to trail; to track 2. (*ścigać zbrodniarza*) to hunt; to sleuth; to trail; to track; to dog (**kogoś** sb's footsteps)

tropienie *sn* ↑ **tropić**

tropik *sm G.* ~**u** 1. *geogr.* tropic (of Cancer, of Capricorn); *pl* ~**i** the tropics 2. (*wyposażenie namiotu*) fly sheet

tropikaln|y *adj* tropical (heat, helmet, diseases etc.); **kraje** ~**e** the tropics

tropikowy *adj geogr.* tropical; equatorial

tropizm *sm G.* ~**u** *biol.* tropism

tropopauza *sf singt geogr. meteor.* tropopause

troposfera *sf singt meteor.* troposphere

tropow|iec *sm G.* ~**ca** *myśl.* trailer

trosk|a *sf pl G.* ~ (*zmartwienie*) care; worry; concern; preoccupation; anxiety (**o coś** for sth); (*dbałość*) solicitude; **ciężkie** ~**i** carking cares; **zgnębiony** ~**ami** care-worn

troskać *v imperf* [I] *vt* to worry (sb); to cause (sb) concern [II] *vr* ~ **się** to worry (**czymś** about sth); to care (**o kogoś, coś** for sb, sth)

troskliwie *adv* solicitously; (**bardzo**) ~ with (great) care

troskliwość *sf singt* 1. (*wykazywanie troski*) consideration; solicitude; thoughtfulness 2. (*dbałość*) care; heed

troskliwy *adj* solicitous; thoughtful; mindful

troszczenie się *sn* ↑ **troszczyć się**

troszcz|yć się *vr imperf* 1. (*otaczać troską*) to care (**o kogoś, coś** for sb, sth); to look (**o kogoś, coś** after sb, sth); to be solicitous (**o kogoś, coś** for sb, sth) 2. (*martwić się*) to worry <to be concerned> (**o kogoś, coś** about sb, sth); **zrobić coś nie** ~**ąc się o ...** to do sth without regard to ... (consequences etc.) 3. (*dbać, starać się*) to take care; to see (**o coś** about sth); to see (**o coś** to sth); **bardzo się** ~**yć, żeby ...** to take great pains to ...

troszeczkę *adv* just a little; a little bit; a trifle <a thought> (**za dużo** <**głośno, słabo itd.**> too much <loud, weak(ly) etc.>)

trotuar *sm G.* ~**u** pavement; *am.* sidewalk

trotyl *sm singt G.* ~**u** *chem.* trotyl

trój- *praef* tri-; ter-; three-

tró|ja *sf GDL.* ~**i** (*augment* ↑ **trójka**) *pot. szk.* pass (mark); "fair"

trójatomowy *adj* triatomic

trójbarwny *adj* three-coloured; trichromatic

trójbiegow|y *adj bud.* **schody** ~**e** open-newel stairs

trójboczny *adj* **kapelusz** ~ three-cornered hat

trójbok *sm G.* ~**u** triangle

trójb|ój *sm G.* ~**oju** *sport* track-athletics

trójbuńczuczny *adj hist.* three-horsetail (pasha)

trójca *sf* = **trójka**; *rel.* **Trójca Święta** Holy Trinity

trójchlor|ek *sm G.* ~**ku** *chem.* trichloride

trójcząstecz|ka *sf pl G.* ~**ek** termolecule

trójdzielność *sf singt* triplicity

trójdzieln|y *adj* triple; treble; threefold; tripartite; *bot.* three-parted; *anat.* **nerw** ~**y** trifacial nerve; *bud.* **okno** ~**e** Venetian window; *muz.* **rytm** ~**y** triple time

trójdźwięk *sm G.* ~**u** *muz.* triad (**majorowy** <**wielki**> major; **minorowy** <**mały**> minor)

trójelektrodow|y *adj fiz.* **lampa** ~**a** triode

trójfazowy *adj elektr. fiz.* three-phase — (current etc.)

trójgłos|ka *sf pl G.* ~**ek** *jęz.* triphthong

trójgłowy *adj anat.* tricephalic, tricephalous; **mięsień** ~ triceps

trójgraniasty *adj* triangular; deltoid; **kapelusz** ~ cocked hat

trójgra|niec *sm G.* ~**ńca** = **trokar**

trójiglicznia *sf bot.* (*Gleditsia triacanthos*) honey locust

trójjęzyczny *adj* trilingual

trój|ka *sf pl G.* ~**ek** 1. (*osoby*) trio; threesome; **nasza** <**wasza itd.**> ~**ka, my** <**wy itd.**> we ~**kę** the three of us <you etc.> 2. (*cyfra*) (a) three; the figure three; *karc.* (a) three 3. *szk.* pass (mark); "fair" 4. (*przedmiot, pokój*) (room, the tram, bus etc.) N° 3 5. (*zaprzęg*) three-horse team; (*rosyjski zaprzęg*) troika

trójkanciasty *adj* three-angled (nut etc.)

trójkącik *sm dim* ↑ **trójkąt**

trójkąt *sm* 1. *mat.* triangle; ~ **ostrokątny** <**prostokątny, rozwartokątny, równoramienny, sferyczny**> acute-angled <right-angled, obtuse-angled, isosceles, spherical> triangle; ~ **błędu** <**sił**> triangle of error <of forces> 2. (*coś kształtu trójkąta*) triangle; (*naszywka na rękawie*) chevron; ~ **małżeński** the eternal triangle 3. (*ekierka*) set square, *am.* triangle 4. *muz.* triangle

trójkątnie *adv* triangularly

trójkątn|y *adj* triangular; three-cornered; trigonal; **ekierka** ~**a** set square, *am.* triangle

trójkątowanie *sn* triangulation

trójklapowy *adj bot.* three-valve — (fruit); three-lobed (leaf)

trójkolorow|y *adj* three-coloured; trichromatic; **flaga** ~**a** the tricolour

trójkołow|iec *sm G.* ~**ca** (*rower*) tricycle; (*pojazd*) three-wheeled vehicle; (*samochód*) tricar

trójkołowy *adj* three-wheeled (vehicle etc.); ~ **samochód** tricar

trójkomorowy *adj* three-chambered; trilocular
trójkowy *adj* ternary; **łącznik ~** T joint; **zaprzęg ~** unicorn
trójkrezol *sm singt G.* **~u** *techn.* trikresol
trójkrok *sm G.* **~u** *sport* three-step
trójlat|ek *sm pl G.* **~ka** = **trzylatek**
trójlistkowy *adj*, **trójlistny** *adj bot.* trifoliate
trójliś|ć *sm G.* **~cia** 1. *bot.* (*bobrek trójlistkowy* <*trójlistny*>) (*Menyanthes trifoliata*) bog bean, buck bean 2. *arch.* trefoil
trójlojalizm *sm G.* **~u, trójlojalność** *sf singt hist.* political programme advocating loyalty to all three powers which partitioned Poland in the 18th century
trójluf|ka *sf pl G.* **~ek** *myśl.* three-barrelled gun
trójmasztow|iec *sm G.* **~ca** *mar.* three-master
trójmasztowy *adj mar.* three-masted (schooner etc.)
trójmecz *sm sport* three-cornered match
trójmian *sm G.* **~u** *mat.* trinomial
trójmiarowy *adj muz.* **takt ~** three-part time
trójmi|asto *sn singt L.* **~eście** aggregate of the three neighbouring towns of Gdynia, Sopot and Gdańsk
trójmotorow|iec *sm G.* **~ca** three-engined aeroplane
trójmotorowy *adj* three-engined
trójnasób *adv w wyrażeniu*: **w ~** trebly; threefold; three times (**większy, silniejszy itd.** as large, as strong etc.); **powiększyć** <**powiększyć się**> **w ~** to treble <to triple, to increase> threefold
trójnawowy *adj* three-aisled
trójnerwowy *adj bot.* three-ribbed
trójniak *sm* a quality of mead
trójnik *sm* **~u** <**~a**> *techn.* T joint, tee; wye
trójnitka *sf mar.* houseline
trójnitrofenol *sm singt G.* **~u** *chem.* trinitrophenol
trójnożek *sm dim* ↑ **trójnóg**
trójnożny *adj* three-footed
trójn|óg *sm G.* **~oga** 1. (*sprzęt*) three-footed table; (Delphic etc.) tripod; (*sprzęt kuchenny*) trivet 2. *fot. roln.* tripod
trójn|óż *sm G.* **~oża** *druk.* 3-knife trimmer
trójnóż|ek *sm G.* **~ka** = **trójnożek**
trójosiowy *adj* triaxial
trójpalczasty *adj zool.* tridactyl
trójpasmowy *adj* three-stranded, triple-stranded
trójpienny *adj bot.* trioecious
trójpłat *sm*, **trójpłat|owiec** *sm G.* **~owca** 1. *lotn.* triplane 2. = **trylobit**
trójpokładow|iec *sm G.* **~ca** *mar.* three-decker
trójpokładowy *adj mar.* **statek ~** three-decker
trójpolowy *adj roln.* three-field — (system)
trójpolów|ka *sf pl G.* **~ek** *roln.* three-field system
trójporozumienie *sm hist.* Triple Entente
trójpręcikow|y *adj bot.* triandrous; **rośliny ~e** triandria
trójprzymierze *sn hist. polit.* Triple Alliance
trójpunktowy *adj druk.* three-point (type)
trójramienny *adj* three-armed
trójrogi *adj* three-horned
trójrzędow|iec *sm G.* **~ca** *staroż. mar.* trireme
trójsiarcz|ek *sm G.* **~ka** *chem.* trisulphide
trójsieczny *adj* three-edged; trisected
trójsienne *spl bot.* (*Tricocceae*) (*rząd*) the order Triococceae
trójskibowy *adj roln.* three-furrow (plough)
trójskośny *adj miner.* triclinic (crystal)
trójstronny *adj* three-sided; tripartite; *polit.* **układ ~** triangular agreement
trójstrumienny *adj* three-lane (traffic)
trójszereg *sm G.* **~u, w ~u** three abreast
trójścian *sm G.* **~u** *mat.* trihedron
trójścienny *adj mat.* trihedral
trójtaśmowy *adj* three-banded
trójtlen|ek *sm G.* **~ku** *chem.* trioxide
trójwartościowy *adj chem.* trivalent, tervalent; **pierwiastek ~** triad
trójwiersz *sm* triplet
trójwierszowy *adj* of <in> three verses
trójwręb *sm G.* **~u** = **tryglif**
trójwymiarowość *sf singt* three-dimensionalness
trójwymiarowy *adj* three-dimensional
trójzaborowy *adj* involving the three sectors of partitioned Poland
trójzasadowy *adj chem.* tribasic
trójz|ąb *sm G.* **~ębu** 1. *mitol.* trident 2. *bot.* (*Triadia decumbens*) a herb
trójzębny *adj* three-thronged; tridentate
trójzgłoskowy *adj prozod.* trisyllabic
trójzmianowy *adj* three-shift — (system etc.)
trójżaglowy *adj mar.* three-sail — (craft)
trubadu|r *sm pl N.* **~rzy** <**~rowie**> *lit.* troubadour
trubadurski *adj* troubadour — (poetry etc.)
truchcik *sm* (*dim* ↑ **trucht**) gentle trot
truchle|ć *vi imperf* **~je** to be terrified <horrified, scared to death>; to stand aghast <horror-struck>; to quake with fear; **~ć na myśl o czymś** to tremble at the thought of sth
truchlenie *sn* (↑ **truchleć**) terror; horror
truch|ło *sn pl G.* **~eł** *lit.* corpse
trucht *sm G.* **~u** trot; jogtrot; **~em** at a trot
truciciel *sm*, **trucicielka** *sf* poisoner
trucicielski *adj* **proces ~** poisoning case
trucicielstwo *sn singt* poisoning
truci|zna *sf DL.* **~źnie** poison; venom; **śmiertelna ~zna** deadly poison; **~zna na owady** insecticide; **~zna na szczury** rat-poison; **zaprawiać coś ~zną** to poison sth; to put poison in sth; *przen.* to envenom sth; **zażyć ~znę** to take poison
tru|ć *v imperf* **~je, ~ty** I *vt* to poison (sb, sth); *dosł. i przen.* to envenom; *przen.* to molest; to worry; to haunt; to be a source of worry; *przen.* **~ć komuś życie** to be the bane of sb's life II *vr* **~ć się** to take poison; *przen.* to worry oneself to death
trud *sm G.* **~u** (*wysiłek*) trouble; (*utrudzenie*) toil; labour(s); pains; *pl* **~y** hardships; difficulties; **daremny ~** wasted pains <labour>; **wielki ~** hard work; **bez ~u coś zrobić** to do sth easily <without difficulty>; **zadać sobie dużo ~u, żeby ...** to take great pains <to put oneself out of the way, to go out of one's way> in order to ...; **zadać sobie ~ zrobienia czegoś** to take <to give oneself> the trouble to do sth; to take pains <to put oneself out> to do sth; to go to the trouble of doing sth; **z największym ~em zdobyłem ...** it was as much as I could do to obtain ...; **z ~em mogłem to zrobić** I could scarcely <just> do it; I was hard put to it to do it; I had difficulty in doing it; **z ~em posuwać się naprzód** <**wspinać się na górę**> to sweat along <up a hill>; **z ~em zdobyte zwycięstwo** narrow <hard-won> victory

trudnawo *adv* with some difficulty; not easily

trudnawy *adj* pretty <rather> difficult

trudni|ć się *vr imperf* **~j się** to be engaged (**czymś** in sth <in some kind of work>); to do (**czymś** sth) for a living; **czym się ~sz?** what is your occupation <your profession>?; **~ć się handlem** to be in business; **~ć się stolarką, ślusarstwem itd.** to be a carpenter, a locksmith etc.

trudno *adv* with difficulty; **~ było o dobrego fachowca <o taki materiał, o dobrą posadę itd.>** it was difficult to find a good specialist <such material, a good job etc.>; **~ im <mu itd.> jest** they are <he is etc.> in difficulties <up against difficulties>; **~ jest z takim człowiekiem** such a man is quite a problem; **~ jest, żeby ktoś mógł ...** you can't expect somebody to ...; a man can't be expected to ...; **~ mi uwierzyć <zrozumieć itd.>** I can hardly <scarcely> believe <understand etc.>; **~ powiedzieć, czy ...** it is scarcely possible to say if ...; **~ przychodzi napisanie czegoś <przekonanie kogoś, zdobycie czegoś itd.>** it is difficult <hard> to write sth <to convince sb, to obtain sth etc.>; *pot.* **~ i darmo!** there's no getting out of it!; (*z rezygnacją*) **to <no to> ~!** it can't be helped; hard lines!; worse luck!

trudnopalny *adj* slow-burning

trudnoś|ć *sf* 1. (*przeciwność*) difficulty; hardship; handicap; quandary; stumbling-block; **cała ~ć w tym, że ...** the crux of the matter lies in the fact that ...; the difficulty is that ....; **czynić <robić> ~ci** to raise objections; to make difficulties; to be fussy; **mieć wielkie ~ci z robieniem czegoś** to be hard put to it to do sth; **pokonać <przezwyciężyć> ~ci** to overcome difficulties; **robić komuś ~ci** to make matters difficult for sb; to put spokes in sb's wheels; **zrobić coś bez ~ci** to do sth without difficulty <easily>; **z ~cią coś zrobić** to do sth with difficulty; to have difficulty in doing sth; to be scarcely <hardly> able to do sth; **z wielkimi ~ciami** with much ado 2. *singt* (*cecha*) difficulty <trickiness> (of a situation etc.)

trudn|y *adj* 1. (*ciężki*) difficult; hard; tough (job etc.); stiff (examination, piece of work etc.); (*mozolny*) laborious; **~a rada** there's nothing to be done <nothing one can do>; **~a sytuacja, ~e położenie** a fix; *przysł.* **dla chcącego (nie ma) nic ~ego** where there's a will there's a way 2. (*o człowieku — przykry*) unpleasant; trying; not easy to get along with; **~e dziecko** difficult child

trudzicz|ka *sf pl G.* **~ek** *bot.* (*Combretum*) myrobalan

trudziczkowate *spl bot.* (*Combretaceae*) the myrobalan family

trudz|ić *v imperf* **~ę, ~ony** [I] *vt* to trouble (sb); to cause <give> (sb) trouble; to disturb [II] *vr* **~ić się** to give oneself trouble; to take pains; to toil (**przy czymś** at sth); **daremnie się ~ić** to have one's labour <to be a fool> for one's pains; **możesz się nie ~ić** you can save your pains; **proszę się nie ~ić** don't trouble; don't bother; **przepraszam, że ~ę** sorry to trouble you; pardon my troubling you; **specjalnie się ~ić, żeby ...** to go out of one's way in order to...

trufelka *sf dim* ↑ **trufla**

trufla *sf bot.* (*Tuber*) truffle

truflowat|y *bot.* [I] *adj* tuberaceous [II] *spl* **~e** (*Tuberaceae*) (*rodzina*) the family Tuberaceae

truflowy *adj* truffle — (ground etc.)

truizm *sm G.* **~u** truism

trująco *adv* poisonously; toxically

trując|y *adj* poisonous; toxic; **gazy ~e** poison gases

trukwa *sf bot.* (*Luffa cylindrica*) luffa, dishcloth gourd

trumienka *sf dim* ↑ **trumna**

trumienny *adj* coffin — (plate etc.)

trum|na *sf pl G.* **~ien** coffin; **spoczywać w ~nie** to lie in one's grave; **to jest gwóźdź do ~ny** it's a nail in your coffin; **ubrać kogoś do ~ny** to lay sb out

trumniak|i *spl G.* **~ów** *pot.* heelless slippers

trumniarski *adj* coffin-maker's (shop etc.)

trumniarz *sm pl G.* **~y <~ów>** coffin-maker

trun|ek *sm G.* **~ku** liquor; intoxicant; (intoxicating) drink

trunkowy *adj* intoxicating; *pot.* **on jest ~** he does not object to a drink

trup *sm* corpse; dead body; **żywy ~** living ghost; **niech padnę ~em** take my oath for it; **paść ~em** to fall dead; **położyć kogoś ~em** to kill sb stone-dead; **po moim ~ie** over my dead body

trupa † *sf teatr* (theatrical) company; troupe

trupi *adj* cadaverous (smell etc.); deathlike (pallor, silence etc.); **~a główka** a) (*pogardliwie o gestapowcu*) death's-head b) *zool.* (*Acherontia atropos*) death's-head moth; **~ jad** ptomaine; **~ zapach** putrid smell

trupiarnia *sf* mortuary

trupio *adv* cadaverously

trupojad *sm* = **trupożerca**

truposz *sm* corpse

trupożerc|a *sm pl N.* **~y** *GA.* **~ów** necrophagan

trupożerny *adj* necrophagous

trusia *sm* (*decl* = *sf*), *sf* 1. (*królik*) bunny 2. *przen.* (*o człowieku*) poltroon; milksop; **jak ~** timidly

truskawczarnia *sf rz.* strawberry garden

truskaw|ka *sf pl G.* **~ek** *bot.* (*Fragaria*) strawberry

truskawkowy *adj* strawberry (jam, syrop etc.)

trust *sm G.* **~u** *ekon.* trust

truś *sm* = **trusia**

trut *sm* = **truteń**

trut|eń *sm G.* **~nia** *dosł. i przen.* drone

trut|ka *sf pl G.* **~ek** poison; **~ka na szczury** rat-poison

trutowy *adj* drone's; drone — (cell etc.)

trutów|ka *sf pl G.* **~ek** *pszcz.* laying worker (bee)

truwe|r *sm pl N.* **~rowie <~rzy>** *hist.* trouvere; minstrel

trwa|ć *vi imperf* 1. (*pozostawać*) to stay; to remain; **~ć w bezruchu** to keep still; **~ć w pozycji leżącej <siedzącej, klęczącej>** to remain lying <sitting, kneeling> 2. (*przeciągać się*) to last; to go on; to linger on; **długo ~ło, zanim ...** it was a long time before ...; **jak długo to będzie ~ło?** how long will it take?; **to długo ~** it takes a long time; **to ~ło jedną chwilę** it was the work of a moment 3. (*istnieć wytrwale*) to persist; to endure; **~ć na posterunku** to remain at one's post; **~ć przy postanowieniu** to abide by a decision; **~ć przy swoim zdaniu** to cling to one's opinion

trwale *adv* constantly; persistently; permanently; durably; lastingly

trwałość *sf singt* constancy; persistence; permanence; durability; fixity; fastness; stability; **~ drewna** toughness of wood

trwał|y *adj* constant; persistent; permanent; durable; imperishable; lasting; abiding; stable; solid; (*o roślinie*) perennial; hardy; (*o zainteresowaniu*) unabating; (*o pamięci*) retentive; (*o kolorach*) fast, unfading; (*o związku*) indissoluble; (*o drewnie*) tough; (*o przyjaźni*) firm; (*o tkaninie*) strong; able to stand a great deal of wear; **~a ondulacja** permanent wave; *pot.* perm

trwani|e *sn* (↑ **trwać**) duration; constancy; persistence; endurance; **czas ~a** length of time; **~e sejmowe** parliamentary session

trwog|a *sf singt* fear; terror; panic; alarm, anxiety; **bić <uderzyć> na ~ę** to sound the alarm

trwonić *vt imperf* to squander; to waste; to trifle <to fritter> away (one's time, money, energies etc.); **~ słowa** to waste words

trwonienie *sn* (↑ **trwonić**) a waste (of time, money, energy etc.)

trwożliwie *adj* timidly; shyly; faint-heartedly; in fear; fearfully

trwożliwy *adj* timid; shy; faint-hearted

trwożnie *adv lit.* timidly; shyly; anxiously; in fear

trwożny *adj lit.* timid; shy; anxious; fearful

trw|ożyć *v imperf lit.* **~óż** [I] *vt* to frighten; to scare [II] *vr* **~ożyć się** to be frightened <scared>

tryb *sm G.* **~u** 1. (*ustalony porządek*) mode; course; procedure; **codzienny ~ pracy** the daily routine; *prawn.* **doraźny ~ sądzenia** summary justice; **~ życia** mode <style> of life; **iść zwykłym ~em** to follow the usual course; **w ~ie administracyjnym** administratively; **w ~ie przyspieszonym** summarily 2. *gram.* mood 3. (*zw. pl*) *techn.* cog-wheel; pinion; cogs; gear; gearing

tryba *sf leśn.* vista; aisle

trybik *sm G.* **~u** *dim* ↑ **tryb**

trybikow|y *adj techn.* **pompa ~a** gear pump

tryboluminescencja *sf singt fiz.* triboluminescence

trybowa|ć *vt imperf* to do repoussé work; **ozdoby ~ne** repoussé ornament

trybowy *adj* 1. *gram.* mood _ (inflexion etc.) 2. *techn.* gear _ (wheel etc.)

trybrach *sm G.* **~u** *prozod.* tribrach

trybula *sf bot.* (*Anthriscus vulgaris*) cow-parslip, wild chevril

trybun *sm pl N.* **~owie** <**~i**> *dosł. i przen.* tribune

trybuna *sf* 1. (*mównica*) tribune; rostrum; (speaker's) platform 2. (*na wyścigach, stadionie*) (grand)stand 3. (*przy defiladzie*) saluting base

trybunalski *adj* court _ (room etc.)

trybunał *sm G.* **~u** Court of Justice; tribunal; **Międzynarodowy Trybunał Sprawiedliwości w Hadze** the Hague Tribunal; **Najwyższy Trybunał Sprawiedliwości** the Supreme Court of Judicature

trybunat *sm G.* **~u** *hist.* tribunate

trybut *sm G.* **~u** *hist.* tribute; **zmusić naród do ~u** to lay a nation under tribute

trybutariusz *sm* tributary nation

trychina *sf zool.* (*Trichinella spiralis*) trichina

trychinoskop *sm G.* **~u** trichinoscope

trychinoskopi|a *sf singt GDL.* **~i** trichinoscopy

trychinoza *sf singt med.* trichinosis

trychotomi|a *sf singt GDL.* **~i** *lit.* trichotomy

trychotomiczny *adj lit.* trichotomic

trycykl *sm G.* **~u** tricycle

trydencki *adj* Tridentine; *hist.* **Sobór ~** Council of Trent

trydymit *sm G.* **~u** *miner.* tridimite

tryforium *sm arch.* triforium

tryftong *sm język.* triphthong

trygamiczny *adj bot.* trigamous

tryglif *sm G.* **~u** *arch.* triglyph

trygonalny *adj miner.* trigonal (system)

trygonometri|a *sf singt GDL.* **~i** *mat.* trigonometry; **~a płaska <sferyczna>** plane <spherical> trigonometry

trygonometryczny *adj mat.* trigonometric(al) (functions, lines, series etc.)

trygraf *sm* trigraph

tryk *sm* tup; ram

tryk|ać *vi vt imperf* — **tryk|nąć** *vi vt perf* (*także vr* **~ać, ~nąć się**) to horn

trykocik *sm G.* **~u** *dim* ↑ **trykot**

trykot *sm G.* **~u** 1. (*tkanina*) knitted fabric; tricot; stockinet 2. (*odzież*) undervest; undershirt; (*kostium*) tights

trykotarski *adj* knitting _ (machine etc.); **wyroby ~e** hosiery

trykotarstwo *sn singt* knitting

trykotaż *sm G.* **~u** (*także pl* **~e**) hosiery

trykotow|y *adj* knitted (fabric, wear, goods); **koszulka ~a** undervest, undershirt

tryktrak *sm singt A.* **~a** backgammon

tryl *sm G.* **~u** = **trel**

trylion *sm* (*w Anglii*) billion; (*w USA*) trillion

trylobit *sm G.* **~u** *zool.* trilobite; *pl* **~y** (*Trilobita*) (*gromada*) the Trilobita

trylogi|a *sf GDL.* **~i** trilogy

trym *sm G.* **~u** *mar.* trim

trymmer *sm mar.* trimmer

trymestr *sm G.* **~u** term; quarter; trimester; *szk.* term

trymestralny *adj* trimestrial

trymetr *sm G.* **~u** *prozod.* trimeter

trymować *vt imperf* 1. *mar.* to trim (the sails etc.) 2. (*strzyc*) to trim (a dog)

tryndać się *vr imperf gw.* to loiter; to gad about

trynitarski *adj rel.* Trinitarian

trynitarz *sm rel.* (a) Trinitarian

trynknąć *vi imperf gw.* to have a drink

trynknięty *adj pot.* squiffy; oiled

trypanosom|a *sf zool.* tripanosome; *pl* **~y** (*Tripanosoma*) (*rodzaj*) the genus Tripanosoma

tryp|er *sm singt G.* **~ra** *med.* gonorrhoea; *sl.* clap

tryplet *sm G.* **~u** (*trójwiersz oraz obiektyw*) triplet

tryplikat *sm G.* **~u** *handl.* triplicate

trypodi|a *sf GDL.* **~i** *prozod.* tripody

trypsyna *sf singt biol.* trypsin

tryptyk *sm G.* **~u** *plast.* triptych

tryptykowy *adj* three-panelled; three-volet _ (altar etc.)

tryrema *sf hist.* trireme

trysekcja *sf singt mat.* trisection

trysk *sm G.* **~u** *rz.* (*zw. pl*) jet; squirt; gush

tryskacz *sm* sprinkler

tryskaczowy *adj* sprinkling; sprinkler _ (arrangement etc.)

trys|kać *vi imperf* — **trys|nąć** *vi perf* (*płynąć gwałtownie*) to jet; to gush; to squirt; to spout; to eject (**czymś** sth); (*płynąć obficie*) *imperf* to stream; to flow; *perf* to stream <to burst> forth; **jej policzki ~kają rumieńcem** her cheeks glow; **~kać energią** to brim over with energy; **~kać humorem** to sparkle with wit; **~kać zdrowiem** to be glowing <vibrant> with health; to be in exuberant health

tryskanie *sn* (↑ **tryskać**) ejection (**czymś** of sth)

tryskaw|iec *sm G.* **~ca** *bot.* (*Ecballium elaterium*) squirting cucumber

tryskaw|ka *sf pl G.* **~ek** *chem.* wash bottle

trysnąć *zob.* **tryskać**

tryśnięcie *sn* (↑ **trysnąć**) jet; squirt; gush; burst

tryt *sm singt G.* **~u** *chem.* tritium

tryton[1] *sm* 1. *mitol.* Triton 2. *zool.* (*Triturus*) newt

tryton[2] *sm G.* **~u** *muz.* tritone

tryton[3] *sm G.* **~u** *chem.* triton

tryumf <**triumf**> *sm G.* **~u** 1. (*sukces*) triumph; **święcić ~** to score a success; **święcić ~y** to achieve triumphs 2. (*triumfowanie*) exultation; jubilation 3. *hist.* triumph

tryumfalnie *adv* triumphantly; in triumph; exultantly

tryumfalny *adj* 1. (*pełen triumfu*) triumphant; exultant; jubilant 2. (*głoszący zwycięstwo*) triumphal (arch, hymn, progress etc.)

tryumfator *sm*, **tryumfator|ka** *sf pl G.* **~ek** triumphator; triumpher

tryumfować *vi imperf* to triumph; to achieve triumphs; (*cieszyć się, chełpić się zwycięstwem*) to exult; to jubilate; to crow (**z powodu czegoś** over sth); (*o sprawiedliwości, prawdzie itd.*) to prevail

tryumfowanie *sn* (↑ **tryumfować**) exultation; jubilation

tryumfująco *adv* triumphantly; in triumph; exultantly; in jubilation

tryumfujący *adj* triumphant; exultant; jubilant; (*chełpiący się*) cock-a-hoop

trywializacja *sf singt* vulgarization

trywializm *sm G.* **~u** = **trywialność**

trywializować *vt imperf* to vulgarize; to render (sth) trite <commonplace>

trywialnie *adv* tritely; vulgarly; in vulgar terms

trywialność *sf singt* 1. (*cecha*) triteness; vulgarity; coarseness 2. (*coś trywialnego*) (a) triteness; (a) commonplace; vulgarism

trywialny *adj* 1. (*ordynarny*) vulgar; coarse; (*banalny*) trite; commonplace 2. (*dotyczący trivium*) trivial

trywium *sn* = **trivium**

trza *żart.* = **trzeba**

trzask[1] *sm G.* **~u** roar <crash> (of thunder etc.); crack <cracking> (of broken wood, bones etc.); crackle <sputter> (of kindling wood etc.); sizzle (of frying, radio receiver etc.); rattle (of machine gun etc.); *pl* **~i** *radio* crackle; interference; statics; atmospherics; grinders; **z ~iem upaść** to come crashing down; **z ~iem zamknąć drzwi** to bang <to slam> the door

trzask[2] *interj* bang!; smack!; **~ prask** like a bolt from the blue

trzas|ka *sf pl G.* **~ek** chip <splinter> (of wood); **chudy jak ~ka** as thin as a lath; **rozbić coś w ~ki** to shatter sth into fragments

trza|skać *v imperf* — **trza|snąć** *v perf* **~śnie** [I] *vt* 1. (*uderzać czymś*) to bang; to knock; to hit; to strike; to whack; to crash; to rattle; to swat; to flip; to crack <to slash, to smack> (**biczem a whip**); **jak z bicza ~sł** in no time; in less than no time; **~skać palcami** to snap one's fingers; **~snąć drzwiami** to bang <to slam> the door; **~snąć kogoś w głowę** to give sb a rap on the head; **~snąć sobie w łeb** to blow out one's brains; *pot.* **niech to piorun ~śnie!** confound it! 2. (*rozbić*) to smash; to shatter [II] *vi imperf* (*o kości, drewnie itd.*) to crack; (*o ogniu*) to crackle; *perf* (*pęknąć*) to burst; to go phut; to go pop; (*o linie itd.*) to snap; (*o człowieku, pojeździe*) **~snąć o coś** to come bang <full tilt, crash> against sth; **piorun ~snął w drzewo** the lightning struck the tree; *przen.* **~skający mróz** ringing frost

trzaskanie *sn* (↑ **trzaskać**) bangs; knocks; whacks; crackle (of fire)

trzaskaw|ka *sf pl G.* **~ek** *gw.* whip-cord

trzasnąć *zob.* **trzaskać**

trzaśnięcie *sn* (↑ **trzasnąć**) (a) bang; whack; crash; crack; smack; snap (**palcami** of the fingers)

trząch|ać *vt imperf* — **trząch|nąć** *vt perf gw.* to shake (**głową itd.** one's head etc.)

trząchnięcie *sn* (↑ **trząchnąć**) (a) shake (**głową itd.** of the head etc.)

trz|ąść *v imperf* **~ęsę, ~ęsie, ~ęś, ~ąsł, ~ęsła, ~ęsiony** [I] *vt* 1. (*wstrząsać*) to shake <to agitate> (sb, sth); **~ąsł nim płacz** he was shaking with sobs; he was shaken by sobs; he shook with sobs; **~ąść głową** to shake one's head; **~ąść owoce z drzewa** to shake a tree for fruits; **~ęsie go** <**nim**> **gorączka** he is shivering with fever; **złość go ~ęsie** he is boiling with rage 2. (*rozrzucać równomiernie*) to spread (manure over a field etc.) 3. *pot.* (*rządzić despotycznie*) to boss (**wszystkim, wszystkimi** everything, everybody); **~ąść zakładem** <**instytucją**> to boss the show [II] *vi* (*o środku lokomocji*) to shake (*vi*); to jolt; to jounce [III] *vr* **~ąść się** 1. (*ulegać wstrząsom*) to shake (*vi*); to be shaken; to rock; to reel; (*dygotać*) to shake <to tremble> (**ze strachu, złości** with fear, rage); to shiver (**z zimna** with cold); (*o galarecie*) to wobble; **głowa mu się ~ęsie** he noddles his head; **ręka mu się ~ęsie** his hand is unsteady; *pot.* **jeść, aż się uszy ~ęsą** to stuff oneself; to guzzle; **~ąść się nad kimś** to dote upon sb; **~ąść się przed kimś** to cower before sb; **~ąść się po nierównej drodze** to jolt along; **~ąść się w pociągu** to be shaken in the train 2. (*o środku lokomocji*) to shake; to jolt; to jounce 3. (*o głosie*) to quiver 4. (*pragnąć*) to be mad <keen, burning> (**żeby coś zrobić** to do sth); **~ąść się do czegoś** to be dying for sth; to be mad after sth

trząśnica *sf techn.* agitator

trzcin|a *sf* 1. *bot.* (*Phragmites*) reed; **~a bambusowa** (*Bambusa*) bamboo; **~a cukrowa** (*Saccharum officinarum*) sugar cane; **~a hiszpańska** = **rotang** 2. (*łodyga, surowiec*) cane; **wyplatać ~ą** to cane (a chair etc.)

trzciniak *sm zool.* (*Acrocephalus arundinaceus*) reed-warbler

trzcin|ka *sf pl G.* **~ek** 1. (*łodyga*) cane; reed 2. *muz.* reed (in a clarinet etc.)

trzcinnik *sm bot.* (*Calamagrostis*) reed grass

trzcinowy *adj* reed — (fescue etc.); reedy (area etc.); cane — (chair etc.); *chem.* **cukier ~** cane-sugar

trzeba 1. (*powinno się*) one should; one ought to; one must; it is necessary (**żebym <żebyś itd.> ...** for me <for you etc.> to ...); **nie ~** one should not ...; one ought not to ...; one must not ...; it is unnecessary (**żebym <żebyś itd.> ...** for me <for you etc.> to ...); **nie ~ było ...** one should not <ought not to> have ...; it was unnecessary to ...; **~ było ...** one should <one ought to> have ...; **~ <~ było> więcej pracować** you should work <have worked> harder; **~ go żałować** he should be pitied; **~ jej powiedzieć** she should be told; **~ ich nauczyć** they should be taught; *pot.* **jak ~** properly; **~ było go słyszeć <zobaczyć itd.>!** you should have heard <seen etc.> him! 2. (*jest potrzebne*) one needs; one wants; **do kłótni ~ dwóch** it takes two to make a quarrel; **do tej pracy ~ cierpliwości <poświęcenia itd.>** the work wants patience <devotion etc.>; it needs <it takes> patience <devotion etc.> to do this work; **nie ~ dodawać, że on <ja itd.> ...** needless to say he <I etc.> ...; **nie ~ iść <mówić itd.>** one need not go <say etc.>; **~ artysty, żeby ...** it takes an artist to ...; **~ ci wiedzieć, że ...** remember that ...; **~ mi <im, nam itd.> czasu <pieniędzy itd.>** I <they, we etc.> need time <money etc.>; **~ trafu ...** by chance ...; it so happened that ...

trzebić *vt imperf* 1. (*wycinać drzewa*) to cut down <to root out, to extirpate> (trees); **~ las** to clear <to destroy> a forest 2. (*tępić*) to exterminate; to destroy (vermin, mice etc.) 3. (*kastrować*) to geld 4. (*patroszyć*) to disembowel

trzebienie *sn* (↑ **trzebić**) extirpation (of trees); extermination (of pests)

trzebież *sf* 1. (*wycinanie drzew*) extirpation (of trees) 2. (*miejsce po wyciętym lesie*) clearing 3. (*wybijanie zwierzyny*) extermination

trzebion|ka *sf pl G.* **~ek** *leśn.* felled trees; thinning-crop

trzechsetlecie *sn* tercentenary; three-hundredth anniversary

trzechsetletni *adj* tercentenary; tricentenary; three-hundred years old; of three-hundred years' standing

trzechsetny *adj* three-hundredth

trzechtysięczny *adj* three-thousandth

trzeci [I] *num adj* 1. (*kolejny po drugim*) third; **już ~ miesiąc** for the third month running; **~a część czegoś** a <one> third of sth; *jęz.* **~a osoba liczby pojedynczej <mnogiej>** the third person singular <plural>; *mat.* **~a potęga** third power; cube; *hist.* **Trzecia Rzesza** the Third Reich; *jęz.* **~a zgłoska od końca** antipenult; **~ stan** the third estate; **jechać ~ą klasą** to travel third class; **mówić w ~ej osobie** to use the formal mode of address „Pan, Pani" for "you"; **po ~e** thirdly; in the third place; **za ~m razem** the third time 2. (*obcy*) third (party); **ktoś ~, osoba ~a** outsider; third party; **w ~e ręce <~ch rękach>** into the hands <in the hands> of a third party [II] *sm* **~** 1. (*osoba*) third party 2. (*dzień*) the third (of the month); **~ego** on the third (of the month) [III] *sf* **~a** 1. (*czas*) three (o'clock) 2. (*część*) a <one> third

trzeciaczka *sf singt med.* tertian ague <fever>

trzeciak *sm* 1. (*uczeń trzeciej klasy*) third-form pupil 2. *pszcz.* (*rój*) third swarm

trzecioklasista *sm* (*decl = sf*) third-form pupil

trzecioligowy *adj* third-league — (contest etc.)

trzeciomajowy *adj* (celebrations etc.) of the third of May

trzeciorzęd *sm singt G.* **~u** *geol.* Tertiary (period)

trzeciorzędny *adj* 1. (*podrzędny*) tertiary; third-rate; *pot.* C-3 2. *zool.* tertiary (feathers)

trzeciorzędowy *adj geol.* Tertiary

trzeć *v imperf* **trę, trze, trzyj, tarł, tarty** [I] *vt* 1. (*pocierać*) to rub (**coś o coś** sth against sth; **jedną rzecz o drugą** two things together); **~ coś do sucha** to rub sth dry 2. (*rozdrabniać*) to grate (horse-radish etc.); to rub (sth) through a sieve; **tarta bułka** crumbs 3. *techn.* (*szlifować*) to grind 4. (*piłować*) to saw (timber) [II] *vr* **~ się** 1. (*ocierać*) to rub (*vi*) (**o coś** against sth); (*o zwierzęciu*) to chafe <to rub itself> (**o drzewo itd.** against a tree etc.) 2. *przen.* (*kłócić się*) to quarrel; to clash 3. (*o rybach*) to spawn

trzepacz|ka *sf pl G.* **~ek** 1. (*narzędzie do trzepania*) carpet-beater 2. (*narzędzie kuchenne do ubijania jaj*) egg-whisk 3. *techn.* (*maszyna do trzepania lnu*) scutcher

trzep|ać *v imperf* **~ie** — **trzep|nąć** *v perf* [I] *vt* 1. (*uderzać*) to hit; to strike; to flip; to flit (sth) away <off> 2. (*zadawać ciosy*) to spank (a naughty child); to slap (**kogoś w twarz** sb's face); to smack (**komuś siedzenie** sb's bottom); **~nąć kogoś w twarz** to give sb a slap in the face 3. *imperf* (*uderzać trzepaczką*) to beat (a carpet) 4. *imperf* (*oczyszczać włókna lnu, konopi z paździerzy*) to scutch (flax, hemp) 5. *imperf pot.* (*mówić*) (*także* **~ać językiem**) to wag one's tongue [II] *vr* **~ać, ~nąć się** 1. (*uderzać siebie samego*) to strike (**w kolano, czoło itd.** one's knee, forehead etc.) 2. (*wykonywać nieskoordynowane ruchy*) to splash about (in the water); (*o ptaku*) to flutter its wings

trzepak *sm* 1. (*do wieszania otrzepywanych z kurzu rzeczy*) clothes-horse 2. *techn.* beater

trzepanie *sn* ↑ **trzepać**

trzepar|ka *sf pl G.* **~ek** *techn.* scutcher

trzepnąć *zob.* **trzepać**

trzepnięcie *sn* (↑ **trzepnąć**) (a) flip; flick; slap

trzepot *sm G.* **~u** flutter

trzepo|tać *v imperf* **~cze <~ce>** [I] *vi* 1. (*o fladze itd. na wietrze*) to flutter; to flap 2. (*o płomieniu*) to flicker 3. (*o ptaku — skrzydłami*) to flutter <to quiver> its wings [II] *vr* **~tać się** 1. (*o fladze, ptaku*) to flutter 2. (*o płomieniu*) to flicker 3. (*miotać się*) to toss

trzepotanie *sn* 1. ↑ **trzepotać** 2. *med.* flutter

trzepotliwie *adv* in a flutter

trzepotliwy *adj* 1. (*trzepoczący się*) fluttering 2. (*migotliwy*) flickering

trzeszcz|e *spl G.* **~y** *myśl.* eyes (of a hare)

trzeszcz|eć *vi imperf* **~y** 1. (*dać się słyszeć jako trzask*) to crack; (*skrzypieć*) to creak; to crunch; to decrepitate; (*o jedwabiu itd.*) to rustle; (*o ogniu itd.*) to crackle; *pot.* **głowa mi ~y** my head is splitting 2. *pot.* (*dużo mówić*) to jabber away

trzeszczenie *sn* (↑ **trzeszczeć**) cracks; rustle (of silk); crackle (of burning wood etc.)

trzeszcz|ka *sf pl G.* **~ek** *anat.* sesamoid bone

trzewi|a *spl G.* ~ <~ów> bowels; entrails; intestines; viscera

trzewicz|ek *sm G.* **~ka** 1. (*trzewik*) shoe; bootee 2. *bot.* (*Cypripedium*) lady's-slipper

trzewiczkowaty *adj* shoe-shaped

trzewiczkow|y *adj* shoe — (leather etc.); **karmelici ~i** calced <shod> Carmelites

trzewik *sm* (*but*) shoe ‖ *techn.* ~ **hamulcowy** trig; skid; slipper

trzewiowy *adj anat.* visceral; intestinal; splanchnic

trzewny *adj anat.* coeliac, celiac

trzeźwiąco *adv* soberingly

trzeźwi|ć *vt imperf* 1. (*robić trzeźwym*) to sober 2. (*cucić*) to bring (sb) back to consciousness; **sole ~ące** smelling-salts

trzeźwie|ć *vi imperf* **~je** to sober (down)

trzeźwiuteńki *adj* perfectly sober

trzeźwo *adv* 1. (*nie będąc pijanym*) soberly; when sober; **na** ~ when sober 2. (*przytomnie*) consciously 3. (*także* **na** ~) (*rzeczowo*) soberly; level-headedly; dispassionately; in a matter-of-fact way; ~ **myśleć** to keep a level head

trzeźwość *sf singt* 1. (*trzeźwy stan*) sobriety 2. (*przytomność*) consciousness 3. (*rzeczowość*) level-headedness; dispassionateness; matter-of-fact manner

trzeźw|y *adj* 1. (*nie pijany*) sober; clear-headed; **po ~emu** when sober 2. (*przytomny*) wide-awake; conscious; **całkowicie ~y** sober as a judge 3. (*rzeczowy*) sober; level-headed; dispassionate; matter-of-fact

trzęsak *sm techn.* shaker; agitator

trzęsawisko *sn* bog; swamp; quagmire; slough

trzęsidło *sn bot.* (*Nostoc*) plant of the genus Nostoc

trzęsidłowat|y *bot.* [I] *adj* nostocaceous [II] *spl* **~e** (*Nostocaceae*) (*rodzina*) the family Nostocaceae

trzęsienie *sn* 1. (↑ **trząść**) shakes; agitation; ~ **ziemi** earthquake 2. ~ **się** shakiness; rumble-tumble (of a cart etc.); wobble (of jelly etc.)

trzęsiogon|ek *sm G.* **~ka** *gw.* wag-tail

trzęślica *sf bot.* (*Molinia coerulea*) moor grass

trzmiel *sm zool.* (*Bombus*) bumble-bee

trzmielina *sf bot.* (*Euonymus*) evonymus

trzmielinowat|y *bot.* [I] *adj* celastraceous [II] *spl* **~e** (*Celastraceae*) (*rodzina*) the staff-tree family

trzmielinowy *adj* evonymus — (bark etc.)

trznad|el *sm G.* **~la** *zool.* (*Emberiza citrinella*) yellow-hammer; bunting

trz|oda *sf pl G.* **~ód** flock; herd; **~oda chlewna** swine; pigs; hogs

trzon *sm G.* **~u** 1. (*główna część*) main <essential> part (of a whole); trunk; stem; *przen.* kernel; core; nucleus; ~ **kolumny** <**kości**> shaft of a column <of a bone>; *mar.* ~ **kotwicy** shank of an anchor; *anat.* ~ **macicy** fundus uteri 2. (*rękojeść*) handle; shank; helve 3. *bot.* stalk (of a plant); stem (of a fungus) 4. *techn.* ~ **pieca** furnace hearth; hearth block

trzon|ek *sm G.* **~ka** 1. (*rękojeść*) handle; helve; shank; shaft 2. *techn.* cap (of an electric bulb) 3. *pl* **~ki** *bot.* stalks

trzonopłetw|y *paleont. zool.* [I] *adj* crossopterygian [II] *spl* **~e** (*Crossopterygia*) (*rząd*) the subclass Crossopterygia

trzonowy *adj* **ząb** ~ molar; grinder

trzos *sm* money-belt; **pękaty** ~ bulging purse; **nabić** ~ to fill one's purse

trzosik *sm dim* ↑ **trzos**

trzódka *sf* 1. *dim* ↑ **trzoda** 2. *przen.* flock (of children, parishioners etc.)

trzós|ło *sn pl G.* **~eł** *roln.* coulter

trzepiennik *sm zool.* (*Sirex*) horntail; *pl* **~i** (*Siricidae*) (*rodzina*) the family Siricidae

trzpień *sm techn.* pin; pivot; (*u narzędzia*) tang; (*u sprzączki*) tongue; ~ **tokarski** mandrel, mandril

trzpiot *sm* flibbertigibbet; fribble; scatter-brain; scapegrace

trzpiot|ka *sf pl G.* **~ek** flibbertigibbet; fizgig; fribble; scatter-brain; tomboy

trzpiotostwo *sn* fribbling; airiness; flightiness

trzpiotowato *adv* airily; flightily

trzpiotowatość *sf singt* airiness; flightiness

trzpiotowaty *adj* airy; flighty; coltish; scatter-brained; giddy (boy, girl)

trzust|ka *sf pl G.* **~ek** *anat.* pancreas; sweetbread

trzustkowy *adj* pancreatic

trz|y *num N.* (*męsko-osobowe*) **~ej** *GL.* **~ech** *D.* **~em** *I.* **~ema** three; **mieć ~y lata** to be three (years old); **pracować za ~ech** to do the work of three men; *reg.* **~y na pierwszą** <**drugą itd.**> a quarter to one <two etc.>; *pot.* **pleść ~y po ~y** to talk nonsense

trzyaktowy *adj* three-act (play)

trzyaktów|ka *sf pl G.* **~ek** *pot.* three-act play

trzyarkuszowy *adj* (publication etc.) of three sheets; (book etc.) in three sheets

trzycyfrowy *adj* three-figure (number etc.)

trzyczęściowy *adj* three-part (composition etc.)

trzyćwierciowy *adj* three-quarter (length etc.)

trzyćwierciówki *spl pot.* (*spodnie*) matador <three-quarter-length> trousers; three-quarter-leg jeans

trzydniow|y *adj* three-days' (march, work etc.); **~e rozmowy** three days of talks

trzydziest|ka *sf pl G.* **~ek** 1. (*liczba*) the figure 30 2. (*zbiór*) group of thirty persons <people>; the thirty <all thirty> (**nas, was itd.** of us, you etc.) 3. (*wiek*) thirty years of age; **mieć ~kę** to be thirty; **ona jest po ~ce** she is past thirty; she is in her thirties 4. (*tramwaj, autobus itd.*) the tram <bus etc.> N° 30; (*pokój*) room N° 30

trzydziestodwój|ka *sf pl G.* **~ek** *muz.* demisemiquaver

trzydziestokilkuletni *adj* 1. (*mający 30 kilka lat*) (person) thirty odd years old <of age> 2. (*trwający 30 kilka lat*) (period etc.) of thirty odd years; of thirty odd years' duration; lasting thirty odd years

trzydziestolat|ek *sm G.* **~ka** a man thirty years of age <thirty years old>

trzydziestoleci|e *sn pl G.* ~ 1. (*okres*) period of thirty years 2. (*rocznica*) thirtieth anniversary

trzydziestoletni *adj* 1. (*mający 30 lat*) (man etc.) of thirty <thirty years old> 2. (*trwający 30 lat*) (period etc.) of thirty years; thirty-year — (periods etc.); of thirty years' duration; lasting thirty years

trzydziestoparoletni *adj* 1. (*mający 30 parę lat*) just past thirty 2. (*trwający 30 parę lat*) (period etc.) of over thirty years

trzydziest|y *adj* thirtieth; **~e lata** the thirties (of a century, of a person's age)

trzydzie|ści *num G.* **~stu** thirty; **mieć ~ści lat** to be thirty (years of age, years old)

trzydzieścior|o *num G.* **~ga** *DL.* **~gu** *I.* **~giem** thirty

trzygłosowy *adj muz.* three-part (composition etc.)

trzygodzinny *adj* (period etc.) of three hours; three-hour __ (shifts etc.); three hours' __ (work etc.); (speech etc.) lasting three hours

trzygroszów|ka *sf pl G.* **~ek** three-grosz coin

trzyizbowy *adj* three-room (flat, office etc.)

trzykilometrowy *adj* three kilometers long; (distance etc.) of three kilometers

trzyklasowy *adj* three-class (school, course etc.)

trzykolorowy *adj* three-colour __ (scheme etc.)

trzykołowy *adj* three-wheel __ (barrow etc.); **rower ~** tricycle

trzykomorowy *adj* three-chamber

trzykonny *adj* three-horse __ (team etc.)

trzykreślny *adj muz.* thrice-accented; three-line

trzykroć *adv lit.* (*także* **po ~**) three times; thrice

trzykrot|ka *sf pl G.* **~ek** *bot.* (*Tradescantia*) spiderwort; day-flower

trzykrotnie *adv* three times; thrice; **~ większy <liczniejszy itd.>** three times as large <as numerous etc.>

trzykrotn|y *adj* triple; treble; three times repeated; three times as large; **~a wielkość** the triple

trzylat|ek *sm G.* **~ka** (a) three-year-old (child, animal)

trzyleci|e *sn pl G.* **~** 1 (*okres*) triennium; three-year period 2. (*rocznica*) third anniversary

trzyletni *adj* 1. (*mający trzy lata*) three-year-old; **dziecko ~e** a child of three 2. (*trwający trzy lata*) (period etc.) of three years; three-year __ (periods etc.); of three years' duration; lasting three years

trzylistny *adj* trifoliate

trzylufowy *adj* three-barrelled (gun)

trzymacz *sm* holder

trzyma|ć *v imperf* [I] *vt* 1. (*nie wypuszczać z rąk, dzioba itd.*) to hold (sth); to hold on (**coś** to sth); **kurczowo coś ~ć** to cling <to clutch> to sth; **mocno coś ~ć** to grip sth; to have fast hold <a strong grasp> of sth; *przen.* **~ć instytucję <personel> w rękach** to have a strong grasp on an institution <on one's staff>; **~ć kogoś krótko** to keep a tight rein on sb; **~ć kogoś za słowo** to take sb at his word; to hold sb to his word; **~ć władzę** to wield power; **~ć zakład** to bet; to wager; **~ć złodzieja!** stop thief! 2. (*nie dawać swobody*) to have a hold (**kogoś** on sb); **~ć psa na smyczy** to keep a dog in leash; *przen.* **~ć kogoś z dala od czegoś** to keep sb away from sth; **~ć kogoś z daleka (od siebie)** to keep sb at a distance 3. (*zatrudniać*) to keep (**ogrodnika, szofera itd.** a gardener, chauffeur etc.) 4. (*zatrzymywać*) to keep <to retain> (sb somewhere) 5. (*zachowywać*) to keep; **~ć głowę wysoko** to carry one's head high; *pot.* **~ć język za zębami** to hold one's tongue 6. (*podtrzymywać*) to uphold; to keep (sth) in place; (*o piecu*) **~ć ciepło** to keep <to stay> warm; **~ć wilgoć** to stay wet; **~ć pismo** to take in a magazine 7. (*utrzymywać*) to keep; **~ć coś w czystości <cieple, zimnie itd.>** to keep sth clean <warm, cold etc.>; **~ć drzwi <okno, usta, oczy> otwarte <zamknięte>** to keep the door <window, one's mouth, one's eyes> open <closed>; **~ć kogoś u siebie** to have sb living with one; **~ć w rezerwie** to keep <to have> in store; *mar.* **~ć kurs** to steer a course 8. (*chować*) to keep (**coś pod kluczem** sth under lock and key); (*o kupcu — prowadzić jakiś artykuł handlu*) to stock (an article, a commodity) 9. *pot.* (*hodować*) to keep (rabbits, turkeys etc.) [II] *vi* 1. (*o substancji — nie puszczać*) to stick; to stay stuck 2. (*o przedmiocie — być zamocowanym*) to hold fast <tight>; to stay put 3. (*o zjawiskach fizycznych — nie ustępować*) to last; to continue; to hold on; **mróz ~ł** the frost lasted <held on>; it continued frosty <to freeze> ‖ (*o człowieku*) **~ć z kimś** a) (*nie opuszczać*) to stand by sb b) (*być stronnikiem*) to side with sb c) (*dotrzymywać towarzystwa*) to keep sb company [III] *vr* **~ć się** 1. (*wzajemnie się nie puszczać*) to hold one another; **kurczowo się ~ć czegoś** to clutch sth; **~ć się razem** a) (*o ludziach*) to keep <*pot.* to hang> together b) (*o częściach całości, deskach itd.*) to adhere; to cohere; **~ć się za ręce** to hold hands 2. = *vt* 1.; **~ć się matczynej ręki** to hold one's mother by the hand; **~ć się poręczy** to hold on to the balustrade; **dziecko mocno się ~ło babki** the child hugged its grandmother 3. = *vi* 1.; **~ją się go głupstwa** he is apt to play the fool; **~ją się go pieniądze** he is always in cash; **~ją się go żarty <figle>** he is wont to joke <to play tricks>; he is a joker 4. (*pozostawać*) to stay; to remain; **~ć się z boku** to stay <to hold> aloof 5. (*utrzymywać pozycję ciała*) to stand (upright etc.); to sit (straight etc.); to have a (suitable etc.) bearing <demeanour> 6. (*zachowywać kondycję*) to keep (in good health etc.); to hold oneself (well etc.); **dobrze się ~ć jak na swój wiek** to hold one's age well 7. (*walczyć do ostatka*) to hold out; to stick to one's guns; not to give in 8. (*nie upadać na duchu*) to keep a stiff upper lip; **~j się!** stick it!; (*forma pożegnania*) cheerio! 9. (*być w dobrym stanie materialnym*) to be in good condition <shape> 10. (*nie zbaczać*) to keep (**prawej <lewej> strony** to the right <left>); *mar.* **~ć się brzegu** to hug the coast; **~ć się rzeki <muru, toru tramwajowego>** to follow the river <wall, tram lines> 11. (*przestrzegać*) to abide (**czegoś** by sth); to keep (**przepisów** the rules); to adhere (**postanowień umowy itd.** to the clauses of a contract etc.); to follow (**czyjejś rady** sb's advice); **nie wiem, czego się ~ć** I don't know where I am 12. (*trwać*) to last; to keep; to continue 13. (*o zwierzętach — żyć gdzieś*) to have their haunts (**pewnych okolic** in certain regions); (*o roślinach*) to grow (**pewnych okolic** in certain regions)

trzymad|ło *sn pl G.* **~eł** holder; holdfast

trzymanie *sn* 1. (↑ **trzymać**) hold; grip; grasp 2. **~ się** bearing; demeanour

trzymasztow|iec *sm G.* **~ca** *mar.* three-master

trzymasztowy *adj mar.* three-masted (schooner etc.)

trzymetrowy *adj* three meters long <high, deep, wide, thick>

trzymiesięczny *adj* 1. (*mający trzy miesiące*) three-months-old; (baby) of three months 2. (*trwający trzy miesiące*) (period etc.) of three months; three-months' (rest etc.); of three months' duration; lasting three months 3. (*powtarzający się co trzy miesiące*) threemonthly (meetings etc.)

trzyminutowy *adj* three-minutes' (silence, walk etc.)

trzyminutów|ka *sf pl G.* **~ek** *radio* three-minute programme <broadcast>

trzynast|ka *sf pl G.* **~ek** 1. (*liczba*) the figure 13; **zabobon co do ~ki** the 13 superstition 2. (*zespół*) group of thirteen; **cała ~ka** all thirteen (of you, us etc.) 3. (*tramwaj, autobus*) the tram <bus etc.> N° 13; (*pokój*) room N° 13

trzynastogodzinny *adj* (space etc.) of thirteen hours; thirteen hours' (work etc.); thirteen-hour (periods etc.)

trzynastolat|ek *sm G.* **~ka** boy of thirteen; thirteen-year-old (animal)

trzynastoletni *adj* 1. (*mający 13 lat*) (boy) of thirteen; thirteen-year-old (custom); (firm etc.) of thirteen years' standing 2. (*trwający 13 lat*) (period etc.) of thirteen years; thirteen years' (service etc.); of thirteen years' duration; lasting thirteen years

trzynastowieczny *adj* thirteenth-century (building etc.)

trzynast|y [I] *adj* thirteenth; **~a pensja** bonus salary [II] *sf* **~a** (*godzina*) 13 hours (GMT etc.); 1 p.m.

trzyna|ście *num G.* **~stu** thirteen; a baker's dozen

trzynaścior|o *num G.* **~ga** *DL.* **~gu** *I.* **~giem** thirteen (**dzieci itd.** children etc.; **nas, was, ich** of us, you, them)

trzynawowy *adj* three-aisled (church)

trzynożny *adj* three-footed

trzyokienny *adj* three-windowed (room)

trzyosiowy *adj* triaxial

trzyosobow|y *adj* (group etc.) of three persons; (room etc.) for three persons; **gra ~a** (a) threesome; **wóz ~y** three-seater

trzypiętrowy *adj* 1. (*mający trzy piętra*) three-storied <three-storey> (building) 2. (*mający trzy kondygnacje*) three-tier (terrace etc.)

trzypłatkowy *adj bot.* tripetalous

trzypłatow|iec *sm G.* **~ca** *paleont.* = **trylobit**

trzypokojowy *adj* three-room(ed) (flat, office etc.)

trzypolowy *adj roln.* three-field — (system)

trzypolów|ka *sf pl G.* **~ek** *roln.* three-field system

trzyramienny *adj* three-branched

trzyrublowy *adj* three-rouble (note, fine etc.)

trzyrublów|ka *sf pl G.* **~ek** three-rouble bank-note

trzyrzędow|iec *sm G.* **~ca** *hist. mar.* trireme

trzyst|a *num GDL.* **~u** three hundred

trzystoletni *adj* three hundred years old; (*o zwyczaju, tradycji itd.*) of 300 years' standing

trzystopniowy *adj* (frost etc.) of three degrees; (system etc.) of three stages

trzystopowy *adj* three-foot (verse)

trzystronny *adj* (*o umowie, układzie*) trilateral; tripartite; triangular (agreement)

trzystrunny *adj* **instrument ~** trichord

trzystrzałowy *adj* **karabin ~** three-shooter

trzysylabowy *adj* trisyllabic

trzyszcz *sm zool.* (*Cicindela*) tiger-beetle; *pl* **~e** (*Cicindelidae*) (*rodzina*) the tiger-beetles

trzyszpaltowy *adj druk.* three-column (comment etc.)

trzytomowy *adj* three-volume (work etc.)

trzytulny *adj hist.* three-horsetail (pasha)

trzytygodniowy *adj* 1. (*mający trzy tygodnie*) (baby etc.) of three weeks; three-week (intervals etc.) 2. (*trwający trzy tygodnie*) (period etc.) of three weeks; three-week — (periods etc.); of three weeks' duration; lasting three weeks

trzytysięczny *adj* = **trzechtysięczny**

trzywarstwowy *adj* three-layered (plates etc.)

trzywiekowy *adj* three-century — (tradition etc.)

trzyzmianowy *adj* three-shift — (system etc.)

ts, tss ... <**tst, tsyt...**> *interj pot.* sh...

tse-tse *indecl zool.* **mucha ~** (*Glossina palpalis*) tsetse (fly)

tu *adv* 1. (*oznacza miejsce*) here; (*wewnątrz*) in here; **duszno tu** it's close in here 2. (*przy równoczesnym ruchu wskazującym*) there; **czy to tu?** is this the place?; **tu gdzieś** hereabouts; **tu i tam, tu i ówdzie** here and there; at intervals; **tu właśnie ...** this is where ... 3. (*w wyrażeniach ekspresywnych*) **a tu czas leci** meanwhile time flies; **a tu się dom pali** meanwhile the house was in flames; **tu każda chwila droga** every moment is precious; **tu trzeba głowy** what we <you> need is brains; **co tu gadać!** it's a fact; it's obvious <perfectly clear>; **co tu taić!** there's no denying <gainsaying> it!; *pot.* **aż tu** suddenly; and lo!

tuba *sf* 1. (*stożkowa rura*) trumpet; horn 2. (*zamknięta rura z pastą, farbą*) tube 3. *muz.* tuba 4. *techn.* horn 5. (*do porozumiewania się na odległość*) speaking-tube

tubalnie *adv* in a stentorian voice

tubalność *sf singt* **~ głosu** stentorian voice

tubalny *adv* stentorian; resounding

tuberkuliczny *adj med.* tubercular

tuberkulid *sm G.* **~u** (*zw. pl*) *med.* tuberculid

tuberkulina *sf med.* tuberculin

tuberkulinowy *adj med.* tuberculinic (acid etc.); tuberculin — (test etc.)

tuberkuloza *sf singt med.* tuberculosis

tuberkuł *sm G.* **~u** *pot.* tubercle

tuberoza *sf bot.* (*Polianthes tuberosa*) tuberose

tubiasty *adj* trumpet-shaped

tubing *sm G.* **~u** *bud. górn.* tubing

tub|ka *sf pl G.* **~ek** tube; **farby w ~kach** tube colours

tubowy *adj* trumpet — (loud speaker etc.)

tubus *sm G.* **~u** 1. *fiz.* (*mikroskopu itd.*) body-tube 2. *fot.* extension tube 3. *fiz. chem.* (retort etc.) tube

tubylczy *adj* native; local; indigenous; aboriginal; autochthonous

tubyl|ec *sm G.* **~ca** (a) native; local inhabitant; *pl* **~cy** aborigines; autochthons

tucz *sm G.* **~u** *roln.* fattening

tuczarnia *sf roln.* (*nierogacizny*) pig farm; swinery; (*drobiu*) poultry farm

tucznik *sm roln.* porker

tuczność *sf singt* fatness

tuczn|y *adj* fattened; in flesh; **bydło ~e** store cattle; **~y wieprz** porker

tuczy|ć *v imperf* [I] *vt* 1. (*karmić intensywnie*) to fatten (swine etc.); to cram (fowls); to stuff (sb) 2. (*o pokarmach — powodować tycie*) to make (people) fat [II] *vi przysł.* **kradzione nie ~** ill-gotten gains seldom prosper [III] *vr* **~ć się** 1. (*przybierać na wadze*) to grow fat 2. (*objadać się*) to stuff oneself 3. *przen.* (*ciągnąć zyski z cudzej pracy*) to batten on others

tudzież *adv* also; likewise; as well

tuf *sm G.* **~u** *geol.* (*także* **~ wulkaniczny**) tuff; **~ wapienny** calc-tuff, calc-sinter

tufit *sm G.* **~u** *miner.* marine tuff, tuffite
tufowy *adj geol.* tuffaceous
tuja *sf GDL.* **tui** *bot.* (*Thuja*) thuja
tuk *sm G.* **~u** dripping; grease
tuka *sf ryb.* a type of fishing-net
tukan *sm zool.* toucan; *pl* **~y** (*Rhamphastidae*) (*rodzina*) the family Rhamphastidae
tul *sm singt G.* **~u** *chem. fiz.* thulium
tule|ja *sf GDL.* **~i** 1. (*lejek*) funnel 2. *techn.* muff; bush, bushing; sleeve; quill; thimble; **~ja cylindrowa** cylinder sleeve <liner, barrel>
tulejka *sf dim* ↑ **tuleja**
tulejkowaty *adj* funnel-shaped
tulejow|y *adj techn.* **połączenie ~e** sleeve coupling; **zawór ~y** sleeve valve
tulenie *sn* ↑ **tulić**
tulić *v imperf* [I] *vt* 1. (*przygarniać do siebie*) to clasp <to hug, to cuddle> (a child etc.) 2. (*przyciskać*) to nestle (**twarz do czyjejś piersi** one's face against sb's chest) 3. (*chować — o psie*) **~ ogon pod siebie** to hold its tail between its legs; (*o koniu itd.*) **~ uszy** to set its ears back [III] *vr* **~ się** 1. (*przyciskać się z pieszczotą*) to nestle close (**do kogoś** to sb; **do czyjegoś ramienia** against sb's shoulder); to snuggle up (to sb); **~ się do poduszki** to nestle one's face into one's pillow 2. *przen.* (*o domach, wsiach itd.*) to nestle (**pod drzewami** among the trees) 3. (*znajdować schronienie*) to find shelter <to take refuge> (**przy czyimś domu** in sb's house)
tulipan *sm bot.* (*Tulipa*) tulip
tulipanow|iec *sm G.* **~ca** 1. *bot.* (*Liriodendron tulipifera*) tulip tree 2. (*drewno*) whitewood
tulipanowy *adj* tulip — (bed etc.)
tułactwo *sn singt* exile; homelessness; wandering life
tułacz *sm* homeless wanderer; exile
tułacz|ka *sf pl G.* **~ek** 1. *singt* = **tułactwo** 2. = **tułacz**
tułaczy *adj* homeless; wandering; roving
tułać się *vr imperf* to wander; to rove; to be homeless; to be in exile
tułanie się *sn* (↑ **tułać się**) exile; homelessness; wanderings
tułowiowy *adj anat.* truncal
tuł|ów *sm G.* **~owia** <**~owiu**> *anat.* trunk; torso; *zool.* thorax
tułup *sm* sheepskin (coat)
tum *sm G.* **~u** cathedral; minster
tumak *sm* 1. *zool.* (*Martes martes*) marten 2. *pl* **~i** (*futro*) martens; sables
tumakowy *adj* marten — (collar etc.)
tuman *sm* 1. (*G.* **~u**) (*chmura*) cloud (of dust etc.) 2. (*G.* **~u**) *poet.* mist 3. (*G.* **~a** *pl N.* **~y**) *pot.* (*matoł*) addle-head; duffer; nitwit; **jeśli chodzi o karty, to jestem skończonym ~em** I can't play cards for nuts
tumanić *v imperf* [I] *vt* 1. *pot.* (*wprowadzać w błąd*) to fool (people); to make a fool (**kogoś** of sb) 2. *rz.* (*pędzić tumany kurzu*) to raise clouds of dust [III] *vr* **~ się** 1. (*kłębić się tumanami*) to be enveloped in clouds of dust 2. *pot.* (*okłamywać siebie nawzajem*) to fool one another
tumanowaty *adj pot.* dull-brained
tumba *sf* sarcophagus
tumult *sm G.* **~u** tumult; hubbub; turmoil; uproar
tundra *sf* tundra
tundrowy *adj* tundra — (vegetation etc.)
tunel *sm G.* **~u** *pl G.* **~i** tunnel; (*pod ulicą dla pieszych*) subway; **~ aerodynamiczny** wind-tunnel
tunelow|y *adj* tunnel — (construction etc.); *techn.* **piec ~y** tubular furnace; **suszarnia ~a** tunnel drier
Tunezyjczyk *sm*, **Tunezyjka** *sf* (a) Tunesian
tungsten *sm G.* **~u** *chem.* tungsten
tunika *sf* 1. (*szata*) tunic 2. *bot. zool.* tunic
tuńczyk *sm zool.* (*Thunnus thynnus*) tunny
tup *interj* (*zw.* **~-~-~**) drum-drum-drum; step-step-step
tup|ać *vi imperf* **~ie** — **tup|nąć** *vi perf* to tramp; to stamp; **~ać dla rozgrzewki** to stamp for warmth; **~nąć nogą** to stamp one's foot
tupanie *sn* (↑ **tupać**) tramp (of marching soldiers etc.); patter (of feet)
tupet *sm G.* **~u** (*pewność siebie*) self-confidence; (self-)assurance; (*zuchwałość*) impudence; nerve; cheek; sauce; **to ci ~!** what nerve!
tupnąć *zob.* **tupać**
tupnięcie *sn* ↑ **tupnąć**; **~ nogą** a stamp of the foot
tupot *sm G.* **~u** tramp; patter (of feet); pit-a-pat (of little <bare> feet)
tupo|tać *vi imperf* **~cze** <*†* **~ce**> to tramp; to stamp; (*o drobnych lub bosych nóżkach*) to go pit-a-pat
tupotanie *sn* (↑ **tupotać**) tramp; patter (of feet); pit-a-pat (of little <bare> feet)
tur *sm zool.* (*Bos primigenius*) aurochs; **chłop jak ~** man of Herculean build
tura *sf* 1. (*podróż*) journey; trip; round (of inspection etc.); tour 2. (*powtarzająca się czynność*) round (of drinks etc.) 3. (*grupa*) group <party, transport> (of troops, prisoners etc.)
turban *sm* turban; **w ~ie na głowie** turbaned
turbina *sf techn.* turbine
turbinowy *adj* 1. (*związany z turbiną*) turbine — (vanes etc.); **wentylator ~** wind turbine 2. (*napędzany turbiną*) turbine-driven
turbodmuchawa *sf techn.* turbo-blower; **~ próżniowa** turbo-vacuum compressor
turbogenerator *sm techn.* turbo-generator
turbokompresor *sm techn.* turbo-compressor
turboprądnica *sf techn.* turbo-dynamo
turbosprężar|ka *sf pl G.* **~ek** *techn.* turbo-compressor
turbośmigłow|iec *sm G.* **~ca** *lotn.* turbo-prop(eller)-engine plane
turbośmigłowy *adj lotn.* turbo-prop(eller) (engine)
turbot *sm* = **skarp**
turbować *v imperf* [I] *vt* to trouble <to worry> (sb) [III] *vr* **~ się** to trouble oneself; to worry (*vi*)
turbowentylator *sm techn.* turbo-blower
turbozesp|ół *sm G.* **~ołu** *techn.* turbine set
turbulencja *sf techn.* turbulence
Turczynka *sf* Turk; Turkish woman
turczyć *v imperf* [I] *vt* to Turkicize; to Mohammedanize [III] *vr* **~ się** to become Turkicized <Mohammedanized>
tureccczyzna *sf singt* (*język*) Turkish (language); (*wszystko, co jest związane z Turcją*) things Turkish

tureck|i *adj* Turkish; *anat.* **siodło ~ie** Turkish saddle; sella turcica; **pieprz ~i** (*Capsicum annuum*) spur pepper; chili; **goły jak święty ~i** stony-broke; **siedziałem jak na ~im kazaniu** I couldn't make head or tail of what was said; I was out of my depth; **siedzieć po ~u** to sit cross-legged; **po ~u** a) (*w języku tureckim*) in Turkish b) (*na modłę turecką*) Turkish fashion; **z ~a** after the Turkish fashion

tureczni|a *sf pl G.* ~ *bot.* (*Lawsonia inermis*) henna

Tur|ek *sm G.* **~ka** Turk

turf|y *spl G.* **~ów** *sport* hockey skates

turgor *sm singt G.* **~u** *bot.* turgor

turkaw|ka *sf pl G.* **~ek** *zool.* (*Streptopelia turtur*) turtle-dove

turkolo|g *sm pl N.* **~gowie** <**~dzy**> specialist in Turkish studies

turkos *sm* Algerian rifleman (in the French army)

turkot *sm G.* **~u** rumble; rattle; **jechać z ~em** to rumble <to jolt> along; **przejeżdżać z ~em** to rumble by <past>

turko|tać *vi imperf* **~cze** <**~ce**> to rumble; to rattle; to bump along

turkotanie *sn* (↑ **turkotać**) rumble; rattle

turkotliwy *adj* rumbling; rattling

turku|ć *sm G.* **~cia** *zool.* (*Gryllotalpa vulgaris*) mole cricket; *pl* **~cie** (*Gryllotalpidae*) (*rodzina*) the family Gryllotalpidae

turkus *sm G.* **~u** <**~a**> *miner.* turquoise

turkusowoniebieski *adj* turquoise-blue

turkusowy *adj* 1. (*z turkusu*) turquoise — (ring etc.); (*ozdobiony turkusami*) set with turquoises 2. (*koloru turkusu*) turquoise-coloured

turlać *v imperf* [I] *vt* to roll (sth) [II] *vr* ~ **się** to roll (*vi*)

turmalin *sm G.* **~u** *miner.* tourmalin(e)

turmalinowy *adj* tourmalin(e) — (tongs etc.); tourmalinic (acid etc.)

turnia *sf geogr.* peak; fell; crag

turniej *sm G.* **~u** 1. *sport* competition; contest; (tennis, chess etc.) tournament; (bridge etc.) drive 2. *hist.* (knightly) tournament

turniejowy *adj* (rules etc.) of a competition <contest, tournament>

turnikiet *sm G.* **~u** 1. (*krzyżak obracający się*) turnstile 2. *bud.* (*drzwi obrotowe*) revolving door 3. *med.* tourniquet

turniura *sf* tournure; bustle; pannier

turnus *sm G.* **~u** 1. (*okres*) fixed period 2. *pot.* (*grupa*) lot (of people, holiday-makers etc.); team; batch

turon *sm G.* **~u** *geol.* (the) Turonian

turów|ka *sf pl G.* **~ek** *bot.* (*Hierochloe*) a grass of the genus Hierochloe

turyst|a *sm* (*decl* = *sf*), **turyst|ka** *sf pl G.* **~ek** (a) tourist; excursionist; sightseer; hiker

turystycznie *adv* in respect of <as regards> tourism

turystyczny *adj* touristic; touring — (club etc.); tourist (agency, traffic etc.)

tury|styka *sf singt*, **tury|zm** *sm singt G.* **~zmu** tourism; touring; sightseeing; **~styka piesza** hiking

turzy *adj* aurochs' (hide etc.)

turzyca *sf bot.* (*Carex*) sedge

turzycowat|y *bot.* [I] *adj* cyperaceous [II] *spl* **~e** (*Cyperaceae*) (*rodzina*) the family Cyperaceae

tussor *sm* 1. *zool.* (*Antherea pernyi*) tussah <tusseh, tusser, tussore> moth 2. (*jedwab*) tussah <tusseh, tusser, tussore> silk

tusz[1] *sm G.* **~u** (*farba — do kreślenia*) India(n) <drawing> ink; (*do litografii*) lithographic ink; (*do rzęs*) mascara

tusz[2] *sm G.* **~u** *sport szerm.* hit

tusz[3] *sm G.* **~u** *muz.* flourish

tusz[4] *sm G.* **~u** (*kąpiel*) shower(-bath)

tusz|a *sf* 1. (*objętość ciała*) corpulence; bodily size 2. (*otyłość*) corpulence; stoutness; obesity; **spaść z ~y** to lose weight 3. *myśl. kulin.* carcass, carcase 4. (*połówka wypatroszonego zwierzęcia*) halved carcass

tusz|ka *sf pl G.* **~ek** dead fowl

tusznik *sm* Indian ink bottle

tuszować *vt imperf* 1. (*rysować tuszem*) to draw <to letter> in India(n) ink 2. (*zacierać wrażenie skandalu itd.*) to hush up <to stifle> (a scandal etc.)

tuszowy *adj* Indian ink — (pigment etc.)

tuszyć *vi imperf lit.* to expect; to anticipate; to hope

tutaj *adv* = **tu**

tutejsz|y [I] *adj* local; (custom etc.) of this place; of this <of our> country [II] *sm* **~y**, *sf* **~a** local inhabitant; **ja nie ~y** I don't belong here; I'm a stranger here

tut|ka *sf pl G.* **~ek** 1. (*stożek ze zwiniętego papieru*) cornet (for groceries etc.) 2. (*rurka do papierosów*) cigarette tube

tutti *indecl muz.* tutti

tuwalnia *sf kośc.* communion-cloth

tuz *sm* 1. † *karc.* ace 2. *przen. pot.* (*ktoś wpływowy*) V.I.P.; big wig; *sl.* big bug <noise>

tuzin *sm* dozen; **~ami, na ~y** by the dozen; in (their) dozens

tuzinkowy *adj* hackneyed; trite; trivial

tuż *adv* 1. (*w przestrzeni*) hard <close> by; next door; near at hand; at a stone's throw; **~ obok kogoś, czegoś** next to sb, sth; **~ za kimś** close <fast> on sb's heels; **~ za kimś, czymś** close behind sb, sth ‖ (*także* **~, ~**) at hand 2. (*w czasie*) just <directly, immediately> (before, after sth); on the morrow (**po wypadku itd.** of the event etc.)

tużur|ek *sm G.* **~ka** frock coat

twa *pron* = **twoja** *pron*

twardawy *adj* hardish; toughish; stiffish; somewhat hard <tough, stiff>

twardnie|ć *vi imperf* **~je** *dosł. i przen.* to harden; to toughen; to stiffen; to set; *chem.* to fix; (*o cemencie*) to bind

twardo *adv* 1. (*nie uginając się*) hard; toughly; stiffly; (*o jajku*) **ugotowane na ~** hard-boiled; **~ było spać** the bed was hard; **~ spać** a) (*spać głębokim snem*) to sleep soundly; to be fast asleep b) (*mieć twardy sen*) to be a heavy sleeper; **~ stuknąć** to give a hard knock 2. *przen.* (*surowo*) severely; strictly; rigorously 3. *przen.* (*nieustępliwie*) rigidly; inflexibly; unyieldingly; **~ stać przy swoich przekonaniach** to stand firmly by <to stick firmly to> one's convictions 4. *przen.* (*bezkompromisowo*) uncompromisingly

twardopodniebienny *adj jęz.* palatal

twardościomierz *sm techn.* durometer; hardness testing machine <tester>

twardość *sf* 1. *singt* (*cecha przedmiotów, substancji*) hardness (of objects, substances, water, rays, phonetic sounds etc.); toughness; stiffness 2. *singt* (*cecha usposobienia, postępowania*) severity; strictness; rigour; inflexibility 3. *rz.* (*twarde miejsce*) hard spot

twardów|ka *sf pl G.* **~ek** *anat.* sclera; (a) sclerotic

tward|y [I] *adj* 1. (*nie uginający się pod naciskiem*) hard (object, substance, water, rays, consonant etc.); tough (meat, wood etc.); coriaceous (meat); callous (skin); stiff (collar etc.); **koń ~y w pysku** hard-mouthed horse; *anat.* **podniebienie ~e** hard palate; *roln.* **pszenica ~a** (*Triticum durum*) durum <hard> wheat; **~e łoże** bare boards; *przen.* **~y orzech do zgryzienia** a hard nut to crack; **mieć ~y kark** to be stiff-necked; **mieć ~y sen** to be a heavy sleeper 2. *przen.* (*nieustępliwy*) rigid; inflexible; unyielding; **~a konieczność** dire necessity; **~a ręka** heavy <iron> hand; **~a szkoła** a) (*ciężkie warunki życia*) the school of misfortune b) (*surowa dyscyplina*) rigour; **~y opór** sturdy resistance; **być ~ym** to be adamant; **mieć ~e życie** to rough it 3. *przen.* (*zahartowany*) hardened; inured to hardships 4. (*o zasadach, przepisach itd.*) rigid; firm; cast-iron (rules); hard and fast (regulations) [II] *sm* **~y** *pot.* (*złoty dolar*) gold dollar

twardzica *sf bot.* sclerenchyma

twardnie|ć *vi imperf* **~je** *rz.* to harden; to toughen; to stiffen; to set

twardziel *sf* 1. *bot.* duramen; heart-wood 2. *med.* (rhino)scleroma

twardzina *sf med.* scleroderma; scleroma

twardzizna *sf rz.* callosity; callus

twarogowy *adj* **ser ~** cottage cheese

twar|óg *sm G.* **~ogu** *kulin.* 1. (*nie odsączony*) curds 2. (*ser*) cottage cheese

twarz *sf pl N.* **~e** face; **puder do ~y** face powder; **jest ci do ~y w tym kapeluszu** this hat suits <becomes> you; **nie jest ci do ~y w tym kapeluszu** this hat does not suit <become> you; **mieć wiatr <słońce> w ~** to have the wind <the sun> in the face; **padać <paść> na ~ przed kimś** to prostrate oneself before sb; **powiedzieć coś komuś w ~** to tell sb sth outright <to his face>; **stać ~ą do czegoś <w kierunku czegoś>** to face sth; **stanąć ~ą w ~ z kimś, czymś** to stand face to face with sb, sth; to confront sb, sth; **~ mu się wyciągnęła** his face fell; **upaść na ~** to fall headlong <on one's face>; *przen.* **~ epoki <miasta itd.>** physiognomy <aspect> of an epoch <of a town etc.>; **stracić ~** to lose face; **odsłonić ~** to throw off the mask; *pot.* **robić (sobie) ~** to make oneself up

twarzowo *adv* (to dress etc.) becomingly

twarzow|y *adj* 1. (*odnoszący się do twarzy*) facial (angle, bones, nerve etc.) 2. *pot.* (*podnoszący urodę*) becoming; **niezbyt ~a fryzura** somewhat unbecoming hair-do

twarzyczka *sf* (*dim* ↑ **twarz**) (child's, pretty etc.) face

twe *pron* = **twoje**

tweed [tuid] *sm G.* **~u** *tekst.* tweed

twierdz|a *sf* 1. (*forteca*) fortress; citadel; stronghold; fastness 2. (*więzienie*) strict confinement; **5 lat ~y** 5 years' strict confinement

twierdząco *adv* affirmatively; (to answer) in the affirmative

twierdzący *adj* affirmative (answer, proposition etc.)

twierdzenie *sn* 1. (↑ **twierdzić**) statement; affirmation; allegation; assertion; contention; claim; averment 2. *filoz.* enunciation; position 3. *mat.* theorem

twierdz|ić *vi imperf* **~ę** to say; to maintain; to affirm; to allege; to assert; to contend; to aver; to claim (**że się coś zrobiło <widziało itd.>** to have done <seen etc.> sth); **tak wszyscy ~ą** so everybody says

twist [tuyst] *sm chor.* twist

twoj|a [I] *pron f N.* **~a <twa>** *GDL.* **~ej <twej>** *AI.* **~ą <twą>** *pl NA.* **~e <twe>** *GL.* **twoich <twych>** *D.* **twoim <twym>** *I.* **twoimi <twymi>** = **twój** *pron* [II] *sf* **~a** *gw.* (*żona*) your missis

twoje [I] *pron n N.* **~ <twe>** *G.* **~go <twego>** *D.* **~mu <twemu>** *A.* **~ <twe>** *IL.* **twoim <twym>** *pl NA.* **~ <twe>** *GL.* **twoich <twych>** *D.* **twoim <twym>** *I.* **twoimi <twymi>** = **twój** *pron* [II] *sn pot.* your property, what belongs to you; what is yours; **co moje to ~** whatever is mine is yours

twornik *sm techn.* armature

tworząca *sf mat. techn.* generator; generating line; generatrix

tworzenie *sn* (↑ **tworzyć**) creation; formation; production; composition

tworzyć *v imperf* **twórz** [I] *vt* 1. (*powodować powstawanie*) to create; to form; to produce; to bring to life; **~ nowe wyrazy** to coin new words 2. (*komponować*) to compose; to produce (a musical composition, a canvas, a literary work); (*o pisarzu*) to write 3. (*ustanawiać*) to set up (a committee, an institution etc.) 4. (*stanowić coś*) to compose; to form; to build [II] *vr* **~ się** 1. (*formować się*) to arise; to come into being; to come to life 2. (*być tworzonym*) to be composed <produced, formed, set up>; to be in the making

tworzyd|ło *sn pl G.* **~eł** cheese bail <hoop>

tworzywo *sn* material <substance, stuff> (of which something is made); *chem.* **~ sztuczne** plastic

twój [I] *pron m GA.* **twojego <twego>** *D.* **twojemu <twemu>** *IL.* **twoim <twym>** *pl N.* (*osobowe*) **twoi,** (*nieosobowe*) **twoje** *GAL.* **twoich <twych>** *D.* **twoim <twym>** *I.* **twoimi <twymi>** 1. (*w połączeniu z rzeczownikiem*) your; (*w odniesieniu do rzeczownika uprzednio wymienionego*) yours; **te pieniądze nie były twoje** that money was not yours; **czy ten pies jest ~?** is this dog yours? 2. (*w połączeniu z rzeczownikiem poprzedzonym przymiotnikiem* **pewien,** *lub zaimkiem* **ten**) of yours; **pewien ~ przyjaciel <ten ~ przyjaciel> mówi, że ...** a friend of yours <that friend of yours> says that ... [II] *spl* **twoi** your people <folks> *zob.* **twoja, twoje**

twór *sm G.* **tworu** 1. (*coś, co zostało stworzone*) creature; origination; outgrowth; upgrowth 2. (*o elementach przyrody*) formation 3. (*wytwór działalności ludzkiej*) composition; production; work

twórca *sm* (*decl* = *sf*) creator; originator; founder; author; artificer; builder; architect

twórczo *adv* creatively; constructively

twórczość *sf singt* 1. (*tworzenie*) creation; composition; production 2. (*dzieła stworzone*) production;

(literary, scientific etc.) output 3. (*twórcza zdolność*) creativeness

twórczy *adj* creative; constructive; productive; originative; *biol.* plastic; formative

twórczyni *sf V.* ~ creatress; originatress; foundress; authoress

ty *pron G.* **ciebie** *D.* **tobie** <**ci**> *A.* **ciebie** <**cię**> *I.* **tobą** *L.* **tobie** you; **być na ty z kimś** to be familiar with sb; to address sb by his Christian <first> name; **być na ty z różnymi osobistościami** to hob-nob with all sorts of personalities; **proszę mi mówić „ty"** call me Mary, John etc.; *wołając:* **ty!** I say!; *am.* say!; see here! || **jak ci walnie!** he struck with such a might; **masz tobie!** too bad!; **to ci dopiero śpiew!** that's real singing for you!; **to ci nieszczęście!** there's misfortune for you!

tyb|el *sm G.* ~**la** tenon

tybet *sm G.* ~**u** *tekst.* Tibet cloth

Tybetańczyk *sm* (a) Tibetan

tybetański *adj* Tibetan

tybetowy *adj tekst.* (shawl, dress etc.) of Tibet cloth

tyci *adj emf.* ever so little; (*z towarzyszącym gestem*) that little; no bigger than this

tycie *sn* (↑ **tyć**) getting fat; putting on weight <flesh>

tycio *adv emf.* ever so little; **ani** ~ not the least little bit

tycjanowski *adj* Titianesque

tycz *sm zool.* ~ **cieśla** (*Acanthocinus aedilis*) a cerambycid beetle

tyczenie *sn* ↑ **tyczyć**

tycz|ka *sf pl G.* ~**ek** 1. (*żerdź*) perch; stake; rod; pole; ~**ka do grochu** bean-pole; ~**ka miernicza** Jacob's staff; range pole; flagpole; *miern.* ~**ka niwelacyjna** levelling rod 2. *sport.* pole; **skok o** ~**ce** pole vault

tyczkarski *adj sport.* pole-vaulting — (technique etc.)

tyczkarz *sm sport.* vaulter

tyczkować *vt imperf* to stake out (a road etc.); ~ **drogę** to mark a path with poles

tyczkowaty *adj* as thin as a lath

tyczkowina *sf singt leśn.* thicket; young growth

tyczkow|y *adj* made <built> of perches; **fasola** ~**a** staked beans

tycznia *sf singt myśl.* wolves' mating time

tyczny *adj ogr.* stake (beans)

tyczy|ć *v imperf* [I] *vt* 1. (*wyznaczać*) to mark out <to stake> (a road etc.); *miern.* to set out; to range 2. (*podpierać rośliny*) to prop; to stake (beans etc.); to pole (hops etc.); to stick (peas etc.) 3. (*odnosić się, dotyczyć*) to refer (**kogoś, czegoś** to sb, sth); to concern (**kogoś, czegoś** sb, sth) [II] *vr* ~**ć się** to refer (**kogoś, czegoś** to sb, sth); to concern (**kogoś, czegoś** sb, sth); **co się** ~ (**kogoś, czegoś**) as regards <regarding, concerning, as for, as to> (sb, sth); in relation (to sb, sth); with <in> reference (to sb, sth); **co się mnie** ~ as far as I am concerned; **co się** ~ **reszty** <**innych**> for the rest

tyć *vi imperf* **tyje** to grow stouter; to put on flesh <weight>; to grow fat <fatter>; to run to fat

tydzień *sm G.* **tygodnia** week; **dwa tygodnie** fortnight; **Wielki Tydzień** Holy Week; **który mamy dzień w tygodniu?** which day of the week is it?; **wczoraj minął** ~ yesterday week; **całymi tygodniami** for weeks and weeks <on end>; **co** ~ every week; weekly; **co dwa tygodnie** fortnightly; **kilka razy w tygodniu** <**na** ~> several times a week <weekly>; **od dziś** <**od poniedziałku itd.**> **za** ~ to-day <Monday etc.> week; a week from to-day <from Monday etc.>; **w przyszłym** <**przeszłym, ubiegłym**> **tygodniu** next <last> week; **w tygodniu** on week-days

tyfus *sm G.* ~**u** *med.* ~ **brzuszny** typhoid fever; ~ **plamisty** typhus; spotted fever; ~ **powrotny** relapsing fever; *wet.* ~ **kur** fowl typhoid

tyfusowy [I] *adj* typhoid; typhous [II] *sm* typhoid <typhous> patient

tyg|iel *sm G.* ~**la** crucible; melting-pot

tygiel|ek *sm G.* ~**ka** 1. (*naczynie kuchenne*) casserole; skillet 2. (*naczynie laboratoryjne*) test

tyglak *sm techn.* crucible furnace

tyglarz *sm* crucible maker

tyglowy *adj techn.* crucible — (furnace, steel etc.)

tygodnik *sm* weekly (magazine)

tygodniowo *adv* every week; weekly; **dwa** <**trzy itd.**> **razy** ~ twice <three etc. times> a week; **płacić** ~ to pay by the week

tygodniowy *adj* weekly; week's (work, rest etc.)

tygodniów|ka *sf pl G.* ~**ek** *pot.* week's (wage, wages)

tygrys *sm* 1. *zool.* (*Felis tigris*) tiger; *sport* ~ **himalajski** tiger 2. *hist. wojsk.* a type of German tank

tygrysi *adj* tiger's (skin etc.); *miner.* ~**e oko** tiger('s)-eye

po ~**emu** like a tiger; tigerishly

tygrysica *sf* tigress

tygrysię *sn* tiger's whelp

tygrysów|ka *sf pl G.* ~**ek** *bot.* (*Tigridia*) tiger-flower

tyk[1] *sm* (*zw.* ~ **tak**) tick-tack; ticking (of a clock)

tyk[2] *sm G.* ~**u** *tekst.* ticking

tyka *sf* 1. = **tyczka** 1. 2. *myśl.* antler

tykać[1] *zob.* **tknąć**

tyk|ać[2] *vi imperf* — **tyk|nąć** *vi perf* (*o zegarze*) to tick; **zegar sobie** ~**ał** (**i** ~**ał**) the clock was ticking away

tykać[3] *v imperf pot.* [I] *vt* to address (sb) by (his) Christian <first> name; to be familiar (**kogoś** with sb) [II] *vr* ~ **się** to address each other by (their) Christian <first> names

tykanie *sn* (↑ **tykać**) tick-tack <ticking> (of a clock)

tyknąć *zob.* **tykać**[2]

tyknięcie *sn* (↑ **tyknąć**) (a) tick

tykot *sm G.* ~**u** ticking (of a mechanism)

tyko|tać *vi imperf* ~**cze** <~**ce**> to tick

tykowaty *adj* as thin as a lath

tykwa *sf bot.* (*Lagenaria vulgaris*) bottle-gourd

tykwowy *adj* cucurbitaceous

tyla *num gw.* = **tyle**

tylczak *sm singt wet.* farcy

tylda *sf druk.* tilde

tyle [I] *num* **tylu, tyloma** 1. (*z rzeczownikiem w singt*) so much; (*z rzeczownikiem w pl*) so many; (*w zdaniach porównawczych*) as much <many> (**co ktoś inny** as sb else; **co i ty** <**ja itd.**> as you <myself etc.>); (*z przeczeniem*) not so much <many> (**co ktoś inny** as sb else); (*z nawiązaniem do uprzedniej wypowiedzi lub ilustrując gestem*) this <that> much; **on by** ~ **nie zrobił dla**

ciebie he wouldn't do that much for you; **w szkole był dobrym uczniem, ~ wiem** at school he was a good pupil, that much I know; **ile ... ~** as many ... as ...; **ile słów, ~ błędów** as many mistakes as words; (*w zdaniu złożonym*) **~ ... ile** what; **dałem mu ~ pieniędzy ile miałem** I gave him what money I had 2. (*bez rzeczownika*) as much <many> as this <that>; **aż ~!** so much!; all that much!; such a lot!; **drugie ~** (twice) as much <many>; twice that much <many>; **dziesięć osób weszło, a drugie ~ czeka, żeby wejść** ten people have gone in and as many are waiting to go in; **trzeba było wziąć drugie ~ mięsa** you should have taken twice as much <that much> meat; **i ~!** and that's final!; and that settles it!; and there's an end!; **i ~ go widziałem** and he was gone <he vanished>; **jeszcze raz ~** as much again; **na ~** (+ *przymiotnik*) enough; **nie będzie na ~ głupi, żeby ...** he won't be stupid enough <so stupid as> to ...; **nie ~ ... co ...** not exactly ... but ...; rather ... than ...; **ona jest nie ~ ładna co miła** she is not exactly pretty but she is likable; **o ~ że ...** in so far as; inasmuch as; **znam go o ~, że służyłem z nim w jednym pułku** I know him in so far <inasmuch> as I served in the same regiment; **o <na> ~ żeby ...** just enough to ...; **... razy ~ ...** times as much <many>; **~ a ~** so-and-so much <many>; **trzeba ~ a ~ zapłacić** so-and-so much must be paid; **~ a ~ osób można przyjąć** so-and-so many persons can be accepted; **~ co ...** as much as ...; **~ co trzeba** as much as necessary; **~ co nic** next to nothing; as good as nothing; **to znaczy ~ co ...** it means ...; it has the same meaning as ...; **~ o ...** so much for ...; **~ o naszych projektach, a teraz ...** so much for our plans, and now ...; **~ samo ... co ...** just as much ... as ...; **mam ~ samo kłopotu z tym motorem, co i przyjemności** I have just as much annoyance with this motor-bike as pleasure; **~, ~ lat <książek, rzeczy itd.>** so very many years <books, things etc.>; **~ że (mniejszy, lepszy, tańszy itd.)** only (smaller, better, cheaper etc.); **~ ... żeby ...** (just) enough ... to ...; **~ sił <pieniędzy, czasu itd.> żeby ...** (just) enough strength <money, time etc.> to ... III *spl* **tylu** so many people; **~** so many things; **jest ~ do zrobienia** there are so many things to be done

tyl|ec *sm G.* **~ca** 1. (*tylna, tępa strona*) back (of an object, knife etc.) 2. (*część gałęzi*) snag; stump of a branch

tylekroć *adv lit.* so many times; **ilekroć ... ~ ...** whenever ...

tyl|eż *num* **~uż** just as much <many>; **cztery wypadki w ~uż minutach** four accidents in as many minutes

tyli *adj gw.* (*z towarzyszącym gestem*) that big

tylko *adv* 1. (*jedynie*) only; but; just; merely; alone; not otherwise than; **jest nas ~ trzech** there are only three of us; **można było to zrobić ~ kosztem wielkiego poświęcenia** it could not be done otherwise than at the cost of great sacrifice; **nic nie robił ~ jadł** he did nothing but eat; **to jest ~ formalność** it is a mere formality; **to ~ grypa** it is nothing worse than a case of influenza; **~ to nas uratuje** this alone will save us; **znam ~ dwa gatunki tej rośliny** I know but two species of this plant; **~ ten jeden raz** just this once; **wszystko, ~ nie to** anything but that 2. (*w połączeniu z czasownikiem*) just; **weź ~ aspirynę** just take an aspirin; **powiedz mu ~, żeby ...** just tell him to ... 3. (*w połączeniu z zaimkiem*) -ever; **kto ~** whoever; **co ~** whatever; **gdzie ~** wherever; **kiedy ~** whenever 4. (*ze spójnikami i zaimkami*) **byle ~** providing; on condition that ...; as long as ...; **choćby ~ (na chwilę)** at least (for a moment); **co ~** hardly, scarcely; **co ~ skończyłem jedno, musiałem zacząć drugie** I had hardly <scarcely> finished one thing when I had to start another; **gdy ~ (przyjdzie, zawoła itd.)** as soon as (he comes, calls etc.); **jak ~** the instant <moment>; **jak ~ się dowiesz ...** the instant you learn ...; **jeżeli ~** if only; if ... possibly; **jeżeli ~ będę mógł** if I possibly can; **nie ~ ... lecz także ...** not only ... but also ...; **sam ~ ...** nothing but (smoke, dust, sand, water etc.); **~ patrzeć** any moment; any minute; **~ wtedy, kiedy <tam, gdzie> ...** only when <where> ...; **~ nie wtedy, kiedy <tam, gdzie> ...** except when <where> ...; **~ że go nie ma** only he is away; *emf.* **~ żebyście nie hałasowali** mind you don't make any noise; *pot.* **~ co** a moment ago; this instant

tylnica *sf mar.* stern-post; stern-frame

tylnojęzykowy *adj jęz.* velar

tyln|y *adj* back (seats, stairs, door etc.); hind (leg etc.); rear (lamp, entrance etc.); posterior (quarters etc.); *mar.* after (deck etc.); *wojsk.* **~a straż** rearguard; *plast.* **~y plan** background

tylogodzinny *adj* of so many hours; **po ~m oczekiwaniu** after so many hours' waiting

tylokrotnie *adv lit.* so many times

tylokrotny *adj lit.* repeated <recurring> so many times; **~ zwycięzca** the champion in so many contests

tyloletni *adj* of so many years; **po ~ej pracy** after so many years' work

tylowiekowy *adj* of so many centuries

tył *sm G.* **~u** 1. (*część, strona przeciwległa w stosunku do przodu*) back; rear; (*u fury*) tail; *mar.* stern; *pl* **~y** (*część budynku i armii*) rear; **budynek stoi ~em do rzeki** the building stands with its back to the river; **iść ~em** to walk <to drive> backwards; **jechać ~em** to reverse; to back; **pozostać w tyle** to fall behind; **pozostawać w tyle** to lag behind; to linger; **pozostawiony w tyle** left behind; stranded; **wprowadzić kogoś <wejść> ~em <od ~u>** to introduce sb <to enter> by a back door <from the back>; **do ~u** backwards; to the back; to the rear; **na ~ach <w tyle> domu** at the rear of the building; **na ~ach wojsk <armii>** in the rear of the army; **od ~u** from behind; from the back <rear>; **pokój od ~u** back room; **~em do przodu** wrong side foremost; **(daleko) w tyle** (far) behind; **miejsce w tyle** back seat; **w ~** backwards; *mar.* astern; aback; **z ~u, w tyle** at the back; in the rear; from behind; † **podać ~(y)** to turn tail; to rout; to flee 2. (*część ciała człowieka*) back; behind; rump; (*część ciała zwierzęcia*) back; buttocks; posterior; hind quarters; haunches; **obrócić się ~em** to turn back; **siedzieć <stać> ~em do kogoś** to sit <to stand> with one's back to sb; **stanąć ~em do kogoś** to turn one's back on sb; *pot.* **wystawić kogoś ~em do wiatru** to fool sb; *przen.* to leave sb holding the baby; *wojsk.* **w ~ zwrot!** about turn!; *am.* about face!

tył|ek *sm G.* **~ka** *pot.* bum; backside; behind; bottom; **kopnąć kogoś w ~ek** to kick sb's backside; *am.* to give sb a kick in the pants

tyłomó|zgowie *sn,* **tyłomó|żdże** *sn pl G.* **~żdży** *anat.* afterbrain

tyłow|iec *sm G.* **~ca** *wojsk. pot.* shirker; Cuthbert

tyłowy *adj żart.* (strategist) behind the lines

tym *pron* ↑ **ten, to; ~** + *stopień wyższy* + **że** the + *stopień wyższy* + as; **~ łatwiej ci będzie, że ...** it will be the easier for you as ...; **~ bardziej, że** the more so as ...; **~ gorzej dla ciebie** (all) the worse <so much the worse> for you; **~ samym** thus; thereby; **ustąpił ze stanowiska i ~ samym stracił swe wpływy** he resigned his post and thus <thereby> lost all his influence

tymczasem *adv* 1. (*w tym właśnie czasie*) meanwhile; in the meantime; in the interim; during <at> that time 2. (*na razie*) for the present; for the nonce; for the time being 3. (*natomiast*) meanwhile; whereas; **spodziewał się, że wygra majątek ~ stracił wszystko co miał** he expected to win a fortune meanwhile he lost all he had; **on był szczery, a oni ~ byli fałszywi** he was candid whereas they were false

tymczasowo *adv* temporarily; for the time being; for the present; provisionally

tymczasowość *sf singt* temporariness; temporary <provisional> character (of a situation etc.)

tymczasowy *adj* temporary; provisional; *prawn.* interim (order etc.); *sąd.* interlocutory (decree etc.); **~ kierownik** acting manager

tymf *sm* = **tynf**

tymian *sm G.* **~u, tymian|ek** *sm G.* **~ku** <**~ka**> *bot.* (*Thymus*) thyme

tymiankowy *adj bot. farm.* thyme _ (oil etc.)

tymokracja *sf singt hist.* timocracy

tymol *sm singt G.* **~u** *chem.* thymol

tymot|ejka *sf pl G.* **~ejek, tymot|ka** *sf pl G.* **~ek** *bot.* (*Phleum*) timothy (grass)

tympan *sm G.* **~u** 1. *arch.* tympanum 2. *muz.* tympan

tympanon *sm G.* **~u** = **tympan**

tynf *sm* an old-time silver coin

tynk *sm G.* **~u** *bud.* plaster (work); parget; roughcast; **~ suchy** plaster board; **~ szlachetny** stucco

tynkal *sm singt G.* **~u** *miner.* tyncal

tynkarsk|i *adj* plasterer's (work, tools etc.); **zaprawa ~a** plaster

tynkarz *sm* plasterer

tynkować *vt imperf* to plaster <to parget, to roughcast> (a wall)

tynkownica *sf bud.* plastering machine

tynkowy *adj* plastering; pargeting

tynta *sf* = **tinta**

typ *sm G.* **~u** 1. (*wzór*) type; model; pattern; standard; *bot. zool. psych.* type; **wóz nowego ~u** a new type of car; **być w czyimś ~ie** to be the type (of person) one likes; **on <ona> jest <nie jest> w moim ~ie** he <she> is <is not> my type; **stanowić ~ czegoś** to typify sth 2. (*bohater dzieła literackiego*) character 3. (*G.* **~a**) *pot.* (*facet*) chap; fellow; *am.* guy; **ciemny ~** a suspicious looking individual; **dziwny ~** rum customer; queer fish

typ|ek *sm G.* **~ka** *pl N.* **~ki** *pot. pog. dim* ↑ **typ 3.**

typizacja *sf singt* classification according to type

typizować *vt imperf* to classify according to type

typogeneza *sf singt biol.* genesis of types

typograf *sm* 1. (*G.* **~a** *pl N.* **~owie**) (*drukarz*) typographer 2. (*G.* **~u** *pl N.* **~y**) (*maszyna*) typograph

typografi|a *sf singt GDL.* **~i** *druk.* typography; printing

typograficznie *adv* typographically

typograficzny *adj* typographic(al)

typologi|a *sf singt GDL.* **~i** typology

typologiczny *adj* typologic(al)

typować *vt imperf* 1. (*wybierać*) to choose; to pick out; to designate (sb for a post) 2. *sport* (*przewidywać wynik rozgrywki*) to spot (winners)

typowo *adv* typically

typowość *sf singt* typical character (of a phenomenon etc.)

typow|y *adj* typical; standard (article etc.); true (poet etc.); **to jest ~e dla niego** that's typical of him

tyrać *vi imperf pot.* to sweat; to fag; to plod; to slave

tyrada *sf* tirade; screed

tyralie|ra *sf wojsk.* extended line; **w ~rze** in extended order

tyran *sm* 1. (*człowiek bezwzględny*) tyrant; bully; taskmaster 2. *hist.* tyrant 3. *zool.* (*Tyrannus tyrannus*) kingbird

tyrani|a *sf GDL.* **~i** tyranny

tyranizować *vt imperf* to tyrannize; to hector; to bully; to domineer (**innych** over others)

tyran|ka *sf pl G.* **~ek** tyrant

tyranozaur *sm paleont.* (*Tyrannosaurus*) tyrannosaur

tyrański *adj* tyrannous; tyrannical

tyrańsko *adv* tyrannically

tyratron *sm G.* **~u** *fiz.* thyratron

tyrlikać *vi imperf* to chirrup; to warble

tyroksyna *sf chem.* thyroxine

Tyrolczyk *sm* (a) Tyrolese

tyrolski *adj* Tyrolese

tyrozyna *sf singt chem.* tyrosine

tyrozynaza *sf singt chem.* tyrosinase

tyrpać *vt imperf rz. pot.* to tousle

tyrs *sm G.* **~u** thyrsus

tysiąc *num pl G.* **tysięcy** thousand; **jeden na ~** one in a thousand; *pl* **~e** (*mnóstwo oraz bogactwo*) thousands; **~ami** by the thousand; in thousands; **ludzie ginęli ~ami** people fell in their thousands

tysiąckilometrowy *adj* (distance etc.) of a thousand kilometers

tysiąckroć *indecl,* **tysiąckrotnie** *adv* a thousand times

tysiąckrotny *adj* thousandfold; repeated <recurring> a thousand times

tysiąclat|ka *sf pl G.* **~ek** 1. *pot.* (*okres*) millenium 2. (*szkoła*) millenium memorial school

tysiąclеci|e *sn pl G.* **~** 1. (*okres*) millenium 2. (*rocznica*) thousandth anniversary

tysiącletni *adj* millenary; millenial; a thousand years old; (tradition etc.) of a thousand years' standing

tysiącgłowy *adj* thousand-headed

tysiącz|ek *sm G.* **~ka** (*dim* ↑ **tysiąc**) *pot.* a thou

tysiączłotów|ka [c-z] *sf pl G.* **~ek** thousand-złoty bank-note

tysiącznik *sm G.* **~u** <**~a**> 1. (*statek*) craft with a displacement of 1 000 tons 2. *bot.* (*Erythraea centaurium*) centaury

tysiączn|y [I] *adj* 1. *num* thousandth 2. (*w połączeniu z określanym rzeczownikiem — liczący 1 000 jednostek*) **~e echa** <**światła, trudności itd.**> a thousand echoes <lights, difficulties etc.> [III] *sm* **~y** one (man) in a thousand

tysięczny *adj* = **tysiączny** 2.

tytan *sm pl N.* **~i** 1. *dosł. i przen.* Titan; *przen.* **~ pracy** demon for work 2. *singt chem.* titanium

tytanicznie *adv* titanically

tytaniczność *sf singt* titanic magnitude

tytaniczny *adj* titanic

tytanit *sm G.* **~u** *miner.* titanite; sphene

tytanitowy *adj* titanitic

tytanizm *sm singt G.* **~u** Titanism

tytanowce *spl chem.* titanium group

tytanow|y *adj chem.* titanic; titanium — (dioxide etc.); **biel ~a** titanium white

tyt|el *sm G.* **~la** abbreviation mark

tytłać *v imperf pot.* [I] *vt* to soil [III] *vr* **~ się** to soil one's hands <face, clothes>

tytoniowy *adj* tobacco — (leaves, smoke etc.)

tyto|ń *sm G.* **~niu** 1. *bot.* (*Nicotiana*) tobacco plant 2. (*produkt używany do palenia, żucia*) (pipe, chewing etc.) tobacco 3. (*napar z liści tytoniowych*) infusion of tobacco leaves

tytularnie *adv* titularly

tytularność *sf singt rz.* titularity

tytularny *adj* titular; nominal

tytulatura *sf* data (relative to a book)

tytulik *sm G.* **~u** *dim* ↑ **tytuł**

tytuł *sm G.* **~u** 1. (*napis na książce*) title; (*książka*) title; **biblioteka ma x ~ów** the library possesses x titles 2. (*nazwa funkcji*) title; prefix (placed before a name); designation; appellation of dignity; form of address 3. (*podstawa prawna*) right <claim> (to sth); **~ własności** title deed; **~em czego?** by what right?; on what score?; by <in> virtue of what?; **~em zabezpieczenia zdeponowałem klejnoty rodzinne** by way of security I deposited the family jewels; **z ~u zasług** in virtue of merit

tytułomani|a *sf singt GDL.* **~i** mania for the use of titles as a form of address

tytułować *v imperf* [I] *vt* 1. (*wymieniać posiadany przez kogoś tytuł*) to address (**kogoś doktorem itd.** sb as doctor etc.); to style (**kogoś doktorem itd.** sb doctor etc.); **jak go mam ~?** what shall I call him?; by what title shall I address him? 2. (*nadawać książce tytuł*) to entitle (a book) [III] *vr* **~ się** to style oneself (doctor etc.)

tytułowani|e *sn* ↑ **tytułować**; **sposób ~a ludzi** form of address

tytułow|y *adj* 1. (*w książce*) title — (page etc.); **strona ~a gazety** front page of a newspaper; **wiadomości na stronie ~ej** front-page news 2. (*w sztuce teatralnej*) title- (role)

U

U, u[1] *sn indecl* 1. (*litera*) the letter u 2. (*głoska*) the sound u

u[2] *praep* (*z dopełniaczem*) 1. (*określa część całości*) of; **głowa biała jak u gołębia** head as white as a pigeon's; **gryf u skrzypiec** neck of the violin; **rzemyk u hełmu** strap of one's helmet; **wstążki u czepców** ribbons of bonnets 2. (*określa pobliże*) at; by; on; from; **wisi u czyjegoś pasa** <**u sufitu itd.**> hangs at sb's belt <from the ceiling etc.>; **u czyjegoś ramienia** <**czyjejś piersi**> on sb's arm <breast>; **u ognia** by the fire; **u pieca** by the stove; **u rzeki** by <at> the riverside; **u stóp góry** at the foot of the hill; **u studni** at the well 3. *w wyrażeniach:* **być u celu** to have achieved one's aim <end>; **być u mety** to have reached one's goal; **u góry** <**szczytu, dołu**> at the top <peak, bottom etc.>; **u kresu podróży** at one's journey's end 4. (*w odniesieniu do osób i społeczeństw*) at; with; among; (*w zakładzie, sklepie itd.*) at + —'s; **ma szczęście u kobiet** he is popular with women; **muszę to trzymać u siebie** I must keep it among my things; **on jest u ciotki** he is with his aunt <at his aunt's house, place>; **u Anglików jest inaczej niż u Irlandczyków** with <among> the English it is different from what it is with <among> the Irish; **u krawca** <**piekarza itd.**> at the tailor's <the baker's etc.>; **u mnie** <**u niego itd.**> a) (*jeżeli chodzi o mnie* <*o niego itd.*>) with me <him etc.> b) (*w moim* <*jego itd.*> *mieszkaniu*) at my <his etc.> flat <place>; at home c) (*w mojej* <*jego itd.*> *rodzinie*) in my <his etc.> family; **u nas w Polsce** a) (*gdy mówiący jest w kraju*) here; in Poland; in our country; with us b) (*gdy mówiący jest za granicą*) in our country; at home; back home; over in Poland; **u siebie** a) (*w domu*) at home b) (*w swoim pokoju*) in his <her> room c) (*schowane*) among one's things 5. (*w wyrażeniach ekspresywnych*) **co u diabła** <**licha, czorta itd.**> what the deuce

u[3] *interj* ugh!

u- *praef* 1. (*w czasownikach — doprowadzenie czynności do skutku*) **ubić** to kill; **ufarbować** to dye; **ukończyć** to finish 2. (*w czasownikach — zabranie, oddalenie się*) away; **ulecieć** to fly away; **usunąć** to take away 3. (*w czasownikach — oddzielenie*) off; **uciąć** to cut off; **ułamać** to break off; **urżnąć** to cut off 4. (*tworzy czasowniki pochodne od przymiotników*) to render; to make; **ułatwić** to make <to render> (sth) easy <easier>; **uniemożliwić** to make <to render> (sth) impossible; **uogólnić** to generalize; **uzdrowić** to heal; **uzupełnić** to complete

uaktualni|ać *v imperf* — **uaktualni|ć** *v perf lit.* [I] *vt* to bring (a question) to the fore; to give immediate interest (**sprawę** to a question) [III] *vr* **~ać, ~ć się** to come to the fore; to acquire topicality

uaktualnienie *sn* (↑ **uaktualnić**) topicality; immediate interest

uaktywni|ać *v imperf* — **uaktywni|ć** *v perf* [I] *vt* to activate [III] *vr* **~ać, ~ć się** to become active

uaktywnienie *sn* (↑ **uaktywnić**) activation

uatrakcyjniać *vt imperf* — **uatrakcyjnić** *vt perf* to make <to render> (sth) attractive

ubab|rać *v perf* **~rze** *pot.* [I] *vt* to soil; to dirty; to begrime; to smear [III] *vr* **~rać się** to get soiled; to soil one's hands <face, clothes>

ubarwiać *vt imperf* — **ubarwić** *vt perf* to variegate; *dosł. i przen.* to colour; to give <to add> colour (**coś** to sth)

ubarwienie *sn* (↑ **ubarwić**) colo(u)ration; **~ ochronne** protective colouring

ubaw *sm G.* **~u** *sl.* fun

ubawi|ć *v perf* — *rz.* **ubawi|ać** *v imperf* [I] *vt* (*zabawić*) to amuse; to divert; (*sprawiać uciechę*) to make (sb) laugh; **~ony czymś** amused by <at> sth [III] *vr* **~ć się** to have a good laugh

ubawienie *sn* (↑ **ubawić**) amusement; diversion

ubezdźwięczni|ać *vt imperf* — **ubezdźwięczni|ć** *vt perf jęz.* to devoice; to devocalize

ubezdźwięczniająco *adv* **działać ~** to devocalize; to unvoice

ubezdźwięcznienie *sn* (↑ **ubezdźwięcznić**) devocalization

ubezpiecz|ać *v imperf* — **ubezpiecz|yć** *v perf* [I] *vt* 1. (*o instytucji ubezpieczeniowej*) to insure (a client's property etc.) 2. (*o kliencie*) to insure (**mienie od kradzieży, pożaru itd.** one's property against theft, fire etc.) 3. (*ochraniać*) to secure [III] *vr* **~ać, ~yć się** 1. (*zawierać umowę z instytucją ubezpieczeniową*) to insure (*vi*) (**przeciw czemuś** against sth); to effect an insurance; to take out a policy; **~ać, ~yć się na życie** to insure <to assure> one's life 2. (*zabezpieczać się*) to secure oneself; to make safe (**przed czymś** against sth)

ubezpieczający *sm* (*decl = adj*) insurer

ubezpieczalnia *sf* insurance company; **~ społeczna** social <national> insurance

ubezpieczeni|e *sn* 1. ↑ **ubezpieczyć** 2. (*zapewnienie odszkodowania*) insurance; **~a społeczne** social <national> insurance; **~e na wypadek choroby** sickness insurance; **~e na życie** life insurance <assurance>; **~e od nieszczęśliwych wypadków** <**od kradzieży**> accident <burglary> insurance; **~e od odpowiedzialności prawnej** third-party insurance; **~e od wypadków w pracy** employers' liability 3. (*opłata ubezpieczeniowa*) premium 4. (*urządzenie ochronne*) security device 5. *wojsk.* protection

ubezpieczeniowy *adj* insurance — (agent, policy etc.)

ubezpieczony [I] *pp* ↑ **ubezpieczyć** [III] *sm* (*decl = adj*) (the) insured; policy-holder

ubezpieczyć *zob.* **ubezpieczać**

ubezwłasnowolnić *vt perf prawn.* to incapacitate

ubezwłasnowolnienie *sn* (↑ **ubezwłasnowolnić**) incapacitation

ubi|ć *vt perf* **~je, ~ty** — **ubi|jać** *vt imperf* 1. (*zabić*) to kill 2. (*uderzeniami wyrównać*) to beat down <to pack, to ram, to level, to tread down> (snow, earth etc.); **~ć, ~jać jaja** <**śmietanę**> to whip <to beat> eggs <cream>; **~ć, ~jać masło** to churn butter; *pot.* **~ć, ~jać interes** to strike <to clinch, to clench> a bargain

ubie|c <**ubie|gnąć**> *v perf* **~gnę, ~gnie, ~gnij, ~gł** — **ubie|gać** *v imperf* [I] *vt* 1. (*przebiec*) to run (a distance) 2. (*wyprzedzić*) to forestall; to get the lead <start> (**kogoś** of sb); to anticipate (sb); **~c kogoś** to steal a march on sb; to steal sb's thunder; **~c wszystkich** to get in front [III] *vi* (*o czasie — upłynąć*) to pass; to elapse

ubiegać [I] *zob.* **ubiec** [III] *vr* **~ się** (*starać się*) to contest <to compete> (**o coś** for sth); to scramble (**o stanowisko itd.** for a post etc.); to solicit (**o coś** sth); **~ się o głosy wyborców** to canvass for votes; **~ się o mandat poselski** to run for Parliament

ubiegłoroczny *adj* last year's

ubiegł|y *adj* last (week, year etc.); **~ego** <**w ~ym**> **roku** last year

ubielić *vt perf* — **ubielać** *vt imperf* to whiten (sth); to paint (sth) white

ubierać *v imperf* — **ubrać** *v perf* **ubiorę, ubierze** [I] *vt* 1. (*wkładać na kogoś odzież*) to dress <to clothe> (sb); **ubrać chłopca za żołnierza** <**marynarza**> to dress a boy as a soldier <a sailor>; *przen.* **ubierać myśl w słowa** to put <to couch> an idea into words 2. (*sprawiać komuś odzież*) to clothe (sb); to provide (sb) with clothes 3. (*przystrajać*) to deck; to trim (a Christmas-tree etc.) 4. *imperf* (*obszywać*) to sew (**kogoś** for sb) 5. (*nakładać na siebie*) to put on (one's hat etc.) [III] *vr* **ubierać, ubrać się** 1. (*wkładać odzież*) to dress; to put on one's clothes; to put (sth — one's overcoat etc.) on; **nie mam w co się ubrać** I have (got) nothing to put on; **żona się ubiera** my wife is dressing 2. (*sprawiać sobie odzież*) to have one's clothes made (**u kogoś** by sb); **u kogo się ubierasz?** who is your tailor? 3. (*nosić na sobie*) to dress (**na czarno itd.** in black etc.); to wear (**na czarno itd.** black etc.); **ona się gustownie ubiera** <**umie się ubierać**> she dresses with taste *zob.* **ubrać**

ubier|ka *sf pl G.* **~ek** *górn.* stall

ubijacz *sm pl G.* **~y** <**~ów**> beetle; rammer; stamper

ubijacz|ka *sf pl G.* **~ek** 1. *techn.* stamper; stamping machine 2. (*przyrząd kuchenny*) whisk

ubijać *zob.* **ubić**

ubijak *sm techn.* rammer

ubijar|ka *sf pl G.* **~ek** *techn.* stamping machine

ubikacja *sf* 1. (*pokój*) room 2. (*ustęp*) toilet; W.C.

ubior|ek *sm G.* **~ka** *bot.* (*Iberis*) candituft

ubi|ór *sm G.* **~oru** clothes; attire; garb; get-up

ubliż|ać *vi imperf* — **ubliż|yć** *vi perf* to offend <to affront, to insult> (**komuś** sb); **~a to naszej dumie narodowej** it is an offence to our national pride; **~ałoby, ~yłoby mi to, gdybym ...** it would be beneath my dignity to ...; I would disdain to ...

ubliżająco *adv* offensively; insultingly; disparagingly

ubliżający *adj* offensive; insulting; disparaging

ubliżenie *sn* (↑ **ubliżyć**) offence; affront; insult; disparagement

ubliżyć *zob.* **ubliżać**

ubłagać *vt perf* 1. (*uzyskać prośbą*) to induce <to obtain> by entreaty 2. (*przebłagać*) to appease (sb); **dać się ~** to relent

ubłaganie *sn* (↑ **ubłagać**) inducement <obtention> by entreaty; appeasement

ubłocenie *sn* ↑ **ubłocić**

ubłoc|ić *v perf* **~ę, ~ony** [I] *vt* to muddy; to soil with mud; **~ony** muddy (shoes, clothes etc.) [II] *vr* **~ić się** to get muddy; to muddy one's shoes <clothes, hands, face>

ubocz|e † *sn pl G.* **~y** region; *obecnie w zwrotach*: **być <stać> na ~u** to hold oneself aloof; to keep away; to stand aside; **iść <usunąć się> na ~e** to retire into the background; **mieszkać na ~u** to live in a retired spot; (*o miejscowości*) **leżący na ~u** out-of-the-way; off the beaten track; unfrequented

ubocznie *adv* 1. (*pośrednio*) indirectly; on the side 2. (*na boku*) (to do sth, to earn some money) on the side 3. (*marginesowo*) casually; incidentally

uboczn|y *adj* 1. (*pośrednio dotyczący*) incidental; indirect; accidental; adventitious 2. (*dodatkowy*) accessory; side — (line, issue, result etc.); **produkt ~y** by-product; **spektakl ~y** side show; **~e dochody** perquisites; casual profit; **~e działanie leku** side-effect of a drug; **~e zajęcie** side line; casual occupation; **to jest rzecz ~a** that is beside the question

ubodnąć *zob.* **ubóść**

ubog|i [I] *adj* 1. (*niezamożny*) poor; needy; indigent; impecunious; *pot.* **~i jak mysz kościelna** as poor as a church mouse 2. (*marny*) mean; shabby; (*o dzielnicy miasta*) slummy; (*o utworze*) meagre 3. (*nieobfity*) scanty; *techn.* **~a mieszanka** weak mixture; (*o człowieku*) **~i duchem** poor in spirit 4. (*skromny*) simple; modest [II] *sm* **~i** pauper; beggar; *pl* **ubodzy** the poor; **puszka na datki dla ~ich** poor-box

ubogo *adv* 1. (*niezamożnie*) poorly; meanly; shabbily; **~ u nich było** they lived in poverty 2. (*skromnie*) meagrely

ubolewać *vi imperf* 1. (*wyrażać współczucie*) to feel sympathy <to be sorry> (**nad kimś** for sb); to condole (**nad kimś** with sb) 2. (*żałować*) to regret; to deplore; to grieve; **należy ~, że ...** it is to be regretted <it is lamentable, regrettable> that ...

ubolewająco *adv* with sympathy

ubolewani|e *sn* 1. ↑ **ubolewać** 2. (*współczucie*) sympathy; condolence; **pełen ~a** sympathetic 3. (*żal*) regret; **rzecz godna ~a** regrettable <deplorable, lamentable> affair

ubożе|ć *vi imperf* **~je** 1. (*biednieć*) to become impoverished; to be reduced to poverty <to indigence> 2. (*stawać się mniej zasobnym*) to become impoverished

ubożuchno *adv emf. dim* ↑ **ubogo**

ubożuchny *adj emf.* (*dim* ↑ **ubogi**) very <awfully> poor

zubożyć *vt imperf* 1. (*czynić ubogim*) to impoverish; to reduce (sb) to poverty <to indigence> 2. (*czynić mniej zasobnym*) to impoverish (the soil etc.)

ubój *sm singt G.* **uboju** slaughter; slaughtering; butchering; **~ rytualny** shehitah

ubóstwi|ać *vt imperf* — **ubóstwi|ć** *vt perf* 1. (*czynić bóstwem*) to deify 2. *imperf* (*uwielbiać kogoś*) to adore; to idolize; **~ać dziecko** to dote upon a child 3. *imperf* (*uwielbiać coś*) to love <to be crazy> (**coś** about sth)

ubóstwianie *sn* 1. (↑ **ubóstwiać**) deification 2. (*uwielbienie*) adoration

ubóstwiany [I] *pp* ↑ **ubóstwiać** [II] *sm* object of (sb's) adoration <idolization>; loved one; one's beloved <love>

ubóstwiony [I] *pp* ↑ **ubóstwić** [II] † *sm* = **ubóstwiany** *sm*

ubóstwo *sn singt* 1. (*niedostatek*) poverty; indigence; penury; destitution 2. (*mała ilość*) scantiness; meagreness; paucity

ubóść *vt perf* **ubodę, ubodzie, ubódź, ubódł, ubodła, ubodzony** — *rz.* **ubodnąć** *vt imperf* 1. (*ukłuć rogiem*) to gore; to horn; (*ukłuć czymś ostrym*) to prick; to goad 2. *przen.* (*sprawić przykrość*) to pique; to sting; to nettle; to wound to the quick

ubrać *v perf* [I] *vt* 1. = **ubierać** 2. *pot.* (*narobić kłopotu*) to put (sb) in a fix [II] *vr* **~ się** *pot. iron.* to get into a fix

ubrani|e *sn* 1. *singt* ↑ **ubrać** 2. (*odzież*) clothes; dress; suit; **w ~u** with one's clothes on; in one's clothes; **bez ~a** undressed

ubraniow|y *adj* clothing — (trade etc.); **materiały ~e** suitings

ubranko *sn dim* ↑ **ubranie**

ubrany *pp* (↑ **ubrać**) with one's clothes on; dressed; **~ w czarny garnitur** wearing a black suit

ubrda|ć *v perf pot.* [I] *vt* **~ć sobie** to imagine; to take (sth) into one's head [II] *vr* **~ć się** 3. *pers. a. imp* to come into (**komuś** sb's) head; **~ło mu się, że ...** he imagines <he has a notion> that ...

ubrudz|ić *v perf* **~ę, ~ony** — *rz.* **ubrudz|ać** *v imperf* [I] *vt* to soil; to dirty [II] *vr* **~ić, ~ać się** to get soiled <dirty>; to soil <to dirty> one's hands <face, clothes>

ubrylantowa|ć *vt perf* to adorn <to deck> with diamonds; (*o kobiecie*) **~na** in diamonds

ubycie *sn* 1. ↑ **ubyć** 2. (*odejście*) departure 3. (*zmniejszenie się*) diminution; decrease; decline; wane

uby|ć *vi perf* **ubędę, ubędzie, ubądź, ubył** — **uby|wać** *vi imperf* 1. (*odejść*) to go; to retire; to leave; **~ł ceniony towarzysz** a valued comrade has left us; **~ło kilka osób** several people have gone 2. (3 *pers. sing*) (*stać się mniejszym*) to diminish; to lessen; to decline; to dwindle; to decrease; to ebb away; to subside; **~ło mi dziesięć lat** I feel ten years younger; **~ło mu na wadze** he has lost weight; **~wa dnia** the days are shortening; **~wa księżyca** the moon is waning <is on the wane>

ubyt|ek *sm G.* **~ku** 1. (*ubywanie*) diminution; lessening; decline; decrease; subsidence; ebbing away; wane 2. (*to, co ubyło*) loss; wastage; *handl.* ullage

ubywanie *sn* 1. ↑ **ubywać** 2. = **ubytek** 1.

ucałować *v perf* [I] *vt* to kiss; **~ kogoś na dobranoc <na pożegnanie>** to kiss sb good-night <good-bye> [II] *vr* **~ się** to kiss (*vi*); to kiss each other; to exchange kisses

ucałowani|e *sn* (↑ **ucałować**) (a) kiss; **~a rączek** kindest regards

ucapić *vt perf pot.* to catch; to catch hold (**kogoś, coś** of sb, sth)

uch *interj* ouch!; well!

ucharakteryzować *v perf* [I] *vt* to disguise; to make (sb) up (**na kogoś** as sb) [II] *vr* **~ się** to disguise oneself (**na kogoś** as sb); to make up (*vi*)

ucharakteryzowanie *sn* (↑ **ucharakteryzować**) disguise; make-up

uchat|ka *sf pl G.* **~ek** *zool.* sea lion; *pl* **~ki** (*Otariidae*) (*rodzina*) the family Otariidae

uchaty *adj* (vessel) with ears

uchlać się *vr perf pot.* to get drunk

ucho *sn* 1. (*pl N.* **uszy** *G.* **uszu** <*rz.* **uszów**> *D.* **uszom** *I.* **uszami** <*†* **uszyma**> *L.* **uszach**) *anat.* ear; **czujne ~** a sharp ear; **stępiałe ~** a dull ear; **~ środkowe** internal <middle> ear; **~ zewnętrzne** external <outer> ear; **boli go ~** he has ear-ache; **być pogrążonym w czymś po uszy** to be deep in sth; **być zadłużonym po uszy** to be up to the ears <eyes> in debt; **być zakochanym po uszy** to be head over ears in love; **ciągnąć kogoś za uszy** to pull sb's ears; **czerwienić się po uszy** to turn <to go> as red as a peony; **dać komuś po uszach** to box sb's ears; **dobiegać czyichś uszu** to reach sb's ears; **drażnić ~** to grate on the ear; **grać od ucha** to play lustily; **hałas, od którego uszy puchną** ear-splitting noise; **jednym uchem wchodzi, a drugim wychodzi** it goes in at one ear and out at the other; **kłaść coś komuś do uszu** to din sth into sb's ears; **kłaść uszy po sobie** to swallow one's pride; **mam ich powyżej uszu** they make me tired; **mieć czegoś powyżej uszu** to be sick and tired of sth; *pot.* to be fed up with sth; **mieć muzykalne ~** <**nie mieć muzykalnego ucha**> to have an ear <to have a poor ear> for music; **natrzeć komuś uszu** to give sb a dressing-down; **nie wierzyłem własnym uszom** I could not believe my ears; **obiło mi się o uszy, że ...** it has come to my ears that ...; **podawano wiadomość od ucha do ucha** the news spread from mouth to mouth; **powiedzieć coś komuś na ~** to whisper sth into sb's ear; **puszczać coś mimo uszu** to turn a deaf ear to sth; to take no notice of sth; **skłaniać ~ ku czemuś** to lend one's ear to sth; to turn a ready ear to sth; **słuchać jednym uchem** to listen absent-mindedly <with half an ear>; **słyszeć coś na własne uszy** to hear sth with one's own ears; **strzyc uszami** a) *pot.* (*o człowieku*) to prick up one's ears b) (*o zwierzęciu*) to prick one's ears; **ściany mają uszy** walls have ears; **śmiać się od ucha do ucha** to roar with laughter; **to mi brzmi w uszach** it still rings in my ears; **uczciwszy uszy** if you'll excuse the expression; **uszy od tego więdną** it makes one sick to hear such stuff; **uśmiech od ucha do ucha** a grin from ear to ear; **zatykać uszy** to stop one's ears; **zatykać uszy na coś** to refuse to listen to sth; **ziewać od ucha do ucha** to yawn one's head off; *pot.* **nadstawić uszu** to cock one's ears; **uszy do góry!** cheer up!; buck up! 2. (*pl N.* **ucha** <*rz.* **uszy**> *G.* **uch** <**uszu, uszów**> *D.* **~m** <**uszom**> *I.* **uchami** <**uszami**> *L.* **uchach** <**uszach**>) (*uchwyt*) handle (of a suitcase, watering can etc.); ring (of an anchor); eye (of a needle); ear (of a pitcher etc.); tab <flap> (at the side of a cap to protect the ear); tag (at the back of a boot); *techn.* ear; horn; lug

uchodzenie *sn* (↑ **uchodzić**) (*ucieczka od ludzi, strata gazu, cieczy*) escape; **~ pary** egress of steam

uchodz|ić *v imperf* **~ę** [I] *vt* 1. = **ujść** 2. *perf pot. w zwrocie*: **~ić nogi** to tire oneself out [III] *vr perf* **~ić się** to tire oneself out

uchodźca *sm* (*decl* = *sf*) displaced person; refugee; emigrant; exile

uchodźstwo *sn singt* 1. (*emigracja*) refugeeism; emigration; exile 2. (*ogół uchodźców*) displaced persons; D.P.'s; emigrants

uchowa|ć *v perf* **~** [I] *vt* 1. (*zachować*) to preserve; to save; to retain; to keep; **~j Boże, niech Bóg ~** a) (*nic podobnego*) God forbid; nothing of the kind; far be it from me b) (*oby się nie stało*) God forbid 2. (*wychować*) to breed; to rear; to raise [III] *vr* **~ć się** 1. (*ujść zniszczenia, zagłady*) to escape destruction <being destroyed>; **nic się przed tym dzieckiem nie ~** nothing is safe from the child 2. (*pozostać jakimś*) to remain (**optymistą, pesymistą itd.** an optimist, a pessimist etc.) 3. (*ocaleć*) to survive

uchronić *v perf* [I] *vt* to protect <to keep> (**kogoś, coś od czegoś** sb, sth from sth); to safeguard (**kogoś, coś od czegoś** sb, sth against sth) [III] *vr* **~ się** to protect oneself (**przed czymś** from sth); to guard (**od czegoś** against sth); to avoid <to escape> (**od czegoś** sth)

uchronienie *sn* (↑ **uchronić**) protection; (a) safeguard

uchwal|ać *vt imperf* — **uchwal|ić** *vt perf* to decide; to resolve; **~ać, ~ić kredyty** to vote credits; **~ać, ~ić ustawę, budżet** to pass a bill, a budget; **~ać, ~ić wniosek** to carry a motion

uchwalenie *sn* (↑ **uchwalić**) resolution; vote; passage (of a bill etc.)

uchwalić *zob.* **uchwalać**

uchwał|a *sf* resolution; vote; **powziąć ~ę** to decide; to resolve; to vote

uchwyceni|e *sn* (↑ **uchwycić**) seizure; hold; grip; (*o podobieństwie itd.*) **trudny do ~a** difficult to render

uchwy|cić *v perf* **~cę, ~cony** — *rz.* **uchwy|tywać** *v imperf* [I] *vt* 1. (*chwycić*) to seize; to grasp; to catch; to grab; to catch hold (**coś** of sth); **~cić rządy, władzę** to assume the reins of government; *med.* **~cić tętnicę** to take up an artery 2. (*pochwycić*) to catch (**podobieństwo** a likeness); to render 3. (*usłyszeć*) to catch (a sound); (*zaobserwować*) to see; to observe; **~cić sens czegoś** to get the (exact) meaning of sth [III] *vr* **~cić, ~tywać się** 1. = **~cić, ~tywać** *vt* 1. 2. (*chwycić siebie samego*) to clutch (**za głowę, bok itd.** at one's head, side etc.)

uchwyt *sm G.* **~u** 1. (*rączka*) handle; holder; handgrip; holdfast; *techn.* shank; mount; shaft; lug; pod; spider; lewis 2. (*ujęcie ręką*) grasp; grip 3. *sport* (*w turystyce wysokogórskiej*) handhold; foothold

uchwytnie *adv* perceptibly; palpably

uchwytny *adj* 1. (*dostrzegalny*) perceptible; palpable; (*słyszalny*) audible; (*widzialny*) visible 2. (*o człowieku*) attainable <available, *pot.* get-at-able> (**przez telefon itd.** by phone etc.)

uchwytywać *zob.* **uchwycić**

uchyb *sm G.* **~u** *elektr.* error; fault

uchybi|ć *vi perf* — **uchybi|ać** *vi imperf* 1. (*naruszyć*) to transgress <to infringe> (**nakazowi itd.** a rule etc.) 2. (*obrazić*) to offend (**komuś** sb); **~ć, ~ać komuś** to pique <to wound> sb's pride; **~ałoby to mojej godności** it would be beneath my dignity

uchybiający *adj* offensive; derogatory; irreverent

uchybienie *sn* 1. ↑ **uchybić** 2. (*odstępstwo*) transgression <infringement> (**od czegoś** of sth) 3. (*obraza*) offence; affront; insult; disparagement

uchyl|ać *v imperf* — **uchyl|ić** *v perf* [I] *vt* 1. (*na wpół otwierać*) to half-open (a door); to set (a door) ajar; to let down (the window of a motor-car etc.) 2. (*odginać, usuwać*) to draw (a curtain) aside; to lift <to remove> (a lid etc.); **~ić kapelusza** to raise one's hat; **~ić koszulę** to open one's shirt; **~ić rąbka tajemnicy** to unveil a secret 3. (*odchylać*) to bend <to draw back> (**głowę od razów** one's head to avoid blows) 4. (*unieważniać*) to annul (a decision etc.); to repeal <to rescind, to abrogate, to revoke> (a law) 5. (*oddalać*) to avert <to stave off> (a danger) 6. † (*uginać*) to bow; to bend; *obecnie w zwrocie: lit.* **~ić czoła przed kimś, czymś** to bow to <before> sb, sth [II] *vr* **~ać, ~ić się** 1. (*otwierać się*) to half-open (*vi*); (*o drzwiach*) to stand ajar; (*o zasłonie itd. — odsuwać się*) to be drawn aside 2. (*wykonywać skłon*) to bow; to bob down 3. (*odsuwać się na bok*) to step aside; to withdraw 4. (*wzbraniać się*) to avoid <to evade, to elude> (**od czegoś** sth); to shirk (**od spełnienia obowiązków** one's duties); to decline (**od odpowiedzi** giving an answer)

uchylanie *sn* 1. ↑ **uchylać** 2. *prawn.* annulation; repeal; abrogation 3. **~ się** avoidance; evasion; elusion; **~ się od pracy** absenteeism

uchylenie *sn* 1. ↑ **uchylić** 2. (*odchylenie*) avoidance; evasion; elusion

uchyln|y *adj* waga **~a** tangent-balance

uchylony [I] *pp* ↑ **uchylić** [II] *adj* (*o drzwiach*) half-open; ajar

uchył|ek *sm pl G.* **~ku** *anat.* recess

uci|ąć *v perf* **utnę, utnie, utnij, ~ął, ~ęła, ~ęty** — **uci|nać** *v imperf* [I] *vt* 1. (*odciąć*) to cut off; to clip; to curtail; to dock (a horse's <dog's> tail); **~ąć komuś głowę** to behead sb; *pot.* **jak ~ął** a) (*nagle*) suddenly b) (*dokładnie*) exactly; *przen.* **dałbym sobie rękę ~ąć za niego** I would go through fire and water for him 2. (*raptownie coś przerwać*) to cut (sth) short 3. (*wykonać coś z ochotą*) to perform (a dance etc.); to play (a tune) lustily; **~ąć nura** to do the vanishing trick; to melt into thin air; to disappear; **~ąć, ~nać (sobie) drzemkę** to have a nap; **~ąć, ~nać pogawędkę z kimś** to have a chat with sb 4. (*ukąsić*) to sting; to bite [II] *vi* (*przerwać mowę*) to break off [III] *vr* **~ąć, ~nać się** (*urwać się*) to snap; to break off

uciągną|ć *vt perf* to move <to pull, to draw> (a load etc.); **koń by tego nie ~ł** a horse could not draw this

uciążliwie *adv* with great effort; with difficulty; arduously; strenuously

uciążliwość *sf singt* arduousness; strenuousness; onerousness

uciążliwy *adj* arduous; strenous; toilsome; burdensome; heavy; onerous; laborious

ucich|ać *vi imperf* — **ucich|nąć** *vi perf* **~ł** 1. (*uciszać się*) to still (*vi*); to quiet down; to become <to grow> silent; to be hushed; **~ło o nim, o tym** nothing more is <was> heard about him, about the matter 2. (*uspokajać się*) to calm down; to abate; to subside; **burza ~ła** the storm has <had> spent itself

ucichnięcie *sn* (↑ **ucichnąć**) hush; calm; subsidence

ucie|c *v perf* **~knę, ~knie** <**~cze**>, **~kł** — **ucie|kać** *v imperf* [I] *vi* 1. (*oddalić się biegnąc*) to run away; to take to one's heels; to abscond; to decamp; to bolt; to clear off; (*o rozbitym wojsku*) *perf imperf* to flee; *perf* to take flight; *imperf* to be in flight; (*o zwierzęciu*) to break loose; to make off; (*o królikach, myszach itd.*) to scurry <to scamper> away; **~c, ~kać przed burzą** to take shelter from the storm; **~c, ~kać przed kimś** to avoid <to shun> sb; **~c, ~kać wzrokiem** to look away; **~kaj!** off you go!; *pot.* buzz off!; *przen.* **dusza mi ~kła w pięty** my heart was in my boots; **to mi ~kło z pamięci** it escaped <slipped> my memory; **to nie ~knie** that can wait 2. (*umknąć z miejsca strzeżonego*) to escape; to break away; to slip away 3. (*wyjść, wyjechać*) to leave; to make away; to make for home; to run (**od kogoś** from sb); to desert <to abandon> (**od kogoś** sb); **~c, ~kać od kochanka** to jilt a lover; **~c, ~kać za granicę** to leave the country; to go abroad; **~c, ~kać z kraju** to flee the country; **~c, ~kać z ukochanym** <**ukochaną**> to elope 4. (*o czasie — mijać*) to fly; to pass (by) 5. *pot.* (*o płynach*) to leak; (*o gazach*) to escape || **autobus, tramwaj, pociąg ~kł mi** I missed the <my> bus, tram, train [II] *vr* **~c, ~kać się** (*posłużyć się*) to resort <to have recourse> (to sth); to take refuge (**do kłamstwa itd.** in lying etc.); *lit.* **~c, ~kać się do czyjejś pomocy** to appeal to sb for help; **~c, ~kać się do czyjejś wielkoduszności** to throw oneself on sb's magnanimity; **~c, ~kać się do łez** to call <to bring> tears into play *zob.* **uciekać**

ucie|cha *sf* 1. *singt* (*radość*) joy; delight; merriment; *pot.* **z łaski na ~chę** a) (*niechętnie*) reluctantly b) (*bez powodu*) for no obvious reason; **ku ~sze dzieci** to the joy of the children 2. (*zw. pl*) (*rozrywka*) entertainment; amusement; enjoyment; pleasure; **w pogoni za ~chami** in search of pleasure

ucieczk|ka *sf pl G.* **~ek** 1. (*uciekanie*) escape; flight; **bezładna ~ka** scamper; scurry; **paniczna ~ka** stampede; **~ka od rzeczywistości** escapism; **~ka z placu boju** desertion; **ratować się ~ką** to take flight; to escape; to flee; to abscond; **rzucić się do ~ki** to bolt; **zmusić nieprzyjaciela do ~ki** to put the enemy to flight 2. (*ratunek*) refuge; resource; recourse; **ostatnia** <**jedyna**> **~ka** (one's) last <only> resource

uciek|ać *vi imperf* 1. = **uciec** 2. (*przesuwać się przed oczami*) to slip away; (*usuwać się spod nóg*) to give way (under one's feet)

uciekanie *sn* 1. ↑ **uciekać** 2. (*ucieczka*) escape; flight 3. **~ się** resort; resource <recourse> (to sth)

uciekinier *sm*, **uciekinierka** *sf* refugee; fugitive; *wojsk.* deserter

ucieleśni|ać *v imperf* — **ucieleśni|ć** *v perf* [I] *vt* to embody; to personify; to be the embodiment <personification, incarnation> (**coś** of sth) [II] *vr* **~ać, ~ć się** to materialize; **moje marzenia się ~ły** my dreams came <have come> true

uciemięż|ać *vt imperf* — **uciemięż|yć** *vt perf* 1. *lit.* (*gnębić*) to oppress; to tread down 2. *imperf* (*być ciężarem*) to burden

uciemiężenie *sn singt* (↑ **uciemiężyć**) oppression

uciemięż|ony [I] *pp* ↑ **uciemiężyć** [II] *spl* **~eni** the oppressed; the down-trodden

ucierać *v imperf* — **utrzeć** *v perf* **utrę, utrze, utrzyj, utarł, utarty** [I] *vt* 1. (*rozdrabniać na tarce*) to grate; (*miażdżyć*) to grind; to pound; to triturate; **ucierać, utrzeć coś na papkę** to rub sth into a paste 2. † (*obcierać*) to wipe; *obecnie w zwrotach*: **ucierać, utrzeć nos** to wipe <to blow> one's nose; *przen. pot.* **ucierać, utrzeć komuś nosa** to put sb in his place; to take sb down a peg; to cut sb's comb 3. † (*wygładzić*) to level; *obecnie w zwrocie*: **utarta droga** the beaten track [II] *vr* **ucierać, utrzeć się** 1. (*być ucieranym*) to be ground <pounded, triturated> 2. (*zw. perf*) (*stawać się powszechnie przyjętym*) to be generally accepted 3. † (*ścierać się*) to come to grips

ucierpi|eć *vi perf* to sustain a loss; to suffer (**od czegoś** from sth); to be hard hit (**od czegoś** by sth); **on nic nie ~ał** he was unharmed <none the worse (**od tego** for it)>

uciesznie *adv* comically; drolly

ucieszny *adj* comical; amusing; droll; funny

ucieszy|ć *v perf* [I] *vt* 1. (*sprawić radość*) to give (sb) pleasure <joy>; to make (sb) happy; to delight; to please; to gratify; to gladden 2. (*zabawić*) to amuse; **~ć oczy czymś** to feast one's eyes on sth [II] *vr* **~ć się** to be glad (**czymś** of sth); to rejoice (**czymś** at sth); **nie ~ się tym** he won't be very pleased

ucięcie *sn* ↑ **uciąć**

ucięty [I] *pp* ↑ **uciąć** [II] *adj rz. bot.* truncate

ucinacz *sm* cutter

ucinać *zob.* **uciąć**

ucin|ek *sm G.* **~ka** *rz.* piece <segment, fragment> cut off

ucios *sm G.* **~u** *stol.* bevel

ucisk *sm singt G.* **~u** 1. (*uciskanie*) pressure; compression; heaviness (in the head etc.) 2. (*gnębienie*) oppression

uci|skać *vt imperf* — **uci|snąć** *vt perf* **~śnie** 1. (*naciskać*) to press (down); to compress 2. (*gnębić*) to oppress; to screw <to tread> down (the peasantry etc.) 3. (*o obuwiu*) to pinch; to hurt

uciskanie *sn* (↑ **uciskać**) pressure; oppression

uciskany *adj* down-trodden

uciskow|y *adj* compression — (bandage etc.); **leczenie ~e** collapse therapy

ucisnąć *zob.* **uciskać**

ucisz|ać *v imperf* — **ucisz|yć** *v perf* [I] *vt* to silence; to hush; to quiet; to still; to tranquillize; to soothe; to lull [II] *vr* **~ać, ~yć się** 1. (*cichnąć*) to be silenced <hushed>; to still; to grow quiet 2. (*uspokoić się*) to quiet down; to calm down; to abate; to subside

uciszenie *sn* (↑ **uciszyć**) (a) hush; silence; tranquillization; abatement; subsidence

uciszyć *zob.* **uciszać**

uciśni|ony [I] † *pp* ↑ **uciskać** [II] *spl* **~eni** the oppressed

uciułać *vt perf pot.* to put aside; to save; to scrape together

ucywilizować *v perf* [I] *vt* to civilize; to domesticate [II] *vr* **~ się** to become civilized <domesticated>

uczący się *sm* learner; student

ucz|cić *v perf* **~czę, ~ci, ~cij, ~czony** 1. (*oddać należną cześć*) to honour; **~cić kogoś słowem** to do sb the honour of addressing him; † **~ciwszy uszy pańskie** saving your reverence 2. (*uświetnić*) to commemorate; to celebrate

uczciwie *adv* 1. (*rzetelnie*) honestly; uprightly; above-board; *pot.* on the level; on the square; **postępować ~** to play a square game; *pot.* to be on the level; **~ postąpić wobec kogoś** to give sb a square deal; **~ mówię** in all conscience 2. *pot.* (*tak, jak należy*) properly 3. *iron. żart.* (*walnie*) thoroughly

uczciwość *sf singt* honesty; uprightness; integrity; rectitude; probity; **~ popłaca** honesty is the best policy

uczciw|y *adj* 1. (*prawy*) honest; upright; clean-handed; single-eyed; single-hearted; straight; *praed* above-board; **bezwzględnie ~y** as straight as a die; **człowiek ~y** man of integrity; **~a kobieta** honest woman; good girl; **~e zamiary** honest intentions 2. *pot.* (*porządny*) proper; regular; conscientious (work etc.); (*znaczny*) tidy (pace, penny, fortune etc.)

uczczenie *sn* 1. ↑ **uczcić** 2. (*uświetnienie*) commemoration; celebration

uczelnia *sf* school; college; **~ techniczna** technical college; **~ wojskowa <handlowa>** military <trade> school; **wyższa ~** academy; college

uczelniany *adj* school <university, college> — (administration etc.)

uczenie[1] *sn* ↑ **uczyć**

uczenie[2] *adv* learnedly; eruditely; with great show of erudition

uczennica *sf* 1. *szk.* schoolgirl; pupil; *pot.* school miss 2. (*praktykantka*) apprentice

ucz|eń *sm G.* **~nia** 1. *szk.* schoolboy; pupil; collegian 2. (*praktykant*) apprentice 3. (*kontynuator mistrza*) disciple; follower

uczep *sm G.* **~u** 1. *rz.* (*uczepienie się*) hitch 2. *bot.* (*Bidens*) bur marigold; water agrimony

uczepi|ć *v perf* — *rz.* **uczepi|ać** *v imperf* [I] *vt* to hitch; to hook; to fasten; to attach [II] *vr* **~ć, ~ać się** to hitch <to fasten> on (**czegoś** to sth); to cling (**czegoś** to sth); **~ć się czyjegoś ramienia** to hook one's arm in sb's; **~ć się czyjejś ręki** to catch hold of sb's hand; *pot.* **~ć się czegoś, do czegoś** to start cavilling <carping, nibbling> at sth; **~ć się kogoś** to hook on to sb; **~ć się posady** to get oneself a job

uczepienie *sn* (↑ **uczepić**) fastening; attachment

uczernić *vt perf dosł. i przen.* to blacken; to paint (sth) black

ucze|sać *v perf* **~sze** [I] *vt* to dress <to brush, to do> (**kogoś** sb's) hair; **gładko ~sana** smooth-haired; **ona nie jest ~sana** her hair is not done; **ona nigdy nie jest ~sana** her hair is <she is> always unkempt; **pan ~sany na jeża** a gentleman with his hair cut in a stubble [II] *vr* **~sać się** to comb <to brush, to do> one's hair; **muszę się dać ~sać** I must have my hair done

uczesanie *sn* 1. ↑ **uczesać** 2. (*fryzura*) hair-do; hair-style; coiffure; the way one's hair is dressed

uczestnictw|o *sn singt* participation; **zaprosić kogoś do ~a w czymś** to invite sb to take part in sth

uczestniczący *sm* participant; partaker; sharer

uczestniczenie *sn* (↑ **uczestniczyć**) participation

uczestniczka *sf* participant; partaker; (*w zawodach, konkursach*) entrant

uczestniczyć *vi imperf* 1. (*brać udział*) to participate <to take part> (in sth) 2. (*mieć swój udział*) to share (in sth)

uczestnik *sm* participant; partaker; (*narady itd.*) member; (*w zawodach, konkursach*) entrant (**w biegu itd.** for a race etc.)

uczęstować *vt perf*. 1. (*przyjąć jedzeniem i piciem*) to entertain (sb) 2. (*uraczyć*) to treat (**kogoś czymś** sb to sth)

uczęszczać *vi imperf lit.* to frequent (**na zebrania itd.** meetings etc.); to attend (**na kurs, koncerty itd.** a course, concerts etc.); ~ **do szkoły** to go to school

uczęszczanie *sn* (↑ **uczęszczać**) attendance (**na kursy itd.** at courses etc.)

uczęszczan|y *adj* much frequented (place, establishment etc.); ~**a ulica** busy street; ~**a miejscowość** place of great resort

uczłowiecz|ać *vt imperf* — **uczłowiecz|yć** *vt perf* 1. (*nadawać cechy ludzkie*) to humanize 2. (*uszlachetniać*) to ennoble

uczłowieczenie *sn* (↑ **uczłowieczyć**) humanization

ucznia|k *sm pl N.* ~**cy** <~**ki**> schoolboy; (*lekceważąco*) school kid

uczniowski *adj* schoolboy ... (days, slang etc.)

uczoność *sf singt* 1. (*erudycja*) learning; erudition 2. (*charakter naukowy czegoś*) learnedness

uczony [I] *pp* ↑ uczyć [II] *adj* learned; erudite; scholarly; *rz. żart. iron.* ~ **w piśmie** scribe [III] *sm* scholar; scientist; (an) erudite

uczta *sf* 1. *lit.* feast; banquet; *pot.* junket 2. *przen.* (*rozkosz*) treat

ucztować *vi imperf lit.* to feast; to banquet; to revel; *pot.* to junket

ucztowanie *sn* (↑ **ucztować**) revelry

uczu|cie *sn* 1. ↑ **uczuć** 2. (*przeżycie psychiczne*) feeling; sentiment; emotion; **grać na czyichś** ~**ciach** to appeal to sb's emotions; to play on sb's heart-strings; **pozbawiony** ~**ć** unfeeling 3. (*miłość*) affection 4. (*doznanie fizyczne*) sensation; feeling

uczuciow|iec *sm G.* ~**ca** emotional <sentimental> person

uczuciowo *adv* emotionally; sentimentally

uczuciowość *sf singt* emotionality; sentimentality

uczuciowy *adj* 1. (*dotyczący uczuć*) emotional 2. (*ulegający uczuciom*) emotional; sentimental

uczu|ć *vt perf* ~**je**, ~**ty** — **uczu|wać** *vt imperf* 1. (*poczuć*) to feel; to have a feeling (**coś** of sth) 2. (*uświadomić sobie*) to realize; *perf* to become aware <*imperf* to be aware> (**coś** of sth)

uczulacz *sm fot.* sensitizer

uczulać *zob.* **uczulić**

uczulająco *adv* **działać** ~ to sensitize

uczulenie *sn* 1. ↑ **uczulić** 2. (*wrażliwość*) sensitiveness 3. *fot.* sensitization 4. *med.* allergy

uczuleniowy *adj* allergic

uczul|ić *vt perf* — **uczul|ać** *vt imperf* 1. (*uczynić czułym*) to make <to render> (sb) sensitive (**na coś** to sth); to cause <to increase> sensitiveness 2. *fot.* to sensitize 3. *med.* to make (sb) allergic; to cause allergy (**kogoś** in sb) 4. *techn.* to cause <to increase> sensitiveness

uczuwać *zob.* **uczuć**

uczy|ć *v imperf* [I] *vt* 1. (*udzielać nauki*) to teach (**kogoś czegoś** sb sth); (*wdrażać*) to school (**kogoś czegoś** sb in sth); to tutor (**kogoś jakiegoś przedmiotu** sb in a subject); ~**ć łaciny** to teach Latin; *pot.* ~**ć kogoś rozumu** to knock the nonsense out of sb; ~**ć psa** <**konia itd.**> to train a dog <a horse etc.> 2. (*stanowić doświadczalną podstawę znajomości czegoś*) to teach (sb to do <not to do> sth) [II] *vi* (*stanowić doświadczalną podstawę znajomości czegoś*) to show; **doświadczenie** ~, **że ...** experience shows that ... [III] *vr* ~**ć się** 1. (*przyswajać sobie wiedzę*) to learn; to study; to do <to con> one's lessons; to take lessons (**greki itd. u** <**od**> **kogoś** in Greek etc. from sb); ~**ć się czegoś na pamięć** to learn <to get> sth by heart; ~**ć się czegoś prywatnie** to take private lessons in a subject; ~**ć się języka** to learn a language 2. (*wdrażać się*) to school <to train> oneself (**coś robić** to do sth; **cierpliwości, grzeczności itd.** in patience, politeness etc.)

uczyn|ek *sm G.* ~**ku** act; deed; **dobry** ~**ek** act of kindness; **sprawiedliwy** ~**ek** an act of justice; ~**ki miłosierne** acts of charity; works of mercy; **przyłapać kogoś na gorącym** ~**ku** to catch sb in the act <in the very act, red-handed>

uczyni|ć *v perf* [I] *vt* 1. (*zrobić*) to do (**coś** sth; **wszystko, co w mocy człowieka** everything humanly possible); to make (**krok, starania itd.** a step, attempts etc.) 2. (*sprawić*) to make (**kogoś szczęśliwym, zamożnym itd.** sb happy, rich etc.); ~**ć z kogoś coś** <**kogoś**> to make sth <sb> of sb; **wytrwała praca** ~**ła z niego wirtuoza** persistent work has made a virtuoso of him ‖ ~**ć ofiarę z czegoś** to sacrifice sth; ~**ć postępy** to make progress; to advance; ~**ć uwagę** to make a remark; ~**ć zadość czemuś** to satisfy sth [II] *vr* ~**ć się** (*stać się*) to become <to grow> (**dużym, małym, pięknym itd.** big, small, beautiful etc.); ~**ł się z niego nudziarz** <**miły towarzysz itd.**> he has become a bore <a pleasant companion etc.>; (*w połączeniach wyrazowych — nastać, zrobić się*) ~**ł się mrok** it grew dark; ~**ła się noc** night fell; ~**ł się dzień** day broke; ~**ł się tłok dokoła mnie** a crowd formed round me; ~**ło się jej słabo** <**wesoło itd.**> she felt weak <gay etc.>; ~**ł się wrzask** an outcry arose

uczynienie *sn* ↑ **uczynić**

uczynniać *vt imperf* — **uczynnić** *vt perf med.* to activate

uczynnienie *sn* (↑ **uczynnić**) activation

uczynność *sf singt* helpfulness; readiness to oblige

uczynny *adj* obliging; helpful; co-operative, ready to help <to assist>

uczytać *vt perf rz.* (*zdołać przeczytać*) to read; to get through (a difficult passage etc.)

uda|ć *v perf* ~**dzą**, ~**ny** — **uda|wać** *v imperf* ~**je**, ~**waj**, ~**wany** [I] *vt* 1. (*naśladować*) to imitate; to counterfeit; to mimic 2. (*symulować*) to simulate; to dissemble; to make a show (**coś** of sth); to sham; to feign; to make a pretence (**coś** of sth); to affect (the artist etc.); to act (**głupiego, Greka** the fool); *przen.* to pay lip service (**coś** to sth) [II] *vi* to dissimulate; to dissemble; to pretend; to sham; to make believe; ~**wać, że się uderzy** <**odejdzie itd.**> to make as if one would strike <go etc.>; **on tylko** ~**je** he is only pretending; it is only pretence [III] *vr* ~**ć**, ~**wać się** 1. (*powieść się*) to succeed; ~ło mi się osiągnąć cel I succeeded in achieving my purpose; nie ~ło mi się osiągnąć celu I failed to achieve my purpose; jak ci się ~ło? what success did you have?; to ci się nie ~ you can't get away with that; you'll never put that across; to ci się nieźle ~ło it isn't <wasn't> a bad effort; ~ło ci się you were fortunate; wszystko mu się ~je he always succeeds 2. (*mieć szczęście*) to have the good fortune <luck> (to do sth); to be fortunate <lucky> (coś zrobić in doing sth); ~ło mi się znaleźć tę książkę I had the good fortune <the luck> to find this book; I was fortunate in finding <lucky enough to find> this book 3. (*zdołać*) to manage; ~ło mi się (w końcu) go przekonać I (finally) managed to persuade him; jak ci się to ~ło? how did you manage that? 4. (*o planach, imprezach — powieść się*) to succeed; to be a success; to pan out well; to work; to go off well; (*o książce, sztuce*) to take (*vi*); nie ~ć się to fail; to miscarry; to abort; to come to nought 5. (*spodobać się*) to please; ~ł się nam chłopak the boy is a trump; jak ci się ~ł koncert <film itd.>? how did you enjoy the concert <the film etc.>?; nie ~ł mi się ten wieczór I didn't enjoy myself this <that> evening at all 6. (*o roślinach*) to thrive (in a climate, under certain conditions); to do (well etc.); brzoskwinie nie ~ją się tutaj peaches don't do well here 7. *lit.* (*podążyć*) to go <to make one's way, to proceed> (dokądś to a place); to make (do domu for home); to resort <to repair> (do jakiejś miejscowości to a place); ~wać się dokądś to be on one's way to a place; ~ć, ~wać się do kogoś a) (*pójść*) to go and see sb b) (*zwrócić się o pomoc*) to apply to sb; ~ć się na drogę sądową to go to law *zob.* udawać, udawany

udanie *sn* 1. ↑ udać 2. ~ się (*powodzenie*) success

udan|y [I] *pp* ↑ udać (się) [III] *adj* successful; dziecko było ~e the child had all the necessary qualities; wieczór był (bardzo) ~y the evening was a (great) success; to nie było ~e that was rather unfortunate

udar *sm G.* ~u 1. *techn.* stroke; impact; percussion; jar 2. *med.* ~ mózgu <mózgowy> stroke; apoplexy; dostał ~u mózgu he burst a blood vessel; ~ serca heart failure; umarł na ~ serca he died of heart failure; ~ słoneczny sunstroke

udarcie *sn* ↑ udrzeć

udaremni|ać *vt imperf* ~any — **udaremni|ć** *vt perf* ~j, ~ony to frustrate; to thwart; to foil; to upset; to baffle; to defeat; to bring to nought

udaremnienie *sn* (↑ udaremnić) frustration

udarność *sf singt techn.* impact strength <resistance>; shock-resisting ability; resistance to shock <to impact>

udarny *adj techn.* shock-resisting

udarow|y *adj techn.* percussive; fala ~a shock wave; wiercenie ~e percussion <stroke> boring; percussion drilling; wiertarka ~a hammer drifter <drill>; gadder; bore hammer

udatnie *adv* adroitly; dexterously; deftly; skilfully; neatly; competently

udatność *sf singt* adroitness; dexterity; deftness; skill; neatness; competence

udatny *adj* adroit; dexterous; deft; skilful; neat; competent

udawać *vi vt imperf* 1. *zob.* udać 2. † (*imitować*) to imitate

udawanie *sn* 1. ↑ udawać 2. (*naśladowanie*) imitation; counterfeit; mimicry 3. (*symulowanie*) simulation; dissimulation; pretence; play-acting; affectation; sham; make-believe; *przen.* lip service

udawany [I] *pp* ↑ udawać [III] *adj* sham; make-believe; spurious

udekorować *vt perf* 1. (*ozdobić*) to decorate; to adorn; to ornament; to embellish; to trim; to deck out 2. (*przyznać, wręczyć odznaczenie*) to decorate (kogoś orderem ... sb with the order of ...); to confer an order (kogoś on sb)

udelikatni|ać *vt imperf* ~any — **udelikatni|ć** *vt perf* ~j, ~ony to subtilize; to refine; to soften (the skin)

udep|tać *vt perf* ~cze <~ce> — **udep|tywać** *vt imperf* ~tywany 1. (*ubić*) to tread (grapes etc.); to tread <to beat> down (the soil, the snow etc.) 2. (*utorować*) to beat (a path); ~tana droga the beaten track 3. (*nastąpić*) to tread (komuś na odciski on sb's corn)

uderz|ać *v imperf* — **uderz|yć** *v perf* [I] *vt* 1. (*bić*) to strike <to hit, to knock, to smite> (coś, w coś, o coś sth); *imperf* to beat; to buffet; ~ono w drzwi <w okno> there was a knock at the door <on the window> 2. (*zastanawiać*) to strike <to arrest> (kogoś sb); ~yło mnie to, że ... it struck me that ... [III] *vi* 1. (*bić*) to strike <to hit, to knock> (w coś, o coś sth); to strike a blow (w kogoś, coś at sb, sth); kto ~ył pierwszy? who struck the first blow?; ~yć głową o coś to strike <to knock, to bump, to ram> one's head against sth; ~yć w stół <w krawężnik> to strike <to hit> the table <the kerb>; ~yła godzina the hour (has) struck; krew ~yła mu do głowy the blood mounted to his head; ~yć komuś do głowy a) (*o winie itd.*) to go to sb's head b) (*o sławie itd.*) to turn sb's head; ~yć w krzyk to raise a shout; ~yć w płacz to burst into tears; ~ył na niego zimny pot a cold sweat came over him; *przen.* woda sodowa ~yła mu do głowy he has a swelled head; *przysł.* ~ w stół, a nożyce się odezwą the cap fits 2. (*o dzwonie, dzwonku, trąbie itd.*) to sound; ~yć na alarm to sound the alarm; ~yć w czynele to clash the cymbals; ~yć w bębny to beat the drums; ~yć w dzwony to ring the bells; ~yć w struny gitary to touch the strings of a guitar; ~yć w trąby to sound the trumpets 3. (*atakować*) to attack <to assail> (na wroga the enemy); ~yć na zdobycz to swoop on the prey [III] *vr* ~ać, ~yć się 1. (*potrącać sobą o coś*) to hit <to strike, to bump, to knock> (o coś against sth) 2. (*uderzyć jakąś część swego ciała*) to slap (się w udo one's thigh); to tap (się w czoło one's forehead); ~yć się w piersi to beat one's breast

uderzająco *adv* strikingly

uderzając|y *adj* striking; arresting; (*o cesze*) salient; cecha ~a salience, saliency

uderzeni|e *sn* 1. *singt* ↑ uderzyć 2. (*raz, cios*) blow; knock; hit; stroke; bump; lekkie ~e tap; dab; flap; ~e w twarz slap <smack> in the face; box on the ears 3. (*zderzenie się*) impact; shock; clash; percussion; ~e bębna beat of a drum; ~e krwi do głowy cerebral congestion; rush of blood to the brain; ~e serca heartbeat; z ~em godziny on the stroke of the hour 4. *med.* ictus 5. *sport* stroke 6. *muz.* (pianist's) touch; mocne ~e big beat 7. *wojsk.* shock; przyjąć na siebie siłę ~a to bear the brunt of the attack

uderzeniow|y *adj* striking _ (force etc.); *wojsk.* grupa ~a shock troops; *muz.* instrumenty ~e percussion instruments; *med.* ~a dawka large initial dose; shock dose

uderzyć *zob.* uderzać

udławić *v perf* [I] *vt rz.* to choke [II] *vr* ~ się to get choked

udo *sn anat.* thigh

udobitniać *vt imperf* — **udobitnić** *vt perf* to make (sth) clear <distinct>

udobruchać *v perf* [I] *vt* to calm; to appease; to conciliate; to humour; to coax [II] *vr* ~ się to recover one's temper; to relent; to relax; to soften

udobruchanie *sn* (↑ udobruchać) appeasement; conciliation

udogodni|ć *vt perf* ~j — **udogodni|ać** *vt imperf* to facilitate; to improve; ~ć komuś robienie czegoś to make it easier for sb to do sth

udogodnieni|e *sn* 1. *singt* ↑ udogodnić 2. (*ulepszenie*) convenience; improvement; *pl* ~a facilities

udo|ić *vt perf* ~ję, udój, ~jony to draw off (a glassful etc.) of milk; ~ić szklankę <wiadro> mleka to draw a glassful <a pailful> of milk

udokumentować *vt perf* to supply documentary evidence (coś for sth)

udokumentowanie *sn* (↑ udokumentować) documentary evidence

udomowić *vt perf* — *rz.* **udomawiać** *vt imperf* to domesticate

udomowienie *sn* (↑ udomowić) domestication

udoskonal|ać *v imperf* — **udoskonal|ić** *v perf* [I] *vt* to perfect; to improve [II] *vr* ~ać, ~ić się to become perfected; to improve (*vi*)

udoskonalenie *sn* 1. *singt* ↑ udoskonalić 2. (*to, co ulepsza*) improvement

udoskonalić *zob.* udoskonalać

udostępni|ać *vt imperf* — **udostępni|ć** *vt perf* to render (sth) accessible; to throw (sth) open (to the public); to give <to offer> facilities (robienie czegoś for doing sth); to put (sth) within (komuś sb's) reach; ~ć komuś swoją bibliotekę <swoje zbiory itd.> to give sb the run of one's library <collection etc.>

udostępnienie *sn* (↑ udostępnić) facilities

udow|adniać *vt imperf* — **udow|odnić** *vt perf* ~odnij to prove; to demonstrate; to evidence; to substantiate (a charge); można to ~odnić it is demonstrable; wina została <nie została> ~odniona the guilt is proven <unproven>

udowodnienie *sn* (↑ udowodnić) proof(s); demonstration; evidence

udow|y *adj anat.* femoral; kość ~a femur; thigh-bone

udój *sm G.* udoju 1. (*dojenie*) milking 2. (*ilość udojonego mleka*) yield of milk at a milking

udramatyzować *vt perf* (*przystosować do wystawienia na scenie oraz nadać cechy dramatyczności*) to dramatize

udramatyzowanie *sn* (↑ udramatyzować) dramatization

udrap|ać *vt perf* ~ie = udrapnąć

udrapanie *sn* 1. ↑ udrapać 2. (*miejsce*) (a) scratch

udrapnąć *vt perf* to scratch

udrapnięcie *sn* 1. ↑ udrapnąć 2. (*miejsce*) (a) scratch

udrapować *vt perf* to drape; to hang (a building etc.) with drapery

udrapowanie *sn* 1. ↑ udrapować 2. (*dekoracja*) drapery; hangings

udrep|tać się *vr perf* ~cze <~ce> się *pot.* to walk oneself tired

udręcz|ać *v imperf* — **udręcz|yć** *v perf* [I] *vt* to torment; to harass; to distress; to worry; to bother; to pester [II] *vr* ~ać, ~yć się to be tormented <distressed, harassed>; to be in torment <in anguish>; to worry oneself to death

udręczenie *sn* 1. *singt* ↑ udręczyć 2. (*udręka*) torment; anguish; distress; worry; bother

udręczyć *zob.* udręczać

udręka *sf* torment; anguish; distress; worry; bother

udrożni|ć *vt perf* ~j *med.* to open a passage (coś in sth); to make (sth) permeable

udry *zob.* na udry

udrzeć *vt perf* udrę, udrze, udrzyj, udarł, udarty — *rz.* **udzierać** *vt imperf* **udzierany** to tear (sth) off

uduchowić *vt perf* to spiritualize *zob.* uduchowiony

uduchowienie *sn* (↑ uduchowić) soulfulness; deep feeling

uduchowiony [I] *pp* ↑ uduchowić [II] *adj* soulful; full of <expressing> deep feeling

udu|sić *v perf* ~szę, ~szony [I] *vt* 1. (*zadusić*) to strangle; to throttle; to smother; to stifle 2. *przen.* (*ukryć*) to smother; to stifle 3. *kulin.* to stew [II] *vr* ~sić się 1. (*zadusić się*) to be asphyxiated; to suffocate (*vi*) 2. *kulin.* to be stewed; to stew (*vi*)

uduszenie *sn* 1. ↑ udusić 2. (*zaduszenie*) strangulation; suffocation 3. ~ się asphyxiation; suffocation

udynamicznić *vt perf* to impart dynamism (coś to sth)

udzia|ł *sm G.* ~łu 1. (*uczestnictwo*) participation; ~ł we wspólnym dziele contribution to a common enterprise; ~ł w zbrodni complicity in a crime; brać <wziąć> ~ł w czymś to participate <to take part> (in sth); to be a party to sth; to be accessory to sth; zgłosić ~ł w konkursie <zawodach> to go in <to enter> for a competition 2. (*wkład do kapitału*) share; quota; ~ł w zyskach share <interest> in the profits; profit-sharing; dopuścić kogoś do ~łu w przedsiębiorstwie to interest sb in an enterprise 3. † (*to, co się dostaje*) portion; *obecnie w zwrotach*: jest moim ~łem <przypadło mi w ~le> ... a) (*mówiąc o zadaniu*) it has fallen to my lot to ... b) (*mówiąc o czymś, co się uważa za zaszczyt*) it is my privilege to ...

udziałow|iec *sm G.* ~ca partner; shareholder

udziałowy *adj* shareholding; joint-stock (company)

udziec *sm G.* udźca haunch (of venison); leg (of mutton); gammon (of bacon)

udziel|ać *v imperf* — **udziel|ić** *v perf* [I] *vt* to give (help, lessons, an interview, a reprimand etc.); to grant (a loan, permission etc.); to impart (information etc.); to dispense (sacraments); to furnish (komuś informacji itd. sb with information etc.); nie ~ić zgody na coś to withhold one's consent to sth; ~ać, ~ić komuś pierwszej pomocy to apply first-aid to sb; **~ać, ~ić poparcia** a) (*czemuś*) to encourage (sth); to approve (of sth) b) (*komuś*) to back (sb) [III] *vr* **~ać, ~ić się** 1. (*o chorobach itd.*) to be contagious 2. (*o nastrojach*) to pass on; to spread; **jego optymizm ~ił się całemu towarzystwu** his optimism spread to the rest of the company 3. (*obcować z ludźmi*) to communicate with people; to be sociable; to go out; to visit; **~ać się komuś** to keep company with sb; **nie ~ać się** to hold oneself aloof; to shun society

udzielenie *sn* ↑ **udzielić**

udzielić *zob.* **udzielać**

udzielnie *adv hist.* independently; sovereignly

udzielność *sf singt hist.* independence; sovereignty

udzielny *adj hist.* independent; sovereign

udziesięciokrotniać *vt imperf* — **udziesięciokrotnić** *vt perf* to increase (sth) tenfold

udziob|ać *vt perf* **~ie** to peck (a hole etc. in a fruit)

udźwięczni|ać *v imperf* — **udźwięczni|ć** *v perf* **~j** *jęz.* [I] *vt* to voice <to vocalize> (a sound) [III] *vr* **~ać, ~ić się** to become voiced <vocalized>

udźwięcznienie *sn* (↑ **udźwięcznić**) voicing <vocalization> (of a sound)

udźwiękowi|ać *vt imperf* — **udźwiękowi|ć** *vt perf* **~j** *film* to provide (a film) with a sound track

udźwig *sm G.* **~u** *techn. lotn.* lifting <safe carrying> capacity; maximum load

udźwign|ąć *vt perf* to raise; to lift; **ledwo ~ę ...** I can hardly raise <lift> ...

uelastyczni|ać *vt imperf* — **uelastyczni|ć** *vt perf* **~j** to elasticize; to give elasticity (**coś** to sth)

ufać *vi imperf* 1. (*mieć przekonanie*) to trust <to hope, to presume, to be confident, to be hopeful> (that ...) 2. (*darzyć zaufaniem*) to trust (**komuś** sb; **czemuś** in sth); to confide (**komuś** in sb); **nie ~ komuś** to distrust sb; to have no confidence in sb; **nie ~ sobie (samemu)** to be distrustful of oneself; **nie można mu ~** he is not trustworthy <not to be trusted>; **~ swemu szczęściu** <**swej pamięci**> to trust to one's luck <one's memory>

ufałdować *v perf* [I] *vt* 1. (*ułożyć w fałdy*) to drape 2. (*zmarszczyć*) to furrow (sb's brow etc.) [III] *vr* **~ się** (*ułożyć się w fałdy*) to drape (*vi*)

ufanie *sn* 1. ↑ **ufać** 2. † (*zaufanie*) confidence

ufarbować *v perf* [I] *vt* to dye [III] *vr* **~ się** 1. (*zostać ufarbowanym*) to be dyed 2. *pot.* (*zmienić kolor włosów*) to dye one's hair (**na kasztanowo, czarno itd.** auburn, black etc.)

ufetować *v perf* [I] *vt* to feast <to regale> (sb) [III] *vr* **~ się** to feast (*vi*); to regale oneself (**czymś** on sth)

ufnie *adv* confidently; trustfully; hopefully

ufnoś|ć *sf singt* confidence; trust; reliance; sanguineness; **mieć ~ć = ufać; z ~cią = ufnie; ~ć we własne siły** self-confidence

ufny *adj* confident; trustful; hopeful; reliant; sanguine; **~ w swoje siły** self-confident

ufonetyczni|ć *vt perf* **~j** to phoneticize

uformować *v perf* [I] *vt* 1. (*w znaczeniu fizycznym*) to form; to shape; to mould; to give (sth) a shape <the proper shape> 2. (*w znaczeniu ogólnym*) to form; to constitute; to make up 3. (*ustawić w porządku*) to form (ranks etc.); to draw up (a unit etc.) [III] *vr* **~ się** 1. (*powstać*) to take shape; to assume a shape; to come into being; to spring up 2. (*zostać ustawionym w porządku*) to form (into line etc.); to be drawn up

uformowanie *sn* (↑ **uformować**) formation

ufortyfikować *v perf* [I] *vt* to fortify (a town etc.) [III] *vr* **~ się** to fortify one's positions; to erect fortifications

ufortyfikowanie *sn* (↑ **ufortyfikować**) fortification(s)

ufryzowa|ć *v perf* [I] *vt* 1. (*uczesać*) to do <to dress> (**kogoś** sb's) hair 2. (*poddać zabiegowi kręcenia włosów*) to curl (**kogoś** sb's hair); **~na** in curls; with her hair curled [III] *vr* **~ć się** 1. (*ufryzować sobie włosy*) to do <to dress, to curl> one's hair 2. (*dać sobie ufryzować włosy*) to have <to get> one's hair done <dressed, curled>

ufryzowanie *sn* 1. ↑ **ufryzować** 2. (*fryzura*) coiffure; head-dress; *pot.* hair-do

ufundować *vt perf* 1. (*założyć*) to found (a college etc.); to set up (an institution etc.) 2. (*uczynić zapis*) to endow; to make an endowment (**coś of** sth) 3. (*ustanowić*) to establish (a chair in a university etc.)

ufundowanie *sn* (↑ **ufundować**) foundation; endowment

ugad|ać *v perf* — **ugad|ywać** *v imperf pot.* [I] *vt* to bring (sb) round to one's point of view; to get round sb [III] *vr* **~ać, ~ywać się** to talk to one's heart's content

ugadany [I] *pp* ↑ **ugadać** [III] *adj* talkative; chatty

ugalonować *vt perf* to braid

ugałęzienie *sn leśn.* ramifications

ugałęziony *adj* ramified

uganiaczka *sf singt pot. reg.* exertions; endeavours

uganiać *v imperf* [I] *vi* 1. (*biegać tu i tam*) to rush <to scamper> about; to dash around 2. = **~ się** 3. [III] *vr* **~ się** 1. = **~** *vi* 1. 2. (*ścigać*) to race <to chase> (**za kimś** sb); *pot.* (*zabiegać o względy*) **~ się za kimś** to seek sb's good graces; **~ się za kobietami** to run after women 3. (*zabiegać*) to seek (**za robotą** employment); to hunt (**za sławą itd.** after glory etc.); to strive (**za popularnością itd.** for popularity etc.)

ugarnirować *vt perf* 1. (*przybrać potrawę*) to garnish (a dish) 2. (*obszyć*) to trim (a hat etc.)

ugasać *zob.* **ugasnąć**

uga|sić *vt perf* **~szę, ~szony** — *rz.* **uga|szać** *vt imperf* 1. (*zagasić*) to put out <to extinguish> (a fire); **~sić wapno** to slake lime 2. *przen.* (*zaspokoić*) to quench (one's thirst, a desire etc.) 3. *przen.* (*stłumić*) to suppress (a rising etc.)

uga|snąć *vi perf* **~śnie, ~sł** — **ugasać** *vi imperf lit.* to go <to die, to burn> out

ugaszać *zob.* **ugasić**

ugaszczać *v imperf* — **ugościć** *v perf* **ugoszczę, ugoszczony** [I] *vt* to entertain <to feast> sb; to treat (**kogoś czymś** sb to sth) [III] *vr* **ugaszczać, ugościć się** to treat oneself (**czymś** to sth)

ugaszczanie *sn* (↑ **ugaszczać**) entertainment; treats

ugaszenie *sn* ↑ **ugasić** 1. (*zagaszenie*) extinction (of a fire) 2. *przen.* (*stłumienie*) suppression (of a rising etc.)

ugę|szczać *vt imperf* — **ugę|ścić** *vt perf* **~szczę, ~szczony** to thicken

ugiąć *zob.* **uginać**

ugier *sm G.* **ugru** ochre

ugięcie *sn* 1. ↑ **ugiąć** 2. *fiz.* deflection (of electromagnetic rays); diffraction (of light beams)

ugięciomierz *sm techn.* deflectometer; deflection indicator

ugi|nać *v imperf* **~nany** — **ugi|ąć** *v perf* **ugnę, ugnie, ugnij, ~ął, ~ęła ~ęty** [I] *vt* to bend; to deflect; to inflect; **~nać, ~ąć czoła przed czymś, kimś** to bow to <before> sth, sb; **~nać, ~ąć kolana** to bend the knee; to genuflect; *przen.* **trudy nie ~ęły jego żelaznej budowy** hardships failed to bend his iron frame [II] *vr* **~nać, ~ąć się** (*pochylać się*) to bend; to stoop; to sink; to sag; to give way; to groan <to labour> (under a load); (*o stołach*) to groan (**od potraw** with food); (*o drzewie*) **~nać się pod ciężarem owoców** to be weighed down with fruit; *przen.* (*o człowieku*) **~nać się pod ciężarem trosk** to be weighed down with cares

uginanie *sn* 1. ↑ **uginać** 2. *fiz.* deflection (of electromagnetic rays); diffraction (of light beams)

ugładz|ić *vt perf* **~ę, ~ony** — **ugładz|ać** *vt imperf* **~any** to smooth

ugła|skać *v perf* **~szcze** — *rz.* **ugła|skiwać** *v imperf* **~skiwany** [I] *vt* 1. (*wygładzić*) to smooth down 2. (*pogłaskać*) to stroke down 3. *pot.* (*udobruchać*) to appease; to conciliate; to humour; to coax [II] *vr* **~skać,** *rz.* **~skiwać się** to recover one's temper; to relent; to relax; to soften

ugłaskanie *sn* 1. ↑ **ugłaskać** 2. *pot.* (*udobruchanie*) appeasement; conciliation

ugniatacz *sm* (*pracownik*) kneader; *roln.* **~ podglebia** subsoil packer

ugni|atać *vt imperf* **~atany** — **ugni|eść** *vt perf* **~otę, ~ecie, ~eć, ~ótł, ~otła, ~etli, ~eciony** 1. (*ubijać*) to press; to crush; to weigh down; **~atać ciasto** to knead dough; **~atać ziemię dokoła świeżo posadzonej rośliny** to ram a plant 2. (*uwierać*) to exert a pressure; to hurt; (*o obuwiu*) to pinch 3. *przen.* (*gnębić*) to oppress; to grind down

ugniatanie *sn* (↑ **ugniatać**) pressure

ugniatar|ka *sf pl G.* **~ek** *techn.* kneader; kneading machine

ugnieść *zob.* **ugniatać**

ugn|oić *vt perf* **~oję, ~ój, ~ojony** 1. *roln.* (*użyźnić ziemię*) to manure 2. (*uwalać gnojem*) to soil with manure

ugod|a *sf pl G.* **ugód** 1. (*porozumienie*) agreement; settlement; compact; **zawrzeć ~ę** to come to terms 2. *hist.* (*ustępliwość wobec zaborców*) spirit <policy> of conciliation

ugodow|iec *sm G.* **~ca** advocate of conciliation

ugodowo *adv* 1. (*pojednawczo*) amicably 2. *hist.* in a spirit of conciliation

ugodowość *sf singt* 1. (*pojednawczość*) amicability 2. *hist.* spirit <policy> of conciliation

ugodowy *adj* 1. (*pojednawczy*) amicable 2. *hist.* conciliatory

ugodzenie *sn* (↑ **ugodzić**) (a) hit; blow

ugodz|ić *v perf* **~ę, ~ony** [I] *vt* 1. (*uderzyć*) to hit; to strike 2. (*zgodzić do służby*) to hire (sb) [II] *vr* **~ić się** (*dojść do porozumienia*) to come to terms

ugorować *vi imperf roln.* to lie fallow

ugorow|y *adj* lying fallow

ugoszczenie *sn* (↑ **ugościć**) entertainment; (a) treat

ugościć *zob.* **ugaszczać**

ugotowa|ć *v perf* [I] *vt* to prepare (a meal); to cook <to boil> (food); **~ć jajko na miękko <na twardo>** to boil an egg soft <hard>; **jajko na miękko <na twardo> ~ne** soft-boiled <hard-boiled> egg [II] *vr* **~ć się** (*o wodzie*) to boil (*vi*); (*o potrawie*) to be prepared

ugotowanie *sn* (↑ **ugotować**) preparation (of a meal)

ugór *sm G.* **ugoru** *roln.* (a) fallow; **leżeć ugorem** to lie fallow; *przen.* **pole leżące ugorem** fallow ground

ugrabić *vt perf roln.* to rake

ugracować *vt perf ogr.* to hoe

ugrofiński *adj* Finno-Ugric, Finno-Ugrian

ugruntow|ać *v perf* — **ugruntow|ywać** *v imperf* [I] *vt* to establish; to ground; to base; to strengthen [II] *vr* **~ać, ~ywać się** to be established <grounded, based>

ugruntowanie *sn* (↑ **ugruntować**) basis; establishment (of an institution etc.)

ugrupow|ać *v perf* — **ugrupow|ywać** *v imperf* [I] *vt* to group; to arrange in groups [II] *vr* **~ać, ~ywać się** to group (*vi*); to gather into groups; to assemble in groups

ugrupowanie *sn* 1. ↑ **ugrupować** 2. (*grupa*) (a) group

ugryjski *adj* Ugric, Ugrian

ugryz|ek *sm G.* **~ka** *rz.* piece bitten <broken> off; fragment

ugryzienie *sn* (↑ **ugryźć**) (a) bite

ugryziony [I] *pp* ↑ **ugryźć** [II] *adj bot.* (*o liściu*) premorse

ugry|źć *v perf* **~zę, ~zie, ~zł, ~ziony** [I] *vt* 1. (*odgryźć*) to bite (sth) off 2. (*złapać zębami*) to bite 3. (*o owadzie*) to sting; *przen. pot.* **co go ~zło?** what has come over him? [II] *vr* **~źć się** to bite (**w wargę, w palec itd.** one's lip, finger etc.); *przen.* **~źć się w język** to refrain from saying sth

ugrzecznienie *sn* courtesy; ceremoniousness; (excessive) politeness

ugrzeczniony *adj* courteous; ceremonious; (excessively) polite

ugrz|ęznąć <*rz.* **ugrz|ąźć**> *vi perf* **~ęźnie, ~ązł, ~ęzła, ~ęźli** to get <to be> stuck <caught> in the mud <mire>; to get bogged; *przen.* **słowa ~ęzły mi w gardle** words stuck in my throat

ugwarzać *vi imperf* — **ugwarzyć** *vi perf reg.* to chat

ugwieżdżony *adj emf.* starry; starlit

uhla *sf zool.* (*Melanitta fusca*) scoter

uhonorować *vt perf* to do <to pay> honour (**kogoś** to sb)

uintensywniać *vt imperf* — **uintensywnić** *vt perf* to intensify

uiszczenie *sn* (↑ **uiścić**) payment; **za ~m ...** against payment of ...

uiścić *vt perf* **uiszczę, uiszczony** — **uiszczać** *vt imperf* **uiszczany** to pay (a sum, a bill etc.); to remit (a sum); to discharge <to acquit> (a debt)

ujadać *v imperf* [I] *vt zob.* **ujeść** [II] *vi* 1. (*szczekać*) to bark 2. *pot.* (*kłócić się*) to quarrel; to wrangle 3. *pot.* (*złośliwie krytykować*) to pick to pieces [III] *vr* **~ się** *pot.* to quarrel; to wrangle

ujadanie *sn* 1. ↑ **ujadać** 2. (*szczekanie*) bark (of dogs)

ujarzmi|ać *vt imperf* **~any** — **ujarzmi|ć** *vt perf vt* to subjugate; to enslave; to enthral(l)

ujarzmienie *sn* (↑ **ujarzmić**) subjugation; enslavement

ujawni|ać *v imperf* **~any** — **ujawni|ć** *v perf* **~j, ~ony** [I] *vt* 1. (*wykrywać*) to disclose; to reveal;

to expose; to unmask; to lay open (a scheme etc.) 2. (*robić widocznym*) to bring to light; to show; to manifest [II] *vr* **~ać, ~ć się** 1. (*wychodzić na jaw*) to come to light; to be disclosed <revealed> 2. (*przejawiać się*) to appear; to become manifest <evident> 3. *polit.* to come out into the open; to come out of hiding

ujawnienie *sn* (↑ **ujawnić**) disclosure; exposure; manifestation

ująć *v perf* **ujmę, ujmie, ujmij, ujął, ujęła, ujęty — ujmować** *v imperf* **ujmowany** [I] *vt* 1. (*chwycić*) to seize; to grasp; to catch hold (**coś** of sth); **ująć kogoś w karby** <**kluby, garść**> to bring sb under control; **ująć kogoś za puls** to feel sb's pulse; **ująć rządy** <**władzę**> to assume <to seize> the reins of government 2. (*objąć*) to clasp <to embrace, to enfold> (**kogoś w ramiona** sb in one's arms) 3. (*schwytać*) to apprehend <to detain> (a criminal etc.) 4. (*obramować*) to enclose; to frame; to encircle; to line (a path with trees etc.); to harness (a river) 5. (*sformułować*) to formulate; to express; to draw up; to put into words; **ująć coś w sposób właściwy** <**niewłaściwy**> to put a good <false> construction on sth 6. (*zjednać sobie*) to win (**kogoś** sb's heart); to captivate; to endear oneself (**kogoś** to sb); to ingratiate oneself (**kogoś** with sb); **on mnie ujął swoim zachowaniem** his conduct prepossessed me in his favour 7. (*umniejszyć*) to lessen; to diminish; to retrench 8. *przen.* (*przynieść ujmę*) to depreciate; to derogate [II] *vr* **ująć, ujmować się** 1. (*chwycić się wzajem*) to take <to seize, to catch> each other (**za ręce itd.** by the hand etc.); (*chwycić siebie samego*) to clutch (**za głowę itd.** at one's head etc.); **ująć się pod boki** to stand with arms akimbo 2. (*stanąć w czyjejś obronie*) to stand up <to take up the cudgels> (**za kimś** for sb); **ująć, ujmować się za kimś** to take sb's part [III] *vi* to seize <to grasp> (**za coś** sth); **ująć za broń** to take up arms; to rise up in arms

uje|chać *vt perf* **ujadę, ~dzie, ~dź, ~chał, ~chano — ujeżdżać** *vt imperf* to travel <to drive, to ride> (a distance)

ujednolicać *zob.* **ujednolicić**

ujednolicenie (*sn* ↑ **ujednolicić**) standardization; uniformity; unification

ujednolic|ić *vt perf* **~ę, ~ony — ujednolic|ać** *vt imperf* **~any** to standardize; to adopt <to introduce> a uniform system (**coś** in <for> sth); to unify

ujednor|odnić *v perf* — **ujednor|odniać** <*rz.* **ujednor|adniać**> *v imperf* [I] *vt* to make <to render> homogeneous; to homogenize [II] *vr* **~odnić, ~odniać,** *rz.* **~adniać się** to become homogeneous; to acquire homogeneity; to homogenize

ujednostajni|ć *v perf* **~j — ujednostajni|ać** *v imperf* **~any** [I] *vt* 1. (*uczynić jednostajnym*) to standardize; to adopt <to introduce> a uniform system (**coś** in <for> sth); to regulate 2. (*zrównać*) to even out [II] *vr* **~ć, ~ać się** to become uniform

ujednostajnienie *sn* (↑ **ujednostajnić**) standardization; regulation

ujemnie *adv* 1. (*nie pozytywnie*) negatively 2. (*niekorzystnie*) unfavourably; depreciatingly; detrimentally; damagingly; disadvantageously 3. (*szkodliwie*) harmfully; **~ działać** to harm; to be harmful

ujemn|y *adj* 1. (*niepozytywny*) negative (value, pole, electron, result etc.); minus — (charge etc.); *jęz.* pejorative; **bilans ~y** adverse balance 2. (*niekorzystny*) unfavourable; disadvantageous; depreciating; detrimental; damaging; **~a strona** defect; disadvantage; drawback; snag; **~e strony posiadanych zalet** the defects of one's qualities 3. (*szkodliwy*) harmful; injurious

ujeść *v perf* **ujem, uje, ujedzą, ujedz, ujadł, ujedli, ujedzony** — *rz.* **ujadać** *v imperf* **ujadany** to eat a little <some> (of the food, dish, loaf etc.) *zob.* **ujadać**

uje|ździć *vt perf* **~żdżę, ~żdżony — uje|żdżać** *vt imperf* **~żdżany** 1. (*ułożyć do chodzenia pod siodłem*) to break in (a horse) 2. (*o szosie*) **~żdżona** smoothed by the wheels of many carriages <by the runners of sleighs>

ujeżdżalni|a *sf pl G.* **~** riding-school; manege

ujęcie *sn* 1. ↑ **ująć** 2. (*chwycenie*) seizure; grasp; hold; embrace 3. (*obramowanie*) frame; **~ wody** water intake 4. (*sformułowanie*) formulation <expression> (of an idea etc.); turn (of a sentence)

ujędrni|ać *vt imperf* **~any — ujędrni|ć** *vt perf* **~j, ~ony** to give firmness <compactness> (**coś** to sth)

ujm|a *sf* disparagement; discredit; detriment; reflection; prejudice; **przynosić komuś ~ę** to be detrimental <prejudicial> to sb; to reflect on sb; **bez ~y dla kogoś** without detriment <prejudice> to sb; **z ~ą dla kogoś** to the detriment <prejudice> of sb

ujmować *zob.* **ująć**

ujmowanie *sn* ↑ **ujmować**

ujmująco *adv* prepossessingly; engagingly; winsomely

ujmujący *adj* prepossessing; engaging; winsome

ujrz|eć *v perf* **~y, ~yj** *lit.* [I] *vt* to see; to get a sight <glimpse, peep> (**kogoś, coś** of sb, sth); to catch a glimpse (**kogoś, coś** of sb, sth); **~eć światło dzienne** to see the light of day; (*o książce*) to come out; to be published <issued>; **~eć to uwierzyć** seeing is believing [II] *vr* **~eć się** to see oneself (**w lustrze** in the looking-glass; **w danym położeniu** in a given situation)

ujście *sn* 1. ↑ **ujść** 2. (*oddalenie się*) withdrawal; escape; retreat; evasion 3. (*wylot*) issue; outlet; *przen.* **znaleźć ~ dla swego gniewu** <**oburzenia itd.**> to find vent for <to give vent to> one's anger <indignation etc.> 4. *geogr.* mouth <estuary> (of a river)

ujściowy *adj* (region etc.) of a river's mouth

ujść *vi perf* **ujdę, ujdzie, ujdź, uszedł, uszła — uchodzić** *vi imperf* **uchodzę** 1. (*oddalić się*) to withdraw; to retire; to go away 2. (*umknąć*) to escape; to evade pursuit; *wojsk.* to retreat; **ujść cało** to escape <to come out> safe and sound; **ujść czyjegoś oka** to escape detection by sb; **ujść czyjejś ręki** to elude sb; **ujść czyjejś pamięci** to slip sb's memory; **ujść sprawiedliwości** to elude justice; to abscond; **ujść uwagi** to escape notice; **ujść z życiem** to save one's neck <one's carcass> 3. *przen.* (*o cieczach — upłynąć*) to leak 4. *imperf przen.* (*o rzekach*) to flow; to empty <to discharge> itself; to debouch 5. *przen.* (*o gazach*) to escape 6. *perf* (*przebyć drogę*) to go (a distance) 7. *imperf* (*być poczytywanym*) to pass for <to be reputed

to be, to have the reputation of being> (**za artystę, dobrego specjalistę itd.** an artist, a good specialist etc.); **chcieć uchodzić za ...** to pretend to be ... 8. *perf* (*udać się*) to get away with it; **uszło mu bezkarnie** he went scot-free; **nie ujdzie ci to** you shan't get away with it; you shall smart for this 9. † *perf* (*nadawać się*) to pass; *obecnie w zwrotach*: **nie uchodzi** it is not seemly <suitable>; **nie uchodzi, żebym się chwalił** it is not seemly <it won't do> for me to praise myself; *pot.* **to ujdzie (w tłoku)** it's fair to middling

ukajać *zob.* **ukoić**

ukamienować *vt perf* to stone (sb) to death; to lapidate

ukamienowanie *sn* (↑ **ukamienować**) lapidation

ukap|ać *vi perf* **~ie** to drip

ukapitalistyczni|ć *v perf* **~ony — ukapitalistyczni|ać** *v imperf* **~any** [I] *vt* to introduce the capitalistic system (**coś** in sth) [II] *vr* **~ć, ~ać się** to adopt the capitalistic system

uka|rać *vt perf* **~rze** to punish; to inflict punishment (**kogoś** on sb); *sport* to penalize; **zostać ~ranym** to be punished; to suffer punishment

ukaranie *sn* (↑ **ukarać**) punishment; penalty

ukarbować *vt perf* to corrugate (iron etc.); to curl (the hair)

ukarminować *vt perf* to paint (lips) with carmine; to redden (**sobie usta** one's lips)

ukartować *vt perf* — *rz.* **ukartowywać** *vt imperf* to plot; to scheme; to plan; to design; to device; to conspire

ukartowanie *sn* (↑ **ukartować**) (a) plot; scheme; plan

ukatrupić *vt perf sl.* to make away (**kogoś** with sb); to kill; to assassinate

ukaz *sm G.* **~u** ukase

uka|zać *v perf* **~że — uka|zywać** *v imperf* **~zywany** [I] *vt* to show; to reveal; to exhibit; to present to the eyes [II] *vr* **~zać, ~zywać się** 1. (*pokazać się*) to appear; to come into sight <into view> (*o człowieku*) to make one's appearance; to turn up (at a meeting etc.); *teatr* to make one's entry; **~zać się przed kurtyną (na oklaski publiczności)** to take one's call; **~zać się na widnokręgu** to heave into sight; to loom; **piękny widok ~zał się naszym oczom** a lovely view unfolded itself before our eyes; (*o duchu, zjawie*) **~zywać się komuś** to haunt sb; **tam się duchy ~zują** the place is haunted 2. (*przejawiać się*) to manifest itself; to emerge; to crop up; to arise 3. (*o publikacji*) to appear (in print); to be published; to come out; **ma się ~zać** is forthcoming

ukazanie *sn* ↑ **ukazać** 1. (*pokazanie*) show; revelation; exhibition; apparition; advent 2. **~ się** (*pokazanie się*) appearance; entry 3. **~ się** (*pojawienie się*) manifestation 4. **~ się** (*wyjście w druku*) issue

ukazywać *zob.* **ukazać**

ukąp|ać † *v perf* **~ie** [I] *vt* to bath (a child, an invalid) [II] *vr* **~ać się** to take a bath; to bathe

uką|sić *vt perf* **~szę, ~szony** 1. (*ugryźć*) to bite 2. (*użądlić*) to bite; to sting 3. (*odgryźć*) to bite off

ukąszenie *sn* (↑ **ukąsić**) bite; sting

ukierunkować *vt perf* to direct; to steer

uki|sić *vt perf* **~szę, ~szony** to pickle (cabbage)

ukle|ja *sf G.* **~i** *zool.* **~ja biała** (*Alburnus lucidus*) bleak

uklejnoc|ić *vt perf* **~ę** to adorn <to set> with jewels

uklep|ać *vt perf* **~ię — uklep|ywać** *vt imperf* **~ywany** to pat down; to flatten

ukl|ęknąć *vi perf* **~ąkł <~ęknął>, ~ękła** to kneel down; to genuflect

uklęknięcie *sn* (↑ **uklęknąć**) genuflexion

układ *sm G.* **~u** 1. (*ułożenie*) arrangement; disposition; scheme; *gram.* construction <cast, turn> (of a sentence); *druk.* make-up; (the) take 2. (*struktura*) structure; constitution; *geogr.* configuration; lay-out; lie of the land; system 3. (*system*) system; *anat.* constitution; system; make-up; habit (**psychiczny itd.** of mind etc.); **~ naczyniowy <nerwowy itd.>** vascular <nervous etc.> system; *mat.* **~ dziesiętny <metryczny itd.>** decimal <metric etc.> system; **~ odniesienia** reference system; *miner.* **~ krystalograficzny** crystal <crystallographic> system 4. (*umowa*) agreement; settlement; contract; *polit.* treaty; *handl.* **~ z wierzycielami** compound; compromise 5. *pl* **~y** (*pertraktacje*) negotiations; **prowadzić ~y w sprawie pokoju <rozejmu itd.>** to negotiate a peace <a cease-fire etc.> 6. *chem.* system; **~ koloidalny <koloidowy>** colloidal system; **~ okresowy pierwiastków <Mendelejewa>** periodic table <system>; Mendeleeff system 7. *techn.* (mechanical etc.) network; gear; (medical, electrical etc.) system; **~ sterujący** control system; **~ zasilania** feed <supply> system

układacz *sm techn.* packer; layer

układać *v imperf* **układany — ułożyć** *v perf* **ułóż** [I] *vt* 1. (*kłaść*) to put (down); to lay; to set; to place; to stack (wood, plates, coal, hay etc.) 2. (*porządkować*) to arrange 3. (*nadawać kształt*) to arrange; to shape; **on dobrze sobie ułożył życie** he has shaped his life conveniently; **układać, ułożyć komuś <sobie> włosy** to set sb's <one's> hair; **układać, ułożyć tkaninę w fałdy** to drape a cloth; to gather a cloth into folds; **układać, ułożyć włosy w loki** to curl hair 4. (*kłaść w pozycji leżącej*) to lay (down); to put down; **układać, ułożyć dziecko spać** to put a child to bed 5. (*układać części składowe*) to compose; to lay out <to arrange> (**coś we wzór** sth into a pattern); to lay (pipes, rails etc.) 6. (*zestawić*) to draw up <to make> (a list etc.); to arrange (sth in alphabetical order etc.); **układać pasjansa** to play patience 7. (*komponować tekst, melodię*) to compose; (*redagować*) to draw up; to draft; to formulate; to cast <to frame, to couch> (a sentence) 8. (*wyrabiać nawyki*) to train; to school; to bring up; to educate; **dobrze ułożony człowiek** well-bred <well brought-up> person 9. (*planować*) to plan; to design; to propose; to conceive <to make> a plan (**coś** of sth) [II] *vr* **układać, ułożyć się** 1. (*umieszczać się w pozycji leżącej*) *imperf* to lie; *perf* to lie down; to settle down (to rest, to sleep); **ułożyć się wygodnie** to assume a comfortable position 2. (*przybierać kształt*) to assume a shape; (*o tkaninie*) **układać się w fałdy** to fall into folds 3. (*o stosunkach — stabilizować się*) to shape; to turn <to pan> out; **jeżeli wszystko ułoży się dobrze** if things shape <turn, pan out> well 4. (*pertraktować*) to come to an understanding <to an arrangement, to terms> *imperf* to negotiate; *perf imperf* to contract; *wojsk.* to parley; *handl.* **ułożyć się z wierzyciela-**

mi to compound; to compromise; *dypl.* **wysokie układające się strony** the high contracting parties

układanie *sn* ↑ **układać** 1. (*umieszczanie, porządkowanie*) arrangement 2. (*komponowanie*) composition; (*redagowanie*) draft; formulation; cast (of a sentence) 3. (*wyrabianie nawyków*) up-bringing 4. **~ się** (*pertraktowanie*) negotiations; *wojsk.* parleys

układan|ka *sf pl G.* **~ek** (*zabawka*) building blocks

układnie *adv* politely; affably; courteously

układność *sf singt* politeness; affability; courtesy; urbanity; mannerliness

układn|y *adj* polite; affable; courteous; urbane; mannerly; **~e obejście** pleasing address

układowy *adj med.* systemic

ukłon *sm G.* **~u** bow; greeting; *wojsk.* salute; *pl* **~y** greetings; compliments; kind regards; **oddać komuś <odpowiedzieć na> ~** to return sb's greeting; **rodzice przesyłają ~y** my parents ask to be remembered to you <send their regards>; **złożyć głęboki ~** to drop a curtsy

ukłonić się *vr perf* to bow (to sb); to greet (**komuś** sb); **~ się komuś w pas** to bow low to sb

ukłucie *sn* ↑ **ukłuć** 1. (*nakłucie*) prick (of a needle, thorn etc.); prod (of a bayonet etc.); **~ szpilki** pinprick 2. (*użądlenie*) sting 3. (*ból*) twinge; sharp pain

ukłu|ć *v perf* **~je** <**ukole**>, **~j** <**ukol**>, **~ty** [I] *vt* 1. (*nakłuć czymś ostrym*) to prick (sb, sth); **~ć kogoś igłą <bagnetem itd.>** to give sb a prick with a needle <a prod with a bayonet etc.> 2. (*użądlić*) to sting [II] *vr* **~ć się** to prick (**w palec** one's finger); **~ć się cierniem <kolcem>** to get pricked with a thorn

uknucie *sn* (↑ **uknuć**) plot

uknu|ć *vt perf* **~je, ~ty** to plot; to scheme; to plan; to design; to devise; to conspire; **~ć spisek** to hatch a plot

ukoch|ać *vt perf* — *rz.* **ukoch|iwać** *vt imperf* to conceive an affection (**kogoś** for sb); to become attached (**kogoś, coś** to sb, sth); to grow very fond (**kogoś, coś** of sb, sth); (*mówiąc do dziecka*) **~aj ciocię** give auntie a hug

ukochanie *sn* 1. (↑ **ukochać**) love (of <for> sb); affection (**kogoś** for sb); fondness (**czegoś** for sth) 2. *lit.* (*osoba, rzecz — przedmiot miłości*) love

ukochan|y [I] *pp* (↑ **ukochać**) beloved [II] *sm* **~y**, *sf* **~a** sweetheart; darling; pet

ukochiwać *zob.* **ukochać**

ukoiciel *sm rz.*, **ukoiciel|ka** *sf pl G.* **~ek** *rz.* soother

uko|ić *vt perf* **~ję, ukój, ~jony** to soothe <to appease, to console> (sb, one's, sb's nerves); to alleviate <to allay> (pain, sorrow etc.)

ukojenie *sn* 1. ↑ **ukoić** 2. (*stan*) consolation; alleviation

ukojny *adj lit.* soothing

ukoły|sać *vt perf* **~sze, ~sany** to rock (a child) to sleep; *dosł. i przen.* to lull

ukonkretni|ać *v imperf* **~any** — **ukonkretni|ć** *v perf* **~j, ~ony** [I] *vt* to give substance (**coś** to sth) [II] *vr* **~ać, ~ć się** to materialize

ukonstytuować *v perf prawn.* [I] *vt* to constitute; to establish; to set up; to form [II] *vr* **~ się** to be constituted <established, set up, formed>

ukonstytuowanie *sn* (↑ **ukonstytuować**) constitution; establishment; formation

ukontentować *v perf lit.* [I] *vt* to content; to please [II] *vr* **~ się** to be content <contented, pleased>; to content oneself (**czymś** with sth)

ukontentowanie *sn lit.* 1. ↑ **ukontentować** 2. (*zadowolenie*) content; pleasure; satisfaction

ukończeni|e *sn* (↑ **ukończyć**) completion; **~e szkoły** completion of one's (primary, secondary) education; **~e studiów** graduation; **na ~u** near <nearing> completion

ukończ|yć *vt perf* to finish; to end; to complete; to bring to an end <to a close>; **~yć szkołę** to leave school; to complete one's (primary, secondary) education; **~yć uniwersytet <studia>** to graduate; to take one's degree; **mieć ~oną szkołę** to have one's school certificate; **~ony prawnik <zoolog itd.>** diploma'd <qualified> lawyer <zoologist etc.>

ukop *sm G.* **~u** *pot.* (*to, co zostało ukopane*) borrow (pit); (*urobek z nakopania*) excavated material

ukop|ać *vt perf* **~ie** to excavate

ukoronować *v perf* [I] *vt dosł. i przen.* to crown [II] *vr* **~ się** to assume the crown; to be crowned

ukoronowanie *sn* 1. (↑ **ukoronować**) coronation 2. (*szczytowe osiągnięcie*) crowning achievement <success, happiness etc.>; **to jest ~ wszystkiego!** that crowns all!

ukorzeniać się *vr imperf* — **ukorzenić się** *vr perf* to take root

ukorzeniony *adj* rooted

ukorzyć *v perf* **ukórz** *lit.* [I] *vt* to humiliate; to humble; to bring low [II] *vr* **~ się** to humble oneself

ukos[1] *sm G.* **~u** incline; slant; bevel; bias

na ~ obliquely; aslant; on the bias; diagonally

z ~a askance; awry; **patrzeć z ~a** a) (*zerkać w bok*) to squint b) *przen.* (*patrzeć podejrzliwie*) to look askance <awry> (**na kogoś, coś** at sb, sth); to frown (**na coś** upon sth)

ukos[2] *sm G.* **~u** *rz. roln.* crop

uko|sić *vt perf* **~szę, ~szony** to mow (**trawy itd.** some grass etc.)

ukosować *vt perf techn.* to bevel (off); to cham(p)fer

ukośnica *sf bot.* (*Begonia*) begonia

ukośnicowat|y *bot.* [I] *adj* begoniaceous [II] *spl* **~e** (*Begoniaceae*) the Begonia family

ukośnie *adv* obliquely; aslant; awry; on the bias; diagonally; slantwise; on the slant

ukośnik *sm mat.* rhomb(us)

ukośn|y *adj* sloping; slant(ing); oblique; diagonal; skew; **~e spojrzenie** a) (*ukradkowe*) side-glance; squint b) (*kokietujące*) sidelong glance c) (*niechętne*) scowl; lour, lower;frown

ukracać *zob.* **ukrócić**

ukracanie *sn* (↑ **ukracać**) suppression <reform> (of abuses etc.)

ukradkiem *adv*, **ukradkowo** † *adv* furtively; surreptitiously; stealthily; by stealth; **przemknąć <wśliznąć> się ~** to steal in; **posuwać się ~** to steal along; **wynieść się ~** to steal out; **spojrzeć ~** to cast a furtive <covert> glance; **zrobiony ~** surreptitious

ukradkow|y *adj* furtive; stealthy; surreptitious; **~e spojrzenie** furtive <covert> glance; squint

ukradzenie *sn* ↑ **ukraść**

Ukrai|niec *sm G.* **~ńca, Ukrain|ka** *sf pl G.* **~ek** (a) Ukrainian

ukrainizacja *sf singt* Ukrainization; Ukrainizing

ukrainizm *sm G.* **~u** Ukrainism; Ukrainian idiom

ukrainizować *v imperf* [I] *vt* to Ukrainize [II] *vr* **~ się** to become Ukrainized

ukraiński *adj* Ukrainian; **język ~** Ukrainian

ukraińskość *sf singt* Ukrainian nationality

ukrajać *zob.* **ukroić**

ukra|ść *vt perf* **~dnę, ~dnie, ~dł, ~dziony** to steal (**coś komuś** sth from sb); to rob (**coś komuś** sb of sth); *żart.* **~ść całusa** to steal a kiss

ukrawać *zob.* **ukroić**

ukręcać *zob.* **ukręcić**

ukręc|ić *vt perf* **~ę, ~ony** — **ukręc|ać** *vt imperf* **~any** 1. (*urwać*) to tear <to wrench> (sth) off; *pot.* **~ić kurczęciu <komuś> łeb** to wring a chicken's <sb's> neck; *przen.* **~ić czemuś <nadużyciom itd.> kark** to suppress <to do away with> sth <abuses etc.> 2. (*spleść*) to plait; to twist; *przen.* **~ić bicz na siebie** to make a rod for one's own back 3. (*obracać w palcach, aby nadać kształt kulisty*) to roll (sth) into a pellet

ukrochmalić *vt perf* to starch

ukr|oić *vt perf* **~oję, ~ój, ~ojony** — **ukr|ajać** *vt imperf* **~ajany**, *rz.* **ukr|awać** *vt imperf* **~awany** to cut off; **~oiła mi chleba** she cut me a slice of bread

ukrojenie *sn* ↑ **ukroić**

ukrop *sm G.* **~u** boiling water; **kręcić <zwijać się> jak mucha w ~ie** to bustle about feverishly

ukrócenie *sn* (↑ **ukrócić**) suppression <reform> (of an abuse etc.)

ukr|ócić *vt perf* **~ócę, ~ócony** — **ukr|ócać** *vt imperf* **~ócony**, *rz.* **ukr|acać** *vt imperf* **~acany** to suppress <to reform> (abuses etc.); to check <to put an end to> (sth); **~ócić kogoś** to curb <to daunt> sb

ukruszyć *v perf* [I] *vt* to crumble (sth); to break off; **~ sobie ząb** to break a tooth [II] *vr* **~ się** to crumble (*vi*)

ukrwienie *sn singt anat.* blood supply <flow>

ukrwiony *adj med.* blood-supplied

ukryci|e *sn* 1. (↑ **ukryć**) concealment; cover 2. (*schowek*) place of concealment; hiding-place; **pozostawać w ~u** to hide (*vi*); **trzymać się w ~u** to keep out of sight; **w ~u** in secret; on the quiet; **w ~u przed kimś** without sb's knowledge; **z ~a** from hiding; **strzelać z ~a** to snipe; (**morderca itd.**) **strzelający z ~a** sniper

ukry|ć *v perf* **~je, ~ty** — **ukry|wać** *v imperf* **~wany** [I] *vt* 1. (*schować*) to conceal; to hide; to put (sth) away <out of sight>; (*o chorobie itd.*) **~ty** occult; latent; delitescent; **~te zamiary** ulterior designs; (*o szczytach gór itd.*); **~ty w chmurach <we mgle>** wrapped <shrouded> in clouds <in mist>; **~ła twarz w rękach** she buried her face in her hands; **~wać coś pod maską <płaszczykiem>** to mask <to disguise> sth 2. (*udzielić schronienia*) to harbour <to give shelter to> (a criminal etc.) 3. (*zataić*) to conceal <to suppress> (a feeling etc.); to cover up (the truth etc.); to keep (sth) secret; to hold back <to keep, to hide, to withhold> (**coś przed kimś** sth from sb); to dissemble <to dissimulate, to disguise> (one's feelings etc.); to veil (one's designs); **nic nie ~wając** undisguisedly [II] *vr* **~ć, ~wać się** 1. (*schować się*) to hide (oneself); to go into hiding 2. (*zostać zasłoniętym*) to be hidden 3. *imperf* (*nie zdradzać się*) to keep (**z czymś** sth) secret; to refrain from disclosing (**z czymś** sth) 4. (*zostać utajonym*) to lurk; to skulk; (*pozostać w tajemnicy*) to remain <to stay> secret 5. *imperf* (*być schowanym*) to be <to lie> hidden <concealed>

ukrzyżować *vt perf* to crucify

ukrzyżowanie *sn* (↑ **ukrzyżować**) crucifixion

ukrzyżowany [I] *pp* ↑ **ukrzyżować** [II] *adj* crucified; on the Cross

ukształtować *v perf* [I] *vt* to shape; to fashion; to form; to frame; to cast; to put into shape [II] *vr* **~ się** to be shaped <formed, fashioned>; to assume a shape <form>

ukształtowanie *sn* 1. ↑ **ukształtować** 2. (*kształt*) form; shape 3. *geogr. geol.* configuration

ukucie *sn* ↑ **ukuć**

ukucnąć *vi perf* to squat

uku|ć *vt perf* **~je, ~ty** — *rz.* **uku|wać** *vt imperf* **~wany** 1. (*wykuć*) to forge; to hammer 2. *przen.* to produce (a poem etc.); to concoct (verses etc.) 3. (*ułożyć, wymyślić*) to coin (new words etc.)

ukulele *s indecl muz.* ukulele

ukulturalni|ć *vt perf* **~j, ~ony** — **ukulturalni|ać** *vt imperf* **~any** to refine; to civilize

ukuwać *zob.* **ukuć**

ukwap *sm G.* **~u** *bot.* (*Antennaria*) cudweed

ukwa|sić *vt perf* **~szę, ~szony** — **ukwa|szać** *vt imperf* **~szany** 1. (*zrobić kwaśnym*) to sour; to make acid 2. *kulin.* (*ukisić*) to pickle

ukwiały *spl zool.* (*Actiniaria*) (*rząd*) the order Actiniaria

ukwiecenie *sn* ↑ **ukwiecić**; **~ stylu** floweriness of style

ukwiec|ić *vt perf* **~ę, ~ony** to adorn <to deck> with flowers

ukwiecony [I] *pp* ↑ **ukwiecić** [II] *adj* (*o łące itd. oraz o stylu*) flowery

ul *sm* 1. (*pomieszczenie dla pszczół*) (bee)hive; **tam wre jak w ulu** the place is a pandemonium 2. *pot.* (*areszt*) jug; clink; **on siedzi w ulu** he is in jug <in clink>

ulać *v perf* **ulany** — **ulewać** *v imperf* **ulewany** [I] *vt* 1. (*odlać*) to pour off (**trochę wody <wina, zupy itd.>** some of the water <wine, soup etc.>); *chem.* to decant 2. (*zrobić odlew*) to cast (metal, a bell, statue etc.); *pot.* **jak ulał** to a nicety; to a T; to a miracle; **płaszcz leży jak ulał** the coat fits (you) like a glove [II] *vr* **ulać, ulewać się** to flow away

ulatać *vi imperf lit.* = **ulatywać** 1., 2.

ulatniać się *vr imperf* — **ulotnić się** *vr perf* **ulotnij się** 1. (*o ciałach lotnych — wyparowywać*) to volatilize; to evaporate 2. *przen.* (*o niechęci itd.*) to melt away; to cease 3. (*wydobywać się*) to leak; to escape 4. *pot.* (*znikać*) to disappear; to vanish; (*o człowieku*) to make away; (*o przedmiocie*) to take wings to itself

ulatnianie się *sn* 1. ↑ **ulatniać się** 2. (*wyparowywanie*) volatilization; evaporation 3. (*wydobywanie się*) leak; escape 4. *pot.* (*znikanie*) disappearance

ulatniający się *adj* volatile

ulatywać *vi imperf* — **ulecieć** *vi perf* **ulecę, uleci** 1. (*o ptakach, owadach*) to fly away; *przen.* **ulatywać, ulecieć komuś z pamięci** to slip sb's memory

2. (*wzbijać się w powietrze*) to rise in the air 3. (*ulatniać się*) to evaporate 4. (*uchodzić*) to escape 5. *przen.* (*o czasie itd.* — *przemijać*) to pass by

ulatywanie *sn* 1. ↑ **ulatywać** 2. (*odlatywanie*) flight 3. (*ulatnianie się*) evaporation 4. *przen.* (*przemijanie*) passage (of time etc.)

uląc <**ulęgnąć**> *v perf* **ulągł, ulęgła, ulęgnięty** — **ulęgać** *v imperf* [I] *vt* (*urodzić*) to hatch (chicks etc.) [II] *vr* **uląc, ulęgnąć, ulęgać się** to hatch (*vi*); to be hatched

uląc się *zob.* **ulęknąć się**

ule|c <*rz.* **ule|gnąć**> *vi perf* **~gnie, ~gł, ~gły** — **ule|gać** *vi imperf* 1. (*poddać się*) to succumb; to submit; (*uznać przewagę*) to be worsted; to give in; to surrender; to go under; *sport* to be defeated 2. *przen.* (*o budowli*) to cave in 3. (*doznać działania*) to undergo <to be subject to> (**zmianom, krytyce itd.** change, criticism etc.); to suffer (destruction etc.); to meet (**wypadkowi** with an accident); **~c zepsuciu** to spoil (*vi*); to get spoiled; **nie ~ga wątpliwości że ...** there is no doubt that ... 4. (*doznać uczucia*) to experience; to feel; to be seized (**uczuciu** with a feeling); to be overcome (**wzruszeniu itd.** by emotion etc.); (*poddać się*) to yield <to fall> (**pokusie** to temptation); **~c wrażeniu, że ...** to have an <the> impression that ... 5. (*o kobiecie — zgodzić się na stosunek płciowy*) to give in (to sb) 6. (*podlegać*) to be subject (to diseases, a penalty etc.)

ulecieć *zob.* **ulatywać**

uleczać *zob.* **uleczyć**

uleczalność *sf singt* remediableness; curability; curableness; medicability

uleczalny *adj* curable; remediable; medicable

uleczeni|e *sn* (↑ **uleczyć**) cure; **nie do ~a** uncurable; beyond <past> recovery

uleczyć *vt perf* — *rz.* **uleczać** *vt imperf lit.* to cure; to heal; to restore (sb) to health

ulegać *zob.* **ulec**

ulegający *adj* 1. (*poddający się*) subject <pervious> (to sth); **~ zepsuciu** apt to spoil; perishable (goods) 2. = **uległy**

ulegalizować *vt perf* to legalize

ulegalizowanie *sn* (↑ **ulegalizować**) legalization

uleganie *sn* (↑ **ulegać**) compliance (**czemuś, czyimś życzeniom** with sth, sb's wishes); perviousness

ulegle *adv* submissively; compliantly; with docility

ległoś|ć *sf singt* (*podporządkowanie się*) submission; docility; compliance; conformability; (*posłuszeństwo*) subjection; **zmusić naród do ~ci** to subject a nation; *przen.* to bring a nation to its knees

uległy *adj* submissive; compliant; docile; tractable; (*o dziecku*) dutiful

ulegnąć *zob.* **ulec**

ulem *sm hist.* Moslem learned man <theologian>; *pl* **~owie** Ulema

ulep *sm rz.* = **ulepek**

ulep|ek *sm G.* **~ku** syrup; julep

ulepi|ć *vt perf* — *rz.* **ulepi|ać** *vt imperf* to fashion <to mould> (**coś z gliny itd.** sth in clay etc.); *przen. pot.* **~ony z tej samej** <**z innej**> **gliny** cast in the same <in a different> mould

ulepsz|ać *v imperf* — **ulepsz|yć** *v perf* [I] *vt* to improve; to ameliorate; to better (one's position etc.) [II] *vr* **~ać, ~yć się** to improve (*vi*); to grow better; **~a się z każdym dniem** grows better and better every day; **dający się ~yć** improvable

ulepszeni|e *sn* 1. ↑ **ulepszyć** 2. (*to, co ulepsza*) improvement; (a)melioration; **wprowadzić ~a w czymś** to improve sth

ulepszyć *zob.* **ulepszać**

ulewa *sf* downpour; drench; rain-storm; heavy rainfall

ulewać *zob.* **ulać**

ulewny *adj* torrential <driving> (rain)

ule|źć *vi perf* **~zę, ~zie, ulazł, ulazła, ~źli** *pot.* to plod one's way

uleżeć *v perf* [I] *vi* to lie <to stay> quiet; to lie quietly [II] *vr* **~ się** 1. (*o ziemi*) to settle 2. (*o owocach*) to mellow

ulęgać *zob.* **uląc**

ulęgał|ka *sf pl G.* **~ek** wild pear; *pot.* **przebierać jak w ~kach** to pick and choose

ulęgnąć *zob.* **uląc**

ulęknąć się *vr perf, rz.* **uląc się** *vr perf* **uląkł się, ulękły** *lit.* to take fright; to be afraid <scared>

ulg|a *sf* 1. *singt* (*złagodzenie*) relief (**w bólu** from pain); alleviation; mitigation; solace (**w smutku** in grief); **doznać ~i** to feel relief; **przynieść ~ę** to bring relief; **przynieść** <**sprawić**> **komuś ~ę w bólu** to relieve <to ease> sb's pain; **westchnąć z ~ą** to heave a sigh of relief; **znajdować ~ę w lekturze** <**muzyce itd.**> to solace oneself with reading <music etc.> 2. (*zniżenie opłat*) reduction; *pl* **~i** reduced rates <tariffs>

ulgnąć *vi perf* to get bogged <stuck> in the mire

ulgow|y *adj* reduced <cheap> (rates); **bilet ~y** cheap <half-fare> ticket; (*na cle*) **taryfa ~a** preferential duties; **~e traktowanie** preferential treatment; **na ~ych warunkach** at reduced prices; at a reduced price; *przen.* **stosować wobec kogoś taryfę ~ą** to make few demands on sb; to go easy with sb

ulic|a *sf* 1. (*w urbanistyce*) street; thoroughfare; **dziecko ~y** street arab; **spis ~** street-guide; **wyjść na ~ę** to go out (of doors); **wyrzucić kogoś na ~ę** to turn sb out into the street; **~ą** along the street; *pot.* **zarwańska ~a** pandemonium 2. *pot.* (*tłum*) mob

ulicz|ka *sf pl G.* **~ek** 1. (*wąska, krótka ulica*) by-street; back-street; *przen.* **ślepa ~ka** impasse; blind alley; dead-end 2. (*przejście*) passage; aisle

ulicznica *sf* streetwalker; strumpet; trollop

ulicznik *sm* street arab; urchin; mudlark; nipper

ulicznikowski *adj* (language) of the gutter

uliczny *adj* 1. (*dotyczący ulicy*) street (cries, lamp, hawker etc.) 2. (*wulgarny*) vulgar; (*o języku*) of the gutter

ulik *sm* herring

ulistnienie *sn* foliage; leafage; leaves

ulistniony *adj* leaved; leafy

ulitować się *vr perf* to take pity (**nad kimś** on sb)

uliz|ać *v perf* **uliże** — *rz.* **uliz|ywać** *v imperf pot.* [I] *vt* to sleek (one's hair); (*o włosach*) **~any** sleek [II] *vr* **~ać, ~ywać się** to sleek one's hair

ulmina *sf chem.* ulmin

ulokować *v perf* [I] *vt* 1. (*umieścić*) to put; to place; to find room (**coś gdzieś** for sth somewhere); † **~ pieniądze** to invest money 2. (*znaleźć komuś mie-

szkanie) to accommodate <to find lodgings for> (sb); to put (sb) up 3. (*urządzić kogoś*) to establish <*am.* to fix> (sb) [II] *vr* ~ **się** 1. (*zająć miejsce*) to place oneself; to sit down 2. (*znaleźć mieszkanie*) to find oneself a lodging; to put up (at an inn, a hotel etc.) 3. (*urządzić się*) to establish oneself

ulot *sm G.* ~**u** *elektr.* corona (effect)

ulot|ka *sf pl G.* ~**ek** leaflet; fly-sheet; (*reklama*) handbill; *am.* throwaway

ulotkowanie *sn singt* distribution of leaflets

ulotnić się *zob.* **ulatniać się**

ulotnie *adv* (*chwilowo*) transitorily

ulotnienie się *sn* 1. ↑ **ulotnić się** 2. (*wyparowanie*) volatilization; evaporation 3. (*wydobycie się*) leak; escape 4. *pot.* (*zniknięcie*) disappearance

ulotność *sf singt rz.* transitoriness

ulotny *adj* 1. *druk.* printed on leaflets 2. *lit.* (*lotny*) volatile 3. *przen.* (*krótkotrwały*) transitory

ulowy *adj* beehive — (house, oven etc.)

ultimatum *sn* ultimatum; **dać rządowi** ~ to deliver an ultimatum to a government; to present a government with an ultimatum

ultimo *indecl handl.* (on) the last day of the month

ultra- *praef* ultra- (democratic etc.)

ultradźwięk *sm G.* ~**u** *fiz.* ultrasound

ultradźwiękowy *adj techn.* supersonic; ultrasonic

ultrafiolet *sm G.* ~**u** *fiz.* ultra-violet rays

ultrafioletowy *adj*, **ultrafiołkowy** *adj fiz.* ultra-violet

ultrakatolicki *adj* ultracatholic

ultraklerykalny *adj* ultraclerical

ultrakonserwatysta *sm* (*decl* = *sf*) ultraconservative

ultrakrótki *adj fiz. radio* ultra-short (waves); **na falach** ~**ch** on UHF

ultramaryna *sf singt chem.* ultramarine (blue)

ultramarynowy *adj* ultramarine (blue, ash etc.)

ultramikrob *sm G.* ~**u** *biol.* virus; ultramicrobe

ultramikroskop *sm G.* ~**u** ultramicroscope

ultramikroskopowy *adj* ultramicroscopic

ultramontanin *sm* (an) ultramontane

ultramontanizm *sm singt G.* ~**u** *hist.* ultramontanism

ultramontański *adj hist.* ultramontane

ultranowoczesny *adj* ultramodern

ultraradykalny *adj* ultraradical

ultrareakcyjny *adj* ultrareactionary

ultrarojalista *sm* (*decl* = *sf*) ultraroyalist

ultras *sm polit.* (an) ultra(reactionary)

ultrasowski *adj polit.* ultra(reactionary)

ultrawirów|ka *sf pl G.* ~**ek** *chem. fiz.* ultracentrifuge

ultymatywny *adj* of the nature of an ultimatum

ulubienica *sf* favourite; pet; (mother's etc.) darling

ulubie|niec *sm G.* ~**ńca** favourite; pet; (mother's etc.) darling; ~**niec losu** Fortune's darling; ~**niec publiczności** public favourite

ulubion|y *adj* favourite (author, dish etc.); pet (dog, cat etc.); **moja** ~**a pora roku** the season I like best; ~**y temat,** ~**a rozrywka** hobby

uludowić *vt perf* to popularize

ululać *v perf* [I] *vt* 1. (*uśpić*) to rock <to lull, to sing> (a baby) to sleep 2. *sl.* (*upoić*) to lush (sb); to liquor (sb) up [II] *vr* ~ **się** *sl.* to get screwed

ulwa *sf bot.* (*Ulva*) a seaweed of the genus Ulva

ulżenie *sn* 1. ↑ **ulżyć** 2. (*ulga*) relief

ulży|ć *vi perf* ~**j** to lighten (**komuś w obowiązkach, czyjemuś trudowi** sb's task); to ease (**komuś w smutku** sb's distress); to unburden (**komuś** sb); *przen. pot.* ~**ć sobie** a) (*wykrzyczeć się*) to relieve one's feelings; to unburden oneself; to ease one's mind; to get sth off one's chest b) (*oddać mocz*) to relieve nature

ułag|odzić *v perf* ~**odzę,** ~**ódź,** ~**odzony** — *rz.* **ułag|adzać** *v imperf* [I] *vt* to soften; to soothe; to appease; to conciliate; to placate; to pacify [II] *vr* ~**odzić,** ~**adzać się** to be softened <soothed, appeased, conciliated, placated, pacified>

ułam|ać *v perf* ~**ie** — **ułam|ywać** *v imperf* [I] *vt* to break (sth) off [II] *vr* ~**ać,** ~**ywać się** to break off (*vi*); to come off; to be broken off

ułam|ek *sm G.* ~**ka** 1. *mat.* fraction; ~**ek dziesiętny** <**właściwy, niewłaściwy**> decimal <common, improper> fraction 2. (*kawałek, fragment*) fragment; ~**ek sekundy** split second

ułamkowo *adv* fragmentarily

ułamkow|y *adj* 1. *mat.* fractional <fraction> (number, unit etc.); **kreska** ~**a** horizontal line 2. *przen.* (*fragmentaryczny*) fragmentary

ułamywać *zob.* **ułamać**

ułan *sm wojsk.* uhlan

ułan|ka *sf pl G.* ~**ek** 1. *bot.* (*Fuchsia*) fuchsia 2. *wojsk.* (*kurtka*) uhlan's jacket 3. *wojsk.* (*czapka*) uhlan's four-cornered cap

ułański *adj* uhlan's (horse etc.); (company etc.) of uhlans

ułaskawiać *vt imperf* — **ułaskawić** *vt perf* to pardon <to reprieve> (a condemned person)

ułaskawienie *sn* 1. ↑ **ułaskawić** 2. (*darowanie kary*) pardon; (a) reprieve

ułatwi|ać *vt imperf* — **ułatwi|ć** *vt perf* to make (sth) easy <easier> (**komuś** for sb); to facilitate; to simplify; ~**ać robienie czegoś** to give <to offer> facilities for doing sth

ułatwie|nie *sn* 1. ↑ **ułatwić** 2. (*to, co ułatwia*) facilitation; simplification; *pl* ~**nia** facilities; privileges; **korzystać z** ~**ń** to enjoy privileges; **to jest wielkie** ~**nie** it makes matters <the task> much easier

ułoga *sf pl G.* **ułóg** *wet.* spavin

ułom|ek *sm G.* ~**ka** fragment; *przen.* (*o człowieku*) **nie** ~**ek** no cripple; sturdy fellow

ułomność *sf* 1. (*kalectwo*) infirmity; cripplehood; lameness; deformity 2. (*niedoskonałość, wada*) imperfection; defect; frailty

ułomny [I] *adj* 1. (*będący kaleką*) infirm; lame; crippled 2. (*niedoskonały*) imperfect; defective; faulty; *gram.* **czasownik** ~ defective verb [II] *sm rz.* invalid

ułow|ek *sm singt G.* ~**ku** *rz.* = **ułów**

ułowić *vt perf* **ułów** to catch <to land> (a fish); to catch (an animal); *przen.* ~ **coś uchem** to catch (a sound); ~ **coś okiem** to get a glimpse of sth

ułożenie *sn* 1. (↑ **ułożyć**) arrangement; disposition; composition (of a literary work); draft <formulation, turn> (of a sentence etc.); design <conception> (of a plan etc.) 2. (*tresura*) training (of an animal)

ułożon|y [I] *pp* ↑ **ułożyć; dobrze** ~**e zdanie** well-turned sentence; ~**a mowa** set speech; **z góry** ~**y** preconcerted [II] *adj* (*gładki w obejściu*) well-bred; well-mannered; **dobrze** ~**y młodzieniec** well-mannered young man

ułożyć *zob.* **układać**

ułożyskować *vt perf techn.* to provide (sth) with bearings

ułów *sm G.* **ułowu** (the) catch

ułuda *sf* delusion; deception; phantom; mental illusion

ułudny *adj* delusive; deceptive

ułup|ać *vt perf* **~ie** 1. (*porąbać*) to chop (wood) 2. (*odszczepać*) to chip off

ułus *sm G.* **~u** *hist.* 1. (*obozowisko*) Mongolian <Tatar> camp site 2. (*plemię*) Mongolian <Tatar> tribe

ułuskowienie *sn zool.* scaling (of a fish)

umacniać *v imperf* — **umocnić** *v perf* **umocnij** [I] *vt* 1. (*wzmacniać*) to strengthen; to secure; to solidify; to pack <to ram> (a pole in the ground etc.); **umacniać, umocnić kogoś w przekonaniu <postanowieniu itd.>** to strengthen <to confirm> sb's conviction <resolution etc.> 2. (*ugruntować*) to consolidate 3. *wojsk.* to fortify [II] *vr* **umacniać, umocnić się** 1. (*stawać się mocniejszym*) to be strengthened; **umacniać, umocnić się w swym przekonaniu <postanowieniu>** to be confirmed in one's opinion <still more determined in one's resolution> 2. (*ugruntować się*) to be consolidated 3. *wojsk.* to fortify one's positions

umacnianie *sn* 1. ↑ **umacniać** 2. (*ugruntowywanie*) consolidation

umaczać *vt perf imperf* to soak; to dip; *kulin.* to sop; *przen.* **~ palce <ręce> w czymś** to have <to have had> a hand in sth (in an affair, crime etc.)

uma|ić *v perf* **~ję, ~j, ~jony** — **uma|jać** *v imperf* [I] *vt* 1. (*przybrać*) to adorn <to deck> with flowers <verdure> 2. (*pokryć zielenią*) to cover (the soil) with verdure [II] *vr* **~ić, ~jać się** 1. (*zostać umajonym*) to be strewn with flowers 2. (*pokryć się zielonością*) to grow green

umalować *v perf* [I] *vt* 1. (*pokryć farbą*) to paint (sth) 2. (*powlec szminką*) to paint (one's face) [II] *vr* **~ się** to paint one's face; to make up

umarcie *sn* (↑ **umrzeć**) death

umarlak *sm sl.* stiff ('un); goner

umar|ły [I] *pp* (↑ **umrzeć**) dead; *prawn.* deceased; **~ły na amen** stone-dead [II] *sm* (the) deceased; *pl* **~li** the dead

umartwi|ać *v imperf* — **umartwi|ć** *v perf* [I] *vt* to mortify [II] *vr* **~ać, ~ć się** to mortify one's body <the flesh>; to discipline oneself

umartwienie *sn* (↑ **umartwić**) mortification

umarzać *vt imperf* — **umorzyć** *vt perf* **umórz** 1. *ekon.* (*odliczać wartość*) to amortize 2. *ekon.* (*zlikwidować zobowiązanie*) to remit (a debt); **umorzyć komuś dług** to release sb of a debt 3. *prawn.* to discontinue (a lawsuit)

umarzyć *vt perf* to think out

umas|awiać *v imperf* — **umas|owić** *v perf* **~ów** [I] *vt* to disseminate among the masses [II] *vr* **~awiać, ~owić się** to become disseminated among the masses

umaszczenie *sn* colour (of an animal's hair)

umawiać *v imperf* — **umówić** *v perf* [I] *vt* 1. (*ustalać*) to appoint (an hour, place etc.); to fix (a price etc.); **umówione spotkanie** appointment; *am.* date 2. (*godzić kogoś*) to contract <to hire> (sb to do sth); to arrange (**kogoś, żeby coś zrobił** for sb to do sth) [II] *vr* **umawiać, umówić się** 1. (*ustalać*) to arrange <to agree> (**że się coś zrobi** to do sth) 2. (*ustalać spotkanie*) to make an appointment <*am.* a date>

uma|zać *v perf* **~że** [I] *vt* to smear; to soil [II] *vr* **~zać się** to smear <to soil> one's face <hands, clothes>

umączyć *v perf* [I] *vt* to cover <to soil, to smear> with flour; **~ kurzem** to smother in dust [II] *vr* **~ się** to get covered <soiled, smeared> with flour; **~ się kurzem** to get smothered in dust

umbra[1] *sf miner. mal.* umber

umbra[2] *sf* (*abażur*) lamp-shade

umeblowa|ć *v perf* [I] *vt* to furnish <to fit up> (a room etc.); *pot.* **on ma dobrze ~ne w głowie** his head is screwed on the right way [II] *vr* **~ć się** to furnish one's flat <room, house>

umeblowanie *sn* (↑ **umeblować**) furniture; furnishings

umęcz|yć *v perf* — *rz.* **umęcz|ać** *v imperf* [I] *vt* 1. (*zamęczyć na śmierć*) to torture to death; to martyrize 2. (*doprowadzić do stanu wyczerpania*) to exhaust (sb); to tire (sb) out [II] *vr* **~yć, ~ać się** to exhaust one's strength; to be exhausted <tired out, fagged out>

umiar *sm singt G.* **~u** moderation; restraint; **brak ~u** lack of restraint; **poczucie ~u** sense of measure; **postąpić z ~em** to use moderation; **stosować ~** to exercise restraint; **z ~em** restrainedly; with moderation

umiarkowanie[1] *sn* = **umiar**

umiarkowanie[2] *adv* restrainedly; with moderation; with restraint

umiarkowany *adj* 1. (*powściągliwy*) restrained; reserved; reasonable 2. (*niewygórowany*) measured (words etc.); temperate (climate etc.); reasonable <moderate> (prices etc.) 3. *polit.* moderate

umiarowy *adj mat.* regular (polygon)

umi|eć *v imperf* **~em, ~e, ~ał, ~eli, ~any** [I] *vt* 1. (*znać*) to know (**coś** sth; **coś robić** how to do sth); † **czy ~esz po chińsku <turecku itd.>?** do you know <can you speak> Chinese <Turkish etc.>?; **pokaż, co ~esz** show us what you can do; **~eć coś robić** to know how to do sth; to be a good hand at doing sth; to understand how to do sth; to have a knack for doing sth <the knack of doing sth> [II] *vi* (*potrafić*) to be able <to know how> (**coś robić** to do sth); **nie ~em tego przeczytać** I cannot read this; **ona nie ~e kłamać** she cannot tell a lie; she is unable to tell a lie

umiejętnie *adv* competently; efficiently; knowingly; with skill; expertly; skilfully

umiejętnoś|ć *sf* 1. (*praktyczna znajomość*) know-how; skill; art <knack> (of doing sth); competence (**czegoś** in sth <for doing sth>); *pl* **~ci** learning; knowledge; acquirements 2. (*dyscyplina naukowa*) science; branch of learning

umiejętny *adj* competent; efficient; expert; skilful

umiejsc|awiać *v imperf* — **umiejsc|owić** *v perf* **~ów** [I] *vt* to put; to place; to station; to fix a place for <to assign a place to> (sth); to locate (the seat of a disease etc.); **~owić wydarzenie w czasie** to locate an event in time; **autor ~ował akcję sztuki w ...** the scene of the play is laid in ... [II] *vr* **~awiać, ~owić się** to be placed (somewhere);

(*o chorobie itd.*) to have its seat (somewhere); (*o człowieku*) to take up one's position <one's stand> (somewhere)
umiejscowienie *sn* (↑ **umiejscowić**) seat; position; location; scene (of an event, of a play)
umierać *vi imperf* — **umrzeć** *vi perf* **umrę, umrze, umrzyj, umarł** to die; to pass away; to end one's days; *perf* to die (**na jakąś chorobę** of a disease; **z głodu** of starvation; **ze zgryzoty** of grief; **od rany** from a wound; **jak bohater** like a hero); **umrzeć jako bohater** <**męczennik itd.**> to die a hero <a martyr etc.>; **umrzeć śmiercią naturalną** to die a natural death; **umrzeć w nędzy** <**w ubóstwie**> to die destitute <poor>; *przen. pot.* **można było umrzeć ze śmiechu** it was killing; **umierać ze śmiechu** to be dying with laughter; **umierać z ciekawości** to be dying to know; **umierać z głodu** to be famishing <ravenous>
umierający [I] *adj* dying; moribund [II] *sm* dying person
umieralność *sf singt* death-rate; mortality
umieranie *sn* (↑ **umierać**) death
umierzwiać *vt imperf* — **umierzwić** *vt perf* to manure (the soil)
umie|szczać *v imperf* — **umie|ścić** *v perf* **~szczę, ~szczony** [I] *vt* 1. (*lokować*) to place; to put; to set; to appoint a spot <a site> (**fabrykę, szpital itd.** for a factory, a hospital etc.); (*dać miejsce siedzące*) to seat (sb); **~szczać, ~ścić artykuł** <**reklamę w gazecie**> to insert <to publish> an article <an advertisement in a paper>; **~szczać, ~ścić coś na stałe** to fix sth; **~szczać, ~ścić pieniądze** to invest money; **~szczać, ~ścić kogoś, coś pomiędzy ...** to sandwich sb, sth between ... 2. (*kierować*) to put (**kogoś w szpitalu, dziecko w internacie itd.** sb in a hospital, a child in a boarding-school etc.); to send (**kogoś w szpitalu, dziecko w internacie itd.** sb to a hospital, a child to a boarding-school etc.); (*wyznaczać miejsce pracy, pobytu*) to settle (sb somewhere) [II] *vr* **~szczać, ~ścić się** 1. (*zajmować miejsce*) to place oneself; to take up one's position <one's stand>; to seat <to settle> oneself; (*o czymś*) to be placed <situated> (somewhere) 2. (*znajdować sobie miejsce pobytu, pracy*) to settle down; to establish oneself; (*znajdować mieszkanie*) to take lodgings; **~ścić się na nocleg** to put up; to find a night's lodging
umieszczenie *sn* (↑ **umieścić**) location; site
umieścić *zob.* **umieszczać**
umiędzynarodowić *vt perf* to internationalize
umiędzynarodowienie *sn* (↑ **umiędzynarodowić**) internationalization
umięśnienie *sn anat.* musculature
umięśniony *adj anat.* muscled
umil|ać *vt imperf* — **umil|ić** *vt perf* to make <to render> (sth) pleasant; to give <to add> charm (**coś** to sth); **~ać, ~ić sobie czas śpiewem** <**muzyką, czytaniem itd.**> to beguile the time singing <with music, reading etc.>
umilenie *sn* (↑ **umilić**) amenity
umilić *zob.* **umilać**
umilk|nąć *vi perf* 1. (*przestać mówić*) to cease <to break off> talking; to say no more; **~ł** he was silent 2. (*przestać rozbrzmiewać*) to die down; to be heard no more 3. (*ucichnąć*) to calm down; to be hushed; to subside
umilknienie *sn* (↑ **umilknąć**) (a) hush
umiłować *vt perf lit.* to hold dear; to cherish; to take (sb) in affection; to set one's heart (**kogoś, coś** on sb, sth); to fall (**coś** for sth)
umiłowanie *sn* 1. (↑ **umiłować**) fondness; affection 2. *lit.* (*kochana osoba*) darling; pet 3. (*zajęcie*) favourite pursuit <occupation> 4. (*przedmiot*) object of one's attachment
umiłowany [I] *pp* ↑ **umiłować** [II] *adj* (*o osobie*) beloved; dear (**czyjś** to sb); (*o rzeczy, zajęciu*) favourite; (*o przedmiocie*) to which one is attached
umitygować *v perf* [I] *vt* to restrain; to check [II] *vr* **~ się** to control <to restrain> oneself
umizg|ać się *vr imperf*, **umizg|iwać się** *vr imperf* — **umizg|nąć się** *vr perf* to court <to woo> (**do kobiety** a woman); to ogle (**do kogoś** sb); to make love (**do kogoś** to sb); **~ać się do kogoś** to dance round sb; to make eyes at sb; to make advances to sb; **~nij się do kucharki** <**do ekspedientki**> smile nicely at the cook <at the shop assistant>
umizganie się *sn* (↑ **umizgać się**) blandishments; courtship; love-making
umizg|i *spl G.* **~ów** blandishments; courtship; love-making
umizgnąć się *zob.* **umizgać się**
umizgnięcie się *sn* (↑ **umizgnąć się**) blandishment
umknąć *v perf* — **umykać** *v imperf* [I] *vi* to escape; to take flight; to slip <to get> away; to make good one's retreat; **umknąć czyjejś uwadze** to escape sb's attention <notice>; **umknąć wzrokiem** to look away; **on nam umknął** he gave us the slip [II] *vr* **umknąć, umykać się** to slip away
umknięcie *sn* (↑ **umknąć**) escape
umleć *vt perf* **umiele, umełł, umielony** *rz.* to grind (a certain amount of corn)
umłóc|ić *vt perf* **~ę, ~ony** to thresh (some corn)
umniejsz|ać *v imperf* — **umniejsz|yć** *v perf* [I] *vt* to lessen; to abate; to diminish; to mitigate; **~ać, ~yć czyjeś zasługi** to depreciate <to belittle, to detract from> sb's merit [II] *vr* **~ać, ~yć się** to lessen (*vi*); to diminish (*vi*)
umniejszenie *sn* (↑ **umniejszyć**) diminution; abatement; depreciation; detraction (**czyichś zasług itd.** from sb's merit etc.)
umocnić *zob.* **umacniać**
umocnieni|e *sn* 1. ↑ **umocnić** 2. (*ugruntowanie*) consolidation 3. *wojsk.* fortification; *pl* **~a** defences; **zewnętrzne ~a** outworks; field-works
umocow|ać *vt perf* — **umocow|ywać** *vt imperf* 1. (*przymocować*) to secure; to steady; to fasten; to fix 2. *prawn.* (*uprawomocnić*) to authorize; **być ~anym do zrobienia czegoś** to have <to be invested with> full powers to do sth
umocowanie *sn* 1. ↑ **umocować** 2. *prawn.* full powers
umoczyć *zob.* **umaczać**
umoralniać *vt imperf* — **umoralnić** *vt perf* to moralize; to elevate; to edify
umoralniająco *adv* elevatingly; edifyingly
umoralnienie *sn* (↑ **umoralnić**) moralization; moral improvement; elevation; edification
umordować *v perf pot.* [I] *vt* to fag <to tire> (sb) out [II] *vr* **~ się** to get fagged <tired> out
umordowanie (się) *sn* ↑ **umordować (się)** fag; exhaustion

umorusać *v perf* [I] *vt* to smear; to soil [II] *vr* **~ się** to get soiled <smeared all over>; to soil <to smear> one's face (with mud, soot etc.)

umorusany *pp* (↑ **umorusać**) grimy; smeared all over

umorzenie *sn* 1. ↑ **umorzyć** 2. *ekon.* (*odliczenie wartości*) amortization 2. (*zlikwidowanie zobowiązania*) remission <extinction> (of a debt) 3. *prawn.* discontinuance (of a lawsuit)

umoszczenie *sn* ↑ **umościć**

umo|ścić *v perf* **~szczę, ~szczony** [I] *vt* to cushion (a seat etc.); to make (sb) a bed (of straw etc.) [II] *vr* **~ścić się** to make oneself comfortable (on a bed)

umotać *v perf pot.* [I] *vt* 1. (*wplątać*) to entangle 2. (*owinąć*) to wrap up [II] *vr* **~ się** 1. (*wplątać*) to get entangled 2. (*owinąć się*) to wrap oneself up

umotywować *vt perf* to motivate; to state the reason <grounds> (**coś** for sth); to justify

umotywowanie *sn* (↑ **umotywować**) motivation; reason; grounds

umowa *sf pl G.* **umów** contract; agreement; *polit.* treaty; pact; covenant; **~ zbiorowa** collective agreement

umownie *adv* by contract; by mutual agreement; conventionally

umowność *sf singt* conventionality

umowny *adj* 1. (*zgodny z umową*) agreed upon; stipulated; contractual 2. (*konwencjonalny*) conventional

umożliwi|ać *vt imperf* — **umożliwi|ć** *vt perf* to enable (**komuś zrobienie czegoś** sb to do sth); to make <to render> (sth) possible; **~ać coś** to afford possibilities for sth; **~ać, ~ć komuś zrobienie czegoś** to make it possible for sb to do sth; to put sb in the way of doing sth

umór † *sm singt G.* **umoru** *obecnie w zwrotach*: **kochać się na ~ w kimś** to be head over heels in love with sb; *pot.* **pić na ~** to drink deep; to drink oneself dead drunk

umówić *zob.* **umawiać**

umówienie *sn* (↑ **umówić**) appointment; arrangement

umrzeć *zob.* **umierać**

umrzyk *sm pl N.* **~i** *pot.* dead man; dead body; corpse; *sl.* stiff ('un)

umundurowa|ć *v perf* [I] *vt* to provide (sb) with a uniform; to put (sb) in uniform; **~ny** in uniform [II] *vr* **~ć się** to buy oneself a uniform; to put on <to assume> a uniform

umundurowanie *sn* (↑ **umundurować**) uniform

umuzykalni|ać *vt imperf* — **umuzykalni|ć** *vt perf* **~j** to cultivate the love of music (**kogoś** in sb); to impart musical appreciation (**kogoś** in sb)

umycie (się) *sn* ↑ **umyć (się)** (a) wash

umy|ć *v perf* **~je, ~ty** — **umy|wać** *v imperf* [I] *vt perf imperf* to wash; *perf* to give (sb, sth) a wash; **~ć naczynia po jedzeniu** to wash up; to do the washing up; *przen.* **~ć, ~wać ręce od czegoś** to wash one's hands of sth [II] *vr* **~ć, ~wać się** to wash oneself; *perf* to have a wash; **ani się ~wało pod względem dobroci <piękna itd.> do ...** is nothing like so good <pretty etc.> as ...; *przen.* **... nie ~wa się do ...** ... isn't a patch on ...

umykać *zob.* **umknąć**

umy|sł *sm G.* **~słu** mind; spirit; intellect; brain; intelligence; **wielkie ~sły epoki** the great minds of the day; **zdrowy na ~śle** sound in mind; **słabego ~słu**, *pot.* **słaby na ~śle** weak-minded; feeble-minded

umysłowo *adv* intellectually; mentally; **chory ~** unsound of mind; mentally defective; insane; lunatic; *pot.* (a) mental; **szpital dla ~ chorych** mental hospital

umysłowość *sf singt* mentality

umysłow|y *adj* intellectual; mental; *med.* **choroby ~e** mental diseases; **niedorozwój ~y** mental deficiency; **praca ~a** mental work; brain-work; **pracownik ~y** (an) intellectual; white-collar worker; **upośledzenie ~e** mental deficiency

umyślenie *sn* (↑ **umyślić**) decision; resolution

umyślić *vi perf* to decide; to resolve

umyślnie *adv* (*specjalnie*) specially; (*zgodnie z zamierzeniem*) purposely; on purpose; of set purpose

umyślność *sf singt prawn.* intent (to defraud)

umyślny [I] *adj* 1. (*zamierzony*) intentional; intended; deliberate; wilful <voluntary> (action) 2. (*specjalny*) special; express (messenger, purpose) [II] *sm* † special <express> messenger

umywać *zob.* **umyć**

umywal|ka *sf pl G.* **~ek, umywalnia** *sf* 1. (*sprzęt, mebel*) wash-stand; wash-hand-stand; (*miska z kranem przy ścianie*) wash-hand basin 2. (*pomieszczenie*) lavatory; *am.* wash-room

umywalnik *sm* = **umywalnia** 2.

umywanie *sn* ↑ **umywać**; *rel.* **~ rąk** lavabo

unaczynienie *sn anat.* vascularity; vascularization; vasculature

unaczyniony *adj* vascularized

unanimizm *sm singt G.* **~u** *lit.* unanimism

unaoczniać *vt imperf* — **unaoczni|ć** *vi perf* **~j** to visualize; to demonstrate; to confront (**coś komuś** sb with sth)

unaocznienie *sn* (↑ **unaocznić**) visualization; demonstration

unaocznić *zob.* **unaoczniać**

unaradawiać *zob.* **unarodowić**

unaradawianie *sn* (↑ **unaradawiać**) nationalization

unar|odowić *v perf* — **unar|adawiać** *v imperf* [I] *vt* 1. (*uczynić narodowym*) to nationalize 2. *ekon.* (*upaństwowić*) to nationalize; to put under State control [II] *vr* **~odowić, ~adawiać się** to become nationalized

unasienniać *vt imperf* — **unasiennić** *vt perf* to inseminate

unasiennienie *sn* (↑ **unasiennić**) insemination

unaukowić *vt perf* — **unaukowiać** *vt imperf* to make sth more scientific; to apply the scientific method (**coś** in sth)

uncja *sf* ounce; **~ aptekarska <handlowa>** troy <avoirdupois> ounce

uncjalny *adj druk.* uncial (letter, manuscript)

uncjała *sf druk.* 1. (*litera*) uncial letter 2. (*pismo*) uncial writing

uncjowy *adj* ounce __ (weight etc.)

undyna *sf* undine

unerwiać *vt imperf* — **unerwić** *vt perf* to innervate

unerwienie *sn* 1. (↑ **unerwić**) innervation 2. *bot.* nervure; ribbing

unerwiony *pp* (↑ **unerwić**) nerved; *bot.* ribbed

uni|a *sf GDL.* **~i** 1. (*połączenie*) union; **~a celna** zollverein; **~a personalna** personal union 2. (*Kościół unicki*) Uniate Church

unicestwiać *vt imperf* — **unicestwić** *vt perf lit.* 1. (*niszczyć*) to annihilate 2. (udaremniać) to frustrate

unicestwienie *sn* (↑ **unicestwić**) 1. (*zniszczenie*) annihilation 2. (*udaremnienie*) frustration

unicki *adj hist. rel.* uniat(e)

unieczynnić *vt perf rz.* to inactivate

uniedostępniać *vt imperf* — **uniedostępnić** *vt perf rz.* to make (sth) inaccessible

uniedrożniać *vt imperf* — **uniedrożnić** *vt perf* to block; to obstruct a passage (**naczynie itd.** through a vessel etc.)

uniemożliwi|ać *vt imperf* — **uniemożliwi|ć** *vt perf* to make <to render> (sth) impossible; to preclude; to hinder; **~ć komuś zrobienie czegoś** to make it impossible for sb to do sth; to keep <to prevent, to disable> sb from doing sth

unieruch|amiać *vt imperf* — **unieruch|omić** *vt perf* to immobilize (a vehicle, an army, a limb etc.); to bring (work etc.) to a standstill; **~omić kapitał** to tie <to lock> up capital; **~omić ruch uliczny** to hold up the traffic; **~omiony w śniegu, w lodach, we mgle** snow-bound, ice-bound, fog-bound

unieruchomienie *sn* (↑ **unieruchomić**) immobilization; hold-up

uniesieni|e *sn* 1. ↑ **unieść** 2. (*stan psychiczny*) warmth; heat; elation; exultation; rapture; trance; ecstasy; fieriness; **okrzyki ~a** rapturous cries; **~e radości** transport of joy; jubilation

unieszczęśliwiać *vt imperf* — **unieszczęśliwić** *vt perf* to make <to render> (sb) unhappy; to afflict; to distress; to grieve; to desolate; to wreck (a girl etc.)

unieszczęśliwienie *sn* (↑ **unieszczęśliwić**) affliction; distress; grief; woe

unieszkodliwiać *vt imperf* — **unieszkodliwić** *vt perf* to render (sb, sth) harmless; to put (an enemy etc.) out of action; to neutralize (a poison etc.); to make (a serpent etc.) innocuous; to dismantle (a fortress etc.)

unieszkodliwienie *sn* (↑ **unieszkodliwić**) neutralization (of a poison)

unieść *v perf* **uniosę, uniesie, unieś, uniósł, uniosła, unieśli, uniesiony** — **unosić** *v imperf* **unoszę, unoszony** [I] *vt* 1. (*podnieść*) to raise 2. *lit.* (*o koniu, pociągu itd.*) to carry (sb, sth) away 3. *przen.* (*o uczuciach*) to seize; to overpower; to impassion 4. (*zabrać z sobą*) to carry <to take> away (with one) 5. (*zw. perf*) (*udźwignąć*) to be able <to be strong enough> to lift <to bear, to carry> (a weight) [II] *vr* **unieść, unosić się** 1. (*podnieść się*) to rise; to raise oneself; **unieść się na palcach** to stand on tiptoe 2. (*zostać podniesionym*) to rise; to be raised; (*o włosach, flagach*) to stream; (*o zapachach*) to be wafted; **unosić się na wodzie, w powietrzu** to float; to drift; to hover 3. (*wzlecieć*) to rise into the air; to soar 4. (*dać się owładnąć uczuciu*) to be seized <overpowered> (**uczuciem** with a feeling); **łatwo się unosić** to have a hot temper; **unieść, unosić się gniewem** to fly into a passion; to fire up; to be transported with anger; **unosić się nad czymś** to rave about sth; to go into raptures <ecstasies> over sth; to be entranced by sth; to gloat over sth; **unosić się triumfem** to triumph; to crow; **nie unoś się!** don't get excited!

unieśmiertelni|ać *v imperf* — **unieśmiertelni|ć** *v perf* [I] *vt* to immortalize; to perpetuate [II] *vr* **~ać, ~ć się** to be <to become> immortal <perpetuated>; to achieve immortality

unieśmiertelnienie *sn* (↑ **unieśmiertelnić**) immortality; perpetuation

unieważni|ć *vt perf* **~j** — **unieważniać** *vt imperf* 1. (*czynić nieważnym*) to invalidate; *prawn.* to irritate; to void; to render null 2. (*znieść*) to cancel; to annul; to revoke; to repeal; to rescind; to abrogate

unieważnienie *sn* (↑ **unieważnić**) invalidation; voidance; cancellation; annulment; revocation; repeal; abrogation

uniewinni|ć *v perf* **~j** — **uniewinni|ać** *v imperf* [I] *vt* 1. *prawn.* to exculpate; to acquit 2. (*wytłumaczyć*) to excuse [II] *vr* **~ć, ~ać się** 1. (*dowieść swej niewinności*) to prove one's innocence 2. (*wytłumaczyć się*) to excuse oneself

uniewinnienie *sn* (↑ **uniewinnić**) acquittal

uniezależni|ć *v perf* **~j** — **uniezależni|ać** *v imperf* [I] *vt* to render <to make> (sb) independent; to grant (a nation) independence [II] *vr* **~ć, ~ać się** to become independent; to gain <to acquire> independence; (*stać się samodzielnym*) to set up for oneself; to strike out for oneself

unifikacja *sf singt* 1. (*scalenie*) unification; unifying 2. (*ujednolicenie*) uniformization; standardization

unifikacyjny *adj* (policy etc.) of unification

unifikator *sm* unificator

unifikować *vt imperf* to unify

uniform *sm G.* **~u** uniform

uniformizacja *sf lit.* uniformization

unik *sm G.* **~u** dodge; jink; duck; **zrobić <wykonać> ~** to dodge; to jink; to duck

unikać *vt imperf* 1. (*stronić*) to avoid <to shun> (**kogoś, czegoś** sb, sth); to steer clear (**kogoś, czegoś** of sb, sth); to abstain from <to eschew> (**czegoś** sth); to keep out (**czegoś** from sth) 2. (*być ominiętym*) to escape (**śmierci, więzienia itd.** being killed, put in jail etc.)

unikalny *adj* = **unikatowy**

unikanie *sn* (↑ **unikać**) avoidance

unikat *sm G.* **~u** only <unique, rare> specimen; (a) curiosity; nonpareil

unikatowy *adj* unique; the only existing (specimen)

uniknąć *vt perf* to avoid <to escape> (**czegoś** sth); to evade <to elude> (**nieszczęścia itd.** a disaster etc.); **nie można tego ~** it is unavoidable; it cannot be helped; **~ nieszczęścia o włos** to have a narrow escape <a close shave>; **~ śmierci <rozjechania przez samochód>** to miss being killed <being run over by a motor-car>

uniknięci|e *sn* (↑ **uniknąć**) avoidance; escape; evasion; **nie do ~a** inevitable; unavoidable; inescapable; **~e nieszczęścia o włos** narrow escape; close shave

unilateralny *adj prawn.* unilateral

unionista *sm* (*decl* = *sf*) *hist.* unionist

unisono[1] *indecl* <*sn*> *muz.* unison

unisono[2] *adv* in unison

unita *sm* (*decl* = *sf*) *rel.* Uniat(e)

unitarianizm *sm singt G.* **~u** Unitarianism

unitariusz *sm* Unitarian

unit|ka *sf pl G.* **~ek** *rz.* Uniat(e)

uniwer|ek *sm G.* **~ku** *pot.* 'varsity

uniwersali|a *spl G.* **~ów** *filoz.* universals, universalia

uniwersalista *sm (decl = sf)* 1. *(człowiek o wielostronnych zainteresowaniach)* universalist 2. *filoz.* Universalist

uniwersalistyczny *adj filoz.* Universalist

uniwersalizm *sm singt G.* **~u** *filoz.* Universalism

uniwersalnie *adv* universally

uniwersalność *sf singt* 1. *(powszechność)* universality; generality 2. *(wszechstronność)* versatility

uniwersaln|y *adj* 1. *(powszechny)* universal; *astr* **czas ~y** universal time 2. *(wszechstronny)* versatile; *(o narzędziu itd.)* all-purpose; *prawn.* **~y spadkobierca** universal successor; **klucz ~y** master key; **~e lekarstwo** nostrum

uniwersał *sm G.* **~u** *hist.* proclamation

uniwersytecki *adj* university — (studies, degree, town etc.); academic (training; teaching etc.); **lata ~e** undergraduate <college> years

uniwersytet *sm G.* **~u** university

unizm *sm singt G.* **~u** *plast.* unism

uniżenie *adv* humbly; **~ o coś prosić** to beg for sth cap in hand

uniżoność *sf singt* humility; obsequiousness; servility

uniżony *adj* humble; obsequious; servile; cringing

unobilitować *vt perf hist.* to ennoble

unormować *v perf* [I] *vt* to normalize; to regularize; to regulate [III] *vr* **~ się** to become regularized <settled>

unormowanie *sn* (↑ **unormować**) normalization

unos *sm G.* **~u** *techn.* load weight

unosawiać *zob.* **unosowić**

unosić *zob.* **unieść**

unosowić *vt perf* — *rz.* **unosawiać** *vt imperf jęz.* to nasalize

unosowienie *sn* (↑ **unosowić**) nasalization

unoszeni|e *sn* 1. ↑ **unosić** 2. *(noszenie)* carriage (of people, things, goods etc.) 3. **~e się** *(podnoszenie się)* rise; *fiz.* convection; **zdolność ~a się na wodzie** buoyancy 4. **~e się** *przen.* *(poddanie się uczuciom)* transport(s) (of joy, anger etc.); rapture(s); ecstasies

unowocześni|ać *v imperf* — **unowocześni|ć** *v perf* [I] *vt* to modernize [III] *vr* **~ać, ~ć się** to become <to grow> modernized

unowocześnienie *sn* (↑ **unowocześnić**) modernization

unrowski *adj* pertaining to the UNRRA

unurzać *v perf* [I] *vt* 1. *(zanurzyć)* to dip; to sink; to duck; to plunge; to steep 2. *(ubrudzić)* to stain; to soil; to draggle [III] *vr* **~ się** 1. *(zanurzyć się)* to dip <to sink, to duck, to plunge> *(vi)* 2. *(ubrudzić się)* to get stained <soiled, draggled>; to stain <to soil> one's hands <face, clothes>

uodp|ornić *v perf* **~ornij** — **uodp|orniać** <*rz.* **uodp|arniać**> *v imperf* [I] *vt* to harden <to inure> (**kogoś na coś** sb to sth); *med.* to immunize (**kogoś na coś** sb against sth) [III] *vr* **~ornić, ~orniać, ~arniać się** to harden <to inure> oneself (**na coś** to sth); to steel oneself <one's heart> (**przeciw czemuś** against sth); *med.* to become immunized <immune> (**na coś** against sth)

uodpornienie *sn* (↑ **uodpornić**) inurement (**na coś** to sth); *med.* immunization (**na coś** against sth)

uodporniony *pp* (↑ **uodpornić**) immune; salted

uogólni|ać *v imperf* — **uogólni|ć** *v perf* **~j** [I] *vt* to generalize [III] *vr* **~ać, ~ć się** to be <to become> generalized

uogólnienie *sn* (↑ **uogólnić**) generalization; sweeping statement

uorganizowany *adj biol.* organized

uosabiać *vt imperf* — **uosobić** *vt perf* to personify; to impersonate; to embody; to typify

uosobienie *sn* (↑ **uosobić**) personification; impersonation; embodiment; **~ zdrowia** the very picture of health; **był ~m rycerskiej czci** he was the soul of knightly honour

uowy *adj techn.* U-shaped

upacykować *v perf pot.* [I] *vt* to mess (sth) up with paint [III] *vr* **~ się** to mess up one's face with paint

upaćka|ć *vt perf pot.* to smear; to soil; to mess up; **~ny** messy

upad *sm G.* **~u** *geol. górn.* dip

upa|dać *vi imperf* — **upa|ść** *vi perf* **~dnę, ~dnie, ~dnij, ~dł** 1. *(padać)* to fall (down); to come <to go> down; to tumble; to collapse; to topple over; to drop; **~dać, ~ść na fotel** to subside <to sink> into an armchair; **~dać, ~ść na kolana** to drop <to sink> on one's knees; **~dać, ~ść na twarz przed kimś, czymś** to prostrate oneself before sb; **~dł śnieg** it snowed; † **~dam do nóg** your humble servant 2. *(zlatywać szybko)* to swoop (on the enemy, on a prey); to descend 3. *(chylić się ku upadkowi)* to decay; to decline; to go to rack and ruin; *(o państwie, fortecy)* to fall; *(o przedsiębiorstwie, banku)* to crash; *(o wniosku, projekcie)* to fall through; to be voted down 4. *(uginać się)* to sink (**pod brzemieniem** under a load); **~dać, ~ść na duchu** to be disheartened; to lose heart; **~dać, ~ść ze zmęczenia** to be dead-beat 5. *(pod względem moralnym)* to sink (in sin etc.)

upad|ek *sm G.* **~ku** 1. *(przewrócenie się)* fall; drop; tumble; collapse; spill 2. *(spadnięcie z góry)* fall; descent; swoop 3. *(koniec pomyślności)* fall; downfall; decline; deterioration; break-up; ruin; *(klęska)* overthrow; *ekon.* crash; **~ek ducha** despondency; **~ek moralny** moral decline 4. *(nieetyczny czyn)* baseness; villainy; downfall (of a woman)

upadlać <*rz.* **upodlać**> *v imperf* — **upodlić** *v perf* [I] *vt* to debase; to degrade [III] *vr* **upadlać, upodlać, upodlić się** to degrade <to debase, to demean> oneself

upadlanie (**się**) *sn* ↑ **upadlać** (**się**) debasement; degradation

upadłościow|y *adj ekon. prawn.* bankruptcy — (act, proceedings etc.); insolvent — (law etc.); **masa ~a** insolvent's <bankrupt's> assets

upadłość *sf singt ekon. prawn.* bankruptcy; insolvency; **ogłosić ~** to declare oneself insolvent

upadł|y [I] *adj* fallen <unfortunate> (woman) [III] *sm* bankrupt; (an) insolvent

do ~ego to the very end; **bawić się do ~ego** to have a hectic time; **pić do ~ego** to drink oneself blind; **pracować do ~ego** to work till one is ready to drop with exhaustion; **walczyć do ~ego** to fight till the bitter end

upadnica *sf górn.* slant

upadnięcie *sn* ↑ **upaść**

upadowa *sf* = **upadnica**

upajać *v imperf* — **upoić** *v perf* **upoję, upój, upojony** [I] *vt* 1. (*poić*) to make (sb) drunk; to prime <to ply> (sb) with liquor; to intoxicate; to fuddle 2. (*o trunku*) to intoxicate; to fuddle; **upajający** intoxicating (liquor) 2. *przen.* to intoxicate; to elate [II] *vr* **upajać, upoić się** 1. (*poić się*) to get drunk <fuddled> 2. *przen.* to revel <to delight> (**czymś** in sth); to go into raptures (**czymś** over sth)

upajająco *adv dosł. i przen.* intoxicatingly

upal|ać *v imperf* — **upal|ić** *v perf* [I] *vt* 1. (*nadpalać*) to singe 2. (*prażyć*) to roast [II] *vr* **~ać, ~ić się** to get singed

upalnie *adv* swelteringly; torridly; **~ było** there was a sweltering heat; it was a sweltering day

upalny *adj* sweltering; torrid; broiling

upał *sm G.* **~u** torrid <sweltering, broiling> heat; **fala ~ów** heat-wave

upamiętni|ać *v imperf* — **upamiętni|ć** *v perf* **~j** [I] *vt* 1. (*czynić pamiętnym*) to commemorate 2. (*zapisywać dla pamięci potomnych*) to record; **~ony** on record [II] *vr* **~ać, ~ć się** to be placed upon record; to be recorded; to be memorable

upamiętnienie *sn* (↑ **upamiętnić**) commemoration

upaństwawiać *vt perf* — **upaństw|owić** *vt imperf* **~ów** to nationalize; to put under State control; to socialize

upaństwowienie *sn* (↑ **upaństwowić**) nationalization

upap|rać *v perf* **~rze** <**~ra**> *pot.* [I] *vt* to muck; to mess; to foul; to dirty [II] *vr* **~rać się** to get smeared <soiled, stained>; to smear <soil, stain, dirty> one's face <hands, clothes>

uparcie *adv* obstinately; stubbornly; obdurately; pertinaciously; doggedly; piggishly

upart|y *adj* 1. (*o człowieku*) obstinate; stubborn; obdurate; pertinacious; dogged; headstrong; self-willed; bullish; wrong-headed; opinionated; *pot.* **~y jak kozioł** <**osioł**> obstinate as a mule; mulish; pig-headed 2. (*o chorobie itd.*) pertinacious; (*o walce*) stubborn

na ~ego *pot.* in the last resort; if the worst comes to the worst

upartyjniać *vt imperf* — **upartyjni|ć** *vt perf* **~j** to canvass party members (**środowisko** among a community)

upas *sm* (*także* **drzewo upasowe**) *bot.* (*Antiaris toxicaria*) upas (tree)

upaść[1] *zob.* **upadać**

upa|ść[2] *v perf* **~sie, ~sł, ~śli, ~siony** [I] *vt* to fatten [II] *vr* **~ść się** to grow fat

upatrywać *vt imperf* — **upatrzyć** *vt perf* 1. (*szukać*) to seek (**kogoś, czegoś** sb, sth); to look (**kogoś, czegoś** for sb, sth); to single out <to choose> (**kogoś, czegoś** sb, sth) 2. (*dopatrywać się*) to perceive; to notice; to suspect; to scent

upatrzon|y [I] *pp* ↑ **upatrzyć** [II] *sm w zwrocie*: **polować na ~ego** to stalk (deer); **polowanie na ~ego** deer-stalking

upchać *vt perf,* **upchnąć** *vt perf* — **upychać** *vt imperf* 1. (*wtłoczyć*) to pack; to cram; to stuff; to ram (sth into a container, a space) 2. (*wypełnić*) to fill; to cram

upełnoletni|ć *vt perf* **~j** *prawn.* to emancipate (a minor)

upełnoletnienie *sn* (↑ **upełnoletnić**) emancipation (of a minor)

upełnomocniać *vt imperf* — **upełnomocni|ć** *vt perf* **~j** to empower; to give (sb) full powers (to do sth); to commission

upełnomocnienie *sn* (↑ **upełnomocnić**) full powers; commission

upełnoprawni|ć *vt perf* **~j** to give equality of rights (**kobiety itd.** to women etc.)

uperfumować *v perf* [I] *vt* to scent; to sprinkle with scent [II] *vr* **~ się** to sprinkle oneself with scent

uperlić *vt perf lit.* to pearl; to form pearl-like drops (**coś** on sth)

upersonifikować *vt perf* to personify; to impersonate

upewni|ać *v imperf* — **upewni|ć** *v perf* [I] *vt* to assure (**kogoś o czymś** sb of sth) [II] *vi* to affirm (**że** ... that ...) [III] *vr* **~ać, ~ć się** 1. (*nabierać pewności*) to ascertain; to satisfy oneself (**że** ... that ...) 2. (*sprawdzać*) to make sure <certain> (**o czymś, co do czegoś** of sth; **czy** ... if ...); to see <to see to it> (**że** ... that ...); **~ać, ~ć się, że ktoś coś zrobił** <**zrobi**> to see sth done

upewnienie *sn* (↑ **upewnić**) assurance

upędz|ać *v imperf* — **upędz|ić** *v perf* **~ę, ~ony** [I] *vt pot.* (*przebyć*) to cover (a distance) at full gallop [II] *vr* **~ać, ~ić się** *obecnie w zwrocie:* **~ać się za kimś, czymś** to seek <to hunt for, to pursue> sb, sth

upiąć *vt perf* **upnę, upnie, upnij, upiął, upięła, upięty** — **upinać** *vt imperf* to pin up; to fasten; to tie <to bind> (one's hair etc.)

upichc|ić *vt perf* **~ę, ~ony** *pot.* to cook (after a fashion)

upi|ć *v perf* **~je, ~ty** — **upi|jać** *v imperf* [I] *vt* 1. (*nadpić*) to drink a mouthful <some> (of the contents of a glass etc.) 2. (*spoić*) to make (sb) drunk; to prime <to ply> (sb) with liquor; to intoxicate; to fuddle [II] *vr* **~ć, ~jać się** 1. (*doprowadzić się do stanu zamroczenia trunkiem*) to get drunk <fuddled>; *imperf* to tope; to booze; to soak 2. *przen.* to be intoxicated (with joy etc.)

upie|c *v perf* **~kę, ~cze, ~kł, ~czony** [I] *vt* to bake (**chleb itd.** bread etc.); to roast (**mięso itd.** meat etc.); *przen.* **~c dwie pieczenie przy jednym ogniu** to kill two birds with one stone [II] *vr* **~c się** (*o pieczywie*) to get baked; (*o mięsie itd.*) to get roasted; *przen. pot.* **to ci się ~kło** you got off cheaply

upieczenie *sn* (↑ **upiec**) batch (of loaves etc.) produced at one baking

upierać się *vr imperf* — **uprzeć się** *vr perf* **uprę się, uprze się, uprzyj się, uparł się, uparty** to insist (**przy czymś** on sth); to persist (in sth); to stick (**przy czymś** to sth); **upierać się, uprzeć się, żeby coś zrobić** to set one's mind <heart> on doing sth; to be bent on doing sth; to be intent <set> on doing sth

upieranie się *sn* (↑ **upierać się**) insistence (**przy czymś** on sth); persistence (**przy czymś** in sth)

upierścieniony *adj* (fingers) ringed <covered with rings>

upierzać *zob.* **upierzyć**

upierzenie *sn* plumage; feathers; (bird's) coat

upierz|yć *vt perf* — *rz.* **upierz|ać** *vt imperf* to feather <to fledge, to plume> (a bird); to wing (an arrow); *dosł. i przen.* **~ony** full-fledged

upieszczotliwiać *vt imperf* — **upieszczotliwić** *vt perf jęz.* to give (a word) a diminutive <an affectionate, caressing> form

upie|ścić *vt perf* **~szczę, ~szczony** to fondle; to caress; to cover with caresses

upięcie *sn* 1. ↑ **upiąć** 2. (*szczegół stroju*) trimming 3. (*uczesanie*) hair-dressing; coiffure; *pot.* hair-do

upiększ|ać *v imperf* — **upiększ|yć** *v perf* [I] *vt* 1. *dosł. i przen.* (*czynić piękniejszym*) to embellish; to decorate; to gloss (**fakty itd.** over facts etc.) 2. (*przystrajać*) to adorn; to deck; to ornament; to prank [II] *vr* **~ać, ~yć się** (*stawać się piękniejszym*) to acquire beauty; to be embellished <adorned, ornamented>; (*stroić się*) to deck <to prank> oneself out

upiększe|nie *sn* (↑ **upiększyć**) decoration; embellishment; ornament; *pl* **~nia** ornamentation; **bez żadnych ~ń** unadorned; *przen.* (*o opowiadaniu*) uncoloured

upijać *zob.* **upić**

upilnować *v perf* [I] *vt* to guard (sb, sth) (from danger etc.); to take good care (**kogoś, coś** of sb, sth); to keep (sb, sth) from mischief [II] *vr* **~ się** to take proper care of oneself

upiłować *vt perf* — **upiłowywać** *vt imperf* 1. (*piłą*) to saw (sth, a bit) off 2. (*pilnikiem*) to file (sth, a bit) off

upinać *zob.* **upiąć**

upiornie *adv* weirdly; in ghastly fashion; **~ blady** ghastly pale; **wyglądać ~** to look ghastly <weird>

upiorność *sf singt* ghastly appearance; weirdness

upiorny *adj* ghastly; weird; spectral; nightmarish

upi|ór *sm G.* **~ora** ghost; spectre; phantom; **opowiadania o ~orach** ghost-stories

upitra|sić *vt perf* **~szę, ~szony** *pot. żart.* to cook (after a fashion)

upity [I] *pp* ↑ **upić** [II] *adj* drunk; drunken; sozzled; squiffy

uplanować *vt perf* to plan; to devise

uplasować *v perf* [I] *vt* to place; to put; to set [II] *vr* **~ się** to place oneself; to take a seat <one's stand>

uplastyczni|ać *v perf* — **uplastyczni|ć** *v imperf* **~j** [I] *vt* 1. (*uwypuklać*) to give prominence (**coś** to sth); to bring (sth) out in relief 2. *techn.* to plasticize [II] *vr* **~ać, ~ć się** to stand out in relief

upl|eść *vt perf* **~otę, ~ecie, ~eć, ~ótł, ~otła, ~etli, ~eciony** — **uplatać** *vt imperf* to plait (hair, straw etc.)

upła|kać się *vr perf* **~cze się** to sob one's heart out

upław|y *spl G.* **~ów** *med.* leukorrhoea, leucorrhea

upłaz *sm G.* **~u** terrace

upły|nąć *v perf* — **upły|wać** *v imperf* [I] *vi* 1. (*o czasie — minąć*) to elapse; to lapse; to pass away; to go by; (*o terminie*) to expire; to terminate 2. † (*wyciec*) to flow; *obecnie w zwrocie:* **wiele wody ~nęło, odkąd ...** it's a long time <ages> since ... [II] *vt perf* (*płynąc przebyć odległość*) (*o człowieku, zwierzęciu*) to swim (a distance); (*o statku*) to sail (a distance) away

upłynięcie *sn* (↑ **upłynąć**) lapse (of time); expiration <expiry, termination> (of a period, of validity etc.)

upłynniać *vt imperf* — **upłynnić** *vt perf* 1. (*czynić płynnym*) to flux; to liquefy 2. *handl.* to clear (stocks); to realize <to liquidate> (capitals etc.)

upłynnienie *sn* 1. ↑ **upłynnić** 2. (*uczynienie płynnym*) flux; liquefaction 3. *handl.* clearance (of stocks); realization <liquidation> (of capitals etc.)

upływ *sm G.* **~u** 1. (*odpływ cieczy*) flow; outflow; discharge; flux; **~ krwi** loss of blood 2. (*minięcie czasu*) lapse; passage (of time); (*minięcie terminu*) expiration <expiry, termination> (of a period, of validity etc.); **z ~em lat** as the years go <went> by; after a lapse of (several, many) years

upływać *zob.* **upłynąć**

upływność *sf elektr.* leakage

upływowy *adj elektr.* **prąd ~** leakage current

upod|abniać *v imperf, rz.* **upod|obniać** *v imperf* — **upod|obnić** *v perf* **~obnij** [I] *vt* 1. (*czynić podobnym*) to liken; to make (people, things) alike; to make (people, things) resemble (each other); to assimilate 2. *jęz.* to assimilate (consonants) [II] *vr* **~abniać,** *rz.* **~obniać, ~obnić się** 1. (*stawać się podobnym*) to become similar; to simulate <to imitate> (**do kogoś, czegoś** sb, sth) 2. *jęz.* to assimilate (*vi*); to become assimilated

upodobnianie *sn* 1. (↑ **upodobniać**) assimilation 2. **~ się** simulation

upodlać *zob.* **upadlać**

upodlenie *sn* 1. (↑ **upodlić**) debasement; degradation 2. **~ się** servility; self-abasement

upodniebiennić *vt perf jęz.* to palatalize

upodniebiennienie *sn* (↑ **upodniebiennić**) palatalization

upodobać † *vt perf obecnie w zwrocie:* **~ sobie kogoś, coś** to take a liking <a fancy> for sb, sth; to set one's affections (**kogoś** on sb); to set one's heart (**coś** on sth); to take (**coś** to sth)

upodobani|e *sn* 1. ↑ **upodobać** 2. (*skłonność*) fancy <taste, relish, partiality> (**do czegoś** for sth); *pl* **~a** likes and dislikes; **szczególne ~e do czegoś** predilection for sth; **robić coś z ~em, znajdować ~e w robieniu czegoś** to take pleasure <to delight> in doing sth; to enjoy doing sth; to do sth with relish; **rób według swojego ~a** do just as you please

upodobniać *zob.* **upodabniać**

upodobniająco *adv* assimilatively

upodobnienie *sn* 1. (↑ **upodobnić**) 2. *jęz.* assimilation 3. *biol.* convergence

upoetyczniać *vt imperf* — **upoetyczni|ć** *vt perf* **~j** to poeticize

upoić *zob.* **upajać**

upojenie *sn* 1. ↑ **upoić** 2. (*stan zachwytu*) intoxication; rapture; flush (of victory etc.)

upojny *adj poet.* intoxicating; inebriating; ravishing; entrancing

upok|arzać *v imperf* — **upok|orzyć** *v perf* **~órz** [I] *vt* to humiliate; to mortify; to abase [II] *vr* **~arzać, ~orzyć się** to humiliate <to abase, to prostrate> oneself; *am.* to eat crow

upokarzająco *adv* humiliatingly; in humiliation

upokorzeni|e *sn* 1. (↑ **upokorzyć**) humiliation; mortification; abasement 2. *pl* **~a** humiliations

upokorzyć *zob.* **upokarzać**

upolitycznić *vt perf* — **upolitycznia|ć** *vt imperf* **~j** to arouse political consciousness (**pracowników** in workers)

upolować *vt perf* 1. (*polując zabić*) to shoot <to bag> (game); to kill 2. *przen. pot.* to track (sb) down;

~ kawalera to catch oneself a husband; to hook a husband

upom|inać *v imperf* — **upom|nieć** *v perf* **~ni** [I] *vt* to rebuke; to reprimand; to scold; to upbraid; to sermonize [II] *vr* **~inać, ~nieć się** 1. (*domagać się*) to demand <to claim> (**o coś** sth); to lay claim (**o coś** to sth); **~inać, ~nieć się o swoją krzywdę** to seek redress of one's wrong 2. (*wstawiać się*) to speak up (**za kimś** for sb)

upomin|ek *sm G.* **~ku** present; gift; keepsake; souvenir; token

upomnieć *zob.* **upominać**

upomnienie *sn* (↑ **upomnieć**) (a) rebuke; reprimand; reproof; admonition

uporać się *vr perf* to settle <to handle, to negotiate> (**z czymś** sth); to deal (with sth); to manage (**z kimś** sb); to get (**z czymś** sth) done; **nie móc się ~ z jakimś zadaniem** to be unequal to a task; **~ się z jakąś trudnością** to tide over a difficulty

uporczywie *adv* obstinately; stubbornly; persistently; pertinaciously; **~ coś robić** to persist in doing sth

uporczywość *sf singt* 1. (*wytrwałość*) persistence; pertinacity; obstinacy; stubbornness; constancy 2. (*długotrwałość*) persistence <refractoriness, stubbornness, inveteracy> (of a disease etc.); (*uciążliwość*) severity (of a pain etc.)

uporczywy *adj* persistent; pertinacious; stubborn; obstinate; (*o bólach*) severe; (*o chorobie*) persistent; refractory; inveterate

uporządkować *vt perf* — **uporządkowywać** *vt imperf* 1. (*doprowadzić do porządku*) to arrange; to set (sth) in order; to put (sth) straight; to tidy (sth) up 2. (*uregulować*) to regulate <to settle> (sth)

uporządkowanie *sn* (↑ **uporządkować**) arrangement; settlement

uporządkowany *adj* orderly; well-ordered; in good order; in trim; shipshape

uposażenie *sn* salary; wages; pay

uposażony *adj* salaried

upostaciować *vt perf* to personify; to impersonate

upostaciowanie *sn* (↑ **upostaciować**) personification; impersonation

upośledzać *vt imperf* — **upośledz|ić** *vt perf* **~ę, ~ony** to wrong; to handicap; to discriminate (**kogoś** against sb); to put (sb) at a disadvantage

upośledzenie *sn* (↑ **upośledzić**) 1. (*krzywda*) wrong 2. (*ograniczenie*) handicap; **~ umysłowe** mental handicap

upośledzon|y [I] *pp* ↑ **upośledzić** [II] *adj* handicapped; underprivileged; **klasy ~e** the unprivileged classes; **~y na umyśle** mentally handicapped

upoważniać *vt imperf* — **upoważni|ć** *vt perf* **~j** to authorize <to entitle, to empower, to commission> (**kogoś do robienia czegoś** sb to do sth); to qualify (**kogoś do czegoś** sb for sth)

upoważnienie *sn* 1. ↑ **upoważnić** 2. (*uprawnienie*) authorization; authority; full powers; commission; warrant; qualifications

upowszechni|ać *v imperf* — **upowszechni|ć** *v perf* **~j** [I] *vt* to spread; to disseminate; to universalize, to generalize [II] *vr* **~ać, ~ć się** to become general <widespread, universal>

upowszechnienie *sn* (↑ **upowszechnić**) dissemination; generalization

upozorować *vt perf* — **upozorowywać** *vt imperf* to simulate; to make a semblance <a show> of sth; to disguise; to mask; to cloak

upozorowanie *sn* (↑ **upozorować**) simulation; semblance; appearance; disguise; sham

upozow|ać *v perf* — **upozow|ywać** *v imperf* [I] *vt* to pose <to posture> (sb) [II] *vr* **~ać, ~ywać się** to assume a pose <posture>

upozowanie *sn* (↑ **upozować**) (a) pose; posture

upór *sm G.* **uporu** stubbornness; obstinacy; pertinacity; doggedness; obduracy; wilfulness; self-will; strong-headedness; wrong-headedness; piggishness; pig-headedness; **na ~ nie ma lekarstwa** none so deaf as those who won't hear; **z uporem** = **uporczywie**

uprać *vt perf* **upiorę, upierze** to wash (clothes)

upragnienie † *sn obecnie w zwrocie*: **z ~m** longingly; eagerly; intently

upragniony *adj* longed-for

upranie *sn* (↑ **uprać**) (a) wash

uprasować *vt perf* to iron (clothes)

upraszać *zob.* **uprosić**

upraszanie *sn* (↑ **upraszać**) requests; solicitations

upr|aszczać *v imperf* — **upr|ościć** *v perf* **~oszczę, ~oszczony** [I] *vt* to simplify; *mat.* to reduce <to cancel> (**ułamek** a fraction) [II] *vr* **~aszczać, ~ościć się** to become simplified

upraszczanie *sn* (↑ **upraszczać**) simplification; *mat.* reduction; cancellation

upraw|a *sf* 1. (*uprawianie roli*) agriculture; tillage; husbandry; **gleba nadająca <nie nadająca> się do ~y** cultivable <uncultivable, waste> land; **wziąć glebę pod ~ę** to put land under cultivation; to bring land into cultivation 2. (*uprawianie roślin*) cultivation; growing <raising> (of vegetables, flowers etc.)

uprawdopodobni|ć *vt perf* **~j** — **uprawdopodobniać** *vt imperf* to give (sth) an appearance of verisimilitude

uprawi|ać *vt imperf* — **uprawi|ć** *vt perf* 1. (*pracować na roli*) to till (the soil); to plough <to farm> (land) 2. (*sadzić*) to cultivate <to grow, to raise, to rear> (vegetables, flowers etc.) 3. (*zajmować się czymś*) to practise (a profession, medicine, journalism, sports etc.); to carry on (a business, a trade); to pursue <to follow> (a profession); to cultivate (an art etc.); to be engaged (**pasek itd.** in profiteering <black-market traffic etc.>); **zacząć ~ać literaturę <sporty itd.>** to take to writing <sports etc.>

uprawianie *sn* ↑ **uprawiać**; **~ roli** farming; **~ roślin** cultivation of plants; **~ zawodu** practice in a profession

uprawni|ć *v perf* **~j** — **uprawni|ać** *v imperf* [I] *vt* 1. (*upoważnić*) to authorize; to entitle; to qualify (**kogoś do robienia czegoś** sb for sth <to do sth>) 2. (*zalegalizować*) to legalize [II] *vr* **~ć, ~ać się** to be <to become> legalized

uprawnienie *sn* (↑ **uprawnić**) authorization; authority; powers; right; qualification; competence; capacity (to act)

uprawn|y *adj* 1. (*o ziemi*) under cultivation; under crop; **ziemia ~a** plough-land 2. (*o roślinach*) cultivated

uprawomocni|ć *v perf* — *rz.* **uprawomocni|ać** *v imperf prawn.* [I] *vt* to implement; to validate; to legalize [II] *vr* **~ć, ~ać się** to be implemented <validated>; to come into force

uprawomocnienie *sn* (↑ **uprawomocnić**) implementation; validation; legalization

uprawowy *adj* connected with the cultivation of land

uprażyć *vt perf* to roast

uprecyzyjniać *vt imperf* — **uprecyzyjni|ć** *vt perf* **~j** to specify; to state (sth) precisely

uproduktywni|ć *vt perf* **~j** to render (land etc.) productive

upr|osić *vt perf* **~oszę, ~oszony** — *rz.* **upr|aszać** *vt imperf perf* to get (**kogoś, żeby coś zrobił** sb to do sth); *imperf* to ask <to request, to entreat> (**kogoś, żeby coś zrobił** sb to do sth); **dać się komuś ~osić** to yield to sb's request(s); **~asza się o ciszę <o czystość>** you are <the public is> requested not to speak above a whisper <to leave no litter>

uproszczenie *sn* (↑ **uprościć**) simplification; *mat.* reduction; cancellation

uprościć *zob.* **upraszczać**

uprowadz|ać *vt imperf* — **uprowadz|ić** *vt perf* **~ę, ~ony** 1. (*zabierać z sobą*) to take <to lead> (sb) away; to walk (sb) off; **~ić w niewolę** to take (sb, troops) prisoner 2. (*porywać*) to kidnap; to abduct (a girl etc.)

uprowadzenie *sn* 1. ↑ **uprowadzić** 2. (*porwanie*) abduction; man-stealing

uprowiantować *vt perf* to provision (an army etc.)

uprz|ąść *vt perf* **~ędę, ~ędzie, ~ędź, ~ądł, ~ędła, ~ędziony** to spin

uprząt|ać *vt imperf* — **uprząt|nąć** *vt perf* 1. (*doprowadzić do porządku*) to tidy <to clean> up (a room, flat etc.) 2. (*usuwać*) to remove; to put <to take> away; to clear (**coś z pokoju itd.** a room etc. of sth); **~ać, ~nąć zboże z pola** to gather in the harvest 3. *perf* (*zabić*) to make away (**kogoś** with sb)

uprzątnięcie *sn* (↑ **uprzątnąć**) removal

uprz|ąż *sf G.* **~ęży** harness; gear (of draught animals); **nałożyć koniowi ~ąż** to harness <to gear up> a horse

uprząż|ka *sf pl G.* **~ek ~ka psa** dog harness

uprzeć się *zob.* **upierać się**

uprzedmiotowić *vt perf* — **uprzedmiotowiać <uprzedmiotawiać>** *vt imperf* to objectify

uprzedni *adj lit.* foregoing; previous; prior; anterior; *gram.* **imiesłów ~** perfect participle

uprzednio *adv lit.* previously; beforehand; by then; *prawn.* theretofore

uprzedniość *sf singt* anteriority

uprzedz|ać *v imperf* — **uprzedz|ić** *v perf* **~ę, ~ony** [I] *vt* 1. (*ubiegać*) to forestall (sb); *pot.* to get ahead (of sb); **nie ~ajmy faktów** don't let us anticipate events <take too much for granted>; **~ać, ~ić wypadki <czyjeś życzenia itd.>** to anticipate events <sb's wishes etc.> 2. (*informować*) to advise <to warn, to forewarn> (**kogoś o czymś** sb of sth); to give (sb) notice (of sth); **trzeba mnie ~ić o terminie** I must have notice of the date; **~ać, ~ić kogoś o niebezpieczeństwie** to put sb on his guard against a danger 3. † (*usposabiać*) to prepossess (**kogoś korzystnie <źle> dla kogoś** sb in sb's favour <against sb>); to prejudice <to bias, to set> (**kogoś źle dla kogoś** sb against sb) [II] *vr* **~ać, ~ić się** to be prepossessed <biassed, prejudiced> (**do kogoś** against sb)

uprzedzająco *adv* 1. (*nadzwyczajnie*) extremely (polite etc.) 2. (*uprzedzając o czymś*) by way of warning

uprzedzający *adj* attentive; considerate; extremely polite; eager to please

uprzedze|nie *sn* 1. ↑ **uprzedzić** 2. (*ubieganie*) anticipation (of facts, events etc.) 3. (*informowanie*) warning (of danger etc.); notice (of payment, a date etc.); **zrobić coś bez ~nia** to do sth without warning <without giving notice> 4. (*niechęć*) bias <prejudice, prepossession> (**do kogoś, czegoś** against sb, sth); **brak ~ń** open-mindedness; **mieć ~nie do kogoś** to be biassed <prejudiced> against sb; **on nie ma żadnych ~ń** he is open-minded

uprzedzony [I] *pp* ↑ **uprzedzić** [II] *adj* biassed <prejudiced> (**do kogoś, czegoś** against sb, sth)

uprzejmie *adv* politely; courteously; kindly; nicely; **dziękuję ~** thank you very much <so much>; many thanks; **to bardzo ~ z twojej <jego itd.> strony** it is very kind <good, nice> of you <him etc.>

uprzejmościowy *adj lit.* polite; courteous

uprzejmoś|ć *sf* 1. *singt* (*cecha*) politeness; courtesy; kindness; blandness; complaisance; affability; **ogólnie przyjęte zasady ~ci między narodami** comity of nations; **nie silił się na ~ć** he was none too courteous; **to zbytek ~ci z twojej strony** it's too kind of you; **dzięki ~ci czyjejś** through the good offices <by courtesy> of sb 2. (*zwrot grzecznościowy*) words of courtesy 3. (*czyn*) (a) kindness; favour; **zrobić komuś ~ć** to do sb a kindness <a favour>; to oblige sb

uprzejm|y *adj* (*grzeczny*) polite; kind; nice; courteous; bland; complaisant; affable; suave; (*usłużny*) obliging; accommodating; **bądź ~y ...** be so good as <good enough> to ...; will you kindly ...; would you mind ... (**coś zrobić** doing sth); **być krępująco ~ym dla kogoś** to kill sb with one's kindness; **to było bardzo ~e z twojej strony** that was very kind of you

uprzemysł|awiać *v imperf* — **uprzemysł|owić** *v perf* **~ów** [I] *vt* to industrialize [II] *vr* **~awiać, ~owić się** to become industrialized; to develop industry

uprzemysłowienie *sn* 1. (↑ **uprzemysłowić**) industrialization 2. **~ się** industrialization; development of industry

uprzęż *sf pl N.* **~e = uprząż**

uprzężnik *sm* harness maker

uprzyjemni|ać *vt imperf* — **uprzyjemni|ć** *vt perf* **~j** to make <to render> (sth) pleasant <enjoyable>; to give <to add> charm <zest> (**coś** to sth); **~ać, ~ć sobie czas śpiewem <muzyką, czytaniem itd.>** to beguile the time singing <with music, reading etc.>

uprzykrz|ać *v imperf* — **uprzykrz|yć** *v perf* [I] *vt* to render <to make> (sth) unpleasant <irksome, tiresome>; **~ać, ~yć komuś życie** to make life unbearable <miserable> for sb; to embitter sb's life; to make sb's life miserable 2. (*nabierać niechęci*) to tire <to weary> (**sobie coś <robienie czegoś>** of sth <of doing sth>) [II] *vr* **~ać, ~yć się** 1. (*dawać się we znaki*) to weary <to tire, to sicken>

(**komuś** sb); to pall (**komuś** upon sb); to stick in (**komuś** sb's) gizzard 2. (*być natrętnym*) to molest <to plague, to bother, to pester> (**komuś** sb)

uprzykrzeni|e *sn* (↑ **uprzykrzyć**) irksomeness; tiresomeness; obtrusiveness; **(aż) do ~a** tiresomely; endlessly; unendingly; unceasingly

uprzykrzony *adj* irksome; tiresome; obtrusive

uprzykrzyć *zob.* **uprzykrzać**

uprzystępniać *vt imperf* — **uprzystępni|ć** *vt perf* **~j** 1. (*czynić przystępnym*) to render (sth) accessible; to facilitate access (**coś** to sth) 2. (*czynić bardziej zrozumiałym*) to make <to render> (sth) comprehensible; to facilitate the understanding (**coś** of sth); to popularize 3. (*udostępnić*) to put (sth) within the reach (**komuś** of sb)

uprzyt|omniać *v imperf*, **uprzyt|amniać** *v imperf* — **uprzyt|omnić** *v perf* **~omnij** [I] *vt* 1. (*powodować postrzeganie*) to make (**komuś** sb) realize (sth); to bring (sth) home (to sb); to impress (**coś komuś** sth upon sb) 2. (*uzmysławiać sobie*) **~omniać, ~amniać, ~omnić sobie** to realize <to perceive> (sth); to waken up (**coś** to sth) [III] *vr* **~omniać, ~amniać, ~omnić się** to come to (**komuś** sb's) mind

uprzytomnienie *sn* (↑ **uprzytomnić**) realization

uprzywilejować *vt perf* — **uprzywilejowywać** *vt imperf* to privilege; to discriminate (**kogoś** in sb's favour)

uprzywilejowani|e *sn* (↑ **uprzywilejować**) privilege; discrimination (**kogoś** in sb's favour); *handl.* preference; *ekon.* **klauzula najwyższego ~a** the most-favoured-nation clause

uprzywilejowany [I] *pp* (↑ **uprzywilejować**) privileged (classes etc.) [II] *adj handl. ekon.* preferential (claim etc.); preference (stock etc.) [III] *sm* privileged person

upstrzy|ć *v perf* **~j** [I] *vt* 1. (*pokryć plamami*) to speckle; to mottle; to variegate; to strew (with flowers etc.) 2. (*o muchach*) to (fly-)blow; (*o pająkach*) to taint [II] *vr* **~ć się** to be <to become> speckled <mottled, variegated>

upudrować *v perf* [I] *vt* to powder (one's face, hair) [II] *vr* **~ się** to powder one's face <one's hair>

upupić *vt perf pot.* to make a fool (**kogoś** of sb); **~ sprawę** to make a mess of the matter

upust *sm G.* **~u** sluice; flood-gate; *przen.* **dać ~ uczuciom** to give vent <a loose> to one's feelings; **dać ~ złości** to vent <to wreak> one's anger <fury> || *med.* **~ krwi** bleeding; blood-letting

upu|szczać *vt imperf* — **upu|ścić** *vt perf* **~szczę, ~szczony** to drop (sth); to let (sth) fall <drop> || † *med.* **~ścić komuś krwi** to bleed sb

upuszczenie *sn* ↑ **upuścić**

upychać *zob.* **upchać**

urabiać *v imperf* — **urobić** *v perf* **urób** [I] *vt* 1. (*formować*) to shape; to fashion; to mould; to form; **urabiać, urobić glinę** to work clay; *przen. pot.* **urabiać, urobić sobie ręce (po łokcie)** to work one's fingers to the bone 2. (*wpływać na czyjś rozwój*) to train (sb); to mould (**kogoś** sb's character) 3. *górn.* to hew <to break down> (coal) [II] *vr* **urabiać, urobić się** to be shaped <fashioned, moulded>

urabialność *sf singt górn. techn.* workability

urabialny *adj* workable

urabiar|ka *sf pl G.* **~ek** *górn.* getter

uracz|yć *v perf* — *rz.* **uracz|ać** *v imperf* [I] *vt* to treat (**kogoś czymś** sb to sth); to regale (**kogoś czymś** sb with sth); to entertain (**kogoś kolacją itd.** sb to dinner etc.) [II] *vr* **~yć, ~ać się** to regale oneself (**czymś** with sth); to regale (*vi*) (**czymś** on sth)

uradować *v perf* [I] *vt* to gladden; to delight; to rejoice (**kogoś** sb's heart) [II] *vr* **~ się** rejoice (**czymś, z czegoś** at sth); to be delighted (**czymś, z czegoś** at <with> sth)

uradowanie *sn* (↑ **uradować**) gladness; delight; joy; exhilaration

uradowany *adj* glad (**czymś** of sth); delighted (**czymś, z czegoś** at <with> sth); rejoicing (**czymś, z czegoś** at sth); (*bez dopełnienia*) joyful; cock-a-hoop

uradykalnienie *sn* radicalization

uradzać *zob.* **uradzić**

uradzenie *sn* (↑ **uradzić**) decision; resolution

uradz|ić *v perf* **~ę, ~ony** — **uradzać** *v imperf* [I] *vt* to decide (**sposoby itd.** upon a method etc.) [II] *vi vt* 1. (*postanowić*) to decide <to resolve> (**zrobienie czegoś** to do sth) 2. (*podołać*) to manage <to contrive> (sth, to do sth); to be strong enough (to do sth); to have enough strength (to do sth)

uralit *sm G.* **~u** *miner.* uralite

uralo-ałtajski, *adj* **uralsko-ałtajski** *adj* Ural-Altaic, Turanian

uran *sm singt G.* **~u** *chem.* uranium

uraninit *sm G.* **~u** *chem. miner.* uraninite

uranium *sn singt* = **uran**

uranografi|a *sf singt GDL.* **~i** *astr.* uranography

uranometri|a *sf singt GDL.* **~i** *astr.* uranometry

uranoskopi|a *sf singt GDL.* **~i** *astr.* uranoscopy

uranow|y *adj* uranic (acid etc.); uranium — (oxide etc.); **blenda ~a** pitchblende; uraninite

uranyl *sm G.* **~u** *chem.* uranyl

uranylowy *adj* uranyl — (nitrate etc.)

urastać *vi imperf* — **urosnąć** *vi perf, rz.* **uróść** *vi perf* **urosnę, urośnie, urósł, urosła, urośli** 1. (*rosnąć*) to grow; **cielę <dziecko> urosło na piękną krowę <na piękną dziewczynę>** the calf <the child> grew into a fine cow <into a pretty girl>; **urastać, urosnąć do rzędu czegoś** to assume the proportions of ...; **urastać w sławę <w potęgę>** to acquire fame <power> 2. *przen.* (*powiększać się pod względem liczebności, mądrości, intensywności itd.*) to grow (in numbers, wisdom, intensity etc.) 3. *przen.* (*powstawać*) to grow up; to arise 4. *przen.* (*wyrastać*) to sprout; **skrzydła im urosły** they sprouted wings; **wąsy mu urosły** he sprouted a moustache

urastanie *sn* (↑ **urastać**) growth

uratować *v perf* [I] *vt* to save (**kogoś od śmierci** sb from death; **komuś życie** sb's life); **~ coś z pożaru** to salvage sth from a conflagration <a fire>; **~ sytuację** to save the situation; **~ tonącego <załogę tonącego statku>** to rescue a drowning man <the crew of a sinking ship> [II] *vr* **~ się** to be saved (**od czegoś** from sth); (*także* **~ się ucieczką**) to escape

uratowani|e *sn* 1. (↑ **uratować**) salvage; rescue (**tonącego itd.** of a drowning man etc.); **pacjent jest nie do ~a** the patient cannot be saved 2. **~e się** escape

uratowany *adj* safe

uraz *sm G.* **~u** 1. (*uszkodzenie*) injury; trauma 2. *psych.* trauma; shock; complex

uraz|a *sf* rancour; resentment; ill-feeling; bitterness; grudge; animosity; soreness; **mieć ~ę do kogoś** to have <to bear> a grudge against sb; **nie pamiętajmy ~** let bygones be bygones; **nie żywię ~y do niego** I bear him no ill-will

ura|zić *v perf* **~żę, ~żony — ura|żać** *v imperf* [I] *vt* 1. (*zranić*) to hurt (**kogoś w bolesne miejsce** sb in a sore spot; **kogoś w nogę itd.** sb's foot etc.); to injure (sb) 2. (*sprawić przykrość*) to offend; to hurt; to wound <to hurt> (**kogoś** sb's feelings); **nie chciałem nikogo ~zić** I meant no offence [II] *vr* **~zić, ~żać się** 1. (*uderzyć się w bolesne miejsce*) to hurt oneself; to hurt (**się w bolącą nogę** <**w palec itd.**> one's aching foot <one's finger etc.>) 2. (*obrazić się*) to take offence; to feel hurt <offended>; to resent (**o coś** sth)

urazowy *adj* traumatic

urazów|ka *sf pl G.* **~ek** *med.* casualty ward

urażliwość *sf singt* susceptibility; touchiness

urażać *v imperf* [I] *vt zob.* **urazić** [II] *vi* to hurt; to be painful

urażenie *sn* 1. ↑ **urazić** 2. (*zranienie*) injury; (a) hurt 3. (*przykrość*) offence; wound (to sb's feelings)

urażony *adj* (*obrażony*) resentful; rancorous; **czuć się ~m** = **urazić się** 2.

urągać *vi imperf* 1. *pot.* (*wymyślać*) to abuse <to revile, to vituperate> (**komuś** sb); to shower abuse (**komuś** on sb) 2. *lit.* (*stać w rażącej sprzeczności*) to defy <to baffle> (**czemuś** sth); **~ zdrowemu rozsądkowi** to outrage common sense

urąganie *sn* 1. ↑ **urągać** 2. (*wymyślanie*) abuse 3. (*rażąca sprzeczność*) outrage (**zdrowemu rozsądkowi** on common sense)

urągowisko *sn* mockery; **podać kogoś, coś na ~** to make a laughing-stock of sb, sth; **jak na ~** as if from sheer spite

urbanista *sm* (*decl* = *sf*), **urbanist|ka** *sf pl G.* **~ek** town-planner

urbanistycznie *adv* in respect of town-planning <*am.* city planning>

urbanistyczny *adj* town-planning <*am.* city-planning> __ (office etc.)

urbanistyka *sf singt* town-planning; *am.* city planning

urbanizacja *sf singt* urbanization

urbanizować *v imperf* [I] *vt* to urbanize (a district) [II] *vr* **~ się** to become urbanized

urbarialny *adj hist.* urbarial

urbarium *sn hist.* register of landed property

urdzik *sm bot.* (*Soldanella*) mountain bindweed

urealni|ć *v perf* **~j — urealni|ać** *v imperf* [I] *vt* to make (sth) real; to realize; to bring (sth) into concrete existence [II] *vr* **~ć, ~ać się** to acquire reality; to enter the sphere of concrete existence

uregulować *v perf* [I] *vt* 1. (*uporządkować*) to regulate; to order; to put (sth) in order; to settle (one's affairs, an account etc.); to pay (a debt etc.) 2. (*skorygować mechanizm itd.*) to regulate <to adjust> (a mechanism etc.) [II] *vr* **~ się** to be regulated <put in order>

uregulowanie *sn* (↑ **uregulować**) regulation; settlement (of an account etc.); adjustment (of a mechanism)

uremi|a *sf GDL.* **~i** *med.* ur(a)emia

urgens *sm G.* **~u** (*o zapłatę*) dun, dunning letter; (*o pośpiech*) reminder; call <request> for speedy action

urgować *vt imperf* to dun <to push> (sb for payment); to urge (sb to action); to hustle <to speed> (sb) up

urlop *sm G.* **~u** leave (of absence); holiday; furlough; vacation; **bezpłatny ~** leave without pay; **być na ~ie** to be on leave <on holiday>; **~ dziekański** exeat; **~ macierzyński** maternity leave; **~ płatny** full-pay leave

urlopować *vt perf imperf* to grant (sb) leave of absence; to furlough (sb)

urlopowany [I] *pp* ↑ **urlopować**; **pracownik ~** employee on leave [II] *sm* person on leave

urlopowicz *sm pot.* holiday maker; vacationist

urlopowy *adj* holiday __ (visitors etc.)

urn|a *sf* 1. (*popielnica*) cinerary urn 2. (*do głosowania*) ballot-box; **stawać do ~y** to go to the polls

urob|ek *sm G.* **~ku** *górn.* (coal <ore>) output; **~ek surowy** run of a mine

urobić *v perf* **urób** [I] *vt zob.* **urabiać** [II] *vr* **~ się** 1. *zob.* **urabiać się** 2. *pot.* (*napracować się*) to get through a lot of work

urobilina *sf singt biol.* urobilin

urobilinogen *sm G.* **~u** *biol.* urobilinogen

uroczenie *sn* (↑ **uroczyć**) spell; bewitchment

uroczo *adv* charmingly; with charm; delightfully; enchantingly; bewitchingly

uroczy *adj* charming; delightful; enchanting; bewitching; captivating; winsome; ravishing

uroczyć *vt perf imperf* to cast a spell (**kogoś** on sb); to bewitch

uroczysko *sn* 1. (*miejsce kultowe*) sacred spot 2. (*wyodrębniony teren w lesie*) range

uroczystościowy *adj lit.* festive

uroczystość *sf* 1. (*święto*) feast; solemnity; celebration; festivity; festive occasion; ceremony; **obchodzić ~** to celebrate 2. (*cecha*) solemnity (of a ceremony etc.)

uroczysty *adj* 1. (*okazały*) solemn; ceremonial; festive; (robes, apartments) of state 2. (*podniosły*) solemn; grave; grand; formal

uroczyście *adv* 1. (*okazale*) solemnly; with (due) ceremony; with pomp and circumstance; **~ ubrany** in robes of state 2. (*z godnością*) solemnly; gravely; grandly; formally

urod|a *sf* 1. (*piękny wygląd*) beauty; good looks; loveliness; comeliness; **kobieta bez ~y** plain woman; **~a męska** handsomeness; sightliness 2. (*powab*) charm; attraction

urodzaj *sm G.* **~u** 1. (*obfity zbiór*) harvest; crop; yield 2. *przen.* (*obfitość*) abundance

urodzajność *sf singt* fertility; fecundity

urodzajny *adj* fertile; fecund

urodze|nie *sn* 1. ↑ **urodzić** 2. (*urodzenie się*) birth; **kraj ~nia** native country; **metryka ~nia** birth-certificate; **miejsce ~nia** birth-place; **od ~nia głuchoniemy** <**ślepy itd.**> born deaf and dumb <blind etc.>; **poeta** <**optymista itd.**> **z ~nia** born poet <optimist etc.>; **regulacja ~ń** birth-control; **współczynnik ~ń** birth-rate; natality; **z ~nia Polak** <**Irlandczyk itd.**> Polish <Irish etc.> by birth 3. *lit.* (*pochodzenie*) condition; **szlacheckiego** <**ni-**

skiego itd.> ~nia of noble <humble, low etc.> birth

urodz|ić *v perf* **~ę, ~ony** [I] *vt* (*o ludziach*) to give birth (**dziecko** to a child); to be delivered (**dziecko** of a child); to bear (children); (*o zwierzętach*) to breed; to bring forth (young) [II] *vi* (*o glebie, roślinach*) to bear <to yield> a rich crop [III] *vr* **~ić się** to be born, to come into the world; **~ił się w Londynie** he is London born; **jakby się na nowo ~ił** as if born again

urodzinowy *adj* birthday — (present etc.)

urodzin|y *spl G.* **~** 1. (*rocznica*) birthday 2. (*święto rodzinne*) birthday party 3. (*rodzenie się*) birth; **ilość ~** natality

urodziwie *adv* prettily; **~ wygląda** is pretty <good-looking, comely, handsome>

urodziwość *sf singt* good looks; comeliness; handsomeness

urodziwy *adj* pretty; good-looking; comely; handsome

urodzony [I] *pp* ↑ **urodzić** [II] *adj* 1. (*zawołany*) born (artist, teacher, orator etc.) 2. (*rodowity*) born and bred; **~ warszawiak <londyńczyk itd.>** a Varsovian <Londoner etc.> born and bred

urografi|a *sf GDL.* **~i** *med.* urography

urogram *sm G.* **~u** *med.* urogram

uro|ić *v perf* **~ję, urój, ~jony** [I] *vt* **~ić sobie** to imagine; to fancy; to dream; **to take** (sth) into one's head [II] *vr* **~ić się** to come (**komuś** into sb's head); **to ci się ~iło** you dreamt it; it's your imagination <an invention of yours>

urojenie *sn* (↑ **uroić**) dream; illusion; phantasm; *med.* delusion (**depresyjne, wielkościowe, prześladowcze itd.** depressive, of grandeur, persecution etc.)

urojony *adj* imaginary; fictitious; visionary

urok *sm G.* **~u** 1. (*powab*) charm; attraction; attractiveness; enchantment; glamour; fascination; appeal; **dodać ~u czemuś** to add charm <to lend a glamour> to sth 2. (*siła magiczna*) (*także pl* **~i**) spell; sorcery; bewitchment; **odczyniać ~i** to break spells; **zadać ~komuś** to cast a spell over sb; **na psa ~!** touch wood!

urolog *sm med.* urologist

urologi|a *sf singt GDL.* **~i** *med.* urology

urologiczny *adj* urological

uronić *vt perf* 1. (*dać wypaść*) to drop; to let (sth) fall; (*zgubić*) to lose; (*utracić*) to shed (**liście, łzę itd.** leaves, a tear etc.) 2. *lit.* (*pominąć*) to miss (a detail, a word in sb's speech etc.)

urosnąć *zob.* **urastać**

uro|ścić *vt perf* **~szczę, ~szczony** (*zw.* **~ścić sobie**) to claim (sth)

urotropina *sf farm.* urotropin

urozmaic|ać *v imperf* — **urozmaic|ić** *v perf* **~ę, ~ony** [I] *vt* to diversify; to vary; to give <to lend> variety (**coś** to sth); **~ać, ~ić barwami** to variegate; **~ać, ~ić czas** to beguile <to while away> the time; **~ać, ~ić monotonność czegoś** to relieve the montony of sth; **~ać, ~ić opowiadanie przykładami** to intersperse a narrative with examples [II] *vr* **~ać, ~ić się** to be diversified

urozmaicenie *sn* (↑ **urozmaicić**) variety; diversity; change

urozmaicony *adj* varying; varied; diversified; (*o życiu, karierze*) chequered; eventful

urozmaicić *zob.* **urozmaicać**

uróść *zob.* **urastać**

uróżować *v perf* [I] *vt* to put rouge (**sobie policzki** on one's cheeks) [II] *vr* **~ się** to rouge one's face; to touch up one's face with rouge

urszulan|ka *sf pl G.* **~ek** (an) Ursuline

uruchomić *vt perf* — **uruchamiać <uruchomiać>** *vt imperf* 1. (*wprawiać w ruch*) to set (sth) in motion; to set (sth) going; to impel (a missile etc.); (*spowodować funkcjonowanie*) to start <to launch> (a business, a motor etc.); to initiate <to set on foot> (an institution etc.); to put (a bus, train, ship etc.) into service 2. (*uczynić ruchomym*) to make (sth) mobile

uruchomienie *sn* (↑ **uruchomić**)

urugwajski *adj* Uruguayan

urwać *v perf* **urwę, urwie, urwij** — **urywać** *v imperf* [I] *vt* 1. (*oderwać*) (*rwąc*) to tear off <away>; (*szarpiąc*) to wrench off <away>; (*ciągnąć*) to pull out <up> (weeds etc.); **urwać kwiatów** to pluck flowers; **urwać jagód** to pick berries; *przen.* **urwać komuś głowę** to wring sb's neck 2. *pot.* (*odjąć*) to deduct; to subtract; **urwać, urywać coś z ceny** to knock something off a price [II] *vi* (*nagle przestać*) to break off; to stop short [III] *vr* **urwać, urywać się** 1. (*odłączyć się*) to snap; to break loose; to come off 2. (*ustać*) to be discontinued; **nasze stosunki urwały się** our connexion is severed 3. (*skończyć się*) to stop; to cease; to come to an end

urwanie *sn* 1. ↑ **urwać**; *przen.* **~ głowy** commotion; bustle; **mieć ~ głowy z kimś, czymś** to have no end of trouble with sb, sth 2. **~ się** snap; severance; discontinuance

urwany [I] *pp* ↑ **urwać** [II] *adj* (*przerywany*) discontinuous; broken; interrupted; fitful; jerky; *bot.* abrupt

urwipoł|eć *sm G.* **~cia** scamp; scapegrace; *żart.* rascal

urwis *sm* urchin; scamp; rascal

urwisko *sn* precipice; steep rock; crag

urwisostwo *sn singt* pranks; frolics; frolicsomeness

urwisować *vi imperf* to play pranks; to frolic

urwisowski *adj* prankish; frolicsome

urwisto *adv* precipitously; steeply; abruptly; bluffly

urwistość *sf singt* precipitousness; cragginess; bluffness; steepness

urwisty *adj* precipitous; craggy; steep; bluff

urwisz *sm* = **urwis**

uryna *sf* urine

urynał *sm G.* **~u** 1. (*nocnik*) chamber-pot 2. (*naczynie do badania moczu*) urinal

urywacz *sm górn.* core-breaking tool

urywanie[1] *sn* ↑ **urywać**

urywanie[2] *adj* discontinuously; jerkily; interruptedly; fitfully

urywany [I] *pp* ↑ **urywać** [II] *adj* discontinuous; jerky; broken; interrupted; fitful

uryw|ek *sm G.* **~ka <~ku>** fragment; passage (of a text); scrap (of paper); *pl* **~ki** (*rozmowy itd.*) scraps <snatches> (of conversation etc.)

~kami † *adv* in <by> snatches; brokenly; interruptedly; fitfully

urywkowo *adv* fragmentarily; discursively; snatchily

urywkowy *adj* fragmentary; discursive; snatchy

urz|ąd *sm G.* **~ędu** 1. (*instytucja*) office; department (of the administration); **~ędy państwowe**

a) (*placówki*) Government offices b) (*dziedzina*) the Civil Service; **pracować w ~ędzie państwowym** to be in the Civil Service 2. (*stanowisko*) post; office; (official) duties; **z ~ędu** by virtue of one's office; ex officio, officially; in one's official capacity

urządzać *zob.* **urządzić**

urządzenie *sn* 1. ↑ **urządzić** 2. (*mechanizm*) mechanism; arrangement; appliance; device; gadget; contraption 3. (*wyposażenie*) installation; fittings; fixtures 4. (*umeblowanie*) furnishings; furniture

urządz|ić *v perf* **~ę, ~ony** — **urządz|ać** *v imperf* [I] *vt* 1. (*przysposobić*) to arrange; to prepare 2. (*wyposażyć*) to furnish; to install; to fix up; **~ić kogoś** a) (*stworzyć warunki do pracy itd.*) to set sb up (in life) b) (*wyrządzić krzywdę*) to give sb beans 3. (*ułożyć według pewnego planu*) to plan <to map out> (a course of action) 4. (*zorganizować*) to arrange; to get (sth) up; to organize; **~ić awanturę <burdę>** to kick up a row; to raise Cain; *pot.* czy **to cię ~a?** is that convenient to you?; **to mnie nie ~a** that doesn't suit me [II] *vr* **~ić, ~ać się** 1. (*zagospodarować się*) to settle down; to take up one's abode (somewhere); to find oneself a lodging; to furnish one's room <flat, apartment> 2. *iron. żart.* to get oneself into a mess; **ładnie się ~iłem** I've got myself into a hell of a mess

urze|c *vt perf* **~kę <~knę>, ~cz <~knij>, ~kł, ~czony** — **urzekać** *vt imperf* 1. (*zaczarować*) to bewitch; to cast a spell (**kogoś** on sb) 2. (*oczarować*) to charm; to captivate; to enchant; to fascinate

urzeczenie *sn* 1. ↑ **urzec** 2. (*zaczarowanie*) bewitchment; spell 3. (*oczarowanie*) charm; captivation; fascination

urzeczony *adj* bewitched; spell-bound; rapt; enchanted

urzeczowiać *vt imperf* — **urzeczowić** *vt perf* to objectify

urzeczownikowiać *vt imperf* — **urzeczownikowić** *vt perf* to substantivize; to nominalize

urzeczywistni|ać *v imperf* — **urzeczywistni|ć** *v perf* **~j** [I] *vt* to realize; to carry into effect; to fulfil [II] *vr* **~ać, ~ć się** to be <to become> realized <fulfilled>; to materialize; to come to fruition; (*o marzeniu*) to come true

urzeczywistnienie *sn* 1. (↑ **urzeczywistnić**) realization; fulfilment 2. **~ się** materialization

urzekać *zob.* **urzec**

urzekająco *adv* bewitchingly; captivatingly; charmingly; enchantingly; fascinatingly

urzekający *adj* bewitching; charming; captivating; enchanting; fascinating

urzet *sm G.* **~u** *bot.* woad; pastel

urzeźbić *vt perf* to carve; to sculpture

urzeźbienie *sn* (↑ **urzeźbić**) (a) carving; (a) sculpture; **~ terenu** configuration of the ground

urzędnicz|ka *sf pl G.* **~ek** (lady <woman>) clerk; official

urzędnicz|y *adj* clerk's; clerical; **państwowy aparat ~y** Civil Service; **praca ~a** office work; **świat ~y** officialdom

urzędnik *sm* clerk; (State) official; functionary; white-collar <black-coat> worker; **~ państwowy** civil servant; *am.* office-holder; **~ pocztowy <kolejowy>** post-office <railway> official; **~ Stanu Cywilnego** registrar

urzędomani|a *sf singt GDL.* **~i** red tapery

urzędować *vi imperf* to be employed <to work, to have a post, to discharge clerical duties> in an office; to be a clerk; to hold an office

urzędowani|e *sn* (↑ **urzędować**) post; office; clerical duties; **godziny ~a** office <business, working> hours

urzędowo *adv* officially; formally; in one's official capacity

urzędowość *sf singt* official character (of a document etc.)

urzędow|y *adj* 1. (*dotyczący urzędu*) official (document etc.); public (holiday, property etc.); State (secret, documents etc.); Government (office etc.); **godziny ~e** office hours 2. (*oficjalny*) official (capacity etc.); **lekarz ~y** medical officer; **osoba ~a** (an) official 3. (*formalny*) formal 4. (*oficjalnie obowiązujący*) standard (measure, weight etc.)

urzędów|ka *sf pl G.* **~ek** *pot.* gazette; official news-sheet

urznąć <urżnąć> *v perf* — **urzynać** *v imperf* [I] *vt* 1. (*uciąć*) to cut off; **urznąć <urżnąć> sieczki** to cut some chaff 2. *pot.* (*zagrać z zacięciem*) to play lustily [II] *vr* **urznąć, urżnąć, urzynać się** *sl.* to get drunk <sozzled, squiffy, plastered>

usad|owić *v perf* **~ów** — **usad|awiać** *v imperf* [I] *vt* 1. (*posadzić*) to seat (sb somewhere) 2. (*osiedlić*) to settle <to establish> (sb somewhere) 3. (*umieścić*) to place <to situate> (sth somewhere) [II] *vr* **~owić, ~awiać się** 1. (*rozsiąść się*) to seat oneself; to sit comfortably down; to make oneself comfortable 2. (*zamieszkać*) to settle down; to take up one's abode (somewhere)

usadow|y *adj techn.* **jama ~a** contraction <shrinkage> cavity; pipe

usadz|ać *v imperf* — **usadz|ić** *v perf* **~ę, ~ony** [I] *vt* 1. (*usadawiać*) to seat (sb somewhere) 2. *perf pot.* (*unieruchomić*) to set (sth somewhere) [II] *vr* **~ać, ~ić się** to place oneself; to be placed

usamodzielni|ać *v imperf* — **usamodzielni|ć** *v perf* **~j** [I] *vt* to give (sb, sth) independence; to make <to render> independent [II] *vr* **~ać, ~ć się** to gain independence; to become independent

usamow|olniać <usamow|alniać> *v imperf* — **usamow|olnić** *v perf* **~olnij** [I] *vt* to emancipate; to give (sb, sth) independence; to make <to render> independent [II] *vr* **~olniać, ~alniać, ~olnić się** to become independent

usamowolnienie *sn* (↑ **usamowolnić**) emancipation; independence

usankcjonować *vt perf* to sanction; to give one's assent (**coś** to sth); to approve; to ratify

usankcjonowanie *sn* 1. ↑ **usankcjonować** 2. (*aprobata*) sanction; assent; approval; ratification

usatysfakcjonować *vt perf* to satisfy; to give satisfaction (**kogoś** to sb)

usączyć *vt perf* to let off <to pour off> (some of the liquid)

uscenizni|ać *vt imperf* — **usceniczni|ć** *vt perf* **~j** to adapt for the stage

uschematyzować *vt perf* to schematize

uschematyzowanie *sn* (↑ **uschematyzować**) schematization

uschnąć *vi perf* **usechł <uschnął>, uschła, uschły <uschnięty>** — **usychać** *vi imperf* 1. (*o roślinach oraz o kończynie*) to wither; to wilt; to shrivel; to waste away 2. *przen.* (*o człowieku*) to wither; to waste away; **usychać z miłości** to be dying of love; **usychać z nudów** to be consumed with boredom; **usychać z tęsknoty** to peak and pine; **usychać z tęsknoty za kimś** to pine for sb

usi|ać *vt perf* **~eje, ~ali** — **usi|ewać** *vt imperf* to strew; to dot; to stud; to set; to spangle; to sprinkle

usi|ąść *vi perf* **~ądę, ~ądzie, ~ądź, ~adł, ~edli** — *rz.* **usi|adać** *vi imperf* 1. (*o człowieku*) to sit down; to take one's seat; **proszę ~ąść** please, take a seat; do sit down, will you? **~ąść do stołu <do gry w karty itd.>** to sit down to table <a game of cards etc.> 2. (*o zwierzęciu*) to sit on its haunches; (*o ptaku — na gałęzi itd.*) to perch; (*na ziemi*) to alight

usidlić *vt perf* — **usidlać** *vt imperf* to entrap; to ensnare; to enmesh; to inveigle

usie|c † *vt perf* **~kę, ~cze, ~cz, ~kł, ~czony** = **usiekać**

usiedz|ieć *vi perf* **~ę** 1. (*pozostać w pozycji siedzącej*) to keep one's seat; to remain sitting 2. (*pozostać gdzieś jakiś czas*) to stay (somewhere, at home etc.)

usiekać *vt perf* to chop up

usiewać *zob.* **usiać**

usilnie *adv* 1. (*wytrwale*) persistently; strenuously; steadily; (*gorliwie*) earnestly; intensely; **starać się ~** to try hard 2. (*natarczywie*) insistently; pressingly; urgently

usilny *adj* 1. (*wytrwały*) persistent; strenuous; steady; (*gorliwy*) earnest; intense 2. (*natarczywy*) insistent; pressing; urgent

usiłować *vi imperf* to try; to attempt; to endeavour; to strive; to seek (to do sth); **~ coś chwycić <złapać>** to snatch at sth

usiłowanie *sn* († **usiłować**) attempt; effort; endeavour

uskakiwać *vi imperf* — **uskoczyć** *vi perf* 1. (*odskakiwać*) to jump <to spring, to leap> aside; to dodge 2. (*uciekać*) to escape

uskarżać się *vr imperf* — **uskarżyć się** *vr perf* to complain (**na coś** of sth; **na kogoś** against sb); to grumble (**na kogoś, coś** at <about> sb, sth)

uskarżanie się *sn* († **uskarżać się**) complaints

uskarżenie się *sn* († **uskarżyć się**) complaint

uskarżyć się *zob.* **uskarżać się**

uskłada|ć *vt perf* to save; to put (money) by; **~ne pieniądze** savings; nest-egg

uskoczenie *sn* 1. † **uskoczyć** 2. (*uskok*) (a) jump <spring, leap> aside; (a) dodge

uskoczyć *zob.* **uskakiwać**

uskok *sm G.* **~u** 1. (*skok*) (a) jump <spring, leap> aside; (a) dodge 2. *arch.* offset; set-off 3. *geol.* upcast; downcast; throw; fault 4. *sport* dodge

uskokowy *adj geol.* faulted

uskorupiony *adj* shelled (animal)

uskrob|ać *vt perf* **~ie** 1. (*zgromadzić*) to scrape together <up> 2. (*naskrobać*) to peel (**kartofli** some potatoes)

uskrzydl|ać *v imperf* — **uskrzydl|ić** *v perf lit.* [I] *vt* to wing (sb's steps <flight>); to lend <to add> wings (**kogoś** to sb) [II] *vr* **~ać, ~ić się** to find wings (for one's flight)

uskrzydlony [I] *pp* † **uskrzydlić** [II] *adj* winged

uskub|ać *vt imperf* **~ie** — **uskub|nąć** *vt perf* **~nięty** to pluck (fowls, flowers etc.)

uskuteczni|ać *v imperf* — **uskuteczni|ć** *v perf* **~j, ~ony** *pot. żart.* [I] *vt* to effect; to perform [II] *vr* **~ać, ~ć się** to be effected <performed>

usłać *v perf* **uściele** — **uściełać <uścielać>** *v imperf* [I] *vt* 1. (*zrobić posłanie*) to make (**komuś posłanie** sb a bed) 2. (*umościć*) to strew (**podłogę itd. słomą, pole bitwy trupami itd.** the floor etc. with straw, a battle-field with the dead etc.); to cushion (a seat etc.); (*o ptaku*) **usłać gniazdo** to build its nest [II] *vr* **usłać, uściełać, uścielać się** (*o mgle itd. — rozłożyć się*) to lie

usłojenie *sn* graining (of wood)

usłonecznienie *sn singt meteor.* insolation

usłoneczniony *adj lit.* exposed to the sun's rays; insolated

usłuchać *vt perf* 1. (*okazać posłuszeństwo*) to obey (**czyjegoś rozkazu** sb's command) 2. (*postąpić według rady*) to take <to follow> (**czyjejś rady** sb's advice) 3. (*przychylić się*) to give ear <to listen> (**czyjejś prośby** to sb's request <petition>)

usłuchany [I] *pp* † **usłuchać** [II] *adj pot.* obedient; docile

usług|a *sf* 1. (*przysługa*) service; (*o maszynie, przyrządzie itd.*) **oddawać dobre ~i** to give good service, to be of great service; (*o człowieku*) **oddawać ~i komuś <społeczeństwu, sprawie itd.>** to serve sb <society, a cause etc.>; **wyświadczyć komuś ~ę** to do sb a service <a good turn> 2. (*obsługiwanie*) service; *pl* **~i** running-repair service; offices; attendance; **być na czyichś ~ach** to be at sb's service; **być u kogoś na ~ach** to be in sb's service; **jestem do ~** I am yours to command; **mieć kogoś na swoich ~ach** to have sb at one's beck and call; **oddać się na ~i sprawie <komuś>** to offer one's services for a cause <to sb> 3. (*pomoc*) help 4. *pl* **~i** *ekon.* (medical, professional etc.) service

usłu|giwać *vi imperf* — **usłu|żyć** *vi perf* to serve (**komuś** sb); to attend (**komuś** to sb); to wait (**komuś** on sb); **~giwać choremu** to tend an invalid <upon an invalid>; **~giwać przy stole** to wait at table

usługiwanie *sn* († **usługiwać**) service; attendance

usługow|iec *sm G.* **~ca** servicer

usługowy *adj* service (station etc.); **punkt ~** service workshop for individual customers

usłużenie *sn* († **usłużyć**) service; attendance

usłużnie *adv* obligingly; complaisantly

usłużność *sf singt* obligingness; complaisance

usłużny *adj* obliging; complaisant; serviceable; neighbourly

usłużyć *zob.* **usługiwać**

usłysz|eć *vt perf* **~y** 1. (*posłyszeć*) to hear; **przypadkowo ~eć** to overhear; **~ałem dźwięk** a sound caught <reached> my ear 2. (*dowiedzieć się*) to learn; to be told; to hear

usłyszeni|e *sn* † **usłyszeć**; **możność ~a** audibility

usmarka|ć *v perf sl.* [I] *vt* to soil with snot [II] *vr* **~ć się** to get snotty; **~ny** snotty

usmarować *v perf* [I] *vt* to smear; to soil; to dirty [II] *vr* ~ **się** to get smeared <soiled, dirty>; to smear <to soil, to dirty> one's face <hands, clothes>

usmażyć *vt perf* to fry (meat, fish, potatoes etc.); to make (**konfitury** jam); to candy (**skórkę pomarańczową itd.** orange peel etc.)

usm|olić *v perf* **~ól** <**~ol**> *pot.* [I] *vt* to smear; to soil; to dirty [II] *vr* **~olić się** to get smeared <soiled, dirty>; to smear <to soil, to dirty> one's face <hands, clothes>

usnąć *vi perf* **uśnie** — **usypiać** *vi imperf* to go <to drop off> to sleep; to fall asleep; **usnąć na wieki** to go to one's last sleep <rest>

usnu|ć *vt perf* **~je, ~ty** *dosł. i przen.* to spin (wool, dreams etc.)

uspakajać *zob. vt imperf* = **uspokajać**

uspasabiać *zob.* **usposobić**

usprawni|ć *vt perf* **~j** — **usprawniać** *vt imperf* to make (a river) navigable

uspok|ajać *v imperf* — **uspok|oić** *v perf* **~oję, ~ój, ~ojony** [I] *vt* 1. (*uciszać*) to silence; to pacify; to calm; to appease; to hush; to quiet; to spill; to lull 2. (*przywracać komuś spokój*) to tranquillize; to reassure; (*koić*) to soothe; to set (**kogoś** sb's mind) at rest; to set (sb) at ease; to assuage (a pain etc.); **~ajać, ~oić czyjeś obawy** to allay <to lay> sb's misgivings; to set sb's mind at rest; **~ajać, ~oić sumienie** to salve one's conscience [II] *vr* **~ajać, ~oić się** 1. (*uciszać się*) to be silenced <stilled>; to quiet <to calm> down; to grow quiet; (*o wietrze*) to die down; (*o wietrze, burzy*) to subside 2. (*odzyskiwać spokój*) to regain one's composure; to compose oneself; to be reassured <soothed, at rest> 3. (*ustatkowywać się*) to settle down

uspokajająco *adv* soothingly; reassuringly

uspokajający *adj* (*o działaniu, słowach*) reassuring; soothing; pacificatory; (*o atmosferze*) restful; reposeful; soothing; **środek ~** calmative; tranquillizer; demulcent; sedative

uspokoić *zob.* **uspokajać**

uspokojenie *sn* ↑ **uspokoić** 1. (*uciszenie*) silence; calm; appeasement; quiet; hush; stillness; lull 2. (*przywrócenie komuś spokoju*) reassurance; soothing effect; assuagement 3. **~ się** (*uciszenie się*) subsidence 4. **~ się** (*odzyskanie równowagi*) composure

uspołeczni|ć *v perf* **~j** — **uspołeczni|ać** *v imperf* [I] *vt* 1. (*uczynić aktywnym społecznie*) to induce (sb) to be active in social <welfare> work 2. (*ucywilizować*) to civilize 3. *ekon. polit.* to socialize; to collectivize [II] *vr* **~ć, ~ać się** 1. (*stać się przydatnym społecznie*) to be active in social <welfare> work 2. *ekon. polit.* to become socialized <collectivized>

usportowić *vt perf pot.* to develop sporting activities (**społeczeństwo** in a community)

uspos|abiać *v imperf* — **uspos|obić** *v perf* **~ób** [I] *vt* 1. (*wprowadzać w określony nastrój*) to dispose <to incline> (**kogoś do czegoś** <**do robienia czegoś**> sb to sth <to do sth>); **przychylnie kogoś ~abiać, ~obić do kogoś, czegoś** to dispose sb favourably to sb, sth; **źle kogoś ~abiać, ~obić do kogoś, czegoś** to indispose sb towards sb, sth; to bias <to prejudice> sb against sb, sth; **dobrze<źle> ~obiony do kogoś, czegoś** well-disposed <ill-disposed> towards sb, sth 2. (*czynić podatnym na coś*) to predispose (**kogoś do czegoś** sb to sth); to develop (**kogoś** in sb) a tendency <susceptibility> (**do pewnych chorób** to certain diseases) [II] *vr* **~abiać, ~obić się** to acquire a disposition <an inclination> (to sth); **dobrze** <**źle**> **się ~obić do kogoś, czegoś** to be well-disposed <ill-disposed> towards sb, sth

usposobieni|e *sn* 1. ↑ **usposobić** 2. (*temperament*) disposition; temper; nature; **mieć dobre** <**złe**> **~e** to be good-natured <ill-tempered>; **to nie leży w jego ~u** he is not given that way; **z ~a** by disposition; by nature 3. (*humor, nastrój*) mood <humour> (**do czegoś** for sth); frame of mind

uspółdzielcz|ać *vt imperf* — **uspółdzielcz|yć** *vt perf* to collectivize; to organize <to turn> (an institution etc.) into a co-operative; **~ać, ~yć wieś** to introduce the co-operative system in agriculture

uspółdzielczenie *sn* (↑ **uspółdzielczyć**) collectivization

uspółdzielczyć *zob.* **uspółdzielczać**

usprawiedliwi|ać *v imperf* — **usprawiedliwi|ć** *v perf* [I] *vt* 1. (*oczyszczać z zarzutu*) to clear (**kogoś z zarzutu** sb of a charge); to exculpate (sb); **~ać czyjeś niedociągnięcia** to gloss over sb's faults <shortcomings> 2. (*tłumaczyć*) to excuse (sb); to explain (one's conduct etc.) 3. (*stanowić dostateczny powód*) to justify; **to się da** <**tego się nie da**> **~ć** it is <it is not> justifiable 4. (*potwierdzać słuszność*) to warrant; to vindicate [II] *vr* **~ać, ~ć się** to excuse oneself; to be apologetic; to offer apologies (**z czegoś** for sth)

usprawiedliwiająco *adv* apologetically; in justification (of sth)

usprawiedliwiający *adj* justificatory; justificative; vindicative; vindicatory

usprawiedliwić *zob.* **usprawiedliwiać**

usprawiedliwieni|e *sn* 1. (↑ **usprawiedliwić**) exculpation; justification 2. (*to, co usprawiedliwia*) excuse; reason; plea; **na jego ~e** in his justification; **na swe ~e** in self-justification; **na ~e czegoś** in extenuation <vindication> of ...; **nie masz żadnego ~a** you haven't got a leg to stand on; **przytoczyć na swe ~e nieznajomość ustawy** to plead ignorance of the law

usprawiedliwiony *pp* ↑ **usprawiedliwić**; **czyn niczym nie ~** unjustified <unwarranted, wanton> act

usprawni|ać *vt imperf* — **usprawni|ć** *vt perf* **~j** to raise the standard of efficiency (**coś** of sth); to improve; to rationalize; to make (sth) more efficient [II] *vr* **~ać, ~ć się** to be improved <rationalized>

usprawniający *adj* (*o wynalazku, przyrządzie itd.*) labour-saving (device etc.)

usprawnienie *sn* 1. (↑ **usprawnić**) higher standard of efficiency 2. (*to, co usprawnia pracę*) improvement; rationalization

usprawnieniowy *adj* tending to raise the standard of efficiency; labour-saving

usprzątać *vt perf rz.* to tidy

usprzętowienie *sn singt* equipment

ust|a *spl* ~ 1. *anat.* mouth; **nie biorę tego do ~** I don't touch it; **nie mieć co do ~ włożyć** to have an empty cupboard; **od trzech dni nie miałem nic**

w ~ach I haven't <hadn't> tasted food for three days; **od ~ sobie odejmować dla kogoś** to deprive oneself for sb; **słuchać <stać> z otwartymi ~ami** to listen <to stand> open-mouthed <with parted lips> 2. (*wargi*) lips; mouth; **kredka do ~** lipstick; **całować kogoś w ~a** to kiss sb on the mouth; *przen.* **dowiedzieć się czegoś z czyichś ~** to have sth from sb's own lips; **dowiedzieć się czegoś z pierwszych <z dziesiątych> ~** to have sth first-hand <at second hand>; **mam to z wiarygodnych ~** I have it on good authority; **miałem to na ~ach** I had it on the tip of my tongue; **między ~ami, a brzegiem pucharu** 'twixt cup and lip there's many a slip; **nie mieć do kogo ~ otworzyć** to have nobody to say a word to; **on by nie skalał ~ kłamstwem** he would not stoop to a lie; **on nie schodzi ludziom z ~** his name is on every tongue; **sznurować ~a** to prim one's mouth; **umoczyć w czymś ~a** to set one's lips to a glass; **wieść przechodziła z ~ do ~** the news spread from mouth to mouth; **wykrzywić pogardliwie ~a** to curl one's lips; **wisieć na czyichś ~ach** to hang on sb's lips; **wyrwało mi się to z ~** it escaped my lips; **zamknąć komuś ~a** to put sb down; to put sb to silence; **zamknął ~a** he was silent; **z ~ mi to wyjąłeś** you've taken the very words out of my mouth

ustabilizowa|ć *v perf* [I] *vt* to stabilize; **~ny** stabilized; steady [III] *vr* **~ć się** to become stabilized

ustabilizowanie *sn* (↑ **ustabilizować**) stabilization

ust|ać *v perf* **~anę, ~anie, ~ał** — **ust|awać** *v imperf* **~aje, ~awaj, ~awał** [I] *vi* 1. (*przestać być*) to stop; to cease; to break off; to remit; to come to an end; to terminate; (*o burzy, wietrze*) to subside; **nie ~awać** to persist; to go on; to continue 2. **~oję, ~oi, ~ój, ~ał** (*utrzymać się na nogach*) to keep standing; to stand; **ledwo ~ałem** I could hardly stand 3. (*zatrzymać się*) to be ready to drop (**z wyczerpania** with fatigue); to be unable to go any further <to continue> (to do sth); (*zmęczyć się*) to be weary (**w robieniu czegoś** in doing sth); **nie ~awać w robieniu czegoś** to persist in doing sth 4. *gw.* (*przestać*) to stop <to leave off> (**coś robić** doing sth) [III] *vr* **~ać się** (**~oi się, ~ał się**) 1. (*o płynie z zawiesiną*) to settle; to stand 2. (*o zawiesinie*) to settle

ustal|ać *v imperf* — **ustal|ić** *v perf* [I] *vt* 1. (*czynić stałym*) to fix; to settle 2. (*umacniać*) to fix; to establish; to immobilize; *med.* **opatrunek ~ający** immobilizing <retaining> bandage 3. (*rozstrzygać*) to agree <to settle> (**coś** upon sth); to determine; to arrive (**cenę** at a price) 4. (*wyznaczyć*) to fix; to establish; to set; to state <to appoint, to assign> (a date etc.); to lay down (a rule etc.) 5. (*stwierdzać*) to ascertain [III] *vr* **~ać, ~ić się** 1. (*ulegać ugruntowaniu*) to be <to become> fixed <settled>; (*o pogodzie*) to set 2. (*stawać się nieruchomym*) to be <to become> immobilized 3. (*o ludziach — zaczynać życie ustabilizowane*) to settle down

ustalenie *sn* (↑ **ustalić**) settlement; assignation

ustalon|y [I] *pp* **ustalić** [III] *adj* settled; certain; steady; **to jeszcze nie jest ~e** it is still vague <undetermined>

ustan|awiać *vt imperf* — **ustan|owić** *vt perf* **~ów** 1. (*wprowadzać w życie*) to institute; to set up; to establish; to create; **~awiać, ~owić prawa** to lay down laws 2. (*mianować*) to appoint (**kogoś dyrektorem itd.** sb manager etc.); **~owić kogoś spadkobiercą itd.** to appoint <to institute> sb as one's heir etc.

ustanawianie *sn* ↑ **ustanawiać** 1. (*wprowadzanie w życie*) institution; establishment; creation 2. (*mianowanie*) appointment

ustan|ek † *sm G.* **~ku**; *obecnie w zwrotach*: **bez ~ku** unceasingly; incessantly; without intermission; **bez ~ku coś robić** to keep (on) doing sth

ustanie *sn* 1. ↑ **ustać** 2. (*kres*) (a) stop; cessation

ustanowić *zob.* **ustanawiać**

ustanowienie *sn* ↑ **ustanowić** 1. (*wprowadzenie w życie*) institution; establishment; creation 2. (*mianowanie*) appointment

ustateczni|ać *vt imperf* — **ustateczni|ć** *vt perf* **~j** to steady; to stabilize

ustatkować się *vr perf* — *rz.* **ustatkowywać się** *vr imperf* to settle <to steady, to sober> down; to turn over a new leaf

ustatkowanie się *sn* (↑ **ustatkować się**) (young man's etc.) sedateness; steadiness

ustawa *sf* 1. (*akt władzy państwowej*) law; act; statute 2. (*przepis*) rule

ustawać *zob.* **ustać**

ustawczy *adj techn.* regulating <adjusting> (screw)

ustawiacz *sm* 1. *pl* **~e** (*do książek*) book ends 2. *kolej.* shunter

ustawi|ać *v imperf* — **ustawi|ć** *v perf* [I] *vt* 1. (*umieszczać*) to place; to put (up); to set up; **~ć model do fotografii itd.** to dispose a model for a picture etc. 2. (*stawiać w pewnym szyku*) to arrange; to draw up <to form> (a column of troops); to array <to marshal> (an army etc.); **~ać, ~ć w szeregu** to align 3. (*wznosić*) to raise <to erect> (an arch, a building etc.); to pitch (a tent); to mount (a gun etc.); to rig up (a bed etc.) 4. (*nadawać właściwy kierunek*) to position [III] *vr* **~ać, ~ć się** 1. (*stawać w określonym szyku*) to range oneself <themselves>; to draw up (in a line etc.); to form ranks 2. (*o liczbie jednostek — przyjmować określony kierunek*) to take up (their) positions

ustawicznie *adv* constantly; continually; incessantly; **~ coś robić** to keep (on) doing sth

ustawiczny *adj* constant; continual; incessant

ustawić *zob.* **ustawiać**

ustawienie *sn* 1. ↑ **ustawić** 2. (*stawianie w pewnym szyku*) arrangement; array 3. (*wzniesienie*) erection

ustawny *adj* **~ pokój** well-designed room

ustawodawca *sm* (*decl* = *sf*) *prawn.* legislator

ustawodawcz|y *adj* legislative; **ciało ~e** legislature; **zgromadzenie ~e** constituent assembly

ustawodawstwo *sn singt prawn.* legislation

ustawowo *adv* according to the law <to the provisions of the law>; by law; statutorily

ustawowy *adj* legal; statutory

ust|ąpić *v perf* — **ust|ępować** *v imperf* [I] *vi* 1. (*wycofać się*) to retire; to retreat; to withdraw (**z placu, pola** from the field); (*o wodzie*) to recede; **nie ~ąpić** to hold one's ground; **~ąpić czemuś** to give way to sth; to be replaced by sth; **~ąpić komuś, czemuś <przed kimś, czymś>** to make room for sb, sth; **~ąpić na drugi plan** to retire into the background 2. (*ulec*) to yield (to sb, sth); to make concessions; to meet (sb) half-way; to give in (**przed prośbami itd.** to entreaties etc.); **nie ~ąpię!** I insist! 3. (*zrezygnować*) to resign; **nie ~ępować ze swych zasad <praw>** to be tenacious of one's principles <rights>; **~ąpić ze stanowiska** to resign <to give up> one's post; **~ąpić z tronu** to abdicate 4. (*minąć — o bólach itd.*) to abate; to pass; to cease; (*o mrozie*) to abate; (*o mgle*) to lift; (*niknąć*) to disappear; to vanish 5. (*ugiąć się, poddać się — o rzeczach*) to yield; to give way; to give (under foot); (*o człowieku*) to surrender; to knuckle down; **nie ~ąpić** to stand firm; to hold one's ground 6. (*okazać się gorszym*) to be inferior <to yield precedence> (to sb, sth); **nie ~ępować nikomu** to be second to none; **nie ~ępować nikomu pod względem poloru <odwagi itd.>** to yield to nobody in refinement <courage etc.> [II] *vt* 1. (*odstąpić*) to sell (sth to sb); to let (sb) have (sth); **~ąpić miejsca komuś** to give up one's seat to sb; **~ąpić miejsca czemuś** to be replaced by sth; to give way to sth 2. (*obniżyć cenę*) to knock off (a couple of zlotys etc.); to lower one's price (*x* **procent** by *x* per cent)

ustąpienie *sn* ↑ **ustąpić** 1. (*wycofanie się*) retirement; retreat; withdrawal; recession 2. (*zrezygnowanie*) resignation; abdication 3. (*minięcie*) abatement 4. (*ugięcie się*) surrender

usteczk|ka *spl G.* **~ek** *pieszcz.* lips; mouth

uster|ka *sf pl G.* **~ek** flaw; fault; shortcoming; drawback; **bez żadnej ~ki** flawless; faultless

usterzenie *sn lotn.* tail-plane

ustęp *sm G.* **~u** 1. (*urywek*) passage (of a book etc.) 2. (*klozet*) toilet; lavatory **~ publiczny** public convenience; *am.* comfort station

ustępliwie *adv rz.* tractably; compliantly; yieldingly

ustępliwość *sf singt* tractability; compliant <yielding> disposition

ustępowanie *sn* ↑ **ustępować** 1. (*wycofywanie się*) retirement; retreat; withdrawal; recession 2. (*zrezygnowanie*) resignation 3. (*mijanie*) abatement 4. (*poddawanie się*) surrender

ustępow|y *adj* toilet <lavatory> (accommodation etc.); **miejsce ~e** public convenience; *am.* comfort station

ustępstw|o *sn* concession; **polityka wzajemnych ~** give-and-take policy; **robić ~a** to make concessions; **robić komuś ~o** to meet sb half-way; to strain a point in sb's favour

ustępujący *adj* (*o urzędniku itd.*) retiring; (*o rządzie, zarządzie itd.*) outgoing

ustnie *adv* by word of mouth; orally; verbally

ustnik *sm* 1. (*u papierosa*) mouthpiece 2. *muz.* (*część instrumentu*) mouthpiece; embouchure

ustnikowy *adj* mouthpiece — (paper etc.)

ustn|y *adj* 1. (*dotyczący ust*) buccal (cavity etc.); **harmonijka ~a** mouth-organ 2. (*mówiony*) oral; verbal; spoken; **egzamin ~y** oral <viva-voce> examination

ustoin|y *spl G.* **~** sediment

ustokrotni|ć *v perf* **~j** — **ustokrotni|ać** *v imperf* [I] *vt* to increase (sth) a hundredfold; to centuplicate [II] *vr* **~ć, ~ać się** to increase <to be increased> a hundredfold

ustokrotnienie *sn* (↑ **ustokrotnić**) a hundredfold increase

ustołecznić *vt perf* to raise (a city) to the rank of capital

uston|óg *sm G.* **~oga** *zool.* stomatopod

ustopniować *vt perf* to gradate

ustopniowanie *sn* (↑ **ustopniować**) gradation

ustosunkow|ać *v perf* — **ustosunkow|ywać** *v imperf lit.* [I] *vt* to bring (things into a certain relation) [II] *vr* **~ać, ~ywać się** to assume an attitude (**do kogoś, czegoś** towards sb, sth); **~ać się krytycznie <wrogo> do kogoś, czegoś** to be critical of <hostile to> sb, sth; **ludność ~ała się wrogo do nich** the population was hostile to them; the attitude of the population was one of hostility; **~ać się negatywnie do czegoś** to disapprove of sth

ustosunkowanie *sn* 1. ↑ **ustosunkować** 2. (*proporcja*) proportion; relationship 3. **~ się** attitude (**do kogoś, czegoś** towards sb, sth)

ustosunkowany [I] *pp* ↑ **ustosunkować** [II] *adj* well-connected

ustr|oić *v perf* **~oję, ~ój, ~ojony** — *rz.* **ustr|ajać** *v imperf* [I] *vt* to deck; to trim; to adorn [II] *vr* **~oić, ~ajać się** to deck oneself out

ustrojenie *sn* 1. ↑ **ustroić** 2. (*ozdoby*) adornment; trimmings

ustrojowo *adv rz.* as regards the political system <the form of government>

ustrojowy *adj* 1. *anat.* constitutional 2. (*organizacyjny*) structural 3. *polit.* (form etc.) of government

ustroni|e *sn pl G.* **~** retreat; cubby-hole; snuggery; secluded spot

ustronność *sf singt* seclusion; retiredness

ustronny *adj* secluded; retired (spot); out-of-the-way (place, spot)

ustr|ój *sm G.* **~oju** 1. (*istota żywa*) organism 2. (*organizm człowieka*) system; constitution; (*organizm zwierzęcy*) the system 3. (*struktura*) structure 4. (*organizacja*) organization 5. *polit.* form of government; political system; régime

ustru|gać *vt perf* **~ga, ~że** to shape; to cut; to carve

ustrze|c *v perf* **~gę, ~że, ~ż, ~gł, ~żony** [I] *vt* to guard <to protect> (**kogoś, coś od czegoś** sb, sth from <against> sth); to safeguard (**kogoś, coś od czegoś** sb, sth against sth); to keep (**kogoś, coś od czegoś** sb, sth from sth) [II] *vr* **~c się** to avoid (**czegoś, przed czymś** sth)

ustrzelić *vt perf* — *rz.* **ustrzelać** *vt imperf* 1. (*zabić*) to shoot (sb, an animal); to shoot <to bag, to pot> (game) 2. (*oderwać*) to shoot away (sb's finger etc.)

ustrzeżenie *sn* (↑ **ustrzec**) (a) safeguard; protection (**od czegoś** against sth)

ustrzy|c *vt perf* **~gę, ~że, ~ż, ~gł, ~żony** — **ustrzygać** *vt imperf rz.* to cut off; to clip

ustylizować *vt perf* to stylize

usubtelni|ć *v perf* **~j** — **usubtelni|ać** *v imperf* [I] *vt* to subtilize [II] *vr* **~ć, ~ać się** to become subtilized

usu|nąć *v perf* — **usu|wać** *v imperf* [I] *vt* 1. (*uprzątnąć*) to remove; to clear <to take> away; **~nąć coś na bok** to set sth aside; **~nąć, ~wać ząb** to extract a tooth; *przen.* **~wać trudności** to smooth away difficulties 2. (*pozbawić urzędu*) to remove <to displace> (an official); to dismiss (a worker); (*pozbawić mieszkania*) to dislodge (a tenant) 3.

(*zlikwidować*) to repair <to put right> (a defect etc.); (*skasować*) to do away (**coś with sth**); (*znieść*) to eliminate; to expurgate (a passage in a book); to delete <to emend> (errors); **~nąć, ~wać nadużycia** to suppress <to redress, to reform> abuses 4. (*cofnąć*) to withdraw; (*odepchnąć*) to push away [II] *vr* **~nąć, ~wać się** 1. (*opuścić*) to retire; to withdraw; to pull out; to leave (**z pokoju itd.** a room etc.); (*odsunąć się*) to step aside; to draw back; **proszę się ~nąć** clear the way, please; **proszę się ~nąć od drzwi** stand clear of the door, please; **~nąć się komuś z drogi** to step out of sb's way; to make room for sb; **~nąć się na bok** to step aside; *przen.* **człowiek ~wający się w cień** self-effacing person 2. (*przestać brać udział w czymś*) to keep aloof 3. (*ustąpić ze stanowiska*) to resign <to give up> one's post 4. (*osunąć się, opaść*) to sink; **grunt ~wa się komuś spod nóg** the ground gives way under sb's feet

usunięcie *sn* ↑ **usunąć** 1. (*uprzątnięcie*) removal 2. **~ się** retirement; withdrawal

ususzenie *sn* ↑ **ususzyć**

ususzyć *vt perf* to dry (herbs, mushrooms etc.)

usuw *sm G.* **~u** = **usuwisko**

usuwać *zob.* **usunąć**

usuwalny *adj rz.* (*o sędzim itd.*) removable; deposable; *med.* **~ drogą zabiegu chirurgicznego** operable

usuwanie *sn* ↑ **usuwać** 1. (*sprzątanie*) removal 2. **~ się** retirement; withdrawal

usuwisko *sn geol.* landslip

usychać *zob.* **uschnąć**

usymbolizować *vt perf* to symbolize

usymbolizowanie *sn* (↑ **usymbolizować**) symbolization

usynawiać *vt imperf* — **usyn|owić** *vt perf* **~ów** to adopt; to father <to mother> (sb)

usynowienie *sn* (↑ **usynowić**) adoption

usyp *sm G.* **~u** *górn.* dump

usyp|ać *v perf* **~ie** — **usyp|ywać** *v imperf* [I] *vt* 1. (*utworzyć stos*) to heap <to pile> up (sand, earth, snow etc.); to raise (a heap, mound etc.) 2. (*ująć*) to pour off (some flour, sugar etc.) [II] *vr* **~ać, ~ywać się** to slip away

usypiacz *sm rz.* (a) soporific

usypiać *zob.* **uśpić**

usypiająco *adv* sleepily; drowsily; soporifically; **działać ~** to induce sleep; to make one sleepy

usypiający *adj* sleepy; drowsy; soporific; **środek ~** (a) soporific; (an) opiate; sleeping draught

usypianie *sn* 1. ↑ **usypiać** 2. *med.* anaesthetization; narcosis

usypisko *sn* 1. (*rumowisko*) heap (of rubble, garbage etc.) 2. *geol.* scree; talus

usypiskowy *adj* (heap, slope etc.) of scree

usypywać *zob.* **usypać**

usystematyzować *vt perf* to systematize

usystematyzowanie *sn* (↑ **usystematyzować**) systematization

usytuowa|ć *vt perf* to place; **~ny** situated

uszak *sm techn.* (*do dźwignic*) grab link

uszanować *vt perf* 1. (*okazać szacunek*) to respect (sb) 2. (*zachować*) to respect (the law, a treaty etc.); to spare (sb's life etc.)

uszanowani|e *sn* 1. ↑ **uszanować** 2. (*poważanie*) respect; **brak ~a** irreverence; disrespect (**dla kogoś** to sb); **moje ~e!** good morning <afternoon, evening>, Sir <Madam>!; (*w liście*) X **zasyła ci swoje ~e** X sends you his respects <begs to be remembered to you>; † **złożyć komuś swoje ~e** to pay one's respects to sb

uszargać *v perf* [I] *vt* to draggle; to soil [II] *vr* **~ się** to get soiled <draggled>

uszarp|ać się *vr perf* **~ie się** *pot.* to tire; to weary; to get tired <weary>

uszat|ek *sm pl G.* **~ka** teddy-bear

uszat|ka *sf pl G.* **~ek** 1. *zool.* = **uchatka** 2. *pl* **~ki** *zool.* (*Galaginae*) (*podrodzina*) the subfamily Galaginae

uszatkować *vt perf* to slice (some cabbage)

uszat|y *adj* 1. (*o naczyniu itd.*) (pitcher etc.) with ears; (cap) with flaps; **~y fotel** ear-chair 2. (*o człowieku*) big-eared 3. *bot.* **wierzba ~a** (*Salix auxita*) a species of willow

uszczelinowienie *sn jęz.* assibilation

uszczel|ka *sf pl G.* **~ek** *techn.* gasket; packing; seal; (*gumowa*) rubber; **~ka dławikowa** gland

uszczelni|ać *vt imperf* — **uszczelni|ć** *vt perf* **~j** to make (a vessel, pipe) water-tight <air-tight>; to seal up; to stop (a leak); to chink up (a crack); to stuff up (a hole); to caulk (a ship)

uszczelnienie *sn* 1. (↑ **uszczelnić**) tightening 2. (*to, co uszczelnia*) gasket; packing; seal; **~ drzwi i okien** weather-strip

uszczerb|ek *sm G.* **~ku** (*szkoda*) harm; damage; detriment; (*strata*) loss; (*nadwerężenie reputacji*) prejudice; disparagement; **ponieść ~ek** to suffer a loss; **przynosić komuś ~ek** to be disparaging <prejudicial, detrimental> to sb; **bez ~ku** unharmed; unhurt; undamaged; scatheless

uszczęśliwiać *vt imperf* — **uszczęśliwić** *vt perf* to make (sb) happy; to delight; to entrance; to overwhelm (sb) with joy

uszczęśliwienie *sn* 1. ↑ **uszczęśliwić** 2. (*stan*) happiness; delight

uszczęśliwiony [I] *pp* ↑ **uszczęśliwić** [II] *adj* happy; delighted; overjoyed; transported with joy; in high glee

uszczknąć *vt perf* — **uszczykiwać** *vt imperf* 1. (*oderwać*) to nip off (buds, blossom etc.) 2. *przen.* to snatch (a moment's rest etc.)

uszczupl|ać *v imperf* — **uszczupl|ić** *v perf* **~ij** [I] *vt* to diminish; to lessen; to curtail; to deplete; to reduce; to whittle down; **~ić czyjeś zasługi** to detract from sb's merit [II] *vr* **~ać, ~ić się** to decrease; to be diminished <curtailed, depleted, reduced>

uszczuplenie *sn* (↑ **uszczuplić**) diminution; curtailment; depletion; reduction; **~ czyichś zasług** detraction from sb's merit

uszczuplić *zob.* **uszczuplać**

uszczykiwać *zob.* **uszczknąć**

uszczyp|ać *vt perf* **~ie** = **uszczypnąć** *vt* 1.

uszczypliwie *adv* acrimoniously; caustically; stingingly; sharply; bitingly

uszczypliwość *sf* 1. (*uwaga*) acrimonious <sarcastic, caustic, biting, cutting, sharp, stinging> remark 2. *singt* (*cecha*) acrimoniousness; causticity; sharpness; sting (of sarcasm etc.)

uszczypliwy *adj* 1. (*o człowieku*) acrimonious; sarcastic; sharp-tongued 2. (*o wypowiedzi*) acrimonious; sarcastic; biting; cutting; sharp; stinging; caustic

uszczypnąć *v perf* [I] *vt* 1. (*ścisnąć końcem palców*) to pinch; to tweak 2. (*o zwierzęciu — uskubać*) to pluck 3. *przen.* (*dokuczyć*) to sting <to nettle> (sb) [II] *vr* **~ się** to pinch (**w udo, w ramię** one's thigh, arm)

uszczypnięcie *sn* (↑ **uszczypnąć**) (a) pinch

uszeregowa|ć *v perf* [I] *vt* 1. (*ustawić w szereg*) to draw up <to line up, to range> (troops etc.) 2. (*uporządkować*) to arrange; to order [II] *vr* **~ć się** to line up (*vi*); to draw up (*vi*); **~ni** in a row

uszkadzać *zob.* **uszkodzić**

usz|ko *sn pl G.* **~ek** 1. *dim* ↑ **ucho** 2. *kulin.* ravioli

uszkodzenie *sn* 1. ↑ **uszkodzić** 2. (*defekt*) damage <injury> (**czegoś** to sth); impairment; **~ ciała** injury; lesion; **~ motoru** engine trouble; **~ rośliny** wound to a plant; **jest jakieś ~ w maszynie** there's something wrong with the machine

uszk|odzić *v perf* **~odzę, ~odzony — uszk|adzać** *v imperf* [I] *vt* to damage; to injure; to impair; to spoil; to cripple; to put out of order; **~adzać środki produkcji** to ratten; to commit acts of sabotage [II] *vr* **~odzić, ~adzać się** to be damaged <injured, impaired, spoiled, put out of order>

uszkodzony [I] *pp* ↑ **uszkodzić** [II] *adj* out of order <of action>; in disrepair; out of condition; **samolot <motor itd.> nie został ~** the plane <engine etc.> is intact <undamaged, unhurt, uninjured, unimpaired>

uszlachc|ać *v imperf* — **uszlachc|ić** *v perf* **~ę, ~ony** [I] *vt* to ennoble; to raise to the rank of nobility [II] *vr* **~ać, ~ić się** to be ennobled

uszlachcenie *sn* ↑ **uszlachcić**

uszlachetniać *v imperf* — **uszlachetni|ć** *v perf* **~j** [I] *vt* 1. (*doskonalić*) to ennoble; to refine; to improve 2. *techn.* to dress (ore); to enrich (metals) 3. *zool.* to grade up (stock)

uszlachetniająco *adv w zwrocie*: **działać <wpływać> ~** to ennoble

uszlachetnienie *sn* (↑ **uszlachetnić**) ennoblement

uszminkować *v perf* [I] *vt* to rouge; to make up [II] *vr* **~ się** to rouge one's face <lips, cheeks>; to make up (*vi*)

usznica *sf bot.* (*Rodola*) liverwort

uszny *adj* aural (surgery, surgeon etc.); ear — (conch, specialist etc.)

uszorować *vt perf* to scrub

usztywniacz *sm* stiffener; stiffening

usztywni|ać *v imperf* — **usztywni|ć** *v perf* **~j** [I] *vt* to stiffen; to toughen; to starch; *tekst.* **~ć tkaninę** to weight a fabric [II] *vr* **~ać, ~ć się** to stiffen (*vi*)

usztywnienie *sn* 1. ↑ **usztywnić** 2. (*to, co usztywnia*) stiffener

uszyci|e *sn* (↑ **uszyć**) needlework; sewing (of a shirt etc.); tailoring (of a suit etc.); **dać coś do ~a** to have sth sewn <made> (by the tailor, shoemaker etc.)

uszy|ć *vt perf* **~je, ~ty** to sew; to make (a suit, shoes etc.); **~ty na zamówienie** a) (*o odzieży*) tailor-made b) (*o obuwiu*) made to measure; **źle ~te ubranie** misfit; *przen.* **~ć komuś buty** to put a spoke in sb's wheels

uszykować *v perf* [I] *vt* 1. (*ustawić w szyku*) to draw up <to line up, to dispose, to marshal> (troops) 2. *pot.* (*przygotować*) to prepare <to get> (sth) ready [II] *vr* **~ się** 1. (*ustawić się*) to draw up (*vi*); to line up (*vi*) 2. *pot.* (*przygotować się*) to get ready (**do czegoś** for sth)

uścielać *zob.* **usłać**

uścielić *vt perf gw.* = **usłać** 1.

uściełać *zob.* **usłać**

uścisk *sm G.* **~u** 1. (*objęcie*) embrace; hug; clasp; **~ ręki <dłoni>** handshake; shake of the hand; **zamienić (serdeczny) ~ ręki** to shake <to clasp> hands; (*w listach*) **~i dla ...** love to ... 2. *przen.* grip; lock

uści|snąć *vt perf* **~śnie, uści|skać** *vt perf* to embrace <to hug, to clasp> (sb); **~skać komuś rękę** a) (*na powitanie, pożegnanie itd.*) to shake hands with sb b) (*dla wyrażenia przypływu uczuć*) to squeeze sb's hand; to give sb's hand a squeeze; (*zw. w listach*) **~śnij go <ją> ode mnie** give him <her> my love

uściślić *vt perf* — **uściślać** *vt imperf* to specify; to state (sth) precisely; to define (sth) accurately; to be precise (**coś** about sth)

uślizg *sm G.* **~u** skid; slide

uśmi|ać się *vr perf* **~eje się** to have a (good) laugh; to laugh heartily; **~ać się do łez** to cry with laughter; **~ać się z kogoś** to laugh at sb; *przen. pot.* **koń by się ~ał** it would make a cat laugh

uśmianie się *sn* (↑ **uśmiać się**) a (good) laugh

uśmiech *sm G.* **~u** smile; **afektowany <głupawy> ~** smirk; simper; **szyderczy ~** sneer; **stał bez ~u <z ~em na ustach>** he stood unsmiling <smiling>; *przen.* **~ losu** a bit of luck

uśmiech|ać się *vr imperf* — **uśmiech|nąć się** *vr perf imperf* to smile (**do kogoś** at sb; **na coś** at sth); *perf* to give (**do kogoś** sb) a smile; **~ać, ~nąć się afektowanie** to simper; **~ać, ~nąć się gorzko <ironicznie, łaskawie>** to smile a bitter <an ironical, a gracious> smile; **~ać, ~nąć się szerokim uśmiechem** to grin; **~ać, ~nąć się szyderczo** to sneer; *przen.* **fortuna <los, szczęście> się do niego ~a** he is in luck; **~a mi się perspektywa <myśl> ...** I like the prospect <the idea> of ...; **wcale mi się to nie ~a** I don't at all like <relish> the idea

uśmiechnięty *adj* smiling

uśmiercać *vt imperf* — **uśmierc|ić** *vt perf* **~ę, ~ony** 1. (*zabijać*) to put (sb) to death <to the sword>; (*o zarazie itd.*) to carry off 2. *zw. perf* (*rozgłaszać pogłoskę o czyjejś śmierci, sądzić, że ktoś umarł*) to bury sb

uśmierzać *vt imperf* — **uśmierzyć** *vt perf* 1. (*koić*) to soothe; to mitigate; to alleviate; to assuage; to relieve (pain) 2. (*łagodzić, uspokajać*) to appease; to still 3. (*poskramiać*) to pacify; to suppress (a rising etc.)

uśmierzająco *adv* soothingly; **działać ~** to bring relief; to mitigate; to alleviate; to assuage

uśmierzający *adj* soothing; pain-killing; analgesic; demulcent; lenitive

uśmierzenie *sn* 1. ↑ **uśmierzyć** 2. (*kojenie*) relief <ease> (**bólu** from pain); mitigation; alleviation; assuagement 3. (*łagodzenie*) appeasement 4. (*poskromienie*) pacification; suppression (of a rising etc.)

uśmiesz|ek *sm G.* **~ku** *dim* ↑ **uśmiech**; **drwiący ~ek** sneer

uśnieżenie *sn* (↑ **uśnieżyć**) snow-cover

uśnieżyć *vt perf rz.* to cover with snow

uśnięcie *sn* ↑ **usnąć**; *rel.* ~ **Matki Boskiej** Repose of the Virgin

uśpić *vt perf* **uśpij** — **usypiać** *vt imperf* 1. (*sprawić, żeby ktoś zasnął*) to put <to send> (sb) to sleep; *med.* to anaesthetize, to etherize; **uśpić, usypiać dziecko** to lull a baby to sleep; *przen.* **uśpić czyjąś czujność** to put sb's vigilance to sleep 2. (*uśmiercić zwierzę*) to put an animal to sleep

uśpieni|e *sn* (↑ **uśpić**) sleep; *med.* anaesthetization; narcosis; *lit.* w ~**u** (when) sleeping

uświad|amiać *v imperf* — **uświad|omić** *v perf* [I] *vt* 1. (*czynić świadomym*) to inform (**kogoś o czymś** sb of sth); to enlighten (**kogoś o czymś** sb on a subject <as to sth>); to open (**kogoś** sb's) eyes (**o czymś** to sth); *am.* to put (sb) wise (**o czymś** to sth); ~**amiać,** ~**omić kogoś politycznie** to indoctrinate sb; ~**amiać,** ~**omić młodzież w sprawach seksualnych** to explain the facts of life to young people 2. (*z zaimkiem „sobie" — zdawać sobie sprawę*) to realize (sth); to become aware <conscious> (**coś** of sth) [II] *vr* ~**amiać,** ~**omić się** to open one's eyes (**o czymś** to sth)

uświadamianie *sn* (↑ **uświadamiać**) information; indoctrination; ~ **sobie czegoś** realization <consciousness, awareness> of sth

uświadczyć *vt perf gw.* to see; to meet; to find; to come across (sb, sth)

uświadomić *zob.* **uświadamiać**

uświadomienie *sn* (↑ **uświadomić**) information; indoctrination; ~ **polityczne** social consciousness; ~ **sobie czegoś** realization <consciousness, awareness> of sth

uświecczenie *sn* (↑ **uświecczyć**) secularization; laicization

uświecczyć *vt perf rz.* to secularize; to laicize

uświerknąć *vi perf gw.* 1. (*zmarznąć*) to freeze; to be cold 2. (*umrzęć, zdechnąć*) to die

uświetniać *vt imperf* — **uświetnić** *vt perf* to signalize; to lend lustre <to add splendour> (**wydarzenie** to an occasion); to honour (**wydarzenie swoją obecnością <swoim udziałem>** an occasion by one's presence <one's participation>)

uświęc|ać *vt imperf* — **uświęc|ić** *vt perf* ~**ę,** ~**ony** to sanctify; to consecrate; *przysł.* **cel** ~**a środki** the end sanctifies <justifies> the means

uświęcenie *sn* (↑ **uświęcić**) sanctification; consecration

uświęcony *pp* ↑ **uświęcić**; ~ **zwyczajem <tradycją>** time-honoured; **zwyczajem** ~ **sposób postępowania** regular custom

uświnić *v perf pot.* [I] *vt* to dirty [II] *vr* ~ **się** to dirty oneself; to get covered with dirt <mud, grime>

uświrknąć *vi perf gw.* = **uświerknąć** 1.

utaczać *zob.* **utoczyć**

uta|ić *vt perf* ~**ję** — **uta|jać** *vt imperf* to conceal; to hide; to keep (sth) secret; to suppress <to disguise> (one's feelings)

utajenie *sn* 1. ↑ **utaić** 2. *med.* latency; delitescence

utajony [I] *pp* ↑ **utaić** [II] *adj* latent; potential; *med.* delitescent

utalentowany *adj* talented; gifted; able

utapiać *zob.* **utopić**

utapirować *vt perf* to comb back (the hair)

utapla|ć *v perf pot.* [I] *vt* to dirty; to soil; ~**ny** dirty; soiled; ~**ny w błocie** mud-stained [II] *vr* ~**ć się** to dirty oneself; to get dirty; ~**ć się w błocie** to get covered with mud

utarcie *sn* ↑ **utrzeć**

utarcz|ka *sf pl G.* ~**ek** *lit.* 1. (*potyczka*) skirmish; encounter; brush 2. (*wymiana zdań*) squabble; clash; altercation

utarg *sm G.* ~**u** *handl.* receipts; takings

utargować *vt perf* 1. (*uzyskać ze sprzedaży*) to realize <to make> (*x* zlotys, pounds etc. from one's sales); ~ *x* **złotych** to make *x* zlotys on the sales; ~ *x* **złotych z ceny** to knock down *x* zlotys from the price 2. (*zarobić*) to gain

utart|y [I] *pp* ↑ **utrzeć** [II] *adj* 1. (*powszechnie przyjęty*) general; wide-spread; accepted (opinion etc.); orthodox (views etc.) 2. (*zwyczajowy*) usual; hackneyed; ~**a droga** the beaten track; ~**e wyrażenie** commonplace; set phrase

utarzać *v perf rz.* [I] *vt* to roll (**kogoś w błocie <śniegu>** sb in the mud <in snow>) [II] *vr* ~ **się** to get covered (**w błocie, śniegu** with mud, snow)

utelewizyjniać *vt imperf* — **utelewizyjni|ć** *vt perf* ~**j** to adapt (sth) for the TV

utemperować *v perf* [I] *vt* to mitigate; to curb [II] *vr* ~ **się** to settle down

utensyli|a *spl G.* ~**ów** *lit.* 1. (*przybory potrzebne do wykonywania czegoś*) implements; requisites 2. (*sprzęty domowe*) (household, kitchen) utensils

utęsknienie † *sn obecnie w zwrocie*: **z** ~**m** longingly; **oczekiwać kogoś, czegoś z** ~**m** to long for sb, sth

utęskniony † *adj poet.* longed-for

utkać *vt perf* — **utykać** *vt imperf* 1. (*zatkać*) to stop (a leak); to chink up (a crack); to stuff up (a hole) 2. *pot.* (*poustawiać*) to crowd <to cram> (a room with furniture etc.) 3. *perf* (*sporządzić tkaninę*) to weave 4. *perf* (*przepleść*) to interweave; to intertwine

utkanie *sn* 1. ↑ **utkać** 2. *anat.* texture

utknąć *vi perf* — **utykać** *vi imperf* 1. (*uwięznąć*) to stick fast; to get stuck <bogged>; to stall (in mud, snow) 2. (*urwać się, zaciąć się*) to stop; to break off; **utknąć na martwym punkcie** to come to a dead stop <to a standstill> 3. *perf pot.* (*osiąść*) to settle (somewhere)

utknięcie *sn* ↑ **utknąć**

utkwi|ć *v perf* ~**j** [I] *vi* (*o strzale itd.*) to stick (in a target etc.); (*o pocisku*) to lodge (in a tree, wall etc.); **to mi** ~**ło w pamięci** it has stuck in my memory; it is engraved on my memory [II] *vt w zwrocie*: ~**ć w kogoś, coś wzrok** to stare <to glare> at sb, sth; to fix <to fasten> one's eyes on sb, sth; to gaze steadfastly at sb, sth; ~**ony wzrok** (a) stare <glare, steadfast gaze>

utleniacz *sm chem.* oxidant

utleni|ać *v imperf* — **utleni|ć** *v perf* [I] *vt* 1. *biol.* to oxygenate (blood etc.) 2. *chem.* to oxidize (metals etc.); to peroxide (hair) [II] *vr* ~**ać,** ~**ć się** to oxidize (*vi*); to become oxidized

utleniająco *adv* **działać** ~ to oxidize

utlenianie *sn* (↑ **utleniać**) oxygenation; oxidation

utlenion|y [I] *pp* ↑ **utlenić**; **woda** ~**a** oxygenated water [II] *adj* peroxided; ~**a blondynka** peroxide blonde

utłaczać *vt imperf* — **utłoczyć** *vt perf* to press

utłu|c *vt perf* **~kę, ~cze, ~cz, ~kł, ~czony** — **utłukiwać** *vt imperf* 1. (*rozkruszyć*) to crush; to grind; to pestle; to mash (potatoes etc.) 2. *pot.* to do (sb, an animal) to death

utłuczenie *sn* ↑ **utłuc**

utłukiwać *zob.* **utłuc**

utłu|ścić *vt perf* **~szczę, ~szczony** — **utłu|szczać** *vt imperf* to grease; **~szczony** greasy

utoczenie *sn* ↑ **utoczyć**

utoczyć *vt perf* — *rz.* **utaczać** *vt imperf* 1. (*ściągnąć płyn*) to draw (**krwi** some blood; **piwa** <**wina**> **z beczki** beer <wine> from a barrel) 2. (*uformować*) to turn (sth on the lathe); to make (**kulę ze śniegu** a snowball); to roll (snow) into a ball

uton|ąć *vi perf* 1. (*stracić życie w wodzie*) to get <to be> drowned; (*o statku — iść na dno*) to sink; to go to the bottom; *przen.* **~ąć w niepamięci** to fall into oblivion; *przysł.* **co ma wisieć nie ~ie** if you're born to be hanged you shall never be drowned 2. (*zagłębić się*) to sink (in an armchair) 3. (*zostać pochłoniętym*) to be lost (in a great city etc.) 4. (*zostać zaabsorbowanym czymś*) to be lost in <absorbed by> (one's work etc.)

utopi|a *sf pl G.* **~i** utopia

utopić *v perf* — *rz.* **utapiać** *v imperf* [I] *vt* 1. (*pozbawić życia*) to drown (sb, an animal) 2. *przen.* to drown (**smutki w winie** one's sorrows in wine); to sink (**pieniądze w przedsiębiorstwie** money in an enterprise); **on by mnie utopił w łyżce wody** he hates me like poison 3. (*zagłębić*) to bury (one's face in one's hands, one's fingers in one's hair etc.); **utopić, utapiać wzrok w kimś, czymś** to fix <to fasten> one's eyes on sb, sth 4. (*zatopić*) to plunge (a knife in sb's breast etc.) [II] *vr* **utopić się** 1. (*utonąć*) to get <to be> drowned; to go to the bottom 2. (*zaabsorbować się*) to be absorbed (**w czymś** by sth)

utopieni|e *sn* (↑ **utopić**) death by drowning; **uratowano mnie od ~a** they saved me from drowning

utopijczyk *sm rz.* (a) utopian

utopijność *sf singt* utopianism

utopijny *adj* utopian

utopista *sm* (*decl* = *sf*), **utopist|ka** *sf pl G.* **~ek** (a) utopian

utopizm *sm singt G.* **~u** utopism

utorować *vt perf* = **torować**

utożsami|ać *v imperf* — **utożsami|ć** *v perf* [I] *vt* to identify (sb, sth with sb, sth) [II] *vr* **~ać, ~ć się** to identify oneself (with sb)

utożsamienie *sn* (↑ **utożsamić**) identification

utracać *zob.* **utracić**

utracenie *sn* ↑ **utracić**

utrac|ić *vt perf* **~ę, ~ony** — *rz.* **utrac|ać** *vt imperf* to lose (sb, one's parents, one's job, reason, health etc.); to forfeit (a right etc.); **~ić, ~ać kogoś z oczu** to lose sight of sb; **~ić, ~ać władzę w nogach itd.** to lose the use of one's legs etc.

utracjusz *sm* profligate; prodigal; spendthrift; squanderer

utracjuszostwo *sn singt* profligacy; prodigality

utracjuszowski *adj* profligate; prodigal

utrafi|ć *vi perf* — **utrafi|ać** *vi imperf* 1. (*trafić*) to hit (one's mark); to take accurate aim; **~ć, ~ać komuś w gust** to do <to say, to write> sth to sb's liking; **~ć, ~ać w czułą strunę** to touch the right chord; **~ć, ~ać w sedno** to strike home; to hit the nail on the head 2. (*wymierzyć, odmierzyć akuratnie*) to give accurate measure; to hit the right measurement 3. (*przybyć w porę*) to come at the right moment 4. *pot.* (*uchwycić podobieństwo*) to catch (sb's) likeness

utrafienie *sn* (↑ **utrafić**) (a) hit

utrakwista *sm* (*decl* = *sf*) *rel.* (an) utraquist

utrakwistyczny *adj* utraquist

utrakwizm *sm singt G.* **~u** 1. (*system szkolny*) utraquist <bilingual> school system 2. *rel.* utraquism

utrapienie *sn* nuisance; plague; trouble; affliction; vexation; **mam ~ z nim** he is causing me a lot of trouble; **~ z tymi wróblami** these sparrows are a nuisance <a plague>

utrapiony *adj* vexatious; troublesome; unbearable; insufferable

utrata *sf* loss (of life, health, consciousness etc.); forfeiture (of a right); deprivation (of a privilege etc.)

utrąc|ić *vt perf* **~ę, ~ony** — **utrąc|ać** *vt imperf* 1. (*odbić*) to break <to knock, to chip> off 2. *pot.* (*nie dopuścić do zajęcia stanowiska*) to trip (sb) up; (*spowodować usunięcie*) to displace <to supersede> (an official etc.); (*nie dopuścić do realizacji*) to overthrow <to defeat, to vote down> (a motion, project etc.); **~ić kogoś** (*doprowadzić do usunięcia kogoś ze stanowiska*) to unsaddle sb; **~ić projekt** to torpedo a project

utrefić *vt perf lit.* to curl (hair)

utrudni|ać *vt imperf* — **utrudni|ć** *vt perf* **~j** to make <to render> (sth) difficult; to impede; to hinder; to trammel; **on mi wszystko ~a** he puts all sorts of difficulties in my way; **to nam ~ało pochód** it made it difficult for us to advance

utrudnienie *sn* (↑ **utrudnić**) difficulty; impediment; hindrance

utrudzać *zob.* **utrudzić**

utrudzenie *sn* (↑ **utrudzić**) fatigue; weariness; fag; exhaustion

utrudz|ić *vt perf* **~ę, ~ony** — **utrudz|ać** *vt imperf* to tire; to fatigue; to fag; to weary; to exhaust; **~ony** tired; weary; fagged out; exhausted

utrwalacz *sm fot.* fixing solution <bath>; fixer; *chem.* fixative

utrwal|ać *v imperf* — **utrwal|ić** *v perf* [I] *vt* 1. (*utwierdzać*) to consolidate; to strengthen; *bud.* **~ać, ~ić cegłę** to kiln brick 2. (*upamiętnić*) to commemorate 3. (*rejestrować*) to record; to transcribe (on tape etc.) 4. (*zachowywać w pamięci*) to fix (sth in one's memory) 5. *fot.* to fix 6. *mal.* to varnish (a painting etc.) 7. (*zabezpieczać przed zepsuciem*) to preserve [II] *vr* **~ać, ~ić się** to become <to be> consolidated <strengthened, commemorated, recorded, fixed, preserved>

utrwalenie *sn* 1. ↑ **utrwalić** 2. (*utwierdzenie*) consolidation 3. (*upamiętnienie*) commemoration 4. (*rejestrowanie*) record, recording; transcription 5. (*zachowanie*) fixation 6. (*zabezpieczenie przed zepsuciem*) preservation

utrwalić *zob.* **utrwalać**

utrząsać *zob.* **utrząść**

utrz|ąść *v perf*, **~ęsę, ~ęsie, ~ąś** <**~ęś**>, **~ąsł, ~ęsła, ~ęśli, ~ęsiony**, *rz.* **utrz|ąsnąć** *v perf* —

utrz|ąsać *v imperf* [I] *vt* 1. (*spowodować ściślejsze ułożenie się*) to shake down (hay, tea in a caddy etc.) 2. (*strącić*) to shake down (some plums, apples, pears etc.) 3. *perf* (*zmęczyć trzęsieniem*) to make (sb) tired with shaking <jolting> [II] *vr* **~ąść**, *rz.* **~ąsnąć**, **~ąsać się** to be shaken <jolted> till one is tired <weary>

utrzeć *zob.* **ucierać**

utrzęsienie *sn* ↑ **utrząść**

utrzym|ać *v perf* — **utrzym|ywać** *v imperf* [I] *vt* 1. (*nie wypuścić*) to hold; to keep hold (**coś** of sth); *przen.* **~ać, ~ywać kogoś w garści** <**w ryzach**> to keep a tight hold on sb 2. (*udźwignąć, podtrzymać*) to bear <to sustain> (the weight of sth) 3. (*powściągnąć*) to keep in hand (one's subordinates, horses etc.); *przen.* **~ać, ~ywać język za zębami** to hold one's tongue; **~ać, ~ywać sekret** to keep a secret 4. (*zatrzymać kogoś gdzieś*) to keep (sb somewhere, near one etc.) 5. (*zapewnić byt*) to maintain <to support, to provide for, to keep> (a family etc.) 6. (*zw. imperf*) (*zatrudnić*) to keep (a cook, chauffeur etc.) 7. (*nie oddać, obronić*) to retain; to maintain; to keep; to preserve; to remain in possession (**coś** of sth) 8. (*zachować w jakimś stanie*) to keep (**coś w czystości, w dobrym stanie itd.** sth clean, in good condition etc.); to maintain (relations etc.); (*o pokoju, mieszkaniu itd.*) **starannie ~any** tidy; **~ać kogoś przy życiu** to keep sb alive; **~ać, ~ywać coś w ruchu** to keep sth going <in motion>; **~ać, ~ywać kogoś w napięciu** <**w zawisłości itd.**> to keep sb in suspense <in subjection etc.>; **~ać, ~ywać kontakt z kimś** to be in contact with sb; **~ać, ~ywać korespondencję z kimś** to keep up one's correspondence with sb [II] *vr* **~ać, ~ywać się** 1. (*pozostać w pewnej pozycji*) to stay; to remain; **~ać, ~ywać się na nogach** to stand on one's legs; to keep one's feet; *przen.* **~ać, ~ywać się na powierzchni** to subsist; to keep one's head above water 2. (*pozostać przy czymś*) to remain (**przy władzy** in power, **przy swoim stanowisku** at one's post); to keep (**przy majątku** one's fortune etc.); **~ać, ~ywać się przy życiu** to keep alive; to survive 3. (*przetrwać*) to survive; to last; to persist; (*o cenach, gorączce, pogodzie itd.*) to keep up; (*o decyzji, rozporządzeniu itd.*) to remain in force; to hold; to hold good 4. (*wyżyć*) to keep oneself; to earn one's living <one's keep> 5. (*nie poddać się*) to stand firm <fast>; to hold one's ground; to maintain one's positions

utrzymani|e *sn* 1. ↑ **utrzymać** 2. (*środki do życia*) maintenance; living; livelihood; keep; upkeep; **być u kogoś na ~u** to be dependent on sb <maintained by sb>; **mieć kogoś na ~u** to keep <to maintain, to provide for> sb; **mieć rodzinę na ~u** to have a family to keep; **na ~u społecznym** on the relief fund 3. (*wyżywienie*) board 4. (*podtrzymywanie*) support 5. (*zachowanie*) preservation; retention; *med.* **niemożność ~a moczu** incontinence of urine; (*o pozycji, teorii itd.*) **nie do ~a** untenable 6. **~e się** (*przetrwanie*) survival; (*wyżywienie się*) board; upkeep

utrzyman|ka *sf pl G.* **~ek** mistress; kept woman

utrzymywać *v imperf* [I] *vt zob.* **utrzymać** [II] *vi* (*twierdzić*) to maintain <to claim, to assert, to affirm, to contend, to argue> (**że ... that ...**)

utucz|yć *v perf* — *rz.* **utucz|ać** *v imperf* [I] *vt* to fatten; **~ony** (*o zwierzęciu*) fattened; fat; in flesh; (*o człowieku*) fat; plump [II] *vr* **~yć się** to fatten (*vi*); to grow fat

utulać *zob.* **utulić**

utulenie *sn* (↑ **utulić**) solace; consolation; relief; assuagement; mitigation

utul|ić *v perf* — **utul|ać** *v imperf* [I] *vt* 1. (*pocieszyć*) to console; to comfort; **~ić, ~ać ból** to relieve <to assuage, to mitigate> (sb's) pain <suffering> 2. † (*przyłożyć*) to nestle (one's head, face in sb's lap etc.)

utwar *sm G.* **~u** *bot.* (*Chondrilla*) a herb of the genus Chondrilla

utwardz|ać *v imperf* — **utwardz|ić** *v perf* **~ę, ~ony** [I] *vt* to harden; to toughen; to cure; to chill [II] *vr* **~ać, ~ić się** to become hardened <toughened, cured, chilled>

utwardzanie *sn* ↑ **utwardzać**

utwierdz|ać *v imperf* — **utwierdz|ić** *v perf* **~ę, ~ony** [I] *vt* 1. (*umocowywać*) to fix; to set 2. (*upewniać*) to confirm (sb in a conviction etc.); to strengthen (sb's hopes etc.) 3. (*umacniać*) to consolidate [II] *vr* **~ać, ~ić się** 1. (*upewniać się*) to be confirmed (in one's resolution etc.) 2. (*ugruntowywać się*) to be consolidated

utworzenie *sn* ↑ **utworzyć** 1. (*stworzenie*) creation; formation 2. (*ustanowienie*) formation; initiation; establishment (of an institution etc.)

utw|orzyć *v perf* **~órz** [I] *vt* 1. (*stworzyć*) to create; to form; to make; to compose (a poem etc.) 2. (*ustanowić*) to set up; to form; to initiate; to establish; to call into being 3. (*uformować*) to form [II] *vr* **~orzyć się** 1. (*uformować się*) to be created <formed>; to spring up; to arise 2. (*zostać zorganizowanym*) to be set up <instituted, established>

utw|ór *sm G.* **~oru** 1. (*dzieło*) composition; production; work 2. *biol.* outgrowth 3. *geol.* formation 4. (*wytwór*) creation (of sb's imagination etc.)

utycie *sn* ↑ **utyć**

uty|ć *v perf* **~je** to grow fat; to put on flesh

utykać *v imperf* [I] *vt zob.* **utkać** [II] *vi* 1. *zob.* **utknąć** 2. (*chromać*) to hobble; to halt; to limp

utykanie *sn* (↑ **utykać**) (*chromanie*) (a) hobble; (a) limp; (a) halt; lameness

utylitarność *sf singt* utilitarianism

utylitarny *adj* utilitarian; useful

utylitarysta *sm* (*decl = sf*) utilitarianist; (a) utilitarian

utylitarystyczny *adj* utilitarian

utylitaryzm *sm singt G.* **~u** *filoz.* utilitarianism

utylizacja *sf singt techn.* utilization

utylizacyjny *adj* utilizing

utylizować *vt imperf techn.* to utilize

utylizowanie *sn* (↑ **utylizować**) utilization

utyskiwać *vi imperf* to complain (**że ...** that ...; **na coś** of sth); to grumble (**na coś** at <about> sth)

utyskiwani|e *sn* (↑ **utyskiwać**) complaints; *pl* **~a** discontent

utyskujący *adj* grumbling; discontented; querulous; disgruntled (**na coś** at sth)

utytłać *v perf pot.* [I] *vt* to smear; to soil [II] *vr* **~ się** to get smeared <soiled>

uwadniać *vt imperf chem.* to hydrate

uwadnianie *sn* (↑ **uwadniać**) hydration

uwag|a *sf* 1. *singt* (*koncentracja świadomości*) attention; heed; notice; consideration; **brak ~i** inattention; **godny ~i** notable, remarkable, noteworthy, worthy of notice; **niegodny ~i** negligible, unworthy of notice; **biorąc pod ~ę ...** considering ...; in view of ...; with regard to ...; **brać, wziąć coś pod ~ę** to take sth into consideration <into account>; **mieć coś na uwadze** to keep sth in mind; to have regard to sth; **nie brać czegoś pod ~ę** to leave sth out of account; to take no heed of sth; **nie spuszczać kogoś** <czegoś> **z ~i** to keep an eye on sb <sth>; **nie uszło to mojej ~i** it did not escape my notice; **nie zwracać ~i na coś** a) (*nie zauważyć*) to fail to notice sth; to overlook sth b) (*pomijać świadomie*) to pay no attention <no heed> to sth; to disregard <to ignore> sth; **odwrócić czyjąś ~ę od czegoś** to draw sb's attention away from sth; **poświęcić czemuś ~ę** to give one's attention to sth; **rozpraszać ~ę** to distract the attention; **zasługiwać na ~ę** to be worthy of notice; **zwracać czyjąś ~ę na coś** to call <to draw> sb's attention to sth; **zwracać na siebie ~ę** to be conspicuous; to attract notice; **nie zwracać na siebie ~i** to be inconspicuous; **zwracać ~ę na coś** (*uważać*) to pay attention to sth; **zwracam ~ę, że ...** please note <remember, have in view> that ...; **zwrócić ~ę na coś** (*zauważyć*) to notice sth; **bez ~i** unattentively; **z ~ą** carefully; with care; attentively; heedfully; with concentrated attention 2. (*wykrzyknikowo*) (*okrzyk*) **~a!** look out!; be careful!; take care!; steady!; (*w napisach*) **~a!** caution!; **~a! pociąg** beware of the train; **~a! roboty drogowe** danger! road up; **~a! stopień** mind the step; **~a! świeżo malowane** mind the paint; **~a! zły pies** beware of the dog 3. (*obserwacja*) remark; observation; **zrobić komuś ~ę** to make an observation to sb; to point (sth) out to sb; **zrobić ~ę, że ...** to remark <to observe> that ... 4. (*przypisek*) note; foot-note; comment; **robić ~i o czymś** to comment on sth 5. (*wymówka*) reprimand; reproof; rebuke; **robić komuś ~i** to reprimand <to reprove, to rebuke> sb 6. † *singt* (*powód*) reason; *obecnie w zwrocie*: **z ~i na ...** considering ...; in view of ...; owing to ...; in consideration of ...; on account of ...

uwalać *v imperf* [I] *vt* to soil; to dirty [II] *vr* **~ się** to get soiled; to get dirty; to dirty oneself <one's clothes, face, hands>

uwalcować *vt perf* to roll (sth with a roller)

uwalniać *v imperf* — **uwolnić** *v perf* **uwolnij** [I] *vt* 1. (*czynić wolnym*) to free; to set (sb) free <at liberty, at large>; to release <to rescue> (a prisoner); to liberate <to enfranchise> (a slave); to relieve (a besieged fortress) 2. (*oswobadzać*) to deliver (**kogoś, coś od ...** sb, sth from ...); to rid (**kogoś od kogoś, czegoś** sb of sb, sth); to disengage <to disencumber> (**kogoś, coś od czegoś** sb, sth of <from> sth) 3. *chem.* to liberate (a gas etc.) 4. (*zwalniać*) to exempt <to relieve, to let (sb) off, to dispense (sb)> (**od obowiązku itd.** from a duty etc.); to release (**kogoś z długu** sb from a debt); to clear <to acquit> (**kogoś od zarzutu** sb of a charge); to exonerate (**kogoś od zarzutu** sb from blame) 5. (*zwalniać z pracy*) to dismiss (sb); to turn (sb) out [II] *vr* **uwalniać, uwolnić się** 1. (*odzyskiwać swobodę*) to regain one's freedom <liberty>; to free oneself (**z czegoś** from sth); to shake <to wrench> oneself free (**z czegoś** from sth) 2. (*pozbywać się*) to get rid <to rid oneself> (**od kogoś, czegoś** of sb, sth); to be delivered <disengaged, disencumbered> (**od czegoś** from sth) 3. (*zwalniać się od powinności itd.*) to be exempted <relieved, dispensed> (**od obowiązku itd.** from a duty etc.); **uwolnić się od zarzutu** to clear oneself of an accusation

uwałować *vt perf roln.* to roll (a field)

uwarstwienie *sn* 1. (*podział społeczeństwa*) social classes 2. *geogr. geol.* stratification; foliation

uwarstwiony *adj* stratified

uwarstwowienie *sn* = **uwarstwienie**

uwarunkow|ać *vt perf* — **uwarunkow|ywać** *vt imperf* to condition; **~any czymś** conditioned by sth

uważa|ć *v imperf* [I] *vi* 1. (*natężać uwagę*) to pay attention; to be attentive; to attend (**na coś** to sth) 2. (*być ostrożnym*) to be careful; to take care; to mind; to watch out; **~j co robisz** mind what you do <what you're about>; **~j na stopień** mind the step 3. (*pilnować*) to take care <to take heed> (**na kogoś, coś** of sb, sth); to look after (sb, sth); **~ć, żeby coś zostało zrobione** to see to it that sth is done, to see sth done; **~ć, żeby ktoś coś zrobił** to see (to it) that sb does sth 4. (*mniemać*) to consider <to think, to be of opinion> (**że ...** that ...); **~ć za stosowne coś zrobić** to see <to think> fit to do sth; **~ć za swój obowiązek** <**za zaszczyt itd.**> **coś zrobić** to consider <to deem> it one's duty <an honour> to do sth; **~ć, że coś jest dobre** <**łatwe, podłe itd.**> to consider sth (to be) good <easy, mean etc.>; **~ć, że jest dobrze** <**wskazane itd.**> **coś zrobić** to consider, to think, to find it good <advisable etc.> to do sth; **~ć, że ktoś jest dobrym fachowcem** <**artystą itd.**> to reckon sb to be <to regard sb as> a good specialist <artist etc.>; **zrób, jak ~sz** do as you see fit <as you please>; suit yourself [II] *vt* (*poczytywać*) to consider <to esteem, to deem> (**coś za obowiązek, zaszczyt itd.** sth to be one's duty, an honour etc.; **coś za potrzebne, korzystne itd.** sth to be necessary, profitable etc.); **~ć kogoś za człowieka uczciwego** <**zdolnego itd.**> to consider sb (to be) honest <capable etc.>; **~ją go za najlepszego specjalistę** he is reputed to be the best specialist; **~m go za głupca** I put him down as a fool; **~m to za podłość** I call that mean; **~m to za zaszczyt** I esteem it an honour [III] *vr* **~ć się** to consider oneself <to call oneself> (a sceptic, an expert etc.)

uważający *adj* considerate; thoughtful (**na innych** of others); mindful (**na coś** of sth)

uważanie *sn* ↑ **uważać**

uważnie *adv* 1. (*z uwagą*) attentively; intently; with concentrated attention 2. (*ostrożnie*) carefully; with care; gingerly; gently

uważny *adj* 1. (*skupiający uwagę*) attentive; intent; heedful; observant 2. = **uważający** 3. (*baczny*) watchful 4. (*skupiony*) careful

uwertura *sf* 1. *muz.* overture 2. *przen.* inauguration

uwędz|ić *vt perf* **~ę, ~ony** to smoke <to cure> (meat, fish etc.)

uwęgl|ać *v imperf* — **uwęgl|ić** *v perf geol.* [I] *vt* to convert (vegetable matter) to coal [II] *vr* **~ać, ~ić się** to undergo the process of carbonification

uwęglanie *sn* ↑ **uwęglać**

uwęglenie *sn* (↑ **uwęglić**) carbonification

uwiarygodni|ć *vt perf* **~j** to authenticate

uwiąd *sm singt G.* **~u** decay; decrepitude; senility; marasmus

uwią|zać *vt perf* **~że** — **uwią|zywać** *vt imperf* to tie; to bind; to attach; to fasten; to hitch (one's horse to a stake, tree etc.); **~zać psa** to put a dog on the chain

uwiązanie *sn* (↑ **uwiązać**) attachment; (a) fastening

uwiązywać *zob.* **uwiązać**

uwi|ć *vt perf* **~je, ~ty** — *rz.* **uwi|jać** *vt imperf* to weave (flowers) into a wreath etc.; **~ć gniazdko** to build a nest

uwid|ocznić *v perf* **~ocznij** — **uwid|oczniać** <**uwid|aczniać**> *v imperf* [I] *vt* to show; to reveal; to expose [III] *vr* **~ocznić, ~oczniać** <**~aczniać**> **się** to appear; to be <to become> visible <apparent, manifest>

uwieczni|ć *v perf* **~j** — **uwieczni|ać** *v imperf* [I] *vt* to immortalize; to perpetuate; to eternize [III] *vr* **~ć, ~ać się** to become immortalized; to immortalize one's name

uwiedzenie *sn* (↑ **uwieść**) seduction

uwiedzion|y [I] *pp* ↑ **uwieść** [III] *sf* **~a** seduced woman

uwielbiać *vt imperf* — **uwielbić** *vt perf* to worship; to adore; to admire

uwielbienie *sn* (↑ **uwielbić**) worship; adoration; admiration

uwielokrotni|ać *vt imperf* — **uwielokrotni|ć** *vt perf* **~j** to multiply; **~ony** many times increased

uwielokrotnienie *sn* (↑ **uwielokrotnić**) multiplication; manifold increase

uwielostronniać *vt imperf* — **uwielostronni|ć** *vt perf* **~j** to make <to render> versatile; to develop versatility (**kogoś** in sb)

uwieńczać *zob.* **uwieńczyć**

uwieńczenie *sn* ↑ **uwieńczyć**

uwieńczyć *vt perf* — **uwieńczać** *vt imperf* to crown (efforts with success etc.); to crown <to top> (a building, column etc. with a statue etc.); to crown <to wreathe> (sb with laurels, flowers etc.)

uwierać *vt vi imperf* to hurt; (*o obuwiu*) to pinch; (*o rzemieniu itd.*) to rub

uwierzeni|e *sn* (↑ **uwierzyć**) belief; **nie do ~a** unbelievable; beyond belief

uwierzy|ć *vi perf* to believe (**w coś** sth; **komuś** sb); **nie ~sz ...** you'd hardly believe ...; **on w to wszystko ~ł** he lapped it all up

uwierzytelni|ać *v imperf* — **uwierzytelni|ć** *v perf* **~j** [I] *vt* to authenticate; to certify; to attest; *ekon.* **list ~ający** letter of credit; *dypl.* **listy ~ające** credentials; **poseł ~ony** accredited envoy [III] *vr* **~ać, ~ć się** to be attested

uwierzytelnienie *sn* (↑ **uwierzytelnić**) authentication; certification; attestation

uwie|sić *v perf* **~szę, ~szony** — *rz.* **uwie|szać** *v imperf* [I] *vt* to hang (**coś na czymś** sth on sth); **~szony** hanging [III] *vr* **~sić, ~szać się** to hang on (**na czymś** to sth); **~sić się u czyjegoś ramienia** to hang on sb's arm

uwieść *v perf* **uwiodę, uwiedzie, uwiedź, uwiódł, uwiodła, uwiedli, uwiedziony, uwiedzeni** — **uwodzić** *v imperf* **uwodzę, uwodzony** [I] *vt* 1. *perf* (*zbałamucić*) to seduce (a woman); to ruin (a girl); *imperf* to coquet <to flirt> (**chłopca** with a boy); to inveigle <to vamp> (sb) 2. (*pociągnąć*) to lure; to beguile [III] *vr* **uwieść, uwodzić się** to be lured <beguiled>

uwiezienie *sn*↑**uwieźć**

uwieźć *vt perf* **uwiozę, uwiezie, uwieź, uwiózł, uwiozła, uwieźli, uwieziony** — **uwozić** *vt imperf* **uwożę, uwożony** to take <to carry> away; to transport; to convey

uwiędnąć *vi perf* **uwiądł, uwiędła** *lit.* to wilt; to wither; to droop

uwięzgnąć † *vi perf* = **uwięznąć**

uwię|zić *vt perf* **~żę** to imprison; to throw (sb) into prison; *przen.* **~zić kapitał** to tie up capital

uwięzienie *sn* (↑ **uwięzić**) imprisonment; incarceration; *dosł. i przen.* confinement

uwięzion|y [I] *pp* ↑ **uwięzić**; **~y w błocie** stalled; (*o statku*) **~y w lodach** ice-bound; *przen.* (*o chorym*) **~y w swym pokoju** confined to his room; (*o pojeździe*) **~y w śniegu** snow-bound [III] *sm* **~y**, *sf* **~a** prisoner

uwi|ęznąć *vi perf* **~ązł, ~ęzła** to stick; to get stuck <caught, jammed, wedged>; *przen.* **słowa ~ęzły** <**głos ~ązł**> **mi w gardle** the words stuck in my throat

uwię|ź *sf* tie; leash; tether; fetters; chains; *mar.* stay; guy; **zerwać się z ~zi** to break loose; **na ~zi** tied; tethered; fettered; (*o psie*) on the chain; (*o balonie*) captive; *pot.* **trzymać język na ~zi** to curb <to bridle> one's tongue

uwięźnięcie *sn* 1. ↑ **uwięznąć** 2. *med.* incarceration (of hernia etc.)

uwijać *zob.* **uwić**

uwijać się *vr imperf* 1. (*krzątać się*) to bustle; to bestir oneself; **~ się tam!** look sharp!; hurry up! 2. (*wirować*) to spin; to whirl; to dance

uwikła|ć *v perf* [I] *vt* to entangle <to involve> (**kogoś w coś** sb in sth); *mat.* **funkcja ~na** implicit function; **dać się ~ć** to get entangled <involved> [III] *vr* **~ć się** 1. (*zamotać się*) to get entrammelled <trapped> 2. (*wplątać się*) to get entangled <involved>

uwikłanie *sn* (↑ **uwikłać**) entanglement; involvement

uwilgotnić *vt perf rz.* to moisten

uwinąć się *vr perf* to hurry; to be quick; **~ się z czymś** to dispatch sth; to toss off (a job); to rattle off (one's work etc.)

uwłaczać *vi imperf* 1. (*ubliżać*) to outrage <to affront, to insult> (**komuś** sb) 2. (*przynosić ujmę*) to disparage (**komuś** sb); to bring discredit (**komuś** on sb); to be prejudicial <disparaging, detrimental, derogatory> (**komuś** to sb)

uwłaczający *adj* offensive; insulting; abusive; derogatory

uwłaczanie *sn* (↑ **uwłaczać**) 1. (*ubliżanie*) outrage; affront; insult 2. (*ujma*) disparagement; discredit; prejudice

uwłasnowolni|ć *vt perf* **~j** *prawn.* to emancipate

uwłaszczać *vt imperf* — **uwłaszczyć** *vt perf* to affranchise; to enfranchise

uwłaszczenie *sn* (↑ **uwłaszczyć**) affranchisement; enfranchisement

uwłaszczeniowy *adj hist.* (act etc.) of affranchisement <enfranchisement>

uwłaszczyć *zob.* **uwłaszczać**

uwłosienie *sn* hair (on human body); pilosity; hirsuteness; (animal's) pelage

uwłosiony *adj* hairy; hirsute; pilose

uwodnienie *sn chem. geol.* hydration

uwodniony *adj chem. geol.* hydrated

uwodorni|ać *v imperf* — **uwodorni|ć** *v perf chem.* [I] *vt* to hydrogenate [II] *vr* **~ać, ~ć się** to undergo the process of hydrogenation

uwodornianie *sn* ↑ **uwodorniać**

uwodornienie *sn* (↑ **uwodornić**) hydrogenation

uwodząco *adv* seductively; alluringly

uwodzenie *sn* (↑ **uwodzić**) seduction; inveiglement; enticement

uwodziciel *sm* seducer; inveigler

uwodziciel|ka *sf pl G.* **~ek** seducer; inveigler; vamp

uwodzicielski *adj* seductive; alluring; enticing

uwodzicielsko *adv* seductively; alluringly; enticingly

uwodzicielstwo *sn singt rz.* practice of seduction; seductive practices

uwodzić *zob.* **uwieść**

uwolnić *zob.* **uwalniać**

uwolnienie *sn* (↑ **uwolnić**) liberation; relief; rescue; delivery; riddance (from intrusion etc.); exemption (from duty etc.); *sąd.* acquittal

uwozić *zob.* **uwieźć**

uwożenie *sn* ↑ **uwozić**

uwrażliwi|ć *v perf* — *rz.* **uwrażliwi|ać** *v imperf* [I] *vt* to sensibilize [II] *vr* **~ć, ~ać się** to become <to grow> sensibilized

uwrażliwienie *sn* (↑ **uwrażliwić**) sensibilization

uwspółcześni|ać *vt imperf* — **uwspółcześni|ć** *vt perf* **~j** to modernize; to contemporize

uwspółcześnienie *sn* (↑ **uwspółcześnić**) modernization

uwspółrzędniać *vt imperf* — **uwspółrzędni|ć** *vt perf* **~j** to co-ordinate

uwspółrzędnienie *sn* (↑ **uwspółrzędnić**) co-ordination

uwsteczni|ać *v imperf* — **uwsteczni|ć** *v perf* **~j** [I] *vt* to retard [II] *vr* **~ać, ~ć się** to be retarded

uwstecznienie *sn* (↑ **uwstecznić**) retardation; backwardness

uwsteczniony [I] *pp* ↑ **uwstecznić** [II] *adj biol.* retarded; backward

uwularny *adj jęz.* uvular

uwydatni|ać *v imperf* — **uwydatni|ć** *v perf* **~j** [I] *vt* 1. (*czynić bardziej widocznym*) to bring out; to set off; to bring into prominence <into relief>; (*podkreślać*) to heighten; to enhance 2. (*akcentować*) to accentuate; to stress; to emphasize; to insist <to dwell> (**coś** on sth); **nie ~ć należycie** to understate [II] *vr* **~ać, ~ć się** to be strongly marked; to come into prominence; *imperf* to stand out in relief; **~ający się** prominent

uwydatnienie *sn* (↑ **uwydatnić**) 1. (*uwidocznienie*) prominence; (*podkreślenie*) enhancement 2. (*akcentowanie*) stress; emphasis

uwypukl|ać *v imperf* — **uwypukl|ić** *v perf* [I] *vt* to bring into relief; **silnie ~ać, ~ić** to bring out in strong relief [II] *vr* **~ać się** to stand out in relief; to protrude

uwypuklenie *sn* (↑ **uwypuklić**) relief; protrusion; *med.* **~ kostne** tuberosity

uwypuklić *zob.* **uwypuklać**

uwzględni|ać *vt imperf* — **uwzględni|ć** *vt perf* **~j** 1. (*brać pod uwagę*) to take (sth) into account <into consideration>; to include (sb, sth in a reckoning); to allow <to make allowances> (**wiek, nieprzewidziane okoliczności itd.** for age, unforeseen circumstances etc.) 2. (*przychylać się*) to comply (**prośbę itd.** with a request etc.); to meet (**żądanie itd.** with a demand etc.); to acquiesce (**prośbę itd.** in a request etc.); **nie ~ć czegoś** to disregard sth

uwzględnienie *sn* ↑ **uwzględnić** 1. (*branie pod uwagę*) regard (**potrzeb, szczególnych okoliczności itd.** to needs, peculiar circumstances etc.); allowance (**choroby itd.** for sickness etc.); **z ~m...**taking into consideration ...; with regard to ... 2. (*przychylenie się*) compliance (**prośby itd.** with a request etc.)

uwziąć się *vr perf* **uwezmę się, uweźmie się, uweźmij się, uwziął się, uwzięła się** to make up one's mind; **~ się na kogoś** to nag <to persecute, to victimize> sb; **~ się na to, żeby coś zrobić** to set one's mind on doing sth; to be determined <resolved> to do sth

uwzięcie się *sn* (↑ **uwziąć się**) obstinacy; determination; **~ się na kogoś** persecution <victimization> of sb

uwznioślać *vt imperf* — **uwzniośli|ć** *vt perf* **~j** to sublimate; to idealize

uwznioślenie *sn* (↑ **uwznioślić**) sublimation; idealization

uzależni|ać *v imperf* — **uzależni|ć** *v perf* **~j** [I] *vt* 1. (*czynić zależnym*) to condition; to subject (sth) to a <to certain> condition(s); **to jest ~one od ...** it depends on ... 2. (*czynić podległym*) to subordinate (**kogoś komuś** sb to sb) [II] *vr* **~ać, ~ć się** to become subordinated (**od kogoś** to sb)

uzależnianie *sn* (↑ **uzależniać**) subjection to conditions

uzależnić *zob.* **uzależniać**

uzależnienie *sn* ↑ **uzależnić** 1. (*czynienie zależnym*) subjection (of sth) to a <to certain> condition(s); dependence (**od czegoś** on sth) 2. (*czynienie podległym*) subordination

uzasadni|ać *vt imperf* — **uzasadni|ć** *vt perf* **~j** to base (**zapatrywanie czymś** an opinion on sth); to give the reasons <grounds, the whys and wherefores> (**coś** for sth); to motivate; to justify; to warrant; to account (**coś** for sth); to substantiate (**zarzut itd.** a charge, an accusation etc.); **czym to ~asz?** how do you make that out?

uzasadnienie *sn* (↑ **uzasadnić**) reason; motive; grounds; justification

uzasadnion|y [I] *pp* ↑ **uzasadnić**; **to niczym nie jest ~e** it is groundless <unwarranted> [II] *adj* well-founded; reasonable; justifiable; legitimate; plausible

Uzbek *sm* Uzbeg, Uzbek

uzbiera|ć *v perf* [I] *vt* 1. (*zebrać*) to gather; to collect; to accumulate; **~ć trochę grosza** to scrape together a sum of money 2. (*zgromadzić*) to assemble; to get (a number of people) together [II] *vr* **~ć się** 1. (*nagromadzić się*) to gather (*vi*); to accumulate (*vi*); **~ło się sporo rzeczy do załatwienia** there's quite a number <an accumulation> of matters to be settled 2. (*zejść się*) to get together; to assemble

uzbr|ajać *v imperf* — **uzbr|oić** *v perf* **~oję, ~ój, ~ojony** [I] *vt* 1. (*zaopatrywać w broń*) to arm (sb); to provide (sb) with arms 2. *przen.* to equip 3. (*zaopatrywać w narzędzia pracy*) to equip; to provide (sb) with (the necessary) equipment 4. (*wyposażyć w maszyny, przyrządy*) to equip; to furnish; to fit out; *bud.* **~ajać, ~oić teren** to develop a tract of land [II] *vr* **~ajać, ~oić się** 1. (*o państwie*) to arm (*vi*); (*o poszczególnych ludziach*) to arm oneself (**w narzędzia walki** with weapons); *przen.* **~ajać, ~oić się w cierpliwość** to arm oneself with patience; to bide one's time; to be patient 2. (*zaopatrywać się w coś*) to equip oneself (with tools etc.)

uzbrojeni|e *sn* 1. ↑ **uzbroić** 2. (*zaopatrzenie w broń*) armament (of a unit, an army, a State); (*broń*) armaments; weapons; **bez ~a** unarmed; weaponless 3. *przen.* equipment 4. *techn.* equipment; outfit; installation(s); fittings; fixtures; armature; *mar.* tackle; *bud.* reinforcement of concrete

uzbrojony [I] *pp* (↑ **uzbroić**) (*o ludziach*) in arms; **dobrze ~** well-armed [II] *adj bot. zool.* armed (tapeworm etc.)

uzd|a *sf* bridle; **koń ze zdjętą ~ą** unbridled horse

uzdać *vt imperf* to bridle

uzdalniać *zob.* **uzdolnić**

uzdeczka *sf* (*dim* ↑ **uzda**) snaffle

uzdolni|ć *vt perf* **~j** — **uzdalniać** *vt imperf* to qualify (**kogoś do czegoś** sb for sth); to capacitate (**kogoś do czegoś** <**do robienia czegoś**> sb for sth <to do sth>); to enable (**kogoś do robienia czegoś** sb to do sth)

uzdolnienie *sn* 1. (↑ **uzdolnić**) capacitation 2. (*zdolność*) talent <gift, aptitude> (**do czegoś, w jakimś kierunku** for sth)

uzdolniony [I] *pp* ↑ **uzdolnić** [II] *adj* talented; gifted; capable; apt (**do czegoś** at sth)

uzdrawiać *zob.* **uzdrowić**

uzdrawiająco *adv* restoratively

uzdrawiający *adj* restorative; health-giving

uzdr|owić *v perf* **~ów** — **uzdr|awiać** *v imperf* [I] *vt* 1. (*przywrócić zdrowie*) to heal <to cure> (**kogoś z czegoś** sb of sth); to restore <to bring back> to health; *imperf* to effect cures 2. *przen.* to reorganize <to sanify, to purge> (the finances of a country etc.) [II] *vr* **~owić, ~awiać się** to recover one's health

uzdrowienie *sn* (↑ **uzdrowić**) (a) cure

uzdrowisko *sn* health resort

uzdrowiskow|y *adj* (equipment, administration etc.) of a health resort; **leczenie ~e** treatment in a health resort; **miejscowość ~a** health resort

uzdrowotniać *vt imperf* — **uzdrowotni|ć** *vt perf* **~j** to sanitate

uzdrowotnienie *sn* (↑ **uzdrowotnić**) sanitation

uzewnętrzni|ć *v perf* — **uzewnętrzni|ać** *v imperf* **~aj** [I] *vt* to reveal; to show; to manifest [II] *vr* **~ć, ~ać się** to appear; to be revealed; to manifest itself

uzewnętrznienie *sn* (↑ **uzewnętrznić**) manifestation

uzębienie *sn* 1. *anat.* dentition 2. *techn.* toothing

uzębion|y *adj* toothed; (*o ptaku*) tooth-billed; *techn.* **szyna ~a** cog-rail; rack-rail

uzgodni|ć *vt perf* **~j** — **uzgadniać** *vt imperf* to co-ordinate; to harmonize; to quadrate; to adjust; to square (accounts, matters); to agree (accounts, books)

uzgodnienie *sn* (↑ **uzgodnić**) co-ordination; adjustment; **~ w czasie** timing

uzgrabni|ć *vt perf* **~j** *rz.* to smarten

uziarnienie *sn geol. górn. techn.* granulation

uziemiacz *sm* = **uziom**

uziemić *vt perf* — **uziemiać** *vt imperf elektr.* to connect to earth; to earth; to ground

uziemienie *sn* (↑ **uziemić**) *elektr.* earth

uziom *sm G.* **~u** *techn.* earth

uzmysł|owić *vt perf* **~ów** — **uzmysł|awiać** *vt imperf* to visualize; to illustrate; to demonstrate; **~owić, ~awiać sobie** to realize; to become aware <sensible> (**coś** of sth)

uzmysłowienie *sn* (↑ **uzmysłowić**) visualization; illustration; demonstration

uzna|ć *v perf* — **uzna|wać** *v imperf* **~je** [I] *vt* 1. (*stwierdzić*) to acknowledge <to recognize, to admit> (the necessity of sth etc.); to accept (a fact etc.); to own <to confess> (one's guilt etc.); to assent (**teorię, prawdę itd.** to a theory, a truth etc.); to appreciate (**doniosłość czegoś itd.** the importance of sth etc.); **nie ~ć, ~wać czegoś** to repudiate sth; **nie ~wać czyjejś władzy itd.** to renounce sb's authority etc.; **nie ~wać kogoś** to disown sb; **~ć, ~wać dziecko** to own a child, *bank. handl.* **~ć konto jakąś kwotą** to enter a sum to the credit of an account; to credit an account with a sum 2. (*poczytywać*) to acknowledge <to recognize> (**kogoś za zwierzchnika itd.** sb as one's superior etc.); to admit (**coś za dobre** <**nieodpowiednie itd.**> sth to be good <inadequate etc.>); to account (**kogoś za mądrego** <**niezdolnego itd.**> sb (to be) clever <incapable etc.>; **~ć kogoś winnym** to find <to adjudge> sb guilty [II] *vi* (*orzec*) to recognize <to admit, to acknowledge> (**że ...** that ...; **że ktoś, coś jest** <**ma itd.**> sb, sth to be <to have etc.>) [III] *vr* **~ć, ~wać się** to acknowledge (**za pobitego** <**pobitym**>, **za dłużnego** <**dłużnym**> **itd.** oneself beaten, indebted etc.); to account oneself (**za mądrego itd.** clever etc.); **~ć się winnym** to own <to admit, to confess> one's guilt; to confess oneself guilty

uznani|e *sn* 1. (↑ **uznać**) (*stwierdzenie*) acknowledg(e)ment; recognition; admission <acceptance> (of a fact etc.); confession (of a guilt); assent (**teorii itd.** to a theory etc.) 2. (*decyzja*) decision; discretion; **według czyjegoś ~a** at sb's discretion 3. (*pochwała*) appreciation; approval; approbation; (*poważanie*) esteem; regard; **spotkać się z ~em** to meet with approbation; to find approval; to be appreciated; **wyrazić komuś ~e** to pay tribute to sb; **z ~em** approvingly; in <with> approbation

uznany [I] *pp* ↑ **uznać** [II] *adj* recognized (authority etc.); admitted (truth etc.)

uzn|oić *v perf* **~oję, ~ój, ~ojony** [I] *vt* to tire; to fag; to exhaust; to overstrain [II] *vr* **~oić się** to exhaust oneself

uzupełni|ć *v perf* **~j** — **uzupełni|ać** *v imperf* [I] *vt* to complete; to supplement; to complement; to make up (a loss etc.); to supplement <to supply> (missing parts, words etc.); to fill up (**zapas benzyny** <**wody**> with petrol <water>); to eke out (one's income etc.); to replenish (a stock of merchandize etc.) [II] *vr* **~ć, ~ać się** 1. (*dopełniać się wzajemnie*) to be complementary to one another 2. (*zostać uzupełnionym*) to become complete

uzupełniając|y *adj* complementary; supplementary; supplemental; subsidiary; adscititious; *gram.* expletive; *mat.* **kąt ~y** supplement of an angle; *polit.* **wybory ~e** by-election

uzupełnienie *sn* (↑ **uzupełnić**) supplement; complement; (*apendyks*) addendum (*pl* addenda); appendix (*pl* appendices); (*nowy zapas benzyny itd.*) refilling; (*nowy zapas towaru*) replenishment; *wojsk.* **Komenda Uzupełnień** recruiting board

uzurpator *sm*, **uzurpator|ka** *sf pl G.* **~ek** usurper

uzurpować *vt imperf* (*zw.* **~ sobie**) to usurp

uzus *sm G.* **~u** *lit.* custom

uzw|ajać *vt imperf* — **uzw|oić** *vt perf* **~oję, ~ój, ~ojony** *techn.* to wind (a wire with insulating tape etc.)

uzwięźlać *vt imperf* — **uzwięźlić** *vt perf* to express (sth) concisely

uzwoić *zob.* **uzwajać**

uzwojenie *sn* (↑ **uzwoić**) winding; insulation

uzysk *sm G.* **~u** *techn. górn.* output; yield

uzyskać *vt perf* — **uzyskiwać** *vt imperf* to obtain; to get; to receive; to secure; to gain; to acquire

uzyskanie *sn* (↑ **uzyskać**) obtainment; acquisition

uzyskiwać *zob.* **uzyskać**

uździenica *sf* 1. (*kantar*) halter 2. (*wędzidło*) bit

użaglenie *sn mar.* sails

użalać się *vr imperf* — **użalić się** *vr perf* 1. (*narzekać*) to complain (**na coś** of sth); to lament (**na coś** over sth) 2. (*litować się*) to pity (**nad kimś** sb)

użalanie się *sn* ↑ **użalać się**

użalenie się *sn* (↑ **użalić się**) complaint(s); lamentation(s)

użalić się *zob.* **użalać się**

użąć *vt perf* **użnę, użnie, użnij, użął, użęła, użęty** — **użynać** *vt imperf* to reap; to cut (corn etc.) with a sickle

użądlenie *sn* (↑ **użądlić**) (a) sting

użądlić *vt perf* to sting

użeb|rać *vt perf* **~rze** *rz.* to obtain by begging

użebrowany *adj techn.* gilled

użeglowni|ć *vt perf* **~j** to make (a river, lake) navigable

użerać się *vr imperf pot.* to quarrel; to wrangle; to bicker; to brawl

użeranie się *sn* (↑ **użerać się**) quarrels; brawls

użęcie *sn* ↑ **użąć**

użyci|e *sn* 1. ↑ **użyć** 2. (*zastosowanie*) use; employment; usage; utilization; exercise (of a right, faculty etc.); interposition (of one's authority etc.); **niewłaściwe ~e** misuse; **sposób ~a** directions for use; **nie do ~a** useless; **zdatny do ~a** serviceable; **być w powszechnym ~u** to prevail; to be prevalent; **wyjść z ~a** to go out of use; (*o wyrazie, wyrażeniu*) to become obsolete; to fall into disuse <desuetude>; (*w napisie*) **„przed ~em wstrząsnąć"** "shake the bottle" 3. (*przyjemność*) pleasure; enjoyment; **żądny ~a** pleasure-seeking

użyczający *sm* lender

użycz|yć *vt perf* — **użycz|ać** *vt imperf* 1. (*wypożyczyć*) to lend (**czegoś komuś** sb sth) 2. (*udzielić życzliwie*) to give (**czegoś komuś** sb sth); to spare (**komuś czegoś — chwili uwagi itd.** sb sth — a moment's attention etc.); (*obdarzyć*) to grant (**komuś czegoś** sb sth); **~yć komuś wiadomości** to impart news <a piece of news> to sb

użyć *zob.* **używać**

użylenie *sn* veins (in marble etc.)

użyłkowanie *sn* veins (of a leaf, an insect's wing etc.)

użyłkowany *adj* veined; streaked

użynać *zob.* **użąć**

użytecznoś|ć *sf singt* serviceableness; usefulness; utility; helpfulness; **instytucje <zakłady> ~ci publicznej** public services; public works; public utilities

użyteczn|y *adj* useful; helpful; serviceable; *miner.* **kopalina ~a** useful mineral; *fiz.* **moc ~a** effective power <output>

użyt|ek *sm G.* **~ku** 1. (*użytkowanie*) use; **przedmioty codziennego ~ku** objects of daily use; paraphernalia; **rzeczy osobistego ~ku** personal things <belongings>; **do ~ku szkolnego** for school use; **niezdatny do ~ku** useless; out of use; **zrobić dobry ~ek z czegoś** to put sth to a good use; to make good use of sth; **zrobić jak najlepszy ~ek z czegoś** to use sth to the best advantage; to make the best use of sth; **zrobić ~ek z czegoś** to take advantage of sth; to turn (sth) to account; to use sth against sb; **zrobić zły ~ek z czegoś** to make bad use of <to misemploy> sth 2. (*korzyść*) profit; **bez ~ku** unprofitably 3. *pl* **~ki** grounds; arable land; **~ki leśne** forest produce

użytkować *vt imperf* to use; to usufruct; to utilize; to exploit

użytkowani|e *sn singt* (↑ **użytkować**) use; (the) usufruct; utilization; exploitation; *prawn.* **prawo ~a** right of user

użytkowca *sm* (*decl = sf*), **użytkownik** *sm* user, usufructuary; tenant; holder, landholder

użytkow(n)ość *sf singt* utility; usability; practical use; use value

użytkow|y *adj* useful; usable; utilizable; **odpadki ~e** utility refuse; **rośliny ~e** usable plants; **sztuka ~a** applied art

używacz † *sm* utilizer

uży|wać *v imperf* — **uży|ć** *v perf* **~je, ~ty** [I] *vt* 1. (*posługiwać się*) to use; to employ; to make use (**czegoś** of sth); to exert (**siły itd.** strength etc.); to interpose (**prawa weta, swego autorytetu itd.** one's veto, authority etc.); to exercise (**przysługującego prawa itd.** a right etc.); to resort (**przemocy itd.** to violence etc.); **~ć swych wpływów itd. do czegoś** to bring one's influence etc. to bear on sth 2. (*wyręczać się*) to make use (**kogoś** of sb's services) 3. (*zażywać*) to use (**alkoholu, tytoniu itd.** alcohol, tobacco etc.); **~wać lekarstw itd.** to take medicine etc. 4. (*wykorzystywać*) to put (**czegoś** sth) to profit <to good use>; to use (**czegoś na coś** sth for sth); **~wać świata <życia>** to make the most of life; = **~ć, ~wać** *vi* 1. [II] *vi* 1. (*szukać przyjemności*) to seek pleasure; to be bent on pleasure <enjoyment, amusement>; to enjoy oneself 2. (*hulać*) to revel; **chcę sobie ~ć za moje pieniądze** I want my money's worth

używalnoś|ć *sf singt* use; utilization; enjoyment; usufruct; **w stanie ~ci** usable; in working order

używalny *adj* usable; in working order; (*o drodze*) practicable

używanie *sn* 1. (↑ **używać**) (*stosowanie*) use; employment; usage; utilization; exercise (of a right, faculty etc.); interposition (of one's authority etc.); **niewłaściwe ~** misuse 2. (*przyjemność*) pleasure; enjoyment

używany [I] *pp* ↑ **używać** [II] *adj* (*o garderobie itd.*) used; worn; second-hand; **jeszcze nie ~** new; bran(d)-new; **mało ~** as good as new

używ|ka *sf pl G.* **~ek** article of food; comestible; *pl* **~ki** condiments; spices and certain beverages such as tea, coffee, wine etc.

użyźniacz *sm rz.* fertilizer

użyźni|ać *vt imperf* — **użyźni|ć** *vt perf* **~j** to fertilize; to enrich (the soil); to manure <to dung> (the soil)

użyźnianie *sn* ↑ **użyźniać**

użyźnienie *sn* (↑ **użyźnić**) fertilization

V

V, v *sn indecl* 1. (*litera*) the letter v 2. (*głoska*) the sound v 3. *wojsk.* **V 1** flying-bomb; *pot.* doodle-bug

vacat *indecl* vacant (office, post etc.)

vademecum [-kum] *sn indecl* vade-mecum; hand-book; manual

varia *spl lit.* miscellany

varsavian|a *spl G.* **~ów** Varsaviana (documents etc. concerning Warsaw)

vel [wel] *praep* alias; otherwise called ...

verte *indecl* turn over

veto *sn singt* veto

via [wi-a] *praep* via; by way of ...

vice versa *adv* vice versa

Virtuti Militari *indecl* an order awarded for courage in the field

vis *sm* a type of pistol

vis-a-vis [wiza'wi] [I] *adv sn indecl* vis-a-vis [II] *praep* vis-a-vis (**czegoś** to sth)

vivat *interj* vivat!

volapük [wolapik] *sm G.* **~u** *jęz.* Volapük

volksdeutsch [folksdojcz] *sm* volksdeutsch (citizen of German descent)

volley [wolej] *sm sport* volley

votum *sn rel.* votive offering; **~ separatum** separate vote

W

W, w[1] *sn indecl* 1. (*litera*) the letter w 2. (*głoska*) the sound w

w[2] *praep* 1. (*z miejscownikiem*) (*wnętrze*) in <within, inside> (a room, box etc.); (*punkt*) at (**środku, górze, dole** the centre, the top, the bottom); (*instytucja*) at (the office, theatre, bank etc.); (*obręb*) (*gdy mowa o wielkim mieście*) in (London, Warsaw etc.); (*gdy mowa o mniejszej miejscowości*) at (Kłaj, Brighton etc.); (*o zakresie, ubiorze*) in (a newspaper, one's working clothes etc.); (*o formie, kolorze, tworzywie itd.*) in (squares and circles; black, green etc.; wood, marble etc.); (*o porze dnia i roku*) in (day-time, summer, winter etc.); (*o celu, sposobie, towarzystwie*) in (search, a manner, company etc.); **w kapeluszu <płaszczu, kaloszach itd.>** with his hat <overcoat, galoshes etc.> on; **w świecie, kraju** over the world, the country; (*o rozmiarze*) **w pasie, biuście** round the waist, the chest 2. (*z biernikiem*) (*do środka*) into <in> (the sea, mud etc.); (*w kierunku*) to (the right, left, one side etc.); into (the interior, the forest etc.); (*o przedmiocie działania*) on; (*o porze doby*) at (noon); (*o celu czynności*) in (pursuit etc.); (*o celowaniu*) at; (*o wyniku działania*) into (groups etc.); (*przy pojęciu zwyczaju, częstego powtarzania się*) of a...(Sunday etc.);(*w równoważnikach zdań*) **a ona w bek** and she burst into tears; **a on w prośby** and he comes out with a request; **rzucić <strzelić> w kogoś, coś** to throw <to fire> at sb, sth; **walenie w drzwi <w brzeg morski itd.>** pounding on the door <on the sea-shore etc.>; **w dzień** by day; **w niedzielę śpimy dłużej** of a Sunday we stay longer in bed; **w nocy** at <by> night; (*o deseniu*) **w paski <kratkę, groszki itd.>** striped <chequered, spotted etc.>; (*oznaczenie dnia*) **w poniedziałek <środę itd.>** on Monday <Wednesday etc.>; **w przepaść** in <down> a precipice; **w ten dzień** on that day; *emf.* **chłop w chłopa** lusty fellows; **dzień w dzień** day after day; **koń w konia** splendid horses; **słowo w słowo** word for word; literally; **w górę!** up, man <men>, up!; **w konie!** to horse!

w- *praef* 1. (*wprowadzenie do wnętrza*) in; **wbić <wcisnąć, wjechać>** to beat <to push, to drive> in 2. (*okrycie*) on; **wdziać, włożyć** to put on

wab *sm G.* **~ia** lure; decoy; bait; *pot.* **na ~ia** as a decoy; *przen.* **mieć ~ia** to have charm; to be appealing

wabiarz *sm myśl.* lurer

wabiąco *adv* alluringly; temptingly; enticingly; seductively

wabić *v imperf* [I] *vt* 1. (*przynęcać ptaki, zwierzęta*) to decoy; to lure 2. *przen.* (*nęcić*) to allure; to lure; to attract; to entice; to wile 3. (*o zwierzętach*) to call 4. *pot.* (*wołać na zwierzę*) to call (**psa**

Dżok a dog Jock) [II] *vr* ~ **się** (*mieć nazwę*) to be called

wab|iec *sm G.* **~ca** *myśl.* 1. = **wabiarz** 2. (*imitacja ptaka*) lure

wabienie *sn* ↑ **wabić** 1. (*nęcenie*) allurement; lure; attraction; enticement; wiles 2. (*wołanie zwierzęcia*) call

wabik *sm* 1. *myśl.* bird-call; decoy; bait; *pot.* **na ~a** as a decoy 2. (*to co wabi, pociąga*) allurement; draw; lure; attraction; enticement; wile 3. *zool.* line-and-bait; angling device

wacha *sf* sentinel; sentry

wachlarz *sm* 1. (*przedmiot do wachlowania*) fan; **rozkładać się ~em** to fan out 2. *pot.* (*różnorodność zagadnień*) range (of questions to be solved etc.) 3. (*godet*) godet; gore 4. *myśl.* black-cock's tail

wachlarzorogi *zool.* [I] *adj* scarabaeid, scarabaean [II] *spl* **~e** (*Scarabaeidae*) (*rodzina*) the family Scarabaeidae

wachlarzoskrzydł|y *zool.* [I] *adj* strepsipteran, strepsipterous [II] *spl* **~e** (*Strepsiptera*) (*rząd*) the order Strepsiptera

wachlarzowato *adv* fanwise

wachlarzowaty *adj* fan-shaped

wachlarzowo *adv* fanwise

wachlarzowy *adj* fan-shaped

wachlować *v imperf* [I] *vt* 1. (*ochładzać*) to fan 2. (*poruszać*) to sway; to rock; (*trzepotać*) to flutter [II] *vr* ~ **się** to fan oneself

wachmistrz *sm wojsk.* (cavalry) Sergeant Major

wachta *sf mar.* watch; **nocna** ~ night-watch; **psia** ~ dog-watch

wachtowy [I] *adj* (officer etc.) of the watch; watch — (officer, bell etc.) [II] *sm mar.* sailor who stands watch

waciak *sm pot.* quilted jacket

waciany *adj* quilted

wacie|ć *vi imperf* **~je** to go <to turn> as soft as cotton-wool

wacik *sm med.* tampon; swab; pledget

wad *sm singt G.* **~u** *miner.* wad

wad|a *sf* 1. (*ujemna cecha*) fault; shortcoming; failing; foible; weakness; blemish; **wszyscy mają tę samą ~ę** they are all tarred with the same brush 2. (*defekt*) defect; flaw; imperfection; (*usterka*) drawback; disadvantage 3. (*zniekształcenie*) (physical) defect; **~a serca** cardiac defect; **~a wymowy** a speech defect; defect of speech

wademekum *sn indecl* = **vademecum**

wadera *sf myśl.* she-wolf

wadi *indecl* = **wadis**

wadis *sm G.* **~u** *geogr. geol.* wadi

wadliwie *adv* defectively; faultily; imperfectly; incorrectly

wadliwość *sf* defectiveness; faultiness; imperfection; incorrectness; unsoundness (of reasoning)

wadliw|y *adj* defective; faulty; imperfect; incorrect; unsound <vicious> (reasoning); **~a administracja** maladministration; mismanagement

wadz|ić *vi imperf* **~ę** to hinder; to be in the way; *pot.* **nie ~iłoby zapalić papierosa** it wouldn't hurt <do any harm> to have a smoke

waf|el *sm G.* **~la** 1. (*ciasto*) wafer; (*na lody*) cornet 2. (*ciastko*) layer cake of wafer and sweet filling

waflowy *adj* wafer — (production etc.)

wag|a *sf* 1. (*przyrząd*) balance; scales; *astr.* Scale, Libra; **~a analityczna** analytical balance; **~a dziesiętna** decimal balance; **~a pomostowa** weigh-bridge; **~a rzymska** steelyard 2. (*ciężar*) weight; **kupować <sprzedawać> na ~ę** to buy <to sell> (a commodity) by the weight; **nadwyżka ~i** overweight; **oszukiwać na wadze** to give short weight; **tracić na wadze** a) (*o towarze*) to lose in weight b) (*o człowieku*) to lose weight <flesh>; **zyskać na wadze** a) (*o towarze*) to gain in weight b) (*o człowieku*) to put on weight <flesh>; to pick up flesh 3. (*ważność*) importance; consequence; **przywiązywać ~ę do czegoś** to attach importance to sth; to set store by sth; to make much of sth; to value <to treasure, to prize> sth; to be particular about sth; **nie przywiązywać ~i do czegoś** to attach no importance to sth; to make little of sth; to set little store by sth; to think lightly of sth; **sprawa wielkiej ~i** matter of consequence <of great concern>; **sprawa najwyższej ~i** all-important <vital> matter; matter of the last importance 4. (*ciężarek w zegarze ściennym*) (clock-)weight; **zegar z ~ami** weight-driven clock 5. *sport* (*klasa bokserska itd.*) weight; **~a ciężka** heavy-weight; **~a lekka** light-weight; **~a musza** fly-weight; **~a piórkowa** feather-weight

wagabunda *sm* (*decl* = *sf*) *lit.* vagabond; tramp; vagrant

wagant *sm* goliard

wagarować *vi imperf* to play truant <(the) wag>

wagarowanie *sn* (↑ **wagarować**) truancy

wagarowicz *sm* truant; wag

wagar|y *spl G.* **~ów** truancy; playing truant <(the) wag>

wagnerowski *adj* Wagnerian

wagon *sm G.* **~u** 1. *kolej.* carriage; coach; car; **~ bagażowy** luggage-van; *am.* baggage-car; **~ bydlęcy** cattle-truck; **~-chłodnia** refrigerator car; **~-cysterna** tanker; **~-platforma** flat goods-truck; *am.* flat car; **~ restauracyjny** restaurant <dining-> car; **~ sypialny** sleeping-car; *pot.* sleeper; **~ towarowy** goods-van; *am.* freight-car; **~ z miejscówkami** car with seat reservations 2. (*zawartość*) car-load

wagonet|ka *sf pl G.* **~ek** tip-truck; tip-waggon

wagonik *sm* trolley; **~ kolejki linowej** ropeway car; **~-wywrotka** tip-truck

wagonownia *sf* repair shop

wagonowo *adv rz.* by the car-load

wagonowy *adj* carriage <coach, car, truck> — (attendant, buffer, wheels etc.)

wagowo *adv* in respect of weight; gravimetrically

wagowy [I] *adj* 1. (*dotyczący wagi — przyrządu*) balance <scale> (beam, arm, precision etc.) 2. (*dotyczący wagi — ciężaru*) gravimetric; weight — (classification etc.) [II] *sm* weigher

wahacz *sm techn.* rocker-arm; rocking leveller; sway beam

wah|ać się *vr imperf* — *rz.* **wah|nąć się** *vr perf* 1. (*kołysać się*) to swing; to rock; to sway; to pendulate 2. *imperf* (*być niezdecydowanym*) to hesitate; to vacillate; to waver; not to know one's mind; to falter; to shilly-shally; to blow hot and cold; **nie ~ając się** without hesitation; unhesitatingly 3. *imperf* (*oscylować*) to fluctuate; to oscillate; to range <to run> (from ... to ...)

wahadełko *sn dim* ↑ **wahadło**

wahad|ło *sn pl G.* **~eł** *fiz.* pendulum; **~ło matematyczne** simple pendulum

wahadłowo *adv* in <with> a swinging <backward and forward> movement

wahadłow|y *adj* swinging <pendular, oscillatory, backward and forward> (movement); **drzwi ~e** swing door; **piła ~a** pendulum saw

wahadłów|ka *sf pl G.* **~ek** *pot.* pendulum saw

wahająco *adv* hesitatingly; falteringly

wahający się [I] *adj* hesitant; wavering; vacillatory; shilly-shally [II] *sm* (*zw. pl*) waverer

wahani|e *sn* 1. ↑ **wahać się** 2. (*brak zdecydowania*) hesitation; hesitancy; indecision; vacillation; **chwila ~a** pause; **bez ~a** unhesitatingly 3. (*zw. pl*) (*zmienność*) fluctuations; oscillations; ups and downs; **~a cen** price variations

wahliwie *adv* pendulously; in <with> a swinging <backward and forward> movement

wahliw|y *adj* pendulous; oscillatory; swinging; *techn.* **łożysko ~e** hunting

wahnąć się *zob.* **wahać się**

wahnięcie *sn* (one) swing

wajdelota *sm* (*decl* = *sf*) *hist.* Lithuanian bard

wajdelot|ka *sf pl G.* **~ek** *hist.* Lithuanian bardess

wajgeli|a *sf GDL.* **~i** *bot.* (*Weigela*) diervilla

wajmut|ka *sf pl G.* **~ek** = **wejmutka**

waka *sf miner. geol.* wacke

wakacj|e *spl G.* **~i** holidays; vacation, *pot.* vacs; *pot.* **zrobić sobie ~e** to take a holiday

wakacyjny *adj* holiday ⎯ (season, course etc.)

wakat *sm* 1. (*wolne stanowisko*) vacant post 2. *druk.* fly-leaf

wakcyna *sf* 1. *med.* vaccin 2. *wet.* cowpox

wakcynacja *sf med.* vaccination

wak|ować *vi imperf* to be vacant; **~ujący** vacant; **~ujące stanowisko <miejsce, posada>** vacancy

wakuola *sf biol.* vacuole

wakuolarny *adj biol.* vacuolar

wakuometr *sm* vacuum-gauge

wal *sm zool.* (*Balaena*) Greenland whale

walać *v imperf* [I] *vt* 1. (*plamić*) to stain; (*brudzić*) to soil; to dirty 2. (*kulać*) to roll [II] *vr* **~ się** 1. (*brudzić się*) to soil <to dirty> one's hands <clothes> 2. (*być walanym*) to get dirty; to draggle (*vi*) 3. (*poniewierać się*) to lie about; to be scattered 4. (*o ludziach — tarzać się*) to wallow (in the mud etc.); to prostrate oneself (**u czyichś nóg** at sb's feet)

walansjena *sf rz.*, **walansjen|ka** *sf pl G.* **~ek** Valenciennes lace

walący się *adj* (*o budynku*) dilapidated; ramshackle; tumble-down; ruinous

walc *sm A.* **~a** waltz; **~ angielski** hesitation waltz; **~ wiedeński** quick waltz; **tańczyć ~a** to waltz

walcar|ka *sf pl G.* **~ek** *techn.* rolls

walcarz *sm techn.* roller, rollerman

walconog|i *spl G.* **~ów** *paleont. zool.* (*Scaphopoda*) (*gromada*) the class Staphopoda

walcować *vt imperf techn.* to roll; to mill; to laminate

walcowanie *sn* (↑ **walcować**) lamination; **~ na zimno** cold-rolling

walcowato *adv* cylindrically

walcowaty *adj* cylindrical

walcownia *sf techn.* rolling-mill; flattening mill; **~ blach** plating shop; **~ blachy grubej** plate mill; **~ stopów miedzi** brass mill; **~ szyn** rail mill

walcownictwo *sn singt techn.* rolling mill practice

walcownik *sm* roller, rollerman

walcow|y¹ *adj* cylindrical; *techn.* **młyn ~y** roller mill; *mat.* **powierzchnia ~a** surface area of a cylinder

walcowy² *adj* (*związany z walcem — tańcem*) waltz ⎯ (motions etc.)

walców|ka *sf pl G.* **~ek** *techn.* (*pręt*) wire rod

walczak *sm techn.* barrel boiler

walczakowy *adj techn.* barrel ⎯ (boiler etc.)

walczący [I] *adj* fighting; combatant; militant; belligerent; contending (parties, armies) [II] *sm* combatant; belligerent; campaigner

walczyć *vi imperf* 1. (*bić się*) to fight <to struggle> (**z kimś o coś** with sb for sth); (*wojować*) to fight; to wage war; to combat; to militate; to be in conflict; to conflict; **~ na słowa** to dispute; to carry on a battle of words; **~ ze snem <z pokusą>** to fight off sleep <temptation>; **~ z wiatrakami** to fight <to tilt at> windmills 2. *przen.* to vie (**z kimś o pierwszeństwo itd.** with sb for superiority etc.); to contend <to wrestle> (with difficulties etc.); to strive (**o coś** for sth) 3. *sport* to fight; to contend for <to dispute> (the victory etc.); **dzielnie ~** to put up a good fight 4. (*opierać się*) to fight <to battle> (**z czymś** against sth); **~ o byt** to scramble for life; **~ ze śmiercią** to wrestle with death; **~ z sobą** to wrestle with oneself 5. (*występować w obronie*) to fight <to stand up, *pot.* to stick up> (**o kogoś, coś** for sb, sth)

walczyk *sm* (*dim* ↑ **walc**) quick waltz

waldhar *sm G.* **~u** *bot.* a species of sedge

wal|ec *sm G.* **~ca** 1. *geom.* cylinder 2. *techn.* roller; barrel; cylinder; **~ec parowy** steam-roller ‖ *bot.* **~ec osiowy** central cylinder

walecznie *adv* gallantly; bravely; courageously

waleczność *sf singt* gallantry; bravery; prowess; courage; valour

waleczn|y [I] *adj* gallant; brave; courageous [II] *spl* **~i** the brave

walencyjny *adj* = **wartościowościowy**

walenie *sn* 1. ↑ **walić** 2. (*bicie*) blows; knocks; thwacks 3. **~ się** fall; crash; **~ się budowli** dilapidation of a building; **~ się z nóg** exhaustion

walenrodyzm *zob.* **wal(l)enrodyzm**

wale|ń *sm G.* **~nia** *zool.* 1. (*Cetacea*) cetacean 2. *pl* **~nie** (*rząd*) the cetaceans

waleriana *sf* 1. *bot.* (*Valeriana officinalis*) valerian 2. *pot.* (*krople*) valerian drops

walerianowy *adj* valerian (drops); *chem.* valeric (acid)

walet *sm A.* **~a** 1. *karc.* jack; knave 2. *przen. pot.* (*w domu akademickim*) an extra; **spać na ~a** to sleep head to tail <two in one bed>

wal|ić *v imperf* — **wal|nąć** *v perf* [I] *vt* 1. *imperf* (*burzyć*) to bring <to throw> down; to overthrow; to pull down (a building etc.); **~ić kogoś z nóg** to exhaust <to cripple, to paralyse> sb 2. *zw. imperf* (*sypać na kupę*) to heap up; to pile; *imperf* to beat; to hit; to strike; to pommel; to hammer; to batter; *perf* to bang; to thwack; to thump; to fetch <to catch, to land> (sb) a blow; to bash; to slash [II] vi 1. (padać) (o deszczu, śniegu) to fall heavily; (o deszczu) to pour; to come down in sheets 2. (bić) to beat <to batter, to bang, to hammer> (w drzwi itd. at the door etc.); pot. (o sercu) to beat thick; to thump; to go pit-a-pat; ~ić na prawo i na lewo to lay about one; to slash right and left; ~ić, ~nąć pięścią w stół to bang one's fist on the table; ~nąć głową o coś to bump one's head against sth; ~nąć w słup telegraficzny to come bang against a telegraph pole 3. (strzelać) imperf to shower missiles; to shell (w obiekt a target); perf (trafić) to hit (a target) 4. (buchać — o wodzie itd.) to stream; to gush; (o dymie) to come out in clouds 5. (huczeć, rozbrzmiewać) to boom 6. zw. imperf (mówić bez ogródek) to speak out; to speak plainly <openly> 7. imperf (iść gromadnie) to stream; to crowd (in, out); pot. (chodzić) to toddle; ~ę do domu I'll be toddling home; ~! off you go! [III] vr ~ić, ~nąć się 1. imperf (rozpadać się w gruzy) to crumble; to tumble; to go to pieces; budynek się ~i the building is dilapidated <ruinous> 2. zw. imperf (spadać całym ciężarem) to crash; to fall; to drop; to come down like a ton of bricks; to plump <to tumble> down 3. zw. imperf pot. (kłaść się ciężko) to sink; to subside; to tumble down; ~ić się z nóg to be ready to drop with fatigue; to be dog tired

waligóra sm (decl = sf) fairy-tale giant

Walijczy|k sm Welshman; pl ~cy the Welsh

walijski adj Welsh

walina sf chem. valine

walisneri|a sf GDL. ~i bot. (Vallisneria spiralis) tape grass

waliza sf trunk

walizeczka sf (dim ↑ walizka) attaché-case; handbag; am. grip, gripsack

waliz|ka sf pl G. ~ek suitcase; portmanteau; valise

walizkowy adj portable (radio etc.)

walk|a sf 1. wojsk. war; warfare; fight; ~a partyzancka guerilla war; ~a podziemna underground warfare; ~a zbrojna armed fighting 2. (bitwa) battle; pole ~i battle-field; ~i na jakimś odcinku fighting in a sector; w wirze ~i in the thick of the fray 3. (bicie się) fight; combat; conflict 4. sport (zapasy) wrestling; ~a byków bullfight; ~a francuska <klasyczna> Greco-Roman wrestling; ~a wolna free-style wrestling; ~a wolnoamerykańska all-in <catch-as-catch-can> wrestling; ~i finałowe finals 5. (zmaganie się) struggle; strife; fight (o coś for sth; z chorobami itd. against diseases etc.); prowadzić z sobą ~ę na noże to be at daggers drawn; handl. (o konkurentach) to cut each other's throats; zażegnać <wznowić> ~ę to bury <to dig up> the hatchet

walkiri|a sf GDL. ~i Valkyrie, valkyria

walkower sm singt G. ~u sport walk-over; uncontested victory; wygrać ~em to walk over

wal(l)enrodyzm sm G. ~u lit. scheming the ruin of an enemy under a mask of loyalty (as shown in Mickiewicz's poem Konrad Wallenrod)

walmowy adj bud. dach ~ hip-roof

walnąć zob. walić

walnie adv signally; outstandingly; eminently; in a supreme degree; przyczynić się ~ do czegoś to make a major contribution towards sth

walnięcie sn (↑ walnąć) blow; thwack; thump

waln|y adj 1. (istotny) signal; outstanding; eminent; (ogólny) general (meeting, assembly) 2. (rozstrzygający) decisive; ~a bitwa pitched battle; ~e zwycięstwo signal victory

walon|ki spl G. ~ek <~ków> felt boots

walor sm G. ~u 1. (wartość) value; (zaleta) quality; advantage 2. fot. plast. value

walorowo adv in respect of <as regards> value; according to value

waloryzacja sf ekon. valorization

waloryzować vt imperf ekon. to valorize

waltornia sf muz. French horn

waltornista sm (decl = sf) French-horn player

waluciarstwo sn pot. illicit traffic in foreign currencies

waluciarz sm pl G. ~y <~ów> pot. black-marketeer trafficking in foreign currencies

walut|a sf 1. (podstawa obiegu pieniężnego) currency 2. (obcy pieniądz) foreign currency <currencies>; foreign exchange 3. pot. żart. cash; sl. dibs 4. ekon. value; (w napisie) ~ę otrzymano value received

walutować vt imperf ekon. to value

walutowy adj 1. (dotyczący systemu pieniężnego) monetary (reform etc.) 2. (dotyczący transakcji pieniężnych) foreign-exchange — (dealings etc.)

wał sm G. ~u 1. (nasyp) embankment; dike, dyke; bank; (szaniec) rampart; bulwark; ~ przeciwpowodziowy dam 2. anat. geogr. ridge; meteor. ~ wysokiego ciśnienia ridge of high pressure 3. (fala) billow; (na rzece) bore; tidal wave 4. techn. (element maszyny) shaft; arbor; ~ korbowy crank-shaft; ~ maszyny spindle; ~ rozrządczy distribution shaft; camshaft 5. (narzędzie) roller

wałach sm gelding

wałaszyć vt imperf to geld

wałecz|ek sm G. ~ka 1. dim ↑ wałek 2. med. pl ~ki cylinders; casts

wałeczkowaty adj cylindrical; rodlike

wałeczkow|y adj techn. łożysko ~e rim bearing

wał|ek sm G. ~ka 1. (przedmiot okrągły i wydłużony) roll; wad; (podgłówek) bolster; ~ki do okien listing 2. techn. cylinder; roller; (w maszynie do pisania) platen; arch. bead; baguette; ~ek do ciasta rolling-pin 3. (narzędzie rolnicze) roller 4. leśn. log

wałęsać się vr imperf to loaf; to loiter; to gad about; to gallivant; to idle about the streets; (o dziecku) ~ się po ulicach to run the streets

wałkarz sm zool. (Polyphylla) a scarabaeid

wałkonić się vr imperf pot. to maroon; to idle one's time away; to loaf; to muck about

wałkoniowaty adj pot. loafing; do-nothing (fellow)

wałko|ń sm G. ~nia pot. (a) do-nothing; loafer; idler

wałkoństwo sn singt rz. loafing; mucking about

wałkować v imperf [I] vt 1. (rozpłaszczać) to roll out (dough etc.) 2. (zwijać) to roll up (paper, a map etc.) 3. (maglować) to mangle 4. pot. (omawiać) to debate; to ventilate <to thresh out> (a question) [II] vr ~ się 1. (zwijać się) to roll up 2. pot. (przewracać się) to roll oneself from side to side 3. (być omawianym) to be debated <ventilated, threshed out>

wałkowaty adj cylindrical

wałkownica *sf* 1. (*wałek do ciasta*) rolling-pin 2. (*maglownica*) mangle
wałkowy *adj techn.* pin (bearing)
wałować *vt imperf roln.* to roll
wałowaty *adj* roller-shaped
wałowy *adj* rampart — (service, artillery etc.)
wałówa *sf augment* ↑ **wałówka**
wałów|ka *sf pl G.* **~ek** *pot.* (*na wycieczkę*) prog; (*paczka żywnościowa*) grub
wał|y *spl G.* **~ów** *pot.* thrashing; hiding; dusting; **dostać ~y** to get thrashed <dusted>
wamp *sm* vamp; **zrobiona <wystrojona> na ~a** done up to kill
wampir *sm* 1. (*upiór*) vampire 2. (*kobieta demoniczna*) vamp 3. *zool.* (*Desmodus*) true vampire; vampire bat
wampiryczny *adj rz.* vampiric
wampirzyca *sf* vamp
wanad *sm singt G.* **~u** *chem.* vanadium
wanadan *sm G.* **~u** *chem.* vanadate
wanadawy *adj chem.* vanadous
wanadowc|e *spl G.* **~ów** *chem.* vanadium family
wanadowy *adj chem.* vanadic
wandal *sm pl N.* **~e <~owie>** 1. **Wandal** *hist.* Vandal; *pl* **~owie** the Vandals; **inwazja ~ów** Vandal invasion 2. *przen.* vandal
wandaliczny † *adj* vandalistic, vandalish
wandalizm *sm singt G.* **~u** vandalism
wandalski *adj* 1. *hist.* Vandalic 2. *przen.* vandalistic
Wandejczyk *sm* (a) Vendean
wandejski *adj* Vendean
wanien|ka *sf pl G.* **~ek** 1. (*do kąpieli*) bath-tub 2. (*laboratoryjna*) dish
wanili|a *sf GDL.* **~i** 1. *bot.* (*Vanilla*) vanilla 2. (*owoc*) vanilla; **laska ~i** vanilla pod
wanilin|a *sf chem.* vanillin; **zatrucie ~ą** vanillism
wanilinowy *adj* vanillic; **cukier ~** vanilla-flavoured sugar
waniliowy *adj* vanilla — (extract etc.); vanilla-flavoured (sugar, vodka etc.)
waniliów|ka *sf pl G.* **~ek** vanilla-flavoured vodka
wan|na *sf pl G.* **~ien** 1. (*kąpielowa*) bath; bath-tub 2. *techn.* tank
wanta[1] *sf mar.* stay
wanta[2] *sf gw.* stone; rock
wantowy *adj mar.* stay — (rope, wire etc.)
wańtuch *sm gw.* sackcloth
wapieniolubn|y *adj bot.* **rośliny ~e** calciphilous plants
wapienniczy *adj* calcareous
wapiennik *sm* 1. (*zakład*) limestone quarry; (*piec*) lime kiln 2. (*robotnik*) lime-burner
wapienn|y[1] *adj miner.* calcareous; limy; limestone — (quarry etc.); **gleba ~a** lime soil
wapienn|y[2] *adj chem.* calcium — (nitrate, oxide, sulphate etc.); **mleko ~e** milk of lime; **woda ~a** lime-water
wapień *sm miner.* limestone
wapniak *sm* 1. (*wapień*) ground limestone; ground chalk 2. *roln.* soil lime 3. *pot.* (*jajko*) lime-preserved egg
wapniar|ka *sf pl G.* **~ek** 1. (*kopalnia*) limestone quarry; chalk-pit 2. (*wóz*) lime waggon
wapniarnia *sf* lime-house
wapnica *sf techn.* lime liquor
wapnić *vt imperf techn.* to lime (hides)
wapni|eć *vi imperf* **~je** to calcify
wapnienie *sn* (↑ **wapnieć**) calcification; liming
wapniolubny *adj* = **wapieniolubny**
wapniować *vt imperf* 1. *roln.* to lime; to manure with lime 2. *techn.* to lime (hides)
wapniow|iec *sm G.* **~ca** 1. *rz.* (*wapień*) limestone 2. *pl* **~ce** *chem.* calcium group
wapniow|y *adj chem.* calcic; calcium — (carbonate, nitrate, sulphate etc.); **nawozy ~e** calcium fertilizers
wapnistość *sf singt miner.* liminess
wapnisty *adj miner.* limy
wapno *sn singt pot.* lime; *chem. techn.* **~ bielące <chlorowane>** chlorinated lime; **gaszone <hydrauliczne, palone>** slaked <hydraulic, burnt> lime; **~ niegaszone** quicklime
wapnolubny *adj* = **wapieniolubny**
wapnować *vt imperf* 1. (*bielić*) to whitewash 2. *roln.* to lime; to manure with lime
wap|ń *sm G.* **~nia** *chem.* calcium
war *sm G.* **~u** 1. (*wrzątek*) boiling water 2. (*upał*) heat 3. *techn.* (*w browarnictwie*) gyle
wara *interj* don't you dare!; hands off!; **~ temu, kto ...** woe betide him who ...
waran *sm* (*zw. pl*) *zool.* (*Varanus niloticus*) monitor (lizard)
warcab|y *spl G.* **~ów** draughts; *am.* checkers
warchlak *sm* 1. (*prosię*) piglet 2. (*dzik*) young wild boar
warcholenie *sn* (↑ **warcholić**) factiousness; sowing of dissension <of discord>
warcholić *vi imperf* (*także vr* **~ się**) to brawl; to squabble; to sow dissension <discord>; to set people by the ears
warcholski *adj* factious; dissentious; quarrelsome
warcholstwo *sn* factiousness; brawling; squabbling; sowing of dissension <of discord>
warchoł *sm* brawler; squabbler; sower of dissension <of discord>
war|czeć *vi imperf* **~czy** — **war|knąć** *vi perf* 1. (*o psie*) to growl; to snarl; *perf* (*o człowieku*) to snarl (**na kogoś** at sb) 2. *imperf* (*o motorze itd.*) to whirr
warczenie *sn* (↑ **warczeć**) (a) growl <snarl>; (the) whirr (of a machine etc.)
Wareg *sm pl N.* **~owie** Varangian
warg|a *sf* 1. *anat.* lip; **górna <dolna> ~a** upper <lower, under> lip; **maść do ~** lip-salve; **~a zajęcza** harelip; **~i sromowe** lips <labia> of pudendum; **zagryzać ~i** to bite one's lips 2. *bot.* labium; labellum 3. *muz.* embouchure
wargacz *sm zool.* 1. (*Melursus ursinus*) sloth bear 2. (*Melursus labiatus*) wrasse 3. *pl* **~e** (*Labridae*) (*rodzina*) the wrasse family
wargowo *adv* labially
wargowość *sf singt* labiality
wargowonosowy *adj fonet.* labionasal
wargowozębowy *adj fonet.* labiodental
wargow|y [I] *adj* labial; *jęz.* **spółgłoska ~a** labial [II] *spl* **~e** *bot.* (*Labiatae*) (*rodzina*) the family Labiatae
wariacja *sf* 1. *med.* madness 2. (*zw. pl*) *muz.* variation(s)
wariack|i *adj* mad; crazy; insane; frenzied; frantic; **~a jazda** scorch; **~ie tempo** break-neck pace; **po ~u** = **wariacko**

wariacko *adv* madly; crazily; insanely; frantically
wariactwo *sn* madness; folly; piece of folly
wariacyjny *adj* variational
wariant *sm G.* **~u** variant
wariat *sm* madman; lunatic; fool; **dom ~ów** lunatic asylum; madhouse; *przen.* bedlam; **robić coś na ~a** to do sth unprepared; **robić ~a z kogoś** to fool sb; **to ~** he is a crank; he's crazy; *pot.* he is nuts <off his chump>
wariat|ka *sf pl G.* **~ek** madwoman; **to ~ka** she is crazy <nuts>
wariometr *sm G.* **~u** *fiz.* variometer
wariować *vi imperf* 1. *pot.* (*ulegać chorobie umysłowej*) to go mad; 2. *przen.* to rave; to be mad (**z radości, bólu itd.** with joy, grief etc.); **~ za kimś, czymś** to be crazy <dead nuts> about sb, sth
wariowanie *sn* (↑ **wariować**) madness; craziness
warkliwie *adv rz.* with a snarl <growl>
warkliwy *adj* snarling; growling
warknąć *zob.* **warczeć**
warknięcie *sn* (↑ **warknąć**) (a) snarl; (a) growl
warkocz *sm* 1. (*splecione włosy*) tress 2. (*pasma*) plait <braid> (of ribbon, straw etc.); *astr.* **~ komety** tail of a comet
warkoczyk *sm* (*dim* ↑ **warkocz**) tress; pigtail
warkot *sm G.* **~u** whirr <throb> (of a machine etc.); drone (of an aeroplane); roll (of a drum)
warko|tać *vi imperf* **~cze** <**~ce**> to whirr; to throb; to drone
warkotliwie *adv* with a whirr <throb>
warkotliwy *adj* whirring; throbbing; droning
warnik *sm techn.* boiler; kier; brewing-copper; **~ do kleju** glue boiler
warnikowy *sm* boilerman
warować *vi imperf* 1. (*o psie*) to crouch 2. *przen. pot.* to mount <to keep> guard
warownia *sf* fortress; stronghold; fastness
warowność *sf singt* fortified state (of a town)
warowny *adj* fortified
warpa *sf górn.* dump
warstewka *sf* (*dim* ↑ **warstwa**) thin layer; film
warstewkowanie *sn geol.* lamination; stratification on a fine scale
warstw|a *sf* layer; coat <coating> (of paint etc.); *geol.* stratum; bed; *bud.* course (of stone, brick); **~y społeczne** classes <strata, orders> of society; **pokryty ~ą kurzu** <**błota itd.**> coated with dust <plastered with mud etc.>
warstwica *sf geogr.* contour line
warstwicow|y *adj geogr.* **mapa ~a** contour map
warstwować *vt imperf* to stratify
warstwowanie *sn* (↑ **warstwować**) stratification
warstwowany I *pp* ↑ **warstwować** II *adj* bedded
warstwowo *adv* in layers
warstwow|y *adj* stratified; foliated; *meteor.* **chmury ~e** stratus clouds ‖ (*w społeczeństwie*) **przeciwieństwa ~e** class conflicts
warszawa *sf aut.* a type of motor-car
warszawiak *sm*, **warszawianin** *sm*, **warszawian|ka** *sf pl G.* **~ek** (a) Varsovian
warszawizm *sm G.* **~u** *jęz.* Varsovian idiom
warszawski *adj* Varsovian
warsztacik *sm G.* **~u** *dim* ↑ **warsztat**
warszta|t *sm G.* **~tu** 1. (*sprzęt — stolarski*) bench, workbench; (*tkacki*) loom; frame; *przen.* **mieć pracę na ~cie** to have a piece of work in hand <on the anvil, on the stocks>; **wziąć pracę na ~t** to take a piece of work in hand 2. (*pomieszczenie*) workshop; (*pracownia artystyczna*) atelier; studio; **~t napraw** repair shop
warsztatowy *adj* workshop — (equipment etc.)
wart[1] *adj* 1. (*zasługujący na pozytywną ocenę*) worth; **ja dzisiaj nic nie jestem ~** I am good for nothing to-day; **jego pochwała jest więcej ~a niż ...** a word of praise from him is worth <means> more than ... 2. (*mający pewną wartość*) worth; **coś jest wiele** <**niewiele**> **~e** sth is worth a lot of money <is not worth much>; *pot.* **gra ~a** <**nie ~a**> **świeczki** the game is worth <is not worth> the candle; **jeden drugiego ~**, *przysł.* **~ Pac pałaca a pałac Paca** there is nothing to choose between them; **to śmiechu ~e** it's ridiculous; **~a grzechu** seductive; fascinating 3. (*zasługujący na coś*) worth; worthy of ...; deserving of ...; worth while; **nie ~e zachodu** not worth the trouble; not worth troubling about
wart[2] *sm G.* **~u** (*nurt rzeki*) current; stream
war|ta *sf* 1. (*oddział*) guard; (*osoba*) sentinel; **~ta honorowa** guard of honour 2. (*służba*) guard; **stać na ~cie** to mount guard; to stand sentry
warta|ć *vt imperf reg.* 1. (*mieć wartość*) to be worth (a sum of money) 2. (*zasługiwać*) to deserve; to be worthy (of praise etc.)
~ło *impers reg.* it was worth while; it was worth it
wartki *adj* 1. (*rwący*) rapid; fast (current); impetuous (torrent, wind) 2. (*o rozmowie*) animated; lively
wartko *adv* rapidly; fast; impetuously
wartkość *sf singt* rapidity
warto it is proper <not out of place> (**dodać, że ...** to add that ...); it is worth one's while (to go, to spend an extra pound etc.); it pays (to be honest etc.); **nie ~ nalegać** <**płakać itd.**> it's no use <no good, not a bit of good> insisting <crying etc.>; **~ by dodać, że ...** it may be well to add that ...; **~ się potrudzić** it is a worth-while effort; **~ to zobaczyć** <**przeczytać itd.**> it is worth seeing <reading etc.>; **czy to ~?** is it worth it?; is it worth while?; **~ by (było)...** it wouldn't be a bad <it would be a good> thing to...; it might be worth while to...
wartogłowie *sn singt wet.* gid
wartościować *vt imperf* to value; to estimate; to assess
wartościowanie *sn* (↑ **wartościować**) valuation; assessment
wartościowo *adv* according to values
wartościowościowy *adj chem.* valent
wartościowość *sf chem.* valency, valence
wartościow|y *adj* valuable; precious; **bardzo ~y** of great value; **człowiek ~y** man of worth <of sterling worth>; **paczka ~a** registered parcel; **~y produkt** valuable product
wartoś|ć *sf* 1. *ekon.* value; worth; **przedmiot nie mający wielkiej ~ci** object of little value; **~ć dodatkowa** surplus value; **tracić na ~ci** to lose value; **zyskać na ~ci** to increase in value 2. (*pierwiastek*) value; quality; **~ć kaloryczna** <**rytmiczna itd.**> calorific <rhythmic etc.> value 3. *fiz.* power; value; *mat.* magnitude

wartować *vi imperf wojsk.* to stand guard

wartownia *sf wojsk.* guardroom; guardhouse

wartownicz|y *adj* guard — (duty etc.); **budka ~a** sentry-box; **wieża ~a** watch-tower; **pełnić służbę ~ą** to stand sentinel, to be on guard

wartownik *sm* sentinel; sentry; guard

warty † *adj* = **wart**

waruga[1] *sf mar.* watch

waruga[2] *sf zool.* **~ kasztanowata** (*Scopus umbretta*) umbrette, umber-bird

warun|ek *sm G.* **~ku** 1. (*to, od czego coś jest uzależnione*) condition; requirement; *pl* **~ki** terms; **~ek do objęcia stanowiska** qualification for a post; **pożyczka udzielona na pewnych ~kach** <**bez żadnych specjalnych ~ków**> loan granted with strings attached <with no strings attached>; **na tych ~kach** on these terms; **robić coś na ~kach przez siebie stawianych** to do sth on one's own terms; **pod pewnymi ~kami** on <subject to> certain conditions; **pod ~kiem, że ...** on condition that <on the understanding that, provided, so long as, as long as> ... (+ *czas teraźniejszy*); **pod ~kiem, że nie ...** unless ... (+ *czas teraźniejszy*); **pod ~kiem, że nie będę musiał wyjechać** <**że to nie będzie zanadto drogie itd.**> unless I have to go on a journey <it is too expensive etc.>; **pod żadnym ~kiem** on no account; in <under> no circumstance; on no consideration whatever 2. (*zastrzeżenie*) stipulation; **pod ~kiem, że ...** under <on> the stipulation that ... 3. *pl* **~ki** (*okoliczności*) circumstances; **być** <**znajdować się**> **w dobrych** <**złych**> **~kach** to be in good <straitened, bad> circumstances; **być w pomyślnych** <**niepomyślnych**> **~kach materialnych** to be well <badly> off; **on jest w lepszych** <**gorszych**> **~kach materialnych** he is better <worse> off; **w tych ~kach** under <in> these circumstances 4. *pl* **~ki** (*zespół cech koniecznych do czegoś*) conditions; **~ki zewnętrzne** presence; appearance 5. *prawn.* clause

warunkować *vt imperf* to condition; to be a requisite (**coś** of sth)

warunkowo *adv* conditionally

warunkowy *adj* conditional; provisory; contingent; *gram.* **tryb ~** conditional (mood); *psych.* **odruch ~** conditioned reflex

warwa *sf geol.* varve

warząch|ew *sf GDL.* **~wi** *pl N.* **~wie** ladle

warzecha *sf gw.* = **warząchew**

warzelnia *sf techn.* salt-works; **~ piwa** brewery; brewhouse

warzelniany *adj techn.* salt — (pan etc.)

warzelnictwo *sn singt techn.* salt manufactory; salt-making

warzelnik *sm* saltmaker

warzelny *adj techn.* brewing — (processes etc.)

warzęcha *sf bot.* (*Cochlearia armoracia*) horse-radish; **~ lekarska** (*Cochlearia officinalis*) scurvy-grass ‖ *zool.* **~ biała** (*Platalea leucorodia*) spoonbill

warzon|ka *sf pl G.* **~ek** *techn.* table salt

warzyć *v imperf* [I] *vt gw. lit.* to boil; *techn.* **~ piwo** to brew beer; (*o mrozie*) **~ rośliny** to nip <to blast> plants; *przen.* **~ komuś** <**sobie**> **piwo** to get sb <oneself> into hot water [II] *vr* **~ się** 1. *gw. lit.* (*wrzeć*) to boil (*vi*) 2. (*o mleku — kwaśnieć*) to turn (sour)

warzywnia *sf* vegetable cellar

warzywniak *sm* = **warzywnik 1.**

warzywnica *sf zool.* (*Eurydema*) a pentatonid

warzywnictwo *sn singt* market gardening; *am.* truck gardening <farming>

warzywniczy *adj* market-gardening (industry etc.)

warzywnik *sm* 1. (*część ogrodu*) vegetable <kitchen> garden 2. (*właściciel gospodarstwa warzywnego*) market <*am.* truck> gardener

warzywny *adj* vegetable — (growing etc.); **sklep ~** greengrocery; greengrocer's (shop)

warzyw|o *sn* vegetable; pot-herb; *pl* **~a** green-stuff; *am.* garden truck

wasal *sm hist.* vassal; liege(man)

wasalny *adj dosł. i przen.* vassal

wasalski *adj hist.* vassal

wasalstwo *sn singt hist.* vassalage

wasąg *sm* 1. (*bryczka*) britzka with basket-work body 2. (*kosz*) basket-work body of peasant's cart

wasąż|ek *sm G.* **~ka** *dim* ↑ **wasąg**

wasz *pron m* <**wasza** *pron f*, **wasze** *pron n*> (*decl* = *adj*) 1. (*w połączeniu z rzeczownikiem*) your 2. (*w funkcji samodzielnej*) a) (*gdy odnosi się do rzeczownika uprzednio wymienionego i określa go ściśle*) yours; **nasze dzieci są starsze od ~ych** our children are older than yours b) (*gdy nie określa ściśle rzeczownika*) a <some> ... of yours; **pewien** <**któryś**> **~ sąsiad miał powiedzieć, że ...** a neighbour of yours is reputed to have said that ...

waśni|ć *v imperf* **~j** *lit.* [I] *vt* to sow discord (**ludzi** among people) [II] *vr* **~ć się** to quarrel

waś|ń *sf pl N.* **~nie** <*rz.* **~ni**> *lit.* discord; dissension; quarrel

wat *sm fiz.* watt; **moc w ~ach, energia o mocy** *x* **~ów** wattage

wat|a *sf* cotton wool; **~a drzewna** lignin; **~a stalowa** steel wool; **~a szklana** glass wool; **~a żużlowa** slag wool; *przen.* **mieć nogi jak z ~y** to feel shaky on one's legs

wataha *sf* 1. (*oddział zbrojny*) Cossack unit 2. (*banda*) band (of robbers etc.)

watalina *sf rz.* = **watolina**

watażka *sm* (*decl* = *sf*) *hist.* Cossack headman

waterlinia *sf mar.* water-line

waterpolista *sm sport* water-polo player

waterpolo [water- *a.* uoter-] *sn sport* water polo

waterproof [waterpruf *a.* uoterpruf] *sm G.* **~u** *techn.* waterproof leather

watersztag *sm G.* **~u** *mar.* bobstay

wat|ka *sf pl G.* **~ek** flock <wad> of cotton wool

watogodzina *sf fiz.* watt-hour

watolina *sf* wadding

watomierz *sm fiz.* wattmeter

watosekunda *sf fiz.* watt-second

watowa|ć *vt imperf* to wad; to quilt; **~ny** quilted (jacket etc.)

watowaty *adj* cottony; woolly

watowy *adj* (*podbity watą*) quilted; wadded

watów|ka *sf pl G.* **~ek** 1. *pot.* (*kurtka*) quilted jacket 2. *pl* **~ki** (*trykoty*) wadded tights

watra *sf* highland shepherds' watch-fire

wawrzyn *sm G.* **~u** 1. *bot.* (*Laurus*) (bay) laurel 2. (*wieniec*) laurel wreath; laurels

wawrzyn|ek *sm G.* **~ka** *bot.* (*Daphne mezereum*) mezereon

wawrzynkowat|y *bot.* [I] *adj* thymelaeaceous [II] *spl* **~e** (*Thymelaeaceae*) (*rodzina*) the mezereon family

wawrzynowat|y *bot.* [I] *adj* lauraceous [II] *spl* **~e** (*Lauraceae*) (*rodzina*) the laurel family

wawrzynowy *adj* laurel — (shrub, wreath etc.)

waza *sf* 1. (*naczynie ozdobne*) vase; **malowanie na ~ch** vase painting 2. (*naczynie stołowe*) (soup-) tureen 3. (*zawartość*) tureenful

wazelina *sf* 1. *farm. kosmet.* vaseline; petrolatum 2. *pot. eufem.* (*lizusostwo*) soft soap; lipsalve

wazeliniarski *adj pot.* oily

wazeliniarstwo *sn pot.* oiliness

wazeliniarz *sm pot.* lickspittle

wazelinować *vt imperf* to smear with vaseline

waz|ka *sf pl G.* **~ek** bowl

wazon *sm G.* **~u** 1. (*na cięte kwiaty*) (flower-)vase 2. (*doniczka*) flowerpot 3. (*duże naczynie ozdobne*) vase

wazonik *sm G.* **~a** <**~u**> *dim* ↑ **wazon**

wazonkow|iec *sm G.* **~ca** *zool.* enchytraeid; *pl* **~ce** (*Enchytraeidae*) (*rodzina*) the family Enchytraeidae

wazonow|y *adj* potted (flower, plant); *roln.* **doświadczenia ~e** pot experiments

wazow|y *adj* 1. (*dotyczący ozdobnych waz*) vase (painting etc.) 2. (*dotyczący naczynia stołowego*) tureen — (cover etc.); **łyżka ~a** ladle

ważenie *sn* (↑ **ważyć**) (the) weigh

waż|ka *sf pl G.* **~ek** 1. *dim* ↑ **waga** 2. *zool.* dragon-fly

ważki *adj lit.* weighty; grave; ponderable

ważko *adv lit.* weightily

ważkość *sf singt lit.* weightiness; gravity

ważniak *sm pot.* Jack-in-office; panjandrum; **odstawiać** <**strugać**> **~a** to swagger

ważnie *adv* validly

ważność *sf singt* 1. (*doniosłość*) importance; significance; magnitude; momentousness 2. (*znaczenie*) importance; consequentiality 3. (*prawomocność*) validity; force; **nadać ustawie ~** to put a law into force; (*o dokumencie itd.*) **stracić ~** to expire; to become void; to run out

ważn|y *adj* 1. (*doniosły*) important; significant; momentous; grave; **~e sprawy** matters of moment <of consequence>; **~iejsze sprawy** matters of major importance; **co ~iejsze** <**~iejsza**> **...** more important still ... 2. (*wpływowy*) important; **~a osoba** <**osobistość**> person of consequence; *pot.* bigwig; *sl.* big bug; *am.* big noise 3. (*prawomocny*) valid; in force; effectual; **ten przepis jest dalej ~y** the rule holds good 4. *pot.* (*dumny*) sidy; self-important; **robić się ~ym** to put on side; to throw one's weight about

waż|yć *v imperf* [I] *vt* 1. (*określać ciężar*) to weigh (out) (sugar, butter etc.) 2. (*mieć pewien ciężar*) to weigh (*x* pounds, tons etc.) 3. (*mieć znaczenie*) to be of importance; to mean; **ta okoliczność ~y więcej, niż wszystkie inne względy** this fact outweighs all the other considerations; **te słowa ~ą dla mnie więcej niż nagroda** these words mean more to me than the award; I value <I prize> these words more than the award 4. (*oceniać wagę czegoś w ręce*) to weigh <to poise, to feel the weight of> sth in the hand 5. (*rozważać*) to weigh (consequences, claims, merits etc.); **~yć słowa** to weigh one's words [II] *vr* **~yć się** 1. (*określać własny ciężar*) to weigh oneself 2. (*bujać w powietrzu*) to poise in mid-air 3. (*chwiać się*) to swing <to rock> (on one's chair etc.) 4. *przen.* (*o czyichś losach*) to be <to tremble> in the balance 5. (*odważać się*) to dare; to venture (to do sth); **ani mi się ~!** don't you dare!

wącha|ć *v imperf* [I] *vt* to smell; to sniff (**coś** at sth); to nose (**coś** at sth) [II] *vi* 1. (*o zwierzęciu*) to scent the air 2. *przen.* (*szpiegować*) to nose about

wąd|ół *sm G.* **~ołu** 1. (*wąwóz*) ravine 2. (*dół*) pit

wąg|ier *sm G.* **~ra** = **wągr** 2.

wąglik *sm* 1. *biol.* anthrax 2. *wet. med.* anthrax; wool-sorter's disease

wągr *sm* (*zw. pl*) 1. (*zaskórnik*) black-head; comedo 2. *zool.* (*larva*) larva of a tapeworm 3. *wet.* (*u świń*) measles

wągrowatość *sf singt wet.* measledness

wągrowaty *adj wet.* measled; measly

wągrzyca *sf wet.* measles

wąkrota *sf bot.* (*Hydrocotyle*) pennywort

wąs *sm* 1. (*zarost*) (*także pl*) moustache; **chłopiec pod ~em** young man coming of age; **śmiać się pod ~em** to laugh in one's sleeve; **~ mu się sypie** he is sprouting a moustache; *przysł.* **gdyby ciocia miała ~y to by była wujkiem** if ifs and ans were pots and pans 2. *pl* **~y** (*u zwierząt*) whiskers (of a cat); barb <cirrus, wattle> (of fish) 3. *bot.* (*organ czepny*) tendril; tentacle; (*rozłóg ziemny*) runner; (*pęd pszenicy itd.*) awn; beard 4. *mar.* **~ brasu** brace bumkin <bumpkin>; **~ salingu** outrigger

wąsacz *sm*, **wąsal** *sm* whiskered <moustached> gentleman <*pot.* fellow, chap>

wąsat|ka *sf pl G.* **~ek** 1. *bot.* (*Pentstemon*) pentstemon 2. *roln.* (*pszenica*) bearded wheat 3. *zool.* (*Panurus biarmicus*) bearded titmouse; reedling

wąsaty *adj* 1. (*o człowieku*) whiskered; moustached 2. (*o roślinie*) awned; bearded

wąsik *sm* (*dim* ↑ **wąs** 1.) short <sprouting> moustache

wąsisk|a *spl G.* **~** <**~ów**> heavy moustache

wąski *adj* narrow; (*o ubiorze*) tight(-fitting); *kolej.* **~ tor** narrow-gauge track; *przen.* **~e gardło** bottle-neck

wąsko *adv* narrowly; tightly

wąsko- narrow-

wąskolicy *adj antr.* narrow-faced

wąskolistny *adj bot.* narrow-leaved

wąskonos|y *adj zool.* **małpy ~e** (*Catarrhina*) the catarrhine apes and monkeys

wąskość *sf singt* narrowness; tightness

wąskotorowy *adj kolej.* narrow-gauged

wąskotorów|ka *sf pl G.* **~ek** *pot.* narrow-gauge railway

wąsonogi *spl zool.* (*Cirripedia*) (*rząd*) the order Cirripedia

wąt|ek *sm G.* **~ku** <*rz.* **~ka**> 1. *tekst.* weft; woof; *przen.* **~ek życia** the web <thread> of life 2. (*ciągłość treści*) train <drift, trend> (of sb's thoughts); (*bieg*) succession (of misfortunes etc.); thread (of a conversation, story, speech etc.) 3. (*w utworze literackim*) plot; thread; **~ek uboczny** underplot

wątkowy *adj* weft <woof> — (yarn etc.)

wątle|ć *vi imperf* **~je** to weaken; to grow frail <sickly>

wątło *adv* weakly

wątłość *sf singt* frailty; faintness; weakness; wanness; slimness

wątłusz *sm zool.* (*Gadus morrhua*) cod; **młody ~** codling; **połów ~a** cod-fishing

wątł|y *adj* 1. (*słaby*) frail; weak; sickly; slim; (*o nogach, rękach*) lean; thin; **~a dziewczyna** slip of a girl; **~y młodzieniec** slip of a boy 2. (*giętki*) slender; slim 3. (*słabo skonstruowany*) flimsy 4. (*o ogniu, świetle — nikły*) dim; faint 5. (*o dźwięku — niegłośny*) faint 6. (*o uczuciu, nadziei itd. — niewielki*) slender; slight; scanty; meagre

wątor *sm* croze (in a stave)

wątpiąco *adv* in doubt; doubtfully; dubiously

wątpiący [I] *adj* doubtful; uncertain [II] *spl* **~** those in doubt

wątpi|ć *vi imperf* to doubt (**w coś** sth; **o czymś** sth; **czy ...** whether <if> ...); to have one's doubts <to entertain doubts, to be in doubt> (**o czymś** as to <about> sth); to be doubtful (**o czymś** of <about> sth); **nie ~ę, że on to zrobi** I do not doubt that <I daresay> he will do it; **~ę, czy on to zrobił** he can scarcely have done that

wątpieni|e *sn* (↑ **wątpić**) doubts
bez ~a undoubtedly; no doubt; doubtless; indubitably

wątpliwie *adv* doubtfully; dubiously

wątpliwoś|ć *sf* doubt; **mieć ~ci = wątpić; nie mam cienia ~ci co do <że> ...** I haven't the slightest doubt as to <that> ...; **nie ulega ~ci, że to jest wskazane** it is undoubtedly <unquestionably> advisable; there's no doubt <no question> but that it is advisable; **podać coś w ~ć** to question sth; to call <to bring> sth in question; **podlegać ~ci** to be doubtful <uncertain, questionable>; **rozproszyć czyjeś ~ci** to dispel sb's doubts; to reassure sb; **to nie ulega ~ci** it is unquestionable <beyond all question>; there is no room for doubt; **bez żadnej ~ci** beyond a doubt; without any question whatsoever; **ponad (wszelką) ~ć** beyond a doubt <the shadow of a doubt>

wątpliw|y *adj* 1. (*nasuwający wątpliwości*) doubtful; dubious; open to doubt; questionable; disputable; **~y komplement** left-handed compliment 2. (*niepewny*) uncertain; precarious; **informacja ~ej natury** untrustworthy piece of news; **wynik jest ~y** it's a toss-up

wątrob|a *sf pl G.* **wątrób** 1. *anat.* liver; *med.* **zapalenie ~y** hepatitis; **chorować na ~ę** to have a liver disease; *przen.* **mam go na ~ie** I have a grudge against him; I owe him a grudge; **to mi leży na ~ie** it exasperates me; it gets my goat 2. *kulin.* (calf's etc.) liver

wątrobian|ka *sf pl G.* **~ek** *pot.* liver sausage; liverwurst

wątrobiany *adj* 1. *med.* hepatic; liver __ (disease etc.) 2. *kulin.* liver __ (sausage etc.)

wątrobiarz *sm* = **wątrobowiec** *sm*

wątrobow|iec [I] *sm G.* **~ca** *pot.* (*człowiek chory na wątrobę*) liverish chap [II] *spl* **~ce** *bot.* (*Hepaticae*) (*klasa*) the liverworts

wątrobowy *adj* liver __ (extract etc.)

wątrób|ka *sf pl G.* **~ek** *zool. kulin.* (calf's etc.) liver

wąwozik *sm dim* ↑ **wąwóz**

wąw|óz *sm G.* **~ozu** ravine; gorge; gully; defile

wąziuchny <**wąziutki**> *adj dim* ↑ **wąski**

wąziutko *adv dim* ↑ **wąsko**

wąż *sm G.* **węża** 1. *zool.* snake; serpent; **ukąszenie węża** snake-bite; **~ morski** sea monster <serpent>; **zaklinacz węży** snake-charmer; serpent charmer; *przen.* **on ma węża w kieszeni** he is a niggard <miser> 2. (*przewód gumowy*) tube; hose; (*pożarowy*) fire-hose

wbicie *sn* ↑ **wbić**

wbi|ć *v perf* **~je, ~ty — wbi|jać** *v imperf* [I] *vt* 1. (*uderzając*) to beat <to knock, to strike, to drive> (sth into ...); (*pchnięciem*) to thrust <to stick> (sth into ...); (*lekkimi uderzeniami*) to tap (sth) in; **dobrze <mocno> ~ty** firm; tight; **~jać gwoździe** to drive nails; to nail; **~ć jajko do czegoś** to mix an egg in sth; **~ć komuś sztylet w pierś** to bury <to plunge> a dagger in sb's breast; **~ć koniowi ostrogi w bok** to dig spurs into a horse; **~ć pale w ziemię** to drive <to set, to sink> pales <stakes> into the ground; **żmija ~ła żądło w jego nogę** the viper stuck its fang into his foot; *przen.* **~ć, ~jać kogoś w dumę** to put sb on his mettle; **~ć komuś coś do głowy** to hammer <to ram> sth into sb's head; **~ć komuś nóż w plecy** to stab sb in the back; **~ć sobie coś do głowy** a) (*wyobrazić sobie*) to get sth into one's head b) (*przyswoić sobie*) to master sth (one's lesson etc.); **nie ~j sobie do głowy, że ...** don't run away with the idea that ... 2. (*narzucić z rozmachem*) to ram <to crush down> (one's hat etc.); (*nadziać*) to spike; to transfix; to pierce; **~ć kogoś na pal** to impale sb [II] *vr* **~ć, ~jać się** 1. (*zostać wbitym*) to be driven <stuck, thrust, set> (**do czegoś** into sth) 2. (*zostać nadzianym na coś*) to be <to get> spiked <transfixed, pierced> 3. (*wrazić się*) to stick (*vi*) (**w ziemię, drzewo itd.** in the ground, a tree etc.)

wbie|c <**wbie|gnąć**> *vi perf* **~gnę, ~gnie, ~gł — wbie|gać** *vi imperf* to run <to dart> (**do pokoju itd.** into a room etc.); to run up (**na schody, na szczyt góry itd.** the stairs, to the top of the hill etc.); **~c, ~gnąć na trybunę** to come running up on the platform

wbijać *zob.* **wbić**

w bok *zob.* **bok**

wbrew *praep* in spite (**czemuś** of sth); in defiance <in contravention> (**zakazowi, ustawom itd.** of the prohibition, of the law etc.); despite <notwithstanding> (**temu, co ludzie mówią itd.** what people say etc.); in the face (**faktom itd.** of facts etc.); in the teeth (**sprzeciwom itd.** of all opposition etc.); against (**naturze, własnej woli itd.** nature, one's will etc.); **działać ~ instrukcjom <rozkazom>** to go <to run> counter to one's orders

w bród *zob.* **bród**

wbudować *vt perf* — **wbudowywać** *vt imperf* to build in

wcale *adv* 1. (*z przeczeniem*) at all; **nic ~** nothing at all; **~ nie** not at all; not in the least; not by a long way 2. (*przed przymiotnikiem lub przysłówkiem*) quite; pretty; rather; fairly; **to było ~ dobre** it was quite <pretty, rather, fairly> good; **ona ~ ładnie śpiewa** she sings quite <pretty, fairly, rather> well 3. (*przed przymiotnikiem lub przysłówkiem z przeczeniem*) none too; **to ~ niełatwe <nietanie itd.>** it's none too easy <too cheap

etc.>; **to było ~ nieblisko <niedobrze zrobione itd.>** it was none too near <too well done etc.> 4. (*przed stopniem wyższym z przeczeniem*) no; none the; every bit as (+ *stopień równy*); **to ~ nielepsze od tamtego** this is no better than <every bit as good as> the other; **to ~ niełatwiejsze od tamtego** this is no easier than <every bit as easy as> the other; **~ nie czuję się lepiej po tej kuracji** I am none the better for the treatment; **~ nie jestem szczęśliwszy z tego powodu** I am none the happier for it

wcementować *vt perf* — **wcementowywać** *vt imperf techn.* to embed (sth) in concrete

wchł|aniać *v imperf* — **wchł|onąć** *v perf* [I] *vt* (*wciągać w siebie*) to soak in <up>; to take in; to incept; to imbibe; (*przyswajać*) to absorb; **środek ~aniający** absorbent [II] *vr* **~aniać, ~onąć się** to be imbibed <incepted, absorbed>

wchłanianie *sn* (↑ **wchłaniać**) absorption; imbibition

wchłonąć *zob.* **wchłaniać**

wchłonięcie *sn* (↑ **wchłonąć**) absorption; imbibition

wchodzący [I] *adj* entering; *techn.* ingoing [II] *sm* ~ incomer; *pl* ~ those entering

wchodzenie *sn* (↑ **wchodzić**) entrance; entry; ingress

wchodzić *vi imperf* **wchodzę** — **wejść** *vi perf* **wejdę, wejdzie, wejdź, wszedł, weszła** 1. (*wkraczać*) to enter (**do pokoju itd.** a room etc.); to go <to come, to walk, to step> in; (*dostawać się do wnętrza*) to get in; (*o przedmiocie*) to enter (**w ciało itd.** the flesh etc.); (*o gwoździu itd.*) to go (**do ściany itd.** into a wall etc.); **wchodzić, wejść do budynku itd.** to go <to come, to walk, to step> into a building etc.; **wchodzić, wejść do łóżka <samochodu itd.>** to get into bed <a motor-car etc.>; **nie dali mi wejść** they didn't <wouldn't> let me in; they kept me out; **poproś go, żeby wszedł** ask him in; **proszę wejść** come in; *przen.* **wejść komuś do głowy** to enter sb's head; **wejść komuś w drogę <w paradę>** to thwart sb's designs <plans>; **wejść komuś w krew** to become a habit with sb; to grow into a habit; **wejść komuś w ręce** to fall into sb's hands; **wejść w czyjeś położenie** to place oneself in sb's situation; to put oneself in sb's place; **wejść na dobrą <złą> drogę** to take the right <the wrong> path; **wejść w grę** to come into play; **wejść w przysłowie** to become proverbial <a byword>; **wejść w świat** to go into society; (*o ustawie itd.*) **wejść w życie** to come into force 2. (*rozpocząć*) to enter (**w rozmowę <kontakt, pertraktacje, zatarg, stosunki, przymierze> z kimś** into conversation <negotiations, conflict, relations, alliance> with sb); **wchodzić, wejść w nową fazę** to enter upon a new phase; **wchodzić, wejść w porozumienie z kimś** to come to an understanding with sb; *wojsk.* **wchodzić, wejść w akcję <do akcji>** to come into operation 3. (*zostać przyjętym, dopuszczonym*) to enter (*sport* **do finału** the finals; *handl.* **do spółki** into partnership); (*o modzie*) to set in; **wejść do komitetu <zarządu>** to become a member of a committee <of a board>; *teatr* **wejść na afisz** to be billed; **wejść w modę** to come into fashion; **wejść na porządek dzienny** to be placed on the agenda; **wejść w posiadanie czegoś** to come into possession of sth 4. (*wspinać się*) to go up <to climb> (**na schody, na górę itd.** the stairs, a hill etc.); to climb (**na drzewo** up a tree); to walk (**na piętro** upstairs); **wejść, wchodzić na strych po drabinie** to climb up a ladder to the attic 5. (*wcinać, wrzynać się*) to cut (**w coś** into sth) 6. (*mieścić się*) to go (**w coś** into sth); **tysiąc litrów wody wchodzi w ten zbiornik** a thousand litres of water go into this tank 7. (*badać, wnikać*) to go (**w szczegóły, w jakąś sprawę** into details, into a question <a matter>)

wci|ąć *v perf* **wetnę, wetnie, wetnij, ~ął, ~ęły, ~ęty** — **wci|nać** *v imperf* [I] *vt* 1. (*werznąć*) to cut; to incise 2. *druk.* to indent (a line) 3. *pot.* (*zjeść*) to put away (a dish, plateful etc.) [II] *vi pot.* (*zjeść*) to tuck in [III] *vr* **~ąć, ~nać się** to cut <to cut one's way> (**w coś** into sth); **~nać się w morze** to jut out into the sea

wciąg *sm G.* **~u** *techn.* block; (boring, lifting) tackle

wciągacz *sm zool.* retractor muscle

wciąg|ać *v imperf* — **wciąg|nąć** *v perf* [I] *vt* 1. (*wprowadzać*) to pull <to draw, to drag, to haul, to tug> (**kogoś, coś w coś <do czegoś>** sb, sth into sth); (*o kocie, samolocie, ślimaku*) to retract (**pazury** its claws; **podwozie** the undercarriage; **rożki** its horns); to draw in; **~nąć brzuch** to pull in one's stomach 2. (*angażować*) to draw (**kogoś w rozmowę** sb into conversation); **~nąć kogoś w kabałę** to implicate sb in an affair; to get sb into a scrape 3. (*umieścić w opisie*) to enter (sth — an item, sb's name — on a list) 4. (*wdychać*) to breathe in; to inhale; to suck up 5. (*wdziewać*) to pull on (a coat, boots, gloves) [II] *vr* **~ać, ~nąć się** 1. (*gramolić się*) to pull oneself up; to climb; to scramble up 2. (*wdrażać się*) to accustom oneself (**w coś** to sth); to get into the swing (**do roboty** of the work) 3. (*zgłaszać się*) to enter one's name (on a list etc.)

wciągani|e *sn* (↑ **wciągać**) retraction; (*o podwoziu samolotu itd.*) **do ~a** retractable

wciągarka *sf techn.* hoisting winch; gin; windlass

wciągnąć *zob.* **wciągać**

wciągnięcie *sn* 1. ↑ **wciągnąć** 2. (*cofnięcie*) retraction 3. (*angażowanie*) implication; involvement

wciągnik *sm techn.* crab; hoist; block; lifting <pulling> tackle

wciąż *adv* constantly; persistently; continually; **~ jeszcze** still; **~ coś robić** to keep <to be for ever> doing sth; to persist in doing sth; **było ~ gorąco <pochmurnie itd.>** it kept hot <cloudy etc.>; **ona ~ tak samo ładna <wesoła itd.>** she is as pretty <as gay etc.> as ever

wcie|c *vi perf* **~knie, ~kł** — **wcie|kać** *vi imperf* to flow <to trickle, to drip> in

wciel|ać *v imperf* — **wciel|ić** *v perf* [I] *vt* 1. (*przyłączać*) to merge; to include; to incorporate; to annex 2. (*ucieleśniać*) to embody; to incarnate; to personify; to impersonate; (*wyrażać*) to express; (*urzeczywistniać*) to realize [II] *vr* **~ać, ~ić się** 1. (*ucieleśniać się*) to materialize; to be <to become> realized; to take shape 2. (*utożsamiać się*) to impersonate <to personify> (**w kogoś** sb)

wcielenie *sn* 1. ↑ **wcielić** 2. (*przyłączenie*) merger; inclusion; incorporation 2. (*ucieleśnienie*) embodiment; incarnation; personification; impersonation

wcielić *zob.* **wcielać**

wcielon|y I *pp* ↑ **wcielić** II *adj lit.* incarnate; **to dziecko to diabeł ~y** the child is a devil incarnate <*pot.* a holy terror>; **~a energia <prawość itd.>** the embodiment of energy <of integrity etc.>

wcierać *vt imperf* — **wetrzeć** *vt perf* **wetrę, wetrze, wetrzyj, wtarł, wtarty** to rub (sth) in; **wetrzeć komuś maść** to give sb a friction of a liniment

wcieranie *sn* 1. (↑ **wcierać**) friction 2. (*lekarstwo*) liniment; inunction 3. *pot.* (*chłosta*) hiding; thrashing 4. *pot.* (*nagana*) talking-to; rating

wcięcie *sn* 1. ↑ **wciąć** 2. (*wgłębienie*) incision; indentation; notch; dent; **~ w pasie** (narrow) waist 3. (*dekolt*) low-cut neck 4. *druk.* indention; indentation

wcięty I *pp* 1. ↑ **wciąć** 2. *druk.* indented II *adj* 1. (*zwężony w pasie*) narrow in the waist 2. (*wydekoltowany*) with a low-cut neck

wcinać *zob.* **wciąć**

wcios *sm G.* **~u** *bud.* scarf (joint)

wciosow|y *adj geogr.* **dolina ~a** V-shaped (cross profile) valley

wciórnast|ek *sm G.* **~ka** *zool.* thrips

wcira *sf sl.* = **wcieranie** 3., 4.

wcisk *sm G.* **~u** *techn.* interference; negative allowance

wci|skać *v imperf* — **wci|snąć** *v perf* **~śnie, ~śnij, ~śnięty** I *vt* 1. (*wpychać*) to press <to push, to thrust, to wedge> (**coś do czegoś** sth into sth); to force <to drive> in; **~skać do oporu** to press home 2. (*nasuwać głęboko*) to cram (**kapelusz** one's hat on one's head); **~skać, ~snąć kapelusz na oczy** to pull one's hat over one's eyes 3. (*wlewać wyciskany sok z owocu*) to squeeze (**sok cytrynowy do napoju** some lemon juice into a beverage) II *vr* **~skać, ~snąć się** to squeeze <to crowd> in (*vi*); **~snąć się do towarzystwa itd.** to intrude oneself into a meeting etc.

w cwał *zob.* **cwał**

wczasowicz *sm,* **wczasowicz|ka** *sf pl G.* **~ek** holiday-maker; vacationist

wczasowisko *sn* rest-camp; rest-house

wczasowy *adj* holiday <vacation> — (resort etc.)

wczas|y *spl G.* **~ów** holiday; vacation; rest; **na ~ach** on leave

wczep *sm G.* **~u** *bud. stol.* dovetail; socket

wczepi|ać *v imperf* — **wczepi|ć** *v perf* I *vt* to grasp; to seize; to dig one's fingers (into sth) II *vr* **~ać, ~ć się** to cling (**w coś** to sth)

wczepowy *adj bud. stol.* dovetail — (joint)

wczesno- early; primitive; ancient

wczesnobarokowy *adj arch.* early Baroque

wczesnochrześcijański *adj* early Christian

wczesnodziejowy *adj* early-history — (era etc.)

wczesnofeudalny *adj* early-feudal — (history etc.)

wczesnohistoryczny *adj* = **wczesnodziejowy**

wczesnojesienny *adj* early-autumn — (day etc.)

wczesnokapitalistyczny *adj* early-capitalistic (period etc.)

wczesnoludzki *adj antr.* early-man <early-human> (stage etc.)

wczesność *sf singt* early hour; earliness

wczesnośredniowieczny *adj* early-medi(a)eval (architecture etc.)

wczesnowiosenny *adj* early-spring — (flowers etc.)

wczesnozimowy *adj rz.* early-winter — (frosts etc.)

wczesn|y *adj* 1. (*o porach, epokach itd.*) early; **~e godziny ranne** the small hours; **~e lata** early youth; **od ~ych <najwcześniejszych> lat** from one's early <earliest> youth; **~ą wiosną <jesienią itd.>** in early spring <autumn etc.>; **~ym rankiem** early in the morning; in the early morning 2. (*przedwczesny*) early; untimely; premature 3. (*w stopniu wyższym*) **wcześniejszy** a) (*uprzedni*) anterior; prior b) (*z porównaniem*) earlier c) (*bez porównania*) early; **wcześniejsi poeci <historycy itd.>** the early poets <historians etc.> 4. (*o owocach, jarzynach*) early; precocious; forward

wcześniactwo *sn singt* premature birth(s); prematurity

wcześniak *sm med.* prematurely born child

wcześnie *adv* 1. (*rano, w młodości*) early (in the morning, in life); **jak najwcześniej** as early as possible; **jeszcze jest ~** it is still early; *emf.* **niesamowicie ~** at an unearthly hour 2. (*w pierwszym okresie trwania czegoś*) early; **za ~** too early; **za ~ przyszedłeś** you are early <ahead of time> 3. (*dawno*) early; at an early date 4. (*w stopniu wyższym, najwyższym — przed jakimś terminem*) sooner; before; **dwa dni ~j** two days before; (*z przeczeniem*) **nie ~j niż ...** not before <not till> ...; **im ~j, tym lepiej** the sooner the better; **jak najwcześniej** as soon as possible; **on nie wróci ~j niż za dwa tygodnie** he won't be back for two weeks; **~j czy później** sooner or later; **znacznie ~j** long before 5. (*uprzednio*) before (that); before then; in advance; *tłumaczy się przez czas zaprzeszły*: **wszystko było gotowe, ponieważ ~j zapowiedziano nasz przyjazd** everything was ready because our arrival had been announced

wczołgać się *vr perf* — **wczołgiwać się** *vr imperf* to crawl <to creep> in

wczoraj *adv* yesterday; **~ rano** yesterday morning; **~ wieczorem <wieczór>** yesterday evening; last night; **~ minął tydzień** yesterday week

wczorajsz|y *adj* 1. (*taki, który zdarzył się wczoraj*) yesterday's (paper, work etc.); **cały ~y dzień** all day yesterday; the whole of yesterday; *przen.* **szukać ~ego dnia** to look for a needle in a bottle of hay 2. *przen.* (*miniony*) past; bygone

wczu|ć się *vr perf* **~je się** — **wczu|wać się** *vr imperf* to understand (**w czyjeś położenie itd.** sb's situation etc.); to enter into the spirit (**w jakiś utwór** of a composition)

wczytać się *vr perf* — **wczytywać się** *vr imperf* to read and enter into the spirit (**w utwór** of a literary work)

wda|ć się *vr perf* **~dzą się** — **wda|wać się** *vr imperf* **~je się, ~waj się** 1. (*wmieszać się*) to intervene; to step in; to become implicated <involved>; **~ć się w długie tłumaczenia** to launch forth into explanations; **~ć się w dyskusję** to embark upon a discussion; **~ć się w konszachty** to enter into collusion; **~ć się w rozmowę** to enter into conversation 2. (*wniknąć*) to go into (details etc.); to embark (**w dociekania itd.** upon investigations etc.) 3. (*być podobnym*) to take (**w ojca, matkę itd.** after one's father, mother etc.) 4. (*przyplątać się*) to steal <to sneak> in 5. (*zadać się*) to keep company <to associate, to mingle, to consort> (with certain people)

wdarcie się *sn* ↑ **wedrzeć się** 1. (*wejście siłą*) irruption; encroachement; invasion 2. (*wspięcie się*) climb; ascension 3. (*zagłębienie się*) penetration

wdawać się *zob.* **wdać się**

wdawanie się *sn* 1. ↑ **wdawać się** 2. (*wmieszanie się*) intervention; implication; involvement 3. (*bliższe stosunki*) intercourse

wdech *sm G.* **~u** inspiration; aspiration

wdechow|iec *sm G.* **~ca** *sl.* ripper; *am.* swell guy

wdechowo *adv sl.* toppingly

wdechowy *adj sl.* ripping; topping; plummy; knock-out; *am.* swell

wdepnąć *vi perf* 1. (*nastąpić*) to step (**w błoto itd.** in mud etc.); to put one's foot (in mud etc.) 2. *przen. pot. żart.* (*wpaść*) to get mixed up (**w jakieś towarzystwo** with a certain type of people) 3. *przen. pot. żart.* (*zaangażować się*) to become implicated 4. *pot.* (*wstąpić*) to drop in (**do kogoś** on sb)

wdep|tać *vt perf* **~cze** <**~ce**>, **~tany** — **wdep|tywać** *vt imperf* to tread (sth) in

wdmuchiwać *vt imperf* — **wdmuchnąć** <*rz.* **wdmuchać**> *vt perf* to blow <to insufflate> (**pył węglowy itd. do czegoś** coal dust etc. into sth)

wdowa *sf pl G.* **wdów** widow; **królowa ~** the queen dowager; **~ po kimś** sb's widow; *przen. żart.* **słomiana ~** grass widow

wdowi *adj* widow's; **~ grosz** widow's mite

wdow|iec *sm G.* **~ca** widower; **słomiany ~iec** grass widower

wdowie|ć *vi imperf* **~je** to become a widow

wdowieństwo *sn singt* widowhood

wdów|ka *sf pl G.* **~ek** (young) widow; *przen. żart.* **ciepła ~ka** richly dowered widow; **słomiana ~ka** grass widow

wdrap|ać się *vr perf* **~ie się** — **wdrap|ywać się** *vr imperf* to climb <to shin> (**na drzewo itd.** up a tree etc.); **~ać się komuś na kolana** to clamber on to sb's knees

wdr|ażać *v imperf* — **wdr|ożyć** *v perf* **~óż** [I] *vt* 1. (*przyuczać*) to train <to accustom> (**kogoś w coś** <**do czegoś**> sb to sth); to initiate (**kogoś w coś** <**do czegoś**> sb in sth); to break (sb) in (**w coś** <**do czegoś**> to sth); to season (**kogoś w coś** <**do czegoś**> sb to sth) 2. (*wszczepiać*) to inculcate (**coś w kogoś** sth in sb) 3. (*wszczynać*) to enter (**pertraktacje itd.** upon negotiations etc.); *prawn.* **~ożyć kroki sądowe** to institute an action; to take legal steps; **~ożyć śledztwo** to open an inquiry

wdrażanie *sn* 1. ↑ **wdrażać** 2. (*przyuczanie*) initiation (**w coś** <**do czegoś**> in sth) 3. (*wszczepianie*) inculcation 4. *sąd.* (*wszczynanie*) institution (of an action)

wdrąż|ać *v imperf* — **wdrąż|yć** *v perf* [I] *vt* to crush (sth) in [II] *vr* **~ać, ~yć się** to bore one's way (**w coś** into sth)

wdr|obić *vt perf* **~ób** to crumble (bread etc. into sth — milk etc.)

wdrożyć *zob.* **wdrażać**

w dwójnasób *zob.* **dwójnasób**

wdychać <**wdychiwać**> *vt imperf* to breathe in; to inhale; to imbibe

wdychiwanie *sn* (↑ **wdychiwać**) inhalation

w dyrdy *zob.* **dyrdy**

wdzi|ać *vt perf* **~eje** — **wdzi|ewać** *vt imperf lit.* to put <to slip> (sth) on; **~ać habit** <**welon**> to take the habit <the veil>; **~ać żałobę** to go into mourning

wdzian|ko *sn pl G.* **~ek** lounge coat; *am.* vamus

wdzierać się *vr imperf* — **wedrzeć się** *vr perf* **wedrę się, wedrze się, wedrzyj się, wdarł się** 1. (*wchodzić siłą*) to make an irruption; to force one's way <to force an entrance> (**do ...** into ...); to break (**do czyjegoś domu itd.** into sb's house etc.); (*o wietrze, wodzie*) to rush in; (*o morzu*) to encroach (**w głąb lądu** upon the land); (*o wojsku*) to encroach upon <to invade> (**do kraju** a country); **wdzierać, wedrzeć się w czyjeś łaski** to insinuate oneself into sb's favour 2. (*wspinać się*) to climb <to ascend> (**na górę** a mountain); *wojsk.* to scale (**na wały** ramparts) 3. (*zagłębiać się*) to penetrate (**do czegoś** into sth)

wdzieranie się *sn* ↑ **wdzierać się** 1. (*wchodzenie siłą*) irruption; encroachment; invasion 2. (*wspinanie się*) climb; ascension 3. (*zagłębianie się*) penetration

wdzier|ka *sf pl G.* **~ek** *górn.* drawing at entry

wdziewać *zob.* **wdziać**

wdzięczenie się *sn* 1. ↑ **wdzięczyć się** 2. (*mizdrzenie się*) airs and graces; mincing manner 3. (*przymilanie się*) wheedling <coaxing> ways

wdzięcznie *adv* 1. (*z wdziękiem*) gracefully; charmingly; bewitchingly; with grace <charm> 2. (*z wdzięcznością*) gratefully; thankfully

wdzięcznoś|ć *sf singt* gratitude; gratefulness; thankfulness; indebtedness; **w dowód ~ci** in token of gratitude

wdzięczny *adj* 1. (*odczuwający wdzięczność*) grateful; thankful; indebted; **być ~m za coś** to appreciate sth; **jestem bardzo ~ za pańską pomoc** I deeply appreciate your assistance 2. (*pełen wdzięku*) graceful; charming; bewitching; (*o ubiorze itd.*) neat; *am.* cute 3. (*o zadaniu itd.*) grateful (task etc.)

wdzięczyć się *vr imperf* 1. (*przymilać się*) to wheedle <to coax> (**do kogoś** sb); to make advances (to sb) 2. (*wabić wdziękami*) to give oneself airs and graces; to mince; to simper; to smirk

wdzięk *sm G.* **~u** 1. (*powab*) charm; grace; **bez ~u** graceless; **z ~iem** gracefully; charmingly; bewitchingly 2. *pl* **~i** (*pociągające przymioty*) charms; attractions

we *praep* = **w**^{2}; **~ czwartek** on Thursday; **~ dwójkę** the two of us <you, them>; **~ mnie** in me

we- = **w-**^{3}; **wepchnąć** to push in

weba *sf tekst.* fine linen

weber *sm fiz.* weber

webło *sn bot.* (*Zostera marina*) sea-grass

websteryt *sm G.* **~u** *miner.* websterite

weck *sm G.* **~u** <**~a**> (*słoik do przetworów*) bottling jar

wecować † *vt imperf* to sharpen; to whet

wedeta *sf* 1. *wojsk.* vedette; mounted sentry 2. *teatr* star

wedle *praep gw.* 1. = **według** 2. (*w pobliżu*) near; next to; (*w jednym szeregu*) **~ siebie** (four etc.) abreast; (*wzdłuż*) along (the wall, river etc.); (*naokoło*) round (sth); (*w różnych wyrażeniach*) **~ ciebie** all through you; **chodzić ~ bydła** to tend the cattle; *przysł.* **~ stawu grobla** cut your coat according to your cloth

według *praep* according (**czegoś** to sth); in accordance (**czegoś** with sth); under (**przepisów, warunków umowy itd.** the rules, the terms of the contract etc.); from (**oryginału itd.** the original etc.); after (**wzoru itd.** a pattern etc.); *handl.* per (**wzoru, faktury itd.** sample, invoice etc.); **narysowany ~ skali** drawn to scale; **~ mego zegarka** by my watch; **~ mnie** in my estimation <opinion>; to my mind; *prawn. lit.* **~ tego** thereafter
wedrzeć się *zob.* **wdzierać się**
weduta *sf mal.* view; townscape
wedutysta *sm mal.* townscapist
Wedy *spl rel.* Vedas
wedyzm *sm singt G.* **~u** *rel.* Vedism
weekend *sm G.* **~u** week-end
weekendować *vi imperf* to spend the week-end
weekendowy *adj* week-end — (trip etc.)
wegetacja *sf singt* 1. (*istnienie człowieka*) vegetation; inert existence; **żałosna ~** wretched existence 2. (*roślinność*) vegetation
wegetacyjny *adj* 1. (*o życiu człowieka*) vegetative (life) 2. *bot.* vegetative (stage, properties etc.)
wegetarianin *sm* (a) vegetarian
wegetarianizm *sm singt G.* **~u** vegetarianism
wegetariański *adj* vegetarian
wegetatywnie *adv biol.* vegetatively
wegetatywność *sf singt biol.* vegetativeness
wegetatywny *adj biol.* vegetative (functions, nervous system, reproduction etc.)
wegetować *vi imperf* to vegetate; (*o człowieku*) to keep body and soul together; **marnie ~** to drag out a wretched existence
wegnać <**wgonić**> *vt perf* — **wganiać** *vt imperf* to drive <to pen> (the cattle) in
wehikuł *sm G.* **~u** conveyance; vehicle
wejmuta *sf poet.*, **wejmut|ka** *sf pl G.* **~ek** *bot.* (*Pinus strobus*) Weymouth pine; Eastern white pine
wejrzeć *vi perf* **wejrzy, wejrzyj** — **wglądać** *vi imperf* to look (**w czyjeś sprawy itd.** into sb's affairs etc.); to get an insight <to see, to inquire> (**w jakąś sprawę** into an affair); to inspect (**w coś** sth)
wejrzeni|e *sn* 1. (↑ **wejrzeć**) insight; inquiry; inspection 2. (*wzrok*) eyes; glance; look; **miłość od pierwszego ~a** love at first sight
wejście *sn* 1. (↑ **wejść**) (*czynność wchodzenia*) entry; entrance; ingress 2. (*miejsce, którym się wchodzi*) entrance; way in; **główne ~** main entrance; **mieszkanie z osobnym ~m** self-contained flat 3. (*prawo wchodzenia, znajdowania się*) admittance; admission; **„wejścia nie ma"** "no admittance"
wejściow|y *adj* entrance — (door etc.); *elektr.* **moc ~a** input
wejściów|ka *sf pl G.* **~ek** *pot.* ticket of admittance; entrance ticket <card>
wejść *zob.* **wchodzić**
wek *sm G.* **~u** <**~a**> = **weck**
wekować *vt imperf* to bottle (fruit etc.)
wekowy *adj* **słój ~** = **weck**
weks|el *sm G.* **~la** *handl.* bill (of exchange); draft; note; **~el grzecznościowy** accommodating bill; *pot.* kite; **~el własny, solo ~el** promissory note; **wystawić ~el na kogoś** to draw on sb
wekslować *v imperf kolej.* I *vt* to switch (a train etc. on to a track) II *vi* to shunt trains <cars etc.>
wekslowy *adj handl.* (law etc.) of exchange
wektor *sm* 1. *fiz.* vector quantity 2. *mat.* vector
wektorowy *adj* vector — (product etc.); *mat.* vectorial (angle etc.)
welarny *adj jęz.* velar
welbot *sm mar.* whale-boat
welin *sm G.* **~u** vellum
welinowy † *adj* vellum — (paper)
welodrom *sm G.* **~u** *sport* cycle-racing track
welon *sm G.* **~u** 1. (*część stroju kobiecego*) veil; *rel.* **wdziać** <**przywdziać**> **~** to take the veil 2. *zool.* (*odmiana złotej rybki*) fringetail
welonik *sm G.* **~u** <**~a**> *dim* ↑ **welon** 1.
welon|ka *sf pl G.* **~ek** = **welon** 2.
welur *sm G.* **~u** 1. (*tkanina wełniana*) velours 2. (*aksamit*) velvet 3. *techn.* (*imitacja zamszu*) chamois-leather, shammy-leather
welurowy *adj* 1. (*z tkaniny wełnianej*) velours — (hat etc.) 2. (*z aksamitu*) velvet — (gown etc.) 3. (*z imitacji skóry*) suède — (shoes etc.)
welwet *sm G.* **~u** cotton velvet; velveteen; **~ w prążki** corduroy
welwetowy *adj* velveteen — (jacket etc.)
welwiczi|a *sf GDL.* **~i** *bot.* (*Welwitschia mirabilis*) welwitschia
wełen|ka *sf pl G.* **~ek** woollenette
weł|na *sf* 1. *singt* (*surowiec*) wool; **~na czesankowa** long <combing> wool; **~na drzewna** wood wool; **~na odtłuszczona** degreased wool; **~na skalna** rock wool; **~na surowa** <**potna**> greasy wool; **~na zgrzebna** long <carding> wool; **~na żywa** fleece 2. *pl G.* **~en** <**~n**> (*wyrób*) (*tkanina*) woollen fabric; (*przędza*) woollen yarn 3. *pl* **~ny** *pot.* (*przedmioty odzieżowe*) woollens
wełnianecz|ka *sf pl G.* **~ek** *bot.* (*Trichophorum*) a cyperaceous herb
wełnian|ka *sf pl G.* **~ek** 1. *bot.* (*Eriophorum*) cotton-grass; **mleczaj ~ka** (*Lactarius*) a species of agaric 2. *gw.* (*wełna drzewna*) wood wool
wełniany *adj* woollen; worsted (fabric, yarn etc.); wool — (factory etc.)
wełniar|ka *sf pl G.* **~ek** *techn.* wood-wool machine
wełniarstwo *sn singt* woollen manufacture
wełniasty *adj* woolly; wool-bearing
wełnistość *sf singt* woolliness
wełnistowłosy *adj* woolly-haired; ulotrichous
wełnist|y *adj* 1. (*porosły wełną*) woolly; fleecy; *bot.* **kłosówka ~a** (*Holcus lanatus*) velvet grass; Yorkshire fog 2. (*skłębiony*) flocculent, flocculous
wełnodajny *adj* wool-bearing
wełnomierz *sm techn.* eriometer
wełnonośny *adj* wool-bearing
wełnopodobny *adj pot.* wool-like
wemknąć się *vr perf* — **wmykać się** *vr imperf* to steal in
wen|a *sf singt* 1. *lit.* (*zapał twórczy*) vein; **mieć ~ę do czegoś** to be in the vein for sth <for doing sth>; **~a poetycka** the poetic vein 2. (*szczęście*) luck; **przynosić ~ę komuś** to bring sb good luck
wendeta *sf* vendetta; death feud
Wend|owie *spl G.* **~ów** the Wends
Wenecjanin *sm*, **Wenecjan|ka** *sf pl G.* **~ek** (a) Venetian
wenecki *adj* Venetian; **okno ~e** Venetian window
wenerolog *sm med.* venereologist
wenerologi|a *sf singt GDL.* **~i** *med.* venereology, venerology

wenerycznie *adj med.* **chory ~** venereal patient

weneryczny [I] *adj* venereal [II] *sm pot.* venereal patient

wenta *sf* 1. *hist.* meeting <conventicle> (of Carbonari) 2. † (*kiermasz*) raffle; jumble-sale

wentyl *sm pl G.* **~i** <**~ów**> 1. *techn.* valve 2. *muz.* (*w organach*) organ-stop; (*w instrumentach dętych*) piston

wentylacj|a *sf* 1. *dosł. i przen.* ventilation; **sala z dobrą ~ą** airy room 2. *pot.* (*system wentylatorów*) ventilating-fans

wentylacyjny *adj* ventilating __ (apparatus etc.); ventilation __ (shaft etc.); *górn.* **chodnik ~** intake; **otwór ~** air-hole; *górn.* **szyb ~** air-shaft

wentylator *sm* ventilator; ventilating-fan; **~ ssący** <**wyciągowy**> suction fan; exhauster

wentylator|ek *sm G.* **~ka** (ventilating) fan

wentylatorowy *adj* ventilating __ (apparatus etc.)

wentylować *vt imperf dosł. i przen.* to ventilate (a room, a question etc.)

wentylowy *adj* 1. *techn.* valve __ (box, gear etc.) 2. *muz.* piston __ (instrument)

wenusjański *adj* Venus __ (rocket etc.)

weń *lit.* = **w niego** *zob.* **on**[1] 3.

wepchnąć *v perf*, *rz.* **wepchać** *v perf* — **wpychać** *v imperf* [I] *vt* 1. (*wtłoczyć*) to push <to shove, to cram, to thrust, to ram> (sth) in; to insert (**klucz do zamka itd.** a key in a lock etc.); to hustle (**kogoś do przedziału itd.** sb into a compartment etc.); **wpychać kij itd. do czegoś** to poke a stick etc. into sth; **wpychać książki** <**pisma**> **do wszystkich kieszeni** to stuff one's pockets with books <magazines> 2. (*podsunąć natarczywie*) to force (**coś komuś** sth on sb); to ply (**komuś jedzenie** sb with food) [II] *vr* **wepchnąć**, *rz.* **wepchać, wpychać się** 1. (*wcisnąć się*) to crowd <to squeeze> in (*vi*) 2. (*przyjść, nie będąc proszonym*) to thrust oneself (**do towarzystwa** upon a company); to barge in

weprzeć *v perf* **weprę, weprze, weprzyj, wparł, wparty** — **wpierać** *v imperf* [I] *vt* 1. (*nacisnąć*) to press (**coś w coś, o coś** sth against sth) 2. (*wtłoczyć*) to force (**coś w coś** sth in <into> sth) [II] *vr* **weprzeć, wpierać się** 1. (*oprzeć się*) to push (**w coś** against sth); **weprzeć się stopami w ziemię** to dig in one's heels 2. (*wedrzeć się*) to force one's way (**w coś** into sth)

weramon *sm G.* **~u** *farm.* an analgesic drug

weranda *sf* veranda(h); *am.* porch; (*oszklona*) sun-parlour

werandowanie *sn* bed-rest in the open air

weratrowy *adj chem.* veratric (acid)

weratryna *sf chem. farm.* veratrine

werbalizm *sm singt G.* **~u** verbalism

werbalny *adj psych. gram.* verbal

werb|el *sm G.* **~la** 1. *muz.* drum 2. (*tryl wybijany na bębnie*) roll (of a drum); drum-beat

werbena *sf bot.* (*Verbena*) verbena; vervain

werbenowat|y *bot.* [I] *adj* verbenaceous [II] *spl* **~e** *bot.* (*Verbenaceae*) (*rodzina*) the vervain family

werblować *vi imperf* to beat the drum

werbować *vt imperf* to recruit <to enlist> (men, supporters); to canvass (supporters)

werbowanie *sn* (↑ **werbować**) recruitment; enlistment

werbowniczy *adj* recruiting (officer etc.)

werbownik *sm* canvasser

werbun|ek *sm G.* **~ku** recruitment; recruiting; enlistment; enlisting; canvassing

werbunkowy *adj* recruiting (campaign etc.)

werdiura *sf* verdure (tapestry)

werdykt *sm G.* **~u** verdict; **ogłosić ~** to bring in <to return> a verdict

weredycz|ka *sf pl G.* **~ek** *lit.* free-spoken woman

weredyczny *adj lit.* free-spoken; outspoken

weredyk *sm lit.* free-spoken <outspoken, plain-spoken> person

werk *sm G.* **~u** *pot.* works (of a watch)

wermachtow|iec *sm G.* **~ca** member of the Wehrmacht; German <Nazi> (soldier)

wermisz|el *sm G.* **~lu** <**~elu**> *kulin.* vermicelli

wermut *sm G.* **~u** vermouth, vermuth

werniks *sm G.* **~u** varnish

werniksować *vt imperf* to varnish

werniksowy *adj* varnish __ (solution etc.)

wernisaż *sm G.* **~u** varnishing-day (at the Salon)

weronal *sm G.* **~u** *farm.* veronal

weroński *adj* Veronese

werp *sm G.* **~u** *mar.* kedge anchor

wersal *sm singt G.* **~u** *pot. żart.* courtesy; courtliness

wersalik *sm druk.* capital letter

wersal|ka *sf pl G.* **~ek** (type of folding) couch

wersalsk|i *adj* courtly (manners); **~a grzeczność** courtliness

werset *sm G.* **~u** verse

wersja *sf* version

wersyfikacja *sf lit.* versification

wersyfikator *sm* versifier

wersyfikować *vi imperf lit.* to versify

wersyfikowanie *sn* (↑ **wersyfikować**) versification

werteb *sm G.* **~u** *geol.* sinkhole

werteks *sm G.* **~u** *astr.* vertex

wertep *sm G.* **~u** (*także pl* **~y**) pathless tract; road full of pot-holes

werterowski *adj lit.* Wertherian

werteryzm *sm singt G.* **~u** Wertherism

wertować *vt imperf* to turn over the pages (**książkę** of a book); to rummage (a book); to rummage about (**dokumenty** among documents); **~ książki** to browse

wertykalizm *sm singt G.* **~u** *arch.* verticalism

wertykaln|y *adj* vertical; *astr.* **koło ~e** vertical circle

wertykał *sm G.* **~u** *astr.* vertical circle

werw|a *sf singt* verve; spirit; ginger; pep; zip; gusto; zest; dash; **pełen ~y** lively; spirited; breezy; dashing

weryfikacja *sf* verification

weryfikacyjn|y *adj* verifying; **akcja ~a** verification

weryfikować *vt imperf* to verify

weryfikowanie *sn* (↑ **weryfikować**) verification

werysta *sm* (*decl* = *sf*) *lit. muz. plast.* verist, veritist

weryzm *sm G.* **~u** *lit. muz. plast.* verism, veritism

werznąć się <**werżnąć się**> *vr perf* — **wrzynać się** *vr imperf* to cut in; **werznąć, werżnąć, wrzynać się w coś** to cut into sth

wesele *sn* wedding; **srebrne** <**złote**> **~** silver <golden> wedding

weselenie się *sn* (↑ **weselić się**) merry-making; jollification

weselić *v imperf* I *vt* to gladden; to rejoice II *vr* **~ się** to rejoice (*vi*); to make merry

weselisko *sn żart.* uproarious <sumptuous> wedding

weselny *adj* wedding __ (feast, march, guest etc.); nuptial

wesoł|ek *sm G.* **~ka** *pl N.* **~ki** <**~kowie**> jester; merry andrew; wag

wesołkowaty *adj* jesting

wesoło *adv* 1. (*radośnie*) gaily; joyfully; merrily; cheerfully 2. (*wyrażając radość*) good-humouredly; gleefully; **na ~** in a cheerful spirit; **upijać się na ~** to be merry in one's cups 3. (*w radosnym nastroju*) gaily; merrily; playfully; hilariously 4. (*rozweselająco*) amusingly

wesołość *sf singt* gaiety; joy; mirth; cheerfulness; glee; hilarity; sprightliness

wes|oły <**wes|ół**> *adj* 1. (*pełen radości*) gay; joyful; merry; jaunty; jolly; cheerful; sprightly 2. (*wyrażający radość*) good-humoured; gleeful; laughing (eyes); jocund <pleasant> (smile) 3. (*pobudzający do radości*) brisk (fire); lively (colours); (crowd, streets etc.) gay with colour 4. (*spędzony w radosnym nastroju*) gay; merry; hilarious; **~ołych świąt** a) (*Bożego Narodzenia*) Merry Christmas b) (*Wielkanocy*) Happy Easter 5. (*rozweselający*) amusing; funny

wesprzeć *zob.* **wspierać**

wessać *vt perf* **wessę, wessie, wessij, wessany** — **wsysać** *vt imperf* to suck in

westal|ka *sf pl G.* **~ek** *hist. rel.* vestal (virgin)

westchnąć *vi perf* — **wzdychać** *vi imperf* to sigh; *perf* to heave a sigh; **wzdychać z ulgą** to heave a sigh of relief; **wzdychać za kimś** to yearn <to long> for sb

westchnienie *sn* (↑ **westchnąć**) sigh

western *sm G.* **~u** *kino* western

westybul *sm G.* **~u** *arch.* (entrance) hall; vestibule; lobby

wesz *sf G.* **wszy** *pl N.* **wszy** *zool.* louse; **~ głowowa** (*Pediculus capitis*) head louse; **~ łonowa** (*Phthirius pubis*) crab louse; **~ odzieżowa** (*Pediculus vestimenti* <*corporis*>) body louse

weszka *sf dim* ↑ **wesz**

wet † *sm G.* **~u** *obecnie w zwrocie;* **~ za ~** tit for tat; **oddać ~ za ~** to retaliate; to repay in kind

weteran *sm* veteran; ex-service man

weterynari|a *sf singt GDL.* **~i** 1. (*nauka*) veterinary medicine 2. (*zakład*) veterinary college; **wydział ~i** faculty of veterinary medicine

weterynaryjny *adj* veterinary (surgeon etc.)

weterynarz *sm* veterinary surgeon, *pot.* vet; *wojsk.* farrier

wetknąć *vt perf* — **wtykać** *vt imperf* to insert; to tuck (sth) away; to shove (sth somewhere); to stuff (sth in one's pocket etc.); to stick (a pin, a needle etc. somewhere); **wetknąć, wtykać nos w jakąś sprawę** to poke one's nose into an affair; *przysł.* **nie wtykaj nosa do cudzego prosa** mind your own business; keep your nose out of other people's affairs

weto *sn lit. hist.* veto; **założyć ~ przeciwko czemuś** to veto sth; to put one's veto on sth

wetrzeć *zob.* **wcierać**

wewnątrz I *adv* inside; within; **od ~** from within; from the inside II *praep* inside <within> (**czegoś** sth); in the interior (**czegoś** of sth)

wewnątrz- intra-

wewnątrzatomowy *adj*, **wewnątrzjądrowy** *adj chem.* intranuclear

wewnątrzcząsteczkowy *adj* intramolecular

wewnątrzkomórkowy *adj biol. zool.* intracellular

wewnątrznaczyniowy *adj med.* intravascular

wewnątrzpartyjny *adj* occurring within the party

wewnątrzpochodny *adj med.* **zatrucie ~e** endogenic intoxication

wewnętrznie *adv* internally; inwardly

wewnętrzn|y *adj* 1. (*znajdujący się w środku*) internal; inner; *med.* **choroby ~e** internal diseases; *anat. biol.* **gruczoły wydzielania ~ego** endocrinal glands; **strona ~a** the inside 2. (*istniejący w obrębie czegoś*) internal; intrinsic; (*zachodzący w danym kraju*) home (affairs etc.); domestic (trade, wars etc.); inland (transport etc.); intestine (troubles etc.); **Ministerstwo Spraw Wewnętrznych** Ministry of the Interior; (*w Wielkiej Brytanii*) Home Office 3. (*zachodzący w psychice*) inward; inner; **życie ~e** inward <inner> life

wewelit *sm G.* **~u** *miner.* whevellite

wezbrać *vi perf* **wzbiorę, wzbierze** — **wzbierać** *vi imperf* 1. (*o wodzie oraz o uczuciach*) to rise; (*o rzece*) to rise; to swell; **rzeka wezbrała** the river has swollen <has risen, is in spate>; **wezbrane od deszczów rzeki** rivers swollen by the rains 2. (*o łzach itd.* — *napłynąć*) to gather; to flow; to rise; *przen.* **wezbrał w niej płacz** the tears rose to her eyes 3. (*nabiec*) to fill (**w sercu** the heart); (*wypełnić się*) to swell (**gniewem, szczęściem itd.** with anger, happiness etc.)

wezbranie *sn* ↑ **wezbrać**; **~ rzeki** freshet

wezbran|y I *pp* ↑ **wezbrać** II *adj* (*o rzece*) flush; in spate; overswollen; (*o sercu*) overflowing (**radością itd.** with joy etc.); **piersi ~e mlekiem** breasts swollen with milk

wezgłowi|e *sn pl G.* **~** 1. (*część łóżka*) bed-head; **u czyjegoś ~a** at sb's bedside 2. (*podpórka pod głowę*) head-rest; cushion; bolster 3. *bud.* abutment; skewback

wezuwian *sm G.* **~u** *miner.* vesuvianite

wezwać *vt perf* **wezwę, wezwie, wezwij** — **wzywać** *vt imperf* 1. (*przyzwać*) to call (sb); to ask (sb) to come; to call in (a specialist etc.); (*urzędowo*) to summon; to cite; to convene (an assembly); to call (members) together for a meeting; **wezwać, wzywać kogoś do walki** <**do współzawodnictwa**> to challenge sb to fight <to a contest>; **wezwać, wzywać kogoś na świadka** to call sb to witness; **wezwać, wzywać ludność pod broń** to call the population to arms; **wezwać, wzywać pomocy** <**ratunku**> to call for help 2. (*zwrócić się z apelem*) to appeal; to invoke (God); **wezwać, wzywać garnizon do poddania się** to summon a garrison to surrender; **wezwać kogoś aby ...** to call upon sb to ...

wezwanie *sn* 1. ↑ **wezwać** 2. (*nakaz*) call; summons; citation; **~ do walki** <**do współzawodnictwa**> challenge to fight <to a contest>; **przyjąć ~** to take up a challenge; **zgłosić się na czyjeś ~** to answer sb's call 3. (*apel*) appeal 4. (*nazwa*) invocation; **kościół pod ~m św. Piotra** church under the invocation of <dedicated to> St Peter

wezykatori|a † *sf GDL.* **~i** *med.* vesicant

wezyr *sm* vizier; **wielki ~** grand vizier
wezyrat *sm G.* **~u** *hist.* vizierate
weżreć się *vr perf* **weżre się, wżarł się — wżerać się** *vr imperf* 1. (*wgryźć się*) to bite (**w coś** into sth) 2. (*wgnieść się*) to cut (**w coś** into sth); **wżerać się w pamięć** to become engraved on the memory 3. (*przeniknąć*) to eat <to gnaw, to corrode, to penetrate> (**w coś** into sth)
wębor|ek *sm G.* **~ka** *gw.* (wooden) bucket
węch *sm singt G.* **~u** (sense of) smell; nose; *przen.* (*także* **psi ~**) flair <nose, scent> (**do czegoś** for sth)
węchowy *adj* olfactory (organ etc.)
węda *sf* a type of large fishing-rod
węd|ka *sf pl G.* **~ek** fishing-rod; **łowić (pstrągi itd.) na ~kę** to angle (for trout etc.)
wędkarski *adj* angling <fishing> (tackle etc.); **sport ~** angling; line-fishing
wędkarz *sm* angler
wędkować *vi imperf pot.* to angle
wędlina *sf* pork-butcher's meat <products>
wędliniarnia *sf* pork-butcher's shop
wędliniarski *adj* pork-butcher's (products etc.)
wędliniarstwo *sn singt* pork-butcher's business
wędliniarz *sm* pork-butcher
wędr|ować *vi imperf* 1. (*włóczyć się*) to roam; to rove; to ramble; to wander (**po świecie** about the world); to sweep (**po morzach** the seas); **~ować pieszo** to tramp; to hike 2. (*zmieniać miejsce pobytu, koczować*) to wander; to nomadize; to migrate; *med.* **~ująca nerka** floating kidney; *geogr.* **~ujące wydmy** wandering dunes 3. *rz. pot.* (*być przesyłanym*) to go; **~ować z rąk do rąk** to pass from hand to hand
wędrowanie *sn* (↑ **wędrować**) rambles; wanderings; migrations
wędrow|iec *sm G.* **~ca** wanderer; rover; wayfarer
wędrowniczy *adj* roving; rambling
wędrown|y *adj* 1. (*zmieniający miejsce pobytu*) wandering; roving; rambling; wayfaring; nomadic; **ptaki ~e** birds of passage; migratory birds; **ryby ~e** migratory fish; *zool.* **sokół ~y** (*Falco peregrinus*) peregrine falcon; **szarańcza ~a** (*Pachytilus migratorius*) migratory locust; **szczur ~y** (*Rattus norvegicus*) Norway <brown> rat; **~y tryb życia** itinerant <vagabond, vagrant, knock-about> mode of life; **wydmy ~e** wandering dunes 2. (*związany z wędrówką*) wanderer's <rover's, wayfarer's> (bundle etc.)
wędrów|ka *sf pl G.* **~ek** 1. (*wędrowanie*) wander(ing); roam(ing); wayfaring; tramp 2. (*odwiedzanie wielu miejsc przy załatwianiu czegoś*) peregrinations 3. (*przenoszenie się z miejsca na miejsce*) migration; *rel.* **~ka dusz** transmigration of souls; *hist.* **~ka ludów** migration of nations
wędzarnia *sf* smokehouse
wędzarniany *adj* smokehouse — (arrangements etc.)
wędzarnictwo *sn singt*, **wędzarstwo** *sn singt* smoke-curing
wędzarz *sm* smoker (of fish, meat)
wędzenie *sn* (↑ **wędzić**) smoke-curing
wędz|ić *v imperf* **~ę, ~ony** [I] *vt* to smoke (fish, meat) [II] *vr* **~ić się** 1. (*o mięsie itd.*) to be smoked 2. *żart.* (*o człowieku*) to be enveloped in clouds of tobacco smoke
wędzideł|ko *sn pl G.* **~ek** *anat.* frenum; vinculum; bridle
wędzid|ło *sn pl G.* **~eł** 1. (*krótki pręt do kierowania koniem*) bit 2. *przen.* curb
wędzisko *sn* fishing-rod
wędzon|ka *sf pl G.* **~ek** smoked bacon
węgar *sm bud.* jamb; door-post
węg|iel *sm G.* **~la** 1. *chem.* (*pierwiastek*) carbon; **dwutlenek ~la** carbon dioxide; **tlenek ~la** carbon monoxide 2. *górn.* (*węgiel kopalny*) coal; **czarny jak ~iel** coal-black; **kopalnia ~la** colliery; **skład ~la** coal-merchant's shop; **~iel biały <brunatny, koksujący>** white <brown, coking> coal; **~iel kamienny** pit-coal 3. (*węgiel sztuczny*) carbon; *chem. techn.* **~iel aktywowany** active <activated> carbon; **~iel drzewny** charcoal 4. *pl* **~le** (*kawałki węgla opałowego*) coals; embers; **siedzieć jak na rozżarzonych ~lach** to sit on thorns; to be on tenterhooks; to be on pins and needles <on the gridiron> 5. (*kredka*) crayon; (*rysunek*) crayon (drawing); **rysować ~lem** to draw in crayon
węgiel|ek *sm G.* **~ka** live <glowing> coal
węgielnica *sf bud. miner.* square; set-square; T-square
węgielny *adj* angular; corner — (brick etc.); *dosł. i przen.* **kamień ~** corner-stone
węg|ieł *sm G.* **~ła** *bud.* coin, quoin; corner
Węg|ier *sm G.* **~ra** (a) Hungarian; *pl* **~rzy** the Hungarians
węgier|ka *sf pl G.* **~ek** 1. **Węgierka** (a) Hungarian 2. *bot.* (*Prunus domestica*) wild plum 3. (*owoc*) plum 4. *hist.* (*ubiór*) frogged coat
węgiersk|i *adj* Hungarian; Magyar; **po ~u** in Hungarian; **z ~a** after the Hungarian fashion
węgierszczyzna *sf singt* 1. (*język*) the Hungarian language 2. (*to wszystko, co jest węgierskie*) Hungarian culture <way of life>
węglan *sm G.* **~u** *chem.* carbonate; **~ kwaśny** acid carbonate; **~ magnezowy <potasowy, sodowy>** magnesium <potassium, sodium> carbonate
węglanowy *adj chem.* carbonate — (ash etc.)
węglar|ka *sf pl G.* **~ek** *górn.* gondola-car; (*barka*) coal-barge
węglarski *adj* 1. (*dotyczący kupca handlującego węglem*) coal-merchant's (trade etc.) 2. *hist.* Carbonari (society etc.)
węglarstwo *sn hist.* Carbonari movement
węglarz *sm* 1. (*kupiec*) coal merchant 2. *hist.* Carbonaro
węglik *sm chem.* carbide
węglonośny *adj geol.* carboniferous; coal-bearing
węglow|iec *sm G.* **~ca** 1. (*statek*) collier 2. *pl* **~ce** *chem.* carbon group
węglownia *sf mar.* bunker
węglownik *sm techn.* (*filtr*) carbon filter
węglowodan *sm G.* **~u** *chem.* carbohydrate
węglowodanowy *adj chem. biol.* carbohydrate — (compounds etc.)
węglowodorowy *adj chem.* hydrocarbonaceous; hydrocarbon — (compound etc.)
węglowod|ór *sm G.* **~oru** *chem.* hydrocarbon
węglow|y *adj* 1. (*dotyczący węgla kamiennego*) coal- (bed, seam, field, dust etc.); *geol.* **epoka ~a** carboniferous epoch; *med.* **pylica ~a** anthracosis; collier's lung; *mar.* **stacja ~a** coaling station;

techn. **stal ~a** carbon steel 2. (*dotyczący pierwiastka chemicznego*) carbon — (dioxide, monoxide, filter etc.); carbonic (acid etc.)
węglów|ka *sf pl G.* **~ek** carbon filament lamp
węgłować *vt imperf bud.* to join
węgor|ek *sm G.* **~ka** *zool.* nematod; **~ek octowy** (*Anguillula aceti*) vinegar-eel; **~ek pszenicy** (*Tylenchus tritici*) wheat-worm
węgornia *sf ryb.* eel-basket; eel-buck
węgorz *sm zool.* (*Anguilla anguilla*) eel
węgorzę *sn* young eel, elver
węgorzowat|y *zool.* [I] *adj* eel-shaped [II] *spl* **~e** (*Anguillidae*) (*rodzina*) the family Anguillidae
węgorzowy *adj* eel- (buck, catching etc.)
wegorzycowate *spl* (*decl* = *adj*) *zool.* (*Zoareidae*) (*rodzina*) the eelpouts
węgorzyk *sm* = **węgorzę**
węgrzyn *sm* Hungarian wine
węszenie *sn* ↑ **węszyć**
węszyć *v imperf* [I] *vi* 1. (*o zwierzęciu*) to scent the air; to sniff; to nose 2. (*o człowieku*) to nose about; to poke and pry [II] *vt* 1. (*o zwierzęciu*) to scent (game etc.); to sniff (the master's hand etc.) 2. (*o człowieku — podejrzewać*) to smell (a rat etc.); to scent (trouble etc.)
węza *sf pszcz.* (comb) foundation
węz|eł *sm G.* **~ła** 1. (*supeł*) knot; loop; noose; snarl; *mar.* hitch; bend; *mat. fiz.* node (of curve, oscillation); *med.* (arthritic) nodus; (*na nitce, w drucie*) kink; **~eł dramatu** crux <knot, nodus> of a play; **~eł grecki** Grecian knot; *dosł. i przen.* **~eł gordyjski** Gordian knot; **przeciąć <rozciąć> ~eł gordyjski** to cut the Gordian knot; *przen. lit.* **~eł małżeński** marriage tie; **~ły krwi** family ties; ties of blood; **~ły przyjaźni** bonds of friendship 2. *kolej.* junction (station) 3. (*zw. pl*) *astr.* node (of orbit) 4. *bot. bud.* joint 5. *mar.* (*jednostka prędkości*) knot
węzeł|ek *sm G.* **~ka** 1. (*supełek*) knot; (*w wełnie, tkaninie*) burl; **ciągnąć ~ki** to draw lots 2. (*tobołek*) bundle
węzina *sf geogr.* neck
węzłowato *adv w zwrocie*: **krótko a ~** briefly; tersely; curtly
węzłowaty *adj* 1. (*węźlasty*) knotty; knotted; nodose; nodulous 2. (*lakoniczny*) brief; terse; curt
węzłowy *adj* 1. *fiz. mat.* nodal; *astr.* nodical; *kolej.* junction (station); **punkt ~** node 2. (*zasadniczy*) crucial
węzłów|ka *sf pl* **~ek** *techn.* gusset (plate)
węźlasty *adj* knotty; knotted; nodose; nodulous
węźlica *sf mar.* ratline, ratlin, ratling
węźlić się *vr imperf rz.* to become knotted; to form knots; to ravel
węźlisko *sm* (*augment* ↑ **węzeł**) great big <huge> knot
wężojad *sm zool.* (*Sagittarius serpentarius*) secretary bird
wężowaty *adj* serpentine; anguine; snake-like
wężowid|ło *sn pl G.* **~eł** *zool. paleont.* ophiuroid
wężowisko *sn* brood <nest> of snakes
wężowłosa *sf* (*decl* = *adj*) snaky-haired
wężownica *sf techn.* pipe coil; serpentine
wężownik *sm bot.* (*Polygonum bistorta*) bistort
wężowo *adv* sinuously; tortuously
wężow|y *adj* 1. (*odnoszący się do węża*) snake's (fang etc.); **~a skóra** snakeskin 2. (*przypominający węża*) serpentine; snake-like; sinuous; tortuous; meandrous
wężyca *sf gw.* female snake
wężyk *sm* 1. (*mały wąż*) young <small> snake 2. (*linia*) wavy line 3. *techn.* S-shaped object
wężykować *vt imperf pot.* to underscore (a word etc.) with a wavy line
wężykowaty *adj*, **wężykowy** *adj* serpentine; anguine; meandrous; zigzaggy; (*o linii*) wavy
wężymord *sm G.* **~u** *bot.* (*Scorzonera hispanica*) viper's grass
wężyn|ka *sf pl G.* **~ek** *zool.* (*Nerophis ophidion*) a syngnathid
wganiać *zob.* **wegnać**
wgi|ąć *v perf* **wegnę, wegnie, wegnij, ~ął, ~ęła, ~ęty — wgi|nać** *v imperf* [I] *vt* to incurvate; to incurve; to bend <to curve> in <inwards> [II] *vr* **~ąć, ~nać się** to be incurvated <incurved, bent inwards>
wgięcie *sn* (↑ **wgiąć**) incurvation, incurvature
wginać *zob.* **wgiąć**
wgląd *sm G.* **~u** 1. *singt* (*wniknięcie*) insight (**w coś, do czegoś** into sth); inspection (**do czegoś, w coś** of sth); inquiry (**w jakąś sprawę** into an affair) 2. (*widok*) view (**na dolinę itd.** of a valley etc.)
wglądać *zob.* **wejrzeć**
wglądnąć *vi perf* = **wejrzeć**
wglądnięcie *sn* ↑ **wglądnąć** = **wejrzenie** 1.
wgłębi|ć *v perf — rz.* **wgłębi|ać** *v imperf* [I] *vt* 1. (*wpuścić*) to set <to dig, to sink> (**coś w ziemię itd.** sth into the ground etc.) 2. (*zrobić wgłębienie*) to hollow out [II] *vr* **~ć, ~ać się** 1. (*wcisnąć się*) to sink (*vi*); **~ony w fotel** sunk in an armchair 2. (*wniknąć*) to go (**w jakąś sprawę** into a question <matter>); to study <to investigate> (**w coś** sth)
wgłębienie *sn* 1. ↑ **wgłębić** 2. (*wklęsłość*) depression; hollow; cavity; alveolus; indent; **~ brzegu <wybrzeża>** cove 3. (*wnęka*) recess
wgłęb|ka *sf pl G.* **~ek** *bot.* (*Riccia*) liverwort
wgłębny *adj geol. techn.* deep-seated (rocks etc.); subterranean (water etc.)
wgłobienie *sn med.* invagination; intussusception
wgni|atać *v imperf* — **wgni|eść** *v perf* **~otę, ~ecie, ~eć, ~ótł, ~otła, ~etli, ~eciony, ~eceni** [I] *vt* 1. (*powodować zagłębienie*) to indent; to dish (a surface); to bash in (a hat etc.); to stave in (the radiator of a motor-car etc.) 2. (*wciskać*) to press <to ram> (sth) in; (*o wietrze*) to blow in (a window etc.) [II] *vr* **~atać, ~eść się** to be <to get, to become> indented <dished, stove in>
wgniecenie *sn* (↑ **wgnieść**) indent; bash; dish (in a surface)
wgonić *zob.* **wegnać**
wgramolić się *vr perf pot.* to scramble <to clamber> up (**na coś** on to sth; **do czegoś** into sth)
wgry|zać się *vr imperf* — **wgry|źć się** *vr perf* **~zę się, ~zie się, ~ź się, ~zł się, ~źli się** 1. (*gryząc wpajać się*) to bite <to gnaw> (**w coś** into sth) 2. (*przenikać w głąb*) to penetrate; to sink; (*o kwasach itd.*) to gnaw <to corrode> (**w coś** into sth) 3. (*wnikać*) to go into the heart of <to investigate thoroughly> (**w kwestię** a matter)
wiać *v imperf* **wieje** [I] *vi* 1. (*dąć*) to blow; **od okna wieje** there is a draught from the window; **wiało**

jak wszyscy diabli it was blowing big guns; *przen.* wiedzieć, skąd wiatr wieje to know what there is in the wind 2. *pot.* (*uciekać*) to bolt; to bunk; to scoot (off, away); *am.* to beat it [III] *vr* 1. (*zalatywać*) to smell (czymś of sth); z pola wiało nawozem there was a whiff of manure from the field 2. (*oczyszczać zboże*) to winnow <to fan> (corn) 3. † (*poruszać*) to sway <to wave> (czymś sth)

wiaderko *sm dim* ↑ wiadro

wiadomo [I] *w funkcji orzecznika*: it is a well-known fact; it is generally known; everybody knows; nic mi o tym nie ~ I know nothing about it; nic o tym nie ~ nobody knows; nie ~ nobody knows; it is not yet known; it is still uncertain; nie ~ kto <gdzie itd.> nobody knows <Goodness only knows> who <where etc.>; nigdy nie ~ kiedy <co, jak itd.> you never know <you can never tell, there's no knowing, there's no saying> when <what, how etc.>; o ile mi ~ as far as I know; for all I know; for all I can tell; to the best of my knowledge; ~ mi <wam itd.> że ... I <you etc.> know that ...; I am <you are etc.> aware of the fact that ...; z nim to nigdy nie ~ you never know where you are with him <what to expect from him> [II] *w funkcji zdania bezosobowego* (*jest oczywiste*): (jak) ~ as is well known; as everyone knows; of course; naturally

wiadomoś|ć *sf* 1. (*informacja*) (piece of) news; message; (piece of) information; communication; dobra <niepomyślna> ~ć, dobre <niepomyślne> ~ci good <bad> news; sensacyjna ~ć dziennikarska front-page news; smutna ~ć sad piece of news; ~ć, ~ci z ostatniej chwili stop-press news; doszło do mojej ~ci, że ... it has come to my knowledge <I am told, I hear, I learn> that ...; doszło do publicznej ~ci, że ... it came to be generally known <it leaked out> that ...; mieć ~ci od kogoś to hear from sb; od dwóch miesięcy nie mam ~ci od niego I have not heard from him for two months; podać coś komuś do ~ci to inform sb of sth; podano do ~ci, że ... it was made known that ...; posłać komuś ~ć o czymś to send sb word of sth; przyjąć coś do ~ci to take cognizance <to take note> of sth; nie mogę tego przyjąć do ~ci I cannot accept this; na ~ć o tym ... on hearing <on learning> this ...; bez czyjejś ~ci without sb's knowledge; tobie do ~ci for your information; for your guidance 2. (*zw. pl*) (*zasób wiedzy*) knowledge; zdobywać ~ci to acquire knowledge

wiadom|y *adj* (*znany*) known; well-known; (*pewien*) a certain; powszechnie ~y notorious; rzecz powszechnie ~a matter of common knowledge; (*oczywiście*) ~a rzecz naturally; of course; it is self-evident; ~ego dnia o ~ej godzinie on a certain day, at a certain hour

wiad|ro *sn pl G.* ~er 1. (*naczynie*) pail; bucket; ~ro na węgiel coal-scuttle 2. (*zawartość*) pailful <bucketful> (of water etc.)

wiadukt *sm G.* ~u viaduct; (*napowietrzny odcinek szosy*) fly-over

wialnia *sf górn. roln. techn.* winnower; winnowing machine; fan

wian|ek *sm G.* ~ka 1. (*splot kwiatów, gałązek, ziół*) wreath; chaplet (of flowers etc.); string <rope> (of onions etc.) 2. *pl* ~ki (*obyczaj*) traditional spectacle of floating wreaths down the Vistula in June 3. † (*dziewictwo, niewinność*) maidenhead; straciła ~ek she flung her cap over the windmills

wianie *sn* (↑ wiać) draughts

wiano *sn hist.* dowry; marriage portion

wianuszek *sm dim* ↑ wianek

wiar|a *sf DL.* wierze 1. *singt* (*pewność, że coś jest prawdą*) belief <confidence, trust> (w coś in sth); dobra <zła> ~a good <bad> faith; ~a w siebie self-confidence; dasz ~ę? would you believe it?; dawać ~ę czemuś to give credence <credit> to sth; nie dawać ~y czemuś to refuse to believe sth; pokładać ~ę w kimś to trust sb; przyjąć coś na ~ę to take sth for granted; to take sb's word for sth; zrobić coś w dobrej <najlepszej> wierze to do sth in (all) good faith; na ~ę on trust; nie do ~y unbelievable; incredible; (*wykrzyknikowo*) well, I declare!; oh, my!; (well,) I never! 2. *singt rel.* faith; wyznanie ~y creed 3. (*wyznanie*) religion; creed; faith 4. *lit.* (*wierność*) loyalty; fidelity; faithfulness; ~a małżeńska conjugal fidelity; dochować ~y komuś to be faithful <true> to sb; nie dochować ~y mężowi <żonie> to be unfaithful to one's husband <wife>; żyć na ~ę to cohabit 5. *singt pot.* (*gromada ludzi*) (the) boys; to chłop z ~y he is a true-blue; naprzód, ~a! forward, boys!

wiarogodnie <wiarygodnie> *adv* credibly; reliably; veraciously

wiarogodność <wiarygodność> *sf singt* credibility; reliability; veracity

wiarogodny <wiarygodny> *adj* credible; reliable; worthy of belief; (*o zeznaniach itd.*) veracious

wiarołomca *sm* (*decl* = *sf*) traitor

wiarołomnie *adv lit.* traitorously, treacherously; perfidiously; disloyally

wiarołomność *sf singt lit.* treachery; perfidy; disloyalty; breach of faith

wiarołomny *adj lit.* traitorous; treacherous; perfidious

wiarołomstwo *sm singt* = wiarołomność

wiarus *sm pl N.* ~y *wojsk.* old campaigner; (*wśród Polonii amerykańskiej*) one of the old guard

wiata *sf bud.* umbrella roof; *kolej.* station <platform> roof

wiater|ek *sm G.* ~ku slight wind; breeze

wiatr *sm G.* ~u *V.* wietrze 1. *meteor.* wind; (*słaby*) breeze; (*silny*) strong wind; gale; ~ halny Föhn; ~ pomyślny <przeciwny> fair <foul> wind; *lotn.* ~ w plecy tail-wind; podszyty ~em light <thin> (overcoat); wystawiony na wszystkie cztery ~y wind-swept; exposed to the four winds of heaven; jest silny ~ it is blowing a gale; na wietrze in the wind; pod ~ against the wind; in the teeth of the wind; z ~em, za ~em before the wind; *przen.* patrzyć, skąd ~ wieje to see which way the wind blows <the cat jumps>; to straddle; to sit on the fence; rzucać słowa na ~ to waste words; szukaj ~u w polu it <he> has melted away; wypędzić kogoś na cztery ~y to turn sb adrift; *pot.* wystawić kogoś do ~u to leave sb stranded; to play sb false; na ~ in vain; *przysł.* biednemu zawsze ~ w oczy an unlucky man would be drowned in a teacup 2. *pl* ~y *pot.* winds; *med.* flatulence 3. *myśl.* (*węch u psa*) nose

wiatracz|ek *sm G.* **~ka** 1. (*mały wiatrak*) little windmill; (*zabawka*) pin-wheel 2. (*wentylator*) little four-bladed fan

wiatraczkowy *adj meteor.* **anemometr ~** Robinson's anemometer

wiatrak *sm* 1. (*młyn*) windmill; **walczyć z ~ami** to fight <to tilt at> windmills 2. *techn.* (*wentylator*) fan; (*przyrząd wskazujący kierunek wiatru*) vane

wiatrakow|iec *sm G.* **~ca** *lotn. sport* helicopter

wiatrochron *sm G.* **~u** wind-screen

wiatromierz *sm lotn. meteor. sport* anemometer; wind-gauge

wiatropędny *adj farm.* carminative

wiatropylność *sf singt bot.* anemophily

wiatropylny *adj bot.* anemophilous; wind-fertilized

wiatrosiłownia *sf techn.* wind turbine; wind-power station

wiatrował *sm G.* **~u** *leśn.* windfallen tree

wiatrow|iec *sm G.* **~ca** *geol.* dreikanter

wiatrownica *sf bud.* wind bent <brace, tie>; lateral truss

wiatrowskaz *sm G.* **~u** weathercock; vane

wiatrowy *adj* wind — (gauge, instrument etc.)

wiatrów|ka *sf pl G.* **~ek** 1. (*bluza*) wind jacket; wind-cheater; *am.* wind-breaker 2. (*strzelba*) air-gun

wiatyk *sm G.* **~u** *rel.* viaticum

wiąd *sm G.* **~u** *med.* tabes

wiąz *sm G.* **~u** *bot.* (*Ulmus*) elm

wiązacz *sm pl G.* **~y** <**~ów**> *techn.* tier; binder

wią|zać *v imperf* **~że** [I] *vt* 1. (*związywać*) to tie; to bind; to make (sth) up into bundles; *lit.* **mowa ~zana** verse; **~zać nadzieje z czymś** to set one's hopes on sth; to have hopes of sth <of doing sth>; to hope for sth; *przen.* **~zać koniec z końcem** to make both ends meet 2. (*krępować*) to fetter; to hinder; to pinion (**komuś ręce** sb's arms); to contain (**siły nieprzyjacielskie** an enemy force); **~zać komuś oczy** to blindfold sb; **~żą ich węzły rodzinne** they are bound by ties of blood 3. (*pleść*) to plait (mats etc.) 4. (*łączyć*) to join; (*zestawiać*) to connect; to link (up, together); to knit <to hold, to weld> together 5. (*stanowić łącznik*) to connect 6. (*zobowiązywać*) to bind (**kogoś do czegoś** <**do zrobienia czegoś**> sb to sth <to do sth>) 7. *biol. chem.* to assimilate (oxygen etc.) 8. *bot.* (*zwijać w główki*) to head 9. *bud.* to bond; to fasten; to truss (a roof etc.) 10. *techn.* to bind [II] *vi* (*o zaprawie*) to bind; (*o cemencie*) to set [III] *vr* **~zać się** 1. (*łączyć się*) to join; to unite; to associate; to be <to become> bound together; (*o sprawach, kwestiach*) to be related; (*o nadziejach*) to be set (**z czymś** on sth) 2. (*mieć związek*) to be connected <bound, linked together> 3. *chem.* to assimilate (*vi*); to become assimilated; (*o drobinach itd.*) to cohere

wiązadełko *sn* 1. *dim* ↑ **wiązadło** 2. (*w jaju*) chalaza

wiązad|ło *sn pl G.* **~eł** 1. (*to, co wiąże*) tie; binder; bond 2. *anat.* copula; ligament; canthus; chord

wiązadłowy *adj* binding (wire etc.)

wiązał|ka *sf pl G.* **~ek** *roln.* binder; sheafer

wiązani|e *sn* 1. ↑ **wiązać** 2. (*element łączący*) tie; bond; link; **~e dachu** truss of a roof 3. *bud.* (*układ*) bond; (*twardnienie zaprawy*) bonding; set(ting) 4. *chem.* bond; fixation; **~e atomowe** atomic <covalent, homopolar> bond; **~e jonowe** ionic <electrostatic, heteropolar> bond 5. *pl* **~a** *sport* (*do nart*) binding 6. *tekst.* (the) weave

wiązan|ka *sf pl G.* **~ek** 1. (*pęk*) bunch <cluster> (of flowers); bouquet; nosegay; *bot.* **~ka wrotyczolistna** (*Phacelia tanacetifolia*) phacelia 2. (*zbiór drobnych utworów*) selection 3. *pot.* (*obelżywe słowa*) volley of abuse

wiązar *sm bud.* roof truss

wiązar|ka *sf pl G.* **~ek** *techn. tekst.* **~ka osnowy** twisting-in frame

wiązeczka *sf dim* ↑ **wiązka**

wiąz|ka *sf pl G.* **~ek** 1. (*pęk*) bundle; bunch; cluster; fascicle; sheaf; faggot; pencil <beam> (of rays etc.); wisp (of straw); bottle (of hay) 2. (*wianek*) string (of shells, sausages etc.)

wiązowat|y *bot.* [I] *adj* ulmaceous [II] *spl* **~e** (*Ulmaceae*) the elm family

wiązow|iec *sm G.* **~ca** *bot.* (*Celtis*) nettle-tree

wiązów|ka *sf pl G.* **~ek** *bot.* (*Filipendula*) filipendula

wiążący *adj* (*o umowie, ofercie, obietnicy itd.*) binding; valid; firm

wibracja *sf* vibration; jar

wibracyjn|y *adj* vibratory; *techn.* **sito ~e** vibrating screen; **stół ~y** vibration table

wibrafon *sm G.* **~u** *muz.* vibraphone

wibrator *sm bud.* vibrator; shaker; *fiz.* vibrator; oscillator; *muz.* vibrator

wibrograf *sm G.* **~u** *techn.* vibrograph

wibrować *v imperf* [I] *vt bud.* to vibrate (concrete etc.) [II] *vi* (*drgać*) to vibrate; to jar

wibrowanie *sn* (↑ **wibrować**) vibration

wic † *sm* joke; witticism; pleasantry; **cały ~ w tym** that's where the fun comes in

wice- vice-

wiceadmirał *sm mar. wojsk.* vice-admiral

wicedyrektor *sm* vice-manager; assistant manager

wicehrabi|a *sm G.* **~ego** <**~**> *D.* **~emu** <**~**> *A.* **~ego** *V.* **~o** *I.* **~ą** *L.* **~** <**~m**> *pl N.* **~owie** *GA.* **~ów** *D.* **~om** *I.* **~ami** *L.* **~ach** viscount

wicekonsul *sm pl N.* **~owie** vice-consul

wicekról *sm pl N.* **~owie** viceroy

wicekrólestwo *sn singt* viceroyalty, viceroyalship

wiceminist|er *sm G.* **~ra** *pl N.* **~rowie** under-secretary; deputy minister

wicemistrz *sm sport* vice-champion

wicemistrzostwo *sm sport* vice-championship

wicemistrzyni *sf* = **wicemistrz**

wicepremier *sm* vice-premier; deputy premier

wiceprezes *sm* vice-chairman

wiceprezydent *sm* vice-president

wiceprzewodniczący *sm* vice-chairman

wiceregent *sm* vice-regent

wich|er *sm G.* **~ru** strong wind; gale

wicher|ek *sm G.* **~ka** <**~ku**> 1. (*wietrzyk*) breeze 2. (*kosmyk włosów*) tuft of hair; cow-lick

wichr *sm G.* **~u** *lit.* = **wicher**

wichrować się *vr imperf* to warp; to curl

wichrowato *adv* crookedly; out of true

wichrowatość *sf singt* crookedness

wichrowaty *adj* 1. (*o desce*) warped; crooked 2. (*o włosach*) dishevelled; tousled

wichrzyciel *sm* trouble-maker; instigator; firebrand; sedition-monger; factionist; setter-on

wichrzycielski *adj* factious

wichrzycielstwo *sn singt* factiousness

wichrzyć *v imperf* [I] *vt* to dishevel; to tousle (sb's hair) [II] *vi* (*podburzać*) to sow discord <factiousness>; to make trouble [III] *vr* ~ **się** (*o włosach*) to get dishevelled <tousled>

wichrzysko *sn augment* ↑ **wicher**

wichura *sf* strong wind; gale; wind-storm; ~ **szaleje** it's blowing great guns; it's blowing a gale

wicie *sn* 1. ↑ **wić** 2. ~ **się** wriggle (of a worm etc.); twists <meanders> (of a river)

wiciokrzew *sm G.* ~**u** *bot.* (*Lonicera caprifolium*) honeysuckle; ~ **pomorski** (*Lonicera periclymenum*) woodbine

wiciow|iec *sm G.* ~**ca** *zool.* mostigophoran; *pl* ~**ce** (*Flagellata*) (*gromada*) the class Flagellata

wiciow|y *adj bot.* sarmentous; **wierzba** ~**a** (*Salix viminalis*) basket willow

wić[1] *sf pl N.* **wici** 1. (*witka*) twig; osier 2. *bot.* (*płożący się pęd*) runner 3. *biol. zool.* flagellum 4. *pl* **wici** *hist.* call to arms

wić[2] *v imperf* **wiję, wity** [I] *vt* (*pleść*) to plait (baskets etc.); (*o ptakach*) ~ **gniazda** to build nests [II] *vr* ~ **się** (*o człowieku*) to writhe (**z bólu** in pain, with agony); (*o robakach*) to wriggle, to squirm; (*o rzece, ścieżce*) to wind; to twist; to meander; (*o włosach*) to curl; to fuzz; (*o roślinach*) to creep; ~ **się wokół czegoś** to entwine sth

wid *sm G.* ~**u** *w zwrocie*: **ani** ~**u, ani słychu** <**ni** ~**u, ni słychu**> (**o kimś, czymś**) (there is <was>) no trace (of sb, sth)

widać *v inf* 1. (*daje się widzieć*) ... can be seen; one can see ...; ... is visible; **jak** ~ **na obrazku** as shown in the illustration; *przen.* as anyone can see; **nic nie** <**nie było**> ~ nothing can <could> be seen; one cannot <could not> see anything <*pot.* a thing>; **nie** ~ **go** a) (*nie ma*) he has not turned up; he is not here b) (*jest schowany*) he <it> is not to be found; **nie** ~ **końca kłopotom** there is no end to these troubles; ~ **wszystko jak na dłoni** everything is clearly visible; ~ **z tego, że ...** this shows that ...; ~**, że on zmęczony** <**że to nie nasz itd.**> you can tell (at once) that he is tired <that he is an outsider etc.>; *pot.* **tylko co go nie** ~ he will be here any moment 2. (*o czymś, co nie powinno być widoczne*) (it) shows; **czy** ~ **dziury w moich skarpetkach?** do the holes in my socks show?; **już nie** ~ **tej plamy** the stain does not show any more; ~ **po nim, że ...** it shows in his face that ... 3. (*widocznie*) apparently; evidently; it appears; ... must ...; **sędzia,** ~**, nie jest przekonany** apparently <evidently> the judge is not convinced; the judge, it appears, is not convinced; ~ **choruje, bo nie przyszedł** he must be ill since he has not come

widelczyk *sm* (*dim* ↑ **widelec**) little fork

widel|ec *sm G.* ~**ca** 1. (*narzędzie stołowe*) fork 2. *techn.* fork; crutch; prong

widelnic|a *sf zool.* stone-fly; *pl* ~**e** (*Plecoptera*) (*rząd*) the order Plecoptera

wideł|ki *spl G.* ~**ek** 1. (*narzędzie*) fork 2. (*gałąź*) forked branch; ~**ki strojowe** <**stroikowe**> tuning-fork 3. (*w aparacie telefonicznym*) receiver-hook; receiver-rest

widełkowaty *adj* forked

widi|a *sf pl GDL.* ~**i** *techn.* widia

widlasto *adv* **rozgałęziać się** ~ to fork

widlasty *adj* forked; bifurcate

widlicz|ka *sf pl G.* ~**ek** *bot.* (*Selaginella*) bird's-nest moss

widliczkowat|y *bot.* [I] *adj* selaginellaceous [II] *spl* ~**e** (*Selaginellaceae*) (*rodzina*) the selaginellaceous mosses

widlik *sm bot.* (*Furcellaria*) the red alga Furcellaria

widlisz|ek *sm G.* ~**ka** *zool.* (*Anopheles*) anophele

widłak *sm G.* ~**u** *bot.* (*Lycopodium*) club-moss; wolf's-claw

widłakowat|y *bot.* [I] *adj* lycopodiaceous [II] *spl* ~**e** (*Lycopodiaceae*) the club-mosses

widłakowy *adj* club-moss — (strobiles etc.)

widłon|óg *sm G.* ~**oga** *zool.* copepod

widłoz|ąb *sm G.* ~**ęba** *bot.* (*Dicranum*) dicranoid moss

wid|ły *spl G.* ~**eł** 1. (*narzędzie*) fork; ~**ły do gnoju** dung-fork; ~**y do siana** pitchfork; hay-fork; *przen.* **robić z igły** ~**ły** to make a mountain out of a mole-hill; ~**łami na wodzie pisane** it is still in the air 2. *przen. karc.* fork; tenace; *wojsk.* **wziąć cel w** ~**ły** to straddle a target 3. (*rozgałęzienie*) bifurcation; junction; fork (of a road); branching off (of a tree)

widmo *sn* 1. (*zjawa*) phantom; ghost; spectre (of famine, war etc.) 2. *fiz.* spectrum; ~ **słońca** <**gwiazd**> solar <stellar> spectrum

widmowo *adv* spectrally

widmowość *sf singt* spectrality; spectralness

widmowy *adj* 1. (*zjawiskowy*) ghostly; spectral 2. *fiz.* spectral (analysis, line etc.); spectrum — (analysis, colour etc.)

widnawo *adv* **było** <**jest**> ~ day was <is> beginning to break

widni|eć *vi imperf* ~**eje** to be visible; to appear; to show; **w oddali** ~**ały góry** the mountains could be seen <loomed> in the distance

widno *adv* **jest** <**było**> ~ it is <was> light (in the room, out of doors etc.)

widnokr|ąg *sm G.* ~**ęgu** (visible) horizon; (*na morzu*) sea-line; *astr.* true horizon

widny *adj* light

widocz|ek *sm G.* ~**ku** view; picture; painting; drawing

widocznie *adv* apparently; evidently; clearly; visibly; **najwidoczniej** apparently; undoubtedly

widoczność *sf singt* 1. (*możność widzenia*) visibility; **dobra** <**zła, słaba**> ~ good <low, bad, poor> visibility 2. (*przestrzeń widoczna*) field of vision

widoczn|y *adj* 1. (*dający się dostrzec*) visible; noticeable; (*o plamie itd.*) **być** ~**ym** to show; **gdy stał się** ~**y** when he was within sight; **to jest** ~**e na jego twarzy** it is written in his face 2. (*oczywisty*) apparent; evident

widok *sm G.* ~**u** 1. (*widziana przestrzeń*) sight; scene; (*krajobraz*) view; scenery; ~ **na morze** sea-view; ~ **od przodu** front view; ~ **od tyłu** rear view; ~ **z boku** end <side> view; ~ **z góry** top view; plan; ~ **z lotu ptaka** aerial view; bird's-eye view 2. (*wygląd, widzenie*) sight; picture; **rozkoszny** ~ a vision of delight; **być na** ~**u** a) (*o człowieku*) to be in the public eye <in the limelight> b) (*o rzeczy*) to be in evidence <conspicuous, exposed to view>; **miej go na** ~**u** keep an eye on him; **miej to na ~u** bear this in mind; **wystawić coś na ~ publiczny** to expose sth to the public view; **zasłaniać komuś ~** to stand in sb's light 3. (*plan*) prospect; *pl* **~i** (*perspektywa*) prospect; outlook; chances; **~i na przyszłość** prospects for the future; **mieć coś na ~u** to have sth in prospect <in view>; *pot.* **marny twój ~** you'll have a bad time of it; **nie ma żadnych ~ów dostania ...** there's no earthly chance of getting ...; **są ~i, że dostanę ...** there are chances of my getting ...; I stand a good chance of getting ...

widokowo *adv* scenically; as regards the view

widokowy *adj* scenic; with a (wide, extensive, superb etc.) view; **pod względem ~m = widokowo**

widoków|ka *sf pl G.* **~ek** picture postcard

widomie † *adv* visibly

widomy *adj* visible; evident; **~ znak** outward sign

widowisko *sn* 1. (*przedstawienie*) spectacle; show; pageant; entertainment; *przen.* **zrobić z siebie ~** to make an exhibition of oneself 2. (*zdarzenie*) scene

widowiskowo *adv* as a spectacle; as regards spectacular value

widowiskowość *sf singt* pageantry; spectacular value (of a show, play etc.)

widowiskowy *adj* spectacular; show — (room, business etc.)

widowni|a *sf pl G.* **~** 1. (*część sali teatralnej*) the house; **grać przed zapełnioną <pustą> ~ą** to play to a full <an empty> house; **wywołał oklaski na ~** he brought down the house 2. (*publiczność*) audience 3. (*teren wydarzeń*) scene; arena; **wystąpić na ~ę** to come to the front; **zejść z ~** to quit the scene

widymacja † *sf* vidimus

wid|ywać *vt imperf* to see <to meet> (often, now and then); **~ywałem go na wykładach** I used to see him in class; **~uję ją na koncertach** I meet her now and then at the concerts

widz *sm pl N.* **~owie** 1. (*ten, kto się przygląda*) spectator; onlooker; *teatr* **~owie** audience 2. (*bierny obserwator*) standerby; bystander

widzeni|e *sn* 1. ↑ **widzieć** 2. (*wzrok*) sight; vision; **pole ~a** field of vision; **w polu ~a** within eyeshot; **poza polem ~a** out of eyeshot; **punkt ~a** point of view; viewpoint; **z tego punktu ~a** from that angle; *med.* **zdwojone ~e** diplopia; **znać kogoś z ~a** to know sb by sight 3. (*odwiedziny, spotkanie*) visit; meeting; **do ~a!** good-bye!; *pot.* bye-bye!; so long!; ta-ta!; **do ~a na razie** good-bye for now 4. (*to, co się widzi*) view 5. (*przywidzenie*) hallucination; **on miewa ~a** he sees things 6. **~e się** meeting; interview

widziad|ło *sn pl G.* **~eł** phantom; hallucination; apparition

widzialność *sf singt* visibility

widzialny *adj* visible; **~ gołym okiem** visible to the naked eye; macroscopic

widzian|y [I] *pp* ↑ **widzieć** [II] *adj w zwrotach:* (*o czynie*) **być dobrze ~ym** to be looked upon favourably; to make a good impression; **być źle ~ym** to be frowned upon; **tutaj to jest źle ~e** this is not done here; (*o człowieku*) **być dobrze ~ym przez kogoś** to be in sb's good books <in favour with sb>; to stand well with sb; **być źle ~ym przez kogoś** to be in sb's bad books <out of favour with sb>; **być mile ~ym** to be welcome; **niemile ~y** unwelcome

widzi|eć *v imperf* **widzę, ~** [I] *vi* (*mieć wzrok*) to see; **dobrze <źle> ~eć** to have a good <bad, poor> eyesight; **on nie ~** he is blind [II] *vt* 1. (*oglądać*) to see; to set <to clap> eyes (**kogoś, coś** on sb, sth); **czy ~sz ...?** can you see ...?; **nie widzę ...** I can't see ...; **~eć jak ktoś coś robi** to see sb do sth; **~eć jak się coś robi** to see sth done <being done>; **~ałem to na własne oczy** I saw it with my own eyes; **jakiego świat nie ~ał** unprecedented; **kto to ~ał!** this is inadmissible!; that will never do!; **tyle go ~eli** he simply vanished; and he was out of sight; and that was the last we <they> saw of him; **~sz go <ją>!** imagine!; just fancy!; **żebym tego nie ~ał!** away with that!; *przen.* **~eć coś ze zgrozą** to regard sth with horror; **~eć coś złym okiem <niechętnie>** to frown <to lour> on sth; to view sth with disfavour; *przysł.* **jak cię widzą, tak cię piszą** fine feathers make fine birds 2. (*zetknąć się*) to see <to meet> (sb); **miło mi pana ~eć** I am glad to see <to meet> you; **chciałbym pana ~eć u siebie** I should like to have you at home 3. (*wyobrażać sobie*) to see (**coś oczami wyobraźni** sth in one's mind's eye ; **kogoś,coś we śnie** sb sth in one's sleep); **nie widzę dlaczego <kto itd.>** I don't see why <who etc.>; **nie widzę, jak to zrobić** I can't see my way to do that; **~eć coś we właściwym świetle** to see sth in its true aspect 4. (*przekonać się*) to see; **jak widzę <~sz>** as I <you> see; **~ mi się, że ...** I have the impression <it seems to me> that ...; **a ~sz!** you see!; there you are! 5. (*upatrywać w kimś*) to see (**wroga <zdrajcę> w kimś** an enemy <a traitor> in sb) 6. (*zauważać*) to see; to notice; **nie chcieć ~eć czegoś** to be blind to sth; to blink at sth; **nie ~eć tego, co jest oczywiste** to miss the obvious [III] *vr* **~eć się** 1. (*widzieć samego siebie*) to see oneself; (*widzieć się wzajemnie*) to see one another <each other>; *przen.* **~eć się zmuszonym coś zrobić** to be compelled <to find oneself obliged> to do sth 2. (*spotykać się*) to see each other; to meet (*vi*); **muszę się z nim ~eć** I must see him; **nieczęsto się ~my** we don't see much of each other 3. *reg.* (*podobać się*) to like <to care> (for sb, sth); **to mi się nie ~** I don't like it; I don't care for it

widzimisię *indecl pot.* whim; pleasure; will; **według swego ~** at will; at one's pleasure; as one chooses; as the whim takes one; **rób według swego ~** (you can) act at your own sweet will

wiec *sm G.* **~u** public <mass> meeting; *am.* rally

wiech *sm G.* **~u** slang

wiecha *sf* 1. (*wiązka*) wisp (of straw, smoke etc.); bunch (of sticks etc.) 2. (*w budownictwie*) decoration of the ridgepole to celebrate the ending of building operations 3. *bot.* panicle 4. *miern.* perch 5. *mar.* spar-buoy

wiech|eć *sm G.* **~cia** wisp (of straw etc.); bunch (of sticks etc.)

wiechet|ek *sm G.* **~ka** *dim* ↑ **wiecheć**

wiechlina *sf bot.* (*Poa*) meadow-grass; tussock-grass

wiechlinowaty *adj bot.* poaceous

wiechowaty *adj* paniculate; virgate

wiechowy[1] *adj bot.* poaceous

wiechowy² *adj* (*gwarowy*) slang — (language etc.)

wiecować *vi imperf* to hold meetings

wiecowy *adj* (atmosphere etc.) of a mass meeting; **krzykacz ~** stump orator

wieczerz|a † *sf pl G.* **~y** supper; **Ostatnia Wieczerza** the Last <Lord's> Supper

wiecz|ko *sn pl G.* **~ek** 1. (*pokrywka*) lid 2. *bot.* lid 3. *zool.* operculum, opercle

wiecznie *adv* 1. (*zawsze*) eternally; perpetually; everlastingly; without end 2. (*ciągle*) incessantly; continually; unendingly; for ever

wiecznoś|ć *sf singt* 1. (*czas bez początku i końca*) eternity 2. (*czas bardzo długi*) ages; **na ~ć** for perpetuity 3. *rel.* life eternal; **przenieść się do ~ci** to go the way of all flesh

wiecznotrwały *adj* everlasting; secular

wiecznozielony *adj* evergreen

wieczn|y *adj* 1. (*nieograniczony w czasie*) eternal; everlasting; perpetual; sempiternal; **miejsce ~ego spoczynku** burial place; **Wieczne Miasto** Eternal City; **~a ondulacja** permanent wave; *pot.* perm; **~e odpoczywanie** requiem; may he <she, they> rest in peace!; **~e pióro** fountain-pen; **~y spoczynek** last sleep; **~y śnieg** perpetual snow; **żywot ~y** eternal life, life eternal; **na ~e czasy** for all times; **po ~e czasy** for perpetuity 2. *pot.* (*nieustanny*) endless; everlasting; unending

wieczor|ek *sm G.* **~ku** 1. *dim* ↑ **wieczór**; **~kiem** in the evening; (*dzisiaj wieczorem*) this evening; (*pewnego dnia*) one evening; (*stale, zawsze*) of an evening 2. (*zabawa*) social evening; party 3. (*wieczór muzyczny, literacki*) soirée

wieczornica *sf* social evening; party

wieczornik *sm bot.* (*Hesperis*) dame's violet; dame-wort

wieczorny *adj* evening — (dress, paper, course etc.); *zool.* crepuscular; *bot. zool. astr.* vespertine; **dzisiejsze zebranie ~e** to-night's meeting; **dzisiejszy koncert ~** to-night's concert

wieczorowy *adj* evening — (dress, courses, dew etc.); nightly (performance etc.)

wieczorów|ka *sf pl G.* **~ek** *pot.* 1. (*szkoła*) evening school 2. (*dziennik*) evening paper

wiecz|ór [I] *sm G.* **~oru** <**~ora**> 1. (*pora dnia*) evening; night; **dobry ~ór** good evening <afternoon>; *pot.* hullo; **dzisiejszy ~ór** this evening; to-night; **ma** <**miało**> **się ku ~orowi** night is <was> falling; **co ~ór** every evening <night>; nightly; **nad ~orem, pod ~ór, ku ~orowi** at nightfall; at close of day; late in the day 2. (*zabawa*) social evening; party 3. (*zebranie muzyczne, literackie*) soirée; **~ór autorski** literary gathering at which an author reads extracts of his writings; **~ór szopenowski** <**wagnerowski itd.**> Chopin <Wagner etc.> night [III] *adv* in the evening; **dzisiaj ~ór** this evening; to-night; **jutro ~ór** to-morrow night; **o 8-mej ~ór** at 8 o'clock in the evening; **wczoraj ~ór** last night; yesterday evening

~orami *adv* in the evening; of an evening (we used to ...; we are wont to ...)

~orem *adv* in the evening; at nightfall; (**dzisiaj**) **~orem** to-night; this evening; **powtarzający** <**odbywający**> **się ~orem** nightly; **przedwczoraj ~orem** the night before last; **wczoraj ~orem** last night; yesterday evening

wieczyst|y *adj lit.* perpetual; imperishable; *prawn.* **księgi ~e** real-estate register; **~a dzierżawa** hereditary tenure

wieczyście *adv lit.* perpetually; in perpetuity

Wiedeńczyk *sm,* **Wiedeń|ka** *sf pl G.* **~ek** (a) Viennese

wiedeńsk|i *adj* Viennese; **bułka ~a** roll of bread; **meble ~e** bent-wood furniture; *kulin.* **sznycel ~i** veal cutlet; **śniadanie ~ie** breakfast of white coffee, rolls, butter and soft-boiled eggs served in a glass

wiedz|a *sf singt* 1. (*ogół wiadomości*) knowledge; learning; acquirements; attainments; (*uczoność*) scholarship; erudition; **człowiek wielkiej ~y** learned person; erudite; scholar 2. (*nauka*) science; branch of knowledge 3. (*znajomość*) knowledge; cognizance; **bez czyjejś ~y** without sb's knowledge; **bez mojej ~y** unknown to me; without my knowledge; behind my back; **bez niczyjej ~y** without anybody's knowledge; without anyone being the wiser; **to się nie działo bez jego ~y** he was not unaware of the fact; **za moją ~ą** to <with> my knowledge

wie|dzieć *v imperf* **~m, ~sz, ~my, ~dzą, ~dz, ~cie, ~dział, ~dzieli, ~dziany** [I] *vt* to know (sth, everything etc.); **nic o tym nie ~działem** I knew nothing about it; that's news to me; **on sam nie ~ czego chce** he doesn't know his own mind; **on zawsze wszystko ~** he is a know-all; **to samo** <**tyle samo**> **~m teraz, co i przedtem** I'm not a bit wiser; **~sz co?** I'll tell you what [II] *vi* to know (**o kimś, czymś** about sb, sth; **że ktoś, coś jest ...** sb, sth to be ...); to be aware (**o czymś** of sth); to have cognizance <to be apprised> (**o czymś** of sth); **albo** <**bo**> **ja ~m?, czy ja ~m?** how can I tell?; I'll be hanged if I know; **Bóg raczy ~dzieć,** *wulg.* **cholera ~, diabli ~dzą** Goodness knows; **chciałbym ~dzieć kto** <**co, kiedy itd.**> I should like to know <I wonder> who <what, when etc.>; **choćbyś nie ~m jak próbował** try as you will; **dobrze ~sz, że ...** you know well enough that ...; **jak ~m z dobrego źródła** to my certain knowledge; **jeśli wolno ~dzieć** may I ask?; **ma się ~dzieć, to się ~** of course; naturally; you bet (your sweet life); **nie ~dzieć o Bożym świecie** to be lost to the world; to be utterly unconscious; **nie ~dzieć o czymś** to be unaware <ignorant, unconscious> of sth; to be in the dark about sth; **nie można ~dzieć kiedy** <**jak, dlaczego itd.**> nobody knows <there's no knowing, telling, saying> when <how, why etc.>; **nikt o tym nie będzie ~dział** no one will be the wiser; **~m o tym na pewno** I know it for a fact; **o ile ja ~m** as far as I know; for all I know; to the best of my knowledge; **o ile ~m, to nie** not to my knowledge; **po raz nie ~m który** for the umpteenth time; **skąd mam ~dzieć?** how do I know?; how can I tell?; **skąd ~sz?** how do you know?; **skąd ~sz, że ...?** how can you tell that ...?; **wiedz (pan) że ...** remember that ...; **jak nie ~m co** like the deuce <the very devil>; **nic nie ~dząc** unaware of anything; **nie ~dząc** unwittingly; unconsciously; **no ~sz!** well, I declare!; **~sz?** don't you know?; **żebyś ~dział** quite true; a truer word was never spoken

wiedźma *sf* 1. (*czarownica*) witch 2. (*jędza*) hag; harridan; hell-cat

wiedźmowaty *adj* haggish
wiej|a *sf singt GDL.* ~i *rz.* (wind-)storm
wiejsk|i *adj* 1. (*nie miejski*) rural; rustic; country-(folk, woman, house etc.); po ~u after the manner of country people 2. (*związany z wsią*) village — (council, church, inn etc.)
wiejskość *sf singt* rusticity
wiek *sm G.* ~u 1. (*stulecie*) century; age; na ~i for ever; for evermore; *rel.* na ~i ~ów for ever and ever; world without end; od ~ów from time immemorial; przed ~ami ages ago; ~i całe aeons 2. (*lata życia*) age; młody ~ youth; the tender age; niewdzięczny ~ the awkward age; ~ dojrzały maturity; (*u mężczyzn także* ~ męski) manhood; (*u kobiet*) womanhood; ~ szkolny school age; school years <days>; być w takim ~u, żeby ... to be old enough to ...; dożyć sędziwego ~u to live to an old age; on nie dożyje sędziwego ~u he won't make old bones; gdy byłem w twoim ~u at your age; when I was your age; młodo wyglądać na swój ~ to look young for one's age; w moim <twoim> ~u at my <your> time of life; at my <your> age; w dojrzałym ~u mature; w kwiecie ~u in one's prime 3. (*starość*) old age 4. (*epoka*) epoch; period; age; ~ oświecenia the Age of Enlightenment; ~i średnie the Middle Ages; (dotyczący) ~ów średnich medi(a)eval; złoty ~ golden age 5. *pl* ~i (*bardzo długi czas*) ages; *pot.* donkey's years 6. *geol.* epoch; era; age
wieko *sn* cover; lid
wiekopomnie *adv lit.* memorably; immortally
wiekopomny *adj* memorable; immortal; historic
wiekować *vi imperf* to stay (somewhere) for ever; to spend the rest of one's days (somewhere)
wiekowy *adj* 1. (*liczący stulecia*) secular; ancient; of great antiquity 2. (*dotyczący lat życia*) age — (group etc.); ~ rówieśnik contemporary 3. (*stary*) aged; hoary; advanced in years; venerable
wiekuisty I *adj* eternal; *dosł. i przen.* everlasting II *sm rel.* Wiekuisty the Eternal
wielbiciel *sm* admirer; idolator; devotee; ~ płci żeńskiej ladies' man
wielbiciel|ka *sf pl G.* ~ek admirer; idolatress; devotee
wielbić *vt imperf* to adore; to admire; to idolize; *rel.* to worship
wielbienie *sn* (↑ wielbić) adoration; admiration; *rel.* worship
wielbłąd *sm zool.* camel; ~ jednogarbny (*Camelus dromedarius*) Arabian camel; dromedary; ~ dwugarbny (*Camelus bactrianus*) bactrian (camel)
wielbłądnik *sm* cameleer
wielbłądowat|y *zool.* I *adj* cameloid II *spl* ~e (*Camelidae*) (*rodzina*) the family Camelidae
wielbłądzi *adj* camel's (hump etc.); camel — (hair, caravan, post etc.)
wielbłądziąt|ko *sn pl G.* ~ek young camel
wielbłądzica *sf* female camel
wielbłądzię *sn* = wielbłądziątko
wielce *adv lit.* very; greatly; extremely; był ~ zakłopotany <zagniewany itd.> he was sorely distressed <vexed etc.>; (*w listach*) Wielce Szanowny Panie! (Dear) Sir,
wiel|e I *adj NA.* (*męskoosobowe*) ~u, (*niemęskoosobowe, f, n*) ~e *GDL.* ~u *I.* ~u <~oma> 1. (*w połączeniu z rzeczownikiem w pl*) (a great) many; a lot (of people, things etc.); ~e <~u> z nas many of us; łajdak, jakich ~e one of a host of scoundrels; a scoundrel such as many others; z ~u powodów for various reasons 2. (*w połączeniu z rzeczownikiem w sing*) much; a great deal; a lot (of work, trouble etc.) II *adv* 1. (*wzmacniająco*) much; a great deal; ~e do zrobienia <do oglądania, do życzenia itd.> much to be done <to be seen, to be desired etc.>; o ~e much; far; a great deal; by a long way <chalk>; far <out> and away; o ~e lepsze much <far, a great deal> better; better by far <by a long chalk>; tego już za ~e that's going too far; that's a bit thick 2. (*ile*) how much <many>
wielebny *adj* reverend; (*w adresach*) Wielebny Ksiądz (doktor) M. Kowalski the Rev M. Kowalski (D.D.)
wielekroć *adv* many times; many a time
wielgachny *adj pot.* great big (dog, pot, lump etc.)
wielicki *adj* Wieliczka — (salt mines etc.)
Wielkanoc *sf G.* ~y <Wielkiejnocy> *I.* ~ą Easter; na ~ at Easter <† Eastertide>; Poniedziałek Wielkiejnocy Easter Monday
wielkanocn|y *adj* Easter — (holidays etc.); poniedziałek ~y Easter Monday; święta ~e the Easter holidays; † Eastertide
wielk|i I *adj* 1. (*duży*) great; large; big; vast; *fiz.* ~a kaloria large calorie; kilogram-calorie; ~a litera capital; ~a żegluga long-distance navigation; ~i czas high time; ~ie pieniądze big money; ~i kapitał high finance; ~i maszt mainmast; ~i palec (*u ręki*) thumb; (*u nogi*) big toe; *kośc.* ~i ołtarz high altar; *hutn.* ~i piec blast-furnace; ~i przemysł manufacturing industry; na ~ą skalę on a large scale; żyć na ~ą skalę to live on a grand scale; w ~iej mierze in great measure; to a large extent; *przysł.* z ~iej chmury mały deszcz much ado about nothing; great boast little roast; much cry and little wool 2. (*intensywny*) intense; great; (*o uczuciu*) keen (pleasure, interest etc.); ~i upał intense heat; ~i wysiłek great effort; krzyczeć <wołać> ~im głosem to clamour 3. (*ważny*) important; (*uroczysty*) solemn (holiday etc.); (*o wydatku, odpowiedzialności, stracie itd.*) heavy; (*o strapieniu, potrzebie itd.*) sore; nic ~iego nothing of importance; ~a figura important personage; ~a różnica great <wide> difference; *polit. hist.* Wielka Trójka <Czwórka, Piątka> the Big Three <Four, Five>; ~ie plany large-scale <far-reaching> plans; Wielki Październik the Great October Revolution; *kośc.* Wielka Sobota Holy Saturday; Wielki Czwartek Maundy Thursday; ~i post Lent; Wielki Tydzień Holy week; (*o człowieku*) to jest ~ie nic he is a non-entity <a nullity>; ku jego <memu> ~iemu zdziwieniu <zadowoleniu itd.> much to his <my> surprise <satisfaction etc.>; od ~iego święta a) (*świąteczny*) festive b) (*rzadko*) (once) in a blue moon 4. (*o artyście, uczonym itd.*) great; prominent; outstanding; *hist.* Grand (Master, Duke etc.); Kazimierz <Aleksander itd.> Wielki Casimir <Alexander etc.> the Great; ~i Boże! oh, dear!; ~i świat the upper ten thousand II *sm pl* wielcy the great; the mighty; wielcy i mali great and small
wielko- mega-; macro-
wielkocząsteczkowy *adj chem.* high-molecular

wielkoczwartkowy *adj rz. kośc.* Maundy-Thursday — (service etc.)
wielkodusznie *adv* magnanimously; generously
wielkoduszność *sf singt* magnanimity; generosity; noble-mindedness; greatness of soul
wielkoduszny *adj* magnanimous; generous; noble-minded
wielkogłowy *adj* large-headed; *antr.* macrocephalic; megacephalic; megacephalous
wielkokapitalistyczny *adj* of high finance
wielkoksiążęcy *adj* Grandducal
wielkolud *sm pl N.* **~y** giant
wielkomiejski *adj* (life etc.) of a great city <of a large town>; urban
wielkomocarstwowy *adj* (status etc.) of a great power
wielkonasienny *adj* large-grained
wielkooki *adj* large-eyed
wielkoowocowy *adj ogr.* large-fruited
wielkopańsk|i *adj* lordly; baronial; grand; imperious; **z ~a** in lordly fashion
wielkopańskość *sf singt* lordly <imperious> manner <attitude>
wielkopiątkowy *adj* Good-Friday — (service etc.)
wielkopiecownik *sm* blast-furnace worker
wielkopiecow|y *adj* blast-furnace — (gas etc.); **surówka ~a** pig iron; crude cast iron
wielkopostny *adj kośc.* Lenten
wielkoprzemysłowy *adj* (centre etc.) of manufacturing industry
wielkorak *sm paleont.* gigantostracan
wielkorogi *adj* large-horned
wielkoruski *adj* Great-Russian
wielkorządca *sm (decl = sf) hist.* governor
wielkoseryjny *adj* mass — (production)
wielkoskrzydł|y [I] *adj* large-winged [III] *spl* **~e** *zool.* (*Megaloptera*) (*rząd*) the order Megaloptera
wielkosobotni *adj kośc.* Holy-Saturday — (celebrations etc.)
wielkościowy *adj* size — (group, standard etc.)
wielkoś|ć *sf* 1. (*właściwość dająca się zmierzyć*) size; dimension; *astr.* magnitude; *mat.* value; quantity; (*rozmiar*) dimensions; proportions; **być jednakowej ~ci** to be the same size; **guz ~ci gołębiego jaja** tumour the size of a pigeon's egg; **portret ~ci naturalnej** life-size portrait 2. (*ogrom*) magnitude; vastness 3. (*cechy umysłowe*) greatness; grandeur; **mania ~ci** megalomania 4. (*człowiek wybitny*) outstanding personality
wielkoświatow|iec *sm G.* **~ca** man of fashion; man about town
wielkotygodniowy *adj kośc.* Holy-Week — (ceremonies etc.)
wielkouchy *adj* large-eared
wielmoża *sm (decl = sf)* noble(man); magnate
wielmożny *adj* (*w adresach*) **Wielmożny Pan J. Kowalski** J. Kowalski Esq.
wielo- multi-; poly-; many-
wielobarwnie *adv* in many colours; colourfully
wielobarwność *sf singt* 1. (*różnobarwność*) colourfulness; diversity of colours 2. *miner.* pleochroism
wielobarwny *adj* multicoloured; many-coloured; colourful; variegated
wieloboczny *adj* many-sided; polygonal; multilateral
wielobok *sm G.* **~u** polygon
wielobóstwo *sn singt rel.* polytheism
wielobranżowy *adj* **sklep ~** department store
wielocuk|ier *sm G.* **~ru, wielocuk|rowiec** *sm G.* **~rowca** *chem.* polysaccharide
wielocyfrowy *adj* (number) of many figures
wielocylindrowy *adj* multicylinder — (engine)
wielocząsteczkowy *adj fiz.* multimolecular
wieloczerpakowy *adj techn.* ladder-(dredge etc.)
wielodniowy *adj* of several days
wielodzielny *adj* multipartite
wielodzietny *adj* numerous (family)
wieloetapowy *adj* (event etc.) of several stages
wielofazowy *adj techn.* polyphase (current, machine)
wielofiguralny *adj* multifigural (painting etc.)
wielogłosowość *sf singt muz.* polyphony
wielogłosowy *adj muz.* polyphonic
wielogłowy *adj* many-headed
wielogodzinny *adj* (debates etc.) of many hours; lasting for hours; hour-long
wielohektarowy *adj* (area etc.) of many hectares
wielojądrowy *adj biol.* multinuclear, multinucleate
wielojęzyczny *adj* polyglot(ic)
wielokanałowy *adj techn.* multiple
wielokąt *sm mat.* polygon
wielokątny *adj* polygonal; multangular, multiangular
wielokierunkowy *adj techn.* multidirectional
wielokilometrowy *adj* many kilometers long
wielokomorowy *adj* many-chambered
wielokomórkow|iec *sm G.* **~ca** *zool.* metazoan; *bot.* metaphyte
wielokomórkowy *adj* multicellular; *anat. bot. zool.* multilocular
wielokondygnacyjny *adj* many-tiered; many-storied, many-storeyed
wielokrąż|ek *sm G.* **~ka** *techn.* lifting <pulley> tackle; pulley block; compound pulley; **~ek różnicowy** differential block
wielokrop|ek *sm G.* **~ka** dots
wielokrotnie *adv* many times; repeatedly; time and again; again and again; over and over again; on frequent occasions
wielokrotność *sf* 1. (*wielkość wielokrotnie większa*) multiplicity; *mat.* multiple; **najmniejszą wspólna ~** least <lowest> common multiple 2. *gram.* iterative form; iterativeness
wielokrotny *adj* repeated; reiterated; frequent; multiple (*astr.* star; *techn.* thread); *gram.* iterative; frequentative; **~ milioner** multi-millionaire
wielokształtność *sf singt* multiformity; polymorphism
wielokształtny *adj* multiform; multimorphous, polymorphic
wielokwiatowy *adj* multiflorous
wieloletni *adj* many years' — (service, experience etc.); (reputation, dispute) of many years' <of long> standing; *bot.* perennial; *ekon.* long-term (plans etc.)
wielometrowy *adj* many meters long
wielomęski *adj* polyandrous
wielomęstwo *sn singt* polyandry
wielomian *sm G.* **~u** *mat.* polynomial, multinomial
wielomiejscowy *adj* manifold; multiple
wielomiesięczny *adj* (work etc.) of many months
wielomilionowy *adj* of many millions
wielomilowy *adj* many miles long

wielomocz *sm singt G.* **~u** *med.* polyuria
wielomówny *adj* talkative; loquacious; verbose; wordy
wielonarodowy *adj* multinational
wielonawowy *adj arch.* many-aisled
wielooki *adj* many-eyed
wieloosobowy *adj* numerous (personnel etc.)
wieloowocowy *adj bot.* polycarpous, polycarpic
wielopalczastość *sf singt zool.* polydactyly
wielopalczasty *adj zool.* polydactylous
wielopartyjny *adj polit.* many-party — (system)
wielopiętrowy *adj bud.* many-storied, many-storeyed
wieloplanowy *adj*, **wielopłaszczyznowy** *adj* multifarious
wielopłatkowy *adj bot.* polypetalous; multilobate
wielopłciowy *adj bot.* polygamous, polygamic
wielopłetw|iec *sm G.* **~ca** *zool.* (*Polypterus*) polypteroid
wielopostaciowość *sf singt* multiformity; *biol.* polymorphism; *chem. miner.* allotropy
wielopostaciowy *adj* multiform; *biol.* polymorphous, polymorphic; *chem. miner.* allotropous, allotropic
wieloraki *adj* manifold; varied; varying; various; diversified; multifarious; multiple
wielorako *adv* variously; diversely
wielorakość *sf singt* variety; diversity; multiplicity
wieloramienny *adj* many-branched
wielorazowy *adj* repeated; reiterated
wieloród|ka *sf pl G.* **~ek** multiparous female
wieloryb *sm zool.* whale; **młody ~** whale-calf
wielorybi *adj* whale- (oil, boat etc.)
wielorybnictwo *sn singt* whaling
wielorybniczy *adj* whaling — (industry, ship, ground etc.); whale-(boat etc.)
wielorybnik *sm* 1. (*człowiek*) whaler; whaleman 2. (*statek*) whaling ship; whaler
wielorzędowy *adj* rowed (barley etc.); *roln.* **siewnik ~** seed drill
wielosetletni *adj* secular; many hundred years old; of great antiquity
wielosilnikowy *adj* multi-engined
wielosił *sm G.* **~u** *bot.* (*Polemonium caeruleum*) Jacob's-ladder
wielosiłowat|y *bot.* [I] *adj* polemoniaceous [II] *spl* **~e** (*Polemoniaceae*) (*rodzina*) the family Polemoniaceae
wieloskibow|iec *sm G.* **~ca** *roln.* multiple-furrow plough
wieloskibowy *adj roln.* multiple-furrow (plough)
wieloskładnikowy *adj* multiple
wielosłowie *sn singt*, **wielosłowność** *sf singt* loquacity; verbosity; wordiness
wielosłowny *adj* loquacious; verbose; wordy
wielostopniow|y *adj* multistage; *techn.* **rakieta ~a** multistage rocket
wielostronnie *adv* variously
wielostronność *sf singt* many-sidedness; variety (of interests etc.); versatility (of genius etc.)
wielostronny *adj* many-sided; various; (*o umyśle*) versatile; (*o pakcie, umowie*) multilateral
wielostrunny *adj lit.* many-stringed
wielostrzałowy *adj* repeating (fire-arm)
wielosylabowy *adj* polysyllabic; multisyllabic
wieloszczet *sm zool.* polychaete
wielościan *sm G.* **~u** *mat.* polyhedron
wielościenny *adj mat.* polyhedral
wielość *sf singt* great number <quantity>; multitude; multiplicity
wieloświecowy *adj* great candle-power (lamp etc.)
wielotomowy *adj* (published) in many volumes; voluminous (publication)
wielotonalność *sf singt muz.* polytonality
wielotonowy[1] *adj muz.* polytonal
wielotonowy[2] *adj* (*o ciężarze*) of many tons' weight
wielotorowość *sf singt* variety
wielotorowy *adj* 1. *techn.* multiple 2. (*różnorodny*) various
wielotygodniowy *adj* several weeks' (journey etc.)
wielotysięczny *adj* of several thousand (people etc.), *wojsk.* several thousand strong
wielowarstwowy *adj* many-layered; multilayer
wielowarsztatow|iec *sm G.* **~ca** *techn.* multi-machine operative
wielowarsztatowość *sf singt techn.* simultaneous operation of several machines
wielowartościowość *sf chem.* multivalence; polyvalence
wielowartościowy *adj chem.* multivalent; polyvalent
wielowiekowy *adj* secular; many hundred years old; of great antiquity
wielowymiarowy *adj* multidimensional
wielozakresowy *adj fiz. techn.* multiphase; polyphase
wielozasadowy *adj chem.* polybasic
wielozgłoskow|iec *sm G.* **~ca** *jęz.* polysyllable
wielozgłoskowy *adj jęz.* polysyllabic
wieloznacznie *adv* ambiguously
wieloznaczność *sf singt* ambiguity
wieloznaczny *adj* ambiguous; equivocal
wielozwojny *adj techn.* **gwint ~** multiple thread
wielożenny *adj* polygamous
wielożeństwo *sn singt* polygamy
wielożerny *adj zool.* polyphagous
wielusettysięczny *adj* of several hundred thousand (people etc.); *wojsk.* several hundred thousand strong
wie|niec *sm G.* **~ńca** 1. (*koło z kwiatów, liści*) wreath; garland; chaplet; **~niec cierniowy** crown of thorns; **~niec laurowy** laurel wreath; **~niec rzęsowy** fringe of eye-lashes; (*u Rzymian*) **~niec z liści dębowych** civic crown 2. (*koło*) circle 3. *astr.* corona 4. *bud.* curb-plate; *górn.* mine-shaft case 5. *myśl.* (*poroże jelenia*) antlers 6. *techn.* felloe <rim> (of a wheel)
wieńcow|y *adj anat.* coronary (artery, vessels, ligament, disease etc.); *techn.* **koło ~e** crown-wheel
wieńczenie *sn* ↑ **wieńczyć**
wieńczy|ć *v imperf* [I] *vt* 1. (*opasywać wieńcem*) to crown; to wreathe; to garland 2. (*stanowić zakończenie*) to crown (sb's efforts etc.); to top <to surmount> (a building etc.); *przysł.* **koniec ~ dzieło** the end crowns the work [II] *vr* **~ć się** to garland one's head (with flowers etc.)
wieprz *sm* hog; pig; swine
wieprzak *sm*, **wieprz|ek** *sm G.* **~ka** porkling
wieprzowat|y *adj* pig-faced; **~e oczy** pig's eyes
wieprzowina *sf singt* pork
wieprzow|y *adj* pig's; hog's; porcine; **kotlet ~y** pork chop; **mięso ~e** pork
wierceni|e *sn* ↑ **wiercić**; **~e otworów** perforation; **~e studzien** well-sinking; **~a badawcze, poszukiwawcze** prospecting <trial, test> borings <drillings>

wierc|ić *v imperf* **~ę, ~ony** [I] *vt* to bore; to drill; **~ić dziury w czymś** to perforate sth; **~ić studnię** to sink a well; *przen.* **~ić komuś dziurę w brzuchu** to pester <to bother> sb [II] *vr* **~ić się** (*o robaku itd.*) to wriggle; (*o człowieku, dziecku*) to fidget; to wriggle one's body <one's legs>

wiercipięta *sm* (*decl* = *sf*) fidget

wiernie *adv* faithfully; truly; loyally; staunchly; firmly; steadfastly; constantly

wiernopoddańczość *sf singt* obsequiousness; servility

wiernopoddańczy *adj* obsequious; servile

wiernopoddaństwo *sn singt* = **wiernopoddańczość**

wierność *sf singt* 1. (*dochowanie wiary*) faith, faithfulness; loyalty; staunchness; steadfastness; constancy 2. (*dokładność*) faithfulness; fidelity; verity; truth; *hist.* allegiance

wiern|y [I] *adj* 1. (*dochowujący wiary*) faithful; true; loyal; staunch; firm; steadfast; constant; (*o pamięci*) retentive; tenacious; accurate; **być ~ym swoim przyjaciołom <przekonaniom, obietnicom>** to be true <to stick> to one's friends <opinions, promises> 2. (*dokładny*) faithful (copy etc.); exact (translation etc.); true (likeness) [II] *sm* **~y** worshipper; *pl* **~i** the faithful; the congregation

wiersz *sm* 1. (*utwór poetycki*) verse; *pl* **~e** poetry; **pisać ~e** to write poetry <verse>; to versify 2. *lit.* (*odcinek utworu literackiego*) verse; **~ biały** blank <unrhymed> verse; **~ bohaterski** heroic verse; **~ trzynastozgłoskowy** hexameter; **~ wolny** free verse 3. (*linijka*) line; **czytać między ~ami** to read between the lines; to go behind sb's words; **rozpoczynać od nowego ~a** to begin a new paragraph; **to, co można przeczytać między ~ami** the unspoken word; **„od nowego ~a"** "paragraph"

wiersza *sf ryb. myśl.* bow-net

wierszokleta *sm* (*decl* = *sf*) *pot.* rhymester; poetaster; versemonger

wierszomani|a *sf singt GDL.* **~i** rhymery

wierszor|ób *sm G.* **~oba** = **wierszokleta**

wierszoróbstwo *sn singt pog.* rhymery

wierszować *vi imperf* to versify; to rhyme; to make rhymes

wierszowanie *sn* (↑ **wierszować**) versification

wierszownik *sm druk.* setting-stick; composing-stick; setting-rule

wierszow|y [I] *adj* verse — (form etc.); rhymed; versified; written in verse [II] *sn* **~e** linage

wierszów|ka *sf pl G.* **~ek** *pot.* linage

wierszyd|ła *spl G.* **~eł** *pog.* doggerel rhymes

wierszyk *sm* short piece <some lines> of poetry

wiertacz *sm* driller; borer; *górn.* holer

wiertar|ka *sf pl G.* **~ek** 1. *techn.* drill; driller; borer; *górn.* **~ka udarowa** drifter; gadder; perforator 2. *dent.* dentist's drill

wiert|ło *sn pl G.* **~eł** *techn.* bit; borer; auger; drill; perforator

wiertnica *sf górn. techn.* derrick

wiertnictwo *sn górn.* drilling

wiertniczy [I] *adj* drilling; boring; **otwór ~** well [II] *sm* = **wiertacz**

wiertnik *sm* = **wiertacz**

wierutnie *adv* arrantly; rankly; notoriously

wierutny *adj* arrant (nonsense, rogue, thief etc.); rank (nonsense, lie, stupidity); born <downright> (fool); notorious (lier); thorough (scoundrel etc.)

wierzący *sm* believer; believing Christian; *zbior.* the faithful

wierzb|a *sf bot.* (*Salix*) willow; **~a biała <płacząca, purpurowa>** white <weeping, purple> willow; **obiecywać gruszki na ~ie** to promise wonders

wierzbina *sf* 1. = **wierzba** 2. (*drewno*) willow-wood 3. (*zarośla wierzbowe*) osier-bed

wierzbowat|y *bot.* [I] *adj* salicaceous [II] *spl* **~e** (*Salicaceae*) (*rodzina*) the willow family

wierzbow|iec *sm G.* **~ca** 1. *pl* **~ce** *bot.* (*Salicales*) (*rząd*) the order Salicales 2. *zool.* (*Vanessa polychloris*) a tortoise-shell butterfly

wierzbownica *sf bot.* (*Epilobium*) willow herb

wierzbow|y *adj* willow — (catkins, twigs etc.); *gw.* **~a niedziela** Palm Sunday

wierzbów|ka *sf pl G.* **~ek** *bot.* (*Chamaenerion*) willow herb

wierzch *sm G.* **~u** 1. (*górna część*) top; surface; outside; brim (of a glass); back (of the hand); *pl* (*u obuwia*) **~y** uppers; **mieć coś na ~u** to have sth at hand <ready to hand>; **napełnić szklankę do samego ~u** to fill a glass brim-full; **prawda zawsze na ~ wypłynie** truth will out; (*o oczach*) **wychodzić komuś na ~** to start out of sb's head; **wyjść na ~** to rise to the top; **na ~** to the top; to the surface; upwards; **na ~u** on top; uppermost; **podszewką na ~** inside out; **z oczami wychodzącymi na ~** with dilated eyes; with (their) eyes starting out of (their) head(s) 2. (*tkanina pokrywająca część ubioru*) cover <cloth> (of a fur coat etc.) 3. (*pokrywa*) cover; lid ‖ **koń pod ~** saddle-horse; **chodzi pod ~** is ridable; **jechać ~em** to ride on horseback

wierzchem *adv* on top; on the surface; uppermost

wierzchni *adj* 1. (*górny*) top <upper, surface> — (layer etc.) 2. (*zewnętrzny*) outer (garments etc.); outside (cover etc.)

wierzchnica *sf geol.* topsoil; the upper horizon (of a soil)

wierzchoł|ek *sm G.* **~ka** top; summit; peak; *mat.* apex; cusp; vertex; **~ki drzew** tree-tops

wierzchołkowo *adv* apically

wierzchołkowy *adj* top — (layer, leaves, twigs etc.); apical; *astr. bot. mat.* vertical (angle, circle etc.)

wierzchot|ka *sf pl G.* **~ek** *bot.* cyme

wierzchotkowaty *adj*, **wierzchotkowy** *adj bot.* **kwiatostan ~** cyme

wierzchow|iec *sm G.* **~ca** saddle-horse; mount; palfrey

wierzchowy *adj* 1. (*o zwierzęciu*) ridable; **koń ~** saddle-horse 2. (*o jeździe*) on horseback

wierzchów|ka *sf pl G.* **~ek** ridable mare

wierze|je *spl G.* **~i** <**~j**> 1. (*brama*) gate 2. (*wrota stodoły*) stable door

wierzeni|e *sn* 1. ↑ **wierzyć** 2. *pl* **~a** beliefs; creeds

wierzeniowy *adj* religious

wierzg|ać *vi imperf* — **wierzg|nąć** *vi perf* 1. (*o koniu*) to kick; *perf* to lash out; to fling up its heels 2. *przen. pot.* (*buntować się*) to kick over the traces

wierzganie *sn* (↑ **wierzgać**) kicks

wierzgnięcie *sn* (↑ **wierzgnąć**) (a) kick; (a) fling

wierzyciel *sm*, **wierzyciel|ka** *sf pl G.* **~ek** creditor; *prawn.* obligee; **~ hipoteczny** mortgagee

wierzycielski *adj* creditor's

wierz|yć vi imperf 1. (uznawać za prawdę) to believe (w coś in sth; pogłosce itd. a report etc.; komuś sb); to give credence <credit> (w pogłoskę to a report); nie ~yć komuś <w coś> to disbelieve sb <sth>; nie ~yłem własnym oczom <uszom> I couldn't <wouldn't> believe my own eyes <ears>; święcie w to ~yłem I solemnly and sincerely <firmy> believed it; ~yć w swoje szczęście to be confident of success; ~cie mi! believe me!; you can be sure!; take my word for it!; I can tell you 2. (ufać) to trust (komuś sb); to rely (komuś on sb) 3. (bez dopełnienia) to be a believing Christian

wierzytelność sf 1. handl. ekon. liability; debt; mortgage; encumbrance 2. (wiarygodność) authenticity; credibility

wiesioł|ek sm G. ~ka bot. (Oenothera) evening primrose

wiesiołkowat|y bot. [I] adj oenotheraceous [II] pl ~e (Oenotheraceae) (rodzina) the family Oenotheraceae

wieszać v imperf [I] vt 1. (uczepiać) to hang (a lamp, the washing to dry etc.); to hang up (one's coat, hat, a picture etc.); ~ ogłoszenia na tablicy to set up notices on the notice-board 2. (uśmiercać) to hang (sb); (zlinczować) to string (sb) up [II] vr ~ się 1. (uczepiać się) to hang on (na czymś to sth); ~ się komuś na szyi to hang round sb's neck; ~ się na czyimś ramieniu to cling to sb's arm 2. (odbierać sobie życie) to hang oneself

wieszadełko sn dim ↑ wieszadło

wieszad|ło sn pl G. ~eł 1. (sprzęt) hat-stand; coat-stand 2. (kołek) peg

wieszak sm 1. (przyrząd) hanger 2. (pętla przy ubraniu) loop; tab 3. = wieszadło 1.

wieszar sm bud. suspension member

wieszcz sm pl N. ~owie <~e> bard; poet; Trzech Wieszczów the three great national poets of Poland: Mickiewicz, Słowacki, Krasiński

wieszcz|ka sf pl G. ~ek prophetess

wieszczy adj lit. poet. prophetic

wieszczyć vt vi imperf lit. poet. to prophesy

wieś sf G. wsi 1. (osada) village; mała ~ hamlet; głucha, zapadła ~ remote <out-of-the-way> village <little place> 2. (mieszkańcy wsi) the villagers 3. (teren pozamiejski) the country; na ~ to the country; na wsi in the country; szczera, głęboka ~ the open country; życie na wsi country life

wie|ścić vt imperf ~szczę, ~szczony 1. (głosić) to proclaim; to announce 2. = wieszczyć

wieść[1] sf 1. (wiadomość) news; (pogłoska) rumour; hiobowa ~ sinister <woeful, dismal, dreary> news; nadeszła ~ o ... news came <has come> of ...; przepadł <zginął> bez wieści is missing 2. (fama) fame

wieść[2] v imperf wiodę, wiedzie, wiedź, wiódł, wiodła, wiedli, wiedziony, wiedzeni zw. emf. [I] vt 1. (prowadzić) to lead <to take> (sb somewhere); ~ kogoś na pasku to keep sb in leading-strings; ~ kogoś na pokuszenie to lead sb into temptation; pot. tędy cię wiedli! so, that's your little game! 2. (iść na czele) to lead <to stand at the head of> (an army etc.); ~ prym <rej> to hold sway 3. (przeciągać) to draw (ręką itd. po czymś one's hand etc. across sth); ~ oczami, wzrokiem za kimś to follow sb with one's eyes 4. (prowadzić) to lead (nędzne życie itd. a life of misery etc.); ~ spór to carry on a discussion [II] vi (o drodze, ścieżce) to lead (somewhere) [III] vr ~ się (udawać się) to succeed; (szczęścić się — ze zmianą podmiotu) ~ się dobrze <źle> to fare well <ill>; dobrze mu się wiedzie he is faring well <thriving>; źle mu się wiedzie he is faring badly <is in straitened circumstances>; jak ci się wiedzie? how are you getting on <along>?

wieśniacz|ka sf pl G. ~ek country <peasant> woman

wieśniacz|y adj 1. (dotyczący wieśniaka) country-folk's 2. przen. (nieobyty) rustic
po ~emu rustically

wieśnia|k sm 1. (mieszkaniec wsi) villager; rustic; yokel; pl ~cy country folk 2. (ziemianin) gentleman farmer

wietlica sf bot. (Athyrium) a fern of the polypody family

wietrze|ć vi imperf ~je 1. (o piwie itd.) to grow flat <stale, vapid>; to stale; (tracić zapach) to lose its fragrance 2. geol. (o skałach, minerałach) to weather; to decay; to wear away

wietrzelina sf geol. weathering residues

wietrzenie sn 1. (↑ wietrzeć) decay (of rocks) 2. (↑ wietrzyć) ventilation

wietrzeniowy adj geol. weathering — (processes, alterations etc.)

wietrznie adv = wietrzno

wietrznik sm bud. air drain; ventilator

wietrzno adv w zwrocie: jest ~ it is windy

wietrzność sf singt windiness

wietrzn|y adj windy; gusty; breezy; wind — (engine etc.); burza ~a wind storm; geol. korozja ~a wind corrosion <abrasion>; med. ~a ospa chicken-pox

wietrz|yć v imperf [I] vt 1. (umożliwiać dostęp powietrza) to air; to ventilate; to aerate; nie ~ony (o pokoju) stuffy; (o pościeli) unaired 2. (węszyć) to scent; to sniff; to nose [II] vr ~yć się to be aired <ventilated>

wietrzyk sm breeze; whiffle; zephyr; mar. cat's-paw

wietrzysko sn strong <nasty> wind

wiew sm G. ~u breath of air; gust of wind; whiffle

wiewać vi imperf 1. (machać) to wave (kapeluszem itd. one's hat etc.) 2. (łopotać) to flutter

wiewiórczy adj squirrel's (tail, fur etc.); zool. sciurine

wiewióreczka sf dim ↑ wiewiórka

wiewiór|ka sf pl G. ~ek zool. (Sciurus vulgaris) squirrel 2. pl ~ki (futro) squirrels

wiewiórkowat|y zool. [I] adj sciurine [II] pl ~e (Sciuridae) (rodzina) the family Sciuridae

wiezienie sn (↑ wieźć) transport; conveyance

wieźć vt imperf wiozę, wiezie, wieź, wiózł, wiozła, wieźli, wieziony to transport; to convey; to carry; (o człowieku) to drive (sb somewhere); (o zwierzęciu) to draw (a load etc.); to carry (sb)

wieża sf 1. bud. tower; techn. ~ chłodnicza <gaśnicza, frakcyjna> cooling <coke, fractionating> tower; ~ ciśnień water-tower; ~ kościelna church tower; belfry; steeple; ~ szybowa pithead; head-frame; derrick 2. mar. wojsk. turret; conning tower 3. szach. castle; rook 4. sport (skocznia pływacka) diving tower

wieżow|iec *sm G.* ~ca sky-scraper
wieżowy *adj bud.* tower — (walls, clock etc.); *wojsk.* turret — (top etc.); *sport* **skoczek** ~ fancy diver
wieżyca *sf* = **wieża** 1.
wieżycz|ka *sf pl G.* ~ek 1. *bud.* turret; *arch.* pinnacle 2. *wojsk.* turret
więc 1. (*wyraża skutek*) so; therefore; consequently; **tak** ~ thus 2. (*przy wyliczeniu — także* **a** ~) namely; that is (to say); *w pisowni:* i.e. 3. (*pytająco*) well?
więcej *adv comp* ↑ **wiele, dużo** 1. (*zwiększona ilość, miara, liczba*) more (**światła, pracy, miejsca itd.** light, work, room etc.) 2. (*bardziej*) more; **głupi, żebym nie powiedział** ~ stupid to say the least <to put it mildly>; **jak najwięcej** as much as possible 3. (*z przeczeniem*) **nic** <**nikt**> ~ nothing <nobody> else; **nie rób tego** ~ don't do that again <any more>; **nie** ~ ... no more ...; not ... any more; not ... again; no longer; not any longer; **nie** ~ **tylko** ... nothing but ... 4. (*z podstawą porównania*) **co** ~ what (is) more; **jeden** ~ one more; an extra one; **mało co** ~ not much more <scarcely more> (than ...); **mniej** ~, **mniej lub** ~ more or less; *x* **razy** ~ *x* times as much <as many>; *x* times more
więcierz *sm ryb.* fish-pot
więcior|ek *sm G.* ~ka *ryb.* small fish-pot
więdną|ć *vi imperf* **wiądł, więdła** 1. (*wiotczeć, schnąć*) to wither; to wilt; to fade 2. *przen.* (*tracić siłę, świeżość*) to wither; (*o roślinie*) **nie** ~cy unfading
więdnięcie *sn* ↑ **więdnąć**
większoś|ć *sf singt* majority; the bulk; the mass; the major <greater> part; most; ~ć **dnia** the greater <better, best> part of the day; ~ć **ludzi** <**zwierząt, drzew itd.**> a) (*ogół*) most people <animals, trees etc.> b) (*jednostki spośród danej zbiorowości*) most of the people <animals, trees etc.>; ~ć **naszych kolegów** most of our colleagues; **być** ~**cią, stanowić** ~ć to be in the majority
większ|y *comp* ↑ **wielki** 1. (*przewyższający rozmiarem, intensywnością, liczbą*) greater (**niż, aniżeli, od** than); superior (**niż, aniżeli, od** to) 2. (*przewyższający rozmiarami*) greater <larger, bigger> (**niż, aniżeli, od** than) 3. (*w zdaniach nie zawierających porównania — dość duży, znaczny*) of some size; of some importance; major; the greater <larger, bigger>; the prominent <outstanding>; ~**a część** *pot.* the best part; ~**ą część roku spędzamy w mieście** we spend the greater part of the year in town; ~**e miasto musi mieć tramwaje lub autobusy** a town of some size <the larger towns> must have trams or buses; **wyszedłem z wypadku bez** ~**ych obrażeń** I escaped without major injuries; **bez** ~**ych ceregieli** without further ado
więzar *sm* = **wiązar**
wię|zić *vt imperf* ~żę to confine; to restrain; to detain; to keep (sb) imprisoned <locked up>
więzieni|e *sn* 1. ↑ **więzić** 2. (*czynność*) confinement; restraint; ~**e niewinnego człowieka** keeping an innocent man in prison 2. (*budynek*) prison; jail, gaol; **siedzieć w** ~**u** to be in prison <gaol>; (*o złoczyńcy*) to be doing time; **wtrącić** <**wsadzić**> **kogoś do** ~**a** to throw <to put> sb in gaol; to imprison <to gaol> sb 3. (*kara*) imprisonment; **skazany na** *x* **lat** ~**a** sentenced to *x* years' gaol <imprisonment>
więziennictwo *sn singt prawn.* prison management; penology
więziennik *sm* prison manager
więzienn|y *adj* prison- (bars, van etc.); prison — (yard etc.); convict's (life, cell etc.); convict — (colony etc.); **karetka** ~**a** prison-van; Black Maria
wię|zień *sm G.* ~**źnia** prisoner; convict; captive
więzną|ć *vi imperf* **więznę, więźnie, wiązł, więzła, więźli** to get stuck (in the mud etc.); to get caught (in a net etc.); **słowa** ~ **w gardle** the words stick in one's throat
więzów|ka *sf pl G.* ~ek = **wiązówka**
więz|y *spl G.* ~ów 1. (*okowy*) chains; (*pęta*) fetters; **rozwiązać komuś** ~**y** to unfetter sb 2. *przen.* (*to, co komuś ciąży*) fetters; trammels; ties; bonds
więź *sf* tie, ties <bond, bonds> (of friendship etc.); link; *mar.* stay
więźba *sf* 1. *bud.* rafter framing 2. *przen.* = **więź** 3. *mar.* truss; parrel
więźniar|ka *sf pl G.* ~ek 1. (*kobieta*) (woman) prisoner <convict> 2. (*samochód*) prison-van; Black Maria
więźniarski *adj* prison <convict's> — (garb etc.)
więźnięcie *sn* ↑ **więznąć**
wig *sm polit.* whig
wigili|a *sf pl G.* ~i 1. (*dzień*) eve 2. (*tradycyjny posiłek*) traditional Christmas-Eve supper 3. *pl* ~e *rel.* vigils
wigilijny *adj* Christmas-Eve — (supper etc.)
wigoni|a *sf pl G.* ~i *tekst.* vicugna cloth
wigoń *sm zool.* (*Lama vicugna*) vicugna
wigor *sm* (*zw. singt*) *G.* ~u vigour; verve; pith; *pot.* vim; **bez** ~**u** nerveless; **pełen** ~**u** vigorous; (*o stylu*) pithy
wigwam *sm G.* ~u wigwam; tepee, lodge
wij *sm zool.* myriapodan
wijący się *adj* (*o rzece, ścieżce itd.*) winding; tortuous; sinuous; (*o włosach*) curling, curly; fuzzy
wikariat *sm G.* ~u 1. *rel.* curacy; ~ **apostolski** vicariat apostolic 2. *med. psych.* compensation
wikariusz *sm* curate; ~ **apostolski** vicar apostolic; ~ **generalny** vicar general
wikarów|ka *sf pl G.* ~ek curate's house, presbytery
wikary *sm* (*decl* = *adj*) = **wikariusz**
wiking *sm hist.* viking
wiklefizm *sm singt G.* ~u *hist.* Wycliffism
wiklina *sf* 1. (*wierzba*) willow 2. (*surowiec*) wicker (twigs); osiers 3. (*zarośla*) osier bed; willow brake
wikliniarski *adj techn.* basket-maker's; basket-making — (industry etc.)
wikliniarstwo *sn singt* basket-making; basketry
wikliniarz *sm* basket-maker
wiklinowy *adj* wicker — (twigs, basket, cover etc.)
wikłacz *sm zool.* weaver-bird
wikła|ć *v imperf rz.* [I] *vt* 1. (*plątać*) to entangle; to complicate 2. *przen.* (*mącić*) to confuse 3. *przen.* (*wciągać w coś kłopotliwego*) to involve; to implicate [II] *vr* ~ć **się** 1. (*plątać się*) to become entangled <complicated, confused>; **zaczął się** ~ć his story became confused; *przen.* **intryga** ~ **się** the plot thickens 2. (*więznąć*) to become embroiled; to get muddled <confused>; to flounder 3. (*wdawać się w coś kłopotliwego*) to become involved <implicated>

wikłanie *sn* (↑ **wikłać**) entanglement; complication; confusion; involvement

wikław|iec *sm G.* **~ca** *zool.* (*Potos flavus*) kinkajou

wik|t *sm singt G.* **~tu** *pot.* food; board; keep; **być u kogoś na ~cie** to board with sb; **zarabiać na ~t** to earn one's keep

wiktori|a *sf pl G.* **~i** 1. *rz.* (*powóz*) victoria 2. † (*zwycięstwo*) victory

wiktoriański *adj* Victorian

wiktuał|y *spl G.* **~ów** victuals

wikuni|a *sf pl G.* **~i** = **wigoń**

wilczarz *sm* 1. (*myśliwy*) wolf-hunter 2. (*pies*) wolf-dog

wilczątko *sn* (*dim* ↑ **wilczek**) wolf-cub

wilcz|ek *sm G.* **~ka** 1. (*młody wilk*) young wolf 2. (*młody pies*) young Alsatian (wolf-hound)

wilczę *sn* wolf-cub

wilczomlecz *sm bot.* (*Euphorbia*) spurge

wilczomleczowat|y *bot.* [I] *adj* euphorbiaceous [II] *spl* **~e** (*Euphorbiaceae*) (*rodzina*) the family Euphorbiaceae

wilczur *sm* Alsatian (wolf-hound)

wilczura *sf* 1. (*skóra*) wolf's skin 2. (*szuba*) wolfskin

wilcz|y *adj* 1. (*dotyczący wilka*) wolf's; *zool.* lupine; **~a jagoda** belladonna; **mieć ~y apetyt** to be ravenously hungry; † **~y bilet** exclusion from common privileges 2. *przen.* wolfish

wilczyca *sf* 1. (*samica wilka*) she-wolf 2. (*suka*) Alsatian bitch

wilczysko *sn augment* ↑ **wilk**

wil|ec *sm G.* **~ca** *bot.* (*Ipomoea turpethum*) turpeth

wilegiatura <**wiledżiatura**> *sf* stay in the country; holiday

wilga *sf zool.* (*Oriolus oriolus*) golden oriole

wilg|nąć *vi imperf* **~nął** <**~ł**>, **~ła** *rz.* = **wilgotnieć**

wilgociolubny *adj biol.* hygrophilous

wilgociomierczy *adj bot.* **skrętek ~** (*Funaria hygrometrica*) funariaceous moss

wilgociomierz *sm* hygrometer; moisture meter

wilgo|ć *sf singt* moisture; humidity; damp; dampness; **odporny na ~ć** moisture-proof; damp-proof; **oczy napłynęły jej ~cią** her eyes were moist with tears

wilgotnawy *adj* dampish

wilgotnie|ć *vi imperf* **~je** to grow <to become> moist; to moisten; **oczy ~ją** the eyes moisten <grow moist with tears>

wilgotno *adv* **jest** <**było**> **~** it is <was> wet

wilgotnościomierz *sm techn.* hygrometer; moisture meter

wilgotnościowy *adj* moisture <humidity> — (conditions etc.)

wilgotność *sf singt* moisture; humidity; (the) wet

wilgotn|y *adj* (*o powietrzu itd.*) moist; damp; (*o ścianach itd.*) damp; (*o terenie itd.*) wet; watery; oozy; **~e oczy** watery eyes; **~e ręce** clammy hands

wili|a *sf GDL.* **~i** 1. (*wigilia*) Christmas Eve 2. (*tradycyjny posiłek*) traditional Christmas-Eve supper

wilk *sm* 1. *zool.* (*Canis lupus*) wolf; **bajki o żelaznym ~u** cock-and-bull stories; **głodny jak ~** as hungry as a wolf; **~ morski** (*Anarhichas lupus*) sea-wolf; wolf fish; **~ workowaty** (*Thylacynus cynocephalus*) thylacine, Tasmanian wolf; **~ w owczej skórze** wolf in sheep's clothing; **patrzeć ~iem** to scowl; *przen.* (*marynarz*) **~ morski** old salt; sea-dog; *przysł.* **i ~ syty, i owca cała** that makes everyone happy; **natura ciągnie ~a do lasu** can the leopard change his spots?; **nie wywołuj ~a z lasu** let sleeping dogs lie; **nosił ~ razy kilka, ponieśli i ~a** every fox must pay his skin to the furrier; **o ~u mowa** talk of the devil and he's sure to appear 2. = **wilczur** 3. *pl* **~i** (*futro*) wolfskin 4. *med.* lupus; noli-me-tangere 5. *ogr.* straggler; sucker 6. *techn.* (*metal w piecu*) bear 7. (*maszyna do rozdrabniania*) mincer

wilkołak *sm* werewolf

willa *sf* villa; residence; chalet

willowy *adj* residential <*am.* **up-town**> (quarter)

willys *sm* jeep

wilżyć *v imperf lit.* [I] *vt* to moisten (sth) [II] *vr* **~ się** to grow <to get, to become> moist; to moisten (*vi*)

wilżyna *sf bot.* (*Ononis*) rest-harrow

wilżynowy *adj bot.* rest-harrow — (root etc.)

wimp|el *sm G.* **~la** *pot.* dog-vane

wimperga *sf arch.* canopy

win|a *sf* guilt; fault; blame; culpability; *rel.* sin; *pl* **~y** trespasses; **kto ponosi ~ę, czyja to ~a?** who is to blame?; whose fault is it?; who is the culprit?; **ponosić ~ę** to bear the blame; **przepraszam, to moja ~a** sorry, my fault; **przyjąć** <**wziąć**> **~ę na siebie** to take the blame; **przyznać się do ~y** to acknowledge one's guilt; **to twoja własna ~a** you have only got yourself to blame (for it); **uznać swoją ~ę** to acknowledge oneself in the wrong; **~a spada na mnie** <**na ciebie itd.**> I am <you are etc.> to blame; it is my <your etc.> fault; **złożyć ~ę na kogoś** to blame sb; to lay the blame at sb's door; to lay a charge against sb; **zrzucić ~ę na kogoś** to shift the blame on sb || **bez mojej ~y, bez ~y z mojej strony** through no fault of mine; **z czyjejś ~y** through sb's fault; **z ~y defektu** by reason of a break-down

winda *sf* (*osobowa*) lift; *am.* elevator; (*towarowa*) hoist; (*ręczna*) dumb-waiter; *mar.* **~ kotwiczna** windlass

windować *v imperf* [I] *vt* to hoist; to tug [II] *vr* **~ się** to clamber up

windykacj|a *sf pl G.* **~i** *prawn.* vindication

windykacyjny *adj prawn.* vindicatory

windykować *vt imperf prawn.* to vindicate

windykowanie *sn* (↑ **windykować**) vindication

windziar|ka *sf pl G.* **~ek** lift-attendant

windziarz *sm* lift-boy; lift-man

winegret *sm* vinegar sauce

winiak *sm G.* **~u** kind of cognac

winian *sm G.* **~u** *chem.* tartrate

winiarnia *sf* 1. (*lokal*) wine-vault 2. (*wytwórnia*) winery

winiarski *adj* wine-merchant's

winiarstwo *sn singt* wine-making

winiarz *sm* (*produkujący*) wine-maker; (*sprzedający*) wine-merchant; (*znawca*) connoisseur of wines

winidur *sm singt G.* **~u** *techn.* a plastic

winiec *sm G.* **wińca** *zool.* (*Phylloxera vastatrix*) grape phylloxera

win|ien *m* <**~na** *f*, **~no** *n*> *adj* 1. (*mający do spłacenia*) owing; **co jestem panu ~ien?** what do I owe you?; **nic nie jestem ~ien nikomu** I do not owe anybody anything 2. *handl.* "Debit"; **strona „winien" i strona „ma"** the debit and the credit side 3. (*zawdzięczający*) **ktoś ~ien <coś ~no> komuś swoje powodzenie itd.** sb owes his <sth owes its> success to sb; sb <sth> is indebted to sb for his <its> success 4. *praed* (*powinien*) should; ought to; **każdy ~ien wiedzieć, że ...** everybody should <ought to> know that ... 5. *praed* (*winny*) *w zwrocie:* **jestem <jesteś itd.> ~ien** it's my <your etc.> fault; I <you etc.> bear the blame; **kto temu ~ien?** whose fault is it?; **tyś temu ~ien** you bear the blame for this

winieta *sf* 1. *druk.* vignette; headpiece; tailpiece 2. *fot.* vignette

winion *sm G.* **~u** *chem. techn.* vinyon

wink|iel *sm G.* **~la** 1. (*kątownik*) carpenter's square 2. (*oznaka*) triangular badge of Jewish prisoners in Nazi concentration camps 3. *bud.* corner stone

winkielak *sm* = **wierszownik**

winko *sn rz. dim* ↑ **wino**

winna *zob.* **winien**

winnic|a *sf* vineyard; *przen. rel.* **~a Pańska** work in the Lord's vineyard; **właściciel ~y** wine-grower

winnicz|ek *sm G.* **~ka** *zool.* (*Helix pomatia*) Roman snail

winno *zob.* **winien**

winn|y[1] 1. (*dotyczący winorośli*) vine — (plant, disease etc.); *bot.* **palma ~a** (*Raphia vinifera*) raffia palm; **~a latorośl** vine, vine-plant 2. (*dotyczący wina — napoju*) vinous (flavour, colour etc.); wine-(merchant, district etc.); *chem.* **kamień ~y** wine-stone; tartar; **ocet ~y** grape <wine> vinegar; **~e grona** grapes 3. (*przypominający wino*) winy

winn|y[2] Ⅰ *adj* (*także* **winien** *praed*) 1. (*będący sprawcą*) guilty (**czegoś** of sth); **Bogu ducha ~y** as innocent as a new-born babe; unoffending; **kto (tu) jest ~y?** who is to blame?; **uznać kogoś ~ym zbrodni** to convict sb of a crime 2. † (*zasługujący na karę*) deserving of punishment 3. (*należny*) due; **z ~ym szacunkiem** with due respect Ⅲ *sm* **~y**, *sf* **~a** culprit

win|o *sn* 1. (*napój*) wine; (*czerwone bordoskie*) claret; **grzane ~o** mulled wine; negus; **karta ~** wine-list; **skład ~** wine-shop; vintner's (shop); vintnery; **~o dobrego rocznika** vintage wine; **~o owocowe** fruit-wine 2. *pot.* (*winorośl*) grape-vine 3. † *karc.* spades

winobluszcz *sm G.* **~u** *bot.* (*Parthenocissus*) Virginia creeper

winobranie *sn* vintage; grape-gathering

winograd † *sm G.* **~u** = **winorośl**

winogron|a *spl G.* **~** grapes; **kwaśne ~a** sour grapes

winogronowy *adj* 1. (*dotyczący owoców*) grape-(juice; cure etc.) 2. (*dotyczący rośliny*) grape-vine (phylloxera etc.)

winorośl *sf bot.* (*Vitis vinifera*) grape-vine; **dzika ~ = winobluszcz; uprawa ~i** viticulture

winoroślowat|y *bot.* Ⅰ *adj* vitaceous Ⅲ *spl* **~e** (*Vitaceae*) (*rodzina*) the family Vitaceae

winosłocz *sf* sugar palm

winowaj|ca *sm* (*decl = sf*), **winowaj|czyni** *sf* culprit; the guilty one; **z miną ~cy** with a guilty <a hang-dog> look

winowy *adj chem.* tartaric (acid etc.)

winów|ka *sf pl G.* **~ek** wine cask

winsz|ować *vi imperf* 1. (*gratulować*) to congratulate (**komuś powodzenia, dokonania czegoś** sb on his success, on having accomplished sth); **~ować komuś imienin <Nowego Roku itd.>** to wish sb a happy name-day <New Year etc.>; **~uję!** congratulations!

wint *sm singt A.* **~a** vint

winyl *sm G.* **~u** *chem. techn.* vinyl

winylowy *adj chem.* vinyl — (chloride etc.)

wio *interj* hup!; *przen.* off you <we> go!

wiocha *sf* (*augment* ↑ **wioska**) a hole of a country place

wioch|na *sf pl G.* **~en** buxom country lass

wiola *sf muz.* 1. (*dawny instrument*) viol 2. (*altówka*) viola

wiolinista *sm* (*decl = sf*) *muz.* violinist

wiolinowy *adj muz.* **klucz ~** treble clef

wiolista *sm* (*decl = sf*) *muz.* violist

wiolonczela *sf muz.* (violon)cello

wiolonczelista *sm* (*decl = sf*) *muz.* (violon)cellist

wiolonczelowy *adj muz.* (violon)cello — (concerto etc.)

wion|ąć *v perf lit.* Ⅰ *vi* 1. (*przylecieć*) to drift; to be wafted; to whiff; **~ęło wonią perfum** there was a whiff of scent 2. *przen.* (*powiać*) to breathe; **~ęła od niego szczerość** he breathed sincerity 3. (*załopotać*) to flutter 4. (*przemknąć się*) to slip by <past> Ⅲ *vt* 1. (*powiać*) to blow <to breathe> (**ożywczym tchnieniem itd.** an invigorating breath etc.) 2. (*pomachać*) to wave (**chustką itd.** a handkerchief etc.); to whisk (**czymś** sth)

wionięcie *sn* (↑ **wionąć**) breath; whisk; flutter

wiorsta *sf* verst

wiosenka *sf dim* ↑ **wiosna**

wiosennie *adv* vernally; **było ~** the atmosphere was suggestive of spring <was vernal>

wiosenn|y *adj* spring — (months, flowers, equinox etc.); vernal; **~a pora** springtime; **~ą porą** in spring

po ~emu = wiosennie

wios|ka *sf pl G.* **~ek** little village <country place>; hamlet

wios|ło *sn pl G.* **~eł** 1. *sport* oar; paddle; (*także* **~ło rufowe**) scull 2. *techn.* paddle 3. *zool.* paddle

wiosłonogi *zool.* Ⅰ *adj* totipalmate Ⅲ *spl* **~e** (*Pelicaniformes*) (*rząd*) the order Pelicaniformes

wiosł|ować *vi imperf* 1. (*pracować wiosłami*) to row; (*na kajaku*) to paddle; **on dobrze ~uje** he pulls a good oar; **~ować w pojedynkę obydwoma wiosłami** to single-scull 2. (*o wiosłonogich ptakach*) to swim

wiosłowanie *sn* (↑ **wiosłować**) oarsmanship

wiosłow|y *adj* **łódź ~a** row-boat, rowing-boat; **łódź czterowiosłowa <ośmiowiosłowa>** four-oared <eight-oared> boat

wios|na *sf pl G.* **~en** spring; springtime; springtide; *hist.* **Wiosna Ludów** springtide of nations; revolution of 1848; **jest ~na** it is springtime; spring has come; **~ną, na ~nę, z ~ną** in spring; *pot.* **liczyła sobie 18 ~en** she was a maiden of 18 summers; *przen.* **~na życia** prime of youth; *przysł.* **jedna jaskółka nie czyni ~ny** one swallow does not make a summer

wiosnów|ka *sf pl G.* **~ek** *bot.* (*Erophila*) a crucifer
wioszczyna *sf* paltry village
wioślak *sm zool.* (*Corixa*) water boatman
wioślar|ka *sf pl G.* **~ek** 1. (*kobieta*) oarswoman 2. (*sport*) rowing; oarsmanship 3. *zool.* cladoceran, water flea
wioślarsk|i *adj* rowing-(club etc.); rowing — (exercise etc.); **załoga** <**czwórka, ósemka**> **~a** crew
wioślarstwo *sn singt* rowing; oarsmanship
wioślarz *sm pl G.* **~y** <**~ów**> oarsman; rower; **dobry z niego ~** he pulls a good oar
wiośniany *adj* 1. *lit. poet.* youthful 2. (*wiosenny*) spring — (day etc.)
wiotcze|ć *vi imperf* **~je** to droop; to flag; to grow limp <flabby, flaccid>
wiotki *adj* 1. (*zwiotczały*) limp; flabby; flaccid 2. (*smukły*) slender; gracile; supple
wiotko *adv* slenderly
wiotkość *sf singt* 1. (*zwiotczałość*) limpness; flabbiness; flaccidity 2. (*smukłość*) slenderness; suppleness
wiór *sm* shaving; chip; **~y metalowe** metal shavings; *pot.* **zeschnąć na ~** to grow as thin as a lath; *przysł.* **gdzie drwa rąbią, tam ~y lecą** you cannot make an omelette without breaking eggs
wiór|ek *sm G.* **~ka** chip
wiórkar|ka *sf pl G.* **~ek** *techn.* **~ka do kół zębatych** gear shaving machine; gear shaver
wiórkować *vt imperf* to scrub (a floor) with iron shavings
wiórkownik *sm techn.* (gear) shaving tool <cutter>
wir *sm G.* **~u** 1. (*ruch wody i miejsce tego ruchu*) whirl; eddy; whirlpool; swirl 2. (*wirowanie*) spin, spinning; whirl (of pleasures etc.) 3. (*kłębowisko*) turmoil; vortex; whirlpool; welter 4. *mat.* vector point function
wirczyk *sm zool.* vorticel
wir|ek *sm G.* **~ka** *zool.* turbellarian worm
wirginał *sm G.* **~u** *muz.* virginal
wirnik *sm techn. lotn.* rotor; impeller; (*u turbiny itd.*) runner; (*u maszyny elektrycznej, bomby itd.*) vane
wirnikowy *adj techn.* rotary
wiropłat *sm G.* **~u, wiropłat|owiec** *sm G.* **~owca** *lotn.* helicopter; autogyro
wir|ować *v imperf* [I] *vi* to rotate; to whirl; to eddy; to gyrate; to spin; to swirl; **seans z ~ującym stolikiem** table turning; **wszystko ~owało mi przed oczami** everything reeled before my eyes [II] *vt* to put (sth) through a separator
wirowanie *sn* (↑ **wirować**) rotation; whirl; gyration; spin; swirl
wirowaty *adj* rotatory
wirownica *sf* = **wirówka**
wirow|y *adj* rotational; gyratory; whirling; vortical; *elektr.* **pole ~e** rotational <vortex> field; **prąd ~y** eddy <eddying> current; *fiz.* **ruch ~y** rotary motion; whirl; **taniec ~y** round dance
wirów|ka *sf pl G.* **~ek** *techn.* centrifugal machine; separator; (*do mleka*) cream separator; creamer; (*do suszenia*) hydro-extractor
wirówkowy *adj techn.* centrifugal
wirtuoz *sm pl N.* **~i** <**~owie**> *dosł. i przen.* virtuoso
wirtuozeri|a *sf singt GDL.* **~i** virtuosity
wirtuoz|ka *sf pl G.* **~ek** = **wirtuoz**
wirtuozostwo *sn singt* virtuosity
wirtuozowski *adj* virtuoso's; masterly
wirtuozowsko *adv* in masterly fashion
wirulencja *sf singt biol.* virulence
wirulentny *adj biol.* virulent
wirus *sm* (*zw. pl*) *biol.* virus; **nauka o ~ach** virology
wirusobójczy *adj* virucidal
wirusolo|g *sm pl N.* **~gowie** <**~dzy**> virologist
wirusologi|a *sf singt GDL.* **~i** virology
wirusologiczny *adj* virological
wirusow|y *adj* virus — (diseases etc.); **zakażenie ~e** viremia
wirydarz *sm pl G.* **~y** <**~ów**> cloister garth; close; viridarium; pleasure garden
wisi|eć *vi imperf* **wiszę, ~** 1. (*być zawieszonym*) to hang; to be suspended; **~eć nad kimś jak miecz Damoklesa** to hang over sb like the sword of Damocles; **~eć na włosku** a) (*zagrażać*) to impend; to be imminent b) (*o życiu itd. — być zagrożonym*) to tremble in the balance; **~eć na zewnątrz** to hang out; to protrude; **~eć w powietrzu** to hang overhead; **coś niedobrego ~ w powietrzu** mischief is brewing; *pot.* **~eć przy kimś** to be dependent on sb 2. (*zwisać*) to hang loose; to sag; to lop 3. (*o ubraniu*) to hang loose (on sb) 4. (*unosić się w powietrzu*) to hover; to poise; to brood; to overhang; to hang in mid-air 5. (*być powieszonym*) to hang; to swing
wisielczy *adj* grim (humour); **sznur ~** the halter
wisiel|ec *sm G.* **~ca** hanged person
wisienka *sf dim* ↑ **wiśnia**
wisior *sm G.* **~u** <**~a**>, **wisior|ek** *sm G.* **~ka** pendant, pendent; (*u żyrandola*) lustre (of chandelier)
wiskoza *sf singt chem. techn.* 1. (*tworzywo sztuczne*) viscose 2. (*lepkość*) viscosity
wiskozowy *adj chem. techn.* viscose — (silk)
wiskozymetr *sm G.* **~u** viscometer, viscosimeter
wist *sm karc.* whist
wistari|a *sf GDL.* **~i** *bot.* (*Wistaria*) wistaria
w istocie *zob.* **istota**
wistowy *adj* whist — (player etc.); **turniej ~** whist drive
wisus *sm* good-for-nothing; scamp; rascal
wiszar *sm G.* **~u** 1. (*roślina*) creeper 2. † (*skała*) overhanging rock
wisząc|y *adj* pendant, pendent; pensile; **most ~y** suspension bridge; **ogrody ~e** hanging gardens (of Babylon); **zegar ~y** wall <hanging> clock
wiszenie *sn* ↑ **wisieć**
wiszor *sm G.* **~u, wiszor|ek** *sm G.* **~ka** *pot.* stump (used in drawing); **rozprowadzać ~em** to stump (a drawing etc.)
wiślany *adj* (banks etc.) of the Vistula
wiśni|a *sf pl G.* **wisien** <**~**> 1. *bot.* (*Cerasus*) cherry-tree 2. (*owoc*) (sour) cherry
wiśniak *sm G.* **~u** cherry liqueur
wiśniowo *adv* in cherry colour; in cherry-red colour
wiśniowy *adj* 1. (*z drzew wiśniowych*) cherry — (orchard etc.) 2. (*z owoców wiśni*) cherry — (juice, jam etc.) 3. (*mający kolor wiśni*) cherry(-red)
wiśniów|ka *sf pl G.* **~ek** cherry vodka
wiśta *interj* haw!
wita|ć *v imperf* [I] *vt* to greet (sb); to bid (sb) welcome; **serdecznie kogoś ~ć** to greet sb warmly;

to give sb a warm welcome; *am.* to extend a warm welcome to sb; **~ć kogoś na dworcu <na lotnisku>** to meet sb at the station <at the air-port>; **~ć kogoś okrzykami** to hail sb; to salute sb with cheers; **~j(cie)!** welcome!; **~j(cie) w Polsce** welcome to Poland [III] *vr* **~ć się** 1. (*pozdrawiać kogoś*) to greet (**z kimś** sb); to say hullo (**z kimś** to sb);to shake hands(with sb) 2. (*pozdrawiać się wzajemnie*) to greet one another
witalista *sm* (*decl* = *sf*) vitalist
witalistyczny *adj* vitalistic
witalizm *sm singt G.* **~u** *biol. filoz.* vitalism
witalność *sf singt* vitality
witalny *adj* vital
witamina *sf* (*zw. pl*) vitamin; **~ A <B>** vitamin A <B>; **~ C** cevitamic acid; **~ D_2** calciferol
witaminizować *vt imperf* to vitaminize
witaminologi|a *sf singt GDL.* **~i** vitaminology
witaminowy *adj* rich in vitamins
witanie *sn* (↑ **witać**) salutation; greetings
wite|ź *sm pl N.* **~zie <~ziowie>** 1. *hist.* knight 2. *zool.* a papilionid
wit|ka *sf pl G.* **~ek** 1. (*gałązka*) withe 2. *zool.* vibraculum
witlin|ek *sm G.* **~ka** *zool.* (*Gadus merlangus*) whiting
witraż *sm G.* **~u <~a>** stained-glass window <panel>
witrażownictwo *sn singt* (technique of) glass-painting
witrażysta *sm* (*decl* = *sf*) glass-painter
witriol *sm G.* **~u** *chem.* vitriol; sulphuric acid
witryna *sf* 1. (*okno sklepowe*) shop window 2. (*gablotka*) glass case
witryt *sm G.* **~u** *miner.* glance coal
wituł|ka *sf pl G.* **~ek** = **werbena**
witwa *sf bot.* (*Salix viminalis*) basket willow
wiwarium *sn* vivarium
wiwat [I] *sm G.* **~u** 1. (*okrzyk*) cheer; **strzelać na ~** to shoot in the air 2. (*toast*) here's to you! [II] *interj indecl* hurrah!
wiwatować *vi imperf* to cheer
wiwatowanie *sn* (↑ **wiwatować**) cheers
wiwera *sf zool.* (*Viverra civetta*) civet cat
wiwianit *sm G.* **~u** *miner.* vivianite
wiwisekcja *sf* vivisection
wiwisekcyjny *adj* vivisectional
wiza *sf* visa; **~ pobytowa** residence permit; **~ tranzytowa** transit visa
wizerun|ek *sm G.* **~ku** picture; likeness; effigy
wizg *sm G.* **~u** shrill sound; whistle
wizj|a *sf* 1. (*przywidzenie, obraz*) vision 2. *sąd.* (*zw.* **~a lokalna**) view; visit to the scene of a crime; **odbyć ~ę lokalną** to visit the scene of a crime 3. *techn.* TV picture
wizjer *sm fiz. fot.* view-finder
wizjer|ka *sf pl G.* **~ek** *pot.* peep-hole, spy-hole
wizjoner *sm,* **wizjoner|ka** *sf pl G.* **~ek** (a) visionary; dreamer; fantast
wizjonerski *adj* visionary
wizjonerstwo *sn singt* fantasy, phantasy; visionary disposition; dreaminess
wizować *vt imperf perf* to visa (a passport, document etc.)
wizualnie *adv* visually
wizualny *adj* visual
wizygocki *adj* Visigothic
wizyjnie *adv* visionally
wizyjny *adj* visional
wizykatorie † *spl med.* vesicants
wizyt|a *sf* 1. (*odwiedziny*) visit; call; **być u kogoś z ~ą** to be on a visit to sb; **oddać komuś ~ę** to return sb's visit; **złożyć komuś ~ę** to pay sb a visit; to call on sb 2. (*przyjęcie lub odwiedzenie pacjenta przez lekarza*) visit; **ile się należy za ~ę** what is the fee?; **odbywać ~y domowe** to make one's rounds 3. (*rewizja policji*) search
wizytacj|a *sf* inspection; **być na ~i, odbyć ~ę** to inspect
wizytacyjny *adj* (tour etc.) of inspection
wizytato|r *sm pl N.* **~rzy <~rowie>** inspector; *szk.* inspector of schools; visitor
wizyter|ka *sf pl G.* **~ek** = **wizjerka**
wizyt|ka *sf pl G.* **~ek** *rel.* Visitant; **Panny ~ki** Nuns of the Visitation
wizytować *vt imperf* 1. (*dokonywać wizytacji*) to inspect; *prawn.* to visit the scene (of a crime) 2. (*badać chorego*) to examine (a patient)
wizytow|y *adj* **bilet ~y** visiting-card; **ubranie ~e** morning-coat
wizytów|ka *sf pl G.* **~ek** visiting-card
wjazd *sm G.* **~u** *L.* **wjeździe** 1. (*wjeżdżanie*) entry; entering; entrance 2. (*miejsce dla wjazdu*) entrance; way in; **~ do portu** entrance channel to a port
wjazdow|y *adj* entrance _ (gate, fee etc.); **aleja ~a** drive(way)
wje|chać *vi perf* **wjadę, ~dzie, ~dź, ~chał** — **wje|żdżać** *vi perf* 1. (*dostać się do wnętrza*) to drive <to ride, to go, to come> (**do miasta, na podwórze, na dziedziniec** into the town, the yard); to enter (**do miasta, na podwórze, na dziedziniec** the town, the yard) 2. (*dostać się na wierzch*) to ride <to drive, to go, to come> (**na szczyt itd.** up to the top etc.); **~chać windą na 6 piętro** to go up to the 6-th floor by lift; to take the lift to the 6-th floor 3. (*jadąc natrafić na coś*) to run <to drive, to crash> (**na słup itd.** into a post etc.); **~chać w kałużę** to run into a puddle 4. *sl.* (*skrzyczeć*) to blow up (**na kogoś** sb); **~chał na mnie jak na łysą kobyłę** he blew me up like hell
wkalkulować *vt perf* to include (sth) in the reckoning
wkle|ić *vt perf* **~ję, ~j, ~jony** — **wkle|jać** *vt imperf* to insert <to inset, to paste in> (leaves, illustrations etc.)
wklejenie *sn* (↑ **wkleić**) insertion
wklej|ka *sf pl G.* **~ek** *druk.* insertion; inset; inserted leaf; interleaf
wklęs|ek *sm G.* **~ka** *techn.* cove moulding; scotia
wklęsłodruk *sm G.* **~u** *druk.* plate printing
wklęsłodrukowy *adj druk.* plate _ (paper etc.)
wklęsłorzeźba *sf rzeźb.* intaglio
wklęsłość *sf* 1. *singt* (*cecha*) concaveness; concavity 2. (*wgłębienie*) concavity; depression; hollow; socket
wklęsł|y *adj* concave; depressed; hollow; cupped; sunken (cheeks etc.); *druk.* **druk ~y** plate printing; *mat.* **kąt ~y** re-entering angle; *fiz.* **zwierciadło ~e** concave mirror
wklę|snąć *vi perf* **~śnie, ~sła** — *rz.* **wklę|sać** *vi imperf* to subside; to sink; to fall in; to cave in

wklęśnięcie *sn* 1. ↑ **wklęsnąć** 2. = **wklęsłość** 2.

wklinować *v imperf* [I] *vt* to wedge <to impact, to fix> (**coś w coś** sth in sth) [II] *vr* **~ się** to get wedged (in sth)

wkład *sm G.* **~u** 1. (*udział*) contribution (to sth); share (in sth); *techn.* input 2. (*suma pieniężna*) deposit 3. (*nakład*) outlay (of funds etc.); (*zainwestowane pieniądze*) invested money 4. (*zapasowy element*) refill; filler; (*wewnętrzna część przyrządu itd.*) inserted piece <part>; inset

wkładać *v imperf* — **włożyć** *v perf* **włóż** [I] *vt* 1. (*umieszczać*) to put <to place, to lay> (sth, sb in <into> sth); to insert; to introduce; **wkładać coś do głowy** to drive <to din> sth into (sb's) head; **włożyć coś między bajki** to give no credit to sth; **wkładać cukier do herbaty** to put some sugar in one's tea; **włożyć słowa w czyjeś usta** to put words in sb's mouth 2. (*ubierać się*) to put on (one's clothes etc.); (*ubierać kogoś*) to clothe (**komuś coś** sb in sth); **wkładać, włożyć buty** <**skarpetki itd.**> to pull on one's boots <socks etc.> 3. (*umieszczać coś na kimś*) to put (**komuś coś** sth on sb); **włożyli mu kajdany** they put manacles on his hands; they manacled him 4. (*dawać jako wkład*) to invest; to deposit <to pay> (money in an undertaking etc.); to put (**pracę** <**czas, energię**> **w coś** work <time, energy> into sth) [II] *vr* **wkładać, włożyć się** to accustom oneself (**do czegoś, w coś** to sth); to get the hang (**do czegoś, w coś** of sth)

wkładanie *sn* (↑ **wkładać**) insertion <introduction> (of sth into sth)

wkładca *sm* (*decl* = *sf*) contributor; shareholder

wkład|ka *sf pl G.* **~ek** 1. (*część wkładana*) insertion; insert; filler; inserted strip 2. (*zw. pl*) *bud.* reinforcement bar <rod> 3. *geol.* insert 4. *reg.* (*wkład*) contribution; share 5. *reg.* (*składka*) membership fee

wkładowy *adj handl. ekon.* **kapitał ~** initial capital

wkoło *praep* round

w koło *adv* 1. (*na wszystkie strony*) all round; in a circle; **oglądałem się ~** I looked round; **rozsiedli się ~** they sat all round <in a circle> 2. (*powtarzając czynność*) over and over again

wkomponować *vt perf* — **wkomponowywać** *vt imperf* to introduce (an additional element) into a composition

w końcu *zob.* **koniec**

wkop|ać *v perf* **~ie** — **wkop|ywać** *v imperf* [I] *vt* 1. (*wpuścić*) to sink (a post etc.) into the ground; to embed (sth in sand, snow etc.); **zatrzymać się jak ~any w ziemię** to stand stock-still 2. *pot.* (*zdradzić*) to give (sb) away [II] *vr* **~ać, ~ywać się** 1. (*wryć się w ziemię*) to dig oneself in 2. (*zaryć się*) to get stuck (**w błoto itd.** in the mud etc.) 3. *pot.* (*zdradzić się*) to give oneself <the show> away 4. *pot.* (*wplątać się*) to get entangled

wkorzeni|ać *v imperf* — **wkorzeni|ć** *v perf* [I] *vt* to root; to instill; to implant; to inculcate; **głęboko ~ony** deep-rooted [II] *vr* **~ać, ~ć się** (*o roślinie*) to strike root; (*o zasadach itd.*) to be instilled <implanted, fixed, rooted>

wkr|aczać *vi imperf* — **wkr|oczyć** *vi perf* 1. (*wchodzić*) to enter (**do salonu itd.** a drawing-room etc.); to step <to stalk> (into a room, on the stage etc.) 2. *przen.* to appear; to make one's appearance 3. (*zajmować teren*) to encroach (**na coś** on <upon> sth) 4. *wojsk.* to invade (**do kraju** a country); to march in 5. (*mieszać się*) to intervene (**w jakąś sprawę** in an affair); **~aczać w czyjeś kompetencje** to encroach <to impinge> on sb's attributions

wkraczanie *sn* 1. ↑ **wkraczać** 2. (*wejście*) entrance 3. *przen.* appearance 4. (*zajmowanie terenu*) encroachment 5. *wojsk.* invasion (**do kraju** of a country) 6. (*wmieszanie się*) intervention; impingement (**w czyjeś kompetencje** on sb's attributions)

wkra|dać się *vr imperf* — **wkra|ść się** *vr perf* **~dnę się, ~dnie się, ~dł się** 1. (*dostawać się cichaczem*) to steal <to slip, to skulk> (**do czegoś** into sth); **~dać, ~ść się w czyjeś łaski** to insinuate oneself into sb's favour; to ingratiate oneself with sb 2. (*o czymś niepożądanym — pojawiać się*) to creep in

wkr|ajać *vt perf*, **wkr|oić** *vt perf* **~oję, ~ój, ~ojony** — **wkr|awać** *vt imperf* to cut pieces (**mięsa do potrawy itd.** of meat into a dish etc.)

wkr|apiać *vt imperf* — **wkr|opić** *vt perf rz.* to instil(l) (a liquid into sth); *pot.* (*pokonać*) **~opić komuś** to give sb a drubbing

wkraplacz *sm farm. med.* dropper

wkraplać *vt imperf* — **wkroplić** *vt perf* to instil(l) (a medicine etc.)

wkrawać *zob.* **wkrajać**

wkręc|ać *v imperf* — **wkręc|ić** *v perf* **~ę, ~ony** [I] *vt* 1. (*umocowywać*) to screw in (an electric bulb etc.); to drive in (a screw etc.) 2. *pot.* (*podsuwać do nabycia*) to palm (**coś komuś** sth off on sb) 3. *pot.* (*wprowadzać kogoś gdzieś*) to push (**kogoś na posadę** sb into a job) [II] *vr* **~ać, ~ić się** 1. (*być wkręcanym*) to get screwed <introduced> (**do czegoś, w coś** into sth); to wind its way (**do czegoś, w coś** into sth) 2. *pot.* (*dostawać się podstępnie*) to worm <to wriggle> one's way in

wkręt *sm G.* **~a** <**~u**> *techn.* screw

wkrętak *sm techn.* screwdriver

wkręt|ka *sf pl G.* **~ek** *techn.* plug

wkroczenie *sn* 1. ↑ **wkroczyć** 2. = **wkraczanie** 2., 3., 4., 5., 6.

wkroczyć *zob.* **wkraczać**

wkroić *zob.* **wkrajać**

wkropić *zob.* **wkrapiać**

wkroplić *zob.* **wkraplać**

wkrótce *adv* soon; presently; shortly; directly; by and by; before long

wku|ć *v perf* **~ję, ~ty** — **wku|wać** *v imperf* [I] *vt* 1. (*umocować*) to fix (sth in a rock etc.) 2. *pot. szk.* to cram <to swot up> (a subject) [II] *vi* to cram <to swot, to grind> (**do egzaminu itd.** for an examination etc.) [III] *vr* **~ć, ~wać się** 1. (*dostać się w głąb*) to hew (one's way) (**w skałę** into a rock) 2. = **~ć, ~wać** *vt* 2.

wkupić się *vr perf* — **wkupywać się** *vr imperf* to pay one's footing (**do towarzystwa** in a society)

wkuwanie *sn* 1. ↑ **wkuwać** 2. *pot. szk.* cram; swot; grind; book-work

wlać *v perf* **wleje** — **wlewać** *v imperf* [I] *vt* 1. (*nalać*) to pour (**płyn do naczynia** a liquid into a vessel); **wlać, wlewać mleka do herbaty** to put milk in one's tea; *pot.* **wlać, wlewać alkohol w siebie** to glut oneself with liquor 2. *imperf* (*o rzece*) to discharge (**wody do morza itd.** its waters into the sea etc.) 3. *przen.* (*wszczepić*) to instill (a feeling etc. into sb); **wlać nowe życie w ...** to infuse <to put> new life into ... II *vi perf pot.* (*zbić*) to give (**komuś** sb) a thrashing III *vr* **wlać, wlewać się** 1. (*dostać się*) to flow <to run, to get> (**do czegoś** into sth) 2. *sl.* (*upić się*) to get sozzled

wlatywać *vi imperf* — **wlecieć** *vi perf* **wleci** 1. (*dostać się lecąc*) to fly (**do pokoju itd.** into a room etc.); (*o dymie, kurzu itd.*) to enter <to get, to be blown, to rush> (**do pokoju itd.** into a room etc.) 2. *pot.* (*wbiegać*) to run <to dart, to bounce> (into a room etc.)

wlec *v perf* **wlokę, wlecze, wlecz, wlókł, wlokła, wlekli, wleczony** I *vt* 1. (*ciągnąć*) to draw; to haul; to lug; to tow; **~ nędzne życie** to linger; to lead a life of misery; **~ nogi za sobą** to shuffle one's feet; **~ za sobą płaszcz <ciężki tobół>** to trail one's coat <a heavy bundle> 2. (*prowadzić przemocą*) to drag (sb) along 3. *pot.* (*prowadzić ze sobą*) to trail (sb, a child etc.) after one; (*wieźć za sobą*) to drag (sth) about; to have (sth) with one II *vr* **~ się** 1. (*być wleczonym*) to draggle; to trail (*vi*) 2. (*posuwać się wolno*) to crawl along; to drag on; **~ się noga za nogą** to shuffle along; **~ się w ogonie** to lag behind 3. (*dziać się wolno*) to drag on 4. (*być rozciągniętym*) to straggle

wlecieć *zob.* **wlatywać**

wleczenie *sn* ↑ **wlec**

wleczyd|ło *sn pl G.* **~eł** *roln.* dung fork

wlepi|ć *v perf* — **wlepi|ać** *v imperf* I *vt* 1. (*przylepić w środku*) to stick <to paste> (**coś do albumu itd.** sth in an album etc.); *pot.* **~ć, ~ać komuś karę <mandat>** to slap a fine on sb; **~ć, ~ać komuś (razy)** to give sb a spanking; **~ć, ~ać oczy w kogoś** to stare at sb; to fix one's eyes on sb 2. *pot.* (*sprzedać*) to palm (**komuś coś** sth off on sb) II *vr* **~ć, ~ać się** to stick (**w coś** in sth)

wlew *sm G.* **~u** 1. (*wlewanie*) inpouring; (*otwór do wlewania*) inlet 2. *med.* infusion 3. *techn.* moulten metal channel; sprue

wlewać *zob.* **wlać**

wlew|ek *sm G.* **~ka** *techn.* billet; ingot

wlew|ka *sf pl G.* **~ek** *med.* enema

wlewnik *sm med.* irrigator

wlezienie *sn* ↑ **wleźć**

wleźć *vi perf* **wlezę, wlezie, wleź, wlazł, wleźli** — **włazić** *vi imperf* **włażę** *pot.* 1. (*dostać się*) to get (**do czegoś** into <inside> sth); (*leząc, pełzając*) to creep <to crawl> (**do czegoś** into <inside> sth); **wleźć w paszczę lwa** to put one's head into the lion's mouth; **wleźć, włazić komuś za skórę** to get sb's goat; **włazić drzwiami i oknami** to crowd in 2. (*wejść, wgramolić się na wierzch*) to clamber up (**na coś** on to sth); **wleźć komuś na hipotekę <na pensję>** to attach sb's estate <salary>; **wleźć na drzewo** to climb up a tree; **wleźć, włazić komuś na głowę <na kark>** to plague sb's life out 3. (*wejść dokądś*) to barge in; **wleźć komuś w drogę** to get into sb's way; **wleźć na kogoś** to barge into sb; **wleźć w kabałę <w awanturę>** to get entangled; *przysł.* **skoro wlazłeś między wrony, musisz krakać jak i one** when in Rome do as the Romans do 4. (*utkwić*) to go deep (**w coś** into sth); **ból mu wlazł w rękę** the pain has gone into his arm; **to mi nie chce wleźć do głowy** it won't go into my head 5. (*trafić nogą*) to tread (**w jakieś paskudztwo** on some muck); to put one's foot (**w kałużę** in a puddle) 6. (*zmieścić się*) to go (**do czegoś** into sth); **waliza nie wlezie pod ławkę** the trunk won't go under the bench <the seat>; **ile wlazło** for all one's worth; **napsioczył się, ile wlazło** he groused for all he's worth 7. (*ubrać się*) to get <to put> (**w coś** sth on)

wlicz|ać *vt imperf* — **wlicz|yć** *vt perf* to reckon <to count> (sb, sth) in; to include (sb, sth) in one's calculation; **~ając koszty przesyłki** inclusive of postage

wlot *sm G.* **~u** 1. (*czynność*) inflow; intake 2. (*miejsce*) inlet; intake; entry; snout 3. (*połączenie arterii*) junction (of streets etc.)

w lot *zob.* **lot**

wlotowy *adj* intake <inlet> — (pipe, valve etc.)

wlutować *vt perf* to solder in

władać *v imperf* I *vi* (*sprawować władzę*) to reign <to rule> (**w państwie** over a nation); to hold sway (**domem itd.** over a household etc.) II *vt* 1. (*posługiwać się*) to wield (**szablą, piórem itd.** the sword, the pen etc.); to have the use (**nogą, ręką, palcami** of one's leg, arm, fingers); **(dobrze) ~ obcym językiem** to have a (good) command of a foreign language 2. (*być właścicielem*) to be in possession (**czymś** of sth); (*zarządzać*) to manage (**majątkiem** an estate)

władanie *sn* 1. ↑ **władać** 2. (*panowanie*) reign; rule; sway 3. (*posługiwanie się*) use (**nogą, ręką itd.** of one's leg, arm etc.); mastery (**instrumentem itd.** of an instrument etc.); **~ obcym językiem** command of a foreign language 4. (*posiadanie*) possession <management> (**majątkiem** of an estate); **objąć coś we ~** to enter into possession of sth

władca *sm* (*decl* = *sf*) ruler; sovereign; lord

władczo *adv* masterfully; imperiously; domineeringly; high-handedly

władczość *sf singt* masterful <imperious> disposition; domineering <high-handed> conduct

władczy *adj* masterful; imperious; domineering; high-handed; lordly

władczyni *sf* ruler; sovereign

władować *v perf* I *vt* 1. (*ładować*) to load (sth somewhere) 2. *sl.* (*trafić pociskiem*) to send (a bullet, a charge) (**w coś** in sth) II *vr* **~ się** *pot.* to get <to scramble, to clamber> (**na coś <do czegoś>** on to sth <into sth>)

władyka *sm* (*decl* = *sf*) 1. *hist.* lord 2. *kośc.* bishop of the Greek Church

władz|a *sf* 1. *singt* (*prawo rządzenia*) authority; power; rule; **mieć <sprawować> ~ę** to be in authority <in control>; **mieć ~ę nad narodem** to hold sway over a nation 2. *pl* **~e** (*organy rządowe, czynniki kierujące*) authorities; Government; **~e partyjne** the Party authorities <leadership, executive> 3. (*zdolność panowania nad czynnościami własnego organizmu*) use (of one's limbs, faculties); control (**nad sobą** over oneself); **~e umysłowe** faculties; mental powers; **odzyskać <stracić> ~ę w nogach <w języku itd.>** to regain <to lose> the use of one's legs <the power of speech etc.> 4. (*moc, siła*) grasp; power; hold; **mieć ~ę nad kimś** to have sb within one's grasp <power>; to have hold over sb

władztwo *sn singt* dominion; domination; sway; control; power

włam|ać *v perf* **~ie** — **włam|ywać** *v imperf* [I] *vt druk.* to dress (an illustration block) [II] *vr* **~ać, ~ywać się** to break (**do czyjegoś domu** into sb's house); to burgle (**do czyjegoś domu** sb's house)

włamani|e *sn* 1. ↑ **włamać** 2. (*napad rabunkowy*) burglary; house-breaking; **dokonano u niego ~a** his house was burgled; his lock was picked

włamywacz *sm pl G.* **~y** <**~ów**> housebreaker; burglar; picklock

włamywać *zob.* **włamać**

własnoręcznie *adv* with one's own hands; personally; **~ napisane** written in one's own hand; **~ wrzuciłem list do skrzynki** I posted the letter myself

własnoręczny *adj* (work etc.) of one's own hands; **~ podpis** (applicant's etc.) signature; autograph; *prawn.* sign manual

własnościowy *adj* possessional; proprietary

własnoś|ć *sf* 1. (*mienie*) property; possessions; **księga** <**kataster**> **~ci ziemskiej** terrier; (*o gruncie*) **posiadany na ~ć** freehold; **~ć nieruchoma** fixed property; real estate; **~ć osobista** personal belongings; **~ć ruchoma** movables; **~ć ziemska** estate; demesne 2. (*prawo rozporządzania*) ownership; possession; proprietorship; title to property; (*dokument*) title deed; **mieć coś na ~ć** to have sth for one's own <in permanence>; **przejść na czyjąś ~ć** to become sb's property 3. (*właściwość*) (a) property; characteristic peculiarity

własnowolnie *adv lit.* voluntarily; of one's own free will

własn|y *adj* 1. (*swój*) (one's) own; (a <some>) ... of one's own; **dał mi ~ą książkę** a) (*określoną*) he gave me his own book b) (*nieokreśloną*) he gave me a book of his own; *gram.* **imię ~e** proper noun; **miłość ~a** self-respect; **obrona ~a** self-defence; **wiara we ~e siły** self-confidence; **~y koszt** prime cost; **nie ~y** sb else's; **dbać o ~ą kieszeń** to have an eye on one's own interest; **dbać o ~ą skórę** to save one's carcass; **widziałem to na ~e oczy** I saw it with my own eyes; I saw it for myself; **zostawić kogoś ~emu losowi** to cut sb loose; to leave sb to his fate; **do rąk ~ych** (to sb) in person; **na ~ą odpowiedzialność** on one's own responsibility; **na ~ą rękę** on one's own; *pot.* on one's own hook; **na ~e żądanie** at one's own request; **na ~y użytek** for one's personal use; **o ~ych siłach** unaided; unsupported; **po cenie ~ej** at cost price; **według jego ~ych słów** by his own account; **we ~ej osobie** in person; **we ~ym imieniu** in one's own name; (speaking) for oneself; **z ~ej inicjatywy** spontaneously; unrequested; **z ~ej kieszeni** out of one's own purse; from one's private funds 2. (*swojej produkcji*) home_ (baked, made, brewed) 3. (*związany więzami pokrewieństwa, służby itd.*) very; **jego ~y syn odstąpił od niego** his very son abandoned him 4. (*odrębny*) individual; personal; private; peculiar; specific; *fiz.* **drgania ~e** natural <free> oscillations <vibrations>; *fiz.* **indukcyjność ~a** self-inductance; **mierzyć innych ~ą miarą** to measure others with one's own yardstick; **okolica ta ma ~y urok** the region has a charm all its own; **według ~ego uznania** as one sees fit

właściciel *sm* owner; possessor; proprietor; holder; **~ gruntu** freeholder; **~ konia** <**psa**> a horse's <dog's> master; **być dumnym ~em czegoś** to boast sth; **być ~em czegoś** to own sth; to be in possession of sth; **kto tu jest ~em?** who is boss here?

właściciel|ka *sf pl G.* **~ek** owner; possessor; proprietress

właściwie *adv* 1. (*poprawnie*) properly; fittingly; suitably; rightly; **byłoby ~j ...** it would be more proper to ... 2. (*ściśle biorąc*) as a matter of fact; in point of fact; (*w rzeczywistości*) in reality; practically; to all intents and purposes; virtually; **ja to ~ czułem** I kind of felt it; **on ~ tam rządzi** he has practical control; he is the virtual manager; **kto** <**gdzie, jak itd.**> **~ ...?** who <where, how etc.> exactly ...?; just who <where, how etc.> ...?; **o co ~ chodzi?** what is the matter anyway?

właściwościowy *adj* attributive

właściwość *sf* 1. (*cecha swoista*) propriety; property (of a chemical compound etc.); feature; characteristic; peculiarity; attribute; **~ językowa** idiom 2. (*stosowność*) adequacy; suitability; competence

właściwy *adj* 1. (*odpowiedni*) proper, adequate; right; due; appropriate; (*stosowny*) suitable; becoming; *fiz.* specific (density, heat; volume, weight etc.); fit (**do czegoś** for sth); just (proportions, quantities); exact (word, expression); **we ~m czasie** at the proper moment <time>; in due course 2. (*rzeczywisty*) real; virtual; actual 3. (*charakterystyczny*) characteristic <typical> (**komuś, czemuś** of sb, sth)

właśnie *adv* 1. (*dokładnie, ściśle*) precisely; exactly; just; it is <was> ... that <who, which> ...; **~ tego mi potrzeba** that's exactly <precisely, just> what I need <want>; **~ twoja przyjaciółka mi to powiedziała** it was your friend who told me 2. (*potwierdzająco*) exactly; just so; quite so; precisely; **to jest całkiem głupie! — Właśnie!** it's perfectly stupid! — Exactly <so it is>! 3. (*akurat*) just; very (*adj*); **oto ~ chodzi** that's just it; **ten ~ człowiek** that particular man; **~ tu** just here; on this very spot; this is exactly <just> where ...; *am.* right here 4. (*w danej chwili*) just now; just then; just as; **mieć ~ coś zrobić** <**powiedzieć itd.**> to be about to do <to say> sth; to be going to do <to say> sth; **~ gdy wychodziłem** just as I was going out; **~ miałem powiedzieć, że ...** I was about <I was going> to say that ...; **~ zaczynają** they are just beginning 5. (*dopiero co*) only just; **~ skończyłem** I've only just finished

włatać *vt perf* to put in a patch

właz *sm G.* **~u** manhole; hatchway; scuttle; access door

włazić *zob.* **wleźć**

włazow|y *adj* **otwór ~y** manhole; **żelaza ~e** climbing irons

włażenie *sn* ↑ **włazić**

włącz|ać *v imperf* — **włącz|yć** *v perf* [I] *vi* 1. (*wciągnąć w skład*) to include <to incorporate, to merge> (**coś do czegoś, w coś** sth in sth); **~ając w to ...** inclusive of ... 2. (*łączyć z instalacją*) to switch on (the light etc.); to turn on (the radio, the gas etc.); *aut.* to throw (the engine) into gear; **~ać, ~yć sprzęgło** to clutch in [II] *vr* **~ać, ~yć się** to join (**do czegoś, w coś sth**)

włączenie *sn* (↑ **włączyć**) inclusion; incorporation; merger; *aut.* ~ **sprzęgła** clutch take-up
włącznie *adv* inclusive; **od poniedziałku do soboty** ~ from Monday till Saturday inclusive; **z kosztami przewozu** ~ including <inclusive of> the cost of transportation
włącznik *sm techn.* connector
włączyć *zob.* **włączać**
Włoch *sm* (an) Italian
włochacz *sm* 1. *tekst.* plush 2. *zool.* (*Amphidasis*) geometrid moth
włochato *adv* shaggily
włochatość *sf singt rz.* 1. (*u człowieka*) hairiness; hirsuteness; shagginess 2. (*u tkaniny*) woolliness; pile; nap 3. *bot. zool.* pilosity
włochaty *adj* 1. (*obrośnięty włosami*) hairy; hirsute; shaggy 2. (*o tkaninie*) pily; nappy; woolly 3. *bot. zool.* comose; pilose; tomentous; barbate; crinite
włodarstwo *sn singt* stewardship
włodarz *sm* steward
włogacizna *sf wet.* spavin
włogaty *adj wet.* spavined
włom *sm G.* ~**u** *górn.* breaking-in hole
włos *sm* 1. *anat.* hair; *pl* ~**y** (*owłosienie głowy*) hair; (*na ciele*) hairs; **siatka na** ~**y** hair-net; **szpilka do** ~**ów** hairpin; **ciągnąć kogoś za** ~**y** a) *dosł.* to pull sb's hair b) *przen.* to drag sb by the head and ears; *przen.* **dzielić** ~ **na czworo** to split hairs; ~ **mu nie spadnie z głowy** not a hair of his head shall be touched; ~**y się jeżą na głowie** one's hair stands on end; it is hair-raising; **ani o** ~ not by a hairbreadth <hair's breadth>; **na** ~ (exact) to a hair; **o mały** ~ by a hairbreadth; **o mały** ~ **nie został zabity** he escaped being killed by a hairbreadth; **o** ~ **od ...** within an ace <an inch> of ...; **pod** ~ against the hair; **głaskać kogoś <kota> pod** ~ to stroke sb <a cat> against the hair <the wrong way>; **wyrywać sobie** ~**y** to tear one's hair; to take on 2. (*u zwierząt — sierść*) hair; coat; fur; *pl* ~**y** (*poszczególne*) hairs; (*część składowa szczotki, pędzla*) bristles; (*u delikatnych pędzli*) hairs 3. (*część składowa tkaniny*) nap; pile 4. = **włosek** 2. 5. *techn.* hair; filament
włos|ek *sm* 1. *dim* ↑ **włos; wisi na** ~**ku** hangs by a thread; **wisiało na** ~**ku, czy ...** it was touch-and--go whether ... 2. *bot. pl* ~**ki** hairs; (*u pokrzywy*) stings
włosian|ka *sf pl G.* ~**ek** haircloth
włosiany *adj* hair — (mattress, pencil, sieve etc.)
włosie *sn singt* horse hair
włosien(n)ica *sf* hair shirt; cilice
włosienny *adj* hair — (mattress, sieve etc.)
wło|sień *sm G.* ~**śnia** <~**sienia**> *zool. med.* (*Trichinella spiralis*) trichina
włosi|ęta *spl G.* ~**ąt** *dim* ↑ **włosy**
włosisty *adj* hairy; hirsute
włosk|i *adj* Italian; *bot.* **kapusta** ~**a** (*Brassica oleracea*) broccoli; **koper** ~**i** (*Foeniculum vulgare*) fennel; **makaron** ~**i** macaroni; **orzech** ~**i** (*Juglans regia*) walnut; **strajk** ~**i** sit-in-strike; **topola** ~**a** (*Populus nigra*) black poplar; **po** ~**u** in Italian
włoskowatość *sf singt biol. fiz.* capillarity
włoskowat|y *adj* capillary (vessels, tubes); hairlike; **pipetka** ~**a** capillary pipette
włoskow|iec *sm G.* ~**ca** *wet.* ~**iec różycy** erysipelothrix
włoskowy *adj* hair — (pencil etc.)
włosogłów|ka *sf pl G.* ~**ek** *zool.* (*Trichocephalus trichiurus*) trichuris
włosowatość *sf singt biol.* capillarity
włosowaty *adj anat.* capillary (vessels)
włosowy *adj* hair — (follicle, cell, hygrometer etc.)
włoszczyzna *sf sing* 1. *jęz.* Italian language <studies, culture, way of life> 2. (*warzywa*) soup vegetables
włości † *spl G.* ~ estate; manor; acres
włościani|n *sm* peasant; *pl* ~**e** country-folk; peasantry
włościan|ka *sf pl G.* ~**ek** countrywoman
włościański *adj* peasant — (masses, dwelling etc.)
włościaństwo *sn singt* country-folk; peasantry
włośniak *sm zool.* nemathelminth
włośnica *sf* 1. *bot.* (*Setaria*) foxtail grass 2. *med.* trichonosis 3. *techn.* (*piła*) fret-saw
włośnicz|ki *spl G.* ~**ek** *anat.* capillary vessels
włożenie *sn* ↑ **włożyć**
włożyć *zob.* **wkładać**
włócz|ek *sm G.* ~**ka** small drag-net
włóczenie *sn* ↑ **włóczyć**
włóczęga [I] *sf* (*wędrówka*) ramble; roam; tramp [II] *sm* (*decl* = *sf*) (*człowiek włóczący się*) tramp; rover; vagrant
włóczęgostwo *sn* vagabondage; vagrancy
włóczęgowski *adj* rambling; roaming; vagabond <vagrant> (habits etc.)
włócz|ka *sf pl G.* ~**ek** 1. (*nić wełniana*) woollen yarn; worsted; crewel 2. *myśl.* drag
włóczkowy *adj* woollen; worsted — (wrap etc.)
włócznia *sf hist.* spear
włócznik *sm* 1. *hist.* spearman 2. *zool.* (*Xiphias gladius*) sword-fish
włócznikowat|y *zool.* [I] *adj* xiphioid [II] *spl* ~**e** (*Xiphiidae*) (*rodzina*) the family Xiphiidae
włóczyć *v perf* [I] *vt* 1. (*wlec*) to trail; to draggle; to drag (sb, sth) along with one; ~ **nogami** a) (*ledwie chodzić*) to shuffle along; to drag one's feet b) (*utykać*) to limp; to halt 2. *roln.* to drag (a field) [II] *vr* ~ **się** 1. (*wałęsać się*) to roam; to rove; to ramble; to tramp; to pad 2. *pot.* (*bywać niepotrzebnie*) to gad about; to loiter; to knock about; ~ **się za kimś** to dangle after sb 3. (*o dymie, mgle*) to drift
włóczyd|ło *sn pl G.* ~**eł** *roln.* drag
włóczykij *sm pot.* gadabout; loiterer
włók *sm G.* ~**u** <~**a**> 1. *roln.* drag 2. *ryb.* (*sieć*) troll-net
włóka *sf* 1. *roln.* (*narzędzie*) drag 2. *roln.* (*czynność*) dragging (a field) 3. (*miara powierzchni gruntu*) a measure of area = 16,8 ha
włókienko *sn* (*dim* ↑ **włókno**) fibril; filament
włókiennictwo *sn singt techn.* textile industry
włókienniczy *adj* textile (fibre, trade, industry etc.)
włókiennik *sm* textile engineer
włókienny *adj* fibrous
włókniak *sm med.* fibroma
włókniar|ka *sf pl G.* ~**ek** (*kobieta*) textile-worker
włókniarstwo *sn singt* = **włókiennictwo**
włókniarz *sm* textile-worker
włóknie|ć *vi imperf* ~**je** to become fibred
włóknik *sm biol. chem.* fibrin
włóknikowy *adj* fibrinous
włóknistość *sf singt* fibrousness; stringiness

włóknist|y *adj* fibrous; stringy; thready; *med.* zmiany ~e fibrosis

włók|no *sn pl G.* ~ien 1. *anat. biol.* fibre; ~na mięśniowe <nerwowe> muscle <nerve> fibres 2. (*zw. pl*) *bot.* fibre; string; ~na drewna <drzewne> wood fibres; grain 3. (*zw. pl*) *techn.* fibre; filament; yarn; staple; strand; ~no azbestowe <szklane> asbestos <glass> fibre

włóknodajn|y *adj* fibrous; rośliny ~e fibre crops

włókować *vt imperf roln.* to drag (a field)

wmanewrować *vt perf* 1. (*wprowadzić*) to work <to manoeuvre, to introduce> (coś w coś sth into sth) 2. *pot.* (*wrobić kogoś*) to manoeuvre (sb into an affair etc.)

wmarsz *sm G.* ~u marching <march> in; entry

wmarz|nąć [r-z] *vi perf* ~ła — **wmarz|ać** [r-z] *vi imperf* to freeze <to get frozen> in; to become <to get> ice-bound

wmaszerować *vi perf* — **wmaszerowywać** *vi imperf* to march in

wmawiać *v imperf* — **wmówić** *v perf* [I] *vt* to make (komuś sb) believe (sth); wmawiać, wmówić coś w siebie to get an idea into one's head; to make oneself believe sth [II] *vi* to persuade (komuś, że ... sb that ...); to argue <to delude> (komuś sb) into the belief (że ... that ...); wmawiać, wmówić w siebie, że ... to get it into one's head that ...

wmawianie *sn* ↑ wmawiać; ~ w siebie self-delusion

wmie|sić *vt perf* ~szę, ~szony to knead (raisins etc.) into the dough

wmieszać *v perf* [I] *vt* 1. (*połączyć*) to mix (coś w coś, do czegoś sth with sth) 2. (*wplątać*) to involve <to implicate> (kogoś w jakąś sprawę sb in an affair); to mix (sb) up (in an affair) [II] *vr* ~ się 1. (*wejść między ludzi*) to mix (w tłum with the crowd) 2. (*wziąć udział*) to join (do rozmowy in a conversation); to intervene (do kłótni in a quarrel) 3. (*dołączyć się*) to mingle (do czegoś with sth)

wmieszanie *sn* 1. ↑ wmieszać 2. (*wplątanie*) involvement; implication 3. ~ się (*wtrącanie się*) intervention

w międzyczasie *adv* meanwhile; in the meantime

w mig *zob.* mig

wmontować *vt perf* — **wmontowywać** *vt imperf* to mount <to fix, to fit, to introduce, to insert> (coś w coś sth into sth)

wmówić *zob.* wmawiać

wmurować *vt perf* — **wmurowywać** *vt imperf* to build in; to embed; to fix; to set in

wmu|sić *vt perf* ~szę, ~szony — **wmu|szać** *vt imperf* to press (pieniądze itd. w kogoś money etc. upon sb); to force <to constrain> (jedzenie, picie w kogoś sb to eat, to drink)

wmuszanie *sn* (↑ wmuszać) constraint

wmyślać się *vr imperf* — **wmyślić się** *vr perf* to think deeply into sth

w najlepsze *zob.* najlepszy

wnet *adv* soon; shortly; directly; before long; presently

wnęk|a *sf* recess; bay; niche; *anat.* ~i płucne hilus of lung

wnętrostwo *sn singt anat. wet.* cryptorchism(us); ectopic testicle

wnętrzarstwo *sn singt* interior <indoor> decoration

wnętrzarz *sm* interior decorator

wnętrz|e *sn* 1. (*obszar, strona wewnętrzna*) interior; (the) inside; zaryglowany od ~a bolted from the inside; do ~a inwards; do ~a kraju inland; do ~a lasu into the interior of a forest; do ~a naczynia inside a vessel; we ~u zegara <pieca itd.> inside a clock <an oven etc.>; z ~a from within; from inside; z ~a czegoś from inside sth 2. *przen.* (*ośrodki życia psychicznego*) (one's) heart of hearts 3. *bud. arch.* interior; dekoracja ~ interior <indoor> decoration

wnętrzniak *sm* 1. *zool.* endoparasite 2. *pl* ~i *bot.* (*Gasteromycetales*) (*rząd*) the order Gasteromycetales

wnętrzności *spl G.* ~ entrails; intestines; bowels; głód skręca ~ one feels the pangs of hunger

wniebogłosy *adv pot.* at the top of one's voice; wrzeszczeć ~ to yell

wniebowstąpienie *sn singt* 1. *rel.* Ascension 2. Wniebowstąpienie (*święto*) Ascension Day

wniebowzięcie *sn singt* 1. *rel.* Assumption 2. Wniebowzięcie (*święto*) Feast of the Assumption

wniebowzięty *adj przen.* rapturous; rapt; entranced; enraptured; chodził jak ~ he trod on air; słuchał ~ he listened with rapt attention

wniesienie *sn* ↑ wnieść

wnieść *v perf* wniosę, wniesie, wnieś, wniósł, wniosła, wnieśli, wniesiony — **wnosić** *v imperf* wnoszę, wnoszony [I] *vt* 1. (*przynieść do środka*) to carry in (furniture, the wounded etc.); to bring in (soup, dishes etc.); to take (dziecko do pokoju a baby into the room); wnieść, wnosić poprawki do tekstu to make amendments in <to amend> a text; wnieść, wnosić wkład do spółki to contribute one's share <to pay one's dues> to a society; *przen.* wnieść, wnosić niezgodę do rodziny to sow discord in a family; wnieść, wnosić ponury nastrój do zebrania to cast a gloom on the company; wnieść, wnosić trochę życia do zebrania to enliven the company 2. (*przedłożyć*) to enter <to lodge, to file> (a complaint); to put in (an application); to submit <to present> (a project) [II] *vi imperf lit.* (*wyciągać wniosek*) to infer; to gather; to conclude; wnosząc z jego zachowania <wyglądu itd.> ... to judge by <from> his behaviour <outward appearance etc.> ... [III] *vr* wnieść, wnosić się *pot.* to move in; wnieść, wnosić się do nowego domu to move into a new house

wnik|ać *vi imperf* — **wnik|nąć** *vi perf* 1. (*przenikać*) to penetrate (do czegoś into sth); to find its way (do czegoś into sth); to infiltrate (do czegoś into sth) 2. (*roztrząsać*) to investigate (do czegoś sth); to go into (w jakąś kwestię a question); to get an insight (do czegoś into sth); (*zgłębiać*) to get to the core <to the bottom> (do sprawy of a matter); ~ać, ~nąć w czyjeś serce to search sb's heart

wnikanie *sn* ↑ wnikać 1. (*przenikanie*) penetration; infiltration 2. (*roztrząsanie*) investigation

wnikliwie *adv* penetratingly; clear-sightedly; with insight

wnikliwość *sf singt* penetration; insight; clear-sightedness; discernement; discrimination

wnikliwy *adj* 1. (*dociekliwy*) penetrating; clear-sighted; discerning; discriminating 2. (*przenikliwy*) piercing; keen

wniknąć *zob.* **wnikać**

wniknięcie *sn* (↑ **wniknąć**) penetration; infiltration

wnios|ek *sm G.* **~ku** 1. (*propozycja*) proposal; suggestion; (*na zebraniu*) motion; (*w porządku dziennym*) **wolne ~ki** current business; **postawić** <**wysunąć**> **~ek** to table a motion; to move a resolution; to move (**żeby ...** that ...); (*przy głosowaniu*) **kto za ~kiem?** in favour?; **kto przeciw ~kowi?** against? 2. (*wynik rozumowania*) inference; conclusion; deduction; illation; **~ki sądu** the findings of the court; **dochodzić do własnych ~ków** to think things out for oneself; **dojść do ~ku, że ...** to come to <to arrive at> the conclusion that ...; **nasuwać ~ek o ...** to suggest <indicate> that ...; **pochopnie wyciągać ~ki** to rush <to jump> to conclusions; **wyciągnąć ~ek** to draw a conclusion 3. (*propozycja do władz*) application (**o coś** for sth)

wnioskodawca *sm* (*decl* = *sf*), **wnioskodawczyni** *sf rz.* mover; proposer of a motion

wnioskować *vi imperf* to infer; to gather; to conclude; to come to <to arrive at> a conclusion; **pochopnie ~** to rush <to jump> to conclusions

wnioskowanie *sn* (↑ **wnioskować**) inference; conclusion

wniwecz † *adv obecnie w zwrocie:* **obrócić coś ~** a) (*pozbawić znaczenia*) to foil (sb's plans etc.) b) (*zniszczyć*) to annihilate; to lay waste; to shatter

wnosić *zob.* **wnieść**

wnoszenie *sn* ↑ **wnosić**

wnuczek *sm dim* ↑ **wnuk**

wnucz|ęta *spl G.* **~ąt** *pieszcz.* grandchildren

wnucz|ka *sf pl G.* **~ek** granddaughter; grandchild

wnuk *sm pl N.* **~owie** <**~i**> grandson; grandchild

wnyk *sm* snare

wnykarz *sm* snarer

woal *sm G.* **~u** 1. (*tkanina*) voile 2. *lit.* (*welon*) veil

woal|ka *sf pl G.* **~ek** (hat-)veil

wobec *praep* 1. (*w obecności*) in the presence (of sb, sth); in front (of sb, sth); before (**kogoś, czegoś** sb, sth); in the face (of a fact, situation etc.); **stanął ~ widma ruiny** ruin stared him in the face; **~ tego** in that case; this being so; **~ tego, że ...** seeing that ...; **wszem ~** to all concerned 2. (*w stosunku do czegoś, kogoś*) towards; to; in relation (**kogoś, czegoś** to sb, sth) 3. (*w porównaniu z czymś*) in comparison (**kogoś, czegoś** with sb, sth); compared (**kogoś, czegoś** with sb, sth); as against (**kogoś, czegoś** sb, sth)

wob|ła *sf pl G.* **~eł** *zool.* (*Rutilus rutilus caspicus*) roach

wod|a *sf pl G.* **wód** 1. (*tlenek wodoru*) water; **brudna ~a po myciu** slops; *chem.* **ciężka ~a** heavy water; *kulin.* **ryba z ~y** boiled fish; **słodka ~a** fresh water; *chem.* **~a amoniakalna** <**bromowa, chlorowa, siarkowodorowa**> ammonia <bromine, chlorine, sulphur> water; **~a bieżąca** running water; **~a deszczowa, morska, studzienna, źródlana, gruntowa** rain-water, sea-water, well-water, spring water, ground water; **~a do picia** <**pitna**> drinking <potable> water; **~a gazowana** soda-water; **~a kolońska** Cologne water; **~a królewska** aqua regia; **~a letejska** Lethean water; the waters of forgetfulness; **~a mineralna** table-water; mineral water; *rel.* **~a święcona** holy water; *biol.* **~y płodowe** the water; **zaopatrzenie w ~ę, zapas ~y** water-supply; *iron.* (*o brylancie oraz przen. o oszuście, łgarzu itd.*) **czystej ~y** of the first water; (*o klocu*) **nasiąknięty ~ą**, (*o statku*) **pełny ~y** water-logged; (*o statku, parowcu*) **brać zapas ~y** to water (*vi*); to take in water; **jak ~a po gęsi** like water off a duck's back; (*o statku, żeglarzu*) **na wodzie** afloat; **pod ~ą** under water 2. *przen.* (*słowa bez treści*) froth; wind; (*w utworze literackim*) padding; (*o człowieku*) **cicha ~a** sapless fellow; **dziewiąta ~a po kisielu** distant relation; **~a na czyjś młyn** playing into sb's hands; **wiele ~y upłynie zanim to się stanie** it will be a long time before this happens; *przysł.* **cicha ~a brzegi rwie** still waters run deep 3. (*zw. pl*) (*skupienie, zbiorowisko*) water(s); waves; **dział wód** watershed; *geogr.* **pełna ~a** pelagic zone; **~y stojące** stagnant waters; **~y terytorialne** territorial waters; **płynąć pod ~ę** to swim up-stream <against the current>; **płynąć z ~ą** to swim down-stream <with the current> 4. *pot.* (*płyn surowiczny, wysiękowy*) water; serous fluid

w oddali *zob.* **oddal**

woder|y *spl G.* **~ów** (*długie kalosze*) waders

wodewil *sm G.* **~u** vaudeville

wodewilist|a *sm* (*decl* = *sf*), **wodewilist|ka** *sf pl G.* **~ek** vaudevillist

wodewilowy *adj* vaudevillian

wodniak *sm* 1. (*mieszkający nad wodą*) waterside resident, watersider 2. (*żyjący z pracy na wodzie*) water-transport worker 3. (*uprawiający sporty wodne*) lover of aquatics ‖ *med.* **~ jądra** hydrocele

wodnica *sf* 1. (*rusałka*) undine; water-nymph 2. *mar.* water-line

wodnicowaty *adj* = **wodnikowaty**

wodnicz|ek *sm G.* **~ka, wodnicz|ka** *sf pl G.* **~ek** *biol.* vacuole

wodnik *sm* 1. (*baśniowa postać*) nix, water-elf 2. *zool.* (*Rallus aquaticus*) water-rail, runner

wodnikowat|y *bot.* [I] *adj* haloragidaceous [II] *spl* **~e** (*Haloragidaceae*) (*rodzina*) the family Haloragidaceae

wodniów|ka *sf pl G.* **~ek** *biol.* vacuola

wodnistość *sf singt* 1. (*obfitość wody*) aquosity 2. *przen.* (*cecha utworu literackiego*) woolliness; wateriness

wodnisty *adj* 1. (*obfitujący w wodę*) aqueous; hydrous; (*o potrawie*) watery; (*o napoju, zupie*) thin; weak 2. *przen.* (*o stylu*) watery; woolly; wishy-washy

wodnokanalizacyjny *adj techn.* water-supply-and-sewage _ (system etc.)

wodnopłat *sm G.* **~u, wodnopłat|owiec** *sm G.* **~owca** *lotn.* hydroplane; water-plane

wodnorurkowy *adj techn.* water-tube — (boiler)

wodn|y *adj* 1. (*odnoszący się do wody — cieczy*) water's (depth etc.); water _ (installation etc.); *chem. miner.* hydrous; *fiz. med.* aqueous; *anat.* **ciecz ~a** aqueous humour; **farby ~e** water-colours; **gaz ~y** water gas; *mar.* **linia ~a** water-line; *fiz.* **para ~a** aqueous vapour; *med.* **puchlina ~a** dropsy; **szkło ~e** water glass; **zegar ~y** water clock; **znak ~y** water-mark 2. (*dotyczący* *wód — jezior, rzek, mórz*) water __ (transport etc.); **drogi ~e** waterways; *geogr.* **dział ~y** watershed; **sporty ~e** aquatics; **stopień ~y** picket; stage; *techn.* **system ~y** water system; **zapora ~a** dam; **drogą ~ą** by water-transport 3. (*o roślinach i zwierzętach*) aquatic (plants, fowls etc.); aqueous (**tkanka itd.** tissue etc.) 4. *techn.* water __ (engine, turbine, seal, wheel etc.); water-power __ (plant etc.); hydro-; **płat ~y** hydrofoil; **separator ~y** hydroseparator

wodobrzusze *sn singt med.* ascites

wodochłonność *sf singt* hygroscopicity

wodochłonny *adj* hygroscopic

wodociąg *sm G.* **~u** 1. (*urządzenia techniczne*) waterworks; water-supply service; (*instalacja domowa*) water-supply; **~i rzymskie** aqueduct 2. *pot.* (*kran*) tap; **woda z ~u** tap water

wodociągow|iec *sm G.* **~ca** *pot.* pipe-layer; plumber

wodociągow|y *adj* water-supply __ (engineer, system etc.); **magistrala ~a** water-mains; **rury ~e** water-pipes

wododział *sm G.* **~u** *geogr.* watershed

wodogłowi|e *sn pl G.* **~** *med. wet.* hydrocephalus; water on the brain

wodogrzmot *sm G.* **~u** *poet.* waterfall

wodolecznictwo *sn singt med.* water-cure; hydropathy; hydrotherapeutic treatment

wodoleczniczy *adj* hydrotherapeutic, hydropathic

wodolejstwo *sn singt pot.* wateriness; woolliness

wodolubny *adj bot.* hydrophilous

wodołaz *sm* (*pies*) Newfoundland (dog)

wodomierz *sm techn.* water-meter

wodonercze *sn singt med. wet.* hydronephrosis

wodonośność *sf singt geogr.* water-bearing capacity

wodonośny *adj geogr.* water-bearing

wodoodporność *sf singt* waterproofness; watertightness; imperviousness to water

wodoodporny *adj* waterproof; watertight; impervious to water

wodop|ój *sm G.* **~oju** watering-place; horse-pond; **zaprowadzić konia do ~oju** to take a horse to the water

wodopój|ki *spl G.* **~ek** *zool.* (*Hydrachnellae*) water mites

wodoprzepuszczalny *adj geol.* permeable to water

wodopylność *sf singt bot.* hydrophily

wodopylny *adj bot.* hydrophilous

wodor|ek *sm G.* **~ku** *chem.* hydride

wodorosiarczan *sm G.* **~u** *chem.* bisulphate

wodorosiarcz|ek *sm G.* **~ku** *chem.* bisulphide

wodorosiarczyn *sm G.* **~u** *chem.* bisulphite

wodorost *sm G.* **~u** (*zw. pl*) *bot.* seaweed; alga; **nauka o ~ach** phycology, algology

wodorotlen|ek *sm G.* **~ku** *chem.* hydroxide

wodorowęglan *sm G.* **~u** *chem.* bicarbonate

wodorow|y *adj* hydrogen __ (peroxide, sulphide, gas etc.); hydrogenous; **bomba ~a** hydrogen bomb, H-bomb

wodorów|ka *sf pl G.* **~ek** *pot.* hydrogen bomb, H-bomb

wodorzyg *sm G.* **~u** *arch.* gargoyle; water-shoot

wodospad *sm G.* **~u** waterfall; **~y Niagara <Wiktoria itd.>** Niagara <Victoria etc.> falls

wodospadzik *sm G.* **~u** *dim* ↑ **wodospad**

wodostan *sm G.* **~u** *geogr.* water level

wodoszczelność *sf singt* waterproofness; watertightness; imperviousness to water

wodoszczeln|y *adj* waterproof; watertight; impervious to water; damp-proof; **komora ~a** watertight compartment

wodościek *sm G.* **~u** *bud.* gutter

wodotrysk *sm G.* **~u** waterworks; (ornamental) fountain

wodować *v imperf* [I] *vi lotn.* to alight (on water); (*o statku kosmicznym*) to splash down [II] *vt mar.* to launch (a ship)

wodowskaz *sm G.* **~u** *techn.* water-gauge; water glass

wodowskazowy *adj techn.* water-gauge __ (tube, indications etc.)

wodowstręt *sm singt G.* **~u** *med. wet.* hydrophobia; rabies

wod|ór *sm singt G.* **~oru** hydrogen; **ciężki ~ór** deuterium

wodz|a *sf* 1. (*zw. pl*) (*cugle*) rein(s); **puścić koniowi ~e** to give a horse the reins <free rein>; **puścić ~e fantazji** to give the reins <full play> to one's imagination; **trzymać coś, kogoś na ~y** to keep a tight rein on <over> sth, sb; **trzymać <pochwycić, ująć> ~e** to hold <to assume> the reins (of government etc.) 2. † (*dowództwo*) command; *obecnie w zwrocie:* **pod czyjąś ~ą** under sb's command

wodzenie *sn* ↑ **wodzić**

wodzian *sm G.* **~u** *chem.* hydrate

wodzian|ka *sf pl G.* **~ek** panada

wodz|ić *v imperf* **~ę, wódź, ~ony** [I] *vt* 1. (*prowadzić*) to lead; *lit.* **~ić kogoś na pokuszenie** to lead sb into temptation; **~ić konia po dziedzińcu** to walk a horse about the yard; **~ić rej** to hold sway; to play first fiddle; to be the ringleader; *pot.* **dać się komuś ~ić za nos** to knuckle down to sb; **~ić kogoś za nos** to lead sb by the nose 2. (*przesuwać*) to run <to draw, to pass, to move> (**palcem, ręką po czymś** one's finger, hand over <across> sth); to sweep (**karabinem <lunetą> po obszarze** an area with a gun <a field-glass>); *mat.* **promień ~ący** radius-vector; **~ić oczami po sali** to sweep a room with one's eyes; **~ić oczami za kimś** to follow sb with one's eyes; **~ić piórem po papierze** to drive a pen <a quill> across a sheet of paper; **~ić smyczkiem po strunach** to draw a bow across the strings [II] *vr* **~ić się** *w zwrotach: pot.* **~ić się za łby** to tussle; to scuffle; † **~ić się po sądach** to litigate

wodzid|ło *sn pl G.* **~eł** 1. *techn.* guide-bar; guide-rod 2. *mar.* jackstay

wodzik *sm techn.* cross-head; slider

wodzirej *sm* 1. (*kierujący tańcami*) dance leader 2. *przen.* (*prowodyr*) cock of the walk; bell-wether; ringleader; *szk.* cock of the school

wodzostwo *sn singt* chief command

wodzowski *adj* commander's (instinct, talent etc.)

w ogóle *zob.* **ogół**

w ogólności *zob.* **ogólność**

woj *sm pl N.* **~e <~owie>** *hist.* knight

wojaczka *sf singt pot.* soldiering

wojak *sm pot.* soldier

wojenka *sf dim* ↑ **wojna**

wojenn|y *adj* war __ (clouds, correspondent, dance etc.); (art, council etc.) of war; military (preparations etc.); war-time (regulations, reminiscences etc.); martial (law etc.); **fabryka ~a** munition-factory; **flota, marynarka ~a** navy; **jeniec ~y** prisoner of war; P.O.W.; **kroki ~e** hostilities; **materiał ~y** munitions; war stores; **okręt ~y** warship; man-of-war; **propaganda ~a** war-mongering; **sąd ~y** court martial; **zbrodniarz ~y** war criminal; **zbrodnie ~e** war crimes; **na stopie ~ej** on a war footing; *przen.* **być z kimś na stopie ~ej** to be at war <at daggers drawn> with sb

wojewoda *sm* (*decl* = *sf*) *hist.* voivode

wojewódzki *adj* (administration etc.) of a province; provincial (People's Council, Court etc.); **miasto ~e** capital of a province

województwo *sn* 1. (*jednostka administracyjno-terytorialna*) province 2. (*urząd*) voivodeship; provincial administration <offices>

wojłok *sm G.* **~u** thick felt

wojłokowy *adj* felt — (boots, greatcoat etc.)

woj|na *sf pl G.* **~en** 1. (*walka zbrojna*) war; warfare; **~na atomowa** nuclear war; **~na błyskawiczna** "blitzkrieg"; *ekon. polit.* **~na celna** tariff war; **~na chemiczna** chemical warfare; **~na domowa** civil war; **~na narodowo-wyzwoleńcza** war for national liberation; **~na nerwów** war of nerves; *hist.* **~na niewolnicza** servile war; **~na partyzancka** guerilla warfare; **~na totalna** total war; **~ny krzyżowe** crusades; **zimna <prawdziwa> ~na** cold <shooting> war; **zmęczony ~ną** war-weary; **prowadzić <toczyć> ~nę** to wage war; to be at war; *przen.* to combat (**z chorobami, zacofaniem itd.** diseases, obscurantism etc.) 2. *przen.* (*spór, walka*) strife; contention; quarrel(s); feud; **~na na noże** war to the knife

woj|ować *vi imperf* 1. *lit.* (*prowadzić wojnę*) to wage war; **~ujący** belligerent; combatant; militant 2. (*zwalczać*) to combat <to condemn> (**z przesądami itd.** prejudices etc.); (*spierać się*) to contend (with sth)

wojowniczo *adv* (*zaczepnie*) in a warlike spirit; aggressively; (*czupurnie*) truculently; bellicosely; combatively; pugnaciously

wojowniczość *sf singt* 1. (*skłonność do wojowania*) warlike spirit; aggressiveness 2. (*czupurność*) truculence; bellicosity; pugnacity; combativeness

wojownicz|y *adj* 1. (*skłonny do wojowania*) warlike; aggressive; bellicose; (*o duchu*) martial; soldier-like 2. (*czupurny*) bellicose; truculent; combative; pugnacious; **usposobienie ~e** = **wojowniczość** 2.

wojownik *sm lit.* warrior

wojsił|ka *sf pl G.* **~ek** *zool.* mecopteran, mecopteron

wojsiłkowat|y *zool.* [I] *adj* mecopterous [II] *spl* **~e** (*Mecoptera*) (*rząd*) the order Mecoptera

wojsk|o *sn* 1. (*także pl* **~a**) (*siły zbrojne*) army; the forces; the services; troops; **powołać do ~a** to call (sb) to the colours; to call (sb) up; **powołano go do ~a** he was called up; **służyć w ~u** to be in the army; to be with the colours; **wstąpić do ~a** to join up; to join the army <the forces>; to enter the service; to enlist; **wystąpić z ~a** to leave the army 2. *zbior.* (*wojskowi*) the military 3. *pot.* (*żołnierze*) soldiers; troops 4. *pot.* (*służba w wojsku*) military service; **być w ~u** to do one's military service

wojskowo *adv* militarily

wojskowość *sf singt* 1. (*instytucja*) the army; (*nauka*) military science 2. (*służba*) military service

wojskow|y [I] *adj* military (service, oath, salute, attaché etc.); army (administration etc.); **Ministerstwo Spraw Wojskowych** War Ministry; Ministry of Defence; **pociąg <statek> ~y** troop train <troopship>; **postawa ~a** soldierlike bearing [II] *sm* **~y** military man; *pl* **~i** the military; **były ~y** ex-service man; veteran

po ~emu in a soldierlike manner; army fashion

wokaliczny *adj jęz.* vocalic

wokalist|a *sm* (*decl* = *sf*), **wokalist|ka** *sf pl G.* **~ek** *muz.* vocalist

wokalistyka *sf singt muz.* vocalism

wokaliza *sf muz.* exercise(s) in vocalization

wokalizacja *sf jęz.* vocalization

wokalizm *sm G.* **~u** *jęz.* vocalism

wokalizować *v imperf* [I] *vi muz.* to vocalize [II] *vr* **~ się** *jęz.* to be vocalized <vowelized>

wokalnie *adv muz.* vocally

wokalny *adj muz.* vocal

wokan|da *sf prawn.* calendar; cause-list; **być na ~dzie** to come on for trial

wokoluteńko *adv* all around

wok|oło, wok|ół [I] *praep* round (**kogoś, czegoś** sb, sth); about (**kogoś, czegoś** sb, sth); **~oło, ~ół tematu <kwestii>** on a subject <question> [II] *adv* all around; right and left

wokółziemsk|i *adj* encircling the terrestrial globe; **orbita ~a** terrestrial orbit

wol|a *sf singt* will; *filoz.* volition; *filoz.* **akt ~i** conation; **bez siły ~i** without character; weak-kneed; **człowiek silnej ~i** strong-willed person; man of character; **dobra ~a** goodwill; **ostatnia ~a** last will (and testament); **pełen dobrej ~i** willing; **silna ~a** strong will; character; **siła ~i** will-power; character; **słaba ~a** infirmity of purpose; **mieć słabą ~ę** to be infirm of purpose <wanting in purpose>; **~a pokoju** the will to preserve peace; **zła ~a** ill-will; **narzucać innym swoją ~ę** to lay down the law; **nie ze złej ~i** with no ill intent; **zależnie od czyjejś dobrej ~i** at sb's will and pleasure; **z własnej ~i** of one's own free will; voluntarily; of one's own accord <volition>; (to do sth) unsolicited; *pot.* **~a Boska!** it can't be helped; there's nothing to be done <nothing one can do>; **jeżeli taka będzie ~a Boska** God willing

do ~i at will; at pleasure; at discretion; to one's heart's content

mimo ~i involuntarily; unintentionally; unconsciously; unawares

wolak *sm* (*gołąb*) pouter

wolant[1] *sm* 1. *lotn.* steering-wheel; control-wheel 2. (*A.* **~a**) *sport* (battledore and) shuttlecock

wolant[2] *sm G.* **~a <~u>** (*powozik*) cabriolet

wole *sn pl G.* **woli <wól>** 1. *zool.* (*u ptaków*) crop; craw; jowl; (*u owadów*) craw; (*u pszczół*) **~ miodowe** honey-sack 2. *med.* goitre; bronchocele; struma

wol|eć *vt vi imperf* **~ą** to prefer (**jedno niż drugie** one thing to another); **~ę jabłko (niż gruszkę)** I would rather have an apple (than a pear); **~ę <~ałbym> stracić posadę, niż ...** I had rather <I would as soon> lose my job than ...; **~eli**

umrzeć niż się poddać they preferred to die rather than surrender; **który obraz ~isz?** which picture has your preference <do you favour>?

wolej *sm sport* volley

wolfram *sm singt G.* **~u** *chem.* wolfram

wolframian *sm G.* **~u** *chem.* tungstate

wolframit *sm G.* **~u** *miner.* wolframite

wolframowy *adj chem.* tungstic <tungsten> (steel etc.)

wol|i *adj* ox's; bullock's; *zool.* bovine; **~a skóra** ox-hide; *arch.* **~e oczy** bull's eyes

wolicjonalny *adj psych.* volitionary

woliera *sf* aviary

wolina *sf* wood wool

wolitywny *adj psych.* volitive

wolkameri|a *sf GDL.* **~i** *bot.* (*Volcameria*) glory bower

wolniusieńki *adj* (*dim* ↑ **wolny**) extremely slow

wolniusieńko *adv*, **wolniuteńko** *adv* (*dim* ↑ **wolno**) dead slow; as slow as one possibly can; as slow as can possibly be

wolno [I] *adj* 1. (*powoli*) slowly; slow; at a leisurely pace; **jechać ~** to go slow; (*o czasie*) **~ płynąć** to drag on; **najwolniej, jak tylko można** dead slow 2. (*luźno*) loosely; (*o części ubioru*) **puszczony ~** loose; **włosy rozpuszczone ~** flowing hair 3. (*swobodnie*) freely; **~ urodzony** free-born; **~ stojący** free-standing; **odetchnąć wolniej** to breathe more freely; **puścić kogoś ~** to set sb free; **puścić zwierzę ~** to let an animal loose [II] *praed* one <you> may; one is <you are> allowed <permitted> to ...; one is <you are> free to ...; **czy ~ mi?** may I?; **nie ~ mi pić** I'm forbidden strong drinks; **nie ~ nam było ...** we were not allowed to ...; we were forbidden to ...; **nie ~ tego robić <mówić itd.>** you mustn't do <say etc.> that; you are not to do <to say etc.> that; **~ mi było iść, gdzie chciałem** I was free to go where I liked; *w napisie*: **„psów wprowadzać nie ~"** "no dogs allowed"; *przysł.* **~ć Tomku w swoim domku** my house is my castle

wolno- free-

wolnobież|ka *sf pl G.* **~ek** *pot.* free-wheel bicycle

wolnobieżny *adj techn.* **silnik ~** slow-speed engine

wolnocłowy *adj ekon.* bonded; **port ~** free port; **skład ~** bonded warehouse

wolnomularski *adj hist.* masonic

wolnomularstwo *sn singt hist.* freemasonry

wolnomularz *sm hist.* freemason

wolnomyśliciel *sm* free-thinker; *żart.* a slow thinker

wolnomyślicielski *adj* free-thinking

wolnomyślicielstwo *sn*, **wolnomyślność** *sf singt* free--thinking; free-thought

wolnomyślny *adj* free-thinking

wolnonajemny *adj ekon.* hired (man, labour)

wolnonośn|y *adj lotn.* **skrzydło ~e** cantilever wing

wolnoobrotowy *adj techn.* slow-speed (engine)

wolnopalny *adj techn.* slow-burning (fuse etc.)

wolnopłatkow|y *bot.* [I] *adj* choripetalous [II] *spl* **~e** (*Choripetalae*) (*podklasa*) the division Choripetalae

wolnorynkowy *adj ekon.* free-market (sale, price etc.)

wolnościowy *adj* (struggle) for political independence; (war etc.) of liberation

wolnoś|ć *sf singt* 1. *polit.* independence; freedom; liberty; sovereignty 2. (*swoboda*) freedom (of the individual etc.); liberty; **~ć słowa <prasy>** freedom <liberty> of speech <of the press>; **~ć sumienia** liberty of conscience; *hist.* **złota ~ć** the privileges of the nobility; *hist.* **dać <nadać> komuś ~ć** to emancipate sb; **odzyskać ~ć** to regain one's freedom; **puścić <wypuścić> kogoś na ~ć** to set sb free; **na ~ci** at liberty; (*o zwierzęciu*) in freedom; (*o zbrodniarzu*) at large

woln|y [I] *adj* 1. (*niezależny*) free; independent; *sport* **rzut ~y** free kick; *filoz.* **~a wola** free will; **~e zawody** the (learned) professions; **~y handel** free trade; **~y rynek** free market; **~y strzelec** franc-tireur 2. (*uwolniony od czegoś*) free <void, exempt> (**od czegoś** from sth); **dać komuś ~ą rękę** to give sb a free hand 3. (*niezajęty*) free; disengaged; spare (time); **~e chwile** leisure hours; odd moments; off-time; **miałem ~ą chwilę** I was at a loose end 4. (*nie połączony związkiem małżeńskim*) single; unmarried; bachelor; celibate; **~a miłość** free love 5. (*próżny, pusty*) vacant; free (table etc.); **~a przestrzeń** elbow-room; **na ~ym powietrzu** in the open (air) 6. (*o drodze — otwarty*) clear; **„droga ~a"** "the coast is clear" 7. (*bezpłatny*) free (of charge); **wstęp ~y** admittance free; no charge for admittance 8. (*powolny*) slow; leisurely; **pracować na ~ych obrotach** to idle; *kulin.* **na ~ym ogniu** on a slow fire 9. (*luźny*) loose 10. *chem.* free (gold etc.) [II] *sn* **~e** *pot.* off-time

~ego *adv pot.* steady!; don't be in such a hurry!

wolontariusz *sm* volunteer

wolotwórczy *adj med.* goitrogenic

wolowaty *adj med.* goitrous

wolowy *adj lit.* volitional

wolt *sm fiz.* volt

wolta *sf* 1. *dosł. i przen.* (*unik*) volte 2. (*w jeździe konnej*) volte

woltametr *sm G.* **~u** *fiz.* voltameter

woltamper *sm fiz.* volt-ampère

woltaż *sm singt G.* **~u** *fiz.* voltage

wolterianin *sm* Voltairian

wolterianizm *sm singt G.* **~u** *filoz. hist.* Voltairianism

wolteriański *adj* Voltairian

woltomierz *sm fiz.* volt-meter

woltyż *sm G.* **~u** *pot.* vaulting

woltyże|r *sm pl G.* **~rowie** <**~rzy**> 1. (*cyrkowiec*) performer on horse-back 2. *hist.* rifleman

woltyżer|ka *sf pl G.* **~ek** 1. (*kobieta*) performer on horse-back 2. (*popisowa jazda*) performing on horse-back

wolum|en <**wolum|in**> *sm G.* **~inu** *pl N.* **~ina** <**~iny**> volume

woluntariat *sm G.* **~u** voluntary service

woluntarny *adj psych.* volitionary

woluntaryzm *sm singt G.* **~u** *filoz.* voluntarism

woluta *sf arch.* volute; *plast.* scroll

wołacz *sm jęz.* vocative (case)

wołaczowy *adj* vocative

woła|ć *v imperf* [I] *vi* 1. (*wydawać głos*) to call (out); (*wydawać okrzyk*) to cry; to call forth; to ejaculate; **~ć w niebogłosy** to shout at the top of one's voice 2. (*domagać się*) to clamour (**o coś** for sth); to demand (**o coś** sth); **to ~ o pomstę do nieba** it's (simply) outrageous [II] *vt* 1. (*wzywać*) to call (**kogoś** sb <for sb>); **~ją cię** you're wanted 2. (*zwracać się do kogoś po imieniu, nazwisku*) to call (**kogoś Józef, Piotr itd.** sb Joseph, Peter etc.) [III] *vr* **~ć się** to be called ...; to answer to the name of ...

~jący *sm w zwrocie*: **głos ~jącego na puszczy** the voice of one calling in the wilderness

wołani|e *sn* (↑ **wołać**) (a) call; (a) cry; **~a straganiarzy** street cries

woł|ek *sm G.* **~ka** *roln. zool.* **~ek bawełniany** (*Anthonomus grandis*) cotton boll-weevil; **~ek zbożowy** (*Calandra granaria*) corn <grain> weevil

wołoski *adj hist.* Wal(l)achian

wołowaty *adj pot.* bovine

wołowina *sf* beef

wołow|y *adj* 1. (*mający związek z wołem*) ox's <bullock's> (bladder etc.); (drove, team etc.) of oxen; ox-(cart etc.); **ogon ~y** oxtail; **skóra ~a** oxhide; *przen.* **na ~ej skórze by nie spisał tego** it's an endless tale 2. (*z mięsa wołowego*) beef (extract, ham etc.); neat's (tongue etc.); **pieczeń ~a** roasted beef 3. (*podobny jak u wołu*) bovine; *bot.* **~e oko** (*Buphthalmum*) ox-eye

wombat *sm zool.* (*Phascolomys*) wombat

womitorium *sn* (*zw. pl*) *arch.* vomitory

won *interj pot.* get out!; clear out!

wonie|ć *vi imperf* **~je** *lit.* to smell; to scent the air; to be fragrant; *przen. pot.* **to mi zaczyna ~ć** it's a fishy business

wonienie *sn* (↑ **wonieć**) fragrance

wonnica *sf zool.* **~ piżmówka** (*Aromia moschata*) musk-beetle

wonnie *adv lit.* fragrantly

wonność *sf* 1. *lit.* (*woń*) fragrance; scent; smell 2. (*zw. pl*) (*pachnidła*) perfumes

wonny *adj* sweet-scented; fragrant; aromatic; sweet-smelling

wonton *sm G.* **~u** *ryb.* seine

woń *sf* (*przyjemny zapach*) fragrance; aroma; perfume; scent; (*zapach przyjemny lub nieprzyjemny*) smell; odour

wopista *sm* (*decl = sf*) frontier guardsman

worać *v perf* **worze** — **worywać** *v imperf* [I] *vt* to plough in (manure etc.) [III] *vr* **worać, worywać się** 1. (*przyorać sobie cudzy grunt*) to filch (**w cudzy grunt** some of one's neighbour's land) 2. (*werżnąć się*) to cut (**w coś** into sth)

worecz|ek *sm G.* **~ka** (paper, leather etc.) bag; *bot.* pouch; silicle; *anat.* pouch; cyst; **~ek łzowy** lachrymal <lacrimal> sac; **~ek żółciowy** gall bladder

wor|ek *sm G.* **~ka** 1. (*torba*) bag; sack; pouch; *anat.* **~ek osierdziowy** heart sac; **~ki pod oczami** pouches <bags, pockets> under the eyes; *zool.* (*u ptaków*) **~ki powietrzne** air sacs; *przen.* **dziurawy ~ek** bottomless sack; **kupić kota w ~ku** to buy a pig in a poke 2. *pot.* (*zawartość*) bagful; sackful 3. *bot.* (*u niektórych grzybów*) spore sac

workować *vt imperf* to sack (corn etc.)

workowato *adv* like <in the shape of> a bag <sack, pouch>; **~ zwisać** to pouch; to bag

workowat|y [I] *adj* baggy; bag-like; pouchy [III] *spl* **~e** *zool.* (*Marsupialia*) (*podgromada*) the marsupials

workowc|e *spl G.* **~ów** 1. *bot.* (*Ascomycetes*) (*klasa*) the ascomycetous fungi 2. *zool.* = **workowate** *zob.* **workowaty**

workowiśnia *sf bot.* = **miechunka**

workow|y *adj* **płótno ~e** sackcloth; sacking; *bot.* **porosty ~e** (*Ascolichenes*) (*grupa*) the class Ascolichenes; **zarodniki ~e** ascospores

worywać *zob.* **worać**

wosk *sm G.* **~u** wax; **~ pszczeli** beeswax; **~ roślinny** <**ziemny, montanowy**> vegetable <mineral, montan> wax

woskowa|ć *vt imperf* to wax (floors etc.); **papier ~ny** wax-paper; **wąsy ~ne** waxed moustache

woskowaty *adj* waxy; waxen

woskowina *sf* 1. *fizj.* ear-wax; cerumen 2. *bot.* vegetable wax

woskowinowy *adj* ceruminous

woskownica *sf bot.* (*Myrica*) wax-myrtle

woskownicowat|y *bot.* [I] *adj* myricaceous [III] *spl* **~e** (*Myricaceae*) (*rodzina*) the bayberry family

woskowo *adv* waxily

woskowożółty *adj* wax-yellow

woskow|y *adj* 1. (*z wosku*) waxen (cell etc.); wax — (candle, taper, doll etc.); *zool.* **gruczoły ~e** ceruminous glands; *techn.* **matryca ~a** wax stencil; **nalot ~y** wax coating 2. (*przypominający wosk*) waxy (complexion etc.)

wosków|ka *sf pl G.* **~ek** 1. (*matryca*) wax stencil 2. *zool.* cere

woszcz|ek *sm G.* **~ku** ear-wax

woszczyna *sf* 1. *pszcz.* comb 2. *anat.* ear-wax

woszczynowy *adj anat.* ceruminous (gland etc.)

woszeri|a *sf GDL.* **~i** *bot.* (*Vaucheria*) alga of the genus Vaucheria

wotum *sn* 1. *rel.* votive offering; ex voto 2. (*uchwała*) vote (**zaufania** of confidence, **nieufności** of no confidence)

wotywa *sf rel.* votive mass

wotywny *adj* votive (mass, offering)

wozak *sm* 1. (*w transporcie konnym*) driver; carter 2. *górn.* hauler, haulier

wozić *v imperf* **wożę, woź, wożony** [I] *vt* 1. (*transportować*) to transport; to convey; to carry; to cart; to drive (**kogoś dokądś** sb somewhere); **~ kogoś, coś dokądś** to take sb, sth to a place 2. (*obwozić*) to take <to go with> (sb, sth from place to place); **~ dziecko w wózku** to perambulate a baby [III] *vr* **~ się** to ride; to journey; to travel; **~ się z czymś** to take <to have> (sth) with one on one's travels

woziwoda *sm* (*decl = sf*) water-carrier

wozownia *sf* coach-house

wozowy *adj* cart- (wheel etc.)

wozów|ka *sf pl G.* **~ek** *bud.* side face (of a brick); stretcher

woźna *sf* (*decl = adj*) caretaker

woźnica *sm* (*decl = sf*) 1. (*powożący końmi*) driver; coachman; waggoner 2. *hist.* charioteer

woźny *sm* (*decl = adj*) 1. (*pracownik instytucji*) caretaker; janitor; messenger 2. *hist. sąd.* crier; usher; beadle

wożenie *sn* (↑ **wozić**) transportation; conveyance; carriage

wóda *sf pot.* = **wódka** 1.

wódecz|ka *sf pl G.* **~ek** 1. *dim* ↑ **wódka** 2. (*kieliszek*) a (glass of) vodka

wódeczność *sf singt pot.* booze

wód|ka *sf pl G.* **~ek** 1. (*napój*) vodka; **coś pod ~kę** snack to go <to be taken> with vodka; **~ka czysta** <**gatunkowa**> unflavoured <flavoured> vodka; **fundować komuś ~kę** to stand sb a drink (of vodka); **iść na ~kę** to go and have a drink 2. *pot.* (*kieliszek*) glass of vodka 3. (*napoje wyskokowe — alkohol*) liquor; drink; *pot.* booze

wódz *sm G.* **wodza** 1. *wojsk.* commander; **~ naczelny** commander-in-chief 2. (*przywódca*) leader; chief; **~ plemienia** chieftain; headman

wódzia *sf rz. pot.* drink(s); booze

wójt *sm* chief officer of a group of villages; *szk.* monitor; *przen.* **do ~a nie pójdziemy** we shan't quarrel about this; we'll come to terms all right

wół *sm G.* **wołu** ox; bullock; steer; *zool.* **~ piżmowy** (*Ovibos moschatus*) musk ox; **pracować jak ~** to work like a nigger; *pot.* **pasuje jak ~ do karety** it is a hopeless misfit; **stoi jak ~** here it is black on white

wór *sm G.* **woru** 1. (*duży worek*) sack; *pot.* **wory pod oczami** pouches <bags, pockets> under the eyes 2. (*zawartość*) sackful

wówczas *adv* then; at the time; at that time; in those days

wóz *sm G.* **wozu** <*rz.* **woza**> 1. (*fura*) cart; waggon; *astr.* **Mały Wóz** Lesser Bear; **Wielki Wóz** Charles's Wain; *górn.* **~ kopalniany** coal tub; tram; wagon; **~ meblowy** furniture <pantechnicon> van; **masz ~ albo przewóz** take your choice; it's one way or the other; **on bywał raz na wozie, raz pod wozem** he has experienced the ups and downs of life; **on jest pod wozem** he is under the harrow 2. (*zawartość*) cart-load; waggon-load 3. *pot.* (*samochód*) car 4. *pot.* (*tramwaj*) tram-car; *am.* streetcar 5. *kolej.* = **wagon**

wózeczek *sm dim* ↑ **wózek** 1.; **~ dziecinny** perambulator; *pot.* pram

wóz|ek *sm G.* **~ka** 1. (*pojazd zaprzężony w konie*) cart; (*ręczny*) go-cart; push-cart; handcart; barrow; **~ek dziecinny** perambulator; *pot.* pram; *am.* baby-carriage; **~ek dziecinny spacerowy** push-chair; *górn.* **~ek kopalniany** coal hutch 2. *pot.* (*przyczepka do motocykla*) side-car 3. *sport* (*w łodzi wiosłowej*) sliding seat 4. *techn.* (*u maszyny do pisania*) carriage

wózkar|ka *sf pl G.* **~ek** costermonger

wózkarz *sm* (*robotnik przy wózku, pot. handlarz uliczny*) barrow-man

wózkować *vi sport* to dribble

wózkowanie *sn* (↑ **wózkować**) dribble

wpa|dać *vi imperf* — **wpa|ść** *vi perf* **~dnę, ~dnie, ~dnij, ~dł** 1. (*trafiać*) to fall (**do czegoś, w coś** in <into> sth; **do studni, przepaści** down a well, a precipice); to get (**do czegoś, w coś** into sth); (*o kuli*) to roll (**do czegoś** into <down> sth); (*o wietrze*) to sweep <to burst> (**do pokoju itd.** into a room etc.); **jakby w wodę ~dł** nowhere to be found; **~ść komuś do głowy** to enter sb's head; to occur to sb; **~ść komuś do ręki** <**w czyjeś ręce**> to fall into sb's hands; **~ść w długi** to fall into debt; **~ść w kłopoty** to get into trouble; **~ść w sidła** <**w sieci**> to fall into <to get caught in> a trap <a net>; **~ść w złe towarzystwo** to fall into bad company; *sl.* **~dać w oczy** to be conspicuous; **~ść komuś w oko** to catch sb's fancy; *przysł.* **~ść z deszczu pod rynnę** to fall from the frying pan into the fire 2. (*wlatywać, wbiegać*) to run <to come running, to rush, to dart, to blow, to storm> (**do pokoju itd.** into a room etc.) 3. (*zachodzić, wstępować*) to drop in <to call> (**do kogoś** on sb); to look (**do kogoś** sb) up; to come and see (**do kogoś** sb); to look in (**do kogoś** on sb <at sb's house>); to drop (**do sklepu** into a shop) 4. (*o wojsku — najeżdżać*) to break in (**do jakiegoś kraju** on a country); to fall <to swoop down> (**na nieprzyjaciela** on the enemy) 5. (*zderzyć się*) to run (**na kogoś** into sb); to come up (**na kogoś** against sb); to cannon (**na kogoś** into <against> sb); **~ść na mur** <**na słup telegraficzny**> to run into a wall <a telegraph pole>; **~ść na pomysł czegoś** to think <to strike upon the idea> of (doing) sth; **~ść na trop zbrodniarza** to get on a criminal's track; **~ść pod pociąg** to fall <to get> under a train; **~ść pod samochód** to get run over by a motor-car; **~ść w poślizg** to skid; *pot.* **~ść na kogoś z góry** to drop down on sb; to blow sb up 6. (*napadać*) to attack (**na kogoś** sb) 7. (*ulegać silnej emocji*) to fall (into despair etc.); **~dać w panikę** to panic; **~ść w gniew** to fly into a passion; **~ść w nałóg** to contract <to fall into> a habit; **~ść w ostateczność** to run <to rush> into extremes; **~ść w przesadę** to exaggerate; to indulge in exaggerations 8. (*zapadać się*) to sink; **~dłe oczy** <**policzki**> sunken eyes <cheeks> 9. *imperf* (*mieć odcień*) to verge <to border> (**w zielony, brązowy itd.** on green, brown etc.); (*graniczyć*) to border (**w bezczelność itd.** on impudence etc.) 10. *imperf* (*o rzece*) to fall <to flow, to debouch, to disembogue itself> (**do morza itd.** into the sea etc.) 11. *pot.* (*dostawać się w trudną sytuację*) to get into trouble <into a mess>

wpadanie *sn* 1. ↑ **wpadać** 2. (*najazd*) irruption 3. *fiz.* incidence (**promieni świetlnych** of light rays)

wpad|ka *sf pl G.* **~ek** 1. *pot.* (*znalezienie się w trudnej sytuacji*) mishap; piece of bad luck; disaster; reverse; setback 2. *karc.* undertrick; **jedna, dwie itd. ~ki** one, two etc. down

wpadnięcie *sn* 1. (↑ **wpaść**) (a) fall 2. (*najazd*) irruption

wpadun|ek *sm G.* **~ku** *gw.* = **wpadka** 1.

wpajać *vt imperf* — **wpoić** *vt perf* **wpoję, wpój, wpojony** to inculcate <to instil(l), to implant, to engraft> (an idea in sb)

wpajanie *sn* (↑ **wpajać**) inculcation; implantation; engraftment

wpakow|ać *v perf* — **wpakow|ywać** *v imperf pot.* [I] *vt* 1. (*wcisnąć*) to stuff <to shove, to cram> (sth into one's pocket etc.); to shove <to push, to thrust> (sb into a cart, a compartment etc.); **~ać, ~ywać kogoś w kabałę** to get sb into trouble; **~ać, ~ywać komuś fałszywą monetę** to pass a false coin on sb; **~ać, ~ywać komuś kulę w łeb** <**nóż w plecy**> to lodge a bullet in sb's head <to stick, to bury a knife into sb's back> 2. (*wtrącić*) to land <to clap> (sb in gaol); **~ać, ~ywać kogoś do ciupy** to run sb in; **~ać, ~ywać kogoś do łóżka** to pack sb off to bed [II] *vr* **~ać, ~ywać się** 1. (*wejść przemocą*) to barge in; to squeeze in; **~ać, ~ywać się do łóżka** to tumble into bed; **~ać, ~ywać się w kabałę** to get oneself into a mess 2.

(*nadziać się*) to come up (**na coś** against sth); to run (**na coś** into sth)

wpasować *vt perf* — **wpasowywać** *vt imperf* to fit (sth) in

wpaść *zob.* **wpadać**

wpat|rywać się *vr imperf* — **wpat|rzyć** <**wpat|rzeć**> **się** *vr perf* **~rzy się** to look intently <narrowly, closely> (**w kogoś, coś** at sb, sth); to fix one's eyes <gaze> (**w kogoś, coś** on sb, sth); to stare (**w kogoś, coś** at sb, sth); **~rywał się w nią, jak w obraz** he kept his eyes fixed on her in rapture

wpatrzony *adj* with one's eyes fixed (**w kogoś, coś** on sb, sth); gazing <looking> intently (**w kogoś, coś** at sb, sth); unable to take one's eyes off (**w kogoś, coś** sb, sth)

wpeł|zać *vi imperf* — **wpeł|znąć** *vi perf* **~znie** <**~źnie**>, **~zli** <**źli**>, **~znął** <**~zł**>, **~zła** to creep <to crawl> in

wpęd *sm G.* **~u** *techn.* penetration

wpędz|ać *vt imperf* — **wpędz|ić** *vt perf* **~ę**, **~ony** to drive (sb, cattle etc.) in; **on mnie ~i do grobu** he will be the death of me; **~ić kogoś do grobu** to send sb to the grave; **~ić kogoś w chorobę** to bring a disease on sb; to drive sb to a breakdown; **~ić kogoś we wściekłość** to drive sb mad; **~ić kogoś w rozpacz** to plunge sb into despair

wpiąć *vt perf* **wepnę, wepnie, wepnij, wpiął, wpięła, wpięty** — **wpinać** *vt imperf* to stick (a flower in one's buttonhole, in one's hair)

wpi|ć *v perf* — **wpi|jać** *v imperf* [I] *vt* to bury (teeth, claws etc.) into sth [III] *vr* **~ć**, **~jać się** to go deep <to sink> (into sth); to be buried (in sth)

wpierać *vt imperf* 1. = **weprzeć** 2. *pot.* (*wmawiać*) to argue <to delude> (**coś w kogoś** sb into believing sth); to endeavour to convince (**coś w kogoś** sb of sth)

wpierw *adv* (*przede wszystkim*) first (of all); in the first place; (*uprzednio*) beforehand; previously

wpięcie *sn* ↑ **wpiąć**

wpijać *zob.* **wpić**

wpinać *zob.* **wpiąć**

wpis *sm G.* **~u** 1. (*opłata*) registration <inscription, initiation> fee 2. *prawn.* (*zarejestrowanie*) registration; enrolment

wpi|sać *v perf* **~szę**, **~sz**, **~sany** — **wpi|sywać** *v imperf* [I] *vt* 1. (*napisać*) to write (down) <to inscribe> (sth in a notebook etc.); to interline (a translation etc.) 2. (*wciągnąć do wykazu*) to enter (**kogoś, nazwisko do rejestru, na listę** sb, a name in a register, on a list) 3. *mat.* to inscribe [III] *vr* **~sać**, **~sywać się** 1. (*umieścić swoje nazwisko w rejestrze*) to enrol(l) <to register> oneself; to enter one's name (on a list etc.) 2. (*umieścić coś w czyimś albumie itd.*) to write <to put down> one's name <to inscribe sth> (in a book etc.)

wpisanie *sn* 1. (↑ **wpisać**) inscription 2. (*wciągnięcie do rejestru*) registration

wpisow|y [I] *adj* inscription <registration> (formalities, fee etc.) [III] *sn* **~e** inscription <registration> fee

wpisywać *zob.* **wpisać**

wpl|atać *v imperf* — **wpl|eść** *v perf* **~otę**, **~ecie**, **~eć**, **~ótł**, **~otła**, **~etli**, **~eciony** [I] *vt* to plait <to braid> (a ribbon etc. into a tress etc.); to work <to weave> (details etc. into a report etc.); to intersperse (**obce słowa w jakiś tekst** a text with foreign words) [III] *vr* **~atać**, **~eść się** to mix <to mingle> (**w coś** with sth)

wplą|tać *v perf* **~cze** — **wplą|tywać** *v imperf* [I] *vt* (*uwikłać*) to implicate <to involve, to entangle> (**kogoś w coś** sb in sth); to tangle (sb) up; (*wpleść*) to plait <to tangle, to braid> (sth into one's hair etc.) [III] *vr* **~tać**, **~tywać się** to get implicated <involved, tangled> (in sth); to get mixed up (**w coś** with sth, in an affair etc.)

wplątanie *sn* (↑ **wplątać**) implication; involvement; entanglement

wplątywać *zob.* **wplątać**

wplecenie *sn* ↑ **wpleść**

wpleść *zob.* **wplatać**

wpłacać *vt imperf* — **wpłac|ić** *vt perf* **~ę**, **~ony** to pay (**do kasy** at the pay-desk; **na czyjś rachunek** into sb's account); to remit

wpłacenie *sn* (↑ **wpłacić**) payment; remittance

wpłacić *zob.* **wpłacać**

wpłat|a *sf* payment; remittance; **dokonać ~y** to make a payment; to send a remittance

wpław *adv* **przebyć rzekę** <**puścić się**> **~** to swim across

wpły|nąć *vi perf* — **wpły|wać** *vi imperf* 1. (*o statku*) to put into port <into harbour>; to enter (**do portu** a port <harbour>); to sail (**do portu** into port); (*o człowieku, zwierzęciu*) to swim (**do zatoki itd.** into a bay etc.); (*o płynach*) to flow (**do czegoś** into sth); (*o rzece*) to fall (**do morza itd.** into the sea etc.); (*o zapachach*) to be wafted (**do pokoju itd.** into a room etc.); (*o powietrzu, dymie itd.*) to drift <to be blown> (**do pokoju itd.** into a room etc.) 2. (*o człowieku — wywrzeć wpływ*) to influence (**na kogoś** sb); to exert an influence <to bring an influence to bear> (**na kogoś** on sb); to induce (**na kogoś, żeby coś zrobił** sb to do sth); to prevail (**na kogoś** on sb) 3. (*o zjawiskach itd.*) to influence <to affect> (**na kogoś, coś** sb, sth); to have an effect (**na kogoś, coś** on sb, sth) 4. *biur.* (*o korespondencji, pieniądzach itd.*) to come in; to be received; **~nęły nowe zamówienia** <**oferty**> new orders <offers> have come (in); we have received new orders <offers>

wpływ *sm G.* **~u** 1. (*oddziaływanie*) influence; ascendency <sway> (**na ludzi** over people); impact (**wynalazku, pewnych idei na ludzi** of an invention, certain ideas on people); effect (**czegoś na coś** of sth on sth); *techn.* **~ skali** <**wielkości**> scale <size> effect; **mieć ~ na kogoś** to have a hold on sb; **pod ~em alkoholu** under the influence of drink; **pod ~em strachu** under the stress of fear 2. (*zw. pl*) influence; control; weight (of a personality); **okoliczności, na które nie mamy ~u** circumstances beyond our control; *meteor. lotn.* **~y atmosferyczne** weathering; **wolny od ~ów** uninfluenced; unbiased; **mieć ~y** to have influence <connections>; **używać ~ów** to pull the strings <the wires>; to work the oracle 3. *pl* **~y** (*dochody*) receipts; takings; returns; **~y z wstępów** gate-money

wpływać *zob.* **wpłynąć**

wpływanie *sn* 1. ↑ **wpływać** 2. (*wywieranie wpływu*) influence; inducement 3. (*wpływ*) inflow

wpływow|y *adj* influential; **~a osobistość** person of weight

w pobliżu *zob.* **pobliże**
wpoić *zob.* **wpajać**
wpojenie *sn* (↑ **wpoić**) inculcation; implantation; engraftment
wpompować *vt perf* — **wpompowywać** *vt imperf* to pump in
w poprzek *zob.* **poprzek**
wpół *adv* 1. (*w połowie*) half-way; (*przy oznaczaniu godziny*) half past; **~ do drugiej, trzeciej itd.** half past one, two etc.; **objąć kogoś ~** to take sb by the middle <by the waist>; **zgiąć się ~** to bend double; **~ nieba** half-way across the sky 2. (*częściowo*) half _; semi _; **~ otwarty** half-open; **~ zamknięty** half-closed; **~ darmo** at half the value; at halfprice; for a song; dirt-cheap
na ~ half _, semi _; **na ~ płynny** semi-fluid; **na ~ przeźroczysty** semi-transparent; **na ~ skończony** half-finished; **na ~ ugotowany** half-boiled; **na ~ upieczony** half-baked
wpółgłośny *adj* said in a loud whisper
wpółleżeć *vi imperf* to recline
wpółmartwy *adj* half-dead
wpółobłąkany *adj* semi-demented
wpółobnażony *adj* half-naked
wpółotwarty *adj* half-open; (standing) ajar
wpółpijany *adj* half-drunk
wpółprzymknięty *adj* half-closed
wpółprzytomny *adj* half-conscious
wpółsenny *adj* drowsy; half-asleep
wpółsiedzieć *vi imperf* to recline
wpółsurowy *adj* half-baked; half-cooked; (*o mięsie*) underdone
wpółślepy *adj* half-blind
wpółubrany *adj* half-dressed
wpółuchylony *adj* (standing) ajar
wpółuświadomiony *adj* 1. (*niedokładnie poinformowany*) partially informed <enlightened> 2. (*niezupełnie świadomy*) semi-conscious
wpółzatarty *adj* half-obliterated; half-erased
wpr|aszać się *vr imperf* — **wpr|osić się** *vr perf* **~oszę się** to intrude <to thrust> oneself (**do jakiegoś towarzystwa** upon a company); to invite oneself (**na obiad itd.** to dinner etc.); to cadge (**do kogoś na obiad itd.** a dinner etc. from sb)
wpraw|a *sf* practice; training; skill; expertness; proficiency; **mieć ~ę w czymś <w robieniu czegoś>** to be used to sth <to doing sth>; to be skilful <proficient> in sth <in doing sth>; to be an old hand <an expert> at sth <at doing sth>; **nabyć ~y w czymś <w robieniu czegoś>** to acquire proficiency <skill> in sth <in doing sth>; to become expert <skilful, proficient> in sth <in doing sth>; **to jest kwestia ~y** it's a matter of practice <of training>; **wyjść z ~y** to get out of practice; **wyszedłem z ~y** I am out of practice; **dla ~y** for practice; to keep in training
wprawdzie *adv* admittedly; to be sure; indeed; I admit; **~ nie mam ochoty, ale ...** to be frank I am not keen (on it) but ...; **~ to bardzo ładne, ale za drogie** though it's very pretty still it's too expensive
wprawi|ać *v imperf* — **wprawi|ć** *v perf* [I] *vt* 1. (*umocować*) to fix (a handle in a tool etc.); (*wstawiać*) to insert <to fit, to set> (sth in sth); to put in (a false tooth, a window pane etc.); to mount (a gem) 2. (*doprowadzić do wprawy*) to train (sb in sth); to accustom (**kogoś w czymś** sb to sth) 3. (*powodować, wywoływać*) to set <to put> (**coś, kogoś w jakiś stan** sb, sth in a certain state <condition>); to bring about (**coś w jakiś stan** a certain state in sth); **~ąć, ~ć coś w ruch** to set sth in motion; **~ać, ~ć kogoś w dobry humor** to put sb in good humour; **~ać, ~ć kogoś w osłupienie** to dumbfound sb; **~ać, ~ć kogoś w zachwyt** to entrance sb; **~ać, ~ć kogoś w zakłopotanie** to embarrass sb; **~ać, ~ć kogoś w zdumienie** to strike sb dumb [III] *vr* **~ać, ~ć się** 1. (*nabywać wprawy*) to acquire practice (in sth); to get training (in sth); to make oneself familiar (**w czymś** with sth); to get the hang (**w czymś** of sth) 2. (*doprowadzać się do jakiegoś stanu*) to work oneself <to get> (**w stan podniecenia, w szał** into a state of excitement, into a rage)
wpraw|ka *sf pl G.* **~ek** (*zw. pl*) (piano etc.) exercise(s)
wprawnie *adv* expertly; skilfully; proficiently; deftly; adroitly; dexterously; knowingly
wprawny *adj* 1. (*mający wprawę*) experienced; trained; skilled; proficient; skilful 2. (*świadczący o wprawie*) expert; proficient; skilful; deft; adroit; dexterous
wprosić się *zob.* **wpraszać się**
wprost [I] *adv* 1. (*prosto*) (*także* **na ~**) straight on; straight ahead; in a straight line 2. (*bezpośrednio*) directly (**do czegoś <z czegoś>** into sth <from sth>); *mat.* **~ proporcjonalny** directly proportional (**do czegoś** to sth) 3. (*bez ogródek*) outright; right out; point-blank; frankly; openly 4. (*ekspresywnie*) simply; **wygląda ~ ślicznie** she is simply lovely; **nie dałem ~ wiary** I simply could not believe it; **~ przeciwnie** quite the reverse [III] *praep* (*naprzeciw*) (*także* **na ~**) opposite (**drzwi, lustra itd.** the door, the looking-glass etc.)
wproszenie się *sn* (↑ **wprosić się**) self-invitation
wprowadz|ać *v imperf* — **wprowadz|ić** *v perf* **~ę, ~ony** [I] *vt* 1. (*wchodzić prowadząc*) to introduce; to usher; to lead <to take, to walk, to march> (**kogoś do sali** sb into a room); **~ać, ~ić gościa do salonu <do gabinetu lekarskiego>** to show sb into the drawing-room <the surgery>; **~ać, ~ić kogoś w błąd** to mislead sb; to lead sb astray; to deceive sb; *prawn.* **~ać, ~ić kogoś w posiadanie czegoś** to put sb in possession of sth 2. (*wsuwać, wkładać*) to introduce <to insert, to put> (**coś do czegoś** sth into sth) 3. (*zaczynać stosować*) to introduce <to initiate> (a custom etc.); to bring (sth) into practice; **wyrazy świeżo ~one** new-coined words; words of recent introduction; **~ać, ~ić coś w czyn** to carry sth into effect; **~ać, ~ić coś w grę** to call sth into play; **~ać, ~ić modę** to set a fashion; **~ać, ~ić ustawę w życie** to enforce a law; to put a law into force; **~ać, ~ić zamieszanie** to create a disturbance 4. (*zapoznawać kogoś z czymś*) to initiate (**kogoś w coś** sb in sth); to acquaint (**kogoś w arkana zawodu** sb with the secrets of a profession) 5. (*przyprawiać o nastrój*) to put (sb) in (a state of mind); **~ać, ~ić kogoś w obłęd** to drive sb mad; **~ać, ~ić kogoś w zakłopotanie** to embarrass sb; **~ać, ~ić kogoś w zdumienie** to astound sb [III] *vr* **~ać, ~ić się** to move (**do nowego mieszkania** into a new flat)

wprowadzenie *sn* 1. (↑ **wprowadzić**) introduction 2. (*wsunięcie*) introduction; insertion 3. (*zapoznanie z czymś*) initiation (**do czegoś** in sth) 4. (*wstęp*) preface; introductory remarks

wprowadzić *zob.* **wprowadzać**

wprz|ęgać *v imperf* — **wprz|ęgnąć** *v perf* **~ągł** <**~ęgnął**>, **~ęgła**, **~ęgnięty**, **wprz|ąc** *v perf* **~ęgę**, **~ęże**, **~ągł**, **~ęgła**, **~ężony** [I] *vt* 1. (*zaprzęgać*) to harness (a horse etc. to a cart) 2. *przen.* (*zmuszać do pracy*) to harness (a waterfall etc.) [II] *vr* **~ęgać**, **~ęgnąć**, **~ąc się** to harness oneself; to go into harness

wprzód *adv* 1. (*najpierw*) first (of all); in the first place 2. (*przedtem*) first; previously; beforehand

wpust *sm G.* **~u** 1. (*wejście*) inlet; entry 2. *anat.* cardia 3. *bud. stol.* (*felc*) rabbet; groove 4. *techn.* (*element maszynowy*) key

wpust|ka *sf pl G.* **~ek** *techn.* feather; tongue

wpustow|y *adj* 1. *anat.* cardial 2. *stol.* **połączenie ~e** tongue joint

wpuszczać *vt imperf* — **wpu|ścić** *vt perf* **~szczę**, **~szczony** 1. (*umożliwiać wejście*) to let (sb) in; to admit (**kogoś do czegoś** sb to sth; **kogoś do środka** sb inside); to allow (sb) to enter 2. (*dawać dostęp*) to let (sth) in; to introduce; to give free passage <to give entrance> (**coś** to sth) 3. (*wsuwać*) to let in; to introduce; to insert; to fix (sth in the wall, a rock etc.)

wpuszczenie *sn* 1. ↑ **wpuścić** 2. (*umożliwienie wejścia*) admittance; free passage 3. (*wsunięcie*) introduction; insertion

wpuścić *zob.* **wpuszczać**

wpychać *zob.* **wepchnąć**

wrabiać *v imperf* — **wrobić** *v perf* **wrób** [I] *vt* 1. (*wplatać w dzianinę*) to knit (sth) in 2. *pot.* (*wplątać*) to mix (sb) up (in an affair) [II] *vr* **wrabiać**, **wrobić się** *pot.* to get mixed up (in an affair)

wracać *v imperf* — **wrócić** *v perf* **wrócę** [I] *vi* 1. (*przybywać z powrotem*) to come <to go> back; to return; to get back; **ojciec wrócił** father is back; **wracać, wrócić myślą do czegoś** to revert in thought to sth; **wracać, wrócić piechotą** <**biegiem, samochodem, rowerem, motocyklem**> to walk <to run, to drive, to ride> back; **wrócić do swego towarzystwa** <**pułku, do swej jednostki**> to rejoin one's company <one's regiment, one's unit> 2. (*być oddanym*) to return (*vi*) (**do właściciela itd.** to its owner etc.) 3. (*zaczynać coś ponownie*) to return (**do zadania, tematu itd.** to one's task, subject etc.); to revert (to one's old habits, to a subject etc.); **wracając do ...** to return to ... 4. (*odzyskiwać poprzedni stan*) to recover (**do zdrowia, do siebie** one's health); to regain (**do zdrowia, równowagi, przytomności itd.** one's health, balance, consciousness etc.); to revert (**do poprzedniego stanu** to a previous state); (*o modzie, zwyczaju itd.*) to revive; **on wrócił do spokoju** he is quiet again; **pacjent wraca do zdrowia** the patient is recuperating; **wszystko wróciło do normy** everything is back to normal [II] *vt* (*przywracać na dawne miejsce*) to return <to restore> (sth to its place); to replace (sth); to bring (sth) back; **wrócić koszt** to pay back an expense [III] *vr* **wracać, wrócić się** 1. = *vt*; **koszta mu się wrócą** he will regain <recover> his money; **koszt wraca się** the expense is repaid 2. = *vi* 3; **wracajmy się do tematu** let us return to our subject

wracanie *sn* 1. ↑ **wracać** 2. (*powrót*) return; **~ do zdrowia** recovery; recuperation

wrak *sm G.* **~a** <**~u**> 1. *mar.* wreck; piece of wreckage; derelict 2. (*zniszczony człowiek, pojazd, maszyna*) wreck; ruin

wrastać *vi imperf* — **wrosnąć** <**wróść**> *vi perf* **wrosnę, wrośnie, wrósł, wrosła, wrośli** 1. (*rosnąć*) to strike <to take> root (**w coś** in sth); **wrośnięty paznokieć** ingrowing nail; **wrastać w ciało** to enter into the flesh; *przen.* **nogi mu wrosły w ziemię** he stood rooted to the spot 2. (*zespalać się*) to grow into one (**w coś** with sth); to become rooted (in one's memory etc.)

wraz *adv* (*razem*) together (with sb, sth); **wstawać ~ z kurami** to rise with the sun

wra|zić *v perf* **~żę**, **~żony** — **wra|żać** *v imperf* [I] *vt* 1. (*wcisnąć*) to force (**coś w coś** sth into sth) 2. (*wpoić*) to inculcate; to implant; to engraft; **~zić coś w pamięć** to impress <to stamp> sth on the memory [II] *vr* **~zić**, **~żać się** to enter (into sth); to pierce (**w coś** sth); **~zić**, **~żać się w pamięć** <**w umysł**> to become <to be> impressed <imprinted> on the memory <the mind>

wraże|nie *sn* 1. ↑ **wrazić** 2. (*reakcja narządu zmysłowego*) sensation; feeling; impression; **zdolność odbierania ~ń** susceptive faculty 3. (*emocja*) impression; thrill; **książka robi ~nie** the book grips the reader; **te słowa wywarły głębokie ~nie na słuchaczach** the words thrilled the audience <went home>; **wywierać ~nie na kimś** to make an impression on sb 4. (*wywołany stan psychiczny*) impression; **być pod ~niem czegoś** to be impressed by sth <struck with sth>; **jakie odniosłeś ~nie z tego?** how did that impress you?; **jakie odnosisz ~nie z tego?** how does this strike you?; **mam ~nie, że ...** I have the impression that ...; I imagine <fancy, rather think> that ...; (*w odpowiedzi na zapytanie*) **mam ~nie, że tak** I think so; **mam ~nie, żę nie** I think not; **mam ~nie, że to jest śmieszne** <**rozsądne itd.**> it strikes me as ridiculous <sensible etc.>; **miałem ~nie, że zemdleję** I felt as if I would faint; **nie wywrzeć żadnego ~nia** to make no impression; to be ineffective; to cut no ice; to be lost (**na kimś** on sb); **odnieść dodatnie** <**ujemne**> **~nie z czegoś** to be favourably <unfavourably> impressed by sth; **robić ~nie czegoś** to give the impression of ...; **on robi ~nie poety** he gives the impression of being a poet; **zrobić ~nie na kimś** to impress sb

wrażeniowy *adj* sensational; sensual; susceptive (faculties)

wrażliwie *adv* susceptibly; impressionably

wrażliwość *sf singt* 1. (*zdolność reagowania*) susceptibility; impressionability; receptiveness; receptivity 2. (*podatność*) sensibility; susceptibility; sensitiveness; delicacy; perviousness

wrażliwy *adj* 1. (*ulegający wrażeniom*) susceptible <sensitive> (**na coś** to sth); impressionable; receptive; responsive <amenable> (**na coś** to sth); high-strung; thin-skinned 2. (*łatwo reagujący*) sensitive; delicate; tender; pervious (**na coś** to sth); ticklish; testy; (*o żołądku*) queezy

wraży *adj* hostile; inimical; enemy — (act etc.)

wrąb *sm G.* **wrębu** 1. (*nacięcie*) notch; nick; cut 2. (*brzeg*) edge; brim 3. (*zagłębienie*) depression 4. *bot.* sinus (of a leaf, corolla etc.) 5. (*w leśnictwie*) clearing 6. *górn.* gain

wrąb|ać *v perf* **~ie** — **wrąb|ywać** *v imperf* [I] *vt pot.* (*zjeść*) to guzzle <to dispatch, to bolt> (a meal etc.) [II] *vr* **~ać, ~ywać się** 1. (*dostać się w głąb*) to hack <to hew> one's way (**do czegoś** into sth) 2. *pot.* (*zaryć się*) to bang (**w coś** against sth)

wrednie *adv pot.* darnedly; scurvily; meanly; shabbily

wredny *adj pot.* scurvy; mean; shabby; **~ typ** loathsome fellow

wreszcie 1. (*nareszcie*) at last; finally; ultimately; eventually; in the long run; last of all 2. *emf.* (*zresztą*) after all

wrębiać *vt imperf* — **wrębić** *vt perf techn.* to notch; to nick; to cut in; *górn.* to pool; to hew

wrębiar|ka *sf pl G.* **~ek** *górn.* cutter; coal-cutting machine

wrębiarz *sm górn. techn.* holer

wrębić *zob.* **wrębiać**

wrębnik *sm górn.* cutter gib; cutter-bar

wrębn|y *adj górn.* **maszyna ~a = wrębiarka**

wręboładowar|ka *sf pl G.* **~ek** *górn.* cutter loader; mechanical coal miner

wrębowin|a *sf górn.* gum; *pl* **~y** cuttings

wrębow|y *adj górn.* **maszyna ~a = wrębiarka**

wrębów|ka *sf pl G.* **~ek** *górn.* **= wrębiarka**

wrębywać *vt imperf* **= wrąbywać**

wręcz *adv* 1. (*o sposobie walki — bezpośrednio*) at close quarters; **walka ~** hand-to-hand fighting; grapple 2. (*bez ogródek*) outright; point-blank; frankly 3. (*po prostu*) simply; **~ przeciwnie** on the contrary; quite the reverse; just the opposite

wręcz|ać *vt imperf* — **wręcz|yć** *vt perf* to hand (sth to sb); to hand (sth) over (to sb); to deliver (sth to sb); **~ać, ~yć coś komuś do rąk** to hand sth over to sb personally; **~ono mu klucze miasta** he was handed <given> the keys of the town

wręga *sf* 1. *mar.* rib; timber 2. *techn.* notch; nick

wręgownia *sf techn.* angle shop

wrobić *zob.* **wrabiać**

wrodzić się *vr perf* to take (**w kogoś** after sb)

wrodzoność *sf singt rz.* innateness; inherence

wrodzony *adj* inborn; innate; inbred, bred in the bone; (*o chorobie*) congenital

wrogi *adj* 1. (*nieprzyjacielski*) enemy — (camp, forces etc.); **przejść do ~ego obozu** to turn one's coat; to turn cat in the pan 2. (*zwalczający*) antagonistic; adverse 3. (*będący wyrazem nieprzyjacielskich uczuć*) hostile; inimical; malevolent; *dosł. i przen.* unfriendly; **~e nastawienie, ~ stosunek** hostility

wrogo *adv* hostilely; inimically; **~ usposobiony do kogoś, czegoś** hostile to sb, sth

wrogość *sf singt* enmity; hostility; malevolence; ill-will; unfriendliness (**do kogoś, czegoś** towards sb, sth)

wron|a *sf zool.* (*Corvus*) crow; *przysł.* **kiedy wejdziesz między ~y, musisz krakać jak i one** when in Rome do as the Romans do

wroni *adj* crow's (nest, eggs etc.); *zool.* corvine

wro|niec *sm G.* **~ńca** *zool.* (*Corvus corone*) carrion-crow

wronię *sn* fledgeling crow

wronowat|y *zool.* [I] *adj* corvine [II] *spl* **~e** (*Corvidae*) (*rodzina*) the family Corvidae

wrony [I] † *adj* (*o koniu*) black [II] *sm* black horse

wrończyk *sm zool.* (*Pyrrhocorax*) chough

wrosnąć *zob.* **wrastać**

wrost|ek *sm G.* **~ka** 1. *jęz.* infix 2. *miner.* inclusion; endomorph

wróść *zob.* **wrastać**

wroślik *sm bot.* (*Peronospora*) peronospora

wroślikowat|y *bot.* [I] *adj* peronosporaceous [II] *spl* **~e** (*Peronosporaceae*) (*rodzina*) the downy mildews

wrośniak *sm bot.* (*Trametes*) fungus of the genus Trametes

wrośnięcie *sn* ↑ **wrosnąć**

wrota *spl G.* **wrót** gate; *rel.* **carskie ~** holy gates; *geol.* **~ lodowcowe** snout of a glacier; **patrzeć jak cielę na malowane ~** to stare

wrot|ek *sm G.* **~ka** *zool.* rotifer; *pl* **~ki** (*Rotatoria*) (*gromada*) the rotifers

wrot|ka *sf pl G.* **~ek** *sport* roller-skate; **jazda na ~kach** roller-skating

wrotkarz *sm* (roller-)skater

wrotnisko *sn* roller-skating rink

wrotny *adj biol.* portal (vein); *zool.* **aparat ~** (*u wrotków*) trochal disc

wrotowisko *sn* **= wrotnisko**

wrotycz *sm bot.* (*Tanacetum*) tancy

wrożnik *sm arch. bud.* squinch; pendentive

wrób|el *sm G.* **~la** *zool.* (*Passer*) sparrow; *pot.* **stary ~el** deep file; **~le o tym świergoczą** a little bird told me; *przysł.* **lepszy ~el w ręku niż gołąb na sęku** a bird in the hand is worth two in the bush

wróbelek *sm dim* ↑ **wróbel**

wróblę *sn* fledgeling sparrow

wróbli *adj* sparrow's (nest, eggs etc.); (flock etc.) of sparrows

wróblica *sf* hen-sparrow

wróblowat|y *zool.* [I] *adj* passerine; perching (bird) [II] *spl* **~e** (*Passeriformes*) (*rząd*) the order Passeriformes; the passerine birds

wrócenie *sn* 1. ↑ **wrócić** 2. (*powrót*) return; **~ do zdrowia** recovery; recuperation

wrócić *zob.* **wracać**

wróg *sm G.* **wroga** *pl N.* **wrogowie** enemy; foe; **~ klasowy** class enemy; **~ kobiet** woman-hater; *przysł.* **lepsze jest wrogiem dobrego** let well alone; "striving to better oft we mar what's well"

wróść *zob.* **wrastać**

wróżba *sf* 1. (*zw. pl*) (*wróżenie*) divination; fortune-telling 2. (*zapowiedź czegoś*) augury; omen; presage; **to jest dobra <zła> ~** it is a good <bad> omen; it presages <omens> well <ill>; it is auspicious <inauspicious>

wróżbiar|ka *sf pl G.* **~ek = wróżka 1.**

wróżbiarski *adj* soothsaying <soothsayer's> — (practices etc.)

wróżbiarstwo *sn singt* soothsaying; divination; fortune-telling

wróżbiarz *sm*, **wróżbita** *sm* (*decl = sf*) soothsayer; diviner; augur; fortune-teller

wróżbit|ka *sf pl G.* **~ek = wróżka 1.**

wróżebny *adj* prophetic (dream etc.)

wróżenie *sn* 1. ↑ **wróżyć** 2. (*odgadywanie przyszłości*) divination; soothsaying 3. (*stawianie kabały*) fortune-telling; (*z kart*) cartomancy; (*z ręki*) chiromancy; palmistry; (*z kuli kryształowej*) crystal-gazing

wróż|ka *sf pl G.* **~ek** 1. (*kabalarka*) fortune-teller; chiromancer; palmist; crystal-gazer 2. (*czarodziejka*) fairy

wróży|ć *v imperf* [I] *vi* 1. (*stawiać kabałę*) to tell fortunes (**z kart** by cards; **z ręki** from the palm of the hand); to scry; **na dwoje babka ~ła** it's a toss-up 2. (*przepowiadanie przyszłości*) to prophesy; to augur [II] *vt* 1. (*przewidywać*) to foretell; to predict; to presage; to forecast 2. (*być zapowiedzią*) to presage; to portend; to betoken; to forebode; to augur

wrycie *sn* ↑ **wryć**

wry|ć *v perf* **~je, ~ty** [I] *vt* to dig <to sink, to embed> (sth into sth); **stanąć jak ~ty** to stand nailed <rooted> to the ground; **~ć sobie coś w pamięć** to imprint sth on one's memory [II] *vr* **~ć się** to sink (*vi*) (**w coś** into sth); **~ć się w pamięć** to sink in <to be imprinted, to be graven> on the memory

wryp|ać *vt perf* **~ie** *sl.* to stick (sth somewhere <into sth>)

wrysować *vt perf* — **wrysowywać** *vt imperf* to introduce an additional element <a detail> into a drawing

wrzask *sm G.* **~u** scream; shriek; yell; roar; clamour; squall; *pl* **~i** vociferations; **podnieść ~** to shriek out; to set up a shout; to raise an outcry

wrzaskliwie *adv* uproariously; clamorously; vociferously; obstreperously; boisterously; turbulently

wrzaskliwość *sf singt* uproariousness; vociferousness; obstreperousness; boisterousness; turbulence

wrzaskliwy *adj* 1. (*krzykliwy*) uproarious; clamorous; vociferous; obstreperous 2. (*rozdzierający*) piercing; shrill 3. (*pełen gwaru*) boisterous; turbulent 4. *pot.* (*hałaśliwy*) rumbustious

wrz|asnąć *vi perf* **~aśnie** — **wrz|eszczeć** *vi imperf* **~eszczy** 1. *perf* (*krzyknąć głośno*) to shriek out; to yell out; to cry out 2. *imperf* (*krzyczeć*) to shriek; to scream; to yell; to vociferate; to clamour; to roar; to squall; to bellow; to storm

wrzawa *sf* 1. (*hałas*) din; noise; racket; hubbub 2. (*wzburzenie*) uproar; tumult; turmoil; hurly-burly; fuss; clatter

wrzący *adj* 1. (*gotujący się*) boiling 2. *przen.* scalding(-hot)

wrząt|ek *sm singt G.* **~ku** boiling water

wrzeciądz *sm* (*zw. pl*) locking <door> bar; door-brand; hasp

wrzecienica *sf tekst.* = **wrzecionarka**

wrzeciennik *sm techn.* head-stock

wrzecion|arka <**wrzecion|iarka**> *sf pl G.* **~arek** <**~iarek**> *techn.* roving machine

wrzecionkowc|e *spl G.* **~ów** *zool. med.* (*Fusobacteria*) the fusiform bacteria

wrzeciono *sn* 1. (*przyrząd do przędzenia*) spindle 2. *techn.* spindle; verge

wrzecionowaty *adj* spindle-shaped; fusiform

wrzecionowce *spl* = **wrzecionkowce**

wrzecionow|y *adj chem.* **olej ~y** spindle oil

wrzeć *vi imperf* **wrę, wrze** <**wre**>, **wrzyj, wrzał, wrzeli, wrzący** <**wrący**> 1. (*gotować się*) to boil 2. *przen.* (*o walce itd.*) to rage; **krew w nim wrzała** his blood boiled; **praca wre** the work is in full swing 3. (*burzyć się*) to seethe; to bubble; to effervesce 4. (*doznawać gwałtownych uczuć*) to boil <to seethe> (with rage etc.); to effervesce 5. (*tętnić*) to throb; to hum; to pulsate; to be in a state of ferment <of ebullition>; to bubble over (with vitality, high spirits etc.); **w kraju wrzało** the country was in a state of upheaval; **w mieście wrzało** the town was in a turmoil

wrzeni|e *sn* 1. (↑ **wrzeć**) (the) boil; ebullition; **punkt ~a** boiling-point 2. (*ferment*) ferment; ebullition; ebullience; effervescence; upheaval; turmoil

wrzepić *vt perf* — *rz.* **wrzepiać** *vt imperf sl.* 1. (*wlepić*) to slap (**komuś karę itd.** a punishment etc. on sb) 2. (*sprawić lanie*) to give (sb) a thrashing

wrze|sień *sm G.* **~śnia** September

wrzeszczeć *zob.* **wrzasnąć**

wrześniowy *adj* September — (days etc.)

wrzęcha *sf zool.* (*Linguatula*) linguatuloid worm

wrzęchowat|y *zool.* [I] *adj* linguatuloid [II] *spl* **~e** (*Linguatulida*) (*gromada*) the group Linguatulida

wrzęcioł|ek *sm G.* **~ka** *bot.* (*Tribulus*) caltrop

wrzodow|y *adj med.* ulcerous; **choroba ~a** gastric ulcer

wrzodzie|ć *vi imperf* **~je** *med.* to ulcerate

wrzodzik *sm* ulcuscle

wrzos *sm G.* **~u** *bot.* (*Calluna*) heather

wrzo|siec *sm G.* **~śca** *bot.* (*Erica*) heath

wrzosowat|y *bot.* [I] *adj* ericaceous [II] *spl* **~e** (*Ericaceae*) (*rodzina*) the heath family

wrzosow|iec *sm G.* **~ca** *bot.* (*Corispermum*) bug-seed

wrzosowisk|o *sn* heath; moor; *pl* **~a** moorland

wrzosowiskowy *adj* heath — (vegetation etc.)

wrzosow|y *adj* heath — (family etc.); **kolor ~y** heather; **rośliny ~e** ericaceous plants

wrz|ód *sm G.* **~odu** *med.* ulcer; abscess; **~ód żołądka** <**dwunastnicy**> gastric <duodenal> ulcer

wrzuc|ać *vt imperf* **~ę, ~ony** — **wrzuc|ić** *vt perf* **~ę, ~ony** to throw <to cast, to thrust, to tumble, *pot.* to chuck> (**coś, kogoś do czegoś** sth, sb in <into> sth); **~ać, ~ić list do skrzynki** to post a letter; to drop a letter into the box; **~ać, ~ić słowo** to put in a word; **~ać, ~ić wszystko do jednego worka** to lump everything together

wrzynać *zob.* **werznąć**

wsad *sm G.* **~u** *techn.* batch; furnace charge

wsadnica *sf techn.* coal charging machine; larry (in a coking plant)

wsadz|ać *vt imperf* — **wsadz|ić** *vt perf* **~ę, ~ony** 1. (*umieszczać*) to put <*pot.* to stick> (sth, sb somewhere); **~ać, ~ić coś do kieszeni** to pocket sth; *pot.* **~ać, ~ić komuś coś w łapę** to grease sb's palm; **~ać, ~ić kulę w coś** to lodge a bullet somewhere; **~ać, ~ić nos do czegoś** to poke one's nose in <into> sth 2. (*wprowadzać kogoś do czegoś*) to put (**kogoś do taksówki, przedziału, na okręt itd.** sb in a taxi, in a compartment, on a boat etc.) 3. *pot.* (*zamykać pod klucz*) to lock (sb) up; to do (sb) in

wsadzar|ka *sf pl G.* **~ek** *techn.* charging machine

wsadzić *zob.* **wsadzać**

wsączać się *vr imperf* — **wsączyć się** *vr perf rz.* to ooze in; to penetrate

wschodni *adj* 1. (*leżący na wschodzie*) eastern (side etc.); east __ (longitude, coast etc.); East __ (Africa, Indies); eastward (direction etc.); easterly (wind) 2. (*orientalny*) oriental; Eastern; **obrządek ~** Eastern Church

po ~emu in <after> the oriental manner <fashion>

wschodnio- East-

wschodnioeuropejski *adj* East-European

wschodzenie *sn* 1. (↑ **wschodzić**) rise; ascension; ascent 2. *bot.* germination

wschodzić *vi imperf* **wschodzę** — **wzejść** *vi perf* **wzejdę, wzejdzie, wzejdź, wzeszedł, wzeszła, wzeszli** 1. (*ukazywać się na niebie*) to rise; *imperf* to be in the ascendant; **kraina wschodzącego słońca** the land of the rising sun; *przen.* **wschodząca gwiazda** rising star; rising genius; *przysł.* **zanim słońce wzejdzie, rosa oczy wyje** while the grass grows the horse starves 2. (*o roślinach — kiełkować*) to germinate; to sprout; to shoot up

wsch|ód *sm G.* **~odu** 1. (*ukazanie się na horyzoncie*) ascent; ascension; **~ód księżyca** moonrise; **~ód słońca** sunrise; **o ~odzie, ze ~odem słońca** at sunrise; at sun-up 2. (*strona świata*) east; **południowy-~ód** South-East; **północny-~ód** North-East; **wiatr od ~odu** easterly wind; **na ~odzie** in the east; **na ~ód, ku ~odowi** to the east; eastwards (**od ...** of ...) 3. **Wschód** (*kraje wschodu*) (the) Orient; the East; **Bliski <Daleki, Środkowy> Wschód** Near <Far, Middle> East 4. *pl* **~ody** *roln.* germination; sprouting

wsi|ać *vt perf* **~eje, ~ali <~eli>** — **wsiewać** *vt imperf* (*siać*) to sow (in)

wsi|adać *vi imperf* — **wsi|ąść** *vi perf* **~ądę, ~ądzie, ~ądź, ~adł, ~edli** to get (**do pociągu, wagonu, tramwaju, samochodu, samolotu** into the train, coach, tram, motor-car, aeroplane); to take one's seat (**do wagonu, tramwaju, samochodu, samolotu** in a coach, tram, motor-car, aeroplane); **kilka osób ~adło do wagonu, tramwaju** several people came <went, walked> into the coach, tram; **~ąść do pociągu** to take <*am.* to board> a train; **~ąść na rower, na motocykl, na konia** to mount a bicycle, a motor cycle, a horse; **~ąść na statek** to board a ship; to go on board (a ship); to embark; to take the boat; **proszę ~adać!** take your seats, please!; *am.* all aboard!; *pot.* **~ąść na kogoś z góry** to blow sb up; to jump down sb's throat

wsiąk|ać *vi imperf* — **wsiąk|nąć** *vi perf* **~ł <~nął>, ~ła** 1. (*wsączać się*) to sink <to soak> (**w glebę itd.** into the soil etc.); to percolate; to permeate 2. *przen.* (*o tłumie itd.*) to dwindle away 3. *pot.* (*ginąć*) to vanish; to melt into thin air

wsiąkliwy *adj* absorptive

wsiąknąć *zob.* **wsiąkać**

wsiąść *zob.* **wsiadać**

wsierdzi|e *sn anat.* endocardium; **zapalenie ~a** endocarditis

wsiewać *zob.* **wsiać**

wsiowy *adj* rustic; village __ (green, folks etc.)

wsk|akiwać *vi imperf* — **wsk|oczyć** *vi perf* 1. (*skokiem się dostać*) to jump (**do autobusu, tramwaju itd.** on to a bus, tram etc.; **do wody, dołu itd.** into the water, a hole in the ground etc.); **~oczyć do łóżka** to pop into bed 2. *pot.* (*wstąpić*) to drop in (**do kogoś** on sb) 3. *karc.* to cut in

wska|zać *v perf* **~że** — **wska|zywać** *v imperf* [I] *vt* 1. (*pokazać*) to show; to point out; to indicate; (*o przyrządzie*) to record; (*o termometrze*) to stand (*x* **stopni** at *x* degrees); **palec ~zujący** forefinger; index; **przyrząd ~zujący** recording instrument; *gram.* **zaimek ~zujący** demonstrative pronoun 2. (*poinformować*) to tell (**komuś datę, drogę itd.** sb the date, the way etc.) 3. (*być źródłem informacji*) to show <to indicate> (the hour, direction etc.) 4. (*wymienić*) to indicate; to mention; to tell (**komuś specjalistę itd.** sb of a specialist etc.) [II] *vi* 1. (*pokazać*) to point (**na coś** at <to> sth) 2. (*udzielić wyjaśnień*) to show <to tell> (**komuś jak, gdzie, dlaczego** sb how, where, why); to say <to explain> (**że ...** that ...) 3. (*świadczyć*) to betoken <to denote, to evidence> (**na coś** sth); to be indicative (**na coś** of sth); to point (**na kogoś, coś** to sb, sth); **nie ~zywać na coś** to give no sign <no indication> of sth; **wszystko ~zuje na to, że ...** the chances <odds> are that ...

wskazani|e *sn* 1. (↑ **wskazać**) indication 2. *pl* **~a** (*zalecenia*) instructions; recommendations; injunctions 3. *pl* **~a** (*to, co wskazuje przyrząd pomiarowy*) readings

wskazan|y [I] *pp* ↑ **wskazać** [II] *adj* indicated; advisable; desirable; expedient; **bardziej ~e niż ...** preferable to ...; **byłoby ~e coś powiedzieć <zrobić itd.>** it would be well to say <to do etc.> sth; **nie byłoby ~e** it would be inadvisable; **nie wiem, czy byłoby ~e taką rzecz zrobić** I doubt the propriety of doing such a thing; **uważałem za ~e napisać ...** I thought it advisable to write ...

wskazów|ka *sf pl G.* **~ek** 1. (*część przyrządu pomiarowego*) pointer; indicator; index; needle; (*w zegarku*) hand; **odwrotnie do kierunku ~ek zegara** counter-clockwise; **w kierunku ~ek zegara** clockwise 2. (*pouczenie*) advice; instructions; directions; **postąpić według czyichś ~ek** to follow sb's instructions; to take sb's advice 3. (*zw. pl*) (*znak*) sign; clue; indication; guide

wskazywać *zob.* **wskazać**

wskaźnik *sm* 1. (*przyrząd*) indicatory device; pointer; hand; telltale; **prętowy ~ poziomu płynu** dipper 2. (*liczba*) index; ratio; rate; coefficient 3. (*wskazówka*) indicator; (light etc.) signal; guide; gauge 4. *chem.* indicator

wskaźnikow|y *adj* indicatory; *górn.* **lampa ~a** indicating lamp; *chem.* **papierek ~y** test-paper; *bot. leśn.* **rośliny ~e** indicator plants

wskoczyć *zob.* **wskakiwać**

w skok *zob.* **skok**

w skos *zob.* **skos**

wskóra|ć *vt perf* to attain; to gain; to accomplish; **coś ~ć** to achieve one's purpose; to get results; **niewiele ~ł** his efforts were to little purpose; **wrócił, nic nie ~wszy** he returned empty-handed

wskóranie *sn* (↑ **wskórać**) attainment; achievement

wskroś [I] *praep lit.* through (**obłoków, krzewów itd.** the clouds, bushes etc.) [II] *adv* 1. *lit.* (*na wylot*) through and through; right through; right across (a region, country etc.); from end to end 2. † (*do głębi*) to the core

na ~ through and through; right through; right across (a region, country etc.); from end to end; **przemoczony na ~** wet through; **przejrzeć kogoś na ~** to see through sb

wskrzesiciel *sm*, **wskrzesiciel|ka** *sf pl G.* ~**ek** *rz.* reviver

wskrze|sić *vt perf* ~**szę,** ~**szony** — **wskrzeszać** *vt imperf* 1. (*przywrócić życie*) to raise (**zmarłego** sb from the dead); to resuscitate; to bring (sb) back to life 2. *przen;* to revive; to wake (memories); to recall (the past etc.)

wskrzeszenie *sn* (↑ **wskrzesić**) revival; resuscitation

wskrzeszony [I] *pp* ↑ **wskrzesić** [II] *adj* resurgent

wskutek *praep* 1. (*jako następstwo*) in consequence <as a result> (of sth); through (**czegoś** sth); on account <because> (of sth); owing <due> (**czegoś** to sth); ~ **tego** consequently; therefore 2. (*dzięki*) thanks (**czegoś** to sth)

wsławi|ać *v imperf* — **wsławi|ć** *v perf* [I] *vt* to make <to render> (sb) famous; to bring fame (**kogoś** to sb); to crown (sb) with glory [II] *vr* ~**ać,** ~**ć się** to win fame; to become famous; to cover oneself with glory

wsłuchać się *vr perf* — **wsłuchiwać się** *vr imperf* to listen intently <with concentrated attention> (**w coś** to sth)

wsobny *adj roln. bot.* inbred; **chów** ~ inbreeding

wsolić *vt perf* **wsól** 1. (*nasolić*) to salt 2. *pot.* (*odmierzyć*) to deal (**komuś** *x* **razów** sb *x* lashes)

wspak *adv* (*także* **na** ~) 1. (*w tył*) backwards 2. (*do góry nogami*) upside down 3. (*na opak*) the wrong way; contrariwise; topsyturvy

wspaniale *adv* 1. (*pięknie*) splendidly; magnificently; admirably; superbly 2. (*wystawnie*) richly; grandly; gorgeously; grandiosely; in sumptuous fashion; luxuriously; ~ **się zabawić** to have a great time; (*okrzyk zgody*) ~! right-o!; *am.* fine!

wspaniałomyślnie *adv* magnanimously; generously; high-mindedly

wspaniałomyślność *sf singt* magnanimity; generosity; high-mindedness

wspaniałomyślny *adj* magnanimous; generous; high-minded; great-hearted

wspaniałość *sf* 1. *singt* (*piękność*) superb beauty; splendour; magnificence; sublimity 2. *singt* (*wystawność*) richness; grandeur; gorgeousness; stateliness; sumptuosity; luxuriousness; lordliness 3. (*także pl*) *pot.* something wonderful <stunning, smashing, gorgeous>; wonderful <stunning, smashing, gorgeous> things; (a) rattler

wspaniały *adj* 1. (*piękny*) splendid; magnificent; admirable; superb; *pot.* smashing; great; plummy; glorious 2. (*wystawny*) rich; grand; gorgeous; grandiose; sumptuous; luxurious; lordly

wsparcie *sn* 1. ↑ **wesprzeć** 2. (*podpora*) prop; support 2. (*datek*) help; aid; assistance; relief

wspiąć *v perf* **wespnę, wespnie, wespnij, wspiął, wspięła, wspięty** — **wspinać** *v imperf* [I] *vt w zwrocie:* **wspiąć konia** to spur <to set spurs to> a horse [II] *vr* **wspiąć, wspinać się** 1. (*wejść na wzniesienie*) to ascend <to mount, to climb, to go up> (**na szczyt itd.** a summit etc.); to toil (**na górę** up a hill); (*o pojeździe*) to ascend (**na wzniesienie** an eminence); (*wgramolić się*) to clamber (**na schody itd.** up the stairs etc; **komuś na kolana** on to sb's knees) 2. (*wyciągać się w górę*) to stand on tiptoe 3. (*o zwierzęciu — stanąć na tylnych łapach*) to rear; to raise itself up on its hind legs

wspieniony *adj* frothy; foaming; (*o koniu*) in a foam

wspierać *v imperf* — **wesprzeć** *v perf* **wesprę, wesprze, wesprzyj, wsparł, wsparty** [I] *vt* 1. (*podtrzymywać*) to support; to prop up; to rest (**głowę na czymś** one's head on sth) 2. (*udzielać pomocy*) to aid; to assist; to succour; to come (**kogoś** to sb's) aid <assistance>; to give aid <assistance> (**kogoś** to sb); *wojsk.* to reinforce (a garrison etc.); **wspierać, wesprzeć instytucję dobroczynną** to contribute to a charity [II] *vr* **wspierać, wesprzeć się** 1. (*podpierać się*) to lean (**na kimś** on sb; **o coś** against sth) 2. (*spoczywać*) to rest (on sth) 3. (*wspomagać jeden drugiego*) to help one another

wspięcie *sn* ↑ **wspiąć;** ~ **się** (*wejście na wzniesienie*) ascent; climb

wspinacz *sm* mountain-climber; mountaineer

wspinacz|ka *sf pl G.* ~**ek** mountain-climbing; mountaineering

wspinaczkowy *adj* climbing (equipment etc.)

wspinać *v imperf* [I] *vt zob.* **wspiąć** [II] *vr* ~ **się** 1. *zob.* **wspiąć** 2. (*o roślinach*) to climb

wspinanie *sn* ↑ **wspinać;** ~ **się** (a) climb

wspom|agać *vt imperf* — **wspom|óc** *vt perf* ~**ogę,** ~**oże,** ~**óż,** ~**ógł,** ~**ogła,** to help; to aid; to assist; to succour

wspom|inać *v imperf* — **wspom|nieć** *v perf* ~**nę,** ~**ni,** ~**nij,** ~**niał,** ~**nieli,** ~**niany** [I] *vt* (*przypominać sobie*) to remember; to call (sth) to mind; to recall; to recollect; **mile kogoś, coś** ~**inać,** ~**nieć** to have a pleasant memory of sb, sth 2. (*wymieniać*) to mention [II] *vi* (*czynić wzmiankę*) to mention (**o kimś, czymś** sb, sth); to make mention (**o kimś, czymś** of sb, sth); to refer (**o kimś, czymś** to sb, sth); (*o kronikarzu, historii itd.*) to record (**o czymś** sth); **nie** ~**inać,** ~**nieć o kimś, czymś** to make no mention of <no reference to> sb, sth; *pot.* ~**niana osoba, sprawa** the person, the affair mentioned <referred to, alluded to, in question>; **wyżej** ~**niany autor** the above-mentioned <above-cited> author; the author mentioned <cited> above [III] *vr* ~**inać,** ~**nieć się** to come to mind

wspomin|ki *spl G.* ~**ek** *pot.* memories

wspomnieć *zob.* **wspominać**

wspomnieni|e *sn* 1. *singt* ↑ **wspomnieć** 2. (*wywołany obraz przeszłości*) recollection; remembrance; reminiscence; memory; ~**a z dzieciństwa** earliest recollections; childhood memories 3. (*dzieło literackie*) memoirs 4. (*przedmiot*) remembrance; souvenir 5. (*napomknięcie*) reference (**o czymś** to sth)

wspomnieniowy *adj* recollective

wspomożenie *sn* (↑ **wspomóc**) help; aid; assistance; succour

wspomóc *zob.* **wspomagać**

wsp|ora *sf pl G.* ~**ór** *bud.* springer

wsporczy *adj techn.* supporting; retaining (wall)

wspornik *sm* 1. *arch. bud.* cantilever (beam); bracket; console; semi-girder; hanger 2. *techn.* support; bearer 3. *mar.* Samson's-post

wspornikowy *adj bud.* retaining (wall)

wspólnictwo *sn singt* association; co-operation; participation; ~ **w zbrodni** complicity

wspólnicz|ka *sf pl G.* ~**ek** = **wspólnik**

wspólnie *adv* together; jointly; in common; in company <in conjunction> (**z kimś** with sb); **mieć coś,**

używać czegoś ~ z kimś to share sth with sb; **~ działać** to co-operate

wspólnik *sm* 1. (*współuczestnik*) associate; *uj.* confederate; **~ zbrodni** accomplice 2. (*udziałowiec w spółce*) partner; **cichy ~** sleeping partner

wspólność *sf singt* 1. (*wspólne posiadanie*) community (of goods, ownership, interests etc.); joint ownership 2. (*łączność*) union; bond; tie, ties 3. (*społeczność*) (a) community; (a) union; (an) association; collectivity; brotherhood

wspólnot|a *sf* 1. (*wspólne posiadanie*) joint possession; unity of possession; common ownership; community (of interests etc.); partnership; **poczucie ~y** corporate feeling; community spirit 2. (*więź*) union; bond; tie; ties 3. (*organizacja*) commonwealth; community; collectivity; union; brotherhood; **Brytyjska Wspólnota Narodów** British Commonwealth of Nations; **~a kobieca** sisterhood; **~a pierwotna** primitive community

wspóln|y [I] *adj* common <joint> (possession, interest etc.); united <combined, collective> (efforts etc.); *mat.* **najmniejsza ~a wielokrotna** least common multiple; **największy ~y podzielnik** greatest common divisor; **~a kąpiel (dla obojga płci)** promiscuous bathing; **~a ściana** party wall; **~e dobro** common weal; *gram.* **~ego rodzaju** (words) of common gender; **~e (dla dwojga) kierownictwo** dual control; **~e posiadanie** unity of possession; **~y telefon** party line; **mieć ~e cechy** to have (certain) features in common; **mieć ~e mieszkanie** <**~y pokój**> to share a flat <a room>; **nie mam nic ~ego z tym** this has nothing to do with me; this is no concern of mine <none of my concern>; **nie miałem nic ~ego z tym** it was none of my doing; **nie mieć nic ~ego z kimś, czymś** to have nothing to do with sb, sth; to have no connection with sb, sth; **to nie ma nic ~ego z tematem** it's quite irrelevant <altogether off the point>; it's neither here nor there; **~ymi siłami** by common effort; by joining hands <forces> [III] *sn* **~e** (*wspólna własność*) common property

współ- co-; fellow-

współauto|r *sm* co-author; *pl* **~rzy** joint authors

współautorstwo *sn* co-authorship

współbiesiadnictwo *sn singt biol.* commensalism

współbiesiadnicz|ka *sf pl G.* **~ek, współbiesiadnik** *sm* table companion

współbieżny *adj techn.* synchronous

współbojownik *sm* companion-in-arms; comrade-in--arms

współbracia *spl* fellow-citizens; brother-writers <doctors, businessmen etc.>

współbrzmieć *vi imperf* to harmonize

współbrzmienie *sn* 1. ↑ **współbrzmieć** 2. *lit. muz.* consonance; concord

współbrzmieniowy *adj jęz. muz.* consonant; concordant

współbytność *sf singt lit.* coexistence

współczesność *sf singt* 1. (*życie współczesne komuś*) contemporaneousness; (*ludzie*) the contemporaries 2. (*czasy obecne*) the present day <age, time> 3. (*jednoczesność*) simultaneousness

współcze|sny [I] *adj* 1. (*ówczesny*) contemporary 2. (*obecny*) present; modern; present-day (music, writers etc.) ‖ *gram.* **imiesłów ~sny** present participle [III] *sm* **~sny** (*zw. pl*) (a) contemporary; **nasi ~śni** our contemporaries

współcześnie *adv* 1. (*obecnie*) in modern times; in this day and age; to-day 2. (*nowocześnie*) modernly; in a modern <up-to-date> manner <style> 3. † (*jednocześnie z kimś, czymś*) contemporarily; (*w jednym czasie*) simultaneously; at the same time

współczuci|e *sn singt* 1. ↑ **współczuć** 2. (*ubolewanie*) sympathy; fellow-feeling; compassion; (*litość*) pity; **wyrazy ~a** condolences; **darzyć kogoś ~em** to feel for sb; **on jest godny ~a** he is to be pitied; **wyrazić komuś ~e** to offer one's condolences to sb

współczu|ć *vi imperf* **~je** (*ubolewać*) to sympathize <to condole, to commiserate> (**komuś** with sb); to feel (**komuś** for sb); (*litować się*) to pity (**komuś** sb); **~jący list** letter of condolence <of sympathy>

współczująco *adv* compassionately; sympathetically

współczulny *adj anat.* sympathetic (nerve, system)

współczynnik *sm* (*liczba*) coefficient; (*czynnik*) factor

współdłużnik *sm* fellow-debtor

współdziałać *vi imperf* 1. (*działać wspólnie*) to co--operate; to act jointly <conjointly>; to associate 2. (*przyczyniać się*) to participate; to concur 3. (*funkcjonować razem*) to act jointly; *med.* to synergize

współdziałanie *sn* 1. ↑ **współdziałać** 2. (*wspólne działanie*) co-operation; joint action 3. (*przyczynienie się*) participation; concurrence 4. (*równoczesne funkcjonowanie*) joint action; *med.* synergy

współdziedzic † *sm* co-heir; *pl* **~e** joint heirs

współdźwięczność *sf singt jęz.* consonance; concord

współdźwięk *sm G.* **~u** accord; consonance

współfundator *sm* co-founder

współgospodarz *sm pl G.* **~y** <**~ów**> joint owner; joint host; joint manager

współgospodarzyć *vi imperf* to be joint manager (**przedsiębiorstwem** of an enterprise)

współg|ra *sf pl G.* **~ier** co-operation

współgracz *sm pl G.* **~y** <**~ów**> fellow-player; partner

współgrać *vi imperf* to harmonize; to be co-ordinated

współimiennik *sm* namesake

współistnie|ć *vi imperf* **~je** to coexist

współistnienie *sn* (↑ **współistnieć**) coexistence; concomitance

współkierownik *sm* joint manager

współkolega *sm* (*decl* = *sf*) colleague; comrade

współkształtować *vt imperf* to participate in the formation (**coś** of sth)

współliniowy *adj mat.* collinear

współlokator *sm*, **współlokator|ka** *sf pl G.* **~ek** (*mieszkający w tym samym pokoju*) room-mate; (*mieszkający w jednym mieszkaniu, domu*) co-tenant; **dodać komuś ~a do pokoju** to double sb up in a room

współlokatorstwo *sn singt* co-tenancy

współmałżon|ek *sm G.* **~ka** spouse

współmierność *sf singt* commensurability

współmiern|y *adj* commensurable; proportional (**z czymś** to sth); commensurate (**z czymś** <**do cze-**

gość> with <to> sth); **wyniki nie są ~e do wysiłków** the results are out of proportion to the efforts

współmieszka|niec *sm G.* **~ńca** (*mieszkający w jednej miejscowości*) fellow-townsman; (*w jednym pokoju*) room-mate; (*w jednym mieszkaniu*) co-tenant

współobrońca *sm* (*decl = sf*) joint defender

współobywatel *sm*, **współobywatel|ka** *sf pl G.* **~ek** fellow-citizen; *pl* **~e** nationals

współodpowiedzialność *sf singt* joint responsibility

współodpowiedzialny *adj* jointly responsible; **być ~m** to share the responsibility

współosiowy *adj techn.* coaxial; coaxal

współoznaczać *vt imperf* — **współoznaczyć** *vt perf* to connote

współpartner *sm*, **współpartner|ka** *sf pl G.* **~ek** partner

współpasażer *sm*, **współpasażer|ka** *sf pl G.* **~ek** fellow-traveller

współplemie|niec *sm G.* **~ńca** tribesman

współplemienny *adj* tribal

współpłaszczyznowy *adj mat.* coplanar

współpodróżny *sm* (*decl = adj*) fellow-traveller

współposiadacz *sm* joint owner <proprietor>

współposiadać *vt imperf* to own <to possess> jointly

współposiadanie *sn* (↑ **współposiadać**) joint ownership <possession>

współpraca *sf singt* co-operation; collaboration; partnership; team-work; **~ z pismem** contributions to a magazine <newspaper>

współpracować *vi imperf* 1. (*pracować wspólnie*) to co-operate; to collaborate; to contribute (**z pismem** to a magazine, newspaper) 2. (*funkcjonować jednocześnie*) to act simultaneously

współpracownica *sf*, **współpracownicz|ka** *sf pl G.* **~ek**, **współpracownik** *sm* collaborator; co-worker; helpmate; associate

współprąd *sm G.* **~u** *techn.* parallel flow

współprodukcja *sf* joint production

współredagować *vt perf* to edit jointly

współredakcja *sf singt* joint editorship

współredaktor *sm* joint editor

współregent *sm* coregent

współrodak *sm* (*zw. pl*) *rz.* countryman; fellow-citizen

współrozstrzygać *vi vt imperf* to decide jointly

współrządzi|ć *vi vt perf* **~ę** to control jointly; to have joint control (**czymś** of sth)

współrzędnie *adv* co-ordinately; *gram.* **spójnik ~ łączący** co-ordinating conjunction

współrzędność *sf singt* co-ordination

współrzędn|y [I] *adj* co-ordinate [II] *sf* **~a** (a) co-ordinate

współspadkobierca *sm* (*decl = sf*) co-heir

współsprawc|a *sm* (*decl = sf*) *prawn.* accomplice; **być ~ą zbrodni** to be accessory to a crime

współsprawstwo *sn singt prawn.* complicity

współsygnatariusz *sm* cosignatory

współśrodkowo *adv mat.* concentrically

współśrodkowy *adj mat.* concentric, homocentric

współtowarzysz *sm* comrade; companion; **~ podróży** fellow-traveller

współtowarzysz|ka *sf pl G.* **~ek** comrade; companion

współtułacz *sm* comrade in exile

współtwórca *sm* (*decl = sf*) co-author; co-originator

współtwórstwo *sn singt* co-authorship

współubiegać się *vr imperf* to contend <to vie, to compete> (**z kimś o coś** with sb for sth)

współubieganie się *sn* (↑ **współubiegać się**) contention (**o coś** for sth)

współubolewanie *sn* = **współczucie**

współuczennica *sf*, **współuczeń** *sm* schoolmate

współuczestnictwo *sn singt* participation

współuczestniczenie *sn* (↑ **współuczestniczyć**) participation

współuczestnicz|ka *sf pl G.* **~ek** participator; participant

współuczestniczyć *vi perf* to participate <to take part, to have a share> (in sth); to be a party (**w czymś** to sth)

współuczestnik *sm* participator; participant

współudział *sm G.* **~u** participation; share (in sth)

współudziałow|iec *sm G.* **~ca** participator; participant; shareholder

współuprawniony *adj* jointly entitled (to sth)

współużytkowanie *sn singt* joint use (of sth)

współwędrow|iec *sm G.* **~ca** companion in one's wanderings; fellow-wanderer

współwię|zień *sm G.* **~źnia**, **współwięźniar|ka** *sf pl G.* **~ek** fellow-prisoner

współwina *sf* complicity

współwinny [I] *adj* jointly guilty [II] *sm* accomplice; fellow-delinquent; associate in guilt

współwinowajca *sm* (*decl = sf*) accomplice; fellow--delinquent; associate in guilt

współwładca *sm* (*decl = sf*), **współwładczyni** *sf* fellow-ruler

współwładztwo *sn singt* joint rule

współwłasność *sf singt prawn.* joint ownership <possession, proprietorship>

współwłaściciel *sm* joint owner <proprietor>

współwłaścicielka *sf* joint owner <proprietress>

współwydawca *sm* (*decl = sf*) joint editor

współwygna|niec *sm G.* **~ńca** companion in exile

współwyznawca *sm* (*decl = sf*) coreligionist

współzależ|eć *vi imperf* **~y** to correlate

współzależność *sf singt* correlation; interdependence

współzależny *adj* correlative; correlated; interdependent

współzałożyciel *sm* cofounder

współzawodnictwo *sn singt* rivalry; emulation; competition

współzawodniczka *sf* competitress; rival; contestant

współzawodniczyć *vi imperf* to vie <to contend, to compete, to be in rivalry> (**z kimś o coś** with sb for sth); to rival (**z kimś, czymś o coś** sb, sth for sth); to emulate (**z czymś, kimś** sth, sb)

współzawodnik *sm* competitor; rival; contestant

współziom|ek *sm G.* **~ka** countryman; fellow-citizen

współżycie *sn* 1. ↑ **współżyć** 2. (*stały kontakt*) co-existence; **~ społeczne** community life 3. *biol. bot.* symbiosis

współży|ć *vi imperf* **~je** 1. (*stale się stykać*) to co-exist; to live in common <together, collectively>; **dobrze ~ć z kimś** to get along well with sb; **oni nie umieją <nie potrafią> ~ć z sobą** they can't <don't> get along together 2. *biol. bot.* to coexist; to be in symbiosis

wsta|ć *vi perf* **~nę, ~nie, ~ń, ~ł** — **wsta|wać** *vi imperf* **~je, ~waj** 1. (*powstać*) to get up; to stand up; to rise; to get on <to rise to> one's feet; **włosy mu ~ły na głowie** the hair rose on his head; (*mówiąc do siedzących*) **proszę nie ~wać** keep your seats; remain seated; **~ć, ~wać od stołu** to leave the table; to rise from table 2. (*opuścić posłanie po śnie*) to get up; to leave one's bed; to get out of bed; **wcześnie ~wać** to be an early riser; **~ć z grobu** to rise from the dead <from the grave>; *przysł.* **kto rano ~je, temu Pan Bóg daje** the early bird catches the worm 3. (*o chorym*) to recover; **on nie ~je** he keeps to his bed

wstawa *sf pot.* (*libacja*) drinking-bout

wstawać *zob.* **wstać**

wstawi|ć *v perf* — **wstawi|ać** *v imperf* [I] *vt* 1. (*umieścić*) to put; to place; to introduce; to interpose (**coś między inne rzeczy** sth between other things); *przen.* **nie można ~ć słowa** one can't get a word in edgeways 2. (*umieścić brakującą część*) to put in <to set> (a window pane); to introduce; to insert; **~ć coś do budżetu (na jakiś cel)** to budget (for an expense) 3. (*postawić na blasze*) to put (a pot etc.) on the range [II] *vr* **~ć, ~ać się** 1. (*umieścić się*) to put oneself (**w czyjeś położenie** in sb's place) 2. (*ująć się*) to stand up (**za kimś** for sb <in sb's defence>); to plead <to intercede> (**za kimś** for sb) 3. *pot.* (*upić się*) to get soused <screwed, sprung, tight>

wstawienie *sn* ↑ **wstawić** 1. (*umieszczenie*) introduction (of a detail etc. into sth); insertion; interposition 2. **~ się** (*ujęcie się*) intercession

wstawiennictwo *sn singt* pleading(s); mediation; intercession

wstawiony [I] *pp* ↑ **wstawić** [II] *adj pot.* soused; screwed; sprung; tight

wstaw|ka *sf pl G.* **~ek** 1. (*element, motyw wstawiony do całości*) insertion; *teatr* interlude 2. *kraw.* panel; gusset; lace insertion

wst|ąpić *vi perf* — **wst|ępować** *vi imperf* 1. (*wznieść się*) to go up (**po schodach itd.** the stairs etc.); to mount (**na podium itd.** the platform etc.); **~ąpić na tron** to mount <to ascend> the throne 2. (*zajść*) to enter (**do pokoju itd.** a room etc.); **~ąpić do kogoś** to call at sb's house <on sb>; to drop in at sb's place; **~ąpić do sklepu mięsnego <do apteki itd.>** to call at the butcher's <chemist's etc.> 3. (*wsadzić nogę w coś*) to step (**w coś, do czegoś** in sth); *przen.* **~ąpić w czyjeś ślady** to follow in sb's footsteps 4. † (*wejść*) to enter (**do pokoju itd.** a room etc.); to walk (**do pokoju itd.** into a room etc.); *obecnie w zwrotach*: **diabeł w niego ~ąpił** he is possessed of the devil; **nadzieja ~ąpiła <nowe siły ~ąpiły> w niego** he regained confidence <his strength>; **otucha ~ąpiła we mnie** I took <plucked up> courage; **~ąp do mnie jutro** come in <come round, drop in> to-morrow; **~ąpić do klasztoru** to take the habit <the veil>; **~ąpić do partii** to join the party; **~ąpić do teatru** to go on the stage; **~ąpić do wojska** to join the army <the colours>; to join up; **~ąpić na uniwersytet** to enter the university; **~ąpić po coś** to call for sth; **~ąpić po kogoś** to come and fetch sb; **~ąpić w szranki** to enter the lists; **~ąpić w związki małżeńskie** to get married

wstąpienie *sn* 1. ↑ **wstąpić** 2. (*wzniesienie się*) ascension; **~ na tron** accession to the throne 3. (*wejście*) entry

wstążeczka *sf dim* ↑ **wstążka**

wstąż|ka *sf pl G.* **~ek** ribbon; (*u mety itd.*) tape; **~ka do włosów** fillet; **~ka do kapelusza** hatband; **~ka orderu** ribbon <cordon> of an order

wstecz *adv* 1. (*w przestrzeni*) backwards; rearwards; *mar.* astern; aback; (*o ustawie itd.*) **działać ~** to be retroactive; **jechać ~** to back; **oglądać się <zwrócić się> ~** to look <to turn> back 2. (*w czasie*) ago; **datować ~** to antedate; *x* **lat ~** *x* years ago

wstecznictwo *sn singt* reactionism; backwardness; obscurantism

wstecznik *sm* reactionary; obscurantist

wsteczność *sf singt* retrogression; regressiveness

wsteczn|y *adj* 1. (*reakcyjny*) reactionary; retrograde; backward; obscurantist 2. (*posuwający się wstecz*) backward <rearward, retrograde> (movement); *techn.* **bieg ~y** reverse; **dać bieg ~y** to reverse; to go into reverse; *prawn.* **moc ~a** retroactivity (of a law etc.); *jęz.* **upodobnienie ~e** regressive assimilation

wst|ęga *sf pl G.* **~ęg <~ąg>** band; ribbon (of a road, river etc.); sash (of office etc.); wreath <wisp> (of smoke etc.)

wstęgow|y *adj* ribbon — (trimming etc.); **piła ~a** band-saw

wstęgów|ka *sf pl G.* **~ek** *zool.* (*Catocala*) underwing

wstęp *sn G.* **~u** 1. (*możliwość wejścia*) entrance; admission; admittance; *teatr* **bilet wolnego ~u** pass; **opłata za ~** admission <entrance> fee; **mieć ~ do ...** to be admitted to ...; *w napisie*: **„Obcym ~ wzbroniony"** "Private"; **„~ wzbroniony"** "no admittance" 2. (*początek*) beginning; introduction; preamble; **na samym ~ie uderza mnie ...** the first thing that strikes me is ...; **na ~ie** first of all; to begin with 3. (*przedmowa*) preface; introduction; preamble 4. *muz.* prelude; overture 5. *szach.* opening

wstępniak *sm pot.* leader

wstępnie *adv* (*początkowo*) initially; (*prowizorycznie*) temporarily

wstępn|y *adj* 1. (*początkowy*) initial; preliminary; introductory; preparatory; **artykuł ~y** leader; *prawn.* **linia ~a** ascending line; **słowo ~e** foreword; preface; introduction 2. (*związany ze wstępem*) entrance <admission, initiation> — (fee, formalities etc.)

wstępować *zob.* **wstąpić**

wstępowanie *sn* 1. ↑ **wstępować** 2. = **wstąpienie** 2., 3.

wstępując|y *adj* (*skierowany ku górze*) ascending; upward; *anat.* **tętnica ~a** ascending artery

wstężniak|i *spl G.* **~ów** *zool.* (*Nemertini*) (*gromada*) the class Nemertini

wstężnica *sf bot.* (*Ulothrix*) alga of the genus Ulothrix

wstręt *sm G.* **~u** 1. *singt* (*odraza*) repugnance; disgust; abhorrence; abomination; **budzić ~ w kimś** to repel sb; to fill sb with disgust; **czuć ~ do czegoś** to feel disgust at sth <repugnance to sth>; to loathe <to abhor, to abominate> sth; to recoil from sth; to nauseate at sth; **ze ~em coś robić** to loathe <to hate> to do sth; to be loath to do sth 2. † (*przeszkoda*) obstacle; *obecnie w zwrocie*: **robić ~y** to make <to raise> difficulties

wstrętnie *adv* disgustingly; abominably; horridly

wstrętny *adj* (*obrzydliwy*) disgusting; repugnant; abominable; loathsome; repellent; (*o pogodzie itd.* — *ohydny*) foul; wretched; vile; beastly; nasty; horrid

wstrząs *sm G.* **~u** 1. (*wstrząśnięcie*) shock; percussion; impact; bump; jolt; shake; **amortyzator ~ów** shock-absorber; **działający** <**funkcjonujący**> **bez ~ów** smooth; **odporny na ~y** shock-resistant; shock-proof 2. (*silne przeżycie*) shock; *polit.* upheaval; convulsion 3. *med.* shock; **~ mózgu** concussion of the brain; **doznać ~u** to get a shock 4. (*zw. pl*) *geol.* earth tremor

wstrząsacz *sm pl* **~y** <**~ów**> *techn.* shaker

wstrzą|sać *v imperf* — **wstrzą|snąć** *v perf* **~snę, ~śnie, ~śnięty** [I] *vt* 1. (*potrząsać*) *imperf* to shake <to agitate, to jolt> (**czymś** sth); *perf* to give (**kimś, czymś** sb, sth) a shock; **~snąć budynkiem** to rock a building 2. (*powodować silne wzruszenie*) to shock <to thrill, to startle, to stagger, to galvanize> (**kimś** sb); **~snąć państwem** to convulse a state [II] *vr* **~sać, ~snąć się** to shake (*vi*)

wstrząsająco *adv* startlingly; thrillingly; **podziałać ~ na kogoś** to startle <to thrill, to stagger, to galvanize> sb

wstrząsający *adj* startling; thrilling; impressive

wstrząsar|ka *sf pl G.* **~ek** *techn.* stirring apparatus; shaker; vibrator

wstrząsnąć *zob.* **wstrząsać**

wstrząśnięcie *sn* 1. ↑ **wstrząsnąć** 2. (*gwałtowne poruszenie*) shock; jolt; bump 3. (*silne wzruszenie*) shock; thrill

wstrząśnięty [I] *pp* ↑ **wstrząsnąć** [II] *adj* thrilled; startled; staggered; galvanized; impressed; stunned

wstrzel|ać *v perf* — **wstrzel|iwać** *v imperf wojsk.* [I] *vt* to register <to adjust> (a gun) [II] *vr* **~ać, ~iwać się** to range <to register> (*vi*)

wstrzeliwanie *sn* (↑ **wstrzeliwać**) registration

wstrzemięźliwie *adv* moderately; abstemiously; reticently; with restraint; with moderation

wstrzemięźliwość *sf singt* moderation; restraint; abstemiousness; (*w mowie*) reticence; † abstinence; temperance

wstrzemięźliwy *adj* moderate; restrained; abstemious; (*w mowie*) reticent

wstrzykiwać *vt imperf* — **wstrzyknąć** *vt perf* to inject; *perf* to give (sb) an injection <a shot> (**morfinę itd.** of morphine etc.)

wstrzyknięcie *sn* (↑ **wstrzyknąć**) injection <shot> (of morphine etc.)

wstrzym|ać *v perf* — **wstrzym|ywać** *v imperf* [I] *vt* to suspend; to hold up; to stop; to delay; to discontinue; to cease; to arrest (progress etc.); to detain (sb); to defer (judgment); to restrain <to check> (one's tears etc.); to hold back (a horse etc.); **lekarstwo ~ujące** astringent medicine; **patrzeć ze ~anym oddechem** to look on with bated breath; **~ać, ~ywać oddech** to hold one's breath; **~ać wykonanie wyroku na kimś** to reprieve sb; **~ać ziewnięcie** to stifle a yawn [II] *vr* **~ać, ~ywać się** 1. (*powstrzymywać się*) to abstain (**od czegoś** from sth); to refrain (**od robienia czegoś** from doing sth); **~ać, ~ywać się od głosu** to abstain; **przy** *x* **~ujących się (od głosowania)** with *x* abstentions 2. (*poniechać*) to put off <to defer, to postpone> (**z robieniem czegoś** doing sth)

wstrzymanie *sn* 1. (↑ **wstrzymać**) suspension; deferment; cessation (**działań wojennych** of hostilities; **pracy** from work); *fizj.* retention (of urine etc.) 2. **~ się** (*powstrzymanie się*) abstention 3. **~ się** (*poniechanie*) postponement

wstyd *sm G.* **~u** (*zw. singt*) shame; disgrace; **było mi** <**jest mi**> **~** I was <I am> ashamed; **on nie zna ~u** he is shameless <lost to all sense of shame>; **palić się ze ~u** to blush for shame; **przynosić komuś ~** to be a disgrace for sb; **przyznaję ze ~em** to my shame I confess ...; I am ashamed to confess; **~ mówić** one cannot mention it without a feeling of shame; **czy ci nie ~?** aren't you ashamed of yourself?; **~!** for shame!

wstydliwie *adv* shyly; bashfully; timidly; shamefacedly; modestly

wstydliwość *sf singt* shyness; bashfulness; timidity; shamefacedness; modesty

wstydliw|y *adj* 1. (*nieśmiały*) shy; bashful; timid; shamefaced 2. (*skromny*) modest 3. (*krępujący*) embarrassing; **~e części** privy parts

wstydzenie *sn* ↑ **wstydzić**

wsty|dzić *v imperf* **~dzę, ~dzony** [I] *vt* to put (sb) to shame; to abash; to confuse [II] *vr* **~dzić się** to be <to feel> ashamed (**czegoś, robienia czegoś** of sth, of doing sth); **~dzić się za kogoś** to be ashamed of sb; to feel shame for sb; to blush for sb; **~dź się!** for shame!; you ought to be ashamed of yourself

wsu|nąć *v perf* — **wsu|wać** *v imperf* [I] *vt* 1. (*umieścić*) to push <to slip, to shove, to insert, to introduce> (**coś do czegoś** sth into sth); **~nąć coś do szuflady** to pop sth into a drawer; to tuck sth away in a drawer 2. (*dać*) to give (sb sth) furtively <in secret>; to slip (**coś komuś do ręki** sth into sb's hand) 3. *pot. żart.* (*zjeść*) to tuck in (**coś** at sth); to dispatch (a meal etc.) [II] *vr* **~nąć, ~wać się** 1. (*wejść*) to slip <to steal> (**do pokoju** into a room) 2. (*wpełznąć*) to crawl <to creep> in

wsunięcie *sn* (↑ **wsunąć**) insertion

wsuwa *sf sl.* tuck-in; (a) good feed

wsuw|ka *sf pl G.* **~ek** (*spinka do włosów*) hair-slide

wsuwnica *sf techn.* drawer (of joiner's bench)

wsyp *sm G.* **~u** 1. *techn.* chute 2. *reg.* = **wsypa** 1.

wsyp|a *sf* 1. (*poszwa*) pillow-case; tick; **płótno na ~y** ticking 2. *pot.* (*wpadnięcie*) give-away

wsyp|ać *v perf* **~ie** — **wsyp|ywać** *v imperf* [I] *vt* 1. (*nasypać*) to pour (**ziarno itd. do czegoś** grain etc. into sth); *pot.* **~ać komuś baty** to give sb a hiding 2. *pot.* (*sypnąć*) to give (sb, a plot) away [II] *vr* **~ać, ~ywać się** 1. (*dostać się*) to get (**do czegoś** into sth) 2. *pot.* (*zdradzić się*) to give oneself away; to make a bad break

wsypow|y[1] *adj techn.* inflow — (pipe etc.); **wytwornica ~a** carbide-to-water generator

wsypow|y[2] *adj tekst.* **płótno ~e** ticking

wsypywać *zob.* **wsypać**

wsysacz *sm pl G.* **~y** <**~ów**> *techn.* aspirator

wsysać *zob.* **wessać**

wsysanie *sn* (↑ **wsysać**) aspiration

wszak *adv* (*przecież*) why; **~ on niewinny** why, he's innocent; **~ wiesz** <**wiedziałeś**> **o tym** you know <knew> it, don't <didn't> you?

wszakże *adv emf.* 1. (*jednak*) however; nevertheless; **zima była łagodna, ~ bywały mroźne dni** the winter was mild, there were, however, some frosty days <nevertheless there were some frosty days> 2. = **wszak**
wszarz *sm wulg.* lousy beggar
wszawica *sf singt med.* pediculosis
wszcz|ąć *vt perf* **~ął, ~ęła, ~ęty — wszcz|ynać** *vt imperf* to begin; to start; to commence; **~ąć kłótnię** to start a quarrel; **~ąć kroki sądowe** to go to law; **~ąć rokowania** to enter into negotiations; **~ąć śledztwo** to institute an inquiry; **~ąć wojnę** to unleash a war
w szczególności *zob.* **szczególność**
wszczepi|ać *v imperf* — **wszczepi|ć** *v perf* [I] *vt* 1. *ogr.* to graft; to inarch 2. (*wprowadzać do organizmu*) to infect (**jad itd. do ciała** a body etc. with poison); to inoculate 3. (*wgłębiać*) to sink (roots, claws, teeth into sth) 4. (*wpajać*) to inculcate <to implant> (**komuś idee <przekonania itd.>** ideas <convictions etc.> in sb); to engraft (principles etc. in people's minds) 5. *med.* to graft (a kidney etc. on sb) [II] *vr* **~ać, ~ć się** to be grafted
wszczepienie *sn* 1. ↑ **wszczepić** 2. (*wpojenie*) inculcation; implantation 3. *med.* inoculation
wszczęcie *sn* ↑ **wszcząć**
wszczynać *zob.* **wszcząć**
wszech- universal; pan-; all-; omni-
wszechbraterstwo *sn singt rz.* universal brotherhood
wszechbyt *sm singt G.* **~u** *lit.* universe
wszechdoskonały *adj lit. rel.* all-perfect
wszecheuropejski † *adj* Pan-European
wszechistnienie *sn singt lit.* universe
wszechludzki *adj* universal
wszechmoc *sf singt* omnipotence
wszechmocny [I] *adj* omnipotent; almighty; all-powerful [II] *sm rel.* the Almighty
wszechmogący *adj lit. rel.* = **wszechmocny** *adj*
wszechnica *sf lit.* university
wszechobecny *adj lit.* omnipresent; ubiquitous
wszechobejmujący *adj lit.* all-embracing
wszechogarniający *adj* = **wszechobejmujący**
wszechpolski *adj lit.* all-Polish
wszechpotęga *sf singt lit.* absolute power <domination>; omnipotence
wszechpotężny *adj* all-powerful; omnipotent; almighty
wszechrzeczy *spl* universe
wszechsłowiański *adj* Pan-Slav; Pan-Slavic
wszechsłowiańszczyzna *sf singt polit.* Panslavism
wszechstronnie *adv* in every respect; comprehensively; **~ uzdolniony** versatile; **~ wykształcony** extensively educated
wszechstronność *sf singt* versatility
wszechstronn|y *adj* 1. (*mający rozległy zakres zainteresowań*) many-sided; versatile; **~e uzdolnienia** versatility 2. (*uwzględniający wszystkie aspekty*) comprehensive; **~e rozpatrzenie kwestii** extensive <comprehensive> study of a question; **~y rozwój** all-round development
wszechświat *sm singt* universe; cosmos; macrocosm
wszechświatowy *adj* universal; cosmic
wszechwaga *sf sport* all-weight
wszechwiedza *sf singt lit.* omniscience
wszechwiedzący *adj* omniscient
wszechwładca *sm* (*decl* = *sf*) absolute ruler; supreme lord
wszechwładnie *adv* all-powerfully; **rządzić ~** to reign supreme
wszechwładny *adj* all-powerful; omnipotent; almighty
wszechwładza *sf singt*, **wszechwładztwo** *sn singt* unlimited power <control>; domination; supremacy
wszechzło *sn singt lit.* universal evil
wszechzwiązkowy *adj polit.* All-Union (Congress etc.)
wszechżycie *sn singt lit.* universal life
wszego † *GA.* (*D.* **wszemu** *IL.* **wszym** *pl GAL.* **wszech** *D.* **wszem** *I.* **wszymi**) *obecnie w zwrotach:* **na wsze strony** right and left; **po wsze czasy** for all times; **ze wszech miar** a) (*pod każdym względem*) in every respect; by all means b) (*w najwyższym stopniu*) supremely; **ze wszech stron** from all sides
wszelaki *adj* = **wszelki** 1.
wszelako *adv lit.* nevertheless; however; still; though
wszelk|i *adj* 1. (*każdy*) every (possible); all (sorts of); **przechodzić ~ie granice** to pass all bounds; **rozważyć ~ie możliwości** to consider every possibility; **~imi sposobami** by every possible means; by all sorts of means 2. (*jakikolwiek*) all; any; (*z przeczeniem*) no... whatever; **unika ~iego wysiłku** he avoids all effort; **bez ~ich ozdób <ceremonii, kłopotów itd.>** without any ornament <ceremony, trouble etc.>; with no ornament <ceremony, trouble etc.> whatever; **na ~i wypadek** just in case; **zrobić coś na ~i wypadek** to do sth in case of a contingency <so as to be on the safe side>; **za ~ą cenę** at any cost; at all costs
wszerz *adv* in breadth; across; **przemierzyć okolicę wzdłuż i ~** to roam through the length and breadth of the region; **rzeka ma milę ~** the river is a mile across; **wzdłuż i ~** to and fro; **wzdłuż i ~ pokoju** up and down the room
wszeteczeństwo † *sn* harlotry
wszeteczny † *adj* meretricious
wszędobylsk|i [I] *adj* (*wszędzie się zjawiający*) ubiquitous; (*wtrącający się do wszystkiego*) meddlesome [II] *sm* **~i**, *sf* **~a** busy-body
wszędobylstwo *sn singt* (*bycie wszędobylskim*) ubiquity; (*wtrącanie się do wszystkiego*) meddlesomeness
wszędzie *adv* everywhere; on all sides; in every direction; far and near; far and wide; *pot.* all over the place <the show>; **~ czegoś szukać** to hunt for sth high and low; **~ dokoła** all around; **~ gdzie** wherever; **~ indziej** everywhere else
wszoł *sm zool.* mallophagan; bird louse
wszy|ć *vt perf* **~je, ~ty — wszy|wać** *vt imperf* to sew <to set> in; to sew up (**pieniądze, papiery itd. w coś** money, papers etc. in sth)
wszyscy [I] *adj* all (the inhabitants, my friends, his children etc.) [II] *spl* all (of us, you, them); everybody; everyone; all men; all comers; **~ bez wyjątku** one and all; *pot.* every man jack (of you, them); the whole lot (of you, them); *sl.* every mother's son (of you etc.)
wszyst|ek *adj* **~ka, ~ko** 1. (*każdy*) all; every; **na ~kie sposoby** in every possible manner; **po ~kie**

czasy for all times; **we ~kich częściach kraju <zakamarkach, izbach>** throughout the country <the building>; **za ~kie czasy** as never before; **ze ~kich sił** with all one's might 2. (*cały*) all; the whole (of); **przez ten ~ek miesiąc chorowałem** I was ill the whole of that month <the whole month>; **~ek zarobek przegrał w karty** he lost the whole of his pay <all his pay> at cards

wszystk|o *sn singt* (*decl* = *adj*) all; everything; anything; all this <that>; things; *pot.* the whole lot; (*o ludziach*) everybody; everyone; **majster do ~iego** Jack of all trades; **pomocnica do ~iego** maid-of-all-work; **~o razem** everything; lock stock and barrel; the whole caboodle; (*o przyrządzie*) **do ~iego** for all purposes; *attr.* all-purpose; **i to by było ~o** that's about all; (*końcowa uwaga*) **i to jest ~o** that's all there is to it <to be said>; **miałem ~iego 2 zł w kieszeni** I had two zlotys in all in my pocket; **ona jest dla mnie <dla niego> ~im** she is all the world to me <to him>; **ona ma ~iego 15 lat** she is no more than 15 years old; **on jest zdolny do ~iego** a) (*jest utalentowany*) he can turn his hand to anything b) (*można się po nim wszystkiego spodziewać*) he will do anything; he is apt to do anything; **to by było ~o, jeżeli chodzi o ...** so much for ...; **to ~o bzdury** it's all <it's so much> nonsense; **~o bym dał, żeby ...** I'd give the world to ...; **~o by zrobił, żeby ...** he would do anything to ...; **~o, co chcesz** anything <whatever> you like; **~o, co mogę zrobić to ...** the most I can do is ...; **~o, co widzisz** everything you see; **~o na mnie mokre** all my things are wet; **~o zabałaganić** to mess things up; **z tym ~im był bardzo skromny** nevertheless <for all that, notwithstanding> he was very modest; **nade ~o** above all; most of all; **przede ~im** first of all; in the first place; to start with; (*całkiem*) **ze ~im** altogether; completely; quite; *emf.* (*najwyżej*) **~iego (razem)** altogether; in all; no more than; *pot.* **~o jedno** a) (*bez różnicy*) all the same b) (*nie ma co się martwić*) never mind; no matter; *przysł.* **nie ~o złoto, co się świeci** not all is gold that glitters

wszystkoista *sm* (*decl* = *sf*) *iron. pot.* omniscient fellow; know-all

wszystkowidzący *adj* all-seeing

wszystkowiedzący *adj* omniscient

wszystkożerny *adj* omnivorous

wszyściuteńko <wszyściutko> *sn* (*dim* ↑ **wszystko**) absolutely everything

wszywać *zob.* **wszyć**

wszyw|ka *sf pl G.* **~ek** insert; lace insertion

wścibi|ać *v imperf* — **wścibi|ć** *v perf* [I] *vt* 1. (*wsadzać*) to thrust <to poke, to shove> (**coś do czegoś** sth into sth); *pot.* **~ać, ~ć nos w coś** to poke one's nose into sth; to meddle with sth; **~ać, ~ć nos w cudze sprawy** to pry into other people's affairs 2. (*wtykać*) to slip (**coś komuś do ręki** sth into sb's hand) [II] *vr* **~ać, ~ć się** 1. (*wkradać się*) to steal (**do czegoś** into sth) 2. (*mieszać się*) to meddle (**w coś** with sth); to pry (**w coś** into sth); to snoop

wścibsk|i [I] *adj* meddlesome; inquisitive; interfering; snooping; *sl.* nosy [II] *sm* **~i**, *sf* **~a** busy-body; meddler; snooper

wścibskość *sf singt* meddlesomeness; inquisitiveness

wścibstwo *sn singt* meddling; prying; snooping

wście|c *v perf* **~knie, ~kły** — **wście|kać** *v imperf* [I] † *vt* to put (sb) into a rage; to madden (sb); to make (sb) rave; *sl.* to get sb's monkey up [II] *vr* **~c, ~kać się** 1. (*dostać wścieklizny*) to become rabid; *dosł. i przen.* to go mad; *pot.* **można się ~c** it's enough to drive one mad 2. *pot.* (*wpaść w złość*) *perf* to fly into a rage; to go into a tantrum; *sl.* to get one's monkey up; *imperf* (*złościć się*) to be frantic; to rave; to rage; to storm; to be furious <wild>

wściekanie się *sn* (↑ **wściekać się**) fury; rage tantrums

wściekle *adv* 1. (*w sposób wyrażający złość*) madly; furiously; in a fit of rage 2. (*gwałtownie*) madly; wildly; savagely; thunderingly 3. (*bardzo*) awfully; terribly; frightfully; *pot.* like mad; like anything

wścieklica *sf pot.* shrew; termagant; vixen

wściekliznj|a *sf singt med.* rabies; rabidness; madness; hydrophobia; **wirus ~y** rabid virus; **chory na ~ę** rabid; **dostać ~y** to go rabid

wściekłoś|ć *sf singt* rage; fury; tantrums; **doprowadzić kogoś do ~ci** to drive sb mad; to incense <to enrage> sb; **wpaść we ~ć** = **wściec** *vr* 2.

wściekły *adj* 1. (*chory na wściekliznę*) rabid; mad 2. (*rozgniewany*) furious; wild; frantic; raving mad; in high dudgeon 3. (*gwałtowny*) furious <violent> (wind etc.) 4. *pot.* (*bardzo intensywny*) awful; terrible; frightful 5. *pot.* (*zajadły*) rabid (enemy, demagogue etc.)

wściubiać *vt imperf* — **wściubić** *vt perf pot.* = **wścibiać**

wślizgiwać się *vr imperf, rz.* **wślizgać się** *vr imperf* — **wśliznąć się** *vr perf* (*wpełzać*) to creep <to crawl> in; (*wkradać się*) to steal <to sneak> in; to slip in; to edge one's way <to insinuate oneself> (**do pokoju itd.** into a room etc.)

wśród *praep* among(st); amid(st); in the midst (of one's friends etc.); in the middle (of the forest, of the night etc.); in the course (of the conversation etc.); **jechaliśmy ~ gór <winnic itd.>** we rode between mountains <vinyards etc.>; **~ nas <was, nich>** in our <your, their> midst

wśrubow|ać *v perf* — **wśrubow|ywać** *v imperf* [I] *vt* to screw (sth) in [II] *vr* **~ać, ~ywać się** to wriggle one's way in

wtaczać *v imperf* — **wtoczyć** *v perf* [I] *vt* to roll (**beczkę do piwnicy itd.** a barrel into the cellar etc.) [II] *vr* **wtaczać, wtoczyć się** 1. (*o pojeździe itd.*) to roll <to run> in 2. *pot.* (*o człowieku*) to stagger <to totter> in

wtajemnicz|ać *v imperf* — **wtajemnicz|yć** *v perf* [I] *vt* 1. (*dopuszczać do tajemnicy*) to initiate (**kogoś w arkana czegoś** sb into the secret of sth); **~ać, ~yć kogoś w swoje sprawy** to let sb into one's secrets 2. (*zapoznawać*) to acquaint (**kogoś w sprawy zawodu itd.** sb with the affairs of a profession); to instruct (**kogoś w sztukę robienia czegoś** sb in the art of doing sth) [II] *vr* **~ać, ~yć się** to become initiated (**w pewne sprawy** in certain affairs); to acquaint oneself (**w pewne sprawy** with certain affairs)

wtajemniczeni|e *sn* (↑ **wtajemniczyć**) initiation; know-how; **formalności itp. ~a** initiatory formalities etc.

wtajemniczon|y [I] *pp* ↑ **wtajemniczyć**; **być ~ym** to be initiated; to be in the know <in the secret>; **był ~y w różne sprawy** he was privy to many things; **nie byłem jeszcze ~y** I was still uninitiated <a profane> [II] *sm* **~y** (an) initiate; insider

wtajemniczyć *zob.* **wtajemniczać**

wtapiać *vt imperf* — **wtopić** *vt perf* to set <to sink> (**coś w coś** sth into sth)

wtarabaniać się *vr imperf* — **wtarabanić się** *vr perf pot.* to get <to barge> (**do czegoś** into sth)

wtarcie *sn* ↑ **wetrzeć**

wtargnąć *vi perf* to break (**do czegoś** into sth); to make an irruption (**w jakieś terytorium** into a territory); to invade (**do kraju** a country)

wtargnięcie *sn* (↑ **wtargnąć**) inroad; invasion

wtaszczać *vt imperf* — **wtaszczyć** *vt perf pot.* to lug (sth) in <up>

wtedy *adv* (*w tym czasie*) then; at that time; in those days; at this juncture; **~ gdy, ~ kiedy ..., kiedy ... ~ ...** when ...; **zacznij ~, kiedy ci powiem** begin when I tell you; **i ~ ...** when ...; **rozpoczęła się walka i ~ okazało się, kto był mocniejszy** the conflict began, when it soon appeared who was stronger

wtem *adv emf.* suddenly; all of a sudden; on a sudden

wtenczas *adv* = **wtedy**

wtł|aczać *v imperf* — **wtł|oczyć** *v perf* [I] *vt* to force <to pack, to cram, to ram> (**coś do czegoś** <**w coś**> sth into sth); *techn.* to grout [II] *vr* **~aczać, ~oczyć się** to crowd in

wtłoczenie *sn* ↑ **wtłoczyć**

wtłoczyć *zob.* **wtłaczać**

wtopić *zob.* **wtapiać**

wtor|ek *sm G.* **~ku** Tuesday; **we ~ek** on Tuesday; next <last> Tuesday; **we ~ki** on Tuesdays; † **tłusty ~ek** Shrove Tuesday

wtorkowy *adj* Tuesday's (performance, meeting etc.); Tuesday — (concerts, lectures etc.)

wtó|r *sm singt G.* **~ru** accompaniment; **przy ~rze ...** to the accompaniment of ...

wtórnie *adv* secondarily; derivatively

wtórnik *sm handl.* (*duplikat*) duplicate

wtórność *sf singt* secondariness

wtórn|y *adj* 1. (*pochodny*) secondary; derivative; *med.* **szew ~y** secondary suture 2. (*uboczny*) secondary; incidental 3. (*ponowny*) repeated; reiterated; *techn.* reclaimed; regenerated

wtóropis *sm G.* **~u** *księgow.* second (**wekslowy** of exchange)

wtórować *vi imperf* 1. (*śpiewać drugim głosem*) to take second part; (*akompaniować*) to accompany (**komuś na gitarze, fortepianie** sb on the guitar, piano) 2. *przen.* to echo (**komuś** sb's words); to chime in (**komuś** with sb); (*towarzyszyć czemuś*) to chime together

wtórowanie *sn* (↑ **wtórować**) accompaniment

wtór|y † *num* second; **po raz ~y** for the second time; **po ~e** secondly

wtr|ajać *vi vt imperf* — **wtr|oić** *vi vt perf* **~oję, ~ój, ~ojony** *sl.* to tuck in; to guzzle; to dispatch (a meal etc.)

w trakcie *zob.* **trakt**

wtranżalać się *vr imperf* — **wtranżolić się** *vr perf sl.* to barge in

wtrąbić się *vr perf sl.* to swig; to guzzle

wtrącać *zob.* **wtrącić**

wtrącalstwo *sn singt rz.* meddlesomeness; snooping

wtrącalski *adj* meddlesome; *sl.* nosy

wtrącanie *sn* 1. ↑ **wtrącać** 2. **~ się** meddlesomeness

wtrącenie *sn* 1. ↑ **wtrącić** 2. *geol.* inclusion 3. (*zw. pl*) *techn.* inclusion; foreign matter 4. **~ się** interference

wtrąc|ić *v perf* **~ę, ~ony** — **wtrąc|ać** *v imperf* [I] *vt* 1. (*wpleść wypowiedź*) to throw in <to add> (a remark etc.); *gram.* **zdanie ~one** parenthetical clause; *przen.* **~ić, ~ać swoje trzy grosze** to put in one's oar 2. (*wepchnąć*) to thrust <to cast, to clap> (**kogoś do więzienia** sb into prison) [II] *vi* (*powiedzieć coś*) to cut in; to chime in; to add; to interpose; to put in a word [III] *vr* **~ić, ~ać się** 1. (*zw. imperf*) (*zająć się, nie będąc proszonym*) to interfere (**do czegoś** with sth); to intrude (**do czegoś** into <in> sth); to meddle (**do czegoś** with sth); to pry (**do czegoś** into sth); to poke one's nose (**do czegoś** into sth); to snoop; **nie ~aj się do mnie** <**do tego**> let me <that> be; mind your own business 2. (*dołączyć się do rozmowy*) to break in (**do rozmowy** on a conversation); to cut (**do rozmowy** into a conversation); to butt in; to chip in; to put in one's oar; to barge in; **czy mogę się ~ić?** may I put in a word <butt in>?; **przepraszam, że się ~am** excuse my interfering

wtręt *sm G.* **~u** 1. (*wstawka*) intercalation; interpolation; insertion 2. *med.* inclusion-body

wtroić *zob.* **wtrajać**

wtryni|ać *v imperf* — **wtryni|ć** *v perf sl.* [I] *vt* to force (**coś komuś** sth on sb); to palm off <to unload> (**coś komuś** sth on sb) [II] *vr* **~ać, ~ć się** to slip <to steal> in

wtrysk *sm G.* **~u** *techn.* injection; gush

wtryskać *zob.* **wtryskiwać**

wtryskanie *sn* (↑ **wtryskać**) injection

wtryskar|ka *sf pl G.* **~ek** *techn.* injection moulding machine

wtryskiwacz *sm* 1. (*robotnik*) injector 2. *techn.* (*urządzenie*) atomizing cone

wtry|skiwać *vt imperf* — **wtry|snąć** *vt perf* **~snę, ~śnie, ~śnięty,** *rz.* **wtry|skać** *vt perf imperf techn.* to inject

wtryskiwanie *sn* (↑ **wtryskiwać**) injection; **~ torkretu** gunite shot

wtryskowy *adj* injection — (nozzle etc.)

wtrysnąć *zob.* **wtryskiwać**

wtryśnięcie *sn* (↑ **wtrysnąć**) injection

wtul|ać *v imperf* — **wtul|ić** *v perf* [I] *vt* to nestle (**twarz w poduszkę itd.** one's face in one's pillow etc.) [II] **~ać, ~ić się** to nestle down (**w fotel itd.** in an armchair etc.)

wtycz|ka *sf pl G.* **~ek** 1. *elektr. telef.* plug; *elektr.* connector 2. *pot.* (*szpieg*) plant; *am.* spotter

wtyczkowy *adj techn.* plug-in — (connector etc.); **kontakt ~** plug-switch

wtyk *sm G.* **~u** *techn.* connector

wtykać *zob.* **wetknąć**

wtykowy *adj techn.* = **wtyczkowy**

wuj *sm pl N.* **~owie** uncle; **Wuj Sam** Uncle Sam

wujaszek *sm*, **wujcio** *sm pieszcz. dim* ↑ **wuj**

wujeczn|y *adj* uncle's; **~a babka** great-aunt; **~a siostra, ~y brat** cousin; **~y dziadek** great-uncle

wuj|ek *sm pl N.* **~kowie** *dim* ↑ **wuj**
wujen|ka *sf pl G.* **~ek** aunt
wujostwo *sn singt* aunt(ie) and uncle
wujowski *adj* uncle's
wulfenit *sm G.* **~u** *miner.* wulfenite
wulgarnie *adv* vulgarly; coarsely; in vulgar terms; **on się ~ wyraża** he is vulgar of speech
wulgarność *sf singt* vulgarity; coarseness
wulgarn|y *adj* 1. (*ordynarny*) vulgar; coarse; low; **wyrażenie ~e** vulgarism 2. (*o systemie naukowym*) vulgar
wulgaryzacja *sf* vulgarization
wulgaryzator *sm* vulgarizer
wulgaryzatorski *adj* vulgarizer's; vulgarizing (interpretation etc.)
wulgaryzatorstwo *sn singt* vulgarization
wulgaryzm *sn G.* **~u** vulgarism
wulgaryzować *vt imperf* to vulgarize
wulgaryzowanie *sn* (↑ **wulgaryzować**) vulgarization
Wulgata *sf singt* Vulgate
wulkan *sm G.* **~u** *geol.* volcano; *przen.* **siedzieć** <**tańczyć**> **na ~ie** to dance over a volcano; to sleep on a volcano
wulkaniczny *adj* volcanic (bomb, glass etc.)
wulkanit *sm G.* **~u** *geol.* vulcanite
wulkanizacja *sf techn.* vulcanization; cure (of rubber)
wulkanizacyjny *adj* vulcanizing — (methods, process etc.)
wulkanizat *sm G.* **~u** *techn.* vulcanizate
wulkanizator *sm* (*aparat oraz robotnik*) vulcanizer
wulkanizm *sm singt G.* **~u** volcanism; volcanicity
wulkanizować *vt imperf techn.* to vulcanize; to cure (rubber)
wulkanizowanie *sn* (↑ **wulkanizować**) vulcanization; cure (of rubber)
wulkanologi|a *sf singt GDL* **~i** volcanology
wulkanologiczny *adj* volcanological
wurcyt *sm G.* **~u** *miner.* wurtzite
wwal|ać *v imperf* — **wwal|ić** *v perf pot.* [I] *vt* to chuck <to dump> (**coś do czegoś** sth into sth) [II] *vr* **~ać, ~ić się** to get chucked <dumped> (into sth)
wwią|zać *vt perf* **~żę** — **wwiązywać** *vt imperf* to plait (sth into sth)
wwiercać *vt imperf* — **wwiercić** *vt perf* to force <to squeeze, to screw, to bore> (**coś w coś** sth into sth); to force <to squeeze, to bore> one's <its> way (into sth)
wwieźć *vt perf* **wwiozę, wwiezie, wwiózł, wwiozła, wwieźli, wwieziony** — **wwozić** *vt imperf* **wwożę, wwóź, wwożony** to convey <to introduce, to bring> (sth into an area, enclosure etc.); **wwieźć, wwozić towar z zagranicy** to import goods from abroad
wwikłać *v perf rz.* [I] *vt* to implicate; to involve [II] *vr* **~ się** to become <to get> implicated <involved>
wwindować *v perf pot.* [I] *vt* to pull <to lug> (sth) up [II] *vr* **~ się** to scramble up
wwl|ec *vt perf* **~okę** <**~ekę**>, **~oką, ~ecze, ~ecz, ~ókł,** <**~ekł**>, **~okła** <**~ekła**> — **wwlekać** *vt imperf rz.* to lug (sth) in
wwozić *zob.* **wwieźć**
wwozowy *adj* import — (duty, trade, lists etc.)
wwożenie *sn* (↑ **wwozić**) conveyance <introduction, importation> (of sth into an area, enclosure, country)

wwóz *sm singt G.* **wwozu** importation
wy *pron GDL.* **was** *D.* **wam** *I.* **wami** you; (*z naciskiem*) you people; **wy wszyscy** all of you; **a wy co na to?** what do you people say to this <think of this>?
wy- *praef* 1. (*określa ruch w kierunku od wewnątrz do zewnątrz*) out; **wyjść** to go out; **wynieść** to take out 2. (*oznacza wyczerpanie zakresu czynności*) *nie ma odpowiednika:* **wybudować** to build; **wypalić** to burn; **wysuszyć** to dry 3. (*w połączeniu z zaimkiem* **się** *określa wzmożenie intensywności — przy czynnościach lub doznaniach przyjemnych*) to one's heart's content; for all one is worth; **wytańczyliśmy się** we danced to our hearts' content; (*przy czynnościach lub doznaniach nieprzyjemnych*) till one can hardly stand it any longer; **wynudziłem** <**wyczekałem**> **się** I was bored <I waited> till I could hardly stand it any longer
wyabstrahować *vt perf* to eliminate
wyasfaltować *vt perf* to asphalt (a road)
wyasygnować *vt perf* to assign <to allot> (funds for sth)
wyatutować *vi perf karc.* to draw out the trumps
wybacz|ać[1] *vt imperf* — **wybacz|yć** *vt perf* to forgive <to pardon> (**komuś błąd itd.** sb an error etc.); **można to ~yć** it is pardonable; **proszę mi ~yć** forgive <excuse> me
wybaczać[2] *zob.* **wyboczyć**
wybaczalny *adj* pardonable; excusable; venial (offence etc.)
wybaczenie *sn* (↑ **wybaczyć**) forgiveness; pardon
wybadać *v perf* — **wybadywać** *v imperf* [I] *vi* to inquire (**o coś** about sth) [II] *vt* to investigate (**coś** sth); to sound (**kogoś** sb); to draw (sb) out; to explore (possibilities etc.)
wybadanie *sn* (↑ **wybadać**) inquiry; inquiries; investigation(s)
wybadywać *zob.* **wybadać**
wybagrować *vt perf rz.* to dredge
wybajdurzyć *vt perf pot. rz.* to invent; to imagine
wybalastować *vt perf mar.* to ballast (a ship)
wybałusz|ać *vt imperf* — **wybałusz|yć** *vt perf pot.* *w zwrotach:* **~one oczy** goggle <wide-open> eyes; **~ać, ~yć oczy na kogoś, coś** to gape <to stare, to goggle> at sb, sth
wybarwiać *v imperf* — **wybarwić** *v perf pot.* [I] *vt* to dye; to colour (sth) [II] *vi* to colour
wybatożyć *vt perf* to whip
wybawca *sm* (*decl = sf*), **wybawczyni** *sf* saviour; rescuer; redeemer; liberator
wybawiać *zob.* **wybawić**
wybawiciel *sm* = **wybawca**
wybawiciel|ka *sf pl G.* **~ek** = **wybawczyni**
wybawić *vt perf* — **wybawiać** *vt imperf* to deliver <to redeem, to free, to rescue, to liberate> (**kogoś z czegoś** sb from sth); to rid (**kogoś z czegoś** sb of sth)
wybawić się *vr perf* — **wybawiać się** *vr imperf* to enjoy oneself to the full; to have the time of one's life
wybawienie *sn* (↑ **wybawić**) delivery; redemption; rescue; liberation
wybąkać *vt perf*, **wybąknąć** *vt perf* — *rz.* **wybąkiwać** *vt imperf pot.* to mutter <to mumble> (sth)
wybebeszać *vt imperf* — **wybebeszyć** *vt perf pot.* to gut (an animal)

wybełko|tać *vt perf* **~cze** <**~ce**> to mutter <to mumble> (sth)

wybełtać *vt perf rz.* to stir

wybetonować *vt perf* to concrete (a surface)

wybębniać *vt imperf* — **wybębnić** *vt perf* 1. (*ogłaszać*) to signal (sth) on the drum 2. *pot.* (*grać*) to thump out (sth on the piano) 3. *pot.* (*wypowiadać bezmyślnie*) to rattle off (a lesson, one's prayers etc.)

wybiadolić się *vr perf pot.* to whine out one's grievances

wybicie *sn* 1. ↑ **wybić**; **~ ręki** <**nogi**> dislocation of an arm <leg> 2. (*wytłoczenie*) extraction (of oil etc.) 3. (*uderzenie zegara*) stroke; **z ~m godziny** on the stroke; on the tick; sharp; promptly 4. *sport* take-off 5. **~ się** (*dojście do znaczenia*) rise in the world <from the ranks>

wybi|ć *v perf* **~je, ~ty** — **wybi|jać** *v imperf* [I] *vt* 1. (*wytrącić*) to knock out; **~ć dno w beczce** to stave in a cask; **~ć drzwi** to break open a door; (*po pijaństwie*) **~ć klin klinem** to take a drop for one's bad head; to take a hair of the dog that bit you; **~ć trzeba klin klinem** one nail drives out another; **~ć komuś oko** to put out sb's eye; **~ć rękę** <**nogę**> to dislocate an arm <a leg>; **~ć szybę** to break a window pane; **~ć wieko skrzyni** to smash <to bash> in a box; *przen. pot.* **~ć coś komuś** <**sobie**> **z głowy** to put sth out of sb's <one's> head 2. (*zrobić otwór*) to make <to bore> an opening 3. (*wydrukować*) to print; to strike off (a number of copies); **~ć piętno na kimś, czymś** to impress a stamp on sb, sth 4. (*wytłoczyć*) to extract (oil etc.) 5. (*wyłożyć, wysłać*) to cover (a sofa etc.); to line (a wall with cork etc.) 6. (*wybębnić*) to thump (a melody on the piano); **~jać krok** to mark time; **~jać takt** to beat time 7. (*o zegarze*) to strike <to ring> (the hours etc.); *pot.* **~ła mu czterdziestka** he is past 40; **~ła godzina, żeby ...** the time has come to ...; *przen.* **~ła jego ostatnia godzina** his sands are running out 8. (*zbić*) to lash (sb); **~ć kogoś** to give sb a sound thrashing 9. (*zabić*) to kill (**do ostatniego człowieka, do nogi** to a man) 10. *rz.* (*wyprzeć*) to drive out [III] *vr* **~ć, ~jać się** 1. (*przedrzeć się*) to pierce through; (*o roślinie*) to shoot up 2. (*dojść do znaczenia*) to distinguish oneself; to rise in the world <from the ranks>; **on się ~je** he will go far; **~ć się na czoło** to come to the top 3. (*uwydatnić się*) to stand out in relief <against a background>; *perf* to become conspicuous; *imperf* to be conspicuous 4. *sport.* to take off 5. (*uwolnić się*) to free oneself (**z czegoś** from sth)

wybie|c <**wybie|gnąć**> *vi perf* **~gnę, ~gnie, ~gł** — **wybie|gać** *vi imperf* 1. (*wypaść*) to run <to dash, to dart> out; *przen.* **~gać myślą naprzód** to look ahead; **~gać naprzód** to be ahead of one's contemporaries 2. *ogr.* (*wybujać*) to grow rank

wybiedzony *adj* emaciated; scraggy; skinny; lank; gaunt; haggard

wybieg *sm G.* **~u** 1. *roln.* (*dla drobiu*) fowl-run; (*dla owiec*) sheep-run 2. (*miejsce zabaw*) playground 3. (*wykręt*) subterfuge; quibble; tergiversation; evasion; **używać ~ów** to quibble; to tergiversate; to shift; to dodge 4. *lotn.* (*miejsce lądowania i startów*) runway; (*faza lądowania i startowania*) taxiing 5. *sport* start 6. *sport* (*przy skoczni*) landing slope

wybiega|ć *v imperf* [I] *vi zob.* **wybiec** [III] *vr* **~ć się** (*nabiegać się do woli*) to run about <to romp> to one's heart's content; **dzieci ~ły się** the children romped for all they are worth

wybiegnąć *zob.* **wybiec**

wybielacz *sm* 1. (*blicharz*) bleacher 2. (*substancja*) bleaching substance

wybielać *zob.* **wybielić**

wybiele|ć *vi perf* **~je** to whiten; to bleach; to grow white

wybiel|ić *v perf* — **wybiel|ać** *v imperf* [I] *vt* 1. (*uczynić białym*) to bleach; to blanch 2. *przen.* (*uniewinnić*) to justify; to clear (sb) from blame 3. *perf* (*pobielić*) to whitewash 4. (*powlec cyną*) to tin; to coat with tin [III] *vr* **~ić, ~ać się** to bleach <to blanch, to whiten> (*vi*)

wyb|ierać *v imperf* — **wyb|rać** *v perf* **~iorę, ~ierze** [I] *vt* 1. (*wyjmować*) to take out; to extract; to scoop <to spoon> out; to ladle out; to eradicate; **~ierać, ~rać gniazda** to go bird's-nesting; **~ierać, ~rać numer telefoniczny** to dial a telephone number; *przen.* **~ierać, ~rać kasztany z ognia dla kogoś** to pull the chestnuts out of the fire for sb; to be sb's cat's-paw 2. (*wydłubać*) to pluck; to excavate; to draw out 3. (*wycofywać z banku*) to take <to draw> out (money from the bank etc.) 4. (*obierać przez głosowanie*) to elect (**kogoś prezesem** sb president <to the presidency>); to choose; **naród ~rany** the chosen people; **~rać ponownie** to re-elect 5. (*wyznaczać spośród wielu*) to pick out; to select; to single out; to appoint (**kogoś na stanowisko** sb to a post); **nie ~ierając** at random; indiscriminately 6. (*decydować się na coś*) to choose; to decide (**coś** on sth); to make one's choice <one's option> (**coś** of sth); (*sortować*) to cull 7. *górn.* to mine; to extract; to rob (pillars etc.) 8. *mar.* to haul (in) [III] *vr* **~ierać, ~rać się** 1. (*zamierzać udać się dokądś*) to be planning to go on a journey; to be about to leave (for a journey); **~ierać się na tamten świat** to be at death's door 2. (*zabierać się do czegoś*) to mean (**coś robić** to do sth); **źle się z tym ~rałeś** you've brought your eggs <hogs, pigs> to the wrong market; **~ierać się za mąż** to be going to get married

wybierak *sm techn.* selector

wybieralność *sf singt* eligibility

wybieralny *adj* eligible

wybieranie *sn* 1. ↑ **wybierać** 2. (*wyjmowanie*) extraction; excavation; eradication 3. (*wybór*) election; choice; selection

wybier|ka *sf pl G.* **~ek** (*zw. pl*) leavings; refuse; offal; raffle

wybijać *zob.* **wybić**

wybiórczo <**wybiorczo**> *adv biol. med.* selectively

wybiórczość <**wybiorczość**> *sf biol. med.* selectivity

wybiórczy <**wybiorczy**> *adj biol. techn.* selective

wybiór|ka *sf pl G.* **~ek** = **wybierka**

wybitnie *adv* notably; highly; remarkably; markedly; outstandingly; eminently; prominently; pre-eminently

wybitność *sf singt* distinction; eminence

wybitn|y *adj* 1. (*nieprzeciętny*) outstanding; eminent; distinguished; leading; marked <broad>

(accent); **ludzie ~i** people of distinction <of note> 2. (*wydatny*) prominent; salient; marked; conspicuous

wybl|adły *adj pl N.* **~adli** <**~edli**> 1. (*blady*) pale; wan; colourless 2. = **wyblakły**

wyblakły *adj* faded; pale; watery; washy; weathered; dim

wyblaknąć *vi perf* to discolour; to fade; to give

wyblednąć <*rz.* **wybladnąć**> *vi perf* to pale

wyblin *sm G.* **~u** (*Microstylis*) orchid of the genus Microstylis

wyblin|ka *sf pl G.* **~ek** *mar.* ratlin(e)

wybłag|ać *v perf* — *rz.* **wybłag|iwać** *v imperf* [I] *vt* to obtain (sth) by one's entreaties; by dint of entreaty to succeed in obtaining (sth); to impetrate [II] *vr* **~ać, ~iwać się** by dint of entreaty to obtain one's liberation (**z czegoś, od czegoś** from sth)

wybłękitnić *vt perf rz.* to colour (sth) blue

wybłękitnie|ć *vi perf* **~je** *lit.* to grow <to turn> blue

wybłoc|ić *vt perf* **~ę, ~ony** to soil with mud; to muddy

wybłysk *sm G.* **~u** *lit.* flash; spark; sparkle

wybłyskać *vi perf* — **wybłyskiwać** *vi imperf* to sparkle

wyboczenie *sn* (↑ **wyboczyć**) buckle; lateral bending

wyb|oczyć *v perf* — **wyb|aczać** *v imperf* [I] *vt* to buckle (sth) [II] *vr* **~oczyć, ~aczać się** to buckle (*vi*)

wyboisty *adj* uneven; rugged; rough; jolty; bumpy

wyborc|a *sm* (*decl* = *sf*) ~~elector~~; voter; *pl* **~y** electorate; constituency

wyborcz|y *adj* electoral; election — (committee, campaign etc.); **głos ~y** vote; **kartka ~a** voting paper; **komisarz ~y** returning officer; **lista ~a** register (of voters); **lokal ~y** polling station; **okręg ~y** constituency; borough; *am.* precinct; beat; **prawo ~e** (right of) vote; suffrage; franchise

wyborczyni *sf rz.* electress; voter

wybornie *adv* perfectly; splendidly; exquisitely; delightfully; **~ się bawić** to have a splendid time

wyborność *sf singt rz.* excellence

wyborny *adj* perfect; splendid; excellent; exquisite; delightful; (*o smaku*) delicious; (*o jakości*) prime; choice

wyborować *vt perf* to bore; to drill

wyborow|y *adj* 1. (*wybierany*) choice; select; *wojsk.* **~e wojska** choice <crack> troops 2. (*doskonały*) excellent; perfect; superb; magnificent; first-class; first-rate; *wojsk.* **~y strzelec** marksman; sniper

wybory *zob.* **wybór** 3.

wyb|ój *sm G.* **~oju** pot-hole; *pl* **~oje** pits and bumps; pot-holes; rough going

wyb|ór *sm G.* **~oru** 1. (*wybieranie*) choice; selection; option; (*wybranie*) adoption; appointment (**na stanowisko** to a post); **masz ~ór** choose; take your choice; **mieć trudny ~ór** to be on the horns of a dilemma; **mieć ~ór** to have the <one's> choice; **bez ~oru** indiscriminately; **do ~oru** at choice; (*o przedmiocie studiów itd.*) facultative; **według ~oru** at choice; *pot.* **do ~oru, do koloru** in great variety 2. (*zestaw wybranych przedmiotów*) selection 3. *pl* **~ory** *polit.* elections; **~ory** **dodatkowe** by-elections; *am.* special elections 4. (*zespół najlepszych jednostek*) (the) pick (of the basket); the prime; the élite 5. *handl.* assortment <variety> (of samples, goods etc.)

wybrać *zob.* **wybierać**

wybrakow|ać *vt perf* — **wybrakow|ywać** *vt imperf* to reject <to condemn> as defective; to scrap; **~any towar** rejections

wybraniać *vt imperf* — **wybronić** *vt perf* to exculpate

wybranie *sn* ↑ **wybrać**

wybra|niec *sm G.* **~ńca** 1. (*osoba wyróżniona*) (a) privileged one; **~niec losu** Fortune's darling; *pl* **~ńcy** the privileged; the chosen; the elect 2. *hist.* recruit

wybran|ka *sf pl G.* **~ek** the girl of one's choice

wybran|y [I] *pp* ↑ **wybrać** [II] *adj* select; choice; elect [III] *sm* **~y** (an) elect; *pl* **~i** the elect; the chosen; **garstka ~ych** a chosen few

wybrązować *vt perf iron.* to sublime; to sublimate

wybrednie *adv rz.* fastidiously; squeamishly; finically

wybredność *sf singt* fastidiousness; squeamishness; finicality

wybredny *adj* fastidious; squeamish; finical; exacting; particular (**co do czegoś, pod względem czegoś** about sth)

wybredzać *vi imperf* to pick and choose; to be fastidious <squeamish, finical, exacting>

wybredzanie *sn* (↑ **wybredzać**) fastidiousness, squeamishness; finicality

wybrnąć *vi perf* 1. (*wyjść*) to extricate oneself (**z czegoś** from sth); to wade (**z błota, wody itd.** out of the mud, water etc.); to find <to make> one's way (**z zarośli itd.** out of the scrub etc.) 2. (*wydobyć się z trudnej sytuacji*) to extricate oneself (from difficulties etc.); to get clear (**z czegoś** of sth); to disengage oneself (**z czegoś** from sth)

wybrnięcie *sn* (↑ **wybrnąć**) extrication <disengagement> (from sth)

wybroczyć *vi perf rz.* to flow out

wybroczyna *sf med.* ecchymosis; extravasation; effusion

wybr|oić się *vr perf* **~oję się, ~ój się** *rz.* to frolic <to gambol, to romp> to one's heart's content <for all one is worth>

wybronić *zob.* **wybraniać**

wybronować *vt perf* to harrow

wybrudz|ić *v perf* **~ę, ~ony** [I] *vt* to dirty; to soil; to stain [II] *vr* **~ić się** to dirty <to soil, to stain> one's hands <face, clothes>

wybrukowa|ć *vt perf* to pave; *przysł.* **dobrymi chęciami piekło ~ne** the road to hell is paved with good intentions

wybru|ździć *vt perf* **~żdżę, ~żdżony** *rz.* to furrow

wybryk *sm G.* **~u** 1. (*wyskok*) prank; frolic; extravagance; escapade; rollick; antic; *am.* dido; *pl* **~i** goings-on; **~ natury** freak of nature 2. (*odruch fantazji*) caprice; whim; vagary; wild fancy

wybrylantować *v perf* [I] *vt* 1. (*wysadzić brylantami*) to set (sth) with diamonds 2. *pot.* (*ozdobić biżuterią*) to cover (sb) with diamonds [II] *vr* **~ się** to cover (one's fingers etc.) with diamond jewellery

wybrząkać <**wybrzdąkać**> *vt perf* — **wybrząkiwać** <**wybrzdąkiwać**> *vt imperf* to strum (a melody on the guitar etc.); to thump (a melody on the piano)

wybrzeż|e *sn pl G.* **~y** sea-coast; sea-shore; **ochrona ~a** coast-guard; **u ~y Szkocji <Norwegii itd.>** off the coast of Scotland <Norway etc.>; **~em, wzdłuż ~a** along the coast; coastwise; along-shore

wybrzmi|eć *vi perf* **~** — **wybrzmiewać** *vi imperf* (*o dźwięku*) to cease

wybrzmiewać *vi imperf* 1. = **wybrzmieć** 2. *lit.* (*brzmieć*) to sound

wybrzusz|ać *v imperf* — **wybrzusz|yć** *v perf* [I] *vt* to bulge; to swell; to flare; **~ony** bulging [III] *vr* **~ać, ~yć się** to bulge (*vi*); to swell out; to balloon; to knob; to flare (*vi*)

wybrzuszenie *sn* (↑ **wybrzuszyć**) (a) bulge; swelling; flare; knob; belly; boss; (*w terenie*) monticule

wybrzuszyć *zob.* **wybrzuszać**

wybrzydz|ać *vi imperf* — **wybrzydz|ić** *vi perf* **~ę** (*także emf. vr* **~ać, ~ić się**) *pot.* to fuss (**na coś** about sth)

wybrzydzenie *sn* (↑ **wybrzydzić**) fuss

wybrzydzić *zob.* **wybrzydzać**

wybuch *sm G.* **~u** 1. (*eksplozja*) explosion; (*detonacja*) detonation; report; **ponowny ~ niepokojów** recrudescence of civil disorder; **~ jądrowy** nuclear explosion; **~ wojny <epidemii, rewolucji>** outbreak of war <of an epidemic, of a revolution> 2. (*ukazanie się czegoś*) upburst; eruption (of a volcano etc.) 3. (*przejaw uczuć*) outburst; fit; flare; gust; **~ gniewu** blaze of anger; **~y śmiechu** peals of laughter 4. *jęz.* explosion

wybuch|ać *vi imperf* — **wybuch|nąć** *vi perf* **~ł <~nął>** 1. (*eksplodować*) to explode; to fulminate; to burst; to go off; *pot.* to go bang 2. (*o wojnie, epidemii, pożarze itd.*) to break out; (*o niepokojach itd.*) **~ać, ~nąć na nowo** to recrudesce 3. (*o dymie, parze itd.*) to come out in clouds; (*o cieczach*) to gush; (*o ogniu*) to flare out; to blaze; **~nąć płomieniem** to burst into flame; (*o wulkanie*) to erupt 4. (*o uczuciach*) to flare up; to fire up; to break loose 5. (*o ludziach pod wpływem silnych uczuć*) to flare out <up>; to flame <to blaze> up; **~nąć gniewem** to fly into a passion; **~nąć potokiem obelg** to launch into a torrent of abuse <of invectives>; **~nąć śmiechem <płaczem>** to burst out laughing <into tears>; to break into a laugh <into sobs>

wybuchowo *adv* 1. *chem.* explosively 2. (*porywczo*) vehemently; temperamentally; impetuously; irritably

wybuchowość *sf singt* 1. *chem.* explosiveness; detonating ability 2. (*porywczość*) vehemence; quick <explosive> temper; impetuosity; fieriness; irritability

wybuchowy *adj* 1. *chem.* explosive; fulminating; explosion __ (engine, bomb etc.); **środek ~** (an) explosive 2. (*impulsywny*) vehement; impetuous; quick-tempered; irascible; fiery 3. *jęz.* explosive <plosive> (consonant)

wybudowa|ć *vt perf* to build; **nowo <świeżo> ~ny** new-built

wybujać *vi perf* 1. (*o roślinach — wyrosnąć*) to grow rank; to straggle; to run riot; (*o drzewie*) to spread out 2. *przen.* (*urosnąć nadmiernie*) to become exuberant <luxuriant>

wybujałość *sf singt* 1. (*rozrost*) overgrowth; rankness; rampancy 2. *przen.* (*przerost*) exuberance; ebullience; luxuriance

wybujały *adj* 1. (*o roślinach*) rank; rampant; straggling; luxuriant; exuberant; wanton 2. *przen.* (*o uczuciach itd.*) exuberant; ebullient

wybujanie *sn* (↑ **wybujać**) exuberance; overgrowth; rankness; rampancy

wybulić *vt vi perf pot.* to fork out

wyburcz|eć *vt perf* **~y** to give (sb) a scolding <a dressing-down, a talking-to>

wyburzać *vt imperf* — **wyburzyć** *vt perf* to demolish; to destroy; to batter down; to lay in ruins; to raze to the ground

wyburzenie *sn* (↑ **wyburzyć**) demolition; destruction

wyburzyć *v perf* [I] *vt zob.* **wyburzać** [III] *vr* **~ się** 1. (*skończyć się burzyć, fermentować*) to complete its fermentation 2. *przen.* (*przestać się złościć*) to get over one's irritation 3. *przen.* (*przestać żyć hulaszczo*) to have sown one's wild oats

wyb|yć *vi perf* **~ędę, ~ędzie, ~ył** — **wybywać** *vi imperf* 1. (*pozostać*) to stay (somewhere) 2. *pot.* (*wyjść*) to leave

wycacka|ć *vt imperf* to smarten; to furbish; **~ny** neat; trim; spick and span

wycałować *vt perf* — **wycałowywać** *vt imperf* to smother (sb) with kisses

wycechować *vt perf* to brand; to gauge; to graduate; to mark; to standardize

wycedz|ić *vt perf* **~ę, ~ony** 1. (*powiedzieć*) to drawl out (a remark, an order etc.) 2. *rz.* (*przefiltrować*) to strain; to percolate

wycelować *vt vi perf* to level <to aim> a gun (**do kogoś, czegoś** at sb, sth); to aim; to take aim; **dobrze ~** to aim true

wycembrować *vt perf* to timber (a shaft); to case (a well)

wycena *sf* fixing of the price (of a commodity); pricing

wyceniać *vt imperf* — **wycenić** *vt perf* to fix the price (**towar** of a commodity); to price (a commodity)

wycerować *vt perf* to darn

wycharcz|eć *vt imperf* **~y** to wheeze out (a remark, an order etc.)

wycharknąć *vt perf* — **wycharkać** *vt imperf* to cough up (phlegm)

wychlać *vt perf pot.* to guzzle; to swill

wychlap|ać *vt perf* **~ie** 1. (*rozlać*) to splash (water) about 2. *pot.* (*wypić*) to swill; to drink

wychlastać *vt perf pot.* 1. (*wysmagać*) to give (sb) a thrashing 2. (*wyciąć*) to cut down (trees)

wychlip|ać <wychlip|nąć> *vt perf* **~ie** — **wychlipywać** *vt imperf* 1. (*wypić — o zwierzętach oraz przen. o ludziach*) to lap (sth) up 2. (*powiedzieć*) to snivel out (sth)

wychlu|snąć <wychlu|stać> *vt perf* **~śnie** — **wychlustywać** *v imperf* to sluice (water into the yard, sewer etc.)

wychładzać *vt imperf* — **wychł|odzić** *vt perf* **~odzę, ~ódź, ~odzony** to cool (sth)

wychło|stać *vt perf* **~szcze <~sta>** 1. (*zbić*) to give (sb) a flogging 2. (*skrytykować*) to castigate; to lash (sb) with scathing criticism

wychod|ek *sm G.* **~ka** *pot.* the W.C.; *am.* privy; *sl.* bogs; jakes

wychodn|e *sn* (*decl* = *adj*) *pot.* day off; (maid's) day out; **na ~ym** when one was on the point of going out <of leaving>; **na ~ym przypomniałem sobie, że ...** as I was going out <leaving> I remembered that ...

wychodnia *sf geol.* basset; outcrop

wychodzący *sm* (*człowiek, który wychodzi*) outgoer; **za każdym ~m zamyka się drzwi na klucz** when anyone goes out the door is locked behind him

wychodzenie *sn* (↑ **wychodzić**) (*wydobywanie się*) issue; emergence

wychodzić *v imperf* **wychodzę — wyjść** *v perf* **wyjdę, wyjdzie, wyjdź, wyszedł, wyszła, wyszli** [I] *vi* 1. (*opuszczać miejsce*) to go <to come> out (**na chwilę itd.** for a while etc.; **z pokoju itd.** of a room etc.); to leave (**z domu, banku, kawiarni itd.** home, the bank, café etc.); to go (out) (**do apteki, krawca, fryzjera itd.** to the chemist's, tailor's, hairdresser's etc.); to withdraw (**z pokoju** from the room); (*o wojsku*) to march out; **nie może mi to wyjść z głowy** I keep thinking of it; it haunts me (day and night); **nie móc wyjść ze zdumienia** to be astounded <flabbergasted>; **nie móc wyjść z podziwu** to be full of admiration; **nie wychodzić z domu** to keep to one's room; *teatr* **wychodzą** exeunt; **wychodzi** exit; *przen.* **wychodzić ze skóry, żeby ...** to make desperate efforts in order to ...; *przen.* **wyjść cało** to get off safe and sound; to escape unhurt <scot-free>; **wyjść komuś naprzeciw** to meet sb half-way; **wyjść na dzwonek** to answer the bell; **wyjść na spacer** to go out for a walk; (*o oliwie itd.*) **wyjść na wierzch** to come to the surface; **wyjść na wolność** to be released <set free>; to regain one's liberty; **wyjść poza coś** to go <to extend, to reach> beyond sth; **wyjść, wychodzić z założenia, że ...** to assume that ...; **wyjść za mąż** to get married; to marry; **wyjść z mody** to go out of fashion; **wyjść z siebie** to lose one's temper <control of oneself>; *wojsk.* **wyjść z szeregu** to stand forth; **wyjść z użycia** to go out of use; to fall into disuse; to become obsolete; **wyjść z wprawy** to get out of practice; **wyjść zwycięsko** to come off victorious; to get the upper hand; to come out top dog; **wyszło mi to z głowy** <**z pamięci**> I clean forgot; **wyszło nam dużo pieniędzy** we spent a lot of money; it cost us a great deal 2. (*wspinać się*) to climb (**po drabinie, schodach** a ladder, the stairs); **wyjść na dach** to go up on the roof; **wyjść na szczyt góry** to climb to the summit of a mountain 3. (*o środkach lokomocji*) to leave; to start; (*o statku*) to leave (**z portu** harbour); to set sail 4. (*występować*) to leave (**ze szkoły, z pułku itd.** school, a regiment etc.); **wyjść z wojska** to leave the army; to retire from the army 5. (*pozbywać się*) to free oneself (**z kłopotów itd.** from difficulties etc.); to extricate oneself (**z impasu itd.** from a critical situation etc.) 6. (*wywodzić się*) to descend <to spring> (**z dobrego rodu itd.** from good stock etc.) 7. (*wydobywać się na zewnątrz*) to emerge; to issue; *imperf* to stand out; to protrude; **oczy mu wyszły na wierzch** <**z orbit**> his eyes started out of his head; **wyjść na jaw** to come to light; to become apparent; to come out into the open; **tajemnica wyszła na jaw** the secret is out; *pot.* **to mi bokiem** <**gardłem**> **wychodzi** I'm fed up with it; *przysł.* **wyszło szydło z worka** he has shown the cloven foot 8. (*wynikać*) to result (**z czegoś** <**z czyichś starań**> from sth <from sb's endeavours>); **co z tego wyjdzie?** what will come of this?; what is the outcome of this going to be?; **dobrze na czymś wyjść** to be all the better for sth; to benefit from sth; to profit by sth; to come well out of an affair; **źle na czymś wyjść** to lose by sth; to come badly out of an affair; **dobrze** <**źle**> **na tym wyjdziesz, jeżeli ...** you stand to gain <to lose> if ...; *pot.* **wychodzi na jedno** it's all the same <one and the same thing>; it's as broad as it is long; it's six one way and half a dozen the other; **wyjść na czysto** to suffer no loss; to be square; to make on the swings what you lose on the roundabouts; **wyszło na moje** I proved right 9. (*o publikacji — ukazywać się w druku*) to appear; to come out; to be published 10. (*być wykonywanym*) to come out (**z fabryki bez usterek** <**z wadą**> of a factory faultless <defective>); *pot.* **dobrze** <**źle**> **wyjść na zdjęciu** to come out <to take> well <badly> on a photograph 11. (*wyrastać*) to grow (**na silnego mężczyznę itd.** into a strong man etc.); (*wyrabiać się*) to turn out (**na człowieka, na ludzi** a successful man; **na dobrego męża itd.** a good husband etc.); (*zostać skompromitowanym*) to look (**na głupca, błazna** a fool); **wyszedł na męża stanu** he blossomed out into a statesman 12. *pot.* (*o zapasie czegoś — wyczerpywać się*) to run <to be> short (of sth); **benzyna nam wyszła** we ran short of petrol <*am.* of gasoline>; **wyszedł mi węgiel** I am short of coal; **wyszły mi papierosy** I am short of cigarettes 13. (*o włosach, sierści*) to fall out; to come out 14. (*udawać się*) to come out; **próbował uśmiechać się, ale mu to nie wychodziło** he tried to smile but it did not come out; (*o obliczeniach*) **nie wychodzi** it won't <doesn't> work out; (*o pasjansie*) **wychodzi** it works out; **nie wychodzi** it doesn't work out 15. *karc.* to lead (**z asa, króla itd.** with an ace, king etc.); **wychodzić, wyjść z jakiegoś koloru** <**z trefla, kiera itd.**> to lead a suit <clubs, hearts etc.> 16. *imperf* (*stanowić dojście dokądś*) to lead (**na rynek itd.** into the market place etc.); (*o oknie itd.*) to look (**na ogród, ulicę itd.** on a garden, street etc.); to face (**na ogród, ulicę itd.** a garden, street etc.); to give (**na ogród** on the garden; **na podwórze** into the yard) 17. (*o towarze — kalkulować się*) to come out <to work out, to figure out> (**na** *x* **zł** at *x* zlotys) [II] *vt imperf* (*osiągnąć*) to obtain (sth) by plaguing <pestering>; to succeed in obtaining (sth) with great pains

wychodzony *adj* worn down

wychodźca *sm* (*decl* = *sf*) emigrant; émigré

wychodźczy *adj* emigrant's; emigrants'

wychodźstw|o *sn* 1. (*emigracja*) emigration; **na ~ie** in foreign lands 2. (*ogół emigrantów*) the emigrants

wychow|ać *v perf* **~a — wychow|ywać** *v imperf* [I] *vt* 1. (*doprowadzić do osiągnięcia pełnego rozwoju*) to bring up; to breed <to rear, to raise> (children, animals); to train (animals); **dobrze ~any** well-bred; well-behaved; mannerly; **źle ~any** ill-bred; ill-behaved; without breeding; unmannerly; uncouth; **~any w zbytku** nursed in luxury 2. (*wykształcić*) to educate [II] *vr* **~ać, ~ywać się** to be brought up <educated>

wychowalnia *sf techn.* nursery
wychowan|ek *sm G.* **~ka** 1. (*absolwent*) alumnus; (*uczeń*) pupil 2. (*ktoś wzięty na wychowanie*) ward; foster-child
wychowanica † *sf* = **wychowanka** 2.
wychowani|e *sn* 1. ↑ **wychować** 2. (*edukacja*) education; upbringing; **~e fizyczne** physical education <training> 3. (*ogłada*) good breeding; good manners; **nakazy dobrego ~a** proprieties; **złe ~e, brak ~a** bad manners; ill-breeding; coarseness; rudeness
wychowan|ka *sf pl G.* **~ek** 1. (*absolwentka*) alumna 2. (*ktoś wzięty na wychowanie*) ward; foster-child
wychowawca *sm* (*decl* = *sf*) educator; tutor; preceptor; *szk.* form master
wychowawczo *adv* educationally
wychowawczy *adj* educational (institution etc.); (mode etc.) of education
wychowawczyni *sf* educator; tutoress; preceptress
wychowawstwo *sn* 1. (*wychowanie*) education (of children etc.); tutoring 2. *szk.* form master's duties
wychowywać *zob.* **wychować**
wychowywanie *sn* (↑ **wychowywać**) education; upbringing (of children etc.)
wych|ód *sm G.* **~odu** *geol.* outcrop
wych|ów *sm G.* **~owu** rearing <raising> (of young animals)
wychrzta *sm* (*decl* = *sf*) convert; neophyte; converted Jew
wychuchać *vt perf* to coddle up; to cocker up; to nurse
wychud|nąć *vi perf* **~ł** to grow thin <lean>; to lose flesh; **~ły** emaciated; hollow-cheeked; gaunt; haggard
wychudnięcie *sn* (↑ **wychudnąć**) leanness; gauntness; emaciation; hollow cheeks
wychwalać *v imperf* I *vt* to praise; to speak highly (**kogoś** of sb); to exalt (sb); to extol (**kogoś pod niebiosa** sb to the skies); to cry <to crack> (sb) up II *vr* **~ się** to boast; to brag
wychwalanie *sn* (↑ **wychwalać**) praises; **~ się** self-praise
wychwaszczać *vt imperf* — **wychwa|ścić** *vt perf* **~szczę, ~szczony** to weed
wychwy|cić *vt perf* **~cę, ~cony, wychwytać** *vt perf* — **wychwytywać** *vt imperf* to catch; to snatch; to pull out
wychwyt *sm G.* **~u** *techn.* escapement
wychwytać *zob.* **wychwycić**
wychwytow|y *adj techn.* **mechanizm ~y, urządzenie ~e** escapement
wychwytywać *zob.* **wychwycić**
wychyl|ać *v imperf* — **wychyl|ić** *v perf* I *vt* 1. (*wyginać, przechylać*) to bend; to incline; **~ać, ~ić kielich <szklankę>** to toss (off) <to empty> a glass; **~ać, ~ić czyjeś zdrowie** to drink (to) sb's health 2. (*wystawiać*) to put out (**głowę z okna** one's head at the window) II *vr* **~ać, ~ić się** 1. (*o człowieku — wysuwać się*) to lean out (**z okna** of the window); (*o rzeczach, roślinach itd.*) to hang out 2. (*wyłaniać się*) to heave in sight; to come into view; to appear 3. (*zginać się*) to bend <to incline> (*vi*) 4. *imperf* (*widnieć*) to be visible; to appear
wychylenie *sn* 1. ↑ **wychylić** 2. (*przechył*) inclination 3. *fiz.* deflexion
wychylić *zob.* **wychylać**
wychynąć *vi perf lit.* to peep out
wyci|ąć *vt perf* **wytnę, wytnie, wytnij, ~ął, ~ęła, ~ęty** — **wyci|nać** *vt imperf* 1. (*wykrajać*) to cut out; to carve out; to notch; **suknia głęboko ~ęta** low-cut dress 2. (*usunąć*) to cut off; *med.* to excise (an organ etc.); (*wyrąbać*) to cut down (forests); to fell (trees) 3. *pot.* (*wyrżnąć*) to cut down (enemy troops); **~ąć w pień** to massacre; to slaughter; to put to the sword 4. (*zagrać*) to play briskly 5. (*zw. perf*) (*palnąć*) to come out (**uwagę, mowę** with a remark, a speech) 6. (*walnąć*) to strike; **~ąć komuś policzek** to slap sb's face 7. (*strzelić*) to fire (a shot)
wyciąg *sm G.* **~u** 1. (*wypis*) extract (from a book, from the minutes of a meeting etc.); excerpt; *bank. handl.* **~ rachunku** statement of account; *muz.* **~ fortepianowy** piano score 2. (*ekstrakt*) (meat etc.) extract; essence (of a herb etc.) 3. *bud. techn.* (*dźwig*) hoist; winch; windlass; *sport* ski-lift; (*krzesełkowy*) chair-lift; **~ pochyły** skip hoist 4. (*urządzenie wentylacyjne*) exhaust 5. *fot.* extension 6. *muz.* organ-stop 7. *med.* extract; *chir.* extension apparatus; traction appliance 8. *mar.* hoist; lift; elevator
wyciąg|ać *v imperf* — **wyciąg|nąć** *v perf* I *vt* 1. (*wyjmować*) to pull (sth) out; to take <to get, to fetch> (sth) out; to draw (out, forth); to drag (sth) out <forth>; to extract (an essence, a cork, nail etc.); **~ać, ~nąć coś na górę** to pull sth up; to hoist sth; **~ać, ~nąć coś na jaw** to bring sth to light; **~ać, ~nąć kasztany z ognia dla kogoś** to pull the chestnuts out of the fire for sb; to be sb's cat's-paw; **~ać, ~nąć kogoś z tarapatów** to extricate sb from a difficulty; **~ać, ~nąć kogoś z więzienia <z obozu>** to obtain sb's release from prison <from a concentration camp>; **~ać, ~nąć komuś zegarek z kieszeni** to relieve sb of his watch; **~ać, ~nąć konsekwencje z czegoś w stosunku do kogoś** to make sb responsible for sth; **~ać, ~nąć korzyści z czegoś** to derive benefit from sth; **~ać, ~nąć pieniądze od kogoś** to extort money from sb; *mat.* **~ać, ~nąć pierwiastek** to extract the square root; **~ać, ~nąć słowa, informacje, tajemnicę od kogoś** to draw sb out; to pump information from sb; to worm a secret out of sb; **~ać, ~nąć wniosek <wnioski> z czegoś** to draw a conclusion <conclusions> from sth 2. (*rozciągać*) to extend; to draw (sth) out; to lengthen; to elongate; **~nięty kłus** fast trot 3. (*wyprostować*) to stretch; **~ać, ~nąć papierośnicę <tabakierkę> do kogoś** to hold out one's cigarette-case <snuff-box> to sb; **~ać, ~nąć pomocną dłoń do kogoś** to lend a helping hand to sb; **~ać, ~nąć rękę do zgody** to make advances <overtures>; **~ać, ~nąć rękę po coś** to hold out one's hand <to reach out> for sth; **z ~niętymi ramionami** with outstretched arms; *przen. pot.* **~ać, ~nąć nogi** to turn up one's toes; to hop the twig 4. (*pochłaniać*) to absorb; **~ać, ~nąć flaszkę** to drain a bottle; **~ać, ~nąć plamę** to fetch out a stain; **~ać, ~nąć soki** to suck the sap (of plants) 5. (*stawiać*) to line up (persons, troops); (*budować*) to raise (buildings) 6. *pot.* (*nakłaniać kogoś do opuszczenia towarzystwa*) to draw (sb) away; **~ać, ~nąć kogoś na zwierzenia** to draw sb out 7. *pot.*

(*śpiewać przeciągle*) to wail out (a melody) 8. *pot.* (*uzyskiwać*) to obtain (a high price for sth) 9. *techn.* (*rysować tuszem*) to draw (sth) in Indian ink [II] *vr* **~ać, ~nąć się** 1. (*kłaść się*) to stretch oneself out; to lie down; (*prostować się*) to stretch one's limbs; **~ać, ~nąć się jak długi** to measure one's length (on the ground) 2. (*wydłużać się*) to extend; to stretch (out); (*o kolumnie wojsk itd.*) to string out; *przen.* (*okazał zawód*) **twarz mu się ~nęła** he pulled a long face; his face fell; (*o człowieku po chorobie*) he is thinner in the face 3. (*być wyciągniętym*) to be stretched <held> out

wyciąganie *sn* 1. ↑ **wyciągać** 2. (*wyjmowanie*) extraction 3. (*rozciąganie*) extension; elongation

wyciągar|ka *sf pl G.* **~ek** *techn.* hoist; windlass

wyciągnąć *zob.* **wyciągać**

wyciągnięcie *sn* 1. ↑ **wyciągnąć** 2. (*wyjęcie*) extraction 3. (*rozciągnięcie*) extension; elongation

wyciągow|y *adj* 1. (*dotyczący ekstraktu*) extractive (matter etc.) 2. *bud. techn.* (*dotyczący windy*) winding-(machine, gear, shaft); **wieża ~a** hoist tower 3. *bud. techn.* (*związany z urządzeniem wentylacyjnym*) outtake (shaft etc.); exhaust (fan etc.) 4. *med.* **rama ~a** extension apparatus

wycie *sn* (↑ **wyć**) 1. (*głos zwierzęcia*) howl 2. (*głos człowieka*) yell; scream (of pain) 3. (*głos syreny itd.*) hoot; **~ wiatru** wailing of the wind

wycie|c *vi perf* **~knę** <**~kę**>, **~knie** <**~cze**>, **~kł, ~kli** — **wyciekać** *vi imperf* 1. (*wypłynąć*) to flow out; (*wysączyć się*) to ooze out; to exude 2. (*umknąć*) to scamper away

wyciecz|ka *sf pl G.* **~ek** 1. (*wędrówka*) excursion; outing; (*piesza*) ramble; hike; (*środkiem lokomocji*) sightseeing tour; pleasure-trip; (*morzem*) cruise 2. (*grupa osób*) sightseeing party; excursionists; holiday-makers 3. † (*wypad oblężonych*) sally; sortie; *obecnie w zwrocie przen.* **~ka osobista** sally; personal remark 4. (*ukryte wyjście*) issue

wycieczkować *vi imperf pot.* to hike; to go for an outing; to make excursions

wycieczkowicz *sm pot.* hiker; tripper; sightseer; excursionist

wycieczkow|y *adj* excursion — (train etc.); **buty ~e** walking-boots; **sezon ~y** holiday season; **statek ~y** pleasure-boat

wyciek *sm G.* **~u** 1. *singt* (*wyciekanie*) leaking; outflow; efflux 2. (*to, co wycieka*) leakage; outflow

wyciekać *zob.* **wyciec**

wyciekanie *sn* (↑ **wyciekać**) outflow

wycielenie (się) *sn* ↑ **wycielić się**

wycielić się *vr perf* to calve

wycieniować *vt perf* — **wycieniowywać** *vt imperf* 1. (*wykończyć rysunek cieniowaniem*) to shade (a drawing) 2. *przen.* (*starannie wykończyć*) to polish up

wycieńcz|ać *vt imperf* — **wycieńcz|yć** *vt perf* 1. (*wychudzać*) to emaciate; to waste; **pacjent jest ~ony chorobą** the patient is wasted by his disease 2. (*osłabiać*) to weaken; to enfeeble; to debilitate

wycieńczenie *sn* (↑ **wycieńczyć**) emaciation; weakness; debility

wycieńczyć *zob.* **wycieńczać**

wycier *sm G.* **~u** *ryb.* fry

wycieracz|ka *sf pl G.* **~ek** 1. (*sprzęt przy drzwiach*) doormat 2. *aut.* wiper

wycierać *v imperf* — **wytrzeć** *v perf* **wytrę, wytrze, wytrzyj, wytarł, wytarty** [I] *vt* 1. (*osuszać, ścierać*) to wipe (one's face, a table, the dishes etc.); **wycierać, wytrzeć nogi** to wipe one's shoes (on the mat); **wycierać, wytrzeć nos** to wipe <to blow> one's nose; **wycierać, wytrzeć rozlaną ciecz** to mop up <to wipe> a spilt liquid; **wytrzeć coś do czysta** <**do sucha**> to wipe sth clean <dry>; *pot.* **wycierać cudze kąty** to have no place of one's own; to be homeless; **wycierać sobie gębę kimś** to gossip about sb 2. (*zmazywać*) to wipe (sth) away; to rub (sth) off; to erase; to efface; **wytrzeć komuś łzy** to wipe away sb's tears; **wytrzeć kurze z mebli** to dust the furniture 3. (*nacierać*) to smear (**sobie skórę maścią** one's skin with an unguent); to rub; **wytrzeć kogoś** to give sb a friction 4. (*drzeć*) to wear (clothes) threadbare; to wear out (one's shoes etc.); **wytarte ubranie** threadbare clothes; *przen.* **z wytartym czołem** brazen-faced [II] *vr* **wycierać, wytrzeć się** 1. (*osuszać się*) to wipe one's face; to dry one's hands 2. (*nacierać się*) to rub one's body (with a towel etc.) 3. (*o rybach*) to spawn 4. *imperf* (*o zwierzętach — czochrać się*) to chafe

wycierani|e *sn* ↑ **wycierać**; **guma do ~a** eraser

wycier|ka *sf pl G.* **~ek** *roln.* potato pulp

wycierpi|eć *v perf* **~** [I] *vt* to suffer (**biedę itd.** want etc.); to endure (**męki** suffering); to put up (**trudy** with hardships) [II] *vi* to suffer; to endure suffering [III] *vr* **~eć się** to go through a great deal of suffering

wycieruch *sm*, **wycierus** *sm pot. pog.* sloven

wycięcie *sn* 1. ↑ **wyciąć** 2. (*otwór*) opening; (*zagłębienie*) cut; notch; indentation; jag 3. (*dekolt*) neck-line; (a) décolleté; **suknia z głębokim ~m** low-necked dress 4. *med.* excision

wycinacz|ka *sf pl G.* **~ek** *techn.* punch press

wycinan|ka *sf pl G.* **~ek** decorative paper cut-out adorning walls of peasant cottages

wycinankarstwo *sn singt* production of artistic paper cut-outs

wycin|ek *sm G.* **~ka** 1. (*odcinek*) segment; *mat.* sector; **~ek prasowy** press cutting <clipping> 2. *med.* segment

wycinkowy *adj lit.* fragmentary

wycior *sm G.* **~u** ramrod; rifle cleaning-brush

wycio|sać *vt perf* **~sa** <**~sze**> — **wyciosywać** *vt imperf* 1. (*wykuć*) to cut <to hew> out 2. (*wyrzeźbić*) to chisel (**coś z kamienia** sth in stone)

wycisk *sm G.* **~u** impress; impression; *pot.* **dać komuś ~** to beat sb black and blue

wyciskacz *sm* lemon-squeezer

wyci|skać *vt imperf* — **wyci|snąć** *vt perf* **~śnie** 1. (*wytłaczać*) to extract <to express> (oil, juice etc.); *przen.* **~skać, ~snąć komuś łzy z oczu** to wring tears from <to bring tears to> sb's eyes; **~skać, ~snąć z kogoś siódmy pot** to sweat sb 2. (*wyżymać*) to squeeze <to press> (sth) out; to wring (out) (**bieliznę** clothes) 3. (*odciskać*) to impress (**znak** <**pieczęć**> **na czymś** a mark <a stamp, a seal> on sth; **pocałunek na czyichś ustach** <**komuś na czole**> a kiss on sb's lips <forehead>); to imprint (sth on sth)

wyciskanie *sn* (↑ **wyciskać**) *sport* lifting

wycisnąć *zob.* **wyciskać**

wyciszać *vt imperf* — **wyciszyć** *vt perf* to soften; to turn down (one's radio receiver)

wyciśnięcie *sn* (↑ **wycisnąć**) extraction <expression> (of juice, oil etc.); impress <impression> (of a stamp, seal etc.)

wyciurkać *vi perf rz.* to ooze <to drip> out

wycmok|tać *vt perf* **~ta** <**~cze, ~ce**> to lap up (a liquid); to suck (a bone etc.)

wycof|ać *v perf* — **wycof|ywać** *v imperf* [I] *vt* 1. (*zabrać kogoś skądś*) to withdraw <to remove, to call back> (sb from somewhere); to recall (an ambassador etc.) 2. (*wyeliminować*) to withdraw (sth from circulation, one's money from the bank etc.); to retract (an offer, a statement) [II] *vr* **~ać, ~ywać się** 1. (*opuścić pozycję*) to retreat; to withdraw 2. (*zaprzestać jakiejś działalności*) to retire (from business etc.); to back out (**z przedsięwzięcia itd.** of an undertaking etc.); to call off (**z zobowiązania itd.** an engagement etc.) 3. (*zrezygnować*) to resign (**ze stanowiska itd.** one's post etc.)

wycofanie *sn* ↑ **wycofać** 1. (*zabranie*) withdrawal; removal; recall 2. (*wyeliminowanie*) withdrawal; retraction (of an offer etc.) 3. **~ się** (*opuszczenie pozycji*) retreat; withdrawal 4. **~ się** (*zaprzestanie działalności*) retirement 5. **~ się** (*zrezygnowanie*) resignation

wycygani|ć *v perf* — *rz.* **wycygani|ać** *v imperf* [I] *vt pot.* (*prośbą, przymilaniem się*) to coax <to wheedle> (**coś od kogoś** sth out of sb); (*podstępem*) to jockey <to swindle> (**coś od kogoś** sth out of sb) [II] *vr* **~ć, ~ać się** *gw.* to lie oneself (**z czegoś** out of sth)

wycyrklować *vt perf pot.* to think out; to manage; to contrive

wycyzelować *vt perf* 1. (*starannie wyrzeźbić*) to chisel; to carve 2. *przen.* to finish with meticulous care

wyczarować *vt perf* — **wyczarowywać** *vt imperf* to charm (sth) into being <(sth) out of sth>; to conjure (sth, sb) up

wyczek|ać *v perf* — **wyczek|iwać** *v imperf* [I] *vt* to expect <to anticipate> (**czegoś** sth); to wait <to look out> (**kogoś, czegoś** for sb, sth); to watch <to be on the watch> (**czegoś** for sth) [II] *vi* to wait; to bide one's time; to sit on the fence; **~ująca polityka** wait-and-see policy; **~ująca postawa** expectant <anticipating> attitude

wyczekiwani|e *sn* (↑ **wyczekiwać**) anticipation; expectation; **polityka ~a** wait-and-see policy

wyczekująco *adv* anticipatingly

wyczernić *v perf* [I] *vt* to blacken; to darken; to dye (sth) black [II] *vr* **~ się** to dye (one's beard, moustache etc.) black

wyczerp|ać *v perf* **~ie** — **wyczerp|ywać** *v imperf* [I] *vt* 1. (*wybrać*) to scoop <to ladle, to spoon> (out) (water etc. from sth) 2. (*opróżnić*) to drain <to empty> (a vessel) 3. (*zużyć*) to exhaust; to use up; to deplete; **nakład jest ~any** the book is out of print; the edition is sold out 4. (*osłabić*) to exhaust (sb); to weaken; to enfeeble; to fag; to tire (sb) out; to sap (**kogoś** sb's strength); to tell (**kogoś** on sb); **to go finansowo ~ało** it was a strain on his resources [II] *vr* **~ać, ~ywać się** 1. (*opaść z sił*) to become <to be> exhausted <weakened, fagged, tired out>; to spend oneself; to wear oneself out 2. *przen.* (*o pisarzu — stracić talent*) to write oneself out 3. (*o zapasach itd. — zużyć się*) to become <to be> exhausted <used up>; to give out; to run out; to run low

wyczerpani|e *sn* 1. ↑ **wyczerpać** 2. (*zużycie*) exhaustion; depletion; **nasz zapas jest na ~u** our stock is running low <giving out> 3. (*osłabienie*) exhaustion; fag; **skrajne ~e nerwowe** prostration; **~e umysłowe** brain-fag; **być bliskim ~a** to be on one's last legs

wyczerpany [I] *pp* ↑ **wyczerpać** [II] *adj* (*o człowieku — słaby*) exhausted; fagged; tired out; dead tired; (*o wydawnictwie*) out of print

wyczerpująco *adv* 1. (*dokładnie*) exhaustively; with full particulars; profoundly; comprehensively 2. (*męcząco*) harassingly; faggingly; in a gruelling manner

wyczerpujący *adj* 1. (*dokładny*) exhaustive; profound; comprehensive 2. (*męczący*) exhausting; harassing; fagging; gruelling

wyczerpywać *zob.* **wyczerpać**

wycze|sać *v perf* **~sze** — **wycze|sywać** *v imperf* [I] *vt* 1. (*uczesać*) to comb <to dress> (sb's hair, beard etc.) 2. (*wydobyć*) to comb out (noils, bolls etc.) [II] *vr* **~sać, ~sywać się** to comb <to dress> one's hair

wyczes|ki *spl G.* **~ek** <**~ków**> *rz.* 1. (*włókna lnu itd.*) combings; flocks; noils 2. (*wypadające przy czesaniu włosy*) hair-combings

wyczeskow|y *adj tekst.* **płótno ~e** sackcloth

wyczesywać *zob.* **wyczesać**

wyczęstować *vt perf* to give away; to treat people to all of what one has

wyczha *interj indecl* sick him!; tally-ho!

wyczołgać się *vr perf* — **wyczołgiwać się** *vr imperf* to crawl <to creep> out (**z czegoś** of sth)

wyczucie *sn* 1. ↑ **wyczuć** 2. (*zdolność wyczuwania*) intuition; feeling; sense; **postąpić z ~m** to act with tact; to use tact; **na ~** at a guess; by guess; by instinct

wyczu|ć *vt perf* **~je, ~ty** — **wyczuwać** *vt imperf* 1. (*stwierdzić dotykiem*) to feel; to ascertain <to perceive> by touch; (*węchem*) to scent 2. (*zdać sobie sprawę*) to sense (sth); to feel (sth) in one's bones; to scent (danger etc.)

wyczul|ać *v imperf* — **wyczul|ić** *v perf* [I] *vt* to sensitize [II] *vr* **~ać, ~ić się** to become sensitized

wyczulony [I] *pp* ↑ **wyczulić** [II] *adj* sensitive (**na coś** to sth)

wyczupirzyć *vt perf rz.* to fig <to rig, to trick> (sb) out

wyczuwać *zob.* **wyczuć**

wyczuwalnie *adv* perceptibly; noticeably; palpably

wyczuwalność *sf singt rz.* perceptibility; palpability

wyczuwalny *adj* perceptible; noticeable; palpable

wyczuwanie *sn* (↑ **wyczuwać**) sense (of danger etc.)

wyczyn *sm G.* **~u** 1. (*osiągnięcie*) achievement; feat; performance; exploit 2. *pot.* (*impreza*) stunt 2. *pl* **~y** (*wybryki*) goings-on; doings

wyczyni|ać *v imperf* — **wyczyni|ć** *v perf* [I] *vt* 1. (*wykonywać*) to perform; to produce 2. (*wyprawiać*) to be up (**harce itd.** to pranks etc.) [II] *vi* (*zachowywać się*) to behave [III] *vr* **~ać, ~ć się** to go on; to take place; to occur; to happen

wyczy|niec *sm G.* **~ńca** *bot.* (*Alopecurus*) meadow grass

wyczynow|iec *sm G.* **~ca** *sport* record-holder

wyczynowość *sf singt* record-beating; record-breaking; record-seeking

wyczynowy *adj sport* record-seeking (achievements etc.)

wyczyszczać *zob.* **wyczyścić**

wyczyszczenie *sn* ↑ **wyczyścić**

wyczy|ścić *vt perf* **~szczę, ~szczony** — *rz.* **wyczy|szczać** *vt imperf* 1. (*oczyścić*) to clean (sth); to clean (sth) up <out>; (*szczotką*) to brush (one's clothes, shoes etc.); **~ścić, ~szczać ziarno** to winnow the grain 2. (*nadać połysk*) to polish; to furbish

wyczyt|ać *vt perf* — **wyczyt|ywać** *vt imperf* 1. (*dowiedzieć się*) to read (**coś z książki, listu, gazety** sth out of a book, letter, newspaper); to learn (**coś z czyjegoś listu** sth <of, about sth> from sb's letter) 2. *przen.* (*zorientować się*) to read (**coś z czyjejś twarzy** <**w czyichś oczach**> sth from sb's face <in sb's eyes>) 3. (*wymienić*) to read (**czyjeś nazwisko itd.** sb's name etc.) 4. *pot.* (*przeczytać do końca*) to read (sth) through

wyć *vi imperf* **wyje** 1. (*o zwierzętach*) to howl; to ululate; (*o psie*) **~ do księżyca** to bay to the moon 2. (*o ludziach*) to yell; to howl (**z bólu** with pain); to shriek (**ze śmiechu** with laughter) 3. (*o syrenie itd.*) to hoot; (*o wietrze*) to wail; (*o burzy itd.*) to roar

wyćwiczalny *adj* trainable

wyćwiczenie *sn* ↑ **wyćwiczyć**

wyćwiczyć *v perf* [I] *vt* 1. (*wyszkolić*) to school; to train; to drill (troops) 2. (*zbić*) to give (sb) a beating <thrashing, flogging> [II] *vr* **~ się** to be schooled <trained, drilled>

wyda|ć *v perf* **~dzą** — **wyda|wać** *v imperf* **~je** [I] *vt* 1. (*wyłożyć pieniądze*) to spend; to pay <to give, to lay out> (**pieniądze na coś** money for sth); **~ć komuś resztę** to give sb his change; **~wać pieniądze na kogoś, coś** to spend money on sb, sth 2. (*wydzielić*) to give out <to issue, to deal out> (food etc.); to dispense (medicine); **~ć, ~wać coś na łup czegoś** to let sth fall a prey to sth; **~ć, ~wać córkę za mąż** to give one's daughter away in marriage; to marry one's daughter (to sb); **~ć, ~wać fortecę** to surrender a fortress; **~ć, ~wać kogoś na łaskę ...** to leave sb at the mercy of ...; **~ć, ~wać obiad** <**przyjęcie**> to give a dinner <a party> 3. (*zwrócić*) to give (sth) up; to hand (sth) over; to release (goods etc.); to deliver (money, a prisoner etc.); *prawn.* to extradite (a criminal etc.) 4. (*zdradzić*) to betray; to give (sb) away; to let (sb) down; (*zadenuncjować*) to denounce; **wszystko ~ć** to give away the show; **~ć, ~wać kogoś na męczarnie** <**tortury**> to put sb to torture; **~ć, ~wać kogoś na śmierć** to send sb to the gallows <to the scaffold>; **~ć, ~wać tajemnicę** to reveal <to disclose, to let out> a secret; *przen.* to let the cat out of the bag; to spill the beans 5. (*urodzić*) to bear (children, young, fruits); to bring forth (children); to yield (fruits); **~ć, ~wać na świat (dziecko)** to give birth (to a child); to procreate 6. (*ogłosić*) to publish; to issue (a proclamation etc.); **~ć, ~wać bitwę** to give <to deliver> battle; **~ć, ~wać orzeczenie** <**opinię**> to give one's verdict <one's opinion>; **~ć, ~wać polecenie** <**komendę**> to give an order <a command>; **~ć, ~wać sąd** to deliver <to pronounce> judgement; **~ć, ~wać walkę czemuś** to wage war with sth; **~ć, ~wać zakaz czegoś** to prohibit <to forbid> sth; **~ć, ~wać zarządzenie o czymś** to enact sth 7. (*wydrukować*) to publish <to bring out> (a book etc.); to edit; to issue (a magazine etc.) 8. *w zwrotach*: **~ć, ~wać dźwięk** to emit <to give forth> a sound; **~ć, ~wać głos** <**jęk**> to utter a sound <a groan>; **~ć, ~wać ostatnie tchnienie** to give up the ghost; **~wać zapach** to emit <to exhale, to diffuse, to shed> a fragrance 9. (*wypowiedzieć*) to express <to say> (**swą myśl itd.** one's thought) [II] *vr* **~ć, ~wać się** 1. (*przedstawić się*) to appear; to seem; to look (young, beautiful etc.); **coś mi się nie ~je** I'm not so sure; **coś mi się ~je, że ...** I have a vague idea that ...; **~je mi się, że ...** I think <I get, I have the impression, a notion> that ...; it seems to me that ...; **~je mi się, że to oszust** I suspect him of being a swindler 2. (*wyjść za mąż*) to marry (**za kogoś** sb) 3. (*zostać ujawnionym*) to come to light; **tajemnica się ~ła** the secret is out

wydajać *zob.* **wydoić**

wydajnie *adv* productively; efficiently

wydajność *sf singt* 1. (*wynik produkcji*) output; yield 2. (*efektywność*) efficiency; productiveness; productivity; working capacity; performance <duty> (of a machine)

wydajny *adj* effective; productive

wydalać *vt imperf* — **wydalić** *vt perf* 1. (*usuwać z pracy itd.*) to expel; to eject; to dismiss <to discharge> (an employee etc.); to cashier (an officer etc.) 2. (*wydzielać*) to eliminate; to expel; *fizj.* to void; to excrete

wydalenie *sn* ↑ **wydalić** 1. (*usunięcie*) expulsion; ejection; dismissal; discharge 2. (*wydzielenie*) elimination; expulsion; voidance; excretion

wydalić *zob.* **wydalać**

wydalin|a *sf biol.* excretion; *pl* **~y** excreta

wydalniczy *adj biol.* excretory

wydani|e *sn* 1. ↑ **wydać** 2. (*wydzielenie*) issue <rationing> (of food etc.); emission (of bank-notes etc.); dispensation (of medicine etc.); surrender (of a fortress); ‖ **panna na ~u** marriageable person 3. (*zwrot*) release (of goods); delivery (of a prisoner etc.); *prawn.* extradition (of a criminal) 4. (*zdradzenie*) betrayal; denunciation 5. (*opublikowanie*) publication; edition; issue <impression> (of a book etc.); **nadzwyczajne ~e** special edition (of a newspaper); **ponowne ~e** re-edition; reissue; reprint

wydarcie *sn* (↑ **wydrzeć**) extortion

wydarniować *vt perf* to sod (a space of ground)

wydarz|ać się *vr imperf* — **wydarz|yć się** *vr perf* 1. (*dziać się*) to occur; to happen; to take place; to come about; (*o nieszczęściach itd.*) to befall (**komuś** sb); **tak się ~yło, że ...** it chanced that ... 2. (*zw. perf*) *pot.* (*wypadać dobrze*) to turn out <to come off> well; to work well; to be a success

wydarzeni|e *sn* event; happening; occurrence; circumstance; **obfitujący w ~a** eventful; **stać się wielkim ~em** to cause a stir

wydarzon|ko *sn pl G.* **~ek** *pot.* storm in a teacup

wydarzyć się *zob.* **wydarzać się**

wydat|ek *sm G.* **~ku** 1. (*wydane pieniądze*) expense, disbursement; *pl* **~ki** expenses, expenditure; outlay; **nieprzewidziane ~ki** contingencies; **pieniądze na drobne ~ki** (*dla żony, córki*) pin-money; **narazić kogoś na ~ki** to put sb to expense; **pozwolić sobie na ~ek** to go to the expense; **ty będziesz musiał pokryć ~ki** *pot.* you'll have to stand the racket 2. *pot.* (*zużycie*) consumption 3. (*ilość czegoś wytworzonego*) output

wydatkować *vt imperf perf* to spend; to expend; to lay out (funds)

wydatkowy *adj* expense — (account etc.)

wydatnie *adv* 1. (*znacznie*) considerably 2. (*wyraźnie*) conspicuously; distinctly

wydatność *sf singt* protuberance; prominence; salience

wydatny *adj* 1. (*wystający*) protuberant; prominent; salient 2. (*znaczny*) considerable; important 3. (*wyraźnie widoczny*) conspicuous; distinct; well-defined

wydawać *zob.* **wydać**

wydawanie *sn* ↑ **wydawać** 1. (*wydzielanie*) issuance (of documents etc.); dispensation (of medicine); emission (of bank-notes etc.) 2. (*publikowanie*) publication (of books etc.) 3. *w zwrotach*: **~ dźwięków** emission of sound; **~ głosu** utterance; **~ na świat** procreation; **~ zapachów** emission <exhalation, diffusion> of fragrances

wydawc|a *sm* (*decl* = *sf*) 1. (*drukujący książki itd.*) publisher; *pl* **~y** publishing house 2. (*drukujący czasopismo*) editor

wydawnictwo *sn* 1. (*instytucja*) publishers; publishing house <firm> 2. (*dzieło*) publication; *am.* print 3. † = **wydawanie** 2.

wydawnicz|y *adj* publishing — (trade, house etc.); **firma ~a** publishing house; *am.* book-concern; **prawa ~e** literary property; **seria ~a** library edition

wyd|ąć *v perf* **~mę, ~mie, ~mij, ~ął, ~ęła, ~ęty** — **wyd|ymać** *v imperf* [I] *vt* 1. (*nadmuchać*) to inflate <to blow up> (a balloon etc.); to blow <to puff> out (one's cheeks); (*o wietrze*) to belly out (sails etc.) 2. (*ukształtować*) to blow (glass, bubbles) [II] *vr* **~ąć, ~ymać się** 1. (*wzdąć się*) to tumefy; to bulge; (*o żaglach*) to fill out; (*o sukni itd.*) to bell; to belly 2. (*o człowieku — napuszyć się*) to puff oneself up

wydąsać się *vr perf* to stop sulking

wydążyć *vi perf* — **wydążać** *vi imperf* 1. (*uporać się na czas*) to be ready <to get sth done> in time 2. (*dotrzymać kroku*) to keep pace (**za kimś** with sb)

wydech *sm G.* **~u** 1. (*wydalenie powietrza z płuc*) exhalation; expiration 2. *techn.* exhaust

wydechowy *adj* 1. (*związany z wydaleniem powietrza*) expiratory (muscles etc.); *jęz.* **akcent ~** expiratory accent; *górn.* **szyb ~** upcast <outtake> shaft 2. *techn.* exhaust — (pipe, valve)

wydedukować *vt perf* to deduce; to infer

wydeklamować *vt perf* to declaim; to recite

wydekoltowa|ć *v perf* [I] *vt* 1. (*wyciąć dekolt*) to cut (a dress) low; **~na pani** lady in low-cut <low-necked> dress; **~na suknia** low-cut dress 2. (*ukazać w dekolcie*) to bare (one's neck) [II] *vr* **~ć się** to wear a low-cut <low-necked> dress

wydelegować *vt perf* to delegate; to depute

wydelikacać *vt imperf* — **wydelikac|ić** *vt perf* **~ę, ~ony** to develop physical sensibility (**kogoś** in sb); to soften; to mollify; to pamper; to coddle

wydelikacenie *sn* (↑ **wydelikacić**) increased physical sensibility

wydelikatni|ć *vt perf* **~j** to make <to render> (sb) delicate

wydelikatnieć *vi perf* to become delicate

wydep|tać *vt perf* **~cze** <**~ce**> — **wydep|tywać** *vt imperf* 1. (*ugnieść*) to tread (the soil, a path etc.); **nie ~tany śnieg** untrodden snow; **~tać, ~tywać ścieżkę** to beat a path 2. (*zniszczyć przez chodzenie*) to wear down (one's shoes); **~tane buty** worn-down shoes; **~tane schody** foot-worn stairs 3. (*wygnieść stopami*) to tread (grapes etc.) 4. (*przemierzyć*) to tread (a path, a room from end to end) 5. *pot.* (*uzyskać*) to obtain (sth) by persistent endeavours

wyder|ka *sf pl G.* **~ek** *zool.* (*Mustela lutreola*) mink

wyderkowy *adj pot.* mink — (coat etc.)

wydestylować *vt perf* to distil (an oil from a plant etc.)

wydezynfekować *vt perf* to disinfect

wydębi|ć *vt perf* — **wydębi|ać** *vt imperf pot.* (*uzyskać z trudem*) to get (**coś z kogoś, od kogoś, na kimś** sth out of sb); (*uzyskać prośbami*) to coax <to wheedle> (**coś z kogoś, od kogoś, na kimś** sth out of sb); **~ć, ~ać od kogoś pieniądze** <**informację**> to draw <to extort> money <information> from sb

wydęcie *sn* (↑ **wydąć**) tumefaction; inflation

wydętość *sf* swelling; protrusion; protuberance

wydęt|y [I] *pp* ↑ **wydąć** [II] *adj* bulging; protruding; **~e wargi** blubber lips

wydławić *vt perf* — **wydławiać** *vt imperf rz.* to smother; to stifle

wydłub|ać *vt perf* **~ie** — **wydłub|ywać** *vt imperf* 1. (*wydostać*) to pick (**coś z czegoś** sth out of sth); to extract (**coś z czegoś** sth from sth); **~ywać sobie woskowinę z uszu** to dig wax out of one's ears 2. (*wydrążyć*) to gouge out; to hollow out; to pick out 3. (*wyrzeźbić*) to carve (**coś z drzewa itd.** sth out of wood etc.)

wydłutować *vt perf* — **wydłutowywać** *vt imperf* to chisel

wydłuż|ać *v imperf* — **wydłuż|yć** *v perf* [I] *vt* to lengthen; to elongate; to extend; to draw out; to protract; to prolong (a conversation etc.); to spin out (a discussion, story etc.) [II] *vr* **~ać, ~yć się** to stretch out; to lengthen out; to grow longer; to be <to become> prolonged; to extend (*vi*)

wydłużak *sm techn.* **~ kowalski** fuller

wydłużenie *sn* (↑ **wydłużyć**) elongation; extension; protraction; prolongation; *lotn.* **~ płata** aspect ratio

wydłużony [I] *pp* ↑ **wydłużyć** [II] *adj geom.* prolate

wydłużyć *zob.* **wydłużać**

wydma *sf* dune; sand-drift

wydmotwórczy *adj geogr.* dune forming

wydmowy *adj* dune — (plants etc.)

wydmuch *sm G.* **~u** 1. *pot.* (*wygwizdów*) wind-swept place 2. *techn.* exhaust

wydmuch|ać *vt perf*, **wydmuch|nąć** *vt perf* — **wydmuch|iwać** *vt imperf* 1. (*usunąć*) to blow away;

to puff away (the smoke of one's cigarette etc.); (*wytłoczyć*) to blow (**coś z czegoś** sth out of sth); **~nąć fajkę** to blow one's pipe; **~nąć jajko** to blow an egg 2. (*uformować*) to blow (bubbles, glass)

wydmuchiwacz *sm* (*pracownik*) glass-blower

wydmuchiwać *zob.* **wydmuchać**

wydmuchowisko *sn* = **wydmuch** 1.

wydmuchowy *adj* exhaust — (pipe)

wydmuch|ów *sm singt G.* **~owa** *pot.* = **wydmuch** 1.

wydmuchrzyca *sf bot.* (*Elymus*) lyme-grass

wydmusz|ka *sf pl G.* **~ek** (*skorupka jajka*) shell of a blown egg

wydmuszysko *sn geol.* blowout

wydobrze|ć *vi perf* **~je** to get better <well again>; to improve; to recover; (*o ranie*) to heal

wydobrzenie *sn* (↑ **wydobrzeć**) recovery

wydobrzyć *vt perf* to improve

wydobycie *sn* (↑ **wydobyć**) yield; output; production

wydob|yć *v perf* **~ędę, ~ędzie, ~ądź, ~ył, ~yty** — **wydob|ywać** *v imperf* [I] *vt* 1. (*wydostać*) to extract; to draw out; to obtain; to get (**coś z czegoś** sth out of sth); to mine (coal, ore); to excavate (buried treasures etc.); **~yć coś na jaw** to bring sth to the light of day; **~yć dokument z kieszeni** to produce a document; **~yć głos z gardła** to emit a sound; **~yć kogoś z biedy** to raise sb from misery; **~yć kogoś z trudnej sytuacji** to extricate sb from a difficulty; **~yć z siebie siły na coś** to find the strength to do sth; *przen.* **~ył z siebie uśmiech** he forced a smile 2. (*uzyskać*) to get (**coś od kogoś** sth out of sb); to obtain <to wrest, to wring> (**coś od kogoś** sth from sb); to elicit <to educe> (**zgodę, obietnicę od kogoś** a promise from sb, sb's consent) [II] *vr* **~yć, ~ywać się** 1. (*wydostać się*) to extricate oneself (from sth); to get clear (**z czegoś** of sth); to disengage oneself (from sth); to work <to force> one's way (**z czegoś** out of sth) 2. (*przedostać się — o dymie, gazach*) to escape; to emanate; to rise; (*o cieczach*) to flow; (*o zapachach*) to emanate; to issue 3. (*ukazać się*) to rise <to come> to the surface; to appear 4. (*o głosie, dźwiękach*) to proceed (**z czegoś** from somewhere); to be heard; to reach <to strike> the ear

wydobywanie *sn* ↑ **wydobywać** 1. (*wydostawanie*) extraction; excavation 2. (*uzyskiwanie*) obtention 3. **~ się** (*wydostawanie się*) extrication; disengagement 4. **~ się** (*przedostawanie się*) emanation; issue 5. **~ się** (*ukazywanie się*) appearance

wydobywczy *adj* mining <extractive> (industry); *górn.* **szyb ~** winding shaft

wyd|oić *vt perf* **~oję, ~ój, ~ojony** — *rz.* **wydajać** *vt imperf* 1. *roln.* to strip (a cow) 2. *przen. sl.* (*wyłudzić*) to milk <to bleed> (**kogoś** sb) 3. *przen. rub.* (*wypić*) to swill; to gulp

wydojowy *adj* milch (cows)

wydokazywać się *vr perf* to gambol to one's heart's content <for all one is worth>

wydolność *sf singt biol.* efficiency

wydolny *adj biol.* efficient

wydoła|ć *vi perf* to cope (**zadaniu itd.** with a task etc.); to manage (**czemuś** sth <to do sth>); **więcej nie ~m** this is all I can manage

wydołować *vt perf* to dig out

wydorośleć *vi perf* to mature; to grow up

wydoskonal|ać *v imperf* — **wydoskonal|ić** *v perf* [I] *vt* to perfect; to improve; to bring (sth) to perfection [II] *vr* **~ać, ~ić się** to improve (*vi*); to improve <to perfect> one's knowledge (**w czymś** of sth)

wydoskonalenie *sn* (↑ **wydoskonalić**) improvement; **~ się** self-improvement

wydoskonalić *zob.* **wydoskonalać**

wydosta|ć *v perf* **~nę, ~nie, ~ń, ~ł, ~ła, ~li** — **wydosta|wać** *v imperf* **~je, ~waj** [I] *vt* 1. (*wyjąć*) to take <to draw, to pull> (**coś z czegoś** sth out of sth); to extract (**coś z czegoś** sth from sth); to extricate (**kogoś z krytycznej sytuacji** sb from a critical situation) 2. (*wydobyć*) to get (**coś od kogoś** sth out of sb); to obtain (**coś od kogoś** sth from sb); to wrest <to wring> (**tajemnicę, wyznanie od kogoś** a secret, a confession from sb) [II] *vr* **~ć, ~wać się** 1. (*wydobyć się na zewnątrz*) to issue; to emerge; (*o cieczach*) to flow 2. (*znaleźć się poza obrębem czegoś*) to get out (**z czegoś** of sth); to get away (**z czegoś** from sth); to make <to work> one's way out (**z czegoś** of sth); to escape (**z czegoś** from sth); to get clear (**z czegoś** of sth); to extricate oneself (**z czegoś** from sth)

wydostanie *sn* 1. (↑ **wydostać**) extraction; obtention 2. **~ się** escape

wydostawać *zob.* **wydostać**

wyd|ój *sm G.* **~oju** 1.(*czynność*) milking 2. (*otrzymana ilość mleka*) yield

wyd|ra *sf pl G.* **~er** <**~r**> 1. *zool.* (*Lutra lutra*) otter; **~ra morska** (*Enhydra lutris*) sea otter 2. *pl* **~ry** (*futro*) otters 3. *pot.* (*pog. o kobiecie*) minx; bitch; hussy

wydrap|ać *v perf* **~ie** — **wydrap|ywać** *v imperf* [I] *vt* to scratch <to scrape> (sth) out; **~ać, ~ywać plamę na papierze** to erase a stain on a sheet of paper; **~ać, ~ywać komuś oczy** to scratch out sb's eyes [II] *vr* **~ać, ~ywać się** *pot.* to climb <to clamber, to scramble> (**na górę** up a mountain; **na szczyt** up to a summit)

wydrążacz *sm* excavator; **~ do jabłek** apple-corer

wydrążać *vt imperf* — **wydrążyć** *vt perf* to excavate; to hollow out; to scrape out; to drill

wydrążenie *sn* 1. ↑ **wydrążyć** 2. (*wgłębienie*) hollow; cavity; hole; socket

wydrążyć *zob.* **wydrążać**

wydrenować *vt perf* to drain (soil)

wydrep|tać *vt perf* **~cze** <**~ce**> — **wydreptywać** *vt imperf* to obtain (sth) by persistent endeavours

wydrowy *adj* otter — (fur, collar etc.)

wydrukować *vt perf* 1. (*odbić*) to print 2. (*ogłosić drukiem*) to publish

wydrwi|ć *vt perf* **~j** — **wydrwiwać** *vt imperf* to deride; to sneer <to scoff, to mock, to jeer, to gibe, to fleer> (**kogoś** at sb)

wydrwienie *sn* (↑ **wydrwić**) derision; sneers; scoffs; jeers

wydrwigrosz *sm pot.* take-in; fraud

wydrwiwać *zob.* **wydrwić**

wydrwiwanie *sn* (↑ **wydrwiwać**) derisions; sneers; scoffs; jeers

wydrzeć *v perf* **wydrę, wydrze, wydrzyj, wydarł, wydarli, wydarty** — **wydzierać** *v imperf* [I] *vt* 1.

(*wyrwać*) to tear out; to pluck (a bird's feathers); **wydrzeć sobie dziurę w spodniach** to tear a hole in one's trousers; **wydzierać sobie włosy z głowy** to tear one's hair 2. (*wybawić*) to tear (a victim) away (**katowi** from an oppressor); **wydrzeć kogoś śmierci** to snatch sb from the jaws of death 3. (*zabrać*) to snatch (**coś komuś** sth away from sb <from sb's grasp>); to tear <to wrench> (**coś komuś** sth away from sb); to extort (**coś komuś** sth from sb); to wrest <to wring> (**komuś, od kogoś tajemnicę** <**obietnicę itd.**> a secret <a promise etc.> from sb); (*o grupie osób, dzieci*) **wydzierać sobie coś** to scramble for sth; *pot.* **wydrzeć coś komuś z gardła** to wrest sth from sb 4. *pot.* (*zniszczyć*) to wear (clothes) to tatters <(shoes) into holes> [III] *vr* **wydrzeć, wydzierać się** 1. (*wyrwać się*) to tear oneself away (from sb <from sb's grasp>); *perf* to wrench oneself free (**komuś** from sb's grasp) 2. (*o słowach, dźwiękach*) to issue (**z czyichś ust, piersi** from sb's lips, chest); to escape (**z czyichś ust** sb) 3. (*zw. perf*) *pot.* (*zniszczyć się*) to get worn to tatters <into holes>

wydrzyk *sm zool.* (*Stercorarius*) skua

wydudli|ć *vt perf* **~j** *pot.* to swill

wydukać *vt perf pot.* to stutter out <to stammer out, to stumble through> (one's lesson etc.)

wydumać *vt perf żart.* to imagine; to invent

wydu|sić *vt perf* **~szę, ~szony** — **wydu|szać** *vt imperf* 1. (*uśmiercić*) to stifle; to strangle; to smother; (*o zwierzęciu — lisie, łasicy*) to kill (fowls) 2. (*wycisnąć*) to squeeze <to crush> out 3. *pot.* (*wymusić*) to get <to wrest, to wring> (**coś z kogoś** sth out of sb); to extort (**coś z kogoś** sth from sb) 4. *pot.* (*wypowiedzieć*) to stammer out

wyduszenie *sn* ↑ **wydusić**

wydychać *vt perf imperf* 1. *imperf* to breathe out; to exhale; to expire 2. *przen.* (*wydzielać*) to emit (smoke)

wydychanie *sn* (↑ **wydychać**) exhalation <expiration> (of air from the lungs)

wydychiwać *vt imperf* = **wydychać**

wydymacz *sm pl G.* **~y** <**~ów**> *techn.* glass-blower

wydymać *zob.* **wydąć**

wydział *sm G.* **~u** 1. (*w urzędzie*) department; section; division; bureau 2. *uniw.* faculty

wydziałowy *adj* 1. (*dotyczący urzędu*) department — (head, staff etc.) 2. *uniw.* faculty — (meeting etc.)

wydziedziczenie *sn* (↑ **wydziedziczyć**) disinheritance

wydziedzicz|yć *v perf* — **wydziedzicz|ać** *v imperf* [I] *vt* to disinherit; to cut off (one's heir) with a shilling [III] *vr* **~yć, ~ać się** to renounce one's right of inheritance

wydziel|ać *v imperf* — **wydziel|ić** *v perf* [I] *vt* 1. (*wydawać z siebie*) to give off; to exhale; to diffuse; *biol.* to secrete; to excrete; to eject; *med.* **~ać, ~ić ropę** to discharge pus 2. (*wydawać*) to deal <to measure, to ration> out; to issue (rations etc.); **~ać, ~ić komuś lekarstwo** to dose out a medicine to sb; **~ać, ~ić oszczędnie** to skimp; to dole out 3. (*przyznawać*) to assign; to apportion; to allot; to portion out 4. (*zw. perf*) (*wyodrębniać*) to eliminate; to separate; **miasto ~one** provincial capital 5. *chem. fiz.* to liberate; to disengage; to isolate; to educe; to emit (light, heat etc.) [III] *vr* **~ać, ~ić się** 1. (*wydobywać się*) to emanate 2. (*zw. imperf*) (*tworzyć się*) to be secreted 3. *chem. fiz.* to be liberated <disengaged, isolated, educed, emitted>; (*o cieczy*) to exude

wydzielani|e *sn* 1. ↑ **wydzielać** 2. *biol.* secretion; **gruczoł ~a wewnętrznego** endocrine gland; **~e wewnętrzne** endocrinous secretion 3. **~e się** *chem. fiz.* (*wydobywanie się*) emanation; liberation; isolation; eduction; emission (of light etc.); **~e się cieczy** exudation

wydzielenie *sn* 1. ↑ **wydzielić** 2. (*wydanie z siebie*) exhalation; diffusion; *biol.* secretion; excretion; ejection; *med.* **~ ropy** discharge of pus 3. (*wydanie*) issue (of rations etc.) 4. (*przyznanie*) assignment; allotment 5. (*wyodrębnienie*) elimination; separation 6. *chem. fiz.* (*wytrącenie*) liberation; disengagement; isolation; eduction; emission (of light etc.) 7. **~ się** (*wydobycie się*) emanation 8. **~ się** *chem. fiz.* (*tworzenie się*) liberation; disengagement; isolation; eduction; **~ się cieczy** exudation

wydzielić *zob.* **wydzielać**

wydzielina *sf biol. bot.* secretion; excretion; mucus; *med.* discharge

wydzielinowy *adj biol. bot.* excretory; emunctory

wydzielniczy *adj biol. bot.* secretory; secernent; **organ ~** (a) secernent

wydzierać *v imperf* [I] *vt zob.* **wydrzeć** [III] *vr* **~ się** 1. *zob.* **wydrzeć się** 2. (*głośno krzyczeć*) to roar; to squall; to vociferate; to bellow; to blare (out)

wydzieranie *sn* 1. ↑ **wydzierać** 2. (*zabieranie*) extortion; (*o czynności grupy osób, dzieci*) **~ sobie czegoś** (a) scramble for sth 3. **~ się** (*krzyki*) roars; squalls; vociferations

wydziergać *vt perf* to edge <to fringe> (a material)

wydzierżawiać *vt imperf* — **wydzierżawić** *vt perf* 1. (*oddawać w dzierżawę*) to lease out; to rent; to let out 2. (*brać w dzierżawę*) to take on lease; to rent (property from the owner)

wydzi|obać *vt perf* **~ób** — **wydziobywać** *vt imperf* 1. (*wyjeść*) to peck up (crumbs, grain etc.) 2. (*wykłuć dziobem*) to peck (a hole etc.); to peck out (eyes etc.)

wydziwiać *v imperf pot.* [I] *vt* (*wyrabiać*) to be up to (**brewerie itd.** tricks, mischief etc.); **~ awantury** to kick up rows; to bluster; to storm; **~ brewerie** to cavort; to caper [III] *vi* 1. (*wyprawiać brewerie*) to cavort; to caper; (*wyprawiać awantury*) to kick up rows; to bluster; to storm 2. (*kaprysić*) to fuss 3. (*wygadywać*) to peck <to carp, to sneer, to scoff> (**na kogoś, coś** at sb, sth)

wydziwianie *sn* 1. ↑ **wydziwiać** 2. (*brewerie*) capers; tricks 3. (*awantury*) rows 4. (*kaprysy*) fuss 5. (*wygadywanie*) sneers; scoffs

wydziwić się *vr perf w zwrocie:* **nie móc się ~** to be amazed; to wonder (**czemuś** at sth; **jak, dlaczego itd.** how, why etc.)

wydzwaniać *v imperf* — **wydzwonić** *v perf* [I] *vt* (*o dzwonie*) to ring; to toll; (*o zegarze*) to strike; to chime [III] *vi imperf pot.* (*telefonować*) to keep ringing up (**do ministerstwa itd.** the ministry etc.)

wydźwięk *sm G.* **~u** undertone; inference; implication

wydźwigar|ka *sf pl G.* **~ek** *lotn.* hoist; windlass

wydźwig|nąć *v perf* — **wydźwig|ać** *v imperf*, **wydźwig|iwać** *v imperf* [I] *vt* 1. (*zw. przen.*) *rz.* (*unieść*) to raise; to lift 2. *przen.* (*podnieść na wyższy poziom umysłowy*) to elevate; to uplift 3. *przen.* (*pomóc wybrnąć*) to help (sb) out; to lend (sb) a helping hand 4. *lit.* (*wybudować*) to raise <to erect> (a building etc.); **~nąć coś z ruiny** to raise sth from ruins [II] *vr* **~nąć, ~ać, ~iwać się** (*zw. przen.*) *rz.* (*unieść się*) to rise
wydźwignięcie *sn* ↑ **wydźwignąć**; **~ się** rise
wyegzekwować *vt perf* 1. (*zmusić do wykonania*) to carry (a sentence etc.) into effect 2. (*odebrać*) to enforce payment (**dług itd.** of a debt etc.)
wyegzekwowanie *sn* ↑ **wyegzekwować** 1. (*wykonanie*) execution (of a sentence etc.) 2. (*odebranie*) enforced payment
wyeksmitować *vt perf* to turn out <to evict> (a tenant etc.)
wyeksmitowanie *sn* (↑ **wyeksmitować**) eviction
wyekspediować *vt perf* to send; to forward; to dispatch
wyeksploatować *vt perf* to exploit (mines, forests etc.); to work out (a mine)
wyeksploatowanie *sn* (↑ **wyeksploatować**) exploitation
wyeksponować *vt perf* 1. *lit.* (*uwydatnić*) to set off; to bring into prominence 2. (*pokazać na wystawie*) to exhibit; to display
wyeksportować *vt perf* to export
wyeksportowanie *sn* (↑ **wyeksportować**) exportation
wyekstrahować *vt perf chem.* to extract
wyekstrahowanie *sn* (↑ **wyekstrahować**) extraction
wyekwipować *vt perf* to equip (**kogoś, coś w coś** sb, sth with sth); to fit (sb, sth) out (**w coś** with sth); to supply (**kogoś, coś w coś** sb, sth with sth)
wyekwipowanie *sn* 1. ↑ **wyekwipować** 2. (*wyposażenie*) equipment; outfit
wyelegancie|ć *vi perf* **~je** *rz.* to acquire elegance
wyelegantowa|ć *v perf* [I] *vt* (*zw. pp*) to dress (sb) up in elegant clothes <fashionably>; **~ny** spruced up; dandified; in full fig; in full feather [II] *vr* **~ć się** to spruce oneself up
wyeliminować *vt perf* — **wyeliminowywać** *vt imperf* to eliminate; to exclude; to remove
wyeliminowanie *sn* (↑ **wyeliminować**) elimination; exclusion; removal
wyemancypować *v perf* [I] *vt* to emancipate [II] *vr* **~ się** to become emancipated; to free oneself from control; to get out of hand
wyemancypowanie *sn* (↑ **wyemancypować**) emancipation
wyemigrować *vi perf* to emigrate; to go into exile, to expatriate oneself
wyemigrowanie *sn* (↑ **wyemigrować**) expatriation
wyewakuować *vt perf* to evacuate
wyewakuowanie *sn* (↑ **wyewakuować**) evacuation
wyfantazjować *vt perf* to imagine; to invent
wyfarbować *vt perf* to dye
wyfasować *vt perf pot.* to draw one's allowance (**coś** of sth) <a ration (**chleb itd.** of bread etc.)>; to get an issue (**karabiny itd.** of rifles etc.)
wyfermentować *vt perf* — **wyfermentowywać** *vt imperf* to ferment
wyfioczyć *vt perf*, **wyfiokować** *vt perf* (*zw. pp*) *pot.* to rig (sb) out
wyfiokować się *vr perf pot.* to rig oneself out
wyflirtować *vt perf żart.* to obtain (sth) by flirtation
wyforować *v perf rz.* [I] *vt* to favour; to patronize [II] *vr* **~ się** to take the lead; to come to the front
wyfraczony *adj* in tail-coat; in tails
wyfrezować *vt perf techn.* to mill
wyfroterować *vt perf* to polish <to wax> (a floor)
wyfrunąć *vi perf* — **wyfruwać** *vi imperf* 1. (*frunąć w powietrze*) to fly (away, out) 2. *przen.* to escape
wyfryzować † *vt perf* (*zw. pp*) = **ufryzować**
wyfryzowany *adj* in curls
wyfukać † *vt perf* to rate (sb)
wyga *sm* (*decl* = *sf*) sly fox; knowing card; old stager
wygad|ać *v perf* — **wygad|ywać** *v imperf* [I] *vt* 1. (*wypowiedzieć*) to say; to tell; **~ać, ~ywać co się ma na sercu** to get sth off one's chest; to make a clean breast of sth 2. (*zdradzić tajemnicę*) to blunder out a secret [II] *vr* **~ać, ~ywać się** 1. (*zdradzić się*) to give oneself away; to blurt (sth) out; to let the cat out of the bag; to spill the beans; **~ać, ~ywać się komuś z czegoś** to confide sth to sb 2. (*wywnętrzyć się*) to open oneself <one's heart> (to sb); to unbosom oneself 3. (*nagadać się*) to talk <to chat> to one's heart's content; to have a good long chat (with sb) 4. (*wysłowić się*) to express oneself (in a foreign language etc.); to make oneself understood
wygadanie *sn* 1. ↑ **wygadać** 2. (*łatwość wysłowienia*) a ready <glib> tongue
wygadany [I] *pp* ↑ **wygadać** [II] *adj pot.* wordy; **być ~m** to have a ready <glib> tongue
wygad|ywać *v imperf* [I] *vt* 1. *zob.* **wygadać** 2. (*mówić bez sensu*) to talk nonsense; to talk through one's hat; **co też ~ujesz** <**~ujecie**> what are you <you people> talking about; nonsense!; **~ywać niestworzone rzeczy na temat czegoś** to talk all sorts of nonsense about sth [II] *vi* (*wymyślać*) to crab (**na kogoś coś** sb, sth); to denigrate (**na kogoś, coś** sb, sth); to cry (**na kogoś, coś** sb, sth) down; to run (**na kogoś coś** sb, sth) down
wygadywanie *sn* 1. ↑ **wygadywać** 2. (*wymyślanie*) denigration
wygadzać *zob.* **wygodzić**
wygajać *zob.* **wygoić**
wygalać *zob.* **wygolić**
wygalonowa|ć *v perf* [I] *vt* to braid (a garment); **~ny** in braided uniform <livery> [II] *vr* **~ć się** to put on a braided uniform <livery>
wygalowa|ć *v perf* [I] *vt* to dress (sb) up in gala; **~ny** in gala (dress) [II] *vr* **~ć się** to dress in gala
wyganiać *zob.* **wygnać**
wygapi|ać *v imperf* — **wygapi|ć** *v perf* [I] *vt pot.* *w zwrocie:* **~ać, ~ć oczy na kogoś, coś** to stare at sb, sth [II] *vr* **~ać, ~ć się** to stare
wygarb *sm G.* **~u** protuberance; eminence
wygarbi|ć *v perf* — **wygarbi|ać** *v imperf* [I] *vt* to bend <to hunch> (one's shoulders) [II] *vr* **~ć, ~ać się** (*o terenie*) to swell into an eminence
wygarbienie *sn* ↑ **wygarbić** 2. (*wypukłość*) protuberance; eminence
wygarbować *vt perf garb.* to tan; *przen. pot.* **~ komuś skórę** to tan sb's hide
wygarn|ąć *vt perf* — **wygarn|iać** *vt imperf* 1. (*wydobyć*) to rake <to scrape, to take> out; to remove

2. *pot.* (*powiedzieć*) to say (sth) openly; **~ąć coś komuś** to tell sth to sb's face; to cast sth in sb's teeth 3. *perf* (*strzelić*) to shoot; to fire

wygarnirować *vt perf kulin.* to garnish (a dish)

wygartywać *vt imperf dial.* to rake out

wyga|sać *vi imperf* — **wyga|snąć** *vi perf* **~śnie, ~sł** 1. (*o świetle*) to go out; (*o ogniu*) to go <to burn, to die> out; (*o wulkanie*) to become extinct 2. *przen.* (*o zwyczaju, epidemii itd.*) to die out 3. (*tracić ważność*) to expire; to run out; to terminate 4. (*o rodzie itd.* — *wymierać*) to die out; to become extinct

wyga|sić *vt perf* **~szę, ~szony** — **wyga|szać** *vt imperf* to extinguish <to put out> (a light, a fire); **~sić, ~szać motor** to shut off an engine

wygasły [I] *pp* (↑ **wygasnąć**) extinguished; dead [II] *adj* extinct

wygasnąć *zob.* **wygasać**

wygaszać *zob.* **wygasić**

wygaszenie *sn* (↑ **wygasić**) extinction

wygaśnięcie *sn* ↑ **wygasnąć** 1. (*upłynięcie terminu, utrata ważności*) expiration; termination; expiry 2. (*wymarcie*) extinction

wygazować *vt perf* to gas; to disinfect; to fumigate

wygderać *v perf pot.* [I] *vt* to trounce (sb) [II] *vr* **~ się** to grumble for all one is worth

wy|giąć *v perf* **~gnę, ~giął, ~gnie, ~gięła, ~gnij, ~gięty** — **wy|ginać** *v imperf* [I] *vt* to bend; to curve; to deflect; (*o kocie*) **~giąć grzbiet** to arch its back [II] *vr* **~giąć, ~ginać się** to bend; to curve; to hog, to camber (*vi*); (*o linie słabo napiętej*) to sag; (*o desce*) to warp; (*o rzece*) **~ginać się skrętami** to wind

wygibas|y *spl G.* **~ów** *pot.* contortions

wygięcie *sn* 1. ↑ **wygiąć** 2. (*krzywizna*) bend; curve; deflection; camber; sag (of a rope etc.) 3. (*wypukłość, wklęsłość*) concavity; convexity; dent

wygimnastykowa|ć *vt perf* to give (sb) physical training; **~ny** supple-limbed

wyginać *zob.* **wygiąć**

wyginąć *vi perf* to perish; to become extinct; to die out

wyginięcie *sn* (↑ **wyginąć**) extinction

wyglansować *vt perf* to polish

wyglą|d *sm G.* **~du** 1. (*zewnętrzna postać czegoś*) aspect; appearance; semblance; air; **tajemniczy ~d** an air of mystery; **~d zamożności** an appearance of wealth; **nadawać sprawie nowy ~d** to give a new aspect to the matter; to put a new face <complexion> on things 2. (*powierzchowność człowieka*) appearance; look(s); air; **młody człowiek o przyjemnym ~dzie** young man of pleasing appearance; **nie podoba mi się jego ~d** I don't like his looks <the cut of his jib>; **on <ona> dba o swój ~d** he <she> is spruce <neat, trim>; **on ma ~d człowieka, który ...** he has the air of a man who ...; **sądząc z ~du** to all appearance; by the look of it; to judge by looks; on the surface

wyglądać[1] *vi imperf* — **wyjrzeć** *vi perf* **wyjrzy** 1. (*patrzeć*) to look <to peep> out (**z czegoś, skądś** from somewhere); to look <to peep> (**przez szparę <dziurkę>** through a chink <a hole>); **wyglądając oknem** looking out of the window 2. (*ukazywać się*) to be visible <to appear, to emerge> (**zza czegoś** from behind sth; **spod czegoś** from underneath sth; **przez coś** through sth; **z czegoś** from <out of> sth) 3. *imperf* (*mieć określony wygląd*) to look (**ładnie, brzydko, śmiesznie itd.** pretty, ugly, ridiculous etc.; **jak błazen, strach na wróble itd.** like a fool, a scarecrow etc.; **na artystę, idiotę, cudzoziemca itd.** like an artist, a fool, a foreigner etc.); **jestem chory — Nie wyglądasz na to** I'm ill — You don't look it; **marnie wyglądasz** you're off colour; **nie wyglądać na swój wiek** to look younger than one is; not to look one's age; **on wygląda na 60 <70 itd.> lat** he looks 60 <70 etc.>; **to jest łajdak i na to wygląda** he is a scoundrel and looks it; **to na ciebie wygląda!** it's just like you; it's you all over; **wyglądać staro na swój wiek** to look older than one is; **jak to dziecko wygląda!** what a state the child is in!; **ładnie byś wyglądał!** a fine mess <a sorry pickle> you'd be in! 4. *imperf* (*o przedmiocie, tworzywie itd.* — *być podobnym do czegoś*) to look (**na coś, jak coś** like sth); **to wygląda jak kwiatek** it looks like a flower; **to wygląda na szkło <drzewo itd.>** it looks like glass <wood etc.>; **jak to wygląda?** what does it look like?; what is it like?; how does it look?; **jak to wygląda!** this is preposterous <ridiculous, incongruous>!; this won't at all do! 5. *imperf* (*o sytuacji* — *przedstawiać się*) to look (**ponuro, wesoło itd.** dismal, bright etc.); **sytuacja źle <świetnie, lepiej> wygląda** things look bad <bright, better>; **wygląda na to** it's likely; **nie wygląda na to** it's unlikely; **wygląda na to, że ...** it looks as though <as if> ...; **wygląda na to, że oni wygrają <przegrają>** they look like winning <losing> 6. *imperf* (*mieć pozory czegoś*) to have a semblance (**na prawdę, przyjaźń itd.** of truth, friendship etc.)

wyglądać[2] *vt imperf* (*oczekiwać*) to expect; to await; to watch (**kogoś, czegoś** for sb, sth); to be on the watch <on the look out> (**kogoś, czegoś** for sb, sth)

wyglądnąć *vi perf dial.* to look <to peep> out

wyglądnięcie *sn* (↑ **wyglądnąć**) (a) look; (a) peep

wygład *sm G.* **~u** *geol.* slickenside

wygładnica *sf techn.* calender; mangle

wygła|dzać[1] *v imperf* — **wygła|dzić** *v perf* **~dzę, ~dzony** [I] *vt* 1. (*usuwać nierówności*) to even; to level; to flatten (down, out); to plane (down); (*gładzić*) to smooth (out); to sleek; (*szlifować*) to polish 2. (*udoskonalać*) to polish up (a literary composition etc.); to smooth out; to chasten <to refine> (one's style); (*o stylu itd.*) **~dzony** smooth; round; elaborate [II] *vr* **~dzać, ~dzić się** 1. (*stawać się gładkim*) to smooth (down) 2. (*doskonalić się*) to acquire polish

wygładzać[2] *zob.* **wygłodzić**

wygładzeni|e *sn* (↑ **wygładzić**) smoothness (of a surface, an author's style etc.); (writer's) polish; **brak ~a** raggedness; crudeness

wygł|aszać *vt imperf* — **wygł|osić** *vt perf* **~oszę, ~oszony** to utter (certain sentiments, opinions etc.); to deliver (lectures, speeches, sermons, etc.); **~osić kazanie** to preach a sermon; **~osić przemówienie** to make a speech; to have an address

wygłodni|eć *vi perf* **~eje** to be famished <starving>; **~ały** famishing; ravenous

wygłodzenie *sn* (↑ **wygłodzić**) starvation
wygł|odzić *v perf* — **wygł|adzać** *v imperf* [I] *vt* to famish <to starve> (a population etc.); to starve out (a garrison etc.); to underfeed (sb, a horse etc.); **~odzony** famishing; starving [III] *vr* **~odzić, ~adzać się** to starve oneself; to go on a starvation diet
wygłos *sm G.* **~u** *jęz.* final sound
wygłosić *zob.* **wygłaszać**
wygłoszenie *sn* ↑ **wygłosić**
wygłup *sm G.* **~u** *pot.* 1. (*błazeństwo*) tomfoolery 2. (*błazen*) tomfool
wygłupi|ać się *vr imperf* — **wygłupi|ć się** *vr perf pot.* to play <to act> the fool; to footle; **on się ~a** he is trying to be funny
wygmatwać *vt perf* to disentangle
wyg|nać *vt perf,* **wyg|onić** *vt perf* — **wyg|aniać** *vt imperf* 1. (*wypędzić*) to drive <to chase> away; **~nać, ~onić, ~aniać bydło na paszę** to drive the cattle to graze; to turn out the cattle; **~nać, ~onić kogoś z domu** to turn sb adrift; **~nać, ~onić kogoś ze szkoły** to expel sb from school 2. (*skazać na banicję*) to banish; to expatriate; to deport; to proscribe; to outlaw
wygnajać *zob.* **wygnoić**
wygnani|e *sn* 1. ↑ **wygnać** 2. (*zesłanie*) banishment; expatriation; deportation; exile; proscription; **~e ze szkoły** expulsion from school; **na ~u** in exile
wygna|niec *sm G.* **~ńca, wygnan|ka** *sf pl G.* **~ek** (an) exile; outcast; (an) expatriate; outlaw
wygnańcz|y *adj* exile's (fate etc.); **~a tułaczka** life in exile
wygniatacz|ka *sf pl G.* **~ek** expresser
wygniatać *zob.* **wygnieść**
wygniatar|ka *sf pl G.* **~ek** *techn.* pug-mill
wygnicie *sn* ↑ **wygnić**
wygni|ć *vi perf* **~je** — **wygni|wać** *vi imperf* 1. (*gnić*) to rot 2. (*gnijąc przedziurawić się*) to rot through
wygniecenie *sn* ↑ **wygnieść**
wygni|eść ~otę, ~ecie, ~eć, ~ótł, ~otła, ~etli, ~eciony *v perf* — **wygni|atać** *v imperf* [I] *vt* 1. (*wycisnąć*) to squeeze <to press, to squash, to crush, to tread> (**sok z owoców itd.** the juice out of fruits etc.); (*pognieść*) to knead (the muscles, clay, dough etc.) 2. *techn.* to pug (clay) 3. *przen.* (*z trudem uzyskać*) to extort (money out of people etc.) 4. (*zostawić ślad od gniecenia*) to trample (grass, snow etc.); to stamp (metals); to press (metals) into shape; to crumple (a dress etc.) 5. (*wymordować*) to kill [III] *vr* **~eść, ~atać się** to get crumpled
wygniwać *zob.* **wygnić**
wygn|oić *vt perf* **~oję, ~ój, ~ojony** — **wygnajać** *vt imperf* 1. (*nagnoić*) to manure (a field etc.) 2. (*zanieczyścić*) to soil with manure
wyg|oda *sf pl G.* **~ód** 1. (*warunki ułatwiające bytowanie*) comfort; (*udogodnienie*) convenience; ease; **~ody życiowe** the amenities of life; **mam z tym wielką ~odę** this is very convenient; **on lubi ~odę** he likes his ease 2. *pl* **~ody** (*wyposażenie mieszkania*) modern conveniences
wygodnicki *sm* (*decl* = *adj*) *pot.* fellow who likes his ease <his comforts>; easy-going chap
wygodnictwo *sn singt* avoidance of inconvenience <of effort, of worry>

wygodnie *adv* comfortably; cosily; snugly; easily; conveniently; **jak ci będzie najwygodniej** as will suit you best; **mieszkać ~** to have a cosy flat; **żyć ~** to live in comfort; to live a comfortable life
wygodnisia *sf pot.* woman who likes her ease <her comforts>; easy-going person
wygodniś *sm* = **wygodnicki**
wygodny *adj* 1. (*dający wygodę*) (*o meblu, mieszkaniu itd.*) comfortable; convenient; cosy; snug; (*o narzędziu, sprzęcie itd.*) handy; convenient 2. (*o człowieku*) easy-going; fond of ease; *pej.* selfish; egoistic
wyg|oić *v perf* **~oję, ~ój, ~ojony** — **wyg|ajać** *v imperf* [I] *vt* to heal (**kogoś** sb of a wound, of wounds); **nie byłem ~ojony z ran** my wounds had not healed up [III] *vr* **~oić, ~ajać się** to heal up
wyg|olić *v perf* **~ól** — **wyg|alać** *v imperf* [I] *vt* 1. (*golić*) to shave (off); **starannie ~olony** clean-shaven 2. *perf żart.* (*wypić*) to crush (a cup <x bottles> of wine etc.) [III] *vr* **~olić, ~alać się** to shave (oneself); to shave off one's beard
wygon *sm G.* **~u** 1. (*pastwisko*) pasture 2. (*droga na pastwisko*) cattle-path
wygonić *zob.* **wygnać**
wygospodarować <**wygospodarzyć**> *vt perf* to save; to economize
wygotow|ać *v perf* — **wygotow|ywać** *v imperf* [I] *vt* to boil (food, clothes etc.); **~ać strzykawkę itd.** to boil up a syringe etc. 2. † (*przygotować*) to prepare; to draw up (a document etc.) [III] *vr* **~ać, ~ywać się** to boil away
wygód|ka *sf pl G.* **~ek** *pot.* W.C.; toilet
wygórowanie *sn* exorbitance; inordinateness
wygórowany *adj* (*o cenach*) exorbitant; extravagant; outrageous; stiff; (*o wymaganiach itd.*) unreasonable; excessive; inordinate; (*o pojęciach, ambicji itd.*) excessive; exaggerated
wygrabiać *vt imperf* — **wygrabić** *vt perf* to rake (the soil, a pathway etc.); to rake away (the leaves, litter etc.)
wygracować *vt perf* to hoe
wygr|ać *v perf* — **wygr|ywać** *v imperf* [I] *vi* to win; to be the winner; to score; *wojsk. i przen.* to carry the day; **lekko** <**z łatwością**> **~ać** to win hands down <in a canter, in a walk>; **on nie może ~ać** he is playing a losing game; **~ać na czymś** to benefit <to gain, to score> by sth; **~ać na loterii** to draw a prize in a lottery [III] *vt* 1. (*zyskać w grze*) to win (money, a prize, a bet) 2. (*pokonać*) to win (a battle, a game); to score (a game) 3. (*podstępnie wykorzystać*) to play (sb) off (**przeciw komuś** against sb) 4. (*odegrać*) to play (a melody)
wygr|adzać *vt imperf* — **wygr|odzić** *vt perf* **~odzę, ~ódź, ~odzony** to delimit; to fence off <about, round>
wygramolić się *vr perf pot.* 1. (*wydostać się*) to scramble out (**z czegoś** of sth); to extricate oneself (**z czegoś** from sth); **~ się z łóżka** to tumble out of bed 2. (*wdrapać się*) to scramble <to clamber> up
wygran|a *sf* 1. (*w grach hazardowych*) winnings; (*na loterii*) prize; **główna** <**najwyższa**> **~a** first prize; **tabela ~ych** prize-list; (*wyniki wyścigów konnych*) all the winners 2. (*zwycięstwo*) victory;

sport (a) win; **dać za ~ą** to give in; to give it up as a bad job; to jack up the attempt; **mieć pewną ~ą** to have the game in one's hands; to play a winning game; **nie dać za ~ą** to hold out; **to nasza ~a** that's one for us; **to połowa ~ej** that's half the battle

wygranie *sn* ↑ **wygrać**

wygran|y [I] *pp* ↑ **wygrać** [II] *adj* winning (side, team etc.) [III] *spl* **~i** the winners [IV] *sn* **~e** *w zwrocie*: **dać za ~e** = **dać za ~ą** *zob.* **wygrana**

wygrawerować *vt perf* to engrave

wygrażać *v imperf* [I] *vi* (*straszyć pogróżkami*) to threaten (**komuś** sb); (*wymachiwać*) to shake (**komuś pięścią <kijem itd.>** one's fist <a stick etc.> at sb) [II] *vr* **~ się** to threaten; to bluster out <to utter> threats

wygrażanie *sn* (↑ **wygrażać**) threats

wygrodzić *zob.* **wygradzać**

wygrywać *zob.* **wygrać**

wygrywający *sm* winner; **~ na czymś** the gainer by sth

wygry|zać *v imperf* — **wygry|źć** *v perf* **~zę, ~zie, ~ź, ~zł, ~źli, ~ziony** [I] *vt* 1. (*wycinać zębami*) to gnaw out <to fret> (an opening etc.); (*drążyć wnętrze*) to bore out (a hole etc.); (*o kwasach itd.*) to corrode; to etch away <off> 2. *pot.* (*wysadzać ze stanowiska*) to oust (sb from his job etc.) [II] *vr* **~zać, ~źć się** 1. (*wydobywać się*) to eat <to gnaw, to fret> its way out (of sth) 2. (*zw. imperf*) (*robić intrygi*) to intrigue <to scheme> against one another

wygryzienie *sn* ↑ **wygryźć**

wygryzmolić *vt perf pot.* to scrawl; to scribble

wygryźć *zob.* **wygryzać**

wygrz|ać *v perf* **~eje, ~ał, ~any** — **wygrz|ewać** *v imperf* [I] *vt* to warm (one's hands etc., sb's bed--clothes etc.); to heat (some water etc.) [II] *vr* **~ać, ~ewać się** to warm oneself; **~ać, ~ewać się w słońcu** to bask in the sun

wygrzeb|ać *v perf* **~ie** — **wygrzeb|ywać** *v imperf* [I] *vt* 1. (*wydobyć*) to dig out; to unearth; to rake <to root> out; *pot.* **~ać, ~ywać pieniądze skądś** to scrape together some dibs 2. *przen.* (*wyszperać*) to rummage out <up> 3. (*wyżłobić*) to scoop out [II] *vr* **~ać, ~ywać się** to scramble out (**z czegoś** of sth); to get clear (**z czegoś** of sth); to extricate oneself (**z czegoś** from sth); to pull through (an illness); to blunder out (of a task)

wygrzewać *zob.* **wygrzać**

wygrzmoc|ić *vt perf* **~ę, ~ony** *pot.* to baste; to drub; to cudgel

wygubić *vt perf* — **wygubiać** *vt imperf* 1. (*wyniszczyć*) to exterminate; to destroy; to annihilate; to kill off 2. (*wykorzenić*) to uproot; to eradicate; to extirpate; to do away (**coś** with sth)

wygubienie *sn* ↑ **wygubić** 1. (*wyniszczenie*) extermination; destruction; annihilation 2. (*wykorzenienie*) eradication; extirpation

wyguzdrać się *vr perf pot.* to dawdle (**z jakąś robotą** through a piece of work)

wygwie|ździć się *vr perf* **~żdżą się** — **wygwie|żdżać się** *vr imperf* to grow <to become> (once again) brilliant with stars; **~żdżony** starlit; starry; brilliant with stars

wygwi|zdać *vt perf* **~żdże <~zda>** — **wygwi|zdywać** *vt imperf* 1. (*gwizdać melodię*) to whistle (a melody) 2. (*wyszydzić*) to hiss (**aktora, sztukę** an actor <at an actor>, at a play); to hoot <to boo> (an actor, a speaker, a play); to catcall (an actor)

wygwizdanie *sn* 1. ↑ **wygwizdać** 2. (*gwizdy dezaprobaty*) catcalls; hisses; hoots; boos

wygwizd|ów *sm G.* **~owa** *pot.* wind-swept place

wygwizdywać *v imperf* [I] *vt zob.* **wygwizdać** [II] *vi* to whistle (away)

wyhaftować *vt perf* to embroider

wyhaftowanie *sn* (↑ **wyhaftować**) embroidery

wyhamować *vt perf* — **wyhamowywać** *vt imperf* to brake; to apply the brake (**pojazd** to a vehicle)

wyhandlować *vt perf pot.* to trade; to barter

wyharować *vt perf pot.* to get (sth) by persistent hard work

wyhasać się *vr perf* to dance <to gambol> to one's heart's content <for all one is worth>

wyheblować *vt perf* to plane; **czysto ~** to plane sth smooth

wyhodow|ać *v perf* — **wyhodow|ywać** *v imperf* [I] *vt* to breed (animals); to grow (plants); *przen.* **~ać żmiję na własnym łonie** to cherish <to nourish> a snake in one's bosom [II] *vr* **~ać, ~ywać się** to be bred; to be grown

wyholować *vt perf* to tow; to haul up (a boat etc.)

wyhołubić *vt perf dial.* to breed; to cherish

wyhulać się *vr perf pot.* to revel to one's heart's content <to the full>

wyhuśtać *vt perf* to toss like the deuce <*pot.* like hell>

wyidealizować *vt perf* to idealize

wyidealizowanie *sn* (↑ **wyidealizować**) idealization

wyimaginowa|ć *vt perf* to imagine; to fancy; to invent; **~ny** imaginary; fictitious

wyim|ek *sm G.* **~ka** extract; excerpt; quotation; fragment

wyimprowizować *vt perf* to improvize

wyinacz|ać *v imperf* — **wyinacz|yć** *v perf* [I] *vt* 1. (*zmieniać*) to change; to alter; to modify 2. (*przekręcać*) to distort [II] *vr* **~ać, ~yć się** to change (*vi*)

wyinaczenie *sn* 1. ↑ **wyinaczyć** 2. (*zmiana*) change; alteration; modification 3. (*przekręcenie*) distortion

wyinaczyć *zob.* **wyinaczać**

wyinterpretować *vt perf* to interpret

wyinterpretowanie *sn* (↑ **wyinterpretować**) interpretation

wyiskać *vt perf* to cleanse of vermin

wyiskrzony *adj* sparkling; glittering

wyizolować *vt perf* to isolate

wyjadacz *sm*, **wyjadacz|ka** *sf pl G.* **~ek** *pot.* old stager

wyj|adać *vt imperf* — **wyj|eść** *vt perf* **~em, ~e, ~edzą, ~edz, ~adł, ~edli, ~edzony** to eat (away, up); **mole ~adają dziury w futrach** moths eat holes in furs

wyjaławiać *vt imperf* — **wyjał|owić** *vt perf* **~ów** 1. (*czynić nieurodzajnym*) to emaciate <to impoverish> (the soil) 2. (*wyniszczać*) to exhaust (the brain etc.) 3. *dosł. i przen.* (*sterylizować*) to sterilize

wyjaławiająco *adv* **działać ~** = **wyjaławiać**

wyjaławianie *sn* (↑ **wyjaławiać**) emaciation; impoverishment (of the soil); *dosł. i przen.* sterilization

wyjałowić *zob.* **wyjaławiać**
wyjałowie|ć *vi perf* **~je** to become sterile <(*o glebie*) emaciated, impoverished>
wyjałowienie *sn* (↑ **wyjałowić**) emaciation <impoverishment> (of the soil); *dosł. i przen.* sterilization
wyjaskrawiać *vt imperf* — **wyjaskrawić** *vt perf* to exaggerate; to carry (sth) to excess
wyjaskrawienie *sn* (↑ **wyjaskrawić**) exaggeration
wyjaskrawić *zob.* **wyjaskrawiać**
wyjaśniacz *sm* commentator
wyjaśni|ać *v imperf* — **wyjaśni|ć** *v perf* **~j** [I] *vt* 1. (*czynić zrozumiałym*) to elucidate; (*tłumaczyć*) to explain; to interpret; to comment (**coś** upon sth); **~ć nieporozumienie** <**tajemnicę**> to clear up a misunderstanding <a mystery>; **~ć tajemnicę** to unravel a mystery; **z powodów, które nie są dotąd ~one** unaccountably 2. (*rozjaśnić*) to clear (the air etc.); to uncloud (one's brow) [III] *vr* **~ać, ~ć się** 1. (*stawać się zrozumiałym*) to become clear <comprehensible> 2. (*o pogodzie*) to clear (up) (*vi*); (*o twarzy*) to brighten (up)
wyjaśnie|nie *sn* 1. ↑ **wyjaśnić** 2. (*czynienie zrozumiałym*) elucidation; (*tłumaczenie*) interpretation; explanation; comment; **żądać od kogoś ~ń** to call sb to account
wyjawi|ać *v imperf* — **wyjawi|ć** *v perf* [I] *vt* to reveal; to bring to light; to lay open; to disclose <to divulge> (a secret etc.); **nie ~ć** to keep back; to keep secret; **nie ~ć swego nazwiska** to remain anonymous [III] *vr* **~ać, ~ć się** 1. (*przejawiać się*) to come to light; to show up; **nie ~ć się** to remain unrevealed <undisclosed, undivulged> 2. (*ukazywać się*) to appear
wyjawienie *sn* (↑ **wyjawić**) disclosure; divulgation
wyjazd *sm G.* **~u** 1. *singt* (*zmiana miejsca pobytu*) departure 2. (*podróż*) journey; voyage; trip
wyjazdowy *adj* travelling — (expenses etc.); outgoing (trip etc.)
wyj|ąć *vt perf* **~mę, ~mie, ~mij, ~ął, ~ęła, ~ęty** — **wyj|mować** *vt imperf* 1. (*wydobyć*) to take (sth) out (**z czegoś** of sth); to remove <to extract> (**coś skądś** sth from somewhere); **~ąć coś z kieszeni** to produce sth; *przen.* **jak psu z gardła ~ęty** crumpled; **~ąć coś komuś z ust** to take (words) out of sb's mouth; **~mować kasztany z ognia dla kogoś** to take the chestnuts out of the fire for sb 2. (*wyodrębnić*) to extract <to excerpt, to quote> (a passage from a book etc.); **~ąć kogoś spod prawa** to outlaw sb
wyjąkać *vt perf* — **wyjąknąć** *vt perf* to stammer <to stutter, to falter> out
wyjąt|ek *sm G.* **~ka** <**~ku**> 1. (*odstępstwo od reguły*) exception (**od reguły** to the rule); **wszyscy bez ~ku** everyone without exception; one and all; **wszyscy z ~kiem jednego** all but one; **należeć do ~ków** to be exceptional <of rare occurrence>; **~ki potwierdzają regułę** the exceptions prove the rule; **w drodze ~ku** by way of an exception; **z ~kiem jednego** except one; barring one; **z ~kiem tego, że ...** except that ... 2. (*urywek*) excerpt; extract; passage (from a book, speech etc.)
wyjątkowo *adv* exceptionally; in exceptional cases
wyjątkowość *sf singt* exceptionality; uniqueness
wyjątkowy *adj* exceptional; unique; unusual; special (case etc.); **stan ~** state of emergency

wyjąwszy *adv* except, excepting; save; but; **wszyscy ~ mnie** all but myself <save me>; **~ te wypadki, w których** <**te miejsca, gdzie**> **...** except when <where> ...
wyj|ec *sm G.* **~ca** *zool.* (*Alouatta*) howler; howling monkey
wyj|echać *vi perf* **~adę, ~edzie, ~edź, ~echał** — **wyj|eżdżać** *vi imperf* 1. (*wyruszyć*) to leave <to set out> (**dokądś** for a place); to set out on a journey; to take one's departure; to quit; (*udać się dokądś*) to go <to drive, to ride> (out) (**dokądś** to a place); **on ~echał do Ameryki** he has gone to America; he is out in America; **~echał służbowo** he was called out on business 2. (*wydostać się*) to come <to drive, to ride> out (**z lasu itd.** from a forest etc.) 3. *pot.* (*wyrwać się z czymś*) to come out (with a remark etc.); **~echać z pyskiem na kogoś** to bawl out <to start bawling> at sb
wyjedn|ać *vt perf* — **wyjedn|ywać** *vt imperf* 1. (*uzyskać*) to obtain (sth) by one's entreaties <by cajolery, by persuasion>; to wheedle (sth from sb) 2. (*wystarać się dla kogoś*) to get <to induce, to persuade> (sb) to grant (sth to sb)
wyjednanie *sn* (↑ **wyjednać**) obtention (of sth) by entreaty <inducement, persuasion>
wyjednywać *zob.* **wyjednać**
wyjeść *zob.* **wyjadać**
wyjezdn|e *sn* (*decl = adj*) *w zwrotach:* **jestem na ~ym** I am about to leave; **na ~ym** when on the point of leaving
wyje|ździć *v perf* **~żdżę** — **wyje|żdżać** *v imperf* [I] *vt* to rut (a road); **~żdżony** rutty [III] *vr* **~ździć, ~żdżać się** to do a lot of driving <riding>
wyjęcie *sn* (↑ **wyjąć**) extraction; **~ spod prawa** outlawry
wyjęcz|eć *v perf* **~y** — **wyjękiwać** *v imperf* [I] *vt* to groan out [III] *vi* to groan
wyjęzycz|ać *v imperf* — **wyjęzycz|yć** *v perf pot.* [I] *vt* to say; to express [III] *vr* **~ać, ~yć się** to express oneself; to make oneself understood
wyjrzeć *zob.* **wyglądać**
wyjści|e *sn* 1. ↑ **wyjść** 2. (*czynność wychodzenia*) exit; departure; withdrawal; **~e na wolność** release; **~e za mąż** marriage; **po jego ~u** when he had gone <left> 3. *karc.* lead; opening (in trumps etc.) 4. (*miejsce, przez które się wychodzi*) exit; way out; egress; *bud.* **~e zapasowe** emergency exit; fire-escape; **~e z tunelu** <**kopalni itd.**> outlet from a tunnel <mine etc.>; (*o pokoju itd.*) **z ~em na dziedziniec** <**taras itd.**> giving into the yard <on a terrace etc.> 5. (*sposób rozstrzygnięcia*) issue <way out> (of a situation); **punkt ~a** departure; **sytuacja bez ~a** deadlock; impasse; stalemate; **być w sytuacji bez ~a** to be in a cleft stick; to be stumped <in a fix, up a gum-tree>; **jeżeli nie będzie innego ~a** if the worst comes to the worst; **nie ma innego ~a, jak tylko ...** there is nothing for it but to ...
wyjściowy *adj* 1. (*odnoszący się do opuszczenia*) (place, gate etc.) of departure 2. (*odnoszący się do miejsca, z którego się wychodzi*) exit — (gate, staircase etc.) 3. (*początkowy*) initial; **punkt ~** point of issue <of departure> 4. *pot.* outdoor (clothes); *wojsk.* **mundur ~** service dress
wyjść *zob.* **wychodzić**

wyjustować *vt perf. druk.* to adjust
wyka *sf bot.* (*Vicia*) vetch; tare
wykadz|ać *vt imperf* — **wykadz|ić** *vt perf* **~ę, ~ony** to fumigate; to perfume (a room etc.)
wykaligrafować *vt perf* — **wykaligrafowywać** *vt imperf* to calligraph; to write (out) in beautiful handwriting
wykalkulować *vt perf* — **wykalkulowywać** *vt imperf* 1. (*obliczyć*) to calculate; to work out (a sum); to figure out (an expense etc.) 2. (*dojść do wniosku*) to figure to oneself; to estimate
wykałacz|ka *sf pl G.* **~ek** toothpick
wykantować *vt perf pot.* to sell <to cheat, to swindle, *am.* to gyp> (sb); to take (sb) in
wykańczacz *sm* finisher
wyk|ańczać <**wyk|ończać**> *v imperf* — **wyk|ończyć** *v perf* [I] *vt* 1. (*wykonywać kończące szczegóły*) to finish (sth) off; *techn.* to dress (a fabric) 2. (*zużywać, kończyć jeść*) to finish (sth) up; to top (sth) off 3. *pot.* (*niszczyć kogoś*) to do (**kogoś** for sb); to do (**kogoś** sb's job); **~ończyć kogoś** to cook sb's goose [II] *vr* **~ańczać, ~ończać, ~ończyć się** to go by the board
wykańczalnictwo *sn singt techn.* finish
wykańczar|ka *sf pl G.* **~ek** *techn.* finishing machine
wykap|ać *v perf* **~ie** [I] *vi* to drip [II] *vt* (*wydzielić dawkami*) to dole out in driblets
wykapan|y [I] *pp* ↑ **wykapać** [II] *adj* (*podobny*) the picture <image> (**ojciec itd.** of one's father etc.); **~a matka** the image of one's mother; (*o jednakowym usposobieniu*) **~y ojciec** a chip of the old block
wykapować *vt perf pot.* 1. (*zrozumieć*) to twig; to tumble (**coś** to sth) 2. (*zdradzić*) to give (sb) away
wykaraskać się *vr perf* to scramble out (**z czegoś** of sth)
wykarbować *vt perf* 1. (*robić karby*) to notch 2. (*pofałdować*) to corrugate (iron etc.); to curl (sb's hair)
wykarczować *vt perf* — **wykarczowywać** *vt imperf* to dig up (a tree); to clear (a forest); to grub up (an area etc.)
wykarm *sm G.* **~u** fattening (of swine)
wykarmi|ć *vt perf* — **wykarmi|ać** *vt imperf* 1. (*wyżywić własnym mlekiem*) to suckle; to give suck (**dziecko, młode** to a child, to its young) 2. (*wyhodować*) to feed; to rear; to nourish; to bring up; **~ony romantycznymi opowiadaniami** nourished on romantic stories
wykasłać *vt perf* — **wykasływać** *vt imperf* = **wykaszlać**
wykastrować *vt perf* (*wytrzebić*) to castrate; to emasculate
wyk|aszać *vt imperf* — **wyk|osić** *vt perf,* **~oszę, ~oszony** to mow
wykaszl|ać *v perf* **~e** <**~a**> — **wykaszl|iwać** *v imperf* [I] *vt* to cough out <up> (phlegm etc.) [II] *vr* **~ać, ~iwać się** to cease coughing
wykatrupić *vt perf pot.* to butcher; to slaughter; to do (people) to death
wykaz *sm G.* **~u** list; roll; register; *handl.* invoice; memorandum; detailed statement; schedule; *prawn. sąd.* docket
wyka|zać *v perf* **~że** — **wyka|zywać** *v imperf* [I] *vt* 1. (*udowodnić*) to prove; to demonstrate 2. (*przejawić*) to show <to give evidence of> (interest etc.); to display (feelings etc.); to betray (one's ignorance of sth) 3. (*ujawnić*) to show; to reveal; to indicate [II] *vr* **~zać, ~zywać się** to produce evidence (**czymś** of sth); to show (**że się coś zrobiło itd.** that one has done sth etc.); to produce <to show> (**kwitem, rachunkiem itd.** a receipt, a bill etc.)
wykazanie *sn* (↑ **wykazać**) proof; demonstration; display; indication
wykąp|ać *v perf* **~ie** [I] *vt* 1. (*umyć*) to bathe (one's face, a wound etc.); to bath (a baby, an invalid); **~ać sobie nogi** to have a foot-bath 2. *chem. techn.* to steep; to soak [II] *vr* **~ać się** to have <to take> a bath; to bathe (in the river, in the sea etc.)
wykich|ać *v perf* — **wykich|iwać** *v imperf* [I] *vt* to sneeze (sth) out [II] *vr* **~ać, ~iwać się** to cease sneezing; *pot.* **~ać się na coś** to ignore sth; to take no notice of sth
wykiełkować *vi perf* to sprout; to shoot; to germinate
wykiełznać *vt perf dosł. i przen.* to unbridle
wykierowa|ć *v perf* [I] *vt* 1. (*nadać kierunek*) to direct (**coś na coś** sth towards <on> sth) 2. (*nadać czemuś jakiś obrót*) to manage (**sprawę tak, żeby ...** matters so as to <so that> ...) 3. (*sprawić, że ktoś znajdzie się w jakiejś sytuacji*) to place (**kogoś tak, że ...** sb in such a situation that ...); **tak mnie ~li!** that's the mess they've got me into!; **~ć syna na lekarza** <**adwokata itd.**> to make one's son a doctor <a lawyer etc.> [II] *vr* **~ć się** 1. (*obrać kierunek*) to make (**na jakiś punkt** for a spot); to direct one's steps (**na jakiś budynek** towards a building) 2. (*znaleźć się w jakiejś sytuacji*) to place <to get> oneself (**fortunnie** <**niefortunnie**> in a favourable <an unfortunate> position) 3. (*zdobyć pozycję*) to arrive (**na wysokie stanowisko** at an elevated post) 4. (*wykształcić się na kogoś*) to succeed in becoming (**na majstra itd.** a qualified craftsman etc.)
wykipieć *vi perf* to boil over
wykitować *v perf* [I] *vt* to putty (windows etc.) [II] *vi sl.* to peg out; to snuff out; to kick the bucket
wykiwać *vt perf sl.* to sell (sb) a pup; to do (sb) brown
wyklarować *v perf* [I] *vt* 1. (*oczyścić z zawiesin*) to clarify (a liquid etc.); to purify; to refine 2. (*wyjaśnić*) to elucidate; to clear up (a situation); to clarify (a question) 3. *pot.* (*wytłumaczyć*) to explain (sth to sb); *am.* to put (sb) wise (**coś** to sth) [II] *vr* **~ się** 1. (*oczyścić się z zawiesin*) to clarify <to clear> (*vi*) 2. (*wyjaśnić się*) to become clear
wykl|ąć *vt perf* **~nę, ~nie, ~ną, ~ął, ~ęła, ~ęty** — **wykl|inać** *vt imperf* 1. (*wyrzec się*) to curse (sb) 2. *rel.* to excommunicate
wyklec|ić *vt perf* **~ę, ~ony** 1. (*sklecić*) to patch (sth) up 2. *przen.* (*ułożyć*) to think (sth) out
wykle|ić *vt perf* **~ję, ~j, ~jony** — **wykle|jać** *vt imperf* 1. (*pokryć wnętrze czegoś*) to line (**kasetę jedwabiem itd.** a box with silk etc.) 2. (*wytapetować*) to hang (**ściany tapetami** walls with paper); to paper (a wall) 3. (*zrobić z papieru, tektury*) to paste <to stick, to glue> (sth) together
wyklejanka *sf* stick-in picture

wyklej|ka *sf pl G.* **~ek** *druk.* front-paper; end-paper

wyklep|ać *vt perf* **~ie** — **wyklep|ywać** *vt imperf* 1. (*rozpłaszczyć młotkiem*) to hammer out (a metal) 2. (*wypowiedzieć*) to rattle off (one's lesson, prayers etc.)

wyklęcie *sn* 1. ↑ **wykląć** 2. (*wyrzeczenie się*) curse 3. † *rel.* excommunication

wyklęty [I] *pp* ↑ **wykląć** [II] *sm* one lying under a curse

wyklina *sf bot.* (*Poa*) blue-grass, meadow grass

wyklinać *v imperf* [I] *vt zob.* **wykląć** [II] *vi* (*także vt*) (*złorzeczyć*) to swear (**kogoś, coś** <**na kogoś, coś**> at sb, sth); to curse (*vt*); to curse and swear (*vi*)

wyklinanie *sn* (↑ **wyklinać**) curses

wyklinić <**wyklinować**> **się** *vr perf* — **wykliniać** <**wyklinowywać**> **się** *vr imperf geol.* to pinch out; to feather out; to thin out

wyklinowaty *adj bot.* poaceous

wyklucie *sn* (↑ **wykluć**) (the) hatch

wyklucz|ać *v imperf* — **wyklucz|yć** *v perf* [I] *vt* (*usuwać*) to exclude; to expel; to shut out; (*wyłączać*) to exclude; to rule out; to except; to preclude; **nikogo nie ~ając** no one excepted; without exception; **to jest ~one** it is out of the question <not to be thought of>; **to nie jest ~one** it is not unlikely; it is conceivable; *pot.* **~one!** nothing doing! [II] *vr* **~ać, ~yć się** to be excluded <ruled out, excepted, precluded>

wykluczanie *sn* (↑ **wykluczać**) exclusion; exception; *mat.* elimination

wykluczenie *sn* (↑ **wykluczyć**) exclusion; exception; **z ~m takich czynów, jak ...** with the exception <to the exclusion> of such acts as ...

wyklu|ć się *vr perf* **~je się** — **wyklu|wać się** *vr imperf* to hatch (*vi*)

wykład *sm G.* **~u** 1. (*jednostka zajęć szkolnych*) lecture; **mieć ~ o czymś** to deliver a lecture on sth; **prowadzić ~y z zakresu czegoś** to lecture on sth; "**~y prof. X nie odbędą się**" "Professor X will not meet his classes" 2. *singt* (*przedstawienie tematu*) exposition <expository discourse> (of subject matter)

wykładać *v imperf* — **wyłożyć** *v perf* **wyłóż** [I] *vt* 1. (*kłaść*) to lay <to set> out; to display; to exhibit; **kołnierz wykładany** turn-down collar; *dosł. i przen.* **wykładać, wyłożyć karty** to show one's cards 2. (*pokrywać*) to cover (a floor with carpets, chairs with leather etc.); to inlay <to encrust> (furniture); to pave (a courtyard with flagstones etc.); to face (a wall with marble etc.); to set (the top of a wall with broken glass etc.); (*wyściełać*) to line (a cart with hay, straw etc.); to pad (a door, the seat of a chair etc.); **wykładać, wyłożyć ścianę boazerią** to wainscot a wall 3. (*wydać pieniądze*) to spend; to pay; to lay out; to disburse 4. (*tłumaczyć*) to explain; (*przedstawiać temat*) to unfold <to expound, to set forth> (a theory etc.) 5. (*wyprzęgać*) to unharness 6. *imperf* (*mieć wykłady*) to lecture (**geografię, historię itd.** on geography, history etc.) [II] *vr* **wykładać, wyłożyć się** (*o człowieku*) to bend (**do przodu** forward); (*o zbożu*) to lodge (*vi*)

wykładanie *sn* 1. ↑ **wykładać** 2. (*to, czym się coś pokrywa*) cover; inlay; incrustation; facing; lining; padding; **~ boazerią** wainscoting

wykładnia *sf* 1. (*wyjaśnienie*) explanation; interpretation; commentary 2. = **wykładnik**

wykładniczy *adj mat.* exponential (function)

wykładnik *sm* 1. (*to, co wyraża czyjś pogląd*) expression <manifestation> (of sb's opinions etc.) 2. *mat.* index; exponent 3. *górn.* **~ gazowy** gas-oil ratio

wykładowc|a *sm uniw.* lecturer; *am.* instructor; **grono ~ów** congregation; *am.* faculty; **stanowisko ~y** lecturership

wykładowczy *adj* lecturing _ (staff etc.)

wykładowy *adj* lecture _ (room etc.); **język ~** language of instruction

wykładzina *sf bud.* facing; covering; liner; lining; (floor etc.) finish

wykładzinowy *adj bud.* facing <lining> — (materials)

wykłamać się *vr perf* — **wykłamywać się** *vr imperf* to lie oneself (**z czegoś** out of sth)

wykłap|ać *vt perf* **~ie** *pot.* to rattle (sth) off

wykłaszać się *vr imperf* — **wykłosić się** *vr perf roln.* to ear

wykłóc|ać *v imperf* — **wykłóc|ić** *v perf* **~ę, ~ony** [I] *vt* to shake (a mixture etc.) [II] *vr* **~ać, ~ić się** *imperf* to argue; *perf* to quarrel <to wrangle> (**o coś** about <over> sth)

wykłucie *sn* ↑ **wykłuć**

wykłu|ć *v perf* **~je, ~ty** — **wykłu|wać** *v imperf* [I] *vt* 1. (*utworzyć wzór*) to prick out a pattern (**coś** of sth) 2. (*wytatuować*) to tattoo 3. (*wyłupić*) to put out (**komuś oko** sb's eye); *przen.* **~wać komuś oczy czymś** to cast sth in sb's teeth 4. (*zabić*) to stab (a number of people) to death (with bayonets, lances etc.) [II] *vr* † **~ć, ~wać się** = **wykluć się**

wykoc|ić się *vr perf* **~ę się** 1. (*o kotce, zajęczycy itd.*) to kitten 2. *dial.* (*wygrzebać się*) to get clear (**z czymś** of sth); (*wyguzdrać się*) to dawdle (**z jakąś robotą** through a piece of work)

wykoko|sić się *vr perf* **~szę się** *pot.* 1. (*usadowić się*) to settle down at long last 2. (*wygrzebać się*) to dawdle (**z jakąś robotą** through a piece of work)

wykole|ić *v perf* **~ję, ~j, ~jony** — **wykole|jać** *v imperf* [I] *vt* 1. *kolej.* to derail <*am.* to ditch> (a train etc.) 2. *przen.* (*sprowadzić na złą drogę*) to lead (youth etc.) astray [II] *vr* **~ić, ~jać się** 1. (*o pociągu itd.*) to leave the rails; to run off the metals; to jump the metals 2. *przen.* (*o człowieku*) to go astray; to go wrong

wykolejenie *sn* 1. ↑ **wykoleić** 2. (*wyskoczenie z szyn*) derailment 3. (*błędna forma*) irregularity 4. **~ się** (↑ **wykoleić się**) (*człowieka*) becoming a human wreck

wykoleje|niec *sm G.* **~ńca** derelict; waif of society; lame duck; bad lot; black sheep; human wreck

wykoła|tać *vt perf* **~ta** <**~cze, ~ce**> *pot.* to obtain (sth) by persistent entreaties; to succeed in obtaining (sth); to get (**coś od kogoś** <**u kogoś**> sth out of sb)

wykołkować *vt perf* to peg out (a boundary etc.)

wykołować *vt perf* — **wykołowywać** *vt imperf pot.* to take (sb) in; to cheat

wykoły|sać *v perf* **~sze** <**~sa**> [I] *vt* 1. (*wychować*) to bring (sb) up from the cradle 2. (*wyhuśtać*) to rock [II] *vr* **~sać się** to be brought up from the cradle

wykombinować *vt perf* 1. (*wymyślić*) to think (sth)

out; (*wywnioskować*) to understand; to assume; to take it (**że ...** that ...) 2. *pot.* (*wystarać się*) to manage; to contrive to get <to obtain, to come by> (sth)

wykon *sm G.* **~u** output

wykon|ać *vt perf* — **wykon|ywać** *vt imperf* 1. (*wprowadzić w czyn*) to execute; to realize; to carry into effect 2. (*spełnić*) to fulfil; to accomplish; to carry out (instructions etc.); to meet (an obligation etc.); **~ywać władzę** to wield <to exercise> authority; **~ywać zawód** to carry on <to practise> a profession; to ply a trade 3. (*uczynić*) to perform (a task etc.) 4. (*wyprodukować*) to produce 5. *teatr* to perform 6. *muz.* to execute

wykonalność *sf singt* feasibility; practicability

wykonalny *adj* realizable; feasible; practicable; performable; manageable; (*o projekcie itd.*) workable

wykonani|e *sn* 1. ↑ **wykonać** 2. (*urzeczywistnienie*) execution; realization; **jakość ~a** workmanship; handiwork 3. (*spełnienie*) fulfilment; accomplishment 4. *teatr muz.* performance

wykonawca *sm* performer; executor (of a plan, testament etc.)

wykonawczy *adj* executive (power, organ etc.); executory (details, formula etc.)

wykonawczyni *sf* performer; executrix

wykonawstwo *sn singt* execution; performance (of a task etc.)

wykoncypować *vt perf* to think out; to concoct (a plan etc.); to frame <to build up> (a theory)

wykonywać *zob.* **wykonać**

wykonywanie *sn* 1. ↑ **wykonywać** 2. (*urzeczywistnianie*) execution; realization 3. (*spełnianie*) fulfilment; accomplishment; performance; exercise (of one's functions); **~ zawodu** practice of a profession

wykończać *zob.* **wykańczać**

wykończalnia *sf* = **wykańczalnia**

wykończalnictwo *sn singt* = **wykańczalnictwo**

wykończeni|e *sn* 1. (↑ **wykończyć**) (the) finish; **brak ~a** crudeness 2. (*brzeg rękawa itd.*) trimming

wykończeniow|iec *sm G.* **~ca** finisher

wykończeniowy *adj* finishing (details etc.)

wykończony [I] *pp* ↑ **wykończyć** [II] *adj* 1. (*starannie wykonany*) polished 2. *pot.* (*wyczerpany*) fagged out

wykończyć *zob.* **wykańczać**

wykop *sm G.* **~u** 1. (*dół*) excavation 2. *pl* **~y** (*kopanie rowów*) *bud.* earthworks; *archeol.* excavations 3. (*wykopywanie ziemniaków*) potato lifting 4. *sport* flying kick

wykop|ać *v perf* **~ie** — **wykop|ywać** *v imperf* [I] *vt* 1. (*zrobić dół, rów*) to dig (a ditch, grave etc.) 2. (*wydobyć z ziemi*) to dig out <to excavate> (stones, treasures etc.; *przen.* documents in a library etc.); to dig up (a tree, potatoes etc.); **~ać studnię** to sink a well 3. *pot.* (*skopać*) to kick (sb); (*wyrzucić kopniakiem*) to kick (sb, sth) out [II] *vr* **~ać, ~ywać się** (*wygrzebać się*) to dig one's way out (**z czegoś** of sth)

wykopalisko *sn* (*zw. pl*) 1. (*znalezisko*) excavation; (excavated) finds 2. (*prace archeologiczne*) excavations

wykopaliskowy *adj* excavatory

wykopc|ić *vt perf* **~ę, ~ony** *pot.* to smoke out (a cigarette etc.)

wykop|ki *spl G.* **~ek** <**~ków**> 1. *roln.* potato lifting 2. *żart.* (*rozkopana ulica*) torn-up <ripped-up> street

wykopkowy *adj* potato-lifting — (season etc.)

wykopnąć *vt perf* to kick (sth) away; to kick (sb) out

wykopowy *adj* excavation — (work etc.)

wykopyrtnąć się *vr perf pot.* to come a cropper <a purl>

wykopywać *zob.* **wykopać**

wykorbienie *sn techn.* crank

wykorbiony *adj techn.* **wał ~** crank shaft

wykoronkowany *adj* lace-trimmed

wykorygować *vt perf* to revise (a text)

wykorzeni|ać *v imperf* — **wykorzeni|ć** *v perf* [I] *vt* to tear up by the roots; *dosł. i przen.* to root out; to uproot; to eradicate; to extirpate [II] *vr* **~ać, ~ć się** to be uprooted <eradicated, extirpated>

wykorzenienie *sn* (↑ **wykorzenić**) extirpation; eradication

wykorzyst|ać *vt perf* — **wykorzyst|ywać** *vt imperf* 1. (*skorzystać*) to avail oneself (**sposobność itd.** of an opportunity etc.); to put <to turn> (sth) to good account; to make capital (**coś** of sth); (*przy licytacji*) **nie ~ać karty** to underbid; **nie ~ać sposobności** to waste an opportunity; **~ać odpadki** to use up <to utilize> waste material; **~ać swoją przewagę** to follow up one's advantage; **~ać, ~ywać kartę** to play one's hand well 2. (*wyciągnąć zysk*) to exploit (sb); to take (unfair) advantage (**kogoś** of sb); to make a convenience (**kogoś** of sb); to presume (**czyjeś dobre serce** <**czyjąś nieświadomość itd.**> upon sb's good nature <ignorance etc.>)

wykorzystanie *sn* ↑ **wykorzystać** 1. (*zużytkowanie*) utilization 2. (*wyzyskanie*) unfair advantage

wyko|sić *vt perf* **~szę, ~szony** to mow (a field, the grass etc.)

wykoszlawiać *vt imperf* — **wykoszlawić** *vt perf* = **wykoślawiać**

wykosztow|ać *v perf* — **wykosztow|ywać** *v imperf* [I] *vt* to taste (edibles etc.) [II] *vr* **~ać, ~ywać się** to spend one's money; to go to expense

wykoślawi|ać *v imperf* — **wykoślawi|ć** *v perf* [I] *vt* to put out of shape; to distort; to maim <to mutilate> (a text, translation etc.) [II] *vr* **~ać, ~ć się** to get out of <to lose> shape; to become distorted

wykoślawienie *sn* (↑ **wykoślawić**) distortion; mutilation (of a text etc.)

wykot *sm G.* **~u** (*u kotów, królików itd.*) kittening; (*u owiec*) lambing

wykpi|ć *v perf* **~j** — **wykpi|wać** *v imperf* [I] *vt* to ridicule; to deride; to mock; to poke fun (**kogoś, coś** at sb, sth) [II] *vr* **~ć, ~wać się** to skulk; to avoid <to evade, to shirk> (**od czegoś** sth)

wykpigrosz *sm* take-in; fraud

wykpisz *sm* 1. (*kpiarz*) jester 2. (*ten, kto umie się wykręcać*) shirker

wykpiszostwo *sn* jesting

wykpiwać *zob.* **wykpić**

wykraczać *vi imperf* — **wykroczyć** *vi perf* 1. (*przekraczać*) to go (**poza pewne granice** beyond certain limits); to exceed <to surpass> (**poza coś** sth) 2. (*popełnić przestępstwo*) to transgress <to infringe> (**przeciw prawu itd.** the law etc.); to offend <to trespass> (**przeciw regule itd.** against a rule etc.)

wykraczanie *sn* (↑ **wykraczać**) transgressions; infringements

wykra|dać *v imperf* — **wykra|ść** *v perf* **~dnę, ~dnie, ~dnij, ~dł, ~dziony** [I] *vt* 1. (*kraść*) to pilfer; to steal; to purloin 2. (*porywać*) to kidnap; to ravish; to abduct [II] *vr* **~dać, ~ść się** to steal out <away>

wykradzenie *sn* ↑ **wykraść**

wykrajać *zob.* **wykroić**

wykra|kać *vt perf* **~cze** *pot.* 1. (*przepowiedzieć*) to croak (disaster etc.) 2. (*wywołać coś złego*) to evoke (evil) by one's croakings

wykraść *zob.* **wykradać**

wykrawać *zob.* **wykroić**

wykrawar|ka *sf pl G.* **~ek** *techn.* cutter; punching-press

wykraw|ek *sm G.* **~ka** piece cut out; segment

wykres *sm G.* **~u** 1. (*rysunek*) graph; chart; diagram; plot; *mat.* **~ funkcji** graph of a function 2. (*kreślenie*) drafting

wykreślać *zob.* **wykreślić**

wykreślenie *sn* 1. ↑ **wykreślić** 2. (*rysunek*) draught, draft 3. (*skreślenie*) cancellation; erasure

wykreśl|ić *v perf* — **wykreśl|ać** *v imperf* [I] *vt* 1. (*wykonać rysunek*) to draught, to draft; to trace; to draw 2. (*skreślić*) to cross <to blot> out; to cancel; to erase; to obliterate; **~ić, ~ać coś z pamięci** to raze sth from one's memory; **~ić coś z serca** to efface sth from one's mind; **~ić, ~ać nazwisko z listy** to strike a name off a list [II] *vr* **~ić, ~ać się** 1. (*usunąć swoje nazwisko*) to cross out one's name (in a list) 2. *imperf* (*zarysowywać się*) to be outlined

wykreślnie *adv* diagrammatically

wykreśln|y *adj* graphic; diagrammatic; **geometria ~a** descriptive geometry

wykręc|ać *v imperf* — **wykręc|ić** *v perf* **~ę, ~ony** [I] *vt* 1. (*wydostać*) to screw (sth) off <out>; **ołówek ~any** propelling pencil 2. *perf przen.* (*uzyskać podstępnie*) to wangle (sth) 3. (*obracać*) to turn; to twist; to wring (the linen, one's hands etc.); to sprain <to twist> (one's ankle etc.); to crack (one's fingers); to distort (sb's words etc.); **~ać, ~ić buty** to put one's shoes out of shape; **~ać, ~ić ciało to w jedną, to w drugą stronę** to writhe; **~ać, ~ić komuś rękę** to twist sb's arm; **~ać, ~ić swoją rękę z czegoś <z czyjegoś chwytu>** to wriggle one's hand out of sth <of sb's grasp>; **~ać, ~ić szyję** to crane one's neck [II] *vi* (*skręcać*) to turn; to veer; to take a turn (to the right, left) [III] *vr* **~ać, ~ić się** 1. (*poruszać się w koło*) to turn; (*o wietrze*) to shift round; to veer 2. (*wywijać się*) to wriggle (**z czegoś** out of sth); **~ać, ~ić się sianem** to wriggle out of a difficulty; *pot.* (*unikać wyraźnej odpowiedzi*) to palter; to equivocate; to shift one's ground; (*wymawiać się od czegoś*) to evade (**od płatności** payment); to shirk (**od obowiązku itd.** a duty etc.)

wykręt *sm G.* **~u** subterfuge; quibble; dodge; prevarication; tergiversation; **adwokacki ~** loop-hole; **szukać ~ów** to tergiversate; to dodge; to prevaricate

wykrętas *sm pot.* flourish; quirk; *pl* **~y** turns and twists

wykrętnie *adv* evasively; sophistically; fallaciously; **mówić ~** to quibble; to sophisticate

wykrętność *sf singt* fallacy, fallaciousness

wykrętny *adj* evasive; quibbling; fallacious; sophistical

wykrochmal|ić *vt perf* to starch; **~ony** a) (*usztywniony*) starched b) *przen.* starchy; stiff

wykroczenie *sn* 1. ↑ **wykroczyć** 2. (*przewinienie*) offence; transgression; misdemeanour; delinquency; misdeed

wykroczyć *zob.* **wykraczać**

wykr|oić *vt perf* **~oję, ~ój, ~ojony**, *rz.* **wykr|ajać** *vt perf* — **wykr|awać** *vt imperf* to cut out; *dosł. i przen.* to carve out; **bluzka głęboko ~ojona** low-cut <low-necked> blouse; **usta <nozdrza> ładnie ~ojone** finely chiselled <shaped> lips <nostrils>

wykrojnica *sf*, **wykrojnik** *sm techn.* punch (for punching-press)

wykropić *v perf pot.* [I] *vt* 1. (*kropnąć*) to reel off (some lines etc.) 2. (*wybić*) to rap [II] *vi w zwrocie:* **~ komuś** to give sb a piece of one's mind

wykropkować *vt perf* — **wykropkowywać** *vt imperf* to dot (a line)

wykrot *sm G.* **~u** 1. (*drzewo*) windfallen tree 2. (*dół pod drzewem*) hollow made by a windfallen tree

wykr|ój *sm G.* **~oju** 1. (*kształt*) shape 2. (*wycięcie*) opening (of a door, window etc.) 3. (*forma*) pattern 4. (*krajanie*) cutting out

wykrusz|ać *v imperf* — **wykrusz|yć** *v perf* [I] *vt* 1. (*niszczyć*) to crumble (sth) up 2. (*wydobywać krusząc osłonę*) to shell (an ear of corn etc.) [II] *vr* **~ać, ~yć się** 1. (*ulegać wykruszeniu*) to crumble away 2. (*o nasionach — wysypać się*) to shell (*vi*)

wykrwawi|ać *v imperf* — **wykrwawi|ć** *v perf* [I] *vt* to bleed (sb); to drain (sb) of blood; **~ony** exsanguine; bloodless [II] *vr* **~ać, ~ć się** to bleed; to lose blood; to bleed to death

wykrwawienie *sn* (↑ **wykrwawić**) loss of blood

wykrycie *sn* 1. ↑ **wykryć** 2. (*wyjawienie*) detection; discovery

wykry|ć *v perf* **~je, ~ty** — **wykry|wać** *v imperf* [I] *vt* to detect; to reveal; to discover [II] *vr* **~ć, ~wać się** to be detected <revealed, discovered>; to come to light

wykrystalizow|ać *v perf* — **wykrystalizow|ywać** *v imperf chem.* [I] *vt* to crystallize [II] *vr* **~ać, ~ywać się** *dosł. i przen.* to crystallize (*vi*)

wykrystalizowanie *sn* (↑ **wykrystalizować**) crystallization

wykrywacz *sm techn.* detector; *górn.* **~ metanu** warner

wykrywać *zob.* **wykryć**

wykrywalność *sf singt rz.* detectability

wykrywalny *adj* detectable

wykrywanie *sn* (↑ **wykrywać**) detection

wykrze|sać *vt perf* **~sze** — **wykrze|sywać** *vt imperf* to strike (**iskry z krzemienia** sparks out of <from> a flint); *przen.* **~sać, ~sywać coś z kogoś** to strike sparks out of sb

wykrztu|sić *vt perf* **~szę, ~szony** — **wykrztu|szać** *vt imperf* 1. (*wykaszlać*) to expectorate <to hawk up> (phlegm) 2. *przen.* (*wypowiedzieć*) to stammer out; to utter

wykrztuszenie *sn* (↑ **wykrztusić**) expectoration

wykrztuśnie *adv* promoting expectoration; **działać ~** to promote expectoration

wykrztuśny *adj* expectorant; **środek ~** (an) expectorant

wykrzycz|eć *v perf* **~y** [I] *vt* 1. (*wypowiedzieć*) to shout (out) (a command etc.) 2. (*wyładować*) to vent (one's anger etc.) in vociferations 3. (*skarcić*) to rate (sb) [II] *vr* **~eć się** 1. (*wyładować się w krzyku*) to vent one's feelings in vociferations 2. (*nakrzyczeć się, ile dusza zapragnie*) to shout to one's heart's content <for all one is worth> 3. (*przestać krzyczeć*) to cease shouting

wykrzyk *sm G.* **~u** shout; exclamation; cry (of terror etc.)

wykrzykiwać *v imperf* — **wykrzyknąć** *v perf* [I] *vi imperf* to shout; to vociferate; *perf* to exclaim; to shout <to cry> out; to utter an exclamation [II] *vt perf* to shout (an order etc.); to shout out (a name etc.); *imperf* to shout (invectives etc.)

wykrzyknienie *sn* 1. (↑ **wykrzyknąć**) shout; cry; exclamation 2. = **wykrzyknik** 2.

wykrzyknik *sm* 1. (*znak*) note of exclamation; *am.* exclamation mark <point> 2. *jęz.* interjection

wykrzyknikowo *adv* exclamatorily

wykrzyknikowy *adj* exclamatory; **wyraz ~** exclamation

wykrzywi|ać *v imperf* — **wykrzywi|ć** *v perf* [I] *vt* to twist; to distort; to contort; to put (sth) crooked; *techn.* to put (sth) out of true; **~ać, ~ć buty przy chodzeniu** to tread one's shoes over on one side; **~ać, ~ć drewno** to warp wood; (*o bólu itd.*) **~ać, ~ć komuś twarz** to distort sb's features; **~ć usta <twarz>** to pull a wry face; to make a wry mouth [II] *vr* **~ać, ~ć się** 1. (*ulegać skrzywieniu*) to get twisted <distorted>; (*o drewnie*) to warp 2. (*robić grymasy*) to pull faces; *perf* to pull a wry face; to make a wry mouth

wykrzywienie *sn* 1. ↑ **wykrzywić** 2. (*czynność*) distortion; contortion 3. (*miejsce wykrzywione*) twist; distortion; crookedness; curvature; **~ twarzy** grimace

wykrzywiony [I] *pp* ↑ **wykrzywić** [II] *adj* 1. (*o twarzy*) wry; twisted (**z bólu** with pain) 2. (*o kończynach zartretyzowanych*) gnarled 3. *techn.* out of true

wykształcać *zob.* **wykształcić**

wykształceni|e *sn* 1. ↑ **wykształcić** 2. (*ukształtowanie*) formation 3. (*wyćwiczenie*) training 4. (*zasób wiedzy*) education; **~e podstawowe** elementary education; **~e średnie** secondary education; **~e wyższe** university education; **z ~a prawnik <chemik itd.>** person who has studied law <chemistry etc.>; **bez ~a** uneducated; untutored; **nie grzeszący zbytnim ~em** not much of a scholar; **zdobyć ~e** to be educated

wykształc|ić *v perf* **~ę, ~ony** — **wykształc|ać** *v imperf* [I] *vt* 1. (*nadać kształt*) to form; to shape; **~ić, ~ać coś** to give sth a (certain) shape 2. (*wyćwiczyć*) to train 3. *perf* to educate; **~ić kogoś na prawnika <lekarza itd.>** to educate sb for the law <to the medical profession etc.> [II] *vr* **~ić, ~ać się** 1. (*przybrać kształt*) to assume a shape; to be formed 2. (*rozwinąć się*) to develop (*vi*); to be developed 3. (*zdobyć wiedzę*) to be educated; to go to school <to the university>; **on ~ił się w Eton** he went to school at Eton

wykształcon|y [I] *pp* ↑ **wykształcić** [II] *adj* well-educated; well-read; cultured; scholarly; **klasy ~e** the educated classes; the intelligentsia

wykucie *sn* ↑ **wykuć**

wyku|ć *vt perf* **~je, ~ty** — **wyku|wać** *vt imperf* 1. (*uformować*) to hammer (sth) into shape; to fashion; to forge 2. (*wyciosać*) to hew out (a statue, an opening etc.); **~ty w skale** hewn in the rock; *przen.* **~ć sobie lepsze życie** to hew out a better life for oneself 3. *pot.* (*nauczyć się*) to learn (sth) by rote; **~wać lekcje** to grind <to swot> at one's lessons

wykukać *vt perf* — **wykukiwać** *vt imperf* to cuckoo

wykuksać *vt perf pot.* to punch; to thwack; to clout

wykulać (się) *vi vr perf pot.* to roll out

wykup *sm G.* **~u** 1. (*wykupienie*) repurchase; redemption (of a slave) 2. (*okup*) ransom; **żądać ~u za kogoś** to hold sb to ransom

wykup|ić *v perf* — **wykup|ywać** *v imperf* [I] *vt* 1. (*odebrać swoją własność*) to repurchase <to buy back> (what was one's property) 2. (*wyswobodzić*) to redeem (a slave, a prisoner; sth from pawn etc.); to ransom (a prisoner); **~ić, ~ywać weksel** to redeem <to retire> a bill; **nie ~ić, ~ywać weksla** to dishonour a bill 3. (*nabyć*) to buy <to purchase> (a ticket, property etc.); to take out (a licence, an insurance policy etc.) 4. (*kupić cały zapas czegoś*) to buy up <to corner> (a commodity) [II] *vr* **~ić, ~ywać się** to buy oneself out (**od czegoś** of sth)

wykupienie *sn* 1. ↑ **wykupić** 2. (*odebranie swej własności*) repurchase 3. (*wyzwolenie*) redemption; ransom 4. (*nabycie*) purchase

wykurować *v perf* [I] *vt* to heal <to cure> (**kogoś z czegoś** sb of sth); to restore (sb) to health [II] *vr* **~się** to cure oneself (**z czegoś** of sth)

wykurowanie *sn* (↑ **wykurować**) (a) cure

wykursywiać *vt imperf* — **wykursywić** *vt perf druk.* to italicize

wykurzać *vt imperf* — **wykurzyć** *vt perf* to smoke out (bees, foxes etc.)

wykusz *sm arch.* bay window; oriel

wykuwać *zob.* **wykuć**

wykwalifikowa|ć *v perf zw. pp* [I] *vt* to qualify; **~ny** (*o specjaliście*) qualified; (*o robotniku*) skilled [II] *vr* **~ć się** to qualify (**w czymś** for sth)

wykwaterować *vt perf* — **wykwaterowywać** *vt imperf* to evict

wykwaterowanie *sn* (↑ **wykwaterować**) eviction

wykwint *sm singt G.* **~u** elegance; refinement; luxury

wykwintnie *adv* elegantly; with refinement; (*w odniesieniu do zachowania*) urbanely; **~ ubrany** fashionably <smartly> dressed; **~ umeblowany** exquisitely furnished

wykwintnisia *sf iron.* woman of fashion; (an) élégante

wykwintniś *sm iron.* man of fashion; (an) élégant

wykwintność *sf singt* elegance; refinement; **~ obejścia** urbanity; polish

wykwintny *adj* elegant; refined; (*o obejściu*) urbane; polished (manners); (*o ubraniu*) fashionable; smart

wykwit *sm G.* **~u** 1. (*najwyższy przejaw*) essence; quintessence 2. *chem. geol. miner.* efflorescence 3. *med.* exanthema; eruption; rash

wykwit|ać *vi imperf* — **wykwit|nąć** *vi perf* **~ł** 1. (*o roślinie*) to effloresce; to bloom; to blossom 2. *przen.* (*pojawić się*) to bloom; to appear

wykwitanie *sn* (↑ **wykwitać**) efflorescence

wylabować się *vr perf pot.* to play wag from school; to laze

wyl|ać *v perf* **~eje** — **wyl|ewać** *v imperf* [I] *vt* 1. (*usunąć z naczynia*) to pour out; (*spowodować rozlanie*) to spill; **~ewać** (**naczyniem**) **wodę z łodzi** to bail out water from a boat; *przen.* **nie ~ewać za kołnierz** to lift one's elbow; **~ać duszę** to unbosom oneself; **~ać dziecko wraz z kąpielą** to throw out the baby with the bath water; **~ać gniew na kogoś** to vent one's anger on sb; **~ać krew** <**łzy**> to shed blood <tears> 2. (*pokryć powierzchnię substancją krzepliwą*) to coat (sth); to give (sth) a coating (**woskiem itd.** of wax etc.) 3. *pot.* (*wyrzucić*) to chuck (sb) out; **~ać kogoś ze szkoły** to expel sb from school; **~ać z posady** to fire (sb); to give (sb) the sack 4. *pot.* (*sprawić lanie*) to give (sb) a thrashing [II] *vi* (*o rzece*) to overflow; to burst (its) banks [III] *vr* **~ać, ~ewać się** 1. (*o cieczach*) to run <to flow> out; to be spilled; (*przez wierzch naczynia*) to run over; to overflow 2. *przen.* (*o tłumie itd.*) to pour out (of a cinema etc.)

wylakierować *vt perf* to varnish; to japan; **~ sobie paznokcie** to varnish <to laquer> one's nails

wylanie *sn* 1. ↑ **wylać; ~ ze szkoły** expulsion from school; **~ z posady** the sack 2. (*szczerość*) effusiveness; **z ~m** effusively

wylansować *vt perf* to bring out (an actress etc.); to launch (a scheme etc.); to set the fashion (**coś** for sth)

wylany [I] *pp* ↑ **wylać** [II] *adj* effusive

wylatać *v perf imperf* [I] *vt perf* 1. (*spędzić czas na lataniu*) to fly (a number of hours, kilometers etc.) 2. *pot.* (*załatwić drogą zabiegów*) to obtain (sth) by untiring endeavours [II] *vi imperf* = **wylatywać** 3. [III] *vr* **~ się** *perf* 1. (*nalatać się*) to fly to one's heart's content 2. *pot.* (*wybiegać się*) to run about <to gambol> to one's heart's content

wyl|atywać *vi imperf* — **wyl|ecieć** *vi perf* **~ecę, ~eci** 1. (*o ptakach itd.* — *wydostać się*) to fly out <away> 2. (*o substancjach lotnych i przedmiotach lekkich*) to escape; to fly out; to be emitted <discharged, ejected>; **~ecieć w powietrze** to blow up 3. *pot.* (*wybiegać, wyskakiwać*) to dash <to dart, to rush> out (of the room etc.) 4. *pot.* (*wypadać*) to fall out of <to be ejected from> (a vehicle etc.); **~atywać komuś z rąk** to keep falling out of sb's hands; **~ecieć z głowy** to escape <to go out> of sb's memory <mind> 5. *pot.* (*tracić posadę*) to get the sack; to get fired

wylawirować *vt perf* to tack (a boat, ship) out (of a dangerous spot etc.)

wylądować *vi perf* — **wylądowywać** *vi imperf* 1. *mar.* to go ashore; to disembark 2. *lotn.* to land 3. *przen.* to find oneself (somewhere); to land (in gaol etc.)

wyl|ąg *sn G.* **~ęgu** 1. (*wylęganie się*) hatch 2. (*pisklęta*) hatch; brood

wyle|c <**wyle|gnąć**> *vi perf* **~gnie** — **wyle|gać** *vi imperf* 1. (*wyjść tłumnie*) to turn out 2. (*o roślinach* — *położyć się*) to lodge (*vi*)

wylecieć *zob.* **wylatywać**

wyleczenie *sn* (↑ **wyleczyć**) cure

wyleczyć *v perf* [I] *vt* to cure <to heal> (**kogoś z czegoś** sb of sth); to restore (sb) to health [II] *vr* **~ się** to cure oneself (**z czegoś** of sth)

wylegać *zob.* **wylec**

wylegitymować *v perf* [I] *vt* to check (**kogoś** sb's) identity papers; to identify (sb) [II] *vr* **~ się** 1. (*okazać dowód tożsamości*) to prove one's identity 2. (*dowieść czegoś*) to possess testimonials (**czymś** of sth)

wylegitymowanie *sn* ↑ **wylegitymować** 1. (*sprawdzenie tożsamości*) identification 2. **~ się** submission of proofs of one's identity

wylegiwać *v imperf* [I] *vt zob.* **wyleżeć** [II] *vr* **~ się** (*leżeć* — *w łóżku*) to lie <to stay> (in bed); (*w słońcu*) to bask in the sun

wylegnąć *zob.* **wylec**

wyl|enieć <**wyl|inieć**> *vi perf* **~enieje** <**~inieje**> 1. (*utracić włosy, pióra, o wężu* — *skórę*) to moult 2. (*o włosach* — *przerzedzić się*) to come out

wylenienie *sn* (↑ **wylenieć** <**wyliniec**>) (the) moult

wylepiać *vt imperf* — **wylepić** *vt perf* = **wyklejać**

wylesiać *vt imperf* — **wylesić** *vt perf* to deforest

wylesienie *sn* (↑ **wylesić**) deforestation

wyletni|ać się *vr imperf* — **wyletni|ć się** *vr perf pot.* to put on <to wear> summer clothes; **~ł się** he is <was> wearing summer clothes

wylew *sm G.* **~u** 1. (*wylewanie się*) overflow; outflow (of lava etc.); shedding (of tears) 2. *przen.* (*zwierzanie się*) outpourings (of the heart) 3. (*wystąpienie rzeki z brzegów*) flood; inundation; **~ Nilu** flow of the Nile 4. *med.* effusion; haemorrhage; **~ krwi do mózgu** cerebral haemorrhage 5. *reg.* brim (of a vessel)

wylewnie *adv* expansively; effusively; gushingly

wylewność *sf singt* expansiveness; effusiveness; demonstrativeness; exuberance

wylewny *adj* 1. (*skłonny do zwierzeń, szczery*) expansive; effusive; gushing; demonstrative; exuberant 2. *geol.* effusive (rock)

wylezienie *sn* ↑ **wyleźć**

wyleźć *vi perf* **wylezę, wylezie, wylazł, wyleźli** — **wyłazić** *vi imperf pot.* 1. (*wyjść*) to get out; *przen.* **oczy mu wylazły z głowy** his eyes started out of his head; **to mi bokiem wyłazi** I'm fed up with it <sick and tired of it>; **wylazło szydło z worka** that's where the shoe pinches; he has shown the cloven foot; **wyłazić ze skóry** a) (*wysilać się*) to make desperate efforts; *pot.* to do one's damnedest b) (*denerwować się*) to be all in a flutter 2. (*wypełznąć*) to creep <to crawl> out; (*wygramolić się*) to scramble out 3. *przen.* (*wywikłać się*) to extricate oneself 4. (*wspiąć się*) to climb (**na górę, drzewo itd.** up a mountain, tree etc.); **wyleźć na wierzchołek czegoś** to climb to the top of sth 5. *imperf* (*wystawać*) to show (**spod czegoś** from under sth; **z czegoś** out of sth); to stick out (**z czegoś** of sth); *przen.* **sklepikarz** <**sierżant itd.**> **zawsze z niego wyłazi** he is a shopkeeper <sergeant etc.> all the time

wyleżały *adj* (*o owocach*) mellow-ripe; (*o winie itd.*) mellow

wyle|żeć *v perf* **~ży** — *rz.* **wyle|giwać** *v imperf* [I] *vi* to lie <to stay> in bed [II] *vr* **~żeć, ~giwać się** 1. (*odpocząć*) to have a good rest; to stay in bed

2. (*należeć się*) to stay in bed as long as one feels like it 3. (*o przedmiocie — poleżeć*) to lie a long time (in a drawer etc.) 4. *rz.* (*o owocach*) to grow mellow-ripe

wylęg *sm G.* **~u** = **wyląg**

wylęgać się *vr imperf* — **wylęgnąć się** <**wyląc się**> *vr perf* to hatch

wylęgani|e *sn* incubation; *med.* **okres ~a** incubation period

wylęgar|ka *sf pl G.* **~ek** incubator

wylęgarnia *sf* 1. (*miejsce, w którym lęgną się ryby, ptaki*) hatchery 2. = **wylęgarka** 3. (*siedlisko*) hotbed (of intrigue etc.); hatchery (of ideas etc.); **~ robactwa** nest of vermin

wylęgnąć się *zob.* **wylęgać się**

wylęgowy *adj* incubative; hatching — (station etc.)

wyl|ęknąć się *vr perf* **~ąkł się, ~ękła się** to take fright; to be frightened <scared, terrified>

wylękniony *adj* frightened; scared; terrified

wylicz|ać *v imperf* — **wylicz|yć** *v perf* [I] *vt* 1. (*wymieniać po kolei*) to enumerate; to recite; to specify 2. (*obliczać*) to count; to reckon; to calculate 3. (*wypłacać*) to count out; **~ył mi 10 srebrnych monet** he counted me out 10 silver coins 4. (*ograniczyć*) to limit; **mój czas jest ~ony** my time is limited 5. *sport* to count out; **został ~ony** he was counted out [II] *vr* **~ać, ~yć się** to account (**z wydanych pieniędzy** for money spent)

wyliczenie *sn* ↑ **wyliczyć** 1. (*wymienienie po kolei*) enumeration; specification 2. (*obliczenie*) count; calculation

wyliczeniowy *adj* calculative

wyliczyć *zob.* **wyliczać**

wylinieć *zob.* **wylenieć**

wyliniować *vt perf rz.* to rule (paper etc.)

wylin|ka *sf pl G.* **~ek** 1. (*skóra*) slough; (*błona, pancerz*) exuviae 2. (*proces*) moult

wylitografować *vt perf* to lithograph

wyli|zać *v perf* **~że** — **wyli|zywać** *v imperf* [I] *vt* 1. (*wyjeść*) to lick off (food) 2. (*wyczyścić*) to lick (a plate etc.) clean; (*o człowieku*) **~zać talerz** to scrape one's plate 3. (*wymuskać*) to sleek (one's hair etc.); **~zany** sleek [II] *vr* **~zać, ~zywać się** 1. (*o zwierzętach*) to lick its coat 2. *przen. pot.* (*o człowieku — powrócić do zdrowia*) to pull through; to pick up 3. *przen. pot.* (*wymuskać się*) to sleek oneself up

wylodzony *adj geol.* glaciated

wylosować *vt perf* — **wylosowywać** *vt imperf* 1. (*wybrać*) to draw (persons, things) by lot; *sport* to toss (**boisko** for sides) 2. (*wyciągnąć w losowaniu*) to draw (a prize etc.) in a lottery

wylosowani|e *sn* ↑ **wylosować; drogą ~a, przez ~e** by lot

wylo|t *sm G.* **~tu** 1. (*otwór, ujście*) outlet; exit; escape; mouth (of a tunnel, shaft etc.); **~t kominowy** flue; **~t lufy** muzzle; **~t rury, węża** nozzle 2. (*odlot*) departure; flight (of brids); *przen.* (*o człowieku*) **być na ~cie** to be about to leave <on the point of leaving> 3. *hist.* reverse (of old-time Polish nobleman's robe)

na ~t *adv* right through; clean <straight> through; through and through; **znać coś na ~t** to know sth through and through <inside out>; to have sth at one's finger-ends; **znać kogoś na ~t** to know sb through and through

wylotow|y *adj* escape <exhaust> — (valve etc.); **otwór ~y** spout; **przewód ~y** tail-pipe; **rura ~a** waste-pipe

wyludni|ać *v imperf* — **wyludni|ć** *v perf* [I] *vt* to depopulate <to desolate, to devastate> (a country, region); **upał** <**deszcz**> **~ł ulice** the heat <the rain> had emptied the streets [II] *vr* **~ać, ~ć się** to be <to become> depopulated <deserted>

wyludnienie *sn* 1. ↑ **wyludnić** 2. (*ubytek ludności*) depopulation; devastation

wyluzować *vt perf* to let (sth) loose

wyłabudać *v perf reg. żart.* [I] *vt* to come by (some money etc.) [II] *vr* **~ się** (*uporać się*) to get through (**z czymś** sth)

wyładni|eć *vi perf* **~eje** to grow prettier <more handsome>; **chłopiec ~ał** the boy is handsomer than he was; **ona ~ała** she is prettier than she was

wyładow|ać *v perf* — **wyładow|ywać** *v imperf* [I] *vt* 1. (*opróżnić*) to unload; to discharge; **~ać, ~ywać wojsko ze statku, statków** <**z pociągu, z autobusu, z samolotu**> to disembark, to unship <to detrain, to debus, to land> troops 2. (*dać ujście, upust*) to find vent for <to give vent to> (**złość, oburzenie itd.** one's anger, disgust etc.); to wreak (**wściekłość na kimś** one's rage on sb); **~ać, ~ywać nadmiar energii** to blow off steam 3. (*naładować*) to load <to pile> high; (*wypchać*) to cram; to pack; **dobrze ~any pugilares** well-filled purse; **fura ~ana słomą** a cart loaded <piled> high with straw [II] *vr* **~ać, ~ywać się** 1. (*wyjść z pojazdu*) to land; to disembark; to detrain; to debus 2. (*o stanach uczuciowych — znaleźć ujście*) to be vented <unloaded, wreaked>; (*o burzy, gniewie itd.*) to spend itself 3. *fiz.* to be discharged

wyładowani|e *sn* 1. ↑ **wyładować** 2. *fiz.* discharge; **~e iskrowe** flash-over; **~a atmosferyczne** statics

wyładowczy *adj* unloading — (gang etc.)

wyładowywacz *sm* unloader

wyładowywać *zob.* **wyładować**

wyładun|ek *sm G.* **~ku** unloading; discharging (of goods, passengers etc.)

wyładunkowy *adj* unloading <discharging> (platform, wharf etc.)

wyłajać *vt perf* to rate (sb); to give (sb) a rating

wyłam|ać *v perf* **~ie** — **wyłam|ywać** *v imperf* [I] *vt* 1. (*usuwać*) to break (sth) off <away>; to break (sth) down; to break (sth) loose; to tear (sth) away; **~ać, ~ywać drzwi** to break <to force> in a door; to break <to burst> a door open 2. (*wygiąć*) to twist (sb's arm etc.); **~ywać palce** to wring <to crack> one's fingers [II] *vr* **~ać, ~ywać się** 1. (*wypaść*) to break off <away> (*vi*); to break loose 2. (*oswobodzić się*) to break out (of prison etc.); to break free; to force one's way out; **~ać, ~ywać się spod czyjegoś wpływu** to break loose from sb's control 3. (*zw. imperf*) (*zaginać się*) to twist (*vi*)

wył|aniać *v imperf* — **wył|onić** *v perf* [I] *vt* 1. (*ukazywać*) to show; to bring (sth) to light 2. *lit.* (*wybierać ze swego grona*) to appoint (a committee etc.); to constitute; to call into being; to form (a government etc.) [II] *vr* **~aniać, ~onić się** 1. (*ukazywać się*) to appear; to loom; to emerge 2. *przen.* (*wytwarzać się*) to arise; (*o trudnościach itd.*) to crop up; to start up

wyłanianie *sn* ↑ **wyłaniać** 1. (*wybieranie ze swego grona*) appointment; formation 2. **~ się** (*ukazywanie się*) appearance; emergence

wyłap|ać *vt perf* **~ie** — **wyłap|ywać** *vt imperf* 1. (*wychwytać*) to catch (**myszy, złodziei itd.** all the mice, thieves etc.); to arrest <to seize, to round up> (**złodziei itd.** the thieves etc.) 2. *sport* to catch out (a player); to catch (the balls in tennis etc.) 3. *pot.* (*wykryć*) to spot out <to pick up, to detect> (mistakes etc.); **~ać błąd u kogoś** to catch sb out in error

wyłapywacz *sm* detector

wyłapywać *zob.* **wyłapać**

wyłatać *vt perf* to patch

wył|awiać *vt imperf* — **wył|owić** *vt perf* **~ów** 1. (*wydobywać*) to catch (fish etc.); **~owić coś — zwłoki itd. z dna rzeki <stawu itd.>** to fish sth — a dead body etc. up from <out of> a river <pond etc.>; **~owić wszystkie ryby ze stawu** to fish out a pond 2. *perf przen.* (*wykryć*) to spot out <to pick up> (a mistake etc.); *imperf* (*wykrywać*) to search <to fish> (**coś** for sth) 3. *przen.* (*wyłapywać*) to catch <to arrest, to seize, to round up> (thieves etc.) 4. (*wyciągać*) to draw <to fish> (**coś skądś** sth out of sth); **~owić coś, kogoś wzrokiem** to spot out sth, sb; **~owić coś uchem** to catch a sound 5. *perf rz.* (*łowić wszystko do ostatniej sztuki*) to catch all the existing supply (**zwierzynę itd.** of game etc.)

wyłaz *sm G.* **~u** exit

wyłazić *zob.* **wyleźć**

wyłażenie *sn* ↑ **wyłazić**

wyłącz|ać *v imperf* — **wyłącz|yć** *v perf* [I] *vt* 1. (*wstrzymywać*) to disconnect (the telephone, engine etc.); to switch off (the light); to interrupt (a connection); to shut off (the water, steam etc.); to turn off (the radio); to throw (an engine) out of gear; **~ony** (*o maszynie*) out of gear; *aut.* (*o biegu*) neutral 2. (*eliminować*) to eliminate; to except; **nie ~ając ...** not excepting ...; inclusive of ...; ...included; **~yć coś z obiegu** to withdraw sth from circulation; **~yć kogoś poza nawias jakiejś społeczności** to place sb outside the pale of a community 3. (*wykluczać*) to exclude <to debar> (**kogoś, coś z czegoś** sb, sth from sth); to preclude (misunderstandings etc.) [II] *vr* **~ać, ~yć się** 1. (*wykluczać się wzajemnie*) to exclude each other; to be incompatible 2. *perf* (*przestać należeć*) to separate <to exclude> oneself (**od czegoś** from sth); to keep aloof 3. *rz.* (*przestawać działać*) to become disconnected; to get switched off; to go out of gear

wyłączalny *adj pot.* interruptible; disconnective

wyłączenie *sn* ↑ **wyłączyć** 1. (*wstrzymanie*) disconnection; interruption; off-position 2. (*eliminowanie*) elimination; exception; **wszystko z ~m wojny <mordu, zbrodni itd.>** everything short of war <murder, crime etc.>; **z ~m takich czynności, jak ...** to the exclusion of such acts as ... 3. (*wykluczenie*) exclusion; preclusion 4. **~ się wzajemne** incompatibility

wyłączeniowy *adj* exceptive

wyłącznica *sf techn.* = **wyłącznik**

wyłącznie *adv* exclusively; only; solely; purely; entirely; **~ ci, którzy** none but those who; **~ to jedno** nothing but that

wyłącznik *sm* switch; circuit breaker; cut-out

wyłączność *sf singt* exclusiveness, exclusivity

wyłączny *adj* 1. (*jedyny*) sole; only 2. (*wyłączający wszystkich innych, wszystkie inne*) exclusive; entire; undivided 3. (*przysługujący tylko jednej osobie, grupie itd.*) exclusive (right, privilege etc.)

wyłączyć *zob.* **wyłączać**

wyłech|tać *vt perf* **~cze** <**~ce**> *rz.* to tickle

wył|gać *v perf* **~że, ~żyj** — **wył|giwać** *v imperf pot.* [I] *vt* to trick (**coś od kogoś** sth out of sb) [II] *vr* **~gać, ~giwać się** to lie oneself (**od czegoś, z czegoś** out of sth)

wyłkać *vt perf* to sob out (a confession, request etc.)

wyłobuzować się *vr perf* to frolic <to romp> to one's heart's content <for all one is worth>

wył|oić † *vt perf* **~oję, ~ój, ~ojony** (*wysmarować łojem*) to tallow; to soak (sth) in tallow; *obecnie w zwrocie: pot.* **~oić komuś skórę** to give sb a thrashing <a drubbing>; to dust sb's jacket; to beat sb to a jelly

wyłom *sm G.* **~u** 1. (*wyrwa*) breach; gap; opening; **zrobić ~ w murze** to breach a wall; **zrobić ~ w potrawie** to punish a dish 2. *przen.* (*odstąpienie*) departure (**w zasadzie itd.** from a principle etc.)

wyłonić *zob.* **wyłaniać**

wyłowić *zob.* **wyławiać**

wyłożyć *zob.* **wykładać**

wył|óg *sm G.* **~ogu** lapel, lappet; reverse; *pl* **~ogi munduru** facings

wyłudz|ać *vt imperf* — **wyłudz|ić** *vt perf* **~ę, ~ony** to fool <to swindle> (**coś od kogoś** sth out of sb, sb out of sth); to trick (sth out of sb); to beguile (**coś od kogoś** sb out of sth)

wyługować *vt perf* — **wyługowywać** *vt imperf chem. techn.* to lixiviate <to leach> (**coś z czegoś** sth out of sth)

wyługowanie *sn* (↑ **wyługować**) lixiviation

wyłup|ać *v perf* **~ie** — **wyłup|ywać** *v imperf* [I] *vt* 1. (*wydłubać*) to pluck <to pick> out 2. (*wyciosać*) to chip (stone etc.) into shape 3. *rz.* (*wyłuskać*) to shell (nuts etc.) [II] *vr* **~ać, ~ywać się** 1. (*zostać wybitym*) to be chipped 2. (*wykluć się*) to get hatched

wyłupiać *zob.* **wyłupić**

wyłupiasty *adj* bulging <goggle> (eyes)

wyłupi|ć *vt perf* — **wyłupi|ać** *vt imperf* 1. (*wydłubać*) to pluck <to pick> out; **~ć, ~ać komuś oczy** to gouge out sb's eyes; to blind sb; *przen.* **~ć, ~ać oczy** to look on wide-eyed; to stare 2. *perf pot.* (*wytłuc*) to give (sb) a drubbing

wyłupywać *zob.* **wyłupać**

wyłusk|ać *vt perf* — **wyłusk|iwać** *vt imperf* 1. (*obrać z łuski*) to hull; to pod; to husk; to shell; *med.* to enucleate 2. *przen.* to pluck out; **~ać, ~iwać kogoś z pieniędzy** to fleece sb

wyłuszczać *zob.* **wyłuszczyć**

wyłuszczenie *sn* 1. ↑ **wyłuszczyć** 2. (*przedstawienie*) statement (of a case etc.); explanation 3. *med.* **~ migdałów** tonsillectomy; **~ stawu** exarticulation

wyłuszcz|yć *vt perf* — **wyłuszcz|ać** *vt imperf* 1. = **wyłuskać** 1. 2. *lit.* (*przedstawić*) to state; to expound; to set forth; to explain 3. *med.* to enucleate; to extirpate

wyłysi|eć *vi perf* **~eje** to go <to grow> bald; **~ały** bald

wyłyżeczkować *vt perf med.* to abrade

wymacać *vt perf* — **wymacywać** *vt imperf* 1. (*natrafić*) to feel; to find by touch; to feel <to grope> one's way (**coś w ciemnościach** to sth in the dark) 2. *przen.* (*odszukać, wybadać*) to find; to discover

wymacerować *vt perf* to macerate

wymacerowanie *sn* (↑ **wymacerować**) maceration

wymachiwać *vt imperf* to wave (**ręką, kapeluszem itd. do kogoś** one's hand, hat etc. to sb; **laską, batem itd. na kogoś** a stick, a whip etc. at sb); to brandish <to flourish> (**szablą itd.** a sword etc.); **~ rękami** to throw one's arms about; to gesticulate

wymachlować *vt perf pot.* to trick (**coś od kogoś** sth out of sb)

wymacywać *zob.* **wymacać**

wymaczać *zob.* **wymoczyć**

wymaga|ć *v perf* [I] *vt* 1. (*żądać*) to demand <to claim, to exact> (**czegoś od kogoś** sth from sb); to require <to exact> (**czegoś od kogoś** sth of sb); to call (**wyjaśnień itd.** for explanations etc.); to press (**zapłaty itd. od kogoś** sb for payment etc.); to expect (**czegoś od kogoś** sth from sb); **~ne formalności <kwalifikacje itd.>** required formalities <qualifications etc.> 2. (*niezbędnie potrzebować*) to need <to want, to necessitate, to require, to take> (**czegoś** sth); **sytuacja ~ delikatnego załatwienia** the situation wants careful handling; **to ~ czasu** it takes time; **zadanie ~ poprawek** the exercise needs correcting [II] *vi* (*żądać*) to demand (**żeby ktoś coś zrobił** sb to do sth); (*spodziewać się*) to expect (**żeby ktoś był świętym** sb to be a saint); (*być wymagającym*) to exact; to be exacting

wymagający *adj* exacting; fastidious; difficult to please; **on nie jest ~** he is accommodating

wymaga|nie *sn* 1. (↑ **wymagać**) demand; requirement; requisite 2. *pl* **~nia** requirements; needs; wants; **mieć ~nia co do czegoś** to be particular about sth; **nie mam wielkich ~ń** my needs are few; **odpowiadający ~niom** up to standard; **nie odpowiadający ~niom** inadequate; **spełnić ~nia** to meet the requirements

wymaglować *vt perf* — **wymaglowywać** *vt imperf* 1. (*wywałkować*) to mangle (clothes) 2. *przen.* (*wygnieść w tłoku*) to jostle <to hustle> (sb) 3. *przen.* (*wymęczyć*) to tire (sb) out

wyma|ić *vt perf* **~ję, ~jony** — **wyma|jać** *vt imperf* to decorate <to adorn> with flowers <verdure>

wymajstrować *vt perf* to contrive <to engineer> (sth)

wymakać *zob.* **wymoknąć**

wymalow|ać *v perf* — *rz.* **wymalow|ywać** *vt imperf* [I] *vt* 1. (*namalować*) to paint (a picture etc.); to decorate (a room, flat etc.) 2. (*zużyć na malowanie*) to use up (a quantity of paint etc.) [II] *vr* **~ać, ~ywać się** 1. (*malować sobie twarz*) to paint oneself <one's face>; to make up 2. (*odmalować się*) to be manifest <to be written> (**na czyjejś twarzy** in sb's face)

wymaml|ać <**wymaml|eć**> *vt perf* **~e** to mutter; to mumble

wymamrotać *vt perf* to mumble

wymanewrować *vt perf* — **wymanewrowywać** *vt imperf* to manoeuvre (a craft, unit, the enemy etc.) out (**z czegoś** of sth)

wymarci|e *sn* (↑ **wymrzeć**) death; extinction (of a species); **ten gatunek jest na ~u** this species is dying out <becoming extinct>

wymarły *adj* 1. (*nieistniejący współcześnie*) extinct 2. (*opustoszały*) dead; deserted

wymarsz *sm G.* **~u** march out; **punkt ~u** starting point; **rozkaz ~u** marching orders

wymarszczyć *vt perf* — **wymarszczać** *vt imperf* to gather into folds

wymarz|ać [r-z] *vi imperf* — **wymarz|nąć** [r-z] *vi perf* **~ł** 1. (*ginąć od mrozu*) to freeze to death; (*o roślinach*) to freeze; to be destroyed by frost 2. (*zamarzać do dna*) to freeze up; to freeze tight

wymarzenie *sn* (↑ **wymarzyć**) (a, sb's) dream

wymarz|nąć [r-z] *vi perf* **~ł** 1. *zob.* **wymarzać** 2. (*bardzo zmarznąć*) (*także vr* **~nąć się**) to freeze; to be chilled to the bone <to the marrow>

wymarzon|y [I] *pp* ↑ **wymarzyć** [II] *adj* (*idealny*) ideal; the very; **~a dziewczyna** the girl of one's dreams; a dream of a girl; **~e mieszkanko** a dream of a flat

wymarzyć *vt perf* to cherish a dream (**coś** of sth); to conjure up visions (**coś** of sth)

wymasować *vt perf* to massage

wymaszerować *vi perf* to march <to start> out

wym|awiać *v imperf* — **wym|ówić** *v perf* [I] *vt* 1. (*wypowiadać dźwięki*) to pronounce; to sound (a letter in a word — "h" in "hair" etc.); **nie ~awiać** to omit <to drop> (a letter in a word); **tego się nie da ~ówić** this is unpronounceable; **wyraźnie ~awiać** to articulate; **źle ~awiać** to mispronounce 2. (*wypowiadać*) to express; to utter; to enunciate; to say; **wstyd ~ówić to słowo** the word is not utterable 3. (*robić wymówki*) to remonstrate (**coś komuś** with sb upon sth); to expostulate (**coś komuś** with sb about sth); to reproach <to upbraid> (**coś komuś** sb with sth) 4. (*wytykać*) to twit (**coś komuś** sb with sth); to cast (**coś komuś** sth in sb's teeth) 5. (*rozwiązać*) to cancel (**umowę** a contract); to denounce (**traktat** a treaty); to dismiss (**komuś pracę** sb from employment); to turn (**komuś** sb) out (of his job); **~awiać, ~ówić komuś najem <dzierżawę>** to give sb notice (to quit); to turn out a tenant 6. **~awiać, ~ówić sobie** (*zastrzegać*) to stipulate (**coś** for sth); to reserve the right (**coś** to do sth) [II] *vr* **~awiać, ~ówić się** to excuse oneself (**od czegoś** from sth); to decline (**od czegoś** sth); **~awiać się złym stanem zdrowia** to allege <to plead> ill-health

wymawiani|e *sn* 1. ↑ **wymawiać** 2. (*wymowa*) pronunciation; **błędne ~e** mispronunciation; **niemożliwy do ~a** unpronounceable 3. (*wypowiadanie*) utterance; enunciation 4. (*wymówki*) remonstrances; reproaches 5. **~e się** excuses

wymawianiowo *adv* as regards pronunciation

wymawianiowy *adj* (rules etc.) of pronunciation

wymaz *sm G.* **~u** *med.* swab

wyma|zać *vt perf* **~że** — **wyma|zywać** *vt imperf* 1. (*pomazać*) to smear; (*powalać*) to soil 2. (*zmazać*) to efface; to blot out; to obliterate; to erase; to rub out; to wipe away <off> (a stain); **~zać, ~zywać coś, kogoś z pamięci** to blot <to wipe> sth, sb out of one's memory 3. (*zużyć na mazanie*) to use up (a paste, an unguent)

wymazanie *sn* (↑ **wymazać**) obliteration

wymądrzać się *vr imperf* — **wymądrzyć się** *vr perf pot. rz.* to philosophise
wymądrze|ć *vi perf* **~je** to grow wiser
wymeldow|ać *v perf* — **wymeldow|ywać** *v imperf* [I] *vt* to report <to record> (**kogoś** sb's) departure [II] *vr* **~ać, ~ywać się** to report one's departure
wymeldowanie *sn* 1. (↑ **wymeldować**) record of sb's departure 2. **~ się** record of one's departure
wymęcz|yć *v perf* — *rz.* **wymęcz|ać** *v imperf* [I] *vt* 1. (*zmęczyć*) to tire (sb) out; to overwork (sb); to exhaust (sb) 2. (*wypracować*) to produce (a composition etc.) with great effort; to sweat out (a book etc.); **~ony** (*o utworze*) overwrought; (*o stylu*) laboured 3. (*zdobyć*) to obtain (sth) by tireless efforts [II] *vr* **~yć się** to overwork (*vi*); to exhaust oneself
wymędrkować *vt perf* to think (sth) out
wymian *sm G.* **~u** *bud.* trimmer (beam); header (joist)
wymian|a *sf* 1. (*wzajemne wymienienie*) exchange (of commodities, opinions, greetings etc.); *ekon.* conversion (of bonds etc.); interchange (**uprzejmości** of civilities); **biuro <kantor> ~y** foreign exchange office; **mieć z kimś ostrą ~ę słów** to have words with sb; **nastąpiła ~a strzałów** shots were fired on both sides 2. (*zastąpienie*) replacement <renewal> (of machine parts etc.) 3. *jęz.* twofold form
wymiar *sm G.* **~u** 1. (*wielkość, rozmiar*) dimension (**rzeczywisty** actual, **fizyczny** physical); measurement; size; gauge; **czwarty ~** fourth dimension; **~ liniowy** linear measurement <dimension>; *plast.* **w dwóch ~ach** on the flat 2. (*wielkość czegoś wymierzonego*) measure (of punishment etc.); (worker's etc.) load; **najwyższy ~ kary** capital punishment; **~ godzin nauczania** teaching load; **~ podatkowy** assessment; **~ sprawiedliwości** administration of justice; jurisdiction; **pracować w niepełnym wymiarze** to work part time
wymiarkować *vt vi perf* — **wymiarkowywać** *vt vi imperf pot.* to guess; to realize
wymiarować *vt perf pot.* to state the dimensions (**coś** of sth); to dimension
wymiarowanie *sn* (↑ **wymiarować**) statement of dimensions
wymiarowy *adj* dimension — (line etc.); **przyrząd ~** calibrator
wymiatacz *sm pl G.* **~y** <**~ów**> *rz.* sweeper
wymi|atać *vt imperf* — **wymi|eść** *vt perf* **~otę, ~ecie, ~ótł, ~otła, ~etli, ~eciony** to sweep (a room, floor, chimney etc.); **~eść piec** to clean out a stove; **jak ~ótł** there is <was> not a living soul; the place is <was> deserted ‖ *lotn.* **lot ~atający** (a) sweep
wym|iąć *v perf* **~nę, ~nie, ~nij, ~iął, ~ięła, ~ięty** (*zw. pp*) [I] *vt* to rumple; to crumple; to crease [II] *vr* **~iąć się** to get rumpled <crumpled, creased>
wymiecenie *sn* ↑ **wymieść**
wymiecin|y *spl G.* **~** *rz.* sweepings
wymielenie *sn* ↑ **wymleć**
wymieniacz *sm pl G.* **~y** <**~ów**> *chem.* **~ jonów** ionite
wymieni|ać *v imperf* — **wymieni|ć** *v perf* [I] *vt* 1. (*zamieniać*) to exchange (money, commodities, opinions, glances, greetings); *ekon.* to convert (bonds etc.); to truck (**jedno na drugie** one thing for another); *am.* **~ać, ~ć stary model wozu na nowy** to trade in a used car 2. (*zastępować*) to replace <to renew> (machine part etc.) 3. (*przytaczać*) to mention; to make mention (**kogoś, coś** of sb, sth); to quote <to cite> (an author); **niżej ~ony** undermentioned; after-mentioned; **wyżej ~ony** above-mentioned; mentioned above; aforecited, aforenamed, aforesaid; **~ać, ~ć po nazwisku** to name; to mention by name
wymienialność *sf singt rz.* convertibility; exchangeability
wymienialny *adj rz.* convertible; exchangeable (**na coś** for sth)
wymienić *zob.* **wymieniać**
wymienienie *sn* 1. ↑ **wymienić** 2. (*wymiana*) exchange; *ekon.* conversion (of bonds etc.) 3. (*zastąpienie*) replacement (of machine parts etc.) 4. (*przytoczenie*) mention; quotation; citation
wymiennie *adv* interchangeably; permutably
wymienn|y *adj* 1. (*polegający na zamianie*) exchange — (value, trade, copy etc.); **handel ~y** barter; truck; *med.* **~a transfuzja, ~e przetaczanie krwi** exchange transfusion 2. (*dający się wymienić*) exchangeable; convertible; *techn.* replaceable 3. (*zamienny*) interchangeable; permutable
wymierać *vi imperf* — **wymrzeć** *vi perf* to die out; (*o gatunku, rodzie*) to become extinct
wymieralność *sf singt* death-rate
wymiernie *adv rz.* measurably, mensurably; calculably
wymiernik *sm rz.* gauge
wymierność *sf singt rz.* measurability, mensurability; calculability; *mat.* rationality
wymierny *adj* measurable, mensurable; calculable; *mat.* rational (quantity)
wymierz|ać *v imperf* — **wymierz|yć** *v perf* [I] *vt* 1. (*mierzyć*) to measure; (*mierzyć głębokość*) to sound (**jezioro itd.** a lake etc.); (*dokonywać pomiarów gruntowych*) to survey (an estate, a district etc.) 2. (*określać wymiar*) to mete out (a punishment etc.); to assess (a tax etc.); to administer <to dispense> (justice); to apportion (a share of sth to sb) 3. (*brać na cel*) to level <to aim> (**broń w kogoś** a gun at sb); (*odliczać razy*) to inflict (**karę komuś** a punishment on sb); (*dawać razy*) to give (**komuś x batów** sb x lashes); (*uderzać*) to deliver <to deal> (**komuś cios** sb a blow); **dobrze ~ony cios** well-aimed blow; **kara samemu sobie ~ona** self-inflicted punishment; **~yć komuś policzek** to slap sb's face 4. *przen.* (*kierować*) to direct (**coś przeciw komuś, czemuś** sth against sb, sth); **te słowa były ~one przeciwko nam** these words were intended for us [II] *vi perf* (*celować*) to point a rifle <to aim a gun> (**w kogoś, coś** at sb, sth)
wymierzenie *sn* (↑ **wymierzyć**) measurement; mensuration; survey (of land); administration <dispensation> (of justice); infliction (of punishments)
wymierzyć *zob.* **wymierzać**
wymie|sić *vt perf* **~szę, ~szony** to knead (dough, clay)
wymieszać *v perf* [I] *vt* (*zmieszać*) to mix; to blend; (*zbełtać*) to stir; (*rozrobić*) to temper (**beton itd.**

concrete etc.) II *vr* ~ **się** to mix (*vi*); to blend (*vi*)
wymieść *zob.* **wymiatać**
wymi|ę *sn G.* **~enia** *pl N.* **~ona** *G.* **~on** *D.* **~onom** *I.* **~onami** *G.* **~onach** udder; dug
wymięcie *sn* ↑ **wymiąć**
wymiędlić *vt perf* to swingle; to scutch
wymięk|nąć *vi perf* **~ł** *rz.* 1. (*stać się miękkim*) to soften 2. (*rozmoczyć się*) to soak through
wymięto|sić *v perf* **~szę, ~szony** I *vt* to rumple; to crumple; to crease II *vr* **~sić się** to get rumpled <crumpled, creased>
wymięty *pp* (↑ **wymiąć**) (*o człowieku*) **w ~m ubraniu** dishevelled
wymig|ać się *vr perf* — **wymig|iwać się** *vr imperf pot.* 1. (*uniknąć sprytnie czegoś*) to evade (**od czegoś** sth); to shirk (**od pracy itd.** work etc.); **~ać się od obowiązku** to wriggle out of a task 2. *wojsk. sl.* (*wykręcić się*) to scrimshank
wymi|jać *v imperf* — **wymi|nąć** *v perf* I *vt* 1. (*wyprzedzać*) to overtake; (*przejeżdżać, przechodzić obok*) to pass (sb, sth); to cross (sb in the street etc.) 2. (*omijać*) to avoid; to evade; to elude; to steer clear (**kogoś, coś** of sb, sth); to by-pass (a town etc.) II *vr* **~jać, ~nąć się** to cross each other; to cross (*vi*)
wymijająco *adv* evasively; non-committally; **mówić ~** to be non-committal <vague, casual>; to quibble; to prevaricate; to equivocate; to dodge (a question)
wymijając|y *adj* non-committal; evasive; equivocal; casual; guarded (reply); **dać ~ą odpowiedź na kłopotliwe pytanie** to parry an awkward question
wyminąć *zob.* **wymijać**
wyminięcie *sn* (↑ **wyminąć**) (*ominięcie*) avoidance; evasion; elusion
wymiocinowy *adj* vomited (matter)
wymiocin|y *spl G.* ~ vomit; vomited matter
wymiotnica *sf bot.* (*Ipecacuanha*) ipecacuanha
wymiotnie *adv* emetically; **działać ~** to cause vomiting
wymiotny *adj* emetic; vomitory; vomitive
wymiotować *vi imperf* to vomit; to be sick; to bring up <to spew, to spue up> (one's food); *pot.* to puke
wymiot|y *spl G.* **~ów** vomiting; **na ten widok <na wzmiankę o tym itd.> zebrało mi się na ~y** the sight <the mention of it etc.> turned my stomach; **zbiera mi się na ~y** I feel sick
wymizerowanie *sn* haggardness; gauntness; drawn features
wymizerowany *adj* haggard; hollow-cheeked; gaunt; (*o twarzy*) drawn
wym|knąć się *vr perf* — **wym|ykać się** *vr imperf* 1. (*wysunąć się*) to slip (**komuś z rąk** from sb's hands); (*o krzyku, przekleństwie itd.*) to escape (**komuś** sb <sb's lips>); **~knęło mu się parę łez** a couple of tears escaped him; **~knęły mu się słowa, których potem żałował** he let slip some words which he afterwards regretted; *przen.* **~ykać się spod czyjejś władzy** to evade sb's control 2. (*umknąć*) to escape; to make one's escape; to slip away; to dodge (**straży** one's guard); **~knąć się komuś** to give sb the slip <the go-by>; **~ykać się ciosom** to evade <to dodge> blows 3. (*wyjść chyłkiem*) to slip away <out>; to steal out; to sneak <to skulk> out
wymknięcie się *sn* 1. ↑ **wymknąć się** 2. (*umknięcie*) escape; evasion
wym|leć *vt perf* **~iele, ~ielony, ~ełł** — *rz.* **wym|ielać** *vt imperf* to grind (all one's corn etc.)
wymł|ócić *vt perf* **~ócę, ~ócony** — **wymł|acać** *vt imperf, rz.* **wymł|ócać** *vt imperf* to thresh (corn etc.); *przen.* **~ócić komuś grzbiet** to give sb a drubbing
wymn|ożyć *vt perf* **~óż** to multiply
wymnożenie *sn* (↑ **wymnożyć**) multiplication
wymocz|ek *sm G.* **~ka** 1. *zool.* infusorian; *pl* **~ki** (*Infusoria*) (*gromada*) the class Infusoria 2. *przen. pot. żart.* (*cherlak*) whey-faced chap; weakling
wymoczyć *vt perf* to steep; to soak
wymodelować *vt perf* to shape; to fashion; to model; to mould
wym|odlić *v perf* **~ódl** I *vt* to obtain (sth) by one's prayers; **~odliła wyzdrowienie swego dziecka** her prayers for the child's recovery were heard II *vr* **~odlić się** to say all of one's prayers; to perform all of one's devotions
wym|ogi † *spl G.* **~óg** <**~ogów**> requirements; exigencies
wymokły I *pp* ↑ **wymoknąć** II *adj* 1. (*wymoczony*) drenched 2. *pot.* (*wymizerowany*) pale; wan; sallow; whey-faced
wymok|nąć *vi perf* **~ł** — **wymakać** *vi imperf* 1. *perf* to get drenched 2. *imperf* to be drenched
wymontować *vt perf* — **wymontowywać** *vt imperf* to dismount (a gun etc.); to take down; to take to pieces
wymordować *vt perf* to kill <to slaughter, to butcher> (**całą rodzinę, ludność itd.** all the family, the entire population etc.); to exterminate (a race etc.)
wymordowanie *sn* (↑ **wymordować**) slaughter
wym|orzyć *vt perf* **~órz** to starve out (a garrison etc.)
wymoszczenie *sn* (↑ **wymościć**) to strew (a cart, floor etc. with straw etc.); to pave (a road with logs etc.)
wymotać *vt perf* — *rz.* **wymotywać** *vt imperf* to disentangle
wym|owa *sf pl G.* **~ów** (*zw. singt*) 1. (*sposób wymawiania*) pronunciation 2. (*sposób oddziaływania*) force <suggestiveness, meaning> (of a literary work etc.); significance (of facts, figures etc.); **te cyfry mają swoją ~owę** these figures speak for themselves 3. (*krasomówstwo*) oratory; eloquence
wymownie *adv* 1. (*po oratorsku*) eloquently 2. (*znacząco*) significantly; emphatically
wymowność *sf singt* 1. (*dar wymowy*) oratory; eloquence 2. (*znaczenie*) significance (of facts, figures etc.)
wymowny *adj* 1. (*elokwentny*) eloquent 2. (*znaczący*) significant; meaningful; emphatic; telling (look)
wymożenie *sn* ↑ **wymóc**
wym|óc *v perf* **~ogę, ~oże, ~ógł, ~ogła, ~ożony** I *vt* to extort <to wring, to force> (**coś na kimś** sth from sb) II *vi* to prevail (**na kimś, że coś zrobi** upon sb to do sth); to force <to constrain, to compel> (**na kimś, że coś zrobi** sb to do sth)
wymówić (się) *zob.* **wymawiać (się)**
wymówieni|e *sn* 1. ↑ **wymówić**; **nie do ~a** unpronounceable 2. (*wymowa*) pronunciation 3. (*wy-*

powiedź) utterance; enunciation 4. (*rozwiązanie*) cancellation (of a contract); denunciation (of a treaty); dismissal (of employees etc.); notice (to quit) 5. (*zastrzeżenie*) stipulation; reservation

wymów|ka *sf pl G.* **~ek** 1. (*wymówienie się*) excuse; pretext; put-off; evasion 2. (*wyrzut*) reproach; reproof; expostulation; rebuke; **robić komuś ~ki z powodu czegoś** to reproach <to lecture> sb about sth; to expostulate with sb about sth

wymrażać *vt imperf* — **wymrozić** *vt perf* to freeze (trees, animals etc.)

wymrucz|eć *vt perf* **~y** to mutter (some words etc.)

wymruknąć *vt perf* — **wymrukiwać** *vt imperf rz.* to mumble (some words etc.)

wymrzeć *zob.* **wymierać**

wymurować *vt perf* 1. (*obmurować wnętrze*) to line with brickwork 2. (*wybudować*) to build; to raise (a building etc.)

wymurowanie *sn* 1. ↑ **wymurować** 2. = **wymurówka**

wymurów|ka *sf pl G.* **~ek** *techn.* chimney <kiln> lining

wymu|sić *vt perf* **~szę, ~szony** — **wymu|szać** *vt imperf* to extort <to wring, to force> (**coś na kimś, od kogoś** sth from sb); to force <to constrain, to compel> (**od kogoś zeznania, posłuszeństwo, przyrzeczenie, zapłatę itd.** sb to confess, to obey, to promise, to pay etc.); to coerce (**od kogoś przyznanie się do winy <podpisanie dokumentu itd.>** sb into confessing his guilt, into a confession of his guilt <into signing a document etc.>); **torturami <strachem itd.> ~sić coś od kogoś** to torture <to frighten etc.> sb into doing sth

wymusk|ać *v perf* — *rz.* **wymusk|iwać** *v imperf* [I] *vt* 1. (*wygładzić*) to sleek; to gloss; to smooth 2. (*zw. pp*) (*wystroić*) to trim (sb) [II] *vr* **~ać,** *rz.* **~iwać się** to spruce oneself up

wymuskany [I] *pp* ↑ **wymuskać** [II] *adj* (*o włosach, wąsach*) sleek; (*o człowieku*) spruce; natty; trim; smart; (*o pracy*) finical; niggling

wymuskiwać *zob.* **wymuskać**

wymuszać *zob.* **wymusić**

wymuszanie *sn* ↑ **wymuszać**

wymuszenie[1] *sn* (↑ **wymusić**) extortion; constraint; coercion; blackmail; *am. sl.* shakedown

wymuszenie[2] *adv* constrainedly; affectedly

wymuszoność *sf singt* affectation; affectedness

wymuszony [I] *pp* (↑ **wymusić**) forced; coerced [II] *adj* affected (manners etc.); forced (smile); strained (conduct, laugh); constrained (manner, voice, smile, laugh)

wymusztrować *vt perf* 1. (*wyuczyć musztry*) to drill (troops) 2. (*wyuczyć*) to teach (sb) manners; to school <to train> (sb)

wymy|ć *v perf* **~je, ~ty** — **wymy|wać** *v imperf* [I] *vt* 1. (*zw. perf*) (*umyć*) to wash; **czysto coś ~ć** to wash sth clean 2. (*o rzekach itd. — wyżłobić*) to hollow out (a valley etc.) 3. (*wypłukać*) to rinse; *górn.* to wash (ore) [II] *vr* **~ć się** to wash oneself; to have a wash

wymydlić *v perf* [I] *vt* to use up (a quantity of soap) [II] *vr* **~ się** (*o mydle*) to be used up

wymykać się *zob.* **wymknąć się**

wymykiwać się *vr imperf rz.* = **wymykać się**

wymysł *sm G.* **~u** 1. (*to, co wynaleziono*) invention; device; gadget 2. (*zmyślenie*) invention; notion; fiction; figment (of the mind) 3. *pl* **~y** (*obelżywe słowa*) abuse; invectives

wymyszkować *vt perf rz.* to ferret out

wymyśl|ać *v imperf* — **wymyśl|ić** *v perf* [I] *vt* 1. (*odkrywać*) to invent; to devise; to contrive; **prochu nie ~i** he won't set the Thames on fire 2. (*zmyślać*) to think (sth) out <up>; to imagine; to fancy; to conceive; to concoct (a story etc.); to build up <to frame> (a theory etc.) [II] *vi imperf* (*ubliżać*) to abuse <to revile> (**komuś** sb); to inveigh (**na kogoś** against sb)

wymyślani|e *sn* 1. ↑ **wymyślać** 2. *pl* **~a** abuse; invectives

wymyśl|eć † *vt perf* **~i** = **wymyślać** 1.

wymyślenie *sn* 1. ↑ **wymyślić** 2. (*odkrycie*) invention 3. (*zmyślenie*) conception

wymyślić *zob.* **wymyślać**

wymyślnie *adv* ingeniously; cleverly; fancifully

wymyślność *sf singt* ingeniousness; cleverness; fancifulness

wymyślny *adj* ingenious; clever; cunning; fanciful; sophisticated

wymywacz *sm rz.* dish-washer

wymywać *zob.* **wymyć**

wymywanie *sn* 1. ↑ **wymywać** 2. *chem.* scrubbing (of gases)

wynaczynienie *sn med.* extravasation

wynaczyniony *adj med.* extravasated

wynagr|adzać *vt imperf* — **wynagr|odzić** *vt perf* **~odzę, ~odź <~ódź>, ~odzony** 1. (*dawać nagrodę*) to reward; to remunerate; to pay; to requite; to gratify; to recompense (**kogoś, uczynek** sb, an action; **coś komuś** sth to sb); **dobrze ~odzone zajęcie** well-paid occupation; **praca ~adzana, ~odzona <nie ~adzana, ~odzona>** remunerated <unremunerated> work; **źle ~odzony** underpaid 2. (*stanowić, dawać odszkodowanie*) to indemnify <to compensate, to recompense> (**komuś coś** sb for sth); to make restitution (**stratę** for a loss); to make amends (**krzywdę** for a wrong); **~odzić komuś stratę** to make good sb's loss; to make it up to sb for a loss; **~odzić sobie stratę** to recoup oneself for a loss; to retrieve one's loss 3. (*nadrabiać*) to make up (**stracony czas, braki itd.** for lost time, for defects etc.); to offset (defects etc.)

wynagrodzenie *sn* 1. ↑ **wynagrodzić** 2. (*nagroda*) reward; remuneration; requital; gratification; recompense 3. (*zapłata*) salary; wages; fee; consideration; gratuity; payment; **pełne ~** full pay 4. (*odszkodowanie*) indemnity; compensation; restitution; amends; reparation; offset

wynagrodzić *zob.* **wynagradzać**

wynaj|ąć *v perf* **~mę, ~mie, ~mij, ~ął, ~ęła, ~ęty** — **wynaj|mować** *v imperf* [I] *vt* 1. (*wziąć w najem*) to rent <to lease> (property from the owner); to hire (a coach, motor-car, bicycle etc.) 2. (*oddać w najem*) to lease out; to rent; to let out; to take on (workmen); to hire (a servant, labourers, bicycles etc.); **~mować pokoje** to take in lodgers; **~mowany powóz** hackney(-coach) [II] *vr* **~ąć, ~mować się** to take service (**komuś** with sb)

wynajdować, wynajdywać *zob.* **wynaleźć**

wynaj|em *sm G.* **~mu** hire; lease; rent; letting out <taking> on hire; **~em koni i pojazdów** jobbing

wynajemca *sm* (*decl* = *sf*) hirer; tenant

wynajęci|e *sn* 1. ↑ **wynająć** 2. = **wynajem; do ~a** to let; to be let; for hire

wynajmować *zob.* **wynająć**

wynajmowanie *sn* 1. ↑ **wynająć** 2. = **wynajem**

wynajmujący *sm* hirer; tenant

wynalazca *sm* (*decl* = *sf*) inventor; contriver

wynalazczość *sf singt* inventiveness

wynalazczy *adj* inventive

wynalaz|ek *sm G.* **~ku** invention; contrivance; device

wynalezienie *sn* (↑ **wynaleźć**) invention

wyna|leźć *vt perf* **~jdę, ~jdzie, ~jdź, ~lazł, ~leźli, ~leziony** — **wynajdywać** *vt imperf, rz.* **wynajdować** *vt imperf* 1. (*wyszukać*) to find; to discover; to come (**coś** upon sth) 2. (*zw. perf*) (*wymyślić*) to invent; to devise; to contrive (sth)

wynar|adawiać *v imperf* — **wynar|odowić** *v perf* [I] *vt* to denationalize; to divest (a population etc.) of national character [II] *vr* **~adawiać, ~odowić się** to become <to be> denationalized; to lose one's national character

wynarodowienie *sn* (↑ **wynarodowić**) denationalization

wynaturz|ać *v imperf* — **wynaturz|yć** *v perf* [I] *vt* to denaturalize; to cause the degeneration (**kogoś, coś** of sb, sth) [II] *vr* **~ać, ~yć się** to degenerate

wynaturzenie *sn* (↑ **wynaturzyć**) degeneration

wynaturzyć *zob.* **wynaturzać**

wynaw|ozić *vt perf* **~ożę, ~óź, ~ożony** *roln.* to manure (the soil)

wynędzniały *adj* emaciated; hollow-cheeked; gaunt; haggard; starved; (*o twarzy*) drawn; pinched

wyniańczyć *vt perf* to nurse; to foster; to bring up

wynicować *vt perf med.* to evert

wynicowanie *sn* (↑ **wynicować**) *med.* eversion; inversion

wyniesienie *sn* ↑ **wynieść**

wyn|ieść *v perf* **~iosę, ~iesie, ~ieś, ~iósł, ~iosła, ~ieśli, ~iesiony** — **wyn|osić** *v imperf* **~oszę, ~oszony** [I] *vt* 1. (*usunąć*) to carry (sth, sb) out <away>; to take (**coś precz** sth away; **coś z pokoju** sth out of the room); to remove (**coś skądś** sth from somewhere); **~ieście stół tutaj** bring the table out here; *impers* **~iosło go** he's gone (out) 2. *przen.* (*otrzymać*) to receive (**ranę z pola walki, wrażenia z gór, wiedzę ze szkoły** a wound on the battle field, impressions from the mountains, learning at school); **~ieść całą skórę** to save one's bacon 3. (*wznieść, podnieść*) to raise; to lift; **~ieść coś na piętro** to carry <to take> sth upstairs; *przen.* **~ieść coś, kogoś pod niebiosa** to praise <to extol> sth, sb to the skies; **~ieść kogoś na stanowisko <na tron>** to raise sb to an office <to the throne> 4. (*zbudować*) to raise <to erect, to build> (a monument etc.) 5. (*utworzyć pewną sumę, liczbę, ilość*) to amount (*x* **milionów itd.** to *x* millions etc.); to figure <to work> out (*x* **złotych itd.** at *x* zlotys etc.); to aggregate <to total> (*x* **osób** *x* persons) [II] *vr* **~ieść, ~osić się** 1. (*być wyniesionym*) to be carried out 2. (*wyjść, wyjechać*) to go out <away>; to leave; to take oneself away; (*wyprowadzić się*) to move out; to quit; **~ieść się cichaczem** to slip away; to steal <to sneak> out; **~oś się!** clear out!; get out of here!; off you go!; *am.* beat it!; *przen.* **~ieść się na tamten świat** to leave this world 3. *imperf* (*wznosić się*) to rise

wynik *sm G.* **~u** 1. (*rezultat*) result; outcome; upshot; event; issue; (*skutek*) consequence; effect; sequel; produce (of labour, efforts etc.); **~i badań** findings; **to nie dało ~ów** it came to nought; **zrobić coś z dobrym ~iem** to do sth with a good result <with good results>; **bez względu na ~** regardless of consequences; in any event 2. *sport* score; **tablica ~ów** score-board; **notować ~i** to keep score 3. *filoz.* corollary

wynik|ać *vi imperf* — **wynik|nąć** *vi perf* 1. (*być następstwem*) to result <to issue, to ensue>; to arise; to spring; **nieobliczalne straty ~ły z tego pożaru** incalculable losses resulted from the conflagration; the conflagration resulted in incalculable losses; **wielkie nieszczęścia ~ły z tej wojny** great evils issued from the war; **~ła bójka** a fight ensued; **~ły wątpliwości** doubts arose <sprang up> 2. (*ukazywać się*) to appear; to be evident; to follow; **z jego słów ~a, że ...** from his words it appears <it is evident, it follows> that ...

wynikły [I] *pp* ↑ **wyniknąć, wynikać** [II] *adj* resulting; issuing <ensuing, arising, springing> (from sth); incidental; subsequent (**z czegoś** to sth)

wynikow|y *adj* resultant; *jęz.* **zdanie ~e** result clause

wyniosłość *sf* 1. (*wzgórze*) eminence; rise; knoll; height; swell 2. *singt* (*pycha*) haughtiness; loftiness; superciliousness; insolence; prance; *przen.* proud <high> stomach

wyniosły *adj* 1. (*górujący*) lofty; towering; high; tall 2. (*dumny*) haughty; lofty; insolent; overbearing; supercilious; proud

wyniośle *adv* haughtily; loftily; superciliously; insolently; overbearingly

wyniszczać *vt imperf* — **wyniszczyć** *vt perf* 1. (*zniszczyć*) to destroy; to devastate; to ravage; to exterminate 2. (*osłabiać*) to prostrate; to exhaust; to weaken; to enfeeble; to impoverish (the land) 3. (*pozbawiać sił fizycznych*) to weaken; to enfeeble; to emaciate

wyniszczenie *sn* 1. ↑ **wyniszczyć** 2. (*zniszczenie*) destruction; devastation, ravages; extermination 3. (*osłabienie*) prostration; exhaustion; weakness; impoverishment (of the soil) 4. (*utrata sił fizycznych*) weakness; emaciation

wyniuchać *vt perf pot.* to nose <to scent> out

wynocha *indecl pot.* clear out!

wynos *sm w zwrocie*: **na ~** off the premises; **sprzedaż na ~** sale for consumption off the premises

wyno|sić *v imperf perf* **~szę, ~szony** [I] *vt* 1. *imperf zob.* **wynieść** 2. *perf* (*wyhodować*) to nurse 3. *perf* (*zniszczyć przez noszenie*) to wear out (one's clothes etc.) 4. † *imperf* (*wychwalać*) to praise [II] *vr* **~sić się** *imperf* (*pysznić się*) (*także* **~sić się nad innych**) to swagger; to lord it over everyone

wynoszenie *sn* ↑ **wynosić**

wynotować *vt perf* — **wynotowywać** *vt imperf* to note; to make notes (**coś** of sth); to write out

wynudz|ać *v imperf* — **wynudz|ić** *v perf* **~ę, ~ony** [I] *vt* 1. (*bardzo nudzić*) to bore (sb) stiff <to death, to tears> 2. (*nudząc zdobyć*) to bother (**coś od kogoś** sb into giving <granting> sth, agreeing to sth, consenting to sth) [II] *vr* **~ić się** to be bored stiff <to death, to tears>; **~ić się jak mops** to have a weary time

wynurz|ać *v imperf* — **wynurz|yć** *v perf* [I] *vt* to bring to the surface; to produce; to exhibit; to show [III] *vr* **~ać, ~yć się** 1. (*wydostawać się z wody*) to emerge; to come <to rise> to the surface 2. *imperf* (*wystawać*) to project; to protrude; to stand out 3. (*ukazywać się*) to appear; to loom; to come into view 4. *przen.* (*o zagadnieniu itd.*) to crop up 5. (*zwierzać się*) to unbosom <to unburden> oneself (**ze swym smutkiem itd.** of one's grief etc.); to lay bare one's mind

wynurzenie *sn* 1. ↑ **wynurzyć** 2. (*zwierzenie*) outpouring <effusion> (of feeling)

wynurzyć *zob.* **wynurzać**

wyobcować *vt perf* — **wyobcowywać** *vt imperf* to separate; to isolate

wyobcowanie *sn* (↑ **wyobcować**) separation; isolation

wyobcowywać *zob.* **wyobcować**

wyoblak *sm techn.* spinning tool

wyoblar|ka *sf pl G.* **~ek** *techn.* spinner; spinning lathe

wyobrazić *zob.* **wyobrażać**

wyobraźni|a *sf* imagination; fancy; **obdarzony ~ą** imaginative; **pozbawiony ~i** unimaginative; **mieć zapaskudzoną ~ę** to be foul-minded; **podniecić ~ę** to rouse the imagination

wyobraźniowy *adj* imaginational

wyobra|żać *v imperf* — **wyobra|zić** *v perf* **~żę, ~żony** [I] *vt* 1. (*przedstawiać*) to represent <to picture> (sb, sth) 2. *imperf* (*być obrazem*) to represent; to be a picture (**coś** of sth); to image 3. (*widzieć w wyobraźni*) **~żać, ~zić sobie** to imagine; to fancy; to conceive; to figure <to picture> to oneself; to realize (sth); **nie tak sobie ~żam ...** that's not my idea of ...; **nie ~żam sobie tego** I can't imagine that; **~ź sobie!** just fancy!; imagine! [III] *vi* **~żać sobie** to imagine <to have a notion> (**że ...** that ...); to think (**że, jak, gdzie itd.** that, how, where etc.); **nie ~żaj sobie, że ...** don't imagine <don't run away with the idea> that ...; **nie ~żam sobie, żeby on coś podobnego zrobił** I can't see him doing such a thing; **~żałem sobie, że jestem w stanie ...** I imagined myself capable of ...

wyobrażalność *sf singt* conceivability

wyobrażalny *adj* conceivable; imaginable

wyobrażeni|e *sn* 1. ↑ **wyobrażać** 2. (*obraz*) representation; picture; image 3. (*konkretna treść myśli o czymś*) conception 4. (*mniemanie*) notion; idea; **dać ~e o czymś** to convey an idea of sth; **nie mieć najmniejszego ~a o czymś** not to have the faintest <remotest> idea of sth; **to przechodzi ludzkie ~e** it is inconceivable

wyobrażeniowy *adj* notional

wyodrębni|ać *v imperf* — **wyodrębni|ć** *v perf* **~j** [I] *vt* to separate <to isolate> (**coś z czegoś** sth from sth) [III] *vr* **~ać, ~ć się** to be separated <isolated>; to stand apart

wyodrębnienie *sn* (↑ **wyodrębnić**) separation; isolation

wyokrąglić *vt perf* — **wyokrąglać** *vt imperf rz.* to round off

wyokrętować *vt perf mar.* to disembark (sb)

wyolbrzymi|ać *v imperf* — **wyolbrzymi|ć** *v perf* [I] *vt* to magnify; to exaggerate; to represent (sth) in enormous <gigantic> proportions [III] *vr* **~ać, ~ć się** to assume enormous <gigantic> proportions

wyondulowa|ć *v perf* [I] *vt* (*zw. pp*) to wave (sb's hair); **~na pani** lady with well-waved hair [III] *vr* **~ć się** to have <to get> one's hair waved

wyo|rać *vt perf* **~rze** — **wyo|rywać** *vt imperf* 1. (*wydobyć na powierzchnię*) to plough up (stones, roots etc.) 2. (*uformować bruzdę*) to make (furrows) 3. (*wyżłobić*) to furrow (ravines etc.) 4. (*zarobić na roli*) to get (one's maintenance etc.) by one's work with the plough

wyorywacz *sm roln.* potato <beet> lifter; digger; rooter

wyorywać *zob.* **wyorać**

wyosabniać <**wyosobniać**> *vt imperf* — **wyosobnić** *vt perf* to separate; to isolate

wyosobnienie *sn* (↑ **wyosobnić**) separation; isolation

wyostrzenie *sn* ↑ **wyostrzyć**

wyostrz|yć *v perf* — **wyostrz|ać** *v imperf* [I] *vt* 1. (*naostrzyć*) to sharpen; to whet 2. (*wyczulić*) to sensitize; to render; to make keener <more acute>; **~ony** keener; more acute [III] *vr* **~yć, ~ać się** to grow <to become> keener <more acute>

wyp|acać *v imperf* — **wyp|ocić** *v perf* **~ocę, ~ocony** [I] *vt* to perspire <to sweat, to exude> (sth) [III] *vr* **~acać, ~ocić się** (*zw. perf*) to perspire <to sweat> (*vi*)

wypachniony *adj* perfumed

wypacykować *vt perf pot.* to daub

wypacz|ać *v imperf* — **wypacz|yć** *v perf* [I] *vt* 1. (*powodować zniekształcenie*) to warp (wood, boards) 2. *przen.* (*przedstawić niezgodnie z rzeczywistością*) to pervert <to twist, to distort> (sb's words, a meaning etc.); to maim (a translation etc.) 3. (*deformować charakter*) to warp (the mind, sb's disposition etc.); to vitiate (taste etc.) [III] *vr* **~ać, ~yć się** to warp (*vi*); to become perverted <vitiated>

wypaczenie *sn* 1. (↑ **wypaczyć**) (a) warp 2. *przen.* (*fałszywe zastosowanie słusznej zasady*) perversion; distortion; vitiation; twist

wypad *sm G.* **~u** 1. (*wycieczka*) excursion; escapade 2. *wojsk.* excursion; sally; **~ złodziejski <rabunkowy>** raid 3. *sport* attack; *szerm.* lunge; pass

wypa|dać *vi imperf* — **wypa|ść** *vi perf* **~dnę, ~dnie, ~dnij, ~dł** 1. (*być wyrzucanym*) to fall <to drop> out (**z czegoś** of sth); (*o włosach*) to come out; **~ść komuś z rąk** to slip from sb's hands; **~ść za burtę** to fall overboard 2. (*wylatywać*) to rush <to flounce> out (**z pokoju itd.** of the room etc.); *karc.* (*o graczu*) to run out; **~ść komuś z głowy** to escape sb's memory; **~ść z kursu** to get off course; **~ść z taktu** to fail to play <to dance> in time 3. (*ukazywać się nagle*) to emerge; to issue; to fall out; **~dać na nieprzyjaciela** to fall <to make raids> on the enemy 4. (*trafiać*) to fall; **1 maj ~da w niedzielę** the lst of May falls on a Sunday 5. (*stawać się udziałem*) to fall (**komuś coś zrobić** on sb <to sb's lot> to do sth); **kiedy kolej ~dnie na nas** when our turn comes; **na ciebie <na mnie itd.> ~da kolej** it is your <my> turn 6. (*zdarzać się*) to happen; to occur; **jeżeli coś ~dnie** if sth happens <occurs> 7. (*dawać w wyniku*) to come off <to fall out> (well, badly); **wszystko ~ło dobrze** everything succeeded <came off, fell out> well 8. (*wynikać z obliczenia*) to work out; **~da po 3 na każdego** it works out at 3 each

~da, ~dło *impers* 1. *imperf* (*należy*) it is fitting <proper, seemly> (**żeby ktoś coś robił** that sb should do sth); it behoves <beseems> (**żeby on to zrobił** him to do that); **chciałem zrobić to co ~da** I wanted to do the right thing; **co ~da robić w takich okolicznościach?** what is the right thing to do in such case?; **nie ~da, żebyś ty ...** it is not seemly <not suitable, unbecoming> for you to ...; **~da, żebyś wiedział ...** it is only right that you should know; **nie ~da tam iść w poplamionym ubraniu** it is improper <unseemly> to go there in soiled clothes; **~dało przynieść jej kwiaty** the proper thing to do was to bring her some flowers; you should have brought her some flowers 2. *perf* (*trafiło się*) it so fell out <it so befell> that ...; **~dło mi odbyć podróż do ...** it so fell out that I travelled to ...; **~dło na niego <na mnie itd.> pójść <powiedzieć itd.>** it so fell out that he <I etc.> was to go <to say etc.>; the lot fell upon him <me etc.> to go <to say etc.>; **zobaczymy na kogo ~dnie to zrobić** we shall see to whose lot it will fall to do that

wypadecz|ek *sm G.* **~ku** (*dim* ↑ **wypadek**) minor incident

wypad|ek *sm G.* **~ku** 1. (*wydarzenie*) event; occurrence; incident; circumstance; (*przykład*) instance; **niefortunny ~ek** mishap; **nieprzewidziany ~ek** contingency; **nie było ~ku, żeby ktoś odmówił** there is no case on record of anybody refusing; **na wszelki ~ek** just in case (sth should happen); **na ~ek czegoś** in case sth should happen; in the event of sth happening; **na ~ek gdyby on odmówił <gdyby go nie było>** in case he should refuse <he should not be at home>; **od ~ku do ~ku** as the occasion arises; **w najlepszym ~ku** at best; at the outmost; at the utmost; **w obecnym ~ku** in this instance; on this occasion; **w takim <w przeciwnym> ~ku** then; if so <not>; **w wielu ~kach** on many occasions; **w większości ~ków** in most cases; **w żadnym ~ku** in no case; in <under> no circumstances; **to dziwny ~ek!** a rum start!; † **~kiem** by chance 2. *med.* case; **rozważany ~ek** the case in point; *x* **~ków szkarlatyny** *x* cases of scarlet fever; *przysł.* **~ki chodzą po ludziach** accidents w i l l happen 3. (*katastrofa*) accident; catastrophe; crash; break-down; **nagły ~ek** emergency; **ofiara ~ku** casualty; **sala szpitalna dla ofiar nagłych ~ków** casualty ward; **ulec ~kowi** to meet with <to have> an accident 4. † (*przypadek*) chance; luck; **~ek chciał, że byłem poza domem** it so happend that <as luck would have it> I was away from home

wypadkowość *sf singt pot.* accident rate

wypadkow|y [I] *adj* 1. (*dotyczący nieszczęśliwych wypadków*) accident _ (insurance etc.) 2. *fiz.* resultant 3. *prawn.* incidental [II] *sf* **~a** (the) resultant

wypadow|y *adj* **brama ~a** sally-port

wypakować *vt perf* — **wypakowywać** *vt imperf* 1. (*wyładować*) to unpack 2. (*naładować*) to cram

wypalacz *sm techn.* burner; **~ wapna** lime burner

wypal|ać *v imperf* — **wypal|ić** *v perf* [I] *vt* 1. (*niszczyć ogniem*) to burn (sth); to burn down (a building, town etc.); (*o słońcu*) to scorch (the vegetation etc.); **~ić dziurę w spodniach** to burn a hole in one's trousers; **~ić komuś oczy** to burn sb's eyes out 2. (*zużyć przez palenie*) to burn all one's stock (**naftę, drzewo opałowe** of kerosene, of fire--wood); to use up (**wszystkie zapałki itd.** all one's matches etc.); to smoke out (one's cigar, cigarette, pipe) 3. (*poddać działaniu ognia*) to burn <to fire> (bricks); to kiln <to bake> (pottery); to calcinate (lime); to distil (spirit) 4. (*robić znak rozżarzonym metalem*) to brand 5. *med.* **~ać, ~ić coś lapisem** to cauterize sth [II] *vi* (*zw. perf*) (*strzelać*) to fire; to shoot; **20 razy ~ono z moździerzy** 20 mortar shots were fired [III] *vr* **~ać, ~ić się** 1. (*spalać się*) to burn away <down, out>; **ognisko ~iło <świeczka ~iła> się** the fire <the candle> burnt itself out 2. (*być wypalanym*) to be burnt <baked, fired, kilned, calcinated, distilled>

wypalenisko *sn* patch of scorched ground

wypalić *vt perf* 1. *zob.* **wypalać** 2. (*palnąć*) to declare; **~ komuś kazanie** to read sb a lecture; **~ mowę** to come out with a speech

wypalikować *vt perf* to peg out (boundaries etc.)

wypał *sm G.* **~u** *techn.* baking; kilning; calcination

wypał|ki *spl G.* **~ek <~ków>** *techn.* **~ki pirytowe** pyrites cinder

wypapl|ać *vt perf* **~e <~a>** *pot.* to blurt out (a secret); to babble out (the truth); **~ać tajemnicę** to spill the beans

wypap|rać *vt perf* **~rze** to waste

wypaproszyć *vt perf* — *rz.* **wypaproszać** *vi imperf* = **wypatroszyć**

wyparcie *sn* 1. ↑ **wyprzeć** 2. (*usunięcie*) expulsion; *wojsk. chem.* dislodgement; *mar.* displacement 3. *przen.* (*zastąpienie*) supersession 4. **~ się** renunciation; repudiation; abjuration; recantation

wypar|ka *sf pl G.* **~ek** *techn.* evaporator

wyparny *adj techn.* **aparat ~** vaporizer

wyparować *v perf* — **wyparowywać** *v imperf* [I] *vi* 1. (*o cieczach — zamieniać się w parę*) to evaporate 2. *przen. żart.* (*znikać*) to vanish (into thin air) [II] *vt* (*wydzielić*) to evaporate <to volatilize, to dry off> (a liquid)

wyparowanie *sn* (↑ **wyparować**) vaporization

wyparowywać *zob.* **wyparować**

wyparskać *vt perf*, **wyparsknąć** *vt perf* — **wyparskiwać** *vt imperf* to snort out

wyparz|ać *v imperf* — **wyparz|yć** *v perf* [I] *vt* to scald [II] *vr* **~ać, ~yć się** to have a hot <vapour> bath

wypas *sm G.* **~u** pasturage

wypa|sać *v imperf* — **wypa|ść** *v perf* **~sę, ~sie, ~sł, ~siony** [I] *vt* 1. (*żywić*) to pasture (sheep, cattle); to feed; to graze 2. (*spasać*) to pasture (grass-land etc.) [II] *vr* **~sać, ~ść się** 1. (*paść się*) to graze 2. (*tuczyć się*) to grow fat

wypasiony *adj* fat; bloated

wypaść [1] *zob.* **wypadać**

wypaść[2] *zob.* **wypasać**

wypatroszyć *vt perf* — *rz.* **wypatroszać <wypatraszać>** *vt imperf* to disembowel (an animal); to draw (a chicken); to gut (a fish)

wypat|rywać *vt imperf* — **wypat|rzyć** *vt perf* 1. *imperf* (*badać wzrokiem*) to look out (**kogoś, coś** for sb, sth); to strain one's eyes (in search of sb, sth) 2. *perf* (*wykryć*) to espy; to descry || **~rzyć oczy** to strain one's eyes

wyp|chać *v perf*, **wyp|chnąć** *v perf* — **wyp|ychać** *v imperf* [I] *vt* 1. **~chać, ~ychać** (*wypełnić*) to stuff; to pack; to cram; **~ychać zwierzęta <ptaki>** to stuff animals <birds> 2. **~chać, ~ychać** (*napełnić*) to fill (sth with sth); **kosz ~chany jedzeniem** a basket full of victuals; **~chany wór** bulging sack; **~chać kieszeń <kabzę>** to line one's purse 3. (*siłą usunąć*) to push <to thrust, to force, to crowd, to shove> out; to extrude; **~chnąć kogoś za drzwi** to throw sb out; **~ychać spodnie** to bag one's trousers; *pot.* **~chnąć dziewczynę za mąż** to hustle a girl into matrimony; **~chnąć towar** to dispose <to get rid> of a commodity [III] *vr* **~chać, ~chnąć, ~ychać się** 1. (*wysunąć się do przodu*) to push one's way to the front 2. (*wywatować sobie ubranie*) to pad one's clothes || *sl.* **~chaj się!** go and fry your face!

wypchnięcie *sn* ↑ **wypchnąć**

wypełniacz *sm pl G.* **~y** <**~ów**> 1. *bud.* filler; aggregate 2. *chem.* extender; filler

wypełni|ać *v imperf* — **wypełni|ć** *v perf* [I] *vt* 1. (*czynić pełnym*) to fill (a vessel etc.) 2. *przen.* (*zapełniać*) to while away (the hours); to fill in (one's free time); **szczelnie ~ona sala** room filled to capacity 3. (*spełniać*) to fulfil <to perform, to execute> (one's duty, an order etc.) 4. (*wpisywać do rubryk*) to fill in (an application form etc.) [III] *vr* **~ać, ~ć się** 1. (*stawać się napełnionym*) to fill (*vi*); to get filled 2. (*stawać się pulchnym, zaokrąglonym*) to fill out; to plump; **~ony** plump

wypełnie|ć *vi perf* **~je** *rz.* to fill out; to plump

wypełnienie *sn* 1. ↑ **wypełnić** 2. (*spełnienie*) fulfilment; execution (of an order etc.) 3. (*to, co wypełnia*) filler

wypełz|ać *vi imperf* — **wypełz|nąć** *vi perf* **~ła** 1. (*wydostawać się*) to crawl <to creep> out 2. (*o barwie, materiale — blaknąć*) to fade; **~nięty** washy

wypenetrować *vt perf* to discover; *pot.* to nose out (a secret etc.)

wyperfumowa|ć *v perf* [I] *vt* to scent; to spray with scent; **~ny** scented [III] *vr* **~ć się** to use (a lot of) scent; to spray oneself with scent

wyperswadować *vt perf* — *rz.* **wyperswadowywać** *vt imperf* to dissuade (**komuś coś** sb from doing sth); to reason <to argue, to talk> (**komuś jakieś plany** sb out of his plans etc.)

wypęd|ek *sm G.* **~ka** *pog.* boy expelled from school

wypędz|ać *vt imperf* — **wypędz|ić** *vt perf* **~ę, ~ony** to drive (sb) out; to expel (a boy from school etc.); to dislodge (a deer, fox, an enemy etc.); **~ać bydło** to turn out the cattle; **~ić kogoś z domu** to turn sb adrift; *rel.* **~ać diabły** to cast out devils

wypędzenie *sn* (↑ **wypędzić**) ejection; expulsion

wypędzlować *vt perf* to paint (with iodine etc.)

wypiastować *vt perf lit.* to nurse; to bring up

wyp|iąć *v perf* **~nę, ~nie, ~nij, ~iął, ~ięła, ~ięty** — **wyp|inać** *v imperf* [I] *vt* to throw out (one's chest); **~ięty zadek** protruding buttocks; **~iąć brzuch** to stand with one's belly sticking out [III] *vr* **~iąć, ~inać się** 1. (*wypiąć pierś*) to throw out one's chest 2. *wulg.* (*wypiąć pośladki*) to show (sb) one's backside (in contempt)

wypici|e *sn* ↑ **wypić**; **coś do ~a** sth to drink

wypi|ć *v perf* **~ję, ~ty** — **wypi|jać** *v imperf* [I] *vt* to drink; to have (a glass of beer, wine, a cup of coffee, tea etc.); to drink off (one's medicine etc.); **~ć duszkiem lampkę wina** to toss off a glass of wine; **~ć kielich do dna** to drain one's glass; **~łbym jeszcze jedną szklankę** I could manage another glass [II] *vi* to drink (habitually, now and then); to have a drink; **~ć do kogoś** to drink to sb; **~ć za pomyślność przedsięwzięcia itd.** to drink to the success of an undertaking etc.

wypie|c *v perf* **~kę, ~cze, ~cz, ~kł, ~czony** — **wypie|kać** *v imperf* [I] *vt* 1. (*przyrządzić pieczywo*) to bake (bread, cakes); **źle ~czony** sodden; soggy; doughy 2. *techn.* to bake (pottery, bricks) [III] *vr* **~c, ~kać się** to be <to get> baked

wypieczenie *sn* ↑ **wypiec**

wypiek *sm G.* **~u** 1. (*wypiekanie*) baking (of bread); making (of cakes); **chleb własnego ~u** home-baked bread; **ciastka własnego ~u** home-made cakes 2. (*upieczone pieczywo*) fresh-baked bread; (*ciasto*) fresh-made cake; (*ilość upieczonego na raz pieczywa*) batch; baking 3. *pl* **~i** (*rumieńce*) flushed cheeks

wypiekać *zob.* **wypiec**

wypiekowy *adj* baking __ (value etc.)

wypielacz *sm ogr. roln.* weeder

wypielać *zob.* **wypleć**

wypielęgnowa|ć *vt perf* (*poddać pielęgnacji*) to nurse; to breed; (*troskliwie wyhodować*) to grow <to raise> (plants) with sedulous care; (*starannie utrzymać*) to groom; to tend; **~ny** well-groomed; well-kept (beard etc.)

wyp|ierać[1] *v imperf* — **wyp|rzeć** *v perf* **~rę, ~rze, ~rzyj, ~arł, ~arty** [I] *vt* 1. (*usuwać*) to force out; to oust; *wojsk.* to dislodge; *mar.* to displace 2. *przen.* (*zastąpić*) to supplant; to supersede 3. *biol.* to bear down 4. *chem.* to dislodge [III] *vr* **~ierać, ~rzeć się** 1. (*zaprzeczać*) to deny; to gainsay 2. (*wyrzekać się*) to renounce; to repudiate; to disown; to forswear; to abjure; to recant (**błędów itd.** one's errors etc.)

wypierać[2] *zob.* **wyprać**

wypieranie *sn* 1. ↑ **wypierać** 2. (*usuwanie*) expulsion; *wojsk. chem.* dislodgement; *mar.* displacement 3. *przen.* (*zastępywanie*) supersession 4. **~ się** renunciation; repudiation; abjuration; recantation

wypierd|ek *sm G.* **~ka** *wulg.* scrub

wypierz|ać *v imperf* — **wypierz|yć** *v perf* [I] *vt* to pluck (a goose etc.) [III] *vr* **~ać, ~yć się** (*o ptakach*) to moult

wypieszczać *zob.* **wypieścić**

wypieszczenie *sn* 1. ↑ **wypieścić** 2. (*finezja*) fineness; subtlety; delicacy

wypie|ścić *v perf* **~szczę, ~szczony** — *rz.* **wypie|szczać** *v imperf* [I] *vt* 1. (*okryć pieszczotami*) to fondle; to pet; to caress 2. (*wychować pieszcząc*) to coddle; to pamper 3. *przen.* (*wykonać z największą starannością*) to cherish (a dream, hopes etc.); to entertain (hopes etc.); **~szczony**

pet <fond, darling> (scheme etc.) [III] *vr* **~ścić się** 1. (*użyć do woli pieszczot*) to fondle <to pet, to caress> to one's heart's content 2. (*wydelikatnieć*) to be pampered

wypięcie *sn* ↑ **wypiąć**

wypiękni|ać *v imperf* — **wypiękni|ć** *v perf* [I] *vt* to beautify; to embellish [III] *vr* **~ać, ~ć się** to spruce oneself out

wypięknie|ć *vi perf* **~je** (*o kobiecie, widoku*) to grow pretty, prettier <lovely, lovelier>; (*o mężczyźnie*) to grow handsome

wypiętrz|ać *v imperf* — **wypiętrz|yć** *v perf* [I] *vt* 1. (*układać*) to pile <to heap> (up) 2. *geol.* to uplift [III] *vr* **~ać, ~yć się** (*wznosić się*) to rise; to tower; to soar; *geol.* to rise up

wypiętrzenie *sn* 1. (↑ **wypiętrzyć**) (a) pile; (a) heap 2. *geol.* uplift; upthrust; upheaval

wypiętrzyć *zob.* **wypiętrzać**

wypijać *zob.* **wypić**

wypikować *vt perf* to quilt

wypiłować *vt perf* (*piłą*) to saw off; (*pilnikiem*) to file off

wypinać *zob.* **wypiąć**

wypi|ór *sm G.* **~oru** fledgeling

wypis *sm G.* **~u** (*zw. pl*) extract; selection; selected passage; *pl* **~y** chrestomathy; reader

wypi|sać *v perf* **~sze** — **wypi|sywać** *v imperf* [I] *vt* 1. (*sporządzić*) to write out (a receipt etc.); to make out (a cheque, list etc.); (*wypełnić*) to fill in (a form etc.); *przen.* **on ma to ~sane na twarzy** it's written in his face; **~sz wymaluj ...** for all the world like ... 2. (*przepisać wyjątek*) to write out; to make an extract (**coś** of sth) 3. (*spisać*) to write down; to note; to make a list (**coś** of sth) 4. (*wykreślić z listy*) to strike (sb) off a list; **~sać, ~sywać kogoś ze szpitala** to discharge sb from hospital 5. (*zużyć*) to use up (a quantity of ink, a number of pencils etc.) [III] *vr* **~sać, ~sywać się** 1. (*zrezygnować z czegoś*) to discontinue (one's membership in an institution, a subscription etc.); to resign (from an institution); **~sać się ze szpitala** to be discharged from hospital 2. (*zostać zużytym przez pisanie*) to be used up 3. (*wypowiedzieć się*) to express oneself in writing 4. (*o pisarzu — wyczerpać się twórczo*) to write oneself out; to drain oneself dry 5. *przen.* (*przejawić się*) to appear <to become visible> (in one's face, eyes etc.)

wypisywać *vt imperf* 1. *zob.* **wypisać** 2. (*pisać banialuki*) to write (a lot of nonsense)

wypit|ka *sf pl G.* **~ek** *pot.* drinking-bout; **dobry do ~ki i do wybitki** a friend through thick and thin

wyplamić *vt perf* (*zw. pp*) to stain (sth) all over

wypl|atać *vt imperf* — **wypl|eść** *vt perf* **~otę, ~ecie, ~ótł, ~otła, ~etli, ~eciony** 1. (*wyrabiać plotąc*) to plait; to weave (baskets, garlands); **wyroby ~atane** wicker-work 2. (*wyjmować coś wplecionego*) to unplait 3. *imperf pot.* (*wygadywać*) to talk nonsense

wyplątać *vt perf* — **wyplątywać** *vt imperf* to extricate; to disentangle; to disengage

wyp|leć *vt perf* **~iele, ~ełł, ~ielony** — *rz.* **wyp|ielać** *vt imperf* to weed (a garden etc.)

wypleniać *vt imperf* — **wyplenić** *vt perf* to root out; to uproot; to eradicate; to extirpate

wyplenienie *sn* (↑ **wyplenić**) extirpation; eradication

wypleść *vt perf* 1. *zob.* **wyplatać** 2. *rz.* (*wygadać się*) to blab out (a secret)

wyplewić *vt perf dial.* = **wypleć**

wyplu|ć *vt perf* **~j, ~je, ~ty, wyplu|nąć** *vt perf* — **wyplu|wać** *vt imperf* to spit (sth) out; to expectorate; *pot.* **~ń to słowo!** touch wood

wyplunięcie *sn* ↑ **wyplunąć**

wyplu|skać *v perf*, **wyplu|snąć** *v perf* **~śnie, ~śnij, ~śnięty** — **wyplu|skiwać** *v imperf* [I] *vt* 1. (*wychlustać*) to splash (water) about 2. *perf pot.* (*wykąpać*) to bath (a child, an invalid) [III] *vr* **~skać, ~snąć, ~skiwać się** 1. (*wykąpać się*) to bathe 2. (*napluskać się do woli*) to splash about to one's heart's content

wyplu|snąć *vi perf* **~śnie, ~śnij, ~śnięty** 1. *zob.* **wyplu|skać** 2. (*wyskoczyć z wody*) to splash out of the water

wypluwać *zob.* **wypluć**

wypłac|ać *v imperf* — **wypłac|ić** *v perf* **~ę, ~ony** [I] *vt* to pay (sb a sum); to pay off (a debt) [III] *vr* **~ać, ~ić się** 1. (*odwdzięczać się*) to repay <to requite> (**za przysługę itd.** a service etc.) 2. † (*spłacać cały dług*) to pay off (a debt)

wypłacalność *sf singt* solvency; soundness (of a firm)

wypłacalny *adj* solvent; *handl.* sound

wypłacenie *sn* 1. (↑ **wypłacić**) payment 2. **~ się** requital

wypłacić *zob.* **wypłacać**

wypła|kać *v perf* **~cze** — **wypła|kiwać** *v imperf* [I] *vt* 1. (*wylać łzy*) to shed <to weep> (tears) 2. (*płacząc stracić*) to weep <to cry> (one's eyes) out; to weep (one's life) away 3. (*płacząc powiedzieć*) to weep out (a prayer etc.) 4. (*uzyskać płaczem*) to obtain (sth) by repeated lamentations 5. *poet.* (*stworzyć coś rzewnego*) to weep out (a literary <musical> composition) [III] *vr* **~kać, ~kiwać się** 1. (*wyżalić <zwierzyć> się*) to weep out (**ze swego żalu** one's grief) 2. *perf* (*ulżyć sobie płacząc*) to weep oneself out; to have a good <hearty> weep; to have one's cry out; to cry one's fill

wypłakiwać *vi imperf* 1. *zob.* **wypłakać** 2. (*płakać często*) to keep crying

wypł|aszać *vt imperf* — **wypł|oszyć** *vt perf* to shoo <to drive> away (birds, cats etc.); to start <to rouse, to scare away> (game); **~aszać, ~oszyć lisa z jamy** to dislodge a fox

wypłat|a *sf* 1. (*wypłacanie*) payment (of wages, salaries, a cheque etc.) 2. (*pobory*) pay; wages; salary; **dzień ~y** pay-day 3. † (*uiszczenie*) payment; instalment; **kupić na ~y** to buy on the instalment system

wypłatać *vt perf w zwrocie*: **~ figla <psikusa> (komuś)** to play a trick (on sb)

wypław|ek *sm G.* **~ka** (*zw. pl*) *zool.* (*Tricladida*) (*gromada*) the order Tricladida

wypławić *vt perf* — **wypławiać** *vt imperf* to take (a horse, cattle) to the water

wypłoszyć *zob.* **wypłaszać**

wypłowi|eć *vi perf* **~eje** to fade; to discolour; **~ały** faded; discoloured; washy

wypłuczyn|y *spl G.* **~** 1. (*woda*) rinsings 2. (*to, co zostało wypłukane*) washings

wypłuczysko *sn* gully

wypłu|kać *vt perf* **~cze** — **wypłu|kiwać** *vt imperf* 1. *zw. perf* (*obmyć*) to rinse; to swill out; **~kać coś** to give sth a rinse <a swill>; **~kać gardło** to gargle one's throat; **~kiwać glebę z czegoś** to wash sth away from the soil; *przen. pot.* **~kany z pieniędzy** hard up; stony-broke; *med.* **~kać komuś żołądek** to give sb a gastric lavage 2. (*o wodzie — wyżłobić*) to wash out 3. (*wydobyć przez płukanie*) to wash out (gold etc.)

wypłukanie *sn* (↑ **wypłukać**) (a) rinse; (a) swill; *med.* **~ żołądka** gastric lavage

wypłukiwać *zob.* **wypłukać**

wypłycać się *vr imperf geol.* to shallow

wypły|nąć *vi perf* — **wypły|wać** *vi imperf* 1. (*odpłynąć — o statku*) to sail out; to put (out) <to stand out> to sea; to make for the open sea; **~wający statek** out-bound ship 2. (*o człowieku, zwierzęciu*) to swim out 3. (*wynurzyć się*) to emerge from the water 4. *przen.* (*o ludziach — stać się głośnym*) to make a name for oneself; to come to the top; (*wyjść z tarapatów*) to extricate oneself from difficulties 5. *przen.* (*o sprawach, problemach*) to crop up; to arise; *przysł.* **prawda jak oliwa na wierzch ~wa** truth will out 6. *imperf* (*wyciec*) to flow out; to run out; (*o rzece*) to rise (**z Karpat itd.** in the Carpathians etc.); **~wający** outflowing 7. (*zw. imperf*) (*wynikać*) to flow <to ensue, to follow, to spring> (from sth); to be consequent (**z czegoś** on sth)

wypłynięcie *sn* ↑ **wypłynąć**

wypływ *sm G.* **~u** 1. (*wypływanie*) outflow; effluence; efflux; discharge; escape; leakage 2. (*to, co wypływa*) outflow; effluence; efflux 3. *rz. lit.* (*wynik*) outgrowth

wypływać *zob.* **wypłynąć**

wypływowy *adj* outflow <discharge> _ (orifice etc.); **otwór ~** spout

wypocić *zob.* **wypacać**

wypocić się *vr perf* to be bathed in perspiration <soaked in sweat>

wypocin|a *sf* 1. (*pot*) sweat; perspiration 2. *pl* **~y** *pog.* scribble; scribbling

wypocz|ąć *vi perf* **~nę, ~nie, ~nij, ~ął, ~ęła** — **wypocz|ywać** *vi imperf* 1. *perf* to have <to take> a rest; **dobrze ~ąć** to have a good rest 2. *imperf* to rest; to repose; **nie ~ywać** to get no rest

wypoczęcie *sn* (↑ **wypocząć**) a rest

wypoczęty [I] *pp* ↑ **wypocząć** [III] *adj* rested; fresh; refreshed

wypoczyn|ek *sm G.* **~ku** rest; repose; **dawać ~ek** to be restful; **dawać ~ek oczom** to rest the eyes

wypoczynkow|y *adj* rest _ (pause etc.); **dom ~y** rest-house, rest-home; **kuracja ~a** rest-cure; **miejscowość ~a** health resort

wypoczywać *zob.* **wypocząć**

wypogadzać *zob.* **wypogodzić**

wypogodni|eć *vi perf* **~eje** 1. (*wypogodzić się*) to brighten <to clear> up 2. *przen.* (*o człowieku, twarzy*) to brighten <to cheer> up; (*o człowieku*) to uncloud one's brow; **~ał** his spirits rose

wypog|odzić *v perf* — **wypog|adzać** *v imperf* [I] *vt* 1. (*rozjaśnić*) to clear (the weather, the sky, the air) 2. *przen.* (*rozchmurzyć*) to cheer (sb); to brighten (sb, sb's face); to uncloud (one's brow) [II] *vr* **~odzić, ~adzać się** (*o niebie*) to clear <to brighten> up; (*o twarzy*) to brighten up

wypokostować *vt perf* to varnish

wypolerować *v perf* [I] *vt* to polish (sth, sb) [II] *vr* **~ się** to acquire polish <refinement>

wypolerowanie *sn* (↑ **wypolerować**) polish

wypolitúrować *vt perf* to French-polish

wypolitúrowanie *sn* (↑ **wypolitúrować**) French-polish

wypomadować *vt perf* to pomade

wypom|inać *vt imperf* — **wypom|nieć** *vt perf* **~nij, ~ni, ~niał** 1. (*przypominać*) *imperf* to keep reminding <*perf* to remind> (**coś komuś** sb of sth); **~inać, ~nieć coś komuś** to keep casting <to cast> sth in sb's teeth 2. (*wymawiać*) to reproach (**coś komuś** sb with sth); to rebuke <to upbraid> (**coś komuś** sb for sth)

wypominanie *sn* (↑ **wypominać**) (*wymawianie*) reproaches

wypomin|ki *spl G.* **~ek** <**~ków**> prayers for the dead on All Souls' Day

wypomnieć *zob.* **wypominać**

wypomnienie *sn* (↑ **wypomnieć**) 1. (*przypomnienie*) reminder 2. (*wymówka*) reproach; rebuke

wypompow|ać *v perf* — **wypompow|ywać** *v imperf* [I] *vt* 1. (*usunąć coś pompując*) to pump up (water etc.); to pump out (water, air etc.); **~ać wszystką wodę ze studni** to pump a well dry 2. *przen.* (*o człowieku*) **~any** pumped out; exhausted [II] *vr* **~ać, ~ywać się** to tire oneself out

wyporoś|ć *sf singt mar.* displacement; draught; **mieć** *x* **ton ~ci** to draw *x* tons

wyporowy *adj fiz. techn.* positive (pump)

wyporządkować *vt perf* to put (sth) in order; to tidy (sth) up

wyporządnie|ć *vi perf* **~je** to straighten up; to reform one's mode of life; to improve one's conduct

wyporządz|ać † *vt imperf* — **wyporządz|ić** † *vt perf* **~ę, ~ony** to tidy up (a room)

wyposażenie *sn* 1. ↑ **wyposażyć** 2. (*potrzebne urządzenia*) equipment; furnishings; outfit; appointments; **~ materiałowe** stock 3. (*posag*) dowry 4. † (*uposażenie*) salary; wages

wyposażeniowy *adj* fitting-out (department etc.)

wyposażyć *vt perf* — **wyposażać** *vt imperf* 1. (*zaopatrzyć*) to provide <to equip, to furnish, to fit out> (**kogoś, coś w coś** sb, sth with sth); to stock (a shop with commodities, a house with provisions etc.) 2. † (*obdarzyć*) to endow (**kogoś w coś** <**czymś**> sb with sth)

wypo|ścić się *vr perf* **~szczę się** to go hungry; to fast <to hunger> as much as one can stand; **~szczony** hungry

wypośrodkować *vt perf* to average

wypowi|adać *v imperf* — **wypowi|edzieć** *v perf* **~em, ~e, ~edzą, ~edz, ~edział, ~edzieli, ~edziany** [I] *vt* 1. (*wyrażać słowami*) to express; to formulate; to word; to put into words 2. (*wygłaszać*) to express <to utter, to voice, to enounce> (an opinion, a feeling) 3. (*podawać do wiadomości*) to say; to declare 4. (*zrywać*) to give (sb) notice (to quit); **~adać, ~edzieć posłuszeństwo** a) (*nie chcieć słuchać*) to refuse obedience b) *żart.* (*przestawać działać*) to fail (**komuś** sb); **~adać, ~edzieć pracownikowi posadę** <**dzierżawcy dzier-**

żawę> na miesiąc naprzód to give an employee <a tenant> a month's notice; **motor ~edział posłuszeństwo** the engine wouldn't work; **nogi ~edziały mi posłuszeństwo** my legs failed me <wouldn't carry me>; **~edzieć traktat** to renounce a treaty; **~edzieć umowę** to terminate a contract; **~edzieć wojnę** to declare war [II] *vr* **~adać, ~edzieć się** 1. (*zabierać głos*) to express one's opinion; to speak one's mind; to have one's say; to pronounce <to declare oneself> (**za czymś <przeciw czemuś>** for <against> sth) 2. (*formułować swoje myśli w słowach*) to express oneself; to formulate one's thoughts; to put one's meaning into words; **nie ~adać się w danej sprawie** to keep an open mind on a subject 3. (*zwierzać się*) to open one's heart (to sb)

wypowiadaln|y *adj rz.* utterable; **to nie jest ~e** it is unutterable

wypowiedzeni|e *sn* 1. ↑ **wypowiedzieć** 2. (*wyrażenie słowami*) expression; formulation 3. (*wygłoszenie*) utterance; enunciation; declaration 4. *jęz.* predication 5. *prawn.* pronouncement 6. (*zerwanie*) notice (to quit); termination (of a contract); renunciation (of a treaty); declaration (of war); **obu stronom przysługuje prawo ~a umowy** the contract is terminable by both parties 7. **~e się** (*zabranie głosu*) expression of one's opinion; pronouncement; declaration; statement 8. **~e się** (*formułowanie swych myśli*) formulation (of one's thoughts) 9. **~e się** (*zwierzenia*) outpouring (of one's feelings)

wypowiedzeniowy *adj jęz.* predicative

wypowiedzieć *zob.* **wypowiadać**

wypowie|dź *sf pl N.* **~dzi** statement; declaration; utterance; pronouncement; opinion; view

wypożyczać *vt imperf* — **wypożyczyć** *vt perf* 1. (*dawać*) to lend <to hire> (sth to sb) 2. (*brać*) to borrow <to hire> (sth from sb)

wypożyczalnia *sf* hiring establishment; **~ książek** lending <circulating> library; **~ powozów <samochodów>** jobmaster's establishment

wypożyczenie *sn* (↑ **wypożyczyć**) hire <loan> (of sb's property)

wypożyczyć *zob.* **wypożyczać**

wyp|ór *sm G.* **~oru** *fiz.* uplift

wypracow|ać *vt perf* — **wypracow|ywać** *vt imperf* to work out <to elaborate> (a plan, method etc.); **~any** laboured; elaborate

wypracowanie *sn* 1. (↑ **wypracować**) elaboration 2. *szk.* composition; essay; exercise

wypracowywać *zob.* **wypracować**

wyp|rać *vt perf* **~iorę, ~ierze** — **wyp|ierać** *vt imperf* 1. *perf* (*oczyścić przez pranie*) to wash; to launder; *przen.* **~rany (ze zdrowego rozsądku itd.)** devoid <destitute> (of common sense etc.); **~rany ze wstydu** lost to all sense of shame 2. (*wywabić*) to wash off (a stain) 3. *pot.* (*zbić*) to beat; to thrash; *perf* to give (sb) a thrashing <a drubbing>

wypraktykować *vt perf* — *rz.* **wypraktykowywać** *vt imperf* to try (sth) out; to put (sth) to the test; to put (sth) into practice; to practise (sth)

wypranie *sn* (↑ **wyprać**) (a) wash

wypras|ka *sf pl G.* **~ek** *techn.* moulder; moulding

wyprasować *vt perf* — *rz.* **wyprasowywać** *vt imperf* 1. (*wygładzić żelazkiem*) to iron (linen etc.); to press (a suit, one's trousers) 2. (*wycisnąć*) to press out (water, juice etc.)

wypr|aszać *v imperf* — **wypr|osić** *v perf* **~oszę, ~oszony** [I] *vt* 1. (*zdobywać prośbami*) to obtain (sth) by plaguing <pestering> people with one's entreaties 2. (*żądać wyjścia*) to turn (sb) out; **~osić kogoś za drzwi** to show sb the door; *am.* to give sb the gate 3. (*zastrzegać się przeciw czemuś*) **~aszać sobie** to forbid (sth); **~aszam sobie takie żarty <uwagi>** I won't have anybody making such jokes <remarks>; I won't stand such jokes <remarks>; **~aszam sobie takie zachowanie** I won't stand such conduct [II] *vr* **~aszać, ~osić się** † (*uchylać się*) to decline (**od czegoś** sth)

wypraw|a *sf* 1. (*podróż*) expedition; travel; **~a krzyżowa** crusade; **~a wojenna** campaign 2. *pot.* (*wycieczka*) excursion 3. (*grupa osób*) expedition; party 4. (*wyposażenie dziewczyny wychodzącej za mąż*) trousseau 5. *pot. żart.* (*majątek*) equipment; outfit 6. *bud.* plaster; rendering 7. *techn.* chimney <kiln, furnace> lining 8. *garb.* tanning; tawing; *przysł.* **nie warta skórka ~y, nie opłaca się skórka za ~ę** the game is not worth the candle; it's not worth powder and shot

wyprawi|ać *v imperf* — **wyprawi|ć** *v perf* [I] *vt* 1. (*posyłać*) to send; to dispatch (sb somewhere); *przen.* **~ć kogoś na tamten świat** to dispatch sb 2. (*organizować*) to arrange <to give> (a party, ball etc.); **~ć awanturę** to create a scandal; *pot.* to kick up a row; **~ać brewerie** to be boisterous; to behave boisterously; **co ty ~asz?** what are you doing?; what are you up to? 3. *bud.* (*tynkować*) to plaster; to render (a wall etc.) 4. *garb.* to tan; to taw [II] *vr* **~ać, ~ć się** to set out (on a journey)

wyprawialnia *sf garb.* tannery; tawery

wyprawić *zob.* **wyprawiać**

wypraw|ka *sf pl G.* **~ek** baby-linen; layette

wyprawny *adj* forming part of (sb's) trousseau; wedding-present — (service etc.)

wyprawować *vt perf* to sue out (property, a right etc.)

wyprawowy *adj* 1. = **wyprawny** 2. (*związany z wyprawą — podróżą*) connected with <necessary for> (an expedition)

wypraż|ać *v imperf* — **wypraż|yć** *v perf* [I] *vt* 1. *techn.* to calcine, to calcinate; to roast; to kiln (ore etc.) 2. (*wypalać wskutek upału*) to scorch; **~ony** sun-baked; sun-dried [II] *vr* **~ać, ~yć się** (*prażyć się*) to broil; to bake (in the sun)

wyprażanie *sn* (↑ **wyprażać**) calcination

wyprażyć *zob.* **wyprażać**

wypreparować *vt perf* — **wypreparowywać** *vt imperf* to skeletonize

wypręż|ać *v imperf* — **wypręż|yć** *v perf* [I] *vt* to tense (one's muscles); to tauten (a cable etc.); to hawl (a rope) taut; **~ony** tense; taut [II] *vr* **~ać, ~yć się** 1. (*napinać mięśnie*) to tense one's muscles; (*prostować się*) to draw oneself up; to stand erect <*wojsk.* at attention> 2. (*naprężać się*) to tauten (*vi*); (*stawać się sztywnym*) to stiffen

wyprężenie *sn* (↑ **wyprężyć**) tautness; tenseness

wyprężyć *zob.* **wyprężać**

wyprocesow|ać *v perf* — **wyprocesow|ywać** *v imperf* [I] *vt* to sue out (property, a right etc.) [II] *vr* **~ać, ~ywać się** (*naprocesować się*) to have had litigation in plenty (in one's lifetime etc.)

wyprodukować *vt perf* to produce; to make (furniture, aeroplanes etc.)

wyprodukowanie *sn* (↑ **wyprodukować**) production

wyprofilować *vt perf arch.* to profile; to mould

wypromieniować *vt perf* — **wypromieniowywać** *vt imperf fiz.* to radiate

wypromieniowanie *sn* (↑ **wypromieniować**) radiation

wypromieniowywać *zob.* **wypromieniować**

wypromować *v perf* [I] *vt* to promote [II] *vr* **~ się** to be promoted

wyprorokować *vt perf* to foretell

wyprosić *zob.* **wypraszać**

wyprostow|ać *v perf* — **wyprostow|ywać** *v imperf* [I] *vt* 1. (*uczynić prostym*) to straighten; to set (sth) straight; to put (sth) upright; to right (a boat); *fiz.* **~ać prąd** to rectify the current 2. (*odgiąć*) to unbend 3. (*uczynić gładkim*) to flatten; to smooth 4. (*wyrównać*) to align [II] *vr* **~ać, ~ywać się** 1. (*stanąć prosto*) to draw oneself up; to stand erect; to straighten up; to straighten one's back; (*będąc w pozycji siedzącej*) to sit straight 2. (*zostać wyprostowanym*) to get straight; to unbend; (*o łodzi*) to be <to get> righted; to right itself

wyprostowany [I] *pp* ↑ **wyprostować** [II] *adj* straight; upright; erect; **~ jak struna** bolt upright

wyproszenie *sn* ↑ **wyprosić**

wyprowadz|ać *v imperf* — **wyprowadz|ić** *v perf* **~ę, ~ony** [I] *vt* 1. (*prowadzić na zewnątrz*) to lead <to take> (sb) out; **~ać bydło** to turn out the cattle; **~ić coś ze ślepego zaułka** to extricate sth; **~ić kogoś z błędu** to disabuse sb; to open sb's eyes (to sth); **~ić kogoś z opresji** to get sb out of trouble; **~ić kogoś z równowagi** to put sb out of patience; **~ić pacjenta z choroby** to bring a patient through; **~ić powóz z wozowni <samolot z hangaru>** to bring a carriage out of the coach-house <an aeroplane out of the hangar>; **~ić wojsko** to order the troops out; **~ić go!** take him off!; out with him!; *przen.* **~ić kogoś na ludzi** to make a man of sb 2. (*pomagać wyjść*) to help (sb) out 3. (*wydobywać pojazd*) to drive (a motor-car etc.) <to steer (a ship)> out of a difficult situation 4. (*dochodzić do czegoś przez rozumowanie, wysnuwać*) to educe <to work out> (a principle etc.); **~adzać swój rodowód z ...** to derive one's ancestry from <to trace one's ancestry back to> ... 5. (*stawiać, budować*) to raise (a building, wall etc.) 6. (*wytyczyć*) to trace (a line, boundary etc.) [II] *vi* (*stanowić wyjście skądś*) to lead (**ku czemuś** somewhere) [III] *vr* **~ać, ~ić się** to move (to new quarters); to leave; to quit

wyprowadzenie *sn* 1. ↑ **wyprowadzić** 2. (*dojście do czegoś przez rozumowanie*) eduction 3. **~ się** removal (to new quarters)

wyprowadzić *zob.* **wyprowadzać**

wyprowadz|ka *sf pl G.* **~ek** *pot.* removal (to new quarters)

wypróbow|ać *v perf* — *rz.* **wypróbow|ywać** *v imperf* [I] *vt* 1. (*sprawdzić*) to test <to try> (sb, sth); to try (sb, sth) out; to put (sb, sth) to the test; to give (sth) a trial 2. (*doświadczyć kogoś*) to put (sb) through his paces [II] *vr* **~ać, ~ywać się** to put oneself to the test; to test one's ability to do sth

wypróbowanie *sn* (↑ **wypróbować**) test; trial

wypróbowan|y [I] *pp* ↑ **wypróbować** [II] *adj* tried (friend); tested (machine etc.); **maszyna jeszcze nie ~a** untested machine; **wojsko jeszcze nie ~e w boju** maiden troops; **~a przyjaźń** friendship of long standing

wypróchniałość *sf rz.* hollow

wypróchni|eć *vi perf* **~eje** to moulder <to decay> inside <in the interior>; **~ały** hollow

wypróchnienie *sn* (↑ **wypróchnieć**) mould; hollow

wypróżni|ać *v imperf* — **wypróżni|ć** *v perf* [I] *vt* to empty; to clear out (a room, drawer, suitcase etc.); to evacuate (one's bowels etc.); **~ać, ~ć kielichy** to drain glasses [II] *vr* **~ać, ~ć się** 1. (*opróżnić się*) to empty (*vi*); to become <to grow> empty 2. *fizj.* to relieve nature

wypróżnienie *sn* 1. ↑ **wypróżnić** 2. *med.* evacuation (of the bowels); dejection; stool

wyprucie *sn* ↑ **wypruć**

wypru|ć *v perf* **~je, ~ty** — **wypru|wać** *v imperf* [I] *vt* to extract <to take out, to draw out> (sth sewn up in a garment etc.); to let (sth) out of a ripped open covering; **~ć zwierzęciu flaki** to disembowel an animal; *przen.* **~wać komuś flaki** to bore sb to death; **~wać z siebie flaki** to sweat one's guts out [II] *vr* **~ć, ~wać się** (*ulec wypruciu*) to get unstitched <ripped open>

wyprysk *sm G.* **~u** 1. (*bryzg*) splash; sputter 2. *med.* eczema 3. *pot.* (*krosta*) pimple

wypry|skiwać *v imperf* — **wypry|snąć** *v perf* **~śnie, ~śnij, ~snął <~sł>, wypry|skać** *v perf* [I] *vi* 1. **~skiwać, ~snąć** (*pryskać w górę*) to sputter in the air 2. **~skiwać, ~snąć** *pot.* (*uciec*) to scamper away [II] *vt* **~skiwać, ~skać** *rz.* (*pryskając wylać*) to splash (sth) empty (**ciecz** of a liquid)

wypryskowaty *adj med.* eczematous

wyprysnąć *zob.* **wypryskiwać**

wyprysnięcie *sn* ↑ **wyprysnąć**

wyprz|ąc *v perf* **~ęże, ~ąż, ~ągł, ~ęgła, ~ężony, wyprz|ęgnąć** *v perf* — **wyprz|ęgać** *v imperf* [I] *vt* 1. (*odprząc*) to unhitch <to unharness> (a horse) 2. *fiz. techn.* to declutch [II] *vr* **~ąc, ~ęgnąć, ~ęgać się** to come <to get> unhitched <unharnessed>

wyprz|ąść *vt perf* **~ędę, ~ędzie, ~ądł, ~ędła, ~ędziony <~ędzony>** — *rz.* **wyprz|ędać** *vt imperf,* **wyprz|ędywać** *vt imperf* to spin; to use up (a quantity of yarn) in spinning

wyprzątnąć *vt perf* — **wyprzątać** *vt imperf* 1. (*opróżnić*) to clear out (a room etc.) 2. (*posprzątać dokładnie*) to tidy up (a room)

wyprzeć *zob.* **wypierać**

wyprzeda|ć *v perf* **~dzą** — **wyprzeda|wać** *v imperf* **~je, ~waj** [I] *vt* to sell off <out>; *handl.* to clear (one's stock of goods) [II] *vr* **~ć, ~wać się** to sell off <out> one's property <one's belongings>

wyprzedanie *sn* (↑ **wyprzedać**) sale

wyprzedaż *sf pl N.* **~e** *handl.* (clearance) sale

wyprzedz|ać *vt imperf* — **wyprzedz|ić** *vt perf* **~ę, ~ony** to outstrip; to outdistance; to outpace; to get ahead <to get the start> (**kogoś** of sb); to leave (sb) behind; (*w jeździe*) to overtake; *imperf* to gain (**kogoś** on sb); **~ić swoją epokę** to be ahead of one's time

wyprzęd *sm G.* **~u** *tekst.* spinning (of yarn)

wyprzędać, wyprzędywać *zob.* **wyprząść**

wyprzęgać zob. wyprząc

wyprzężenie sn ↑ wyprząc

wyprzód|ki spl G. ~ek pot. w wyrażeniu: na ~ki competitively; in competition; in emulation of each other; opowiadali swe wrażenia na ~ki they vied with each other in relating their impressions

wyprztykać się vr perf pot. to squander (one's fortune etc.)

wyprzysi|ąc się vr perf ~ęgnę się, ~ęgnie się, ~ęgnij się, ~ągł się, ~ęgła się — wyprzysi|ęgać się vr imperf 1. (wyrzec się) to swear off (od alkoholu itd. drink etc.) 2. (zaprzeczyć) to abjure <to foreswear> (czegoś sth)

wyprzystojnie|ć vi perf ~je to grow handsome <more handsome, better-looking>

wypsn|ąć się vr perf 1. pot. to escape (komuś sb, sb's lips); to slip out; ~ęło mu się głupstwo he dropped a brick; he put his foot in it 2. † (umknąć) to steal away 3. (wypaść) to spring up

wypsu|ć vt perf ~je, ~ty to spoil <to waste> (great quantities of sth)

wypucować vt perf pot. 1. (umyć) to wash (sth) clean; to scrub 2. (wypolerować) to polish; to furbish

wypucz|ać v imperf — wypucz|yć v perf [I] vt pot. 1. (czynić wypukłym) to stick out (one's chest etc.) 2. (nadymać) to blow out (one's cheeks) [II] vr ~ać, ~yć się to bulge; to belly out

wypudrować vt perf (zw. pp) to powder (one's face, hair etc.) copiously

wypuk sm G. ~u med. (opukiwanie) percussion

wypuk|ać vt perf — wypuk|iwać vt imperf 1. (wystukać) to tap out (a rhythm, a message etc.); ~ać kogoś z sali to call sb out by a rap at the door 2. (wytrząsnąć) to knock <to tap> out (popiół z fajki itd. one's pipe etc.)

wypukl|ać v imperf — rz. wypukl|ić v perf [I] vt to belly (sth) out [II] vr ~ać, ~ić się to belly out (vi); to bulge; to protrude

wypukle adv = wypukło

wypuklenie sn (↑ wypuklić) protuberance; swelling; boss

wypuklić zob. wypuklać

wypuklina sf protuberance; boss; knob

wypukło adv convexly; protuberantly; in relief

wypukłorzeźba sf plast. high relief

wypukłość sf 1. singt (cecha) salience; convexity; gibbosity; relief; vividness 2. (miejsce wypukłe) convexity; protuberance; gibbosity; swelling; boss; knob; bulge; camber

wypukły adj 1. (o kulistej powierzchni) convex; protuberant; gibbous; bulging; salient; techn. bossed, bossy; cambered; crowned; plast. in relief; druk ~ relief printing 2. przen. (wyrazisty) vivid

wypunktować vt perf 1. (zaakcentować) to stress a point <points> (in a composition) 2. sport to beat (one's adversary) on points 3. rzeźb. to point 4. techn. to punch

wypust sm G. ~u 1. (występ) ledge; projection; stol. tenon; tongue 2. (ujście) outlet 3. gw. pasture (ground)

wypust|ka sf pl G. ~ek 1. (wszyty pasek tkaniny) edging; insertion; inset 2. (wyrostek) appendix

wypustoszyć vt perf — wypustoszać vt imperf rz. to lay waste; to ravage

wypustowy adj projecting

wypu|szczać v imperf — wypu|ścić v perf ~szczę, ~szczony [I] vt 1. (puszczać) to let (sb, sth) go; to drop (sth); ~ścić coś z rąk to let sth slip from one's hands; to release one's hold of sth; to relinquish sth; ~ścić szansę z rąk to let slip <to miss> an opportunity 2. (uwalniać) to release (sb); to set (sb) free; to set (sb, a bird) at liberty; to discharge (a prisoner etc.); ~ścić zwierzę z klatki to let an animal out of a cage 3. (sprawiać, żeby coś leciało, ulatniało się, płynęło itd.) to eject (a missile etc.); to launch (a rocket, torpedo etc.); to let fly <to shoot> (an arrow etc.); to let out (air, gas, water etc.); to blow <to let> off (steam etc.); to send <to puff> out (smoke); nie ~szczać pary z ust not to utter a sound; to be dumb; ~ścić balon w powietrze to send up a balloon 4. (wprowadzić do sprzedaży, do użytku publicznego) to publish <to bring out> (a book, magazine etc.); to release (a film etc.); (puszczać w obieg) to emit <to issue> (bank-notes, stamps etc.) 5. (o roślinach) to shoot out (branches); to push forth (new roots); to send forth <out> (leaves) 6. pot. (poszerzać, rozluźniać części ubrania) to let out (a garment) 7. † (wydzierżawiać) to lease out; to rent; to hire 8. † (opuszczać) to omit (a word, a passage in a book etc.) [II] vr ~szczać, ~ścić się pot. to set out (on a journey, in a boat etc.)

wypuszczenie sn ↑ wypuścić 1. (puszczenie) relinquishment 2. (uwolnienie) release; discharge 3. (wprowadzenie do sprzedaży) publication 4. (puszczenie w obieg) emission; issue

wypychacz sm 1. techn. (urządzenie do wypychania) extractor 2. † (fachowiec od wypychania zwierząt) taxidermist

wypychać zob. wypchać

wypychanie sn 1. ↑ wypychać 2. (sztuka wypychania zwierząt) taxidermy; stuffing

wypychar|ka sf pl G. ~ek techn. ram

wypylić się vr perf bot. to shed the pollen

wypyt|ać v perf — wypyt|ywać v imperf [I] vt vi (także vr ~ać, ~ywać się) to question (sb); to ask (sb) questions; to inquire (o coś about sth; o kogoś after sb) [II] vr ~ać, ~ywać się (pytać jeden drugiego) to ask each other questions

wyr|abiać v imperf — wyr|obić v perf ~ób [I] vt 1. zw. imperf (wytwarzać) to produce; to manufacture; to make; to turn out (articles of trade); to execute <to fulfil> (a task, plan etc.); ~obić normę to carry out a norm 2. (czynić sprawnym) to develop; to train; to improve; ~obić sobie pogląd o kimś, czymś to form an opinion <a judgment> on sb, sth 3. (zabiegami zdobyć) to get <to procure, to obtain> (komuś zajęcie itd. sb a job <a post> etc.); ~obić komuś opinię człowieka uczciwego <szubrawca itd.> to establish sb's opinion as a man of integrity <a scoundrel etc.>; ~obić sobie opinię dobrego fachowca itd. to establish one's opinion as a good specialist etc.; ~obić sobie praktykę <klientelę itd.> to build up <to work up> a practice <a custom etc.> 4. (poddawać zabiegom) to condition (sth); to knead (dough); to pug (clay) 5. rz. (niszczyć przez tarcie) to damage by friction; to wear out <off, down> 6. imperf (dokazywać) to be up to (brewerie itd. pranks etc.); ~abiać burdy to bluster; to rampage; to raise Cain 7. † (formować) to shape; to work (iron etc.); ~obiony w złocie wrought in gold [III] vr ~abiać, ~obić się 1. (doskonalić się) to develop; to improve 2. (kształtować się) to take shape 3. imperf (dziać się) to go on; to take place; to, co się tam ~abia what's going on there 4. rz. (ścierać się) to be damaged by friction; to wear out <off, down> (vi)

wyrabianie sn ↑ wyrabiać 1. (wytwarzanie) production; manufacture 2. (zdobycie) procurement; obtention (of a document etc.)

wyrabować vt perf to plunder

wyrachow|ać v perf — rz. wyrachow|ywać v imperf [I] vt to reckon up; to compute; to calculate; to figure out [II] vi to reckon <to calculate, to figure out> (że ... that ...) [III] vr ~ać, ~ywać się to account for <to render an account of> (expenses etc.)

wyrachowani|e sn 1. ↑ wyrachować 2. (interesowność) interestedness; mercenariness; interested <mercenary> motives; miłość z ~a cupboard love; mieć w czymś swoje ~e to have an eye to one's own interest (in doing sth); z ~a from mercenary motives

wyrachowany [I] pp ↑ wyrachować [II] adj 1. (mający własną korzyść na oku) interested; mercenary; selfish; sordid 2. † (oszczędny) thrifty; niggardly

wyrachowywać zob. wyrachować

wyr|adzać v imperf — wyr|odzić v perf ~odzę, ~ódź, ~odzony [I] vt to give birth <rise> (coś to sth) [II] vr ~adzać, ~odzić się 1. (rodzić się) to descend <to spring, to be born> (of a given stock) 2. (degenerować się) to degenerate; (psuć się) to deteriorate 3. (powstawać) to spring <to arise> (from sth)

wyradzanie sn 1. ↑ wyradzać 2. ~ się (rodzenie się) rise; descent 3. ~ się (degenerowanie się) degeneration; (psucie się) deterioration

wyrafinować vt perf to refine

wyrafinowanie[1] sn 1. ↑ wyrafinować 2. (subtelność) refinement; subtlety

wyrafinowanie[2] adv refinedly

wyrafinowany [I] rz. pp ↑ wyrafinować [II] adj subtle; refined; exquisite

wyrajać zob. wyroić

wyrak sm zool. (Tarsius) tarsier

wyranżerować vt perf pot. to reject; to scrap

wyr|astać vi imperf — wyr|osnąć <rz. wyr|óść> vi perf ~ośnie, ~ośnij, ~ósł, ~ośli, ~ośnięty <~osły> 1. (o roślinach) to grow; to shoot up; to develop 2. (rozwijać się, ukazywać się) to rise; to develop; to grow (vi); byczkowi ~osły rogi the bull sprouted horns; jeleniowi ~astają co roku nowe rogi the stag grows fresh antlers every year; młodzieńcowi ~osły wąsy the lad sprouted a moustache 3. przen. (zjawiać się) to appear; to spring up 4. przen. (powstawać, wznosić się) to rise 5. (rosnąć) to grow; to develop; to become <to rise, to be, to bloom into> (na sławnego pisarza, generała, wynalazcę a famous writer, a general, an inventor); (o młodym człowieku) to grow (na tęgiego chłopa into a lusty fellow etc.); ~ośnie z niego opryszek he will grow into a gangster 6. (tracić cechy właściwe młodemu wiekowi) to outgrow (z ubrania, z jakiegoś przyzwyczajenia itd. one's clothes, a habit etc.) 7. (kiełkować) to sprout 8. (o cieście) to rise

wyratować v perf [I] vt to save; to rescue [II] vr ~ się to be saved <rescued>; to escape (od śmierci death etc.)

wyratowanie sn (↑ wyratować) rescue

wyraz sm G. ~u 1. (słowo) word; ~y pochwały <oburzenia itd.> terms of praise <of indignation etc.>; ~y poważania compliments; kind regards; w całym znaczeniu tego ~u in the full sense of the word; w krótkich ~ach in short 2. (przejaw) expression; look; ostatni ~ techniki the last word in technology; środki ~u means of expression; bez ~u expressionless; inexpressive; void of expression; blank; pełen ~u expressive; dać ~ czemuś to express sth; dać ~ zadowoleniu itd. to mark one's pleasure etc.; dać ~ swym uczuciom itd. to give voice to one's feelings etc. 3. mat. term; ~ przejściowy transient term

wyraz|ek sm G. ~ka jęz. particle

wyraziciel sm, **wyraziciel|ka** sf pl G. ~ek 1. (ten, kto wyraża) utterer 2. (reprezentant) exponent; (przedstawiciel partii, grupy itd.) mouthpiece

wyra|zić v perf ~żę, ~żony — wyra|żać v imperf [I] vt 1. (powiedzieć) to express; to state; to utter; to say; to formulate; to give expression <voice> (coś to sth); ~zić zgodę na coś to give one's consent to sth 2. (okazać) to express; to show; ~zić coś gestem to gesture sth 3. (oznaczyć) to mark; to express; to signify 4. (stać się wyrazicielem) to represent; to convey a meaning; to give utterance (uczucie to a feeling, sentiment) [II] vr ~zić, ~żać się 1. (powiedzieć) to express oneself; to utter one's thoughts <feelings, opinion>; to speak (dobrze <źle> o kimś, czymś well <ill> of sb, sth); jak się ~ził as he put it <phrased it>; nie wiem, jak się ~zić I don't know how to put it; to się nie da ~zić it is inexpressible; że się tak ~żę if I may so express myself; so to say; in a manner of speaking 2. (objawić się) to find expression (czymś in sth) 3. (zostać wyrażonym) to be expressed (czymś in <by> sth) 4. zw. imperf (zostać oznaczonym) to be rendered (czymś by sth)

wyrazistoś|ć sf singt 1. (ekspresywność) expressiveness; suggestiveness 2. (odznaczanie się łatwo zauważalnymi cechami) distinctness; sharpness of outline; brak ~ci indistinctness; woolliness; fuzziness

wyrazisty adj 1. (pełen ekspresji) expressive; suggestive; meaningful; telling (look, style, effect etc.) 2. (wyraźny) distinct; sharply outlined; clear-cut

wyraziście adv 1. (w sposób pełen wyrazu) expressively; suggestively 2. (wyraźnie) distinctly; in sharp outline

wyrazowy adj verbal (distinctions, subtleties etc.); word __ (accent etc.)

wyraźnie adv 1. (widocznie) distinctly; clearly; plainly; visibly; markedly; to się ~ przejawia w jego twarzy it is writ large in his face 2. (słyszalnie) audibly; ~ mówić to speak distinctly 3. (niedwuznacznie) unequivocally; explicitly; expressly; emphatically; dać ~ do zrozumienia, że ... to make it clear that ...

wyraźność sf singt distinctness; clearness

wyraźny adj 1. (łatwo wyodrębniony zmysłami) distinct; clear; visible; plain; conspicuous; perspicuous; clear-cut; sharp; well-marked 2. (*słyszalny*) audible; (*o akcencie itd.*) marked; pronounced 3. (*niedwuznaczny*) unequivocal; explicit; express; emphatic; (*o różnicy*) tangible; (*o aluzji*) pointed; (*o odpowiedzi*) direct (reply)

wyrażać *zob.* **wyrazić**

wyrażalny *adj rz.* expressible

wyrażanie *sn* 1. ↑ **wyrażać** 2. (*wypowiadanie*) expression; utterance; formulation 3. **~ się** manner of speaking <of expressing oneself>; form of speech; (*wypowiedź*) statement; utterance

wyrażeni|e *sn* 1. ↑ **wyrazić; możliwy do ~a** expressible 2. *jęz.* (*zespół frazeologiczny*) phrase; expression; locution; term 3. *mat.* expression 4. † (*wypowiedź*) utterance; statement

wyrażeniowy *adj rz.* (mode etc.) of expression

wyr|ąb *sm G.* **~ębu** 1. (*wyrąbanie*) fall; fell; felling 2. (*poręba*) clearing; slash; cutting

wyr|ąbać *v perf* **~ąbie — wyr|ąbywać** *v imperf, rz.* **wyr|ębywać** *v imperf* [I] *vt* 1. (*wybić*) to hack down; to cut out; **~ąbać, ~ąbywać, ~ębywać przeręble** to make ice-holes; *dosł. i przen.* **~ębywać sobie drogę** to hew one's way 2. (*wyciąć*) to cut <to hew, to hack> down; (*wytrzebić*) to cut down <to devastate> (forests) 3. (*pozabijać*) to hack (enemy troops) to pieces 4. *rz.* (*wyciosać*) to hack 5. *pot.* (*powiedzieć*) to rap out; to give (sb) a piece of one's mind 6. *pot.* (*wyklepać*) to rattle off (one's prayers etc.) [II] *vr* **~ąbać, ~ąbywać, ~ębywać się** (*przebijać się*) to hew one's way out (of an ambuscade etc.)

wyrąbisko *sn* = **wyręba**

wyrąbywać *zob.* **wyrąbać**

wyrecytować *vt perf* 1. (*wygłosić z pamięci*) to recite 2. (*powiedzieć bez namysłu*) to rattle off

wyregulować *vt perf* 1. (*naregulować*) to adjust; to regulate 2. (*wyrównać*) to align; to straighten out

wyremontować *vt perf* to repair; to recondition; to overhaul (a machine)

wyreparować *vt perf*, **wyreperować** *vt perf* to repair; to mend

wyrestaurować *vt perf* to restore; to renovate

wyretuszować *vt perf* to retouch; to touch up

wyreżyserować *vt perf* to stage <to produce, to get up> (a play); to direct (a film)

wyręb *sm G.* **~u** = **wyrąb** 2.

wyr|ęba *sf pl G.* **~ąb** *leśn.* = **wyrąb** 2.

wyrębywać *zob.* **wyrąbać**

wyręcz|ać *v imperf* — **wyręcz|yć** *v perf* [I] *vt* to help (sb) out (in doing sth); to replace (sb); to relieve (sb of a task) [II] *vr* **~ać, ~yć się** to make use (**kimś** of sb); **on się zawsze kimś ~a w pracy** he always has sb do his work for him <gets his work done for him by sb>

wyręczenie *sn* 1. ↑ **wyręczyć** 2. (*wyręka*) helpmate

wyręczyciel *sm*, **wyręczyciel|ka** *sf pl G.* **~ek** substitute; helpmate

wyręczycielstwo *sn singt rz.* = **wyręka 1.**

wyręczyć *zob.* **wyręczać**

wyręk|a *sf* 1. (*wyręczanie*) help; **nie mam z niego ~i** he is no help to me 2. (*osoba wyręczająca*) substitute; helpmate; **chwilowa ~a** stop-gap

wyr|ko *sn pl G.* **~ek** *pog.* pellet; kip

wyro *sn augment* ↑ **wyrko**

wyrobić *zob.* **wyrabiać**

wyrobienie *sn* 1. ↑ **wyrobić** 2. (*wprawa*) practice; efficiency; skill; expertness 3. (*ogłada*) good manners

wyrobisko *sn górn.* excavation; drift; passage

wyrobnica *sf* workwoman

wyrobniczy *adj* working — (people etc.)

wyrobnik *sm* 1. (*najemnik*) workman; day-labourer; navvy 2. *pog.* (*o pracowniku nauki, sztuki*) pot-boiler

wyrocznia *sf* 1. (*człowiek — autorytet oraz instytucja kultowa w starożytności*) oracle 2. (*przepowiednia*) prophecy; oracle

wyroczny *adj lit.* oracular

wyrod|ek *sm G.* **~ka** degenerate; monster

wyrodnie|ć *vi perf* **~je** *biol.* to degenerate

wyrodnienie *sn* (↑ **wyrodnieć**) degeneration

wyrodny *adj* 1. (*taki, który się wyrodził*) degenerate 2. (*nikczemny*) unnatural (father, son etc.); infamous; villainous; base

wyrodzenie *sn* (↑ **wyrodzić**) degeneration

wyrodzić *zob.* **wyradzać**

wyr|oić *v perf* **~oję, ~ój, ~ojony** — *rz.* **wyr|ajać** *v imperf* [I] *vt* to fancy; to imagine [II] *vr* **~oić, ~ajać się** 1. (*o pszczołach*) to swarm (from the hive); (*o ludziach*) to come out in swarms 2. (*uroić się*) to come into (**komuś** sb's) head; to be imagined

wyrok *sm G.* **~u** 1. *prawn.* judgement; verdict; sentence; **wydać ~** to bring in a verdict; to pass judgement (**na kogoś** on sb) 2. *przen.* (*wypowiedź fachowców — lekarzy*) pronouncement 3. *pl* **~i** *w zwrocie*: **~i opatrzności** the decrees of Providence

wyrokodawca *sm* (*decl* = *sf*) judge

wyrokować *vi imperf* 1. (*orzekać*) to pass judgement; to rule; to decree 2. (*rozstrzygać*) to decide

wyrokow|iec *sm G.* **~ca** *pot.* sentenced prisoner

wyro|sić *vt perf* **~szę, ~szony** *roln.* to ret (flax)

wyrosnąć *zob.* **wyrastać**

wyrost *sm G.* **~u** 1. *rz.* (*przydatek*) excrescence; outgrowth 2. † (*wzrost*) growth; *obecnie w zwrocie*: **na ~** a) (*o ubraniu itd.*) allowing for growth; with room to grow <for growth> b) (*o planach itd.*) allowing for expansion <for future development>

wyrost|ek *sm G.* **~ka** 1. (*chłopiec*) teen-ager; boy in his teens; stripling; juvenile; young shaver 2. *anat. biol.* process; outgrowth; appendix; **~ek łokciowy** olecranon; *med.* **zapalenie ~ka robaczkowego** appendicitis

wyroszenie *sn* ↑ **wyrosić**

wyrośl *sf pl N.* **~e** 1. *bot.* excrescence 2. *med.* vegetation; *wet.* (bony etc.) excrescence; **~ kostna** fusee; **~a adenoidalne** adenoid vegetations

wyrośnięcie *sn* ↑ **wyrosnąć**

wyrośnięty *adj* overgrown; **nie ~** undergrown; (*o drzewie, zwierzęciu*) scrubby

wyrozub *sm zool.* (*Rutilus frisii*) a species of roach

wyrozumiale *adv* indulgently; leniently; forbearingly

wyrozumiałość *sf singt* indulgence; leniency; forbearance

wyrozumiały *adj* indulgent; lenient; forgiving; forbearing

wyrozum|ieć *vt perf* **~iem, ~ie, ~ieją, ~iej, ~iał, ~ieli — wyrozum|iewać** *vt imperf* to understand; to make out; **nic nie można ~ieć z tego** you can't make anything out of it

wyrozumienie *sn* 1. ↑ **wyrozumieć** 2. † = **wyrozumiałość**

wyrozumiewać *zob.* **wyrozumieć**

wyrozumować *vt perf* — **wyrozumowywać** *vt imperf* to reason out; to conclude; to infer

wyr|ób *sm G.* **~obu** 1. (*produkt*) (manufactured) article; *pl* **~oby** goods; wares; **~oby gliniane** earthenware; **~oby ręczne** hand-made goods; **~oby żelazne** ironmongery; hardware 2. (*wyrabianie*) manufacture; production; making; **francuski <amerykański itd.> ~ób** article of French <American etc.> make

wyrób|ka *sf pl G.* **~ek** *leśn.* logging

wyr|ój *sm G.* **~oju** *pszcz.* swarming

wyróść *zob.* **wyrastać**

wyrówn|ać *v perf* — **wyrówn|ywać** *v imperf* [I] *vt* 1. (*wygładzić*) to level; to smooth; to flatten; to even; to plane; (*wyprostować*) to straighten out; to align; *wojsk.* to dress (the ranks) 2. (*ujednolicić*) to equalize; to equate 3. (*uiścić należność*) to pay; to settle (a bill etc.); to discharge <to clear off> (a debt); **mieć z kimś rachunki ~ane** to be square with sb; **rachunek nie jest ~any** the bill is unpaid 4. (*skompensować*) to compensate; to offset <to redeem> (a loss, defect, shortcoming etc.); to square <to balance> (accounts); *sport* to equalize (the score) [II] *vi* 1. (*wyprostować szereg*) to dress up; to dress the ranks 2. † (*dorównać*) to match (**komuś, czemuś** sb, sth) [III] *vr* **~ać, ~ywać się** 1. (*stać się równym*) to become even <level> 2. (*stać się prostym*) to straighten out (*vi*) 3. (*ujednolicić się*) to be <to become> equalized 4. (*zostać wynagrodzonym*) to be compensated <offset, redeemed> 5. (*o rachunku*) to be settled 6. (*o wyniku rozgrywki*) to be equalized

wyrównanie *sn* 1. ↑ **wyrównać** 2. (*kwota regulująca rachunek*) settlement; payment; **~ kont** balancing <clearance> of accounts 3. *sport* (*przewaga dana słabszemu*) handicap; **~ wyniku** equalization of the score 4. (*kompensata*) compensation; offset

wyrównany [I] *pp* ↑ **wyrównać** [II] *adj* even; level; smooth; straight

wyrównawczy *adj* equalizing; levelling; compensatory; compensation ___ (balance, pendulum etc.); compensating (gear etc.); balance ___ (cock etc.); **zbiornik ~** retarding reservoir; **zbiornik ~ solanki** brine expansion tank

wyrówniar|ka *sf pl G.* **~ek** *techn.* edging machine; surfacer

wyrównywacz *sm techn.* equalizer; leveller

wyrównywać *zob.* **wyrównać**

wyróżni|ać *v imperf* — **wyróżni|ć** *v perf* [I] *vt* 1. (*faworyzować*) to favour (sb); to show partiality <to be partial> (**kogoś** to sb); to discriminate in favour (**kogoś** of sb) 2. (*zaznaczać różnicę*) to distinguish; to single out; to mark off; *druk.* to display [II] *vr* **~ać, ~ć się** 1. (*odznaczać się*) to distinguish oneself; to signalize oneself 2. (*wyodrębniać się*) to be conspicuous <distinguishable, knowable> (**czymś** by sth); to stand out

wyróżnianie *sn* 1. ↑ **wyróżniać** 2. (*faworyzowanie*) favouritism; partiality; discrimination

wyróżnicow|ać *v perf* — **wyróżnicow|ywać** *v imperf lit.* [I] *vt* to single out [II] *vr* **~ać, ~ywać się** to become <to be> distinguishable

wyróżnić *zob.* **wyróżniać**

wyróżnienie *sn* 1. ↑ **wyróżnić** 2. (*faworyzowanie*) favouritism; partiality; discrimination 3. (*wyrażenie uznania*) distinction; honour; privilege; favour (shown to sb); mark of preference 4. (*nagroda*) award; prize 5. (*cecha wyróżniająca*) distinguishing mark 6. **~ się** act of distinction

wyróżnik *sm* 1. *mat.* discriminant 2. *techn.* **~ szybkobieżności** specific speed

wyróżniony [I] *pp* ↑ **wyróżnić** [II] *sm* prize-winner

wyróżować † *v perf* (*zw. pp*) [I] *vt* to rouge (one's cheeks, lips) [II] *vr* **~ się** to rouge one's cheeks <lips>

wyrudzi|eć *vi perf* **~eje** to turn russet; **~ały** russet-coloured; discoloured; faded

wyrugować *vt perf* 1. (*usunąć z zajmowanego miejsca*) to oust; to evict; to eject; (*pozbawić nieruchomości*) to dispossess 2. (*wydalić*) to oust 3. (*wyprzeć*) to oust; to supersede; to supplant 4. (*usunąć*) to eradicate

wyrugowanie *sn* (↑ **wyrugować**) eviction; ejection; dispossession; supersession

wyrusz|ać *vi imperf* — **wyrusz|yć** *vi perf* to leave; to set out; to start on a journey; to take one's departure; (*o wojsku*) to march out; (*o statku*) to sail away; to make for the open sea; (*o wędrowcu*) to take the road; **wcześnie ~yć** to make an early start; **~yć ku domowi** to make for home; **~yć na wojnę** to go to war; **~yć w drogę powrotną** to start back

wyruszenie *sn* (↑ **wyruszyć**) (a) start; departure

wyrwa *sf* (*dziura oraz przen. luka*) gap; (*w murze obronnym, w szeregach walczących*) breach; (*w ziemi po wybuchu pocisku*) crater

wyr|wać *v perf* **~wę, ~wie, ~wij** — **wyr|ywać** *v imperf* [I] *vt* 1. (*wyszarpnąć*) to tear out; to pull (**coś z czegoś** sth out of sth); to extract <to draw> (teeth, nails etc.); to pluck out (hairs, feathers etc.); **dać sobie ~wać ząb** to have a tooth out; **~wać z korzeniem** to uproot; *przen.* to eradicate; **~ywać sobie coś nawzajem** to scramble for sth; to snatch sth from each other's hands; **~ywać sobie włosy** to tear <to rend> one's hair 2. *przen.* (*spowodować ocknięcie się*) to rouse <to recall> (sb from his meditations etc.); to shake (sb out of his sleep) 3. *przen.* (*uwolnić*) to deliver (sb from death, from his enemies etc.) 4. (*wydrzeć*) to tear (sb, sth from sb <from sb's grasp>); to wrest (**coś komuś** sth from sb); to snatch (sth) away (**komuś** from sb); **~wać komuś coś z rąk** to snatch sth out of sb's hands 5. *zw. perf pot.* (*wytrzasnąć*) to raise (money); **~wać trochę grosza** to raise the wind 6. *pot. szk.* to call (a pupil) unawares to recite his lesson [II] *vi* (*zw. imperf*) (*uciec*) to run away; to take to one's heels; **~ywaj!** off you go!; buzz off!; *am.* beat it!; scram! [III] *vr* **~wać, ~ywać się** 1. *zw. perf* (*wydrzeć się*) to tear <to wrench> oneself free; (*o zwierzęciu*) to bolt; to get out of control <out of hand>; **~wać się z więzienia** to break out of prison 2. *pot.* (*wyjechać*) to get away; to take a holiday 3. *pot.* (*wymknąć się*) to scamper away 4. *przen.* (*odezwać się niefor-*

tunnie) to blurt out; to come out with a remark 5. (*o słowach, dźwiękach*) to burst (**komuś** from sb's lips); to escape (**komuś** sb's lips)

wyrwanie *sn* (↑ **wyrwać**) (a) wrench; pull; extraction (of a tooth etc.)

wyrwany [I] *pp* ↑ **wyrwać** [II] *sm* a folk dance

wyrwid|ąb *sm G.* **~ęba** a legendary giant

wyrychtować *v perf gw.* [I] *vt* 1. (*naprawić*) to fix (sth) 2. *przen. iron.* (*wpędzić w kłopoty*) to get (sb) into a mess [II] *vr* **~ się** to deck oneself out

wyrycie *sn* ↑ **wyryć**

wyry|czeć *v perf* **~czy,** *rz.* **wyry|knąć** *v perf* — **wyry|kiwać** *v imperf* [I] *vt pot.* to roar [II] *vr* **~czeć, ~knąć, ~kiwać się** 1. (*o bydle*) to cease mooing <lowing> 2. *pot.* (*wybeczeć się*) to stop blubbering; to have one's cry out

wyry|ć *v perf* **~je** [I] *vt* 1. (*wyżłobić*) to gully; to furrow 2. (*wykopać*) to dig out 3. (*wyrytować*) to engrave; to incise; to carve (out) 4. *przen.* to imprint <to engrave> (**coś w pamięci** sth upon the memory) [II] *vr* **~ć się** to be engraved (on the mind, on the memory); to be impressed (on the face)

wyrykiwać *zob.* **wyryczeć**

wyrynnik *sm zool.* (*Platypus*) a beetle noxious to oak-trees

wyrypa *sf pot. rub.* hike

wyryp|ać *vt perf* **~ie, ~aj** <**~**> 1. (*wyrąbać*) to rap out 2. † (*odłupać*) to tear out

wyrysow|ać *v perf* — **wyrysow|ywać** *v imperf* [I] *vt* to draw; to sketch [II] *vr* **~ać, ~ywać się** to be outlined

wyrytować *vt perf* to engrave

wyrywać *v imperf* [I] *vt zob.* **wyrwać** [II] *vr* **~ się** 1. (*szarpać się*) to tug <to strain> (**ze smyczy** at the leash); to struggle 2. *przen.* (*rwać się*) to be keen (**do czegoś** on sth); to be eager (**do czegoś** for sth); to yearn (**do czegoś** for <after> sth)

wyryw|ek *sm G.* **~ka** extract, excerpt, passage

wyryw|ka † *sf pl G.* **~ek** *obecnie w zwrocie*: **na ~ki** a) (*urywkowo*) at random; at haphazard b) (*jeden przez drugiego*) in emulation of each other

wyrywkowo *adv* at random; at haphazard

wyrywkowy *adj* random <haphazard> (selection etc.)

wyrządz|ać *vt imperf* **~ę, ~ony** — **wyrządz|ić** *vt perf* to cause; to occasion; to make (mischief etc.); to do (sb a wrong, an injustice etc.)

wyrze|c *v perf* **~knę** <**~kę**>, **~knie** <**~cze**>, **~kł, ~czony** — **wyrze|kać** *v imperf* [I] *vt lit.* to say; to express; to utter [II] *vr* **~c, ~kać się** to renounce <to give up, to forgo, to surrender, to relinquish> (**czegoś** sth); to renounce <to repudiate, to disown> (**kogoś** sb); **~kać się siebie** to be self-denying

wyrzeczenie *sn* 1. (↑ **wyrzec**) utterance 2. **~ się** renouncement; surrender; relinquishment; repudiation; **~ się samego siebie** self-denial

wyrzekać *vi imperf* to complain (**na kogoś, coś** of <about> sb, sth); to lament (**na coś** over sth)

wyrzekani|e *sn* (↑ **wyrzekać**) complaint; *pl* **~a** complaints; lamentations

wyrzeźbić *vt perf* 1. (*wyryć*) to sculpture; to carve 2. (*wytworzyć rzeźbę terenu*) to sculpture (the forms of the earth's surface)

wyrznąć *zob.* **wyrżnąć**

wyrzuc|ać *vt imperf* — **wyrzuc|ić** *vt perf* **~ę, ~ony** 1. (*wydalać*) to throw (sb, sth) out; (*usuwać*) to evict <to eject, to remove, to get rid of> (a tenant etc.); **~ać pieniądze** to waste <to squander> one's money; **~ić chłopca ze szkoły** to expel a boy from school; **~ić kogoś, coś za burtę** to throw sb, sth overboard; **~ić kogoś na bruk** to turn sb into the street; **~ić kogoś poza nawias** to place sb outside the pale; **~ić kogoś za drzwi** to turn <*pot.* to chuck> sb out; **~ić kogoś z posady** to dismiss <to discharge, *pot.* to sack, to fire> sb; to throw sb out of employment; **~ić z siebie krzyk** to cry out; **~ić z siebie potok obelg** to let loose a torrent of abuse 2. (*ciskać*) to throw <to cast, to fling> out <away>; to dump; to shoot out; (*miotać*) to emit <to throw up, to belch forth> (clouds of smoke etc.); (*o koniu*) **~ić łeb w górę** to toss its head; **~ić pocisk** to project a missile 3. *imperf* (*robić wyrzuty*) to reproach (**coś komuś** sb with sth; **komuś, że coś zrobił** sb for having done sth); to upbraid (**coś komuś** sb for sth); **wciąż mi to ~ają** they keep <they are for ever> casting that in my teeth; **~ać sobie coś** to blame oneself for sth

wyrzuceni|e *sn* ↑ **wyrzucić; nie mam sobie nic do ~a** I have nothing to blame myself for

wyrzucić *zob.* **wyrzucać**

wyrzut *sm G.* **~u** 1. (*wymówka*) reproach; reproof; **spojrzenie pełne ~u** a look of reproof; **~y sumienia** remorse; qualms <pangs, pricks> of conscience; **mieć ~y sumienia** to have qualms of conscience; **robić komuś ~y z powodu czegoś** to reproach sb about <for> sth; to upbraid sb for sth 2. *pl* **~y** (*krosty*) rash; eruption; pimples 3. (*rzucenie*) throw; cast; fling; **~ dysku** <**oszczepu**> discus <javelin> throw

wyrzut|ek *sm G.* **~ka** outcast (of society); ruffian; wretch; **~ki społeczeństwa** dregs <scum, off--scourings> of society

wyrzutnia *sf* 1. *jęz.* (*opuszczenie samogłoski, spółgłoski*) elision 2. *jęz.* (*opuszczenie wyrazu, wyrazów*) ellipsis 3. *techn.* chute 4. *wojsk.* rocket launcher

wyrzutnik *sm* 1. *techn.* ejector 2. *wojsk.* extractor

wyrzutowy *adj* 1. *med.* eruptive 2. (*dotyczący rzucania*) propulsive

wyrzygać *vt perf, rz.* **wyrzygnąć** *vt perf* — *rz.* **wyrzygiwać** *vt imperf pot.* 1. (*zwymiotować*) to spew, to spue; to cat 2. *przen.* to belch (fire etc.)

wyrzynać *zob.* **wyrżnąć**

wyrzynanie *sn* 1. ↑ **wyrzynać** 2. (*wyrzeźbiony ornament*) open-work

wyrzynar|ka *sf pl G.* **~ek** *techn.* jigsaw; scroll-saw

wyrzyn|ek *sm G.* **~ka** chock; block; bolt

wyrżnąć <**wyrznąć** [r-z]> *v perf* — **wyrzynać** *v imperf* [I] *vt* 1. (*zabić*) to kill <to slaughter, to massacre, to cut to pieces> (a garrison etc.); to put (the population etc.) to the sword; to slaughter (animals) 2. (*wyciąć*) to cut out <away>; to indent; to cut off; to cut (all the grass, rushes etc.); to cut down (all the trees etc.) 3. (*wyrzeźbić*) to carve out 4. *perf pot.* (*machnąć*) to let fly (a volley etc.); **wyrżnąć komuś prawdę w oczy** to rap out the truth to sb's face 5. *perf pot.* (*walnąć*) to bang; to thwack; to paste (sb on the face etc.); **wyrżnąłem go w szczękę** I landed him one in the jaw [II] *vi perf* to come bang <to smash> (**o drzewo itd.** against a tree etc.; **w ścianę itd.** against a wall etc.) [II] *vr* **wyrżnąć** <**wyrznąć**>, **wyrzynać się** 1. (*wyciąć się wzajemnie*) to cut each other to pieces; to massacre each other 2. (*zostać wyciętym, wyrzeźbionym*) to be cut out; to be carved 3. (*o zębach*) to pierce; to erupt; **dziecku wyrzynają się ząbki** the little dot is cutting its teeth

wyrżnięcie *sn* (↑ **wyrżnąć**) cut; massacre (of a population etc.); slaughter (of cattle etc.)

wysad *sm G.* **~u** 1. *geogr. geol.* diapir 2. *techn.* (*w piekarnictwie*) batch

wysadz|ać *v imperf* — **wysadz|ić** *v perf* **~ę, ~ony** [I] *vt* 1. (*pozwalać wysiąść*) to put down <to set down, to land> (passengers); *wojsk.* **~ić desant gdzieś** to raid a place; **~ić wojsko ze statku** <**z pociągu, samolotu, autobusów**> to debark <to detrain, to deplane, to debus> troops 2. (*pomagać wysiąść z pojazdu*) to help (sb) out; **~ę pana przed jego domem** I'll drop you at your door 3. (*wysuwać*) to put (one's head) out (**z okna** at the window); **~ić głowę** to peep out; to pop one's head (**z okna** out of the window) 4. (*wypychać*) to push <to thrust> out; to eject; **~ić kogoś z posady** to oust sb from a post; **~ić kogoś z siodła** to unsaddle <to unhorse> sb 5. (*rozwalić za pomocą środka wybuchowego*) to blow up (a bridge etc.); to explode <to touch off, to spring> (a mine); **~ić drzwi** to burst a door open 6. *ogr.* (*przesadzić*) to plant out (seedlings) 7. (*obsadzać roślinnością*) to plant (an area with trees); to line (a road with trees) 8. (*sadzać na nocnik*) to put (a child) on the chamber pot 9. *imperf* (*inkrustować*) to inlay (furniture); *jub.* to set (sth with precious stones) 10. *dial.* (*wybierać*) to elect [II] *vr* **~ać, ~ić się** (*silić się*) to lay oneself out; to spread oneself; *am.* to splurge

wys|alać *vt imperf* — **wys|olić** *vt perf* **~ól** *chem.* to grain out

wysap|ać *v perf* **~ ie** — **wysap|ywać** *v imperf* [I] *vt* to gasp out (some words etc.) [II] *vr* **~ać, ~ywać się** 1. (*nasapać się*) to cease gasping; to recover one's breath 2. (*odpocząć*) to have a breathing space

wysącz|ać *v imperf* — **wysącz|yć** *v perf* [I] *vt* 1. (*pić*) to sip up 2. (*wylewać*) to pour out; to drain [II] *vr* **~ać, ~yć się** to ooze out; to drip away

wysączkować *vt perf med.* to drain (an abscess)

wysączyć *zob.* **wysączać**

wysądz|ić *vt perf* **~ę, ~ony** *rz.* to sue out (one's property, a right)

wys|chnąć *vi perf* **~echł, ~chła, ~chnięty** — **wys|ychać** *vi imperf* 1. (*stać się suchym*) to dry; to get parched; (*o roślinie*) to shrivel up; **~chło mu w gardle** he felt dry 2. (*o cieczy*) to dry up; **atrament jeszcze nie zdążył ~chnąć ...** the ink was still wet ... 3. (*o zbiorniku cieczy*) to dry up; to run <to go> dry 4. (*schudnąć*) to thin; to shrivel up; **~chnąć jak szczapa** to become as thin as a lath

wysegregować *vt perf* to sort out

wyselekcjonować *vt perf* to select

wysep|ka *sf pl G.* **~ek** islet; (*na rzece*) ait; holm; **~ka tramwajowa** refuge; safety island

wyseplenić *vt perf* to lisp out (some words etc.)

wysforować *v perf* [I] *vt* to bring to the fore [II] *vr* **~ się** to come to the fore; to get ahead of the rest; (*w biegu oraz przen.*) to take up the running

wysi|ać *vr perf* **~eje** — **wysi|ewać** *v imperf* [I] *vt* 1. *roln.* to sow 2. *biol.* to seed; to inoculate [II] *vr* **~ać, ~ewać się** 1. *bot.* to self-sow 2. *biol.* to erupt; to break out in eruption

wysi|adać *vi imperf* — **wysi|ąść** *vi perf* **~ądę, ~ądzie, ~adł, ~edli** 1. (*wychodzić*) to get out (**z pociągu, samochodu** of the train, of a motor-car); to get off (**z autobusu, samolotu** a bus, an aeroplane); to alight (**z pociągu, powozu** from a train, a carriage); **dać pasażerom ~ąść** to set down passengers; **~ąść ze statku** to go ashore; to disembark 2. *sl.* (*psuć się*) to go bust <kaput>

wysiadkow|y *adj zool.* **ptaki ~e** nestlings

wysi|adywać *v imperf* — **wysi|edzieć** *v perf* **~edzę, ~edzi** [I] *vt* 1. (*o ptactwie*) to hatch out (**pisklęta** chicks); to hatch <to sit on, to incubate> (eggs) 2. (*o ludziach — odsiadywać*) to stay (**jakiś okres czasu gdzieś** a given space of time somewhere) 3. (*niszczyć przez częste siedzenie*) to wear (sth) out [II] *vi imperf* (*przebywać*) to sit <to stay> (at one's work etc. till late at night etc.); to spend regularly a lot of time (somewhere); **on tam ~aduje godzinami** he spends hours there at a stretch

wysianie *sn* ↑ **wysiać**

wysiarkować *vt perf rz.* to sulphurize

wysiąkać *v imperf* — **wysiąknąć** *v perf* [I] *vi* (*wydobywać się*) to ooze <to leak> out [II] *vt perf* to blow (one's nose)

wysiąść *zob.* **wysiadać**

wysie|c *vt perf* **~kę, ~cze, ~kł, ~czony** 1. (*zabić*) to cut (people) to pieces; to mow down (the enemy with machine guns) 2. (*wychłostać*) to flog; to lash 3. (*wykosić*) to mow (all the grass etc.)

wysiedl|ać *v imperf* — **wysiedl|ić** *v perf* [I] *vt* to displace (a population etc.); to expel; to eject; to dislodge; to evacuate; to resettle (villages etc.) [II] *vr* **~ać, ~ić się** *rz.* to emigrate

wysiedlenie *sn* (↑ **wysiedlić**) displacement; expulsion; ejection; dislodgement; evacuation

wysiedle|niec *sm G.* **~ńca** displaced person; D.P.; *pl* **~ńcy** displaced population; evacuees

wysiedlić *zob.* **wysiedlać**

wysiedlony [I] *pp* ↑ **wysiedlić** [II] *sm* displaced person; D.P.; evacuee

wysiedz|ieć *v perf* **~ę, ~i** [I] *vt* 1. *zob.* **wysiadywać** 2. (*pobyć, wytrzymać*) to stay <to be imprisoned, to be kept in prison> (a given space of time); **długo tam nie ~isz** you won't stand it long there; **nie mogę tu ~ieć** I can't stand it here any longer 3. (*osiągnąć coś siedząc gdzieś*) to obtain (sth) by <to be the better for> staying <remaining, sitting> (somewhere); **nic tu nie ~ę** I'll be none the better for staying here any longer; no good will come of my staying here any longer [II] *vi* (*usiedzieć*) to sit out <through> (**do końca odczytu, zebrania itd.** a lecture, a meeting etc.) [III] *vr* **~ieć się** to sit <to stay> (somewhere) till one can hardly stand it any longer

wysiekać † *vt perf* = **wysiec** 1.

wysiep|ać *vt perf* **~ie** *rz.* 1. (*wyrwać*) to tear out 2. (*wystrzępić*) to fray; to ravel out

wysiew *sm G.* **~u** 1. (*wysianie*) sowing 2. *biol.* seeding; inoculation

wysiewać *zob.* **wysiać**

wysiewny *adj ogr. roln.* sowing — (seeds, axle etc.)

wysięg *sm G.* **~u** *techn.* (crane) radius
wysięgnica *sf,* **wysięgnik** *sm techn.* arm <gibbet> (of a crane); boom; jib
wysięk *sm G.* **~u** *med.* exudation; exudate; **~ w kolanie** *pot.* water on the knee
wysiękowy *adj med.* exudative
wysil|ać *v imperf* — **wysil|ić** *v perf* [I] *vt* to strain; to exert; to put forth (one's energies, knowledge, eloquence etc.) [II] *vr* **~ać, ~ić się** 1. (*natężać swe siły*) to exert oneself; to strain oneself; (*o maszynie*) to labour; **nie ~ać się** to take it easy 2. (*o drzewach owocowych, glebie — owocować ponad miarę*) to exhaust itself
wysilenie *sn* 1. ↑ **wysilić** 2. **~ się** strain; exertion; exhaustion
wysilić *zob.* **wysilać**
wysił|ek *sm G.* **~ku** effort; exertion; strain; stress; endeavour; push; try; *pl* **~ki** assiduity; (*nagłe, krótkotrwałe wytężenie sił*) spurt; **wspólnym ~kiem coś zrobić** to unite in doing sth; *sport* **wygrać bez ~ku** to win hands down <in a romp>; **zaprzestać ~ków** to give it up as a bad job; **z ~kiem stanąć na nogi <posuwać się naprzód, przebić się do wnętrza, przebić się na zewnątrz>** to struggle to one's feet <along, in, out>; **bez ~ku** effortlessly; easily; **nie szczędząc ~ku** hammer and tongs
wysiudać *vt perf pot.* to chuck <to kick> (sb) out
wyskakiwać *vi imperf* 1. *zob.* **wyskoczyć** 2. (*podskakiwać*) to jump (for joy)
wyskalować *vt perf techn.* to graduate (a scale etc.)
wyskalowanie *sn* (↑ **wyskalować**) graduation
wyskamlać <**wyskamłać**> *vt perf* 1. (*wyrazić skamlaniem*) to whine out (a request etc.) 2. *pot.* (*uzyskać skamląc*) to obtain <to secure> (sth) by pestering (people) with one's whining
wyskandować *vt perf* to scan (verse, one's words etc.)
wyskarżać się *vr imperf* — **wyskarżyć się** *vr perf* to complain; to lament
wysklepi|ać *v imperf* — **wysklepi|ć** *v perf* [I] *vt* to arch (a structure) [II] *vr* **~ać, ~ć się** to arch (*vi*)
wysk|oczyć *vi perf* — **wysk|akiwać** *vi imperf* 1. (*wydostać się*) to jump <to leap, to spring> out; *lotn.* to bail <to bale> out; **o mało ze skóry nie ~oczyłem (ze zdziwienia)** I nearly jumped out of my skin (with surprise); **~akiwać ze skóry, żeby ...** to do one's utmost <*pot.* one's damnedest> in order to ...; to strain every nerve in order to ...; **~oczyć z łóżka** to jump <to tumble> out of bed; **co koń ~oczy** (at) full gallop; post-haste; *wulg.* **~oczyć na kogoś z pyskiem** to jump down sb's throat; *przen.* **~oczyć z głupstwem** to come out with a silly remark 2. (*wypaść*) to be ejected <thrown out>; **oczy mu ~oczyły na wierzch** his eyes started out of his head; **parowóz ~oczył z szyn** the locomotive jumped the metals; **serce mi mało nie ~oczyło z radości** my heart leapt for joy; **to słówko mu ~oczyło** the word escaped him; **tramwaj ~oczył z szyn** the tram left the track; **~oczyć ze stawu** to come out of joint 3. *przen.* (*nagle się ukazać*) to come in sight; to burst upon the view; to bob up; **na palcach ~oczyły mi bąble** my fingers blistered 4. *imperf przen.* (*sterczeć*) to protrude; to stand out 5. (*wskoczyć*) to jump (**na coś** on to sth) 6. (*zw. perf*) *pot.* (*pobiec*) to run over <to pop round> (to the grocer's, baker's etc.)
wyskok *sm G.* **~u** 1. (*wybryk*) vagary; gambade; freak; escapade; whim 2. *bud.* (*występ*) ledge; offset; shoulder; salient; *arch.* taenia 3. (*skok*) jump; leap; spring 4. (*zw. pl*) *astr.* protuberance
wyskokow|y † *adj* intoxicating; *obecnie w zwrocie:* **napoje ~e** intoxicants; liquor; strong drinks
wyskoml|eć *vt perf* **~i** = **wyskamlać** 2.
wyskrob|ać *v perf* **~ie** — **wyskrob|ywać** *v imperf* [I] *vt* 1. (*wydobyć, wydrapać*) to scrape (one's plate); to scrape out (a pan, jam jar etc.) 2. *przen. pot.* (*wygrzebać*) to scrape together (some money etc.) 3. (*zeskrobać*) to scratch out <to erase> (a word, stain etc.) 4. (*napisać, narysować*) to scratch (words, a figure etc. on stone, ivory etc.) [II] *vr* **~ać, ~ywać się** *wulg.* to procure oneself an abortion
wyskrob|ek *sm G.* **~ka** 1. *pl* **~ki** (*resztki jedzenia*) scrapings 2. *obelż. iron.* (*niedorostek*) scrub; runt 3. *pot. żart.* (*najmłodsze dziecko*) last-born
wyskrobin|a *sf* 1. *med.* tissue specimen 2. *pl* **~y** *gw.* scrapings
wyskrobywać *zob.* **wyskrobać**
wyskub|ać *vt perf* **~ie, wyskub|nąć** *vt perf* — **wyskub|ywać** *vt imperf* to pluck out (hairs, feathers etc.)
wysłać[1] *vt perf* **wyśle, wyślij** — **wysyłać** *vt imperf* 1. (*wyprawić*) to send <to dispatch> (a messenger, letter, goods etc.) 2. *przen.* (*rzucać spojrzenia itp.*) to dart (glances etc.) 3. (*strzelić*) to let fly; to shoot; to dart (missiles) 4. (*zw. imperf*) (*emitować*) to send forth <to emit> (rays, light etc.)
wysłać[2] *vt perf* **wyściele, wyściel, wysłał** — **wyściełać** <*rz.* **wyścielać**> *vt imperf* to stuff <to pad, to upholster, to cushion> (a sofa etc.); to carpet (the floor); to strew (the ground, sb's path with flowers etc.)
wysł|adzać *v imperf* — **wysł|odzić** *v perf* **~odzę, ~odzony** 1. (*uczynić słodkim*) to sweeten 2. (*zmniejszać zasolenie*) to desalt (sea water)
wysłanie[1] *sn* (↑ **wysłać**[1]) dispatch; consignment (of goods); expedition
wysłanie[2] *sn* (↑ **wysłać**[2]) padding; stuffing; upholstery
wysłannictwo *sn singt* envoyship; legation; mission
wysłannicz|ka *sf pl G.* **~ek, wysłannik** *sm* envoy; legate; deputy; emissary
wysławi|ać[1] *vt imperf.* — **wysławi|ć** *vt perf* (*głosić sławę*) to praise; to laud; to glorify; to sing the praises (**kogoś** of sb); **~ać, ~ć kogoś pod niebiosa** to extol sb to the skies
wysławiać[2] *zob.* **wysłowić**
wysławianie[1] *sn* (↑ **wysławiać**[1]) praises; glorification
wysławianie[2] *sn* 1. ↑ **wysławiać**[2] 2. **~ się** elocution
wysławić *zob.* **wysławiać**[1]
wysłodk|i *spl G.* **~ów** *techn.* beet pulp
wysłodzenie *sn* ↑ **wysłodzić, ~ buraków** sugar extraction
wysłodzić *zob.* **wysładzać**
wysłodzin|y *spl G.* **~** = **wysłodki**
wysłoneczniony *adj* sunny; sun-flooded
wysł|owić *v perf* **~ów** — *rz.* **wysł|awiać** *v imperf* [I] *vt* to express; to say; to utter [II] *vr* **~owić, ~awiać się** to express oneself; to speak (**gładko** fluently; **z trudnością** with difficulty)

wysłowieni|e *sn* 1. (↑ **wysłowić**) expression (of a sentiment etc.) 2. **~e się** elocution; delivery; **łatwość ~a się** fluency

wysł|ód *sm G.* **~odu** *techn.* malt

wysłuch|ać *vt perf* — **wysłuch|iwać** *vt imperf* 1. (*posłuchać do końca*) to hear (sb) out; to give (sb) a hearing; **~ać, ~iwać kogoś** to listen to all that <to what> sb has to say; **~ać** <**nie ~ać**> **czyichś uwag** to give a ready ear <a cold ear> to sb's remarks; **proszę mnie ~ać** please hear me out 2. (*usłyszeć*) to hear (**odczytu itd.** a lecture etc.) 3. *lit.* (*spełnić prośbę*) to hear <to grant, to answer> (**prośby, modlitwy** a request, a prayer) 4. *rz. med.* to auscultate

wysłuchanie *sn* ↑ **wysłuchać; ~ prośby** fulfilment of a request

wysługa † *sf* service; *obecnie w zwrocie:* **~ lat** full term of service

wysłu|giwać *v imperf* — **wysłu|żyć** *v perf* [I] *vt* 1. (*osiągnąć*) to obtain (sth) as a recompense for one's service <for a period of service>; (*zarobić*) to earn (sth) 2. (*zw. perf*) (*odbyć lata służby*) to serve (a number of years); to end one's term of service; *perf* (*o przedmiocie*) to have done good service [II] *vi* (*służyć*) to serve (**komuś** sb) [III] *vr* **~giwać, ~żyć się** 1. *imperf pog.* (*służyć*) to serve (**komuś** sb); to lackey (**komuś** sb); to suck up (**komuś** to sb) 2. (*wyręczać się*) to make use (**kimś** of sb); to have <to get> one's work done (**kimś** by sb) 3. *perf* (*zniszczyć się*) to get worn out 4. *perf* (*nasłużyć się*) to have seen enough service

wysługiwanie *sn* (↑ **wysługiwać**) service

wysłużony [I] *pp* ↑ **wysłużyć** [II] *adj* (*o fachowcu itd.*) experienced; of long standing; qualifying for a pension

wysłużyć *zob.* **wysługiwać**

wysmagać *vt perf* 1. (*wychłostać*) to flog 2. *przen.* to batter

wysmalać *vt imperf* — **wysmalić** *vt perf* to char; to scorch; to singe; to parch

wysmarkać *v perf pot.* [I] *vi* to blow (one's nose) [II] *vr* **~ się** to blow one's nose

wysmarow|ać *v perf* — *rz.* **wysmarow|ywać** *v imperf* [I] *vt* 1. (*zw. perf*) (*natrzeć*) to smear; to grease; to oil; to lubricate 2. (*zw. perf*) (*ubrudzić*) to soil; to stain; to dirty 3. (*zużyć na smarowanie*) to use (sth) up (for smearing, greasing, oiling, lubricating) [II] *vr* **~ać, ~ywać się** 1. (*pokryć się maścią*) to smear <to grease> one's face <body> 2. (*ubrudzić się*) to get soiled <stained, dirty>

wysmaż|ać *v imperf* — **wysmaż|yć** *v perf* [I] *vt* to cook; to make (jam) [II] *vr* **~ać, ~yć się** to get <to be> cooked

wysmok|tać *vt perf* **~ta** <**~cze**> — **wysmok|tywać** *vt imperf* 1. (*wyssać*) to suck up 2. (*wypić smocząc*) to sip

wysmołować *vt perf* to tar

wysmuklać *vt imperf* — **wysmuklić** *vt perf* to slim; *am.* to slenderize

wysmukle|ć *vi perf* **~je** to slim (*vi*); *am.* to slenderize (*vi*); to grow <to become> slimmer <more slender>

wysmukło *adv* slenderly; slimly

wysmukłość *sf singt* slenderness; slimness

wysmukły *adj* slender; slim; *bot. zool.* virgate

wysmyk|iwać *v imperf* — **wysmyk|nąć** *v perf* [I] *vt* to pluck [II] *vr* **~iwać, ~nąć się** 1. (*wyślizgiwać się*) to slip out 2. (*wymykać się*) to slip away; to steal out

wysnucie *sn* ↑ **wysnuć**

wysnu|ć *v perf* **~je, ~ty** — **wysnu|wać** *v imperf* [I] *vt* 1. (*wyciągnąć nić*) to extract <to draw out> (a thread etc.) 2. (*rozwinąć z kłębka*) to unravel 3. (*uprząść*) to spin 4. *przen.* (*wydobyć*) to evolve; **~ć wniosek** to conclude; to draw a conclusion 5. (*o pająkach itd.*) to spin (a web) 6. (*ułożyć w myśli*) to devise [II] *vr* **~ć, ~wać się** 1. (*zostać uprzędzionym*) to get <to be> spun 2. (*wydobyć się*) to issue; to emerge 3. (*powstać*) to arise

wysoce *adv* extremely; highly; in a high degree; eminently

wysoczyzna *sf* height; eminence; altitude; upland

wysok|i *adj* 1. (*w przestrzeni*) high; tall; lofty; elevated; towering; soaring; **konferencja na najwyższym szczeblu** top-level conference; **~a stopa życiowa** high standard of living; **~ie mniemanie o kimś, czymś** high opinion of sb, sth; **~iej miary** <**próby**> high-class; high-standard; superior; **~i na 6 stóp** <**2 metry itd.**> 6 feet <2 meters etc.> high <tall>; **z ~a** a) (*z góry*) from above b) (*dumnie*) proudly; haughtily 2. (*o człowieku — także* **~iego wzrostu**) tall; (*o chłopcu, dziewczynie*) strapping 3. (*w hierarchii*) high; high-ranking <superior> (officer etc.); **Sąd Najwyższy** Supreme Court of Justice 4. (*o intensywności, rozmiarze*) high (temperature, price, tension etc.); **~i podatek** heavy tax; **~ie cło** heavy duty; **~i połysk** brilliant polish; **w ~im stopniu** in a high degree; eminently 5. (*szlachetny, wzniosły*) superior; lofty; exalted 6. (*o głosie, dźwięku*) high-pitched; **nastrojony na ~i ton** <**na ~ą nutę**> in an exalted strain

wysoko *adv* 1. (*w przestrzeni*) high; high up (in the air, in the sky); aloft; loftily 2. (*w hierarchii*) (to rank etc.) high; **~ postawiona osoba** high-ranking personage; **cenić kogoś, coś ~** to have a high opinion <to think highly> of sb, sth; **postawić coś** (**instytucję itd.**) **~** to place sth (an institution etc.) on a high level of efficiency; **stać ~** to hold a high position; **~ mierzyć** <**latać**> to aim <to fly> high; *przen.* **zajść ~** to climb high in the social scale; to go far 3. (*w intensywności*) highly (esteemed, paid etc.); **grać ~** to play high <for high stakes>; **~ przegrywać** to lose heavily 4. (*wzniośle*) loftily; exaltedly 5. (*cienkim głosem*) (to sing etc.) high <in a high-pitched voice>

wysoko- high-

wysokobiałkowy *adj* with a high protein content

wysokocielna *adj zool.* near to calving

wysokociśnieniowy *adj techn.* high-tension (cables etc.); high-pressure (engine etc.)

wysokocukrowy *adj* high-sugar (beets)

wysokogatunkowy *adj* high-grade <high-quality> (product etc.)

wysokogórski *adj* alpine (club etc.); mountain — (pastures etc.)

wysokogó|rzec *sm G.* **~rca, wysokogórca** *sm* (*decl* = *sf*) *pot.* alpinist

wysokojakościowy *adj* = **wysokogatunkowy**

wysokokaloryczny *adj* with a high calorie content

wysokonapięciowy *adj elektr.* high-voltage — (line etc.)

wysokoobrotowy *adj techn.* high-speed (engine etc.)
wysokopienny *adj* standard (rose, fruit tree); **las ~** high forest
wysokoprężny *adj techn.* compression-ignition (engine); high-pressure — (machine etc.)
wysokoprocentowy *adj* high-grade (fuel etc.)
wysokorosły *adj antr.* tall
wysokoskrobiowy *adj* with a high starch content
wysokosprawny *adj techn.* high-duty (pump etc.)
wysokostopowy *adj techn.* highly alloyed
wysokościomierz *sm* altimeter; height indicator; **~ samopiszący** altigraph
wysokościow|iec *sm G.* **~ca** sky-scraper
wysokościowy *adj* 1. (*dotyczący wysokości w przestrzeni*) height — (gauge etc.); altitude — (recorder etc.) 2. (*dotyczący wysokości dźwięku*) pitch — (standard etc.)
wysokoś|ć *sf* 1. (*odległość między podstawą a wierzchołkiem*) height; loftiness; **sporej ~ci drzewko** sizable tree; **mieć x metrów ~ci** to be *x* meters high; to measure *x* meters in height; **na ~ć człowieka** man high 2. (*odległość od ziemi*) altitude; height; level; **lęk ~ci** height fear; *med.* acrophobia; **stać <nie stać> na ~ci zadania** to be equal <unequal> to a task; **stanąć na ~ci zadania** to prove equal to a task; to rise to the occasion; **nie stanąć na ~ci zadania** to fall short of the mark; **na dużych ~ciach** at high altitudes; *bibl.* **na ~ci, na ~ciach** on high; **na ~ć głowy** to the level of one's head 3. (*ważność*) importance (of services rendered etc.) 4. (*w tytule*) Highness 5. (*ilość, liczba, należność*) height; amount; degree; quantity; extent (of damage, credit etc.); **do ~ci x zł** to the amount <to the extent> of *x* zl 6. (*wzniosłość*) loftiness (of thought etc.) 7. (*właściwość dźwięku*) pitch 8. *astr.* altitude
wysokotemperaturowy *adj techn.* high-temperature — (stove etc.)
wysokotopliwy *adj techn.* high-melting
wysokowartościowy *adj* high-grade; highly valuable
wysokowęglowy *adj techn.* high-carbon (steel)
wysokowitaminowy *adj* with a high vitamin content
wysokowrzący *adj techn.* high-boiling
wysokowydajny *adj* high-efficiency — (machine)
wysolenie *sn* ↑ **wysolić**
wysolić *zob.* **wysalać**
wysondować *vt perf* 1. (*zbadać za pomocą sondy*) to sound (the sea, a lake etc.); *med.* to sound <to probe> (a wound etc.) 2. *przen.* (*wybadać kogoś*) to sound <to pump> (sb)
wysortow|ać *vt perf* — *rz.* **wysortow|ywać** *vt imperf* to sort out; to weed out; **towar ~any** shoddy
wysp|a *sf* 1. (*ląd*) island; **~a koralowa** coral-island; **Wyspy Brytyjskie** the British Isles 2. *przen.* (*skupisko*) enclave
wyspacerować się *vr perf* to take a good long walk; to walk about
wyspać się *vr perf* **wyśpię się, wyśpi się, wyśpij się, wyspał się** — **wysypiać się** *vr imperf perf* to have a good sleep; to have one's sleep out; *imperf* to have plenty of sleep; to lie late in bed; **nie wysypiać się** not to have enough sleep; **on się nie wysypia** he doesn't have enough sleep
wyspany *adj* well rested after a good sleep; **jestem ~** I've had a good sleep; **nie jestem ~** I'm sleepy; I haven't had enough sleep

wyspecjalizowa|ć *v perf* [I] *vt* to specialize (sb, sth); **~ny murarz <blacharz itd.>** qualified bricklayer <tinsmith etc.> [III] *vr* **~ć się** to specialize (*vi*)
wyspecjalizowanie *sn* (↑ **wyspecjalizować**) specialization
wyspekulować *vt perf* 1. (*zdobyć*) to get <to procure> (sth) by means of speculation 2. (*wymyślić*) to reason (sth) out
wyspiar|ka *sf pl G.* **~ek** islander (woman)
wyspiarski *adj* insular
wyspiarstwo *sn singt* insularity
wyspiarz *sm* islander
wyspinać się *vr perf rz.* to climb (**na górę** a mountain)
wysportowany *adj* athletic (build etc.); muscular; robust; **on jest ~** he has had athletic training; he is a sportsman
wyspowiadać *v perf* [I] *vt* to confess (sb) [III] *vr* **~ się** 1. (*odbyć spowiedź*) to go to confession; to confess one's sins 2. *przen.* (*zwierzyć się*) to unbosom oneself; to get (**z czegoś** sth) off one's chest
wyspowy *adj* insular
wysprzątać *vt perf* to tidy (a room etc.)
wysprzeda|ć (się) *vt vr perf* **~dzą** — **wysprzeda|wać (się)** *vt vr imperf* **~je** = **wyprzedać, wyprzedawać (się)**
wysprzedaż *sf pl N.* **~e** sale; **~ remanentów** clearance sale
wysprzęgl|ać *vt imperf* — **wysprzęgl|ić** *vi perf aut.* to declutch; to throw out of gear; **~ony** out of gear
wysrać się *vr perf wulg.* to shit
wysrebrnie|ć *vi perf* **~je** to become <to grow> silvery
wys|sać *vt perf* **~sę, ~sie, ~sij** — **wys|ysać** *vt imperf* 1. (*wyciągnąć*) to suck up <out>; **~sać coś do sucha <do ostatniej kropli>** to suck sth dry; **~sać coś z mlekiem matki** to suck in sth with one's mother's milk; **~sać coś z palca** to invent; to trump up; to fabricate (a story etc.) 2. *przen.* (*wyeksploatować*) to suck (sb) dry; to bleed (sb) white 3. *techn.* (*wchłonąć*) to suck up (air, water etc.)
wyst|ać *v perf* **~oję, ~oi, ~ój, ~ał** — **wyst|awać** *v imperf* **~aje** [I] *vt* 1. (*dostać*) to stand (**dzień, noc itd.** all day, night etc.) 2. (*uzyskać*) to obtain <to secure> (sth) at the cost of hour-long standing (in a queue etc.) [III] *vr* **~ać, ~awać się** 1. (*stać do znużenia*) to stand (somewhere) to the limit of one's patience <of endurance> 2. (*o płynie*) to settle; (*wyklarować się*) to clarify; (*przefermentować*) to reach complete fermentation; (*nabrać mocy*) to mellow; to season 3. (*o owocach — dojrzeć*) to ripen *zob.* **wystawać**
wystający *adj* 1. (*sterczący*) protruding; prominent; salient; **~ ząb** buck-tooth 2. (*wysunięty — o dolnej szczęce*) underhung; undershot
wystały *adj*, **wystany** *adj* (*o płynie*) settled; clarified; fermented; mellow; seasoned
wystarać się *vr perf* to get <to procure, to secure, to obtain> (**o coś** sth)
wystarcz|ać *vi imperf* — **wystarcz|yć** *vi perf* to suffice; to be sufficient; to be enough (**na coś** for sth); (*o pomieszczeniu itd.*) to be large enough; (*o jakości itd.*) to be good enough; (*o okresie czasu*) to be long enough; (*o głębokości wody itd.*)

to be deep enough; aż nadto ~y it's more than enough; musi ci to ~yć you must make do <be satisfied> with that; nie ~yło nam węgla <benzyny itd.> we ran short of coal <petrol etc.>; nie ~yło pomarańcz <wina itd.> dla wszystkich there weren't enough oranges <there wasn't enough wine> to go round; ~yło dwóch minut, żeby ... it took no longer than <it only took> two minutes to ...; ~y mi tego that's enough <that will do> for me; I can manage <I can make do> with that; that will serve my purpose; ~y powiedzieć <zadzwonić itd.> you only need to say <to ring etc.>; ~y tego that's enough; that will do; no more, thank you

wystarczająco *adv* sufficiently; adequately; enough

wystarczający *adj* sufficient; adequate; ledwo ~ scant; poor; meagre

wystarczalność *sf singt* sufficiency

wystarczalny *adj* sufficient; adequate

wystartować *vi perf* 1. (*o samolocie*) to take off 2. (*o osobie, pojeździe*) to start

wystatecznie|ć *vi perf* ~je to settle down

wystaw|a *sf* 1. (*pokaz*) exhibition; display; show; array (of china-ware, toys etc.); dekoracja ~ sklepowych window-dressing; doroczna ~a malarstwa the Salon; ~a bydła cattle-show; ~a kwiatów flower-show; ~a sklepowa shop window 2. *teatr* setting 3. (*odsłonięcie budynku*) exposure; aspect 4. *arch.* porch

wysta|wać *vi imperf* ~je, ~waj, ~wał 1. *zob.* wystać 2. (*stać długo*) to stand (godzinami, całymi dniami by the hour, all day) 3. (*sterczeć na zewnątrz*) to protrude; to jut (out); to stick out

wystawanie *sn* 1. ↑ wystawać 2. (*sterczenie*) protrusion

wystawca *sm* (*decl* = *sf*), **wystawczyni** *sf* 1. (*właściciel eksponatu na wystawie*) exhibitor (of a painting etc.) 2. (*ten, kto wystawia dokument*) drawer (of a document, bill of exchange, cheque etc.)

wystawi|ać *v imperf* — **wystawi|ć** *v perf* [I] *vt* 1. (*stawiać na zewnątrz*) to put <to set> (sth) out (of the room etc.); to take (sth out of a sideboard etc.); *wojsk.* ~ać, ~ć wartę to post sentries 2. (*stawiać, kłaść coś tak, aby było widoczne*) to display; to make a show (coś of sth); ~ć coś na licytację to put sth up for <*am.* to> auction; ~ć coś na sprzedaż to put sth out for sale 3. (*umieszczać na wystawie*) to exhibit (a work of art etc.) 4. (*umieszczać pod działaniem czegoś*) to expose (sb, sth to the sun etc.; sb to danger etc.); być ~onym to be on show; ~ć kogoś, coś na niebezpieczeństwo to endanger sb, sth; ~ć kogoś, coś na próbę to put sb, sth to the test; ~ć kogoś na pośmiewisko to hold sb up to ridicule; *pot.* ~ć kogoś do wiatru to leave sb stranded; to play sb false 5. (*wysuwać*) to put out (one's head at the window, one's tongue); nie ~ać nosa z domu not to stir from home; ~ać rogi a) (*o ślimaku*) to put out its horns b) (*być krnąbrnym*) to grow impertinent 6. (*proponować*) to put up (kandydata a candidate); to enter (kogoś do udziału w zawodach sb for a competition) 7. *teatr* to put up <to produce, to stage> (a play); to put (a play) on the stage 8. (*sporządzać dokument*) to draw up (a document); to write out (a cheque); ~ć komuś świadectwo to give sb a certificate <a character> 9. (*tworzyć własnym kosztem*) to raise (troops, an army); to put (an army etc.) in the field 10. (*budować*) to raise <to erect, to rear> (a building, monument etc.) [II] *vi* (*o psie myśliwskim*) to set; to point [III] *vr* ~ać, ~ć się 1. (*pokazywać się*) to show oneself 2. (*narażać się*) to expose oneself (to ridicule, to danger etc.)

wystawiani|e *sn* 1. ↑ wystawiać 2. *myśl.* (dead)set 3. *teatr* staging <production> (of plays); prawo ~a stage right

wystawić *zob.* wystawiać

wystawienie *sn* 1. ↑ wystawić 2. (*pokaz*) display; exhibition 3. *rel.* exposition (of the Sacrament) 4. (*umieszczenie pod działaniem*) exposure 5. *teatr* production <staging> (of a play) 6. (*zbudowanie*) erection (of a building, monument etc.)

wystawiennictwo *sn singt* the science <art> of arranging exhibitions

wystawiennik *sm pot.* expert in the arrangement of exhibitions

wystawiony [I] *pp* ↑ wystawić [II] *adj* 1. (*o dziele sztuki itd.*) on view; (*o zwłokach męża stanu*) lying in state; (*o budynku*) pointing (na południe itd. South etc.); ~ na słońce sunny 2. (*narażony*) open (na ataki, krytykę itd. to attack, criticism etc.); ~ na wszystkie wiatry wind-swept

wystawnie *adv* pompously; with pomp and circumstance; gorgeously; sumptuously; magnificently

wystawność *sf singt* pomp (and circumstance); gorgeousness; sumptuosity; magnificence

wystawny *adj* pompous; gorgeous; sumptuous; magnificent

wystawow|y *adj* 1. (*dotyczący pokazów*) exhibition — (rooms, committee etc.) 2. (*dotyczący wystawy sklepowej*) shop-window — (display etc.); gablotka ~a show-case; okno ~e shop-window; salon ~y show-room

wyst|ąpić *vi perf* — **wyst|ępować** *vi imperf* 1. (*postąpić naprzód*) to step out <forward>; ~ąpić na scenę to come out on the stage; ~ąpić z brzegów to overflow; to burst its banks; to flood 2. (*zabrać głos*) to express one's opinion; to come out (w czyjejś obronie in sb's defence; z pretensją with a claim); to pronounce <to declare oneself> (za czymś <przeciw czemuś> in favour of <against> sth); ~ąpić z przemówieniem to make a speech; ~ąpić z wnioskiem to bring on a subject for discussion 3. (*wziąć udział jako artysta itd.*) to perform; to take part (in a performance etc.); ~ąpić z koncertem <recitalem> to give a concert <a recital>; ~ępować na scenie to act; to tread the boards 4. (*ukazać się*) to appear; to make one's appearance; ~ąpić okazale to make a brilliant show; ~ąpić z przyjęciem to give a party 5. (*wypisać się*) to resign (from an institution etc.); ~ąpić z wojska to leave the army; to retire from the army 6. (*o objawach, cechach itd.*) to appear; to be visible; to come out; piana ~ąpiła mu na wargi he frothed at the mouth; pot ~ąpił mu na czoło he broke out into a sweat; sweat stood out on his forehead; rumieniec ~ąpił mu na twarz a blush suffused his cheeks; u pacjenta ~ąpiły objawy szkarlatyny the patient showed symptoms of scarlet fever *zob.* występować

wystąpienie *sn* 1. ↑ **wystąpić** 2. (*zabranie głosu*) pronouncement 3. (*udział w imprezie*) performance 4. (*ukazanie się*) appearance 5. (*wypisanie się*) resignation; retirement

wysterczać *vi imperf* to protrude; to jut out; to stick out

wysterylizować *vt perf med. techn.* to sterilize

wystękać *vt perf* — **wystękiwać** *vt imperf* 1. (*wypowiedzieć zacinając się*) to stammer <to stutter> out; to falter out 2. (*wypowiedzieć stękaniem*) to groan out (one's story etc.)

występ *sm G.* **~u** 1. (*wystająca część*) protrusion; projection; salience; jut; **~ skalny** ledge; shelf; shoulder 2. (*popis publiczny*) performance; **~ gościnny** guest performance; **~ sceniczny** act; turn 3. † (*publiczne zabranie głosu*) utterance

występ|ek *sm G.* **~ku** offence; crime; **siedlisko ~ku** haunt of vice

występnie *adv lit.* illicitly; criminally

występność *sf singt* criminality

występn|y *adj lit.* criminal (act, behaviour etc.); vicious (tastes etc.); illicit (love etc.); **ludność ~a** the world of crime

występować *vi imperf* 1. *zob.* **wystąpić** 2. (*pojawiać się, znajdować się*) to occur; to be found; to exist; **często ~** to be of frequent occurrence 3. (*wysuwać się*) to protrude; to jut (out); to stand <to shoot, to stick> out; (*o skale, części budynku itd.*) **~ nad czymś** to overhang sth

występowanie *sn* 1. ↑ **występować** 2. (*pojawianie się*) occurrence; (*znajdowanie się*) existence 3. (*wysuwanie się*) protrusion; salience

wystornować *vt perf handl. bank.* to cancel; to annul

wystosow|ać *vt perf* — **wystosow|ywać** *vt imperf* to address <to write, to send> (a request, an application etc.)

wystraszać *zob.* **wystraszyć**

wystraszenie *sn* ↑ **wystraszyć**

wystrasz|yć *v perf* — **wystrasz|ać** *v imperf* [I] *vt* 1. (*nabawić strachu*) to frighten; to scare; to terrify; *perf* to give (sb) a fright 2. (*przepłoszyć*) to frighten away [II] *vr* **~yć, ~ać się** to take fright; to be frightened <scared, terrified>

wystrofować *vt perf* to rebuke; to reprimand; to scold

wystr|oić *v perf* **~oję, ~ój, ~ojony** — *rz.* **wystr|ajać** *v imperf* [I] *vt* 1. (*ubrać*) to dress (sb) up; to trig (sb) out 2. (*przyozdobić*) to deck out [II] *vr* **~oić, ~ajać się** to dress oneself up; to trig oneself out

wystrojony [I] *pp* ↑ **wystroić** [II] *adj* dressed up; trigged out; in full fig

wystr|ój *sn G.* **~oju** *arch.* interior decorations; **~ój kominka** mantelpiece

wystru|gać *vt perf* **~ga** <**~że**> — **wystru|giwać** *vt imperf* to carve; to whittle

wystrychnąć *v perf* [I] *vt w zwrocie:* **~ kogoś na dudka** to dupe <to gull, *sl.* to sell, to cod> sb [II] *vr* **~ się** † to make a fool of oneself

wystrzał *sm G.* **~u** 1. (*strzał*) shot; discharge; **bez ~u** without a shot being fired 2. *przen.* (*huk*) report 3. *przen.* (*sensacja*) sensation

wystrzałowo *adv* sensationally

wystrzałowy *adj* sensational

wystrzega|ć się *vr imperf* to beware (**kogoś, czegoś** of sb, sth; **robienia czegoś** of doing sth); to fight shy (**kogoś, czegoś** of sb, sth); to avoid <to shun> (**kogoś, czegoś** sb, sth); to steer clear (**kogoś, czegoś** of sb, sth); **trzeba się tego ~ć** it's the last thing to do; **~j się figlów** keep out of mischief

wystrzelać *zob.* **wystrzelić**

wystrzelenie *sn* ↑ **wystrzelić**

wystrzel|ić *v perf,* **wystrzel|ać** *v perf imperf* — **wystrzel|iwać** *v imperf* [I] *vi* 1. (*dać strzał*) to fire a shot; to discharge a gun; to shoot (in the air; at sb, sth; from a revolver, rifle etc.) 2. *imperf* (*wznosić się w górę*) to tower; to soar; to rise; to project 3. (*wybuchnąć*) to explode; to burst; (*o broni palnej*) to go off; (*o ogniu*) to shoot out (of windows, roofs etc.) [II] *vt* 1. (*strzelić*) to shoot (ten rounds of ammunition etc.); to set off (a rocket etc.) 2. (*przebić*) to hit (one's target etc.) 3. **~ać, ~iwać** (*pozabijać*) to shoot (**wszystkich ludzi, wszystkie zwierzęta itd.** all the people, animals etc.) 4. **~ać, ~iwać** (*zużywać amunicję*) to shoot away (all one's ammunition etc.)

wystrzęp|ić *v perf* — *rz.* **wystrzęp|iać** <**wystrzęp|ywać**> *v imperf* [I] *vt* to fray; to ravel out; to unravel [II] *vr* **~ić, ~iać, ~ywać się** to fray (*vi*); to ravel out (*vi*); to unravel (*vi*)

wystrzy|c *v perf* **~gę, ~że, ~gł, ~żony** — **wystrzy|gać** *v imperf* [I] *vt* 1. (*zw. perf*) (*ostrzyc*) to cut <to trim> (**komuś włosy** sb's hair); to clip (grass, a hedge etc.); to shear (sheep); (*o człowieku*) **~żony** with his hair trimmed 2. (*uformować*) to cut (**coś w jakiś kształt** sth to a pattern <into a given shape> [II] *vr* **~c, ~gać się** to have <to get> one's hair <one's beard> cut <trimmed>

wystrzykać *v perf imperf* [I] *vi* to spurt [II] *vt* to spurt out (sth)

wystrzykanie *sn* (↑ **wystrzykać**) (a) spurt

wystrzykiwać <**wystrzykać**> *v imperf* — **wystrzyknąć** *v perf* [I] *vi* to spurt [II] *vt* to spurt out (sth)

wystrzyżenie *sn* (↑ **wystrzyc**) haircut; (a) trim

wystudiowa|ć *vt perf* to study; **~ny** studied (gestures etc.)

wystudz|ać *v imperf* — **wystudz|ić** *v perf* [I] *vt* to cool; to chill [II] *vr* **~ać, ~ić się** to cool (*vi*)

wystuk|ać *vt perf* — **wystuk|iwać** *vt imperf* to tap; to rap; to knock; (*o zegarze*) to tick away (the seconds); (*o aparacie telegraficznym*) to tick out; **~ać coś na maszynie** to type sth; **~ać fajkę** to tap out one's pipe

wystyg|ać *vi imperf* — **wystyg|nąć** *vi perf* **~ł** to cool; to get <to grow> cold; **herbata ~nie** the tea will be cold; *dosł. i przen.* **~ły** cold

wystylizować *vt perf* 1. (*opracować stylistycznie*) to polish the style (**coś** of sth) 2. (*napisać dbając o styl tekstu*) to write (sth) in polished style 3. (*nadać charakter*) to stylize

wysublimować *vt perf* to sublime; to elevate

wysubtelni|ać *v imperf* — **wysubtelni|ć** *v perf* [I] *vt* to refine [II] *vr* **~ać, ~ć się** to acquire refinement

wysu|nąć *v perf* — **wysu|wać** *v imperf* [I] *vt* 1. (*umieścić tak, aby wystawało*) to advance; to move <to push, to thrust, to shove> (sth) forward <out>; to protrude (sth); to put <to stick> out (one's tongue etc.); (*wystawić nagłym ruchem*) to shoot out; **wąż ~wa język** the serpent shoots out its tongue; **~nięty** protruding; jutting; standing out; salient 2. (*wyciągnąć*) to draw out; to pull out (a drawer, revolver etc.); to take (one's hands) out (of one's pockets etc.); to put <to thrust> (one's head) out (of a carriage window etc.) 3. (*wystąpić z czymś*) to put forward <to set forth> (a theory etc.); to propound (a scheme etc.); to advance (an opinion etc.); to propose (sb for a post etc.); to put up (a candidate) [II] *vr* **~nąć, ~wać się** 1. (*wyjść naprzód*) to advance (*vi*); to come out; to thrust oneself forward; **~nąć się na czoło** <**na pierwszy plan**> to take the lead; to come to the fore 2. (*o zwierzęciu w norze*) to creep <to peep> out 3. *imperf* (*sterczeć*) to protrude; to jut <to stand> out 4. (*ukazać się*) to appear; to issue; to emerge 5. (*wymknąć się*) to slip out 6. (*wypaść*) to slip (**komuś z rąk** from sb's hands)

wysunięcie *sn* ↑ **wysunąć**

wysupłać *vt perf* — **wysupływać** *vt imperf* (*wyplątać*) to disentangle; (*wyjąć*) to take out; to extract

wysusz|ać *v imperf* — **wysusz|yć** *v perf* [I] *vt* to dry; to parch; to wither; to shrivel; *chem.* to desiccate [II] *vr* **~ać, ~yć się** to dry up; to get <to become> dry

wysusz|ka *sf pl G.* **~ek** dried fruits <vegetables, herbs>

wysuszyć *zob.* **wysuszać**

wysuwać *zob.* **wysunąć**

wysuwalność *sf singt* protractility

wysuwalny *adj* protractile; protrusile

wysuw|ka *sf pl G.* **~ek** *techn.* slide

wysuwnica *sf bud.* outrigger; *am.* lookout

wysuwny *adj techn.* sliding (clutch etc.)

wyswabadzać *zob.* **wyswobadzać**

wyswatać *vt perf* to match (sb with sb)

wysw|obadzać <*rz.* **wysw|abadzać**> *v imperf* — **wysw|obodzić** *v perf* **~obodzę, ~obodzony** [I] *vt* to free (**kogoś z czegoś** sb from sth); to liberate; to deliver [II] *vr* **~obadzać, ~abadzać, ~obodzić się** to free oneself (**od** <**z**> **czegoś** from sth); to rid oneself (**od czegoś, kogoś** of sth, sb)

wyswobodzenie *sn* (↑ **wyswobodzić**) liberation

wysyc|ać *v imperf* — **wysyc|ić** *v perf* **~ę, ~ony** [I] *vt chem.* to saturate [II] *vr* **~ać, ~ić się** to become saturated

wysycanie *sn* ↑ **wysycać**

wysycenie *sn* (↑ **wysycić**) saturation

wysychać *zob.* **wyschnąć**

wysycić *zob.* **wysycać**

wysylabizować *vt imperf* to spell out

wysyłać *zob.* **wysłać**[1]

wysyłający *sm* (*decl* = *adj*) sender; forwarder; consignor

wysył|ka *sf pl G.* **~ek** 1. (*czynność*) dispatching <forwarding, sending, shipping> (of parcels, goods etc.) 2. *rz.* (*przesyłka*) parcel; consignment; shipment

wysyłkownia *sf* dispatch department

wysyłkowy *adj* mail-order ~ (firm, business)

wysyp|ać *v perf* **~ie** — **wysyp|ywać** *v imperf* [I] *vt* 1. (*usunąć z wnętrza*) to pour <to tip> out; to empty; to tip; (*o woźnicy*) to spill (one's passenger into a ditch etc.) 2. (*poprószyć*) to strew <to scatter, to sprinkle> (**coś piaskiem itd.** sth with sand etc.) 3. *pot.* (*zdradzić tajemnicę*) to give (the show) away; to squeal [II] *vr* **~ać, ~ywać się** 1. (*wypaść z wnętrza*) to spill (*vi*) 2. *przen.* (*wyjść gromadnie*) to pour out 3. (*wystąpić z wnętrza*) to come out; to erupt 4. *pot.* (*zdradzić tajemnicę niebacznie*) to blurt out; (*pod przymusem*) to squeal

wysypiać się *zob.* **wyspać się**

wysypisko *sn* dumping ground; refuse dump

wysyp|ka *sf pl G.* **~ek** *med.* exanthema; eruption; rash; **dostać ~ki** to come out in a rash

wysypkowy *adj med.* exanthematic

wysypywać *zob.* **wysypać**

wysysać *zob.* **wyssać**

wyszabrować *vt perf pot.* to loot

wyszachrować *vt perf* to swindle (sth) out

wyszafować *vt perf* to dissipate; to be liberal (**coś** with sth)

wyszale|ć się *vr perf* **~je się** 1. (*wyładować energię*) to let off <to blow off> steam 2. (*wyszumieć się*) to sow one's wild oats; (*o burzy, wichurze*) to rage itself out

wyszamerować *vt perf* (*zw. pp*) *rz.* to braid

wyszarga|ć *v perf* [I] *vt* to draggle; **~ny** bedraggled [II] *vr* **~ć się** to draggle one's clothes

wyszarp|ać *v perf* **~ie, wyszarp|nąć** *v perf* — **wyszarp|ywać** *v imperf* [I] *vt* 1. (*wyrwać*) to tear <to pull, to wrench> out 2. **~ać** (*wytarmosić*) to pull (sb) about; to give (sb) a shaking [II] *vr* **~ać, ~nąć, ~ywać się** 1. (*wydrzeć się*) to tear oneself away; to wrench oneself (from sb's clutches etc.) 2. (*zostać wyrwanym*) to be <to get> torn out

wyszarzały *adj* threadbare; worn; well-worn

wyszarzany *adj* discoloured

wyszarze|ć *vi perf* **~je** to grow threadbare

wyszast|ać *v perf* — **wyszast|ywać** *v imperf pot.* [I] *vt* to squander [II] *vr* **~ać, ~ywać się** 1. (*wyzbyć się, także* **~ać, ~ywać się z pieniędzy**) to squander one's money 2. (*o pieniądzach*) to be squandered

wyszczebiotać *vt perf* **~cze** <**~ce, ~ta**> to chirp out

wyszczególni|ać *v imperf* — **wyszczególni|ć** *v perf* [I] *vt* to specify; to particularize; to mention (sb) by name [II] *vr* **~ać, ~ć się** *sl.* to say one's say

wyszczególnienie *sn* (↑ **wyszczególnić**) specification

wyszczek|ać *v perf* — **wyszczek|iwać** *v imperf* [I] *vt* 1. *rz.* (*o psie*) to bark (its joy etc.) 2. *pot.* (*o człowieku*) to ramp; to blurt out [II] *vr* **~ać, ~iwać się** 1. *pot.* (*o człowieku — wyładować złość*) to vent one's fury in storming right and left 2. (*o psie — naszczekać się*) to stop barking

wyszczekany [I] *pp* ↑ **wyszczekać** [II] *adj pot.* glib; **on jest ~** he has a ready tongue

wyszczekiwać *zob.* **wyszczekać**

wyszczerbi|ć *v perf* — **wyszczerbi|ać** *v imperf* [I] *vt* to jag; to notch; **~ony nóż** jagged knife [II] *vr* **~ć, ~ać się** to get jagged

wyszczerbienie *sn* (↑ **wyszczerbić**) jag; notch

wyszczerz|ać *vt imperf* — **wyszczerz|yć** *vt perf* (*o psie*) to bare (its teeth); (*o człowieku*) **~ać, ~yć zęby** to grin; **~ać zęby do kogoś** to make up to sb; to coquet(te) with sb

wyszczotkować *vt perf* to brush (one's hair etc.); to polish (the floor)

wyszczu|ć *vt perf* **~je, ~ty** — *rz.* **wyszczu|wać** *vt imperf* to hound a dog <the dogs> (**kogoś** at sb)

wyszczuplać *vt imperf* — **wyszczuplić** *vt perf* to slim (sb); to make (sb) look slimmer

wyszczuple|ć *vi perf* **~je** (*wysmukleć*) to slim (*vi*); to grow slimmer; (*stać się szczuplejszym*) to grow lean <leaner>; to lose weight

wyszczuplenie *sn* (↑ **wyszczupleć, wyszczuplić**) slimmer figure

wyszczuplić *zob.* **wyszczuplać**

wyszczuwać *zob.* **wyszczuć**

wyszczyp|ać *vt perf* **~ie** 1. (*szczypać*) to pinch and pinch again 2. (*wyskubać*) to graze down (the grass)

wyszep|tać *vt perf* **~cze** <**~ce**>, *rz.* **wyszep|nąć** *vt perf* — **wyszep|tywać** *vt imperf* to whisper

wysz|ka *sf pl G.* **~ek** *dial.* (a) height

wyszkicować *vt perf rz.* to sketch; to make a sketch (**coś** of sth)

wyszkli|ć *vt perf* **~j** 1. (*wypolerować*) to polish 2. (*oszklić*) to glaze (windows etc.)

wyszkolenie *sn* (↑ **wyszkolić**) education; training; schooling

wyszkoleniowy *adj rz.* educational <training, schooling> (centre etc.)

wyszk|olić *v perf* — *rz.* **wyszk|alać** *v imperf* [I] *vt* to educate; to train; to school [II] *vr* **~olić, ~alać się** to be educated; to get training <schooling>

wyszlachetnić *vt perf* — **wyszlachetniać** *vt imperf* to ennoble; to elevate; to refine; to uplift

wyszlachetnie|ć *vi perf* **~je** to acquire refinement; to grow (more) refined

wyszlachetnienie *sn* (↑ **wyszlachetnić, wyszlachetnieć**) ennoblement; refinement

wyszlamować *vt perf* to dredge

wyszlifować *vt perf* — *rz.* **wyszlifowywać** *vt imperf dosł. i przen.* to polish

wyszlochać *v perf* [I] *vt* to sob out [II] *vr* **~ się** to have one's cry out

wyszmelcowany *adj pot.* grimy

wysznurować *v perf* [I] *vt* to lace (sb) up [II] *vr* **~ się** to lace oneself up

wyszorować *vt perf* — *rz.* **wyszorowywać** *vt imperf* to scrub

wyszperać *vt perf* 1. (*znaleźć*) to find 2. (*wygrzebać*) to search <to ferret> out

wyszpiegować *v perf* [I] *vt* to spy (sth) out [II] *vi* to spy out (**że ...** that ...)

wyszpikować *vt perf* to lard

wysztafirować *v perf pot.* [I] *vt* to rig <to trick> (sb) out [II] *vr* **~ się** to rig <to trick> oneself out

wysztafirowanie *sn* (↑ **wysztafirować**) *pot.* rig-out

wysztrandować *vt perf mar.* to strand (a yacht)

wysztukować *vt perf pot.* 1. (*uszyć z kawałków*) to piece <to patch> (a garment) together 2. (*wyłatać*) to patch (sth) up

wyszturchać *vt perf* — *rz.* **wyszturchiwać** *vt imperf* 1. (*wypchnąć*) to push forward <out> 2. *perf* (*dać szturchańce*) to buffet (sb); to give (sb) a buffeting

wysztyftować *vt perf* (*zw. pp*) *pot.* to rig <to trick> (sb) out

wysztywnić *v perf* [I] *vt* to stiffen (sth) [II] *vr* **~ się** *rz.* to stiffen (*vi*)

wyszuk|ać *v perf* — **wyszuk|iwać** *v imperf* [I] *vt* to find; to discover; to hunt up; to search out; *przen.* **~ać kogoś, coś w pamięci** to search one's memory for sb, sth [II] *vr* **~ać, ~iwać się** to find each other; *przen.* **~ali się w korcu maku** they are cast in the same mould

wyszukanie[1] *sn* ↑ **wyszukać**

wyszukanie[2] *adv* elaborately; fancifully; affectedly; sophistically

wyszukaność *sf singt* elaborateness; fancifulness; affectedness; sophistication

wyszukany *adj* elaborate; fanciful; affected; studied; far-fetched; recherché; sophisticated

wyszukiwać *zob.* **wyszukać**

wyszumi|eć *v perf* **~** [I] *vt* to foam over; *przen. pot.* **wódka mu ~ała, wino mu ~ało** he has slept it off [II] *vr* **~eć się** 1. (*wymusować*) to foam over 2. *przen.* (*wyżyć się*) to have one's fling; to sow one's wild oats

wyszumować † *vt perf* to skim (a boiling liquid)

wyszycie *sn* (↑ **wyszyć**) embroidery

wyszy|ć *vt perf* **~je, ~ty** — **wyszy|wać** *vt imperf* to embroider

wyszydzać *vt imperf* — **wyszydzić** *vt perf* to deride; to jeer <to scoff> (**kogoś, coś** at sb, sth)

wyszydzanie *sn* (↑ **wyszydzać**) derision; jeers; scoffs

wyszykować *vt perf pot.* [I] *vt* to prepare; to get (sth) ready [II] *vr* **~ się** to prepare (*vi*); to get ready (**do drogi itd.** for a journey etc.)

wyszynk *sm singt G.* **~u** retail of liquor; liquor licence; on-licence

wyszywacz|ka *sf pl G.* **~ek** *rz.* embroideress

wyszywać *zob.* **wyszyć**

wyszywanie *sn* (↑ **wyszyć**) embroidery

wyszywan|ka *sf pl G.* **~ek** embroidery; fancy-work

wyścibi|ać *vt imperf* — **wyścibi|ć** *vt perf pot.* to stick (one's head) out; **~ać, ~ć nos** to show one's face (somewhere)

wyścibolić *vt perf pot.* to sew as well as one can

wyścielać *zob.* **wysłać**[2]

wyścielany [I] *pp* ↑ **wyścielać** [II] *adj* upholstered

wyścielić *vt perf* = **wysłać**[2]

wyściełać *zob.* **wysłać**[2]

wyściełanie *sn* (↑ **wyściełać**) upholstery

wyściełany [I] *pp* ↑ **wyściełać** [II] *adj* upholstered

wyścig *sm G.* **~u** 1. *sport* race; **~i konne** a) (*impreza*) horse-race b) (*zjawisko społeczno-sportowe*) horse-racing; the turf; **~ kolarski** bicycle race; **~ marszowy** walking race; **~ motocyklowy** motor-cycle race; **~ zbrojeń** armaments race 2. (*ubieganie się o pierwszeństwo*) contest; rivalry; emulation; **na ~i coś robić** to outvie one another in doing sth; to do sth with emulous zeal

wyścigow|iec *sm G.* **~ca** racehorse

wyścigow|y *adj* racing (bicycle, car etc.), **koń ~y** racehorse; **pole ~e, tor ~y** racecourse; the turf

wyścigów|ka *sf pl G.* **~ek** racer; (*rower*) racing bicycle; (*samochód*) racing car; (*łódź*) racing yacht

wyściół|ka *sf pl G.* **~ek** (*to, co wyściela wnętrze*) lining; stuffing; pad(ding)

wyściółkować *vt perf* to line; to cushion; to pad

wyściskać *vt perf* — *rz.* **wyściskiwać** *vt imperf* to hug; to embrace; to clasp (sb, everyone of the company) to one's breast

wyściubiać *vt imperf* — **wyściubić** *vt perf* = **wyścibiać**

wyśledzać *zob.* **wyśledzić**

wyśledzenie *sn* (↑ **wyśledzić**) detection

wyśle|dzić *vt perf* **~dzę, ~dzony** — *rz.* **wyśle|dzać** *vt imperf* to detect; to find out; to discover; to trace; to track down <out> (game, a criminal etc.)
wyślepiać † *vt imperf* — **wyślepić** † *vt perf* 1. (*zw. imperf*) (*wytężać wzrok*) to strain (one's eyes) 2. (*zw. imperf*) (*wypatrywać*) to espy
wyślizg|ać *v perf* — **wyślizg|iwać** *v imperf* [I] *vt* to smooth; **~any** smooth; (*o drodze*) slippery [II] *vr* **~ać, ~iwać się** 1. (*zostać wyślizganym*) to become <to grow> smooth <slippery> 2. *perf* (*naślizgać się do woli*) to skate <to slide> to one's heart's content 3. = **wyśliznąć się**
wyśli|znąć się *vr perf* **~źnie się,** *rz.* **wyśli|zgnąć się** *vr perf* — **wyśli|zgiwać** <*rz.* **wyśli|zgać**> **się** *vr imperf* 1. (*wypaść*) to slip <to slide> (**komuś z rąk** from sb's hands); (*o zwierzęciu itd.* — *wysunąć się*) to wriggle <to slip, to slide> out; (*o człowieku*) **~znąć się z trudności** to wriggle out of a difficulty 2. *przen.* (*o słówku, głupstwie*) to escape (**komuś z ust** sb's lips) 3. (*wyjść, wycofać się*) to slip out; to edge one's way out (of a room etc.)
wyśmi|ać *v perf* **~eje** — **wyśmi|ewać** *v imperf* [I] *vt* to mock; to ridicule; to deride; to laugh (**kogoś, coś** at sb, sth); to make fun (**kogoś, coś** of sb, sth); to poke fun <to jeer, to scoff> (**kogoś, coś** at sb, sth); **~ać jakiś projekt** <**jakąś przestrogę**> to pooh-pooh a project <a warning> [II] *vr* **~ać, ~ewać się** to mock <to ridicule, to deride> (**z kogoś, czegoś** sb, sth); to laugh (**z kogoś, czegoś** at sb, sth); to make fun (**z kogoś, czegoś** of sb, sth); to poke fun <to jeer, to scoff> (**z kogoś, czegoś** at sb, sth); **~ać się z jakiegoś projektu** <**jakiejś przestrogi**> to pooh-pooh a project <a warning>
wyśmienicie *adv* perfectly; excellently; exquisitely; to perfection; **to smakowało ~** it was delicious
wyśmienitość *sf singt rz.* perfection; excellence; exquisiteness
wyśmienity *adj* perfect; excellent; exquisite; (*o smaku, potrawie*) delicious
wyśmiewać *zob.* **wyśmiać**
wyśmiewanie *sn* (↑ **wyśmiewać**) mockery; jeers; scoffs
wyśmignąć *vi perf* to shoot up
wyśni|ć *v perf* **~j** — *rz.* **wyśni|wać** *v imperf* [I] *vt* to conjure up a vision (**coś** of sth); to fancy; to imagine; **~ony kochanek** <**rycerz itd.**> the lover <knight etc.> of sb's dreams [II] *vr* **~ć, ~wać się** 1. (*ziścić się*) to come true 2. (*ukazać się we śnie*) to appear in a dream; **ona mi się ~wa** I see her in my dreams
wyśpiew|ać *vt perf* — **wyśpiew|ywać** *vt imperf* 1. (*wykonać utwór*) to sing (a song etc.) 2. (*opowiedzieć śpiewem*) to sing <to sound> (the praises of sb, sth); to sing (**czyny przodków** the exploits of one's ancestors) 3. *pot.* (*powiedzieć bez zająknienia*) to say (one's lesson without a hitch) 4. *pot.* (*wydać na śledztwie*) **wszystko ~ać, ~ywać** to squeal
wyśpiewywać *v imperf* [I] *vt zob.* **wyśpiewać** [II] *vi* to sing with fervour
wyśrubować *vt perf* — **wyśrubowywać** *vt imperf* to screw up <to inflate> (prices, rents etc.)
wyświadcz|ać *vt imperf* — **wyświadcz|yć** *vt perf* to render (**komuś przysługę** sb a service); to show (sb a kindness); **~ać dobro** to do good; **~one nam dobro** the good done to us
wyświdrować *vt perf* — **wyświdrowywać** *vt imperf* to bore <to drill> (a hole in sth)
wyświe|cać *vt imperf* — **wyświe|cić** *vt perf* **~cę, ~cony** to make (clothes) shiny by long wear; to wear (one's clothes) shiny
wyświechtany *adj* 1. (*o ubraniu* — *wytarty*) shabby; threadbare; bedraggled 2. (*o myślach, dowcipach*) hackneyed; trite; commonplace
wyświecić *zob.* **wyświecać**
wyświetl|ać *v imperf* — **wyświetl|ić** *v perf* [I] *vt* 1. (*rzutować na ekran*) to show (a film, slides etc.); to project <to throw> (a film) on the screen 2. (*sporządzać kopie na specjalnym papierze*) to print (copies of a photograph); to blueprint (copies of plans) 3. (*wyjaśniać*) to elucidate; to clear up (a mystery) [II] *vr* **~ać, ~ić się** (*stawać się jasnym*) to become <to grow> clear
~a się *impers meteor. rz.* it clears up; it is clearing up
wyświetlanie *sn* 1. ↑ **wyświetlać** 2. (*rzutowanie na ekran*) projection (of films, slides etc.) 3. (*wyjaśnianie*) elucidation
wyświetlar|ka *sf pl G.* **~ek** projector
wyświetlarnia *sf* projection room <booth>
wyświetlenie *sn* 1. ↑ **wyświetlić** 2. (*rzutowanie na ekran*) projection (of a film, slide etc.) 3. (*wyjaśnienie*) elucidation
wyświetlić *zob.* **wyświetlać**
wyśwież|yć *v perf* — *rz.* **wyśwież|ać** *v imperf* [I] *vt* (*zw. pp*) to freshen up; to reinvigorate [II] *vr* **~yć, ~ać się** to be reinvigorated
wyświęc|ać *v imperf* — **wyświęc|ić** *v perf* **~ę, ~ony** [I] *vt* 1. (*udzielać święceń*) to ordain (sb); **~ać, ~ić kogoś na księdza** <**diakona**> to ordain sb priest <deacon>; **~ony** in orders 2. (*poświęcać*) to consecrate (a church) [II] *vr* **~ać, ~ić się** to take orders; to go into the Church
wyświęcenie *sn* (↑ **wyświęcić**) ordination
wyświęcić *zob.* **wyświęcać**
wyświ|stać *vt perf* **~sta** <**~szcze**> — **wyświ|stywać** *vt imperf* to whistle (a song etc.)
wyświstywać *v imperf* [I] *vt zob.* **wyświstać** [II] *vi* to whistle; to keep whistling
wyt|aczać *v imperf* — **wyt|oczyć** *v perf* [I] *vt* 1. (*wyciągnąć*) to roll out (a cask etc.); to wheel out (a gun etc.); to bring out (a carriage etc.) 2. (*przedstawiać*) to adduce <to set forth> (arguments, proofs etc.); to bring (an accusation); **~oczyć komuś proces** to bring an action <to take action> against sb 3. (*ściągać płyn*) to draw (wine, beer etc. from a cask); **~aczać, ~oczyć krew** <**łzy**> to shed blood <tears> 4. *techn.* to turn (sth on the lathe); to fashion (pottery) 5. *perf* (*wytarzać*) to drag (sth in mud etc.); to roll (sth, sb) about (**po ziemi** on the ground) [II] *vr* **~aczać, ~oczyć się** 1. (*wysuwać się*) to issue; to emerge 2. (*o kimś otyłym* — *wychodzić powoli*) to waddle <to roll> out 3. **~aczać się** *perf* (*wytarzać się*) to roll <to wallow> (in mud etc.)
wytaczar|ka *sf pl G.* **~ek** *techn.* boring machine; borer
wytamponować *vt perf* to mop up (blood with a tampon)
wytańcowywać *vi imperf* to dance away
wytańczyć *v perf* [I] *vt żart.* to secure (sth) by one's dancing; **~ sobie żonę** to dance oneself into

marriage [III] *vr* ~ **się** to dance to one's heart's content

wytapetowa|ć *vt perf* (*zw. pp*) 1. (*wykleić tapetami*) to paper (a room, walls); **pokój ~ny na zielono** room papered in green 2. *przen. żart.* (*obwiesić*) to line (a room with pictures etc.)

wytapiacz *sm techn.* founder; melter

wyt|apiać *v imperf* — **wyt|opić** *v perf* [I] *vt* to smelt (ore, metal); to melt down (metals); to liquate (metal); to melt (wax etc.); to render (lard, oil, wax etc.) [III] *vr* **~apiać, ~opić się** to be smelted <melted (down), liquated, rendered>

wytapicerować *vt perf rz.* to upholster (**skórą itd.** with <in> leather etc.)

wytaplać *v perf pot.* [I] *vt* to dip (sth) in water <mud> [III] *vr* ~ **się** to splash <to slop> about in water <mud>

wytarcie *sn* (↑ **wytrzeć**) (a) wipe; erasure

wytargać *vt perf* 1. (*wytarmosić*) to pull (sb) about; to pull (**kogoś za włosy, za ucho** sb's hair, ear); to give (sb) a shaking 2. (*wyszarpać*) to tear <to wrench> out

wytargnąć *vt perf rz.* to pull out

wytargow|ać *v perf* — *rz.* **wytargow|ywać** *v imperf* [I] *vt* to acquire (sth) by haggling; **~ać, ~ywać niższą cenę** to obtain a reduction of the price by haggling <bargaining>; to beat down a price [III] *vr* **~ać się** to do a lot of haggling

wytarmo|sić *v perf* **~szę, ~szony** [I] *vt* 1. (*wytargać*) to pull (sb) about; to give (sb) a shaking; to rough-house (sb) 2. (*zniszczyć*) to dilapidate [III] *vr* **~sić się** to scuffle

wytarować *vt perf* to tare

wytarty [I] *pp* ↑ **wytrzeć** [III] *adj* (*o ubraniu*) threadbare; shabby; well-worn; out at elbows; (*o tkaninie*) napless; (*o schodach, progu, chodniku*) ~ **ludzkimi stopami** foot-worn

wytarzać *v perf* [I] *vt* to drag (sth) in the mud; to roll (sth, sb) about (**po ziemi** on the ground) [III] *vr* ~ **się** to roll (about) (*vi*); to wallow

wytaszcz|yć *vt perf* — **wytaszcz|ać** *vt imperf pot.* to pull <to lug> (**coś skądś** sth out of sth); **~yć, ~ać kogoś z wody** to fish sb out of the water

wytatuować *v perf* [I] *vt* to tattoo [III] *vr* ~ **się** to have oneself tattooed

wytatuowanie *sn* (↑ **wytatuować**) (a) tattoo

wytchnąć *vi perf* to take <to have> a rest; **dać koniowi ~** to breathe <to wind> a horse

wytchnieni|e *sn* rest; relaxation; recreation; break; respite; reprieve; truce; **chwila ~a** breathing space; breather; a moment's grace; **nie dawać komuś ~a** to hound sb on; to keep sb on the go; to keep sb's nose to the grindstone; **bez ~a** without intermission; tirelessly

wytępić *vt perf* — *rz.* **wytępiać** *vt imperf* 1. (*zgładzić*) to exterminate; to wipe out (an army etc.) 2. (*usunąć*) to extirpate; to eradicate; to root out; to uproot

wytępienie *sn* (↑ **wytępić**) extermination; eradication; extirpation

wytęsknić *vt perf* 1. (*stworzyć sobie obraz czegoś*) to conjure up yearningly visions (**coś** of sth) 2. (*osiągnąć*) to see one's yearnings come true

wytęskniony [I] *pp* ↑ **wytęsknić** [III] *adj* longed-for

wytęż|ać *v imperf* — **wytęż|yć** *v perf* [I] *vt* to strain (**wzrok, słuch** one's eyes, one's ears); to exert <to put forth> (one's energies, strength); **~ać, ~yć wszystkie siły** to strain every nerve; to concentrate one's efforts [III] *vr* **~ać, ~yć się** to exert oneself

wytężający *adj* strenuous; exacting; arduous

wytężenie *sn* (↑ **wytężyć**) strain; exertion; **pracować z ~m** to work hard <strenuously, arduously>

wytężon|y [I] *pp* ↑ **wytężyć** [III] *adj* strenuous; **~a praca** hard <intensive> work

wytężyć *zob.* **wytężać**

wytka|ć *vt perf* ~ *rz.* to weave

wyt|knąć *vt perf* — **wyt|ykać** *vt imperf* 1. *perf* (*wysunąć*) to put (one's head) out; to show (one's nose); to raise (a finger); **nie ~knąć nosa z domu** not to show one's face out of doors <outside> 2. (*wyznaczyć, wykreślić*) to trace (a plan, course to be steered etc.) 3. (*zrobić zarzut*) to reproach <to twit> (**coś komuś** sb with sth); to point out (**czyjeś wady itd.** sb's defects etc.); **~ykać kogoś palcem** to point the finger of scorn at sb

wytknięcie *sn* 1. ↑ **wytknąć** 2. (*zarzut*) reproach

wytle|ć *vi perf* **~je** to smoulder to the last

wytlewnia *sf techn.* low-temperature carbonization plant

wytlewny *adj techn.* low-temperature (gas)

wytlić się *vr perf* = **wytleć**

wytłaczać *vt imperf* — **wytłoczyć** *vt perf* 1. (*wyciskać*) to press (juice out of fruits, berries etc.); to extract (oil from olives, essence from leaves etc.) 2. (*odciskać*) to stamp (a pattern etc. on sth); to letter (a title on a book-cover etc.) 3. (*drukować*) to print 4. (*wygniatać*) to extrude; to stamp (sth with a die); to punch (things from metal sheets); to emboss 5. *rz.* (*wypychać*) to push out

wytłaczar|ka *sf pl G.* **~ek** *techn.* extruding machine; stamping-press

wytłam|sić *vt perf* **~szę, ~szony** *pot.* to crumple

wytłoczenie *sn* 1. (↑ **wytłoczyć**) extraction (of oil, essences etc.) 2. (*to, co jest wytłoczone*) extract 3. (*odcisk*) embossment

wytłocz|ka *sf pl G.* **~ek** *techn.* drawpiece; die stamping

wytło|czki *spl G.* **~czków, wytło|czyny** *spl G.* **~czyn, wytło|ki** *spl G.* **~ków** mill cake; foots; **~ki browarniane** grains; **~ki z jabłek** pomace; marc; **~ki z trzciny cukrowej** bagasse; trash; **~ki z winogron** rape

wytłu|c *v perf* **~kę, ~cze, ~kł, ~czony** — *rz.* **wytłu|kiwać** *v imperf* [I] *vt* 1. (*potłuc*) to break (glass, china) 2. (*o gradzie itd.*) to ruin (the crops) 3. *perf pot.* (*pobić*) to give (sb) a drubbing <a beating, a thrashing> 4. *pot.* (*pozabijać*) to make mincemeat (**wroga** of the enemy troops) [III] *vr* **~c się** (*zostać stłuczonym*) to get broken

wytłumaczalny *adj rz.* explicable

wytłumaczeni|e *sn* 1. ↑ **wytłumaczyć** 2. (*wyjaśnienie*) explanation 3. (*usprawiedliwienie*) excuse; **nie ma na to ~a** there is no excuse for this; **nie masz żadnego ~a** you haven't a leg to stand on; **żądać od kogoś ~a czegoś** to call sb to account <to bring sb to book> for sth

wytłumaczyć *v perf* [I] *vt* 1. (*wyjaśnić*) to explain; **nie da się tego ~** it is inexplicable 2. (*usprawiedliwić*) to excuse; to justify; to account (**coś, jakąś okoliczność, swe postępowanie itd.** for sth, for a circumstance, for one's conduct etc.) [III] *vr*

~ **się** to excuse oneself (**tym, że ...** on the ground that ...)
wytłumiać *vt imperf* — **wytłumić** *vt perf rz.* to make (sth) sound-proof
wytłumienie *sn* (↑ **wytłumić**) sound-proofing
wytłuszczać *zob.* **wytłuścić**
wytłuszczenie *sn* 1. ↑ **wytłuścić** 2. (*wybrudzenie*) greasy stains; greasiness 3. *druk.* printing in bold type
wytłu|ścić *v perf* **~szczę, ~szczony** — **wytłu|szczać** *v imperf* [I] *vt* 1. (*wybrudzić*) to soil with grease; **~szczony** greasy; grease-soiled 2. *rz.* (*wysmarować*) to grease; to oil; to lubricate 3. *druk.* to print in bold type [II] *vr* **~ścić, ~szczać się** to soil oneself <one's clothes etc.> with grease
wytoczenie *sn* ↑ **wytoczyć**
wytoczyć *zob.* **wytaczać**
wytokow|y † *adj obecnie w wyrażeniu*: *zool.* **mysz ~a** (*Apodemus sylvaticus*) field-mouse; wood-mouse
wytonować *vt perf* to tone (a photograph)
wytop *sm G.* **~u** *techn.* 1. (*proces*) melting 2. (*produkt*) cast; (*masa szklana*) melt; (*metal*) smelt
wytopić *vt perf* 1. *zob.* **wytapiać** 2. (*potopić*) to drown (many people etc.)
wytra|cić *vt perf* **~cę, ~cony** — **wytra|cać** *vt imperf* 1. (*zgładzić*) to kill; to put to the sword <to death> (a number of people) 2. *lotn. sport* to lose (height, speed)
wytrajko|tać *vt perf* **~cze** <**~ce**>, **wytrajlować** *vt perf pot.* to rattle off
wytranspirować *vt perf* to transpire (moisture from cells)
wytranspirowanie *sn* (↑ **wytranspirować**) transpiration
wytransportować *vt perf* to transport; to convey; to take (sb, sth somewhere)
wytransportowanie *sn* (↑ **wytransportować**) transportation; conveyance
wytrapiać *zob.* **wytropić**
wytrasować *vt perf* 1. (*wytyczyć kierunek*) to trace <to lay out> (a road etc.) 2. *techn.* to mark
wytrasowanie *sn* (↑ **wytrasować**) lay-out
wytrawa *sf garb.* liquor
wytrawersować *vi perf sport* to traverse
wytrawiacz *sm chem. techn.* etcher; pickler; carbonizer
wytrawiać *vt imperf* — **wytrawić** *vt perf chem. techn.* to etch (metals); to pickle (metals, leather); to carbonize (fabrics)
wytrawność *sf singt* maturity
wytrawny *adj* 1. (*o napojach alkoholowych*) full-bodied; seasoned; (*o winie*) dry 2. (*o człowieku, specjaliście*) mature; experienced; consummate (master, artist)
wytrąbić *vt perf* — *rz.* **wytrąbiać** *vt imperf*, **wytrąbywać** <**wytrębywać**> *vt imperf* 1. (*odegrać na trąbie*) to play (sth) on the trumpet 2. *pot.* (*wypić*) to swill; to guzzle
wytrąc|ać *v imperf* — **wytrąc|ić** *v perf* **~ę, ~ony** [I] *vt* 1. (*wyrzucać*) to knock out; to wrest; **~ić komuś broń z ręki** a) *dosł. i przen.* to disable sb b) *przen.* to take the wind out of sb's sails 2. (*odjąć z sumy*) to deduct 3. (*wyrywać z jakiegoś stanu*) to snatch away; **~ić kogoś z równowagi** to throw sb off his balance; **~ić kogoś ze snu** to break sb's sleep; **~ić kogoś z gry** to put sb out 4. *chem. fiz.* to precipitate [II] **~ać, ~ić się** *chem. fiz.* to be precipitated
wytrącenie *sn* 1. ↑ **wytrącić** 2. *chem.* precipitation
wytrenować *v perf* [I] *vt* to train; to give (sb) training [II] *vr* ~ **się** to train (*vi*); to take some training
wytresowa|ć *vt perf* 1. (*wyuczyć zwierzę*) to train (an animal) 2. *iron.* (*wyuczyć kogoś*) to school <to drill> (sb); **dobrze ~ny** well-trained
wytropić *vt perf* — *rz.* **wytrapiać** <**wytropiać**> *vt imperf* to track down (an animal, a criminal); to run down (a criminal)
wytru|ć *vt perf* **~je, ~ty** — *rz.* **wytruwać** *vt imperf* to poison (people); to exterminate <to destroy> (vermin etc.)
wytrwać *vi perf* 1. (*przebyć*) to persevere; to persist; to last 2. (*wytrzymać*) to bear; to endure; to stand (sth)
wytrwale *adv* persistently; perseveringly; tenaciously; constantly; steadfastly; doggedly; ~ **coś robić** to keep doing sth; to keep at sth
wytrwałość *sf singt* persistence; perseverance; tenacity; constance; steadfastness; doggedness
wytrwały *adj* persistent; persevering; tenacious; constant; steadfast; dogged
wytrych *sm* master-key; passkey; picklock; skeleton-key; **otworzyć zamek ~em** to pick a lock
wytryni|ać *v imperf* — **wytryni|ć** *v perf sl.* [I] *vt* to chuck <to kick> (sb) out [II] *vr* **~ać, ~ć się** to get out <off>
wytrysk *sm G.* **~u** gush; jet; ~ **nafty** gusher; *fizj.* ~ **nasienia** ejaculation
wytryskać <**wytryskiwać**> *vi imperf* — **wytrysnąć** *vi perf* 1. (*wybuchać*) to gush; to spurt out; to well up; to erupt; to burst forth 2. *fizj.* to ejaculate 3. *przen.* (*przejawiać się nagle*) to spring up
wytryskowy *adj anat.* ejaculatory (vessels etc.)
wytryśnięcie *sn* (↑ **wytrysnąć**) gush; jet; ejaculation
wytrzaskać *vt perf pot.* to slap; to strike, to hit
wytrza|snąć *vt perf* **~śnie** 1. *pot.* (*zdobyć*) to get hold (**coś** of sth); to find; to procure; **~snąć pieniądze** to raise the wind 2. *rz.* (*wytrącić*) to knock (**komuś coś z ręki** sth out of sb's hand)
wytrząchiwać *vt imperf* — **wytrząchnąć** *vt perf dial.* = **wytrząsać**
wytrząsacz *sm roln.* shaker
wytrz|ąsać *v imperf* — **wytrz|ąsnąć** *v perf* **~ąśnie**, **wytrz|ąść** *v perf* **~ęsę, ~ęsie, ~ęś, ~ąsł, ~ęsła, ~ęśli, ~ęsiony** [I] *vt* to shake (**coś z czegoś** sth out of sth); to empty (**popiół z fajki itd.** the ash from one's pipe etc.); **~ąsać, ~ąsnąć, ~ąść coś z rękawa** to conjure sth up; **~ąsać, ~ąsnąć, ~ąść z kogoś duszę** to shake the life out of sb [II] *vi imperf* to shake (**batem** <**kijem itd.**> **nad kimś** a whip <a stick etc.> at sb) [III] *vr* **~ąsać, ~ąsnąć, ~ąść się** 1. **~ąść się** *perf rz.* (*być wytrząsanym*) to be jolted (on the road) 2. **~ąsać się** *imperf pot.* (*wymyślać*) to abuse <to revile> (**nad kimś** sb)
wytrzebić *vt perf* — *rz.* **wytrzebiać** *vt imperf* 1. (*wyciąć*) to extirpate (shrubs, trees); to devastate (forests); to clear (an area of trees etc.) 2. (*wytępić*) to exterminate; to extinguish (a race etc.) 3. (*wykastrować*) to geld
wytrzebienie *sn* (↑ **wytrzebić**) extirpation (of trees etc.); devastation (of forests); extermination (of a race etc.)

wytrzeć *zob.* **wycierać**

wytrzep|ać *vt perf* **~ie — wytrzep|ywać** *vt imperf* to beat (carpets etc.); to shake up (pillows etc.); *pot.* **~ać, ~ywać komuś skórę** to dust sb's jacket; to lace sb's coat; to lace sb

wytrzeszcz *sm* 1. (*zw. pl*) (*wytrzeszczone, przerażone oczy*) stare 2. *G.* **~u** *med.* exophthalmus

wytrzeszcz|ać *vt imperf* — **wytrzeszcz|yć** *vt perf pot.* **~ać, ~yć oczy <patrzeć z ~onymi oczami> na kogoś, coś** a) (*w zdumieniu*) to stare at sb, sth b) (*z wściekłością*) to glare <to goggle> at sb

wytrzeszczenie *sn* ↑ **wytrzeszczyć; ~ oczu** (a) stare

wytrzeźwi|ć *v perf* — *rz.* **wytrzeźwi|ać** *v imperf* [I] *vt* to sober (sb) [II] *vr* **~ć, ~ać się = wytrzeźwieć**

wytrzeźwie|ć *vi perf* **~je** to sober down; to get sober

wytrzeźwie|nie *sn* (↑ **wytrzeźwić, wytrzeźwieć**) return to a state of soberness; **izba ~ń** place where drunks are detained until sober

wytrzym|ać *v perf* — **wytrzym|ywać** *v imperf* [I] *vt* 1. (*zachować*) to keep; to hold 2. (*znieść*) to stand <to bear, to resist, to withstand> (a test, heat, pain etc.); **teoria nie ~uje krytyki** the theory won't hold water; **~ać konkurencję** to defy competition; **~ać napięcie** to endure the strain; **~ać napór wroga** to sustain the attack of the enemy; **~ać porównanie z kimś, czymś** to bear comparison with sb, sth [II] *vi* to hold out (**do końca** to the end); to stand the strain; **dłużej nie ~am** I can't stand it any longer; **nie ~ać** to yield; (*o przedmiotach*) to give way; to yield; to break down; **nie ~ać nerwowo** to break down; **z tobą <z nim itd.> nie można ~ać** you're <he is etc.> unbearable; you're <he is etc.> the limit

wytrzymałościowy *adj* durability <endurement> — (test etc.)

wytrzymałość *sf singt* 1. (*odporność u człowieka*) endurance; resistance (**na coś** to sth); stamina; staying power; **to przechodzi ludzką ~** it's beyond endurance <beyond bearing>; it's more than flesh and blood can bear 2. *techn.* durability; resistance (**na coś** to sth); endurance; strength

wytrzymały *adj* 1. (*o człowieku — odporny*) resistant; tough; proof (**na coś** against sth); long-suffering; **jestem ~ na ból <zmęczenie itd.>** I can stand pain <fatigue etc.> 2. (*o materiałach*) durable; resistant; hardy; proof (**na coś** against sth); (*o maszynie*) reliable; **~ na grad** hail-proof; **~ na ogień z broni ręcznej** bullet-proof; **~ na rdzę** rust-proof; **~ na wstrząsy** shock-proof; **~ na zimno** cold-proof

wytrzymani|e *sn* ↑ **wytrzymać; nie do ~a** unbearable

wytrzymywać *zob.* **wytrzymać**

wytucz|yć *v perf* — *rz.* **wytucz|ać** *v imperf* [I] *vt* to fatten [II] *vr* **~yć, ~ać się** to fatten (*vi*); to grow fat

wytup|ać *vt perf* **~ie — wytup|ywać** *vt imperf* 1. *imperf* (*tupać energicznie*) to stamp (**nogami** one's feet); to express (sth) by stamping (one's feet) 2. *imperf* (*wybijać takt*) to mark (time) with one's foot

wytw|arzać *v imperf* — **wytw|orzyć** *v perf* **~órz** [I] *vt* 1. (*produkować*) to produce; to generate; to develop (heat etc.); **~arzać, ~orzyć parę** to get up <to raise> steam 2. (*wyrabiać*) to make; to manufacture 3. (*kształtować*) to form; to build up; to create [II] *vr* **~arzać, ~orzyć się** to be formed <created>; to arise; to spring up

wytwarzanie *sn* ↑ **wytwarzać** 1. (*produkowanie*) production; generation; development 2. (*wyrabianie*) manufacture 3. (*kształtowanie*) formation; creation

wytwornica *sf techn.* generator; (gas-)producer

wytwornie *adv* in refined <courtly> manner; fashionably; stylishly; smartly; urbanely; **~ ubrany** dapper; dressy

wytwornisia *sf iron.* woman of fashion

wytworniś *sm* 1. *iron.* (*przesadnie elegancki*) man of fashion; man about town; dandy 2. *pot.* (*elegant*) swell

wytworność *sf singt* refinement; elegance; distinction; urbanity; courtliness; stylishness; smartness

wytworn|y *adj* refined; elegant; distinguished, distingué; fashionable; stylish; smart; urbane; courtly; (*o towarzystwie*) grand (society); **w ~ej części miasta** in the residential quarter of the town <city>; *am.* up-town

wytworzenie *sn* ↑ **wytworzyć** 1. (*produkowanie*) production; generation; development 2. (*wyrobienie*) manufacture 3. (*kształtowanie*) formation; creation

wytworzyć *zob.* **wytwarzać**

wytw|ór *sm G.* **~oru** product; creation; work (of art etc.)

wytwórca *sm* (*decl = sf*) producer; maker; manufacturer

wytwórczość *sf singt* 1. (*produkowanie*) production; manufacture 2. (*ogół wytwórców*) producers 3. (*ogół produktów*) output

wytwórcz|y *adj* productive; (means, mode, process etc.) of production; **narada ~a** production conference

wytwórczyni *sf* = **wytwórca**

wytwórnia *sf* factory; plant; works; mill; **~ filmowa** film producers

wytwórstwo *sn singt* = **wytwórczość** 1.

wytycz|ać *vt imperf* — **wytycz|yć** *vt perf* to trace (out); to lay out; to mark (out); **~ać, ~yć granice obszaru** to demarcate <to delimit> an area

wytyczenie *sn* (↑ **wytyczyć**) lay-out; demarcation; delimitation

wytyczn|y [I] *adj rz.* guiding (principle etc.) [II] *sf* **~a** guiding rule <principle>; *pl* **~e** instructions; directions; main <general> lines (of a policy etc.); **trzymać się pewnych ~ych** to proceed along certain lines

wytyczyć *zob.* **wytyczać**

wytyk *sm G.* **~u** 1. (*wymówka*) reproach 2. *mar.* **~ burtowy** boat <riding> boom; boat spar

wytykać *zob.* **wytknąć**

wytynkować *vt perf* to plaster <to parget> (a wall)

wytypować *vt perf pot.* to select; to choose; to appoint; to nominate

wytypowanie *sn* (↑ **wytypować**) selection; choice; appointment; nomination

wyucz|ać *v imperf* — **wyucz|yć** *v perf* [I] *vt perf* 1. (*kształcić*) to teach (**kogoś czegoś** sb sth); to train (**kogoś czegoś** sb in sth) 2. (*nauczać*) to teach; **~ony zawód** acquired profession <trade>; *pot.* **~yć kogoś na szewca <krawca itd.>** to teach sb shoemaking <tailoring etc.> [II] *vr* **~ać, ~yć się**

to learn (**czegoś** sth); **~yć się czegoś na pamięć** to learn <to get> sth by heart; to memorize sth; **~ać, ~yć się lekcji na piątkę** to have one's lesson(s) perfect

wyuzdanie[1] *sn* licentiousness; debauchery; profligacy; disorderliness; dissoluteness

wyuzdanie[2] *adv rz.* licentiously; dissolutely; without restraint

wyuzda|niec *sn G.* **~ńca** *rz.* (a) profligate

wyuzdany *adj* unbridled; licentious; debauched; profligate; disorderly; dissolute

wywabiacz *sm* stain remover

wywabi|ać *vt imperf* — **wywabi|ć** *vt perf* 1. (*skłaniać do wyjścia*) to draw; to entice (**kogoś z domu, zwierzę z kryjówki** sb from home, an animal out of its lair) 2. (*usuwać plamy*) to remove <to wash out, to fetch out, to take out> (stains); **tej plamy nie da się ~ć** this stain won't come out

wywal|ać *v imperf* — **wywal|ić** *v perf pot.* [I] *vt* 1. (*wyrzucać*) to chuck <to throw> (sb, sth) out; to dump; to tip out; **~ać, ~ić kogoś na pysk** to out sb; to turf sb out; **~ić kogoś z posady** to give sb the kick 2. (*przewracać*) to upset (a cart etc.); to spill (a passenger) 3. (*wyłamać, wyważyć*) to smash <to break> in (a door); **~ić dziurę w beczce** to stave in a barrel 4. (*wysuwać*) to stick <to thrust> out (one's tongue); (*o psie*) **~ić język** to loll out its tongue; **~ić oczy <ślepia, gały>** to stare; to goggle one's eyes [II] *vr* **~ać, ~ić się** 1. (*wydostawać się — o dymie, płomieniach*) to pour out; (*o człowieku*) to break one's way out; (*o tłumie*) to pour out 2. *perf* (*przewrócić się*) to come a cropper <a mucker>; to go sprawling; **paskudnie się ~ił** he came a nasty cropper

wywalcować *vt perf* to roll (iron etc. in a rolling-mill)

wywalcz|ać *vt imperf* — **wywalcz|yć** *vt perf* to secure <to gain> (sth) by force; to win (confidence, recognition etc.); to gain <to regain> (freedom etc.) sword in hand; to gain <to attain> (sth) by force of arms; **~one z trudem zwycięstwo** hard-won victory

wywałkować *vt perf* to roll out (dough etc.)

wywar *sm G.* **~u** 1. (*odwar*) decoction; brew 2. *rz.* (*warzenie*) brewing 3. *techn.* (*braha*) residue; grains

wywarcie *sn* (↑ **wywrzeć**) exertion (of an influence etc.)

wywarz|ać *v imperf* — **wywarz|yć** *v perf* [I] *vt* to decoct; to extract; to obtain (salt etc.) by evaporation [II] *vr* **~ać, ~yć się** *rz.* to be decocted <extracted, obtained by evaporation>

wywatować *vt perf* to pad; to wad; to quilt

wyważ|ać *vt imperf* — **wyważ|yć** *vt perf* 1. (*wysadzić*) to force in <to force open> (a door); to prize <to prise> (a door) open; *przen.* **~yć otwarte drzwi** to state the obvious 2. (*określać ciężar*) to weigh

wywąchać *vt perf* — **wywąchiwać** *vt imperf dosł. i przen.* to nose out

wywczasować się *vr perf* — *rz.* **wywczasowywać się** *vr imperf* 1. *perf* to take a rest <a holiday> 2. *imperf* to be on holiday

wywczasowisko *sn rz.* holiday resort

wywczas|y *spl G.* **~ów** holiday; rest

wywdzięczać się *vr imperf* — **wywdzięczyć się** *vr perf* to show (sb) one's gratitude; to repay <to return> (**komuś** sb's) kindness; to make a return for (**komuś** sb's) kindness

wywędrować *vi perf* — *rz.* **wywędrowywać** *vi imperf* to emigrate; to migrate (from home etc.); to leave home

wywędz|ić *vt perf* **~ę, ~ony** to smoke-cure

wywi|ać *v perf* **~eje** — **wywi|ewać** *v imperf* [I] *vt* 1. (*wydmuchać*) to blow away 2. *roln.* to winnow [II] *vi* 1. (*wylecieć z wiatrem*) to be blown away 2. *imperf pot.* (*uciec*) to bolt

wywiad *sm G.* **~u** 1. (*rozmowa z kimś wybitnym*) interview; **przeprowadzić ~ z kimś** to interview sb; **udzielić komuś ~u** to grant sb an interview 2. *med.* (*rozmowa z chorym*) anamnesis 3. *wojsk. i przen.* reconnaissance; (*zbadanie*) inquiry; **przeprowadzić ~ w jakiejś sprawie** to inquire into a matter 4. *wojsk.* (*ludzie wysłani na zwiady*) reconnaissance party 5. *polit. wojsk.* intelligence (service, department); secret service; espionage

wywiadowca *sm* (*decl* = *sf*) (*agent wywiadu*) secret agent; intelligencer; (*funkcjonariusz służby śledczej*) detective; bloodhound; *am.* G-man; *wojsk.* scout

wywiadowczy *adj* 1. *wojsk.* reconnaissance <reconnoitring> — (party etc.); **samolot ~** scout, scouting plane 2. (*związany ze służbą śledczą*) criminal investigation — (department) 3. *polit.* intelligence — (department, service etc.)

wywiadowczyni *sf* = **wywiadowca**

wywiadów|ka *sf pl G.* **~ek** *szk.* parents-teacher meeting

wywi|adywać się *vr imperf* — **wywi|edzieć się** *vr perf* **~em się, ~e się, ~edz się, ~edział się, ~edzieli się** to ask <to inquire, to make inquiries> (**o kogoś, coś** about sb, sth); to find out (**o kogoś, coś** about sb, sth)

wywiadywanie się *sn* (↑ **wywiadywać się**) inquiries

wywią|zać *v perf* **~że** — **wywią|zywać** *v imperf* [I] *vt* 1. *rz.* (*usunąć związanie*) to untie 2. *chem. fiz.* to educe [II] *vr* **~zać, ~zywać się** 1. (*powstać*) to arise; to spring up; to start; (*wyniknąć*) to result; (*o chorobie, gorączce*) to set in; to develop 2. (*wykonać*) to perform <to fulfil, to discharge, to implement> (**z obowiązku itd.** a duty etc.); **~zać, ~zywać się z zobowiązania** to meet an obligation 3. (*sprostać*) to acquit oneself (**z czegoś** of sth); **dobrze <źle> się ~zać z czegoś** to make a good <bad> job of sth 4. *chem. fiz.* to evolve; *chem.* to educe

wywiązanie *sn* 1. ↑ **wywiązać** 2. **~ się** performance <fulfilment, discharge, implementation, acquittal> (**z zadania itd.** of a task etc.) 3. **~ się** *chem.* evolution (of gas etc.)

wywiązywać *zob.* **wywiązać**

wywichnąć *vt perf* to dislocate <to disjoint> (**sobie rękę** one's shoulder); **~ sobie nogę** to sprain one's foot; to wrench one's ankle

wywichnięcie *sn* (↑ **wywichnąć**) dislocation; (a) sprain; (a) wrench

wywiedzenie *sn* ↑ **wywieść**

wywiedzenie się *sn* (↑ **wywiedzieć się**) inquiries

wywiedzieć się *zob.* **wywiadywać się**

wywielga <wywilga> *sf* = **wilga**

wyw|ierać *vt imperf* — **wyw|rzeć** *vt perf* **~rę, ~rze, ~rzyj, ~arł, ~arty** 1. (*działać*) to exert (**wpływ** <**presję itd.**> **na kogoś, na coś** an influence <a pressure etc.> on sb, sth); **~ierać działanie** to act (**na mózg, wnętrzności itd.** on the brain, bowels etc.); **~ierać, ~rzeć wpływ** <**presję**> **na kogoś** to bring one's influence <pressure> to bear on sb; **~rzeć zemstę** <**złość**> **na kimś** to wreak vengeance <to vent one's anger> on sb 2. (*wywoływać*) to make <to create> (an impression); to produce <to bring about> (a result, an effect) 3. *rz.* (*otwierać*) to throw open (a door, gate)

wywiercać *zob.* **wywiercić**

wywiercenie *sn* ↑ **wywiercić**

wywierc|ić *vt perf* **~ę, ~ony** — **wywierc|ać** *vt imperf* to bore <to drill> (a hole etc.); to sink (a well); *przen.* **~ić komuś dziurę w brzuchu** to talk sb's head off

wywie|sić *vt perf* **~szę, ~szony** — **wywie|szać** *vt imperf* to hang (sth) out; to post up (an announcement, bills etc.); to hoist (a flag); (*o psie*) to loll (its tongue); *przen.* **pędzić z ~szonym językiem** to exert <to bestir> oneself to the utmost

wywieszenie *sn* ↑ **wywiesić**

wywiesz|ka *sf pl G.* **~ek** (*kartka z napisem*) notice; (*tabliczka nad sklepem*) signboard

wyw|ieść *v perf* **~iodę, ~iedzie, ~iedź, ~iódł, ~iodła, ~iedli, ~iedziony, ~iedzeni** — **wyw|odzić** *v imperf* **~odzę, ~ódź, ~odzony** I *vt* 1. *lit.* (*wyprowadzić*) to take <to lead> (sb) out; to take <to turn> (a horse etc.) out; **~ieść kogoś w pole** to hoodwink <to humbug> sb; **~ieść kogoś z błędu** to undeceive sb; to open (**kogoś** sb's) eyes (to sth); † **~ieść, ~odzić kogoś z cierpliwości** to exasperate sb 2. (*wyrozumować*) to deduce; to derive (sth from a source); **~odzić swój ród od kogoś** to trace one's origin back to sb 3. (*zw. imperf*) (*wyjaśnić*) to explain 4. (*zw. imperf*) (*wydawać przeciągle tony*) to wail out (a melody) 5. (*wyląc*) to breed; to hatch 6. *rz.* (*wyrysować*) to trace; to draw 7. *rz.* (*wybudować*) to raise (a building, wall etc.) III *vr* **~ieść, ~odzić się** *lit.* 1. (*brać swój początek*) to descend; to come down (from a source); to be derived (**z ...** from ...) 2. (*urodzić się*) to breed; to hatch

wywietrzać *zob.* **wywietrzyć**

wywietrz|eć *vi perf* **~eje** (*ulotnić się*) to evaporate; to volatilize; (*o napojach*) to go flat <stale>; **perfumy ~ały** the scent has lost its fragrance; *przen.* **wiedza nabyta w Akademii ~ała** the knowledge he acquired at the Academy has vanished; **wódka mu ~ała** he is sober again; he has slept it off

wywietrzenie *sn* 1. (↑ **wywietrzeć**) evaporation; volatilization 2. (↑ **wywietrzyć**) airing; ventilation

wywietrznik *sm* 1. (*wentylator*) ventilator 2. (*wietrznik*) air drain; vent-hole

wywietrzyć *vt perf* — *rz.* **wywietrzać** *vt imperf* 1. (*przewietrzyć*) to air (rooms, bedding etc.); to ventilate 2. † *przen.* (*wywęszyć*) to nose out

wywiew *sm G.* **~u** air exhaust

wywiewać *zob.* **wywiać**

wywiezienie *sn* ↑ **wywieźć** 1. (*usunięcie*) removal; disposal (of refuse etc.) 2. (*eksportowanie*) exportation; export

wyw|ieźć *vt perf* **~iozę, ~iezie, ~iózł, ~iozła, ~ieźli, ~ieziony** — **wyw|ozić** *vt imperf* **~ożę, ~oź, ~ożony** 1. (*zabrać*) to take (sb, sth) away; **~iozłem żonę za granicę** I took my wife abroad 2. (*usunąć*) to remove; to dispose (**śmieci itd.** of garbage <refuse> etc.) 3. (*wyeksportować*) to export; to send (goods) abroad

wywi|jać *v imperf* — **wywi|nąć** *v perf* I *vt* 1. (*odwijać na zewnątrz*) to turn (sth) inside out; to turn back (the bedclothes, one's collar etc.); to turn down (one's collar etc.); **~jany kołnierz** turn-down collar; *med.* **~nąć powiekę** to introvert the eyelid 2. (*zw. imperf*) (*machać*) to brandish (**pałkami itd.** sticks etc.); to wave (**rękami** one's arms) about; **~jać kozły** to turn somersaults; to cut capers; **~jać młynka czymś** to twirl sth; **~jać rękami** to gesticulate 3. (*zw. imperf*) (*tańczyć*) to dance briskly (**mazura itd.** the mazurka etc.) II *vi* (*zw. imperf*) (*tańczyć z zapałem*) to dance briskly <vivaciously>; to caper; to prance III *vr* **~jać, ~nąć się** 1. (*wymykać się*) to slip out; to writhe oneself free; **~nąć się na pięcie** to turn on one's heel 2. *przen.* (*wykręcać się*) to quibble; to equivocate; to be elusive; **~nąć się z trudności** to wriggle out of a difficulty 3. (*wysuwać się*) to wriggle <to writhe> out; **wszystko ~nęło się jak z płatka** everything turned out trumps 4. *przen.* (*wynikać*) to result (from sth) 5. (*o pączkach, liściach itd.* — *rozwijać się*) to develop

wywijas *sm* flourish

wywikł|ać *v perf* — **wywikł|ywać** *v imperf* I *vt* to disentangle; to extricate III *vr* **~ać, ~ywać się** to extricate oneself (from a difficulty etc.)

wywikłanie *sn* (↑ **wywikłać**) disentanglement; extrication

wywikływać *zob.* **wywikłać**

wywilga *sf* = **wilga**

wywinąć *zob.* **wywijać**

wywindować *v perf* I *vt* to hoist; to haul up <to windlass> (a boat etc.); to lug (**coś, kogoś na górę** sth, sb up the stairs) III *vr* **~ się** (*wznieść się*) to rise; (*wygramolić się*) to hoist oneself up; to scramble up; to toil (**na górę itd.** up a hill etc.)

wywinięcie *sn* ↑ **wywinąć**; *med.* **~ powieki** introversion of the eyelid

wyw|lec *v perf* **~lokę, ~lecze, ~lecz, ~lokłem, ~lókł, ~lokła, ~lekli, ~leczony** — **wyw|lekać** *v imperf*, **wyw|łóczyć** *v imperf* I *vt* 1. (*wyciągnąć*) to pull <to drag> (sb, sth) out; to tug (**samochód z błota itd.** a car out of the mire etc.) 2. *przen.* (*ujawnić*) to bring out (a subject) into the open; to drag up (a scandal etc.) III *vr* **~lec, ~lekać, ~łóczyć się** 1. (*zostać wywleczonym*) to be <to get> pulled <dragged, tugged> out 2. (*wyjść z wysiłkiem, powłócząc nogami*) to shuffle out 3. (*wygramolić się*) to scramble <to lumber> out

wywleczenie *sn* ↑ **wywlec**

wywlekać *zob.* **wywlec**

wywłaszczać *vt imperf* — **wywłaszczyć** *vt perf* to expropriate; to dispossess; to disseise, to disseize

wywłaszczenie *sn* (↑ **wywłaszczyć**) expropriation; dispossession; disseisin, disseizin

wywłaszczeniowy *adj* (policy etc.) of expropriation

wywłaszczyciel *sm* expropriator

wywłaszczyć *zob.* **wywłaszczać**

wywłok *sm G.* **~u** *rz.* rag

wywłok|a *sf sm (decl = sf) pl G.* ~ <~ów> 1. (*wychudłe zwierzę*) emaciated beast 2. *pot.* (*kobieta lekkich obyczajów*) trollop 3. *pot.* (*nicpoń*) rogue

wywłócznik *sm bot.* (*Myriophyllum*) water nimfoil

wywłóczyć *v perf imperf* 1. *imperf zob.* **wywlec** 2. *perf roln.* to harrow

wywnętrzać się *vr imperf* — **wywnętrzyć się** *vr perf* to unbosom (**przed kimś ze swego smutku itd.** one's sorrows to sb); to open oneself <one's mind, one's heart> (**przed kimś** to sb)

wywnętrzenie się *sn* (↑ **wywnętrzyć się**) outpouring of feelings

wywnętrzyć się *zob.* **wywnętrzać się**

wywnioskować *vi perf* to draw a conclusion (**kto, kiedy itd.** as to who, when etc.); to infer <to come to the conclusion> (**że ...** that ...)

wywodować *v perf* [I] *vt* to launch (a ship) [III] *vi* (*osiąść na wodzie*) to alight (on water)

wywodzić *zob.* **wywieść**

wywojować *vt perf* to gain (sth) by force of arms; to conquer

wywoł|ać *vt perf* — **wywoł|ywać** *vt imperf* 1. (*przywołać*) to call (sb) out; *teatr* to call (an actor); **~ywać duchy** to call up spirits; *wojsk.* **~ać wartę pod broń** to turn out the guard; **~ać wilka z lasu** to conjure up the evil spirit 2. *przen.* to bring out (emanations etc.) 3. *szk.* to call (a pupil to the black-board); **~ać ucznia** to hear a pupil's lesson 4. (*przypomnieć*) to recall; to call to mind; **~ywać wspomnienia** to call forth memories 5. (*spowodować*) to cause <to elicit> (admiration etc.); to provoke <to occasion> (mirth etc.); to create <to produce> (a sensation etc.); to raise (a laugh); to start (**ogień itp.** a fire etc.; **u kogoś kaszel itd.** sb coughing etc.); to breed (disease, discontent etc.); to engender (a feeling etc.); to move (**u kogoś gniew, litość itd.** sb to anger, pity etc.) 6. *fot.* to develop 7. (*oznajmić*) to call out (one's wares etc.); to cry out (numbers, names etc.)

wywołani|e *sn* 1. ↑ **wywołać** 2. *fot.* development 3. (*na licytacji*) **cena ~a** upset price

wywoławcz|y *adj radio* call — (signal); (*na licytacji*) **cena ~a** upset price

wywoływacz *sm* 1. (*ten, kto wywołuje kogoś*) caller 2. *fot.* developer

wywoływać *v imperf* [I] *vt zob.* **wywołać** [III] *vi* to call (out)

wywoskować *vt perf* to wax

wywozić *zob.* **wywieźć**

wywozow|y *adj* 1. *górn.* extraction (shaft) 2. (*eksportowy*) export (trade etc.); **premia ~a** drawback

wywożenie *sn* 1. ↑ **wywozić** 2. (*usuwanie*) removal; disposal (of refuse etc.) 3. (*eksportowanie*) exportation, export

wyw|ód *sm G.* **~odu** 1. (*dowodzenie*) argument; reasoning; exposition (of a case) 2. (*wykrywanie początku*) deduction 3. *hist.* (*rodowód*) genealogy; descent 4. *rel.* churching

wyw|óz *sm G.* **~ozu** 1. (*wywożenie*) transportation; removal; disposal (of refuse) 2. (*eksport*) exportation; export

wywóz|ka *sf pl G.* **~ek** = **wywóz**

wywr|acać *v imperf* — **wywr|ócić** *v perf* **~ócę, ~ócony** [I] *vt* 1. (*przewracać*) to upset; to overturn; to overthrow (a monarchy etc.); to bring down (a tree etc.); to knock <to bowl> (sb) over; to throw (sb) down; to tilt over (a table etc.); **~acać kozły** to turn somersaults 2. (*odwracać*) to reverse; **~acać, ~ócić oczy** <**oczami**> to turn up one's eyes <the whites of one's eyes>; **~ócić** (**coś**) **do góry nogami** a) (*porozrzucać bezładnie*) to turn (sth) upside down b) *przen.* (*dokonać przewrotu*) to tumble <to topsyturvy, to dislocate> (everything); **~ócić kieszenie** to turn out one's pockets; *przen.* **~acać kota ogonem** to quibble [III] *vr* **~acać, ~ócić się** to fall <to tumble> over <down>; to topple over; to upset <to overturn> (*vi*); (*o statku*) to capsize; *pot.* (*o samochodzie*) to turn turtle

wywrot † *sm G.* **~u** = **wywrót**

wywrot|ka *sf pl G.* **~ek** 1. (*samochód*) tipping-lorry; (*wózek*) tip-cart; *górn.* skip 2. *sport* fall 3. *mar.* (a) capsize

wywrotnica *sf techn.* tipper

wywrotność *sf singt* unsteadiness; *mar.* crankiness

wywrotny *adj* 1. (*łatwy do wywrócenia*) tip-up (cart etc.) 2. *mar.* capsizable; cranky

wywrotow|iec *sm G.* **~ca** revolutionary; subverter

wywrotowy *adj* subversive; seditious; revolutionary; treasonable

wywrócenie *sn* 1. (↑ **wywrócić**) upset; overturn; overthrow; tumble; ~ **wszystkiego do góry nogami** dislocation; topsyturvydom 2. ~ **się** fall; tumble; *mar.* capsizal

wywrócić *zob.* **wywracać**

wywrócony [I] *pp* ↑ **wywrócić** [III] *adj* upset; upturned; ~ **do góry nogami** upside-down; topsyturvy

wywr|ót *sm G.* **~otu** 1. *górn.* tippler; tipper 2. *leśn.* (*powal, wykrot*) windfallen tree 3. *lotn.* looping the loop

na ~ót *adv* 1. (*na lewą stronę*) inside out; the wrong side out 2. (*spodem do góry*) upside down 3. (*przodem do tyłu*) back to front 4. (*opacznie*) contrariwise

wywróżyć *vt perf* to augur; to foretell; ~ **komuś przyszłość** to tell sb's fortune

wywrzaskiwać *vt imperf* — **wywrzeszczeć** *vt perf* to yell out (orders, curses); to squall out

wywrzeć *zob.* **wywierać**

wywrzeszczeć *zob.* **wywrzaskiwać**

wywyższ|ać *v imperf* — **wywyższ|yć** *v perf* [I] *vt* to elevate; to raise; to exalt; to extol [III] *vr* **~ać, ~yć się** 1. (*wynosić się nad innych*) to swagger; to give oneself airs 2. *pot.* to swank

wywyższanie *sn* 1. ↑ **wywyższać** 2. ~ **się** (*wynoszenie się*) swagger 3. *pot.* swank

wywyższyć *zob.* **wywyższać**

wywzajemniać się *vr imperf* — **wywzajemnić się** *vr perf* to reciprocate (**uczuciem** a feeling); to make some return (**za coś** for sth); to repay (**za przysługę** a service)

wywzajemnienie się *sn* (↑ **wywzajemnić się**) return (for a kindness); reciprocation (of a feeling etc.)

wyz *sm zool.* (*Huso huso*) white sturgeon; beluga

wyzbierać *vt perf* to gather (all the mushrooms etc.); to pick (all the strawberries, flowers etc.)

wyzb|yć się *vr perf* **~ędę się, ~ędzie się, ~ądź się, ~ył się** — **wyzb|ywać się** *vr imperf* to get rid (**czegoś** of sth); to sell out (**zapasu towarów**

itd. a stock of goods); to overcome <to shake off> (**nawyku itd.** a habit etc.); to get over (**nieśmiałości itd.** one's shyness etc.)

wyzdrowie|ć *vi perf* **~je** to get well; to recover; to recuperate; **myślę, że pacjent ~je** I think the patient will pull through

wyzdrowienie *sn* (↑ **wyzdrowieć**) recovery; recuperation

wyzdycha|ć *vi perf* to die; **wszystkie kury ~ły** all the fowls died

wyzgrabnie|ć *vi perf* **~je** to grow slimmer; to slim

wyziarniać *vt imperf* — **wyziarnić** *vt perf* to seed (flax etc.)

wyziarniar|ka *sf pl G.* **~ek** *techn.* cotton-gin

wyziarnić *zob.* **wyziarniać**

wyzierać *vi imperf* 1. (*wyglądać*) to peep <to peer> out 2. *przen.* (*dawać się widzieć*) to appear; to peep out; to show up

wyziew *sm G.* **~u** (*zw. pl*) exhalation; effluvium; reek; **szkodliwe ~y** fumes; mephitis; miasmata

wyziębi|ać *v imperf* — **wyziębi|ć** *v perf* [I] *vt* to cool <to chill> (sth); to let (a room etc.) get cold [II] *vr* **~ać, ~ć się** to cool <to chill> (*vi*); to get cold

wyzi|ębnąć *vi perf* **~ębnął** <**~ąbł**>, **~ębła, ~ębnięty** <**~ębły**> 1. (*ostygnąć*) to get cold 2. (*zmarznąć*) to freeze

wyzionąć *vt perf w zwrocie:* **~ ducha** to give up the ghost; to breathe one's last; to expire; **od tej roboty można ducha ~** it's back-breaking work

wyzł|acać *v imperf* — **wyzł|ocić** *v perf* **~ocę, ~ocony** [I] *vt* to gild [II] *vr* **~acać, ~ocić się** to assume a golden hue

wyzłocenie *sn* 1. ↑ **wyzłocić** 2. (*złocenie*) gilding

wyzłocić *zob.* **wyzłacać**

wyzło|ścić się *vr perf* **~szczę się** 1. (*wyładować złość*) to vent <to pour out> one's anger (on sb, sth) 2. (*nazłościć się*) to cool down

wyznaczać *vt imperf* — **wyznaczyć** *vt perf* 1. (*znaczyć*) to mark; to make markings (**coś** on sth) 2. (*wytyczać granice*) to delimit; to demarcate; to mark <to stake> out (an area) 3. (*wskazywać*) to fix; to point out; to state <to name> (a date, place etc.); to set (a price on sth) 4. (*polecić zrobić*) to put <to set> (**kogoś do robienia czegoś** sb to do sth); to appoint <to designate> (**kogoś na jakieś stanowisko** sb to an office, a post); to assign <to allocate> (a task, duties to sb) 5. (*określać za pomocą obliczeń*) to reckon <to calculate> (a distance, force etc.)

wyznaczenie *sn* 1. ↑ **wyznaczyć** 2. (*wytyczenie granic*) delimitation; demarcation 3. (*powierzenie funkcji, stanowiska*) appointment; designation; assignment; allocation 4. (*określenie za pomocą obliczeń*) calculation

wyznacznik *sm mat.* determinant

wyznaczyć *zob.* **wyznaczać**

wyzna|ć *v perf* — **wyzna|wać** *v imperf* **~je, ~waj, ~wał, ~wany** [I] *vt* 1. (*przyznać się*) to confess <to admit, to avow, to acknowledge> (a mistake, one's guilt etc.); to own (**błąd itd.** to a mistake etc.); to make a clean breast (**coś** of sth) 2. (*zwierzyć się*) to unbosom oneself (**coś** of sth); to declare (**swą miłość itd.** one's love etc.) 3. *imperf* (*mieć pewne przekonania*) to profess (**jakąś wiarę** a religion); **~wać jakiś pogląd** to hold an opinion; to hold to a belief [II] *vi* to admit <to acknowledge> (that ...); **~ć, że się jest ...** to confess <to acknowledge> oneself to be ... [III] *vr* **~ć, ~wać się** *pot.* (*zorientować się*) to understand; to make out (**w zagadkowej sprawie itd.** an enigma etc.); **nie mogę się w tym ~ć** I can't make it out; I can make nothing of it; I can't make head or tail of it; I can make neither head nor tail of it; I am bewildered; **trudno się w tym ~ć** it's all very confusing

wyznakować *vt perf* — **wyznakowywać** *vt imperf* to mark (a trail, channel etc.) with signs <*mar.* buoys>

wyznanie *sn* 1. ↑ **wyznać** 2. (*zwierzenie się*) confession; admission; avowal; acknowledgement; **~ miłosne** declaration of love 3. *rel.* religion; creed; belief; (religious) persuasion; **~ wiary** profession of faith

wyznaniowy *adj* religious <denominational> (matters etc.); (wars etc.) of religion

wyzna|wać *vt imperf* **~je** 1. *zob.* **wyznać** 2. (*wierzyć*) to profess (certain principles); to hold (a belief)

wyznawca *sm* (*decl = sf*), **wyznawczyni** *sf* 1. *rel.* believer; disciple; follower; confessor 2. (*zwolennik*) adherent; advocate; votary; champion

wyzucie *sn* 1. ↑ **wyzuć** 2. (*pozbawienie*) deprivation; dispossession; divestiture; bereavement

wyzu|ć *v perf* **~je, ~ty** — **wyzu|wać** *v imperf* [I] *vt* to deprive <to despoil, to dispossess, to strip, to divest, to bereave> (**kogoś z czegoś** sb of sth) [II] *vr* **~ć, ~wać się** to deprive <to divest> oneself (**z czegoś** of sth)

wyzuty [I] *pp* ↑ **wyzuć** [II] *adj* destitute <devoid> (**ze zdrowego rozsądku itd.** of common sense etc.)

wyzuwać *zob.* **wyzuć**

wyz|wać *v perf* **~wę, ~wie, ~wij** — **wyz|ywać** *v imperf* [I] *vt* 1. (*wezwać do udziału*) to challenge (sb to fight, to a game of tennis etc., to a contest, to a duel etc.); **~ywać los** to tempt fate; to fly in the face of Providence; to shoot Niagara 2. *imperf pot.* (*nawymyślać*) to call (sb) names; to abuse; to revile; **~ywać kogoś od ostatnich** to revile sb in the most opprobrious terms [II] *vr* **~wać, ~ywać się** 1. (*wyzwać jeden drugiego*) to challenge each other 2. (*zw. imperf*) (*nawymyślać sobie*) to call each other names; to abuse <to revile> each other

wyzwalacz *sm* 1. *fot.* shutter-release; *am.* push-button release 2. *techn.* release; trip-gear

wyzw|alać *v imperf* — **wyzw|olić** *v perf* **~ól** [I] *vt* 1. (*oswobadzać*) to liberate; to deliver; to free; to set (sb) free; to emancipate <to manumit> (a slave); **~olić kogoś na czeladnika** to qualify sb as journeyman 2. (*uwalniać z więzów*) to extricate <to disentangle, to release> (one's arm from sb's grasp etc.) 3. (*powodować powstanie czegoś*) to release (certain forces etc.); to let loose; to liberate 4. *lit.* (*zwalniać*) to exempt <to free> (**kogoś od czegoś** sb from sth) [II] *vr* **~alać, ~olić się** 1. (*odzyskiwać wolność*) to regain freedom; to break away; to be liberated <delivered> (**od czegoś, z czegoś** from sth); to free oneself (**od czegoś, z czegoś** from sth); **~alać, ~olić się na czeladnika** to become a journeyman; **~alać, ~olić**

się spod władzy to get out of hand <of control>; **~alać, ~olić się z jakiegoś uczucia** to shake off a feeling 2. (*odzyskać swobodę ruchów*) to extricate <to disengage> oneself 3. (*gwałtownie się objawiać*) to be released <liberated, let loose>

wyzwanie *sn* 1. ↑ **wyzwać** 2. (*wypowiedź wzywająca do czegoś*) challenge; **rzucić ~** to challenge (sb); **przyjąć ~** to accept a challenge

wyzwisko *sn* (*zw. pl*) invective; word of abuse; opprobrious word

wyzwolenie *sn* 1. ↑ **wyzwolić** 2. (*oswobodzenie*) liberation; (*nadanie wolności*) emancipation <manumission> (of a slave) 3. (*powodowanie powstania czegoś*) release 4. (*zwolnienie*) exemption (**od czegoś** from sth)

wyzwole|niec *sm G.* **~ńca** *hist.* freedman

wyzwoleńczy *adj* liberating (forces, armies etc.); (war etc.) of liberation; liberation __ (movement etc.)

wyzwoliciel *sm* liberator

wyzwoliciel|ka *sf pl G.* **~ek** liberatress

wyzwolicielski *adj* liberating (forces etc.)

wyzwolon|y [I] *pp* ↑ **wyzwolić** [II] *adj hist.* **sztuki** <**nauki**> **~e** liberal arts

wyzysk *sm singt G.* **~u** exploitation; sweating (of labour)

wyzysk|ać *vt perf* — **wyzysk|iwać** *vt imperf* 1. (*wykorzystać*) to take advantage (**coś** of sth); to turn (sth) to account <to advantage>; to make capital (**coś** of sth); **dobrze coś ~ać** to turn sth to good advantage; **~ać kogoś** <**czyjeś dobre serce itd.**> to take unfair advantage of sb <of sb's kindness etc.>; **~ać, ~iwać czyjąś łatwowierność** <**czyjeś obawy itd.**> to play upon sb's credulity <fears etc.>; **~ać, ~iwać swoją przewagę** to follow up <to push> one's advantage 2. (*osiągnąć zysk z cudzej pracy*) to exploit <to sweat> (workers)

wyzyskiwacz *sm* exploiter; slave-driver; sweater

wyzyskiwać *zob.* **wyzyskać**

wyzyskiwanie *sn* 1. ↑ **wyzyskiwać** 2. (*zysk z cudzej pracy*) exploitation

wyzywać *zob.* **wyzwać**

wyzywająco *adv* provocatively; aggressively; defiantly

wyzywający *adj* 1. (*zaczepny*) provocative; aggressive; defiant 2. (*zwracający na siebie uwagę*) provocative; challenging (hat etc.)

wyzywanie *sn* 1. ↑ **wyzywać** 2. (*wymyślanie*) abuse

wyż *sm G.* **~u** 1. *geogr.* upland 2. *meteor.* high-pressure area 3. (*najwyższy stan*) peak; **~ demograficzny** demographic explosion

wyżalać się *vr imperf* — **wyżalić się** *vr perf* to unbosom one's grief (**przed kimś** to sb); to complain (**na coś** of sth)

wyżałować *v perf* [I] *vt* to regret (sth) fully [II] *vr* **~ się** to pour out all one's grief

wyżarcie *sn* ↑ **wyżreć**

wyżarty [I] *pp* ↑ **wyżreć** [II] *adj pot.* bloated; sated; well-fed

wyżarzacz *sm techn.* annealer

wyżarzać *vt imperf* — **wyżarzyć** *vt perf techn.* to anneal

wyż|ąć[1] *vt perf* **~mę, ~mie, ~mij, ~ął, ~ęła, ~ęty** — **wyż|ymać** *vt imperf* to wring <to wring out> (linen)

wyż|ąć[2] *vt perf* **~nę, ~nie, ~nij, ~ął, ~ęła, ~ęty** to cut <to mow> (corn, grass) with a sickle

wyżeb|rać *vt perf* **~rze** — **wyżeb|rywać** *vt imperf* 1. (*uzyskać żebrząc*) to get (sth) by begging <by cadging, by mendicancy> 2. (*uzyskać usilnymi prośbami*) to get <to obtain> (sth) by pestering

wyżej *adv* (*comp* ↑ **wysoko**) higher (up); **~ wymieniony** above-mentioned; above-cited; mentioned above

wyż|eł *sm G.* **~ła** pointer

wyż|erać *vt imperf* — **wyż|reć** *vt perf* **~rę, ~ryj, ~arł, ~arty** 1. (*o zwierzętach*) to eat up 2. *wulg.* (*o człowieku*) to guzzle away 3. *przen.* (*wygryzać*) to canker; to gnaw away; to corrode; to erode

wyżer|ka *sf pl G.* **~ek** *pot. wulg.* blow-out; feed; stodge; spread

wyżęcie *sn* ↑ **wyżąć**[1,2]

wyżli *adj* pointer's

wyżlica *sf* pointer bitch

wyżlin *sm G.* **~u** *bot.* (*Antirrhinum*) snapdragon

wyżł|abiać *v imperf* — **wyżł|obić** *v perf* **~ób** [I] *vt* to groove; to gouge; to furrow; to gully; to gutter; to channel; *geol.* to erode [II] *vr* **~abiać, ~obić się** to be gouged <furrowed, gullied, guttered>; *geol.* to be eroded

wyżłobienie *sn* 1. ↑ **wyżłobić** 2. (*miejsce wyżłobione*) groove; gouge; furrow; gully; gutter; channel; *geol.* erosion

wyżłop|ać *vt perf* **~ie** *sl.* to guzzle

wyżowy *adj* 1. *geogr.* upland __ (pastures etc.) 2. *meteor.* high-pressure __ (area etc.)

wyżół|knąć *vi perf* **~kł** to grow <to turn> yellow

wyżpin *sm G.* **~u** *bot.* (*Cucubalus*) a plant of the pink family

wyżreć *zob.* **wyżerać**

wyższoś|ć *sf* superiority; excellence; preponderance; predominance; **z ~cią** superiorly; patronizingly; condescendingly

wyższ|y *adj* (*comp* ↑ **wysoki**) higher; taller; superior; top (floor, shelf etc.); preponderant (force, influence etc.); **siła ~a** circumstances outside our control; *jęz.* **stopień ~y** comparative (degree); **~a matematyka** higher mathematics; **~a szkoła** Academy; Institute; School (of Engineering, Economics etc.); **~e wykształcenie** higher <university> education; **~y umysł** master mind; **być ~ym ponad zabobony** <**pochlebstwa itd.**> to be above prejudice <flattering etc.>; *bot.* **rośliny ~e** vascular plants

wyżużlować *vt perf* to strew <to sprinkle> (a path etc.) with slag

wyżwirować *vt perf* to strew <to sprinkle> (a path etc.) with gravel

wyżycie *sn* ↑ **wyżyć**

wyży|ć *v perf* **~je** — **wyży|wać** *v imperf* [I] *vi* 1. *perf* (*utrzymać się przy życiu*) to survive; to keep body and soul together; to live (**z czegoś** on sth); to make both ends meet; (*o pacjencie, rannym*) to pull through 2. *perf* (*wytrzymać*) to bear life <living> (in certain conditions) 3. *rz.* (*dać upust*) to find an outlet (**coś** for sth) [II] *vr* **~ć, ~wać się** to find an outlet for one's energy <temperament> (in sth); to blow off steam

wyżyłować *vt perf* — **wyżyłowywać** *vt imperf* 1. (*oczyścić mięso z żył*) to trim (meat) 2. *pot.* (*prze-*

ciążać pracą) to sweat <to overwork> (an employee etc.)

wyżymacz|ka *sf pl G.* ~ek wringer; wringing-machine

wyżymać *zob.* **wyżąć**[1]

wyżyn|a *sf* 1. *geogr.* upland 2. *pl* ~y (*szczyty*) summit (of glory, fame etc.)

wyżynny *adj* upland (plain etc.); **torf** ~ highmoor peat

wyżyty [I] *pp* ↑ **wyżyć** [III] *adj* worn out (person)

wyżywać *zob.* **wyżyć**

wyżywi|ć *v perf* — *rz.* **wyżywi|ać** *v imperf* [I] *vt* 1. (*nakarmić*) to feed 2. (*utrzymać przy życiu*) to maintain <to provide for> (a family etc.); **~ć, ~ać bydło przez zimę** to winter the livestock [III] *vr* **~ć, ~ać się** to keep oneself; to board; to subsist (on vegetables etc.)

wyżywienie *sn* 1. ↑ **wyżywić** 2. (*pożywienie*) food; fare; board; diet; alimentation 3. ~ **się** maintenance; subsistence

wyżywieniowy *adj* alimentation ⎯ (endowment etc.); Food ⎯ (Office etc.); (Ministry etc.) of Food

wzajemnie *adv* mutually; reciprocally; in return; **kochać się <pomagać sobie itd.>** ~ to love <to help etc.> one another <each other>; ~ **działać na siebie** to interact; ~ **zależeć od siebie** to be interdependent

wzajemnoś|ć *sf singt* 1. (*odwzajemnione uczucie*) reciprocation (of love etc.); **miłość bez ~ci** unanswered <unrequited, unreciprocated> love 2. (*fakt, że coś jest obopólne*) reciprocity; mutuality; **na warunkach ~ci** on mutual terms; **odpłacać się ~cią** to return <to reciprocate> (a feeling etc.); *pej.* to give tit for tat; to retaliate; to repay in kind

wzajemn|y *adj* mutual; reciprocal; **towarzystwo ~ej adoracji** mutual admiration society; **towarzystwo ~ej pomocy** loan-society; **~a zależność** interdependence; **~e oddziaływanie** interaction

w zamian *adv* in return (**za coś** for sth); in exchange (**za kogoś, coś** for sb, sth); instead (**za kogoś, coś** of sb, sth)

wzbi|ć *v perf* **~je, ~ty** — **wzbi|jać** *v imperf* [I] *vt* to raise; **~ć, ~jać kurz nogami <kopytami>** to kick up the dust [III] *vr* **~ć, ~jać się** to rise; to go up; to soar; to shoot up

wzbierać *zob.* **wezbrać**

wzbijać *zob.* **wzbić**

wzbogac|ać *v imperf* — **wzbogac|ić** *v perf* **~ę, ~ony** [I] *vt* 1. (*czynić bogatym*) to enrich (sb, a country etc.); to make (sb) rich <wealthy> 2. (*powiększać zasób*) to enrich (*roln.* the soil, *aut.* the mixture etc.); to make additions (**bibliotekę itd.** to a library etc.); to store <to enrich> (**umysł** one's mind) 3. *geol. górn.* to concentrate; to dress; to treat [III] *vr* **~ać, ~ić się** 1. (*stawać się bogatym*) to enrich oneself; to grow rich; to make money 2. (*o instytucji itd.* — *zyskiwać*) to make new acquisitions; to add to one's possessions

wzbogacalnik *sm górn.* separator; concentrating mill

wzbogacenie *sn* 1. ↑ **wzbogacić** 2. (*powiększenie bogactwa*) enrichment; increased wealth 3. (*powiększenie zasobów*) addition(s); enlargement; improvement 4. *górn.* separation; preparation; washing

wzbogacić *zob.* **wzbogacać**

wzbr|aniać *v imperf* — **wzbr|onić** *v perf* [I] *vt* to forbid; to prohibit; *w napisach*: **„Palenie ~onione"** "No smoking"; **„Wstęp ~oniony"** "No entrance"; "No admittance"; "Private" [III] *vr* **~aniać się** to hesitate <to scruple> (**coś zrobić** to do sth); to demur; to make difficulties; to boggle (**przed zrobieniem czegoś** at doing sth); to recoil <to shrink> (**przed zrobieniem czegoś** from doing sth); to refuse <to decline> (**przed robieniem czegoś** to do sth)

wzbranianie *sn* 1. ↑ **wzbraniać** 2. ~ **się** hesitation; scruples; demur

wzbronić *zob.* **wzbraniać**

wzbudnica *sf techn. elektr.* exciter

wzbudz|ać *v imperf* — **wzbudz|ić** *v perf* **~ę, ~ony** [I] *vt* 1. (*wywoływać*) to arouse; to awake (a feeling etc.); to excite (curiosity etc.); to stir up (admiration, discontent etc.); to occasion (emotion etc.); to raise (hopes, suspicions, a laugh etc.); to command (respect etc.); to inspire (confidence etc.); to move (**u kogoś gniew, litość itd.** sb to anger, pity etc.) 2. *rz.* (*wzbijać w górę*) to raise (clouds of dust etc.) 3. *fiz. elektr.* to induce (a current); to excite (an electromagnet) [III] *vr* **~ać, ~ić się** to be aroused <awakened, excited, occasionod, raised, inspired>

wzbudzenie *sn* 1. ↑ **wzbudzić** 2. *elektr.* excitation, induction

wzbudzić *zob.* **wzbudzać**

wzburzać *zob.* **wzburzyć**

wzburzenie *sn* 1. ↑ **wzburzyć** 2. (*stan podniecenia*) ferment; unrest; restlessness; perturbation; commotion; tumult; fluster; **było wielkie** ~ feelings ran high 3. *rz.* (*stan czegoś, co się burzy*) swirl; swell <heave> (of the sea)

wzburzony [I] *pp* ↑ **wzburzyć** [III] *adj* 1. (*podniecony*) restless; perturbed; fretful; effervescent 2. (*o morzu*) rough; heavy; billowy; rolling

wzburz|yć *v perf* — **wzburz|ać** *v imperf* [I] *vt* 1. (*spowodować burzenie się*) to agitate; to stir; to swirl; to ruffle 2. (*zwichrzyć*) to dishevel; to tousle; **~yć w kimś krew** to make sb's blood boil 3. (*podniecić*) to agitate; to shake; to convulse; to stir up; to rouse; to perturb; to flutter; to disturb; to upset [III] *vr* **~yć, ~ać się** 1. (*zostać wzburzonym*) to be <to become> agitated <stirred, ruffled>; to swirl 2. (*zostać poruszonym wewnętrznie*) to be <to become> agitated <shaken, convulsed, stirred, perturbed, fluttered, disturbed, upset>; to fret; to grow restless <fretful>

wzd|ąć *v perf* **wezdmę, wezdmie, wezdmij, ~ął, ~ęła, ~ęty** — **wzd|ymać** *v imperf* [I] *vt* 1. (*nadąć*) to inflate; to swell; to distend (the stomach etc.); to puff out <to bulge> (one's cheeks etc.); **wiatr ~ął żagle** the wind filled the sails 2. (*wzniecić*) to fan (the flames); to ruffle (the sea) [III] *vr* **~ąć, ~ymać się** 1. (*stać się wzdętym*) to inflate <to distend, to swell> (*vi*) 2. (*wzburzyć się*) to bulge; to bag

wzdęcie *sn* 1. ↑ **wzdąć** 2. (*nadęcie*) inflation; swell; distension 3. (*wybrzuszenie*) bulge 4. (*nagromadzenie się gazów*) wind; flatulence

wzdłuż [I] *adv* longways, longwise; lengthways, lengthwise; *x* **mil** ~ *x* miles in length; *x* miles long; ~ **i wszerz czegoś** along the length and breadth of sth [II] *praep* along (the river, coast etc.); ~ **całego <całej> ...** all along ... (sth)

wzdłużać *vt imperf* — **wzdłużyć** *vt perf* to lengthen

wzdłużnik *sm mar.* longitudinal; stringer; girder

wzdłużny *adj* longitudinal

wzdłużyć *zob.* **wzdłużać**

wzdragać się *vr imperf* to hesitate <to scruple> (to do sth); to boggle (**coś robić** at doing sth); to demur; to recoil <to shrink> (**coś robić** from doing sth)

wzdraganie się *sn* (↑ **wzdragać się**) hesitation; scruples, demur

wzdręga *sf zool.* (*Scardinius erythrophthalmus*) rudd

wzdrygać się *vr imperf* — **wzdrygnąć się** *vr perf* to start; *perf* to give a start; to shudder; to boggle; to blench

wzdrygnięcie się *sn* (↑ **wzdrygnąć się**) (a) start; (a) shudder

wzdych *sm G.* ~**u** *gw.* sigh

wzdychacz *sm żart.* sighing lover; wooer; admirer

wzdychać *zob.* **westchnąć**

wzdymać *zob.* **wzdąć**

wzejść *zob.* **wschodzić**

wzgard|a *sf* scorn; disdain; contempt; **mieć** ~**ę dla kogoś, czegoś** to hold sb, sth in contempt

wzgardliwie *adv* scornfully; disdainfully; contemptuously

wzgardliwy *adj* scornful; disdainful; contemptuous

wzgardz|ić *vt perf* ~**ę,** ~**ony** — *rz.* **wzgardz|ać** *vt imperf* to scorn <to disdain, to despise> (**kimś, czymś** sb, sth); to feel contempt (**kimś, czymś** for sb, sth); to spurn (**kimś, czymś** sb, sth)

wzgl|ąd *sn G.* ~**ędu** 1. (*branie pod uwagę*) regard; consideration; sake; **bez** ~**ędu na ...** regardless <irrespective> of ...; **bez** ~**ędu na to, kto, gdzie, kiedy itd.** no matter who, where, when etc.; whoever, wherever, whenever etc.; **mieć coś na** ~**ędzie** to remember sth; to have sth in consideration <in view, in mind>; **mieć** ~**ąd na coś** to take sth into consideration; to have sth in view; **mając na** ~**ędzie ...** with a view to ...; **ze** ~**ędu <przez** ~**ąd> na ...** considering ...; in consideration of ...; **zrobiłem to przez** ~**ąd na ciebie <na nią itd.>** I did that for your <her etc.> sake 2. (*zw. pl*) (*powód*) reasons; considerations; account; head; score; **pod tym** ~**ędem** on that score <head>; **ze** ~**ędu na niego <na ciebie, na to>** on his <your, that> account; **z tego** ~**ędu** for that reason; therefore; that is why; **z wielu** ~**ędów** for various reasons 3. *pl* ~**ędy** (*przychylność*) favour; good graces; **cieszyć się czyimiś** ~**ędami** to be in sb's good graces; **darzyć kogoś** ~**ędami** to favour sb; to give sb one's favour; **okazywać komuś** ~**ędy** to defer to sb; to have considerations for sb; **bez żadnych** ~**ędów** without fear or favour; **pełen** ~**ędów** attentive; considerate 4. *pl* ~**ędy** (*wyrozumiałość*) indulgence; forbearance; regard (for sb, sth); **mieć** ~**ędy dla kogoś, czegoś** to pay regard to sb, sth 5. (*punkt widzenia*) respect; way; **pod każdym** ~**ędem** in every respect; in every way; **pod pewnym** ~**ędem** in a way; **pod pewnymi** ~**ędami** in some respects; **pod tym** ~**ędem** in this <that> respect; **pod wieloma** ~**ędami** in many ways; in many respects; **pod** ~**ędem uczciwości <jakości itd.>** in respect of honesty <quality etc.>; as regards honesty <quality etc.>; **pod żadnym** ~**ędem** a) (*w żadnej dziedzinie, w niczym*) in no way b) (*w żadnym razie*) under <on> no consideration; by no manner of means

względem *praep* 1. (*w stosunku do*) in relation to 2 (*wobec*) towards (sb, sth); to (sb, sth)

względnie *adv* 1. (*stosunkowo*) relatively; comparatively; ~ **spokojnie <łatwo itd.>** with relative calm <ease etc.> 2. (*dość*) rather; pretty; tolerably; fairly; passably 3. (*łaskawie*) considerately; indulgently; graciously 4. (*albo*) or

względnoś|ć *sf singt* relativity (of knowledge, force etc.); **teoria** ~**ci** the theory of relativity

względny *adj* 1. (*relatywny*) relative (time, humidity, pronoun, clause etc.); comparative (ease, rest, comfort etc.) 2. (*dosyć duży, dobry*) tolerable <fair> (success etc.) 3. † (*życzliwy*) considerate; kind; gracious

wzgór|ek *sm G.* ~**ka** 1. (*wypukłość terenu*) hillock; knoll; hummock 2. *anat.* protuberance; prominence

wzgórze *sn* hill; eminence

wziąć *vt perf* **wezmę, weźmie, weź <weźmij>, wziął, wzięła, wzięty** 1. *zob.* **brać** 2. (*odbyć stosunek płciowy*) to possess (a woman)

wziernik *sm* 1. *fot.* view-finder 2. *med.* speculum; ~ **okulistyczny** ophthalmoscope; ~ **pęcherzowy** cystoscope; ~ **uszny** otoscope; ~ **żołądkowy** gastroscope 3. *techn.* spy-hole; sight-glass; peep-hole

wziernikować *vt imperf* to examine visually

wziernikowanie *sn* (↑ **wziernikować**) specular examination

wziernikowy *adj* specular (examination etc.); speculum — (metal etc.)

wzierny *adj* spy- (hole); peep- (hole)

wziewać *vt imperf* — **wzionąć** *vt perf* to inhale; to breathe in; to inspire

wziewalnia *sf* inhalatorium

wziewny *adj* inhalent; **środek** ~ (an) inhalant

wzięci|e *sn* 1. ↑ **wziąć**; ~**e udziału** participation; ~**e w dzierżawę** lease; **do** ~**a** a) (*o kobiecie, pannie*) marriageable b) (*o przedmiocie*) to be had for the asking c) (*o miejscu*) free 2. (*zdobycie*) seizure; capture 3. (*powodzenie*) success; popularity; vogue; **cieszyć się** ~**em** to be popular; to be in vogue; to be fashionable 4. † (*maniery*) manners

wziętość † *sf* = **wzięcie** 3.

wzięty [I] *pp* ↑ **wziąć** [II] *adj* successful; popular; fashionable; in vogue

wzionąć *zob.* **wziewać**

wzlatać *vi imperf* = **wzlatywać** 1.

wzl|atywać *vi imperf* — **wzl|ecieć** *vi perf* ~**eci** 1. (*ulecieć w górę*) to fly up <upwards>; to rise (in the air) 2. (*być wyrzucanym w powietrze*) to shoot up (in the air)

wzlot *sm G.* ~**u** 1. (*wzlatanie ku górze*) upward flight; rise; ascent 2. *przen.* flight (of imagination etc.)

wzmacniacz *sm* 1. *fiz. radio* amplifier 2. *fot.* intensifier 3. *muz.* resonator 4. *mar.* partners

wzm|acniać *v imperf* — **wzm|ocnić** *v perf* ~**ocnij** [I] *vt* 1. (*dodawać siły*) to strengthen; to fortify; to brace (sb) up; to build up (**organizm** the system); to restore (a patient) 2. (*umacniać*) to fortify; to reinforce; to consolidate 3. (*dawać posiłki*) to reinforce (fighting units etc.) 4. (*zwiększać intensywność*) to intensify; to amplify (sounds) 5. *fot.* to intensify (a negative) [II] *vr* **~acniać, ~ocnić się** 1. (*nabierać sił*) to grow stronger; to gather new strength; (*o pacjencie*) to recuperate 2. (*powiększać się liczebnie*) to be reinforced; to get reinforcements 3. (*nabierać intensywności*) to intensify (*vi*); to be <to become> intensified <amplified>

wzmacniający *adj* strengthening; *med.* tonic; corroborant, roborant; *jęz.* intensive; *farm.* **środek ~** strengthener; restorer

wzmacnianie *sn* 1. ↑ **wzmacniać** 2. (*umacnianie*) fortification; reinforcement; consolidation 3. (*zwiększanie intensywności*) intensification; amplification (of sound) 4. *fot.* intensification 5. **~ się** (*u pacjenta*) recuperation

wzm|agać *v imperf* — **wzm|óc** *v perf* **~ogę, ~oże, ~óż, ~ógł, ~ogła, ~ożony** [I] *vt* to increase; to heighten; to intensify; to enhance; to aggravate (an evil) [II] *vr* **~agać, ~óc się** to increase (*vi*); to intensify (*vi*); to grow; to be heightened <enhanced, aggravated>; **~agać, ~óc się na siłach** to grow stronger; to gather new strength

wzmaganie *sn* (↑ **wzmagać**) increase; intensification; enhancement; aggravation (of an evil)

wzmian|ka *sf pl G.* **~ek** mention; reference (**o kimś, czymś** to sb, sth); notice <paragraph> (in a newspaper)

wzmiankarz *sm* paragraphist

wzmiankować *vi imperf* to mention (**o kimś, czymś** sb, sth); to make mention <a reference> (**o kimś, czymś** to sb, sth)

wzmocnić *zob.* **wzmacniać**

wzmocnieni|e *sn* 1. ↑ **wzmocnić** 2. (*coś pokrzepiającego*) strengthener; tonic; corroborant; restorer 3. (*element konstrukcyjny*) reinforcement; consolidation 4. *pl* **~a** *wojsk.* (*umocnienia*) fortifications; (*posiłki*) reinforcements 5. (*większa intensywność*) intensification; amplification (of sound) 6. **~e się** (*pacjenta*) recuperation

wzmożenie *sn* (↑ **wzmóc**) increase; intensification; enhancement; aggravation (of an evil)

wzmożony [I] *pp* ↑ **wzmóc** [II] *adj* intensive; *handl.* **~ popyt** active demand

wzmóc *zob.* **wzmagać**

wznak *adv w wyrażeniu*: **na ~** on one's back; **leżeć na ~** to lie on one's back <supine>; **pływanie na ~** back-stroke swimming; swimming on one's back

wzn|awiać *v imperf* — **wzn|owić** *v perf* **~ów** [I] *vt* 1. (*podejmować na nowo*) to resume; to return (**coś** to sth); to recommence; to revive (a play, publication etc.); (*o wydawnictwie*) to reprint; to republish; to re-edit; (*o szkole*) **~awiać, ~owić naukę,** (*o sądzie*) **~awiać, ~owić kadencję** to reopen 2. (*ponawiać*) to renew; to repeat (an order, a request etc.); to do (sth) again <once more>; **~owić próbę** to try again <once more> [II] *vr* **~awiać, ~owić się** to be renewed; to revive (*vi*); to recrudesce

wznawianie *sn* 1. ↑ **wznawiać** 2. (*podejmowanie na nowo*) resumption; return (**czegoś** to sth); revival 3. (*ponawianie*) renewal; repetition 4. **~ się** renewal; revival; recrudescence

wzniec|ać *v imperf* — **wzniec|ić** **~ę, ~ony** *v perf* [I] *vt* 1. (*zapalać*) to light; to kindle <to start> (a fire) 2. (*wzbudzać*) to rouse <to arouse, to excite> (a feeling); to kindle (zeal etc.) 3. (*wszczynać*) to stir up (sedition etc.) 4. (*powodować wzbijanie się*) to raise <to kick up> (clouds of dust) [II] *vr* **~ać, ~ić się** (*o pożarze*) to break out

wzniesieni|e *sn* 1. ↑ **wznieść** 2. (*zbudowanie*) erection (of a monument etc.) 3. (*wyżyna*) eminence; elevation; height; swell; **strome ~e** (a) steepness; **~a i spadki** ups and downs; **~e nad poziomem morza** altitude 4. (*podium*) platform 5. *astr.* altitude 6. **~e się** rise; climb; ascent

wzn|ieść *v perf* **~iosę, ~iesie, ~ieś, ~iósł, ~iosła, ~ieśli, ~iesiony** — **wzn|osić** *v imperf* [I] *vt* 1. (*umieścić wyżej*) to raise; to lift; **~ieść oczy** a) (*spojrzeć w górę*) to look up b) (*okazać zdumienie*) to cast up one's eyes; to turn up the whites of one's eyes; **~ieść okrzyk** to raise a shout; to give a cheer; **~ieść rękę na kogoś** to raise one's hand against sb; **~ieść toast** to give <to propose> a toast 2. (*zbudować*) to raise <to erect, to rear> (a building, monument etc.) 3. (*wzbić*) to raise (clouds of dust etc.) [II] *vr* **~ieść, ~osić się** 1. (*zostać wzniesionym*) to be raised <lifted>; (*o statku*) **~osić się i zanurzać dziobem w fale** to pitch and toss 2. (*unieść się*) *perf* to go up; *imperf* to be on the up-grade 3. (*wzbić się w górę*) to rise; to ascend; to climb; to mount; to soar; to shoot up; *lotn.* **~ieść się pionowo** to zoom 4. (*o głosie*) to rise *zob.* **wznosić**

wznios *sm G.* **~u** ascent (**włoskowaty** capillary)

wzniosłość *sf singt* loftiness; nobleness; sublimity; **~ umysłu** noble-mindedness

wzniosł|y *adj* lofty; noble; sublime; elevated (thoughts, style); **to, co ~e, rzeczy ~e** the sublime

wzniośle *adv* loftily; nobly; sublimely

wznos *sm G.* **~u** 1. (*wznoszenie*) raising; lifting 2. = **wznoszenie** 2.

wzno|sić *v imperf* **~szę, ~szony** [I] *vt zob.* **wznieść** [II] *vr* **~sić się** 1. *zob.* wznieść *vr* 2. (*tworzyć podwyższenie*) to rise; to ascend; to mount; to go up-grade 3. (*wystawać, sterczeć*) to rise; to tower; **~sić się ponad czymś** to overtop <to overlook> sth 4. (*unosić się*) to hover

wznoszenie *sn* 1. ↑ **wznosić** 2. **~ się** rise; ascent; acclivity; up-grade

wzn|owa *sf pl G.* **~ów** *med.* metastasis

wznowić *zob.* **wznawiać**

wznowienie *sn* 1. ↑ **wznowić** 2. (*podjęcie na nowo*) resumption; return (**czegoś** to sth) 3. *teatr* revival (of a play); (*o wydawnictwie*) reprint; reissue; republication 4. (*ponowienie*) renewal; repetition 5. **~ się** renewal; revival; recrudescence

wzorcarstwo *sn singt* model-making

wzorcarz *sm* 1. (*wykonujący wzory*) modellist; pattern-designer 2. (*wykonujący sprawdziany*) standardizer

wzorcować *v imperf* [I] *vi* (*opracowywać wzorce*) to make models; to design patterns [II] *vt* (*ustalać wartość miary*) to standardize

wzorcownia *sf* pattern-shop, pattern-room

wzorcowość *sf singt* standard quality <type>

wzorcowy *adj* model — (farm, workshop, dwelling etc.); demonstration — (car, farm etc.); standard — (measure etc.)

wzor|ek *sm G.* **~ku** *dim* ↑ **wzór**

wzornictwo *sn* model-making; pattern-designing

wzornik *sm* 1. (*szablon*) former; pattern; templet; mould 2. (*katalog wzorów*) pattern-book

wzorować *v imperf* [I] *vt* to model <to pattern> (**coś na czymś** sth after <upon> sth) [III] *vr* **~ się** to take pattern (**na kimś** by sb); to imitate (**na kimś, czymś** sb, sth); to take (**na kimś** sb) as one's model

wzorowanie *sn* 1. ↑ **wzorować** 2. **~ się** imitation (**na kimś** of sb)

wzorowo *adv* in exemplary fashion; excellently; perfectly; faultlessly

wzorowy *adj* exemplary; excellent; perfect; faultless; model — (husband, farm); pattern — (son etc.)

wzo|rzec *sm G.* **~rca** 1. (*wzór*) model; pattern; norm; sample 2. (*rysunek*) design 3. *techn.* standard

wzorzystość *sf singt* patterned <figured> ornamentation

wzorzysty *adj* patterned (stuffs etc.); figured (materials etc.)

wzorzyście *adv* in patterned designs

wzór *sm G.* **wzoru** 1. (*przykład*) example; model; pattern; exemplar; **~ doskonałości** paragon; **odbiegający od utartych wzorów** unorthodox; unconventional; **brać ~ z kogoś** to take example by sb; to follow sb's example; **stawiać kogoś za ~** to hold sb up as a model; **na ~, wzorem, według wzoru ...** following the example of ...; after the example <the fashion> of ...; **na ~ francuski <grecki itd.>** in the French <Greek etc.> fashion; French <Greek etc.> fashion 2. (*rysunek*) design; pattern 3. (*model do odtwarzania w produkcji*) model; type; standard; sample; *bank. handl.* **~ podpisu** facsimile signature; *handl.* **zgodny <niezgodny> z wzorem** up to <not up to> standard 4. *chem. mat.* formula (**wymiarowy** dimensional, **przybliżony** approximate, **doświadczalny** empirical)

wzr|astać *vi imperf* — **wzr|osnąć** *vi perf*, **wzr|óść** *vi perf* **~ośnie, ~ósł, ~osła, ~ośli** 1. (*o człowieku*) to grow up; **~astać, ~osnąć, ~óść w dumę** to grow proud; **~astać, ~osnąć, ~óść w siłę** to gather strength 2. (*o roślinie*) to grow 3. (*powiększać się*) to increase; to grow; to grow bigger <more numerous>; to augment; to extend 4. (*wzmagać się*) to increase; to heighten; to intensify; to swell; to mount; (*o cenach, zarobkach*) to rise; (*o cenach*) **nagle ~óść** to rocket

wzrastający *adj* increasing; progressive

wzrastanie *sn* (↑ **wzrastać**) growth; increase

wzrok *sm singt G.* **~u** 1. (*zmysł*) eyesight; vision; **krótki ~** short sight; *med.* myopia; **słaby ~** purblindness; **utrata ~u** blindness; **mieć dobry <kiepski> ~** to have a good <poor> eyesight; to see well <poorly>; **mieć jastrzębi ~** to be hawk-eyed; **mieć krótki ~** to be short-sighted; **pozbawić kogoś ~u** to blind sb; **poza zasięgiem naszego ~u** beyond our vision 2. (*spojrzenie*) eyes; gaze; **badać ~iem przepaść <czyjeś oblicze itd.>** to peer into a precipice <sb's face etc.>; **odwrócić ~** to turn aside one's glance; **patrzeć na kogoś rozkochanym ~iem** to make sheep's eyes at sb; **podnieść ~ na kogoś, coś** to lift one's eyes up to sb, sth

wzrokow|iec *sm G.* **~ca** visualizer; (a) visual

wzrokowo *adv* visually; optically

wzrokowy *adj* optic (angle, nerve, thalamus etc.); optical (illusion etc.); visual (memory, field, angle, nerve etc.); **typ ~ = wzrokowiec**

wzrosnąć *zob.* **wzrastać**

wzrost *sm G.* **~u** 1. (*wysokość człowieka*) stature; size; height; **małego <niskiego> ~u** short; of short stature; **średniego ~u** medium-sized; of middle height; **wysokiego ~u** tall; **mieć x cm ~u** to be x centimetres tall; **on ma 1 m 80 ~u bez bucików** he stands 1m 80 in his stocking-feet 2. (*rośnięcie*) growth 3. (*powiększanie się*) increase; growth; increment; augmentation; rise (**ceny, wartości, temperatury** in price, value, temperature); extension (of business); gain (in weight); accession (to one's income)

wzrostow|y *adj* growth — (hormone etc.); **substancja ~a** auxo-substance

wzrośnięcie *sn* (↑ **wzrosnąć**) growth; increase

wzróść *zob.* **wzrastać**

wzrusz|ać *v imperf* — **wzrusz|yć** *v perf* [I] *vt* 1. (*rozczulać*) to move; to affect; to touch (**do głębi** to the quick); to stir; to thrill; **to mnie nie ~a** I don't care a hang 2. (*przetrząsać*) to shake up (the pillows etc.); **~ać, ~yć glebę** to loosen the soil; **wiatr ~ył powierzchnię wody** the wind ruffled the surface of the water 3. (*obalać*) to shake (a theory etc.) 4. *w zwrotach*: **~yć ramionami** to shrug one's shoulders; **~ywszy ramionami** with a shrug (of the shoulders) [III] *vr* **~ać, ~yć się** to be moved <affected, touched, stirred, thrilled>; **~yć się do łez** to be moved to tears; to melt into tears

wzruszająco *adv* pathetically; movingly; touchingly; stirringly; poignantly

wzruszający *adj* pathetic; moving; touching; stirring; poignant

wzruszalność *sf singt* mutability

wzruszalny *adj* mutable

wzrusze|nie *sn* 1. ↑ **wzruszyć** 2. (*rozrzewnienie*) emotion; affection; thrill; **skory do ~ń** emotional; **nie skory do ~ń** unemotional; **nie doznawać żadnych ~ń** to be unmoved ‖ **~nie ramionami** a shrug (of the shoulders)

wzruszeniowość *sf singt* emotionality

wzruszeniowy *adj* emotional

wzruszony [I] *pp* ↑ **wzruszyć** [III] *adj* moved; affected; touched; stirred; thrilled

wzruszyć *zob.* **wzruszać**

wzu|ć *vt perf* **~je, ~ty** — **wzu|wać** *vt imperf* to put on (one's shoes <boots>); **on mu ~ł buty** he put <pulled> his shoes on for him

w zupełności *zob.* **zupełność**

wzw|ód *sm G.* **~odu** *fizjol.* erection (of the penis); **chorobliwy ~ód** priapism

wzwyż *adv* 1. (*w górę*) up; upwards; **~ i wszerz** in height and width; *sport* **skok ~** high jump 2. † (*ponad*) above; more than; **armia liczyła 40 000 ~** the army numbered above 40 000 men; **od 10 zł <2 lat itd.> ~** from 10 zl <2 years etc.> up

wzywać *zob.* **wezwać**

wżarcie się *sn* ↑ **weżreć się**
wżenić się *vr perf pot.* to marry (w **jakieś środowisko** into a certain sphere)
wżerać się *zob.* **weżreć się**
wży|ć się *vr perf* **~je się — wży|wać się** *vr imperf* to familiarize oneself (w **coś** with sth); to become intimately acquainted (w **coś** with sth); **~ć, ~wać się w epokę** to enter into the spirit of a period; **~ć, ~wać się w rolę** to enter into a <one's> part

X, x *sn indecl* 1. (*litera*) the letter x; **pan X** Mr So--and-so; **promienie X** X-rays; **z nogami w x** knock-kneed 2. (*głoska*) the sound x

Y, y *sn indecl* 1. (*litera*) the letter y 2. (*głoska*) the sound y
yachting *sm G.* **~u = jachting**
yard *sm* **= jard**
yeti *sm indecl* yeti; the Abominable Snowman
yo-yo *sn* yo-yo; **grać w ~** to play with a yo-yo

Z

Z, z[1] *sn indecl* 1. (*litera*) the letter z 2. (*głoska*) the sound z
z[2], **ze** *praep* 1. (*punkt wyjścia ruchu przestrzennego*) from (**the** ceiling, the mountains, the chimney); off (one's feet, a ladder, a shelf etc.); out of (the fire, the sea etc.); (*w odpowiedzi na pytanie skąd?*) from (home, prison, the cinema etc.); **otrząsnąć się z czegoś** to shake oneself free of sth; **rozebrać kogoś z czegoś** to divest sb of sth; **to było ładnie <brzydko> z twojej <jego itd.> strony** it was kind <not nice> of you <him etc.>; **zbiec z góry <ze schodów>** to run down a hill <down the stairs>; **z prawej i lewej strony** on the right and left hand side; **z przodu i z tyłu** in front and at the back; before and behind 2. (*źródło informacji*) from (books, documents, newspapers etc.) 3. (*przy oznaczeniach czasu*) of; _'s; **mój list z 3-go maja** my letter of May 3rd; **owoce z zeszłego roku** last year's fruits 4. (*środowisko*) of (a good family etc.) 5. (*przy określaniu cechy wyróżniającej*) of; **każdy <wielu itd.> z nas** each <many etc.> of us; **najlepszy <najgorszy itd.> ze wszystkich** the best <the worst> of all 6. (*tworzywo*) of (paper, wood, iron etc.) 7. (*przy określaniu zmiany stanu*) from; **z chorowitego dziecka wyrósł na silnego mężczyznę** from a sickly child he grew into a strong man; **z kaprala dosłużył się rangi pułkownika** from a corporal he advanced to the rank of colonel 8. (*przyczyna*) of (hunger, thirst, a disease); out of (curiosity, pity, kindness etc.); **skakać z radości** to jump for joy; **zdrętwiały z zimna** stiff with cold 9. (*wzór, model*) from (nature etc.); **mieć w sobie coś z bohatera <filistra itd.>** to have in one something of a hero <a Philistine etc.> 10. (*przy uwypukleniu cechy szczególnej*) in; as regards; in respect of; **z formy** in shape; **z obyczajów** as regards manners; **piękny z położenia** beautiful in respect of site 11. (*nasilenie*) with; **z całych sił** with all one's might 12. (*towarzyszenie, posiadanie*) with; along; **butelka z winem** a bottle with wine in it; **ojciec z synem** a father with his son; **przyszedł z narzędziami** he came with his tools; **weź go z sobą** take him along 13. (*oznaczenie czasu, pory*) at; **z brzaskiem** at daybreak; **z nocą** at nightfall; **z początkiem miesiąca <roku itd.>** at the beginning of the month <year etc.> 14. (*w połączeniu z czasownikiem*) **drwić z czegoś** to scoff at sth; **śmiać się z kogoś** to laugh at sb; to make fun of sb; **cieszyć się z czegoś** to be glad of sth; to rejoice at sth 15. (*około, mniej więcej*) about; more or less; say; some; somewhere round; anywhere near; **ze dwie godziny** about <more or less> two hours; **z pół godziny** somewhere round <anywhere near> half an hour; **z tydzień, dwa** say a week or two 16. (*z zakresu*) in the way of ...; **coś z win <z owoców>** something in the way of wines <of fruits> 17. *w zwrotach*: **co za idiota ze mnie** what a fool I am; **nic z tego** it's no use; nothing doing; **pan z brodą** a bearded gentleman; **z angielska <z francuska itd.>** a) (*na modłę*) after the English <French etc.> fashion b) (*o wymowie*) with an English <French etc.> accent; **z bliska** at close quarters; **z cicha** in silence; **z ciebie <z niego itd.> jest ...** you are <he is etc.> ...; **z dawien dawna** from time immemorial; **z kolei** in turn; **z krzykiem, wrzaskiem** shouting, scream-

ing; **z lekka** slightly; **z nagła** suddenly; **z nazwiska** by name; **z powodzeniem** successfully; **z prawa i lewa** from right and left; **z rzędu** in succession; **z widzenia** by sight; **z wolna** slowly

z-, ze- *praef* 1. (*osiągnięcie skutku*) **zgiąć** to bend; **zrobić** to make 2. (*skupienie*) together; **zbić** to knock <to nail> together; **zejść się** to come together 3. (*usunięcie, opuszczenie*) off; away; **zbiec** to run away; **zeskoczyć z czegoś** to jump off sth; **zeskrobać** to scrape off <away> 4. (*nabycie cechy*) to grow; to become; **zblednąć** to grow pale; **zestarzeć się** to grow old

za [I] *praep* 1. (*przedmiot, miejsce*) beyond (**morza, morzami itd.** the seas etc.); over (**mur, murem itd.** a wall etc.); behind (**kogoś, kimś, coś, czymś** sb, sth); **za biurkiem** at one's desk; **za gors, za gorsem** in her bosom; **za oczami** behind one's back; **za pazuchę, za pazuchą** in one's breast-pocket; **za stołem** at table; **za węgłem** round the corner 2. (*cel*) for; **wędrówki za pracą** wanderings in search of work; **za wolność** for liberty; *pot.* **iść za sprawunkami** to go shopping 3. (*mając czyjeś dobro na celu*) for; in (sb's) behalf; **pisałem za tobą** I wrote in your behalf; **przemawiać za kimś** to speak up for sb 4. (*wzór, przykład*) after (**jakimś wzorem, czyimś przykładem** a pattern, sb's example); **powtarzać za kimś** to repeat after sb; **pójść za czyjąś radą** to take sb's advice 5. *pot.* (*małżeństwo*) to; **była za doktorem** she was married to a doctor 6. (*trzymanie*) by; **trzymać kogoś za rękę** <**szyję, kibić**> to hold sb by the arm <neck, waist> 7. (*w odniesieniu do usług, zapłaty*) at; for; **płaca za robotę** <**towar itd.**> payment for work <goods etc.>; **za bezcen** dirt-cheap; **za darmo** free of charge; **za tę cenę** at that price; **za wszelką cenę** at any cost; **za żadne skarby** not for worlds 8. (*odpowiedzialność*) for; **kara więzienia za kradzież** imprisonment for theft; **nagroda za pilność** prize for diligence; **przepraszam za spóźnienie** excuse me for being late 9. (*zajęcie*) as; **służyła za dziewkę do krów** she served as dairymaid 10. (*szczególny charakter*) as; **uważać coś za zbrodnię** <**zaszczyt itd.**> to regard sth as a crime <an honour etc.> 11. (*przyjmowanie kogoś, czegoś za kogoś, coś*) for; **jedno za drugie** one thing for another; **sprzedał szkiełko za klejnot** he sold a bit of glass for a jewel; **uchodził za arystokratę** he passed for an aristocrat; **wziąłem go za woźnego** I took him for the janitor; (*kontrastowo*) **za to** whereas; **u nas pomarańcze nie rosną, za to tam nie ma ziemniaków** oranges do not grow here whereas they have no potatoes 12. (*określenie miejsca*) beyond; past; **za miastem** outside the town; **za rzekę** <**most, dom**> beyond <past> the river <bridge, house> 13. (*następstwo, kolejność*) after; **jeden za drugim** in single <Indian> file; **za czym** whereupon; after which; **za mną** after me 14. (*przyczyna, pomoc*) at; on; **za byle co** on the slightest pretext; **za czyjąś prośbą** at sb's request; **za gwarancją** on security; **za pomocą pewnych narzędzi** with the help of certain tools; **za waszym pozwoleniem** with your permission 15. (*aprobata*) for; in favour of; **jestem za tym** I am for it <in favour of it> 16. (*zastępstwo*) for; instead of; in (sb's) stead; **będziemy za niego pracowali** we'll do his work for him; we'll work instead of him <in his stead> 17. (*cena*) for; **dwie pomarańcze za 10 zł** two oranges for ten zlotys; **5 zł za metr** <**za kilogram itd.**> 5 zlotys a meter <a kilogramme etc.>; **za 20 zł czekoladek** <**kwaśnych cukierków itd.**> 20 zlotys' worth of chocolates <acid drops etc.> 18. (*z tyłu, w tył*) behind; back; **oglądać się za siebie** to look back; **zostawili za sobą zgliszcza i głód** they left waste and famine in their train <wake>; **za nami** behind us 19. (*pośrednictwo*) through; **za pośrednictwem banku** <**poczty**> through a bank <the post> 20. (*uczucie*) for; after; **tęsknię za nią** I long for her; I yearn after her 21. (*okres, pora*) in; by; **od wtorku** <**piątku itd.**> **za tydzień** (**next**) Tuesday <Friday etc.> week; **za dnia** by day; in the daytime; **za dwa dni** in two days; in two days' time; **za Kazimierza Wielkiego** in the reign of Casimir the Great; **za moich czasów** in my time; **za rok** in a year; **za** *x* **minut druga** <**trzecia itd.**> *x* minutes to two <three etc.>; **za życia** in (sb's) lifetime [II] *adv* 1. (*zbyt*) too (good, weak etc.) 2. *w wyrażeniach*: **co to za człowiek?** a) (*kto to?*) who is it? b) (*jakiego rodzaju?*) what sort of man is he?; **co za ironia!** what irony!; **co za ogrom!** what vastness!

za- *praef* 1. (*osiągnięcie skutku*) **zalać** to flood; **zataić** to conceal; **zatonąć** to sink 2. (*gdy skutkiem jest śmierć*) to death; **zakłuć** to stab to death; **zamęczyć** to torture to death 3. (*początek czynności*) to start to + *inf*; to start + -ing; to fall to + -ing; **lwy zaryczały** the lions started to roar <started roaring>; **zaśpiewali** they started to sing; they started <fell to > singing 4. (*umieszczenie, pokrycie*) up; over-; **zachodzić jedno za drugie** to overlap; **zamurować** to wall up; **zarosnąć** to overgrow

zaabonować *vt perf* to subscribe (**pismo** to a magazine); to take out a season-ticket (**lożę w teatrze itd.** for a box in the theatre etc.)

zaabsorbowa|ć *v perf* [I] *vt* 1. (*zainteresować*) to absorb; to engross; to preoccupy; **~ny swoim tematem** full of his subject 2. (*wchłonąć*) to absorb (a liquid etc.) [II] *vr* **~ć się** 1. (*zainteresować się*) to become absorbed <engrossed> (**czymś** in sth) 2. (*zostać wchłoniętym*) to be <to become> absorbed

zaabsorbowanie *sn* (↑ **zaabsorbować**) absorption

zaadaptować *vt perf* to adapt (**coś dla jakiegoś celu** sth to a use; **powieść dla sceny** a novel for the stage)

zaadjustować *vt perf druk.* to make up (a text for printing)

zaadoptować *vt perf* to adopt (sb as one's son etc.)

zaadresowa|ć *vt perf* to address (an envelope etc.); **listy niedokładnie** <**nieczytelnie**> **~ne** blind letters

zaadsorbować *vt perf chem. fiz.* to adsorb

zaaferowanie *sn* embarrassment; confusion; perplexity

zaaferowan|y *adj* embarrassed; confused; perplexed; puzzled; **~a mina** a look of embarrassment

zaafiszować *vt perf* to show off; to flaunt

zaagitować *vt perf* to gain (sb) over (to a cause) by agitation

zaakcentować *vt perf* to stress; to accentuate; to emphasize; to lay stress (**coś** on sth)

zaakcentowanie *sn* (↑ **zaakcentować**) stress; accentuation; emphasis

zaakcentowany [I] *pp* ↑ **zaakcentować** [II] *adj* stressed (syllable etc.); (strongly) marked (trait etc.)

zaakceptować *vt perf* to accept; to assent (**coś** to sth); to approve (**coś** of sth)

zaakceptowanie *sn* (↑ **zaakceptować**) acceptance; assent; approval

zaaklimatyzować *v perf* [I] *vt* to acclimatize (a plant, an animal) [II] *vr* ~ **się** to become acclimatized

zaaklimatyzowanie *sn* (↑ **zaaklimatyzować**) acclimatization

zaakompaniować *vi perf* to accompany (**komuś na fortepianie itd.** sb on the piano etc.)

zaalarmowa|ć *vt perf* 1. (*zawiadomić*) to give the alarm (**kogoś, straż pożarną itd.** to sb, to the fire brigade etc.) 2. (*zaniepokoić*) to alarm; to disquiet; to dismay; **~ny** alarmed; in dismay

zaalarmowanie *sn* 1. ↑ **zaalarmować** 2. (*pobudzenie do czujności*) alarm 3. (*zaniepokojenie*) dismay

zaalpejski *adj* transalpine

zaanektować *vt perf* 1. (*dokonać aneksji*) to annex 2. (*zagarnąć*) to appropriate

zaanektowanie *sn* 1. ↑ **zaanektować** 2. (*aneksja*) annexation 3. (*zagarnięcie*) appropriation

zaangażowa|ć *v perf* [I] *vt* 1. (*przyjąć do pracy*) to engage <to hire> (an artist, a worker etc); to take on (hands); (*o czyimś honorze, szczęściu itd.*, *o sumach pieniężnych*) **być ~nym** to be at stake 2. (*wciągnąć w akcję*) to involve (sb in an action etc.); to bind (sb to do sth); (*związać*) to invest (capital) [II] *vr* **~ć się** 1. (*przyjąć pracę*) to engage <to hire> oneself 2. (*związać się*) to commit oneself (**w coś** to sth); to involve oneself <to be involved> (in sth)

zaangażowanie *sn* (↑ **zaangażować**) engagement; committal

zaanimować *vt perf* to animate; to stimulate; to enliven

zaankrować *vt perf bud.* to bind with cramp-irons

zaanonsować *v perf* [I] *vt* to announce [II] *vr* ~ **się** to announce one's arrival <one's presence>

zaapelować *vi perf* to appeal (to sb, to sb's honour etc., to another court)

zaaplikować *vt perf* 1. (*zastosować*) to apply (**okład itd.** a poultice etc.) 2. (*zaordynować*) to prescribe (a medicine) 3. (*wymierzyć*) to deal (a blow etc.)

zaaportować *vt perf* (*o psie*) to retrieve

zaaprob|ować *vt perf* to accept; to assent (**coś** to sth); to approve (**coś** of sth); **jeżeli zebranie ~uje mój projekt** if my project meets with the approval of the assembly

zaaprowidować *vt perf* to supply (**sklep w towar** a shop with goods; **ludność w żywność** a population with provisions)

zaaranżować *vt perf* 1. (*urządzić*) to arrange; to organize 2. *muz.* to arrange <to adapt> (**kompozycję na głosy, instrumenty** a composition to voices, instruments)

zaaranżowanie *sn* (↑ **zaaranżować**) arrangement

zaaresztować *vt perf* 1. (*pozbawić wolności*) to arrest; to put (sb) in prison; to send (sb) to prison; to lock (sb) up 2. (*położyć areszt na czymś*) to seize (sb's property)

zaaresztowanie *sn* 1. ↑ **zaaresztować** 2. (*pozbawienie wolności*) arrest; imprisonment 3. (*konfiskata*) seizure

zaasekurować *v perf* [I] *vt* 1. (*ubezpieczyć*) to insure (property etc.); to assure (one's, sb's life) 2. (*ochronić*) to secure; to safeguard; to protect; (*przy wspinaczce górskiej*) to belay [II] *vr* ~ **się** 1. (*ubezpieczyć się*) to take out an insurance 2. (*zabezpieczyć się*) to secure <to safeguard> oneself (**przed czymś** against sth)

zaatakować *vt perf* 1. *dosł. i przen.* to attack; to assault; to assail 2. (*o chorobach*) to attack; to affect

zaatakowanie *sn* (↑ **zaatakować**) attack; *med.* affection

zaatlantycki *adj* lying beyond the Atlantic

zaatutować *vi perf* to play trumps <a trump>

zaawansować *vi perf* to be promoted (**na dyrektora itd.** manager etc.)

zaawansowanie *sn* (↑ **zaawansować**) promotion

zaawansowan|y [I] *pp* ↑ **zaawansować** [II] *adj* advanced; far-gone; *szk.* **kurs dla średnio ~ych** intermediate course; **poważnie ~y** far advanced; **w ~ej ciąży** far gone with child

zaawizować *vt perf* to notify

zabab|rać *vt perf* **~rze** *pot.* to stain; to soil; **~rana opinia** spoiled reputation; (*o ubiorze itd.*) **~rany** bedraggled; **~rany krwią** blood-stained

zabagni|ać *v imperf* — **zabagni|ć** *v perf* [I] *vt* 1. (*o terenie*) to turn (an area) into a marsh 2. *przen.* (*o sprawie*) to mess up <to muddle> (an affair) [II] *vr* **~ać, ~ć się** 1. (*o terenie*) to become marshy 2. *przen.* (*o sprawie*) to get messed up <muddled>

zabagnienie *sn* 1. ↑ **zabagnić** 2. (*miejsce bagniste*) marsh 3. (*bałagan*) mess; muddle

zabajcować *vt perf* = **zabejcować**

zabajtlować *vt perf pot.* to fog (sb) by one's talk

zabalsamować *vt perf* to embalm; to mummify

zabałaganiać *vt imperf* — **zabałaganić** *vt perf* to mess up <to muddle> (an affair)

zabałamuc|ić (się) *vi vr perf* **~ę (się)** to dally

zabandażować *vt perf* to bandage (a wound); *mar.* to parcel (a rope)

zabarwi|ać *v imperf* — **zabarwi|ć** *v perf* [I] *vt* to colour; to dye; to tinge; to tincture; to tint; **rumieniec ~ł jej policzki** a blush suffused her cheeks [II] *vr* **~ać, ~ć się** to colour (*vi*); to be <to become> tinged <tinctured>

zabarwica *sf zool.* (*Sialis*) sialid

zabarwić *zob.* **zabarwiać**

zabarwieni|e *sn* 1. ↑ **zabarwić** 2. (*barwa*) colour; tinge; tincture; pigmentation 3. (*charakter*) colouring; tinge (of irony, sadness etc.); **pismo o ~u politycznym** a magazine with a political tinge 4. (*ton*) tone (of sb's voice etc.)

zabarwiony [I] *pp* ↑ **zabarwić** [II] *adj* tinged (with irony, malice etc.)

zabarykadować *v perf* [I] *vt* to barricade (a street); to raise barricades (**ulice** in the streets); to bar <to bolt> (a door); to block (a passage, a road) [II] *vr* ~ **się** to barricade oneself (in a room etc.)

zabatożyć *vt perf* to club (sb) to death

zabaw|a *sf* 1. (*rozrywka*) game; amusement; recreation; **plac ~** playground; **towarzysz ~** playmate; **żołnierze do ~y** toy soldiers; **grać w karty dla ~y** to play cards for love; **robić sobie z czegoś ~ę** a) (*żartować z czegoś*) to make sport of sth b) (*nie traktować poważnie*) to play with sth (**z czyjejś miłości itd.** with sb's love etc.); **robić z czegoś ~ę** to treat sth as a pastime; **dla ~y** for fun; in sport; by way of a joke; *przen.* to nie jest ~a it's no picnic 2. (*zebranie towarzyskie*) party; dance; ball; ~a publiczna, ludowa rejoicings; gaieties; merry-making; wesołej ~y! have a good time!

zabaweczka *dim* ↑ zabawka

zabawiacz *sm* jester

zabawi|ać *v imperf* — **zabawi|ć** *v perf* [I] *vt* 1. (*zajmować*) to entertain <to divert> (sb, the company etc.) 2. (*rozśmieszać*) to amuse (sb); to keep (sb) amused [II] *vi* 1. (*przebywać*) to stay; to dwell 2. (*trwać*) to last; to take (a certain time) [III] *vr* ~ać, ~ć się 1. (*bawić się*) to amuse oneself; to enjoy oneself; to play (w coś at sth) 2. (*zajmować się*) to employ oneself (czymś in doing sth); ~ć się w kogoś to pretend to be sb; ~ć się w ogrodnika <w stolarza itd.> to play at being a gardener <carpenter etc.>; to do a spell of gardening <carpentering etc.>

zabaw|ka *sf pl G.* ~ek 1. (*przedmiot do zabaw dziecinnych*) toy; plaything; sklep z ~kami toyshop 2. (*błahostka*) trifle; child's-play (w porównaniu z ... compared with ...); dla niego to ~ka it's mere child's-play for him

zabawkarski *adj* toy — (trade etc.)

zabawnie *adv* drolly; amusingly

zabawność *sf singt* drollness; comicality; funny <amusing> part <side> (of a situation, story etc.)

zabawn|y *adj* 1. (*budzący wesołość*) funny; amusing; comic, comical; droll; to było bardzo ~e it was great fun 2. (*śmieszny*) ridiculous; ludicrous; laughable

zabawowy *adj* 1. (*dotyczący rozrywek*) amusement — (park etc.); plac ~ playground 2. (*dotyczący zabaw towarzyskich*) ball — (committee, room etc.)

zabazg|rać *vt perf* ~rze — **zabazgrywać** *vt imperf* (*pisaniną*) to scrawl over (a sheet of paper, the pages of an exercise book); (*nieudolnymi malowidłami*) to bedaub (a sheet of paper etc.)

zabeczany *adj pot.* blubbering

zabecz|eć *vi perf* ~y 1. (*o owcy, kozie*) to start bleating 2. *pot.* (*o człowieku — fałszywie zaśpiewać*) to bellow 3. *pot.* (*zapłakać*) to start <to fall to> blubbering

zabejcować *vt perf* 1. *kulin.* to pickle 2. *stol.* to stain (wood) 3. *garb.* to curry (hides)

zabełko|tać *vt vi perf* ~cze <~ce> to mumble (out)

zabetonować *vt perf* to cement; to concrete

za bezcen dirt-cheap; for a song

zabezpiecz|ać *v imperf* — **zabezpiecz|yć** *v perf* [I] *vt* 1. (*osłaniać*) to protect <to guard> (kogoś, coś przed czymś sb, sth against <from> sth); to shelter (kogoś, coś przed czymś sb, sth from sth); to assure (kogoś przed czymś sb against sth) 2. (*czynić bezpiecznym*) to secure (coś czymś sth with sth); to fasten (a door etc.); to make (doors, windows etc.) fast; ~yć karabin to put a rifle at safety 3. (*gwarantować*) to safeguard; to ensure (kogoś, coś przed czymś sb, sth against sth; coś komuś sth to <for> sb) 4. (*czynić trwałym*) to preserve 5. *prawn.* to provide security (coś for sth); to secure (a loan); to guarantee; to insure (od czegoś against sth) [II] *vr* ~ać, ~yć się to protect <to shelter> oneself (przed czymś from sth); to guard (*vi*) <to provide> (przed czymś against sth)

zabezpieczenie *sn* 1. ↑ zabezpieczyć 2. (*to, co stanowi ochronę*) protection (przed czymś against <from> sth); shelter (przed czymś from sth); assurance (przed czymś against sth) 3. (*to, co czyni bezpiecznym*) safety; provision (przed czymś, na wypadek czegoś for <against> sth); (*w broni palnej*) safety-lock 4. (*gwarancja*) security; surety; guarantee, guaranty

zabezpieczony [I] *pp* ↑ zabezpieczyć [II] *adj* safe; secure; provided-for; (*o drzwiach, oknach*) (made) fast; (*o broni palnej*) at safety

zabezpieczyć *zob.* zabezpieczać

zabębni|ć *vi perf* 1. (*uderzyć w bęben*) to beat the drum; ~ć na alarm to beat the alarm 2. (*zastukać*) to drum <to start beating> (with one's fingers on the table etc.); to batter <to start battering> (pięściami w drzwi with one's fists at the door); kroki ~ły na chodniku steps went thump-thump on the pavement

zabicie *sn* ↑ zabić

zabi|ć *v perf* ~je, ~ty — **zabi|jać** *v imperf* [I] *vt* 1. (*uśmiercić*) to kill (sb, an animal); to slaughter (cattle); dałby się ~ć za swego dowódcę he would go through fire and water for his commander; spać jak ~ty to sleep like a log; ~jać czas to kill time; to while one's time away; żeby mnie kto ~ł nie potrafiłbym ... for the life of me I couldn't ... 2. (*o klimacie, przeżyciach itd. — spowodować śmierć*) to kill (sb); to go ~ło that was the death of him; that brought him to the grave 3. *perf* (*uderzyć kilkakrotnie*) to strike; to beat; to start striking <beating>; serce mi ~ło my heart gave a leap <started thumping>; serce mu ~ło nadzieją his heart beat with hope 4. (*wbić*) to drive (a stake <pegs etc.> into the ground); ~ć komuś klina w głowę to stump sb; to set sb thinking 5. (*umocnić gwoździami*) to nail down (the lid of a case); to nail up (a door, window); *przen.* świat ~ty deskami God-forsaken country place 6. *karc.* to beat (a card); ~ć atutem to ruff; to trump [II] *vr* ~ć, ~jać się 1. (*pozbawić się życia*) to kill oneself 2. (*zabijać jeden drugiego*) to kill one another <each other>; *przen.* ludzie się ~jali o nasze wyroby people were falling over each other for our wares *zob.* zabijać

zabie|c *vi perf*, **zabie|gnąć** *vi perf* ~gnę, ~gnie, ~gnij, ~gł — **zabie|gać** *vi imperf* 1. (*dotrzeć*) to run right up to sth 2. (*wpaść*) to drop in <to call> (do kogoś at sb's place <to see sb>) 3. (*przeciąć drogę komuś*) to bar (komuś drogę sb's way); ~c, ~gnąć, ~gać drogę uciekającemu to intercept sb's retreat 4. † (*nabiec*) to suffuse; to flush; oczy ~gły jej łzami her eyes were suffused with tears; twarz ~gła mu krwią the blood flushed into his face *zob.* zabiegać

zabiedzenie *sn* (↑ zabiedzić) emaciation

zabiedz|ić *vt perf* ~ę, ~ony to emaciate

zabieg *sm G.* ~u 1. (*interwencja*) manipulation; (professional, surgical etc.) intervention; *pl* ~i measures; steps 2. (*zw. pl*) (*starania*) exertions; endeavours; fuss; *polit.* ~i dyplomatyczne démarche

zabiegać *vi imperf* 1. *zob.* zabiec, zabiegnąć 2. (*ubiegać się*) to exert oneself (o coś for sth); to solicit (o coś sth); to strive (o coś for <after> sth);

to scramble (**o stanowisko, bogactwa itd.** for a post, wealth etc.); **~ o czyjąś sympatię <przyjaźń>** to cotton up to sb; **~ o głosy wyborców** to canvass for votes; **~ o względy kobiety** to court <to woo> a woman 3. (*starać się o kogoś*) to take care (**koło kogoś** of sb); to attend (**koło kogoś** to sb); to fuss (**koło kogoś** over <around> sb)

zabieganie *sn* (↑ **zabiegać**) exertions; solicitations; fuss (**koło kogoś, czegoś** over <around> sb, sth)

zabiegany *adj* bustling; active; busy; fussing

zabiegliwy † *adj* = **zapobiegliwy**

zabiel|ać *v imperf* — **zabiel|ić** *v perf* [I] *vt* 1. (*zamalowywać*) to whiten; to paint (sth) white 2. *kulin.* to prepare (a soup etc.) with cream [III] *vr* **~ać, ~ić się** to whiten; to go <to turn> white

zabiele|ć *vi perf* **~je** to whiten (*vi*); to go <to turn> white; to show white; to appear as a white patch

zabielić *zob.* **zabielać**

zabieracz *sm* = **zabierak**

zab|ierać *v imperf* — **zab|rać** *v perf* **~iorę, ~ierze** [I] *vt* 1. (*brać*) to take (sth) away (**komuś** from sb); to deprive (**komuś coś** sb of sth); **~rane ziemie** annected territories; **~ierać, ~rać głos** to speak; *parl.* to take the floor; *przen.* (*o dzienniku itd.*) to express an opinion; **~rali mi zegarek** they took away my watch 2. (*brać z sobą*) to take (sth, sb along with one); (*o środkach komunikacji*) to pick up (passengers); *przen.* **~rał tajemnicę z sobą do grobu** he carried the secret to the grave 3. (*usuwać*) to remove; to carry (sth, sb) away; **powódź ~rała wszystkie mosty** the flood swept away all the bridges 4. (*uprowadzać siłą*) to take (sb to prison, to the police-station etc.); **~rać x ludzi do niewoli** to take *x* men prisoner 5. (*zajmować przestrzeń, czas*) to take up (room, space, time); **to mi nie ~ierze 10 minut** it won't take me ten minutes [III] *vr* **~ierać, ~rać się** 1. (*rozpoczynać*) to begin <to start> (**do robienia czegoś** to do <doing> sth); to set about (**do jakiejś pracy** a piece of work; **do robienia czegoś** doing sth); to assail (**do jakiejś roboty** a task) 2. (*przygotowywać się do czegoś*) to get ready (**do czegoś** for sth <to do sth>); **~ierałem się właśnie do wyjścia** I was just getting ready to leave; I was about to leave 3. (*stosować jakieś środki wobec kogoś*) to take (**do kogoś** sb) in hand 4. (*wyruszać, wykorzystywać pojazd*) to take (**statkiem, pociągiem itd.** the boat, train etc.); **~rać się z czymś** to take sth along (with one on a journey) 5. *pot.* (*wynosić się*) to clear out 6. † (*udawać się*) to go (somewhere)

zabierak *sm techn.* driver; dog

zabier|ka *sf pl G.* **~ek** *techn.* shortwall

zabijacki † *adj* blustering; hectoring; bullying; swaggering

zabij|ać *v imperf* [I] *vt* 1. *zob.* **zabić** 2. (*doprowadzać do utraty sił*) to exhaust (sb); to wear (sb) out; **ten klimat ją ~a** this climate will be the death of her; **~ać ręce** to beat one's arms (for warmth); **~ają go nudy** he is bored to death [III] *vr* **~ać się** to wear oneself out

zabijaka *sm* (*decl* = *sf*) blusterer; hector; bully; swaggerer

zabi|ór *sm G.* **~oru** *górn.* **~ór ściany** web

zabity [I] *pp* ↑ **zabić**; **spać jak ~** to sleep like a log <a top>; to be dead asleep [III] *adj* (*zagorzały*) thorough; out-and-out (nationalist etc.)

zabiwakować *vi perf* to bivouac

zablagować *vi perf* to brag

zabliźni|ać *v imperf* — **zabliźni|ć** *v perf* [I] *vt* to scar up; to cicatrize; **~ony** scarred over [III] *vr* **~ać, ~ć się** to scar over; to cicatrize (*vi*)

zabliźnianie *sn* ↑ **zabliźniać**

zabliźnienie *sn* (↑ **zabliźnić**) cicatrization

zablokować *vt perf* — **zablokowywać** *vt imperf* to block; to obstruct; to jam (the traffic); *polit.* to blockade (a port etc.); *ekon.* to stop payment

zabłądz|ić *vi perf* **~ę** 1. (*zmylić drogę*) to get lost; to lose one's way; to stray 2. (*błądząc przybyć gdzieś*) to come wandering <to wander over> (to a place)

zabłąkać się *vr perf* = **zabłądzić**

zabłąkany [I] *pp* ↑ **zabłąkać się** [III] *adj* stray (beast, bullet etc.)

zabłękitnie|ć *vi perf* **~je** to appear as a blue patch (against a background)

zabłoc|ić *v perf* **~ę, ~ony** [I] *vt* to soil <to dirty> (sth) with mud; to muddy (the floor etc.); to get (one's shoes, clothes etc.) soiled with mud; **~ony** mud-stained; muddy [III] *vr* **~ić się** to get soiled with mud

zabły|snąć *vi perf* **~śnie, ~snął <~sł>, ~sła** 1. (*zalśnić*) to flash; to glitter; to sparkle; to flicker 2. (*zaświecić się*) to shine; to flare up; **wszystkie światła ~snęły** all the lights were turned on 3. (*olśnić*) to shine (**dowcipem** with wit); to make a brilliant show

zabłyszcz|eć *vi perf* **~y** = **zabłysnąć** 1., 3.

zabłyśnięcie *sn* (↑ **zabłysnąć**) (a) flash <glitter, sparkle, flicker>

zabobon *sm G.* **~u** superstition; *pl* **~y** superstitious practices

zabobonność *sf singt* superstition

zabobonny *adj* superstitious

zabol|eć *vt vi perf* **~i** to hurt; to ache; to be painful; to cause pain; **nikogo głowa o to nie ~i** no one will care; **serce mnie o to ~ało** it cut me to the heart; it made my heart bleed

zaborca *sm* (*decl* = *sf*) invader

zaborczość *sf singt* rapacity; predacity; thirst for conquest

zaborcz|y *adj* rapacious; predatory; grasping; invasive; **państwa ~e** the invaders

zabój † *sm obecnie w wyrażeniu*: **na ~** immoderately; without measure; **kochać się na ~** to be madly <desperately> in love

zabójca *sm* (*decl* = *sf*) killer; man-slayer; murderer

zabójczo *adv* 1. (*śmiercionośnie*) lethally; **działać ~** to cause death; to kill; to destroy 2. *żart.* killingly (dressed etc.); (*uwodzicielsko*) seductively; enticingly

zabójczy *adj* 1. (*śmiercionośny*) lethal; murderous; deadly (poison etc.) 2. (*wywierający wrażenie*) killing (hat, dress etc.); (*uwodzicielski*) seductive; alluring; enticing

zabójczyni *sf* murderess

zabójstwo *sn* manslaughter; homicide; murder

zab|ór *sm G.* **~oru** 1. (*zabranie*) annexation; rape (of Belgium, Austria) 2. (*kraj okupowany*) annexed territories; sector (of partitioned Poland)

zab|óść *vt perf* **~odę, ~odzie, ~ódł, ~odła, ~odzony** to horn <to gore> (sb, an animal) to death

zabrać zob. zabierać

zabrak|nąć vi perf ~ło to lack (czegoś sth); to run <to be> short (czegoś of sth); kiedy nam ojca ~ło when father was no longer with us; pieniędzy ci nie ~nie you won't be short of money; ~ło mi odwagi I lacked the courage; ~ło nam herbaty <węgla itd.> we ran short of tea <coal etc.>

zabrakować vt perf to reject

zabrakowanie sn (↑ zabrakować) rejection

zabraniać vt imperf — zabronić vt perf to forbid (komuś czegoś <coś robić> sb sth <to do sth>); to prohibit (czegoś sth); to interdict (komuś coś robić sb from doing sth)

zabranianie sn (↑ zabraniać) prohibition; interdiction

zabrnąć vi perf 1. (brnąc zajść) to come wading (w moczary itd. into a bog etc.); to sink (w błoto into the mud) 2. (zapuścić się) to make one's way (na dworzec itd. to the station etc.); przen. ~ w długi to involve oneself in debt

zabrodnia sf drag-net

zabronić zob. zabraniać

zabronienie sn (↑ zabronić) prohibition; interdiction

zabroniony [I] pp ↑ zabronić [III] adj illicit

zabronować vt perf to harrow

zabrudz|ić v perf ~ę, ~ony — zabrudz|ać v imperf [I] vt to dirty; to soil; to make a mess (coś of sth) [III] vr ~ić, ~ać się to get dirty; to dirty <to soil> one's hands <face, clothes>

zabrudzony [I] pp ↑ zabrudzić [III] adj dirty; grimy; dingy

zabrukać † vt perf = zabrudzić

zabrukować vt perf to pave

zabryzgać vt perf — zabryzgiwać vt imperf to splash <to spatter> (kogoś, coś wodą, błotem itd. sb, sth with water, mud etc.)

zabrząkać, zabrzękać vi perf 1. (wydać brzęk) to twang; to clank 2. (zagrać) to strum (na gitarze itd. on a guitar etc.); to thump (na fortepianie the piano)

zabrząknąć, zabrzęknąć vi perf to twang; to clank

zabrzdąkać vi perf = zabrząkać

zabrzęcz|eć vi perf ~y (o metalach) to clang; to tinkle; to jingle; to jangle; (o szkle) to clink; to clank; to click; to clatter; (o strunie) to tang; to wang; (o owadach itd.) to buzz; to hum; to drum; to zoom; to start buzzing <humming, drumming, zooming>; (o pszczołach, maszynie itd.) to drone; to start droning; (o kuli itd.) to ping

zabrzękać zob. zabrząkać

zabrzęknąć vi perf 1. zob. zabrząknąć 2. (nabrzmieć, obrzęknąć) to swell

zabrzmi|eć vi perf ~ 1. (rozlec się) to be heard; to sound; to resound; to ring 2. (napełnić się dźwiękami) to resound; to ring (wrzaskiem itd. with shouts etc.) 3. (zadźwięczeć) to sound

zabucz|eć vi perf ~y 1. (wydać przeciągły dźwięk) to boom; to hoot 2. (głośno zapłakać) to fall to blubbering

zabud|owa sf pl G. ~ów 1. (zabudowanie) building (of dwelling-houses, public edifices, factories etc.); development (of building grounds) 2. (budynki) buildings <structures> (occupying a given area)

zabudow|ać v perf — zabudow|ywać v imperf [I] vt 1. (wznieść budowlę na jakimś terenie) to build over (a piece of land); ~ać, ~ywać parcelę to build on a site 2. (zastawić, zasłonić) to furnish <to provide> (coś czymś sth with sth) 3. (wmontować) to build in [III] vr ~ać, ~ywać się to be built over

zabudowani|e sn 1. ↑ zabudować 2. pl ~a (budynki) buildings; ~a gospodarskie farm buildings

zabudowywać zob. zabudować

zabulgo|tać vi perf ~cze <~ce> 1. (o płynie itd.) to start gurgling <bubbling> 2. (o indyku) to start gobbling

zabunkrować vt perf mar. to coal

zaburcz|eć vi perf ~y 1. (zafurczeć) to whirr; to start whirring 2. (o odgłosie w brzuchu) to rumble; ~ało mi w żołądku my bowels rumbled

zaburzać zob. zaburzyć

zaburzeni|e sn 1. ↑ zaburzyć 2. (także pl ~a) (zakłócenie w działaniu) troubles; (atmospheric, magnetic) disturbance, perturbation; disorder; med. distemper 3. pl ~a (rozruchy) disturbance(s); agitation; outbreaks of violence 4. geol. dislocation; displacement

zaburz|yć v perf — zaburz|ać v imperf [I] vt 1. (spowodować kłębienie się) to set (sth) whirling 2. (wywołać zamieszanie) to perturb; to disturb; to unsettle; to agitate; to convulse 3. geol. to dislocate; to displace [III] vr ~yć, ~ać się to start whirring <seething>

zabyt|ek sm G. ~ku monument (of art, nature etc.); relic (of the past)

zabytkowy adj antique; monumental

zabzykać vi perf to start buzzing

zacałować vt perf — zacałowywać vt imperf to smother (sb) with kisses

zacenić vt perf to charge an exorbitant price (coś for sth)

zacerować vt perf to darn (socks, a rent etc.)

zachap|ać vt perf ~ie pot. to grab

zacharcz|eć vi perf ~y to wheeze out

zachcenie sn 1. ↑ zachcieć 2. = zachcianka

zachcian|ka sf pl G. ~ek whim; fad; crotchet; megrim

zachc|ieć vt perf ~e, ~iej, ~iał (nabrać ochoty) to take it into one's head (to do sth); (zapragnąć czegoś) to wish for sth

zachc|ieć się vr perf — zachc|iewać się vr imperf to want; kiedy mi <ci itd.> się ~e when the whim takes me <you etc.>; when I <you etc.> feel like it; ~iało mi się coś zjeść I felt like having something to eat; ~iało mu się napisać książkę he felt an urge to write a book; ~iało mu się przemówić <zaśpiewać, tańczyć itd.> he wanted <he was seized with a desire> to make a speech <to sing, to dance etc.>; ~iewa mu się gwiazdki z nieba <szybki z okna, kafelka z pieca> he's crying for the moon and stars; czego im się ~iewa! what fads they have!

zachciewaj|ka sf pl G. ~ek pot. żart. pimple

zachęc|ać v imperf — zachęc|ić v perf ~ę, ~ony [I] vt to encourage; to urge; to stimulate; to incite; to spur (sb) on; to egg (sb) on; to exhort; to nerve <to push> (sb to do sth); ~ać drużynę <zawodników> to cheer a team <contestants> on [III] vr ~ać, ~ić się to rouse oneself (do czegoś to do sth)

zachęcająco *adv* encouragingly; by way of encouragement
zachęcający *adj* encouraging; stimulating; tempting; (gesture, smile, look etc.) of encouragement
zachęcanie *sn* ↑ **zachęcać**
zachęcenie *sn* (↑ **zachęcić**) encouragement; stimulation; incitement
zachęta *sf* encouragement; stimulus; incentive; spur
zachicho|tać *vi perf* **~cze** <**~ce**> to start giggling <tittering, chuckling>
zachlap|ać *v perf* **~ie** — **zachlap|ywać** *v imperf* [I] *vt* to splash (sb, sth with water, mud, paint etc.); **~any błotem** <**farbą itd.**> bespattered with mud <paint etc.> [II] *vr* **~ać, ~ywać się** to get bespattered <covered> (with mud etc.)
zachla|stać *vt perf* **~sta** <**~szcze**> *pot.* = **zachlapać**
zachlip|ać *vi perf* **~ie** to start snivelling <whimpering>
zachloroformować *vt perf* to chlorophorm (a patient)
zachlup|ać, zachlup|otać *vi perf* **~ie** to start plashing <lapping>
zachlu|stać *vt perf* **~sta** <**~szcze**> = **zachlapać**
zachłannie *adv* greedily; rapaciously; graspingly; avidly
zachłanność *sf singt* greed; rapacity; cupidity
zachłanny *adj* greedy; rapacious; grasping; avid; acquisitive
zachło|stać *vt perf* **~sta** <**~szcze**> to flog (sb) to death
zachłys(t)|nąć się *vr perf* — **zachłyst|ywać się** *vt imperf* — **zachłyst|ać się** *vr imperf* to choke; **~nąć, ~ywać, ~ać się herbatą** <**wodą itd.**> to swallow one's tea <some water etc.> the wrong way
zachmurzać *zob.* **zachmurzyć**
zachmurzenie *sn* 1. ↑ **zachmurzyć** 2. *meteor.* cloudiness; clouds; nebulosity; **~ zmienne** variable clouds 3. (*zachmurzona twarz*) gloominess; gloom
zachmurzony [I] *pp* ↑ **zachmurzyć** [II] *adj* 1. (*o niebie*) cloudy 2. (*o twarzy*) gloomy
zachmurz|yć *v perf* — **zachmurz|ać** *v imperf* [I] *vt dosł. i przen.* to overcloud; to overcast; **~one niebo** <**czoło**> overcast sky <brow> [II] *vr* **~yć, ~ać się** 1. *meteor.* to cloud over (*vi*); to become cloudy <clouded, overcast> 2. (*o człowieku*) to assume a gloomy look <a look of gloom>; (*o czole*) to darken; to cloud over
zachodni *adj* Western (Europe etc.); occidental; West (coast, Indies, wind etc.); westerly (wind, direction)
zachodnio- West-
zachodnioeuropejski *adj* West-European
zachodzenie *sn* ↑ **zachodzić**
zachodzić *v imperf* **zachodzę** — **zajść** *v perf* **zajdę, zajdzie, zajdź, zaszedł, zaszła** [I] *vi* 1. *astr.* to set 2. (*podchodzić ukradkiem*) to steal <to creep> (**z tyłu itd.** from behind etc.) 3. (*przychodzić od czasu do czasu*) to drop in (**do kogoś** <**do kawiarni itd.**> at sb's place <at the café etc.>); to call (**do kogoś** on sb) 4. (*docierać*) to reach (**do jakiegoś miejsca** a place); to get (**do jakiegoś miejsca** to a place); to go (**do jakiegoś miejsca** as far as <all the way up, down> to a place); **czy tędy zajdę na dworzec?** is this the way to the station?; (*o dachówkach itd.*) **zachodzić na siebie** to overlap; **zachodzić w głowę** to cudgel one's brains; **za daleko zajść** to go too far; to overshoot the mark; **zajść w ciążę** to become pregnant; *przen.* **zajść daleko** to go far; to climb (to power etc.) 5. (*pokrywać się, zasnuwać się*) to cloud over; **oczy zachodzą krwią** eyes become injected with blood; **oczy zaszłe krwią** bloodshot eyes; **okulary zachodzą parą** spectacles mist over 6. (*zdarzać się*) to happen; to occur; to take place; to crop up; **zachodzi niebezpieczeństwo** <**nieporozumienie itd.**> **...** there is a danger <a misunderstanding etc.> ...; **zachodzi konieczność ...** it is necessary <there is a definite need> to ... 7. (*sięgać*) to reach (**pod szyję** up to the neck; **za kolana itd.** above the knees etc.) [II] *vt* 1. (*podchodzić ukradkiem*) to surprise (the enemy etc.); **zachodzić, zajść komuś drogę** to intercept <to bar> sb's way; **zachodzić, zajść nieprzyjaciela z flanki** to turn the enemy's flank; to take the enemy in flank 2. (*odwiedzać*) to come unexpectedly (**do kogoś** to see sb) 3. (*przyłapać*) to catch <to find, to come upon> (**kogoś** sb doing sth); **zaszła nas noc** we were overtaken by the night 4. *perf* (*zabrudzić*) **to** dirty (a floor); to tread (a floor) with dirty boots
zachorowa|ć *vi perf* to fall ill <to be taken ill> (**na szkarlatynę itd.** with scarlet fever etc.); **dziecko nam ~ło** our baby was taken bad <is ill>; *przen.* **~ć na nowy samochód** <**na telewizor itd.**> to go crazy about a new car <a TV receiver etc.>
zachorowalność *sf singt med.* morbidity; sick rate
zachow|ać *v perf* — **zachow|ywać** *v imperf* [I] *vt* 1. (*utrzymać*) to keep; to maintain; to preserve; to retain; to stick (**coś** to sth); **dobrze ~any** in a good state of preservation; **sprawy, które lepiej ~ać dla siebie** things better left unsaid; **~ać coś dla kogoś** to reserve sth for sb; **~ać coś przy sobie** to keep sth to oneself <under one's hat>; **~ać spokój** to keep calm; **~ać, ~ywać miarę** to be moderate (in sth); **~ać, ~ywać pozory** to keep up appearances; **~ać zwyczaj** <**tradycję itd.**> to keep alive a custom <a tradition etc.>; **~aj pogodę ducha** keep smiling; **~ywać miarę w jedzeniu** <**piciu**> to eat <to drink> in moderation 2. (*dotrzymać*) to observe (a practice etc.); to keep (one's promise etc.) 3. † (*uchronić*) to preserve (**kogoś od złego** sb from evil); *obecnie w zwrocie:* **niech Bóg ~a!** God forbid! [II] *vr* **~ać, ~ywać się** 1. (*pozostać*) to remain; to survive; to last; to subsist; to go on; **tradycja ~ała się** the tradition subsists <is kept alive>; **~ać się przy życiu** to survive 2. (*postąpić*) to behave; to conduct <to bear> oneself; to act; to carry on; **on nie umie się ~ać** he has no manners; he is no gentleman; **~ywać się z rezerwą** <**sztywno**> to stand on ceremony; **źle się ~ać, ~ywać** to misbehave
zachowanie *sn* 1. ↑ **zachować** 2. (*utrzymanie*) maintenance; preservation; retention; *fiz.* **~ energii** conservation of energy 3. (*dotrzymanie*) observation 4. (*sposób bycia*) behaviour; demeanour; bearing; (good, bad) manners; (*u dziecka*) **brzydkie** <**niegrzeczne**> **~ (się)** naughtiness; misbehaviour; **dziwne ~ (się)** strange goings-on
zachowawca *sm* conservatist

zachowawczy *adj* 1. (*zachowujący*) preservative; conservation — (ingredient etc.); **instynkt ~** instinct of self-preservation 2. *polit.* conservative
zachowywać *zob.* **zachować**
zach|ód *sm G.* **~odu** 1. *astr.* setting; set (of the sun); wane (of the moon); **~ód słońca** sunset; **o ~odzie** at sunset; at set of sun 2. (*strona świata*) west; **człowiek z ~odu** westerner; **południowy ~ód** South-West; **północny ~ód** North-West; **na ~odzie** in the west; **na ~ód** to the west; westwards; **na ~ód od Warszawy** west <to the west> of Warsaw 3. (*kraje świata*) the West; the Occident; **Dziki Zachód** the Wild West 4. (*staranie*) endeavour; pains; trouble; **daremny ~ód** waste of trouble; **wiele ~odu** much ado; a lot of trouble; **wart ~odu** worth the trouble; worth-while (experiment etc.); **nie wart ~odu** not worth the trouble; **za jednym ~odem** at one go; at one stroke; while one is <we are etc.> about it
zachrap|ać *vi perf* **~ie** 1. (*o człowieku*) to snore; to start snoring 2. (*o zwierzęciu*) to snort
zachrobo|tać *vi perf* **~cze** <**~ce**> to scratch; to grate; to screech; to start scratching <grating, screeching>
zachrypi|eć *vt perf* **~** 1. (*odezwać się*) to wheeze out; to croak out 2. (*stać się chrypliwym*) to hoarsen; to become hoarse
zachrypły *adj* hoarse
zachryp|nąć *vi perf* **~ł** to hoarsen; to become hoarse; **~nięty** hoarse
zachrypnięcie *sn* hoarseness
zachrzę|ścić *vi perf* **~szczę** to grate; to grit; to crunch; to start grating <gritting, crunching>
zachwalacz *sm* booster
zachwal|ać *v imperf* — **zachwal|ić** *v perf* [I] *vt* to praise; to commend; to crack up; to cry up; to boost [II] *vr* **~ać, ~ić się** to boast; to praise oneself; to blow one's own trumpet
zachwalenie *sn* 1. (↑ **zachwalić**) praise; commendation 2. **~ się** self-praise
zachwalić *zob.* **zachwalać**
zachwa|szczać *v imperf* — **zachwa|ścić** *v perf* **~szczę, ~szczony** [I] *vt* 1. (*pozwolić rozrosnąć się chwastom*) to let (a garden, field) run to weeds <get weedy, weed-grown, weed-choked, infested with weeds> 2. *przen.* (*zanieczyszczać*) to clutter up (a language with foreign words etc.) [II] *vr* **~szczać, ~ścić się** to get weedy <weed-grown, weed-choked, infested with weeds>
zachwaszczenie *sn* (↑ **zachwaścić**) weeds; weedy state (of a garden, field)
zachwaścić *zob.* **zachwaszczać**
zachwi|ać *v perf* **~eję** — **zachwi|ewać** *v imperf* [I] *vt* 1. (*wstrząsnąć*) to shake (**czymś** sth) 2. *przen.* (*naruszyć*) to shake (**czyjeś przekonania itd.** sb's convictions etc.); to unsettle (**czyjąś równowagę ducha itd.** sb's balance etc.) [II] *vr* **~ać się** to be shaken; to reel; to stagger; to lose one's balance; **~ać się w posadach** to be shaken to its foundations; **~ać się w swym postanowieniu** to waver
zachwyc|ać *v imperf* — **zachwyc|ić** *v perf* **~ę, ~ony** [I] *vt* to rouse (**kogoś** sb's) admiration; to delight; to enrapture; to ravish; to entrance; to enchant; to charm; to bewitch; to fascinate; **~ony wzrok** admiring eyes <gaze> [II] *vr* **~ać, ~ić się** to admire (**kimś, czymś** sb, sth); to be ravished <entranced, enchanted, enraptured> (**kimś, czymś** by sb, sth); **~ać się kimś, czymś** to go into ecstasies <raptures> over sb, sth; *przen. iron.* **nie ~am się tymi zmianami** I don't feel too good about these changes *zob.* **zachwycić**
zachwycająco *adv* admirably; delightfully; entrancingly; rapturously; ravishingly
zachwycający *adj* admirable, delightful; entrancing; rapturous; ravishing
zachwycenie *sn* ↑ **zachwycić**
zachwycić *v perf* 1. *zob.* **zachwycać** 2. † (*zagarnąć*) to capture ‖ **~ powietrza** <**tchu**> to take breath
zachwyt *sm G.* **~u** admiration; rapture; enchantment; transports of joy; **budzić ~** to ravish; to enrapture; to entrance; to enchant; **wpaść w ~** to go into ecstasies <raptures> (over sb, sth)
zachybo|tać (się) *vi vr perf* **~cze** <**~ce**> **(się)** to rock; to sway; to begin to rock <to sway>
zachylić *vt perf* — **zachylać** *vt imperf* to bend
zachył|ek *sm G.* **~ku** *med.* depression; hollow
zachył|ka *sf pl G.* **~ek** *bot.* (*Phegopteris*) oak fern
zaciąć *v perf* **zatnę, zatnie, zaciął, zacięła, zacięty** — **zacinać** *v imperf* [I] *vt* 1. (*uderzyć*) to lash; to whip (a horse) 2. (*skaleczyć*) to cut (**sobie palec itd.** one's finger etc.); to gash; to hack 3. (*zastrugać*) to sharpen (to a point); to taper 4. (*zacisnąć*) to set (one's lips, teeth) [II] *vi* (*o deszczu*) to lash <to whip> (**w okna** against the window panes) [III] *vr* **zaciąć, zacinać się** 1. (*skaleczyć się*) to cut (**w palec itd.** one's finger etc.); (*przy goleniu*) to gash <to hack> one's chin 2. (*o ustach, szczękach — zacisnąć się*) to set (*vi*); (*o szczękach*) to clench (*vi*) 3. (*o mechanizmach*) to jam; to get jammed; to seize; to bind 4. *imperf* (*jąkać się*) to stammer 5. (*uwziąć się*) to be <to grow> obstinate; **im więcej było przeszkód, tym bardziej się zacinał w uporze** the more obstacles there were the more obstinate he grew
zaciąg *sm G.* **~u** *wojsk.* recruitment; levy; call-up; conscription; *am.* draft; **~ do pracy** recruitment of labour <of workers>
zaciąg|ać *v imperf* — **zaciąg|nąć** *v perf* [I] *vt* 1. (*zawlec*) to pull; to drag; to tug; to haul; **~nąć kogoś do kawiarni** <**baru itd.**> to incline sb to come along with one to the café <to a bar etc.> 2. (*naciągać*) to draw (a curtain etc.); **~nąć dług** to contract <to incur> a debt; to run into debt; **~nąć pożyczkę** to negotiate <to raise> a loan; **~nąć sieć** to set a net; **~nąć straż** to post sentries; **~nąć zobowiązanie** to enter into an engagement; to commit oneself; to make a commitment; **~nąłem dług wdzięczności wobec pana** I owe you a debt of gratitude 3. (*powlekać*) to coat <to smear, to spread> (sth with paint etc.) 4. (*przyklejać*) to stick; to paste 5. (*rekrutować*) to recruit; to levy; to enlist 6. † (*wpisywać*) to enter (sth in the books) [II] *vi* 1. (*wiać*) to blow; **od rzeki ~ało chłodem** a cold draft came from the river; **~a wonią** an odour drifts <floats> in the air 2. (*wymawiać z charakterystyczną intonacją*) to have a broad accent [III] *vr* **~ać, ~nąć się** 1. (*wstępować do wojska*) to enlist (*vi*); to join the army <the colours>; to join up 3. (*o niebie*) to cloud over; to darken 3. (*przewlekać się*) to drag on 4. (*o palaczu*) to inhale (*vi*)

zaciągnięcie *sn* 1. ↑ **zaciągnąć;** ~ **długu** contraction of a debt; ~ **pożyczki** negotiation of a loan 2. (*rekrutowanie*) recruitment; enlistment

zaciążyć *vi perf* 1. (*wydać się ciężkim*) to weigh heavily 2. *przen.* (*ujemnie się odbić*) to tell (**na czymś** on <upon> sth); ~ **komuś na sercu** to hang <to lie> heavily on sb's mind

zacich|ać *vi imperf* — **zacich|nąć** *vi perf* ~**ł** to calm <to quiet> down; to grow silent; to be hushed

zacie|c *vi perf,* **zacie|knąć** *vi perf* ~**kł** — **zacie|kać** *vi imperf* 1. (*cieknąc dotrzeć*) to run down (to a spot) 2. *imperf* to leak 3. (*napełniać się płynem*) to fill (up)

zaciec się *vr perf,* **zacieknąć się** *vr perf* — **zaciekać się** *vr imperf* (*zawziąć się*) to grow obstinate; to persist

zacieczenie *sn* (↑ **zaciec**) (a) leak

zaciek *sm G.* ~**u** 1. (*plama*) damp patch 2. † (*siniec*) bruise

zaciekać *zob.* **zaciec**

zaciekawi|ać *v imperf* — **zaciekawi|ć** *v perf* [I] *vt* to rouse (**kogoś** sb's) interest; to interest; to excite (**kogoś** sb's) curiosity; to intrigue; **to zjawisko mnie żywo** ~**ło** I was greatly interested in the phenomenon; the phenomenon interested me greatly [III] *vr* ~**ać,** ~**ć się** to take interest <to be interested> (**czymś** in sth); to be intrigued (**czymś** by sth); **skąd to masz?** — ~**ł się** where did you get that from? — he asked intrigued

zaciekawienie *sn* 1. ↑ **zaciekawić** 2. (*zainteresowanie*) interest; (*ciekawość*) curiosity

zaciekle *adv* (*zawzięcie*) obstinately; pertinaciously; stubbornly; (*z zacięciem*) intensely; desperately; (*zażarcie*) passionately; furiously; unrelentingly; inexorably

zaciekłość *sf singt* (*zawziętość*) obstinacy; pertinacity; stubbornness; (*zaciętość*) intensity; passion; fury

zaciekły *adj* (*zawzięty*) obstinate; pertinacious; stubborn; (*zacięty*) intense; desperate (fight etc.); stiff (resistance etc.); (*zażarty*) passionate; furious; unrelenting; inexorable; ~ **wróg** sworn <rabid> enemy

zacieknąć *zob.* **zaciec**

zacielić *v perf* [I] *vt* to fertilize <to service> (a cow); to make (a cow) pregnant [III] *vr* ~ **się** to be fertilized; to become pregnant

zaciemni|ać *v imperf* — **zaciemni|ć** *v perf* [I] *vt* to darken; to obscure; to dim; to cloud; to black out (windows etc.); *przen.* to obfuscate <to dim> (the mind) [III] *vr* ~**ać,** ~**ć się** to darken (*vi*); to become obscured <dimmed, clouded>

zaciemnie|ć *vi perf* ~**je** 1. (*stać się ciemnym*) to darken; to become obscured <dimmed, clouded> 2. (*ukazać się jako ciemna plama*) to appear as a dark patch

zaciemnieni|e *sn* 1. ↑ **zaciemnić** 2. (*ciemna plama*) dark patch 3. (*to, co zaciemnia*) black-out material 4. (*zasłanianie okien*) black-out; **kara za nieprzestrzeganie przepisów o** ~**u** black-out offence

zacieni|ać *v imperf* — **zacieni|ć** *v perf* [I] *vt* to shade; to darken; to throw shade (**coś** on sth) [III] *vr* ~**ać,** ~**ć się** to be <to become, to grow> shaded <dimmed>

zacienienie *sn* shadow; shady <shaded, dark> spot <place, corner>; dimness

zacieniony [I] *pp* ↑ **zacienić** [II] *adj* shady; shaded; shadowy

zacieniow|ać *v perf* — **zacieniow|ywać** *v imperf* [I] *vt* to shade (a drawing etc.) [III] *vr* ~**ać,** ~**ywać się** to darken (*vi*)

zacier *sm G.* ~**u** mash

zacierać *v imperf* — **zatrzeć** *v perf* **zatrę, zatrze, zatrzyj, zatarł, zatarty** [I] *vt* 1. (*usuwać trąc*) to obliterate; to efface; to rub away <off, out>; to erase; (*o mgle itd.*) **zacierać kontury czegoś** to blur the outlines of sth; **zacierać ręce** to rub one's hands (with pleasure, for warmth); **zatrzeć coś w pamięci** to blot sth out of one's memory; **zatrzeć ślady za sobą** to cover up one's tracks 2. (*tuszować*) to slur (**pewne fakty itd.** certain facts etc.); to smooth over (certain details, an unfortunate impression etc.); to hush up (a secret etc.) 3. (*w browarnictwie*) to malt 4. *bud.* to float (plaster etc.); to putty up (chinks etc.) [III] *vr* **zacierać, zatrzeć się** 1. (*zamazywać się*) to become obliterated; to be effaced; to be rubbed away <off, out>; to wear away; to evanesce; **zatrzeć się w pamięci** to fade from memory 2. *techn.* (*o silniku*) to seize

zacieranie *sn* (↑ **zacierać**) obliteration; effacement

zacier|ka *sf pl G.* ~**ek** (kind of) hasty soup with noodles

zacieśni|ać *v imperf* — **zacieśni|ć** *v perf* [I] *vt* 1. (*czynić ciaśniejszym*) to narrow; to bring closer together 2. *przen.* (*pogłębiać*) to tighten (bonds of friendship etc.) 3. (*ograniczać*) to narrow; to limit <to confine> (conceptions etc.) [III] *vr* ~**ać,** ~**ć się** 1. (*stawać się ciaśniejszym*) to narrow (*vi*) 2. *przen.* to tighten (*vi*); to come closer together 3. (*ograniczać się*) to become limited <confined>

zacietrzewić się *vr perf* — **zacietrzewiać się** *vr imperf* to contend doggedly <obstinately, obdurately, pigheadedly> (for one's point of view); to flare up; to work oneself up into frenzy; to stick doggedly (to an opinion etc.)

zacietrzewienie *sn* 1. ↑ **zacietrzewić się** 2. (*stan zapamiętania*) doggedness; obstinacy; obduracy; pigheadedness; partisan spirit, partisanship

zacietrzewiony [I] *pp* ↑ **zacietrzewić się** [II] *adj* dogged; obstinate; obdurate; pigheaded; self-opinionated; rabid

zacięcie[1] *sn* 1. ↑ **zaciąć** 2. (*szczerba*) cut; gash; hack; indentation 3. (*uzdolnienie*) gift; flair; turn (for poetry etc.); (poetic etc.) turn; **on ma** ~ **pedagogiczne <do ról komicznych itd.>** he is cut out for a teacher <a comedian etc.> 4. (*werwa*) dash; verve; zest; spiritedness 5. † = **zaciętość** 6. ~ **się** (*mechanizmu*) jam; seizure

zacięcie[2] *adv* stubbornly; doggedly; obstinately; ~ **się bić** to fight tooth and nail

zaciętość *sf singt* stubbornness; doggedness; obstinacy

zacięt|y *adj* stubborn; dogged; obstinate; ~**y opór** stout resistance; ~**y przeciwnik** implacable enemy; **miał** ~**ą twarz** he was hard-faced

zaciężny *adj hist.* mercenary (troops)

zaciężyć *vi perf* = **zaciążyć**

zacinać *zob.* **zaciąć**

zacios *sm G.* ~**u** 1. *stol.* dovetail 2. (*w leśnictwie*) blaze (on a tree to be felled)

zaci|osać *vt perf* **~osa** <**~esze**> — **zaciosywać** *vt imperf* 1. (*zaostrzyć*) to sharpen; to taper 2. (*oznaczyć zaciosem*) to blaze (trees)
zaciosanie *sn* 1. ↑ **zaciosać** 2. (*znak zaciosania*) blaze
zaciosywać *zob.* **zaciosać**
zacisk *sf G.* **~u** 1. (*zaciśnięcie*) grip 2. *mar.* clamp; clip; grip; cleat; lug piece 3. *techn.* clamp; clasp; clip; vice; jaws; (*do węża gumowego*) pinchcock 4. *elektr.* connector; terminal
zaciskacz *sm med. wet.* clamp; constrictor
zaci|skać *v imperf* — **zaci|snąć** *v perf* **~śnie** [I] *vt* 1. (*zwierać*) to compress; to constrict; to squeeze; to press; to pinch; to clasp; to lock; to tighten (one's belt, the bonds of friendship etc.); to clench (one's teeth, one's fist); **powiedzieć coś przez ~śnięte zęby** to utter sth through set teeth; **~skać, ~snąć wargi** to screw up one's lips; *med.* **~snąć arterię** to take up an artery; *przen.* **~skać, ~snąć śrubę** to put on the screw 2. (*czynić ciaśniejszym*) to narrow (sth); to tighten (a noose etc.) [II] *vr* **~skać, ~snąć się** to compress (*vi*); to tighten (*vi*); to lock; to jam
zaciskanie *sn* (↑ **zaciskać**) compression; squeeze
zaciskow|y *adj* **śruba ~a** clamp (bolt, screw); cleat; **tabliczka ~a** terminal board
zacisnąć *zob.* **zaciskać**
zacisze *sn* 1. (*miejsce zasłonięte od wiatru*) shelter; refuge 2. (*ustronie*) quiet spot; recess; seclusion; retreat; **~ domowe** one's fireside; privacy 3. (*cisza*) calm; quiet; tranquillity
zacisznie *adv* 1. (*będąc zasłoniętym*) under shelter; **tam jest ~** one is sheltered <under shelter> there; it is a quiet spot <place> 2. (*na uboczu*) in seclusion 3. (*przytulnie*) snugly
zaciszność *sf singt* quiet; snugness
zaciszny *adj* 1. (*zasłonięty*) sheltered; quiet 2. (*na uboczu*) secluded 3. (*przytulny*) snug
zaciszyć *v perf* [I] *vt* to calm; to still [II] *vr* **~ się** to calm down; to be hushed <stilled>
zaciśnięcie *sn* (↑ **zacisnąć**) compression; constriction; squeeze
zaciśnięty [I] *pp* ↑ **zacisnąć** [II] *adj* (*o węźle itd.*) tight; (*o ustach*) tight-drawn; **z ~mi ustami** tight-lipped
zacmokać *vi perf* to start smacking one's tongue <lips>
zacnie *adv* uprightly; worthily
zacnoś|ć *sf singt* uprightness; respectability; **~ci człowiek** a most worthy man; **to ~ci człowiek** a worthier man never drew breath
zacny *adj* (*prawy*) upright; respectable; (*szlachetny*) noble-minded; (*mający dobre serce*) kind-hearted; **nasz ~ sąsiad** our worthy neighbour; **ten ~ Józek** good old Joe; **~ człowiek** a worthy man
zacofanie *sn* 1. (*opóźnienie w rozwoju społecznym*) old-fashionedness 2. (*wstecznictwo*) backwardness; obscurantism
zacofa|niec *sm G.* **~ńca** hide-bound conservative; stick-in-the-mud; slowcoach
zacofan|y *adj* backward; old-fashioned; behind the times; **kraje gospodarczo ~e** under-developed countries
zacukać się *vr perf dial.* to be fluttered
zacumować *vt vi perf mar.* to moor
zacytować *vt perf* 1. (*przytoczyć*) to quote; to cite 2. (*wymienić*) to mention

zacz † *obecnie w wyrażeniu:* **co ~, kto ~** what sort of a man is he?; who is he?; who is it?
zaczadzenie *sn* (↑ **zaczadzić, zaczadzieć**) asphyxiation; suffocation
zaczadz|ić *v perf* **~ę, ~ony** — **zaczadz|ać** *v imperf* [I] *vt* to asphyxiate <to suffocate> (sb); to fill (a room) with poisonous gas <carbon monoxide> [II] *vr* **~ić, ~ać się = zaczadzieć**
zaczadzie|ć *vi perf* **~je** to get asphyxiated <suffocated>
zaczadzony [I] *pp* ↑ **zaczadzieć, zaczadzić** [II] *adj* affected with poisonous gas <carbon monoxide>
zacza|ić się *vr perf* **~ję się, ~j się** — **zaczajać się** *vr imperf* to hide (*vi*); to conceal oneself; to lurk; to be ambushed; to lie in wait (**na kogoś, coś** for sb, sth)
zaczajenie się *sn* (↑ **zaczaić się**) concealment
zaczajony [I] *pp* ↑ **zaczaić się** [II] *adj* hiding, hidden; concealed; lurking; ambushed; lying in wait; sneaking
zaczarować *vt perf* to cast a spell (**kogoś, coś** over sb, sth); to enchant; to bewitch; to charm
zaczarowanie *sn* (↑ **zaczarować**) spell; enchantment; charm; magic
zaczarowan|y [I] *pp* ↑ **zaczarować** [II] *adj* spell-bound; magic (circle, flute etc.); **~a kraina** wonderland; fairyland
zacząć *zob.* **zaczynać**
zaczątk|ek *sm G.* **~ku** 1. (*początek*) beginning; start; nucleus; incipience 2. (*zarodek*) germ
zaczątkowy *adj* initial; incipient
zaczeka|ć *vi perf* to wait (**na kogoś, coś** for sb, sth); (*pogróżka*) **~j!** you just wait!
zaczep *sm G.* **~u** catch; attachment; hook; (*u broni palnej*) sear
zaczepiać *zob.* **zaczepić**
zaczepi|ć *v perf* — **zaczepi|ać** *v imperf* [I] *vt* 1. (*przyczepić*) to hook (**coś o coś** sth on <to> sth); to attach <to fasten, to hitch> (**coś o coś** sth in sth) 2. (*zagabnąć*) to accost (sb); (*o prostytutce*) **~ać mężczyzn na ulicy** to solicit 3. (*zaatakować*) to attack (sb); to start a controversy <a contention> (**kogoś** with sb) [II] *vi* 1. (*zawadzić*) to catch (**nogą, marynarką, sukienką o coś** one's foot, coat, dress on sth); **~ć o pojazd** to run foul of a vehicle 3. (*poruszyć temat*) to touch (**o coś** upon a subject) [III] *vr* **~ć, ~ać się** 1. (*chwycić się*) to catch hold (**czegoś** of sth); (*przytrzymać się chwyciwszy za coś*) to get a firm hold (**o coś** of sth); to get a foothold 2. (*zawadzić*) to catch (**o coś** on sth) 3. (*szczepić się*) to get entangled <locked together>
zaczepieni|e *sn* (↑ **zaczepić**) attachment; hitch; hold; foothold; **punkt ~a** starting point
zaczep|ka *sf pl G.* **~ek** 1. (*zagadnięcie*) addressing a stranger; advance; overture 2. (*napaść*) (act of) aggression; provocation; *pl* **~ki** (*zaczepne zachowanie*) blustering; roistering; **szukać ~ki** to try to pick a quarrel; to trail one's coat-tails
zaczepnie *adv* aggressively; truculently; provocatively
zaczepność *sf singt* aggressiveness; truculence; provocative attitude
zaczepn|y *adj* aggressive; truculent; provocative; offensive; **sojusz ~o-odporny** offensive and defensive alliance

zaczerni|ć *v perf* — **zaczerni|ać** *v imperf* [I] *vt* to blacken [II] *vr* **~ć, ~ać się** = **zaczernieć**

zaczernie|ć *vi perf* **~je** to blacken (*vi*); to turn <to grow> black; to appear as a black patch <to show black> (against a background)

zaczernienie *sn* 1. ↑ **zaczernić, zaczernieć** 2. (*czarna plama*) black patch

zaczerp|nąć *vt perf* — **zaczerp|ywać** *vt imperf* to lade <to scoop, to bail out> (water etc.); (*łyżką*) to spoon up <out> (soup etc.); (*łyżką wazową*) to ladle out; **~nąć powietrza** to have a breath of fresh air

zaczerwiać *vt imperf* — **zaczerwić** *vt perf* to fill (the comb) with eggs

zaczerwieni|ć *v perf* — **zaczerwieni|ać** *v imperf* [I] *vt* to redden (sth); to colour <to paint, to dye> (sth) red [II] *vr* **~ć, ~ać się** 1. (*stać się czerwonym*) to redden (*vi*); to grow <to turn> red 2. (*zarumienić się*) to redden; to blush; to flush; **~ć się po uszy** to flush up to the ears 3. = **zaczerwienieć**

zaczerwienie|ć *vi perf* **~je** 1. (*pojawić się jako czerwona plama*) to appear as a red patch <to show red> (against a background) 2. (*stać się czerwonym*) to redden; to grow <to turn> red; to flush

zaczerwienienie *sn* 1. ↑ **zaczerwienieć**; redness 2. (*czerwona plama*) red patch

zacze|sać *vt perf* **~sze** — **zacze|sywać** *vt imperf* to comb (one's, sb's hair); **~sywać włosy, by pokryć łysinę** to comb one's hair over one's bald patch

zaczłap|ać *vi perf* **~ie** to plod <to shuffle, to clomp> along

zaczołgać się *vr perf* — **zaczołgiwać się** *vr imperf* to crawl <to creep> (to a place, spot)

zaczopować *vt perf* — **zaczopowywać** *vt imperf* 1. (*zatkać*) to plug (an opening); to stop <to block> (a passage) 2. *przen.* (*zatamować*) to jam (the traffic) 3. *stol.* to tenon; to mortise; to dovetail

zaczyn *sm G.* **~u** 1. (*zakwas*) leaven 2. (*zarodek*) germ; nucleus 3. *chem.* ferment; enzyme, zyme 4. *techn.* (*cement*) paste; (lime) cream

zacz|ynać *v imperf* — **zacz|ąć** *v perf* **~nę, ~nie, ~nij, ~ął, ~ęła, ~ęty** [I] *vt* 1. (*rozpoczynać*) to begin <to start, to commence> (**coś** sth; **coś robić** doing sth <to do sth>); to enter upon (an undertaking, one's twentieth year etc.); *przysł.* **kto wiele ~yna, mało kończy** grasp all, lose all 2. (*napoczynać*) to cut (**bochenek itd.** into a loaf etc.); **~ąć butelkę** to open a bottle [II] *vi* to begin; to start; **dobrze <źle> ~ąć** to make a good <bad> beginning; **nie wiem od czego ~ąć** I don't know how to begin <what to begin, to start with>; **on ~ął (karierę) od chłopca do posyłek** he started as an office-boy; **~ąć na nowo** to start afresh; to make a new start; **~ąć od nowa** to start with a clean slate; **~ąć od odśpiewania ...** to begin by singing; ...; **~ąć od samego początku** to start with the very beginning; **~ął pić <pisać, uprawiać sporty>** he took to drink <to writing, to sports>; **~ynaj!** go ahead!; fire away! [III] *vr* **~ynać, ~ąć się** to begin; to start; **to się ~yna na literę L** it begins with an L; **wiosna się ~ęła** spring has <had> set in; **~ąć, ~ynać się na nowo** to start afresh; **~ąć, ~ynać się od czegoś** to start with sth

zaczyniać *vt imperf* — **zaczynić** *vt perf* (*zaprawiać ciasto*) to leaven <to raise> (dough); (*dodawać składniki do rozrabianej gliny itd.*) to knead (clay etc.)

zaczyrykać *vi perf* to start warbling

zaczyt|ać *v perf* — **zaczyt|ywać** *v imperf* [I] *vt* to destroy (a book) by endless reading and rereading [II] *vr* **~ać, ~ywać się** *perf* to lose oneself in a book; *imperf* to become engrossed in one's reading

zaćma *sf singt med.* cataract

zaćmi|ć *v perf* — **zaćmi|ewać** *v imperf* [I] *vt* 1. (*zaciemnić*) to obscure; to darken; to dim 2. *przen.* (*usunąć w cień*) to eclipse <to outshine> (sb); to throw (sb, sth) into the shade [II] *vr* **~ć, ~ewać się** to darken (*vi*); to become obscured <dimmed>; **~ło mi się w oczach** things went dark before my eyes

zaćmienie *sn* 1. ↑ **zaćmić** 2. *astr.* eclipse 3. *pot. med.* obfuscation

zaćmieniowy *adj astr.* ecliptic(al)

zaćmiewać *zob.* **zaćmić**

zaćwiczyć *vt perf* to flog (sb) to death

zaćwierkać *vi perf* to start twittering <chirping, warbling>

zad *sm G.* **~u** 1. (*u zwierzęcia*) rump; stern; hind quarters; **~ koński** croup; cropper 2. *pot.* (*u człowieka*) buttocks; bum; backside

zada|ć *v perf* **~dzą** — **zada|wać** *v imperf* **~je, ~waj** [I] *vt* 1. (*wyznaczyć*) to give <to set> (sb a task to perform, a lesson to learn etc.); to assign (a task to sb); **~ć komuś pytanie** to ask sb a question; **~ć komuś zagadkę** to ask sb a riddle; to give sb a riddle to solve; *szk.* **~ne** homework 2. (*przyczynić*) to cause (pain etc.); to inflict (**komuś cios, ranę** a blow, a wound on sb); to deal <to deliver> (blows); **~ć klęskę nieprzyjacielowi** to defeat <to beat, to rout> the enemy; **~ć komuś <sobie> gwałt <przymus>** to force sb <oneself> (to do sth); **~ć komuś śmierć** to put sb to death; **~ć sobie trud, żeby coś zrobić** to trouble to do sth; to go to the trouble <to give oneself the trouble> of doing sth; **~wać szyku** to make a brilliant show; (*o ranie, karze itd.*) **~ny samemu sobie** self-inflicted 3. *chem.* to treat (**coś alkoholem itd.** sth with alcohol etc.) 4. *roln.* to give (**bydłu paszy** the cattle fodder) 5. (*dać do zażycia, zjedzenia, wypicia*) to administer (medicine etc.); to give (sb food, poison etc.); *przen. pot.* **~ć komuś bobu <pieprzu>** to teach sb a lesson 6. *pot.* (*pomóc podnieść komuś ciężar*) to help (sb) lift (a load etc.) 7. † (*zarzucić*) to reproach; *obecnie w zwrocie:* **~ć czemuś kłam** to give the lie to sth [II] *vr* **~ć, ~wać się** 1. *perf* (*zawrzeć znajomość*) to take up (with sb); to make (**z kimś** sb's) acquaintance 2. *imperf* (*utrzymywać kontakt*) to associate <to mingle, to hob-nob> (with certain people) 3. † (*skierować się*) to turn one's steps (**w las itd.** towards the forest etc.)

zadanie *sn* 1. ↑ **zadać** 2. (*wyznaczenie*) assignment (of a task etc.) 3. (*spowodowanie*) infliction (of a blow, wound etc.) 4. *chem.* treatment 5. (*danie do zażycia*) administration (of medicine etc.) 6. (*to, co należy wykonać*) task; job; work; duty; stint; *szk.* exercise; homework; *mat.* problem; **postawić sobie za ~ coś zrobić** to make it one's business to do sth

zadarcie *sn* ↑ **zadrzeć; ~ nosa** a cock of the nose

zadarniać *vt imperf* — **zadarnić** *vt perf* to sod (an area)

zadarniowanie *sn* sodding

zadarty [I] *pp* ↑ **zadrzeć** [II] *adj* upturned; **dziewczyna z ~m noskiem** snub-nosed girl; **pies z ~m ogonem** dog with its tail erect; (*o nosie*) **nieco ~** retroussé

zadaszenie *sn* roofing; roof

zadat|ek *sm G.* **~ku** 1. (*zaliczka*) payment on account; advance payment; deposit; earnest; instalment 2. (*zapowiedź*) earnest; presage; foretaste; *pl* **~ki** makings (of an artist, genius etc.)

zadatkowa|ć *vt perf imperf* to pay (a sum) on account (**coś** of sth); **~łem motocykl** I've given an earnest for the motor-cycle

zadawać *zob.* **zadać**

zadawanie *sn* 1. ↑ **zadawać** 2. (*wyznaczenie*) assignment (of a task etc.) 3. (*powodowanie*) infliction (of blows, wounds etc.) 4. *chem.* treatment 5. (*dawanie do zażywania*) administration (of medicines etc.)

zadawniony *adj* ancient; immemorial; of long standing

zad|ąć *v perf* **~mę, ~mie, ~mij, ~ął, ~ęła** — **zad|ymać** *v imperf* [I] *vi* (*o wietrze*) to blow; to start blowing; **~ąć w trąbę** to blow <to start blowing> a trumpet [II] *vt* (*zasypać*) to cover (**kogoś, coś śniegiem, piaskiem itd.** sb, sth with snow, sand etc.)

zadąsać się *vr perf* to sulk; to start sulking

zadąsanie *sn* sulks

zadąsany *adj* sulky

zadbać *vi perf* to take care (**o kogoś, coś** of sb, sth); to see (**o coś** to sth); to look (**o kogoś, coś** after sb, sth)

zadebetować *vt imperf* to debit (an account with a sum)

zadebiutować *vi perf* to make one's debut

zadecydować *v perf* [I] *vt* (*postanowić*) to decide (what to do, to say etc.) [II] *vi* 1. (*powziąć decyzję*) to decide; to make up one's mind; to take a decision (**o czymś** regarding sth) 2. (*rozstrzygnąć*) to resolve <to decide> (**o wyborze, linii postępowania itd.** on a choice, course of action etc.); to settle (**o czyimś losie itd.** sb's fate etc.)

zadedykować *vt perf* to dedicate <to inscribe> (**książkę itd. komuś** a book etc. to sb)

zad|ek *sm G.* **~ka** *pot.* bum; bottom; buttocks, backside; **kopnąć kogoś w ~ek** to kick sb's bottom; *am.* to give sb a kick in the pants

zadeklamować *v perf* [I] *vt* to recite (some poetry etc.) [II] *vi* 1. (*wygłosić utwór poetycki*) to give a recitation 2. (*wypowiedzieć coś z patosem*) to declaim; to rant

zadeklarować *v perf* [I] *vt* to commit oneself (**pomoc** to help; **ofiarę** to contribute a sum); to pledge oneself (**zobowiązanie** to perform a task) [II] *vi* to declare (that ...) [III] *vr* **~ się** (*opowiedzieć się*) to declare oneself (**za czymś** <**przeciw czemuś**> for <against> sth)

zadekować *v perf* [I] *vt* 1. (*uchronić przed wojskiem, przed robotą przymusową*) to help (sb) shirk front-line service (during a war) <compulsory work for the occupant> 2. (*schować*) to conceal; to hide [II] *vr* **~ się** to shirk front-line military service <compulsory work for the occupant>

zadekretować *vt perf* to decree; to ordain; to decide

zademonstrować *vt perf* 1. (*pokazać*) to demonstrate; to show 2. (*zamanifestować*) to make a demonstration (**coś** of sth)

zadenuncjować *v perf* [I] *vi* to inform; to turn informer; to make a denunciation <delation> [II] *vt* to denounce <to delate> (sb, sth); to inform (**kogoś** against sb)

zadepeszować *vi perf* to wire

zadep|tać *vt perf* **~cze** <**~ce**> — **zadep|tywać** *vt imperf* 1. (*stratować*) to trample (sth) under foot; to trample (sb) to death 2. (*zgnieść*) to stamp <to tread> out (fire, a cigarette end etc.) 3. (*zabrudzić*) to soil <to muddy> (the floor, one's shoes); **~tać, ~tywać obuwie** (*podniszczyć*) to tread one's shoes over on one side

zadesperować się *vr perf* to abandon oneself to despair

zadeszczony *adj* rainy

zadeszczy|ć się *vr perf* to rain persistently; **~ło się** the rain set in; it set in to rain

zadęcie *sn* 1. ↑ **zadąć** 2. (*dźwięk z instrumentu dętego*) blast (of a trombone etc.) 3. (*pozerstwo*) swank

zadiustować *vt perf* = **zaadiustować**

zadławić *vt perf* 1. (*zatamować oddech*) to choke 2. (*zadusić*) to strangle; to throttle

zadłużać *zob.* **zadłużyć**

zadłużenie *sn* 1. ↑ **zadłużyć** 2. (*suma długu*) debts; liabilities; indebtedness; indebtedment

zadłuż|yć *v perf* — **zadłuż|ać** *v imperf* [I] *vt* to involve (sb) in debt; to encumber (property) with debts; to mortgage (property); to debit (an account) [II] *vr* **~yć, ~ać się** to run into debt; to incur debts; to run up bills (**u krawca, rzeźnika itd.** at the tailor's, butcher's etc.)

zadłużony [I] *pp* ↑ **zadłużyć** [II] *adj* (*o człowieku*) in debt; (*o majątku*) encumbered; mortgaged

zadni † *adj* hind (legs etc.); rear (guard etc.)

zadnie|ć *vi perf* **~je** to dawn

zadnieprzański *adj* lying beyond the Dnieper

zadniestrzański *adj* lying beyond the Dniester

zadokumentować *vt perf* to manifest (a feeling, one's attitude etc.)

zadokumentowanie *sn* (↑ **zadokumentować**) manifestation

zadołować *vt perf* to earth (shrubs, young trees); to pit (vegetables for the winter)

zadomowi|ć *v perf* — **zadomowi|ać** *v imperf* [I] *vt* 1. (*uznać za domownika*) to make (sb) feel at home; to consider (sb) as one of the family 2. *przen.* to naturalize 3. (*uczynić domowym*) to domesticate (an animal) [II] *vr* **~ć, ~ać się** 1. (*poczuć się domownikiem*) to feel at home; to feel as if one belonged to the family 2. *przen.* to become naturalized 3. (*o zwierzęciu — stać się oswojonym*) to become domesticated

zadomowienie *sn* 1. ↑ **zadomowić** 2. (*poczucie, że się jest u siebie*) homely feeling 3. (*domatorstwo*) home-keeping

zadość † *sf obecnie w zwrotach*: **czynić ~ czemuś** to fulfil <to comply with> (a condition); to satisfy <to meet with> (a demand etc.); **stało się ~ cze-**

muś sth has been fulfilled <complied with>; **sprawiedliwości stało się ~** the law had its way
zadośćuczynić *vi perf* to fulfil (**obowiązkom, czyimś prośbom itd.** one's duties, sb's requests etc.); to satisfy <to meet with, to comply with> (**pewnym wymaganiom** certain demands)
zadośćuczynienie *sn* 1. ↑ **zadośćuczynić** 2. (*spełnienie*) fulfilment 3. (*wynagrodzenie*) satisfaction; redress; (*rekompensata*) compensation; damages
zadow|alać *v imperf* — **zadow|olić** *v perf* [I] *vt* to satisfy <to please, to suffice> (sb); to satisfy <to gratify, to indulge in> (a desire, whim etc.); to suit (sb's taste etc.) [III] *vr* **~alać, ~olić się** 1. (*czuć się zaspokojonym*) to be satisfied (with sth); **~olić się wymówką** to rest satisfied with an excuse 2. (*poprzestawać na czymś*) to content oneself <to make do, to make shift, to put up> (**czymś** with sth)
zadowalniać (się) *vt vr imperf* — **zadowolnić (się)** *vt vr perf* † = **zadowalać (się), zadowolić (się)**
zadowalająco *adv* satisfactorily
zadowalający *adj* satisfactory; fair; passable
zadowoleni|e *sn* 1. ↑ **zadowolić** 2. (*zaspokojenie*) satisfaction <gratification> (of a desire, whim etc.); **ku naszemu ~u** to our satisfaction 2. (*satysfakcja*) satisfaction; contentedness; **~e z siebie** complacency; smugness; **z ~em widzę, że ...** it is a real satisfaction for me to see that ...
zadowolić *zob.* **zadowalać**
zadowolnić *zob.* **zadowalniać**
zadowolony [I] *pp* ↑ **zadowolić** [II] *adj* satisfied <pleased, content> (**z czegoś** with sth); **~ z siebie** self-complacent; self-contented; smug
zadr|a *sf* splinter; **wbić sobie ~ę w palec** to get a splinter in one's finger
zadrap|ać <**zadrap|nąć**> *vt perf* **~ie** to scratch
zadrapanie *sn* (↑ **zadrapać**) (a) scratch
zadra|snąć *v perf* **~śnie** [I] *vt* 1. (*lekko drasnąć*) to scratch; to graze (sb's arm, leg etc.) 2. *przen.* (*urazić*) to wound (sb's pride) [III] *vr* **~snąć się** to scratch one's skin <finger etc.>
zadraśnięci|e *sn* (↑ **zadrasnąć**) (a) scratch; **wyjść bez ~a** to go <to escape> unscathed <unscratched>
zadrażni|ć *vt perf* — **zadrażni|ać** *vt imperf* 1. (*zirytować*) to irritate; to exacerbate; to exasperate 2. *med.* to cause <to produce> an irritation; to inflame (a wound) ‖ *polit.* **~one stosunki** state of friction
zadręcz|ać *v imperf* — **zadręcz|yć** *v perf* [I] *vt* 1. (*zanudzać*) to worry the life out of (sb) 2. (*dręczyć*) to bully; to tyrannize 3. *perf* (*zamęczyć*) to torture (sb) to death [III] *vr* **~ać, ~yć się** to worry oneself to death
zadrgać *vi perf* 1. (*o mięśniu*) to twitch; to start twitching 2. (*zadrżeć*) to quiver; to start quivering 3. (*zamigotać*) to flicker; to twinkle; to start flickering <twinkling> 4. (*o głosie*) to quaver; to tremble; to start quavering <trembling>
zadrukow|ać *vt perf* — **zadrukow|ywać** *vt imperf* to print (a page, sheet of paper); to cover (a page, sheet) with print; **miejsce nie ~ane** vacancy
zadrutować *vt perf* to wire (sth); to fasten (sth) with wire; to fence off (an area) with (barbed) wire
zadrwi|ć *vi perf* **~j** 1. (*zakpić*) to sneer <to scoff, to jeer> (**z kogoś, czegoś** at sb, sth) 2. (*oszukać*) to make a fool (**z kogoś** of sb)
zadrzechnia *sf zool.* (*Xylocopa*) carpenter bee
zadrzeć *v perf* **zadrę, zadrze, zadrzyj, zadarł, zadarty** — **zadzierać** *v imperf* [I] *vt* 1. (*podnieść*) to lift (sth) up; to turn (sth) up; to pull up (one's skirt); **zadrzeć głowę** to crane one's neck; to perk one's head; **zadrzeć nos** to cock one's nose; (*o kocie, psie, krowie*) **zadrzeć ogon do góry** to hold its tail erect; *przen. pot.* **zadzierać nosa** to swagger; to be uppish; to put on airs; to prance 2. (*nadedrzeć*) to tear; to make a rip [II] *vi w zwrotach*: **zadrzeć, zadzierać z kimś** to fall foul of sb; to be at variance with sb; to pick a quarrel with sb; **zadzierać ze wszystkimi** to be on the war-path [III] *vr* **zadrzeć, zadzierać się** 1. (*zagiąć się ku górze*) to turn up (*vi*) 2. (*zostać naddartym*) to get torn
zadrzem|ać *vi perf* **~ie** — **zadrzemywać** *vi imperf* 1. (*zapaść w drzemkę*) to drop off (to sleep); to fall asleep 2. (*zdrzemnąć się*) to take a nap
zadrzewi|ć *vt perf* — **zadrzewi|ać** *vt imperf* to plant (an area) with trees; to afforest (waste land etc.); **~ona okolica** well-timbered region
zadrzewienię *sn* (↑ **zadrzewić**) afforestation
zadrzewnia *sf bot.* (*Diervilla*) diervilla
zadrż|eć *vi perf* **~y, ~yj** 1. (*wstrząsnąć się*) to shudder 2. (*zatrząść się*) to start trembling 3. (*o świetle — zamigotać*) to flicker; to start flickering 4. (*o głosie*) to quaver; to start quavering
zaduch *sm G.* **~u** fustiness; frowst; fug; foul <stuffy> air; stink; **siedzieć w ~u** to frowst; **tu jest ~** it's stuffy here
zadudni|ć, zadudni|eć *vi perf* **~** to rumble; to start rumbling
zadufanie *sn* presumption, presumptuousness; arrogance; cock-sureness
zadufany *adj* presumptuous; arrogant; overweening; cock-sure
zaduma *sf singt* pensiveness; musing(s); thoughtfulness; wistfulness; meditation(s); reverie; brown study
zadum|ać się *vr perf* — **zadum|ywać się** *vr imperf* to muse; to be lost in thought; *pot.* **nad czym się tak ~ałeś?** a penny for your thoughts
zadumanie † *sn singt* = **zaduma**
zadumany *adj* pensive; thoughtful; musing; wistful
zadupie *sn sl. am.* Podunk
zadurz|yć się *vr perf* — **zadurz|ać się** *vr imperf* to take a fancy (**w kimś** for sb); to fall (**w kimś** for sb); **on się w niej ~ył, on jest w niej ~ony** he's gone on her
zadu|sić *v perf* **~szę, ~szony** — **zadu|szać** *v imperf* [I] *vt* 1. (*ściskając za gardło*) to strangle; to throttle; (*utrudniając oddech*) to choke; to suffocate; to smother; (*o tłumie*) to squeeze (sb) to death; **kot ~sił kanarka** the cat killed the canary; **w czasie snu matka niechcący ~siła dziecko** the mother overlay the baby in her sleep 2. (*o roślinach*) to smother <to choke> (other plants) [III] *vr* **~sić, ~szać się** to get choked; to get suffocated
zaduszenie *sn* (↑ **zadusić**) (*przez ściskanie za gardło*) strangulation; (*przez utrudnienie oddechu*) suffocation
Zadusz|ki *spl G.* **~ek** *rel.* All Souls' Day
zaduszny *adj* (prayers etc.) for the dead; **Dzień Zaduszny** All Souls' Day
zadychra *sf zool.* (*Branchipus*) branchipus

zadygo|tać *vi perf* **~cze** <**~ce**> to start shaking <trembling, shivering>
zadymać *zob.* **zadąć**
zadymi|ć *v perf* — **zadymi|ać** *v imperf* [I] *vt* 1. (*napełniać dymem*) to fill (a room etc.) with smoke 2. (*przesłonić dymem*) to screen with smoke 3. (*zakopcić*) to blacken (a ceiling etc.) with smoke 4. *fot.* to fog (a plate etc.) [II] *vi perf* 1. (*wydzielić dym*) to start smoking; to emit smoke 2. (*wydzielić parę*) to steam; to start steaming [III] *vr* **~ć, ~ać się** 1. (*napełnić się dymem*) to be filled with smoke 2. (*przesłonić się dymem*) to be veiled <screened> with smoke 3. *fot.* to fog (*vi*) 4. *perf* (*wydzielić dym*) to start smoking; to emit smoke
zadymienie *sn* 1. ↑ **zadymić** 2. (*przepełnienie dymem*) smokiness (of a town etc.); smoke (in a room) 3. *pot.* fogginess 4. *wojsk.* smoke-screen
zadymiony [I] *pp* ↑ **zadymić** [II] *adj* smoky; reeky
zadym|ka *sf pl G.* **~ek** snow-storm; blizzard
zadyndać *vi perf pot.* to hang; to get hanged; to swing
zadyrygować *vt perf* to conduct (**orkiestrą** an orchestra)
zadysponować *vt perf* 1. (*wydać dyspozycje*) to make arrangements (**coś** for sth <for sth to be done>) 2. (*zamówić*) to order (a meal etc.)
zadyszany *adj* panting; breathless; out of breath
zadysz|eć *v perf* **~y** [I] *vi* to start breathing hard [II] *vr* **~eć się** to pant; to be out of breath
zadysz|ka *sf pl G.* **~ek** short breath; asthma
zadziab|ać *vt perf* **~ie** *pot.* to jab <to stab> (sb) to death
zadzi|ać *v perf* **~eje** — **zadzi|ewać** *v imperf* [I] *vt* to mislay [II] *vr* **~ać, ~ewać się** to get mislaid
zadziałać *vi imperf* 1. (*zabrać się do pracy*) to set to; to get down to work; to get busy (doing sth) 2. (*podziałać*) to affect (**na coś** sth)
zadzierać *zob.* **zadrzeć**
zadzieranie *sn* ↑ **zadzierać**
zadzier|ka *sf pl G.* **~ek** splinter
zadzierzg|nąć *v perf* — **zadzierzg|ać** *v imperf*, **zadzierzg|iwać** *v imperf* [I] *vt* 1. (*związać*) to bind; to contract (**węzły przyjaźni** a friendship) 2. (*przeciągnąć przez otwór*) to thread (a ribbon through a buttonhole etc.) [II] *vr* **~nąć, ~ać, ~iwać się** † to be bound; (*o więzi przyjaźni itd.*) to be contracted
zadzierzystość <**zadzierżystość**> *sf singt* truculence; cantankerousness; pugnacity; perkiness
zadzie|rzysty <**zadzie|rżysty**> *adj* truculent; cantankerous; pugnacious; perky; **~rzysty** <**~rżysty**> **młodzieniec** cockerel
zadzierzyście <**zadzierżyście**> *adv* truculently; cantankerously; pugnaciously; perkily
zadziob|ać *vt perf* **~ie** to peck to death
zadzior *sm* 1. (*kolec*) spike; hook 2. (*zadra*) splinter 3. *bot. zool.* spike
zadziora *sm* (*decl* = *sf*) 1. (*kłótnik*) blusterer; brawler 2. (*zadra*) splinter
zadzior|ek *sm G.* **~ka** *bot. zool.* spike
zadziornie *adv* aggressively; quarrelsomely
zadziorność *sf singt* aggressiveness; quarrelsomeness
zadziorny *adj* aggressive; quarrelsome
zadziób|ać *vt perf* **~ie** = **zadziobać**
zadziwi|ać *v imperf* — **zadziwi|ć** *v perf* [I] *vt* 1. (*wywoływać podziw*) to rouse the admiration (widzów itd. of onlookers etc.); to strike (sb) with wonder 2. (*zdumiewać*) to astound; to amaze [II] *vr* **~ać, ~ć się** to wonder <to marvel> (**komuś, czemuś** <**nad kimś, czymś**> at sb, sth); to be astounded <amazed>
zadziwiająco *adv* astoundingly; amazingly; extraordinarily
zadziwiający *adj* astounding; amazing; extraordinary
zadziwić *zob.* **zadziwiać**
zadziwieni|e *sn* 1. ↑ **zadziwić** 2. † (*podziw*) admiration; wonder; (*zdziwienie*) amazement; **do ~a** wonderfully; astoundingly; amazingly
zadzwoni|ć *vi perf* 1. (*poruszyć dzwonem, dzwonkiem*) to ring (**w dzwon** <**dzwonkiem**> a bell); **~ć na kogoś** to ring for sb 2. (*zabrząkać*) to clatter <to start clattering> (**czymś** sth) 3. (*o dźwięku dzwonu, dzwonka*) to ring; **~ło mi w uszach** my ears started ringing 4. (*zatelefonować*) to ring (**do kogoś** sb) up; to phone
zadzwonienie *sn* (↑ **zadzwonić**) (a) ring
zadźgać *vt perf pot.* to stab (sb) to death
zadźwięcz|eć *vi perf* **~y** to ring; to clatter; to start ringing <clattering>
zadżdżony *adj* rainy (sky etc.); rain-bleared (view etc.); rain-drenched (region etc.)
zadżumiony [I] *adj* plague-stricken [II] *sm* (a) plague-stricken (person); **szpital dla ~ch** pest-house
zafajda|ć *vt perf wulg.* to muck; **~ny** mucky; filthy
zafalcować *vt perf techn.* to rabbet
zafalować *vi perf* to wave; to undulate; to start waving <undulating>
zafałszować *vt perf* to adulterate; to falsify
zafałszowanie *sn* (↑ **zafałszować**) adulteration; falsification
zafarbować *vt perf* to dye; to colour; to tinge
zafascynować *vt perf* to fascinate
zafasować *vt perf wojsk. pot.* to draw (rations etc.); to collect (one's due); to get one's issue (**buty itd.** of boots etc.)
zafermentować *v perf* [I] *vi* to ferment; to start fermenting [II] *vt* to ferment (a liquid etc.); to subject to fermentation
zafiksować *vt perf* to fix (a date etc.)
zafiniszować *vi perf sport i przen.* to spurt; to make a final spurt
zaflancować *vt perf* to plant; to set; to dibble
zaflegmiony [I] *pp* ↑ **zaflegmić** [II] *adj* pituitous
zaflegmienie *sn* (↑ **zaflegmić**) pituitousness
zaformować *vt perf* to shape; to mould
zafrachtować *vt perf* 1. (*załadować*) to lade <to freight> (a ship with cargo); to ship <to lade> (goods) 2. (*wynająć środek transportu*) to freight (a ship etc.); to charter (a ship etc.)
zafrachtowanie *sn* (↑ **zafrachtować**) freightage; charter
zafrapować *vt perf* to strike <to impress, to intrigue> (sb)
zafrasować się *vr perf* 1. (*zmartwić się*) to worry oneself <to be worried> (**czymś** about sth) 2. (*zakłopotać się*) to be concerned (**kimś, czymś** about sb, sth)
zafrasowanie *sn* (↑ **zafrasować się**) worry; concern
zafrasowany [I] *pp* ↑ **zafrasować się** [II] *adj* worried; concerned (air etc.)
zafundować *vt perf pot.* to stand (**komuś obiad itd.** sb a dinner etc.); to treat (**komuś piwo itd.** sb to

a glass of beer etc.); to take (**komuś kino itd.** sb to the pictures etc.)

zafurczeć, zafurkotać *vi perf* to whirr, to start whirring

zagabnąć *vt perf* — **zagabywać** *vt imperf* to accost (sb); to address oneself (**kogoś obcego** to a stranger); to approach (**kogoś w jakiejś sprawie** sb on a subject)

zagad|ać *v perf,* **zagad|nąć** *v perf* — **zagad|ywać** *v imperf* [I] *vt pot.* 1. = **zagabnąć** 2. (*zagłuszyć mówieniem*) **~ać, ~ywać** to talk (**kogoś** sb) down; to talk (sth) away; **~ywaliśmy głód** we talked our hunger away [II] *vi* (*zacząć gadać*) **~ać** to start talking [III] *vr* **~ać, ~nąć, ~ywać się** to forget the time in one's talk; to talk away

zagadany [I] *pp* ↑ **zagadać** [II] *adj* engrossed in talk

zagad|ka *sf pl G.* **~ek** 1. (*pytanie do odgadnięcia*) riddle; puzzle; quizz; crux; conundrum; **rozwiązać ~kę** to guess <to solve> a riddle 2. (*rzecz niejasna*) enigma; problem 3. *przen.* (*tajemnica*) a sealed book (**dla kogoś** to sb)

zagadkowo *adv* enigmatically; mysteriously; incomprehensibly

zagadkowość *sf singt* enigmaticalness; incomprehensibility

zagadkowy *adj* enigmatic(al); mysterious; incomprehensible

zagadnąć *zob.* **zagadać**

zagadnienie *sn* problem; question; issue; **dać komuś ~ do rozwiązania** to set sb a problem

zagadywać *zob.* **zagadać**

zaga|ić *vt perf* **~ję, ~j, ~jony** — **zaga|jać** *vt imperf* to open (a meeting); **~ić, ~jać rozmowę** to enter into conversation

zagaj *sm G.* **~u** = **zagajnik**

zagajać *zob.* **zagaić**

zagajenie *sn* (↑ **zagaić**) opening address

zagajnik *sm* coppice, copse; scrub; shrubbery

zagalopow|ać się *vr perf* — **zagalopow|ywać się** *vr imperf* 1. (*zapędzić się galopem*) to gallop too far 2. *przen.* (*posunąć się za daleko*) to overshoot the mark; to let one's tongue run away with one; **~ać, ~ywać się w wydatkach** <**z wydatkami**> to lash out into expenditure; to launch out into expense

zaganiacz *sm* 1. (*człowiek*) drover; whipper-in 2. *zool.* (*Hippolais icterina*) icterine warbler

zag|aniać *v imperf* — **zag|nać** *v perf,* **zag|onić** *v perf* [I] *vt* to drive (people to work, cattle to pasture, a ship on the rocks etc.); **~aniać bydło** to pen the cattle [II] *vr* **~aniać, ~nać, ~onić się** to gallop too far <up, down to a place>

zaganiany *adj* = **zagoniony**

zagapić się *vr perf* — **zagapiać się** *vr imperf* 1. (*wpatrzeć się*) to stare; to gape 2. (*nie zwrócić uwagi*) to go wool-gathering; to fail to pay attention; to let one's thoughts wander

zagapiony *adj* staring; gaping; inattentive; wool-gathering

zagarnąć *vt perf* — **zagarniać** *vt imperf* 1. (*zebrać*) to gather with a sweep of the arm; to scoop up 2. (*uprowadzić*) to take (people) by force (**do niewoli** into captivity); to take (sb) along 3. (*przywłaszczyć sobie*) to appropriate (funds etc.); to seize (power etc.); to capture (a city etc.); to grab

zagarnięcie *sn* 1. ↑ **zagarnąć** 2. (*przywłaszczenie*) appropriation (of funds etc.); seizure (of power etc.); capture (of a city etc.)

zaga|sać *vi imperf* — **zaga|snąć** *vi perf* **~śnie, ~sł** 1. (*gasnąć*) to die down; (*o świetle*) to go out; to be extinguished; **jego gwiazda ~sła** his star has set 2. (*tracić blask*) to pale; to dim 3. (*słabnąć*) to lessen; to weaken; to decrease

zaga|sić *vt perf* **~szę, ~szony** — **zagaszać** *vt imperf* 1. (*zgasić*) to extinguish; to put out (fire) 2. (*zaciemnić*) to dim; to obscure 3. (*stłumić*) to quench <to extinguish> (a feeling etc.) 4. (*zakasować*) to eclipse

zagasnąć *zob.* **zagasać**

zagaszać *zob.* **zagasić**

zagaszenie *sn* (↑ **zagasić**) extinction

zagaśnięcie *sn* ↑ **zagasnąć**

zagawędz|ić się *vr perf* **~ę się** to chat away

zagazować *vt perf* 1. (*skazić*) to poison (an area) with gas 2. (*uśmiercić*) to gas (enemy units)

zagazowanie *sn* (↑ **zagazować**) *wojsk.* gassing

zagazowany [I] *pp* (↑ **zagazować**) gassed [II] *adj* 1. *wojsk.* gassed (area) 2. *żart.* half-seas-over; tight; squiffy

zagda|kać *vi perf* **~cze** to cackle; to start cackling

zagęgać *vi perf* to gaggle; to start gaggling

zagęszczacz *sm techn.* densifier; thickener

zagę|szczać *v imperf* — **zagę|ścić** *v imperf* **~szczę, ~szczony** [I] *vt* 1. (*zwiększyć gęstość*) to thicken; to condense; to compact; to inspissate 2. (*przepełnić*) to crowd; to pack; to congest (a district etc.) [II] *vr* **~szczać, ~ścić się** 1. (*stawać się gęstym, gęstszym*) to thicken (*vi*); to condense (*vi*) 2. (*występować coraz częściej*) to multiply; to become more and more frequent; to occur more and more frequently 3. (*przeludniać się*) to grow more and more crowded <dense>; to congest (*vi*)

zagęszczenie *sn* 1. (↑ **zagęścić**) condensation; compaction; inspissation 2. (*liczba mieszkańców w okręgu*) density (of the population) 3. (*skupisko*) congestion 4. *med.* inspissation; condensation

zagęścić *zob.* **zagęszczać**

zag|iąć *v perf* **~nę, ~nie, ~nij, ~iął, ~ięła, ~ięty** — **zag|inać** *v imperf* [I] *vt* 1. (*odchylić*) to bend; to give (sth) a bend; to crook; to hook; to curl; to turn down <to double down> (a page); to clench <to clinch> (a nail); to slouch (one's hat) 2. (*podwinąć*) to tuck up (one's skirt); to roll up (one's sleeves, trousers) 3. (*zaskoczyć pytaniem*) to pose (sb) [II] *vr* **~iąć, ~inać się 1.** (*odchylić się*) to bend <to crook, to hook, to curl> (*vi*) 2. (*zostać podwiniętym*) to roll up <to tuck up> (*vi*)

zagięcie *sn* 1. ↑ **zagiąć** 2. (*załamek*) bend; crook; hook; crotchet; fold; turn

zagięty [I] *pp* ↑ **zagiąć** [II] *adj bot. zool.* recurvate

zaginą|ć *vi perf* 1. (*przestać istnieć*) to disappear; to vanish 2. (*zginąć*) to perish 3. (*zgubić się*) to get lost <mislaid>; **słuch o nim** <**tym**> **~ł** there is no trace left of him <it>; no trace was ever found of him <it> 4. (*o ludziach — przepaść*) to be missing

zaginięcie *sn* 1. ↑ **zaginąć** 2. (*zniknięcie*) disappearance; **~ listu** <**przesyłki pocztowej**> miscarriage of a letter <parcel>

zagini|ony [I] *adj* missing [II] *sm* missing person; *pl* **~eni** the <those> missing; **20 zabitych i 3 ~onych** 20 killed and 3 missing

zagipsować *vt perf* 1. *bud.* to plaster up (a hole, chink etc.) 2. *med.* to plaster (a limb); to put (a limb) in plaster

zaglądać *vi imperf* — **zajrzeć** *vi perf* **zajrzy** 1. (*zapuszczać wzrok*) to look <to peep, to peek> (**do czegoś** into sth); **zaglądać do kieliszka** to crook the elbow; (*o głodzie, ruinie, śmierci itd.*) **zaglądać komuś w oczy** to stare sb in the face; **zaglądać, zajrzeć do książki** to dip into a book; **zajrzeć do słownika <gramatyki, rozkładu jazdy itd.>** to consult a dictionary <grammar, railway guide etc.>; *przysł.* **darowanemu koniowi nie zaglądaj w zęby** don't look a gift horse in the mouth; beggars can't be choosers 2. (*odwiedzać kogoś*) to drop in (**do kogoś** on sb); **zajrzeć do kogoś** to pop in at sb's house

zaglądnąć † *vi perf dial.* = **zajrzeć**

zagład|a *sf singt* extermination; annihilation; **obóz ~y** extermination camp

zagładz|ać[1] *vt imperf* — **zagładz|ić** *vt perf* **~ę, ~ony** 1. (*wyrównywać*) to smooth; **~ać, ~ić grzechy** to redeem (one's) sins; **~ać, ~ić krzywdę** to redress a wrong 2. † (*unicestwiać*) to exterminate; to annihilate

zagładzać[2] *zob.* **zagłodzić**

zagławiacz *sm techn.* rivet snap <set>

zagławiać *vt imperf* — **zagł|owić** *vt perf* **~ów** *techn.* to form rivet heads

zagłębi|ać *v imperf* — **zagłębi|ć** *v perf* [I] *vt* to plunge; to dip; to immerse [II] *vr* **~ać, ~ć się** 1. (*zanurzać się*) to penetrate; to enter; to plunge; to sink; to dive; to go deep (**do czegoś** into sth) 2. (*zapuszczać się*) to penetrate <to enter> (**w las, ulice miasta itd.** a forest, the streets of a city etc.); **~ać, ~ć się w fotelu** to subside <to sink> into an armchair 3. (*pogrążać się*) to plunge <to dive, to go deep> (**w zagadnienie itd.** into a problem etc.); to become absorbed <engrossed> (**w czymś** in sth); to pore (**w książce** over a book); **~ać, ~ć się w sobie** to sink in oneself

zagłębi|e *sn pl G.* **~** *geol.* basin; **~e naftowe** oil-field; **~e węglowe** coal basin; coal-field

zagłębienie *sn* 1. † **zagłębić** 2. (*czynność*) immersion 3. (*miejsce wklęsłe*) depression; hollow; (*wnęka*) recess 4. **~ się** (*zanurzenie się*) penetration; plunge; dive 5. **~ się** (*pogrążenie się*) absorption; engrossment

zagłodzenie *sn* († **zagłodzić**) starvation; hunger; underfeeding

zagł|odzić *v perf* **~odzę, ~ódź, ~odzony — zagł|adzać** *v imperf* [I] *vt* to famish; to starve out (a town, garrison) [II] *vr* **~odzić, ~adzać się** to starve oneself; to bring oneself to the brink of starvation

zagłodzony [I] *pp* † **zagłodzić** [II] *adj* famishing; starving; half-starved

zagłosić *vi perf* (*o psie*) to give mouth

zagłowić *zob.* **zagławiać**

zagłownik *sm* = **zagławiacz**

zagłów|ek *sm G.* **~ka** bolster

zagłówne *sn* (*decl* = *adj*) = **główczyzna**

zagłusz|ać *v imperf* — **zagłusz|yć** *v perf* [I] *vt* 1. (*tłumić inny dźwięk*) to drown (sounds); to deaden (pain); to stifle (the voice of one's conscience etc.); **~ać transmisję radiową** to jam a broadcast; **~ać, ~yć kogoś** to clamour <to hoot, to roar> sb down 2. (*o roślinach*) to choke; to stifle; to overgrow [II] *vr* **~ać, ~yć się** 1. (*zagłuszać w sobie*) to drown <to stifle> one's pain, sorrow etc. 2. (*zagłuszać jeden drugiego*) to outshout each other <one another> 3. (*ulegać zagłuszeniu*) to be drowned (by other sounds)

zagmatwać *v perf* [I] *vt* to tangle; to muddle (up); to embroil; to confuse [II] *vr* **~ się** to tangle (*vi*); to become tangled <muddled, embroiled, confused>

zagmatwanie *sn* 1. † **zagmatwać** 2. (*gmatwanina*) tangle; muddle; embroilment; confusion; complexity

zagnać *vt perf* 1. *zob.* **zaganiać** 2. (*zmęczyć*) to tire out; to exhaust; to overdrive (a horse)

zagnajać *zob.* **zagnoić**

zagnębić *vt perf* — **zagnębiać** *vt imperf* to oppress <to harass> (sb) to death

zagniatać *zob.* **zagnieść**

zagniatar|ka *sf pl G.* **~ek** *techn.* kneader; kneading machine

zagniazdownik *sm zool.* precocial bird

zagni|ć *vi perf* **~je — zagni|wać** *vi imperf* to become partly rotted

zagniecenie *sn* 1. † **zagnieść** 2. (*miejsce zagniecione*) crease

zagni|eść *v perf* **~otę, ~ecie, ~eć, ~ótł, ~otła, ~etli, ~eciony — zagni|atać** *v imperf* [I] *vt* 1. (*stłumić*) to tread down; to stamp out 2. (*wyrobić ciasto*) to knead 3. (*zrobić fałdę*) to crease [II] *vr* **~eść, ~atać się** 1. (*o cieście*) to get kneaded 2. (*o tkaninie*) to get creased; to crease (*vi*)

zagniewać *v perf* [I] *vt* to anger; to irritate; to exasperate [II] *vr* **~ się** to get angry; to be irritated <exasperated>; to fly <to fall> into a rage

zagniewany [I] *pp* † **zagniewać** [II] *adj* angry; cross; sore; in a huff; in (high) dudgeon

zagnie|ździć się *vr perf* **~żdżę się — zagnieżdżać się** *vr imperf* 1. (*założyć gniazdo*) (*o ptakach*) to nest; (*o zwierzętach*) to breed 2. (*o ludziach — osiąść*) to settle 3. (*rozpanoszyć się*) to prevail; to hold sway 4. (*zakorzenić się*) to take root

zagniwać *zob.* **zagnić**

zagn|oić *v perf* **~oję, ~ój, ~ojony — zagn|ajać** *v imperf* [I] *vt* to muck; to soil with muck <with manure> [II] *vr* **~oić, ~ajać się** 1. = **zagnić** 2. (*zabrudzić się gnojem*) to muck up one's clothes <boots>; to soil one's clothes <boots> with muck <with manure>

zag|oić *v perf* **~oję, ~ój, ~ojony** [I] *vt* to heal (a wound); **czas ~oi tę ranę** time will heal this wound [II] *vr* **~oić się** to heal (over) (*vi*)

zagon *sm G.* **~u** 1. *roln.* field; (field-)patch 2. *wojsk.* advanced detachment; **~y pancerne** advanced armoured units 3. (*wypad*) inroad; incursion; **zapuszczać ~y na jakieś terytorium** to make incursions into a country

zagonić *zob.* **zaganiać**

zagoniony [I] *pp* † **zagonić** [II] *adj pot.* busy; overworked; for ever on the go

zagonowy *adj hist.* **szlachcic ~** yeoman

zagoryczać *vt imperf* — **zagoryczyć** *vt perf dosł. i przen.* to embitter

zagorzale *adv* fanatically; staunchly; ardently; fiercely; zealously

zagorzal|ec *sm G.* **~ca** fanatic; zealot
zagorzalstwo *sn singt* = **zagorzałość**
zagorzał|ek *sm G.* **~ka** *bot.* (*Odontites*) a scrophulariaceous weed
zagorzałość *sf singt* fanaticism; staunchness; ardour; zeal
zagorzały *adj* fanatic; staunch; ardent; fierce; zealous; die-hard (conservative etc.)
zagorze|ć *vi perf* **~je** <**~**> 1. (*zapalić się*) to catch fire 2. *przen.* (*opalić się na słońcu*) to get sunburnt
zagospodarow|ać *v perf* — **zagospodarow|ywać** *v imperf* [I] *vt* to bring (land) into cultivation <under the plough>; to stock (a meadow); to manage (an estate) [II] *vr* **~ać, ~ywać się** 1. (*poprowadzić gospodarstwo*) to start running an estate <a household> 2. (*zaopatrzyć się w to, co jest potrzebne*) to stock (one's house) with everything necessary
zagospodarowanie *sn* (↑ **zagospodarować**) farm implements
zagospodarzyć *vi perf* — **zagospodarzać** *vi imperf* to start work on a farm; to start running a farm
zagoszczenie *sn* (↑ **zagościć**) visit
zago|ścić † *v perf* **~szczę** [I] *vi* 1. (*zamieszkać*) to make a stay (somewhere) 2. (*przybyć*) to come; to arrive [II] *vr* **~ścić się** to protract one's visit
zagotow|ać *v perf* — **zagotow|ywać** *v imperf* [I] *vt* to boil (some water, some milk) [II] *vr* **~ać, ~ywać się** 1. (*osiągnąć wrzenie*) to boil (*vi*); to start boiling 2. *przen. pot.* (*wybuchnąć*) to flare up; **w mieście ~ało się** the town seethed with excitement
zagórować *vi perf* to rise above (sb, sth)
zagórzański *adj* lying beyond the hills
zagrabiać *vt imperf* — **zagrabić** *vt perf* 1. (*zgarniać grabiami*) to rake (up) 2. (*rabować*) to grab; to seize; to carve out (a province etc.)
zagrabienie *sn* (↑ **zagrabić**) (*zrabowanie*) seizure
zagrab|ki *spl G.* **~ek** <**~ków**> raked up hay <stray ears of corn>
zagrabywać *vt imperf* = **zagrabiać** 1.
zagracać *zob.* **zagracić**
zagracenie *sn* ↑ **zagracić**
zagrac|ić *vt perf* **~ę, ~ony** — **zagracać** *vt imperf* to lumber up <to clutter up> (a room with furniture)
zagracować *vt perf* — **zagracowywać** *vt imperf* to hoe
zagr|ać *v perf* — **zagr|ywać** *v imperf* [I] *vi* 1. *muz.* to play (**na jakimś instrumencie** an instrument <on an instrument>); (*o instrumencie — zabrzmieć*) to play; to resound; **organy ~ały** the organ resounded; *przen.* **tak tańczyć, jak ktoś ~a** to dance to sb's tune; **~ać komuś na nerwach** to get on sb's nerves; **~ać na czyichś uczuciach** to play on sb's heart-strings; to appeal to sb's emotions; **~ać na nosie** to cock a snook; **~ać na zwłokę** to temporize; to play for time; **~ać w czyjąś dudkę** to chime in with sb's ideas; to echo sb's opinions 2. *sport* to play; to have a game (**w tenisa itd.** of tennis etc.) 3. *karc. perf* to play; *imperf* to have the lead; *perf* to play <to have a game of> (**w brydża itd.** bridge etc.); (*zacząć grę*) to lead off; to open the play; **kto ~ywa?** whose lead is it?; **~ać pod króla itd.** to lead up to the king etc.; **~ać w kiery itd.** to open hearts etc. 4. *perf* (*o uczuciach — okazać się*) to show (*vi*); to appear; **krew we mnie ~ała** my blood boiled 5. *perf* (*zamigotać blaskiem, barwami*) to play; **woda ~ała w słońcu** the water played <started playing> in the sun-beams 6. (*o psach myśliwskich — zaszczekać*) to give mouth 7. (*o cietrzewiu*) to toot; to start tooting [II] *vt* 1. (*wykonać utwór muzyczny*) to play (a composition etc.) 2. *perf* (*odtworzyć postać*) to play; to act; **~ać komedię** to act a part; to make believe [III] *vr* **~ać, ~ywać się** to abandon oneself to one's playing <(*w kartach itd.*) to one's game, (*o graczu*) to one's gambling>
zagradzać *zob.* **zagrodzić**
zagradzanie *sn* (↑ **zagradzać**) obstruction
zagranic|a *sf* foreign countries <lands>; the world outside; **jeździć po ~y** to travel abroad; (*o statku*) **płynący za granicę** out-bound; outward-bound; **prosto z ~y** straight from abroad
zagranicznik *sm pot.* foreigner
zagraniczn|y *adj* foreign; external (trade etc.); **podróże ~e** travels abroad
zagranie *sn* 1. ↑ **zagrać**; **~ na nosie** snook 2. *sport* play; game; move 3. *teatr* performance 4. *karc.* lead
zagr|ażać *vi imperf* — **zagr|ozić** *vi perf* **~ożę** 1. (*być groźnym*) to threaten (**komuś czymś** sb with sth); (*o niebezpieczeństwie*) to be imminent; to impend (**komuś, czemuś** over sb, sth); **być ~ożonym** to be imperilled; to be in danger; **~ażała nam zagłada** we were in danger of being exterminated 2. (*zapowiadać coś złego*) to threaten <to menace> (**komuś czymś** sb with sth)
zagrobow|y *adj* from beyond the grave; **życie ~e** future life; the world to come
zagr|oda *sf pl G.* **~ód** 1. (*obejście*) farm; croft; *przysł.* **szlachcic na ~odzie równy wojewodzie** my house is my castle 2. (*miejsce zagrodzone*) enclosure; **~oda dla bydła** cattle pen; stockyard 3. (*płot*) fence; enclosure 4. (*zabezpieczenie*) barrier; barrage
zagrodow|iec *sm G.* **~ca** yeoman
zagrodowy *adj* farm — (buildings etc.); **szlachcic ~** yeoman
zagrodzenie *sn* 1. ↑ **zagrodzić** 2. (*ogrodzenie*) fence; enclosure; obstruction; bar; barrier
zagr|odzić *vt perf* **~odzę, ~ódź, ~odzony** — **zagr|adzać** *vt imperf* 1. (*zatarasować*) to obstruct; to intercept; to bar (the way); *przen.* **~odzić komuś drogę do czegoś** to debar sb from sth 2. (*ogrodzić*) to fence (sth) in <round, about>; to enclose (a garden, park etc.)
zagrozić *zob.* **zagrażać**
zagrożenie *sn* (↑ **zagrozić**) threat; menace; imminence; impendence; impendency
zagródka *sf dim* ↑ **zagroda**
zagruchać *vi perf* to coo; to start cooing
zagrucho|tać *vi perf* **~cze** <**~ce**> to rattle; to start rattling
zagruntować *vt perf* — **zagruntowywać** *vt imperf* to ground (a painting)
zagruzować *vt perf* to cover <to heap> (an area) with rubble
zagruźliczenie *sn* tuberculousness
zagruźliczony *adj* tuberculous; tuberculotic
zagrycha *sf singt pot.* snack
zagrywać *zob.* **zagrać**
zagrywający *sm karc.* leader

zagryw|ka *sf pl G.* **~ek** *tenis* serve

zagryzać *zob.* **zagryźć**

zagryzieni|e *sn* ↑ **zagryźć**; **coś do ~a** snack

zagryzmolić *vt perf pot.* to scribble (**arkusz** all over a sheet of paper)

zagry|źć *v perf* **~zę, ~zie, ~zł, ~źli, ~ziony** — **zagry|zać** *v imperf* [I] *vt* 1. (*pokąsać na śmierć*) to bite to death; to eat <to devour> (a prey); to tear (a prey) to pieces 2. (*wbić zęby*) to bite (one's lips) 3. (*zjeść po wypiciu*) to follow up (**kieliszek wódki kanapką** a glass of vodka with a sandwich) [II] *vr* **~źć, ~zać się** 1. (*nawzajem*) to bite each other to death 2. *perf* (*stracić zdrowie ze zmartwienia*) to worry oneself sick 3. *imperf* (*bardzo się zmartwić*) to worry oneself to death

zagrz|ać *v perf* **~eje** — **zagrz|ewać** *v imperf* [I] *vt* 1. (*podnieść temperaturę*) to heat (sth); to get (sth) hot; to warm (sth) up; **~ać, ~ewać wody na herbatę** to put the kettle on; *przen.* **on nigdzie miejsca nie ~eje** he is a rolling stone; **on tu miejsca nie ~eje** he won't stay long here 2. (*ożywić*) to animate; to inspirit; to rouse (people to action etc.); to cheer <to spur> (sb, people) on [II] *vr* **~ać, ~ewać się** 1. (*stać się ciepłym*) to get warm; (*o człowieku*) to warm oneself; to get warm 2. (*natchnąć zapałem jeden drugiego*) to animate one another 3. *roln.* to get overheated

zagrząznąć † *vi perf* **zagrzęznąć**

zagrzeb|ać *v perf* **~ie** — **zagrzeb|ywać** *v imperf* [I] *vt dosł. i przen.* to bury (sb, sth); *przen.* **~ać, ~ywać siekierę (wojenną)** to bury the hatchet [II] *vr* **~ać, ~ywać się** 1. (*o zwierzęciu — chować się w ziemi*) to dig itself in 2. *przen.* (*o człowieku — odsunąć się od świata*) to bury oneself (in the country etc.)

zagrzecho|tać *vi perf* **~cze** <**~ce**> to rattle; to start rattling

zagrześć † *vt perf* = **zagrzebać**

zagrzewać *zob.* **zagrzać**

zagrz|ęznąć † *vi perf* **~ęźnie, ~ązł, ~ęźli** = **ugrzęznąć**

zagrzmi|eć *vi perf* **~, ~j** 1. (*wydać huk*) to thunder; **~ało** it thundered; there was a peal of thunder 2. (*rozlec się grzmotem*) to roar; to boom; to ring 3. (*powiedzieć grzmiącym głosem*) to thunder forth <out> (an order etc.)

zagubi|ć *v perf* — *rz.* **zagubi|ać** *v imperf* [I] *vt* 1. (*zgubić*) to lose 2. (*zatracić*) to destroy [II] *vr* **~ć, ~ać się** to get lost; to go astray; to vanish

zagubienie *sn* (↑ **zagubić**) loss

zagulgo|tać *vi perf* **~cze** <**~ce**> to bubble; to gurgle <to start gurgling, bubbling>

zagustować † *vi perf* to get to like (**w czymś** sth); to come to enjoy (**w czymś** sth)

zagwarantować *vt perf* to guarantee; to warrant; to secure; to ensure; to assure; to vouch (**coś** for sth)

zagwarantowanie *sn* (↑ **zagwarantować**) guarantee; warrant; assurance

zagwarzyć *vi perf* to start chatting

zagw|aździć *v imperf* — **zagw|oździć** *v perf* **~ożdżę, ~ożdżony** [I] *vt* 1. (*zabijać gwoździami*) to nail up (a door etc.); (*zatykać*) to stop (a pipe etc.); **~oździć działo** to spike a gun 2. (*kaleczyć konia*) to prick (a horse in shoeing) [II] *vr* **~aździć, ~oździć się** (*o rurze itd.*) to get stopped

zagwie|żdżać się *vr imperf* — **zagwie|ździć się** *vr perf* **~żdżą się** to become studded with stars; **niebo się ~ździło** there was a starry sky; the stars came out

zagwi|zdać *v perf* **~żdże** [I] *vi* to whistle; to start whistling; (*użyć gwizdka*) to blow the whistle [II] *vt* to whistle (a melody)

zagwoździć *zob.* **zagważdżać**

zagwożdżenie *sn* 1. ↑ **zagwoździć** 2. (*skaleczenie konia przy kuciu*) prick (in the shoeing of a horse)

zahacz|ać *v imperf* — **zahacz|yć** *v perf* [I] *vt* 1. (*zawieszać*) to hook (sth) up; to hook (**coś o coś** sth on to sth) 2. (*przytwierdzać hakiem*) to fasten <to hitch, to attach> (sth) with a hook; to hook <to clasp> (a dress, bracelet etc.); (*zamykać*) to bolt (a door etc.) 3. (*zaczepiać*) to accost; to address oneself (**kogoś** to sb) 4. (*kwestionować*) to find fault (**coś** with sth); to call (sth) in question; to call (sb) to account (**o coś** for sth) [II] *vi* 1. (*zawadzać*) to catch (**o coś** on sth — a nail etc.) 2. *przen.* (*poruszyć w rozmowie*) to touch (**o jakiś temat** upon a subject) 3. (*wstępować po drodze*) to call <to stop> on one's way (**o jakieś miasto itd.** at a town etc.) [III] *vr* **~ać, ~yć się** 1. (*zaczepić się*) to catch (**o coś** on sth); to get caught (**o gałęzie itd.** in the branches etc.) 2. *pot.* (*znaleźć pracę*) to get a job; (*znaleźć mieszkanie*) to put up (somewhere)

zahaftować *vt perf* — **zahaftowywać** *vt imperf* to embroider

zahałasować *vi perf* to make <to start making> a noise

zahamow|ać *v perf* — **zahamow|ywać** *v imperf* [I] *vt* 1. (*zatrzymać*) to check (a motion, horse etc.) 2. (*wstrzymać działanie itd.*) to check; to stop; to restrain [II] *vi* to brake; to apply <to put on> the brakes [III] *vr* **~ać, ~ywać się** to be checked <stopped, restrained>

zahamowanie *sn* 1. (↑ **zahamować**) (*w czynnościach, działaniu, rozwoju*) set-back 2. *psych.* inhibition

zahandlować *vt perf pot.* to buy or sell (sth)

zahangarować *vt perf* to stow (sth) away in hangar

zaharow|ać się *vr perf* — **zaharow|ywać się** *vr imperf* to overwork (*vi*); to overstrain oneself; to work oneself to death; to work one's fingers to the bone; to slog away; **~any** overworked; overstrained; jaded

zaharpunować *vt perf* to harpoon

zahartow|ać *v perf* — **zahartow|ywać** *v imperf* [I] *vt* 1. (*uczynić wytrzymalszym*) to harden; to inure; to season; to indurate 2. *techn.* to temper; to harden; to quench; **~ać, ~ywać powierzchniowo** to face-harden [II] *vr* **~ać, ~ywać się** to become hardened <inured, seasoned, indurated>

zahartowanie *sn* (↑ **zahartować**) inurement

zahipnotyzować *vt perf* to hypnotize; to mesmerize

zahipotekować *vt perf* to mortgage (an estate); to secure (a debt) by mortgage

zahucz|eć *vi perf* **~y** (*zabrzmieć*) to ring; to resound; (*o wietrze*) to storm; to start storming; (*o ogniu*) to roar; to start roaring

zahukać *v perf* [I] *vi* to hoot [II] *vt* (*onieśmielić*) to browbeat; to bully; to overawe; to intimidate; to cow

zahukanie *sn* (↑ **zahukać**) intimidation

zahukany [I] *pp* ↑ **zahukać** [II] *adj* browbeaten; bullied; overawed; intimidated; cowed

zahulać *vi perf* to revel; to go on the spree; to start revelling
zahurko|tać *vi perf* **~cze** <**~ce**> to start clattering
zahuśtać *v perf* [I] *vt* to set (**czymś** sth) swinging [II] *vr* **~ się** to start swinging
zaim|ek *sm G.* **~ka** *gram.* pronoun
zaimkowy *adj gram.* pronominal
zaimpasować *vi perf karc.* to finesse (**pod króla itd.** the king etc.)
zaimponować *vi perf* to create <to make> an impression (**komuś** on sb); to impress (**komuś** sb); to inspire respect <to excite admiration> (**komuś** in sb)
zaimprowizować *vt vi perf* to improvise; to extemporize; to knock up (a meal, party etc.)
zaimprowizowany [I] *pp* ↑ **zaimprowizować** [II] *adj* extempore, extemporaneous; impromptu; off-hand
zainaugurować *vt perf* to inaugurate; to open (a fête etc.)
zainaugurowanie *sn* (↑ **zainaugurować**) inauguration
zaindyczyć się *vr perf pot.* to flare up
zainfekować *vt perf* to infect; to contaminate; to pollute
zainicjować *vt perf* to initiate
zainicjowanie *sn* (↑ **zainicjować**) initiation
zainkasować *vt perf* to collect (money); to cash (a cheque)
zainkasowanie *sn* (↑ **zainkasować**) collection (of dues, debts etc.)
zainscenizować *vt perf teatr* to stage (a play)
zainstalować *v perf* [I] *vt* to install; to fix; to fit up; to put in (a new cooker, bath-tub etc.) [II] *vr* **~ się** to install oneself; to settle (*vi*)
zainstalowanie *sn* (↑ **zainstalować**) installation
zainsynuować *vt perf* to insinuate; to suggest
zaintabulować *vt perf ekon.* to register (a mortgage)
zainteresowa|ć *v perf* [I] *vt* 1. (*wzbudzić ciekawość*) to arouse (**kogoś** sb's) interest (**czymś** in sth); (*w stronie biernej: mieć w czymś swoją korzyść*) **być ~nym w czymś** to have an interest <a concern> (in sth); **on jest w tym ~ny** he has a finger in the pie; he has an axe to grind there 2. (*zająć*) to interest (sb) [II] *vr* **~ć się** to take an interest <to interest oneself> (**czymś, kimś** in sth, sb); **~ć się osobą płci odmiennej** to get struck on sb; to feel attracted to sb
zainteresowani|e *sn* 1. ↑ **zainteresować** 2. (*ciekawość*) interest; **patrzeć** <**słuchać**> **z ~em** <**bez ~a**> to look on <to listen> with interest <unconcernedly> 3. *pl* **~a** interests; **jego główne ~a to literatura i muzyka** his main interests are literature and music
zainteresowan|y [I] *pp* ↑ **zainteresować**; **~y czymś** interested in sth; **~y kimś** attracted to sb [II] *adj* interested; concerned; **~e strony** the interested parties; the parties concerned [III] *sm* an interested party; a party concerned
zainterpelować *vt perf parl.* to interpellate; (*w parlamencie brytyjskim*) to ask a question <questions>
zainterweniować *vi perf* to intervene
zaintonować *vt perf* to intone (a psalm); to strike up <to break into> (a song)
zaintrygować *vt perf* 1. (*dać pole do domysłów*) to puzzle; to intrigue 2. (*zaciekawić*) to excite (**kogoś** sb's) curiosity; to interest (sb)
zainwentaryzować *vt perf* to list; to catalogue (an item, items)
zainwestować *vt perf* to invest
zainwestowanie *sn* (↑ **zainwestować**) investment
zaiskrz|yć *v perf* [I] *vt* to make (sth) sparkle; **~ony** sparkling [II] *vi* † = *vr* [III] *vr* **~yć się** to sparkle
zaiste † *adv* verily; yea; forsooth; indeed
zaistnie|ć *vi perf* **~je** to come into being; to spring up; to arise; (*o trudnościach itd.*) to crop up
zaiwaniać *vi imperf* — **zaiwanić** *vi perf pot.* 1. (*robić coś z rozmachem*) to go it with a swing 2. (*blagować*) to talk big; to draw the long bow
zaizolować *vt perf techn.* to insulate
zajad *sm* lip-sore; *pl* **~y** *med.* perlèche
zajadać *v imperf pot.* [I] *vt vi* to tuck in; to eat heartily [II] *vr* **~ się** to gorge oneself (**czymś** on sth); to help oneself copiously (**czymś** to sth)
zajad|ek *sm G.* **~ka** *zool.* (*Reduvius personatus*) a reduviid
zajadkowat|y [I] *adj* reduviid [II] *spl* **~e** *zool.* (*Reduviidae*) (*rodzina*) the family Reduviidae
zajadle *adj* fiercely; stubbornly; implacably; inexorably; bitterly
zajadłość *sf singt* bigotry; fierceness; implacability; relentlessness; inexorability
zajadły *adj* bigoted; implacable; fierce; unrelenting; inexorable; stubborn (fight etc.); bitter <rabid, sworn> (enemy)
zajady *zob.* **zajad**
zajarzyć *v perf* [I] *vt* to illumine; to light up [II] *vr* **~ się** to light up (*vi*); to shine
zajaśnie|ć *vi perf* **~je** to flash; to shine; to light up; to brighten (up); to become bright (with light)
zajazd *sm G.* **~u** 1. (*droga, którą się podjeżdża pod dom*) drive 2. (*oberża*) inn; **właściciel ~u** innkeeper; landlord 3. *hist.* foray
zajazgo|tać *vi perf* **~cze** <**~ce**> 1. (*zrobić wrzawę*) to clamour; to raise a clamour; to start clamouring 2. (*wydać jazgotliwe dźwięki*) to clatter; to rattle; to start clattering <rattling>
zaj|ąc *sm pl G.* **~ęcy** *zool.* (*Lepus*) hare; **~ąc morski** (*Cyclopterus lumpus*) lump(fish), lumpsucker
zającz|ek *sm G.* **~ka** 1. (*dim* ↑ **zając**) leveret 2. (*plamka świetlna*) reflection of a sunbeam on the wall; **puszczać ~ki** to play at catching sunbeams in a mirror 3. *bot.* (*Boletus subtomatosus*) an edible boletus
zajączysko *sn* (*augment* ↑ **zając**) poor miserable hare
zaj|ąć *v perf* **~mę, ~mie, ~mij, ~ął, ~ęła, ~ęty** — **zaj|mować** *v imperf* [I] *vt* 1. (*zapełnić miejsce*) to occupy <to take up> (space); **~ąć komuś miejsce** to reserve <to keep> a seat for sb; (*w środkach transportu*) to book a seat for sb; **~ąć krzesło** <**fotel**> to take a chair <an armchair>; **~ąć miejsce** a) (*usiąść*) to take a <one's> seat; to have a seat b) (*stanąć*) to stand <to take one's place> (in a queue etc.) c) (*nastąpić po czymś*) to take the place (of sth); to replace <to displace> (**czegoś** sth) d) (*przejąć funkcje*) to take up the functions (**czyjeś** of sb); (*w zawodach*) **~ąć pierwsze** <**drugie itd.**> **miejsce** to come <to be> first <second etc.>; **~ąć postawę wobec kogoś, czegoś** to assume an attitude towards sb, sth; **~ąć, ~mować stanowisko** to take (over) <to occupy, to fill> a post (in an institution etc.) 2. (*wziąć w użytkowanie*) to take <to occupy> (rooms etc.); **lasy ~mują x ha** the forests cover an area of *x* hectares;

~ąć ziemię pod uprawę <pod zboże itd.> to put land under cultivation <under corn etc.> 3. (*zagarnąć*) to occupy (a territory) 4. (*zatrudnić*) to employ <to occupy, to set> (kogoś czynieniem czegoś sb to do sth); ~mować kogoś czymś to keep sb busy at sth 5. (*wypełnić czas*) to occupy (czas na coś one's time at sth <in doing sth>); ~ąć komuś czas to take up sb's time; (*o czynności*) ~ąć, ~mować czas to take time; ta praca ~ęła dwie godziny the work took two hours; it took two hours to do the work; they took two hours over the work 6. (*zaabsorbować*) to interest; to absorb; to engross; to take up (sb's attention); ona go ~ęła sobą he felt attracted to her; ~ąć towarzystwo to entertain the company 7. (*zarekwirować*) to seize (sb's property) 8. (*o chorobach, zakażeniach*) to affect (an organ) 9. † (*o ogniu*) to spread (budynek itd. to a building etc.) [II] *vr* ~ąć, ~mować się 1. *perf* (*zabrać się do czegoś*) to busy oneself <to get busy, to set to work> (robieniem czegoś doing sth); to take (czymś sth) in hand; ~ąć się polityką <malarstwem, ogrodnictwem itd.> to go in for <to take up> politics <painting, gardening etc.> 2. *imperf* (*pracować nad czymś*) to employ oneself <to be occupied> (robieniem czegoś in doing sth); to be busy (czymś at <with> sth; doing sth); ~mować się handlem <pracą badawczą itd.> to be engaged in business <research work etc.>; ~mować się swoimi sprawami to go about one's business 3. (*zaopiekować się*) to take care (kimś, czymś of sb, sth); to attend <to see> (kimś, czymś to sb, sth); ja się tym ~mę I'll take care of this <attend to this>; leave that to me; kto może się nim ~ąć? who can fix him up?; ~ąć się gośćmi to see to <to entertain> the guests; (*o lekarzu, adwokacie itd.*) ~ąć się jakimś przypadkiem to deal with a case 4. *pot.* (*zapalić się*) to catch <to take> fire

zająkiwać się *zob.* zająknąć się

zająkliwie *adv* stutteringly; mówić ~ to stumble in one's speech; to fumble for words

zająkliwość *sf singt* (a) stutter <stammer>; hesitancy

zająkliwy *adj* stuttering; stammering (speech etc.)

zająk|nąć się *vr perf* — **zająk|iwać się** *vr imperf* 1. *perf* (*mówić niepewnym głosem*) to falter; to be hesitant; to fumble for words; to hum and haw; ani się nie ~nąć to speak glibly <without the slightest hesitation>; o tym nikt się ani ~nął no mention whatever was made of the matter 2. *imperf* (*powiedzieć jąkając się*) to stammer; to stutter; to stumble in one's speech

zająknieni|e *sn* ↑ zająknąć się; bez ~a without hesitation; unhesitatingly; (to pay etc.) without flinching; (to lie) brazenly; barefacedly

zajątrzać *vt imperf* — **zajątrzyć** *vt perf* to irritate; to envenom (a discussion etc.)

zaj|echać *v perf* ~adę, ~edzie, ~edź, ~echał — **zaj|eżdżać** *v imperf* [I] *vi* 1. (*dojechać*) to get (somewhere); to arrive (dokądś at a place); to reach (dokądś a place); to come (dokądś to a place); czy tędy ~adę do ...? will this take me to ...?; *przen.* daleko ~echać to go far 2. (*podjechawszy stanąć*) to drive up (to an entrance etc.); (*o pociągu*) to pull in 3. (*zatrzymać się*) to stay (somewhere); to put up (do kogoś at sb's house) 4. *imperf pot.* (*o woniach — zalatywać*) to stink; to reek; od kanałów ~eżdża paskudny smród the sewers give out an awful stench; od niego ~eżdża czosnkiem <alkoholem> he stinks <reeks> of garlic <of spirits> [II] *vt* 1. (*zastąpić drogę*) to bar (komuś drogę sb's way) 2. *pot.* (*uderzyć*) to land (sb) a blow 3. *pot.* (*dociąć złośliwie*) to sting (sb) to the quick 4. † (*najechać*) to foray

zajezdnia *sf* (engine etc.) shed; ~ tramwajowa tram(way) depot; *am.* street-car shed

zaje|ździć *vt perf* ~żdżę, ~żdżony — **zaje|żdżać** *vt imperf* to overdrive <to founder> (a horse)

zajeżdżać *zob.* zajechać

zaję|cie *sn* 1. ↑ zająć 2. (*robota*) occupation; work; employment; *szk.* ~cia lessons; school; ~cia praktyczne manual training; byłem bez ~cia a) (*nie miałem nic do roboty*) I was at a loose end b) (*byłem bezrobotny*) I was unemployed <out of a job>; dać komuś ~cie to give sb sth to do; to keep sb busy; dziś nie było ~ć there was no school <there were no lessons> to-day 3. (*praca zawodowa*) occupation; business; profession; trade; (*posada*) situation; place; work; job; stałe ~cie permanent job; (a) permanency; bez ~cia out of work; unemployed; stracić ~cie to be thrown out of employment 4. (*zainteresowanie*) interest; słuchać z ~ciem to listen with interest <attentively> 5. *prawn.* seizure; distraint; zrobić komuś ~cie to distrain upon sb's belongings; zrobić ~cie towaru to seize goods

zajęciowy *adj* occupational (therapy etc.)

zajęcz|eć *vi perf* ~y to groan; to start groaning

zajęcz|y *adj* 1. (*dotyczący zająca*) hare's (flesh, pelt etc.); *zool.* leporine; człowiek ~ego serca hare-hearted person; *med.* ~a warga harelip; *bot.* ~e ucho (*Bupleurum rotundifolium*) thorough-wax 2. (*zrobiony ze skóry zajęczej*) hare — (fur etc.)

zajęczyca *sf* doe-hare

zajęt|y [I] *pp* ↑ zająć [II] *adj* 1. (*o człowieku*) occupied; busy; engaged; dzisiaj wieczorem jestem ~y this evening I am engaged; I have an engagement <I am booked> for this evening; nie ~y free; unoccupied; at a loose end 2. (*o telefonie, miejscu siedzącym*) engaged; czy to miejsce jest ~e? is this seat vacant? 3. (*o taksówce*) hired

zajmować *zob.* zająć

zajmująco *adv* interestingly; absorbingly; entertainingly

zajmujący *adj* interesting; absorbing; entertaining; (*o rozmowie*) sapid

zajodynować *vt perf* to paint with iodine

zajrzeć *zob.* zaglądać

zajście *sn* 1. ↑ zajść 2. (*wydarzenie*) incident; event; occurrence

zajść *zob.* zachodzić

zakadz|ić *vi perf* ~ę 1. (*zadymić*) to burn incense; to fumigate 2. *przen.* (*pochlebić*) to flatter; to adulate (komuś sb)

zakalcowaty *adj* slack-baked; doughy; sodden; sad

zakal|ec *sm G.* ~ca slack-baked bread <cake>

zakała *sf* disgrace (rodziny itd. to the family); blemish; bane

zakałapućkać *vt perf pot. dial.* to make a mess (coś of sth)

zakamar|ek *sm G.* **~ka** recess; nook; *pl* **~ki** nooks and corners; **najskrytsze ~ki serca** the innermost recesses of the heart

zakamieniałość *sf singt* obduracy; callousness

zakamieniały *adj* obdurate; callous

zakamuflować *vt perf* to disguise

zakańczać *zob.* **zakończyć**

zakap|ać *v perf* **~ie** — **zakap|ywać** *v imperf* [I] *vt* (*pokryć kroplami*) to spot; to stain; **~any świecą** spotted with candle grease [II] *vi* (*ścieknąć*) to drip

zakapturzyć *vt perf* — **zakapturzać** *vt imperf* to hood

zakarbować *v perf* [I] *vt* 1. (*zaznaczyć nacięciami*) to notch; to score (sth) by notches 2. (*utrwalić w pamięci*) to take good note (**coś** of sth) [II] *vr* **~ się** to sink into the memory

zakarpacki *adj* trans-Carpathian

zaka|sać *v perf* **~sze** — **zaka|sywać** *v imperf* [I] *vt* to roll up <to turn back> (one's sleeves); to tuck up (one's skirt etc.); *przen.* **~sać, ~sywać rękawy** to set to; to put one's shoulder to the wheel [II] *vr* **~sać, ~sywać się** to tuck up one's skirt <mantle, overcoat>

zakasłać *vi perf* = **zakaszlać**

zakasow|ać *vt perf* — **zakasow|ywać** *vt imperf* to excel; to surpass; to outshine; to eclipse; to cast (sb) in the shade; to be a cut above (sb); to go one better (**kogoś** than sb); **on mnie ~ał** he was one too many for me

zakasywać *zob.* **zakasać**

zakaszl|ać <**zakaszl|eć**> *v perf* **~e** [I] *vi* to cough; to start coughing [II] *vr* **~ać, ~eć się** to have a fit of coughing

zakatarzenie *sn* (a) cold (in the head)

zakatarzony *adj* suffering from a cold; **być ~m** to have a cold

zakatarzyć się *vr perf* to catch a cold <a chill>

zakatować *vt perf* to torture sb to death; to do sb to death

zakatrupić *vt perf pot.* to do (**kogoś** for sb); to settle (**kogoś** sb's) hash

zakaukaski *adj* lying beyond the Caucasian mountains; trans-Caucasian

zakaz *sm G.* **~u** prohibition; interdiction; suppression; ban (**czegoś** on sth); **surowy ~ robienia czegoś** strict injunctions not to do sth; **uchylić ~** to lift a ban; *w napisie*: „**~ postoju**" "no parking"

zaka|zać *vt perf* **~że** — **zaka|zywać** *vt imperf* to forbid (**komuś czegoś** <**robienia czegoś**> sb sth <to do sth>); to prohibit <to ban, to suppress> (**czegoś** sth); **~zano mi kawy** <**palenia itd.**> I am forbidden coffee <smoking etc.>

zakazan|y [I] *pp* (↑ **zakazać**) forbidden (fruit etc.); illicit (**handel jakimś towarem itd.** dealing in a commodity etc.); **~e polowanie** close season; **wstęp ~y dla wojskowych** out of bounds [II] *adj* (*obskurny*) pesky; horrid; (*lichy*) trashy; shoddy; (*o miejscowości*) out-of-the-way; God-forsaken

zaka|zić *v perf* **~żę, ~żony** — **zaka|żać** *v imperf* [I] *vt* to infect; to contaminate; to poison; to pollute; to communicate a contagious disease (**kogoś** to sb); **~ził sobie rękę** he infected <poisoned> his hand [II] *vr* **~zić, ~żać się** to become <to get> infected; to catch an infection

zakazywać *zob.* **zakazać**

zakaźnie *adv* contagiously; **~ chory** suffering from an infectious <a contagious> disease

zakaźny *adj* infectious; contagious; zymotic; **szpital chorób ~ch** isolation hospital

zakażać *zob.* **zakazić**

zakażenie *sn* 1. ↑ **zakazić** 2. (*infekcja*) contagion; infection; poisoning; **~ ogólne** blood-poisoning; sepsis

zaką|sić *vt vi perf* **~szę, ~szony** to have a snack <some refreshment>; **~sić kieliszek wódki grzybkami** to follow up a glass of vodka with pickled mushrooms

zakąs|ka *sf pl G.* **~ek** appetizer; relish to follow up a glass of vodka with; sandwich; (*przystawka*) hors-d'oeuvre; (*przekąska*) snack; refreshment

zakąszać *vt imperf* to follow up a glass of vodka (**czymś** with sth)

zakąt|ek *sm G.* **~ka** recess; nook; corner (of the world etc.); bystreet; part (of a country, town, room etc.)

zakichany *adj* pesky; confounded

zakiełkować *vi perf* to sprout; to shoot up; to germinate

zakiełznać *vt perf* to bridle (a horse)

zakimać *vi perf pot.* to have forty winks

zakipi|eć *vi perf* **~** to boil; to start boiling; **krew we mnie ~ała** my blood boiled

zaki|sić *vt perf* **~szę, ~szony** — **zaki|szać** *vt imperf* to silo <to ensilage> (fodder); to pickle (cabbage, cucumbers etc.)

zakisły [I] *pp* ↑ **zakisnąć** [II] *adj* stagnant; sluggish; fetid

zaki|snąć *vi perf* **~śnie, ~sł** to become fermented; to sour

zakiszać *zob.* **zakisić**

zakitować *vt perf* 1. (*zalepić kitem*) to putty (windows etc.) 2. *wulg.* to turn up one's toes; to kick the bucket

zaklajstrować *vt perf* 1. (*zakleić*) to size; to paste up 2. *przen. pot.* (*zatuszować*) to hush up

zakla|skać *vi perf* **~szcze** <**~ska**> 1. (*klasnąć kilkakrotnie*) to clap one's hands; (*zacząć klaskać*) to start clapping <applauding> 2. (*dać się słyszeć jako klaskanie*) to go smack

zaklasyfikować *v perf* [I] *vt* to class; to classify [II] *vr* **~ się** to be classed (**jako ...** as ...)

zaklasyfikowanie *sn* (↑ **zaklasyfikować**) classification

zakl|ąć *v perf* **~nę, ~nie, ~nij, ~ął, ~ęła, ~ęty** — **zakl|inać** *v imperf* [I] *vt* 1. (*zaczarować*) to bewitch; to enchant; to cast a spell (**kogoś** on sb); **milczeć jak ~ęty** to keep one's mouth sealed 2. *imperf* (*błagać*) to entreat; to beseech; to adjure; to conjure [II] *vi* to utter an oath; to swear [III] *vr* **~ąć, ~inać się** to swear (by all that one holds sacred); **~ąć, ~inać się na wszystkie świętości** to call Heaven to witness

zakląskać *vi perf* to trill; to start trilling

zakle|ić *v perf* **~ję, ~j, ~jony** — **zakle|jać** *v imperf* [I] *vt* to stick (up, together); to glue; to paste; **~ić, ~jać kopertę** to seal an envelope [II] *vr* **~ić, ~jać się** to get stuck

zakleko|tać *vi perf* **~cze** <**~ce, ~ta**> to clatter; to start clattering

zaklep|ać *vt perf* **~ie** — **zaklepywać** *vt imperf* to hammer down; to clinch, to clench

zakleszcz|yć *v perf* — **zakleszcz|ać** *v imperf* [I] *vt techn.* to jam; to seize [III] *vr* **~yć, ~ać się** to get jammed <seized>

zaklęci|e *sn* 1. ↑ **zakląć** 2. (*formułka magiczna*) charm; spell; incantation; **rzucić ~e** to cast a spell; **wymawiać ~a** to chant <to recite> incantations 3. (*słowa prośby*) entreaty, entreaties

zaklęsłość *sf* hollow; depression

zaklęsły [I] *pp* ↑ **zaklęsnąć** [II] *adj* concave; sunk; bent in

zakl|ęsnąć *v perf* **~ęśnie, ~ąsł** <**~ęsnął**>, **~ęsła** — **zakl|ęsać** *v imperf* [I] *vi* to sink; to fall in [III] *vr* **~ęsnąć, ~ęsać się** = *vi*

zaklęśnięcie *sn* 1. ↑ **zaklęsnąć** 2. (*miejsce wyżłobione*) hollow; depression

zaklęty [I] *pp* ↑ **zakląć** [II] *adj* enchanted; magic (circle etc.)

zaklinacz *sm* conjurer; **~ wężów** serpent-charmer

zaklinać *zob.* **zakląć**

zaklinanie *sn* (↑ **zaklinać**) conjurations; entreaties

zaklinować *vt perf* — **zaklinowywać** *vt imperf* to wedge up; to jam; to clock up; to chock; to key

zakład *sm G.* **~u** 1. (*instytucja*) institution; establishment; (*przedsiębiorstwo*) works; plant; mill; workshop; **~ fryzjerski** hairdresser's shop; **~ kąpielowy** baths 2. (*umowa*) bet; wager; **idę z tobą o ~** I'll bet you; **pójść o ~** to make a bet <a wager>; to wager; to hold a wager 3. (*w krawiectwie — to, co jest założone*) fold; pleat; hem 4. *techn.* lap; fold

zakładać *v imperf* — **założyć** *v perf* **załóż** [I] *vt* 1. (*powoływać do życia*) to found (a university etc.); to establish (a firm etc.); to set up (a family etc.); to institute (a society etc.); to build (a nest etc.); to pitch (a camp) 2. (*organizować*) to organize; to initiate; to start; to float (a business) 3. (*umieszczać*) to put; to place; to install; **założyć konie** to harness the horses; to put the horses to; **założyć nogę na nogę** to cross one's legs; **założyć ręce** to fold <to cross> one's arms; *przen.* **siedzieć z założonymi rękami** to stand with arms folded 4. (*podwijać*) to fold; to pleat; to tuck in; **założyć stronę (w książce)** to turn down a page 5. (*planować*) to make (plans) 6. (*zarzucać, zapełniać*) to heap 7. (*zastawiać*) to bolt <to fasten> (a door) 8. *prawn.* to lodge (an appeal etc.) [II] *vi* 1. (*płacić, dać zastaw*) to stand security (for sb); to go bail (for sb) 2. (*przypuszczać*) to assume (that ...); to take it (for granted) (that ...) [III] *vr* **zakładać, założyć się** 1. (*robić zakład*) to bet; to wager; **założę się z tobą o sto złotych, że ...** I'll bet you a hundred zlotys that ... 2. (*zachodzić jedno na drugie*) to overlap

zakładanie *sn* 1. ↑ **zakładać** 2. (*powoływanie do życia*) foundation; institution (of a society etc.) 3. *techn.* installation

zakładeczka *sf dim* ↑ **zakładka**

zakład|ka *sf pl G.* **~ek** 1. (*fałdka*) tuck; fold; pleat; **zrobić ~kę** to tuck; to turn in 2. *bud.* splice; scarf; **łączyć na ~kę** to splice; to scarf 3. (*tasiemka itd. w książce*) book-mark; tassel

zakładniczka *sf*, **zakładnik** *sm* hostage

zakładowy *adj* institutional; factory ___ (committee, fund etc.); **lekarz ~** resident physician; *ekon.* **kapitał ~** initial capital

zakłam|ać *v perf* **~ie** — **zakłam|ywać** *v imperf* [I] *vt* to lie (sth) away; to distort; to misrepresent [III] *vr* **~ać, ~ywać się** *perf* to become entangled in a web of lies; *imperf* to become an inveterate liar

zakłamanie *sn* 1. ↑ **zakłamać** 2. (*nieszczerość*) mendacity; hypocrisy; dissimulation

zakłamany [I] *pp* ↑ **zakłamać** [II] *adj* mendacious; hypocritical; deceitful

zakłamywać *zob.* **zakłamać**

zakłębić się *vr perf* to swirl; to eddy; to seethe; to start swirling <eddying, seething>

zakłopo|tać *v perf* **~cze** <**~ce**> [I] *vt* 1. (*zmartwić*) to cause anxiety (**kogoś** to sb); to distress; to worry 2. (*wprawić w zakłopotanie*) to embarrass; to puzzle; to perplex; to nonplus [III] *vr* **~tać się** 1. (*zmartwić się*) to become <to grow> anxious <distressed, worried> (**o kogoś, coś** about sb, sth) 2. (*stropić się*) to become <to grow, to be> embarrassed <perplexed, puzzled, nonplussed>

zakłopotanie *sn* 1. ↑ **zakłopotać** 2. (*zmieszanie*) embarrassment; perplexity; puzzlement 3. (*onieśmielenie*) uneasiness; confusion; sheepishness; **wprawić kogoś w ~** to make sb uneasy; to embarrass <to confuse, to disconcert> sb; **z ~m** confusedly; sheepishly; shamefacedly

zakłopotany [I] *pp* ↑ **zakłopotać** [II] *adj* 1. (*zmartwiony*) distressed; worried 2. (*zmieszany*) embarrassed; confused; sheepish; shamefaced; abashed; crestfallen

zakłóc|ać *vt imperf* — **zakłóc|ić** *vt perf* **~ę, ~ony** to disturb; to ruffle; to unsettle; **~ić ciszę** to break the silence; **~ić komuś spokój domowy** to intrude <to encroach, to trench> on sb's privacy; **~ić komuś szczęście** to mar sb's happiness; **~ić spokój publiczny** to break the peace; to create <to make> a disturbance

zakłócanie *sn* ↑ **zakłócać**

zakłóceni|e *sn* 1. ↑ **zakłócić** 2. (*zaburzenie*) disturbance; **~a w komunikacji** dislocation of the traffic; **~e spokoju publicznego** breach of the peace 3. *pl* **~a** *radio* atmospherics; statics; strays

zakłócić *zob.* **zakłócać**

zakłucie *sn* 1. ↑ **zakłuć** 2. (*zabicie*) stabbing (**męża stanu itd.** of a statesman etc.) 3. (*rana*) stab-wound 4. (*drobna ranka od ukłucia*) prick

zakłu|ć *v perf* **~je, ~ty** — **zakłu|wać** *v imperf* [I] *vt* 1. (*zabić człowieka*) to stab (sb) to death; (*zabić zwierzę*) to stick (a pig etc.) 2. (*lekko ukłuć*) to prick 3. (*dać się odczuć jako ostry ból*) to give <to cause> (sb) a stabbing pain; **~ło go w piersi** he felt a stabbing pain in the chest [III] *vr* **~ć, ~wać się** 1. (*ukłuć się*) to prick (one s finger, leg etc.) 2. (*przebić się*) to stab oneself to death

zakneblowa|ć *vt perf* to muffle (sb); **~ć komuś usta** to gag sb; **leżał z ~nymi ustami** he lay gagged (on the floor)

zakoch|ać się *vr perf* — **zakoch|iwać się** *vr imperf* 1. (*ulec uczuciu miłości*) to fall in love (**w kimś** with sb); to become infatuated (**w kimś** with sb); **~ać, ~iwać się na śmierć** <**na zabój, po uszy**> to fall head over ears <madly> in love 2. (*bardzo polubić*) to become a lover (**w czymś** of sth); to become enamoured (**w czymś** of <with> sth); to fall in love (**w czymś** with sth)

zakochanie *sn* infatuation

zakochan|y [I] *adj* enamoured (**w kimś** of <with> sb); amorous (**w kimś** of sb); infatuated (**w kimś** with sb); **człowiek ~y** a person in love; **być ~ym we własnej osobie** to fancy oneself; **być ~ym w kimś** to be in love with sb; to be sweet on sb; to be wrapped up in sb; **patrzeć na kogoś ~ymi oczyma, rzucać komuś ~e spojrzenia** to make sheep's eyes at sb [II] *sm* lover; *pl* **~i** lovers

zakochiwać się *zob.* **zakochać się**

zakodować *vt perf* to code (sth); to write (a message) in code

zakol|e *sn pl G.* **~i** bend; curve; semicircle; *pl* **~a** meanders (of a river)

zakoleb|ać *vt perf* **~ie** = **zakołysać**

zakolędować *vi perf* to sing <to start singing> Christmas carols

zakoła|tać *vi perf* **~cze** <**~ce**> to knock <to rattle> (**w drzwi** at the door); **serce ~tało** (my <his etc.>) heart throbbed <started throbbing, went pit-a-pat>; **~tać do kogoś** to apply to sb with a request

zakołkować *vt perf* to peg; to plug

zakołowa|ć *v perf* [I] *vi* (*zatoczyć koła*) to circle; (*zatoczyć koło*) to make <to describe> a circle; (*zawirować*) to whirl; to start whirling [II] *vr* **~ć się** = *vi*; **~ło mu się w głowie** his head went round

zakoły|sać *v perf* **~sze** [I] *vt* to swing <to sway, to rock, to shake> (**czymś** sth) [II] *vr* **~sać się** to swing <to rock, to shake> (*vi*); to reel

zakomenderować *vi perf* to command; to give a command

zakompostować *vt perf* to compost

zakomunikować *vt vi perf* to inform <to notify> (**coś komuś** sb of sth; **komuś, że ...** sb that ...); to let (sb) know (sth); to impart <to communicate, to convey> (a piece of news to sb)

zakomunikowanie *sn* (↑ **zakomunikować**) notification (**czegoś komuś** of sth to sb)

zakon *sm G.* **~u** *rel.* (monastic) order; (*zgromadzenie żeńskie*) convent; sisterhood; **trzeci ~** third order; **~y rycerskie** orders of knighthood; **~ żebraczy** <**żebrzący**> mendicant order; **wstąpić do ~u** to enter a convent <a monastery>

zakonnica *sf* nun; (a) religious

zakonnik *sm* monk; friar; (a) religious

zakonn|y *adj* monastic; religious; **braciszek ~y** lay brother; **siostra ~a** lay sister

zakonserwowa|ć *v perf* [I] *vt* to preserve (fruit, meat etc.); **~ny w puszce** tinned; (*o kimś starszym*) **dobrze ~ny** well preserved (woman, elderly person) [II] *vr* **~ć się** to be preserved

zakonspirować *v perf* [I] *vt* to hide; to conceal; to keep (sth) secret; to keep (sth) in the dark [II] *vr* **~ się** 1. (*zorganizować się jako konspiracja*) to form a secret organization 2. (*ukryć się*) to hide oneself

zakonspirowany [I] *pp* ↑ **zakonspirować** [II] *adj* secretive; mysterious; conspiratorial; cloud-wrapped

zakontraktować *vt perf* to contract (**dostawę czegoś** for a supply of sth); **~ świnię** <**cielaka itd.**> to contract to supply a hog <calf etc.>

zakończać *zob.* **zakończyć**

zakończeni|e *sn* 1. ↑ **zakończyć** 2. (*koniec*) end; (happy, sad etc.) ending; termination; (*u przedmiotu*) tailpiece; tip; point; (*faza czynności*) completion; conclusion; closure; termination; wind-up; upshot; **na ~e** to end with; last of all; in the last place; (*o umowie itd.*) **podlegać ~u** to be terminable

zak|ończyć *v perf* — **zak|ończać** *v imperf*, **zak|ańczać** *v imperf* [I] *vt* to end; to finish; to terminate; to bring (sth) to an end; to put an end (**coś** to sth); to conclude; to complete; to wind up (**obrady odśpiewaniem hymnu narodowego itd.** the debate by singing the national anthem etc.); **wyrazy ~ończone na y** words ending in y; **~ończmy (pracę) na dzisiaj** let's call it a day; **~ończyć, ~ończać, ~ańczać naukę** <**obrady**> to break up; **~ończyć, ~ończać, ~ańczać posiedzenie** to close the meeting; **~ończyć, ~ończać, ~ańczać, transakcję** to clench a deal; **~ończyć, ~ończać, ~ańczać życie** to end one's days [II] *vr* **~ończyć, ~ończać, ~ańczać się** to end <to finish> (**czymś** in sth); to come to an end; to be terminated; **~ończyć, ~ończać, ~ańczać się niczym** to end in smoke; to fizzle out; to peter out

zakop|ać *v perf* **~ie** — **zakop|ywać** *v imperf* [I] *vt* 1. (*ukryć coś*) to bury (sth); *przen.* **~ać, ~ywać talent** <**zdolności**> to waste one's talent; to hide one's light under a bushel 2. (*pogrzebać*) to bury (sb, the dead); **~ać, ~ywać kogoś żywcem** to bury sb alive [II] *vr* **~ać, ~ywać się** 1. (*ukryć się*) to dig oneself (underground, in the hay etc.) 2. *przen.* (*odseparować się*) to bury oneself (in the country etc.) 3. (*o zwierzęciu, owadzie*) to burrow itself (in the ground etc.)

zakopcenie *sn* 1. ↑ **zakopcić** 2. (*miejsce zakopcone*) sooty spot; **~ ścian** <**sufitu**> smokiness of the walls <ceiling>

zakopc|ić *v perf* **~ę, ~ony** [I] *vt* 1. (*okopcić*) to soot (up); to blacken (sth) with smoke <with soot>; **~ony** black with smoke; sooty; smoky; reeky 2. (*wypełnić dymem*) to fill with smoke 3. *pot.* (*zapalić papierosa*) to have a fag [II] *vr* **~ić się** to get covered with smoke <with soot>; to get filled with smoke

zakopcować *vt perf roln.* to pit (vegetables)

zakopertować *vt perf* to seal (sth) in an envelope

zakopiański *adj* Zakopane __ (style etc.)

zakopiańszczyzna *sf singt* Zakopane style

zakopić *vt perf* to rick (hay)

zakopywać *zob.* **zakopać**

zakor|ek *sm G.* **~ka** *zool.* (*Hylastes*) a bark-boring beetle

zakorkować *vt perf* 1. (*zamknąć korkiem*) to cork (up) 2. *przen.* (*zatamować*) to jam (the traffic)

zakorkowanie *sn* 1. ↑ **zakorkować** 2. (*zator*) traffic-jam

zakorzeni|ać *v imperf* — **zakorzeni|ć** *v perf* [I] *vt* to root; to implant; to engraft; to instil(l) [II] *vr* **~ać, ~ć się** 1. (*o roślinach*) to take <to strike> root 2. (*o zwyczaju itd. — utrwalać się*) to become rooted <deep-rooted>; to indurate; (*o nałogu itd.*) to become ingrained <inveterate>

zakorzenienie *sn* (↑ **zakorzenić**) rootedness (of ideas etc.); inveteracy (of an evil etc.)

zakos *sm G.* **~u** hairpin bend; **wić się ~ami** to zigzag

zakoszarować *vt perf* to barrack

zakosztować *vt perf* to taste (**czegoś** sth <of sth>); to experience (**czegoś** sth)

zakotłowa|ć *v perf* [I] *vt* to set (sth) whirling <seething> [II] *vi* = *vr* [III] *vr* **~ć się** to whirl; to eddy; to surge; to seethe; to start whirling <eddying, surging, seething>; **w kraju ~ło się** the country seethed; **~ło mu się w głowie** his head went round

zakotwicz|ać *v imperf* — **zakotwicz|yć** *v perf mar.* [I] *vt* to anchor (a ship); **~ony** at anchor [II] *vi* to anchor [III] *vr* **~ać się** to anchor (*vi*)

zakotwiczenie *sn* (↑ **zakotwiczyć**) anchorage

zakotwiczyć *zob.* **zakotwiczać**

zakotwić *vt perf bud.* to anchor

zakpi|ć *vi perf* **~j** to scoff <to sneer, to poke fun> (**z kogoś** at sb); to make a laughing-stock (**z kogoś** of sb); to play a trick (**z kogoś** on sb)

zakpienie *sn* (↑ **zakpić**) scoffs; sneers

zakra|dać się *vr imperf* — **zakra|ść się** *vr perf* **~dnę się, ~dnie się, ~dł się** to steal <to sneak, to creep> (**do pokoju itd.** into a room etc.); **błędy ~dły się do tekstu** errors slipped into the text; **niepokój ~dł się do ich serc** a feeling of uneasiness crept over them

zakrajowość *sf singt* extraterritoriality

zakra|kać *v perf* **~cze** [I] *vi* (*o wronach itd.*) to caw; to start cawing [II] *vt pot.* (*o ludziach*) to shout (sb) down

zakr|apiać *v imperf* — **zakr|opić** *v perf* [I] *vt* 1. (*skrapiać*) to sprinkle (**coś czymś** sth with sth) 2. *pot.* (*zapijać*) to wash down (**befsztyk szklanką wina itd.** a steak with a glass of claret etc.) [II] *vi pot.* (*pić*) to take a drop [III] *vr* **~apiać, ~opić się** *pot. imperf* to booze; *perf* to take a drop; to toss off a glass; to have a drink

zakraplacz *sm* dropper; medicine dropper

zakraplać *vt imperf* — **zakroplić** *vt perf* to instil <to put drops> (**sobie <komuś> oczy** in one's <sb's> eyes)

zakraść się *zob.* **zakradać się**

zakratować *vt perf* to grate (a window etc.)

zakrawa|ć *vi imperf* to seem to be <to give the impression of being, to look like> (*o budynku* — **na pałac itd.** a palace etc.; *o człowieku* — **na artystę itd.** an artist etc.); (*o czyimś postępowaniu itd.*) to smack <to savour> (**na bezczelność itd.** of impudence etc.); **on ~ł na pisarza** he was a bit of <somewhat of> a writer

zakrąż|ać *v imperf* — **zakrąż|yć** *v perf* [I] *vi* to circle; to start circling [II] *vr* **~ać, ~yć się** to wind; to bend

zakrek|tać *vi perf* **~cze** <**~ce**> (*o głuszcu*) to call; to start calling

zakres *sm G.* **~u** 1. (*granica zasięgu*) scope; range; **w wielkim <małym, ograniczonym> ~ie** on a large <small, limited> scale 2. (*dziedzina*) domain, realm; field; province; sphere; **wchodzić w ~ czegoś** to pertain to sth; to come <to fall> within the domain <realm, sphere> of sth; **we własnym ~ie** in one's own <official, individual> capacity 3. *filoz.* denotation 4. *techn. fiz.* range; compass; sphere

zakreskować *vt perf* to line; to hatch; to hachure (a map)

zakreślać *vt imperf* — **zakreślić** *vt perf* 1. (*oznaczać*) to mark off; to outline; to line off; to encircle <to surround> (sth) with a line; to draw a line round (sth) 3. (*rysować okrąg, półkole*) to describe (a circle, semicircle)

zakręc|ać *v imperf* — **zakręc|ić** *v perf* **~ę, ~ony** [I] *vt* 1. (*obracać w koło*) to turn (**czymś** sth); *perf* to give (sth) a turn 2. (*skręcać, zwijać*) to curl; to twist; to twirl (one's moustache) 3. (*zamykać kurek*) to turn (a tap); to turn off (the water, gas etc.); to screw up (one's fountain-pen etc.) [II] *vi* to turn; to take a turning; **~ić na rogu** to turn the corner ‖ **~iło mi w nosie** my nose tickled [III] *vr* **~ać, ~ić się** to turn; to turn round; to go round; to start turning <going round>; (*o linii, drodze, rzece itd.*) to bend; to wind; **łzy ~iły mu się w oczach** tears welled up in his eyes; his eyes were suffused with tears; **~ić się na pięcie** to turn on one's heel; **~iło mi się w głowie** I felt dizzy

zakręcony [I] *pp* ↑ **zakręcić** [II] *adj* winding; twisting; sinuous; tortuous; (*o krowich rogach*) crumpled

zakręt *sm G.* **~u** bend; turning; (street) corner; sinuosity; curve; twist; *pl* **~y** windings; meanders <ins and outs> (of a river etc.); (*o rzece*) **płynąć ~ami** to wind; **wyjechać <wyjść> z za ~u** to come round a bend <a corner>; (*o pojeździe, kierowcy*) **wziąć ~** to take <to negotiate> a turning; **zaraz <tuż> za ~em** (just) round the corner

zakrętas *sm* 1. (*przy podpisie*) flourish; paraph; twirl 2. (*ozdoba*) flourish; scroll

zakręt|ka *sf pl G.* **~ek** 1. (*korek*) (bottle, tube) cap 2. *bud.* (*drzwiowa*) turn-buckle; (*okienna*) espagnolette 3. (*u lufy, smyczka*) nut

zakrętomierz *sm mar. lotn.* turn indicator

zakrojony *adj* conceived <planned> (**na wielką skalę <na szerszą miarę>** on a wide scale)

zakropić *zob.* **zakrapiać**

zakroplić *zob.* **zakraplać**

zakrwawi|ać *v imperf* — **zakrwawi|ć** *v perf* [I] *vt* 1. (*poplamić*) to stain (sth) with blood; **~ony** blood-stained 2. (*skaleczyć*) to draw blood (**kogoś** on sb); to wound; **~ony nos** bleeding nose; **z ~onym nosem** bleeding at the nose; *przen.* **~ć komuś serce** to pierce sb to the heart [II] *vr* **~ać, ~ć się** 1. (*zaplamić się*) to get stained with blood 2. (*spłynąć krwią*) to bleed; to start bleeding

zakrwawienie *sn* (↑ **zakrwawić**) blood stains

zakrycie *sn* (↑ **zakryć**) cover; screen

zakry|ć *v perf* **~je, ~ty** — **zakry|wać** *v imperf* [I] *vt* 1. (*czynić niewidocznym*) to cover (up); to overspread; to hide; to conceal 2. (*zasłonić*) to screen; to shelter; to hide from sight [II] *vr* **~ć, ~wać się** to cover oneself; to become covered <overspread> (with sth)

zakrysti|a *sf pl G.* **~i** *rel.* sacristy; vestry

zakrystian *sm* sacristan; sextan

zakryty *zob.* **zakryć**

zakrzaczenie *sn* (↑ **zakrzaczyć**) shrubs

zakrzaczyć *vt perf* to plant (an area) with shrubs

zakrzątać się, zakrzątnąć się *vr perf* 1. (*żwawo się poruszać*) to bustle; to bestir oneself; to start bustling 2. (*zacząć zabiegi*) to try one's best (**żeby się coś stało** to bring sth about); **~ się koło czegoś** to get sth ready; **~ się koło kogoś — chorego, gości itd.** to take care of sb — a sick person, guests etc.; *przen.* ~ **się koło kogoś** (*starać się pozyskać go dla siebie*) to try to win sb's heart

zakrzep *sm G.* ~**u** *med.* thrombus

zakrzepica *sf med.* thrombosis

zakrzepną|ć *vi perf* ~**ł** to coagulate; to congeal; to clot; to set

zakrzepnięcie *sn* (↑ **zakrzepnąć**) coagulation; congealment

zakrzepowy *adj med.* thrombotic

zakrze|sać *vt perf* ~**sze** to strike (**ognia** fire)

zakrzewi|ać *v imperf* — **zakrzewi|ć** *v perf* [I] *vt* to plant (an area) with shrubs [II] *vr* ~**ać,** ~**ć się** to take <to strike> root

zakrzewienie *sn* (↑ **zakrzewić**) bushes; shrubs

zakrztu|sić *v perf* ~**szę** — **zakrztu|szać** *v imperf* [I] *vt* to choke (sb) [II] *vr* ~**sić,** ~**szać się** to choke (*vi*)

zakrzy|czeć *v perf* ~**czy, zakrzy|knąć** *v perf* — **zakrzy|kiwać** *v imperf* [I] *vi perf* to shout; to call out (*vi*); ~**knąć na kogoś** to call sb [II] *vt* ~**czeć,** ~**kiwać** to shout (a speaker) down; to storm (**pracownika, męża itd.** at a worker, husband etc.); ~**czany** intimidated; tyrannized

zakrzywi|ać *v imperf* — **zakrzywi|ć** *v perf* [I] *vt* to bend (sth) down <back>; to crook; to curve; to turn (sth) down; **nie** ~**ć palca na kogoś** daren't lay a finger on sb; ~**ać,** ~**ć gwóźdź** to clench <clinch> a nail [II] *vr* ~**ać,** ~**ć się** to bend <to crook, to curve> (*vi*)

zakrzywienie *sn* 1. ↑ **zakrzywić** 2. (*zagięcie*) (a) bend, crook, curve, hook

zakrzywiony [I] *pp* ↑ **zakrzywić** [II] *adj* crooked; bent; curved; **z** ~**m nosem** hook-nosed

zaksięgować *vt perf* to enter (an item) in the books; to book (an item)

zaktualizowa|ć *v perf* [I] *vt* to bring (sth) into the sphere of topical questions; ~**ny** up to date [II] *vr* ~**ć się** to become a question of the day

zaktywizować *v perf* [I] *vt* to stir (sb) to activity [II] *vr* ~ **się** to become active

zaktywować *vt perf chem.* to activate

zakucie *sn* ↑ **zakuć**

zaku|ć *vt perf* ~**je,** ~**ty** — **zaku|wać** *vt imperf* 1. (*skrępować*) to put (sb) in irons <chains>; to shackle; to manacle; ~**ć,** ~**wać kogoś w dyby** to pillory sb; ~**ć,** ~**wać rycerza w zbroję** to put a knight in armour 2. (*zamocować kuciem*) to hammer (sth) down; to rivet *zob.* **zakuwać (się)**

zakukać *vi perf* to cuckoo; to start cuckooing

zakule|ć *vi perf* ~**je** to go lame

zakulisi|e *sn pl G.* ~ space behind the scenes; back-stage space

zakulisowy *adj* 1. (*będący za kulisami*) back-stage (arrangements etc.) 2. *przen.* (*nielegalny*) (*o pertraktacjach, intrygach itd.*) going on behind the scenes; secret; (*o wiadomości*) confidential; inside (information)

zakumulować *vt perf* to accumulate

zakup *sm G.* ~**u** purchase; *handl.* **dział** ~**ów** purchasing department; **szef działu** ~**ów** buyer; **iść po** <*pot.* **na**> ~**y** to go shopping; **żona robi** ~**y** a) (*w tej chwili*) my wife is out shopping b) (*stale*) my wife does the <goes out> shopping

zakup|ić *vt perf* — **zakup|ywać** *vt imperf* to buy; to purchase; ~**ić,** ~**ywać mszę** to pay for a mass to be said (for an intention)

zakupienie *sn* (↑ **zakupić**) purchase

zakupywać *zob.* **zakupić**

zakupywanie *sn* ↑ **zakupywać; to ci umożliwi** ~ **nylonowych pończoch** that will keep you in nylons

zakurzeni|e *sn* 1. ↑ **zakurzyć** 2. (*pokrycie kurzem*) dustiness 3. *pot.* (*zapalenie papierosa*) a smoke; **coś do** ~**a** a fag

zakurz|yć *v perf* [I] *vt* 1. (*pokryć kurzem*) to cover (sb, sth) with dust; ~**ony** dusty; covered with dust 2. *pot.* (*zapalić*) to smoke (**papierosa, fajkę** a fag, a pipe) [II] *vi pot.* (*zapalić*) to have a smoke [III] *vr* ~**yć się** to rise in clouds; **droga** ~**yła się** clouds of dust rose from the highway; *przen.* ~**yło im się z czupryn** they grew merry

zakus|y *spl G.* ~**ów** 1. (*usiłowania*) attempts; endeavours 2. (*chęć podboju*) lust of conquest; thirst for conquest

zakuta|ć *v perf pot.* [I] *vt* to wrap (up); to muffle (up); to swathe (sb in a shawl etc.); ~**na w futra** smothered in furs [II] *vr* ~**ć się** to wrap <to muffle> oneself (up)

zakut|y [I] *pp* ↑ **zakuć**; *hist.* ~**y w stal** steel-clad [II] *adj* crass; thick-headed; dunder-headed; mutton-headed; ~**a głowa,** ~**y łeb** dunderhead; blockhead

zakuwać *v imperf* [I] *vt zob.* **zakuć** [II] *vr* ~ **się** *pot. szk.* to cram for all one is worth

zakuw|ka *sf pl G.* ~**ek** *techn.* closing rivet head

zakwakać *vi perf* to croak; to start croaking

zakwalifikować *v perf* [I] *vt* 1. (*zaliczyć do jakiejś kategorii*) to classify <to class> (**kogoś, coś do ...** sb, sth among ...) 2. (*ocenić*) to qualify (**kogoś jako ...** sb as ...) [II] *vr* ~ **się** 1. (*zostać zakwalifikowanym*) to be classified <classed> (**do ...** among ...) 2. *sport* to enter (**do finałów itd.** the finals etc.)

zakwas|ka *sf pl G.* ~**ek** leaven

zakwa|sić *v perf* ~**szę,** ~**szony** — **zakwa|szać** *v imperf* [I] *vt* 1. (*zakisić*) to ferment; to pickle (cabbage, cucumbers etc.); to ensilage (fodder); to leaven (dough); to sour (milk etc.) 2. (*uczynić kwaśnym*) to sour 3. *chem.* to acidify [II] *vr* ~**sić,** ~**szać się** to ferment (*vi*); to sour (*vi*); to become pickled

zakwaszenie *sn* (↑ **zakwasić**) 1. *chem.* acidifying 2. *roln.* souring

zakwaśnie|ć *vi perf* ~**je** to sour (*vi*)

zakwaterow|ać *v perf* — **zakwaterow|ywać** *v imperf* [I] *vt* to quarter <to billet, to canton> (soldiers) [II] *vr* ~**ać,** ~**ywać się** to take lodgings

zakwaterowanie *sn* 1. ↑ **zakwaterować** 2. (*kwatera*) cantonment; quarters; lodgings

zakwaterowywać *zob.* **zakwaterować**

zakwefić *v perf* [I] *vt* to veil (sb) with a yashmak [II] *vr* ~ **się** to veil oneself with <to wear> a yashmak

zakwestionować *vt perf* to call (sth) in question; to question (sth)

zakwicz|eć *vi perf* ~**y** to squeak; to squeal; to start squeaking <squealing>

zakwilić *vi perf* 1. (*o dziecku*) to wail; to whimper; to whine; to start wailing <whimpering, whining> 2. (*o ptaku*) to chirp; to chirrup; to start chirping <chirruping>

zakwit|ać *vi imperf* — **zakwit|nąć** *vi perf* 1. (*rozkwitać*) to burst into bloom; to burst into flower; **~ły żonkile** the daffodils are out 2. (*o drzewach owocowych*) to blossom out; to break out into blossom 3. *przen.* to flourish; to start flourishing 4. (*o chlebie itd.* — *pokrywać się pleśnią*) to go mouldy

zakwok|tać *vi perf* **~cze** <**~ce, ~ta**> to cluck; to start clucking

zal|ać *v perf* **~eje** — **zal|ewać** *v imperf* [I] *vt* 1. (*pokryć płynem, pogrążyć w płynie*) to flood; to inundate; to submerge; to swamp; to pour (**coś płynem** a liquid over <on> sth); **~ać ogień** to pour water on the fire; to extinguish a fire; *przen. pot.* **~ać pałę** to get drunk; **~ewać pałę** to booze; **~ewać smutek** <**robaka**> to drown one's sorrows in drink 2. (*o tłumie*) to swarm (**boisko itd.** over a football field etc.) 3. (*zamoczyć, spryskać*) (*celowo*) to pour <(*niechcący*) to spill, to splash> (**coś płynem** a liquid over sth); to drench; **~ać pompę** to prime a pump; **~ać zioła** to infuse a tea 4. (*o wrogich armiach*) to overrun <to invade> (a country); (*pokryć płynem*) to sluice (a floor, the pavement with a hose); **~any krwią** bleeding; streaming with blood; **~any łzami** tear-stained 5. *przen.* (*o bólu, smutku itd.*) to fill (**czyjeś serce** sb's heart); *pot.* **krew mnie ~ewa** I get <I am> furious 6. (*zalepić, uszczelnić*) to fill (a hole, chink etc. with cement etc.); to stop up (**szparę smołą itd.** a gap with tar etc.) 7. *imperf* (*blagować*) to bluff; to talk through one's hat; to talk nonsense [II] *vr* **~ać, ~ewać się** 1. (*oblać się*) to spill (**herbatą, sosem itd.** tea, sauce etc.) over one's clothes 2. (*zostać zalanym*) to get <to be> flooded <inundated, submerged>; **~ać się łzami** to burst into tears; to be in a flood of tears; **~ać się krwią** to stream with blood; **~ać się potem** to break into perspiration; **~any potem** streaming with <bathed in> perspiration 3. *wulg.* (*upić się*) to get drunk; *imperf* (*upijać się*) to booze

zalakierować *vt perf* 1 (*pokryć lakierem*) to varnish; to japan 2. *przen.* (*zatuszować*) to varnish over (facts etc.)

zalakować *vt perf* to seal (an envelope etc.) with sealing wax

zalamentować *vi perf* to launch forth into lamentations

zalanie *sn* (↑ **zalać**) flood; inundation; deluge

zalansować *vt perf* to launch; to float (a business etc.)

zalany [I] *pp* ↑ **zalać** [II] *adj pot.* (*pijany*) drunk; plastered; pissed; **~ w sztok** <**w pestkę**> blind <dead> drunk

zalatać *vi perf imperf* 1. *zob.* **zalecieć** 2. (*zawirować*) to whirl; to start whirling

zalatanie *sn* 1. ↑ **zalatać** 2. (*stan człowieka zalatanego*) harassment; overwork

zalatany *adj pot.* harassed; overworked

zalatywać *vi imperf* 1. *zob.* **zalecieć** 2. (*pachnieć nieświeżością*) to smell rank

zal|ąc się, zal|ęgnąć się *vr perf* **~ęgnie się, ~ęgnął** <**~ągł**> **się, ~ęgła się** 1. (*o robakach*) to breed (*vi*) 2. (*o jaju*) to be in process of incubation; **~ęgły** in process of incubation

zaląż|ek *sm G.* **~ka** 1. *bot.* ovule 2. *przen.* embryo; germ; seeds; origin

zalążkowy *adj* ovular; **ośrodek ~** nucellus

zalążnia *sf bot.* ovary

zalec *zob.* **zalegać**

zalec|ać *v imperf* — **zalec|ić** *v perf* **~ę, ~ony** [I] *vt* 1. (*doradzać*) to recommend; to advise; to counsel; to prescribe 2. (*dawać zlecenie*) to give injunctions; to enjoin (**komuś coś zrobić** sb to do sth) 3. (*zachwalać*) to recommend [II] *vr* **~ać, ~ić się** to court <to pay court to, to woo> (**kobiecie, do kobiety** a woman); to make up (**kobiecie, do kobiety** to a woman)

zalecan|ka *sf pl G.* **~ek** (*zw. pl*) courtship; wooing

zalecenie *sn* 1. ↑ **zalecić** 2. (*polecenie, rada*) recommendation; advice; prescription; counsel; injunction 2. † (*rekomendacja*) recommendation

zalecić *zob.* **zalecać**

zal|ecieć *v perf* **~eci** — **zal|atywać** *v imperf* [I] *vi* 1. (*dolecieć*) to fly (**dokądś** up to <as far as> **a place**); to reach (**dokądś** a place) 2. (*o dźwiękach* — *dotrzeć*) to reach the ear; (*o zapachach*) to drift (**dokądś** to <up to, as far as> a place); *imperf* to smell <to have a smell> (**czymś** of sth); **od niego ~atuje wódką** <**wódka**> he smells of vodka; **z** <**od**> **ogrodu ~atywało bzem** there was a fragrance of lilac from the garden 3. *pot.* (*przybiec*) to run up (**dokądś** to a place) [II] *vt* 1. (*o zapachu*) make itself felt; **~eciała mnie woń chloroformu** I felt the smell of chloroform 2. (*o źródle zapachu*) to smell (**czymś** of sth); **~atujesz perfumami pani X** you smell of the scent of Mrs So-and-so *zob.* **zalatać, zalatywać**

zaleczenie *sn* (↑ **zaleczyć**) partial <incomplete> cure

zalecz|yć *vt perf* — **zalecz|ać** *vt imperf* to have (a patient) partly <incompletely> cured; to bring (a patient) partly back to health; to have a wound partly healed; to partly heal (a wound); **~ony** partly <incompletely> cured (patient) <healed (wound)>; *dosł. i przen.* **~yć swe rany** to recover (in part) from one's wounds

zaledwie *adv* hardly; barely; scarcely; merely; only just; but; **to ~ dziecko** she <he> is but a child; **~ dwie minuty temu** but two minutes ago; **~ ... gdy** <**kiedy**> **...** no sooner ... than ...; **~ skończyłem jedno, kiedy musiałem zacząć drugie** I had no sooner finished one thing than I must start another; **~ wczoraj** but yesterday; **~ zacząłem** I have <had> hardly <barely, scarcely, merely, only just> begun; (*przed rzeczownikiem tłumaczy się przymiotnikiem*) mere; poor; **dostał ~ 5 szylingów za swój trud** he got a poor 5 sh. for his pains; **to ~ początek** it is a mere beginning; **~ 10 dni urlopu** a poor 10 days' holiday

zaledwo † *adv* = **zaledwie**

zale|gać *v imperf* — **zale|c** *v perf*, **zale|gnąć** *v perf* **~gnie, ~gł** [I] *vt* 1. (*pokrywać*) to cover <to occupy> (a space, an area) 2. (*o ludziach* — *wypełniać*) to fill (a space); to surge (**ulice** along the streets; **place** in the squares and open spaces) 3. † (*pokryć się*) to be strewn (**trupem itd.** with dead bodies etc.) 4. (*leżeć bezużytecznie*) to occupy (a space) unnecessarily; to lie useless (**półki itd.** on the shelves etc.) [II] *vi* 1. (*pokrywać, wypełniać przestrzeń*) to surge; to fill; (*o ciszy, milczeniu*) to hang (**nad zebraniem itd.** over a meeting etc.);

(*o nocy, mgle*) to brood (**nad okolicą** over the scene) 2. *imperf* (*mieć zaległości*) to be behindhand <in arrears> (with one's rent, work etc.); **~c z robotą <płatnościami itd.>** to fall into arrears with one's work <payments etc.> 3. *imperf* (*być niezałatwionym*) to stand over; to wait for settlement; (*o płatności*) to be overdue 5. *geol.* to occur

zalegalizować *vt perf* 1. (*uczynić legalnym*) to legalize 2. (*uwierzytelnić*) to authenticate; to attest; to certify

zalegalizowanie *sn* 1. ↑ **zalegalizować** 2. (*uprawomocnienie*) legalization 3. (*uwierzytelnienie*) authentication; attestation; certification

zaleganie *sn* 1. ↑ **zalegać** 2. *geol.* occurrence

zaległoś|ć *sf* 1. *singt* (*cecha*) arrearage; backwardness 2. (*to, co jest zaległe*) arrears; unaccomplished <unfulfilled> task <duty>; outstanding work; outstanding payment <bill>; **mieć ~ci w czymś** to be in arrears <behindhand> with sth; *x* % **tytułem ~ci** *x* % for arrears

zaległ|y [I] *pp* ↑ **zalegać** [II] *adj* unaccomplished <unfulfilled> (duty, task etc.); outstanding (matters, work, bills etc.); (payments) overdue <in arrear>; **~e pobory** back pay

zalegnąć *zob.* **zalegać**

zalepi|ać *vt imperf* — **zalepi|ć** *vt perf* 1. (*zakrywać, zamykać*) to paste up; to glue up; to gum up; **~one oczy** gummed up eyes 2. (*zatykać*) to seal up (a window, letter etc.); to putty up (a hole etc.) 3. (*pokrywać powierzchnię*) to stick (**mur itd. afiszami** posters <bills> all over a wall etc.); **parkan był ~ony afiszami** the hoarding was stuck all over with posters

zalesi|ać *vt imperf* — **zalesi|ć** *vt perf* to afforest; **~ać na nowo** to reafforest; **~ony** wooded; arboreous

zalesienie *sn* (↑ **zalesić**) afforestation

zaleszczot|ek *sm G.* **~ka** book scorpion; *pl* **~ki** *zool.* (*Pseudoscorpionida*) (*rodzina*) the book scorpions

zalet|a *sf* quality; advantage; merit; good point; virtue; **on ma swoje ~y** he has good points <good stuff in him>; **to ma tę ~ę, że jest lekkie** it's light, that's the beauty of it; it has the virtue of being light

zalew *sm G.* **~u** 1. (*zatoka*) bay; lagoon 2. (*zalewanie terenu*) inundation; flood; submersion; deluge 3. *przen.* (*najazd*) invasion

zalewa *sf kulin.* pickle

zalewacz *sm techn.* pourer; caster

zalewaj|ka *sf pl G.* **~ek** *kulin.* potato soup

zalewisko *sn* fen; marsh

zalewowy *adj* **teren ~** flood-land; water-meadow

zaleźć *vi perf* **zalezie, zalazł, zaleźli** — **załazić** *vi imperf* **załażę, załaź** 1. (*zawlec się*) (*pełzając*) to crawl <to creep> (**dokądś** to <up to> a place); (*idąc*) to shuffle <to shamble> along (**dokądś** to <up to> a place); *przen.* **zaleźć komuś za dziesiątą skórę** to worry sb to death 2. *pot.* (*zasunąć się*) to lap (**za coś** over sth)

zależ|eć *vi imperf* **~y** 1. (*być uwarunkowanym*) to depend (**od kogoś, czegoś** on sb, sth); **jeżeli to będzie ode mnie ~ało** if I can help it; if I have my way; **to ~y** it all depends; **to ~y całkowicie od ciebie** it depends entirely on you; it's entirely up to you; it lies entirely with you 2. *impers* **~y mi <mu itd.>** I am <he is etc.> anxious (**na tym, żeby ...** to ...); I am <he is etc.> keen <intent, set> (**na zrobieniu czegoś** on doing sth); **bardzo mi na tym ~y** I am very particular about that; **nie ~y mi (na tym)** I don't care; **~y mi na nim** a) (*na jego przyjaźni itp.*) I'm anxious to be on good terms with him b) (*na kimś, kogo się lubi*) I have his well-being at heart 2. (*podlegać*) to hinge <to hang, to pivot, to turn> (**od czegoś** on sth); to be relative (**od czegoś** to sth); **nasz los ~y od nas samych** our fate is in our hands; **podaż ~y od popytu** supply is relative to demand

zależnie *adv* according (**od potrzeby, pór roku itd.** to the need, the seasons etc.); subject (**od twej zgody, pańskich rozkazów itd.** to your consent, your orders etc.); contingently (**od jakiegoś wypadku itd.** upon an event etc.); **~ od tego, czy ci się to spodoba czy nie <czy będę się lepiej czuł, czy gorzej>** according as you like it or not <as I shall feel better or worse>; **~ od tego jak zadecydujesz** according as you decide

zależnoś|ć *sf* 1. (*uzależnienie*) dependence (**skutku od przyczyny itd.** of an effect upon the cause etc.); **wzajemna ~ć** interdependence; **w ~ci** = **zależnie** 2. (*zawisłość*) dependence (**od kogoś, czegoś** on sb, sth); subjection (**od kogoś** to sb); subordination (**od kogoś** to sb)

zależn|y *adj* 1. (*uwarunkowany*) dependent (**od czegoś** on sth); conditioned (**od czegoś** by sth); contingent (**od czegoś** on sth); *jęz.* **mowa pozornie ~a** intermediate form of reported speech; **mowa ~a** reported speech; **przypadki ~e** oblique cases; **pytanie ~e** reported interrogation 2. (*podległy*) dependent (**od kogoś** on sb); subordinate (**od kogoś** to sb); **kraj ~y** subjugated country

zalęgać się *zob.* **zaląc się**

zal|ęknąć się *vr perf* **~ęknął <~ąkł> się** to take fright; to get frightened <scared>

zalęknienie *sn* fright

zalękniony *adj* frightened; scared

zalicytować *vt perf* (*na licytacji*) to bid; *karc.* to call; to bid (hearts, clubs etc.)

zalicz|ać *v imperf* — **zalicz|yć** *v perf* [I] *vt* 1. (*włączać do kategorii*) to number <to count, to reckon, to rate, to include> (**kogoś do <w poczet> ...** sb among ...); to number <to include> (**obraz, utwór itd. do arcydzieł itd.** a painting, composition etc. among the masterpieces etc.) 2. (*uznawać*) to credit (**studentowi kurs itd.** a student with a course etc.); to accept (**studentowi pracę** a student's work) [II] *vr* **~ać, ~yć się** to be numbered <reckoned> (**do ...** among); to rank (**do ...** among ... <with ...>)

zaliczenie *sn* 1. ↑ **zaliczyć** 2. *szk.* credit (**kursu itd.** for a course etc.) 3. *handl.* *w zwrocie*: **za ~m pocztowym** C.O.D.

zalicz|ka *sf pl G.* **~ek** payment on account; advance; instalment; **~ka na poczet pensji** advance pay; **wypłacić kwotę tytułem ~ki** to pay a sum on account

zaliczkować *vt perf* to pay a sum on account (**coś** of sth)

zaliczkowo *adv* on account; in advance

zaliczkow|y *adj* advance ― (payment); **kasa ~a** loan society; **~e wynagrodzenie** advance pay

zalienować *vt perf* to alienate; to estrange
zalimitować *vt perf* to limit; to fix the limits (**coś** of sth)
zali|zać *vt perf* **~żę, ~zany** 1. (*polizać*) to lick (sth) off 2. *przen.* (*przygładzić*) to sleek (hair etc.)
zalkalizować *vt perf chem.* to alkalify
zalodzenie *sn* 1. (*warstwa lodu*) iciness 2. (*pokrycie się lodem*) freezing
zalodzony *adj* ice-covered
zalot|ka *sf pl G.* **~ek** eyelash curler
zalotnica *sf* kitten; flirt; coquette
zalotnie *adv* wheedlingly; coquettishly
zalotnik *sm* wheedler; wooer
zalotnisia *sf żart.* = **zalotnica**
zalotność *sf singt* wheedling; kittenish ways; coquetry
zalotn|y *adj* wheedling; kittenish; coquettish; **~e spojrzenie** ogle; **rzucać ~e spojrzenia komuś** to ogle sb; **~y loczek** love-lock
zalot|y *spl G.* **~ów** courtship; wooing; love-making
zalśni|ć *vi perf* **~j** to sparkle; to glitter; to shine; to glisten; to start sparkling <glittering, shining, glistening>
zalternować *vt perf* to inflect (a note)
zaludni|ać *v imperf* — **zaludni|ć** *v perf* I *vt* to people; **gęsto** <**rzadko**> **~ony** densely <sparsely> populated II *vr* **~ać, ~ć się** 1. (*napełniać się ludźmi*) to become peopled <populous> 2. *przen.* (*zapełniać się*) to become populous (with birds etc.)
zaludnieni|e *sn* 1. ↑ **zaludnić** 2. (*ludność*) population; **gęstość ~a** density of population
zalutować *vt perf* to solder up
załadow|ać *v perf* — **załadow|ywać** *v imperf* I *vt* to load (**furę, wagon itd. towarem** a cart, railway truck etc. with goods; **towar na furę, wagon** goods on to a cart, railway truck); to freight (a ship); to ship (goods); **~ać, ~ywać wojsko do pociągu** <**na statek, na samolot**> to entrain <to embark, to emplane> troops II *vr* **~ać, ~ywać się** to get (**do pociągu itd.** on a train etc.); **~ać, ~ywać się na statek** to embark (*vi*)
załadowca *sm* loader; *mar.* stevedore
załadowczy *adj* loading (platform, bridge, channel etc.); *mar. wojsk.* **punkt ~** embarkation point
załadownia *sf* loading platform
załadowywać *zob.* **załadować**
załadun|ek *sm G.* **~ku** loading (of goods etc.)
załadunkowy *adj* loading (facilities etc.); *mar. wojsk.* **punkt ~** embarkation point
załagadzać *zob.* **załagodzić**
załagodzenie *sn* 1. ↑ **załagodzić** 2. (*uśmierzenie*) alleviation; assuagement 3. (*uspokojenie*) appeasement; mitigation 4. (*pogodzenie*) accommodation; reconcilement; adjustment
załag|odzić *vt perf* **~odzę, ~ódź, ~odzony** — **załag|adzać** *vt imperf* 1. (*uśmierzyć*) to alleviate; to assuage; to soothe 2. (*uspokoić*) to appease; to calm; **~odzić, ~adzać spór** to accommodate <to reconcile, to adjust, to compose, to patch up, to arrange, to make up> a quarrel; to mend matters; to straighten things out
załam *sm G.* **~u** = **załom**
załam|ać *v perf* **~ie** — **załam|ywać** *v imperf* I *vt* 1. (*wgnieść*) to break (sth) down; to bring (sth) down; to smash (sth) in 2. (*zgnieść*) to bend; to inflect; to bend down <to fold> (a sheet of iron, of paper etc.); to deflect (a ray); to refract (light rays); **~ywać ręce** to wring one's hands 3. (*wpędzić w rozpacz*) to unnerve; to dispirit; to depress II *vr* **~ać, ~ywać się** 1. (*zawalić się*) to break down; to collapse; to fall in; to crash; to sink; to yield; (*o systemie, ustroju*) to break down; (*o systemie ekonomicznym*) to slump 2. (*zapaść się*) to fall through; to come down; to go under 3. (*zgiąć się pod kątem*) to bend (*vi*); to deviate; (*o promieniach świetlnych*) to be refracted; **kolana** <**nogi**> **~ały się pode mną** my legs sank under me 4. (*o dźwiękach — przerywać się*) to break off; to cease; **mówić ~ującym się głosem** to speak with a break in one's voice 5. (*wpaść w rozpacz*) to give way to despair; to collapse; to lose heart; to go to pieces
załamani|e *sn* 1. ↑ **załamać** 2. (*wyłamany otwór*) break; fracture 3. (*zagięcie*) bend; twist; fold; inflexion; deflection; refraction (of light); **kąt ~a** refracting angle 4. (*depresja*) (*także* **~e się**) (nervous) breakdown; collapse; (state of) prostration
załam|ek *sm G.* **~ka** fold; crease; crinkle
załamywać *zob.* **załamać**
załap|ać *vt perf* **~ie** — **załap|ywać** *vt imperf pot.* to catch; to snatch; **~ać, ~ywać powietrza** <**tchu**> a) (*odetchnąć*) to take breath b) (*złapać oddech*) to recover one's breath
załasko|tać *vt perf* **~cze** <**~ce, ~ta**> to tickle
załatać *vt perf* to patch up; to mend; to piece up; to cobble up (a shoe)
załatwi|ać *v imperf* — **załatwi|ć** *v perf* I *vt* 1. (*doprowadzać do końca*) to settle; to do (sth); to take care (**coś** of sth); to deal (**coś** with sth); **nie ~ć czegoś** to leave sth undone; **sprawy nie ~one** outstanding matters; **szybko coś ~ć** to make short work of sth; **~ać interesy** to handle <to transact, to negotiate> business; **~ć spór** to adjust <to make up> a quarrel; *pot.* **~ać, ~ć naturalną potrzebę** to ease <to relieve> nature 2. (*wykonywać zlecenie*) to settle (**coś komuś** sth for sb); **pójść komuś coś ~ć** to go on an errand for sb; (*o posłańcu*) **~ać zlecenia** to run errands 3. (*obsługiwać w sklepie*) to serve <to attend to> (customers) 4. *pot.* (*rozprawiać się z kimś*) to cook (**kogoś** sb's) goose; to settle (**kogoś** sb's) hash II *vr* **~ać, ~ć się** 1. *pot.* (*załatwić naturalną potrzebę*) to ease <to relieve> nature 2. (*doprowadzać do końca*) to settle (**z czymś** sth); to handle (**z czymś** sth); to deal (**z czymś** with sth); to take care (**z czymś** of sth); to dispose (**z czymś** of sth); **to się samo ~** that will take care of itself
załatwienie *sn* (↑ **załatwić**) settlement; disposal <transaction, negotiation> (**interesów** of business); **~ sporu** adjustment of a quarrel
załazić *zob.* **zaleźć**
załącz|ać *vt imperf* — **załącz|yć** *vt perf* 1. (*przesyłać łącznie z czymś*) to enclose; to annex; to subjoin 2. (*przyłączać*) to connect; **~yć wtyczkę do kontaktu** to plug in 3. (*w korespondencji*) **~am pozdrowienia dla ...** with kind regards to ...; give my kind regards to ...
załączeni|e *sn* ↑ **załączyć**; **w ~u przesyłam ...** I am sending you herewith ...; *handl.* enclosed please find ...

załącznik *sm* enclosure; annex(e); ~ **do rachunku** voucher; ~ **do ustawy** schedule
załączyć *zob.* **załączać**
załech|tać *vt perf* ~**cze** <~**ce**, ~**ta**> to tickle
zał|gać *v perf* ~**że** <~**ga**> — **zał|giwać** *v imperf* [I] *vt* to distort; to misrepresent [II] *vr* ~**gać**, ~**giwać się** to become entangled in a web of lies
załganie *sn* 1. ↑ **załgać** 2. (*fałsz*) mendacity; hypocrisy; dissimulation
załgany [I] *pp* ↑ **załgać** [II] *adj* mendacious; hypocritical; deceitful
załkać *vi perf* to burst into sobs
zał|oga *sf pl G.* ~**óg** 1. *mar.* crew; ship's company; (*w rozkazach itd.*) **cała** ~**oga** all hands (on deck etc.) 2. *lotn.* air crew 3. (*pracownicy instytucji*) staff; personnel
załogowy *adj* manned; ~ <**bezzałogowy**> **statek kosmiczny** manned <unmanned> space craft
załom *sm G.* ~**u** bend; twist; flexion; curve; *pl* ~**y** windings; enfractuosities; meandering(s)
załom|ek *sm G.* ~**ku** bend; twist; fold; crease; crinkle
załomo|tać *vi perf* ~**cze** <~**ce**> to clatter; to rattle; to batter (**do drzwi** at the door); to start clattering <rattling, battering>
załomow|y *adj geol.* **góry** ~**e** faulted mountains
załopo|tać *vi perf* ~**cze** <~**ce**> to flap; to flutter; to start flapping <fluttering>
założeni|e *sn* 1. (↑ **założyć**) foundation; establishment 2. (*to, co jest założone*) fold 3. (*teza*) assumption; **wychodzić z** ~**a, że ...** to assume that ...
założyciel *sm* founder; initiator; *handl.* company promotor; **członek** ~ charter member
założyciel|ka *sf pl G.* ~**ek** foundress
założycielski *adj* founder's; initiator's; *handl.* **akcje** ~**e** promotor's shares
załup|ać *vi perf* ~**ie** to ache; to give shooting pains; to start aching <giving shooting pains>
załzawiony *adj* 1. (*przesłonięty łzami*) watery 2. (*zapłakany*) tearful
zamach *sm G.* ~**u** 1. (*targnięcie się*) attempt (**na kogoś, na czyjeś życie** on sb's life); assassination; **ofiara** ~**u samobójczego** (the) suicide; ~ **bombowy** bomb outrage; ~ **na wolność** attempt against liberty; ~ **samobójczy** attempted suicide; ~ **stanu** coup d'état 2. (*machnięcie*) spar, sparring motion; **za jednym** ~**em** at one stroke <go, blow>; at one sitting; at a heat
zamachać *vi perf* to start waving (**rękami** one's hands); (*o psie*) to wag <to start wagging> (**ogonem** its tail)
zamachnąć się *vr perf* to make a sweeping motion of the arm; to offer to strike <to spar> (**na kogoś** at sb); to make as if to strike (**na kogoś** sb); ~ **się na kogoś laską itd.** to wipe at sb with a stick etc.; ~ **się nogą** to swing one's leg back (for a kick); to make as if to kick (**na kogoś, coś** sb, sth)
zamachow|iec *sm G.* ~**ca** perpetrator (of an outrage, of an attempt on sb's life); assassin; terrorist
zamachow|y *adj* 1. (*wiążący się z zamachem*) (outrage etc.) attempting on sb's life 2. (*połączony z wyrzutem ręki, nogi*) sweeping ‖ *techn.* **koło** ~**e** fly-wheel
zamaczać *zob.* **zamoczyć**
zamadlać się *zob.* **zamodlić się**
zamagazynować *vt perf* 1. (*przechować*) to store; to stow away 2. (*gromadzić*) to lay in (provisions etc.)
zamajacz|eć *vi perf* ~**y** = **zamajaczyć** 1.
zamajaczyć *vi perf* 1. (*ukazać się*) to loom 2. (*odezwać się majacząc*) to rave <to start raving>
zamakać *zob.* **zamoknąć**
zamalować *vt perf* — **zamalowywać** *vt imperf* 1. (*pokryć farbą*) to paint (**powierzchnię na niebiesko itd.** a surface blue etc.) 2. (*pokryć malowidłami*) to cover (a surface) with (one's) paintings 3. *wulg.* to land (sb) one <a blow>
zamamro|tać *vi perf* ~**cze** <~**ce**> to mumble; to start mumbling
zamanewrować *vi perf* to manoeuvre
zamanifestować *v perf* [I] *vt* to manifest; to demonstrate [II] *vr* ~ **się** to be manifested <evinced>; (*o uczuciu itd.*) to manifest itself
zamarcie *sn* 1. ↑ **zamrzeć** 2. (*skonanie*) death 3. (*znieruchomienie*) lifelessness; immobility
zamarkować *vt perf* (*upozorować*) to simulate
zamarły *adj* 1. (*nieżywy*) dead; extinct 2. (*taki, jak u zmarłego*) lifeless
zamartwiać się *vr imperf* — **zamartwić się** *vr perf* to worry oneself to death; to eat one's heart out
zamartwica *sf med.* asphyxia
zamartwić się *vr perf* 1. *zob.* **zamartwiać się** 2. (*przyspieszyć sobie śmierć martwieniem się*) to die of worry
zamarudz|ić *vi perf* ~**ę** to dally; to loiter
zamarynowa|ć *vt perf* to pickle; ~**ny** in pickle
zamarzać [r-z] *zob.* **zamarznąć**
zamarzani|e [r-z] *sn* (↑ **zamarzać**) congelation; **punkt** ~**a** freezing point
zamarz|nąć [r-z] *vi perf* ~**ł** — **zamarz|ać** [r-z] *vi imperf* 1. (*przejść ze stanu ciekłego w stały*) to freeze; to congeal 2. (*pokryć się lodem*) to freeze over; (*o rzece, porcie*) **nie** ~**ający** open 3. (*przestać żyć wskutek działania mrozu*) to freeze to death
zamarzony *adj* dreamy; dreamy-minded
zamarz|yć *v perf* — **zamarz|ać** *v imperf* [I] *vi* to dream (**o czymś** of sth); **szczęście, o którym się nie** ~**yło** undreamt of happiness [II] *vr* ~**yć**, ~**ać się** 1. (*uroić się*) to enter <to come into> (**komuś** sb's) head; ~**yło mu się napisać powieść** he conceived the idea <started dreaming> of writing a novel 2. (*pogrążyć się w marzeniach*) to abandon oneself to one's dreams
zamaskow|ać *v perf* — **zamaskow|ywać** *v imperf* [I] *vt* 1. (*ukryć*) to conceal; to hide 2. (*zataić pod pozorem czegoś*) to mask; to disguise; to camouflage [II] *vr* ~**ać**, ~**ywać się** 1. (*ukryć się*) to hide (*vi*) 2. (*ukryć swoje prawdziwe intencje*) to put on <to wear> a mask; to dissemble
zamaskowanie *sn* 1. ↑ **zamaskować** 2. (*ukrycie*) concealment 3. (*zatajenie pod pozorem czegoś*) disguise; camouflage 4. ~ **się** dissembling
zamaskowan|y [I] *pp* ↑ **zamaskować** [II] *adj* masked; disguised; in disguise; covered; ~**e drzwi** <**okno**> blind door <window>
zamaskowywać *zob.* **zamaskować**
zamaszystość *sf singt* 1. (*rozmach*) dash; vigour; briskness 2. (*zawadiackość*) bluster; swagger

zamaszysty *adj* 1. (*mający rozmach*) dashing; sturdy; vigorous; brisk (pace); swinging <sweeping> (motions); sprawling (handwriting); heavy <powerful, resounding> (blow) 2. (*zawadiacki*) blustering; swaggering; hectoring

zamaszyście *adv* (*z rozmachem*) with dash; with a swing; vigorously; briskly; **pisał ~** he wrote in a bold hand

zamatować *vt perf* 1. *szach.* to checkmate (one's opponent) 2. (*uczynić coś matowym*) to mat (glass, gilding etc.)

zamawiacz *sm* sorcerer; wizard

zamawiacz|ka *sf pl G.* **~ek** sorceress

zam|awiać *v imperf* — **zam|ówić** *v perf* [I] *vt* 1. (*obstalować*) to order (goods, a meal etc.); to engage (sb); to book (seats at the theatre etc.); **~awiać, ~ówić rozmowę telefoniczną** to order <to put in> a call; **~ówić wizytę u lekarza** to make an appointment with a doctor 2. (*zaczarowywać*) to charm away (an illness) [II] *vr* **~awiać, ~ówić się** to announce one's visit <one's arrival>; to invite oneself (for a night's lodging etc.)

zamaz|ać *v perf* **zamaże** — **zamaz|ywać** *v imperf* [I] *vt* 1. (*posmarować*) to smear; to soil; **~ać, ~ywać obraz, rysunek, kontury** to blur a picture, drawing, outlines 2. (*zabazgrać*) to daub [II] *vr* **~ać, ~ywać się** 1. (*zabrudzić się*) to get soiled 2. (*stać się niewyraźnym*) to become blurred; to blur (*vi*)

zamazany [I] *pp* ↑ **zamazać** [II] *adj* 1. (*niewyraźny*) blurred; dim; fuzzy; indistinct 2. *pot.* (*zapłakany*) tearful; tear-stained

zamazywać *zob.* **zamazać**

zamąc|ić *v perf* **~ę, ~ony** — **zamąc|ać** *v imperf* [I] *vt* 1. (*spowodować zmętnienie*) to make (a liquid) turbid 2. (*wzburzyć*) to stir (a liquid); to ruffle (a sheet of water); *przen.* **on nikomu wody nie ~i** he is not one to stir up trouble 3. (*zakłócić*) to disturb; **~ić, ~ać komuś szczęście** to spoil <to mar> sb's happiness; **~ić, ~ać komuś w głowie** <**głowę**> to fuddle sb's brains [II] *vr* **~ić, ~ać się** 1. (*wzburzyć się*) to be <to get> stirred 2. (*zostać zakłóconym*) to be disturbed <spoiled>; **~iło mi się w głowie** my brain is <was, grew, became> fuddled

zamążpójści|e *sn* (woman's) marriage; **dorosła do ~a** marriageable; nubile

zamczysko *sn* stately <noble> castle <pile>

zamgli|ć † *vi perf* **~ło mnie** I felt sick

zamecz|ek *sm G.* **~ka** <**~ku**> *dim* ↑ **zamek** 1. (*budynek*) small castle; castellated manor; **~ek myśliwski** shooting lodge 2. (*urządzenie do zamykania*) snap (of a bracelet etc.); clasp (of a buckle, brooch etc.)

zam|ek *sm G.* **~ka** <**~ku**> 1. (*budowla*) castle; **budować ~ki na lodzie** to build castles in the air <cloud-castles>; to daydream 2. (*urządzenie do zamykania*) lock; *bud.* **~ek bębenkowy** cylinder lock; **~ek błyskawiczny** zip-fastener, zipper; sliding <lightning> fastener; **~ek wodny** water-diverting structure; surge tank; *przen.* **zamknąć komuś usta na siedem ~ków** to seal sb's lips 3. (*u strzelby*) lock 4. *bud.* (*wiązanie*) halving; **łączyć na ~ek** to halve 5. *zool.* (*u małża*) hinge ligament

zameldować *v perf* [I] *vt vi* 1. (*złożyć raport*) to report 2. (*zaanonsować*) to announce [II] *vt* (*zapisać do książki meldunkowej*) to register (**kogoś** sb's arrival <residence>) [III] *vr* **~ się** 1. (*zgłosić się*) to report (to a superior) 2. (*wpisać się do książki meldunkowej*) to register one's arrival <residence>

zameldowanie *sn* 1. ↑ **zameldować** 2. (*złożenie raportu*) report 3. (*zaanonsowanie*) announcement 4. (*zapisanie się do książki meldunkowej*) registration

zamelinować *v perf* [I] *vt* to conceal; to hide [II] *vr* **~ się** to conceal oneself; to hide (*vi*)

zamerdać *vi perf* to wag <to start wagging> (**ogonem** its tail)

zamerykanizować *v perf* [I] *vt* to Americanize [II] *vr* **~ się** to become Americanized

zamęcz|ać *v imperf* — **zamęcz|yć** *v perf* [I] *vt* 1. (*męczyć do kresu wytrzymałości*) to torture <to torment> (sb) 2. (*zanudzać*) to bore (sb) stiff 3. (*zadręczać*) to worry (sb) to death; to worry the life out of sb; **~ać, ~yć konia** to overdrive a horse 4. (*męcząc przyprawić o śmierć*) to torture (sb) to death; to martyrize; to crucify [II] *vr* **~ać, ~yć się** to drudge; to slave; to exhaust oneself

zamęście † *sn* = **zamążpójście**

zamęt *sm G.* **~u** 1. (*zamieszanie*) confusion; disarray; muddle; perturbation; helter-skelter; hurry-scurry; topsyturvydom; **wywołać w czymś ~** to throw sth into confusion; to perturb <to topsy-turvy> sth 2. (*kotłowanie się*) welter; **~ w głowie** muddle-headedness; bewilderment

zamętnica *sf bot.* (*Zannichellia*) horned pondweed

zamężn|y [I] *adj* married (state); **kobieta ~a** married woman [II] *sf* **~a** married woman; matron

zamgleni|e *sn* 1. ↑ **zamglić** 2. (*miejsce zamglone*) dimness; filminess; blur; *aut.* **urządzenie zapobiegające ~u szyb** demister 3. *meteor.* mist; haze

zamgli|ć *v perf* — **zamgli|wać** *v imperf* [I] *vt* to haze (the horizon etc.); to cover (the landscape etc.) in haze <mist, fog>; to blur; to blear; to dim [II] *vr* **~ć się** to become <to grow> hazy <misty, foggy, dimmed>; *imp* **~ło się** the sky <the day> grew hazy <misty, foggy>

zamglony [I] *pp* (↑ **zamglić**) hazy; misty; foggy [II] *adj* 1. (*niezbyt wyraźny*) dim; blurred; filmy; hazy 2. (*o dźwiękach*) veiled; muffled 3. (*o wzroku*) dim 4. (*nieco zatarty w pamięci*) hazy

zamian *sm w zwrocie*: **w ~** instead (**za coś** of sth); in exchange <in return> (**za coś** for sth); in place (**za kogoś** of sb); **w ~ za mnie** in my place; instead of me

zamian|a *sf* 1. (*wymiana*) exchange (of commodities, currencies etc.); conversion (*ekon.* of stock; *mat.* of co-ordinates etc.); replacement (of machine parts etc.); **zrobić ~ę** to exchange; to convert; **zrobić kiepską ~ę** to lose the substance for the shadow 2. (*przeobrażenie*) permutation; transformation; transmutation 3. *prawn.* commutation (of a sentence)

zamianować *vt perf* to nominate; to appoint (**kogoś sekretarzem, dyrektorem itd.** sb. secretary, manager etc.); to make <to create> (**kogoś parem itd.** sb earl etc.)

zamianowanie *sn* (↑ **zamianować**) nomination; appointment

zamia|r *sm G.* **~ru** 1. (*to, co ktoś zamierza*) intention; design; purpose; view; **mieć dobre ~ry** to be well-intentioned; to mean well; **mieć poważne ~ry** (*w stosunku do dziewczyny*) to have honourable intentions; **mieć ~r coś robić** to intend to do <doing> sth; to mean to do sth; **mieć ~ry względem kogoś** to have designs on sb; **mieć złe ~ry** to be ill-intentioned; to mean mischief; **nie mam najmniejszego ~ru tego robić** I have no intention whatever <not the slightest intention> of doing that; **on nie miał złych ~rów** he thought no harm; **robić coś w ~rze ...** to do sth with a view to ... <with the purpose, the thought of ...>; **to było zrobione w najlepszym ~rze** it was well meant; it was done with the best of intentions; **zrobić coś bez ~ru** to do sth unintentionally; **zrobić coś w dobrym** <*prawn.* **w złym**> **~rze** to do sth with good intent <*prawn.* with malice prepense> 2. (*projekt*) project; plan; **odstąpić od ~ru** to change one's mind; to alter one's plans; **~r spełzł na niczym** the plan failed <fizzled out>

zamiarować *vt, vi imperf gw* = **zamierzać**

zamiast [I] *praep* instead <in (the) place, in lieu> (**czegoś, kogoś** of sth, sb); by way (**czegoś** of sth); **pojedziemy statkiem ~ samolotem** instead of flying we shall take the boat; **używają pałeczek ~ widelców** they use chopsticks by way of forks; **~ tego** instead (of that) [III] *adv* instead of; **~ (żeby) wygrać, oni przegrali** instead of winning they lost

zamiatacz *sm* sweeper; **~ ulic** street-sweeper; scavenger

zamiatacz|ka *sf pl G.* **~ek** (*kobieta lub przyrząd*) sweeper

zami|atać *vt vi imperf* — **zami|eść** *vt vi perf* **~otę, ~ecie, ~eć, ~ótł, ~otła, ~etli, ~eciony** to sweep; **~atać ulice** to scavenge; **~otłem pokój** I gave the room a sweep

zamiatar|ka *sf pl G.* **~ek** (motor) sweeper

zamiaucz|eć *vi perf* **~y** to miaow; to miaul; to start miaowing <miauling>

zamiecenie *sn* ↑ **zamieść**

zamie|ć *sf pl N.* **~cie** snow-storm; blizzard

zamiejscow|y [I] *adj* coming from another place <town>; **telefon ~y, rozmowa ~a** trunk call; *am.* long-distance call; **jestem ~y** I don't belong here; I am not of these parts; I am a stranger here [III] *sm* **~y** outsider; stranger in these <those> parts

zamiejsk|i *adj* lying beyond the boundaries of the town; out-of-town (restaurant, tramp etc.); **wycieczka ~a** hike; excursion into the country

zamieni|ać *v imperf* — **zamieni|ć** *v perf* [I] *vt* 1. (*wymieniać*) to exchange <to truck, *pot.* to swap> (**jedno na drugie** one thing for another); to replace (machine parts etc.); to convert (*ekon.* stock; *mat.* equations etc.); **równocześnie słowa ~ono w czyn** no sooner said than done; **słowo ~ł w czyn** he suited the action to the word; **~ć parę słów z kimś** to have a word or two with sb; **~li ze sobą spojrzenia** <**pocałunki, ukłony**> they exchanged glances <kisses, greetings>; **~liśmy ze sobą parasole, kapelusze itd.** we interchanged umbrellas, hats etc.; *przysł.* **~ł stryjek siekierkę na kijek** I have <he has etc.> swapped bad for worse 2. (*przekształcać*) to turn (water into ice, air into a liquid etc.); to permute; to transform; to transmute; *sąd.* to commute [III] *vr* **~ać, ~ć się** 1. (*dokonywać wymiany*) to exchange (visiting cards, seats etc.) 2. (*przemieniać się*) to turn (into a different colour, into reality etc.); to be transformed <transmuted, permuted>; (*o parze, mgle itd.*) to resolve itself; **gąsienica ~a się w motyla** the caterpillar turns into a butterfly; **mgła wkrótce ~ła się w deszcz** the fog soon resolved itself into rain; **para ~a się w wodę** steam resolves itself into water; **sen ~a się w rzeczywistość** a dream turns into reality; *przen.* **~łem się w słuch** I was all ears; **~łem się w słup soli** I was dumbfounded

zamienialny *adj* convertible

zamienianie *sn* 1. ↑ **zamieniać** 2. (*wymienianie*) exchange; conversion 3. (*przemienianie*) transformation; transmutation; permutation; *sąd.* commutation

zamienić *zob.* **zamieniać**

zamienienie *sn* 1. ↑ **zamienić** 2. (*wymienienie*) exchange; conversion 3. (*przemienienie*) transformation; transmutation; permutation; *sąd.* commutation

zamiennia *sf* metonymy

zamiennie *adv* interchangeably

zamiennik *sm* substitutional <interchangeable> product

zamienność *sf singt* exchangeability; interchangeability; permutability; transformability; transmutability; commutability; fungibility

zamienn|y *adj* exchangeable; substitutional; interchangeable; permutable; transformable; commutable; fungible; *techn.* **części ~e** spare parts; replacements; **handel ~y** barter; truck

zam|ierać *vi imperf* — **zam|rzeć** *vi perf* **~rę, ~rze, ~arł** 1. (*o żywych organizmach, tkankach*) to decay; to waste away; to wither; to die; (*o dźwiękach*) to die away; to fade away; (*o sercu*) to sink; to die within one; **dech ~iera w piersiach** one holds one s breath; one gasps for breath; **uśmiech ~arł na ustach** the smile froze on her <his, everybody's> lips; **z ~ierającym sercem** with a sinking heart 2. (*nieruchomieć*) to come to a standstill; to stand motionless <stock-still>; to be petrified; **wszyscy ~arli w przerażeniu** all were frightened to death

zamieranie *sn* (↑ **zamierać**) decay; *med.* necrobiosis

zamierz|ać *v imperf* — **zamierz|yć** *v perf* [I] *vi* to intend <to propose, to purpose, to design> (**coś robić** to do sth <doing sth>); to mean <to plan> (to do sth); to think (**coś robić** of doing sth); to contemplate (**coś robić** doing sth) [III] *vt* to intend <to design, to plan, to contemplate> (sth) [III] *vr* **~ać, ~yć się** 1. (*wykonywać ruch zadania ciosu*) to lift one's hand to strike (**na kogoś** sb); to offer <to make as if> to strike (**na kogoś** sb); to spar (**na kogoś** at sb); **~ać, ~yć się nogą na psa itd.** to raise one's foot to kick a dog etc. 2. (*zamachiwać się*) to make a sweeping motion *zob.* **zamierzony**

zamierzchły *adj* immemorial; distant; remotest (antiquity)

zamierzenie *sn* 1. ↑ **zamierzyć** 2. (*to, co ktoś zamierza*) intention; design; purpose; view 3. (*projekt*) project; plan

zamierzon|y [I] *pp* ↑ **zamierzyć** [III] *adj* intentional; wilful (action); **to nie było ~e** it was unintended <undesigned, unmeant>

zamierzyć *zob.* **zamierzać**

zamie|sić *vt perf* **~szę, ~szony** to knead

zamieszać *vt perf* 1. (*połączyć*) to mix; to blend 2. (*zabełtać*) to stir 3. (*uwikłać*) to involve; to implicate (sb in an affair); to mix (sb) up (in an affair)

zamieszanie *sn* 1. ↑ **zamieszać** 2. (*rwetes*) confusion; commotion; disarray; hurry-scurry; stir; turmoil; welter; to-do; **wprowadzić <wywołać> ~ na zebraniu <w wojsku itd.>** to throw a meeting <an army etc.> into confusion 3. † (*zakłopotanie*) confusion; embarrassment; perplexity

zamie|szczać *vt imperf* — **zamie|ścić** *vt perf* **~szczę, ~szczony** 1. (*umieszczać*) to place (sth somewhere) 2. (*drukować*) to publish; to insert

zamieszczenie *sn* 1. ↑ **zamieścić** 2. (*wydrukowanie*) publication; insertion

zamiesz|ki *spl G.* **~ek** disturbances; rioting; turmoil; unrest

zamieszk|ać *v perf* — *rz.* **zamieszk|iwać** *v imperf* [I] *vt* to occupy <to inhabit> (a room, cave etc.) [II] *vi* 1. (*osiedlić się*) to settle (somewhere); to set up one's abode; to take up one's residence; to take up quarters; to take lodgings 2. (*zatrzymać się na noc, na krótko*) to put up (**w hotelu itd.** at a hotel etc.); *imperf* to live; to reside; to be in residence (somewhere) || **~ujący daną miejscowość** resident in a place *zob.* **zamieszkiwać**

zamieszkały *adj* 1. (*mieszkający*) living <residing, resident> (in a place) 2. = **zamieszkany**

zamieszkani|e *sn* 1. ↑ **zamieszkać** 2. (*miejsce pobytu*) residence; dwelling-place; domicile; home; **miejsce stałego ~a** permanent residence; **nadający się do ~a** habitable; fit to live in; **nie nadający się do ~a** uninhabitable; not fit to live in

zamieszkany *adj* inhabited; **jak gdyby przez kogoś ~** as if lived in

zamieszkiwać *vt vi imperf* 1. *zob.* **zamieszkać** 2. *lit.* (*mieszkać*) to occupy <to inhabit> (a room, flat, region etc.); to live (somewhere) 3. (*o zwierzętach*) to inhabit (a region)

zamieszkiwanie *sn* 1. ↑ **zamieszkiwać** 2. (*zajmowanie na mieszkanie*) inhabitancy; habitation

zamieścić *zob.* **zamieszczać**

zamieść *zob.* **zamiatać**

zamigota|ć *vi perf* to flash; to flicker; to gleam; to glitter; to sparkle; to glisten; to twinkle; to start gleaming <glittering, sparkling, glistening, twinkling>; **w jego oczach ~ł niepokój <~ła nadzieja>** there was a flicker of uneasiness <a gleam, glitter of hope> in his eyes; **w jego oczach ~ła wściekłość** he flashed a glance of fury; **w jej oczach ~ła radość** her eyes sparkled with joy

zamilcz|eć *v perf* **~y** — **zamilczać** *v imperf* [I] *vt* (*przemilczeć*) to keep (sth) secret; to pass (sth) over in silence; to leave (sth) unsaid [II] *vi* (*przestać mówić*) to subside <to lapse> into silence; to become silent; to say no more

zamilk|nąć *vi perf* **~ł <~nął>, ~ła** 1. (*przestać mówić*) to subside <to lapse> into silence; to become silent; to say no more; **~nij!** be silent <quiet>!; stop talking!; hold your tongue! 2. (*ucichnąć*) to be still <silent>; to be hushed

zamilknienie *sn* pause

zamilknięcie *sn* 1. ↑ **zamilknąć** 2. (*zaprzestanie mówienia*) silence; break; pause

zamiłowanie *sn* liking <relish, predilection, passion> (**do czegoś** for sth); fondness (**do czegoś** of sth); love (**do muzyki itd.** of music etc.); **praca wykonana z ~m** labour of love; **robić coś z ~m** to do sth with heart and soul; to put one's heart into sth

zamiłowany *adj* extremely fond (**do czegoś, w czymś** of sth); crazy (**do czegoś, w czymś** about sth); **~ zbieracz znaczków pocztowych <ogrodnik, hodowca psów itd.>** keen stamp-collector <gardener, dog fancier etc.>; **on jest ~ w muzyce <sportach, podróżach itd.>** he is a great lover of music <sport, travelling etc.>

zaminować *vt perf* to mine (a building, the sea, a harbour etc.)

zam|knąć *v perf* — **zam|ykać** *v imperf* [I] *vt* 1. (*zawrzeć*) to close; to shut; **oka nie ~knąłem** I didn't get a wink of sleep; **~knąć komuś oczy** to close a dead person's eyes; **~knąć komuś usta** to silence sb; to shut sb's mouth; **~knąć oczy <powieki> na zawsze** to close one's eyes in death; **~ykać oczy na czyjeś błędy** to blink at sb's faults; **~ykać oczy na fakty** to blink the facts; **~ykać oczy na nadużycie** to wink at an abuse; **~knij buzię!** shut up! 2. (*zagrodzić*) to surround; to encircle; to fence in; to close (a road etc.); to put <to confine> (an animal in a cage etc.); **~knąć komuś odwrót** to cut off sb's retreat; **~knąć, ~ykać drogę** to bar <to block, to obstruct> the way; **~ykać komuś drogę do czegoś** to exclude sb from sth; **~ykać coś w sobie** to comprise sth 3. (*schować*) *perf* to put (sth) under lock and key; *imperf* to keep sth locked up; **~knąć kogoś** (*w areszcie itp.*) to lock sb up; (*o człowieku*) **~knąć, ~ykać coś w sobie** to keep sth to oneself 4. (*przekręcić kluczem sprężynę zamka*) to lock (a door, box etc.); **~knąć bransoletkę, broszkę itd.** to clasp a bracelet, brooch etc.; **~knąć parę** <*aut.* **gaz**> to shut off the steam <the engine, motor>; **~knąć, ~ykać wodę, gaz** to turn off the water, the gas 5. (*zwinąć*) to furl (an umbrella etc.) 6. (*zlikwidować*) to close down (a factory etc.); **~knąć sklep** to put up the shutters 7. (*zakończyć*) to close (a meeting etc.); to wind up (a debate etc.); to put an end (**coś** to sth); **~knąć posiedzenie** to adjourn [II] *vr* **~knąć, ~ykać się** 1. (*zostać zamkniętym*) to close <to shut> (*vi*); to be closed <shut>; **drzwi się u niego nie ~ykają od gości** there is an endless procession of visitors coming and going out of his house; **drzwi się za nim ~knęły** the door closed behind him; **usta mu się nie ~ykają** he could talk a donkey's head off 2. (*odosobnić się*) to lock oneself in; **~knąć się w ciasnym pomieszczeniu** to poke oneself up; **~knąć się w sobie** a) (*o pojedynczej osobie*) to withdraw <to retire, to shrink> into oneself b) (*o grupie ludzi*) to form an exclusive circle 3. *przen.* (*zostać zawartym*) to be comprised (in sth) 4. (*ograniczyć się*) to be confined (**w czymś** to sth) 5. (*zostać zwiniętym*) to close (*vi*); to furl (*vi*) 6. (*zostać zlikwidowanym*) to be closed down 7. (*zakończyć się*) to come to an end <to a close> *zob.* **zamknięty, zamykać**

zamknięci|e *sn* 1. ↑ **zamknąć** 2. (*to, czym się zamyka*) shutter; closer; closing apparatus <device>; lock; latch; clasp; hasp; snap; catch; fastener;

bud. bolt; *techn.* **~e wodne** water seal; trap; † **pod ~em** under lock and key 3. (*schowek*) recess 4. (*pomieszczenie zamknięte, pobyt w zamkniętym pomieszczeniu*) seclusion; **trzymać kogoś w ~u** to restrain sb; to coop sb up 5. (*zakończenie*) closure (of a session etc.); close (of a meeting, speech etc.); wind-up (of a play etc.)

zamknięt|y [I] *pp* ↑ **zamknąć** [II] *adj* 1. (*nie mający wyjścia*) closed; shut; locked; fast; *mat.* closed (curve etc.); (*o parze, gazie, wodzie, prądzie*) off; *geogr.* **morze ~e** inland sea; **~a kareta** closed conveyance; **~y klub** exclusive club; **przy drzwiach ~ych** behind closed doors; in camera; in closed session; **w ~ym gronie** in strict privacy; *dosł. i przen.* **z ~ymi oczami** blindfold(ed); *teatr w napisach*: „~y" "no performance" 2. (*o człowieku — skryty*) reserved

zamkowy *adj* castle — (gates, walls etc.)

zamlaskać *vi perf* 1. (*mlasnąć parę razy*) to make <to start making> smacking noises 2. (*o wodzie — zachlupotać*) to plash; to lap; to start plashing <lapping>

za młodu *zob.* **młody**

zamocow|ać *vt perf* — **zamocow|ywać** *vt imperf* to fasten; to fix; *mar.* to seize; **~any na stałe** undetachable

zam|oczyć *v perf* — **zam|aczać** *v imperf* [I] *vt* 1. (*zanurzyć w płynie*) to soak; to steep; to submerge; to dip; **~oczyć, ~aczać pióro w atramencie** to dip one's pen in ink; **~oczyć, ~aczać sobie ubranie** to get one's clothes wet 2. (*uczynić wilgotnym*) to moisten; to wet 3. (*o płynie*) to wet; to drench [II] *vr* **~oczyć, ~aczać się** to get wet

zamodlić się *vr perf* — **zamadlać się** *vr imperf* to abandon oneself to one's devotions

zamodlony *adj* lost in prayer

zam|oknąć *vi perf* **~ókł** — **zam|akać** *vi imperf* 1. (*nasiąknąć wilgocią*) to soak (*vi*); to become <to get> soaked through 2. (*zwilgotnieć*) to get <to grow, to become> damp; to dampen

zamokrzyca *sf bot.* (*Leersia*) a grass of the genus Leersia

zamontować *vt perf* — **zamontowywać** *vt imperf* to set up; to fit up; to install

zamordować *v perf* [I] *vt* to murder; to assassinate [II] *vr* **~ się** to wear oneself out (**pracą** with hard work)

zamordowanie *sn* (↑ **zamordować**) murder; assassination

zamordyzm *sm singt G.* **~u** *pot. żart.* (policy of) muzzling

zamorski *adj* oversea (trade, lands etc.); (visitors etc.) from overseas; from beyond the sea(s); **do krajów <w krajach> ~ch** overseas

zamortyz|ować *v perf* [I] *vt* 1. (*umorzyć*) to amortize; to offset (a cost) 2. *techn.* to absorb <to cushion, to deaden> (shocks) [II] *vr* **~ować się** (*o długu*) to become amortized; (*o kosztach*) to be offset; **maszyna wkrótce się ~uje** the machine will soon have paid for itself

zamorusa|ć *v perf* [I] *vt* to smear; to soil; to grime; **~ny** grimy; soiled all over [II] *vr* **~ć się** to smear <to soil, to grime> one's face <clothes>

zamorzenie *sn* (↑ **zamorzyć**) starvation; emaciation

zam|orzyć *v perf* **~órz** — **zam|arzać** *v imperf* [I] *vt* (*także* **~orzyć, ~arzać głodem**) to starve; to emaciate [II] *vr* **~orzyć, ~arzać się** to starve oneself; to become emaciated

zamot|ać *v perf* — **zamot|ywać** *v imperf* [I] *vt* 1. (*owinąć*) to wrap up; to muffle up 2. (*poplątać*) to tangle [II] *vr* **~ać, ~ywać się** 1. (*owinąć się*) to wrap <to muffle> oneself up 2. (*zawikłać się*) to get entangled

zamotyczyć *vt perf* to hoe up

zamotywać *zob.* **zamotać**

zamożnie *adv* richly; **wyglądać ~** to look <to seem to be> rich <wealthy>

zamożność *sf singt* wealth; affluence; riches

zamożn|y *adj* rich; wealthy; affluent; well-off; well-to-do; **człowiek ~y** man of means <of substance, of wealth>; **sfery ~e** the rich

zamówić *zob.* **zamawiać**

zamówienie *sn* 1. ↑ **zamówić** 2. *handl.* (*polecenie dostarczenia towaru*) order; (*polecenie wykonania dzieła sztuki*) commission; **dać firmie ~ na towar** to place an order for goods with a firm; **to przyszło jak na ~** it came pat; **ubranie <buciki> zrobione na ~** bespoke <*am.* custom-made> suit <shoes>; suit <shoes> made to order <to measure>

zamputować *vt perf* to amputate

zamraczać *zob.* **zamroczyć**

zamr|ażać *vt imperf* — **zamr|ozić** *vt perf* **~ożę, ~óź, ~ożony** 1. (*ochładzać*) to freeze; to chill; to refrigerate; to congeal; to ice (champagne etc.); to put in cold storage 2. *przen.* (*unieruchomić*) to lock up <to tie up> (capital); **~ozić krew w żyłach** to make sb's blood run cold; **~ożony kapitał** unavailable capital

zamrażalnia *sf* refrigerating plant

zamrażalnictwo *sn techn.* refrigerating engineering

zamrażalniczy *adj* refrigerating (substance etc.)

zamrażanie *sn* (↑ **zamrażać**) refrigeration; cold storage

zamrażar|ka *sf pl G.* **~ek** refrigerator

zamroczenie *sn* 1. ↑ **zamroczyć** 2. (*utrata świadomości*) obfuscation; stupor; daze; mental blackout 3. (*odurzenie alkoholem*) fuddle; intoxication

zamr|oczyć *v perf* — **zamr|aczać** *v imperf* [I] *vt* 1. (*zaciemnić*) to darken; to dim 2. *przen.* (*zasępić*) to cloud (sb's brow, sb's mind) 3. (*odurzyć*) to fuddle; to muddle; to bewilder; to besot; to obfuscate; **~oczyło go** he got fuddled <muddled> [II] *vr* **~oczyć, ~aczać się** *dosł. i przen.* to darken (*vi*)

zamrowić się *vr perf* to swarm; to teem; to start swarming <teeming>

zamrozić *zob.* **zamrażać**

zamrożenie *sn* (↑ **zamrozić**) 1. (*ochłodzenie*) refrigeration; congealment; cold storage 2. *przen. ekon.* (*unieruchomienie*) lock-up (of capital)

zamr|óz *sm G.* **~ozu** 1. (*szron*) hoar-frost; rime; (*na szybach*) frost pattern 2. *geol.* geological action of frost; frost-weathering

zamrucz|eć *vi perf* **~y** 1. (*o człowieku*) to mutter 2. (*o kocie*) to purr; to start purring; (*o niedźwiedziu*) to growl; to start growling

zamrugać *vi perf* 1. (*poruszyć powiekami*) to blink; to wink (**na kogoś** at sb); (*o powiekach*) to start blinking; to begin to blink 2. (*o lampach*) to flicker; to start flickering; (*o gwiazdach*) to twinkle; to start twinkling

zamrzeć *zob.* **zamierać**

zamsz *sm G.* **~u** 1. (*skóra*) chamois-leather; shammy-leather; suède (shoes etc.) 2. (*tkanina*) suède cloth

zamszownictwo *sn singt* chamois-leather dressing

zamul|ać *v imperf* — **zamul|ić** *v perf* [I] *vt* to silt (up); to slime (a harbour etc.); *górn.* **~ać wyrobisko** to silt up the void [II] *vr* **~ać, ~ić się** to silt (up) (*vi*)

zamulenie *sn* ↑ **zamulić**; *med.* **~ żołądka** saburra

zamurow|ać *vt perf* — **zamurow|ywać** *vt imperf* to wall up <to block up, to brick up> (a door etc.); **~ać kogoś** to immure sb; **~ane okno** blind window

zamustrować *vt perf mar.* to ship hands; to sign on

zamydl|ać † *vt imperf* — **zamydl|ić** † *vt perf* to soap (linen etc.); *obecnie w zwrocie:* **~ać, ~ić komuś oczy** to throw dust in sb's eyes; to pull the wool over sb's eyes

zamyka|ć *v imperf* [I] *vt* 1. *zob.* **zamknąć** 2. (*stanowić przegrodę*) to close (the view etc.); to enclose; to lock in 3. (*stanowić zakończenie*) to bring (sth) to an end; **~ć pochód** to bring up the rear [II] *vr* **~ć się** 1. *zob.* **zamknąć** *vr* 2. (*móc być zamykanym*) to shut; **drzwi się nie ~ją** the door doesn't <won't> shut

zamykar|ka *sf pl G.* **~ek** *techn.* **~ka puszek konserwowych** seamer; seaming machine

zamysł *sm G.* **~u** 1. (*zamiar*) intention; purpose; design 2. (*plan*) plan; project

zamyśl|ać *v imperf* — **zamyśl|ić** *v perf* [I] *vt* to intend <to plan, to contemplate> (sth, doing sth); **coś ~ać** to think of doing sth; **on nic dobrego nie ~a** he is up to no good; he is brewing mischief [II] *vr* **~ać, ~ić się** *perf* to fall to thinking; to become thoughtful; *imperf* to ponder; to muse; to meditate; to be lost in thought; *pot.* **nad czym się tak ~iłeś?** a penny for your thoughts *zob.* **zamyślony**

zamyślenie *sn* 1. ↑ **zamyślić** 2. (*zaduma*) musings; meditation; pondering; cogitations; thoughtfulness; reverie; pensiveness; brown study

zamyślić *zob.* **zamyślać**

zamyślony [I] *pp* ↑ **zamyślić** [II] *adj* thoughtful; pensive; meditative; contemplative; cogitative; lost in thought

zanadrz|e *sn pl G.* **~y** *w zwrotach:* **w ~u** a) (*o kobiecie*) in her bosom b) (*o mężczyźnie*) under his jacket; in his breast pocket; **z ~a** a) (*o kobiecie*) out of her bosom b) (*o mężczyźnie*) from under his jacket; *przen.* **mieć coś w ~u** to have sth up one's sleeve <a shot in the locker, sth in store>

zanadto *adv* too; overmuch; to excess; beyond measure; **aż ~** more than enough; enough and to spare; **co ~ to niezdrowo** too much is as bad as none at all; enough is as good as a feast

zanalizować *vt perf* to analyse

zanalizowanie *sn* (↑ **zanalizować**) analysis

zanarchizować *vt perf* to anarchize; to reduce (a State etc.) to anarchy

zandr *sm G.* **~u** *geol.* outwash

zanegować *vt perf* to deny

zanegowanie *sn* (↑ **zanegować**) denial

zanglizować *vt perf* to Anglicize

zaniechać *vt perf* — **zaniechiwać** *vt imperf* to give (**czegoś** sth) up; to relinquish <to renounce, to forsake> (**czegoś** sth); to desist <to forbear> (**czegoś** from sth); to waive <to drop> (**czegoś** sth)

zaniechanie *sn* (↑ **zaniechać**) relinquishment; renunciation; desistance; forbearance

zanieczyszczać *zob.* **zanieczyścić**

zanieczyszczenie *sn* 1. ↑ **zanieczyścić** 2. (*brud*) dirt; litter; refuse; rubbish; *techn.* dross 3. (*wprowadzenie niewłaściwych składników*) pollution; contamination; defilement; vitiation

zanieczy|ścić *v perf* **~szczę, ~szczony** — **zanieczy|szczać** *v imperf* [I] *vt* 1. (*zawalać*) to dirty; to soil; to grime 2. (*zaśmiecać*) to litter 3. (*wprowadzić niewłaściwe składniki*) to pollute; to contaminate; to defile; to foul; to vitiate; **~ścić pilnik <tłok>** to gum up a file <a piston> [II] *vr* **~ścić, ~szczać się** to get dirty; to gather dirt; *techn.* to get drossy; to gum up (*vi*)

zaniedb|ać *v perf* — **zaniedb|ywać** *v imperf* [I] *vt* 1. (*nie zrobić czegoś*) to neglect (**coś, czegoś, zrobienia czegoś** sth, to do sth); to be negligent (**coś, czegoś** of sth); to omit <to fail> (**zrobienia czegoś** to do sth); **nie ~ywać nauki <korespondencji, sportu itd.>** to keep up one's studies, one's study of a subject <one's correspondence, sport etc.>; **nie ~ywać sprawy** to prosecute <to push> a business; **~ać obowiązek** to fail in one's duty; **~ywać swe obowiązki** to be remiss in fulfilling one's duties 2. (*zostawić kogoś samemu sobie*) to be forgetful <negligent> of sb; to leave sb to his own devices [II] *vr* **~ać, ~ywać się** *perf* to slack off; to become <to grow> remiss; *imperf* to be remiss <negligent, neglectful of one's duties>; **on się ~uje w nauce** he has slacked in his schoolwork; **~ywać się w obowiązkach** to be negligent of one's duties *zob.* **zaniedbany**

zaniedbanie[1] *sn* 1. ↑ **zaniedbać** 2. (*opuszczenie się*) neglect; negligence; carelessness; failure (to do sth); **~ obowiązków** remissness; **~ się w obowiązkach** remissness; slackness; **~ się w zewnętrznym wyglądzie** sloppiness; untidiness

zaniedbanie[2] *adv* negligently; carelessly

zaniedbany [I] *pp* (↑ **zaniedbać**) neglected; uncared-for; unattended-to [II] *adj* (*o człowieku, stroju, wyglądzie*) untidy; unkempt; sloppy; dishevelled; down at heel

zaniedbywać *zob.* **zaniedbać**

zaniemeński *adj* lying beyond the river Niemen

zaniemożenie *sn* (↑ **zaniemóc**) illness

zaniem|óc *vi perf* **~ogę, ~oże, ~ógł, ~ogła** — **zaniemagać** *vi imperf* to fall ill

zaniemówić *vi perf* to be struck dumb; to be speechless

zaniepoko|ić *v perf* **~ję, ~i, ~jony** [I] *vt* to alarm (sb); to upset; to make (sb) uneasy; to disturb; to perturb; to disquiet [II] *vr* **~ić się** to take alarm; to grow uneasy; to be upset <disturbed, perturbed, disquieted>; to be concerned <uneasy> (**czymś, o kogoś,** about sth, sb) *zob.* **zaniepokojony**

zaniepokojenie *sn* 1. ↑ **zaniepokoić** 2. (*niepokój*) alarm; uneasiness; disquiet; concern

zaniepokojony [I] *pp* ↑ **zaniepokoić** [II] *adj* uneasy; upset; disturbed; perturbed; **bynajmniej nie ~** undisturbed; unperturbed

zan|ieść *v perf* **~iosę, ~iesie, ~ieś, ~iósł, ~iosła, ~ieśli, ~iesiony** — **zan|osić** *v imperf* **~oszę, ~oszony** [I] *vt* 1. (*dostarczyć*) to carry <to take>

(coś, kogoś, dokądś sth, sb, to a place); ~ieść, ~osić coś z powrotem to carry <to take> sth back (tam, gdzie było to where it was) 2. (*unieść*) to convey <to carry, to bear, to bring> (sb, sth to a place); *przen.* ~iosło go licho do ... he has gone <he could not refrain from going> to ... 3. (*wnieść prośbę itd.*) to address (prośbę do kogoś a request to sb); to offer (modły do Boga prayers to God) 4. (*zawiać*) to cover <to drift> (okolicę śniegiem, mgłą itd. a region with snow, mist etc.); ~ieść podłogę błotem itd. to dirty the floor with mud etc. [II] *vi* to be wafted; to come; ~iosło zapachem ... a fragrance <smell> of ... was wafted through the air; there came a fragrance <smell> of ... [III] *vr* ~ieść, ~osić się 1. (*zachłysnąć się*) to choke (od kaszlu, śmiechu itd. with coughing, laughter etc.); ~osić się od łkania to choke with sobs; to sob one's heart out 2. (*zapowiadać się*) to look (na deszcz, piękny czas itd. like rain, a fine day etc.); (*o wydarzeniach pomyślnych*) to bid fair; (*o wydarzeniach niepomyślnych*) to be imminent; to be afoot; na to się nie ~osi that is not likely; there is little likelihood of that; ~osi się na coś niedobrego there is mischief afoot; ~osi się na katastrofę a catastrophe is imminent; it looks like a catastrophe; ~osi się na to, że wygramy we bid fair to win

zaniewidzi|eć *vi perf* ~ to go blind; to be struck blind; to lose one's eyesight

zanik *sm G.* ~u decay; decline; deterioration; atrophy; wane; disappearance; vanishing; *med.* obliteration; linia <punkt> ~u vanishing line <point>; *radio* ~ fal fading; *med.* ~ pamięci loss of memory; amnesia; w ~u on the decline

zanik|ać *vi imperf* — **zanik|nąć** *vi perf* ~nął <~ł> 1. (*zginąć z oczu*) to vanish; to fade away; to evanesce; to disappear 2. (*przestawać istnieć*) to decay; to decline; to deteriorate; to die out <away>; to sink; to dwindle; to wither; to atrophy; *imperf* to be on the decline <on the ebb, on the wane>; (*o zwyczaju itd.*) ~ający obsolescent

zanikanie *sn* (↑ zanikać) disappearance; evanescence; decay; decline; deterioration

zanikowy *adj* atrophic

zanim *conj* before; by the time; prior to; ~ odjadą <cokolwiek zapłacę itd.> prior to their departure <to any payment on my part etc.>; ~ on przyjdzie <to się stanie itd.> before <by the time> he comes <this happens etc.>

zanitować *vt perf* to rivet

zaniżać *vt imperf* — **zaniżyć** *vt perf* to lower

zanocować *vi perf* to spend the night; to stay overnight; to put up (w hotelu at a hotel; u znajomych with some friends)

zanokcica *sf* 1. *bot.* (*Asplenium*) spleenwort 2. *med.* whitlow; felon

zanosić *zob.* zanieść

zanoszenie *sn* ↑ zanosić

zanotować *vt perf* 1. (*zrobić notatkę*) to note; to write <to take> (sth) down; to make a note <notes> (coś of sth); to put (sth) down in writing; ~ coś w pamięci to make a mental note of sth 2. (*zarejestrować*) to record; to mention

zanuc|ić *vt, vi perf* ~ę, ~ony 1. (*zaśpiewać półgłosem*) to hum; to start humming 2. (*o ludziach, ptakach — zaśpiewać*) to sing; to start singing

zanudz|ać *v imperf* — **zanudz|ić** *v perf* ~ę, ~ony [I] *vt* to bore; to bother; to importune [III] *vr* ~ać, ~ić się to be bored stiff

zanudzenie *sn* 1. ↑ zanudzić 2. ~ się boredom

zanudzić *zob.* zanudzać

zanulować *vt perf* to annul; to repeal (a law etc.); to cancel (an order, a contract etc.)

zanurz|ać *v imperf* — **zanurz|yć** *v perf* [I] *vt* to dip <to sink, to submerge, to immerse> (sth in a liquid etc.); to plunge <to thrust> (one's hands in one's pockets etc.); to bury (one's head in a book etc.) [III] *vr* ~ać, ~yć się to plunge; to dive; to penetrate; to sink; (*o łodzi podwodnej*) to submerge (*vi*)

zanurzalny *adj* submersible

zanurzeni|e *sn* 1. ↑ zanurzyć 2. (*pogrążenie*) dip; submersion; plunge; dive 3. *mar.* draught; linia ~a water-line 4. ~e się dip; dive; plunge; penetration

zanurzyć *zob.* zanurzać

zaoblenie *sn techn.* curvature

zaobrączkować *vt perf* to ring (a bird); to ring-bark (a tree)

zaobrębiać *vt imperf* — **zaobrębić** *vt perf* to hem

zaobrokować *vt perf* to provide (a horse) with provender

zaobserwować *vt perf* to observe; to perceive; to notice

zaoceaniczny *adj* transoceanic

zaoczkować *vt perf roln. ogr.* to bud (a tree, rose etc.)

zaoczniak *sm pot.* external student

zaocznie *adv* (sentenced) in absence; (judgement) by default

zaoczny *adj* 1. *sąd.* (judgement) by default 2. *uniw.* extra-mural <correspondence> (tuition <course(s)>)

zaodwłok *sm G.* ~u *zool.* post-abdomen

zaodziewa *sf sl.* togs

zaofiarow|ać *v perf* — **zaofiarow|ywać** *v imperf* [I] *vt* to offer; to make an offer (coś of sth) [III] *vr* ~ać, ~ywać się to offer (coś zrobić, że się coś zrobi to do sth); to volunteer (z czymś sth; z robieniem czegoś to do sth)

zaogni|ć *v perf* — **zaogni|ać** *v imperf* [I] *vt* 1. (*rozgrzać*) to inflame (the blood etc.) 2. (*wywołać stan zapalny*) to irritate <to inflame> (a wound etc.) 3. (*roznamiętnić*) to inflame <to excite, to kindle> (passions etc.) 4. (*wywołać zaostrzenie stosunków*) to envenom; to embitter [III] *vr* ~ć, ~ać się 1. (*zaczerwienić się*) to flush 2. (*o ranie itd. — rozjątrzyć się*) to kindle (*vi*); to become inflamed; to fester; to rankle 3. (*o stosunkach — zaostrzyć się*) to grow envenomed <embittered>

zaognienie *sn* 1. ↑ zaognić 2. (*stan zapalny*) inflammation; irritation 3. (*stan wzburzenia*) embitterment; bitterness

zaokrąglać *zob.* zaokrąglić

zaokrąglenie *sn* 1. ↑ zaokrąglić 2. (*zaokrąglony kształt*) curve; curvature; round-off

zaokrągl|ić *v perf* — **zaokrągl|ać** *v imperf* [I] *vt* 1. (*robić coś okrągłym*) to round (one's mouth, a vowel etc.); to round off (a corner, one's sentences etc.); ~one frazesy well-rounded periods; ~one policzki rounded cheeks 2. (*wyrównać*) to make (a sum) even [III] *vr* ~ić, ~ać się 1. (*nabrać okrą-

głości) to round out 2. (*o granicach itd. — zostać wyrównanym*) to become rounded off

zaokrętować *v perf* [I] *vt* 1. (*wpisać na listę załogi*) to enlist (a sailor) 2. (*umieścić na statku jako pasażera*) to embark (a passenger) [III] *vr* **~ się** 1. (*zamustrować się*) to enlist (*vi*) 2. (*wejść na statek jako pasażer*) to embark (*vi*); to go on board; to take ship

zaokrętowanie *sn* 1. ↑ **zaokrętować** 2. (*wpisanie się marynarza na listę załogi*) enlistment 3. (*umieszczenie na statku, wejście na statek w charakterze pasażera*) embarkation

zaokulizować *vt perf ogr.* to bud (a tree, a rose etc.)

zaoliwić *vt perf* 1. (*napuścić za dużo oliwy*) to oil (a machine etc.) in excess 2. (*zanieczyścić*) to grease; to smear (sth) with grease

zaondulować *vt perf* to undulate; to wave (the hair)

zaondulowany [I] *pp* ↑ **zaondulować** [III] *adj* 1. (*o włosach*) waved 2. (*o kobiecie*) with her hair waved

zaopat|rywać *v imperf* — **zaopat|rzyć** *v perf* [I] *vt* 1. (*dostarczać*) to provide <to supply, to equip, to furnish> (**kogoś w coś** sb with sth); **~rywać kogoś w żywność** to cater for sb; **~rywać ludność w wodę, gaz, prąd** to supply water, gas, electricity for the population; **~rywać wojsko, statki w żywność** to provision the army, ships; **~rzyć kogoś w lekturę, odzież itd.** to set sb up with reading matter, clothing etc. 2. (*wyposażać*) to fit (sth) out (**w coś** with sth); to equip <to furnish> (**coś w potrzebne urządzenia itd.** sth with the necessary installations etc.); to stock (**dom w prowiant, sklep w towar itd.** a house with provisions, a shop with goods etc.); **dobrze ~rzony** well provided for; **~rzyć dokument w pieczęć <podpis, stempel>** to affix a seal <one's signature, a stamp> to a document; **~rzyć książkę w przedmowę** to preface a book; **~rzyć tekst w przypisy** to annotate a text [III] *vr* **~rywać, ~rzyć się** to provide <to equip> oneself (**w coś** with sth); **~rywać, ~rzyć się w żywność <w węgiel na zimę itd.>** to lay in provisions <a stock, supply of coal for the winter etc.>

zaopatrzeni|e *sn* 1. ↑ **zaopatrzyć** 2. (*to, w co kogoś zaopatrzono*) supply; equipment; provision; *wojsk.* munitions; **dział ~a** commissariat 3. (*środki utrzymania*) means of subsistence; **bez ~a** unprovided for; with no means of subsistence

zaopatrzeniow|iec *sm G.* **~ca** provider

zaopatrzeniowy *adj* supply — (centre, manager etc.); **okręt ~** store-ship

zaopatrzyć *zob.* **zaopatrywać**

zaopiekować się *vr perf* to take care (**kimś, czymś** of sb, sth); to look after (sb, sth); to tend (**kimś, czymś** sb, sth); to nurse (**chorym** a patient); (*o administracji itd.*) **~ się kimś, czymś** to take sb, sth under its protection

zaopiniować *vi perf* to pronounce an opinion (**o kimś, czymś** of sb, sth); to assess (**o kimś, czymś** sb, sth)

zaoponować *vi perf* 1. (*wypowiedzieć się przeciw*) to disapprove (**przeciwko czemuś** of sth) 2. (*zaprotestować*) to object (**przeciwko czemuś** to sth); to protest (against sth) 3. (*zaprzeczyć*) to deny (**przeciwko czemuś** sth)

zaor|ać *v perf* **zaorze, zaórz** — **zaor|ywać** *v imperf* [I] *vt* 1. (*orząc uprawić*) to plough (a field etc.); **~ać, ~ywać nawóz** to plough in manure; **~ać, ~ywać rośliny** to plough down plants; **~ać, ~ywać trawę itd.** to plough back grass etc. 2. (*zniwelować*) to plough up (a border strip etc.); **~ać komuś grunt** to filch an acre from a neighbour's ground [II] *vi pot.* (*zaryć*) **~ać, ~ywać nosem** to come a cropper [III] *vr* **~ać, ~ywać się** 1. (*zaryć się*) to sink (**w coś** into sth) 2. *pot.* (*zapracować się*) to wear oneself out; **~any** harassed; jaded; worn out with hard work

zaordynować *vt perf* to prescribe (**lekarstwo pacjentowi** a medicine for a patient)

zaor|ka *sf pl G.* **~ek** ploughing

zaorywać *zob.* **zaorać**

zaostrzać *zob.* **zaostrzyć**

zaostrzenie *sn* ↑ **zaostrzyć**

zaostrz|yć *v perf* — **zaostrz|ać** *v imperf* [I] *vt* 1. (*uczynić zakończenie czegoś ostrym*) to sharpen (sth) to a point 2. (*nadać ostre kontury*) to sharpen (the outlines of a figure etc.) 3. (*wzmóc*) to sharpen (a pain, sb's perception etc.); to whet <to stimulate> (the appetite etc.); to heighten <to intensify> (a feeling etc.); to aggravate (an evil) 4. (*obostrzyć*) to sharpen (regulations etc.); to tighten (restrictions, a blockade etc.) [III] *vr* **~yć, ~ać się** 1. (*nabrać ostrości*) to sharpen (*vi*); to grow <to become> sharper 2. (*wzmóc się*) to sharpen (*vi*); to be <to become> whetted <stimulated, aggravated, heightened, intensified> 3. (*przybrać gwałtowną formę*) to be <to grow, to become> more stringent <rigorous>

zaoszczędz|ić *vt perf* **~ę, ~ony** — **zaoszczędz|ać** *vt imperf* 1. (*odłożyć*) to save (money); to put (money) by; **~ić, ~ać na czymś** to economize on sth 2. (*okazać względy*) to spare (**komuś czegoś** sb sth — trouble, unpleasantness etc.); **~ić, ~ać sobie kłopotu, wydatku itd.** to save oneself bother, an expense etc.

zaotrzewnowy *adj anat.* retroperitoneal

zaowocować *vi imperf* to bear fruits; to yield a crop

zapacać *zob.* **zapocić**

zapach *sm G.* **~u** 1. (*woń przyjemna lub przykra*) smell; odour; (*przyjemna*) fragrance; aroma; scent; perfume; (*przykra*) reek; stench; **mieć silny ~ czosnku, tytoniu itd.** to be redolent of garlic, tobacco etc.; **napełniać powietrze <pokój> przyjemnym ~em** to scent <to perfume> the air <a room>; **rozsiewać przyjemny ~** to be fragrant; **rozsiewać przykry ~** to reek 2. *kulin. pot.* (*olejek*) flavour

zapachni|eć *vi perf* **~e, ~ał** to scent the air; to emit a sweet smell <a fragrance>; **~ało różami** there came a <the> fragrance of roses; *przen. pot.* **~ała mu wojenka** the fancy took him to go soldiering; **~ały mi kobietki i wino** I felt a yearning for women and wine

zapachowy *adj* aromatic (substances etc.)

zapaćkać *vt perf* 1. (*zawalać*) to smear; to beslubber; to splotch 2. (*brzydko namalować obraz*) to daub

zapad *sm G.* **~u** 1. (*upadek*) fall; drop; decline 2. (*zapadlina*) depression 3. *med.* collapse

zapa|dać *v imperf* — **zapa|ść** *v perf* **~dnę, ~dnie, ~dnij, ~dł** [I] *vi* 1. (*spadać*) to drop; to sink; to subside; **dzień ~da** (the) day declines; **~ść w duszę <w serce>** to sink into the mind; **~ść**

w głęboki sen to sink into a deep sleep; **~ść w zadumę** to become absorbed <lost, sunk> in thought; *przen.* **klamka ~dła** there is no return 2. (*wpadać w chorobę*) *perf* to fall <to be taken> ill (**na jakąś gorączkę itd.** with a fever etc.); **on ~dł na zdrowiu** his health broke down; **~dać na zdrowiu** to decline 3. (*nastawać — o nocy itd.*) to fall; to set in; (*o wyroku*) to be pronounced; (*o decyzji*) to be taken; (*o uchwale*) to be passed; **wśród nich ~dło milczenie** they lapsed into silence 4. (*o ptactwie*) to settle; (*o ludziach — chować się*) to hide [II] *vr* **~dać, ~ść się** = *vi* 1.; (*o dachu, terenie itd.*) to cave in; (*o moście*) to break down; to collapse; **oczy, policzki się jej ~dły** her eyes, cheeks sank; **~ść się w bagno** to get stuck <to founder> in a bog; *przen.* **chciałem się ~ść pod ziemię** I wished the earth <floor> would open beneath my feet <the earth would swallow me>; **jakby się pod ziemię ~dł** as though the earth had opened and swallowed him <it> up

zapadalność *sf singt* morbidity; sick rate

zapad|ka *sf pl G.* **~ek** latch; catch; pawl; ratchet; click; trigger; detent

zapadkowy *adj* ratchet _ (wheel, drill etc.); **mechanizm ~** ratchet-and-pawl mechanism

zapadlina *sf* depression; hollow; cavity

zapadlisko *sn* depression; hollow; cavity; swallow-hole

zapadliskow|y *adj geogr.* **jezioro ~e** collapse <sinkhole> pond <lake>

zapadłość *sf* (a) hollow

zapadł|y [I] *pp* ↑ **zapaść** [II] *adj* 1. (*o oczach, policzkach*) sunken; **postać z ~ymi oczami <policzkami>** hollow-eyed <hollow-cheeked> figure 2. (*o miejscowości*) out-of-the-way <outlandish> (place); **~a dziura** dead-alive little hole

zapadnia *sf* 1. *teatr* trap, trapdoor; sink; **~ szafotu** drop in gallows 2. = **zapadlina** 3. † (*pułapka*) trap

zapadnięcie *sn* 1. (↑ **zapaść**) (a) drop; subsidence; decline (of day etc.); **~ na zdrowiu** break-down; **~ nocy** nightfall; **~ wyroku** pronouncement of a verdict 2. **~ się** collapse; **~ się terenu** depression

zapadniowy *adj* trapdoor _ (arrangements etc.)

zapadow|y *adj geol.* **~e trzęsienie ziemi** earthquake by rock falls (in mines or caverns)

zapakow|ać *v perf* — **zapakow|ywać** *v imperf* [I] *vt* 1. (*włożyć do walizki*) to pack (one's things); (*umieścić*) to stow (sth) away; (*zawinąć*) to wrap (sth) up; **~ać kufer** to pack one's trunk 2. *pot.* (*wpakować*) to pack (sb) off (to bed etc.); **~ać kogoś do więzienia** to pack sb off to gaol; to clap sb in gaol [II] *vr* **~ać, ~ywać się** to pack up (*vi*); to pack one's trunk

zapalacz † *sm* (*zapalający latarnie uliczne*) lamp-lighter

zapal|ać *v imperf* — **zapal|ić** *v perf* [I] *vt* 1. (*rozniecać*) to light <to kindle> (the fire); to set (sth) on fire; to set fire (**coś** to sth); (*zaświecać*) to light (a lamp); to switch (the light) on; to ignite <to start> (an engine); **~ić papierosa** a) (*sprawić, żeby się palił*) to light a cigarette b) (*wypalić*) to have a smoke; **~ić zapałkę** to strike a match 2. (*podniecać*) to animate <to inflame, to rouse> (people's minds etc.); to excite (passions) [II] *vi* 1. (*rozniecać ogień*) to light <to kindle> the fire (**w piecu** in the stove); (*zaświecać*) to light up; to switch the light(s) on 2. (*wypalić papierosa*) to have a smoke [III] *vr* **~ać, ~ić się** 1. (*zaczynać się palić*) to catch fire; **zapałka się nie ~iła** the match didn't <wouldn't> strike 2. (*zaczynać się świecić*) to be lit; to shine; to start shining 3. *przen.* (*o twarzy, oczach*) to light up 4. (*wpadać w zapał*) to warm up (to sth); to grow <to become> enthusiastic (**do czegoś** over sth)

zapalając|y *adj* (*o bombie*) incendiary; **urządzenie ~e** igniting device

zapalar|ka *sf pl G.* **~ek** *górn.* exploder; igniter; shot lighter

zapalczy *adj* explosive

zapalczywie *adv* impetuously; vehemently; passionately

zapalczywość *sf* impetuosity; vehemence; passionateness; fieriness

zapalczywy *adj* impetuous; vehement; passionate; quick-tempered; short-tempered; hot-brained; hot-headed

zapalenie *sn* 1. ↑ **zapalić**; *techn.* ignition; **~ papierosa** a smoke 2. *med.* inflammation; **~ opon mózgowych** meningitis; **~ otrzewnej** peritonitis; **~ skóry** dermatitis

zapale|niec *sm G.* **~ńca** enthusiast; hot head; hotspur

zapaleńczy *adj* ardent; impassioned; vehement

zapalicz|ka *sf pl G.* **~ek** *bot.* (*Ferula asafoetida*) a plant of the genus Ferula asafoetida

zapalić *zob.* **zapalać**

zapalenica *sf* = **zapalarka**

zapalnicz|ka *sf pl G.* **~ek** lighter

zapalnie *adv* impetuously

zapalnik *sm* detonator; primer; fuse; ignitor; exploder

zapalność *sf singt* inflammability; combustibility

zapalny *adj* 1. (*łatwopalny*) inflammable; combustible; *przen.* **punkt ~** sore point; trouble spot 2. (*o człowieku, temperamencie*) impetuous; vehement; ardent; passionate 3. *med.* inflammatory; phlogistic

zapalony [I] *pp* ↑ **zapalić** [II] *adj* keen; fervent; enthusiastic; zealous

zapa|ł *sm G.* **~łu** fervour; zeal; enthusiasm; eagerness; keenness; mettle; **bez ~łu** half-hearted(ly); **pełen ~łu** fervent; zealous; enthusiastic; eager; keen; mettlesome; **w chwilowym ~le** in the heat of the moment; **w ~le dyskusji** in the heat of the discussion

zapałać † *vi perf obecnie w wyrażeniach*: **~ miłością <żądzą, namiętnością>** to be inflamed with love <desire, passion>

zapałczan|ka *sf pl G.* **~ek** matchwood

zapałczan|y *adj* match- (box etc.); match-making _ (industry); *przen. żart.* **~e nogi** legs like match-sticks

zapałczarnia *sf* match factory

zapałczarz *sm* match-maker

zapał|ka *sf pl G.* **~ek** match; **pudełko od ~ek** match-box; **szwedzka ~ka** safety match; **~ki sztormowe** fusees

zapamięt|ać *v perf* — **zapamięt|ywać** *v imperf* [I] *vt* to remember; to memorize; to keep (sth) in mind; **~ać komuś coś** to score sth against sb; **~aj to sobie** mark my words [II] *vr* **~ać, ~ywać się** to become entirely absorbed <engrossed> (in sth); to be beside oneself (**w strapieniu, wściekłości itd.** with grief, rage etc.)

zapamiętale *adv* passionately; frienziedly; fanatically; rabidly; **~ pracować** to work like a tiger

zapamiętałość *sf singt* passion; passionateness; frenzy; fanaticism; rabidness

zapamiętały *adj* passionate; fanatic; frenzied; rabid

zapamiętani|e *sn* 1. (↑ **zapamiętać**) memorization; **zdolność ~a** retention; **godny ~a** worthy of note 2. (*zaciekłość*) passion; frenzy

zapamiętany *pp* (↑ **zapamiętać**) well-remembered

zapamiętywać *zob.* **zapamiętać**

zapanow|ać *vi perf* — **zapanow|ywać** *vi imperf* 1. (*objąć władzę*) to take control (**nad czymś** of sth); to subdue (**nad kimś** sb) 2. (*zawładnąć*) to control <to dominate, to overcome, to master> (**nad kimś, czymś** sb, sth); to get the better (**nad kimś, czymś** of sb, sth); **~ać, ~ywać nad sobą** to control oneself; to get the better of one's feelings 3. (*nastać*) to become prevalent; to prevail; to set in; (*o ciszy, ciemności, nocy itd.*) to fall

zapap|rać *v perf* **~rze** — **zapap|rywać** *v imperf pot.* [I] *vt* to soil; to smear; to dirty [II] *vr* **~rać, ~rywać się** to soil <to smear, to dirty> one's hands <face, clothes>; to get one's hands <face, clothes> soiled <smeared all over, dirty>

zaparafować *vt perf* to initial (a document etc.); to O.K. (a bill etc.)

zaparcie *sn* 1. ↑ **zaprzeć** 2. *med.* constipation; **mieć ~** to be constipated; **wywoływać ~** to constipate

zaparcie się *sn* 1. ↑ **zaprzeć się** 2. (*poświęcenie*) self-denial; abnegation; **z całym <niesłychanym> ~m się** with extreme self-denial 3. (*zaprzeczenie*) denial 4. (*wyparcie się*) renouncement; disavowal; repudiation

zaparkować *vt perf* to park (a car)

zaparować *vi perf* 1. (*nasycić się wilgocią*) to moisten 2. (*zostać pokrytym parą*) to mist over

zaparskać *vi perf* to snort; to start snorting

zaparszywie|ć *vi perf* **~je** *pot.* to get the mange <the scab>

zaparty *pp* ↑ **zaprzeć**; **z ~m oddechem** with bated breath; *med.* **~ stolec** constipation

zaparzacz|ka *sf pl G.* **~ek** 1. (*do herbaty*) tea infuser 2. (*szmata do prasowania*) damp cloth

zaparz|ać *v imperf* — **zaparz|yć** *v perf* [I] *vt* 1. (*parzyć*) to infuse <to brew, to make> (tea etc.) 2. (*odparzać*) to gall (the skin) 3. *roln.* to heat (hay etc.) [II] *vr* **~ać, ~yć się** *roln.* to become overheated

zapas *sm G.* **~u** *pl G.* **~ów** 1. (*suma pieniędzy*) reserve fund; *ekon. pl* **~y** reserves; (*zasób*) stock; fund; reserve; supply; store (of knowledge etc.); *handl.* **~ towaru** stock-in-trade; **~ żywności** (supply of) provisions; **żelazny ~** iron ration; **być w ~ie** to lie by; **mieć coś w ~ie** to have sth in store <in reserve>; to have a shot in the locker; **nabrać, uzupełnić ~ benzyny, węgla** to have a filling <refilling> of petrol, of coal; **na ~** for the future; beforehand; in anticipation; against a rainy day; **martwić się na ~** to borrow trouble; **robić ~ czegoś** to lay in a stock <a supply> of sth; **robić ~y żywności** (*w chwilach kryzysu*) to stock-pile; to hoard provisions; **uzupełnić ~ paliwa** to refuel 2. (*element wymienny*) refill 3. *pl* **~y** *sport* wrestling; **iść w ~y z kimś** to measure oneself against sb; to contend with sb 4. *pl* **~y** *przen.* (*walka*) contest

zapa|sać *v imperf* — **zapa|ść** *v perf* **~sę, ~sie, ~sł, ~śli, ~siony** [I] *vt* to overfeed (cattle etc.) [II] *vr* **~sać, ~ść się** to overfeed (*vi*)

zapas|ka *sf pl G.* **~ek** *gw.* apron

zapaskudz|ić *vt perf* **~ę, ~ony** — **zapaskudzać** *vt imperf* to dirty; to mess up; to make a mess (**jakieś miejsce** somewhere; **coś** of sth)

zapasow|y [I] *adj* 1. (*rezerwowy*) reserve _ (fund, machine etc.); **drużyna ~a** second team; *am.* scrub team; **konie ~e** relay (of horses); **maszyna ~a** stand-by 2. (*wymienny*) spare (part of machine, room etc.); emergency (exit, shaft etc.); **części ~e** replacements [II] *sm* **~y** *sport* substitute

zapastować *vt perf* to wax (a floor)

zapasy *zob.* **zapas**

zapasz|ek *sm G.* **~ku** faint smell

zapaść[1] *zob.* **zapadać**

zapaść[2] *zob.* **zapasać**

zapaść[3] *sf med.* collapse

zapaśnictwo *sn singt* wrestling

zapaśnicz|y *adj* wrestling- (match etc.); **wstąpić w szranki ~e** to take up the cudgels

zapaśnik *sm* wrestler

zapat|rywać się *vr imperf* — **zapat|rzyć się** *vr perf* 1. *perf* (*nie odrywać oczu*) to look intently (**w kogoś, coś** at sb, sth); to fix one's gaze <one's eyes> (**w kogoś, coś** on sb, sth); to stare (**w piec itd.** at the stove etc.); **oni są ~rzeni w siebie** they are bound up in each other 2. (*wzorować się*) to take example (**na kogoś** by sb) 3. *imperf* (*mieć pogląd*) to view <to think of> (**na sytuację itd.** a situation etc.); **jak się na to ~rujesz?** what do you think of this?; what is your opinion of this?; **ja się inaczej na to ~ruję** I take a different view of this; I don't see it that way; **ja się przychylnie ~ruję na to** I take a favourable view of this; **wszyscy jednakowo się na to ~rujemy** we are all of one mind about this

zapatrywani|e *sn* opinion; view; sentiment; way of thinking; *am.* slant; **mieć krańcowe ~a** to hold extreme views; **to jest kwestia ~a** it's a matter of opinion

zapatrzenie *sn* musings; reverie; brown study

zapatrzony *adj* with one's gaze <eyes> fixed (**w kogoś, coś** on sb, sth)

zapatrzyć się *zob.* **zapatrywać się**

zap|chać *v perf* — **zap|ychać** *v imperf* [I] *vt* 1. (*zapełnić*) to fill; to block; to stock (a hole etc.); to choke (a pipe etc.); *wulg.* **~chać, ~ychać komuś <sobie> brzuch** to fill sb's <one's> belly 2. (*zatłoczyć*) to crowd; to cram; to clutter up (a room with furniture etc.); **~chany** cram-full 3. (*wepchnąć*) to push; to shove; to thrust (sth somewhere) [II] *vr* **~chać, ~ychać się** 1. (*zatkać się*) to get blocked <stocked, choked> 2. (*dostać się*) to get (into a corner etc.) 3. *pot.* (*zjeść dużo*) to cram 4. *pot.* (*poczuć dławiący ucisk w przełyku*) to choke

zapchlony *adj* verminous; infested with fleas

zapełgać *vi perf* to flicker; to start flickering

zapełni|ać *v imperf* — **zapełni|ć** *v perf* [I] *vt* 1. (*czynić coś pełnym*) to fill (a space, vessel, time); to fill up (a ditch etc.) **~ać, ~ć lukę** to stop a gap; **~ony** full; filled 2. (*o tłumie*) to fill (a room etc.); to throng <to crowd> (the street etc.) [II] *vr* **~ać, ~ć się** to fill (*vi*)

zapełnienie *sn* 1. ↑ **zapełnić** 2. (*tłok*) crush

zaperfumować *vt perf* to perfume; to scent

zaperzać *zob.* **zaperzyć**

zaperzać się *vr imperf* — **zaperzyć się** *vr perf* to flare up; to get on one's high horse

zaperzony *adj* testy; tetchy; with his <her> hackles up

zaperzyć *vt perf* — **zaperzać** *vt imperf roln.* to let (a field) get overgrown with couch-grass

zaperzyć się *zob.* **zaperzać się**

zapeszyć *vt perf pot.* to bewitch with the evil eye

zapewne *adv* surely; undoubtedly; doubtless; to be sure; I daresay; I should think

zapewni|ać *v imperf* — **zapewni|ć** *v perf* [I] *vt* 1. (*twierdzić*) to assure (**kogoś o czymś** sb of sth); **~am cię!** I can tell you!; I promise! 2. (*gwarantować*) to secure <to ensure> (**coś komuś** sth for sb); **~ać, ~ć byt dzieciom** to settle one's children; **~ać, ~ić sobie coś** to secure sth; to make sure about sth [II] *vi* to assert (**o swej niewinności, dobrej wierze itd.** one's innocence, good faith etc.); to warrant <to vouch> (**że się coś stanie** that sth will take place)

zapewnienie *sn* 1. ↑ **zapewnić** 2. (*stwierdzenie*) assurance; assertion; protestation

zapęd *sm G.* **~u** 1. *pl* **~y** (*ambicje*) aspirations 2. *pl* **~y** (*zakusy*) attempts; endeavours 3. † (*poryw*) outburst; impulse

zapędz|ać *v imperf* — **zapędz|ić** *v perf* **~ę, ~ony** [I] *vt* 1. (*zaganiać*) to drive (the cattle home, people to shelter, a ship on to a sandbank etc.); **~ić kogoś w kozi róg** to knock sb into a cocked hat; to get the better of sb; to be <to prove> more than a match for sb; **~ać, ~ić kogoś w ślepy zaułek** to nonplus sb; to drive sb into a corner 2. *przen.* (*o losie itd.*) to bring (sb somewhere) 3. (*przynaglać*) to urge (**kogoś do roboty, dziecko do książki** sb to work, a youngster to his school work); (*zmuszać*) to force <to set> (**kogoś do robienia czegoś** sb to do sth) [II] *vr* **~ać, ~ić się** 1. (*zapuścić się*) to advance <to press forward> (**dokądś** as far as ...; all the way up to ...); to venture (**za daleko, w nieznane okolice itd.** too far, into unknown regions etc.) 2. (*zagalopować się*) to launch <to plunge> (**w wydatki itd.** into expenditure etc.)

zapędzony [I] *pp* ↑ **zapędzić** [II] *adj* (*zalatany*) harassed; hard-driven

zapętać *vt perf* to tangle

zapętlać *vt imperf* — **zapętlić** *vt perf* 1. *gw.* to loop 2. *med.* to strangulate

zapi|ać *vi perf* **~eje** 1. (*o kogucie*) to crow; to start crowing 2. (*o człowieku*) to squeak

zapiaszczyć *vt perf* — **zapiaszczać** *vt imperf* to sand up (a harbour etc.)

zap|iąć *v perf* **~nę, ~nie, ~nij, ~iął, ~ięła, ~ięty** — **zap|inać** *v imperf* [I] *vt* (*na guziki*) to button (up); (*na klamerkę*) to buckle; (*na haftkę*) to do up; to fasten; *przen.* **~iąć coś na ostatni guzik** to get <to have> sth shipshape <in perfect trim> [II] *vr* **~iąć, ~inać się** 1. (*zapiąć na sobie ubranie*) to button up <to do up> one's coat <waistcoat, dress etc.> 2. (*o części ubioru — być zapinanym*) to button <to fasten> (*vi*); **suknia ~ina się z tyłu** the dress buttons <fastens> behind; **spódniczka ~ina się na zatrzaski <zamek błyskawiczny, haftki>** the skirt fastens by means of snap-fasteners <a zipper, hook and eye>

zapicie *sn* ↑ **zapić**

zapi|ć *v perf* **~je, ~ty** — **zapi|jać** *v imperf* [I] *vt* 1. (*popić po jedzeniu*) to wash <*pot.* to rinse> down (**to, co się zjadło** one's food); **~ć, ~jać mięso piwem, winem** to have a glass of beer, of wine after one's meat; *przen. pot.* **~ć sprawę** to wet a deal 2. (*napić się dla zapomnienia*) to drown (one's sorrow etc.) in drink [II] *vr* **~ć, ~jać się** (*wpaść w nałóg pijaństwa*) to take to drink; (*stracić życie pijąc nałogowo*) to drink oneself into the grave <to death> *zob.* **zapijać**

zapie|c *v perf* **~kę, ~cze, ~kł, ~czony** — **zapie|kać** *v imperf* [I] *vt* 1. *kulin.* to roast; to bake; to cook (sth) "au gratin"; to gratinate; **makaron ~kany** macaroni "au gratin"; **~c, ~kać coś — kawałek sznurka itd. w chlebie** to bake sth — a piece of string etc. in the bread 2. *perf* (*zaboleć*) to sting 3. *perf* (*dopiec*) to scorch 4. † *imperf* to cauterize (a wound); to curl (hair) with curling irons [II] *vr* **~c, ~kać się** 1. *kulin.* to roast <to bake> (*vi*) 2. (*zakrzepnąć*) to clot; to coagulate 3. *przen.* (*zaciąć się*) to grow obstinate

zapiec|ek *sm G.* **~ka** 1. (*miejsce do spania za piecem*) sleeping place on top or at the side of a brick oven in old-time dwellings 2. *przen.* snug little job

zapieczenie *sn* 1. ↑ **zapiec** 2. *techn.* carbon deposit

zapieczętować *vt perf* to seal up (a letter); to seal (a parcel etc.) with sealing wax

zapiekać *zob.* **zapiec**

zapiekanie *sn* 1. ↑ **zapiekać** 2. *techn.* accumulation of carbon deposit

zapiekan|ka *sf pl G.* **~ek** dish cooked "au gratin"

zapiekły *adj* 1. (*zakrzepły*) clotted; coagulated 2. (*tkwiący w głębi duszy*) rankling; festering

zapieni|ć *v perf* — **zapieni|ać** *v imperf* [I] *vt* to froth up (eggs, soap etc.) [II] *vr* **~ć, ~ać się** 1. (*pokryć się pianą*) to froth up; to foam; (*o koniu*) to lather 2. (*zakipieć gniewem*) to foam at the mouth (with rage)

zap|ierać[1] *vt imperf* — **zap|rać** *vt perf* **~iorę, ~ierze** to wash away (a stain)

zap|ierać[2] *v imperf* — **zap|rzeć** *v perf* **~rę, ~rze, ~rzyj, ~arł, ~arty** [I] *vt* 1. (*wstrzymywać*) to hold (one's breath); (*tamować*) to obstruct; to hinder; to take away (**komuś** sb's) breath; *med.* **czynnik ~ierający** obstruent; **~ierający dech w piersi** breath-taking 2. (*wpierać*) to dig (one's feet etc.) into the ground; to ram (sth into sth) 3. † (*zamykać*) to bolt <to fasten> (a door etc.) [II] *vr* **~ierać, ~rzeć się** 1. (*odpychać się*) to resist (**czemuś** sth); to make a desperate stand (**czemuś** against sth) 2. (*przeczyć*) to deny (**czegoś** sth) 3. (*wypierać się*) to renounce <to disown, to forsake>

(**kogoś, czegoś** sb, sth); to repudiate (**kogoś, czegoś** sb, sth)

zapiersi|e *sn pl G.* ~ *zool.* metathorax

zapie|ścić *vt perf* **~szczę, ~szczony** to smother (sb) with caresses

zapięcie *sn* 1. ↑ **zapiąć** 2. (*urządzenie do zapinania*) fastening; clasp; buckle; hasp; catch; hook and eye; snap fastener

zapijacz|yć się *vr perf* 1. (*doprowadzić się do stanu nałogowego pijaństwa*) to sot; to drink oneself into degradation; **~ony** sotted; sodden with drink 2. (*rozpić się*) to get blind drunk

zapijać *v imperf* [I] *vt* 1. *zob.* **zapić** 2. (*popijać*) to sip [III] *vr* ~ **się** 1. *zob.* **zapić się** 2. (*pić bez umiaru*) to drink immoderately

zapikować *vt perf ogr.* to plant out (seedlings etc.)

zapinacz *sm górn.* ~ **wozów** clipper; nipper; flatter

zapinać *zob.* **zapiąć**

zapin|ka *sf pl G.* **~ek** clasp; hasp; buckle

zapis *sm G.* **~u** 1. (*zapisanie*) recording; *mat. muz.* notation 2. (*to, co zostało zapisane*) record; entry; *sport. karc.* score; **prowadzić** ~ to keep score 3. *pl* **~y** (*wciągnięcie na listę*) registration 4. *prawn.* legacy; bequest; settlement; devise; demise; endowment

zapis|ać *v perf* **zapiszę** — **zapis|ywać** *v imperf* [I] *vt* 1. (*zapełnić pismem*) to fill (a page, space, margin etc.) with writing; to fill in (the blanks in a form); **dwa arkusze całe ~ane** two sheets of paper written all over 2. (*zanotować*) to record (a fact etc.); to make a note (**coś** of sth); to write (sth) down; to commit (sth) to paper; to take <to jot> (sth) down; **jest <stoi> mu ~ane, że ...** he is fated to ...; **~ać coś w pamięci** to engrave sth on the memory; **~ać swe imię złotymi zgłoskami** to distinguish oneself 3. (*wciągnąć do ksiąg, na listę*) to register; to enter (sb, sth) in the books; **~ać coś na czyjś rachunek <czyjeś konto>** to put sth down <to charge sth> to sb's account 4. *prawn.* to endow; to bequeath; **~ać, ~ywać komuś rentę** to settle an annuity on sb 5. (*zaordynować*) to prescribe (**komuś lekarstwo** a medicine for sb) [III] *vr* **~ać, ~ywać się** 1. (*wpisać się na listę*) to enter one's name (on a list, in the books etc.); to enter (**na uniwersytet** the university); to enroll (**na kurs nauki** for a course of study); to register oneself; **~ać się na coś — na samochód itd.** to put down one's name for sth — for the purchase of a motor-car etc.; **~ać się w czyjejś pamięci** to have one's name engraved on sb's memory; **~ać się złotymi zgłoskami** to distinguish oneself 2. (*przystąpić do czegoś*) to join (**do partii itd.** a party etc.); to become a member (**do towarzystwa** of a society)

zapis|ek *sm G.* **~ku, zapis|ka** *sf pl G.* **~ek** record; note; **robić ~ki** to take notes

zapisobiorca *sm* (*decl* = *sf*) *prawn.* legatee

zapisodawca *sm* (*decl* = *sf*) *prawn.* legator

zapisywacz *sm* 1. (*spisywacz*) recorder 2. *techn.* registering device

zapisywać *zob.* **zapisać**

zapiszcz|eć *vi perf* **~y** to squeak; to start squeaking

zapiszczenie *sn* (↑ **zapiszczeć**) (a) squeak

zapity [I] *pp* ↑ **zapić** [II] *adj* drunken

zaplamić *vt perf* to blot; to soil; to stain

zaplanować *vt perf* to plan

zapl|atać *v imperf* — **zapl|eść** *v perf* **~otę, ~ecie, ~ótł, ~otła, ~etli, ~eciony** [I] *vt* to plait; to braid; to interlace; **~atać, ~eść dłonie, ręce** to clasp one's hands [III] *vr* **~ać, ~eść się** to interlace (*vi*)

zaplą|tać *v perf* **~cze** — **zaplą|tywać** *v imperf* [I] *vt* 1. (*zagmatwać*) to tangle (up); to entrammel; to enmesh; to embrangle; to snarl 2. (*uwikłać*) to entangle <to involve, to implicate> (sb in an affair etc.) [III] *vr* **~tać, ~tywać się** 1. (*poplątać się*) to get tangled <entrammelled, enmeshed, embrangled, snarled>; to get into a tangle; *przen.* **język mu się ~tał** he floundered (in his speech, explanations) 2. (*uwikłać się*) to become implicated <entangled, involved> (in an affair etc.) 3. (*znaleźć się przypadkiem*) to happen to be (somewhere)

zaplątanie *sn* 1. ↑ **zaplątać** 2. (*zagmatwanie*) (a) tangle; entanglement; snarl 3. (*uwikłanie*) (*także* ~ **się**) involvement; implication

zaplątywać *zob.* **zaplątać**

zaplec|ek † *sm G.* **~ka** back (of a chair)

zaplecenie *sn* (↑ **zapleść**) plait; braid; interlacement

zaplecz|e *sn pl G.* **~y** 1. (*tyły*) subsidiaries; base (of supplies etc.); **~e portowe** hinterland; **~e surowcowe** source of raw materials 2. *wojsk.* home front 3. *wojsk. fort.* parados 4. *zool.* metathorax

zaplemnić *vt perf* — **zaplemniać** *vt imperf biol.* to fertilize

zaplemnienie *sn* (↑ **zaplemnić**) fertilization

zaplenić *vt perf* — **zapleniać** *vt imperf* to fertilize; to fecundate; to impregnate

zapleść *zob.* **zaplatać**

zapleśniały *adj* mouldy; overgrown with mould

zapleśnie|ć *vi perf* **~je** to get <to grow> mouldy

zapleśnienie *sn* (↑ **zapleśnieć**) mouldiness

zaplombować *vt perf* 1. *dent.* to fill (a tooth); **dał sobie** ~ **ząb złotą plombą** he had a tooth filled <stopped> with a gold filling 2. (*zamknąć nakładając plombę*) to seal; to affix a lead (**worek itd.** to a sack etc.) 3. *ogr.* to stop (a hole in a tree)

zaplu|ć *vt perf* **~je, ~ty** — **zaplu|wać** *vt imperf* to spit (**podłogę, chodnik itd.** all over the floor, pavement etc.); **~ty** spit-soiled

zaplu|skać *vi perf* **~ska <~szcze>** to splash

zapluskwi|ć *vt perf* to let (a dwelling) become infested with bed-bugs; **~ony** buggy; infested with bed-bugs; verminous

zapluwać *zob.* **zapluć**

zapłacenie *sn* 1. ↑ **zapłacić** 2. (*uiszczenie*) payment; settlement (of a bill etc.); repayment (of a debt) 3. (*odwzajemnienie*) requital

zapłac|ić *v perf* **~ę, ~ony** [I] *vi* 1. (*uiścić*) to pay (**za kogoś, coś** for sb, sth; **za przejazd <transport, napoje itd.>** the fare <carriage, drinks etc.>); **kiepsko <dobrze> ~one zajęcie** badly paid <well-paid> job; **~ić czekiem** to pay by cheque; **~ić gotówką** to pay (in) cash; to pay down; **~ić komuś za coś** to pay sb for sth; **~ić ratami** to pay in <by> instalments; **~ić w całości** to pay in full; **~ić w naturze, w towarze** to pay in kind 2. (*odwzajemnić się*) to repay (**za przysługę** a service); to requite (**komuś za przysługę** sb for a service); **~ić dobrym za złe <złym za dobre>**

to repay good for evil <evil for good>; **~ić komuś niewdzięcznością** to requite sb with ingratitude; *przen.* **Bóg zapłać** may God requite you; a thousand thanks; **zrobić coś za Bóg zapłać** to do sth for love <gratis> 3. (*ponieść konsekwencje*) to pay (**za swoją głupotę itd.** for one's folly etc.); **drogo za to ~isz** you'll pay dearly <you shall smart> for this; **~ić życiem za coś** to pay for sth with one's life [II] *vt* (*uiścić*) to pay (**czynsz, karę itd.** the rent, a fine etc.); **~ić dług** to repay <to pay off> a debt; **~ić rachunek** to pay <to settle> a bill; **~ić taksówkę** to pay off a taxi

zapł|adniać *vt imperf* — **zapł|odnić** *vt perf* to fertilize; to fecundate; to impregnate; to inseminate; **~adniać, ~odnić kobietę** to get a woman with child; *pszcz.* **nie ~odniona królowa** virgin queen

zapładnianie *sn* (↑ **zapłodnić**) fertilization; fecundation; impregnation; insemination

zapła|kać *v perf* **~cze** [I] *vi* (*zacząć płakać*) to cry; to weep; to start crying <weeping>; (*wybuchnąć płaczem*) to burst into tears; to give way to tears [II] *vr* **~kać się** to weep unrestrainedly; to abandon oneself to tears <to weeping>

zapłakany *adj* (*o człowieku*) in tears; tearful; (*o twarzy*) tear-stained

zapłakiwać się *vr imperf* to weep unrestrainedly; to keep crying <weeping>

zapłat|a *sf* 1. (*należność*) wage(s); pay; remuneration; retribution; **dzień ~y the day of reckoning** 2. (*uiszczenie*) payment; (*o wekslu*) **przypadający do ~y** due

zapłodnić *zob.* **zapładniać**

zapłodnienie *sn* (↑ **zapłodnić**) fertilization; fecundation; impregnation; insemination

zapłon *sm G.* **~u** 1. (*początek spalania*) ignition; **przedwczesny ~** premature ignition; pre-ignition; **temperatura <punkt> ~u** flash point 2. (*stały płomyk zapalający*) pilot fire; pilot light

zapłonąć *vi perf* 1. (*zacząć się palić*) to flare up; to blaze up; to burst into flame 2. *przen.* (*o człowieku, twarzy*) to flush; to redden; **~ gniewem** to flare up; **~ miłością** to be smitten with love 3. (*zaświecić*) to flash; to gleam

zapłonić *v perf* [I] *vt* to flush (sb's cheeks etc.) [II] *vr* **~ się** to flush (*vi*)

zapłonienie *sn* 1. ↑ **zapłonić** 2. (*zapalenie się*) ignition

zapłon|ka *sf pl G.* **~ek** *bot.* (*Nonnea*) a boraginaceous plant

zapłonnik *sm techn.* igniter; starter

zapłonowy *adj* ignition — (lead etc.); flash(ing) — (point etc.)

zapłot|ki *spl G.* **~ków** <**~ek**> *pot.* backyard

zapły|nąć *vi perf* — **zapły|wać** *vi imperf* 1. (*dopłynąć — o statku*) to sail <to steam> (**do portu** into a harbour); (*o człowieku*) to swim (**dokądś** up to a place) 2. (*wypełnić się płynem*) to fill (with a liquid); **jej oczy ~nęły łzami** her eyes filled with tears; **z oczami ~niętymi tłuszczem** with swollen eyelids

zapłynięcie *sn* ↑ **zapłynąć**

zapobie|c *vi perf* **~gnę, ~gnie, ~gnij, ~gł, zapobie|gnąć** *vi perf* — **zapobie|gać** *vi imperf* to prevent (**czemuś** sth); to avert (**nieszczęśliwym wypadkom** accidents); to ward off <to stave off> (**nieszczęściu** a disaster); to take precautions (**czemuś** against sth)

zapobieganie *sn* (↑ **zapobiegać**) prevention (**czemuś** of sth); **~ ciąży** contraception

zapobiegawczo *adv* preventively; as a measure <by way> of precaution

zapobiegawcz|y *adj* preventive; precautionary; prophylactic (medicine, measure); **leczenie ~e** preventive treatment; **środki ~e** preventive measures

zapobiegliwie *adv* providently; with foresight

zapobiegliwoś|ć *sf singt* providence; forethought; foresight; thrift; thriftiness; **brak ~ci** improvidence

zapobiegliwy *adj* provident; foreseeing; foresighted; thrifty

zapobiegnąć *zob.* **zapobiec**

zap|ocić *v perf* **~ocę, ~ocony** — **zap|acać** *v imperf* [I] *vt* to impregnate with sweat; **~ocone szyby** steamy panes; **~ocone ubranie** sweaty clothes [II] *vr* **~ocić, ~acać się** (*o szybach, przedmiotach szklanych*) to mist over

zapoczątkow|ać *vt perf* — **zapoczątkow|ywać** *vt imperf* to begin; to start; to initiate; to originate; to inaugurate; to set on foot; **~ać nową erę** to usher in a new era

zapoczątkowanie *sn* (↑ **zapoczątkować**) (a) beginning; (a) start; initiation; origination; inauguration

zapoczwarzenie *sn* pupation

zapoczwarzyć się *vr perf* — **zapoczwarzać się** *vr imperf* to pupate

zapoda|ć *vt perf* **~dzą** — **zapoda|wać** *vt imperf* *pot.* to state; to declare

zapodanie *sn* (↑ **zapodać**) *pot.* statement; declaration

zapodawać *zob.* **zapodać**

zapodzi|ać *v perf* **~eje** — **zapodzi|ewać** *v imperf* [I] *vt* to mislay [II] *vr* **~ać, ~ewać się** to be mislaid; to get lost; **~ała mi się książka** I have mislaid <I can't find> my book

zapokostować *vt perf* to varnish

zapol|e *sn pl G.* **~i** *gw.* corn bin

zapoliturować *vt perf* to French-polish

zapolować *vi perf* to go shooting; to go on a hunt

zapominać *zob.* **zapomnieć**

zapominalsk|i [I] *adj* 1. (*często zapominający*) forgetful 2. (*roztargniony*) absent-minded; scatter-brained [II] *sm* **~i**, *sf* **~a** scatter-brain

zapominalstwo *sn singt pot.* forgetfulness; absent-mindedness

zapominanie *sn* 1. (↑ **zapominać**) lapses of memory 2. (*zła pamięć*) forgetfulness; bad memory 3. (*roztargnienie*) absent-mindedness

zapom|nieć *v perf* **~ni, ~nij** — **zapom|inać** *v imperf* [I] *vt* 1. (*przestać pamiętać*) to forget (**czegoś** sth); (*zostawić*) to leave (sth) behind; (*pogróżka*) **ja ci tego nie ~nę** you shall smart for this; I'll be even with you yet; **nie ~nieć czegoś** to keep sth in mind; to remember sth; **nie ~nij parasola** a) (*weź go na pewno*) be sure to take your umbrella b) (*nie zostaw go*) don't leave your umbrella behind; (*o przysłudze*) **nigdy ci tego nie ~nę** you have put me under an obligation which I shall never forget; **~niałem języka w gębie** I was tongue-tied; I simply didn't know what to say; (*o miejscowości*) **~niany od Boga i ludzi** God-forsaken; out-of-the-way; **~nieć komuś krzywdy** to forgive sb a wrong <an injury> 2. (*stracić umiejętność*) to forget <to unlearn> (**czegoś** sth); **nie ~inać łaciny, greki itd.** to keep up one's Latin, Greek etc. [III] *vi* 1. (*nie zachować w pamięci*) to forget (**o kimś, czymś** sb, sth <about sb, sth>; **że ...** that ...; **zrobić <napisać itd.> coś, czegoś** to do <to write> sth); *imperf* **to be forgetful**; to have a bad memory 2. (*zaniedbać*) to forget <to neglect> (**o kimś, czymś <o sobie>** sb, sth <oneself, one's interests>); **na śmierć ~niałem** I completely <clean> forgot; I forgot all about it; **słuchając muzyki <czytając książkę itd.> ~nieć o bożym świecie** when listening to music <reading a book etc.> to be lost to the world; **~inać o czasie** to lose count of time; **~niałem zakręcić kurek** I forgot <neglected, omitted> to turn off the water <the gas> 3. (*przestać umieć*) to forget <to unlearn> (**coś robić** how to do sth) [III] *vr* **~nieć, ~inać się** to forget oneself; to forget one's manners

zapomnieni|e *sn* 1. ↑ **zapomnieć; przez ~e** through a lapse of memory 2. (*niepamięć*) oblivion; forgetfulness; **popaść w ~e** to fall <to sink> into oblivion <into obscurity> 3. (*stan człowieka, który stracił poczucie rzeczywistości*) forgetfulness; **chwila ~a** a moment of forgetfulness; **morze ~a** the waters of forgetfulness

zapom|oga *sf pl G.* **~óg** grant; pecuniary aid; allowance; relief; (unemployment, sick etc.) benefit

zapomogow|y *adj* relief — (fund, committee etc.); **fundusz ~y na wypadek choroby** sick-benefit fund; **kasa ~a** slate-club

zapora *sf pl G.* **zapór** 1. (*tama*) (*także* **~ wodna**) dam 2. *przen.* (*przeszkoda*) barrier; check; obstacle 3. *wojsk.* barrage; **~ artylerii przeciwlotniczej** anti-aircraft <box> barrage; **~ przeciwczołgowa** anti-tank barrier

zaporoski *adj* Dnieper — (Cossack etc.)

zaporowy *adj* barrier — (lake etc.); barrage — (balloon etc.); **ogień ~** defensive fire

zapośredniczyć *vi perf* to mediate

zapotnie|ć *vi perf* **~je** 1. (*o człowieku — spocić się*) to be in a sweat 2. (*o szkle — pokryć się parą wodną*) to mist over

zapotrzebować *vt perf* to apply (**pracowników, specjalisty itd.** for personnel, a specialist etc.); to order (**towaru, sprzętu** goods, equipment)

zapotrzebowanie *sn* 1. (↑ **zapotrzebować**) application (for personnel etc.); order (for goods, equipment etc.) 2. (*popyt*) request <demand> (**na dostawy** for supplies); **na te artykuły jest stale ~** these articles are in constant demand 3. (*pismo*) order

zapowi|adać *v imperf* — **zapowi|edzieć** *v perf* **~em, ~e, ~edzą, ~edział, ~edzieli, ~edziany** [I] *vt* 1. (*oznajmiać*) to announce (a guest, an event, a radio <TV> programme etc.) 2. (*ogłaszać zawczasu*) to foretell; to prognosticate; to forecast (the weather, the future etc.) 3. (*kategorycznie uprzedzać*) to declare; **~adam, że ...** I warn you that ...; let me make it clear that ... 4. (*zwiastować*) to augur; to omen; to portend; to presage; to betoken; to foreshadow; **~adać coś dobrego <złego>** to augur well <ill> [III] *vr* **~adać, ~edzieć się** 1. (*zawiadamiać o zamiarze przybycia*) to announce one's arrival <one's visit> (**na godzinę** *x* <**jakiegoś dnia**> for *x* o'clock <for a given day>) 2. *imperf* (*o zjawisku — dawać znać o sobie*) to announce itself; to proclaim its presence <its on-coming>; **nie ~ada się wiosna** there are no signs of approaching spring; nothing heralds the approach of spring 3. *imperf* (*o widokach na wyniki czegoś*) to look (**źle, świetnie, lepiej itd.** bad, bright, better etc.); to promise <to frame> (**dobrze** well); to promise to be (**na sukces, plajtę, artystę, męża stanu itd.** a success, a flop, an artist, a statesman etc.); (*o czymś niepomyślnym*) to threaten; **wystawa <koncert itd.> ~ada się wspaniale** the prospects of the exhibition <concert etc.> are splendid; **~adała się burza** a storm was threatening; **zbiory ~adają się dobrze <źle>** the prospects of the harvest are good <poor>

zapowiedzenie *sn* 1. ↑ **zapowiedzieć** 2. (*oznajmienie*) announcement 3. (*ogłoszenie zawczasu*) prognostication; forecast 4. (*kategoryczne uprzedzenie*) declaration 5. (*zwiastowanie*) augury; omen; presage; portent 6. **~ się** (*zawiadomienie o zamiarze przybycia*) announcement of one's arrival <visit>

zapowiedzieć *zob.* **zapowiadać**

zapowie|dź *sf pl G.* **~dzi** 1. (*oznajmienie*) announcement; prognostication; (weather etc.) forecast; **wejść bez ~dzi** to enter unannounced 2. (*w kościele*) banns; **dać na ~dzi** to have the banns published; **ogłosić ~dzi** to put up <to publish> the banns; **~dzi wyszły** the banns were <have been> published 3. (*oznaka czegoś, co ma nastąpić*) augury; omen; presage; (*zła wróżba*) portent

zapowietrzać † *vt imperf* — **zapowietrzyć** † *vt perf* to infect; to poison (the air etc.)

zapowietrzenie *sn* (↑ **zapowietrzyć**) infection

zapowietrzony [I] *pp* ↑ **zapowietrzyć** [III] † *sm* plague-stricken

zapowietrzyć *zob.* **zapowietrzać**

zapozna|ć *v perf* — **zapozna|wać** *v imperf* **~je, ~waj** [I] *vt* 1. (*umożliwić poznanie*) to acquaint (sb with sth); to instruct (**kogoś z jakimś faktem** sb of a fact); (*nauczyć*) to instruct (**kogoś z czymś** sb in sth); **~ć kogoś ze sposobem robienia czegoś** to instruct sb how to do sth 2. (*poznajomić kogoś z kimś*) to introduce (**kogoś z kimś** sb to sb); **muszę cię ~ć z naszym gościem** I want you to meet our guest; **~ć dwie osoby z sobą** to bring two persons together 3. (*nie docenić*) to fail to recognize <to appreciate> (sb, sth) [II] *vr* **~ć, ~wać się** 1. (*poznać*) to acquaint <to familiarize> oneself (with sth); to get to know (**z kimś, czymś** sb, sth); *prawn. sąd.* to take cognizance (**z czymś** of sth) 2. (*zawrzeć znajomość*) to make (**z kimś** sb's) acquaintance; to be introduced; **proszę się ~ć z moimi przyjaciółmi** let me introduce you to my friends; meet my friends

zapoznanie *sn* 1. ↑ **zapoznać** 2. (*poznajomienie kogoś z kimś*) introduction 3. (*niedocenienie*) lack of recognition <of appreciation>; obscurity 4. **~ się** familiarization (with sth)

zapoznany [I] *pp* ↑ **zapoznać** [II] *adj* (*nie doceniony*) misunderstood <unappreciated, unrecognized> (genius etc.)
zapoznawać *zob.* **zapoznać**
zapoznawczy *adj* **wieczór** <**wieczorek**> **~** get-together evening
zapozw|ać † *vt perf* **~ie** = **pozwać**
zapożycz|ać *v imperf* — **zapożycz|yć** *v perf* [I] *vt* 1. (*przyswajać sobie*) to adopt (a custom etc. from a country etc.); to take (a word etc. from a language); to borrow (**pomysł itd. od kogoś** an idea etc. from sb); **~ony** wyraz loan-word 2. † (*zaciągać dług*) to borrow [II] *vr* **~ać, ~yć się** 1. (*przejmować*) to borrow (an idea etc. from sb) 2. (*zaciągać dług*) to run <to get> into debt
zapożyczenie *sn* 1. ↑ **zapożyczyć** 2. *jęz.* (a) borrowing; loan 3. (*zapożyczony pomysł*) adopted idea <motif>
zapożyczyć *zob.* **zapożyczać**
zapóźni|ać *v imperf* — **zapóźni|ć** *v perf* [I] *vt* to delay [II] *vr* **~ać, ~ć się** to be late; **~łem się** I am late
zapóźnienie *sn* 1. ↑ **zapóźnić** 2. (*stan tego, co jest zapóźnione*) lateness; backwardness
zapóźniony [I] *pp* ↑ **zapóźnić** [II] *adj* late; belated; **~ w rozwoju** backward
zapracow|ać *v perf* — **zapracow|ywać** *v imperf* [I] *vt* to earn [II] *vr* **~ać, ~ywać się 1.** *perf* to die of overwork 2. *imperf* to slave; to drudge; to wear oneself out with overwork; to work one's guts out
zapracowan|y [I] *pp* ↑ **zapracować; ciężko ~e pieniądze** hard-earned money; **nie ~e pieniądze** unearned money; **~e pieniądze** earnings [II] *adj* (*pochłonięty pracą*) busy; up to the eyes in work
zapracowywać *zob.* **zapracować**
zaprać *zob.* **zapierać**
zapragn|ąć *vt vi perf* to be seized with a desire (to do sth); to wish <to long, to crave> (**czegoś** for sth); **~ąć kogoś** to lust for sb; *pot.* **czego dusza ~ie** whatever one may wish for; **ile dusza ~ie** as much as one likes; to one's heart's content; to the full
zaprasow|ać *vt perf* — **zaprasow|ywać** *vt imperf* 1. (*utrwalić fałdy*) to iron (plaits, creases); **starannie ~ane spodnie** well-creased trousers 2. (*wygładzić*) to iron out (a crease); to iron (linen)
zapr|aszać *v imperf* — **zapr|osić** *v perf* **~oszę, ~oszony** [I] *vt* 1. (*prosić w odwiedziny*) to invite <to ask> (**kogoś na obiad** sb to dinner); to have (sb) in (to dinner); (*o prelegencie itd.*) **~aszać słuchaczy do zadawania pytań** <**do wypowiedzenia się**> to invite questions <opinions>; **~osić kogoś do pokoju** to call sb in; **~osić kogoś do wejścia** a) (*skinieniem ręki, głowy*) to beckon sb in b) (*uniżonym ukłonem*) to bow sb in 2. (*prosić o zajęcie miejsca, o jedzenie itd.*) to offer (sb) a seat <food, drinks>; **~osić kogoś do tańca** <**do salonu itd.**> to ask sb to dance <to the drawing-room etc.> [II] *vr* **~aszać, ~osić się** to invite oneself (**na coś** to sth)
zapraszanie *sn* (↑ **zapraszać**) invitations
zaprawa *sf* 1. *kulin.* seasoning; relish; condiment; flavouring 2. *przen.* touch (of satire, humour etc.) 3. (*wdrożenie*) inurement; *sport* training; work-out; knock-up 4. *bud.* mortar; grout; temper; tabby 5. *chem.* mordant 6. *roln.* seed dressing
zaprawi|ać *v imperf* — **zaprawi|ć** *v perf* [I] *vt* 1. (*dodawać coś do czegoś*) to prepare <to season, **to** spice, to flavour> (food, a dish); to add (**potrawę czymś** sth to a dish); to dress <to mix> (a salad etc.); to add (**coś odpowiednimi składnikami, ziemię kompostem itd.** the necessary ingredients to sth, compost to the soil etc.); *roln.* to treat (**ziarno** grain) with a mordant; **~ć coś trucizną** to put poison in sth; *przen.* **~ć komuś życie goryczą** to embitter sb's life 2. (*przyzwyczajać do czegoś*) to season <to inure> (**kogoś do czegoś** sb to sth); to train (**kogoś do czegoś** sb for <to, in> sth; **psa do czegoś** <**do robienia czegoś**> a dog for sth <to do sth>); **~ć konia do cugli** to break a horse to the rein 3. *perf pot.* (*uderzyć*) to hit (a target etc.) [II] *vr* **~ać, ~ć się** 1. (*ćwiczyć się*) to learn (**do czegoś** sth); to train oneself (**do czegoś** for <in> sth) 2. (*wdrażać się*) to accustom <to inure> oneself (to sth)
zaprawiar|ka *sf pl G.* **~ek** *bud.* mortar mixer <mill>; *roln.* **~ka nasion** seed pickling machine; chemical seed dresser
zaprawić *zob.* **zaprawiać**
zaprawienie *sn* 1. ↑ **zaprawić** 2. (*dodanie*) addition (of ingredients etc.); treatment (of seeds with a mordant etc.) 3. (*przyzwyczajenie*) inurement (to sth)
zaprawny *adj* 1. (*przyprawiony*) seasoned <flavoured> (with sth) 2. *przen.* (*zabarwiony*) with a touch (**złośliwością itd.** of malice etc.) 3. (*wdrożony*) seasoned <inured> (to pain etc.)
zaprawowy *adj* 1. *sport* training __ (exercises etc.) 2. *chem.* mordant (dye etc.)
zaprażać *vt imperf* — **zaprażyć** *vt perf* to roast; to parch; to torrify
zaprenumerować *vt perf* to subscribe (**gazetę itd.** to a paper etc.)
zaprezentować *v perf* [I] *vt* 1. (*pokazać*) to present (a production etc.); to show; to produce (a play etc.) 2. † (*przedstawić*) to introduce (sb) [II] *vr* **~ się** 1. (*ukazać się*) to appear; **~ się korzystnie** <**niekorzystnie**> to make a good <a poor> appearance; to cut a brilliant <a sorry> figure 2. † (*przedstawić się*) to introduce oneself
zaprodukować *v perf* [I] *vt* to produce; to show; to bring out (a publication etc.) [II] *vr* **~ się** to display (**zdolnością, talentem itd.** one's ability, talent etc.)
zaprogramować *vt perf* 1. (*ułożyć program*) to draw up a programme 2. *techn.* to programme (an electronic computer etc.)
zaprojektować *vt perf* 1. (*wykonać plan*) to design (a building, ship, aircraft etc.) 2. (*zaproponować*) to propose; to suggest
zapropagować *vt perf* to propagate; to advertise; to boost
zaproponowa|ć *vt perf* to propose; to suggest; to offer (**coś komuś** sb sth); **~no mu stanowisko w ministerstwie** he was offered a post in the ministry
zaprosić *zob.* **zapraszać**
zaproszeni|e *sn* 1. ↑ **zaprosić** 2. (*zaprosiny*) invitation; **mam ~e na obiad** I am invited to dinner; (*o imprezie*) **tylko za ~ami** private
zaproszony [I] *pp* ↑ **zaprosić; przyjść nie będąc ~m** to come uninvited [II] *sm* invited guest

zaprotegować *vt perf* to use one's influence in (sb's) favour; to recommend (**kogoś na jakieś stanowisko itd.** sb for a post etc.)

zaprotestować *v perf* [I] *vi* to protest (against sth); to set up a protest; to object (**przeciwko czemuś** to sth); **nie ~** to make no protest [II] *vt handl.* to protest (a bill)

zaprotokołować, zaprotokółować *vt perf* (*zapisać*) to record (sth); (*zamieścić w protokole zebrania*) to record (sth) in the minutes

zaprowadzać *zob.* **zaprowadzić**

zaprowadzenie *sn* 1. ↑ **zaprowadzić** 2. (*wprowadzenie w życie*) introduction; initiation 3. (*założenie*) establishment; institution; installation

zaprowadz|ić *vt perf* **~ę, ~ony — zaprowadz|ać** *vt imperf* 1. (*dojść z kimś dokądś*) to conduct <to guide, to escort> (sb somewhere); to take <to lead> (sb, a horse, somewhere); to show (sb to his room, into the drawing-room etc.); (*o drodze, ścieżce*) to lead (to a part of the town, to the forest, lake etc.) 2. (*wprowadzić w życie*) to bring (sth) into existence; to introduce <to initiate> (a custom etc.); (*o zwyczaju itd.*) **dawno ~ony** old-established; **świeżo ~ony** of recent introduction; **~ić modę** to set the fashion; **~ić porządek, ład w czymś** to set sth in order; to set <to put> sth to rights 3. (*założyć*) to establish; to institute; to set up; to install (a sewer system, electric lighting etc.)

zaprowiantować *v perf* [I] *vt* to provision (an army, a ship); to supply (a garrison etc.) with provisions [II] *vr* **~ się** to lay in a supply of provisions

zaprowiantowanie *sn* 1. ↑ **zaprowiantować** 2. (*zapasy żywności*) provisions

zaprószać *zob.* **zaprószyć**

zaprószenie *sn* 1. ↑ **zaprószyć** 2. (*pył*) dustiness; **ani na ~ oka** not a mite

zaprószony [I] *pp* ↑ **zaprószyć** [II] *adj* 1. (*pokryty pyłem*) dusty 2. *przen. pot.* (*podpity*) tipsy

zaprósz|yć *v perf* — **zaprósz|ać** *v imperf* [I] *vt* to cover with dust; **~yć ogień** to start a fire; **~yłem sobie oko** sth fell in my eye; *przen. pot.* **~yć, ~ać sobie głowę** to get tipsy [II] *vr* **~yć, ~ać się** 1. (*zostać zaprószonym*) to get dusty <covered with dust>; **ogień się ~ył** a fire was started; **ogień ~ył się w stodole** the fire spread to the barn 2. *pot.* (*upić się*) to get tipsy

zaprychać *vi perf* to snort; to start snorting

zapryskać *vt perf* — **zapryskiwać** *vt imperf* to splash

zaprza|niec *sm G.* **~ńca** renegade; turncoat

zaprzaństwo *sn singt* renegation

zaprz|ąc *v perf*, **zaprz|ęgnąć** *v perf* — **zaprz|ęgać** *v imperf* **~ęgnę** <**~ęgę**>, **~ęgnie** <**~ęże**>, **~ęgnij** <**~ęż**>, **~ągł** <**~ęgnął**>, **~ęgła, ~ężony** <**~ęgnięty**> [I] *vt* to harness (a horse to a cart etc.); to yoke (oxen); **wóz ~ężony w dwa konie** cart drawn by two horses; *przen.* **~ąc kogoś do pracy** to put sb at work; to tie sb down to sth; **~ęgnięty do pracy** in the traces; in collar [II] *vi* to put a horse <the horses> to [III] *vr* **~ąc, ~ęgnąć, ~ęgać się** to settle down (**do pracy** to a task); **~ąc się do roboty** to buckle to; (*o koniach, psach*) to be <to get> harnessed

zaprz|ąg <**zaprz|ęg**> *sm G.* **~ęgu** 1. (*pojazd*) equipage; turn-out; vehicle; carriage; cart; team; span (of horses, oxen); yoke (of oxen) 2. (*uprząż*) harness 3. (*zaprzęganie*) harnessing

zaprzęgnąć (się) *zob.* **zaprząc**

zaprząt|ać *vt imperf*, **zaprząt|ywać** *vt imperf* — **zaprząt|nąć** *vt perf* to occupy <to preoccupy> (sb); to absorb (sb, sb's attention); to take up (sb's attention); **~ać, ~ywać, ~nąć sobie głowę** <**myśli**> **kimś** to be infatuated with sb; **~ać, ~ywać, ~nąć sobie głowę** <**myśli**> **czymś** to trouble one's head about sth

zaprzecz|ać *vi imperf* — **zaprzecz|yć** *vi perf* 1. (*odmawiać słuszności*) to deny <to gainsay> (**czemuś** sth); **kategorycznie ~yć zarzutowi** to meet a charge with a flat denial; **nie można temu ~yć** there's no denying <gainsaying> the fact; it is undeniable; **nie ~yłem** I didn't say no; **~yć oczywistym faktom** to fly in the face of facts 2. (*nie przyznawać komuś czegoś*) to deny <to contest, to dispute> (**komuś prawa do czegoś itd.** sb's right to sth etc.) 3. (*być w sprzeczności z czymś*) to negate <to contradict> (**czemuś** sth)

zaprzeczenie *sn* 1. (↑ **zaprzeczyć**) denial 2. *jęz.* negative 3. (*przeciwieństwo*) negation; contradiction

zaprzeczony [I] *pp* ↑ **zaprzeczyć** [II] *adj jęz.* negative

zaprzeczyć *zob.* **zaprzeczać**

zaprzeć[1] *zob.* **zapierać**[2]

zaprzeć[2] *vi perf* to go mouldy

zaprzeda|ć *v perf* **~dzą — zaprzeda|wać** *v imperf* **~je** [I] *vt* to sell <to betray> (one's country etc.) [II] *vr* **~ć, ~wać się** to sell oneself (to the enemy)

zaprzedanie (się) *sn* ↑ **zaprzedać (się)** treason

zaprzedawać *zob.* **zaprzedać**

zaprzepaszczać *zob.* **zaprzepaścić**

zaprzepaszczenie *sn* (↑ **zaprzepaścić**) ruin; wreck

zaprzepa|ścić *vt perf* **~szczę, ~szczony — zaprzepa|szczać** *vt imperf* 1. (*doprowadzić do zguby*) to ruin (sth); to bring (sth) to ruin; to wreck 2. (*nie wykorzystać*) to miss <to throw away, to let slip> (an opportunity); (*strwonić*) to squander; to waste; (*zmarnować*) to mishandle; to make a mess <a muddle> (**coś** of sth)

zaprzesta|ć *vt perf* **~nę, ~nie, ~ł — zaprzesta|wać** *vt imperf* **~je, ~waj** to cease <to stop, to leave off, to give up, *am.* to quit> (**czegoś, robienia czegoś** sth, doing sth; **palić, grać w karty** smoking, gambling etc.); to discontinue (**robienia czegoś** doing sth); to desist (**robienia czegoś** from doing sth); **nie ~wać czegoś** to keep sth up

zaprzestanie *sn* (↑ **zaprzestać**) cessation; discontinuance; desistance (**czegoś** from sth); **~ działań wojennych** cessation of hostilities

zaprzestawać *zob.* **zaprzestać**

zaprzeszły *adj gram.* pluperfect <past perfect> (tense)

zaprzęg *zob.* **zaprząg**

zaprzęgnąć *zob.* **zaprząc**

zaprzęgowy *adj* **koń ~** draught-horse

zaprzężenie *sn* ↑ **zaprząc**

zaprzodkować *vt perf* — **zaprzodkowywać** *vt imperf wojsk.* to limber up

zaprzychodować *vt perf* to enter (a receipt item) in the books

zaprzyjaźni|ć *v perf* **~j — zaprzyjaźni|ać** *v imperf* [I] *vt* (*o człowieku*) to bring (people) together;

(*o okolicznościach*) to bind (people) in friendship [II] *vr* **~ć, ~ać się** to make friends (with sb); to strike up a friendship (with sb); *pot.* to cotton on (**z kimś** to sb)

zaprzyjaźnienie *sn* (↑ **zaprzyjaźnić**) friendship; friendly relations <terms>

zaprzyjaźni|ony [I] *pp* ↑ **zaprzyjaźnić** [II] *adj pl N.* **~eni** friendly; amicable; **kraj ~ony** friendly nation; **jesteśmy ~eni** we are on friendly terms

zaprzykrzy|ć się *vr perf* to start hankering; **~ło się jej za matką** she started hankering after her mother

zaprzysi|ąc *v perf* **~ęgę** <**~ęgnę**>, **~ęże** <**~ęgnie**>, **~ąż** <**~ęgnij**>, **~ągł, ~ęgła, ~ężony, zaprzysi|ęgnąć** *v perf* — **zaprzysi|ęgać** *v imperf* [I] *vt* 1. (*zapewnić pod przysięgą*) to swear <to vow> (friendship, vengeance etc.) 2. (*zobowiązać kogoś do czegoś*) to pledge (**kogoś, że ...** sb to ...) 3. (*odebrać przysięgę*) to swear (sb) in; to administer an oath (**kogoś** to sb) [II] *vi* to swear (**że się coś zrobi** to do sth) [III] *vr* **~ąc, ~ęgnąć, ~ęgać się** to swear (**że się coś zrobi** <**czegoś nie zrobi**> to do <not to do> sth)

zaprzysięg|ły [I] *pp* ↑ **zaprzysiąc** [II] *adj* (*zagorzały*) fanatic; staunch; ardent; **~li przyjaciele** <**wrogowie**> sworn friends <enemies>

zaprzysiężenie *sn* 1. ↑ **zaprzysiąc** 2. (*przysięga*) oath; vow; pledge 3. (*odebranie przysięgi*) administration of an oath

zaprzysięż|ony [I] *pp* ↑ **zaprzysiąc** [II] *adj pl N.* **~eni** 1. = **zaprzysięgły** *adj* 2. † = **przysięgły**

zapstrzony *adj* fly-blown

zapuch|nąć *vi perf* **~ł** to swell; **ona ~ła od płaczu** her face was swollen from weeping

zapuchnięcie *sn* (↑ **zapuchnąć**) (a) swelling

zapudrować *vt perf* to powder (one's face)

zapuka|ć *vi perf* to knock <to rap> (**do drzwi, okna** at the door, at the window); **serce ~ło** (his, my etc.) heart gave a throb

zapukanie *sn* (↑ **zapukać**) (a) knock; (a) rap

zapulsować *vi perf* to throb; to start throbbing

zapustny *adj* carnival __ (rejoicings etc.)

zapu|szczać *v imperf* — **zapu|ścić** *v perf* **~szczę, ~szczony** [I] *vt* 1. (*zagłębiać*) to thrust <to sink, to plunge, to immerse> (sth into ...); to dip (one's hand into one's <sb's> pocket etc.); to cast (**sieć, wędkę, sondę** a net, a rod, the lead); **~szczać, ~ścić korzenie** to strike root; **~szczać, ~ścić komuś krople do oczu** to put drops in sb's eyes; **~szczać, ~ścić oko, wzrok do czegoś** to peep (**do czyjegoś pokoju itd.** into sb's room etc.); *przen.* **~szczać, ~ścić żurawia do czegoś** to steal a glance at sth 2. (*zasuwać*) to draw (the blinds etc.); to let down (a curtain etc.); *przen.* **~ścić na coś kurtynę** to draw a veil over sth 3. *perf* (*zaniedbać*) to neglect 4. (*nie strzyc*) to let (one's hair, beard, moustache) grow; **on ~ścił sobie wąsy, brodę** he has grown a moustache, a beard 5. (*nasycać substancją*) to coat (sth with paint, tar etc.) 6. *pot.* (*uruchamiać*) to start (an engine etc.); to crank up (a car) [II] *vr* **~szczać, ~ścić się** 1. (*zapędzać się*) to venture (into an unsafe district, foreign lands etc.); to hazard oneself (into blind alleys etc.) 2. (*o krowie*) to dry (*vi*)

zapuszczenie *sn* 1. ↑ **zapuścić** 2. (*stan zaniedbania*) state of neglect <of disrepair>

zapuszczony [I] *pp* ↑ **zapuścić** [II] *adj* (*zaniedbany*) neglected; lying waste; (*zarośnięty chwastami*) weed-grown; (*niechlujny*) slovenly; sluttish

zapuszkować *vt perf* to pot (food)

zapuścić *zob.* **zapuszczać**

zapychacz *sm górn.* lander; hanger-on

zapychać *v imperf* [I] *vt zob.* **zapchać** [II] *vr* **~ się** *gw.* to cram (*vi*)

zapychak *sm techn. górn.* ram; feeder

zapylacz|ka *sf pl G.* **~ek** *pszcz.* fertilizer (bee)

zapyl|ać *v imperf* — **zapyl|ić** *v perf* [I] *vt* 1. *biol. bot.* to pollinate; to fertilize 2. (*zanieczyszczać pyłem*) to cover (sth) with dust; to pollute (the air) with dust; **~ony** dusty 3. *górn.* to rock-dust [II] *vr* **~ać, ~ić się** *bot.* to be <to become> pollinated

zapylanie *sn* 1. ↑ **zapylać** 2. *bot.* pollination

zapylenie *sn* 1. ↑ **zapylić** 2. *bot.* pollination 3. (*obecność pyłu w atmosferze*) dustiness

zapylić *zob.* **zapylać**

zapyt|ać *v perf* — **zapyt|ywać** *v imperf* [I] *vt* to ask (**kogoś o coś** sb about sth); to question <to interrogate> (sb); **~ać kogoś o drogę** to ask the way of sb [II] *vi* to ask (**o coś** about sth; **o drogę** the way); to inquire (**o coś** about sth; **o drogę, cenę** the way, the price); **~ać czy, kiedy, gdzie, dlaczego** to ask <to inquire> if <whether>, when, where, why; **~ać o kogoś** a) (*o czyjeś zdrowie itd.*) to ask <to inquire> about sb b) (*czy jest na miejscu*) to ask <to inquire> after <for> sb [III] *vr* **~ać, ~ywać się** *emf.* = *vt, vi*

zapyta|nie *sn* 1. ↑ **zapytać** 2. (*wypowiedź o treści pytającej*) question; inquiry; interrogation; query; **było wiele ~ń** many questions were asked; there were many inquirers; **znak ~nia** question mark; note of interrogation; **postawić coś pod znakiem ~nia** to question sth; to bring sth in question; **stać pod znakiem ~nia** to be doubtful; **znaleźć się pod znakiem ~nia** to be called in question; to become doubtful

zapytywać *zob.* **zapytać**

zarabiacz|ka *sf pl G.* **~ek** *techn.* kneader

zar|abiać *v imperf* — **zar|obić** *v perf* **~ób** [I] *vt* 1. (*otrzymywać wynagrodzenie*) to earn <to get> (*x* zlotys a month etc.) 2. (*osiągać zysk*) to make a profit of <to clear> (***x* zł na jakimś interesie** *x* zlotys on a deal) 3. (*miesić*) to knead 4. (*naprawiać*) to mend; to darn <to knit up> (a stocking etc.) [II] *vi* 1. (*pracować zarobkowo*) to earn one's living <a livelihood> (**pisaniem, dzianiem itd.** by writing, knitting etc.); to win one's bread; **dobrze ~abiać** to get <to earn> good wages; to make money; **ledwo ~abiać na życie** to earn a bare living <just enough to keep the pot boiling>; **~abiać na kogoś** to maintain sb; **~abiać na siebie w czasie studiów** to pay <to work> one's way through the university 2. (*osiągnąć zysk*) to make money (on sth); to gain (**na czymś** by sth); **grubo ~obić na czymś** to make a pot of money on sth 3. (*zyskiwać*) to gain (**na czymś** by sth)

zarabizować *vt perf* to Arabicize

zarabować się *vr perf górn.* to collapse

zarabowisko *sn górn.* (a) collapse

zarachować *vt perf* — **zarachowywać** *vt imperf* to calculate

zarachowanie *sn* (↑ **zarachować**) calculation

zaradcz|y *adj* remedial; **środki ~e** remedial measures

zaradność *sf singt* resource; resourcefulness

zaradny *adj* resourceful; **człowiek ~** man of resource

zaradzać *zob.* **zaradzić**

zaradzenie *sn* ↑ **zaradzić**

zaradz|ić *vi perf* **~ę** — **zaradz|ać** *vi imperf* to find a way out (**trudności** of a difficulty); to remedy (**złu** an evil); to make up <to supply> (**brakowi** a deficiency); **czy można temu ~ić?** can this be helped?; **nie mogę temu ~ić** there's nothing I can do to help; **~ić sobie w niedoli** to cope with one's troubles

zarani|e *sn* daybreak; early dawn; **na ~u** at daybreak <dawn>; **w ~u historii** in the dawn of history; **w ~u życia** in the prime of life

zaranny *adj* morning __ (star etc.)

zaraportować *vi perf* to report

zar|astać *v imperf* — **zar|osnąć** *v perf*, **zar|óść** *v perf* **~ośnie, ~ósł, ~osła, ~ośli** [I] *vt* to overgrow (an area); to cover (an area) with its <their> growth; (*o ręce, piersi*) **~ośnięty** hairy [II] *vr* **~astać, ~osnąć, ~óść się** 1. (*pokryć się roślinami, włosami*) to become grown over (with weeds, hair); to become covered with a growth (**chwastami** of weeds; **włosami** of hair) 2. (*zabliźniać się*) to skin over

zaratustryzm *sm singt G.* **~u** Zoroastrianism, Zarathustr(ian)ism

zaraz *adv* (*natychmiast*) at once; immediately; right away; right now; directly; (*niebawem*) soon; presently; shortly; **~ będę** I'm coming; **~ wrócę** I won't be long; *am.* I'll be right back; **~ na następnej stronicy** on the very next page; **~ następnego dnia** the very next day; (*niedaleko*) **~ przy czymś** next to <close to> sth; **~, ~!** a) (*nie tak prędko!*) wait a minute; don't be in such a hurry b) (*niech się namyślę*) let me see!

zaraz|a *sf* 1. (*epidemia*) pest; pestilence; **morowa ~a** plague; black death; **~a racicowa** foot-and-mouth disease; **unikać kogoś, czegoś jak ~y** to avoid sb, sth like the plague 2. *przen.* (*plaga społeczna*) epidemic (of bribery and corruption etc.) 3. *bot.* (*Orobanche*) broomrape

zaraz|ek *sm G.* **~ka** *med.* germ; microbe

zarazem *adv* at the same time; also; as well

zara|zić *v perf* **~żę, ~żony** — **zara|żać** *v imperf* [I] *vt* 1. (*zainfekować*) to infect (**kogoś chorobą** sb with a disease); **~zić, ~żać kogoś swoją chorobą** to convey one's disease to sb; *przen.* **~zić towarzystwo śmiechem, ziewaniem** to infect the company with one's laughter, yawning; **~zić umysły jakąś doktryną itd.** to infect people's minds with a doctrine etc. 2. (*zatruć*) to contaminate <to poison> (the air etc.) [II] *vr* **~zić, ~żać się** to become infected with <to catch> a disease

zarazowat|y *bot.* [I] *adj* orobanchaceous [II] *spl* **~e** (*Orobanchaceae*) (*rodzina*) the broomrape family

zaraźliwie *adv* contagiously; **działać ~ na kogoś** to infect sb; **śmiać się ~** to laugh contagiously

zaraźliwość *sf singt* infectiousness (of a disease etc.); *przen.* contagiousness (of laughter)

zaraźliw|y *adj* 1. (*zakaźny*) infectious; contagious; catching; communicable; **to nie jest ~e** it is non-contagious 2. *przen.* (*o śmiechu itd. — udzielający się*) infectious

zarażać *zob.* **zarazić**

zaraż|ony [I] *pp* ↑ **zarazić** [II] *sm* **~ony** person infected with a disease; plague-stricken person; *pl* **~eni** those infected (with a disease)

zarąb|ać *vt perf* **~ie** — **zarąbywać** *vt imperf* to hack (sb) to pieces; to make mincemeat of sb

zarchaizować *vt perf* to archaize

zardzewiały *adj* rusty; rust-eaten

zardzewie|ć *vi perf* **~je** to get rusty

zardzewienie *sn* (↑ **zardzewieć**) rustiness

zareagować *vi perf* to react (**na coś** to sth)

zareagowanie *sn* (↑ **zareagować**) reaction

zarecho|tać *vi perf* **~cze** <**~ce**> 1. (*o żabach*) to croak; to start croaking 2. (*o człowieku*) to chortle; to start chortling

zarefować *vi perf mar.* to reef

zarejestrować *v perf* [I] *vt* to register; to record [II] *vr* **~ się** to register (*vi*)

zarejestrowanie *sn* (↑ **zarejestrować**) registration

zareklamować *v perf* [I] *vt* 1. (*zrobić reklamę*) to advertise; to give publicity (**coś, kogoś** to sth, sb) 2. (*zgłosić reklamację*) to lodge a complaint (**coś** about sth) [II] *vr* **~ się** to advertise (*vi*); to make publicity for oneself

zarekomendować *v perf* [I] *vt* to recommend (sb) [II] *vr* **~ się** to recommend oneself

zarekomendowanie *sn* (↑ **zarekomendować**) recommendation

zarekwirować *vt perf* to requisition; to commandeer; to seize (goods)

zarepetować *vt perf* to reload (a rifle, revolver)

zareplikować *vi perf* to rejoin

zarezerwować *vt perf* to reserve (**coś komuś, dla kogoś** sth for sb); to set (sth) aside (for sb, for a purpose); to make reservations (**miejsca w teatrze, pokoje w hotelu** for seats in a theatre, for rooms in a hotel); to book (seats in a train etc.)

zarękcz|ać *v imperf* — **zaręcz|yć** *v perf* [I] *vt* 1. (*dawać gwarancję*) to secure <to ensure> (**komuś bezpieczeństwo itd.** sb's safety etc.) 2. (*doprowadzić do zaręczyn*) to betroth <to engage, to affiance> (**kogoś z kimś** sb to sb) [II] *vi* (*zapewniać*) to assure <to vouch, to affirm> (**komuś, że ...** sb that ...) [III] *vr* **~ać, ~yć się** to become engaged (to be married)

zaręczona [I] *sf* fiancée [II] *adj* engaged

zarękcz|eni *spl G.* **~onych** engaged couple; plighted lovers

zaręczony [I] *sm* fiancé [II] *adj* engaged

zaręczenie *sn* (↑ **zaręczyć**) assurance

zaręczyć *zob.* **zaręczać**

zaręczynowy *adj* engagement __ (ring etc.)

zaręczyn|y *spl G.* **~** engagement; betrothal

zarękaw|ek *sm G.* **~ka** 1. (*ochraniacz na rękaw*) oversleeve 2. (*mufka*) muff

zarobaczenie *sn* (↑ **zarobaczyć**) vermination

zarobaczyć *vt perf med.* to verminate

zarobaczywi|ć *vt perf* 1. = **zarobaczyć** 2. (*zapuścić robactwo*) to cause <to allow> (a place) to become infested with vermin; **~ony** (*o izbie, mieszkaniu*) verminous; (*o owocu*) maggoty

zarobaczywienie *sn* (↑ **zarobaczywić**) infestation with vermin

zarob|ek *sm G.* **~ku** 1. (*wynagrodzenie*) wages 2. (*zarabianie*) earnings; livelihood; living; **uboczny**

~ek perquisite; *pot.* perk; **nie przekraczać swych ~ków** to live within one's means; **dla ~ku** for a living; **chodzić na ~ek** *am.* to hire out (*vi*) 3. (*zysk*) profit (**na <z> transakcji** on a deal); gain

zarobić *zob.* **zarabiać**

zarobkiewicz *sm pot.* money-grubber; person bent on gain; profit-seeking person

zarobk|ować *vi imperf* to earn a living; **człowiek dobrze ~ujący** person with a good income; **człowiek ~ujący** wage-earner

zarobkowo *adv* (to treat sth) as a source of income

zarobkowy *adj* paid (work); earning (capacity etc.); (margin etc.) of profit

zarobow|y *adj bud.* **woda ~a** mixing water

zarod|ek *sm G.* **~ka** 1. (*u ludzi i zwierząt*) embryo; foetus; germ; *przen.* **w ~ku** in embryo; in the egg; **zdusić <stłumić> coś w ~ku** to nip sth in the bud; to kill sth in the germ 2. *bot.* bud seed; plumule 3. *techn.* **~ek kryształu** incipient crystal

zarodkowy *adj* embryonic; germinal

zarodnia *sf bot.* sporangium

zarodnik *sm bot.* spore; sporule; *geol.* **~i lodowe** freezing nuclei

zarodnikonośny *adj bot.* sporiferous

zarodnikować *vi imperf bot. biol.* to bear <to produce> spores

zarodnikowanie *sn* (↑ **zarodnikować**) sporification

zarodnikowcow|y *adj pszcz.* **choroba ~a** Nosema disease

zarodnikow|iec *sm G.* **~ca** *zool.* sporozoan; *pl* **~ce** (*Sporozoa*) (*gromada*) the class Sporozoa; **~iec pszczeli** the parasite Nosema apis

zarodnikowy *adj bot.* cryptogamic; cryptogamous

zarodnionośny *adj* = **zarodnikonośny**

zarodniow|y *adj bot.* **kupka ~a** sporus

zarodowy *adj* pedigree (cattle); (bull etc.) kept for breeding purposes

zaro|dziec *sm G.* **~dźca** *zool.* (*Plasmodium*) malaria parasite

zaro|ić *v perf* **~ję** [I] *vi* to dream <to start dreaming> (**o czymś** of sth) [II] *vr* **~ić się** to swarm; to teem; **na ulicach ~iło się od ludzi** the streets swarmed <teemed> with people; *przen.* **~iło się od publikacji** there was a flood of publications

zaropi|eć *vi perf* **~eje** to fester; to suppurate; to start festering <suppurating>; **~ałe oczy** gummy <rheumy> eyes

zaro|sić *vt perf* **~szę, ~szony** to bedew

zarosnąć *zob.* **zarastać**

zarost *sm singt G.* **~u** 1. (*roślinność*) growth; overgrowth 2. (*owłosienie*) hair; growth; shagginess; **nie golony ~** unshaved <unshaven> beard <growth>; **bez ~u** smooth-chinned; beardless; barefaced; **z tygodniowym ~em** with a week's beard <growth>

zarostow|y *adj* (thickness etc.) of overgrowth; *med.* **~e zapalenie naczyń** obliterating phlebitis

zaroszenie *sn* ↑ **zarosić**

zarośl|a *spl G.* **~i** thicket; scrub; brushwood; brake; spinney

zarośnięcie *sn* ↑ **zarosnąć**

zarośnięty [I] *pp* ↑ **zarosnąć** [II] *adj* (*nie golony*) unshaved; unshaven; shaggy

zarozumiale *adv* conceitedly; presumptuously; bumptiously; uppishly; priggishly; cockily

zarozumial|ec *sm G.* **~ca** cockscomb; jackanapes; prig; swelled head; squirt; **młody ~ec** puppy

zarozumia|lstwo *sn*, **zarozumia|łość** *sf singt* conceit; presumption; presumptuousness; bumptiousness; uppishness; priggishness; cockiness; **pękać z ~łości** to be eaten up with conceit

zarozumiały *adj* conceited; presumptuous; bumptious; uppish; priggish; overweaning; cocky; swollen-headed; hoity-toity

zar|ób *sm G.* **~obu** *bud.* batch of concrete <of mortar>; preparation; concrete mix

zarób|ka *sf pl G.* **~ek** *farm.* vehicle; binding substance

zar|ód *sm G.* **~odu, zar|ódź** *sf G.* **~odzi** 1. † *biol.* protoplasm 2. *przen.* (*zaczątek*) nucleus

zaróść *zob.* **zarastać**

zarówno *adv* both (**... jak i** ... and); as well (**... jak i** ... as); alike; **~ matka jak i dziecko** both the mother and the baby; **~ w zimie jak i w lecie** in winter as well as in summer; winter and summer alike

zaróż|owić *v perf* **~ów** [I] *vt* to colour <to tint> (sth) pink [II] *vr* **~owić się** to assume a pink hue

zaróżowie|ć *vi perf* **~je** 1. = **zaróżowić** *vr* 2. (*ukazać się jako różowa plama*) to show pink (against a background)

zaróżowienie *sn* 1. ↑ **zaróżowić, zaróżowieć** 2. (*plama różowa, miejsce różowe*) pink spot <patch> 3. (*rumieniec*) blush

zartretyzowany *adj* affected with <deformed by> arthritis

zarubrykować *vt perf* 1. (*wciągać do rubryk*) to enter (an item) under a rubric 2. (*pokryć rubrykami*) to rubricate

zarumieni|ć *v perf* — **zarumieni|ać** *v imperf* [I] *vt* 1. *kulin.* to brown (butter etc.) 2. (*wywołać rumieńce*) to flush <to bring a blush to> (sb's cheeks) 3. (*zabarwić na kolor różowy*) to colour (sth) pink <red>; to give a pink <red> hue (**coś** to sth) [II] *vr* **~ć, ~ać się** 1. *kulin.* to brown (*vi*); to get browned 2. (*dostać rumieńców*) to blush; to redden; (*o twarzy*) to flush 3. (*nabrać odcienia czerwonego*) to assume a pink <red> hue

zarumienie|ć *vi perf* **~je** to assume a pink <red> hue; to pink (*vi*); to redden (*vi*); to show pink <red> (against a background)

zarumienienie *sn* 1. ↑ **zarumienić, zarumienieć** 2. (*miejsce zabarwione*) pink <red> spot <colour> 3. **~ się** blush; flush

zaruni|ać *v imperf* — **zaruni|ć** *v perf* [I] *vt* to cover with the greenness of fresh crops [II] *vr* **~ać, ~ć się** to grow green; to become covered with the greenness of fresh crops

zaruszać *v perf* [I] *vt* to move <to sway> (sth) [II] *vr* **~ się** 1. (*poruszyć się*) to move <to sway> (*vi*) 2. (*wszcząć ruch*) to be roused to a stir

zaruśko *adv gw.* this minute; right away

zar|wać *v perf* **~wę, ~wie, ~wij** — **zar|ywać** *v imperf* [I] *vt* 1. (*spowodować załamanie się*) to bring (sth) down 2. *pot.* (*narazić na stratę*) to let (sb) down 3. *imperf pot.* (*dać się odczuć jako ból*) to cause <to give> (sb) a shooting pain; **~wało go** he had a shooting pain 4. *w zwrocie:* **~wać noc** to spoil a night's sleep; to sit up till late at night [II] *vr* **~wać, ~ywać się** 1. (*zapaść się*) to break down; to collapse; to give in 2. (*zająknąć się*) to stutter *zob.* zarywać[1]

zarwański *adj w zwrocie*: **zarwańska ulica** bear-garden

zaryb|ek *sn G.* **~ku** fry

zarybi|ać *v imperf* — **zarybi|ć** *v perf* [I] *vt* to stock (a pond etc.) with fry [III] *vr* **~ać, ~ć się** to get stocked (with fry)

zarybienie *sn* ↑ **zarybić**

zarycie *sn* ↑ **zaryć**

zarycz|eć *vi perf* **~y** 1. *dosł. i przen.* to roar; to start roaring 2. (*wrzasnąć*) to yell; to start yelling 3. *pot.* (*zapłakać*) to burst into tears; to start blubbering

zary|ć *vi perf* **~je** — **zary|wać** *vi imperf* 1. (*zagłębić się*) to tumble <to sprawl> (**głową, nosem w ziemię, w śnieg** head first in the ground, into the snow); **~ty** embedded <buried> (in the sand, snow etc.) 2. † (*zakopać*) to bury (sth) in the ground

zaryglować *v perf* [I] *vt* to bolt (a door); to bar (an entrance etc.) [III] *vr* **~ się** to bolt the door behind one; to shutter up one's house

zarykiwać się *vr imperf* 1. (*płakać*) to cry one's eyes out 2. (*śmiać się*) to split one's sides (**ze śmiechu** with laughter)

zarys *sm G.* **~u** 1. (*sylwetka*) outline; **przedstawić coś w ~ie** to outline sth; **w ogólnym ~ie, w głównych ~ach** in outline 2. (*szkic*) sketch; broad lines (of a plan etc.); design; draft 3. (*podstawowe wiadomości*) epitome

zarysow|ać *v perf* — **zarysow|ywać** *v imperf* [I] *vt* 1. (*pokryć rysunkami*) to cover (a sheet of paper etc.) with drawings; to draw (circles, triangles etc.) all over (a sheet of paper etc.) 2. (*zrobić rysę, rysy*) to scratch <to make scratches on> (a surface) 3. (*spowodować popękanie*) to crack; to make a crevice (**coś** on sth) 4. (*narysować*) to sketch; to outline; to show in outline; to delineate [III] *vr* **~ać, ~ywać się** 1. (*zostać podrapanym*) to be <to become> scratched; to get covered with scratches 2. (*pęknąć*) to crack 3. (*stać się widocznym*) to appear; to come into view; to loom; to stand out; to be outlined; to show up

zarysowanie *sn* 1. ↑ **zarysować** 2. (*rysa, rysy*) scratch(es) 3. (*pęknięcie, pęknięcia*) crack(s) 4. (*rysunek*) sketch; outline

zarysowany [I] *pp* ↑ **zarysować** [III] *adj* outlined; outstanding

zarysowo *adv* sketchily

zarysowy *adj* sketchy

zarysowywać *zob.* **zarysować**

zarytmetyzować *vt perf* to arithmetize

zarywać[1] *vt imperf* 1. *zob.* **zarwać** 2. (*szarpać*) to pluck

zarywać[2] *zob.* **zaryć**

zaryzyk|ować *v perf* [I] *vt* to venture <to hazard> (an opinion etc.); to run the risk (**utratę majątku itd.** of losing one's fortune etc.); to stake (a sum of money); **~ować drobną kwotę na wyścigach, przy zielonym stoliku** to have a little flutter at the races, at the gambling table [III] *vi* to chance one's luck; **~uję** I'll chance it

zarząd *sm G.* **~u** 1. (*zespół ludzi kierujących*) management; administration; board (of directors, of trustees); **centralny ~** headquarters; **członek ~u** director; **~ miejski** municipal government 2. (*zarządzanie*) management; administration; **pod ~em państwowym** under State control

zarządca *sm* (*decl* = *sf*) manager; administrator; (*w majątku ziemskim*) steward

zarządczyni *sf* manageress; administratrix

zarządz|ać *v imperf* **~ę, ~ony** — **zarządzić** *v perf* [I] *vt* 1. (*wydawać polecenia*) to give orders <dispositions> (**zrobienie czegoś** for sth to be done); to ordain <to institute> (**śledztwo itd.** an inquiry etc.); to call (**postój, przerwę** a halt) 2. (*sprawować zarząd*) to administer <to manage, to govern> (**czymś** sth); to run (**instytucją, gospodarstwem, swoimi sprawami itd.** an institution, an estate, one's affairs etc.) [III] *vi* to give orders, dispositions <to arrange> (**żeby coś zrobiono** for sth to be done)

zarządzając|y [I] *adj* managing; **rada ~a** board of direction <of trustees>; governing body [II] *sm* **~y** manager; administrator [III] *sf* **~a** manageress; administratrix

zarządzanie *sn* (↑ **zarządzać**) administration; management (**instytucją itd.** of an institution etc.); stewardship (**majątkiem** of an estate)

zarządzenie *sn* 1. ↑ **zarządzić** 2. (*rozporządzenie*) order; instructions; dispositions

zarządzić *zob.* **zarządzać**

zarze|c się *vr perf* **~knę się, ~knie się, ~knij się, ~kł się** — **zarzekać się** *vr imperf* 1. (*wyrzec się*) to renounce (**czegoś** sth); to give up (**palenia, picia itd.** smoking, drinking etc.) 2. (*wyprzeć się*) to repudiate (**czegoś** sth) 3. (*zaręczyć*) to promise; to pledge oneself; to vow

zarzeczny *adj* (district etc.) beyond the river

zarzekać się *zob.* **zarzec się**

zarzekanie się *sn* 1. ↑ **zarzekać się** 2. (*wyrzeczenie się*) renunciation 3. (*zaręczenie*) promise; pledge; vow

zarzewi|e *sn pl G.* **~** 1. (*żarzące się węgle*) embers; (fire-)brand 2. *przen.* (*źródło*) source (of trouble etc.); seeds <hotbed> (of discontent etc.) 3. *przen.* (*czerwony odblask*) glow

zarzępolić *vi perf* to start rasping the fiddle

zarznąć *zob.* **zarżnąć**

zarzuc|ać *vt imperf* — **zarzuc|ić** *vt perf* **~ę, ~ony** 1. (*przerzucać*) to throw <to fling> (sth on <over, across> sth); to cast (anchor, a fishing-rod etc.); to hang (sth on the clothes-line etc.); **~ić komuś ręce na szyję** to throw <to fling> one's arms round sb's neck; **~ić koniom <bydłu> paszy** to throw some fodder into the manger; **~ić rynek towarem** to glut the market with a commodity; to dump a commodity on the market; **~ić sobie coś na plecy** to fling sth over one's shoulders 2. (*pokrywać*) to scatter <to strew> (a table with papers etc., the floor with toys etc.); **~ić pozycję pociskami** to rain missiles on a position; *przen.* **~ić kogoś pytaniami** to bombard <to overwhelm> sb with questions; **~ić kogoś zaproszeniami** to shower invitations on sb 3. (*wypełnić*) to fill (a hole with sand, stones etc.) 4. (*pokryć*) to cover <to spread> (a surface with sth); *przen.* **~ić zasłonę na coś** to draw a veil on sth 5. (*obwiniać*) to reproach <to upbraid> (**coś komuś** sb with <for>

sth); to taunt (**coś komuś** sb with sth); **nic mu nie mogę ~ić** I have no fault to find with him 6. (*oskarżać*) to accuse (**komuś coś** sb of sth); to charge (**komuś coś** sb with sth) 7. (*nakładać na siebie*) to slip <to fling> (sth) on; to throw (**coś na siebie** sth over one's shoulders) 8. (*porzucać*) to give (sth) up; to relinquish (sth); to abandon <to discard, to discontinue> (sth); *pot.* to chuck (sth) up; **~ony** obsolete (custom, word etc.) 9. (*zgubić*) to mislay 10. *impers* (*o pojeździe mechanicznym*) to side-slip; to skid; **wozem ~iło** the car side-slipped <skidded>

zarzucaj|ka *sf pl G.* **~ek** *pot.* a kind of potato soup

zarzuceni|e *sn* 1. ↑ **zarzucić** 2. (*rzut wędki itd.*) (a) throw; (a) cast 3. (*obwinienie*) reproach; **co temu masz do ~a?** what's wrong with this?; **nie mam mu nic do ~a** I have no objection to <no fault to find with> him 4. (*porzucenie*) relinquishment; abandonment; discontinuance; disuse

zarzucić *zob.* **zarzucać**

zarzut *sm G.* **~u** 1. (*słowa ujemnej oceny*) reproach; blame; reproof; *pl* **~y** censure; **bez ~u** faultless; beyond <above> reproach; irreproachable; impeccable; **robić komuś ~ z czegoś** to censure <to blame> sb for sth; to lay the blame for sth at sb's door; **nie robię ci z tego ~u** I don't blame you for that 2. (*zastrzeżenie*) objection; **wysuwać ~y przeciwko komuś, czemuś** to raise objections to <to find fault with, to take exception to> sb, sth; to cavil at sth 3. (*oskarżenie*) accusation; charge; imputation; **pod ~em morderstwa** on a charge <under sentence> of murder; **stanąć pod ~em zbrodni** to be charged with <accused of> a crime 4. *prawn.* demurrer; **odparcie ~ów** rejoinder

zarzut|ka *sf pl G.* **~ek** wrap

zarzygać *vt perf pot.* to be sick <to cat, to vomit> (**coś** on sth, all over sth)

zarzynać *zob.* **zarżnąć**

zarż|eć *vi perf* **~y, ~yj** to neigh; to start neighing

zarżnąć *v perf,* **zarznąć** *v perf* — **zarzynać** *v imperf* [I] *vt* 1. (*zabić*) to cut (**kogoś** sb's) throat; to knife; to butcher; to do (sb) in; **~ zwierzę** to slaughter an animal; **zarżnąć, zarznąć, zarzynać świnię** to stick a pig 2. *przen.* (*zgubić*) to ruin (sb); to bring (sb) to ruin 3. (*o zwierzętach*) to kill <to devour, to eat> (its prey) 4. (*naciąć*) to make an incision (**coś** on sth) 5. *pot. karc.* to have a good game (**w karty** of cards) [II] *vr* **zarżnąć, zarznąć, zarzynać się** 1. (*zabić siebie*) to cut one's throat 2. *przen.* (*doprowadzić siebie do ruiny*) to ruin oneself 3. (*skaleczyć się*) to cut (**w palec, w nogę itd.** one's finger, leg etc.); **zarżnąć, zarznąć, zarzynać się przy goleniu** to cut <to hack> one's chin 4. (*ugrzęznąć*) to get stuck (in the sand, mire etc.)

zarżnięcie *sn* ↑ **zarżnąć**

zasa|da *sf* 1. (*podstawa*) base; law (of nature, of contradiction etc.); principle; **na jakiej ~dzie ...?** by what right ...?; **w ~dzie ja się zgadzam** I agree in substance 2. *pl* **~dy** (*normy postępowania*) rules; lines (of conduct); principles; (*o człowieku*) **bez ~d** unprincipled; **dla ~dy** for regularity; **mający wzniosłe ~dy** high-principled; **odbiegający od ogólnie przyjętych ~d** unorthodox; **zgodny z ogólnie przyjętymi ~dami** orthodox; **w ~dzie** in principle; **z ~dy** on principle 3. (*założenie*) tenet; maxim; principle 4. *chem.* alkali; base 5. *mat.* base

zasadniczo *adv* 1. (*z gruntu*) radically; fundamentally 2. (*tylko o tyle, o ile chodzi o samą zasadę*) in principle; in substance; in the main; in essence 3. *pot.* (*pryncypialnie*) with blind adherence to principles

zasadnicz|y *adj* 1. (*dotyczący zasad*) (question, matter) of principle 2. (*podstawowy*) fundamental; basic; essential; primordial; primary; vital (importance etc.); *wojsk. sport* **postawa ~a** position of attention; **przyjąć postawę ~ą** to come to attention; **stać w postawie ~ej** to stand at attention 2. (*gruntowny*) radical (change etc.) 3. (*pryncypialny*) blindly adhering to principles

zasadolubny *adj bot.* basiphilous

zasadotwórczy *adj chem.* alkaligenous

zasadowość *sf singt chem.* basicity; alkalinity

zasadow|y *adj chem.* basic; alkaline; *geol.* **skały ~e** alkaline rocks

zasadz|ać *v imperf* — **zasadz|ić** *v perf* **~ę, ~ony** [I] *vt* 1. (*sadzić*) to plant (trees etc.; an area with trees etc.) 2. (*umieszczać*) to set <to thrust> (sth somewhere) 3. † (*sadowić*) to seat (sb somewhere); *obecnie w zwrocie:* **~ać, ~ić kogoś do czegoś** to set sb to sth — to a task, a piece of work etc. 4. † (*opierać*) to base (sth on a principle etc.) [II] *vr* **~ać, ~ić się** 1. (*zaczajać się*) to lie in ambush; to waylay (**na kogoś** sb) 2. *imperf* (*opierać się*) to base oneself (on an assumption etc.)

zasadz|ka *sf pl G.* **~ek** ambush, ambuscade; trap; **urządzić ~kę na wroga** to lay an ambush <to set a trap> for the enemy; to waylay <to lie in wait for> the enemy; **wpaść w ~kę** to fall into a trap

zasalać *zob.* **zasolić**

zasalutować *vi perf* to salute (**zwierzchnikowi** one's superior)

zasap|ać *v perf* **~ie** [I] *vi* to puff; to start puffing [II] *vr* **~ać się** to start panting; to pant; **~ał się** he is <was> out of breath <breathless>

zasapany *adj* breathless

zasapywać się *vr imperf* to be wont to lose one's breath

zasądz|ać *vt imperf* — **zasądz|ić** *vt perf* **~ę, ~ony** 1. (*przyznać wyrokiem sądowym*) to adjudge (**sth** to sb) 2. (*skazywać*) to sentence (**na** *x* **lat więzienia, na karę śmierci** to *x* years imprisonment, to death)

zasądzenie *sn* 1. ↑ **zasądzić** 2. (*przyznanie*) adjudication 3. (*skazanie*) sentence

zasądzony [I] *pp* ↑ **zasądzić** [II] *sm* person convicted of a crime; condemned person

zascenie *sn teatr* back of the stage

zas|chnąć *vi perf* **~chnął** <**~echł**>, **~chła** — **zas|ychać** *vi imperf* to dry up; **~chło mi w gardle** I felt dry

zaschły, zaschnięty *adj* dry

zasekwestrować *vt perf* to distrain; to sequester <sequestrate> (sb's property)

zaseplenić *vt perf* to lisp (sth) out

zaserwować *vi perf sport* to serve

zasępi|ać *v imperf* — **zasępi|ć** *v perf* [I] *vt* 1. (*martwić*) to depress; to deject; to dispirit; to cast a gloom (**towarzystwo itd.** on a company etc.); **~ony** gloomy; downcast; dejected; dispirited 2.

(*zachmurzać*) to cloud; to overcast; to darken [III] *vr* **~ać, ~ć się** 1. (*stawać się smutnym*) to become gloomy <dejected, dispirited>; to despond 2. (*zachmurzać się*) to cloud over; to darken

zasępienie *sn* 1. ↑ **zasępić** 2. (*smutek*) gloom; dejection; despondency

zasi|ać *v perf* **~eje** — **zasi|ewać** *v imperf* [I] *vt* 1. (*posiać*) to sow (one's grain etc.) 2. (*obsiać*) to sow (land with wheat, rye etc.); to put (a field etc.) under corn [III] *vr* **~ać, ~ewać się** to self-sow

zasi|adać *v imperf* — **zasi|ąść** *v perf* **~ądę, ~ądzie, ~ądź, ~adł, ~edli** [I] *vi* 1. (*siadać*) to sit down (**do stołu, do kart itd.** to table, to a game of cards etc.); **~adać na ławie oskarżonych** to be in dock; **~adać na tronie** to reign; **~adać w Akademii** to have a seat in the Academy; **~ąść w Akademii** to take one's seat in the Academy; **~adać w komitecie** to sit <to serve> on a committee; **~ąść do egzaminu** to go in <to present oneself> for an examination; **~ąść za biurkiem** to seat oneself at one's desk 2. (*przystępować do czegoś*) to settle down (**do czegoś — do pracy** to sth — to one's work) [III] *vr* **~adać się** (*siadać wygodnie*) to sit comfortably down

zasiadywać *zob.* **zasiedzieć**

zasianie *sn* ↑ **zasiać**

zasiąg *sm* = **zasięg**

zasiąkle *sn* pool (formed by a flood)

zasiąść *zob.* **zasiadać**

zasie|c *v perf* **~kę, ~cze, ~cz, ~kł, ~czony** [I] *vt* 1. (*zabić rózgami*) to flog (sb) to death; (*bronią sieczną*) to slash <to sabre> (sb) to pieces 2. (*zrobić nacięcie*) to make an incision (**coś in sth**) [II] *vi* (*o deszczu*) to come down in torrents [III] *vr* **~c się** 1. (*pozabijać jeden drugiego*) to slash <to sabre> each other 2. (*zranić się*) to lacerate (**w nogę itd.** one's leg etc.)

zasieczenie *sn* ↑ **zasiec**

zasiedl|ać *v imperf* — **zasiedl|ić** *v perf* [I] *vt* 1. (*osadzać ludzi*) to settle (a population in a region) 2. (*zaludniać*) to people, to populate (a region etc.) 3. (*o zwierzętach*) to people (a district etc.) [III] *vr* **~ać, ~ić się** 1. (*o okolicy, miejscowości*) to become populated 2. (*o osiedleńcach*) to settle (in a locality)

zasiedzenie *sn* 1. ↑ **zasiedzieć** 2. *prawn.* right of prescription; usucaption

zasiedziały *adj* (*o człowieku*) resident (dweller, population); (*o izbie*) lived-in

zasi|edzieć *v perf* **~edzi** — **zasi|adywać** *v imperf* [I] *vt* (*odgnieść*) to numb (one's leg); to crease (one's dress, overcoat etc.) [III] *vr* **~edzieć, ~adywać się** 1. (*długo zabawić*) to linger; to tarry; **~edzieć, ~adywać się na wizycie** to lose count of time on one's visit; to wear out one's welcome 2. (*nie ruszyć się z miejsca*) not to budge (**w jakiejś miejscowości itd.** from a place etc.) 3. (*ścierpnąć*) to grow numb

zasiek *sm G.* **~u** 1. *roln.* corn-bin 2. (*przeszkoda ze ściętych drzew*) abat(t)is 3. *wojsk.* (*z drutu kolczastego*) wire entanglements

zasiekać *vt perf* = **zasiec 1.**

zasiew *sm G.* **~u** 1. (*zasianie*) sowing; **pora ~ów** sowing time 2. (*zasiane rośliny*) (*zw. pl*) crops

zasiewać *zob.* **zasiać**

zasięg *sm G.* **~u** reach; range; radius; scope; compass; extent; **termin o szerokim ~u** a term of wide comprehension; **~ słyszenia, widzenia** the range of audibility, of vision; **poza czyimś ~iem** out of <beyond, above> sb's reach; **w czyimś ~u** within sb's reach; **w ~u głosu** within call; **w ~u <poza ~iem> ludzkiej wiedzy itd.** within <beyond> human knowledge etc.

zasięg|ać *vt imperf* — **zasięg|nąć** *vt perf* to derive <to get> (**information etc. from a source**); **~ać, ~nąć czyjejś rady** to consult sb; to seek sb's advice; to ask sb for advice; **~ać, ~nąć języka** to reconnoitre; **~ać, ~nąć opinii fachowca** to go and see a specialist

zasięgowy *adj* distributional; distribution _ (map etc.)

zasięrzutny *adj techn.* overhead (loader)

zasilacz *sm techn.* feeder; **~ samoczynny** self-feeder

zasil|ać *v imperf* — **zasil|ić** *v perf* [I] *vt* (*uzupełniać braki*) to supply <to provide> (sb, sth with sth); to replenish (funds etc.); (*wzmacniać*) to reinforce (a garrison etc.); *techn.* to feed (a machine); (*o deszczach itd.*) to swell (a river); **~ić kogoś pieniężnie** to aid sb with money; *roln.* **~ać, ~ić glebę** to enrich the soil [III] *vr* **~ać, ~ić się** to draw (ideas from a source); to provide oneself (**czymś** with sth); to become enriched (with sth)

zasilając|y *adj techn.* feeding (cistern, cylinder etc.); **kabel ~y, urządzenie ~e** feeder; **pompa ~a** feed-pump; **rura ~a** feed-pipe, service-pipe; **rzeka ~a inną rzekę** tributary of a river

zasilenie *sn* (↑ **zasilić**) *wojsk.* reinforcement; *techn.* feed; **~ pod ciśnieniem** force-feed

zasilić *zob.* **zasilać**

zasilosować *vt perf* to ensilage

zasił|ek *sm G.* **~ku** 1. (*świadczenie*) allowance; grant; relief; **~ek dla bezrobotnych <macierzyński, chorobowy itd.>** unemployment <maternity, sick etc.> benefit; **przejść na ~ek** to go on the relief fund 2. (*dotacja*) grant-in-aid; subvention

zasinie|ć *vi perf* **~je** 1. (*stać się sinym*) to go <to turn> livid <blue> 2. (*odbić się od tła*) to show livid <blue> (against a background); to appear as a blue spot <patch>

zasinienie *sn* 1. ↑ **zasinieć** 2. (*sine miejsce, plama*) livid <blue> spot <patch>

zaskakiwać *zob.* **zaskoczyć**

zaskakująco *adv* surprisingly; astonishingly; startlingly; bafflingly

zaskakujący *adj* surprising; astonishing; startling; baffling; (*u bransoletki itd.*) **zamek ~** snap-lock

zaskaml|ać *vi perf* **~e** <**~a**> to whine; to start whining

zaskandować *vt perf* to scan <to start scanning> (verses)

zaskarbi|ć *vt perf* — **zaskarbi|ać** *vt imperf* (*zw.* **sobie**) to win <to gain> (esteem, respect, fame etc.); **~ć sobie sympatię u ludzi** to win the good feeling of other people; to win people's hearts

zaskarżać *zob.* **zaskarżyć**

zaskarżalny *adj* actionable; prosecutable; suable

zaskarżenie *sn* 1. ↑ **zaskarżyć** 2. (*wniesienie skargi do sądu*) legal action <proceedings>; prosecution 3. (*zakwestionowanie*) appeal (**wyroku sądowego** against a sentence <verdict>)

zaskarżyć *vt perf* — **zaskarżać** *vt imperf* 1. (*wnieść skargę*) to proceed <to take legal proceedings, to bring an action> (**kogoś** against sb); to prosecute (sb) 2. (*zakwestionować*) to appeal (**wyrok** against a sentence <verdict>)

zasklep *sm G.* **~u** *pszcz.* propolis

zasklepi|ać *v imperf* — **zasklepi|ć** *v perf* [I] *vt* 1. (*zalepiać*) to seal up; to stop (chinks, holes etc.); (*zamurowywać*) to wall up 2. (*robić sklepienie*) to arch (a door etc.); to vault (a cellar etc.) [III] *vr* **~ać, ~ć się** 1. (*pokrywać się skorupą*) to encrust, to crust; (*o ranie*) to skin over; to scab 2. (*o człowieku — zamykać się w sobie*) to seclude oneself; to hold oneself aloof; to retire into one's shell

zasklepienie *sn* 1. ↑ **zasklepić** 2. (*ciasnota umysłowa*) narrow-mindedness; insularity 3. (*odosobnienie*) seclusion; retirement

zasklepina *sf* = **zasklep**

zaskoczenie *sn* 1. ↑ **zaskoczyć** 2. (*niespodzianka*) surprise 3. *techn.* snap (of a lock etc.)

zask|oczyć *v perf* — **zask|akiwać** *v imperf* [I] *vt* 1. (*napaść znienacka*) to surprise (the enemy); to attack (the enemy) unawares; to make a surprise attack (**wroga** on the enemy) 2. (*zastać nagle*) to come (**kogoś** upon sb) unawares; to catch (**kogoś przy czymś** sb at sth, doing sth); to catch (sb) napping; to catch (sb) out; to take (sb) by surprise <at advantage, unawares>; to spring a surprise (**kogoś** on sb); (*o nocy, burzy*) to overtake (sb); **byłem ~oczony** I was taken aback; **dać się ~oczyć** to get caught unawares <taken by surprise>; **śmierć go ~oczyła** death befell him; **~oczyć kogoś propozycją, nową teorią itd.** to spring a proposition, a new theory etc. on sb; **~oczyła nas burza** we were caught in the storm; the storm overtook us; **~oczyła nas noc** we were belated <benighted> 3. (*zadziwić*) to surprise; to astonish; to startle; to pose (sb) [II] *vi* (*o elementach mechanizmu*) to snap; to click; **zamek ~oczył** the lock snapped to

zaskoml|eć, zaskoml|ić *vi perf* **~i** = **zaskamlać**

zaskorupi|ać *v imperf* — **zaskorupi|ć** *v perf* [I] *vi* to encrust; to become encrusted [III] *vr* **~ać, ~ć się** 1. (*zakrywać się skorupą*) to encrust (*vi*) 2. *przen.* (*zamykać się*) to seclude oneself; to retire into one's shell

zaskorupie|ć *vi perf* **~je** 1. (*zakryć się skorupą*) to encrust; to become encrusted 2. *przen.* (*o człowieku, instytucji itd.*) to become fossilized

zaskorupienie *sn* 1. (↑ **zaskorupieć**) encrustment 2. *przen.* fossilization

zaskowy|czeć, zaskowy|tać *vi perf* **~czy** to yelp; to start yelping

zaskórniak *sm żart.* nest-egg

zaskórnik *sm med.* blackhead; comedo

zaskórny *adj* underground <subsoil> (water)

zaskro|niec *sm G.* **~ńca** *zool.* (*Natrix*) grass-snake

zaskrzecz|eć *vi perf* **~y** to screech; to start screeching

zaskrzepiać *vt imperf* — **zaskrzepić** *vt perf* 1. (*powodować skrzepnięcie*) to coagulate (blood etc.) 2. (*czynić twardym*) to stiffen <to toughen> (sth)

zaskrzep|nąć *vi perf* **~nął** <**~ł**>, **~ła** 1. (*o krwi itd.*) to coagulate (*vi*) 2. (*stać się twardym*) to stiffen <to toughen> (*vi*)

zaskrzyć się *vr perf* to sparkle; to start sparkling

zaskrzypi|eć *vi perf* **~** to creak; to grate; to start creaking <grating>

zaskucz|eć *vi perf* **~y** *gw.* to whine; to start whining

zaskwiercz|eć *vi perf* **~y** to sizzle; to start sizzling

zasłab|nąć *vi perf* **~ł** 1. (*stracić siły*) to weaken; to grow faint; (*omdleć*) to faint (away); to swoon 2. (*zapaść na zdrowiu*) to fall ill; to be taken ill

zasłabnięcie *sn* 1. ↑ **zasłabnąć** 2. (*omdlenie*) faintness; swoon 3. (*zachorowanie*) illness

zasłać[1] *zob.* **zasyłać**

zasłać[2] *v perf* **zaściele** — **zaścielać** *v imperf*, **zaścielać** *v imperf* [I] *vt* 1. (*nakryć*) to cover (a bed with a bedspread etc.); to spread (**stół obrusem itd.** a cloth over the table etc.); **zasłać łóżko** to make (**sobie** one's, **komuś** sb's) bed; **zasłać tapczan** to make up the couch 2. (*pokryć*) to cover <to strew, to litter> (the floor, the ground etc.); **pobojowisko było zasłane trupami** the battle-field was strewn with the dead [III] *vr* **zasłać, zaścielać, zaścielać się** to be covered <strewn, littered> (with ...)

zasł|aniać *v imperf* — **zasł|onić** *v perf* [I] *vt* 1. (*zakrywać*) to cover (sth) up; to curtain (a door, window etc.); to veil (one's face, a painting etc.); to shade (**sobie oczy ręką** one's eyes with one's hand); (*przeszkadzać w widzeniu itd.*) to intercept <to shut out, to block out, to obstruct> (the view, the light); **~aniać komuś światło** to stand in sb's light 2. (*bronić*) to protect <to shield, to shelter> (**kogoś przed czymś** sb from sth); (*osłaniać*) to screen [III] *vr* **~aniać, ~onić się** 1. (*pokrywać się*) to cover <to veil, to shade> oneself <one's face, eyes etc.> 2. *przen.* (*wymawiać się*) to allege (**konferencją itd.** a business meeting etc.); to plead (**niewiedzą, zmęczeniem itd.** ignorance, fatigue etc.) 3. (*bronić się*) to protect <to screen, to shield, to shelter> oneself (**przed czymś** from sth); to guard (**przed czymś** against sth) 4. (*być osłoniętym*) to be covered up <veiled, shaded, curtained, protected, screened, shielded> 5. (*ochraniać jeden drugiego*) to protect <to shield, to screen> each other

zasłanianie *sn* 1. ↑ **zasłaniać** 2. (*przeszkadzanie w widzeniu*) interception (of light etc.); obstruction 3. (*bronienie*) protection 4. **~ się** self-protection

zasłanie *sn* ↑ **zasłać[2]**

zasłoc|ić się *vr perf* **~ą się** to turn out wet; **~iło się** the weather turned out wet <rainy>

zasłon|a *sf* 1. (*to, co zasłania*) screen; curtain; veil; blind; shutter; *wojsk.* **~a dymna** smoke-screen; **~a na oczy** eye-shade; **~a od słońca** sun-curtain; **~a od wiatru** wind-break; **rzucić <spuścić> ~ę na coś** to draw a veil over sth; **zerwać ~ę z kogoś, czegoś** to unmask <*am. pot.* to debunk> sb, sth; *przen.* **~a spadła mu z oczu** the scales fell from his eyes 2. (*ochrona*) protection; shield 3. *sport* guard

zasłonak *sm bot.* (*Cortinarius*) an agaric

zasłonić *zob.* **zasłaniać**

zasłonięcie *sn* 1. ↑ **zasłonić** 2. (*obrona*) protection; shield; guard

zasłonow|y *adj* **tkanina ~a** curtaining

zasłuchać się *vr perf* — **zasłuchiwać się** *vr imperf* to listen with all one's ears <with both ears>; to listen with rapt attention

zasłuchany *adj* listening with all one's ears <with both ears, with rapt attention>

zasłuchiwać się *zob.* **zasłuchać się**

zasług|a *sf* service; contribution (**dla sprawy** to a cause); (*zw. pl*) merit; *pl* **~i** merits; deserts; **krzyż ~i** order of merit; **jego ~ą jest, że ...** he deserves the credit for ...; **każdemu według jego ~** to everyone according to his deserts; **on położył ~i w uzyskaniu ...** he had a share in the obtention <attainment> of ...; **położyć ~i dla kraju** to deserve well of one's country; **położyć ~i dla sprawy, oddać ~i sprawie** to render services to a cause; **przypisać komuś <sobie> ~ę odkrycia <zwycięstwa itd.>** to give sb <to take> credit for a discovery <victory etc.>; **ujmować komuś ~** to detract from sb's services

zasługiwać *zob.* **zasłużyć**

zasłużenie[1] *sn* ↑ **zasłużyć**

zasłużenie[2] *adv* deservedly; justly; in justice; in all fairness

zasłużony [I] *pp* ↑ **zasłużyć** [II] *adj* 1. (*o nagrodzie, karze — słuszny*) just; fair; due; well-earned 2. (*o człowieku — mający zasługi*) meritorious [III] *sm* person of merit; (a) worthy

zasłu|żyć *v perf* — **zasłu|giwać** *v imperf* [I] *vt* to deserve <to merit> (**na coś** sth; **na to, żeby być nagrodzonym <ukaranym>** to be rewarded <punished>); *perf* to become <*imperf* to be> worthy (**na pochwałę, na naganę** of praise, of reproach); **dostać to, na co się ~żyło** to get one's deserts; **~giwać na szacunek <na pogardę>** to be deserving of esteem, respect <of contempt>; **~giwać <nie ~giwać> na uwagę <na wzmiankę>** to be worthy <unworthy> of notice <of mention>; **~żyć sobie na wdzięczność potomnych** to merit <to earn> the gratitude of posterity; **~żył (sobie) na tę karę** he richly deserves his punishment [II] *vr* **~żyć, ~giwać się** 1. (*zw. perf*) (*położyć zasługi*) to render a service <services> (to a cause etc.); to make a contribution <contributions> (to an undertaking etc.); **bardziej się ~żyć ...** to render a greater service <greater services> ...; to make a greater contribution <greater contributions> ... 2. (*zw. imperf*) (*starać się pozyskać względy*) to seek favour (**komuś** with sb)

zasłynąć *vi perf* to acquire fame <renown>; to make oneself <to become> famous (**czymś, z czegoś** for sth)

zasłysz|eć *vt, vi perf* **~y** to hear (**coś <że> ...** sth <that> ...); **~eć o kimś, czymś** to hear of <about> sb, sth

zasmagać *vt perf* 1. (*zabić*) to flog (sb) to death 2. (*uderzyć kilka razy*) to lash; (*zacząć smagać*) to start lashing

zasmakowa|ć *vi perf* 1. (*polubić*) to take a fancy <a liking> (**w czymś** to sth); to take (**w czymś** to sth); to develop a taste (**w czymś** for sth) 2. (*przypaść komuś do smaku*) to take <to tickle> (**komuś** sb's) fancy; **~ło mi to** I liked it; I enjoyed it; (*mówiąc o potrawie*) I found it palatable; I found it to my taste

zasmarka|niec *sm G.* **~ńca** *pot.* snot; snotty-nosed brat

zasmarkany *adj pot.* snotty

zasmarować *vt perf* — **zasmarowywać** *vt imperf* 1. (*zamazać*) to smear 2. (*zabrudzić*) to soil; to grease 3. (*zabazgrać*) to scrawl (**zeszyt itd.** all over an exercise book); to daub (**ścianę itd.** a wall etc. all over)

zasmażać *vt imperf* — **zasmażyć** *vt perf kulin.* to brown (flour etc.)

zasmaż|ka *sf pl G.* **~ek** *kulin.* browned flour and butter <lard>

zasmażyć *zob.* **zasmażać**

zasmolić *vt perf* to grime; to smear; to stain; to soil; to blotch

zasmr|adzać *v imperf* — **zasmr|odzić** *v perf* [I] *vt* to fill (a place) with stench [II] *vr* **~adzać, ~odzić się** to become fetid

zasmuc|ać *v imperf* — **zasmuc|ić** *v perf* **~ę, ~ony** [I] *vt* to sadden; to grieve; to pain; to chagrin; to afflict; to distress [II] *vr* **~ać, ~ić się** to be saddened <grieved, pained, chagrined, afflicted, distressed>

zasmucenie *sn* (↑ **zasmucić**) sadness; grief; chagrin; distress

zasmucić *zob.* **zasmucać**

zasnąć *vi perf* **zasnę, zaśnie** — **zasypiać** *vi imperf* to fall asleep; to fall <to drop off> to sleep; *emf.* **zasnąć na wieki** to take one's last sleep

zasnu|ć *v perf* **~ję, ~ty** — **zasnu|wać** *v imperf* [I] *vt* to cover; to envelop (**dymem, mgłą** in snow, in mist) [II] *vr* **~ć, ~wać się** 1. (*pokryć się*) to cloud over (*vi*); to be enveloped (in smoke, mist) 2. *przen.* (*sposępnieć*) to gloom

zasobnia *sf* 1. *mar.* bunker 2. (*akumulatornia*) battery room; accumulator plant

zasobniczek *sm dim* ↑ **zasobnik**

zasobnie *adv* richly; wealthily

zasobnik *sm* container; tank

zasobność *sf singt* (*dostatek*) affluence; wealth; (*obfitość zasobów*) abundance

zasobny *adj* 1. (*bogaty*) rich; wealthy; opulent 2. (*mający duże zasoby*) abundant <affluent, rich> (**w coś** in sth)

zasobowy *adj* reserve (funds)

zasolenie *sn* 1. ↑ **zasolić** 2. (*stopień nasycenia solą*) salinity; saltness

zas|olić *vt perf* **~ól** — **zasalać** *vt imperf* 1. (*zasycić solą*) to salt; to pickle; to cure (meat etc.) 2. *pot.* (*uderzyć*) to whack

zas|ób *sm G.* **~obu** 1. (*zapas*) store; stock; fund; supply; provision 2. *pl* **~oby** resources; **~oby pieniężne** funds

zaspa *sf* snow-drift

zas|pać *v perf* **zaśpię, zaśpi, zaśpij, zaspał** — **zas|ypiać** *v imperf* [I] *vi* to oversleep (oneself) [II] *vt* to miss (sth) through oversleep; *przen.* **nie ~ypiać gruszek w popiele, sprawy** to be wide awake; to be awake to one's own interest; **nie ~ypiaj okazji** grasp the occasion

zaspokajać *zob.* **zaspokoić**

zaspanie *sn* (↑ **zaspać**) oversleep

zaspany *adj* heavy <stupid> with sleep; sleepy

zasp|okoić *vt perf* **~okoję, ~okój, ~okojony** — **zasp|okajać** *vt imperf*, **zasp|akajać** *vt imperf* to satisfy (sb, a desire, a demand etc.); to appease (one's hunger etc.); to quench <to slake> (one's thirst); to indulge (one's inclinations etc.); to gratify (a fancy for sth etc.); to supply <to meet> (a need); to provide <to fend> (**swoje <czyjeś> po-**

trzeby for one's <for sb's> needs); **~okoić wierzyciela** to pay off a creditor

zaspokojenie *sn* (↑ **zaspokoić**) satisfaction (of a desire etc.); indulgence (**skłonności itd.** in one's inclinations etc.); gratification (of a passion etc.)

zasrać *vt perf* — **zasrywać** *vt imperf wulg.* to shit (**coś** all over sth)

zasra|niec *sm G.* **~ńca** *wulg.* shit; squit

zasrany *adj wulg.* damned; snotty

zasrebrzyć *v perf* [I] *vt* to silver [II] *vr* **~ się** to glisten

zasrywać *zob.* **zasrać**

zassać *vt perf* **zassę, zaśsie, zaśsij** — **zasysać** *vt imperf* to suck in

zasta|ć *v perf* **~nę, ~nie, ~ń** — **zasta|wać** *v imperf* **~je, ~waj** [I] *vt* to find <to meet, to come across> (sb, sth); to find (**kogoś przy jakimś zajęciu** sb doing sth); **nie ~ć kogoś w domu** to find sb out; *przen.* **wojna ~ła go za granicą** the war found him abroad [II] *vr* **~ć, ~wać się** to get <to grow> stiff

zastały *adj* 1. (*taki, który się zastał*) stiff (joint etc.) 2. (*zatęchły*) stale; musty; fusty 3. (*nieruchomy*) stagnant (water)

zastan|awiać *v imperf* — **zastan|owić** *v perf* **~ów** [I] *vt* to strike <to intrigue, to puzzle> (sb); to give (sb) food for thought <cause for reflection>; **to mnie ~owiło** it made me think [II] *vr* **~awiać, ~owić się** 1. (*myśleć o czymś*) to reflect <to meditate, to ponder> (**nad czymś** on sth); to turn (sth) over in one's mind; to wonder (**czy, kto, kiedy, dlaczego itd.** if, who, when, why etc.) 2. (*rozważać*) to give some thought (**nad czymś** to sth); to think (**nad czymś** sth) over; **dobrze się nad czymś ~owić** to give a good deal of thought to sth; **dobrze się ~ów, zanim ...** think twice before you ...; **gdy się nad tym ~owimy ...** when you come to think of it ...; **właśnie się ~awiam** I'm just thinking; **czyś się kiedy nad tym ~owił?** have you ever thought of that?; **niech się ~owię!** let me see!

zastanawiając|y *adj* striking; odd; (*nawiasowo*) **i rzecz ~a ...** and oddly enough ...

zastanowić *zob.* **zastanawiać**

zastanowieni|e *sn* 1. ↑ **zastanowić** 2. (*skupienie myśli*) reflection, reflexion; thought; meditation(s); pondering(s); **popełnić zbrodnię z ~em** to commit a crime in cold blood; **bez ~a** thoughtlessly; rashly; blindly; without giving it a thought; **po ~u** on reflection; after much thought; on second thoughts; **po głębokim ~u się** after due <mature> consideration

zastany *adj* existing

zastarzały *adj* (*istniejący od dawna*) stale; musty; fusty; antiquated; (*o chorobie*) chronic; (*o nałogu*) inveterate

zastaw *sm G.* **~u** 1. (*zabezpieczenie*) security; deposit; **pożyczyć pod ~** to lend on security 2. (*przedmiot zostawiony na zabezpieczenie*) gage; pledge; pawn; forfeit; **dać coś w ~** to give sth in gage; to pledge <to pawn> sth — one's watch etc.; **wykupić coś z ~u** to take sth out of pledge 3. *prawn.* lien

zastawa *sf* 1. (*naczynia stołowe*) service; the dishes 2. *sport* guard

zastawać *zob.* **zastać**

zastawca *sm* (*decl* = *sf*) pledger

zastawi|ać *v imperf* — **zastawi|ć** *v perf* [I] *vt* 1. (*zapełniać*) to cram <to chock> (a room with furniture etc.); to spread (**stół półmiskami itd.** a table with dishes etc.) 2. (*zakładać*) to set (nets); to lay (a trap, snares) 3. (*osłaniać*) to shield; to screen; to protect 4. (*tarasować*) to block <to obstruct> (a passage etc.); to dam (a river) 5. (*dawać w zastaw*) to pledge; to pawn; to gage; **mieć ~ony zegarek** to have one's watch in pawn [II] *vr* **~ać, ~ć się** 1. (*zasłaniać się*) to shield <to protect> oneself 2. (*dawać cały majątek w zastaw*) to gage <to pledge> one's entire fortune

zastaw|ka *sf pl G.* **~ek** 1. *techn.* valve; lever; lock 2. (*przegroda na rzece, kanale*) sluice gate 3. *anat.* valve; valvule

zastawkow|y *adj med.* **wada ~a serca** valvular heart lesion

zastawnicz|y *adj* pawn _ (ticket etc.); **zakład ~y** pawnshop; **właściciel zakładu ~ego** pawnbroker

zast|ąpić *vt perf* — **zast|ępować** *vt imperf* 1. (*objąć czyjeś funkcje*) to replace (sb); to take <to supply> (**kogoś** sb's place); to supersede (sb); to act as substitute (**kogoś** for sb); to deputize (**kogoś** for sb); **on mi ~ępował ojca** he was a father to me 2. (*o znaku drukarskim, skrócie itd.*) to stand (**coś** for sth); **skrót lb ~ępuje wyraz funt** lb stands for "pound" 3. (*o przedmiocie, narzędziu*) to do duty (**coś** for sth); **siekiera ~ępuje mu nóż i młotek** his hatchet does duty for a knife and a hammer 4. (*użyć czegoś zamiast czegoś innego*) to replace (**coś czymś** sth with <by> sth); to substitute (**coś czymś — herbatę kwiatem lipowym itd.** one thing for another — lime-blossom for tea); **~ąpić czyn dobrymi chęciami** to put the will for the deed 5. *w zwrocie*: **~ąpić komuś drogę** to bar <to block> sb's way

zastąpienie *sn* 1. ↑ **zastąpić** 2. (*zastępstwo*) replacement; substitution

zastebnować *vt perf* to backstitch

zastękać *vi perf* to give <to utter> a groan; to moan; to start groaning <moaning>

zastęp *sm G.* **~u** 1. (*grupa*) large <considerable> number; host (of admirers, devotees); *pl* **~y** rank and file; multitude; crowd(s) 2. (*oddział wojska*) unit; detachment; *pl* **~y** army 3. *rel.* angels; hosts; **Pan ~ów** Lord God of Hosts

zastępc|a *sm* (*decl* = *sf*) substitute; deputy; *teatr* understudy; *handl.* representative; proxy; **~a dowódcy <szefa>** second in command; **~a dyrektora <profesora itd.>** assistant manager <professor etc.>; **~a firmy** firm's representative <agent>; **~a prawny** counsel; **być czyimś ~ą** to represent sb

zastępczo *adv* in the place of sb; in lieu of sb; vicariously; ad interim; **~ pełnić czyjeś obowiązki** to act as sb's substitute

zastępczość *sf singt* equipotentiality

zastępczy *adj* vicarious; supplementary; replacement _ (cost, value etc.); **gracz, artykuł, środek ~** (a) substitute

zastępczyni *sf* substitute; deputy; assistant; *teatr* understudy

zastępować *zob.* **zastąpić**

zastępowalność *sf singt* replaceability
zastępowalny *adj* replaceable
zastępowanie *sn* (↑ **zastępować**) replacement; substitution; supersession
zastępstw|o *sn* replacement; substitution; *handl.* representation; agency; proxy; **działać w czyimś ~ie** to act in sb's name <as a substitute for sb>; **działający w ~ie dyrektora <sekretarza itd.>** acting manager <secretary etc.>
zastoina *sf med.* stasis; stagnation
zastoinow|y *adj med.* **~a tarcza** choked disc
zastoiskow|y *adj geogr.* **jezioro ~e** marginal lake
zastojowy *adj* stagnant
zastopować *vt vi perf* to stop
zastosow|ać *v perf* — **zastosow|ywać** *v imperf* [I] *vt* to employ; to apply; to adopt (measures etc.); to make use (**coś** of sth); to bring (sth) into practice <into action>; **~ać, ~ywać nacisk** to bring pressure to bear (on sb) [II] *vr* **~ać, ~ywać się** to comply (**do czegoś** with sth); to conform (**do czegoś** to sth); to adapt oneself (to sth); **~ać, ~ywać się do nakazów odgórnych** to toe the line
zastosowani|e *sn* 1. ↑ **zastosować** 2. (*wprowadzenie w życie*) application; employment; use; adoption (of measures); **możliwy <niemożliwy> do ~a** applicable <inapplicable>; practicable <impracticable>; (*o regule itd.*) **mieć ~e** to apply (*vi*); to stand good 3. **~e się** compliance (**do czegoś** with sth)
zastosowywać *zob.* **zastosować**
zast|ój *sm G.* **~oju** 1. (*brak ruchu*) standstill; stagnancy; stagnation; *handl.* recession; lull; slump; **jest ~ój w handlu** business is at a standstill <is slack, stagnant, is in the doldrums> 2. *med.* stasis
zastrachanie *sn pot.* intimidation; shyness; timidity; funk
zastrachany *adj pot.* intimidated; shy; timid; funky
zastrajkować *vi perf* to strike; to go (out) on strike; to turn out (on strike); to down tools
zastraszać *zob.* **zastraszyć**
zastraszająco *adv* alarmingly; appalingly; frightfully
zastraszający *adj* alarming; appaling; frightful
zastraszenie *sn* 1. ↑ **zastraszyć** 2. (*straszenie*) intimidation 3. (*strach*) intimidation; fear
zastrasz|yć *vt perf* — **zastrasz|ać** *vt imperf* to intimidate; to browbeat; to cow; to bully; to use undue influence; *am.* to bulldoze; **nie dać się ~yć przez kogoś** to stand up to sb
zastratyfikować *vt perf ogr.* to stratify (seeds)
zastratyfikowanie *sn* (↑ **zastratyfikować**) stratification
zastru|gać *vt perf* **~ga** <**~że**> — **zastrugiwać** *vt imperf* to sharpen (a pencil etc.); to taper (a peg, stake etc.)
zastrupie|ć *vi perf* **~je** to scab
zastrzał *sm G.* **~u** 1. *bud. techn.* brace; strut; stay 2. *med.* felon 3. *mar.* boom
zastrze|c *v perf* **~gę, ~że, ~ż, ~gl, ~żony** — **zastrze|gać** *v imperf* [I] *vt* (*zw.* **~c, ~gać sobie**) to reserve (for oneself) (**prawo zrobienia czegoś** the right to do sth); to stipulate (**coś** for sth); to condition (sth) [II] *vi* to provide <to stipulate, to lay down the condition> (**że** ... that ...) [III] *vr* **~c, ~gać się** 1. (*z góry ostrzegać*) to declare; to make it clear (**że** ... that ...); (*uprzedzać*) to warn <to caution> (sb, the readers, hearers etc.) (**że** ... that ...) 2. (*wypowiedzieć się przeciw czemuś*) to stipulate (**przeciwko czemuś** that sth shall not be done <take place>)
zastrzel|ić *v perf* [I] *vt* 1. (*zabić*) to shoot (down <dead>); **szpiega ~ono** the spy was shot <executed>; **~ić kogoś z rewolweru** to shoot sb with a revolver 2. *przen. pot.* (*zadziwić*) to dumbfound; to nonplus; to pose; to stump [II] *vr* **~ić się** to shoot oneself; to blow out one's brains
zastrzeże|nie *sn* 1. ↑ **zastrzec** 2. (*warunek*) reservation; condition; stipulation; proviso; provision; understanding; **bez ~ń** unconditional(ly); without reserve; unreserved(ly); **z tym ~niem, że** ... under the stipulation that ...; on condition <provided> that ...; **z tym wyraźnym ~niem, że** ... on the distinct understanding that ... 3. (*krytyczna uwaga*) reservation; qualification; limitation; (*o pochwałach, zgodzie itd.*) **bez ~ń** unqualified; **mówię z ~niem** I speak under correction <without committing myself>; **nie mam żadnych ~ń** I have no reservation; *księgow.* **z ~niem błędów i omyłek** errors and omissions excepted; (*o cenach itd.*) **z ~niem zmian** subject to changes
zastrzeżony [I] *pp* ↑ **zastrzec** [II] *adj* (*o prawach*) reserved; (*o lekarstwie*) patent; **prawnie ~** proprietary
zastrzyk *sm G.* **~u** 1. (*iniekcja*) injection; shot; **zrobić komuś ~** to give sb an injection; *przen.* **~ sił** a shot in the arm 2. *bud.* grouting
zastrzyka|ć *vi perf* to cause an acute pain; **~ło go** he felt an acute pain; **~ło go w boku** he had a stitch in the side
zastrzyk|iwać *vt imperf* — **zastrzyk|nąć** *vt perf* 1. *med.* to inject; **~nęli mu morfinę** they gave him a shot of morphia 2. *techn.* to prime (an engine etc.)
zastukać *vi perf* to knock; to rap; to tap; (*o dzięciole itd.*) to peck; to start knocking <rapping, tapping, pecking>
zastuko|tać *vi perf* **~cze** <**~ce**> to rattle, to clatter; to start rattling <clattering>
zastyg|ać *vi imperf* — **zastyg|nąć** *vi perf* **~ł** 1. (*skrzepnąć*) to congeal; to set; to harden; **krew ~a w żyłach** one's blood freezes in one's veins 2. *perf* (*pozostać w bezruchu*) to stand stock still <petrified, paralysed, rooted to the ground>
zastyganie *sn* (↑ **zastygać**) congelation
zastygłość *sf singt* congealment
zastygnąć *zob.* **zastygać**
zastygnięcie *sn* (↑ **zastygnąć**) congelation
zasugerować *v perf* [I] *vt vi* to exert an influence (**kogoś** on sb); to bias (sb); to inspire <to prompt, to suggest> (**coś komuś <że>** ... sth to sb <that> ...) [II] *vr* **~ się** to be biassed <inspired, prompted> by a suggestion <an impression>; to allow oneself to be <to let oneself be> actuated <biassed, influenced> (**czymś** by sth)
zasugestionować (się) *vr perf* = **zasugerować**
zasu|nąć *v perf* — **zasu|wać** *v imperf* [I] *vt* 1. (*zatarasować*) to bar; to block up; to obstruct; to barricade (a door etc.) 2. (*zaciągnąć*) to draw (a curtain, blind etc.) 3. (*nasunąć*) to push (**coś na coś** sth on <against> sth) 4. *przen.* to cover (sth) up 5.

(*wsunąć*) to push; to thrust; to slip; to slide (sth somewhere); **~nąć rygiel** to shoot a bolt home 6. (*zamknąć za pomocą zasuwki*) to bolt (a door etc.) 7. *sl.* (*uderzyć*) to whack [II] *vr* **~nąć, ~wać się** 1. (*zamknąć się na zasuwę*) to bolt one's door 2. (*zostać zasuniętym*) to be barred <blocked up, obstructed, barricaded> 3. (*wcisnąć się*) to slip <to creep> (into a corner etc.); to sink <to subside> (in an armchair etc.)

zasupł|ać *v perf* — **zasupł|ywać** *v imperf* [I] *vt* to knot; to make a knot; *przen.* **jeszcze bardziej ~ał węzeł gordyjski** he tied the Gordian knot still tighter [II] *vr* **~ać, ~ywać się** to knot (*vi*)

zasuspendować *vt perf* to suspend (an official); to inhibit (a priest)

zasuszać *zob.* **zasuszyć**

zasuszony [I] *pp* ↑ **zasuszyć** [II] *adj* dried; (*o twarzy itd.*) wizen(ed); withered; shrivelled

zasuszyć *vt perf* — **zasuszać** *vt imperf* to dry (and press) (specimens of plants); to wither <to shrivel> (an invalid, the skin etc.)

zasuwa *sf* 1. (*rygiel*) blot; bar 2. (*zasuwana zasłona*) shutter; valve; **~ kominowa** register; chimney damper

zasuwać *zob.* **zasunąć**

zasuwka *sf dim* ↑ **zasuwa**

zasuwnica *sf* 1. *bud.* casement bolt 2. (*piła*) foxtail <dovetail> saw

zaswędz|ić *v perf* **~ą** [I] *vt* to itch; *przen.* **język mnie ~ił** I itched to say sth; **ręka mnie ~iła** my fingers itched (to give him a thrashing) [II] *vi* to itch

zasycać *zob.* **zasycić**

zasycenie *sn* (↑ **zasycić**) satiation

zasychać *zob.* **zaschnąć**

zasyc|ić *v perf* **~ę, ~ony** — **zasyc|ać** *v imperf* [I] *vt* 1. to satiate; to glut; to appease (**kogoś** sb's) hunger 2. † (*zasilić*) to feed (a fire, machine etc.); **~ić, ~ać miód** to brew mead [II] *vr* **~ić, ~ać się** to eat one's fill; to appease one's hunger

zasycz|eć *vi perf* **~y** to hiss; to start hissing

zasygnalizować *v perf* [I] *vt* 1. (*dać sygnał*) to signal (sth to sb) 2. (*zawiadomić*) to inform (**coś** of <about> sth); (*zwrócić uwagę*) **~ coś komuś** to draw sb's attention to sth [II] *vi* to inform (**komuś, że ...** sb of the fact that ...); to let (**komuś** sb) know (**że ...** that ...)

zasyłać † *vt imperf* — **zasłać** *vt perf* **zaśle, zaślij** to send (one's wishes, greetings etc.)

zasymilować *v perf* [I] *vt* to assimilate [II] *vr* **~ się** to become assimilated

zasyp *sm G.* **~u** *techn.* charge; batch

zasyp|ać *v perf* **~ie** — **zasyp|ywać** *v imperf* [I] *vt* 1. (*zapełnić*) to fill up (a ditch etc.) 2. (*obsypać*) to cover up; to bury; to bank up (the fire); **~ać kogoś, pozycję pociskami** to shower <to rain> missiles on sb, on a position; **~ało wieś śniegiem** the village was covered up by <buried in> the snow 3. (*obdarzyć obficie*) to swamp <to glut> (the market); to overwhelm <to load> (sb with praise etc.); to heap (**kogoś komplementami itd.** compliments on sb); to rain <to shower> (**kogoś zaproszeniami** invitations on sb); to assail <to storm> (sb with questions); to inundate (sb with requests etc.) 4. (*wsypać, nasypać*) to pour (**coś cukrem, solą, piaskiem itd.** sugar, salt, sand etc. on sth) 5. *pot.* (*zdradzić*) to give away (**sprawę** the show) [II] *vr* **~ać, ~ywać się** 1. (*zostać zasypanym*) to get covered up <buried, swamped> 2. (*obrzucić się wzajemnie*) to rain <to shower> (missiles etc.) on each other 3. (*wsypać się*) to give the show away

zasypiać *zob.* **zasnąć**

zasyp|ka *sf pl G.* **~ek** 1. (*puder*) powder; dusting 2. *bud.* fill

zasypow|y *adj techn.* **urządzenie ~e** loading tray

zasypywać *zob.* **zasypać**

zasysać *zob.* **zassać**

zasysanie *sn* 1. ↑ **zasysać** 2. *techn.* induction

zaszachować *vt perf* 1. *szach.* to check (the king) 2. *przen.* to corner (sb); to drive (sb) to the wall

zaszalować † *vt perf* to plank; to board; to crib

zaszamo|tać *v perf* **~cze** <**~ce**> [I] *vt* to rock; to shake (**kimś, czymś** sb, sth) [II] *vr* **~tać się** 1. (*mocno się zatrząść*) to sway; to start swaying 2. (*szarpnąć się*) to struggle; to start struggling; to jerk oneself free

zaszargać † *vt perf* to draggle; *obecnie w zwrocie:* **~ czyjąś opinię** to ruin <to tarnish> sb's reputation; to give sb a bad name; to drag sb's name in the mire

zaszarp|ać *vt vi perf* **~ie** to jerk; to give a jerk

zaszarze|ć *vi perf* **~je** 1. (*zarysować się szaro*) to show grey (against a background); to appear as a grey spot <patch> 2. † to turn grey

zaszarzenie *sn* ↑ **zaszarzeć**

zaszastać *vt perf* to shuffle <to start shuffling> (**nogami** one's feet)

zaszczebio|tać *vi perf* **~cze** <**~ce**> 1. (*o ptakach*) to twitter; to warble; to chirp; to start twittering <warbling, chirping> 2. (*o dzieciach, kobietach*) to chatter; to babble; to start chattering <babbling>

zaszczekać *vi perf* 1. (*o psie*) to give a bark; to bark; to start barking 2. *przen.* to rattle; to start rattling

zaszczepiać *zob.* **zaszczepić**

zaszczepianie *sn* 1. ↑ **zaszczepiać** 2. (*wszczepianie*) instillation; inculcation; implantation; engraftment 3. *med.* inoculation; vaccination 4. *pot.* (*zarażanie*) communication (of a disease)

zaszczepi|ć *v perf* — **zaszczepi|ać** *v imperf* [I] *vt* 1. *ogr.* to graft 2. *przen.* (*wszczepić*) to instil(l) (**zasady komuś** <**w kogoś**> principles into sb <sb's mind>); to inculcate <to implant, to engraft> (**zasady komuś** <**w kogoś**> principles in sb); to impregnate (**zasady komuś** <**w kogoś**> sb with principles) 3. *med.* to inoculate (**komuś bakcyl** sb with a germ <a germ into sb>); **~ć, ~ać kogoś krowianką** to vaccinate sb 4. *pot.* to communicate (a disease to sb) [II] *vr* **~ć, ~ać się** 1. (*zostać wszczepionym*) to be <to become> instilled <inculcated, implanted, engrafted> 2. (*zakorzenić się*) to take root; to become rooted 3. (*poddać się szczepieniu*) to be inoculated; to be vaccinated

zaszczepienie *sn* 1. ↑ **zaszczepić** 2. (*wszczepienie*) instillation; inoculation; implantation; engraftment 3. *med.* inoculation; vaccination 4. *pot.* (*zarażenie*) communication (of a dissease)

zaszczep|ka *sf pl G.* **~ek** 1. (*szczep*) graft; cutting 2. *dial.* (*haczyk, skobel*) latch

zaszczęka|ć *vi perf* to clatter; to clang; to start clattering <clanging>; **~ł zębami** his teeth started chattering

zaszczu|ć *vt perf* **~je, ~ty** — **zaszczuwać** *vt imperf* 1. (*zagonić*) to hunt down (an animal); to hound (an animal) to death 2. *przen.* to bait <to hound, to badger> (sb); to hunt (sb) down 3. (*poszczuć*) to set the dog(s) (**kogoś** on sb)

zaszczurzyć *vt perf* to infest (a place) with rats; to let (a place, ship etc.) become infested with rats

zaszczyc|ać *vt imperf* — **zaszczyc|ić** *vt perf* **~ę, ~ony** to honour <to grace> (a meeting with one's presence, sb with a title etc.); to favour (sb with a smile, an interview etc.); **czuć się ~onym** to esteem it an honour <a favour>; **~ać kogoś** to do sb proud; **~ić kogoś tym, że ...** to do sb the honour of ...

zaszczycenie *sn* ↑ **zaszczycić**

zaszczycić *zob.* **zaszczycać**

zaszczyp|ka *sf pl G.* **~ek** *dial.* = **zaszczepka**

zaszczyt *sm G.* **~u** 1. (*honor*) honour; privilege; (*w korespondencji handlowej*) **mamy ~ donieść, że ...** we beg to inform you that ...; (*formułka*) **mamy ~ zaprosić pana <panią> ...** Mr and Mrs. — request the pleasure of your company ...; **mnie przypadł ~ powitania was** it is my privilege to greet you; **przynosić ~ instytucji, krajowi itd.** to be a credit <an honour> to an institution, one's country etc.; **to ci przynosi ~** it does you credit; **uważać coś za ~** to consider sth (to be) an honour; **zrobili mi wielki ~** they did me proud 2. (*dostojeństwo*) dignity; *pl* **~y** distinctions; **dochodzić, dojść do ~ów** to rise to eminence; **posypały się ~y na niego** distinctions were showered on him

zaszczytnie *adv* 1. (*chwalebnie*) praiseworthily; commendably; laudably 2. (*z honorem*) with honour; with credit; creditably; with flying colours

zaszczytn|y *adj* 1. (*przynoszący zaszczyt*) honourable; honorific; **~e miejsce** seat <place> of honour; **~e stanowisko** post of eminence 2. (*chwalebny*) praiseworthy; commendable; laudable

zaszelepotać, zaszele|ścić *vt perf* **~szczę** to rustle; to start rustling

zaszem|rać *vi perf* **~rze** 1. (*o drzewach itd.*) to rustle; to start rustling; (*o strumyku*) to ripple; to babble; to start rippling <babbling> 2. (*sarkać*) to murmur; to grumble; to start murmuring <grumbling>

zaszep|tać *vi perf* **~cze** <**~ce**> 1. (*powiedzieć szeptem*) to whisper; to start whispering 2. *przen.* (*o liściach drzew itd.*) to rustle; to start rustling

zaszeregować *vt perf* — **zaszeregowywać** *vt imperf* to classify; to class (**kogoś coś do ...** sb, sth with ...)

zaszeregowanie *sn* (↑ **zaszeregować**) classification

zaszew|ka *sf pl G.* **~ek** tuck; fold

zaszkli|ć *vt perf* **~j** to glaze (a window etc.)

zaszkli|ć się *vr perf* 1. (*powlec się czymś szklistym*) to glaze over (*vi*); to become glazed; **oczy mu się ~ły** his eyes glazed over 2. (*zabłysnąć*) to sparkle; to glitter; to glisten

zaszkodzenie *sn* 1. ↑ **zaszkodzić** 2. (*szkoda*) harm; damage

zaszk|odzić *vi perf* **~odzę, ~ódź** <**~odź**> to harm (**komuś, czemuś** sb, sth); to hurt (**komuś, czemuś** sb, sth); **~odzić komuś** to do sb an injury; to cause sb damage; to damage sb's reputation; **~odzić sobie** to damage one's reputation; **nie ~odzi** it won't do any harm; it won't hurt; there's no harm in that; **nie ~odzi spróbować** there's no harm in having a try; it won't hurt to (have a) try

zaszlachtować *vt perf dosł. i przen.* to slaughter

zaszlifować *vt perf* to polish; to grind; to file

zaszlochać *vi perf* to burst out sobbing

zaszlochany *adj* sobbing

zaszłość *sf* 1. (*wypadek*) event 2. *księgow.* entry

zaszmelcować *v perf pot.* [I] *vt* to grime; to smear; to grease [III] *vr* **~ się** to grime <to smear, to grease> one's clothes

zaszmelcowany *adj* grimy; greasy

zasznurow|ać *v perf* — **zasznurow|ywać** *v imperf* [I] *vt* to lace (shoes, stays etc.); **ciasno ~any** tight-laced; **mocniej ~ać sznurówkę** to tighten one's stays; **~ać usta** a) (*stulić wargi*) to purse one's lips b) (*zamilknąć*) to lapse into silence; to say no more; **~ać komuś usta** to reduce sb to silence [III] *vr* **~ać, ~ywać się** to lace one's stays; to lace oneself in

zaszokować *vt perf* to give (sb) a shock; to shock; to horrify

zaszpachlować *vt perf* to putty

zaszpiclować *vt perf* to surround (sb, a place) with spies

zaszpuntować *vt perf* to bung up (a cask); to cork up (a bottle)

zasztauować *v perf* [I] *vt* to trim (a ship) [III] *vi* to trim the cargo

zaszturmować *vi perf* to storm (an enemy position etc.)

zasztyletować *vt perf* to stab (sb to death)

zaszufladkować *vt perf* to pigeon-hole

zaszumi|eć *vi perf* **~** (*o wodzie, falach*) to ripple; to start rippling; (*o liściach drzew*) to rustle; to start rustling; (*o wietrze w drzewach*) to sough; (*o kociołku, samowarze*) to sing; to start singing; **~ało mi w uszach** my ears buzzed <started buzzing>; **~ało mu w głowie (po winie)** he was fuddled; **~ało na sali** there was a stir in the room; the room was set abuzz

zaszurać *vi perf* to shuffle; to start shuffling

zaszwargo|tać *vi perf* **~cze** <**~ce**> to jabber; to start jabbering

zaszwajsować, zaszwejsować *vt perf techn.* to weld

zaszybować *vi perf* to glide

zaszycie *sn* 1. ↑ **zaszyć** 2. (*naprawa rozdarcia*) (a) mend 3. *med.* suture; stitch 4. **~ się** concealment; retirement from the world

zaszy|ć *v perf* **~je, ~ty** — **zaszy|wać** *v imperf* [I] *vt* 1. (*połączyć brzegi materiału itd.*) to sew <to stitch> (sth) up; to mend (a tear); *przysł.* **~j dziurę, póki mała** a stitch in time saves nine 2. (*schować, obszyć*) to hide <to sew up, to quilt> (coins, jewels etc. in a garment) 3. *med.* to suture <to stitch> (a wound) [III] *vr* **~ć, ~wać się** to hide; to conceal oneself; to burrow; to retire from the world <from sight> in an out-of-the-way spot; to dig oneself (in the hay, straw etc.)

zaszydz|ić *vi perf* **~ę** to scoff (**z kogoś, czegoś** at sb, sth)

zaszyfrować *vt perf* — **zaszyfrowywać** *vt imperf* to code (a message)

zaszyfrowany *adj* written in code

zaszywać *zob.* **zaszyć**

zaś *conj* 1. (*natomiast*) while; on the other hand; whereas; *emf.* **zwłaszcza** <**osobliwie**> ~ particularly, especially

zaśby *interj gw. pot.* why, no!

zaścian|ek *sm G.* **~ka** <**~ku**> 1. *hist.* (*okolica szlachecka*) yeomen's settlement 2. *przen.* (*zapadły kąt*) out-of-the-way locality <place>

zaściankowość *sf singt* parochialism; localism; vestrydom

zaściankowy *adj* 1. (*dotyczący zaścianka*) yeomanly 2. *przen.* (*prowincjonalny*) parochial (mind, point of view etc.); provincial; narrow-minded

zaścielać, zaścielić *zob.* **zasłać**²

zaślaz *sm G.* **~u** = **toina**

zaślepi|ać *v imperf* — **zaślepi|ć** *v perf* [I] *vt* to blind (sb, people — to facts); to infatuate [II] *vr* **~ać, ~ć się** to become infatuated (**w kimś, czymś** with sb, sth)

zaślepienie *sn* 1. ↑ **zaślepić** 2. (*otumanienie*) blindness; infatuation; fanaticism

zaślepie|niec *sm G.* **~ńca** (a) fanatic

zaślepiony [I] *pp* ↑ **zaślepić** [II] *adj* infatuated; blind to facts; fanatic; **być ~m w czymś** to be infatuated with sth — an idea etc.; **być ~m w kimś** to be infatuated with sb; to be wrapped up in sb; to dote upon sb

zaślep|ka *sf pl G.* **~ek** *techn.* plug; pipe closer; **nakręcana ~ka rurowa** casing cap

zaślinić *v perf* [I] *vt* to beslaver; to slobber [II] *vr* **~ się** (*wydzielić ślinę*) to slaver (*vi*) 2. (*oślinić się*) to slaver over (one's garments, one's beard etc.)

zaślubi|ać *v imperf* — **zaślubi|ć** *v perf* [I] *vt* to marry (sb) [II] *vr* **~ać, ~ć się** to marry (**z kimś** sb)

zaślubienie *sn* (↑ **zaślubić**) marriage

zaślubin|y *spl G.* ~ marriage; nuptials; wedding

zaśmi|ać się *vr perf* **~eje się** to burst out laughing; *przen.* **jej oczy ~ały się** her eyes sparkled

zaśmi|ardnąć, zaśmi|erdnąć *vi perf* **~erdł** <**~erdnął**>, **~erdła** *pot.* to become fetid; to begin to stink; (*o mięsie, rybie itd.*) to go smelly

zaśmierdły *adj* smelly; stinking

zaśmiec|ać *vt imperf* — **zaśmiec|ić** *vt perf* **~ę, ~ony** to litter (the street, floor etc. with papers etc.); to clutter up (a room with lumber etc.); (*o śmieciach*) to lie about (**pokój itd.** in a room etc.); **~ać, ~ić język obcymi wyrazami** to encumber a language with foreign words

zaśmierdz|ać *vt imperf* — **zaśmierdz|ić** *vt perf* **~ę, ~ony** *pot.* to fill (a place) with stench

zaśmierdzi|eć *v perf* ~ *pot.* [I] *vi* to stink; **coś tu ~ało** there's something here that stinks [II] *vr* **~eć się** to become fetid; to begin to stink; (*o mięsie, rybie itd.*) to go smelly

zaśmiewać się *vr imperf* to laugh heartily; to split one's sides with laughter

zaśmigać *v imperf* [I] *vi* to flash [II] *vt* to swish (**prętem** a twig)

zaśmigłowy *adj lotn.* **strumień** ~ slip-stream; propeller race

zaśniad *sm G.* **~u** *med.* (hydatid) mole

zaśniec|ić *vt perf* **~ę, ~ony** *roln.* to smut (corn)

zaśniecony *adj* smutty

zaśniedziałość *sf singt* 1. (*warstwa śniedzi*) verdigris 2. *przen.* (*gnuśność*) stagnancy; rustiness

zaśniedzie|ć *vi perf* **~je** 1. (*pokryć się śniedzią*) to verdigris 2. *przen.* (*zgnuśnieć*) to become stagnant; to grow rusty

zaśnieżony *adj* snow-covered (roof, landscape etc.); snow-capped (mountains etc.); snowy (season etc.)

zaśnięcie *sn* ↑ **zasnąć**

zaśpiew *sm G.* **~u** 1. (*melodia*) melody 2. (*akcent*) sing-song (accent)

zaśpiew|ać *v perf* — **zaśpiew|ywać** *v imperf* [I] *vt* 1. (*odśpiewać*) to sing (a song etc.) 2. *pot.* (*podać wygórowaną cenę*) to charge [II] *vi* 1. (*o ludziach i ptakach*) to start singing; to burst into song 2. (*odezwać się*) to say sth; **zobaczymy, jak on teraz ~a** we'll see what he is going to say now

zaśrubować *vt perf* — **zaśrubowywać** *vt imperf* to screw (a lid etc.) on; to screw up (a case etc.)

zaświadczać *v imperf* — **zaświadczyć** *v perf* [I] *vt* (*notować*) to record [II] *vi* 1. (*poświadczyć*) to testify <to attest, to certify> (**że ...** that ...) 2. (*świadczyć*) to testify <to witness> (**o czymś** to sth); to bear <to give> evidence (**o czymś** of sth)

zaświadczenie *sn* 1. ↑ **zaświadczyć** 2. (*dokument*) certificate; testimonial; attestation; affidavit; **przedłożyć** <**wystawić**> ~ to produce <to issue, to deliver> a certificate <testimonial, affidavit, attestation>

zaświadczyć *zob.* **zaświadczać**

zaświatow|y *adj* ultramundane; of <in, from> the other world; **Joanna d'Arc słyszała głosy ~e** Joan of Arc heard voices from beyond

zaświat|y *spl G.* **~ów** the other <the next> world; the beyond

zaświec|ić *v perf* **~ę, ~ony** — **zaświec|ać** *v imperf* [I] *vt* to light (a lamp, candle etc.); to strike (a match); **~ić, ~ać lampę elektryczną** to turn on <to switch on> the light [II] *vi* 1. (*zapalić światło*) to make some light; to light a lamp <candle, torch>; **~ić, ~ać komuś** to show sb a light; to light sb's way 2. (*zacząć świecić*) to shine; to shed (its <their>) light 3. *przen.* (*o oczach*) to sparkle; **oczy jego ~iły wściekłością** fury glinted in his eyes 4. (*zajaśnieć*) to appear like a bright spot (against a dark background) [III] *vr* **~ić, ~ać się** 1. (*o świetle*) to shine; to shed (its <their>) light 2. *przen.* (*o oczach itd.*) to light up; to brighten up

zaświego|tać **~cze** <**~ce, ~ta**>, **zaświergolić, zaświergotać** *vi perf* to chirrup; to chirp, to twitter, to warble; to start chirruping <chirping, twittering, warbling>; to burst into song

zaświerzbi|eć, zaświerzbi|ć *vt vi perf* ~ to itch; to start itching; *przen.* **język mnie ~ł** I itched to say sth; **~ła mnie dłoń, żeby go sprać** my hand itched to thrash him

zaświetlić *vt perf fot.* to overexpose

zaświnić *v perf* [I] *vt* to dirty; to sully; to grime; to make a mess (**podłogę, pokój** on the floor, **in a** room) [II] *vr* ~ **się** to dirty <to sully, to grime> one's hands <face, clothes>

zaświ|snąć, zaświ|stać *v perf* **~szcze** <**~sta**> [I] *vi* to whistle; to start whistling; (*o parowozie itd.*) to give a whistle; to blow the whistle [II] *vt* to whistle <to start whistling> (a melody)

zaświszcz|eć *vi perf* **~y** to whizz; to swish; to start whizzing <swishing>

zaświta|ć *vi perf* to dawn; **niedługo ~** it will soon be dawn; day will soon be dawning; **~ło mi w głowie** I began to see daylight; **~ło mi w głowie, że ...** it dawned on me that ...

zatabaczony [I] *pp* ↑ **zatabaczyć** [III] *adj* snuffy

zatabaczyć *v perf* [I] *vt* to soil (sth) with snuff [III] *vr* **~ się** 1. (*stać się nałogowcem w zażywaniu tabaki*) to become addicted to the use of snuff 2. (*powalać się tabaką*) to soil one's clothes with snuff

zat|aczać *v imperf* — **zat|oczyć** *v perf* [I] *vt* 1. (*przesuwać*) to roll (a cask etc.); to wheel (a vehicle etc. into place, a gun into line); **~oczyć powóz** to put the carriage in the coach-house 2. *techn.* to turn (sth) on the lathe 3. † (*formować w kształt kolisty*) to form (sth) into a circle; *obecnie w zwrotach:* **~aczać koła** to circle (round and round); **~oczyć koło** <**łuk**> to describe a circle <a curve> (in the air, on a sheet of paper etc.); to be shaped in a circle; **~aczać coraz szersze kręgi** to expand in ever-widening circles [III] *vr* **~aczać, ~oczyć się** 1. (*iść chwiejnym krokiem*) to reel; to stagger 2. (*o pojeździe — docierać*) to be driven (**dokądś** to a place) 3. (*rozciągać się w kształcie koła*) to form a circle

zataczanie *sn* 1. ↑ **zataczać** 2. **~ się** reeling gait

zataczar|ka *sf pl G.* **~ek** *techn.* backing-off <relieving> lathe

zataczarz *sm* turner

zata|ić *v perf* **~ję, ~jony** — **zata|jać** *v imperf* [I] *vt* to conceal (**coś przed kimś** sth from sb); to keep (sth) secret; *przen.* **~ić, ~jać dech** <**oddech**> to hold one's breath [III] *vr* **~ić, ~jać się** to hide (*vi*); to lie in hiding

zatajenie *sn* (↑ **zataić**) concealment

zatamow|ać *vt perf* — **zatamow|ywać** *vt imperf* to block; to obstruct; to impede; to bring (the traffic) to a standstill; **~ać, ~ywać dech** <**oddech**> to hold one's breath; **~ać, ~ywać krew** to stanch <to staunch> blood

zatankować *vt perf* to fill up (**benzynę, wodę** with petrol, with water); **~ benzynę** to refuel

zatańczyć *vt vi perf* to dance; to perform a dance; *pot.* **~ jak ktoś zagra** to dance to sb's piping

zatapiać *zob.* **zatopić**

zatara|sić *vt perf* **~szę, ~szony** *gw.* to tread (straw etc.)

zatarasow|ać *v perf* — **zatarasow|ywać** *v imperf* [I] *vt* to barricade <to bar, to obstruct, to block up> (a passage, an entrance); to bolt <to secure> (a door) [III] *vr* **~ać, ~ywać się** to barricade oneself (in one's room etc.)

zatarcie *sn* 1. ↑ **zatrzeć** 2. (*usunięcie*) obliteration; effacement 3. *techn.* seizure, seizing

zatarg *sm G.* **~u** clash; dispute; quarrel; conflict; **~ rodzinny** private war

zatargać *vt perf* 1. (*szarpnąć*) to give (**czymś** sth) a pull <a tug>; to start pulling <tugging> (**czymś** sth); (*zatrząść*) to give (**czymś** sth) a shake; to start shaking (**czymś** sth) 2. *pot.* (*zataszczyć*) to lug (**coś dokądś** sth somewhere)

zatarko|tać *vi perf* **~cze** <**~ce**> = **zaturkotać**

zatarmo|sić *vt perf* **~szę, ~szony** to start tousling (**kimś** sb) <pulling (**kimś** sb)> about; to start shaking (**kimś, czymś** sb, sth)

zataszczyć *vt perf pot.* to lug (sth somewhere)

zatelefonować *vi perf* to telephone <to phone> (**do kogoś** sb <to sb>); **~ do kogoś** to ring sb up

zatelegrafować *vi perf* to send a telegram <a wire>; **~ do kogoś** to send sb a wire

zatem *adv* and so; therefore; consequently; then; (*po dygresji*) **a ~** well (*z przecinkiem*)

zatemperować *vt* to sharpen (a pencil etc.)

zaterko|tać *vi perf* **~cze** <**~ce**> to clatter; to rattle; to hurtle; to chatter; to start clattering <rattling, hurtling, chattering>

zatęch|nąć *vi perf* **~ł** — **zatęchać** *vi imperf* to go mouldy; to grow musty

zatęchły [I] *pp* ↑ **zatęchnąć** [III] *adj* (*o słomie, sianie itd.*) mouldy; (*o atmosferze, powietrzu*) fuggy; musty; frowsty

zatęskni|ć *v perf* **~j** [I] *vi* to hanker (**za kimś, czymś** after sb, sth); to languish <to long, to crave> (**za kimś, czymś** for sb, sth); to start hankering <languishing, longing, craving> [III] *vr* **~ć się** to pine away from hankering

zatętnić *vi perf* (*o kopytach końskich*) to clatter; to start clattering; (*o pojeździe*) to rumble; to start rumbling

zat|kać *v perf*, **zat|knąć** *v perf* — **zat|ykać** *v imperf* [I] *vt* 1. (*zapchać*) to clog <to choke, to clutter, to block> (a pipe etc.); (*zamknąć otwór, dziurę itd.*) to shut up <to plug, to chock up> (an opening etc.); to cork (a bottle); **mieć ~kany nos** to snuffle; to have one's nose stopped up (with a cold etc.); **~kać, ~ykać nos** to hold one's nose; **~kać, ~ykać sobie uszy** to stop one's ears; *pot.* **~kać, ~ykać komuś gębę** to stop sb's mouth; to squelch sb; **~kało mnie** <**go itd.**> I <he etc.> was flabbergasted <stumped>; it took my <his etc.> breath away; *przen.* **~kać, ~knąć, ~ykać dziurę** to fill up <to stop> a gap 2. **~kać, ~ykać** (*wetknąć*) to stick <to shove, to thrust, to insert> (sth somewhere); **~knąć sztandar** to hoist a flag [III] *vr* **~kać, ~knąć, ~ykać się** 1. (*zostać zatkanym*) to get stopped <clogged, cluttered, choked, blocked>; to foul 2. *perf* (*stracić oddech*) to get out of <to lose one's> breath

zatlić się *vr perf* to smoulder; to start smouldering

zatłam|sić *vt perf* **~szę, ~szony** *pot.* to stifle

zatłoczenie *sn* 1. ↑ **zatłoczyć** 2. (*tłok*) crowd; throng; congestion 3. (*nagromadzenie*) mass; clutter

zatłoczyć *vt perf* 1. (*wywołać tłok*) to crowd; to overcrowd; to throng; to congest 2. (*zapchać*) to cram; to encumber

zatłu|c *vt perf* **~kę, ~cze, ~kł, ~czony** *pot.* to club <to cudgel> (sb, an animal) to death; to pound (sb) into a jelly

zatłuszczenie *sn* 1. ↑ **zatłuścić** 2. (*stan ubrania itd.*) greasiness; greasy stains <marks>

zatłu|ścić *vt perf* **~szczę, ~szczony** to stain <to soil> with grease; to make <to leave> **greasy stains** <marks> (**coś** on sth)

zatocz|ek *sm G.* **~ka** *zool.* planorbis; *pl* **~ki** (*Planorbidae*) (*rodzina*) the family Planorbidae

zatoczenie *sn* ↑ **zatoczyć**

zatocz|ka *sf pl G.* **~ek** creek; cove; fleet; inlet

zatoczyć *zob.* **zataczać**

zatoka *sf* 1. *geogr.* gulf; bay 2. *przen.* recess 3. *anat.* sinus; antrum 4. *meteor.* **~ niskiego ciśnienia** low-pressure embayment

zatokować *vi perf* (*o głuszczu*) to toot; to start tooting

zatokowaty *adj bot.* sinuate

zatokowo *adv* sinuately

zatokowy *adj bot.* sinuate; *geogr.* **prąd ~** Gulf Stream

zatomizować *vt perf* to atomize

zatonąć *vi perf* 1. (*pogrążyć się*) to sink; to go to the bottom; to be engulfed; **~ oczyma w kimś, czymś** to look admiringly at sb, sth; **~ w fotelu** to sink into an armchair; **~ w lekturze** to be engrossed in one's reading; **~ w myślach** to become absorbed in thought; **~ w zapomnieniu** to sink into oblivion 2. (*zniknąć pod wodą*) to be <to get> flooded

zatonięcie *sn* (↑ **zatonąć**) *dosł. i przen.* engulfment

zat|opić *v perf* — **zat|apiać** *v imperf* [I] *vt* 1. (*zanurzyć*) to sink <to submerge> (sth in a liquid, swamp etc.); to immerse; to scuttle <to flounder> (a ship); **~opić, ~apiać nóż w czyjejś piersi** to plunge a knife into sb's breast; **~opić, ~apiać oczy w pustkowiu** to gaze into space; **~opić, ~apiać zęby <pazury> w czymś <w coś>** to sink one's teeth <claws> into sth 2. (*zalać*) to flood; to inundate; to lay (a region etc.) under water 3. *techn.* to seal (an opening, aperture) [II] *vr* **~opić, ~apiać się** 1. (*pogrążyć się*) to sink (*vi*); to plunge; to penetrate; **~opić, ~apiać się we łzach** to be in a flood of tears 2. *przen.* (*pogrążyć się*) to become absorbed <engrossed> (in sth); **~opiony w myślach** sunk in thought 3. (*zostać zalanym*) to become flooded <inundated>; **~opiony** under water

zatopieni|e *sn* 1. ↑ **zatopić** 2. (*zanurzenie*) submergence; immersion; *mar.* **kurek ~a** sea-cock 3. (*zalanie*) flood; inundation 4. **~e się** *przen.* absorption <engrossment> (in thought etc.)

zator *sm G.* **~u** 1. (*przeszkoda w ruchu ulicznym*) (traffic-)jam; hold-up; entanglement (of vehicles); **zrobić <wywołać> ~** to obstruct <to hold up> the traffic 2. (*spiętrzenie kry lodowej*) ice-jam 3. *med.* embolia

zatorfić *vt perf geogr.* to convert (soil) into a peat-bog

zatrac|ać *v imperf* — **zatrac|ić** *v perf* **~ę, ~ony** [I] *vt* to lose (a characteristic etc.); **~ić poczucie czasu** to lose count of time; **~ił poczucie obowiązku <wstydu>** he is lost to all sense of duty <of shame> [II] *vr* **~ać, ~ić się** 1. (*stracić poczucie rzeczywistości*) to lose oneself; to become lost (in thought etc.) 2. (*niknąć*) to vanish; to disappear

zatraceni|e *sn* 1. ↑ **zatracić** 2. (*zagłada*) doom; ruin; death; destruction; (*zguba*) loss 3. (*nieprzytomność*) unconsciousness; distraction; **kochać do ~a** to love (sb) to distraction

zatracony [I] *pp* ↑ **zatracić** [II] *adj pot.* (*utrapiony*) confounded; blooming; blinking; *wulg.* bloody

zatrajko|tać *vt vi perf* **~cze <~ce>** 1. (*zacząć mówić*) to start jabbering 2. (*zagłuszyć*) to out-talk (everybody else) 3. (*zaturkotać*) to come rattling along; to be heard rattling

zatrapić się *vr perf* to worry oneself to death

zatrata *sf* 1. (*zagłada*) doom; ruin; death; destruction 2. (*zanik*) loss; decay; decline

zatratować *vt perf* to trample to death

zatrąbić *vi perf* to blow the trumpet; to sound the bugle

zatrąc|ać *vi imperf* — **zatrąc|ić** *vi perf* **~ę, ~ony** 1. (*napomykać*) to allude (**o czymś** to sth); to hint (**o czymś** at sth); to mention (**o czymś** sth) 2. (*przypominać*) to be reminiscent (**czymś** of sth); (*trącić*) to smack (**czymś, o coś** of sth); (*zalatywać*) to smell (**czymś** of sth); *przen.* **~ać z francuska** to speak with a French accent; **~ać gwarą** to speak with a touch of dialect

zatriumfować *zob.* **zatryumfować**

zatroskać się *vr perf* to show <to evince> anxiety <concern, alarm>

zatroskanie *sn* anxiety; concern; alarm

zatroskany [I] *pp* ↑ **zatroskać się** [II] *adj* (*zaniepokojony*) anxious; concerned; alarmed

zatroszczyć się *vr perf* 1. (*zająć się*) to take care (**o kogoś, coś** of sb, sth); to look (**o kogoś, coś** after sb, sth); to see (**o coś** to sth) 2. (*postarać się*) to attend (**o coś** to sth)

zatrucie *sn* 1. ↑ **zatruć** 2. (*stan chorobowy*) poisoning; intoxication; **~ krwi** blood-poisoning; toxaemia

zatru|ć *v perf* **~je, ~ty** — **zatru|wać** *v imperf* [I] *vt* to poison (sb, food, the air, water etc.); to infect (the air, mind etc.); to envenom (a weapon, wound etc.); **~ć, ~wać komuś życie** to embitter sb's life; to lead sb a wretched life [II] *vr* **~ć, ~wać się** to get poisoned

zatrudniać *vt imperf* — **zatrudni|ć** *vt perf* **~j** *imperf* to employ; to give work (**ludzi** to people); to occupy (**kogoś przy czymś** sb doing sth); *perf* to engage <to take on> (a specialist, workmen etc.)

zatrudnieni|e *sn* 1. ↑ **zatrudnić** 2. (*dawanie pracy*) employment; **brak ~a** unemployment; **biuro ~a** employment agency <exchange> 3. (*zajęcie*) occupation

zatrudnieniowy *adj* employment __ (bureau etc.)

zatrudniony [I] *pp* ↑ **zatrudnić** [II] *sm* worker

zatruwać *zob.* **zatruć**

zatrważająco *adv* alarmingly; appallingly; disquietingly

zatrważający *adj* alarming; appalling; disquieting

zatrwożenie *sn* 1. ↑ **zatrwożyć** 2. (*lęk*) alarm; perturbation; disquiet; anxiety

zatrw|ożyć *v perf* **~óż** [I] *vt* to alarm; to appal; to perturb; to disquiet; to upset [II] *vr* **~ożyć się** to be alarmed <perturbed, upset>; to take alarm (**czymś** at sth)

zatryumfować *vi perf* (*odnieść tryumf*) to triumph; (*ucieszyć się własnym tryumfem*) to exult

zatrzask *sf G.* **~u** 1. (*zamek*) lock; latch; **klucz od ~u** latchkey; **zamknąć drzwi na ~** to lock a door 2. (*guzik do zapinania sukni itd.*) snap-fastener; press-stud 3. (*potrzask*) trap

zatrzas|ka *sf pl G.* **~ek = zatrzask 2.**

zatrzaskać *vi perf* (*zacząć trzaskać*) to crackle; to start crackling

zatrza|snąć *v perf* **~śnie** — **zatrza|skiwać** *v imperf* [I] *vt* 1. (*zamknąć na zatrzask*) to latch (a door); to put <to leave> (a door) on the latch 2. (*zamknąć* *z trzaskiem*) to bang <to slam> (a door); **~snąć, ~skiwać bransoletkę <album itd.>** to snap a bracelet <an album etc.> to; **~snąć, ~skiwać wieko** to bang down a lid 3. (*zamknąć w potrzasku*) to trap (an animal, *przen.* sb) 4. † (*zabić*) to strike (sb) dead [II] *vr* **~snąć, ~skiwać się** (*o drzwiach*) to swing to; (*o pokrywce itd.*) to snap to (*vi*); (*o zamku*) to snap (*vi*)

zatrzaśnięcie *sn* ↑ **zatrzasnąć**

zatrz|ąść *v perf* **~ęsę, ~ęsie, ~ęś, ~ąsł, ~ęsła, ~ęśli, ~ęsiony** [I] *vt* to shake (**czymś** sth); **~ąsł głową** he shook his head; **~ęsła nim pasja** he shook with rage; **~ęsło nim** he shook all over [II] *vr* **~ąść się** to shake (*vi*); **miasto ~ęsło się** the town was set agog; **mury ~ęsły się od okrzyków** the walls shook with the cheers; **on się ~ąsł z gniewu** he shook with rage

zatrzeć *zob.* **zacierać**

zatrzepo|tać *v perf* **~cze <~ce>** [I] *vt* to flutter (**skrzydłami itd.** its wings etc.) [II] *vi* (*także vr* **~tać się**) to flutter; to flap; (*o ptaku*) to flutter its wings

zatrzeszcz|eć *vi perf* **~y** (*wydać trzask*) to crackle; to start crackling; (*zacząć trzeszczeć*) to crack; to start cracking

zarzęsienie *sn* 1. ↑ **zatrząść** 2. *pot.* (*mnóstwo*) lots; heaps; oodles; no end; (books, wine, friends etc.) galore

zatrzym|ać *v perf* — **zatrzym|ywać** *v imperf* [I] *vt* 1. (*wstrzymać*) to stop; to check; to arrest; to bring (sth) to a standstill <to a stop>; to hold (sb, sth) up; *mar.* to heave to; to fix (one's attention, one's gaze on sth); **~ać, ~ywać bieg wypadków** to stay the course of events; **~ać, ~ywać pojazd konny** to pull <to rein> up 2. (*nie puścić od siebie*) to detain; to keep (**kogoś na obiedzie itd.** sb to dinner etc.); **~ać, ~ywać coś dla kogoś** to reserve sth for sb; **~ać, ~ywać coś w pamięci** to keep sth in mind; **~ać, ~ywać kogoś w domu <ucznia w kozie>** to keep sb <a pupil> in; **~ać, ~ywać kogoś na stanowisku** to keep sb on; **~ać, ~ywać pacjenta w łóżku** to keep a patient in bed 3. (*przetrzymać*) to hold (sb's hand etc.) 4. (*aresztować*) to arrest; to apprehend 5. (*zachować dla siebie*) to keep; to retain [II] *vr* **~ać, ~ywać się** 1. (*przystanąć*) to stop; to come to a standstill <to a halt>; to stand (before sb, sth); to linger (before a monument, painting etc.); (*o pojeździe*) to pull up; to draw up; **nagle się ~ać, ~ywać** to come to a dead stop; **~ać się na jakimś temacie** to dwell on a subject 2. (*przerwać podróż*) to stop <to stay> (**w jakiejś miejscowości** at a place); **~ać się na nocleg** to stop <to stay> (somewhere) overnight; to put up (**w hotelu, u kogoś** at a hotel, with sb) 3. (*przerwać pracę*) to pause

zatrzymani|e *sn* 1. ↑ **zatrzymać** 2. (*przerwa*) stop; check; standstill; pause; halt; hitch 3. (*aresztowanie*) arrest; apprehension; detention 4. **~e się** stop; pause; **jechać <lecieć> bez ~a się** to travel <to fly> non-stop

zatrzymywać *zob.* **zatrzymać**

zatucz|ać *v imperf* — **zatucz|yć** *v perf* [I] *vt* to overfeed (cattle etc.) [II] *vr* **~ać, ~yć się** to overfeed (*vi*)

zatulać *vt imperf* — **zatulić** *vt perf* to wrap <to muffle> (sb, sth) up

zatuł|owie *sn,* **zatuł|ów** *sm G.* **~owia** *zool.* metathorax

zatumanić *vt perf* — **zatumaniać** *vt imperf* to stupefy

zatup|ać *vi perf* **~ie** to start stamping one's <their etc.> feet

zatupo|tać *vi perf* **~cze <~ce>** to patter

zaturko|tać *vi perf* **~cze <~ce>** to rattle; to jolt; to start rattling <jolting>

zaturkotanie *sn* (↑ **zaturkotać**) rattle (of a cart etc.)

zatuszow|ać *v perf* — **zatuszow|ywać** *v imperf* [I] *vt* to hush up <to smother, to burke> (a scandal etc.) [II] *vr* **~ać, ~ywać się** to get hushed up <smothered, burked>

zatwar *sm G.* **~u** *bot.* (*Sterculia*) sterculiad

zatwardz|ać *v imperf* — **zatwardz|ić** *v perf* **~ę, ~ony** [I] *vt* to harden [II] *vr* **~ać, ~ić się** to become hardened

zatwardzająco *adv med.* **działać ~** to constipate; to bind the bowels

zatwardzenie *sn* 1. ↑ **zatwardzić** 2. *med.* constipation; costiveness

zatwardziale *adv* obdurately

zatwardzial|ec *sm G.* **~ca** obdurate <hardened, confirmed> sinner

zatwardziałość *sf* obduracy; impenitence

zatwardziały [I] *adj* obdurate; impenitent; confirmed; hardened [II] *sm* reprobate

zatwardzić *zob.* **zatwardzać**

zatwarowat|y *bot.* [I] *adj* sterculiaceous [II] *pl* **~e** (*Sterculiaceae*) (*rodzina*) the chocolate family

zatwierdzać *vt imperf* — **zatwierdz|ić** *vt perf* **~ę, ~ony** to confirm (a nomination etc.); to approve (**coś** of sth); to affirm (a sentence); to ratify <to sanction, to validate> (a decree etc.)

zatwierdzenie *sn* (↑ **zatwierdzić**) confirmation; assent; approval; sanction; ratification

zatwierdzić *zob.* **zatwierdzać**

zatworniak|i *spl G.* **~ów** *bot.* (*Perisporiales*) (*rząd*) the order Perisporiales

zatw|ór *sm G.* **~oru** shutter

zatycz|ka *sf pl G.* **~ek** plug; peg; spigot; stopper; pin; (*u osi wozu*) linchpin

zatykać *zob.* **zatkać**

zatykanie *sn* (↑ **zatykać**) stoppage; obstruction

zatyko|tać *vi perf* **~cze <~ce>** to start ticking

zatyle *sn* back

zatylnik *sm* tail-board (of a cart)

zatynkować *vt perf* to plaster up

zatyrać *v perf* [I] *vt* to overstrain (sb); to hardwork (sb) [II] *vr* **~ się** to overstrain oneself; to be hardworked

zatytułować *vt perf* 1. (*nadać tytuł utworowi*) to entitle (a book, lecture etc.); to head (a chapter) 2. (*wymienić przysługujący komuś tytuł*) to give (sb) a title; to address (sb) by a title

zaufać *vi perf* to trust (**komuś** sb); to confide (**komuś** in sb); to rely (**komuś** on sb); **~ komuś, że coś dobrze zrobi** to trust sb to do sth properly; **czy mogę mu ~?** can I depend on him?

zaufani|e *sn* 1. ↑ **zaufać** 2. *singt* (*ufność*) confidence <trust, reliance, faith> (**do kogoś** in sb); **brak ~a do kogoś** distrust of sb; mistrust of <in> sb; **brak ~a do siebie** diffidence; **porozumienie oparte na ~u** gentleman's agreement; **wotum ~a** vote of confidence; **~e do siebie** self-reliance; **godny ~a, zasługujący na ~e** reliable; trustworthy; **cieszyć się czyimś ~em** to enjoy sb's confidence; **darzyć kogoś ~em** to trust sb; to have confidence in sb; **mieć ~e do kogoś, pokładać ~e w kimś** = **zaufać komuś** *zob.* **zaufać; powiem ci w ~u** (let it be said) between ourselves; **w ~u coś powiedzieć** to say sth confidentially; **w największym ~u** in strict confidence; **z pełnym ~em** confidently

zaufany *adj* trusted; reliable; trustworthy; confidential (clerk, agent)

zauł|ek *sm G.* **~ka** 1. (*uliczka*) lane; alley; bystreet; **ślepy ~ek** blind alley 2. (*zakamarek*) recess; corner; nook

zaułkowość *sf singt* narrow-mindedness; parochialism

zauroczyć *vt perf* to bewitch; to cast a spell (**kogoś** over sb)

zausznica † *sf* 1. (*kolczyk*) ear-ring 2. (*powiernica*) confidante

zausznictwo *sn singt* talebearing

zausznik *sm* 1. (*powiernik*) talebearer 2. *zool.* **~ czarnoszyi** (*Podiceps nigricollis*) a species of grebe

zautomatyzować *v perf* [I] *vt* to automatize [II] *vr* **~ się** to become automatized

zauważać *zob.* **zauważyć**

zauważalny *adj* observable; perceptible; appreciable

zauważ|yć *v perf* — **zauważ|ać** *v imperf* [I] *vt* (*spostrzec*) to notice (sb, sth); to perceive; to observe; to take notice (**coś** of sth); to catch sight (**kogoś, coś** of sb, sth); **dać się ~yć** to become visible <noticeable>; **nie ~yć czegoś** to miss sth; **nie ~ą mojej nieobecności** I shan't be missed; **nie zostać ~onym** to pass unnoticed; **on nie ~ył ironii zawartej w tych słowach** the irony of the words was lost on him [II] *vi* 1. (*spostrzec*) to notice (that ...); to observe 2. (*zrobić uwagę*) to observe; to remark; to pass a remark; **pozwolę sobie ~yć, że ...** I'll take the liberty to point out that ...

zawabić *vt perf* — **zawabiać** *vt imperf* to lure

zawachlować *vi perf* to fan; to start fanning

zawa|da *sf* obstacle; hindrance; impediment; handicap; **być komuś ~dą** to hinder sb; to be a drag on sb; **stać na ~dzie** to stand in the way; to hinder (sth)

zawadiacki *adj* blustering; boisterous; swashbuckling; hectoring; pugnacious

zawadiacko *adv* blusteringly; boisterously; swashbuckingly; pugnaciously; **w kapeluszu włożonym ~ na bakier** with his hat at a rakish angle

zawadiackość *sf*, **zawadiactwo** *sn* bluster; boisterousness; boisterous behaviour; swashbuckling; pugnacity

zawadiaka *sm* (*decl* = *sf*) blusterer; hector; swashbuckler; tiger

zawadniać *vt imperf* — **zawodnić** *vt perf* to flood

zawadz|ać *v imperf* — **zawadz|ić** *v perf* **~ę** [I] *vi* 1. (*zaczepiać o coś*) to brush <to graze, to scrape, to knock, to strike> (**o coś** against sth) 2. (*zatrzymywać się po drodze*) to stop (**o jakąś miejscowość** at a place) on one's way 3. (*napomykać*) to touch (**o jakiś temat** on a subject) 4. (*przeszkadzać*) to be <to stand> in the way; to hinder <to hamper, to impede> (**komuś** sb, sb's movements); to obstruct (**na czyjejś drodze** sb's path); **nie będę ci ~ał** I won't stand in your way; **nie ~i napić się czegoś** a drink will be welcome; **nie ~i spróbować** it won't hurt to try; there's no harm in having a try 5. (*być zawadą komuś*) to be a drag <a tie> (**komuś** on sb) [II] *vr* **~ać, ~ić się** to get caught (**o coś** on sth); **rogi jelenia ~ają się o gałęzie drzew** the stag's antlers get caught on the branches of trees

zawadzanie *sn* 1. ↑ **zawadzać** 2. (*przeszkadzanie*) hindrance; impediment; obstruction

zawagonować *v perf* [I] *vt* to entrain (troops) [II] *vr* **~ się** to entrain (*vi*)

zawaha|ć się *vr perf* to hesitate; to waver; **nie ~ć się coś zrobić <przed zrobieniem czegoś>** not to stick <not to demur> at doing sth; **nie ~wszy się** unhesitatingly; **~ł się, jak ma postąpić** he was undecided how to act

zawakować *vi perf* to become vacant

zawalać[1] *v perf* [I] *vt* (*zabrudzić*) to dirty; to soil [II] *vr* **~ się** to dirty <to soil> one's hands <face, clothes>

zawalać[2] *zob.* **zawalić**

zawalcować *vt perf* to roll <to flatten, to level> (sth) with a roller

zawalcowanie *sn* 1. ↑ **zawalcować** 2. *techn.* lap; lapping; overlap; cold shut (rolling defect)

zawalenie *sn* 1. ↑ **zawalić** 2. (*runięcie*) collapse; subsidence; (*o budynku*) **grożący ~m** crazy 3. *górn.* **~ się** fall

zawal|ić *v perf* — **zawal|ać** *v imperf* [I] *vt* 1. (*zasypać*) to cover up; to bury (sb, sth) 2. (*przywalić*) to crush 3. (*zatarasować*) to block up; to obstruct; to lumber up; to clutter; *górn.* to rob; **~ić, ~ać komuś miejsce <kąty>** to be a drag <a tie> to sb 3. *przen.* (*obciążyć*) to swamp (sb with work etc.) 4. (*spowodować runięcie*) to bring <to break> (sth) down; to cause (sth) to collapse <to fall in, to subside> 5. *pot.* (*nie dopisać*) to bungle (a job) [II] *vr* **~ić, ~ać się** to collapse; to crash; to break in <down>; to subside; to cave in; to fall in; to founder

zawalidroga *sm* (*del* = *sf*), *sf* idler; drone; loafer; do-nothing

zawalisko *sn* heap of rubble; *górn.* fall; *dial.* obstruction

zawalny *adj* 1. (*zasypujący obficie*) heavy (snowfall etc.); plentiful; profuse 2. (*bujny*) exuberant; thick

zawał *sm G.* **~u** 1. *górn.* fall 2. *med.* infarct 3. † (*zawada*) obstruction

zawała *sf wojsk.* tank trap

zawałować *vt perf* to roll (road-metal)

zawarcie *sn* 1. ↑ **zawrzeć** 2. (*mieszczenie w sobie*) inclusion 3. (*ustanowienie wespół z kimś*) negotiation (of a treaty etc.); conclusion (of a peace etc.); transaction (of business etc.); contraction (of a marriage)

zawarcz|eć *vi perf* **~y** 1. (*o psie, przen. o człowieku*) to growl; to start growling 2. (*o motorze itd.*) to whirr; to hum; to start whirring <humming>

zawarko|tać *vi perf* **~cze <~ce>** to whirr; to start whirring

zawarować *vt perf* — **zawarowywać** *vt imperf* to stipulate (**coś** for sth); to secure; to guarantee; to ensure; to reserve (**sobie prawo itd.** a right etc. to oneself)

zawarowanie *sn* (↑ **zawarować**) stipulation; guarantee

zawarowywać *zob.* **zawarować**

zawartość *sf singt* 1. (*to, co się w czymś zawiera*) contents; furniture (of sb's pocket, shelves, mind etc.) 2. (*treść*) subject (of a book etc.) 3. (*składnik*) content; **~ miedzi <witamin itd.>** copper <vitamin etc.> content

zawarty *zob.* **zawierać**

zaważenie *sn* ↑ **zaważyć**

zaważyć *v perf* [I] *vi* (*wywrzeć wpływ*) to play a (prominent etc.) part (**na sprawie, na czyimś życiu itd.** in an affair, in sb's life etc.); to count; to matter; to be of consequence; to determine <to decide> (**na czyimś losie itd.** sb's fate etc.); **~ ciężko na czymś** to weigh heavily on sth; **~ na szali** to turn the scale <the balance> [II] *vt* (*wykazać ciężar*) to weigh (*x* kilograms, tons etc.)

zawciąg *sm G.* **~u** *bot.* (*Armeria*) thrift

zawciągowat|y *bot.* [I] *adj* plumbaginaceous [II] *spl* **~e** (*Plumbaginaceae*) (*rodzina*) the family Plumbaginaceae

zawczasu *adv* 1. (*przed czasem*) in advance; beforehand 2. (*w porę*) in time

za wcześnie *zob.* **wcześnie**

zawczoraj *adv* the day before yesterday

zawczorajszy *adj* of the day before yesterday

zawdzięcza|ć *vt imperf* to owe (sth to sb); to be indebted (**coś komuś** to sb for sth); **jemu to ~my, że jeszcze żyjemy** it is due to him that we are still alive; **to, co ja ci ~m** my indebtedness to you

zawekować *vt perf* to pot (meat etc.)

zawezw|ać *vt perf* **~ę, ~ie, ~ij** 1. (*przywołać*) to call <to summon> (sb); **~ać kogoś na świadka** to call sb in evidence; **~ać lekarza** to call in a doctor 2. (*zażądać*) to summon (the besieged to surrender etc.); to call (**tłum do rozejścia się** upon the crowd to disperse)

zawędrować *vi perf* — **zawędrowywać** *vi imperf* to reach (**do jakiejś miejscowości itd.** a place etc.); to go <to come, to wander> (**dokądś** up to <as far as> a place)

zawędzać *vt perf* — **zawędz|ić** *vt imperf* **~ę, ~ony** to smoke <to smoke-cure> (meat, herrings etc.)

zawęszyć *vi perf* to sniff

zawę|zić *v perf* **~żę, ~żony** — **zawę|żać** *v imperf* [I] *vt* to narrow; to restrict; to limit; to confine [II] *vr* **~zić, ~żać się** to narrow (*vi*); to contract (*vi*); to become <to grow> restricted <limited, confined>

zawęźl|ać *v imperf* — **zawęźl|ić** *v perf* [I] *vt* to knot <to loop> (a ribbon, string etc.); to kink (yarn etc.) [II] *vr* **~ać, ~ić się** to knot <to loop, to kink> (*vi*); to form <to make> a knot <loop, kink>; to form <to make> knots <loops, kinks>

zawęźlenie *sn* 1. ↑ **zawęźlić** 2. (*węzeł*) knot; loop; kink

zawęźlić *zob.* **zawęźlać**

zawężać *zob.* **zawęzić**

zawężenie *sn* (↑ **zawęzić**) restriction; limitation; confinement; contraction

zawi|ać *v perf* **~eję, ~ał** — **zawi|ewać** *v imperf* [I] *vi* 1. (*powiać*) to blow; to start blowing 2. (*dać się odczuć jako powiew*) to drift [II] *vt* 1. (*o śniegu itd. — zakryć*) to cover up (sb's traces, a road etc.); **~ało go** he (has) caught a chill 2. (*o wietrze — przynieść*) to drift (snow, sand etc.); to carry <to bring> (a cold spell, seeds etc.); to waft (**zapachem itd.** a fragrance etc.); *imp* **~ało zapachem świeżego siana itd.** the fragrance of new-mown hay was wafted through the air [III] *vr* **~ać, ~ewać się** *pot.* (*upić się*) to take a glass too much

zawiadamiać *vt vi imperf* — **zawiadomić** *vt vi perf* to inform <to notify> (**kogoś o czymś** sb of sth); to apprise (**kogoś o czymś** sb of sth); to intimate (**kogoś o czymś** sth to sb; **kogoś o tym, że ...** to sb that ...); to let (sb) know (**o czymś** sth; **o tym, że ...** that ...); to send word (**kogoś, że ...** to sb that ...); to give (sb) notice (**o czymś** of sth); to announce (**kogoś o czymś** sth to sb)

zawiadomienie *sn* 1. ↑ **zawiadomić** 2. (*pismo*) notification; notice; intimation; **~ o czyjejś śmierci** notification of sb's death 3. (*udzielona wiadomość*) information

zawiadowca *sm* (*decl* = *sf*) *kolej.* **~ stacji** station-master; *górn.* **~ kopalni** mine superintendent

zawiadywać *vt imperf* to administer (**czymś** sth); to superintend (**czymś** sth); to manage <to run> (**przedsiębiorstwem, hotelem itd.** a business, hotel etc.)

zawiadywanie *sn* (↑ **zawiadywać**) administration; superintendence; management

zawiany [I] *pp* ↑ **zawiać** [II] *adj pot.* squiffy; screwed

zawias *sm G.* **~u, zawias|a** *sf* 1. *bud.* hinge; **na ~ach** hinged; **zawiesić na ~ach** to hinge; **zdjąć z ~ów** to unhinge 2. *anat.* (*staw*) hinge joint; ginglymus 3. *zool.* hinge

zawiasow|iec *sm G.* **~ca** *zool.* articulate animal; *pl* **~ce** (*Articulata*) (*gromada*) the group Articulata

zawiasowo *adv* (hanging, turning) on hinges <on a hinge>

zawiasowy *adj* hinge __ (joint etc.); *anat.* **staw ~** hinge joint

zawiatrowy *adj* = **zawietrzny**

zawią|zać *v perf* **~że** — **zawią|zywać** *v imperf* [I] *vt* 1. (*związać*) to tie; to bind; **~zać pakunek** to tie up <to fasten up> a parcel; **~zać ranę** to bind up a wound; **~zać tobół** to rope a bundle; **~zać węzeł <kokardę>** to tie <to make> a knot <a bow>; **z ~zanymi oczami** blindfold 2. (*założyć*) to form <to set up> (a society etc.); **~zać intrygę** to weave <to knit up> a plot 3. *bot.* to set (fruit, seeds) [II] *vr* **~zać, ~zywać się** 1. (*zostać nawiązanym*) to be struck up; **~zały się rozmowy <znajomości>** conversations <friendships> were struck up 2. *bot.* (*uformować się — o owocu*) to set (*vi*); (*o kapuście, sałacie*) to head

zawiąz|ek *sm G.* **~ku** 1. *biol.* germ; *bot.* ovary 2. *przen.* (*zaczątek*) nucleus

zawiąz|ka *sf pl G.* **~ek** *gw.* parcel; bundle

zawiązywać *zob.* **zawiązać**

zawibrować *v perf* [I] *vi* to vibrate; to start vibrating [II] *vt techn.* to vibrate (concrete)

zawidnie|ć *vi perf* **~je** to become visible; to appear

zawiedzenie *sn* ↑ **zawieść**

zawiedz|iony (*pl* **~eni**) [I] *pp* ↑ **zawieść** [II] *adj* disappointed

zawie|ja *sf G.* **~i** 1. (*zawierucha, zamieć śnieżna*) snow-storm; blizzard 2. *przen.* cloud (of dead leaves etc.)

zawiejny *adj* blizzardy

zaw|ierać *v imperf* — **zaw|rzeć** *v perf* **~rę, ~rze, ~rzyj, ~arł, ~arty** [I] *vt* 1. (*mieścić w sobie*) to contain; to comprise; to include; to enclose; to embrace; to embody; (*o nasieniu*) to hold; (*mieć jako składnik*) to be composed (**coś** of sth); **~ierać pojęcie czegoś** to imply sth; **nie ~ierający żelaza <siarki itd.>** free from iron <sulphur etc.> 2. (*ustanawiać wespół z kimś*) to negotiate (a treaty etc.); to transact (a deal etc.) to conclude (a peace etc.); to contract (marriage etc.); to strike up (an acquaintance, a friendship etc.); to enter (**umowę** into a contract); *handl.* **~rzeć ugodę z wierzycielami** to compromise <to compound> with one's creditors 3. *gw.* (*zamykać*) to close; to shut [II] *vr* **~ierać, ~rzeć się** to be contained <comprised, included, enclosed, embraced, embodied, implied>

zawierad|ło *sn pl G.* **~eł** *techn.* shutter; closing device

zawieranie *sn* 1. ↑ **zawierać** 2. (*mieszczenie w sobie*) inclusion 3. (*ustanawianie wespół z kimś*) negotiation (of treaties); transaction (of business etc.); conclusion (of peace treaties etc.); contraction (of marriages etc.)

zawierc|ić *v perf* **~ę, ~ony** [I] *vt* to start turning <twirling, whirling> (**czymś** sth) [II] *vi imp* **~iło mi <mu itd.> w nosie** my <his etc.> nose tickled

zawierucha *sf* storm(-wind); gale; **szalała ~** it was blowing a gale; *przen.* **~ wojenna** the turmoil <horrors> of war; war-clouds

zawierusz|yć *v perf* — **zawierusz|ać** *v imperf* [I] *vt pot.* to mislay; to lose [II] *vr* **~yć, ~ać się** to disappear; to get lost

zawierz|ać *v imperf* — **zawierz|yć** *v perf* [I] *vi* 1. (*dowierzać*) to trust (**komuś** sb) [II] *vt* † (*pożyczać*) to lend [III] *vr* **~ać, ~yć się** † (*oddawać swój los w czyjeś ręce*) to put oneself in sb's hands

zawie|sić *v perf* — **zawie|szać** *v perf* [I] *vt* 1. (*przyczepić*) to hang (up); to suspend; to swing (a hammock, a lamp from the ceiling); to put up (the telephone receiver); **być ~szonym** to hang; to dangle; **~sić drzwi <okno>** to hinge a door <a casement window>; **~szony** hanging (**u sufitu** from the ceiling etc.); **~sić coś na haku** to hook sth up; *przen.* **~sić coś na kołku** a) (*porzucić*) to give sth up; to discontinue sth; to stop <to cease> doing sth b) (*odłożyć*) to put sth off; to postpone <to shelve> sth; (*w mówieniu*) **~sić głos** to break off; to pause 2. (*zakryć, zasłonić*) to hang <to line> (a wall with pictures etc.) 3. (*wstrzymać na pewien czas*) to suspend (work, payment etc.); to adjourn (**coś do następnego dnia** sth till the next day; **coś na tydzień itd.** sth for a week etc.); to let (sth) stand over; **~sić urzędnika w czynnościach** to suspend an employee <a Civil Servant>; **~sić wykonanie wyroku skazanemu** to retrieve a condemned person 4. *chem.* to suspend [II] *vr* **~sić, ~szać się** to get hung <suspended>

zawiesie *sn techn.* lifting sling; *górn.* **~ klatki** cage suspension gear

zawiesina *sf chem.* suspension; suspended matter

zawiesistość *sf singt* viscidity (of a liquid etc.); thickness (of a soup, of a sauce)

zawiesisty *adj* (*o płynie*) viscid; (*o sosie, zupie*) thick

zawieszać *zob.* **zawiesić**

zawieszenie *sn* 1. ↑ **zawiesić** 2. (*czynność wieszania*) suspension 3. (*stan wstrzymania*) suspension; suspense; abeyance; stoppage; **skazany na x miesięcy więzienia z ~m** sentenced to x months' imprisonment with suspended execution; **~ wykonania wyroku skazanemu** reprieve; respite; *wojsk.* **~ broni** cessation of arms; truce; armistice; cease-fire

zaw|ieść *v perf* **~iodę, ~iedzie, ~iedź, ~iódł, ~iodła, ~iedli, ~iedziony, ~iedzeni** — **zaw|odzić** *v imperf* **~odzę, ~odzony** [I] *vt* 1. (*sprawić zawód*) to disappoint; to play (sb) false; to let (sb) down; to fall short of (sb's) expectations; **moja pamięć mnie nie ~odzi** my memory serves me well; **o ile mnie pamięć nie ~odzi** if I remember rightly; **~odzi mnie pamięć** my memory is at fault; **nie ~ieść kogoś <czyichś oczekiwań>** to come up to sb's expectations; to fulfil sb's hopes <expectations>; **~iedzione nadzieje** disappointment; let-down; *pot.* (a) sell; **~ieść czyjeś nadzieje** to frustrate <to thwart, to deceive, to baffle, to belie, to confound> sb's hopes; **~iedziony w miłości** disappointed in love 2. (*zaprowadzić*) to lead <to guide, to take> (**kogoś dokądś** sb to a place); (*o drodze, ścieżce*) to lead (somewhere) 3. (*zacząć śpiewać*) to strike up (a song etc.) [II] *vi* to fail; (*o nadziejach*) to be frustrated <thwarted, defeated, deceived>; (*o planach, projekcie*) to go wrong; to come to nothing <to naught, to nought>; to flash in the pan; to peter out; (*o przedsięwzięciu*) to be a failure <a flop>; to go phut; **gdyby wszystko inne ~iodło** failing all else; **plan ten ~iódł** the scheme did not work [III] *vr* **~ieść, ~odzić się** to be disappointed; to be defeated in one's hopes; to draw a blank; **~ieść, ~odzić się na kimś, czymś** to be disappointed in <with> sb, sth

zawietrzność *sf singt mar.* leewardness

zawietrzn|y *adj mar.* lee <leeward> (side etc.); **strona ~a** the lee; **w stronę ~ą** to the leeward

zawiewać *zob.* **zawiać**

zawiezienie *sn* ↑ **zawieźć**

zaw|ieźć *vt perf* **~iozę, ~iezie, ~ieź, ~iózł, ~iozła, ~ieźli, ~ieziony** — **zaw|ozić** *vt imperf* **~ożę, ~ożony** (*o środku lokomocji*) to take <to convey> (sb, sth somewhere); (*o pojeździe, kierowcy, woźnicy*) to drive (sb somewhere); (*o furmanie, futrze*) to carry <to cart> (goods, parcels to a destination); to deliver (sth at an address)

zawi|jać *v imperf* — **zawi|nąć** *v perf* [I] *vt* 1. (*owijać*) to wrap <to fold> (sth) up (in paper etc.); to do up (a parcel); to tuck in (one's bedclothes etc.); to swathe (an injured finger in a bandage etc.); **~nąć dziecko w szal** to wrap a baby in a shawl 2. (*podwijać*) to turn back (one's sleeves); to roll up (one's sleeves, trouser-legs) 3. (*machnąć*) to swing (sth) round 4. *pot.* (*jeść*) to dispatch (a meal etc.) [II] *vi mar.* to call <to stop, to put in, to touch> (**do portu** at a port); to harbour (**do portu** in a port) [III] *vr* **~jać, ~nąć się** to wrap (**kocem itd.** one's blanket etc.) about one; **~jać, ~nąć się w pościel** to tuck oneself up *zob.* **zawinąć się**

zawijak *sm techn.* curling <hemming> die

zawijalnia *sf* packing department

zawijar|ka *sf pl G.* **~ek** packing <packaging> machine; packer
zawijas *sm* flourish; ornament
zawij|ka *sf pl G.* **~ek** *bot.* indusium
zawikł|ać *v perf* — **zawikł|ywać** *v imperf* [I] *vt* 1. (*powikłać*) to tangle; to embroil; to confuse 2. (*omotać*) to entrammel [III] *vr* **~ać, ~ywać się** to tangle (*vi*); to get tangled up
zawikłanie[1] *sn* 1. ↑ **zawikłać** 2. (*skomplikowana sytuacja*) tangle; complication; confusion; imbroglio
zawikłanie[2] *adv* confusedly
zawikływać *zob.* **zawikłać**
zawile *adv* intricately; confusedly
zawil|ec *sm G.* **~ca** *bot.* (*Anemone*) anemone
zawilgły *adj* moist; damp
zawilg|nąć *vi perf* **~ł** to become <to grow> saturated with moisture; to get moist <damp>
zawilgocenie *sn* 1. ↑ **zawilgocić** 2. (*stan nasiąknięcia wilgocią*) (degree of) moistness; dampness; moisture; humidity
zawilgoc|ić *vt perf* **~ę, ~ony** to moisten; to dampen
zawilgotnie|ć *vi perf* **~je** = **zawilgnąć**
zawiłość *sf* 1. (*cecha*) intricacy; complexity; knottiness; abstruseness 2. (*sprawa*) complication; (an) intricacy; entanglement
zawiły *adj* intricate; complicated; complex; entangled; involved; knotty (problem etc.); abstruse (learning etc.); crabbed (style etc.)
zawiną|ć *v perf* [I] *vt zob.* **zawijać** [III] *vr* **~ć się** 1. *zob.* **zawijać** *vr* 2. (*szybko coś zrobić*) to bestir oneself; to do (**koło czegoś** sth) with dispatch; **tak się ~ł koło swojej pracy** he did his work with such dispatch; **~ć się koło czegoś** to take care of sth; to see to sth; to look after sth; **~ć się koło kogoś** to insinuate oneself into sb's good graces; to get into favour with sb 3. *pot.* (*umrzeć*) to die a sudden death
zawiniać *zob.* **zawinić**
zawiniąt|ko *sn pl G.* **~ek** (paper) parcel; bundle; package
zawini|ć *vi vt perf* — **zawini|ać** *vi vt imperf* to commit an offence; to be guilty (**tym, że nie zadbał <zostawił itd.>** of not having taken care <of having left etc.>); **czym ja ~łem?** what offence have I committed?; **kto tu ~ł?** whose fault is it?; who is to blame?; **~ć względem kogoś <przeciw komuś>** to offend sb; to wrong sb
zawinienie *sn* 1. ↑ **zawinić** 2. (*przewinienie*) offence
zawinięcie *sn* ↑ **zawinąć**
zawiniony *adj* committed
zawirowa|ć *vi perf* to whirl; to revolve; to start whirling <revolving>; *imp* **~ło mi w oczach** my head went round
zawirusować *vt perf* to infect (sb, an animal) with a virus <with viruses>
zawis *sm G.* **~u** *lotn.* **~ śmigłowca** hovering (flight) of a helicopter
zawisać *zob.* **zawisnąć**
zawisak *sm zool.* sphingid; hawk moth; *pl* **~i** (*Sphingidae*) (*rodzina*) the hawk moths
zawisłość *sf singt* dependence (**od kogoś, czegoś** on sb, sth)
zawisły *adj* dependent (**od kogoś, czegoś** on sb, sth)
zawi|snąć *vi perf* **~śnie, ~sł, ~śli** — **zawi|sać** *vi imperf* 1. (*wisieć*) to hang; to swing; to be hung; (*o człowieku*) to be hanged; *przen.* **jego życie ~sło na włosku** his life hung by a thread 2. (*zatrzymać się w powietrzu*) to be <to stay, to remain> suspended (**w powietrzu** in mid-air); to hang (**nad kimś, czymś** over sb, sth); (*o chmurach*) to lour, to lower; (*o ciszy, nocy*) to brood (**nad czymś** over sth) 3. *perf* (*zostać uzależnionym*) to become dependent <to depend> (**od kogoś, czegoś** on sb, sth)
zawistnie *adv* enviously; with envy; jealously; (to see sth) with jaundiced eyes
zawistnik *sm* envious person
zawistny *adj* envious; jealous
zawiść *sf singt* envy; jealousy; **budzący ~** invidious (riches, success etc.)
zawiślański *adj* of <from, situated, lying, living> beyond the Vistula
zawiśle *sn singt* the region <territory> lying beyond the Vistula
zawiśnięcie *sn* ↑ **zawisnąć**
zawitać *vi perf* to come (**do jakiegoś miejsca, do kogoś, w czyjś dom** to a place, to sb's house); **~ do kogoś** to come and see <to visit> sb; to be a welcome guest <visitor> in sb's house
zawitość *sf prawn.* preclusion
zawizować *vt perf* to visa (a passport)
zawl|ec *v perf* **~okę, ~ecze, ~ecz, ~ókł, ~okła, ~ekli, ~eczony** — **zawl|ekać** *v imperf* [I] *vt* 1. (*zaciągnąć*) to drag; to tug; to lug 2. (*przenieść — chorobę, nasiona*) to bring (germs, seeds — to a place) 3. (*zakryć, zasłonić*) to wrap (**mgłą itd.** in mist etc.); to cloud [III] *vr* **~ec, ~ekać się** 1. (*zostać zakrytym, zasłoniętym*) to cloud over (*vi*) 2. (*zajść*) to drag one's feet (to a place)
zawleczenie *sn* ↑ **zawlec**
zawlecz|ka *sf pl G.* **~ek** *techn.* cotter; split pin
zawlekać *zob.* **zawlec**
zawładnąć *vi perf* 1. (*opanować*) to master <to become master of> (**czymś** sth); to possess oneself (**czymś** of sth); to subdue <to conquer> (**narodem** a nation etc.); to capture <to seize> (**fortecą itd.** a fortress etc.) 2. *przen.* (*o uczuciach*) to seize (**kimś** sb)
zawładnięcie *sn* (↑ **zawładnąć**) conquest (**państwem** of a state); capture <seizure> (**fortecą** of a fortress)
zawłaszczać *vt imperf* — **zawłaszczyć** *vt perf* to become the owner <possessor> (**coś** of sth)
zawłoka *sf sm dial.* vagabond
zawłóczyć *vt perf imperf* to harrow
zawnioskować *v perf* [I] *vt* 1. (*postawić wniosek*) to propose; to bring forward a motion (**projekt itd.** of a scheme etc.) [III] *vi* † (*wywnioskować*) to conclude
zawoalować *vt perf dosł. i przen.* to veil (one's face, the truth etc.)
zawodnicz|ka *sf pl G.* **~ek** contestant; competitress; participant (in a competition)
zawodniczy *adj* competitor's, competitors'; competitory
zawodnić *zob.* **zawadniać**
zawodnik *sm* competitor; contestant; participant (in a competition)
zawodność *sf singt* deceptiveness; illusiveness

zawodny *adj* deceptive; illusive; (*o pamięci*) treacherous

zawodow|iec *sm G.* **~ca** (a) professional; specialist

zawodowo *adv* professionally; by profession; **pracować ~** to be professionally engaged; **traktować coś ~** to make a business of sth

zawodowstwo *sn singt* professionalism

zawodow|y *adj* 1. (*związany z zawodem*) professional; (*o szkole, wykształceniu*) technical (education etc.); **choroba ~a** occupational disease; **dyplomata ~y** career diplomat; **poradnictwo ~e** vocational guidance; **oficer ~y** (a) regular; **szkoła ~a** technical <trade> school; **związek ~y** trade union; **związki <zrzeszenia> ~e** organized labour; (*w towarzystwie*) **mówić o sprawach ~ych** to talk shop 2. (*uprawiający coś jako zawód*) professional; **sportowiec ~y** (a) professional; **sport ~y** professionalism

zawodów|ka *sf pl G.* **~ek** *pot.* 1. (*szkoła*) technical <trade> school 2. (*organizacja*) trade union

zawod|y *spl G.* **~ów** *zob.* **zawód**

zawodząco *adv* plaintively

zawodzenie *sn* 1. ↑ **zawodzić** 2. (*biadanie*) lamentations; wails 3. *przen.* wailing (of the wind etc.)

zawodz|ić *v imperf* **~ę, ~ony** [I] *vt vi zob.* **zawieść** [II] *vi* 1. (*lamentować*) to lament; to wail 2. (*śpiewać żałośnie*) to sing plaintively; to croon

zawojować *vt perf* — **zawojowywać** *vt imperf* 1. (*podbić*) to conquer; to subdue 2. (*poddać swej woli*) to subdue; to gain ascendency (**kogoś** over sb) 3. (*podbić czyjeś serce*) to win (**kogoś** sb's) heart

zawojowanie *sn* (↑ **zawojować**) conquest

zawojowywać *zob.* **zawojować**

zawołać *v perf* [I] *vi* 1. (*odezwać się*) to call out; to exclaim; to shout; to cry (out) 2. (*zażądać*) to call (**o coś — o jedzenie, o pomoc itd.** for sth — for food, for help etc.); **~ na kogoś** to call for sb; to summon sb [II] *vt* (*przywołać*) to call <to summon> (sb); **~ lekarza** to call in a doctor

zawołanie *sn* 1. (↑ **zawołać**) (a) call; (a) summons 2. (*hasło*) motto; catchword; slogan 3. (*okrzyk przyzywającego*) call; summons; **gotów na każde ~** ever ready; at (sb's) beck and call; **być na ~** to be at (sb's) service; **mieć coś na ~** to have sth in readiness <at hand>; **zrobić coś na ~** to do sth at a moment's notice

zawołany [I] *pp* ↑ **zawołać** [II] *adj* born <inborn> (teacher, poet, soldier etc.); perfect

zawołczyć *vt perf roln.* to let (one's corn) get weevilled

zaw|ora *sf pl G.* **~ór** bolt; latch

zawor|ek *sm G.* **~ka** shutter

zawoskować *vt perf* to wax (a floor etc.)

zawozić *zob.* **zawieźć**

zawoźn|y *adj mar.* **kotwica ~a** kedge anchor

zawożenie *sn* ↑ **zawozić**

zaw|ód *sm G.* **~odu** 1. (*fach*) occupation; profession; calling; vocation; career; speciality; trade; craft; walk of life; **czym pan jest z ~odu? what** is your business <your occupation>?; what profession are you in? 2. (*nieziszczenie się*) disappointment; deception; disillusionment; let-down; **doznać ~odu** to be disappointed <deceived>; **doznać ~odu miłosnego** to be crossed in love; **nie zrobić komuś ~odu** to keep one's promise; to be as good as one's word; **zrobić komuś ~ód** to disappoint <to fail> sb; to let sb down 3. *pl* **~ody** *sport* contest; competition; (Olympic) games; event; match; race; tournament; **~ody pływackie** swimming match; **iść w ~ody z kimś o coś** to compete <to vie> with sb for sth; **iść w ~ody z kimś, czymś** to rival sb, sth ‖ **jednym ~odem** at one go; at one sweep; **na dwa ~ody** in twice

zaw|ój *sm G.* **~oju** 1. (*nakrycie głowy*) turban; **w ~oju, z ~ojem na głowie** turbaned 2. *przen.* (*zwój*) scroll

zaw|ór *sm G.* **~oru** *techn.* valve; **~ór bezpieczeństwa** safety-valve; **~ór dławiący** throttle; **~ór klapowy** clack-valve; **~ór odcinający** check-valve; **~ór odcinający <zamykający>** stop-valve; **~ór pływakowy** float-valve; **~ór redukujący** regulator; pressure reducing valve; **~ór ssawny** suction-valve; **~ór suwakowy** slide-valve; **~ór tulejowy** sleeve-valve; **~ór wylotowy** escape-valve

zawr|acać *v imperf* — **zawr|ócić** *v perf* **~ócę, ~ócony** [I] *vt* (*kierować z powrotem*) to turn (sb, one's horse etc.) back; *przen.* **~acać komuś głowę <w głowie>** a) (*o trunku — odurzać*) to go to sb's head; (*o powodzeniu itd. — omamiać*) to go to sb's head; to turn sb's head b) (*niepokoić*) to bother sb (**czymś** about sth) c) (*bałamucić — o mężczyźnie*) to court sb; to philander <to carry on> with sb; (*o kobiecie*) to coquette with sb; **~acać sobie kimś głowę** to be stuck on sb; **~ócić sobie kimś głowę** to fall in love with sb [II] *vi* (*wracać*) to turn back; to retrace one's steps; *przen.* (*zrezygnować z powziętego zamiaru*) **~ócić z drogi** to swerve from one's purpose; to abandon an attempt; to give up trying to do sth; to alter one's plans [III] *vr* **~acać, ~ócić się** = *vi*; **~aca mi się w głowie** my head reels <swims>; I feel dizzy; I feel queer

zawracanie *sn* ↑ **zawracać**; **~ głowy** tommy rot; fiddle-faddle; **~ głowy!** pshaw!; nonsense!

zawrotnie *adv* (*wysoko oraz przen.*) giddily; dizzily; vertiginously; (*szybko*) at a terrific speed; (*oszałamiająco*) stunningly; **ceny skaczą ~** prices are rising by leaps and bounds

zawrotny *adj* giddy <dizzy, vertiginous> (heights etc.); terrific (speed); stunning (beauty etc.); **w ~m tempie** by leaps and bounds; with giant strides

zawrócić *zob.* **zawracać**

zawr|ót *sm G.* **~otu** 1. *lotn.* half roll of the loop; Immelmann turn 2. † (*zawrócenie*) turn; *obecnie w wyrażeniu:* **~ót głowy** giddiness; dizziness; vertigo; staggers; **mam ~ót głowy** I am <I feel> dizzy, giddy, queer; my head reels <swims>; (*o zjawiskach*) **przyprawiający o ~ót głowy** = **zawrotny**

zawrza|snąć *vi perf* **~śnie** to scream; to shriek; to shout

zawrzeć[1] *zob.* **zawierać**

zaw|rzeć[2] *vi perf* **~rę, ~rze, ~rą, ~rzał** 1. (*zacząć wrzeć*) to start boiling; to come to the boil; *przen.* **krew we mnie <w nim itd.> ~rzała** my <his etc.> blood boiled; **~rzało jak w garnku** a tumult <an uproar> arose 2. *przen.* (*wybuchnąć* *z gwałtowną siłą*) to boil (**z oburzenia, złości itd.** with indignation, anger etc.) 3. (*zabrzmieć*) to raise a clamour

zawrzeszcz|eć *vi perf* **~y** 1. (*wrzasnąć*) to scream; to shriek; to shout; to start screaming <shrieking, shouting> 2. (*wydać wrzaskliwe dźwięki*) to raise a clamour

zawstydzać *zob.* **zawstydzić**

zawstydzająco *adv* embarrassingly

zawstydzenie *sn* 1. ↑ **zawstydzić** 2. (*uczucie wstydu*) feeling of shame; **na moje <jego> ~** to my <his etc.> shame 3. (*zażenowanie*) confusion; embarrassment; abashment; shamefacedness

zawstydz|ić *v perf* **~ę, ~ony — zawstydzać** *v imperf* [I] *vt* 1. (*wywołać uczucie wstydu*) to put (sb) to shame <to the blush, to confusion>; to make (sb) feel ashamed 2. (*wzbudzić zażenowanie*) to overwhelm (sb by one's kindness etc., with praise etc.); to embarrass (sb by one's generosity etc.)

zawstydzony [I] *pp* ↑ **zawstydzić** [II] *adj* 1. (*taki, który poczuł wstyd*) ashamed; shamefaced 2. (*zażenowany*) embarrassed; abashed; confused

zawszawić *vt perf* = **zawszyć**

zawsze *adv* 1. (*stale*) always; ever; at all times; **na ~** for ever; for all times; for good; **dać coś na ~** to give sth for keeps; **raz na ~** once for all; **wyjechała na ~** she has gone never to return 2. (*bądź co bądź, jednak*) still; **nie zrobię tyle co wy, ale ~ coś zrobię** I won't get as much work done as you but still I'll get s o m e work done

zawszeć † *adv* = **zawsze 2.**

zawszenie *sn* (↑ **zawszyć**) lousiness

zawszyć *vt perf* to infect with lice

zawszony [I] *pp* ↑ **zawszyć** [II] *adj* lousy; verminous

zawtórować *vi perf* 1. (*zagrać do wtóru*) to accompany (**komuś** sb); (*bez dopełnienia*) to chime in 2. *przen.* to follow suit

zawy|ć *vi perf* **~je — zawywać** *vi imperf* 1. (*zacząć wyć — o psie, wilku, wietrze itd.*) to howl; to start howling; (*o syrenie itd.*) to hoot; to start hooting 2. *pot.* (*zakrzyczeć*) to howl <to start howling> (**z bólu** with pain); (*zapłakać*) to raise a howl

zawyrokować *vi perf* 1. (*wydać wyrok*) to pass sentence; to pronounce <to pass> judgement 2. (*wypowiedzieć się*) to express one's opinion; to declare

zawywać *zob.* **zawyć**

zawyżać *vt imperf* — **zawyżyć** *vt perf* to overstate (**dane** data); to overestimate (expenditures, figures etc.)

zaw|ziąć się *vr perf* **~ezmę się, ~eźmie się, ~ziął się, ~zięła się** (*uprzeć się*) to become <to grow> obstinate; to take sth into one's head; **~ziąć się na coś** to set one's mind <one's heart> on sth; to be bent <intent, (dead) set> on sth; **~ziąć się na kogoś** to have a spite against sb; to be bent on ruining sb <on sb's destruction>; to be dead set against sb; (*o losie itd.*) to dog sb's footsteps; **~ziąć się, że się coś zrobi** to be bent <intent, (dead) set> on doing sth; to be determined to do sth

zawzięcie *adv* (*z uporem*) obstinately; pertinaciously; persistently; doggedly; (*z zapałem*) strenuously; unrelentingly; fiercely; furiously; like blazes; with set teeth; with a vengeance; (to fight) grimly; tooth and nail

zawzięcie się *sn* (↑ **zawziąć się**) obstinacy; intentness; determination

zawziętość *sf singt* (*upór*) obstinacy; pertinacity; persistence; doggedness; (*zapamiętanie*) strenuousness; keenness; grimness; relentlessness; **~ na kogoś** rancour <spite> against sb

zawzięty *adj* (*uparty*) obstinate; pertinacious; persistent; dogged; (*zacięty*) intent; keen; relentless; unrelenting; (*zapamiętały*) strenuous; fierce; furious; (*zapalony*) keen; (*o walce*) stiff; hard-fought; hot; grim; **~ konserwatysta** die-hard conservative; **~ socjalista** thorough-paced socialist; **~ wróg** bitter <deadly> enemy; **być ~m na kogoś** to be dead set <to have a spite> against sb

zazdrosny *adj* 1. (*pragnący tego, co ma ktoś inny*) envious <jealous> (**o kogoś, coś** of sb, sth) 2. (*bojący się o swoje dobro, podejrzliwy wobec osoby kochanej*) jealous (**o kogoś, coś** of sb, sth); **~ o swe dobre imię** tender of one's good name

zazdrost|ka *sf pl G.* **~ek** 1. (*drobna zazdrość*) (a) jealousy; (a) mean envy 2. (*firanka*) half-curtain

zazdroszczeni|e *sn* ↑ **zazdrościć**; **nie do ~a** not to be envied

zazdro|ścić *vt vi imperf* **~szczę, ~szczony** to be jealous (**komuś** of sb; **komuś powodzenia** of sb's success); to envy (**komuś czegoś** sb sth)

zazdrość *sf singt* 1. (*pragnienie posiadania czegoś, co ma ktoś inny*) envy; jealousy 2. (*podejrzliwość wobec osoby kochanej*) jealousy

zazdrośnica *sf* jealous <envious> woman

zazdrośnie *adv* jealously; enviously

zazdrośnik *sm* jealous <envious> person

zazębi|ać *v imperf* — **zazębi|ć** *v perf* [I] *vt* to indent; to dovetail; to couple [II] *vr* **~ać, ~ć się** 1. *techn.* to mesh; to gear; **~ony** in mesh 2. (*łączyć się*) to dovetail; to be interrelated <linked, bound together>

zazębienie *sn* 1. (↑ **zazębić**) indentation; indent 2. *techn.* indent; **~ kół** mesh

zazgrzytać *vi perf* 1. (*wydać odgłos zgrzytania*) to creak; to grate; to start creaking <grating> 2. *przen.* (*o głosie, mowie*) to screech; **~ zębami** to gnash one's teeth

zazieleni|ć *v perf* — **zazieleni|ać** *v imperf* [I] *vt* 1 (*pokryć zielenią*) to cover with greenery; (*umaić*) to adorn with greenery 2. (*obsadzić zielenią*) to plant trees and shrubs (**obszar** on an area) 3. (*zasiać*) to sow grass (**obszar** on an area) [II] *vr* **~ć, ~ać się** 1. (*zacząć się zielenić*) to grow green 2. = **zazielenieć 2.**

zazielenie|ć *vi perf* **~je** 1. (*stać się zielonym*) to grow <to turn> green 2. (*tworzyć zieloną plamę*) to appear <to show> green (against a background); to appear as a green patch <spot>

zazielenienie *sn* 1. ↑ **zazielenić** 2. (*zielona plama*) green spot <patch>

zaziemski *adj* unearthly; preternatural

zazierać *vi imperf* to look <to peep> (**do czegoś** into sth)

zaziębi|ć *v perf* — **zaziębi|ać** *v imperf* [I] *vt* to chill; to cool; **~ć, ~ać kogoś** to give sb a cold; **~sz dziecko** you'll give the baby a cold; you'll have the baby catch cold [II] *vr* **~ć, ~ać się** to catch (a) cold

zaziębienie *sn* 1. ↑ **zaziębić** 2. (*przeziębienie*) (a) cold (in the head); (a) chill

zaziębiony [I] *pp* ↑ **zaziębić** [II] *adj* suffering from a cold; **byłem ~** I had a cold (in the head)

zazimować *v perf* [I] *vi* to winter <to spend the winter, to hibernate> (at a place) [II] *vt pszcz.* to winter (bees); to prepare (bees) for the winter

zazłoc|ić *v perf* **~ę, ~ony** [I] *vt* to gild [II] *vr* **~ić się** 1. (*nabrać złotej barwy*) to take on a golden hue 2. (*zajaśnieć złociście*) to grow <to show, to appear> golden; (*zabłysnąć*) to glisten with a golden hue

zaznacz|ać *v imperf* — **zaznacz|yć** *v perf* [I] *vt* 1. (*robić znak*) to mark; to make a note (**coś** of sth); (*o akcencie, różnicy, cesze*) **silnie ~ony** strongly marked 2. (*stwierdzać*) to state; to point out; (*podkreślać*) to stress; to bring into relief; **mocno ~ać, ~yć** to bring out into strong relief [II] *vi* to state <to point out, to stress> (**że ...** that ...) [III] *vr* **~ać, ~yć się** (*uwydatniać się*) to appear; *perf* to become <*imperf* to be> pronounced; to find expression (**czymś** in sth); to stand out in relief (**na tle czegoś** against the background of sth); **mocno, wybitnie się ~ać, ~yć** to be strongly marked

zaznaczenie *sn* 1. ↑ **zaznaczyć** 2. (*znak*) mark; note 3. (*stwierdzenie*) statement

zaznaczyć *zob.* **zaznaczać**

zazna|ć *vt perf* — **zazna|wać** *vt imperf* **~je** to experience (**czegoś** sth); to enjoy (**przyjemności** pleasures); to undergo (**ciężkich prób** great trials); to taste (**szczęścia, biedy itd.** happiness, ill fortune etc.); **nie ~m spokoju, dopóki nie będę wiedział ...** I shall have no peace until I know ...; **ona nie ~ła życia** she has no experience of life; she does not know life; **~ać, ~wać przyjemności w czymś** <**w robieniu czegoś**> to take <to find> pleasure in sth <in doing sth>

zaznaj|omić *v perf* — **zaznaj|amiać** *v imperf* [I] *vt* to introduce (**kogoś z kimś** sb to sb; **ludzi z sobą** strangers); to bring (people) together <closer together>; to acquaint <to familiarize> (**kogoś z czymś** sb with sth); **~omić kogoś ze stanem czegoś** <**z jego obowiązkami itd.**> to acquaint sb with the facts of a case <with his duties etc.> [II] *vr* **~omić, ~amiać się** to acquaint oneself <to become, to make oneself acquainted> (with sth, details, facts etc.); **~omić, ~amiać się z kimś** to become <to get> acquainted with sb; to meet sb; to make sb's acquaintance; **~omiliśmy się u pani N** we were introduced <we met> at Mrs N's party <house>

zaznajomieni|e *sn* 1. ↑ **zaznajomić** 2. (*zapoznanie*) introduction (**kogoś z kimś** of sb to sb) 3. **~e się** (*poznanie*) acquaintance (**z czymś** with sth); **po bliższym ~u się** on further acquaintance

zaznanie *sn* (↑ **zaznać**) experience <taste> (of sth)

zaznawać *zob.* **zaznać**

zazula *sf gw.* cuckoo

zazwyczaj *adv* usually; ordinarily; in general; generally; **jak** <**więcej, mniej niż**> **~** as <more, less than> usual

zażale|nie *sn* 1. (*skarga*) complaint; grievance; **książka życzeń i ~ń** book of suggestions and complaints; **wnieść ~nie do władz na kogoś** to lodge a complaint with the authorities against sb 2. *prawn.* plaint; gravamen

zażarcie *adv* stubbornly; furiously; fiercely; vehemently

zażartość *sf singt* stubbornness; fury; fierceness; vehemence

zażartować *vi perf* to crack a joke; to make a jest (**z czegoś** of sth); to joke <to jest> (**z czegoś** about sth); to make fun (**z kogoś, czegoś** of sb, sth)

zażarty *adj* stubborn; furious; fierce; vehement; stiff <hot, grim> (fight)

zażądać *vt perf* (*wymagać*) to demand (**czegoś od kogoś** sth of sb); to require (**czegoś od kogoś** sth of <from> sb); (*żądać ceny*) to charge (*x* zlotys etc. for sth); (*w sklepie, restauracji*) to order (**czegoś** sth)

zaż|ec † *v perf* **~gę** <**~egę**>, **~że, ~egł** — **zaż|egać** † *v imperf* [I] *vt* to kindle; to light; to set (sth) on fire; to set fire (**coś** to sth) [II] *vr* **~ec, ~egać się** to catch fire

zażegn|ać *v perf* — **zażegn|ywać** *v imperf* [I] *vt* 1. (*odwrócić zło*) to stave off <to ward off, to avert> (a danger, disaster etc.) 2. (*zapobiec*) to prevent (sth) 3. (*załagodzić*) to adjust (a quarrel) 4 (*odczynić urok*) to charm <to conjure> (sth) away [II] *vr* **~ać, ~ywać się** to swear (not to do sth)

zażegnani|e *sn* 1. ↑ **zażegnać**; **dla ~a niebezpieczeństwa** <**wojny itd.**> in order to avert a danger <war etc.> 2. (*zapobieżenie*) prevention 3. (*załagodzenie*) adjustment (of a quarrel)

zażenować *v perf* [I] *vt* to confuse; to put (sb) out of countenance; to embarrass; to disconcert; to abash [II] *vr* **~ się** to be <to become> confused <embarrassed, disconcerted, abashed>; to be put out of countenance; to feel uneasy <awkward, ill at ease>

zażenowanie *sn* 1. ↑ **zażenować** 2. (*zakłopotanie*) confusion; embarrassment; uneasiness; abashment

zażenowany [I] *pp* ↑ **zażenować** [II] *adj* uneasy; ill at ease; embarrassed; confused; disconcerted; abashed

zaż|erać *v imperf* — **zaż|reć** *v perf* **~re, ~ryj, ~arł, ~arty** [I] *vt* 1. (*pożerać*) to eat; to devour (a prey) 2. *pot.* (*jeść łapczywie*) to gobble up <to wolf> (one's food) [II] *vr* **~erać, ~reć się** *pot.* to gobble up <to wolf> one's food; to guzzle

zażółc|ić *v perf* **~ę, ~ony** — **zażółc|ać** *v imperf* [I] *vt* (*uczynić żółtym*) to paint <to dye> (sth) yellow; to give a yellow colour (**coś** to sth); (*zaplamić na żółto*) to stain (sth) yellow; to make yellow stains (**coś** on sth) [II] *vr* **~ić, ~ać się** 1. (*stać się żółtym*) to assume a yellow hue; to turn <to become> yellow 2. (*zarysować się żółto*) to appear <to show> yellow

zaży|ć *vt perf* **~je** — **zaży|wać** *vt imperf* 1. (*przyjąć*) to take (**lekarstwo, tabaki, kąpieli, trucizny** medicine, snuff, baths, poison) 2. (*cieszyć się*) to enjoy (privileges, a good reputation etc.); to indulge (**przyjemności itd.** in pleasures etc.) 3. (*doznać*) to experience <to taste> (**szczęścia, biedy itd.** happiness, ill fortune etc.) 4. † (*potraktować*) to treat (sb); *obecnie w zwrocie*: **~ić kogoś z mańki** to gull <to dupe, to diddle, to finesse> sb

zażyle *adv* familiarly; intimately; in close friendship

zażyłoś|ć *sf singt* familiarity; intimacy; close friendship; **być na stopie wielkiej ~ci z kimś** to be intimate <chummy> with sb

zażyły *adj* familiar; intimate; close (friends); **być w ~ch stosunkach z kimś** to be intimate <chummy, cater-cousins> with sb; to be cheek by jowl <to hob-nob> with sb

zażywać *zob.* **zażyć**

zażywiczyć *vt perf* to soil with resin

zażywnie *adv* corpulently; **~ zbudowany** = **zażywny**

zażywność *sf singt* corpulence; plumpness; stoutness; (*u kobiety*) buxomness; ample girth

zażywny *adj* corpulent; fattish; plump; full-bodied; (*o kobiecie*) buxom; of ample girth; *sl.* crummy

ząb *sm G.* **zęba** 1. *anat. zool.* tooth; (*u węża*) fang; **coś na ~** a snack; **mieć co położyć na ~** to have a well-stocked larder; *bot.* **koński ~** (*Zea mays dentiformis*) a variety of maize; *am.* dent corn; **zęby mądrości** wisdom-teeth; **zęby mleczne** milk--teeth; **dam ci w zęby** I'll land you one on the jaw; **dziecko dostaje zębów** the child is cutting its teeth <is teething>; **dzwoniłem zębami** my teeth chattered; **mówić przez zęby** to say (sth) between one's teeth; **oddać komuś ~ za ~** to give sb tit for tat; *dosł. i przen.* **pokazać zęby** to show one's teeth; **szczerzyć zęby** to grin; *dosł. i przen.* **zaciąć zęby** to set one's teeth; **zgrzytać zębami** to gnash <to grind> one's teeth; **ani w ~** not a whit; **ani w ~ nie umieć czegoś** to have no notion of sth; not to know a word (**francuskiego, niemieckiego itd.** of French, German etc.); **zębami i pazurami** tooth and nail; *przen.* **~ czasu** the tooth of time; **uzbrojony po zęby** armed to the teeth 2. *pl* **zęby** *techn.* teeth (of a saw, comb, rake etc.); cogs <sprockets> (of a wheel); dents <wards> (of a lock etc.); tines <tusks> (of a harrow, fork etc.); prongs (of a fork etc.) 3. (*coś wyciętego na kształt klina*) notch; indent; indentation 4. *zool.* (*u piskląt*) **~ zarodkowy** egg-tooth; (*u ryb*) **zęby skórne** placoid scales

ząbczasty *adj* indented; jagged

ząb|ek *sm* (*dim* ↑ **ząb**) denticle; **~ek czosnku** clove of garlic; **ukształtowany w ~ki** notched; indented; toothed; jagged; **jeść jednym ~kiem** to toy with one's food

ząbkować *v imperf* [I] *vi* to teethe; to cut one's teeth [II] *vt* to indent; to jag

ząbkowanie *sn* 1. ↑ **ząbkować** 2. (*dostawanie zębów*) dentition 3. (*ząbkowany brzeg czegoś*) indentation(s); jaggedness; *bot. zool.* crenation

ząbkowany [I] *pp* ↑ **ząbkować** [II] *adj* (*ukształtowany w ząbki*) notched; indented; toothed; jagged; *bot. zool.* crenate; crenated; serrate; serrated; dentate

ząbkowaty *adj* = **ząbkowany**

zbabie|ć *vi perf* **~je** *pot.* (*o mężczyźnie*) to grow <to become> womanish <effeminate>; (*o kobiecie*) to age; to grow old; to turn into an old woman

zbab|rać *v perf* **~rze** [I] *vt* 1. (*zabrudzić*) to smear; to stain; to soil 2. (*spartaczyć*) to bungle; to botch; to foozle 3. (*złośliwie skrytykować*) to run <to write> (sb, sth) down; to pull (a performance etc.) to pieces [II] *vr* **~rać się** to get soiled; to smear <to stain, to soil> one's hands <face, clothes>

zbaczać *vi imperf* — **zboczyć** *vi perf* 1. (*skręcać w bok*) to deviate; to diverge; to deflect; to swerve; to digress; (*schodzić, zjeżdżać w bok*) to make a detour; to take a roundabout way; to go out of one's way; to go astray; *lotn. mar.* to yaw; **nie zbaczać** to go <to keep> straight 2. (*skręcać*) to turn (to the right, left) 3. *przen.* to err; to go wrong

zbaczanie *sn* (↑ **zbaczać**) deviation; deflection; swerve

zbada|ć *vt perf* 1. (*poznać*) to examine; to explore; to study; to investigate; **nie ~ne kraje** unexplored lands; **nie ~ne morza** unchartered seas; **~ć sprawę** to inquire <to go, to look> into a question 2. (*zapoznać się za pomocą słuchu, wzroku, dotyku*) to examine; to scan; to probe 3. (*dokonać oględzin*) to examine (a patient) by auscultation; **~ć komuś puls** to feel sb's pulse; **~ć ranę** to sound <to probe> a wound 4. (*przeprowadzić śledztwo*) to submit (sb) to an inquiry

zbadanie *sn* (↑ **zbadać**) examination; exploration; study; investigation

zbagatelizować *vt perf* to belittle; to minimize; to pooh-pooh; to make light (**coś** of sth); to set no store (**coś** by sth)

zbajać *vt perf sl.* to invent; to concoct

zbajerować *vt perf sl.* to hoax; to spoof; to take in (**gościa** a customer)

zbajtlować *vt perf sl.* to hoax; to bamboozle

zbakierowa|ć *vt perf pot.* [I] *vt* 1. (*skrzywić*) to crook; to slant; **~ć kapelusz** to cock one's hat 2. *przen.* (*spaczyć, zmanierować*) to warp <to pervert> (**kogoś** sb's mind) [II] *vi* to go wrong <astray>; (*o pocisku*) to deflect (*vi*) [III] *vr* **~ć się** 1. (*przekrzywić się*) to slant (*vi*); *dosł. i przen.* to warp 2. (*zmanierować się*) to fall into bad habits 3. *przen.* to go astray; **on jest ~ny** his mind is warped

zbałamuc|ić *v perf* **~ę, ~ony** [I] *vt* 1. (*uwieść*) to seduce; to lead (a girl) astray 2. (*otumanić*) to mislead; to delude; to deceive 3. (*zmitrężyć*) to waste (one's time) [II] *vr* **~ić się** 1. (*ulec zepsuciu*) to go astray; to let oneself be led astray 2. † (*o czasie — zostać zmarnowanym*) to be wasted

zbałwani|ć *v perf* [I] *vt* to agitate; to toss; **~ony** billowy (sea, clouds); surging (sea) [II] *vr* **~ć się** to billow; to surge

zbałwanie|ć *vi perf* **~je** 1. (*skamienieć*) to be petrified 2. *pot.* (*zglupieć*) to go dotty

zbanalizować *vt perf* to render (sth) commonplace <trite>

zbanalizowany *adj* commonplace; trite; hackneyed

zbankrutować *vi perf* 1. (*ponieść bankructwo*) to go bankrupt; to fail; to become insolvent 2. *przen.* (*o polityce, teorii itd.*) to fail; to prove a failure; to fall through; to miscarry

zbańczyć *vt perf gw.* to botch; to bungle; to spoil

zbaraniał|y *adj* sheepish; **~a mina** sheepishness

zbaranie|ć *vi perf* **~je** *pot.* to be stupefied <bewildered, dumbfounded>; to stand aghast

zbarbaryzować *vt perf* to barbarize

zbarczyć *vt perf myśl.* to wing (a bird)

zbarłożyć *vt perf* to waste (time)

zbawca *sm* (*decl* = *sf*) 1. *lit.* (*wybawca*) saviour; deliverer 2. **Zbawca** *rel.* Saviour; Redeemer

zbawczy *adj* (*ratujący*) (place etc.) of safety; (haven, harbour etc.) of refuge; saving (remedy etc.); (*zbawienny*) beneficial; salutary

zbawczyni *sf* saviour; deliverer

zbawiać *zob.* **zbawić**
zbawiciel *sm* 1. **Zbawiciel** *rel.* Saviour; Redeemer 2. † = **zbawca** 1.
zbawić *vt perf* — **zbawiać** *vt imperf* 1. (*ocalić*) to save; (*uratować*) to rescue; (*wybawić*) to deliver; *rel.* to redeem 2. *dial.* (*zabrać*) to take (time); (*zgubić*) to ruin
zbawieni|e *sn* 1. ↑ **zbawić** 2. (*ocalenie*) salvation; deliverance; rescue; *rel.* redemption; **Armia Zbawienia** Salvation Army; **~e duszy** salvation; **czekać czegoś <na coś> jak ~a <na ~e>** to long <to languish, to yearn, to pine> for sth
zbawiennie *adv* beneficially
zbawienność *sf singt* salutary <beneficial> effect
zbawienn|y *adj* beneficial; salutary; saving (remedy); **~e schronisko** haven <harbour> of refuge
zbazg|rać *vt perf* **~rze** to scrawl; to scribble
zbecz|eć się *vr perf* **~y się** *pot.* to have a good cry
zbeletryzować *vt perf* to present (sth) in the shape of light literature; to novelize
zbelować *vt perf* to bale (a commodity)
zbełtać *vt perf* (*skłócić*) to stir up (a liquid); (*zmieszać*) to mix (sth) up (with a liquid)
zbercz|eć *vi imperf* **~y** *gw.* = **zbyrczeć**
zbereźnik *sm pot.* 1. *dosł. i żart.* (*łobuz*) rogue; scamp 2. (*rozpustnik*) rake; reprobate; libertine
zbesztać *vt perf pot.* to give (sb) a talking-to <a telling-off, a calling-down>; to blow (sb) up
zbezcze|ścić *vt perf* **~szczę, ~szczony** to profane; to violate; to desecrate; to defile
zbezczeszczenie *sn* (↑ **zbezcześcić**) profanation; violation; desecration; defilement
zbębnić *vt perf* to drum together (the inhabitants, a unit etc.)
zbędność *sf singt* superfluity; redundance; needlessness; uselessness
zbędny *adj* superfluous; redundant; needless; useless
zbękarcony *adj* bastardized; debased; degenerate
zbicie *sn* 1. ↑ **zbić** 2. (*strącenie*) overthrow; **~ argumentów <twierdzeń>** refutation <confutation> of arguments <statements>; **~ z tropu** confusion 3. (*lanie*) (a) beating <hiding, thrashing, licking>
zbi|ć *v perf* **~ję, ~ty** — **zbi|jać** *v imperf* [I] *vt* 1. (*strącić*) to beat (sth) down; to bring <to throw> (sth) down; **~ć cios** to dodge a blow; **~ć, ~jać czyjeś argumenty <twierdzenia>** to refute <to confute> sb's arguments <statements>; **~ć kogoś z nóg** to knock sb off his feet; to throw sb down; **~ć kogoś z tropu <z pantałyku>** to confuse sb; to put sb out of countenance; **~jać bąki** to idle; to loiter 2. (*zlepić*) to beat <to tap> (sth) into a mass; **~ć <~jać> majątek** to make <to be making> a fortune 3. *przen.* (*scalać*) to join; to bring (people etc.) together 4. (*łączyć gwoździami*) to nail <to knock> (boards etc.) together; (*zrobić całość*) **~ć beczkę** to stave a cask 5. (*rozbić, stłuc*) to break (sth to pieces); to smash; to shatter 6. (*nadwerężyć naskórek itd.*) to bruise; *pot.* **wyrzucić kogoś na ~ty łeb** <*wulg.* **pysk**> to kick sb out 7. (*sprawić lanie*) to give (sb) a beating <a thrashing, a hiding, a licking>; **~ć kogoś na kwaśne jabłko** to beat sb black and blue <to a jelly, to a mummy>; to knock sb into a cocked hat; **~ć nieprzyjaciela na głowę** to inflict a crushing defeat on the enemy [III] *vr* **~ć, ~jać się** 1. (*stłoczyć się*) to crowd <to flock, to huddle, to squeeze> together; (*skawalić się*) to lump; to mat, to get matted 2. (*ulec rozbiciu*) to get broken <smashed, shattered> || **~ć, ~jać z tropu** to lose countenance
zbie|c *v perf* **~gnę, ~gnie, ~gnij, ~gł** — **zbie|gać** *v imperf* [I] *vi* 1. (*biec na dół*) to run down (to the cellar etc.); **~c, ~gać z górki <ze schodów, na dół po schodach>** to run down a hill <down the stairs> 2. (*o cieczach — spłynąć*) to flow down 3. (*umknąć*) to run away; to escape; to make off; to make one's escape; to decamp; to flee; *wojsk.* to desert; (*o kochankach*) to elope 4. (*o okresie czasu — przeminąć*) to pass (by); to be spent; to go by [III] *vr* **~c, ~gać się** 1. (*zgromadzić się*) to come <to get, to flock> together 2. *przen.* to join 3. (*skupić się*) to converge; to meet 4. (*zdarzyć się w tym samym czasie*) to coincide; to concur 5. (*o tkaninach*) to shrink; **nie ~gający się** unshrinkable
zbiedni|eć *vi perf* **~eje** 1. (*zubożeć*) to grow poor; to become impoverished 2. *pot.* (*zacząć mizernie wyglądać*) to look poorly; to have grown lean; **~ał na twarzy** his cheeks have sunk in
zbiedzony *adj* emaciated; skinny; gaunt; lean; lank; haggard; worn to a shadow
zbieg *sm* 1. *G.* **~a** (*uciekinier*) runaway; fugitive; escapee; *wojsk.* deserter 2. *G.* **~u** (*zejście się — dróg*) cross-roads; confluence (of roads); (*ulic*) crossing <intersection> (of streets); **~ okoliczności** coincidence; **szczęśliwym ~iem okoliczności** by a happy coincidence
zbiegać *v perf imperf* [I] *vi zob.* **zbiec** [II] *vt perf* to run (**miasto, okolicę** about the town, the region) [III] *vr* **~ się** *perf* to run oneself tired
zbiegł|y [I] *pp* ↑ **zbiec** [II] *sm* **~y**, *sf* **~a** = **zbieg** 1.
zbiegostwo *sn singt* (*uciekanie*) escape; flight; (*dezercja*) desertion
zbiegowisko *sn* crowd; **zrobiło się ~** a crowd assembled
zbiele|ć *vi perf* **~je** to go <to turn> white; *pot.* **oko ci ~je** that'll knock you
zbielicować *vt perf geol.* to podsolize <to bleach> (the soil)
zbielić *vt perf* to whiten; to bleach
zbieracki *adj* collecting — (mania etc.); collector's — (hobby etc.)
zbieractwo *sn singt* collecting (of stamps, curios etc.)
zbieracz *sm* 1. (*kolekcjoner*) collector; **~ starożytności** antiquary; **~ znaczków pocztowych** stamp-collector 2. (*zbierający*) picker; gatherer; **~ grzybów** mushroom gatherer; **~ jagód** berry-picker; **~ ziół** herbalist 3. *techn. roln.* pick-up
zbieracz|ka *sf pl G.* **~ek** 1. = **zbieracz** 2. *pszcz.* forager; foraging-bee; field bee
zbieraczy *adj* = **zbieracki**
zbierać *v imperf* — **zebrać** *v perf* **zbiorę, zbierze** [I] *vt* 1. (*gromadzić*) to gather; to collect; to assemble; to unite; to aggregate; to pick (flowers, berries etc.); to lump (people, things) together; to compile (materials etc.); to glean (information etc.); **zbierać fundusze <armię>** to raise funds <an army>; **zbierać grosz do grosza** to save up; to

scrape together (a sum of money); **zbierać laury** to reap laurels; **zbierać manatki** to pack up; **zbierać, zebrać myśli** to collect one's thoughts; **zbierać, zebrać odwagę** to muster (up) <to pluck up, to summon up> one's courage; **zbierać, zebrać ponownie** to reassemble; to reunite; **zbierać, zebrać rozlany płyn** to sponge up <to dab> a spilt liquid; **zebrać siły** to brace oneself up; **zebrani (ludzie)** the gathering; the company 2. (*zwoływać*) to call together; to convoke; to summon; to convene 3. (*sprzątać*) to remove; to clear (**gąsienice z krzewów** the shrubs of caterpillars; **zastawę ze stołu** the table of the covers <the dishes>); **mleko zbierane** <**nie zbierane**> skimmed <whole> milk; **zbierać owoce czegoś — swej pracy itd.** to reap the fruits of sth — of one's work etc.; **zbierać owoce cudzej pracy** to reap where one has not sown; **zbierać plon** to get in the crop; *przysł.* **kto sieje wiatr, ten zbiera burzę** he who sows the wind shall reap the whirlwind 4. (*ściągnąć razem*) to gather <to take in> (a dress, folds etc.); **zbierać, zebrać cugle** to draw the reins; *przen.* **zbierać nogi** a) (*uciekać*) to take to one's heels b) (*spieszyć się*) to make haste 5. † (*ogarniać*) to seize; to come (**kogoś** over sb) II *vi w zwrotach*: **zbierać ze stołu** to clear the table; **zbierać z pola** to reap the harvest III *vr* **zbierać, zebrać się** 1. (*o istotach żyjących*) to gather (*vi*); to assemble; to come <to get> together; to unite; to flock together; to congregate; to aggregate; (*o ciele zbiorowym*) to meet; (*o rozproszonym wojsku, stronnikach*) to rally (*vi*); **zebrać się ponownie** to reassemble; to reunite 2. (*występować, pojawiać się w większej ilości, liczbie*) to accumulate <to collect> (*vi*); **to, co zebrało się w sercu** what fills <filled> the heart 3. (*być zbieranym*) to be collected <assembled>; **zebrało się u nich sto złotych** they collected <scraped together> a hundred zlotys 4. (*przygotowywać się*) to get ready; to prepare (**do drogi itd.** for a journey etc.); **piwonie zbierają się do kwitnienia** the peonies are about to burst into flower; **zbiera mi się na wymioty** I feel sick; **zbierało się jej na płacz** tears were welling up in her eyes; **zbiera się na burzę** a storm is brewing; **zbiera się na deszcz** it is turning to rain; *impers* **zbiera się na coś** there is something in the air <something brewing>; **zebrać się na odwagę** to muster (up) <to pluck up, to summon up> one's courage; **zebrać się w sobie** to string up one's resolution; to brace <to string, to wind> oneself up; *pot.* **zbierz się do kupy** pull up your socks; brace yourself up

zbieralnik *sm techn.* ~ **pary** steam dome

zbieranie *sn* ↑ **zbierać**

zbieranina *sf* assemblage; miscellany; medley; jumble; band <set, gang> (of suspects, undesirables)

zbie|sić *v perf* ~**szę**, ~**szony** I *vt* to drive (sb) wild; to madden; to infuriate II *vr* ~**sić się** to run wild

zbieżność *sf singt mat. techn. med.* convergence; (*wspólność*) concurrence; taper; (*tożsamość*) identity; *bud.* ~ **komina** chimney taper

zbieżny *adj* convergent; concurrent; tapering; **być** ~**m** to converge; to concur

zbieżysto *adv* taperingly

zbieżysty *adj* tapering

zbigować *vt perf* to groove (cardboard)

zbijak *sm* beater; (*żart. — o dziecku*) rogue; scamp

zbilansować *v perf* I *vt* 1. *księgow.* to balance (accounts) 2. *przen.* (*podsumować*) to sum up II *vr* ~ **się** to balance (*vi*)

zbiorczo *adv* summarily; comprehensively

zbiorcz|y *adj* (*sumujący*) summary; comprehensive; *techn.* **rura** ~**a** main <collecting> pipe; (a) manifold; *geogr.* **obszar** ~**y** catchment area

zbior|ek *sm G.* ~**ku** *dim* ↑ **zbiór**

zbiornica *sf* collecting <storage> centre

zbiorniczek *sm dim* ↑ **zbiornik**

zbiornik *sm* container; reservoir; receiver; receptacle; holder; tank; (*u lampy naftowej, pióra wiecznego*) fount; (*u zwierząt wydzielających substancję wonną*) ~ **gruczołowy** scent-bag; *geogr.* ~ **retencyjny** storage reservoir <tank>; *techn.* ~ **pary** steam-dome; steam-chest; ~ **zasilający** feeding-tank

zbiornikow|iec *sm G.* ~**ca** *mar.* tanker

zbiorowisko *sn* assemblage; gathering; medley; (*zbiór*) accumulation; ~ **ludzi** multitude; crowd; mob; throng; *bot.* (plant) community

zbiorowo *adv* collectively; corporately; in a body

zbiorowość *sf* community; collectivity; corporate body

zbiorow|y *adj* collective; aggregate; corporate; group __ (insurance, medicine etc.); joint (account, possession etc.); **grób** ~**y** common grave; **rzeczownik** ~**y** collective noun; **wydanie** ~**e** complete edition; ~**y mord** indiscriminate slaughter

zbiorów|ka *sf pl G.* ~**ek** common room

zbi|ór *sm G.* ~**oru** 1. (*całość złożona z jednostek*) collection; assemblage; set; aggregation; accumulation; congeries 2. (*także pl* ~**ory**) (*kolekcja*) collection (of works of art etc.) 3. (*także pl* ~**ory**) (*plon*) crop; harvest; pick <picking> (of hops, fruit etc.); **roczny** ~**ór** (*siana, wina itd.*) growth 4. (*sprzęt*) harvest; ingathering 5. *mat.* class; series (of curves); ~**ór otwarty** open set

zbiór|ka *sf pl G.* ~**ek** 1. (*zgromadzenie się*) gathering; meeting; *wojsk.* assembly; call; rally parade; *sport* rally; meet; ~**ka odpadków** salvage; ~**ka!** fall in! 2. (*zbieranie pieniędzy*) collection; **urządzić** ~**kę** to pass the hat round; ~**ka uliczna** flag-day; *am.* tag-day 3. (*sprzęt*) harvest; ingathering

zbir *sm* ruffian; cut-throat; thug; myrmidon

zbisurmanić się *vr perf* 1. † (*stać się bisurmanem*) to be mohammedanized 2. (*rozłobuzować się*) to frolic without restraint

zbit|ka *sf pl G.* ~**ek** agglomeration

zbitość *sf singt* compactness; density

zbity I *pp* ↑ **zbić**; ~ **z tropu** crestfallen; confused II *adj* compact; dense; (*o ciele itd.*) firm; (*o piśmie*) cramped; (*o szeregach*) close

zbiurokratyzowany *adj* red-tapey

zbiurokratyzowanie *sn* red-tapism; red-tapery

zbladnąć *zob.* **zblednąć**

zblak|nąć *vi perf* ~**ł** to fade; to pale

zblamować się *vr perf* to make a fool of oneself; to put oneself open to ridicule; to cut a sorry figure; to lose face

zblazowanie *sn* surfeit of pleasures; indifference; boredom

zblazowany *adj* blasé; indifferent; bored

zbl|ednąć <**zbl|adnąć**> *vi perf* **~adł, ~edli** 1. (*stać się bladym*) to become <to grow, to turn> pale 2. (*stracić intensywność barwy, blasku*) to pale; to fade 3. *przen.* (*stać się nikłym*) to pale; **moje osiągnięcia ~edną przy twoich** my achievements will pale beside <before> yours

z bliska *zob.* **bliski**

zbliznowacenie *sn* 1. (↑ **zbliznowacieć**) cicatrization 2. (*blizna*) cicatrice; scar

zbliznowacie|ć *vi perf* **~je** to cicatrize; to heal over; to scar

zbliż|ać *v imperf* — **zbliż|yć** *v perf* [I] *vt* 1. (*przysuwać coś do czegoś*) to bring (sth) nearer <closer> (to sb, sth) 2. (*czynić bliższym w czasie*) to bring (events etc.) closer (together) 3. (*łączyć*) to bring (people) closer together 4. (*czynić podobnym*) to assimilate; to liken [II] *vr* **~ać, ~yć się** 1. (*przysuwać się, podchodzić, podjeżdżać*) to approach; to come up; to come along; to advance; to draw near; **nie ~ać się (do kogoś, czegoś)** to keep away (from sb, sth); to steer clear (of sb, sth); **~ać się do celu** to near one's end; **nie ~yliśmy się do celu** we are no nearer our goal 2. (*nadciągać*) to approach; (*o niebezpieczeństwie*) to impend 3. (*stawać się bliższym w czasie*) to approach; to be near; to be forthcoming; to be at hand; **~ający się** oncoming; **~am się do 60-ki** I'm getting on for 60; **~a się godzina** *x* it's getting on for *x* o'clock 4. (*być podobnym do czegoś, przypominać*) to approximate (**do czegoś** sth); to verge (**do czegoś** upon sth) 5. (*zaprzyjaźniać się*) to make friends (**do kogoś** with sb); (*wchodzić w zażyłe stosunki*) to enter into friendly relations (**do kogoś** with sb)

zbliżenie *sn* 1. ↑ **zbliżyć** 2. (*bliskie stosunki*) close <friendly> relations; *polit.* rapprochement 3. *kino fot.* close-up 4. **~ się** approach; oncoming (of spring, winter etc.)

zbliżony [I] *pp* ↑ **zbliżyć** [II] *adj* nearing (**do czegoś** sth); (*o usposobieniach*) congenial; **być ~m do czegoś** to approximate sth

zbliżyć *zob.* **zbliżać**

zblokować *v perf polit.* [I] *vt* to form a bloc (**państwa** of a number of states) [II] *vr* **~ się** to form into <to compose> a bloc

zbłaźnić się *vr perf* to put oneself open to ridicule; to make a fool <an ass> of oneself; to cut a poor figure

zbłądzenie *sn* 1. ↑ **zbłądzić** 2. (*błąd*) error

zbłądz|ić *vi perf* **~ę, ~ony** 1. (*zmylić drogę*) (*także* **~ić z drogi**) to lose one's way; to go astray 2. *przen.* (*zawędrować*) to wander (**dokądś** up to a place) 3. (*popełnić błąd*) to err; to commit a blunder

zbłąkany *adj* stray (bullet, shell, sheep etc.)

zbłękitnić *vt perf* to colour <to dye> (sth) blue

zbłękitnie|ć *vi perf* **~je** (*stać się błękitnym*) to become <to grow, to turn> blue; (*ukazać się w barwie błękitnej*) to appear <to show> blue

zbłocony *adj* muddy; soiled <caked> with mud

zbocze *sn* slope; **~ górskie** mountain-side

zboczenie *sn* 1. ↑ **zboczyć** 2. (*odchylenie*) deviation; deflection; swerve; *astr.* aberration; declination; digression; deviation; departure; *mar.* departure; drift; sag; yaw; *psych.* perversion; *fiz.* **~ igły magnetycznej** declination of the magnetic needle; **~ magnetyczne** magnetic variation

zbocze|niec *sm G.* **~ńca** (sexual) pervert; invert

zboczyć *zob.* **zbaczać**

zbogac|ić *v perf* **~ę, ~ony** — **zbogac|ać** *v imperf* [I] *vt* to make (sb) rich <wealthy>; *dosł. i przen.* to enrich (people, institutions etc.) [II] *vr* **~ić, ~ać się** to grow rich <wealthy>; *dosł. i przen.* to become <to be> enriched

zbojkotować *vt perf* to boycott

zbojkotowanie *sn* (↑ **zbojkotować**) (a) boycott

zbolały *adj* 1. (*obolały*) aching; sore 2. (*wyrażający cierpienie*) cheerless; woeful 3. (*strapiony*) woebegone; wretched

zbombardować *vt perf lotn.* to raid; to bomb; (*obstrzeliwać z dział*) to shell; to bombard

zbombardowanie *sn* 1. ↑ **zbombardować** 2. (*obstrzeliwanie z dział*) bombardment

zborgować † *vt perf* 1. (*dać na kredyt*) to sell on credit; *przen.* **nie ~ komuś** not to spare sb 2. (*wziąć na kredyt*) to buy on tick

zborn|y *adj* rallying (point); **miejsce ~e, punkt ~y** rendezvous; *pot.* venue

zborowy *adj* of <belonging to, attached to> a Protestant church

zboże *sn pl G.* **zbóż** corn; grain; (a) cereal; *pl* **zboża** corn; grain; cereals; *handl.* dry goods; **uprawa zbóż** corn-growing; grain-growing

zbożnie † *adv* (**uczciwie**) respectably; (*bogobojnie*) devoutly

zbożny † *adj* (*zacny*) respectable; (*bogobojny*) devout; pious; God-fearing; (*błogi*) happy

zbożow|iec *sm G.* **~ca** *zool.* weevil

zbożow|y *adj* corn- (field, exchange, factor etc.); grain- (field, elevator etc.); *zool.* **gęś ~a** (*Anser fabalis*) bean goose; **kawa ~a** ersatz coffee; *bot.* **rdza ~a** (*Puccinia glumarum*) yellow <stripe> rust; **rośliny ~e** cereals

zbożów|ka *sf pl G.* **~ek** *zool.* **ploniarka ~ka** (*Oscinella frit*) frit fly

zbój *sm* ruffian; brigand; cut-throat; robber; bandit; highwayman

zbójca *sm* (*decl* = *sf*) = **zbój**

zbójecki *adj* ruffianly; (acts etc.) of brigandage; (band etc.) of robbers; **herszt ~** robber chief

zbójnicki [I] *adj* highland robbers' (den etc.) [II] *sm* highland robbers' folk dance

zbójnik *sm hist.* highland robber

zbójnikować *vi imperf* to resort to <to live of> brigandage

zbójnikowanie *sn* (↑ **zbójnikować**) brigandage

zbór *sm G.* **zboru** 1. (*gmina protestancka*) Protestant community 2. (*kościół protestancki*) Protestant church; chapel

zbrak|nąć *vi perf* **~ł** = **zabraknąć**

zbrakować *vt perf* to reject; to scrap

zbratać *v perf* [I] *vt* to unite (parties etc.) with bonds of brotherhood [II] *vr* **~ się** to fraternize; to make friends (with sb)

zbratanie *sn* (↑ **zbratać**) fraternization

zbrązowi|eć *vi perf* **~eje** to bronze; to tan; to brown; to go <to turn> brown; **~ały** bronzed; tanned; brown; weather-beaten

zbrocz|yć *vt perf* to steep (in blood); to stain (with blood); **~ony** blood-stained

zbrodni|a *sf pl G.* **~** crime; felony; iniquity; wickedness; perpetration; **~a ludobójstwa** genocide; **~a przeciw ludzkości** crime against humanity; **~a przeciw pokojowi** the plotting of aggressive war; **~e wojenne** war crimes

zbrodniar|ka *sf pl G.* **~ek** (a) criminal; malefactress

zbrodniarz *sm* (a) criminal; felon; malefactor; **~ wojenny** war criminal

zbrodniczo *adv* criminally; feloniously

zbrodniczość *sf singt* criminality; criminal nature <character> (of an act); feloniousness

zbrodnicz|y *adj* criminal; felonious; (*o wyglądzie człowieka itd.*) sinister; **~e elementy** felonry; **~y typ** gaol-bird; gallows-bird

zbr|oić[1] *v imperf* **~oję, ~ój, ~ojony** [I] *vt* 1. (*zaopatrywać w broń*) to arm (sb, a nation); **~oić ponownie** to rearm 2. *techn.* (*wzmacniać*) to reinforce (concrete); **szkło ~ojone** armoured glass 3. *bud.* to develop (a tract of land); to furnish (a building) with armature [II] *vr* **~oić się** to arm oneself; to arm (*vi*)

zbr|oić[2] *vt vi perf* **~oję, ~ój** (*spsocić*) to do mischief; to play a prank <pranks>; **co on ~oił?** what mischief <devilry> has he been up to?

zbro|ja *sf G.* **~i** armour; (*dla konia*) bard; **pełna ~ja** suit of armour; panoply; **~ja łuskowa** scale-armour; **zakuty w ~ję** encased in armour; **w pełnej ~i** in full armour; panoplied

zbrojar|ka *sf pl G.* **~ek** *bud.* steel-fixer

zbrojarnia *sf techn.* steel yard

zbrojarski *adj techn.* reinforcing (steel etc.)

zbrojarstwo *sn singt techn.* reinforcing (of concrete)

zbrojarz *sn techn.* steel fixer

zbroje|nie[1] *sn* 1. ↑ **zbroić**[1] 2. *pl* **~nia** *wojsk.* armaments; **wyścig ~ń** armaments race 3. *techn.* armature; reinforcement

zbrojenie[2] *sn* (↑ **zbroić**[2]) piece of mischief; prank; escapade; devilry

zbrojeniowy *adj* 1. *wojsk.* arms — (factory, manufacturer etc.); war — (industry etc.) 2. *techn.* reinforcement — (steel etc.)

zbrojmistrz *sm* armourer; gunsmith

zbrojnie *adv* by force of arms

zbrojn|y *adj* armed (forces, neutrality, peace, demonstration, resistance etc.); (*o człowieku*) in arms; armed (**w rewolwer itd.** with a pistol etc.); **~ą ręką** by force of arms; *przen.* equipped (**w coś** with sth)

zbrojownia *sf* 1. *wojsk.* armoury; arsenal; *mar.* gunroom 2. *techn.* steel yard

zbrojów|ka *sf pl G.* **~ek** *zool.* **narożnica ~ka** (*Phalera bucephala*) a notodontid moth

zbronować *vt perf* to harrow

zbroszurować *vt perf* to (wire-)stitch (a pamphlet)

zbrudz|ić *v perf* **~ę, ~ony** [I] *vt* to dirty; to soil [II] *vr* **~ić się** to dirty <to soil> one's hands <face, clothes>

zbrukać (się) *vt vr perf* = **zbrudzić (się)**

zbrunatnie|ć *vi perf* **~je** to become <to grow, to turn> brown; to assume a brown hue

zbrunatnienie *sn* 1. ↑ **zbrunatnieć** 2. (*plama*) brown spot <patch>

zbrutalizować *vt perf* 1. (*uczynić brutalnym*) to brutalize 2. (*potraktować brutalnie*) to ill-treat

zbru|ździć *vt perf* **~żdżę, ~żdżony** 1. (*zryć*) to furrow 2. (*pomarszczyć*) to wrinkle

zbrykietować *vt perf* to briquette <to make briquettes of> (coal-dust)

zbryzgać *vt perf* to splash; to (be)spatter

zbrzyd|nąć *vi perf* **~ł** 1. (*stać się brzydkim*) to grow ugly; to lose one's beauty <good looks> 2. (*sprzykrzyć się*) to pall (**komuś** on sb); **~ło mi to** it palls on me; I am sick (and tired) of it; *pot.* I am fed up with it

zbrzydz|ić *vt perf* **~ę, ~ony** 1. (*obrzydzić*) to make <to render> (sb, sth) repugnant <hateful, odious> (**komuś** to sb); **~ić komuś kogoś, coś** to fill sb with disgust at sb, sth; to rouse in sb a feeling of aversion <repugnance> to sb, sth 2. (*nabrać niechęci, odrazy do kogoś, czegoś*) (*zw.* **~ić sobie**) to become disgusted (**kogoś, coś** with sb, sth); to have come to loathe <to detest> (sb, sth)

zbuchtować *vt perf myśl.* to grout

zbudowa|ć *vt perf* 1. (*wybudować*) to build; to raise; to erect; to lay out (**drogę** a road); *przysł.* **nie od razu Kraków ~no** Rome was not built in a day 2. (*sporządzić*) to construct (a machine etc.); to make (a carriage etc.) 3. (*skomponować*) to compose 4. (*sprawić dodatnie wrażenie*) to edify 5. *mat.* to construct (a figure etc.)

zbudowanie *sn* 1. ↑ **zbudować** 2. (*wzniesienie*) erection (of a building, monument etc.) 3. (*skonstruowanie*) construction 4. (*skomponowanie*) composition 5. (*sprawienie dodatniego wrażenia*) edification

zbudowany [I] *pp* ↑ **zbudować** [II] *adj* structured; **dobrze ~** well-made; well-proportioned; (*o mężczyźnie*) fine-figured; of good physique; of square frame; **silnie ~** of powerful build

zbudz|ić *v perf* **~ę, ~ony** [I] *vt* 1. (*obudzić*) to wake (sb) up; to awaken; to rouse (**kogoś ze snu** sb from sleep) 2. *przen.* to rouse (the masses etc.); to wake (echoes) [II] *vr* **~ić się** 1. (*przebudzić się*) to awake; to wake up (*vi*) 2. (*przejawić się*) to be roused <stirred>; to awake

zbuforować *vt perf chem.* to buffer

zbuja|ć *vt perf pot.* to fool (sb); **~łeś mnie** you've pulled my leg

zbuk *sm* addle egg

zbulwersować *vt perf* to upset; to worry

zbuntować *v perf* [I] *vt* to incite (people) to insubordination; to foment sedition (**ludzi** among people); **~ kogoś przeciw komuś** to prompt sb to stand up against sb [II] *vr* **~ się** to mutiny; to revolt; to rebel; *pot.* (*o jednostce*) to kick over the traces

zbuntowanie *sn* 1. (↑ **zbuntować**) incitement to insubordination 2. **~ się** (a) mutiny; revolt; rebellion

zbuntowany [I] *pp* ↑ **zbuntować** [II] *adj* mutinous; rebellious; riotous; revolting (troops etc.)

zburcz|eć *vt perf* **~y** *pot.* to blow (sb) up

zburzenie *sn* (↑ **zburzyć**) destruction; ruin; devastation; demolition

zburzyć *v perf* [I] *vt* 1. (*zniszczyć*) to destroy; to ruin; to wreck; to devastate; to demolish 2. (*skłębić*) to churn 3. (*zwichrzyć*) to tumble (a bed, sb's hair etc.) [II] *vr* **~ się** (*skłębić się*) to churn (*vi*); to seethe

zbutwiały *adj* decaying; rotten

zbutwie|ć *vi perf* **~je** to moulder; to rot

zbutwienie *sn* (↑ **zbutwieć**) dry-rot

zbyci|e *sn* 1. ↑ **zbyć** 2. (*odstąpienie czegoś*) disposal (of sth); **do ~a** spare (copy of a book, ton of coal, loaf of bread)

zby|ć *v perf* **zbędę, zbędzie, zbądź, ~ł, ~yty** — **zby|wać** *v imperf* [I] *vt* 1. (*sprzedać*) to dispose (**towar** of a commodity); to sell (off); to get (sth) off one's hands 2. (*zareagować w sposób zdawkowy*) to put (sb) off (**wymówką, obietnicą itd.** with an excuse, a promise etc.); to put (a question etc.) by; to dismiss (a subject, a troublesome person); to stall off (a request); **~ć, ~wać coś lekceważąco** to pshaw at sth 3. (*zrobić coś niedbale*) to slobber <to slubber, to scamp, to huddle> through (a piece of work); **zrobić coś byle ~ć** to do sth in a slapdash manner [II] *vi* 1. *zw. imperf* (*wystąpić w nadmiarze*) to be in excess; to be left over; **~wający pokój <egzemplarz, okaz itd.>** spare room <copy, specimen etc.>; **~wa mi puszka farby <tona węgla itd.>** I have a box of paint <a ton of coal etc.> to spare <in excess, left over> 2. (*zbraknąć*) to lack; **nie zbędzie nam na niczym** we shall want for nothing; **nie ~wa mu na śmiałości** he does not lack <he is not deprived of> audacity

zbydlęcać *vt imperf* — **zbydlęc|ić** *vt perf* **~ę, ~ony** to bestialize; to turn (sb) into a brute

zbydlęcenie *sn* (↑ **zbydlęcić**) bestiality; brutishness

zbydlęcić *zob.* **zbydlęcać**

zbydlęcie|ć *vi perf* **~je** to sink to the level of a beast

zbyr|czeć <**zbyr|kać**> *vi imperf* **~czy** *gw.* to rattle; to jingle

zbyt[1] *adv* too; over-; **~ ciekawy** over-curious; **~ delikatny** over-delicate

zbyt[2] *sm G.* **~u** sale(s); market; **łatwy ~** a ready market; **rynek ~u** outlet; market; **nowe rynki ~u na towar** new markets <outlets> for a commodity; **te rzeczy mają ~** these things sell well

zbytecznie *adv* needlessly; unnecessarily; superfluously

zbyteczność *sf singt* superfluity, superfluousness; redundance

zbyteczn|y *adj* needless; unnecessary; superfluous; redundant; **byłoby rzeczą ~ą powtarzać ...** it would be superfluous to repeat ...; **uważam to za ~e** I consider it unnecessary; **~e jest, żebyś sobie zadawał tyle trudu** there is no need <it is needless> for you to go to so much trouble

zbyt|ek *sm G.* **~ku** 1. (*luksus*) luxury; **przedmioty ~ku** articles of luxury 2. (*nadmiar*) excess; **~ek wesołości <nieśmiałości itd.>** excessive gaiety <shyness etc.>; **on nie grzeszy ~kiem uczciwości** he does not err on the wrong side of honesty; **to ~ek uprzejmości z pańskiej strony** it's too kind of you; you are really too kind 3. *pl* **~ki** (*psoty*) pranks; follies; extravagance; roguish tricks

zbytkować *vi imperf* to play pranks; to romp; to frolic

zbytkowanie *sn* (↑ **zbytkować**) pranks; frolics

zbytkownie *adv* richly; sumptuously; luxuriously

zbytkowny *adj* rich; sumptuous; luxurious

zbytni *adj* excessive; undue

zbytnio *adv* excessively; too (much); overmuch; unduly

zbytny *adj gw.* prankish

zbywać *zob.* **zbyć**

zbywający *adj* 1. (*niepotrzebny*) superfluous; spare; odd; left over 2. (*o odpowiedzi itd.* — *zdawkowy*) curt

zbywalny *adj* transferable

zbywca *sm* (*decl* = *sf*) vendor

zbzikowa|ć *vi perf pot.* to go crazy <cranky>; **~ny** crazy; cracked; loony; cranky

z cicha *zob.* **cichy**

z czasem *zob.* **czas**

zda|ć *v perf* **~dzą** — **zda|wać** *v imperf* **~je, ~waj** [I] *vt* 1. (*przekazać urzędowo*) to turn <to hand> (sth) over (to sb); to give up <to resign> (**urząd** one's post); to commit (**coś komuś pod opiekę** sth to sb's care); **być ~nym na samego siebie** to be thrown on one's own resources; **~ć sobie sprawę z czegoś** to realize sth; to become aware <conscious> of sth; **~wać sobie sprawę z czegoś** to realize sth; to be aware <conscious, sensible> of sth; **nie ~wać sobie sprawy z czegoś** to fail to realize sth; to be unaware <unconscious> of sth; **~ć sprawę <relację> z czegoś** to give <to render> an account of sth; **nie ~jąc sobie sprawy z czegoś** unaware <unconscious> of sth; **nie ~jąc sobie z tego sprawy** unwittingly; unconsciously; unawares 2. (*skazać na coś*) to leave (**kogoś <coś> na los szczęścia** sb <sth> to his <its> fate; **kogoś na łaskę i niełaskę ...** sb at the mercy of ...); **być ~nym na coś <na kogoś>** to depend on sth <on sb>; **~ć kogoś na jego własne siły** to leave sb to his own devices 3. (*złożyć egzamin*) to pass (an examination); **ledwo ~ć egzamin** to scrape through; **nie ~ć egzaminu** to fail in an examination; *przen.* (*wytrzymać próbę*) **~ć egzamin** to stand the test; (*nie wytrzymać próby*) **nie ~ć egzaminu** to fail to stand the test [II] *vi* (*złożyć egzamin*) to pass; **nie ~ć** to fail; to get plucked [III] *vr* **~ć, ~wać się** 1. (*zawierzyć*) to rely <to depend> (**na kogoś, coś** on sb, sth); to trust (**na los szczęścia** to chance, to luck); **~ć się na łaskę zwycięzcy** to surrender at discretion; **~j się na własny rozum** use your own discretion 2. *imperf* (*wywoływać wrażenie*) to seem <to appear> (**coś robić** to do sth; **być czymś** to be sth; **dobrym, odpowiednim itd.** good, suitable etc. <to be good, suitable etc.>); **~je mi <mu itd.> się, że ...** it seems to me <to him etc.> that ...; I have <he has etc.> the impression that ...; I think <he thinks etc.> (that) ...; **nie ~je mi się, coś mi się nie ~je** I doubt it; I don't think so; **tak mi się (też) ~wało** so I thought; I thought as much; **~je się** it seems; it appears; apparently; evidently 3. *perf pot.* (*przydać się*) to be useful; to come in handy; **czy to się ~ na coś?** will that be of any use?; **na nic się nie ~ płacz <gadanie itd.>** it's no use crying <talking etc.>; it won't help to cry <to talk etc.>; **na wiele się nie ~ naleganie** it will be of little avail to insist; **to się na nic nie ~** it's not a bit of good; it's of no earthly use; it's of no avail

z dala *adv* 1. (*daleko*) far (**od ojczyzny itd.** from one's country etc.); away (**od gwaru ulicznego itd.** from the rumble of the street etc.) 2. (*z daleka*) from a distance; from afar

z daleka *zob.* **daleki**

zdalnie *adv* by remote control; **pocisk ~ kierowany** guided missile

zdalny *adj* remote (control)

zdani|e *sn* 1. ↑ **zdać** 2. *gram.* sentence; clause; **~e nadrzędne** main <principal> clause; **~e podrzędne** subordinate clause 3. (*mniemanie*) opinion; **być innego ~a** to hold a different opinion; to be otherwise minded; **być ~a, że ...** to be of (the) opinion that ...; **być tego samego ~a, co ktoś, podzielać czyjeś ~e** to be of the same opinion as sb <of one mind with sb>; **mieć ostrą wymianę zdań z kimś** to have words with sb; **mieć pochlebne <niepochlebne> ~e o kimś** to have <to hold> a high <a low> opinion of sb; **podzielam twoje ~e** I am of your opinion; **pozostaliśmy każdy przy swoim ~u** we agreed to disagree; **wypowiedzieć swoje ~e o kimś, czymś** to give one's opinion of sb, sth; **wypowiedzieć ~e w jakiejś sprawie** to comment on a matter; **zmienić ~e** to change one's mind; to think better of it; **moim ~em** in my opinion <judgement, view, estimation>; to my mind; **moim ~em to jest podłość** I call that mean 4. *filoz.* proposition 5. *muz.* phrase

zdaniowy *adj* sentence — (accent, construction etc.)

zdanko <**zdańko**> *sn* (*dim* ↑ **zdanie**) short sentence

zdarci|e *sn* ↑ **zedrzeć; to jest materiał nie do ~a** this texture will stand any amount of wear

zdarty *zob.* **zdzierać**

zdarz|ać *v imperf* — **zdarz|yć** *v perf* [I] *vt* to put (sth) in (sb's) way; **szczęście, które nam los ~a** the good luck which fortune puts in our way [II] *vi w zwrocie:* **przypadek tak ~ył, że ...** it so happened that ... [III] *vr* **~ać, ~yć się** 1. (*przydarzyć się — o wypadku, nieszczęściu itd.*) to take place; to happen; to occur; **często mu się ~a <nigdy mu się nie ~a> zapomnieć <spóźnić się itd.>** he often <he never> forgets <comes late etc.>; **rzadko się ~a, żeby ktoś ...** it seldom happens <it is unusual> for sb to ...; *imp* **tak się ~a, że ...** it so happens that ...; **tak się ~yło, że ...** it so happened <befell> that ...; it came about <it came to pass> that ...; **~yć się ponownie** to recur; **~ył mu się nieszczęśliwy wypadek** he met with an accident 2. (*trafiać się*) to occur; **leje po wybuchach pocisków ~ały się coraz częściej na drodze** craters occurred more and more frequently on our way; **~ają się dnie, kiedy ...** there are days when ... 3. *gw.* (*udać się*) to succeed

zdarzeni|e *sn* 1. (*wypadek*) event; occurrence; incident; **z prawdziwego ~a** genuine; real; **z nieprawdziwego ~a** odd; queer; rum; quaint 2. (*wydarzenie wielkiej wagi*) great event

zdarzonko *sn* (*dim* ↑ **zdarzenie**) minor incident

zdarzyć *zob.* **zdarzać**

zdatność *sf singt* fitness <suitability> **(do czegoś** for sth)

zdatny *adj* fit; suitable (**do czegoś** for sth); **~ do jedzenia, do picia** fit to eat, to drink; **~ do służby w wojsku <w marynarce>** effective; (*o pojeździe*) **~ do drogi** roadworthy; (*o samolocie*) **~ do latania** airworthy; (*o statku*) **~ do żeglugi morskiej** seaworthy

zdawać *zob.* **zdać**

z dawien dawna *zob.* **dawny**

zdawkowo *adv* casually; curtly; tritely

zdawkowość *sf singt* casualness; banality

zdawkow|y *adj* casual; curt; trite; banal; **~a moneta** small change

z dawna *zob.* **dawny**

zdąć *vt perf* **zedmę, zedmie, zedmij, zdął, zdęła, zdęty** — **zdymać** *vt imperf* to blow off

zdąż|ać *vi imperf* — **zdąż|yć** *vi perf* 1. (*dotrzymywać kroku*) to keep pace <to keep up> (**za kimś** with sb) 2. (*zdołać zrobić w określonym czasie*) to have time <to manage> (to do sth); *perf* (*przybyć na czas*) to be in time for <to catch> (**do pociągu, statku, samolotu** one's train, the boat, the plane); **ledwie ~ył zdjąć płaszcz <wejść do sali itd.> kiedy ...** he had hardly taken off his overcoat <entered the room etc.> when ...; **nie spiesz się, ~ysz** don't hurry, you've got plenty of time; **nie ~yć do pociągu <na statek, na samolot>** to miss one's train <the boat, the plane>; **nie ~yłem tego zrobić** I didn't have time to do that 3. *imperf* (*zmierzać do celu*) to tend (**do czegoś** towards sth); **do czego on ~a?** what is he driving at? 4. (*posuwać się*) to make <to be bound> (**dokądś** for a place); to bend one's steps (**dokądś** towards a place); (*o statku*) to head <to be bound> (**do jakiegoś portu** for a port); **~ający do kraju** homeward bound; **~ać za kimś** to follow sb

zdecentralizować *vt perf* to decentralize

zdechlactwo *sn singt pot.* peakiness

zdechlak *sm pot.* crock; weakling; weed

zdechły [I] *pp* ↑ **zdechnąć** [II] *adj pot.* peaky; sickly; weakly

zdechnąć *vi perf* **zdechł** — **zdychać** *vi imperf* to die; *pot.* **pod zdechłym psem** rotten; lousy; **zdychać z głodu** to be starving; **zdychać z nudów** to be bored stiff; **żebyś zdechł!** be damned!; go to the devil!

zdecydować *v perf* [I] *vi* 1. (*postanowić*) to decide 2. (*odegrać decydującą rolę*) to decide <to determine> (**o czyimś losie, karierze itd.** sb's fate, career etc.) [II] *vr* **~ się** 1. (*powziąć decyzję*) to take a decision; to decide (**na coś** on sth); to make up one's mind; to resolve (**coś zrobić** to do sth; **na coś** on sth); **nie móc się ~** to hesitate; to vacillate; to shilly-shally 2. (*zostać rozstrzygniętym*) to be decided <settled>

zdecydowani|e[1] *sn* 1. ↑ **zdecydować** 2. (*postanowienie*) decision 3. (*pewność siebie*) resoluteness; resolution; determination; **brak ~a** irresolution

zdecydowanie[2] *adv* decidedly; positively

zdecydowany [I] *pp* ↑ **zdecydować** [II] *adj* 1. (*stanowczy*) strong-minded; firm; resolute; purposeful; resolved; unhesitating; **człowiek ~** man of decision; **~ na wszystko** thorough-going; **być ~m coś zrobić** to be bent on doing sth; **jestem ~** my mind is set 2. (*wyraźny*) decided; emphatic; trenchant

zdefasonować *v perf* [I] *vt* to put (sth) out of shape [II] *vr* **~ się** to go out of shape

zdefektować *vt perf* to damage; to put out of order

zdefektowany *adj* out of order; broken-down

zdefiniować *vt perf* to define; to give the definition (**coś** of sth)

zdeformować *vt perf* to put (sth) out of shape; to deform

zdeformowany *adj* mis-shapen; gnarled; gnarly

zdefraudować *vt perf* to embezzle; to misappropriate (funds)

zdegenerować *v perf* [I] *vt* to cause the degeneration (**kogoś, coś** of sb, sth) [II] *vr* **~ się** to degenerate (*vi*)

zdegenerowany *adj* degenerate

zdegradować *v perf* [I] *vt* to degrade (an officer) [II] *vr* **~ się** to degrade (*vi*); to be <to become> degraded

zdegrengolować *vi perf* to tumble down

zdegustowany *adj* disgusted <out of conceit> (**do czegoś** with sth); sick at heart

zdejmować *vt imperf* — **zdjąć** *vt perf* **zdejmę, zdejmie, zdejmij, zdjął, zdjęła, zdjęty** 1. (*ściągać*) to take off <to remove> (**płaszcz itd. z siebie** one's overcoat etc.); (*zabierać*) to take (**coś z półki itd.** sth off <down from> a shelf etc.); to strip (**ubranie itd. z kogoś** sb of his clothes etc.); to remove (**coś ze stołu itd.** sth from the table etc.); **zdjąć kogoś z posterunku** to withdraw sb from sentry; **zdjąć komuś ciężar z serca** to relieve sb of a burden; **zdjąć maskę pośmiertną z czyjejś twarzy** to take a death-mask of sb's face; **zdjąć miarę z kogoś** to take sb's measure; **zdjąć naczynia ze stołu** to clear the table (of the dishes); **zdjąć owoce z drzew** to pick the fruits (from the trees); *przen.* **zdjąć maskę** to throw off <to drop> the mask; **zdjąć sztukę z afisza** to take off a play 2. (*o uczuciach itd. — opanowywać*) to seize; **zdjął ją strach** she was seized with fear; **zdjęła mnie litość** I felt <I was moved with> pity 3. (*znosić*) to raise <to lift> (a ban etc.) 4. *pot.* (*fotografować*) to photo; to snap 5. † (*robić plan*) to make <to draw> (a plan); to make a survey (**coś** of sth)

zdejmowani|e *sn* (↑ **zdejmować**) removal; **do ~a** removable; detachable; **nie do ~a** undetachable

zdekantować *vt perf chem.* to decant

zdekatyzować *vt perf* to steam <to shrink> (a texture)

zdeklarować się *vr perf* 1. (*opowiedzieć się*) to declare oneself (**za kimś, czymś** for sb, sth; **przeciw komuś, czemuś** against sb, sth); to pronounce (*vi*) (**za kimś, czymś** for <in favour of> sb, sth; **przeciw komuś, czemuś** against sb, sth) 2. (*oświadczyć się*) to speak one's mind 3. (*prosić o rękę*) to propose (**komuś** to sb)

zdeklarowany [I] *pp* ↑ **zdeklarować się** [II] *adj* avowed (favourite etc.); (*zdecydowany*) decided; positive; absolute

zdeklasowa|ć *v perf* [I] *vt* to declass; to expel (sb) from a caste; **człowiek ~ny** an outcaste [II] *vr* **~ć się** to lose caste

zdeklasowany *adj* declassé

zdekomplet|ować *v perf* [I] *vt* to break (a set) [II] *vr* **~ować się** to become incomplete; **gdy się rada ~uje** when there is a vacancy in the council

zdekoncentrować *v perf* [I] *vt* to scatter; to diffuse [II] *vr* **~ się** to cease concentrating one's attention

zdekonspirować *v perf* [I] *vt* to unmask; to expose [II] *vr* **~ się** to come out of hiding; to reveal oneself

zdelegalizować *v perf* [I] *vt* to declare <to render> (sth) illegal [II] *vr* **~ się** to become illegal

zdelikatnie|ć *vi perf* **~je** to become delicate

zdemaskować *v perf* [I] *vt* to unmask; to disclose; to expose; to denounce [II] *vr* **~ się** to throw off <to drop> the mask; *przen.* to show one's colours

zdematerializować *v perf* [I] *vt* to dematerialize (sb, sth) [II] *vr* **~ się** to dematerialize (*vi*); to become dematerialized

zdemilitaryzować *v perf* [I] *vt* to demilitarize [II] *vr* **~ się** to become demilitarized

zdemobilizowa|ć *v perf* [I] *vt* to demobilize [II] *vr* **~ć się** to become demobilized; to leave the army; **~ny żołnierz** ex-service man

zdemokratyzować *v perf* [I] *vt* to democratize [II] *vr* **~ się** to democratize (*vi*); to become democratized

zdemolować *vt perf* to demolish; to destroy; to smash

zdemontować *vt perf* to take to pieces; to disassemble

zdemoralizować *v perf* [I] *vt* 1. (*zepsuć*) to demoralize; to deprave; to pervert 2. (*podważyć dyscyplinę*) to demoralize (troops) [II] *vr* **~ się** to become demoralized

zdenazyfikować *vt perf* to denazify

zdenerwować *v perf* [I] *vt* to irritate; to exasperate; to vex; to upset [II] *vr* **~ się** 1. (*stracić równowagę nerwową*) to get excited 2. (*zirytować się*) to lose one's temper <one's nerve>; to be <to get> irritated <vexed, exasperated, upset>

zdenerwowani|e *sn* 1. ↑ **zdenerwować** 2. (*stan rozdrażnienia nerwowego*) excitement; nervousness; agitation; fretfulness; jitters; twitter; the fidgets; **bez ~a** calmly; coolly; with composure; collectedly 3. (*irytacja*) irritation; vexation; exasperation

zdenerwowany [I] *pp* ↑ **zdenerwować** [II] *adj* 1. (*w stanie rozdrażnienia nerwowego*) nervous; excited; fretful; high-keyed; fidgety 2. (*zirytowany*) irritated; exasperated; vexed; furious; in a huff; in a stew; on one's high ropes; in a great state

zdepalatalizować *vt perf język.* to dispalatalize

zdeponować *vt perf* to deposit

zdeprawować *vt perf* to deprave; to pervert; to demoralize

zdeprawowany [I] *pp* ↑ **zdeprawować** [II] *adj* depraved; corrupt; vicious

zdeprecjonować *vt perf* to depreciate

zdeprymować *vt perf* to depress; to dispirit

zdeprymowany [I] *pp* ↑ **zdeprymować** [II] *adj* depressed; dejected; dispirited; downcast; chapfallen; down in the mouth; down-hearted

zdep|tać *vt perf* **~cze** <**~ce**> 1. (*stratować*) to trample (down) (the grass etc.); (*zgnieść*) to crush (sth) with one's foot; to stamp <to tread> out (a fire etc.); **~tać buty** <**obcasy**> to wear down one's heels 2. *przen.* (*sponiewierać*) to tread down (a conquered race etc.); to trample (sb, sb's feelings) under foot; to ride rough-shod (**kogoś** over sb); (*o człowieku, narodzie*) **~tany** downtrodden 3. (*przemierzyć*) to trample <to tread> (the soil); to wander (**okolicę** about a region); **nie ~tany nogą ludzką** untrodden

zderz|ać się *vr imperf* — **zderz|yć się** *vr perf* to collide (with sth); to clash <to crash, to knock> together; to crash <to ram, to run> (**z samochodem itd.** into a car etc.); **~ać, ~yć się z kimś** to come up against sb; to pitch into sb; to cannon into <against> sb

zderzak *sm kolej.* buffer; retarder head; *aut.* fender; bumper; stop

zderzenie (się) *sn* 1. ↑ **zderzyć się** 2. (*karambol*) collision; crash; clash

zdesperowany *adj* desperate; driven to despair; **byłem ~** I was driven to despair; I was in despair

zdeterminować *vt perf lit.* to define; to express

zdeterminowany [I] *pp* ↑ **zdeterminować** [II] *adj* determined <resolved> (to do sth); intent (**coś zrobić** on doing sth)

zdetonować *v perf* [I] *vt* 1. (*spowodować wybuch*) to explode (a charge etc.) 2. (*speszyć*) to disconcert; to abash [II] *vr* **~ się** to lose countenance; to be disconcerted <abashed, confounded>

zdetonowany *adj* confused

zdetronizować *vt perf* to dethrone; to depose

zdewaloryzować *vt perf* to devalorize

zdewaluować *v perf* [I] *vt ekon.* to devaluate [II] *vr* **~ się** 1. *ekon.* to be <to become> devaluated 2. *przen.* to lose value

zdewastować *vt perf* to devastate; to ravage; to lay waste; to make havoc (**coś** of sth)

zdewastowany [I] *pp* ↑ **zdewastować** [II] *adj* desolate

zdezaktualizować *v perf* [I] *vt* to deprive (sth) of its topical interest [II] *vr* **~ się** to lose (its) topical interest; to become obsolete; (*o kwestii, sprawie*) to become stale <out of date>

zdezaktualizowany *adj* obsolete

zdezawuować *vt perf* to disavow; to disown; to repudiate

zdezelować *vt perf* to dilapidate

zdezelowany *adj* dilapidated; shabby; ruinous; (*o domu*) ramshackle

zdezerterować *vi perf* to desert

zdezintegrować *vt perf* to disintegrate

zdezodoryzować *vt perf* to deodorize

zdezolować † *vt perf* = **zdezelować**

zdezorganizować *vt perf* to disorganize; to dislocate; to throw out of gear <into disorder>

zdezorientowa|ć *vt perf* to confuse; to bewilder; to maze; to lead (sb) astray; **jestem ~ny** I have lost my bearings; I am at sea

zdezorientowanie *sn* 1. ↑ **zdezorientować** 2. (*dezorientacja*) confusion; bewilderment

zdezynfekować *vt perf* to disinfect; to fumigate; *med.* to sterilize

zdębie|ć *vi perf* **~je** (*osłupieć*) to be <to stand> dumbfounded <astounded, flabbergasted>

zdiablić *vt perf sl.* to mess (sth) up

zdjąć *zob.* **zdejmować**

zdjęcie *sn* 1. ↑ **zdjąć** 2. (*usunięcie*) removal; *plast.* **~ z krzyża** Deposition <Descent> from the Cross 3. *fot.* photo; picture; *kino* shot; (*migawkowe*) snap(shot); (*z bliska*) close-up; **~ rentgenowskie** X-ray; **dać sobie zrobić ~** to have one's photo(graph) <picture> taken; **zrobić ~** to take a picture 4. (*pomiar*) survey

zdjęciowy *adj* photographic — (camera etc.)

zdławi|ć *v perf* [I] *vt* 1. (*zadusić*) to strangle; to choke; to throttle 2. *dosł. i przen.* (*stłumić*) to stifle; to smother; to crush (a rising, revolt etc.); **głos ~ony łkaniem** a voice choked with sobs; **~one uczucia** pent up feelings [II] *vr* **~ć się** to choke (*vi*)

zdmuch|nąć *vt perf* — **zdmuch|iwać** *vt imperf* 1. (*usunąć — o wietrze*) to blow (sth) away; (*o człowieku*) to puff (sth) away; *przen.* **~nąć coś komuś sprzed nosa** to snatch sth away from under sb's nose 2. (*zgasić*) to blow out (a candle, lamp, match) 3. *pot.* (*zabić strzałem*) to snipe (an enemy)

zdobić *v imperf* **zdób** [I] *vt* 1. (*upiększać*) to embellish; to adorn; to decorate 2. (*być ozdobą*) to grace (a meeting etc.) [II] *vr* **~ się** to be embellished <adorned>

zdobienie *sn* (↑ **zdobić**) embellishment; adornment; decoration

zdobina *sf* ornament; decoration

zdobinowy *adj stol.* **strug ~** header; capping plane; snipe-bill

zdobnictwo *sn singt* 1. (*sztuka*) decorative art 2. (*ozdoby*) ornamentation

zdobnicz|ka *sf pl G.* **~ek** ornament(al)ist

zdobniczy *adj* decorative; ornamental

zdobnik *sm* 1. (*artysta*) ornament(al)ist 2. *druk.* ornament

zdobny *adj* ornamented (**w coś** with sth); ornate

z dobrawoli *zob.* **dobrawola**

zdobyci|e *sn* 1. ↑ **zdobyć** 2. (*zagarnięcie*) conquest (of a territory etc., *przen.* of liberty etc.); ascent <climb> (of a mountain); **nie do ~a** unconquerable; (*o fortecy*) impregnable 3. (*dostanie*) acquisition; purchase 4. (*osiągnięcie*) attainment; achievement

zdobycz *sf* 1. (*łup*) trophy; prize; capture; possession; (*u zwierzęcia, ptaka drapieżnego*) prey; quarry; (*zbiorowo — zdobycze wojenne*) booty; spoils (of war) 2. (*osiągnięcie*) achievement; **~e cywilizacji** blessings of civilization; **~e nauki** conquests of science

zdobyczny *adj* conquered; taken from the enemy

zdob|yć *v perf* **~ędę, ~ędzie, ~ądź, ~ył, ~yty** — **zdob|ywać** *v imperf* [I] *vt* 1. (*zagarnąć*) to conquer; to capture <to take, to seize> (a fortress etc.); to carry off <to win> (a prize); to ascend <to climb> (a mountain peak); **z trudem ~yte zwycięstwo** hard-fought victory 2. (*dostać*) to acquire; to purchase; to secure; to procure; to get (a ticket, seats etc.); to find (a taxi, room for sth etc.); *przysł.* **łatwo ~yte pieniądze łatwo się wydaje** light come light go 3. (*osiągnąć*) to attain; to acquire; to achieve; to gain; to earn; *sport* to score (points, goals etc.) 4. (*zjednać sobie*) to win (sb) over; to win (people's hearts); to gain (praise, affection, esteem etc.); **on umie ~ywać serca kobiece** he has a way with women [II] *vr* **~yć, ~ywać się** 1. (*osiągnąć kosztem wysiłku*) to afford (**na coś** sth); **nie mógł się ~yć na frak** he could not afford a tail-coat 2. (*pokonać wewnętrzne opory*) to nerve oneself <to summon up enough courage, to bring oneself, to constrain oneself, to find it in one's heart> (**na to, żeby coś zrobić** to do sth); **~yć, ~ywać się na uśmiech** <**na śmiech**> to force a smile <a laugh>

zdobywanie *sn* 1. ↑ **zdobywać** 2. (*zagarnianie*) conquest 3. (*dostawanie*) procurement (of food, coal etc.)

zdobywca *sm* (*decl* = *sf*) *wojsk. hist.* conqueror; **~ nagrody** (prize-)winner; laureate; *przen.* **~ serc** lady-killer; favourite

zdobywczo *adv* in the manner of a conqueror

zdobywczy *adj* conquering; acquisitive; (war etc.) of conquest

zdobywczyni *sf sport* winner; **~ nagrody** prize-winner

zdogmatyzować *vt perf* to dogmatize

zdolnie † *adv* ably

zdolnoś|ć *sf* 1. (*uzdolnienie*) ability; aptitude; capability; talent; **~ci umysłowe** mental <intellectual> powers; **mieć ~ci do mechaniki** to be of a mechanical turn; to have a turn for mechanics; **w miarę moich ~ci** to the best of my ability 2. (*możność, zdatność*) capacity (**do czegoś, do działania** for sth, to act); ability (**do czynienia czegoś** to do sth); power; faculty (**mówienia, słyszenia itd.** of speech, hearing etc.); -ability; -ivity; **~ć do koagulacji, do obróbki, emisyjna itd.** coagulability, workability, emissivity etc.; **~ć nabywcza** purchasing power <capacity>; **~ć produkcyjna** output <production> capacity

zdolny *adj* 1. (*uzdolniony*) able; capable; gifted; talented; clever; competent; efficient; apt <good> (**do matematyki itd.** at mathematics etc.); **człowiek ~** man of abilities <of powers> 2. (*mający warunki, które umożliwiają coś*) capable (**zrobić coś** of doing sth); fit (**do jakiejś pracy itd.** for a type of work etc.); **nie być ~m coś zrobić** to be incapable of doing sth; to be unfit for doing sth; **on byłby ~ taką rzecz zrobić** he would be equal to doing such a thing; **on nie jest ~ taką rzecz zrobić** he is incapable of doing such a thing; he is past doing such a thing; *prawn.* **~ do działań prawnych** able in body and mind; **nie być ~m do działań prawnych** to be under a disability; *wojsk.* **~ do służby** effective

zdoła|ć *vi perf* to manage <to contrive, to be able> (to do sth); to succeed <to be successful> (**coś zrobić** in doing sth); **nie ~ć czegoś zrobić** to fail to do sth; **~ł uciec** he made good his escape

zdominowa|ć *vt perf* to dominate; **~ny przez ...** dominated by ...

zdopingować *vt perf* to stimulate <to encourage, to egg (sb) on> (to do sth)

zdr|abniać <**zdr|obniać**> *vt imperf* — **zdr|obnić** *vt perf* 1. *jęz.* to use <to employ, to construct> a diminutive (**wyraz** of a word); to use <to employ> a pet name (**nazwę** for an appellation) 2. † (*zmniejszać*) to diminish; to lessen; **w ~obnionej postaci** in miniature

zdrad|a *sf* treason; betrayal; (act of) treachery; perfidy; disloyalty; defection; falseness <unfaithfulness> (to one's husband <wife>); **dopuścić się ~y, popełnić ~ę** to turn traitor; to betray <to sell> (one's country, a secret); to be false <unfaithful> (to one's husband <wife>); to deceive (one's husband <wife>)

zdradliwie *adv* = **zdradziecko**

zdradliwość *sf* perfidy; insidiousness; treachery

zdradliwy *adj* 1. (*skłonny do zdrady*) treacherous; insidious; perfidious; false 2. (*zwodniczy*) unsafe; trappy; tricky; captious

zdradz|ać *v imperf* — **zdradz|ić** *v perf* **~ę, ~ony** [I] *vi* to turn traitor; to defect; to desert [II] *vt* 1. (*przechodzić na stronę nieprzyjaciela*) to betray <to sell> (one's country); to be a traitor (**ojczyznę** to one's country); **~ać, ~ić czyjeś zaufanie** to betray <to deceive> sb's confidence; **~ać, ~ić ojczyznę** to turn traitor; *polit.* **~ać, ~ić partię** to rat; *przen.* **szczęście go ~iło** fortune betrayed him 2. (*wydawać kogoś*) to betray (sb); to give (sb) away; to denounce (sb); to blow (**kogoś** on sb) 3. (*sprzeniewierzać się*) to fail (sb); to desert (sb, a cause); to play (sb) false; to let (sb) down; to throw over <to jilt> (a lover) 4. (*wyjawiać*) to reveal <to disclose, to divulge, to betray> (a secret etc.); **mimowolnie ~ić tajemnicę** to give away the show; to let the cat out of the bag 5. (*nie dochowywać wierności małżeńskiej*) to be unfaithful <false> (**męża, żonę** to one's husband, wife); to deceive (one's husband <wife>) 6. (*uzewnętrzniać*) to show (interest, talent, courage etc.); to give <to show> signs (**obawę, podniecenie itd.** of fear, excitement etc.); **nie ~ać zainteresowania** <**wzruszenia itd.**> to show no sign of interest <emotion etc.> [III] *vr* **~ać, ~ić się** 1. (*o parze osób kochających się*) to be unfaithful <false> to each other 2. (*wyjawiać swe uczucia itd.*) to give oneself away; to reveal (**z czymś** sth); to show signs (**z czymś** of sth)

zdradzenie *sn* (↑ **zdradzić**) betrayal

zdradziecki *adj* 1. (*zdradliwy*) treacherous; perfidious; insidious; false 2. *przen.* trappy; tricky; captious

zdradzony [I] *pp* ↑ **zdradzić** [II] *adj* **~ mąż** deceived husband

zdrajca *sm* 1. (*ten, kto przechodzi na stronę nieprzyjaciela*) traitor 2. (*ten, kto wydaje kogoś*) informer; denouncer 3. (*ten, kto odstępuje od czegoś*) deserter; turncoat; renegade 4. (*ten, kto oszukuje*) deceiver; fraud

zdrajczyni *sf* 1. (*kobieta, która przechodzi na stronę nieprzyjaciela*) traitress 2. = **zdrajca** 2., 3., 4.

zdramatyzować *vt perf* to dramatize

zdrap|ać *vt perf* **~ie** — **zdrap|ywać** *vt imperf* 1. (*usunąć*) to scrape (sth) off 2. *roln.* to loosen (the soil)

zdrenować *vt perf* to drain (land)

zdrenowanie *sn* (↑ **zdrenować**) drainage

zdrewnie|ć *vi perf* **~je** 1. (*stać się drewnem*) to lignify; to grow woody 2. (*zesztywnieć*) to stiffen; to grow numb

zdrewnienie *sn* (↑ **zdrewnieć**) lignification

zdrętwiałość *sf* = **zdrętwienie** 2.

zdrętwie|ć *vi perf* **~je** to anchylose; to stiffen; to grow numb <torpid>

zdrętwienie *sn* 1. ↑ **zdrętwieć** 2. (*ścierpnięcie*) anchylosis; stiffness; numbness; torpidity

zdrobniać *zob.* **zdrabniać**

zdrobniale *adv jęz.* diminutively; with the use <employment> of a diminutive form

zdrobniałość *sf singt* diminutiveness

zdrobniał|y *adj jęz.* diminutive; **~a nazwa** diminutive appellation

zdrobnić *zob.* **zdrabniać**

zdrobnie|ć *vi perf* **~je** to diminish; to lessen (*vi*)

zdrobnienie *sn* 1. (↑ **zdrobnić, zdrobnieć**) diminution 2. *jęz.* (a) diminutive; pet name

zdroik *sm dim* ↑ **zdrój**

zdrojowisko *sm* watering-place; spa; health resort

zdrojowiskowy *adj* (holiday, stay etc.) at a watering place

zdrojowy *adj* 1. (*dotyczący źródła*) spring __ (water etc.) 2. (*dotyczący miejscowości kuracyjnej*) spa __ (treatment etc.); belonging to <attached to> a bathing establishment

zdrojów|ka *sf pl G.* **~ek** *bot.* (*Isopyrum*) a ranunculaceous plant

zdrowa|śka *sf pl G.* **~siek** 1. (*modlitwa*) an "Ave" 2. † (*czas*) time enough to recite an "Ave"

zdrowi|e *sn* health; **dom ~a** nursing home; **kiepskie** <**słabe**> **~e** ill health; **służba ~a** medical service; **żelazne ~e** an iron constitution; **dobre dla ~a** healthy; good for you; **przychodzić** <**wracać**> **do ~a** to recover; to recuperate; to mend; **szafować ~em** to burn the candle at both ends; **to idzie mu na ~e** he derives nothing but good from this; **to mi wyszło na ~e** I'm all the better for it; **to mnie kosztuje dużo ~a** it's causing me a lot of worry; **to okaz ~a** he is bursting <aglow> with health; he looks the picture of health; **wypić** <**wznieść**> **czyjeś ~e** to drink sb's health; **jak ~e?** how are you feeling?; **na ~e** a) (*po kichnięciu*) God bless you! b) (*po wyrazach podziękowania*) you're welcome (to it); **niech ci wyjdzie na ~e** I wish you joy of it; **za ~e ...** here's to ...; **~e gospodarza!** I give you our host!

zdrowie|ć *vi imperf* **~je** to be recovering <recuperating, mending>

zdrowieni|e *sn* (↑ **zdrowieć**) recovery; **zdolność ~a** resilience

zdrowiusieńki <**zdrowiuteńki, zdrowiutki**> *adj* (*dim* ↑ **zdrowy**) as fit as a fiddle; right as a trivet; in the pink of health; sound as a bell

zdrowo *adv* 1. (*będąc zdrowym*) in good health; **~ wyglądać** to look well 2. *przen.* (*rozsądnie*) soundly; reasonably 3. (*korzystnie dla zdrowia*) healthily; **będzie ci ~** it will do you good; **~ jest ...** it is healthy <good for the health, good for you> ... 4. *pot.* (*bardzo*) mighty (good, easy etc.) 5. † (*cało*) safe and sound

zdrowotność *sf singt* 1. (*stan zdrowia*) wholesomeness; salubrity 2. (*warunki zdrowotne*) sanitary conditions

zdrowotn|y *adj* wholesome; salubrious; **warunki ~e** sanitary conditions

zdr|owy *adj*, **zdr|ów** *adj praed* 1. (*nie chory*) in good health; **przy ~owych zmysłach** right in one's mind; in one's right mind; **~ów jak ryba** in perfect health; as fit as a fiddle; right as a trivet; *rel.* **Zdrowaś Mario** Hail Mary; **bądź** <**bywaj**> **~ów** good-bye; keep well; **jestem ~ów** <**~owszy**> I am well <better>; **„Matka i dziecko ~owe"** "The mother and the child are doing well"; **żebym taki ~ów był** take my word for it; *przysł.* **w ~owym ciele ~owy duch** a sound mind in a sound body 2. *przen.* (*rozsądny*) sound (judgement etc.); reasonable; sensible; **~owy rozsądek** <**rozum**> common sense 3. *przen.* (*moralny*) wholesome (atmosphere etc.) 4. (*służący zdrowiu*) healthy; wholesome; salubrious; **to jest ~owe** it's good for you 5. (*nie zepsuty*) sound (timber, fruit etc.) 6. *pot.* (*wielki*) mighty (rogue, bustle etc.) 7. † (*cały*) safe and sound

zdroż|eć *vi perf* **~eje** to become dearer; **pomarańcze ~ały** oranges have gone up (in price)

zdrożnie † *adv* wrong; **~ postąpić** to do wrong

zdrożność *sf* 1. *singt* (*cecha*) wickedness 2. (*czyn*) impropriety; wicked act <deed>

zdrożn|y *adj* wrong; wicked; blameworthy; **co w tym ~ego?** what's wrong in that?

zdrożony *adj* wayworn; fatigued; footsore

zdr|ój *sm G.* **~oju** 1. *lit.* (*źródło*) spring 2. (*miejscowość*) spa; baths

zdrów *zob.* **zdrowy**

zdróweczko <**zdrówko**> *sn dim* ↑ **zdrowie**

zdrutować *vt perf* to wire (an earthenware pot etc.)

zdruzgo|tać *vt perf* **~cze** <**~ce**> 1. (*strzaskać*) to shatter 2. *przen.* (*o nieszczęściu itd.*) to crush (sb)

zdruzgotany *adj* crushed (with grief); in a state of prostration

zdryfować *vi perf mar.* to drift

zdrzemnąć się *vr perf* to have <to take> a nap; to have a doze <forty winks>

zdubbingować *vt perf kino* to dub (a film)

zdublować *vt perf* to double; to repeat; *teatr* **~ rolę** to understudy <to double> a part

zdumie|ć *v perf* **~je** — **zdumie|wać** *v imperf* [I] *vt* to astound; to amaze; to stagger; to stupefy; to flabbergast [II] *vr* **~ć, ~wać się** to wonder (**czymś** at sth); to be astounded <amazed, staggered, flabbergasted, stupefied>

zdumieni|e *sn* ↑ **zdumieć** 2. (*zdziwienie*) amazement; stupefaction; wonder; **oniemiały ze ~a** in silent wonder; **osłupiały ze ~a** wonder-struck; **patrzeć ze ~em** to look in wonder; **wprawić w ~e = zdumieć**

zdumiewająco *adv* astoundingly; amazingly

zdumiewający *adj* astounding; amazing; stupendous

zdumiony *adj* astounded; amazed; staggered; flabbergasted; stupefied; aghast

zdun *sm* 1. (*stawiający piece*) tile-stove setter <maker> 2. (*wyrabiający naczynia z gliny*) potter

zduństwo *sn singt* 1. (*stawianie pieców*) tile-stove setter's <maker's> craft 2. (*wyrabianie naczyń z gliny*) potter's craft

zdurnie|ć *vi perf* **~je** to grow stupid; to go silly <daft>

zdu|sić *vt perf* **~szę, ~szony** — **zdu|szać** *vt imperf* 1. (*uśmiercić*) to smother (sb); to strangle; to choke 2. (*ścisnąć*) to squeeze; to squash 3. (*stłumić*) to quash <to tread out> (a rebellion etc.); to suppress <to repress> (a feeling etc.); to stifle (a yawn, cry, one's laughter etc.)

zduszony [I] *pp* ↑ **zdusić** [II] *adj* suppressed; repressed; stifled

zdw|ajać *v imperf* — **zdw|oić** *v perf* **~oję, ~ój, ~ojony** [I] *vt* to (re)double; **ze ~ojoną siłą** with redoubled strength [II] *vr* **~ajać, ~oić się** to redouble (*vi*)

zdwojenie *sn* 1. ↑ **zdwoić** 2. *jęz.* reduplication

zdyb|ać *vt perf* **~ie** — **zdybywać** *vt imperf* to catch (**kogoś na czymś** sb doing sth)

zdychać *zob.* **zdechnąć**

zdymać *zob.* **zdąć**

zdymisjonować *vt perf* to dismiss <to discharge> (sb from service)

zdynamizować *vt perf* to impart dynamism (**coś** to sth)

zdyscyplinować *vt perf* to discipline (pupils, troops etc.)

zdyscyplinowanie *sn* 1. ↑ **zdyscyplinować** 2. (*karność*) discipline; orderliness

zdyscyplinowany *adj* orderly; well-regulated

zdyskontować *vt perf dosł. i przen.* to discount
zdyskredytować *v perf* [I] *vt* to discredit; to disparage; to bring (sb, sth) into disrepute [III] *vr* ~ **się** to fall into discredit
zdyskwalifikować *vt perf* to disqualify
zdysocjować *vt perf chem.* to dissociate
zdyspalatalizować *vt perf jęz.* to dispalatalize
zdystansować *vt perf* to outstrip; to outdistance; to gain <to get ahead of> (**współzawodników** one's competitors); **dać się** ~ to drop behind
zdyszany *adj* breathless; out of breath; panting (for breath)
zdysz|eć się *vr perf* ~**y się** to pant (for breath); to be out of breath
zdziadzie|ć *vi perf* ~**je** *pot.* to grow old; to age; to become decrepit
zdziałać *vt perf* to achieve
zdzicze|ć *vi perf* ~**je** 1. (*o roślinach*) to grow <to turn> wild; (*o zwierzętach*) to return to the wild state 2. (*o ludziach*) to become <to grow> wild <savage, barbarous>; to fall into savagery
zdziczały *adj* wild; savage; barbarous
zdziczenie *sn* 1. (↑ **zdziczeć**) return to the wild state 2. (*dzikość*) savagery; barbarity, barbarism; ~ **obyczajów** hooliganism; rowdyism
zdziecinniały *adj* in one's second childhood; doting
zdziecinni|eć *vi perf* ~**eje** to sink into one's second childhood <into dotage>; **staruszek** ~**ał** the old man is in his dotage
zdziecinnienie *sn* (↑ **zdziecinnieć**) dotage; second childhood
zdzielić *vt perf pot.* to fetch <to land> (sb) a blow; to let drive (**kogoś** at sb)
zdzierać *v imperf* — **zedrzeć** *v perf* **zedrę, zedrze, zedrzyj, zdarł, zdarty** [I] *vt* 1. (*usuwać szarpiąc, ciągnąc*) to tear (sth) off <away, down>; to peel (**korę z patyka** the bark off a stick, a stick of its bark); to strip (**coś z kogoś, czegoś** sth off sb, sth; sb, sth of sth); **zedrzeć skórę z zająca** to skin <to flay> a hare; **zedrzeć sobie skórę z palca <z golenia>** to skin one's finger <one's shin> 2. (*usuwać nierówności itd. narzędziem, paznokciami*) to scrape <to rasp> (sth) away <off> 3. (*niszczyć, drzeć*) to wear out (one's clothes); to wear down (one's shoes); to wear (one's shoes) into holes; **zdzierać sobie gardło** to shout oneself hoarse; **zdzierać sobie nerwy <zdrowie>** to ruin one's nerves <one's health> 4. (*brać wygórowane ceny*) *w zwrocie:* **zedrzeć skórę z kogoś** = **zdzierać, zedrzeć** *vi* 5. (*zatrzymać gwałtownie konia*) to pull up (a horse) [II] *vi* to fleece <to rook, to rush> (**z kogoś** sb) [III] *vr* **zdzierać, zedrzeć się** 1. (*ulegać zniszczeniu*) to wear out <down>; to get worn out <down> 2. *pot.* (*niszczyć swoje zdrowie*) to ruin one's health; **zdarły mu się nerwy** his nerves are ruined
zdzierak *sm techn.* rubbing bed
zdzierca *sm* (*decl* = *sf*) flay-flint; extortioner
zdzierstwo *sn* exorbitance; extortion
zdzierus *sm* = **zdzierca**
zdziesiątkować *vt perf* to decimate
zdziesięciokrotnić *vt perf* — **zdziesięciokrotniać** *vt imperf* to decuple; to increase (sth) tenfold
zdziob|ać *vt perf* ~**ie** — **zdziobywać** *vt imperf* 1. (*zebrać dziobiąc*) to peck up (crumbs etc.) 2. (*po-kłuć*) to peck (**coś** at sth); to peck a hole (**coś** in sth)
zdziwacze|ć *vi perf* ~**je** to become <to grow> whimsical <freaky, crotchety>
zdziwić *v perf* [I] *vt* to surprise; to astonish [III] *vr* ~ **się** to be surprised (**komuś, czemuś** at sb, sth; **na widok, na wiadomość <widząc, słysząc>** to see, to hear); to be astonished (**czymś** at sth; **że ...** that ...)
zdziwieni|e *sn* 1. ↑ **zdziwić** 2. (*stan*) surprise; astonishment; wonderment; **dowiedzieć się <widzieć itd.> ze** ~**em** to be surprised to learn <to see etc.>; **ku naszemu (wielkiemu)** ~**u** (much) to our surprise
zdziwion|y [I] *pp* ↑ **zdziwić** [II] *adj* surprised; astonished; ~**e spojrzenie** a look of surprise
zdźwigać się *vr perf* to (over)strain oneself
ze *zob.* **z**
zebra *sf* 1. *zool.* (*Equus zebra*) zebra 2. (*znaki na jezdni*) zebra crossing
zebrać *zob.* **zbierać**
zebra|nie *sn* 1. ↑ **zebrać** 2. (*zgromadzenie*) meeting; gathering; conference; assembly; **sala** ~**ń** auditorium; **walne** ~**nie** general meeting; ~**nie kobiece** hen-party; ~**nie męskie** stag-party; ~**nie rodzinne** family reunion; ~**nie towarzyskie** social gathering; party; soirée
zebranko *sn dim* ↑ **zebranie**
zebroid *sm zool.* zebroid; zebrula; zebrinny
zebrowanie *sn* zebra crossing
zebu *indecl zool.* (*Bos taurus*) zebu
zecer *sm* compositor; type-setter
zecer|ka *sf pl G.* ~**ek** 1. (*kobieta*) (woman) compositor <type-setter> 2. *pot.* (*zajęcie*) type-setting
zecernia *sf* composing department
zecerski *adj* type-setter's; **błąd** ~ printer's error misprint
zecerstwo *sn* type-setting
zechc|ieć *v perf* ~**e**, ~**iej**, ~**iał**, ~**ieli**, ~**iany** [I] *vt* (*zgodzić się wziąć za żonę, wyjść za mąż*) to be willing to have (**kogoś za żonę <za męża>** sb for his wife <her husband>) [II] *vi* (*poczuć chęć*) to care <to choose, to feel inclined> (to do sth); to feel like (**coś zrobić** doing sth); **kiedy mu się** ~**e** when he feels so inclined; *dosł. i przen.* ~**ieć łaskawie** to vouchsafe (to give a reply etc.); (*w formułach grzecznościowych*) ~**iej(cie),** ~**e pan <pani>** be good enough to ...; be so good <kind> as to ...; would you mind (**podać mi tę książkę itd.** passing me that book etc.)?; ..., will you?; ~**iej(cie) podejść bliżej** come nearer, will you?; *iron.* ~**iej zamknąć te drzwi <nie wtrącać się itd.>** I'll thank you <I'll trouble you> to close that door <to mind your own business etc.>
zedrzeć *zob.* **zdzierać**
zefir *sm G.* ~**a** <~**u**> 1. *mitol.* Zephyr 2. *poet.* zephyr 3. † *tekst.* zephyr
zefir|ek *sm G.* ~**ka** breeze
zega|r *sm* 1. (*przyrząd do mierzenia czasu*) clock; ~**r kontrolny** time clock; ~**r słoneczny** sun-dial; ~**r szafkowy** grand-father('s) clock; ~**r ścienny** wall-clock; ~**r z kurantem** chiming clock; ~**r z wagami** weight-driven clock; **on się nie zna na** ~**rze** he can't read the clock; he can't tell the time; **na naszym** ~**rze, według naszego** ~**ra** by our clock 2. (*licznik*) (gas-, water- etc.) metre

zegar|ek *sm G.* **~ka** watch; **(klucz itd.) od ~ka** watch-(key etc.) **~ek kopertowy** hunter; **~ek na rękę** wrist watch; **jak w ~ku** like clockwork; **z ~kiem w ręce** punctually; exactly; on the stroke <tick>

zegarmistrz *sm* watch-maker

zegarmistrzostwo *sn* clock and watch-making

zegarmistrzowski *adj* watch-maker's

zegarow|y *adj* clock-(tower etc.); **bomba ~a** time bomb; **mechanizm ~y** timer; clockwork

zegarów|ka *sf pl G.* **~ek** *pot.* time bomb

zegaryn|ka *sf pl G.* **~ek** speaking clock; telephone time-giving service; TIM

zegnać *v perf*, **zgonić** *v perf* — **zganiać** *v imperf* [I] *vt* 1. (*spędzić*) to gather together; to round up (the cattle, sheep etc.) 2. (*przepędzić*) to drive away; *przen.* **to mi zgania sen z powiek** it keeps me awake at night 3. *perf* (*zmęczyć*) to jade (sb); to bucket (a horse) 4. *pot.* (*zwalić*) to blame (**coś na kogoś** sth on sb) 5. *pot.* (*przemierzyć*) to run (**miasto itd. za czymś** about the town etc. in search of sth) [II] *vr* **zegnać, zgonić, zganiać się** *pot.* (*zmachać się*) to run <to walk> oneself tired

zejści|e *sn* 1. ↑ **zejść** 2. (*droga w dół*) descent; way <path> (**z góry** down a hill); **~e do piwnicy** stairs to the cellar 3. *med.* decease; **dokument <świadectwo> ~a** death certificate 4. † **~e się** (*spotkanie*) rendezvous

zejściów|ka *sf pl G.* **~ek** *mar.* companion-way

zejść *zob.* **schodzić**

zekranizować *vt perf* to screen (a novel etc.)

zelant *sm* 1. (*gorliwiec*) zealot 2. (*wyznawca*) devotee

zelektryfikować *vt perf* to electrify (a railway etc.); to supply (a region) with electric light installation

zelektryzować *vt perf* to electrify

zelotyzm *sm G.* **~u** zealotry

zelować *vt imperf* to sole (shoes)

zelów|ka *sf pl G.* **~ek** sole

zelówkowy *adj* sole- (leather)

zelże|ć *vi perf* **~je** (*o wietrze*) to abate; (*o bólu itd.*) to ease; (*o mrozie itd.*) to give; to remit; to let up; to diminish

zelżenie *sn* 1. ↑ **zelżeć, zelżyć** 2. (*złagodzenie*) abatement; relief (**bólu** from pain); remission (of frost) 3. (*obrzucenie obelgami*) shower of abuse

zelżywie *adv* abusively; insultingly

zelżywy *adj* abusive; insulting

zeł|gać *vi perf* **~że** <**~ga**> to lie; to tell a lie

zemdle|ć *vi perf* **~je** 1. (*stracić przytomność*) to faint; to swoon; to lose consciousness 2. (*osłabnąć*) to feel weak <faint>

zemdlenie *sn* (↑ **zemdleć**) (a) faint; (a) swoon

zemdli|ć *vt perf* **~j** 1. (*wywołać mdłości*) to sicken (sb); to make (sb) feel sick 2. † (*osłabić*) to weaken (sb); to make (sb) feel faint

zemdlony [I] *pp* ↑ **zemdleć, zemdlić** [II] *adj* 1. (*bez przytomności*) in a faint; in a swoon 2. † (*osłabiony*) faint

zemknąć *vi perf* — **zmykać** *vi imperf pot.* to scoot off; to scamper <to scurry> away; to cut and run; **zmykaj!** hook it!; hop it!; nip off!

zemleć *vt perf* **zmiele, zmiel, zmełł, zmielony** to grind (corn, coffee etc.); to mill (corn); *przen.* **~ w ustach przekleństwo** to mutter a curse

zemocjonowa|ć † *vt perf* to put (sb) in a state of nerves; **~ny** agitated; wrought up; all of a twitter

zemrzeć *vi perf* **zemrę, zemrze, zmarł** to die; *pot.* **zmarło mu się** he passed off

zemst|a *sf singt* vengeance; revenge; retribution; retaliation; **wywrzeć ~ę na kimś** to be revenged on sb; to wreak one's vengeance on sb; **z ~y** out of revenge

zemszczenie się *sn* ↑ **zemścić się**

zem|ścić się *vr perf* **~szczę się** to be revenged <to revenge oneself, to have one's revenge> (on sb for sth)

zemulgować *vt perf* to emulsify

zendra *sf techn.* scale

zendrów|ka *sf pl G.* **~ek** *bud.* overburned brick; burr

zenit *sm G.* **~u** *dosł. i przen.* zenith; **być u ~u** to be at the zenith <in the prime>; **dojść do ~u** to reach the zenith <the apex, the apogee>

zenitalny *adj* zenithal

zenitowy *adj* 1. *astr.* zenith — (point, distance etc.) 2. *wojsk.* anti-aircraft — (gun, artillery)

zenitów|ka *sf pl G.* **~ek** *wojsk.* anti-aircraft gun

zenza *sf mar.* 1. (*część statku*) bilge 2. (*ciecz*) bilge-water

zenzowy *adj mar.* bilge — (keel etc.)

zeń = **z niego** *zob.* **on**

zeolit *sm G.* **~u** *miner.* zeolite

zeolitowy *adj* zeolitic; zeolite — (process etc.)

zepchnąć *zob.* **spychać**

zeppelin *sm lotn.* Zeppelin, *pot.* Zepp

zeprać *zob.* **spierać**[2]

zeprzeć *zob.* **spierać**[1]

zepsie|ć *vi perf* **~je** *sl.* to go to the dogs

zepsuci|e *sn* 1. ↑ **zepsuć** 2. (*uszkodzenie*) damage; harm; injury; derangement (of a machine etc.); (*o przyrządzie*) **nie do ~a** fool-proof 3. (*pozbawienie przydatności*) pollution; contamination; foulness; taint 4. (*pogorszenie*) deterioration 5. (*upadek moralności*) corruption; perversion; perversity; depravation; demoralization

zepsu|ć *v perf* **~je, ~ty** [I] *vt* 1. (*uszkodzić*) to spoil; to damage; to harm; to injure; to disarrange <to derange> (a machine etc.); (*czynić nieprzydatnym*) to taint <to contaminate, to pollute, to vitiate> (food, water etc.); **~ć komuś apetyt** to spoil sb's appetite; **~ć komuś krew** to irritate sb; **~ć powietrze** a) (*wyziewami*) to pollute <to vitiate> the air b) *wulg.* (*gazami jelitowymi*) to fart; to infect the air; **~ć sobie oczy <zdrowie>** to ruin one's eyesight <one's health>; **~ć sobie żołądek** to upset one's stomach 2. (*pogorszyć*) to deteriorate (sth); to worsen; **~ć sprawę** to make matters worse 3. (*zdemoralizować*) to corrupt; to deprave; to pervert; to demoralize; to debauch [II] *vr* **~ć się** 1. (*ulec uszkodzeniu — o przyrządzie itd.*) to get spoiled <damaged>; (*o jedzeniu itd.*) to spoil (*vi*); to go bad 2. (*pogorszyć się*) to deteriorate <to worsen> (*vi*) 3. (*zdemoralizować się*) to become corrupt <depraved, perverted, demoralized>; to give oneself up to debauch

zepsut|y [I] *pp* ↑ **zepsuć** [II] *adj* 1. (*uszkodzony*) out of order <of gear>; **~a reputacja** bad name 2. (*zdemoralizowany*) corrupt; perverse

zeriba *sf* zareba, zareeba

zerk|ać *vi imperf* — **zerk|nąć** *vi perf* to peep (**na kogoś, coś** at sb, sth; **do pokoju itd.** into a room etc.); to squint (**na kogoś** at sb); **~nąć** to have <to take> a peep (**na kogoś, coś** at sb, sth)

zerkanie *sn* (↑ **zerkać**) peeps

zerknięcie *sn* (↑ **zerknąć**) (a) peep

zer|o *sn* 1. (*cyfra*) zero; **dodaj ~o** add a zero; *pot.* **dwa ~a** the toilet 2. *fiz. techn.* zero; **~o bezwzględne** <**absolutne**> absolute zero 3. (*nic*) zero; nothingness; naught, nought; *sport* nil; love; (*wynik rozgrywki — w piłce nożnej itd.*) **dwa ~o** two nil; (*w tenisie*) **40 ~o** 40 love; *jęz.* **~o morfologiczne** zero stem <grade>; **doprowadzić coś do ~a** to reduce sth to naught; **schodzić do ~a** to reach vanishing-point; **spaść do ~a** to reach the zero mark 4. *przen.* (*o człowieku*) nullity; nonentity; (a) nobody

zerodować *vt perf geol.* to erode

zerodowany *adj* eroded

zeroekran *sm* super cinema

zerownik *sm* rotating <drop> compasses

zerow|y *adj* zero — (hour, point, element etc.); **metoda ~a** zero <null> method; *sport* **wynik ~y** no score; love game

zerów|ka *sf pl G.* **~ek** *pot.* a wool-like texture

zerwa *sf* 1. *bot.* (*Phyteuma*) rampion 2. *geol.* slump

zerwać *v perf* **zerwę, zerwie, zerwij** — **zrywać** *v imperf* [I] *vt* 1. (*odłączyć, urwać*) to tear (sth) off <away, down>; to snatch (sth) away; to strip (**coś z kogoś, czegoś** sth off sb, sth); to pick (flowers, fruits, berries); to cull <to pluck> (flowers); to pick off (dead leaves etc.); to rip (the lining of a sleeve etc.); to rip off (boards etc.); to burst out (the rivets etc.); (*o rzece, morzu*) to wash <to carry> away (a bridge etc.); (*o wietrze*) to blow off (a roof etc.); **zerwać czapkę z głowy** to whip off one's cap; **zerwać gwint śruby** to strip a screw 2. (*rozerwać*) to break (a chain etc.); to snap <to break> (a rope, cable etc.) 3. (*przerwać trwanie czegoś*) to break off (negotiations etc.); to break (a contract etc.); to sever <to break off> (relations with sb, sth); to rupture (a marriage, a connexion etc.); to call off (a deal etc.) 4. *pot.* (*nadwerężyć*) to strain (one's eyes etc.); to sprain (an ankle etc.); **boki zrywać ze** <**od**> **śmiechu** to burst <to split> one's sides with laughter [II] *vi* (*odciąć się*) to break (**z kimś, z tradycją itd.** with sb, with tradition etc.); to have done <finished> (**z kimś, czymś** with sb, sth); to part company (with sb); to cut oneself adrift (**z kimś** from sb); **zerwać z narzeczonym** <**narzeczoną**> to break an engagement [III] *vr* **zerwać, zrywać się** 1. (*o kablu itd. — przerwać się*) to break <to snap> (*vi*); (*o psie*) **zerwać się z łańcucha** to slip its chain 2. (*oderwać się*) to come off; to get torn <snatched, blown, carried> away 3. (*o stosunkach, pertraktacjach itd. — przerwać się*) to be severed <broken off, ruptured, called off> 4. (*gwałtownie wstać*) to start up; (*o ptaku*) to take wing; (*o stadzie ptaków*) to flush; **zerwać się na równe nogi** to jump up; to spring to one's feet; *przen.* **zerwała się burza** a storm arose; **zerwał się wrzask** there arose a cry 5. *pot.* (*wstać z łóżka*) to jump out of bed

zerwanie *sn* 1. ↑ **zerwać** 2. (*przerwa w trwaniu*) (a) break; rupture; **~ obietnicy małżeństwa** breach of promise; **~ przyjaźni** breach

zerznąć <**zerżnąć**> *v perf* — **zrzynać** *v imperf* [I] *vt* 1. (*ściąć*) to cut down (a tree); (*oddzielić — nożem, nożycami*) to cut off; (*piłą*) to saw off 2. *pot.* (*sprawić lanie*) (*także* **zerżnąć skórę**) to give (sb) a hiding <a thrashing> 3. *pot. szk.* to crib [II] *vr* **zerznąć, zerżnąć, zrzynać się** *sl.* 1. (*zgrać się*) to gamble away one's money 2. (*upić się*) to sozzle

zeschematyzować *vt perf* to schematize

zeschnąć *v perf* **zeschł, zeschła** — **zsychać** *v imperf* [I] *vi* 1. (*o roślinie*) to dry up; to wither 2. (*o człowieku — schudnąć*) to grow emaciated <skinny, thin as a lath, lean as a rake> 3. (*wyschnąć*) to shrivel; to dry; to parch [II] *vr* **zeschnąć, zsychać się** = **zeschnąć, zsychać** *vi*

zesforować *vt perf* to couple (dogs)

zeskakiwać *zob.* **zeskoczyć**

zeskal|ać *v imperf* — **zeskal|ić** *v perf* [I] *vt* to petrify [II] *vr* **~ać, ~ić się** to petrify (*vi*)

zeskalenie *sn* (↑ **zeskalić**) petrification

zeskocznia *sf sport* jumping pit

zesk|oczyć *vi perf* — **zesk|akiwać** *vi imperf* to jump <to spring> down; **~oczyć, ~akiwać z konia** to dismount <to alight> from a horse

zeskok *sm G.* **~u** 1. (*zeskoczenie*) jump <spring> down (from sth) 2. *geol.* downcast 3. *sport* (*lądowanie*) landing 4. *sport* (*część skoczni*) jumping pit

zeskontować † *vt perf dosł. i przen.* to discount

zeskorupie|ć *vi perf* **~je** to crust

zeskorupienie *sn* (↑ **zeskorupieć**) (a) crust

zeskrob|ać *vt perf* **~ie** — **zeskrob|ywać** *vt imperf* to scrape (sth) off <away>; **~ać, ~ywać błoto z butów** to scrape one's boots <the mud off one's boots>; **~ać, ~ywać plamę nożykiem** to erase a blot with one's penknife; **wszystko ~ać z talerza** to scrape one's plate (clean)

zeskrobanie *sn* (↑ **zeskrobać**) (*na papierze*) erasure

zeskrobywać *zob.* **zeskrobać**

zeslawizować *vt perf* to Slavify, to Slavize

zesłab|nąć *vi perf* **~ł** to weaken; to grow faint

zesłać *vt perf* **ześle, ześlij** — **zsyłać** *vt imperf* 1. (*przysłać*) to send (from heaven); **~ nieszczęście na kogoś** to affect sb with misfortune; **zesłany z nieba** heaven-sent 2. (*deportować*) to send into exile; to transport (a convict)

zesłanie *sn* 1. ↑ **zesłać**; *rel.* **Zesłanie Ducha Świętego** Pentecost; Descent of the Holy Ghost 2. (*zsyłka*) transportation; (*miejsce zsyłki*) exile; penal colony

zesła|niec *sm G.* **~ńca, zesła|nka** *sf pl G.* **~nek** (an) exile; deportee

zesłany [I] *pp* ↑ **zesłać** [II] *sm* = **zesłaniec**

zesłowiańszcz|ać *v imperf* — **zesłowiańszcz|yć** *v perf* [I] *vt* to Slavify [II] *vr* **~ać, ~yć się** to become Slavified

zesmrodz|ić się *vr perf* **~ę się** *wulg.* to infect the air

zesp|alać *v imperf* — **zesp|olić** *v perf* **~ól** [I] *vt* to join; to unite; to connect; **~alać, ~olić swe siły** to club together [II] *vr* **~alać, ~olić się** to join <to unite> (*vi*); to band; to team; to club together (*vi*)

zespalanie (się) *sn* ↑ **zespalać (się)** union; junction

zespawać *vt perf* to weld (together)

zespolenie *sn* 1. ↑ **zespolić** 2. (*połączenie*) junction; union; connexion; *med.* anastomosis

zespolić *zob.* **zespalać**

zespolony [I] *pp* ↑ **zespolić** [II] *adj* joint (efforts etc.); *mat.* compound (numbers)

zespolik *sm dim* ↑ **zespół**

zespołowo *adv* jointly; unitedly; in common; collectively; corporately

zespołowość *sf singt* unitedness; collectivity (of an effort etc.)

zespołow|y *adj* joint; common; united; collective; corporate; **duch ~y** team spirit; esprit de corps; **praca ~a** team-work; combined effort

zesp|ół *sm G.* **~ołu** 1. (*grupa ludzi*) collective body; team; crew; set (of players, officers etc.); gang (of workmen etc.); *teatr* troupe; **~ół adwokacki** lawyers' <barristers'> co-operative; **~ół baletowy** corps de ballet 2. (*grupa*) set; complex; group; **~ół chorobowy** syndrome 3. *techn.* aggregate; unit; set; bank (of electric lamps etc.); outfit (of tools etc.); (*o jednostkach*) **stanowić ~ół** to belong together

zesrać się *vt perf wulg.* to shit in one's trousers; to stool in one's clothes

zestal|ać *v imperf* — **zestal|ić** *v perf* [I] *vt* 1. (*spajać*) to join; to cement 2. *chem.* to solidify (a fluid etc.) [II] *vr* **~ać, ~ić się** to solidify (*vi*)

zestalenie *sn* (↑ **zestalić**) *chem.* solidification

zestalić *zob.* **zestalać**

zestandaryzować *vt perf* to standardize

zestarze|ć *v perf* **~je** [I] *vi* to grow <to have grown> old; to age, to have aged [II] *vr* **~ć się** = **~ć** *vi*; (*o dowcipie, wiadomości*) to stale

zestaw *sm G.* **~u** 1. (*zbiór*) set; outfit; gear 2. *techn.* aggregate; blend; stock-in-trade; *kolej.* **~ kół** bogie 3. *mar.* set; kit

zestawiacz *sm kolej.* marshaller

zestawić *vt perf* — **zestawiać** *vt imperf* 1. (*postawić niżej*) to take (sth) down; to set down (a burden) 2. (*złożyć całość*) to set (type etc.); to compose; to put <to set> together; to marshal (a train); *med.* to knit (the parts of a fractured bone) 3. (*sporządzić spis, wykaz*) to draw up <to make (up), to compile> (a list etc.) 4. (*porównać*) to compare; to confront

zestawienie *sn* 1. ↑ **zestawić** 2. (*kompozycja*) composition; arrangement; disposition; formation; setting-up; juxtaposition; **~ barw** colour scheme 3. (*wykaz*) list; statement; specification 4. (*porównanie*) comparison; confrontation

zestrachać *v perf pot.* [I] *vt* to frighten; to scare; to give (sb) a fright [II] *vr* **~ się** to take fright; to get frightened; to funk

zestr|oić *v perf* **~oję, ~ój, ~ojony** — **zestr|ajać** *v imperf* [I] *vt* 1. (*zharmonizować*) to harmonize; to bring (elements) into harmony; to co-ordinate 2. *muz.* to attune (musical instruments) [II] *vr* **~oić, ~ajać się** 1. *muz. i przen.* to tune up; to harmonize (*vi*) 2. *gw.* (*wyelegantować się*) to trig oneself out

zestrojony *adj* harmonizing; in harmony

zestrojenie *sn* (↑ **zestroić**) harmony

zestr|ój *sm G.* **~oju** harmony; consonance; *biol.* biocenosis

zestru|gać *vt perf* **~ga** <**~że**> — **zestru|giwać** *vt imperf* to whittle down <away>

zestrupiać *vt imperf med.* to form a scab (**coś** over sth)

zestrużyn|y *spl G.* **~** shavings; chips

zestrzał *sm G.* **~u** shooting down <downing> (of an aeroplane)

zestrzel|ić *v perf* — **zestrzel|ać** *v imperf*, **zestrzel|iwać** *v imperf* [I] *vt* 1. (*strącić*) to shoot <to fetch, to bring> down; to down (an aeroplane, a bird) 2. *przen.* to concentrate [II] *vr* **~ić, ~ać, ~iwać się** to concentrate (*vi*)

zestrzy|c *vt perf* **~gę, ~że, ~gł, ~żony** — **zestrzygać** *vt imperf* to clip off

zestrzyżenie *sn* ↑ **zestrzyc**

zesumować *vt perf* to add up

ze szczętem *zob.* **szczęt**

zeszczuple|ć *vi perf* **~je** to grow thin <lean>; to lose flesh <weight>

zeszczuplenie *sn* (↑ **zeszczupleć**) loss of flesh

zeszkapie|ć *vi perf* **~je** 1. (*o koniu*) to grow thin 2. *przen.* (*skapcanieć*) to become inefficient; to go to the dogs

zeszkle|ć *vi perf* **~je** to become glassy

zeszklenie *sn* (↑ **zeszkleć, zeszklić**) vitrification

zeszkl|ić *v perf* **~ij** [I] *vt* to glaze; **~one oczy** glassy eyes [II] *vr* **~ić się** to glaze (over) (*vi*); to vitrify; to become glassy

zeszkliwieć *vi perf med.* to undergo glassy degeneration

zeszkliwienie *sn* (↑ **zeszkliwieć**) *med.* glassy degeneration

zeszlifować *vt perf* — **zeszlifowywać** *vt imperf* to grind down (metal, glass)

zeszłoroczny *adj* last year's; **to mnie tyle obchodzi, co ~ śnieg** I don't care a damn <a hang, a jot>

zeszłotygodniowy *adj* last week's

zeszłowieczność *sf singt* obsoleteness; antiquatedness; out-of-datedness

zeszłowieczny *adj* of a past age; obsolete; antiquated; out-of-date

zeszł|y *adj* last; **w ~ym tygodniu** last week; **~ego roku** last year

zesznurować *vt perf* to lace (up); *przen.* **~ usta** to prim (up) one's mouth <lips>

zeszpakowacie|ć *vi perf* **~je** to be touched with grey

zeszpecenie *sn* (↑ **zeszpecić**) defacement; disfigurement; flaw

zeszpec|ić *vt perf* **~ę, ~ony** to make (sb, sth) look ugly; to uglify; to deface; to disfigure; to mar the beauty (**coś** of sth)

zeszpetnie|ć *vi perf* **~je** to lose one's good looks; to grow <to become> ugly

zesztukować *vt perf* to piece together; to sew <to stick> together

zesztywniały *adj* stiff; rigid

zesztywnie|ć *vi perf* **~je** to stiffen

zesztywnienie *sn* (↑ **zesztywnieć**) stiffness; rigidity

zeszycie *sn* ↑ **zeszyć**

zeszycik *sm* (*dim* ↑ **zeszyt**) notebook

zeszy|ć *vt perf* **~je, ~ty** = **zszyć**

zeszyt *sm G.* **~u** 1. (*szkolny*) exercise book 2. (*wydawniczy*) fascicle; number <instalment> (of a publication)

zeszytowy *adj* exercise-book — (cover etc.); instalment — (publication)

zeszywać *zob.* **zeszyć**

ześcibiać *vt imperf* — **ześcibić** *vt perf*, **ześcibolić** *vt perf pot.* to sew clumsily up <together>

ześlizg *sm G.* **~u** 1. (*ześlizgnięcie*) slide 2. *techn.* chute

ześlizgiwać się *vr imperf* — **ześliz(g)nąć się** *vr perf* to slide down; to glide down; to slip; (*o pocisku, szabli*) to glance off <aside>

ześliźnięcie się *sn* (↑ **ześliz(g)nąć się**) (a) slide; (a) slip

zeńrodkow|ać *v perf* — **zeńrodkow|ywać** *v imperf* [I] *vt* to concentrate (troops, attention etc.); to fix <to focus> (one's attention on sth) [II] *vr* **~ać, ~ywać się** to concentrate (*vi*); to centre

zeńrodkowanie *sn* (↑ **zeńrodkować**) concentration

zeńrodkowywać *zob.* **zeńrodkować**

zeńrubować *vt perf* — **zeńrubowywać** *vt imperf* to screw together; to join (sth) by means of screws

zeńrutować *vt perf roln.* to rough-grind

zeświecczać *vt imperf* — **zeświecczyć** *vt perf* to laicize; to secularize

zeświecczenie *sn* (↑ **zeświecczyć**) laicization; secularization

ześwieccze|ć *vi perf* **~je** to become laicized <secularized>

zeświecczyć *zob.* **zeświecczać**

ześwinić *v perf* [I] *vt* to muck (sth) up; to defile [II] *vr* **~ się** to foul oneself; to behave like a swine

zet *sn indecl* the letter z; *przen.* **od a do ~** from start to finish

zetatyzować *vt perf* 1. (*upaństwowić*) to put (an institution) under State control 2. (*zatrudnić na etacie*) to give (sb) a permanent post

zetemesow|iec *sm G.* **~ca** member of the Socialist Youth Union

zetempow|iec *sm G.* **~ca** member of the Polish Youth Association

zetempówka *sf pot.* girl member of the Polish Youth Association

zeteselow|iec *sm G.* **~ca** member of the United Peasants' Party

zetknąć *zob.* **stykać**

zetknięcie (się) *sn* ↑ **zetknąć (się)** contact

zetle|ć *vi perf* **~je** 1. (*spłonąć tląc się*) to smoulder (away) 2. (*spróchnieć*) to moulder away; to rot; to decay

zetlić się *vr perf* = **zetleć** 1.

zetownik *sm techn.* Z-bar; Zed; *am.* zee

zetrzeć *zob.* **ścierać**

zetwuemow|iec *sm G.* **~ca** member of the Association of the Fight of the Young

zetymologizować *vt perf* *jęz.* to etymologize

zeuropeizować *vt perf* to Europeanize

zeuropeizowanie *sn* (↑ **zeuropeizować**) Europeanization

zeus *sm* 1. **Zeus** *mitol.* Zeus 2. *zool.* (*Zeus faber*) John Dory

zew *sm singt G.* **zewu** <**zwu**> (*wołanie*) call; appeal; (*hasło*) slogan; **~ krwi** the call of blood

zewidencjonować *vt perf* to draw up a record (**coś** of sth)

zewnątrz *adv* outside; **na ~** a) (*po stronie zewnętrznej*) outside; on the surface b) (*na dworze*) outside; out of doors; **na ~ i wewnątrz** outside and in; **wewnątrz i na ~** inside and out; **wywrócić coś na ~** to turn sth inside out; **z ~** from (the) outside; from without; **znać coś tylko z ~** to know only the outside of sth

zewnątrzkomórkowy *adj biol.* extracellular

zewnątrzmaciczny *adj med.* extrauterine (pregnancy)

zewnątrzpochodny *adj* extraneous

zewnętrze † *sn* (the) outside; (the) exterior

zewnętrznie *adv* 1. (*od zewnętrznej strony*) outside; on the outside; externally; outwardly 2. (*powierzchownie*) on the surface; in appearance

zewnętrznoś|ć † *sf* 1. (*to, co widoczne na zewnątrz*) (the) outside; exterior; *pl* **~ci** externals 2. *singt* (*znajdowanie się na zewnątrz*) outwardness

zewnętrzn|y *adj* 1. (*znajdujący się na wierzchniej stronie*) external; outside; superficial (injury, wound etc.); outer (world, force etc.); outdoor (clothes, temperature etc.); outward (form etc.); **planety ~e** superior planets; **strona ~a** the outside; the exterior; **temperatura ~a** open-air temperature 2. (*zagraniczny*) external (trade etc.); foreign (affairs etc.) 3. (*dotyczący fizycznej strony człowieka*) exterior; **warunki ~e** the exterior 4. (*powierzchowny*) outward; superficial; (*pozorny*) apparent

zewrzeć *v perf* **zewrę, zewrze, zewrzyj, zwarł, zwarty** — **zwierać** *v imperf* [I] *vt* to close (gates etc.); to press <to join, to squeeze> (things) tight together; to clench (one's fists, one's teeth); to set (one's teeth); *dosł. i przen.* **zewrzeć, zwierać szeregi** to close the ranks [II] *vr* **zewrzeć, zwierać się** 1. (*zamknąć się*) to close (*vi*); **woda zwarła się nad nią** the water closed over her 2. (*zacisnąć się*) to tighten (on the butt of a gun etc.); (*o palcach, zębach*) to clench (*vi*) 3. (*zbić się*) to close up; (*o wojsku i przen.*) to close (the) ranks; **zewrzeć się w sobie** to concentrate; **zewrzeć się w uścisku** to cling together; to stay locked in each other's arms; **zwierał się sojusz** the alliance tightened 4. (*zetrzeć się z sobą*) to come to grips; to clash; to be locked together

zewsząd *adv* (*ze wszystkich stron*) from all sides; from every quarter; from everywhere; (*z każdego miejsca*) from every place; from all points (of the compass etc.)

zez *sm singt* squint; (*zbieżny*) cross-eye; (*rozbieżny*) wall-eye; *med.* strabismus (**zbieżny** convergent, cross-eyed; **rozbieżny** divergent, wall-eyed); **patrzeć** <**spoglądać**> **~em na kogoś, coś** a) (*zezując*) to squint at sb, sth b) (*kątem oka*) to look at sb, sth from the corner of the eye c) (*niechętnie*) to frown on sb, sth

zezłoszczony [I] *pp* ↑ **zezłościć (się)** [II] *adj* angry; cross; in a huff; in a passion

zezło|ścić *v perf* **~szczę, ~szczony** [I] *vt* to irritate; to exasperate; to anger; to make (sb) angry [II] *vr* **~ścić się** to grow angry; to lose one's temper; to fly into a passion; to flare up; to get into a tantrum

zeznać *vt vi perf* — **zezna|wać** *vt vi imperf* **~je, ~waj** to witness (**coś** sth; **że ...** that ...; **na czyjąś korzyść** for sb; **na czyjąś niekorzyść** against sb); to testify (**coś** to sth; **że ...** that ...; **na czyjąś korzyść** in favour of sb; **przeciw komuś** against sb); to depose (**że ...** that ...); to give evidence (**na czyjąś korzyść** in favour of sb; **przeciw komuś** against sb)

zeznanie *sn* 1. ↑ **zeznać** 2. (*oświadczenie*) evidence; deposition; statement; testimony; **~ o dochodzie** income-tax return

zeznawać *zob.* **zeznać**

zezować *vi imperf* 1. (*mieć zeza*) to squint; *med.* to have strabismus 2. (*zerkać*) to squint (**na kogoś, coś, w stronę czyjąś, czegoś** at sb, sth)

zezowato *adv* with a squint; **patrzeć ~ na kogoś, coś** a) (*patrzeć zezując*) to squint at sb, sth b) (*niechętnie*) to frown on sb, sth

zezowatość *sf singt* squint; strabismus

zezowaty *adj* squint-eyed; cross-eyed; **on jest ~** he squints

zezw|alać *vi imperf* — **zezw|olić** *vi perf* **~ól** to allow <to permit> (**komuś na coś** <**na to, żeby ktoś coś zrobił**> sb sth <to do sth>); to give (sb) leave <permission> (to do sth); *przen.* **czas nie ~ala mi na to, żeby ...** time does not permit me to ...

zezwierzęcenie *sn* 1. ↑ **zezwierzęcić, zezwierzęcieć** 2. (*stan*) bestiality; barbarity

zezwierzęc|ić *v perf* **~ę, ~ony** — **zezwierzęc|ać** *v imperf* [I] *vt* to make a brute (**kogoś** of sb); to turn (sb) into a brute [II] *vr* **~ić, ~ać się** = **zezwierzęcieć**

zezwierzęcie|ć *vi perf* **~je** to be turned into a brute; to sink to the level of a brute

zezwolenie *sn* 1. ↑ **zezwolić** 2. (*pozwolenie*) leave; permission; (*dokument urzędowy zezwalający na prowadzenie czegoś*) licence

zezwolić *zob.* **zezwalać**

zeźl|ić *v perf* **~ij** [I] *vt pot.* to put sb's monkey up; to raise sb's dander; **~ony** huffy; in a huff [II] *vr* **~ić się** to get one's monkey <one's dander> up

zeżreć *vt perf* **zeżre, zeżryj, zżarł, zżarty** — **zżerać** *vt imperf* 1. (*o zwierzęciu*) to eat up; to devour 2. *pot.* (*o ludziach*) to gobble (sth) up 3. (*o kwasach itd. — zniszczyć, strawić*) to corrode; to gnaw; to waste

zębacz *sm* 1. (*człowiek*) large-toothed fellow 2. *zool.* (*Anarhichas lupus*) wolf-fish; sea-wolf

zębaczowat|e *spl* (*decl = adj*) *G.* **~ych** *zool.* (*Anarhichadidae*) (*rodzina*) the family Anarhichadidae

zębak *sm stol.* tooth plane

zębat|ka *sf pl G.* **~ek** *techn.* gear <toothed> rack

zębat|y *adj* 1. *techn.* cogged; **kolejka ~a** cog-wheel <rack> railway; **koło ~e** cog-wheel; gear; gear-wheel; toothed wheel 2. (*mający powycinane brzegi*) indented 3. (*mający zęby*) toothed

zębieł|ek *sm G.* **~ka** *zool.* (*Crocidura*) musk shrew

zębina *sf anat.* dentine

zębisko *sn augment* ↑ **ząb**

zębny *adj* dental; **system ~** dentition

zębodołowy *adj* alveolar

zębod|ół *sm G.* **~ołu** alveolus; socket of tooth

zębodzioby *adj* tooth-billed

zębow|y *adj* dental; *jęz.* **spółgłoski ~e** dental consonants

zęza *sf* = **zenza**

zgada|ć się *vr perf* to chance to talk (**o kimś, czymś** of <about> sb, sth); **~ło się o tym** we talked of that; there was some talk of that

zgad|nąć *v perf* **~ł** — **zgad|ywać** *v imperf* [I] *vt vi* to guess; to anticipate <to divine> (sb's wishes etc.); *perf* to give a guess; **spróbuję ~nąć** I'll venture a guess; **~łeś** you've guessed right; **~nij do trzech razy** I give you three guesses; **~nij, ile ja ważę** <**ile on zarabia**> guess my weight <his income> [II] *vt* (*rozwiązać zagadkę*) to solve (a riddle etc.)

zgadnięcie *sn* (↑ **zgadnąć**) (a) guess; lucky hit

zgaduj-zgadula *sf* quiz

zgadywać *zob.* **zgadnąć**

zgadywanie *sn* (↑ **zgadywać**) guess-work

zgadywan|ka *sf pl G.* **~ek** quiz

zgadywan|y [I] *pp* ↑ **zgadywać** [II] *sm w zwrocie*: **bawić się w ~ego** to play at guessing; to play a guessing game

zgadzać *zob.* **zgodzić**

zgag|a *sf* 1. (*uczucie palenia w gardle*) heartburn; hangover; crapulence; **mieć ~ę** to have a bad head <hot coppers> 2. *przen. pot.* (*człowiek nieznośny*) nuisance

zgalaretowacenie *sn* (↑ **zgalaretowacieć**) jelliedness; jellification; congealment

zgalaretowacie|ć *vi perf* **~je** to jelly; to jellify; to congeal

zgalwanizować *vt perf dosł. i przen.* to galvanize

zgangrenować *vt perf dosł. i przen.* to gangrene

zgangrenowany *adj* 1. (*dotknięty gangreną*) gangrenous 2. *przen.* corrupt

zganiać *zob.* **zegnać**

zganić *vt perf* 1. (*skrytykować*) to criticize; to censure; to find fault (**kogoś, coś** with sb, sth); to pick holes (**kogoś, coś** in sb, sth) 2. (*potępić*) to condemn

zganienie *sn* (↑ **zganić**) criticism; censure; condemnation

zgapić się *vr perf pot.* to miss one's opportunity; to have been wool-gathering

zgar *sm G.* **~u** *techn.* dross

zgarbacie|ć *vi perf* **~je** to become bowed; to bend (*vi*); to stoop; to hunch one's back

zgarbi|ć *v perf* [I] *vt* to bend <to bow> (sb's back); **~ony** hunched; stooping; bowed (by age, suffering etc.); crook-backed [II] *vr* **~ć się** to hunch one's back; to stoop; **~ł się w fotelu** he sat hunched up in his armchair

zgarbienie *sn* (↑ **zgarbić**) hunched shoulders

zgarn|ąć *vt perf* — **zgarn|iać** *vt imperf* 1. (*zsunąć do siebie*) to rake up; to rake together; **~ąć wszystkie stawki** to sweep the board; **~iać pieniądze** to rake in money 2. (*zgromadzić*) to gather 3. (*odsunąć na bok*) to brush (sth) aside; to scrape (sth) away <off>; **~iać włosy z czoła** to brush back one's hair

zgarniacz *sm techn.* scraper; drift fender

zgarniak *sm techn.* scraper bucket; (*w odlewnictwie*) straightedge; strike rod

zgarniar|ka *sf pl G.* **~ek** *techn.* scraper

zga|sić *vt perf* **~szę, ~szony** 1. (*przerwać palenie się*) to put out <to extinguish> (fire); to stub out (a cigarette, a cigar); to shut off (the engine of a car); *sport* **~sić piłkę** to kill the ball 2. (*przerwać świecenie się*) to put out (the light); to switch off (an electric light); to turn off (the gas); to blow out (a candle) 3. *przen.* (*spowodować ściemnienie*) to darken; to dim; (*zaćmić*) to eclipse (sb) 4. *przen.* (*stłumić*) to damp (sb's enthusiasm etc.); to disconcert <to take the pep out of> (sb)

zgasł|y [I] *pp* ↑ **zgasnąć** [II] *sm* **~y**, *sf* **~a** the deceased

zga|snąć *vi perf* **~śnie, ~sł, ~śli** 1. (*przestać płonąć*) to go <to die> out 2. (*przestać się świecić*) to go <to die> out 3. *przen.* (*ściemnieć*) to darken;

to become dimmed; to die 4. *przen.* (*zaniknąć*) to fade; **uśmiech ~sł na jego ustach** the smile died on his lips 5. *przen.* (*stracić ważność*) to expire; to be no longer valid

zgaszenie *sn* (↑ **zgasić**) extinction (of fire, light)

zgaszony [I] *pp* ↑ **zgasić** [II] *adj* 1. (*apatyczny*) dejected; crestfallen; depressed 2. (*o kolorach*) faded

zgaśnięcie *sn* (↑ **zgasnąć**) extinction (of light)

zgazować *vt perf* — **zgazowywać** *vt imperf chem. techn.* to gas; to gasify

zgazowanie *sn* (↑ **zgazować**) gasification

zgazyfikować *vt perf* to gasify; **~ jakąś okolicę** to install gas-supply arrangements in a district

zgermanizować *v perf* [I] *vt* to Germanize [II] *vr* **~ się** to become Germanized

zgermanizowanie *sn* (↑ **zgermanizować**) Germanization

zgęstnie|ć *vi perf* **~je** to thicken; to grow <to become> dense; to condense; to inspissate

zgęstnienie *sn* (↑ **zgęstnieć**) condensation; inspissation

zgęszczacz *sm* thickener

zgę|szczać *v imperf* — **zgę|ścić** *v perf* **~szczę, ~szczony** [I] *vt* to thicken (sth); to condense; to inspissate; to compress (air etc.) [II] *vr* **~szczać, ~ścić się** = **zgęstnieć**

zgęszczenie *sn* (↑ **zgęścić**) condensation; inspissation; compression

zgęścić *zob.* **zgęszczać**

zgi|ąć *v perf* **zegnę, zegnie, zegnij, ~ął, ~ęła, ~ęty** — **zgi|nać** *v imperf* [I] *vt* 1. (*schylić*) to bend; to incline; to bow (one's head, one's knee); *anat.* **mięsień ~nający** flexor 2. (*nadać kształt kabłąka*) to curve; (*skrzywić*) to inflect [II] *vr* **~ąć, ~nać się** to bend (*vi*); to bow; to stoop; **~ąć, ~nać się we dwoje** to double up

zgiełk *sm G.* **~u** turmoil; tumult; hubbub; hurly-burly; **zrobił się ~** there arose an uproar

zgiełkliwie *adv* noisily; turbulently; tumultuously

zgiełkliwość *sf singt* noisiness; turbulence; tumultuousness

zgiełkliwy *adj* noisy; turbulent; tumultuous

zgięcie *sn* 1. ↑ **zgiąć** 2. (*załom*) (a) bend; inflection, inflexion

zgilotynować *vt perf* to guillotine

zginacz *sm anat.* flexor

zginać *zob.* **zgiąć**

zginalność *sf singt* flexibility

zginar|ka *sf pl G.* **~ek** *techn.* bender; bending machine

zginąć *vi perf* 1. (*zostać zabitym*) to be killed; to die 2. (*przepaść*) to perish; to be destroyed 3. (*przestać być widocznym*) to vanish; to fade from sight; (*przestać być słyszalnym*) to die away 4. (*zawieruszyć się*) to get lost; to disappear

zginięcie *sn* 1. ↑ **zginąć** 2. (*zniszczenie*) destruction 3. (*zniknięcie*) disappearance

zglajchszaltować *vt perf pot.* to make (people, things) conform to pattern

zgliszcz|a *spl G.* **~** 1. (*miejsce pożaru*) site of a fire <of a conflagration> 2. (*spalone resztki*) ashes; (*dogasające resztki*) smouldering ruins

zgliwie|ć *vi perf* **~je** to ferment into a slimy substance

zgład *sm G.* **~u** *techn.* polished surface

zgładzać *zob.* **zgładzić**

zgładzenie *sn* ↑ **zgładzać**

zgładz|ić *vt perf* **~ę, ~ony** — **zgładzać** *vt imperf* 1. (*zabić*) to kill; to make away (**kogoś** with sb); to put (sb) to death; to wipe out (an army, a population etc.) 2. † (*naprawić*) to redeem (a guilt etc.)

zgł|aszać *v imperf* — **zgł|osić** *v perf* **~oszę, ~oszony** [I] *vt* to submit (sth to sb); to notify (**coś władzom, przełożonemu** the authorities, one's superior of sth); **~aszać wnioski** to place questions on the agenda; *parl.* to table motions; **~osić akces do czegoś** to accede to sth; **~osić dymisję** to hand in <to tender> one's resignation; **~osić pretensje do czegoś** to lay claim to sth; **~osić swą kandydaturę na jakieś stanowisko** to offer oneself as a candidate for a post [II] *vr* **~aszać, ~osić się** 1. (*przychodzić*) to apply (**do kogoś po coś** to sb for sth); to go <to come> and see (**do kogoś** sb); to call (**u kogoś** on sb; **w urzędzie itd.** at an office etc.); to report (**w policji itd.** at the police etc.); (*o interesantach, spodziewanych osobach itd.*) to turn up; to call; **każdy, kto <kto tylko> się ~osi** all comers; *wojsk.* **~osić się jako chory** to report oneself sick; **~osić się u swego przełożonego** to report oneself to one's superior; **czy ~aszał się kto?** did anybody turn up <call>?; (*napis na przesyłce*) **„Adresat się ~osi po odbiór"** "To be called for" 2. (*oznajmiać gotowość do czegoś*) to present oneself; to report; to register; **~osić się do głosu** to catch the chairman's eye 3. (*odzywać się*) to answer (the telephone, the bell, a knock at the door)

zgłaszający się *sm* applicant

zgłębi|ać *vt imperf* — **zgłębi|ć** *vt perf* 1. (*badać gruntownie*) to go deeply (**sprawę** into a question); to get to the bottom (**sprawę** of an affair); to study (sth) thoroughly; **~ć tajemnicę** to fathom a mystery; to penetrate a secret 2. (*badać głębokość*) to sound <to take soundings of> (**morze itd.** the sea etc.) 3. (*pogłębiać*) to deepen (a river-bed etc.)

zgłębiar|ka *sf pl G.* **~ek** *techn.* dredger

zgłębić *zob.* **zgłębiać**

zgłęb|iec *sm G.* **~ca** *zool.* (*Rhyssa persuassoria*) ichneumon fly

zgłębienie *sn* ↑ **zgłębić**

zgłębnik *sm* 1. *med.* probe; bougie 2. *chem.* dipper 3. *techn.* sampler; sampling tube

zgłębnikować *vt imperf* 1. *med.* to probe 2. *techn.* to sample

zgłębnikowy *adj* sampling (tube)

zgłodnia|ły [I] *pp* ↑ **zgłodnieć** [II] *adj* hungry; starving; hungering [III] *sm* **~ły** hungry <starving> person; *pl* **~li** the hungry; the starving

zgłodni|eć *vi perf* **~eje** to grow hungry; to starve; **~ałem** I am starving <ravenous>

zgłodnienie *sn* (↑ **zgłodnieć**) hunger

zgłosić *zob.* **zgłaszać**

zgłos|ka *sf pl G.* **~ek** *jęz.* syllable

zgłoskotwórczy *adj* syllabic

zgłoskow|iec *sm G.* **~ca** 1. (*wyraz*) abbreviation 2. (*wiersz*) syllabic verse

zgłoskowy *adj* syllabic (accent etc.)

zgłoszeni|e *sn* 1. ↑ **zgłosić** 2. (*zawiadomienie*) notification; **choroba podlegająca obowiązkowi ~a** notifiable disease 3. (*zawiadomienie o przystąpieniu do czegoś, propozycja*) application

z głupia *zob.* **głupi**

zgłupie|ć *vi perf* **~je** 1. (*stać się głupim*) to grow stupid; to go silly <daft> 2. (*osłupieć*) to be stupefied <astounded, flabbergasted>

zgmatwać *v perf* [I] *vt* to entangle; to tangle up [III] *vr* **~ się** to become entangled <confused>

zgnać *vt perf* to bucket (a horse)

zgnębi|ć *vt perf* — **zgnębi|ać** *vt imperf* 1. (*przygnębić*) to depress; to dispirit; to deject; to dishearten; **~ony** despondent; care-worn 2. (*pognębić*) to bring about the ruin (**wroga itd.** of an enemy etc.); to oppress

zgnębienie *sn* 1. ↑ **zgnębić** 2. (*depresja*) depression; dejection; despondency

zgniatacz *sm techn.* slabbing <blooming> mill

zgniatać *zob.* **zgnieść**

zgniatar|ka *sf pl G.* **~ek** *techn.* squeezer

zgnicie *sn* (↑ **zgnić**) decay; putrefaction

zgni|ć *vi perf* **~je** 1. (*zepsuć się*) to decay; to rot; to putrefy; to moulder; (*o sianie*) to ret 2. *pot. przen.* (*o człowieku*) to rot (in gaol)

zgniecenie *sn* ↑ **zgnieść**

zgni|eść *v perf* **~otę, ~ecie, ~eć, ~ótł, ~otła, ~etli, ~eciony, ~eceni** — **zgni|atać** *vt imperf* 1. (*zmiąć*) to crumple; (*pognieść*) to squeeze 2. (*zmiażdżyć*) to crush; to grind out <to stub (out)> (a cigarette); to suppress <to crush, to tread out, to quell> (a rebellion etc.)

zgniewać *v perf* [I] *vt* to irritate; to exasperate; to anger; to make (sb) angry [III] *vr* **~ się** to grow angry; to lose one's temper; to fly into a passion; to flare up; to get into a tantrum

zgnilcow|y *adj pszcz.* **choroba ~a** = **zgnilec**

zgnil|ec *sm G.* **~ca** *pszcz.* foul brood

zgnilizna *sf* 1. (*zgniła substancja*) rot; putridity 2. (*gnicie*) putrefaction 3. (*zapach*) foul smell 4. (*zepsucie moralne*) corruption; perversity; depravation; rottenness 5. *ogr.* canker

zgnił|ek *sm G.* **~ka** 1. (*moralnie bezwartościowy człowiek*) rogue; rascal; rapscallion 2. *pl* **~ki** *pot.* damaged fruits

zgniłość *sf singt* putridness; foulness

zgniłozielony *adj* brownish green

zgniły *adj* 1. (*o przedmiocie, substancji*) rotten; putrid; (*o zapachu, powietrzu*) foul; (*o kolorze*) brownish 2. *przen.* (*zepsuty moralnie*) corrupt; perverted; depraved

zgniot *sm G.* **~u** *techn.* squeeze

zgniot|ek *sm G.* **~ka** *górn.* wooden crusher block

zgn|oić *v perf* **~oję, ~ój, ~ojony** — **zgn|ajać** *v imperf* [I] *vt* 1. (*spowodować, że coś gnije*) to rot (sth) 2. *przen. pot.* (*zniszczyć kogoś*) to have (sb) rot (in gaol) 3. *roln.* to manure (a field) [III] *vr* **~oić, ~ajać się** to rot; to decay

zgnojenie *sn* ↑ **zgnoić**

zgnuśnie|ć *vi perf* **~je** to grow listless <sluggish, languid, indolent>

zgo|da [I] *sf pl G.* **zgód** 1. (*harmonia*) concord; agreement; harmony; mutual understanding; unity; **być w ~dzie** to agree; to be in agreement (with sb, sth); **być w ~dzie z samym sobą <ze wszystkimi>** to be square with one's conscience <with all the world>; **żyć w ~dzie** to live in unity; **dla świętej ~dy** for the sake of peace; *przysł.* **~da buduje, niezgoda rujnuje** united we stand divided we fall 2. *gram.* agreement <concord> (of adjectives, numbers etc.) 3. (*pojednanie*) reconcilement, reconciliation; **wyciągnąć rękę do ~dy** to make a move towards reconciliation 4. (*aprobata*) consent; assent; approval; acquiescence; **wyrazić ~dę na coś** to agree <to consent> to sth; **za czyjąś cichą ~dą** with sb's tacit assent <approval> [III] *interj* granted!; done!; right!; (*w zwrotach wyrażających niezupełne zadowolenie, ironię*) well and good, (but ...); **on przeprosił, ~da, ale ...** he apologized, well and good, but ...

zgodliwie *adv* peaceably; good-naturedly; accommodatingly

zgodliwość *sf* peaceableness; good-nature; complaisance

zgodliwy *adj* peaceable; good-natured; accommodating; complaisant

zgodnie *adv* 1. (*w zgodzie*) peaceably; good-naturedly; accommodatingly 2. (*jednogłośnie*) unanimously; in unison; **działać ~** to act in concert 3. (*stosownie, odpowiednio*) in agreement (with sth); in accordance <in conformity, in keeping> (with sth); **~ z otrzymanymi zaleceniami** in compliance with <in obedience to> the instructions received

zgodność *sf singt* 1. (*brak rozbieżności*) conformability; consistence; agreement 2. (*harmonia*) accord; accordance; harmony; concordance 3. (*zgoda*) unanimity; **~ stanowisk** uniformity of views

zgodn|y *adj* 1. (*skłonny do zgody*) peaceable; good-natured; accommodating; complaisant 2. (*jednomyślny*) unanimous; concordant; **~e działanie** concerted action; **autorzy nie są ~i w tej sprawie** the authors vary on that subject 3. (*niesprzeczny*) conformable (**z czymś** to sth); consistent <compatible> (**z czymś** with sth); true (**z wzorem itd.** to type etc.); **zeznanie ~e z prawdą** veracious deposition; **być ~ym z czymś** to agree <to be in agreement> with sth; to accord <to be in accordance> with sth; to correspond to <with> sth

zgodzić *v perf* **zgodzę, zgódź, zgodzony** — **zgadzać** *v imperf* [I] *vt* to engage (a maid, workman etc.) [III] *vr* **zgodzić, zgadzać się** 1. (*przystać na coś*) to agree <to consent, to give one's consent> (**na coś** to sth); to acquiesce (**na coś** in sth); **chętnie się zgadzam** I am quite willing; **nie zgodzę się na odmowę <na żadne wykręty>** I will take no denial <no nonsense>; **nie zgodzę się na to** I will have none of it 2. (*dojść do wspólnych wniosków*) to agree (**z kimś co do <w sprawie> czegoś** with sb on <about> sth; **że ...** that ...); to be in agreement <to be agreed, to concur, to see eye to eye, to be at one> (with sb); to fall in with <to subscribe to> (sb's opinion); **nie zgodzić się, nie zgadzać się z kimś** to disagree <to be in disagreement, to be at variance, to be at issue> with sb; **wszyscy się zgadzamy <zgadzają>** we <they> are all agreed (**co do <w sprawie> czegoś** on <about> sth; **że ...** that ...) 3. (*zaangażować się do pracy*) to take service (**u kogoś** with sb) 4. (*wykazać zgodność ze stanem faktycznym*) to agree <to correspond, to square, to coincide, to fit in, to be in character>

(with sth); to answer (**z opisem itd.** to a description etc.); (*o rachunkach*) to balance; to tally; (*o kolorach*) to harmonize; to go well together; to assort; **nie zgadzać się** to be discordant; to jar; (*nawiasowo*) **to się zgadza** true enough; **to się w zupełności zgadza** quite true; **że sprawa jest trudna, to się zgadza, ale ...** the problem is a difficult one, true enough, but ... 5. (*żyć zgodnie*) to get on (well) (with sb); to hit it off (with sb); **oni się zgadzają** they get on well together; they hit it off together

zgoić † *vt perf* = **zagoić**

zgolić *vt perf* **zgól** — **zgalać** *vt imperf* to shave off (one's beard etc.)

zgoła *adv* 1. (*całkiem*) (nothing, not) at all; (none, nothing) whatever; **~ nie chcę <nie dbam itd.>** I don't in the least want <care etc.> 2. † (*po prostu*) simply; just; **on jest ~ głupi** he is simply <just> silly 3. † (*krótko mówiąc*) in short

zgon *sm G.* **~u** death; decease; demise; **rubryka ~ów** obituary column; **świadectwo ~u** death certificate

zgonić *zob.* **zegnać**

zgonin|y *spl G.* **~** *roln.* chaff

zgorączkować *v perf* [I] *vt* to fire <to animate> (sb) [II] *vr* **~ się** to get excited

zgorączkowany [I] *pp* ↑ **zgorączkować** [II] *adj* feverish; hectic

zgorszeni|e *sn* 1. ↑ **zgorszyć** 2. (*zły przykład*) evil example; (*obraza moralności*) scandal; outrage; **dawać komuś ~e** to scandalize sb 3. (*rozpusta*) depravation; debauch; **ku ~u wszystkich** to everybody's indignation

zgorszony [I] *pp* ↑ **zgorszyć** [II] *adj* (*wyrażający zgorszenie*) scandalized; shocked; (*wyrażający oburzenie*) indignant; outraged

zgorszyć *v perf* — **zgarszać** *v imperf* [I] *vt* to scandalize; to shock; to arouse (**kogoś** sb's) indignation [II] *vr* **zgorszyć się** to be scandalized <shocked>; to be indignant

zgoryczyć *vt perf* to embitter

zgorzeć † *vi perf* **zgorzeje <zgore>** 1. (*spłonąć*) to be burnt; to be consumed by fire 2. (*opalić się*) to get sunburnt <tanned, brown>

zgorzel *sf* 1. *med.* gangrene; sphacelation 2. *techn.* recrement; scale 3. *ogr. roln.* gangrene

zgorzelina *sf* = **zgorzel**

zgorzelinowy *adj* gangrenous

zgorzelisko *sn* = **zgliszcza**

zgorzelowy *adj* gangrenous

zgorzknąć *vi perf* = **zgorzknieć**

zgorzkniałość *sf singt* 1. (*gorzki smak*) bitterness 2. (*cecha usposobienia*) sourness; acrimony

zgorzkniały *adj* soured; acrimonious

zgorzkni|eć *vi perf* **~eje** 1. (*stać się gorzkim*) to turn <to grow, to become> bitter 2. (*o człowieku*) to grow <to become> sour; **~ał w niedoli** he is soured by misfortune

zgorzknienie *sn* 1. ↑ **zgorzknieć** 2. = **zgorzkniałość** 2.

zgot|ować *vt perf* — **zgot|owywać** *vt imperf* 1. (*sprawić*) to give (**komuś owację, serdeczne przyjęcie itd.** sb an ovation, a hearty welcome etc.); **nie wiadomo, co mi los ~uje** one can't say what fate has in store for me 2. † *dial.* (*przyrządzić*) to cook

z górą *zob.* **góra**

zgórować *vi perf* to aim <to shoot> above the target

z góry *zob.* **góra**

zgra *sf pl G.* **zgier** *sport* co-ordination (of movements)

zgrabiać *vt imperf* — **zgrabić** *vt perf* 1. (*zgarniać*) to rake up <together> (leaves, hay etc.) 2. (*usunąć*) to rake away (leaves, litter etc.)

zgrabiar|ka *sf pl G.* **~ek** *roln.* dump rake

zgrabić *zob.* **zgrabiać**

zgrabie|ć *vi perf* **~je** to grow stiff (with cold)

zgrab|ki *spl G.* **~ek** raked up ears of corn

zgrabnie *adv* 1. (*foremnie*) neatly; in shapely manner; **~ wyglądać** to look smart 2. (*zręcznie*) deftly; adroitly; nattily 3. (*zdolnie*) ably; aptly; neatly (said, written, phrased)

zgrabność *sf singt* 1. (*kształtność*) shapeliness 2. (*zręczność*) deftness; nattiness; address; adroitness; handiness (**do czegoś** at doing sth)

zgrabny *adj* 1. (*kształtny*) shapely; well-built 2. (*zręczny*) deft; slick; natty; adroit; clever 3. (*zręcznie sformułowany*) neat; well-phrased

zgr|ać *v perf* — **zgr|ywać** *v imperf* [I] *vt* 1. (*zestroić*) to attune 2. *karc.* to play (**kolor** a suit) [II] *vr* **~ać, ~ywać się** 1. (*przegrać pieniądze*) to play away (one's money) 2. (*o członkach zespołu*) to form a good team; **oni się ~ali** they are a good team

zgrafitowany *adj chem.* graphitized

zgra|ja *sf pl G.* **~i** 1. (*gromada*) band; gang; bunch 2. (*stado*) flock <flight> (of birds); pack (of wolves, hounds)

zgramolić się *vr perf* to get <to crawl> down <off>

zgranatowie|ć *vi perf* **~je** to become <to turn> navy blue

zgrandz|ić *vt perf* **~ę, ~ony** *pot.* to pinch; to snaffle

zgranie *sn* 1. ↑ **zgrać** 2. (*tworzenie zgodnego zespołu*) team-work

zgromadzać *zob.* **zgromadzić**

zgromadzenie *sn* 1. (↑ **zgromadzić**) accumulation; collection; **~ się** (*zebranie się*) meeting; gathering; (*skupienie się*) concentration 2. (*zebrane towarzystwo*) meeting; gathering; assembly; congress; assemblage 3. (*sesja*) meeting; **walne ~** general meeting 4. (*przedstawicielstwo*) council; congress; **~ narodowe** national assembly 5. *rel.* order; congregation

zgromadz|ić *v perf* **~ę, ~ony** — **zgromadz|ać** *v imperf* [I] *vt* 1. (*zebrać*) to gather; to accumulate; to amass; to collect 2. (*zebrać pewną liczbę osób*) to assemble; to bring <to call> together 3. *przen.* (*o wypadku itd.*) to draw (a crowd) [II] *vr* **~ić, ~ać się** (*zebrać się*) to assemble <to gather, to collect> (*vi*); (*skupić się*) to concentrate (*vi*); to flock together; to throng

zgromić *vt perf* 1. (*złajać*) to rate (sb); to sail into sb; **~ kogoś wzrokiem** to wither sb with a look 2. † = **rozgromić**

zgroz|a *sf singt* horror; **przejęty ~ą** horror-struck; **o ~o!** how awful!

z grubsza *zob.* **gruby**

zgrubiać *vt imperf* — **zgrubić** *vt perf* 1. (*czynić grubym*) to thicken (sth); to make (sth) thicker; to increase the thickness (**coś** of sth) 2. *jęz.* to use <to

employ> the augmentative form (**wyraz** of a word)

zgrubiałość *sf singt* 1. (*wypukłość*) swelling; (*zgrubienie*) thickening 2. *jęz.* (an) augmentative

zgrubiały [I] *pp* ↑ **zgrubieć** [II] *adj jęz.* augmentative

zgrubić *zob.* **zgrubiać**

zgrubie|ć *vi perf* **~je** 1. (*stać się grubym*) to thicken; to grow thicker; (*napęcznieć*) to swell; (*utyć*) to grow fat(ter) 2. (*stracić delikatność*) to grow callous; to coarsen 3. (*o głosie — stać się niskim*) to grow gruff

zgrubienie *sn* 1. ↑ **zgrubieć** 2. (*miejsce zgrubiałe*) callosity 3. (*wypukłość*) swelling 4. *jęz.* augmentative form

zgrubnie *adv techn.* roughly; coarsely

zgrubny *adj techn.* rough; coarse

zgrucho|tać *vt perf* **~cze** <**~ce**> (*połamać na drobne kawałki*) to shatter; (*zmiażdżyć*) to crush

zgruntować *vt perf* 1. (*zbadać*) to get to the core <to the bottom> (**sprawę** of a matter); to penetrate <to fathom> (a mystery etc.) 2. (*o kimś płynącym*) to touch bottom

zgrupować *v perf* [I] *vt* 1. (*zebrać w grupę*) to group; (*skupić*) to unite 2. (*ułożyć w grupy*) to class [II] *vr* **~ się** 1. (*zgromadzić się*) to group (*vi*) 2. (*zostać zebranym w grupy*) to be <to get> classed

zgrupowanie *sn* 1. ↑ **zgrupować** 2. (*zespół*) group, grouping; faction; circle; union 3. *wojsk.* concentration

zgruzować *vt perf* (*rozwalić*) to reduce (a building etc.) to rubble

zgruźlać się *vr imperf* — **zgruźlić się** *vr perf* to clot

zgrymaszony † *adj* capricious; freakish; whimsical; crotchety

zgrywa *sf pot.* make-believe; bunkum; claptrap

zgrywać *v imperf* [I] *vt* 1. *zob.* **zgrać** 2. *pot.* (*udawać kogoś*) to pretend to be (**kogoś** sb) [II] *vr* **~ się** 1. *zob.* **zgrać się** 2. (*przesadzać w grze, szarżować*) to overact (a role) 3. *pot.* (*udawać kogoś*) to pretend to be (**na kogoś** sb); (*wygłupiać się*) to play the fool

zgryz *sm G.* **~u** 1. (*ustawienie zębów*) occlusion 2. *pot.* (*kłopot*) worry

zgryzać *zob.* **zgryźć**

zgryzieni|e *sn* ↑ **zgryźć**; **twardy orzech do ~a** a hard nut to crack

zgryziony [I] *pp* ↑ **zgryźć** [II] *adj* worried; tormented (**czymś** with sth)

zgryzota *sf* worry; care; affliction

zgryzotka *sf* (*dim* ↑ **zgryzota**) minor worry

zgry|źć *v perf* **~zę**, **~zie**, **~zł**, **~źli**, **~ziony** — **zgry|zać** *v imperf* [I] *vt* 1. (*pogryźć*) to munch; to crunch; to chew; (*rozgryźć*) to bite through; to bite in two; to crack (a nut); (*o gryzoniu itd.*) to gnaw; (*o molach*) to eat holes (**coś** in sth) 2. *przen.* (*zgłębić*) to penetrate <to fathom> (a mystery etc.); to understand (sb); (*stłumić w sobie*) to stifle <to restrain> (a feeling); to keep down (one's anger) 3. (*o kwasach itd. — strawić*) to corrode; to gnaw (**metal** into <away, off> a metal) 4. † (*zmartwić*) to worry; to grieve [II] *vr* **~źć się** *pot.* to be grieved; to be tormented with grief; to fret; to worry oneself to death; to eat one's heart out

zgryźliwie *adv* harshly; snappishly; peevishly; tartly; acrimoniously; cuttingly; bitingly

zgryźliwość *sf singt* atrabiliousness; acrimony; acerbity; harshness; snappishness; peevishness; tartness; currishness

zgryźliwy *adj* atrabilious; acrimonious; harsh; snappish; peevish; tart; currish; cutting (remark etc.); biting (sarcasm, irony etc.)

zgrz|ać *v perf* **~eje** *rz.* [I] *vt* to heat; to sweat (a horse); **być ~anym** to be sweating; **~any winem** heated with wine [II] *vr* **~ać się** to get hot; **~ałem się** I am <I was> hot

zgrzanie *sn* (↑ **zgrzać**) heated state

zgrzeb|ać *vt perf* **~ie** — **zgrzebywać** *vt imperf* 1. (*zgarnąć*) to rake up 2. (*usunąć*) to rake away

zgrzebie *sn* tow; hards

zgrzeblar|ka *sf pl G.* **~ek** *techn. tekst.* card; carding machine

zgrzeblarz *sm techn.* carder

zgrzeblić *vt imperf* to card; to comb

zgrzeb|ło *sn pl G.* **~eł** 1. (*do czyszczenia koni, krów*) curry-comb 2. (*do czesania wełny itd.*) comb 3. *hut.* stirrer 4. *roln.* harrow

zgrzebłowy *adj górn.* scraping (transporter)

zgrzebnica *sf gw.* sackcloth

zgrzebny *adj* 1. (*z grubego płótna*) sackcloth — (mattress etc.) 2. (*o naczyniach glinianych*) unglazed 3. (*o wełnie*) coarse

zgrzebywać *zob.* **zgrzebać**

zgrzeina *sf* (a) weld

zgrzeszenie *sn* (↑ **zgrzeszyć**) commission of a sin

zgrzeszy|ć *vi perf* to sin; to commit a sin; **~ć przeciw prawu** to offend against a law; *przen.* **nie ~ć odwagą** <**skromnością itd.**> not to err on the side of bravery <modesty etc.>; **nie ~ł uprzejmością** he was none too polite

zgrzewacz *sm techn.* welder

zgrzewać *v imperf* [I] *vt* to weld [II] *vr* **~ się** to weld (*vi*)

zgrzewad|ło *sn pl G.* **~eł** *techn.* welder

zgrzewalność *sf singt* weldability

zgrzewalny *adj* weldable

zgrzewar|ka *sf pl G.* **~ek** *techn.* welder

zgrzewny *adj techn.* weldable

zgrzybiało *adv* senilely; **wyglądać ~** to look senile <decrepit>

zgrzybiałość *sf singt* senility; decrepitude

zgrzybiały [I] *pp* ↑ **zgrzybieć** [II] *adj* senile; decrepit; doddering; effete; *geol.* **krajobraz ~** subdued landscape

zgrzybie|ć *vi perf* **~je** to grow decrepit

zgrzyt *sm G.* **~u** 1. (*odgłos powstający przy tarciu*) gride; grind; rasp; scroop; jar; grating sound 2. *przen.* (*dysharmonia*) dissonance; discord

zgrzyt|ać *vi imperf* — **zgrzyt|nąć** *vi perf* to gride; to grind; to rasp; to scroop; to jar; (*o hamulcach itp.*) to squeak; **~ać zębami** to gnash <to grind> one's teeth

zgrzytanie *sn* (↑ **zgrzytać**) grating sounds; *bibl. i przen.* **płacz i ~ zębów** weeping and gnashing of teeth

zgrzytliwie *adv* harshly; gratingly

zgrzytliwy *adj* harsh; grating; jarring

zgrzytnąć *zob.* **zgrzytać**

zgrzytnięcie *sn* (↑ **zgrzytnąć**) gride; grind; rasp; scroop; jar; grating sound

zgrzywiony *adj* combing (waves)

zgub|a *sf* 1. (*to, co zgubiono*) loss; lost object <property>; **czyja to ~a?** who has lost this? 2. (*zatracenie*) ruin; undoing; destruction; **doprowadzić <przywieść> kogoś do ~y** to bring sb to ruin; **ku własnej ~ie** to one's undoing

zgubi|ć *v perf* [I] *vt* 1. (*stracić*) to lose; **~ć drogę** to lose one's way; **~ć takt** to fall out of step; **~ć wątek** to lose the thread (of the conversation etc.) 2. (*upuścić*) to drop (sth) 3. (*przywieść do upadku*) to bring (sb) to ruin; to destroy <to unmake> (sb); to bring about (**kogoś** sb's) destruction; **to go ~ło** that was his ruin [II] *vr* **~ć się** 1. (*o przedmiocie*) to get lost; to be mislaid 2. (*o ludziach*) to lose one another; (*o pojedynczej osobie*) to get lost; to lose one's way 3. *przen.* (*stracić orientację*) to lose one's bearings; to get mixed up <confused> 4. (*doprowadzić siebie do ruiny*) to bring about <to cause> one's own destruction

zgubienie *sn* 1. ↑ **zgubić** 2. (*strata*) loss 3. (*zagłada*) ruin; destruction

zgubnie *adv* fatally; disastrously; calamitously; perniciously

zgubność *sf singt* perniciousness; maleficence

zgubny *adj* ruinous; fatal; disastrous; calamitous; pernicious

zgwałcenie *sn* (↑ **zgwałcić**) rape; violation

zgwałc|ić *vt perf* **~ę**, **~ony** 1. (*zniewolić kobietę*) to rape; to violate 2. *żart.* (*zmusić*) to force (sb to do sth) 3. (*naruszyć*) to violate (a law etc.)

zhandlować *vt perf pot.* to trade

zhańbić *v perf* [I] *vt* 1. (*okryć hańbą*) to bring shame (**kogoś** upon sb); to disgrace (sb); to dishonour (a woman) 2. (*sprofanować*) to defile; to desecrate [II] *vr* **~ się** to bring shame upon oneself; to cover oneself with shame

zhańbienie *sn* 1. ↑ **zhańbić** 2. (*hańba*) shame; disgrace 3. (*sprofanowanie*) desecration

zhardzie|ć *vi perf* **~je** to become <to grow> haughty <proud, arrogant>

zharmonizować *v perf* [I] *vt* to harmonize; to bring (things) into harmony [II] *vr* **~ się** to become harmonized

zharmonizowanie *sn* (↑ **zharmonizować**) harmonization; harmony

zharować się *vr perf* to tire oneself out

zharowany *adj* tired out

zhasać *vt perf* to bucket <to override, to sweat> (a horse)

zheblować *vt perf* (*wygładzić*) to plane (boards); (*ściąć warstwę*) to plane away (a surface)

zhellenizować *vt perf* to Hellenize

zhellenizowanie *sn* (↑ **zhellenizować**) Hellenization

zhierarchizować *vt perf* to hierarchize

zhisteryzować *vt perf* to send (sb) into hysterics

zhitleryzować *vt perf* to hitlerize

zhołdować *vt perf* to subdue (a tribe etc.)

zhulać się *vr perf* to revel <to carouse> without restraint

zhumanizować *vt perf* to humanize

ziać *vi imperf* **zieje** 1. (*dyszeć*) to pant; to gasp for breath; **ziejący ze zmęczenia** breathless with fatigue 2. (*żywiołowo uzewnętrzniać*) to breathe (**nienawiścią, chęcią zemsty** hatred, revenge) 3. to be completely <utterly> deserted; to gape emptily 4. (*wyrzucać z siebie*) to belch (**ogniem** fire); to rain (**pociskami** missiles); to infect (**smrodem** with stench)

ziajać *vi imperf* to pant; to gasp for breath

ziarenko *sn* (*dim* ↑ **ziarnko**) grain (of corn, sand etc.)

ziarenkowat|y *biol.* [I] *adj* coccaceous [II] *spl* **~e** (*Coccaceae*) (*rodzina*) the family Coccaceae

ziarenkowce *spl* = **ziarenkowate**

ziarniak *sm* 1. *zool.* coccidian; *pl* **~i** (*Coccidia*) (*rząd*) the order Coccidia 2. *bot.* caryopsis

ziarnica *sf med.* malignant granuloma; Hodgkin's disease

ziarnina *sf biol. med.* granulation

ziarniniak *sm med.* granuloma

ziarninie|ć *vi imperf* **~je** *med.* to granulate

ziarninienie *sn* (↑ **ziarninieć**) granulation

ziarninować *vt imperf* = **ziarninieć**

ziarninow|y *adj biol. med.* **tkanka ~a** = **ziarnina**

ziarnistość *sf* 1. *singt* (*budowa ziarnista*) granulation 2. (*skupienie ziarnek*) granularity

ziarnist|y *adj* 1. (*zawierający ziarna, nasiona*) grainy 2. (*złożony z ziarn*) granular; **kawa ~a** whole <natural> coffee; coffee beans; **kawior ~y** soft caviar

ziarn|ko *sn pl G.* **~ek** 1. (*dim* ↑ **ziarno**) grain (of corn, pepper, sand etc.); seed (of an apple, pear etc.); **~ko gradu** hail-stone; **~ko kawy** coffee-bean; *przysł.* **~ko do ~ka, a zbierze się miarka** many a pickle makes a mickle 2. *przen.* (*cząsteczka*) particle

ziarnkow|y *adj* seedy (plant, fruit); **drzewo ~e** seedling tree

ziar|no *sn pl G.* **~en** *zbior. bot.* grain; (*nasienie rośliny nasiennej*) seed; *miner.* granule; **~no cementu** cement grain; *przen.* **~no niezgody** seeds of discord; *przysł.* **oddzielić ~no od plewy** to sort out the good from the bad

ziarnojad *sm* seed-eater

ziarnopłon *sm G.* **~u** *bot.* (*Ficaria*) pilewort

ziarnować *vt imperf techn.* to grain (leather etc.)

ziarnożerny *adj* granivorous

ziarnów|ka *sf pl G.* **~ek** *ogr.* seedling

ziąb *sm singt G.* **~u** cold; chill; **panował ~** it was chilly; **~ mi chodzi po plecach** I feel chilly

zidentyfikowa|ć [z-i] *v perf* [I] *vt* to identify; **nie ~ny** unidentified [II] *vr* **~ć się** to become identified

zidentyfikowanie [z-i] *sn* (↑ **zidentyfikować**) identification

zidiocenie [z-i] *sn* (↑ **zidiocieć**) idiocy

zidiocie|ć [z-i] *vi perf* **~je** to become idiot <feeble-minded, dotty, softy>

zielarski *adj* 1. (*odnoszący się do ziół*) herb — (cultivation etc.); herbal (properties etc.); (*odnoszący się do zielarstwa*) herb-cultivation — (facilities etc.) 2. (*odnoszący się do zielarza*) herbalist's <herbalists'> (implements etc.)

zielarstwo *sn* herb-cultivation; herborization

zielarz *sm* herbalist, herborist, herborizer

ziele *sn pl N.* **zioła** *G.* **ziół** 1. (*roślina*) herb; officinal <medicinal> herb; **~ angielskie** pimento 2. *pl* **zioła** herbs; (*wywar*) herb-tea

zieleniak *sm* 1. (*wino*) young wine 2. (*targ warzywny*) vegetable market

zieleniar|ka *sf pl G.* **~ek** greengrocer (woman)

zieleniarstwo *sn* greengrocery

zieleniarz *sm* greengrocer

zielenice *spl bot.* (*Chlorophyceae*) (*klasa*) the class Chlorophyceae

zielenić się *vr imperf* 1. (*stawać się zielonym — o roślinach*) to grow green; (*o człowieku*) to turn green 2. = **zielenieć** 2.

ziele|niec *sm G.* **~ńca** (*plac*) square; (*trawnik*) lawn

zielenie|ć *vi imperf* **~je** 1. = **zielenić się** 1. 2. (*odróżniać się od tła*) to show green (against a background); to form a green spot <green spots, a green patch>

zielenina *sf* 1. (*warzywa*) vegetables; *kulin.* green dressing 2. *roln.* (*pasza*) green forage

zieleninka *sf dim* ↑ **zielenina** 1.

zielenisty *adj* verdant

zieleniutki *adj* intensely green

zielenizna *sf singt zbior.* unripe fruits

ziele|ń *sf* 1. (*barwa*) green (colour); **~ń morska** sea-green 2. *singt* (*roślinność*) verdure; **pas ~ni (dookoła miasta)** green belt 3. *singt* (*ścięte rośliny, gałęzie drzew*) greenery 4. *gw.* (*żandarm niemiecki*) German gendarme; Hun 5. *chem.* (chrome, malachite, Paris etc.) green

zielnik *sm* herbarium

zielnikowy *adj* herbarial

zieln|y *adj* herbaceous (plant etc.); **Matka Boska Zielna** (Feast of the) Assumption; **warstwa ~a** undergrowth (of a forest floor)

zielonawo *adv* in <of> a greenish colour; **zabarwiony na ~** greenish-hued; greenish-coloured

zielonawoblady *adj* greenish-pale

zielonawobrązowy *adj* greenish-brown

zielonawoniebieski *adj* greenish-blue

zielonawożółty *adj* greenish-yellow

zielonawy *adj* greenish

zieloniuchny *adj*, **zieloniutki** *adj* intensely green

zielon|ka *sf pl G.* **~ek** 1. *roln.* (*pasza*) green forage 2. *bot.* (*Tricholoma equestre*) an edible agaric 3. *gw.* (*żandarm niemiecki*) German gendarme; Hun 4. (*śniedź*) verdigris

zielonkawo *adv* = **zielonawo**

zielonkawobiały *adj* greenish-white

zielonkawobłękitny *adj* greenish-blue

zielonkawobrązowy *adj* greenish-brown

zielonkawoczarny *adj* greenish-black

zielonkaworudy *adj* greenish-russet

zielonkawożółty *adj* greenish-yellow

zielonkawy *adj* greenish

zielonkowaty *adj dial.* greenish

ziel|ono *adv* (*comp* **~eniej**) in <of> green (colour); **malować na ~ono** to paint (sth) green; **wszędzie było ~ono** green prevailed everywhere; *przen.* **mieć ~ono w głowie** a) (*o chłopcu*) to be a greenhorn b) (*o dziewczynie*) to be silly girl <goose>

zielonobiały *adj* green-white

zielonogłowy *adj* green-headed

zielononiebieski *adj* green-blue

zielononóż|ka *sf pl G.* **~ek** green-legged hen

zielonooki *adj* green-eyed

zielonorudy *adj* green-russet

zielonoszary *adj* green-grey

zieloność *sf* 1. (*kolor*) green (colour); greenness 2. (*zieleń*) green (vegetation); verdure; verdancy

zielonoświątkowy *adj* Whitsuntide _ (festivities etc.)

zielonozłoty *adj* green-gold

zielonożółty *adj* green-yellow

zielon|y [I] *adj* 1. (*mający barwę trawy*) green; *herald.* vert; **nawozy ~e** green manure; **pasza ~a** green forage; **~e światło** green light(s); **~y stolik** the gaming table; **Zielone Świątki** Whitsuntide; Pentecost; *am.* Pinkster; (*w wyznaniu Mojżeszowym*) the Feast of Weeks; **Niedziela Zielonych Świąt** Whit Sunday; **poniedziałek Zielonych Świąt** Whit Monday; **~y ze strachu** green with fear; **nie mieć ~ego pojęcia o czymś** not to have the faintest idea of sth; **przejść przez ~ą granicę** to smuggle oneself out of <into> a country; *pot.* **pójść na ~ą trawkę** to lose one's job; to get sacked <fired> 2. (*niedojrzały*) green; raw; unripe; (*o drzewie*) sappy; *przen.* **~e lata** salad-days [III] *sn* **~e** *singt* verdure

zielsk|o *sn* weed; **porosły ~iem** overgrown with weeds

ziem|ia *sf pl G.* **~** 1. **Ziemia** (*kula ziemska*) the Earth; the world; **mieszkaniec Ziemi** (a) terrestrial; (a) mortal; **~ia matka** mother-earth; **stąpać po ~i** to be a matter-of-fact person; **to niebo a ~ia** there's a world of difference between them; **znieść <zetrzeć> z powierzchni ~i** to annihilate; **zniknąć z oblicza ~i** to vanish into thin air; **między niebem a ~ią** in mid-air; *pot.* **nie z tej ~i** (*niezwykły*) uncommon; rare; (*niesamowity*) uncanny; unearthly; (*o awanturze itd.*) unholy (row etc.); (*fenomenalny*) fantastic 2. (*materia*) earth; (*gleba*) soil; *elektr. fiz.* earth; *miner.* **~ie rzadkie** rare earths; *elektr. fiz.* **połączyć z ~ią** to ground; **stać jakby wrośnięty w ~ię** to stand rooted to the ground; *przen.* **gryźć ~ię** a) (*cierpieć głód*) to starve b) (*nie żyć*) to be in one's grave <under the sod>; **pójść do ~i** to go to one's grave; **oby mu ~ia była lekka** may he rest in peace 3. (*ląd*) land 4. (*powierzchnia gruntu, podłoga*) the ground; **chciałem się pod ~ię zapaść** I wished I was dead; **spać na gołej ~i** to sleep on the ground; **upaść na ~ię** to fall to the ground <on the floor>; **wydobyć coś spod ~i** to conjure up sth; **wyrosnąć jak spod ~i** to appear as if by magic <out of nowhere>; **zdawać się nie dotykać ~i** to walk <to tread> on air; **~ia paliła mu się pod nogami** the place was too hot for him; **zrównać z ~ią** to raze to the ground; *dosł. i przen.* **pod ~ią** underground; **z wzrokiem wbitym w ~ię** with downcast eyes; **rozstąp się ~io!** it's nowhere to be found 5. (*grunt*) land; landed property; **głód ~i** land-hunger; **obrócić ~ię na łąkę <pole orne itd.>** to lay down land under grass <corn etc.> 6. (*kraj*) (one's) country <native land, native soil>; (*kraina*) land; **~ia mlekiem i miodem płynąca** land flowing with milk and honey; **~ia obiecana** a) *bibl.* the Promised Land b) *przen.* a land of promise; **Ziemia Święta** the Holy Land; **Ziemie Zachodnie <Odzyskane>** the Regained Territories 7. *hist.* district (**Bielska, Dobrzyńska itd.** of Bielsko, Dobrzyń etc.)

ziemian|in *sm pl N.* **~ie** *G.* **~** 1. (*właściciel posiadłości*) landed proprietor; landlord; squire; gentleman-farmer; *pl* **~ie** gentry; landed aristocracy 2. (*mieszkaniec Ziemi*) (a) terrestrial; (a) mortal

ziemian|ka *sf pl G.* **∼ek** 1. (*właścicielka posiadłości*) landed proprietress 2. (*mieszkanka Ziemi*) (a) terrestrial; (a) mortal 3. (*pomieszczenie*) dug-out
ziemiański *adj* landed proprietor's <proprietors'>; of the gentry
ziemiaństwo *sn* gentry; landed aristocracy
ziemin|ek *sm G.* **∼ka** *zool.* (*Geophilus*) geophilid
ziemiopłod|y *spl G.* **∼ów** agricultural products
ziemisty *adj* sallow; tallowy; pasty; doughy (complexion); **∼ na twarzy** tallow-faced; pasty-faced
ziemlan|ka *sf pl G.* **∼ek** *dial.* dug-out
ziemniaczan|ka *sf pl G.* **∼ek** *dial.* potato soup
ziemniaczan|y *adj* potato — (field, leaves etc.); **mąka ∼a** potato flour; **rak ∼y** potato black scab; **zaraza ∼a** potato blight
ziemniaczek *sm dim* ↑ **ziemniak**
ziemniaczysko *sn* potato field
ziemniak *sm* 1. *bot.* (*Solanum tuberosum*) the potato plant 2. (*bulwa*) potato
ziemnopączkow|y *bot.* [I] *adj* geophytic [II] *spl* **∼ate** Geophytes
ziemnowodn|y [I] *adj* amphibious [II] *spl* **∼e** *zool.* (*Amphibia*) amphibians
ziemn|y *adj* terrestrial (deposits etc.); terraneous <terrestrial> (plants); terricolous <terrestrial> (animal); **gaz ∼y** earth gas; **orzechy ∼e** monkey nuts; **roboty ∼e** earthworks; **wosk ∼y** ozocerite, ozokerite
ziemski *adj* 1. (*dotyczący Ziemi — planety*) Earth's (crust etc.); terrestrial (globe, magnetism, meridian etc.) 2. (*dotyczący ludzi, ich życia na Ziemi*) worldly; mundane; temporal; earthly 3. (*dotyczący gruntu*) land — (bank, law etc.); landed (aristocracy, property etc.); **właściciel ∼** landowner 4. *hist.* District — (administration, court etc.)
ziemskość *sf singt* worldliness; mundaneness; earthly-mindedness
ziemstwo *sn hist.* District; District administration; District court
ziewacz *sm* gaper
ziewacz|ka *sf pl G.* **∼ek** 1. (*kobieta*) gaper 2. *singt pot.* (*ziewanie*) the gapes
ziewać *vi imperf* — **ziewnąć** *vi perf* 1. (*robić mimowoli wdech i wydech przez usta*) to yawn; *perf* to give a yawn 2. *przen.* (*stać otworem*) to yawn; to gape
ziewanie *sn* (↑ **ziewać**) (fit of) yawning
ziewnąć *zob.* **ziewać**
ziewnięcie *sn* (↑ **ziewnąć**) (a) yawn
zięba *sf zool.* (*Fringilla coelebs*) chaffinch
ziębi *adj* chaffinch's
ziębi|ć *v imperf* [I] *vt* to chill; *przen.* **to mnie ani grzeje, ani ∼** it leaves me cold [II] *vr* **∼ć się** to expose oneself to the cold
ziębnąć *vi imperf* **ziębnął** <**ziąbł**>, **ziębła** 1. (*być wystawionym na chłód*) to be exposed to the cold 2. (*marznąć*) to freeze 3. (*o potrawie itd., przen. — o uczuciach*) to cool
ziębnięcie *sn* ↑ **ziębnąć**
zię|ć *sm pl N.* **∼ciowie** *G.* **∼ciów** son-in-law
zignorować [z-i] *vt perf* 1. (*pominąć*) to ignore <to disregard> (a fact etc.) 2. (*celowo nie zauważyć kogoś*) to cut (sb) dead; to give (sb) the go-by; *przen.* to give (sb) the cold shoulder; to leave (sb) out in the cold

zilustrować [z-i] *vt perf* to illustrate (a book etc.)
zim|a *sf* winter; **w pełni ∼y** in the depth of winter; **∼ą i latem** (both) in winter and in summer; winter and summer alike; **on sobie liczy 70 ∼** he is a man of 70 winters
zimnawy *adj* coldish; pretty cold; rather fresh
zimnica *sf singt* 1. (*zimno*) the cold 2. *med.* ague 3. *zool.* (*Limanda limanda*) dab 4. *geol.* cold soil
zimnisko *sn* (*augment.* ↑ **zimno**) bitter cold
zimn|o [I] *sn* (*chłód*) the cold; (*niska temperatura*) coldness (of the climate etc.); (*uczucie zimna*) chill, chilliness; **fala ∼a** cold wave; *x* **stopni ∼a** *x* degrees of frost; **przechowywany w ∼ie** in cold storage; **drżeć z ∼a** to shiver with cold; **umrę z ∼a** I shall catch my death of cold; **na ∼ie** (out) in the cold [II] *adv* 1. *w zwrotach*: **jest** <**było, robi(ło) się**> **∼o** it is <was, got> cold; **jest mi ∼o** I am cold; **robiło się ∼o i gorąco** one went hot and cold all over; **∼o mi w nogi** my feet are cold; **∼o mi się robi na myśl ...** I shudder to think ...; **zrobiło mi się ∼o** a cold shiver ran down my spine; **na ∼o** a) (*w zimnym stanie*) in the cold state b) (*bez uniesienia*) soberly; **mięso na ∼o** cold meat; *techn.* **obróbka na ∼o** cold working 2. (*beznamiętnie*) soberly; dispassionately; calmly; **popełnić zbrodnię na ∼o** to commit a crime in cold blood 3. (*obojętnie*) coldly; (*niechętnie*) icily
zimnokrwistość *sf singt* cold-bloodedness
zimnokrwisty *adj* cold-blooded
zimnotrwałość *sf singt bot.* hardiness; cold-resistance
zimnotrwały *adj bot.* hardy; cold-resistant
zimnowojenny *adj polit.* cold-war — (tactics etc.)
zimn|y [I] *adj* 1. (*mający niską temperaturę*) cold; chilly; *geogr.* frigid (zone); *med.* algid; (*o wietrze*) bleak; **∼e mięso** cold meat; **∼e ognie** golden rain; **∼e potrawy, ∼y bufet** cold dishes; **∼e wino** iced <cooled> wine; *przen.* **∼a krew** coolness; composure; **stracić ∼ą krew** to lose one's self-control <one's nerve>; **zachować ∼ą krew** to keep cool; **z ∼ą krwią** a) (*bez zdenerwowania*) with perfect calm b) (*z przytomnością umysłu*) in cold blood; *przen. polit.* **∼a wojna** cold war; **mam ∼e nogi** my feet are cold; **∼y pot mnie oblał** I was scared stiff 2. (*beznamiętny*) cold-hearted; stolid: dispassionate; impassive 3. (*oziębły*) stiff; distant; stand-offish; reserved; (*niechętny*) icy (welcome, answer etc.); frigid (politeness etc.) [II] *sn* **∼e** *w zwrocie*: **kto się raz (na gorącym) sparzył, ten na ∼e dmucha** once bitten twice shy
zimoch|ów *sm G.* **∼owu** winter fish-pond
zimoodporność *sf singt roln. bot.* hardiness; cold-resistance
zimoodporny *adj roln. bot.* hardy; cold-resistant
zimorod|ek *sm G.* **∼ka** *zool.* (*Alcedo*) kingfisher
zimotrwałość *sf singt bot.* hardiness; cold-resistance
zimotrwały *adj bot.* hardy; cold-resistant
zim|ować *v imperf* [I] *vi* 1. (*spędzać zimę*) to winter; to hibernate; to pass <to spend> the winter (somewhere); to survive the winter; *pot.* **pokazać komuś, gdzie raki ∼ują** to teach sb a lesson 2. *pot. szk.* (*powtarzać klasę*) to repeat a course [II] *vt* to winter (animals, plants)

zimow|ek *sm G.* **~ka** *zool.* (*Hibernia defoliaria*) geometrid moth

zimowisko *sn* 1. (*miejsce, w którym się spędza zimę*) winter quarters 2. (*miejscowość wypoczynkowa*) winter resort

zimowit *sm G.* **~u** *bot.* (*Colchicum*) colchicum; meadow-saffron

zimowl|a *sf singt G.* **~i** wintering; hibernation

zimownik *sm* 1. (*ten, kto zimuje*) winterer 2. (*szklarnia*) green-house

zimowy *adj* winter — (day, clothes, sports etc.); wintry (weather, sky etc.); **sen ~** winter sleep; hibernation; **~ mróz** midwinter frost

zimozielony *adj* evergreen

zimozi|ół *sm G.* **~ołu** *bot.* (*Linnaea borealis*) twinflower

zindustrializować [z-i] *vt perf* to industrialize

zindywidualizować [z-i] *vt perf* to individualize

zinstrumentować [z-i] *vt perf muz.* to concert; to arrange (a musical composition) for several instruments

zinstytucjonalizować [z-i] *v perf* [I] *vt* to institutionalize [II] *vr* **~ się** to become institutionalized

zintegrować [z-i] *v perf* [I] *vt* to integrate [II] *vr* **~ się** to become integrated

zintelektualizować [z-i] *vt perf* to intellectualize

zintensyfikować [z-i] *v perf* [I] *vt* to intensify [II] *vr* **~ się** to become intensified

zinterpretować [z-i] *vt perf* 1. (*dokonać interpretacji*) to interpret; to explain; to comment (**coś** upon sth) 2. (*odtworzyć*) to interpret (a role, a musical composition)

zinwentaryzować [z-i] *vt perf* to list; to catalogue

ziob|ro *sn pl G.* **~er** *gw.* rib; **~ro wołowe** rib(s) of beef

zioło *sn pl G.* **ziół** herb

ziołolecznictwo *sn* phytotherapy; treatment by the use of medicinal plants

ziołowy *adj* herb — (tea, water, extract etc.)

ziołoznawstwo *sn* medicinal phytology; knowledge of medicinal herbs

ziołów|ka *sf pl G.* **~ek** herb-flavoured vodka; vodka flavoured with herb extracts

ziom|ek *sm G.* **~ka** *pl G.* **~kowie** compatriot; countryman

ziomkostwo *sn* 1. (*stan*) compatriotism 2. (*stowarzyszenie*) association of compatriots

ziomkowski *adj* compatriotic

zionąć *vi perf imperf* 1. (*ziać*) to pant; to gasp for breath 2. *przen.* (*żywiołowo uzewnętrzniać*) to breathe (**nienawiścią, chęcią zemsty itd.** hatred, vengeance etc.) 3. (*o przepaści itd.*) to yawn; to gape; **~ pustką** to be completely <utterly> deserted; to yawn emptily 4. (*wyrzucać z siebie*) to belch (**ogniem** fire); to rain (**pociskami** missiles); to infect (**smrodem** with stench)

ziół|ko *sn pl G.* **~ek** 1. (*dim* ↑ **ziele**) tiny herb 2. *pl* **~ka** herbs; (*wywar*) herb-tea 3. (*o człowieku — gagatek*) scamp; rascal; rogue

zip|ać *vi imperf* **~ie** — **zip|nąć** *vi perf* to breathe; to draw breath; to pant; **ani nie ~nął** he never uttered a sound; **jeszcze ~ie** he is still above ground; **ledwo ~ać** to be more dead than alive; **nie dać człowiekowi nawet ~nąć** not to give a fellow time to breathe

zipnięcie *sn* (↑ **zipnąć**) a breath

zironizować [z-i] *vt perf* to ridicule; to deride

zirytować [z-i] *v perf* [I] *vt* to irritate; to annoy; to vex; to exasperate [II] *vr* **~ się** to be <to get> irritated <annoyed, vexed, exasperated>

zirytowany [z-i] [I] *pp* ↑ **zirytować** [II] *adj* irritated; annoyed; vexed; exasperated; peevish; testy; ill-tempered

ziszczać [z-i] *v imperf* — **ziścić** [z-i] *v perf* **ziszczę, ziszczony** [I] *vt* to realize; to fulfil; to carry out (a plan etc.) [II] *vr* **ziszczać, ziścić się** to materialize; to be fulfilled; (*o marzeniu*) to come true

ziszczalny [z-i] *adj* realizable; feasible; practicable

ziszczenie [z-i] *sn* 1. (↑ **ziścić**) realization 2. **~ się** materialization

ziścić *zob.* **ziszczać**

zjadacz *sm* eater; grubber; **~ chleba** the man in the street; **~ serc** lady-killer

zjadacz|ka *sf pl G.* **~ek** eater; **~ka serc** vamp

zjadać *vt imperf* — **zjeść** *vt perf* **zjem, zjesz, zje, zjedzą, zjedz, zjadł, zjedli, zjedzony** 1. (*spożywać*) to eat; to have (breakfast, lunch, dinner etc.); *pot.* **zdaje mu się, że wszystkie rozumy zjadł** he thinks he is a know-all; he is a wiseacre; **zjadać słowa** to clip one's words; **zjadłem zęby na tym** I know this out-and-out; **zjem diabła, jeżeli ...** I'll eat my hat if ...; **zjeść kogoś w kaszy** to prove too clever for sb; to outwit sb; **nie dać się zjeść w kaszy** to assert oneself 2. *przen.* to devour (books, somebody with one's eyes) 3. (*pochłaniać*) to take <to need> (time, pains, patience etc.); (*o piecu*) to eat <to burn> (lots of coal); **kobiety zjadły jego majątek** women drained him of his fortune 4. (*wyniszczyć*) to ruin (sb's health) *zob.* **zjeść**

zjadliwie *adv* 1. (*złośliwie*) maliciously; spitefully; viciously 2. (*uszczypliwie*) bitingly; cuttingly; scathingly

zjadliwość *sf singt* 1. (*złośliwość*) malice; spite; spitefulness; viciousness 2. (*uszczypliwość*) mordacity; virulence 3. (*cecha choroby*) malignancy; virulence

zjadliwy *adj* 1. (*złośliwy*) malicious; spiteful; vicious 2. (*uszczypliwy*) biting <cutting, scathing, mordant> (remark etc.); slashing (criticism); stinging (satire) 3. (*o chorobie, zarazkach*) malignant; virulent

zjałowie|ć *vi perf* **~je** to become <to grow> barren <sterile, unproductive>

zjarowizować *vt perf roln.* to vernalize

zjawa *sf* phantom; spectre; vision

zjawi|ać się *vr imperf* — **zjawi|ć się** *vr perf* 1. (*przybywać*) to show <to turn> up; to make one's appearance; **nie ~ć się** to stop <to keep> away; to absent oneself; to fail to show up 2. (*ukazywać się*) to appear; to become visible; (*występować*) to occur; **~ły się mrozy** the frost came

zjawienie się *sn* (↑ **zjawić się**) appearance

zjawisko *sn* 1. (*zdarzenie*) occurrence 2. (*fenomen*) phenomenon 3. (*zjawa*) vision

zjawiskowy *adj* 1. (*odnoszący się do faktu*) factual 2. (*odnoszący się do zjawy*) dreamlike 3. (*fenomenalny*) phenomenal

zjazd *sm G.* **~u** *L.* **zjeździe** 1. (*zjeżdżanie z góry*) downhill ride <drive, slide>; (*rowerem na wolnym biegu, samochodem z wyłączonym silnikiem*) coast(ing) 2. (*spadzista droga, stok*) downward slope 3. (*zgromadzenie osób, obrady*) congress; conference; convention; rally; *uniw. szk.* **~ koleżeński** gaudy-day; **~ rodzinny** family reunion 4. (*zjechanie się wielu osób*) meet; assembly; conference 5. (*zjechanie do garażu*) parking 6. *sport* (ski) run; downhill run

zjazdow|iec *sm G.* **~ca** *sport* contestant; downhill racer

zjazdowy *adj* 1. (*odnoszący się do zjazdu w celu obrad*) congress — (resolution etc.); congressional 2. *sport* **bieg ~** (ski) run

zje|chać *v perf* **zjadę, ~dzie, ~chał — zje|żdżać** *v imperf* [I] *vi* 1. (*jechać z góry*) to ride <to drive, (*o pojeździe*) to run> downhill; (*windą*) to go down 2. (*skręcić z drogi*) to take a turning; to turn aside; **~chać, ~żdżać komuś z drogi** to make way for sb 3. *przen.* (*o rozmowie — zboczyć z tematu*) to side-track (**na politykę, teatr itd.** to politics, the theatre etc.) 4. (*przybyć*) to come (in numbers); to arrive; to assemble 5. (*opuszczać*) to leave (for home); to return (to one's quarters etc.) 6. (*ześliznąć się*) to slide down; to slip [II] *vt* 1. *pot.* (*zwymyślać*) to blow (sb) up 2. (*skrytykować*) to slate (an author); to pull (a composition etc.) to pieces 3. (*zwiedzić*) to visit (places, a region); to travel (**całą Polskę itd.** all over Poland etc.) [III] *vr* **~chać, ~żdżać się** to come (in numbers); to arrive; to assemble

zjedn|ać *vt perf* — **zjedn|ywać** *vt imperf* to win <to gain> (**ludzi** people's hearts; **kogoś** sb's good feeling); to win over (**publiczność** an audience); to propitiate (the gods etc.); **~ać sobie czyjeś poparcie** to secure <to enlist> sb's support

zjednoczenie *sn* 1. ↑ **zjednoczyć** 2. (*czynność*) unification 3. (*organizacja*) union; federation; association

zjednoczyć *v perf* [I] *vt* to unite; to fuse; to bring <to join> together; to amalgamate; **Organizacja Narodów Zjednoczonych** United Nations Organization; **Polska Zjednoczona Partia Robotnicza** Polish United Workers' Party; **Stany Zjednoczone** United States [III] *vr* **~ się** to unite <to combine> (*vi*); to join (*vi*); to amalgamate (*vi*); to coalesce; to federate

zjednolic|ić *v perf* **~ę, ~ony** [I] *vt* to standardize; to adopt <to introduce> a uniform system (**coś** in <for> sth) [III] *vr* **~ić się** to become standardized <uniform>

zjednywać *zob.* **zjednać**

zjednywani|e *sn* ↑ **zjednywać**; **dar ~a sobie ludzi** winning manners

zjedzeni|e *sn* ↑ **zjeść**; **czas dla ~a posiłku** time to eat a meal

zjełczały *adj* rancid; rank

zjełcze|ć *vi perf* **~je** to become <to grow> rancid

zje|ść *vt perf* **~m, ~, ~dzą, zjadł, ~dli, ~dzony** 1. *zob.* **zjadać** 2. *pot.* (*przechytrzyć*) to outmanoeuvre; to outdo; to outrival

zje|ździć *vt perf* **~żdżę, ~żdżony** 1. (*objechać*) to visit (a region etc.); (*objechać w poszukiwaniu czegoś*) to search 2. (*zużyć*) to wear (sth) out; **~ździć konia** to founder a horse

zjeżdżony *adj* worn out; much used

zjeżać *zob.* **zjeżyć**

zjeżdżać *zob.* **zjechać**

zjeżdżalnia *sf* chute

zjeż|yć *v perf* — **zjeż|ać** *v imperf* [I] *vt* to bristle <to rough up> (one's <its> hair); (*o psie*) **ze ~onym grzbietem** with its hackles up; *przen.* (*o murze*) **~ony basztami** bristling with towers [III] *vr* **~yć, ~ać się** 1. (*nastroszyć się*) to bristle up; **włosy ~yły mu się na głowie** his hair stood on end 2. *przen.* to bristle (with bayonets etc.) 3. (*o człowieku — obruszyć się*) to show one's bristles; **~ył się** his hackles were up

zjędrnie|ć *vi perf* **~je** to grow (more) firm

zjonizować *vt perf* to ionize

z kretesem *zob.* **kretes**

zlać *v perf* **zleje — zlewać** *v imperf* [I] *vt* 1. (*ulać*) to pour (out); **fortuna zlała łaski na niego** fortune has poured down her blessings on him 2. (*zmoczyć*) to drench; to pour (**kogoś, coś wodą itd.** water etc. on sb, sth); **pot go zlewa** he is bathed in sweat 3. (*przelać*) to pour off; to decant 4. (*zmieszać*) to mix <to blend> (liquids); *kino* to dissolve <to fade> (one scene into another) 5. *perf pot.* (*zbić*) to give (sb) a thrashing <a hiding> [II] *vi pot. szk.* to get plucked <ploughed>; *am.* to flunk [III] *vr* **zlać, zlewać się** 1. (*oblać się*) to pour (**wodą, wonnościami itd.** water, perfumes etc.) on oneself; **zlać się potem** to be bathed in sweat 2. (*oblać siebie wzajemnie*) to pour <to souse> (**wodą itd.** water etc.) over one another 3. (*połączyć się*) to mix <to mingle> (*vi*); to join (*vi*); to fuse; to merge; *kino* (*o dwóch scenach*) to dissolve 4. (*spłynąć*) to run <*dosł. i przen.* to stream> down (from the roof etc.) 5. *pot.* = **zlać, zlewać** *vi* 6. *wulg.* to piss in one's clothes; (*o dziecku, chorym*) to wet its <his> bed 7. *roln.* to crust

zlaicyzować *vt perf* to laicize; to secularize

zlasować *v perf* [I] *vt* to slake <to slack> (lime) [III] *vr* **~ się** to slake <to slack> (*vi*)

zlanie *sn* 1. ↑ **zlać** 2. **~ się** junction; fusion; merger; *jęz.* crasis

zlatać *v perf* [I] *vt* to rush about visiting (a place, region) [III] *vr* **~ się** to rush about till one is tired

zlatynizować *v perf* [I] *vt* to latinize [III] *vr* **~ się** to become latinized

zlatywać *v imperf* — **zlecieć** *v perf* **zlecę, zleci** [I] *vi* 1. (*sfruwać*) to fly down; to alight 2. (*spadać*) to fall down (from a tree etc.); to come down; to fall (**z wozu itd.** off a cart etc.); *pot.* (*o ubraniu*) **zlatywać, zlecieć z kogoś** to be worn to rags; **zlatuje z niego palto** his overcoat is worn to rags 3. *pot.* (*zbiegać*) to run (**ze schodów, z górki** down the stairs, down a hill) 4. *pot.* (*o czasie*) to fly by [II] *vt perf pot.* (*przebyć*) to go on foot <to walk> (*x* miles etc.); **zlecieć całe miasto** to run all over a town [III] *vr* **zlatywać, zlecieć się** 1. (*o ptakach, owadach*) to come flying (**zewsząd** from everywhere); to flock 2. (*o ludziach*) to come running; to throng; to meet

zląc się *zob.* **zlęknąć się**

zlec|ać *vt imperf* — **zlec|ić** *vt perf* **~ę, ~ony** to charge <to entrust> (**komuś jakieś zadanie** sb with a task); to commission <to instruct> (**komuś coś, zrobienie czegoś** sb to do sth); **~ono mu zdobycie fortecy <namalowanie obrazu itd.>** he was instructed to capture the fortress <to paint a canvas etc.>

zlecenie *sn* 1. ↑ **zlecić** 2. (*polecenie*) commission; order; instructions; **dać komuś ~ = zlecić** 3. (*pismo zlecające*) message; commission; errand 4. *handl. bank.* order

zleceniobiorca *sm* (*decl = sf*) contractor; consignee; mandatory

zleceniodawca *sm* (*decl = sf*) (a) principal; employer; *handl.* customer

zlecić *zob.* **zlecać**

zlecieć *zob.* **zlatywać**

z ledwością *adv pot.* with difficulty; with great pains; only just (to manage)

zlekceważyć *vt perf* 1. (*potraktować w sposób lekceważący*) to slight <to be flippant with> (sb); to treat (sb) with disrespect 2. (*nie zwrócić uwagi*) to disregard (sth); to make no account (**coś** of sth); to underestimate (sth); to set (sth) at naught 3. (*zbagatelizować*) to make light (**coś** of sth); to take no heed (**coś** of sth); to pooh-pooh (a suggestion etc.)

z lekka *zob.* **lekki**

zleniwie|ć *vi perf* **~je** to grow lazy; to become sluggish

zlep *sm G.* **~u** *med.* conglomeration; mass; lump; cluster

zlep|ek *sm G.* **~ku** conglomerate; agglomeration; agglutination; cluster

zlepi|ać *v imperf* — **zlepi|ć** *v perf* [I] *vt* to stick <to glue, to gum> together; to agglomerate; to conglomerate; **~one oczy** gummed up eyes; **~one włosy** clotted hair [II] *vr* **~ać, ~ć się** to get stuck together; to cake; to agglomerate; to agglutinate; to conglomerate

zlepie|niec *sm G.* **~ńca** *miner.* conglomerate; hardpan; pudding stone

zlepieńcowaty *adj miner.* **piaskowiec ~** gritstone; sandstone with coarse grain

zlepny *adj med.* agglutinative; agglutination **— (odczyn** test)

zlew *sm G.* **~u** sink

z lewa *zob.* **lewy**

zlewać *zob.* **zlać**

zlew|ek *sm G.* **~ka, ~ku** (*pl* **~ki**) (*resztki napojów*) slops

zlewisko *sn* 1. *geogr.* catchment <drainage> area 2. *przen.* conglomeration

zlew|ka *sf pl G.* **~ek** *chem.* beaker

zlewnia *sf* 1. = **zlewisko** 1. 2. *techn.* reception basin 3. (*punkt skupu mleka*) purchase centre of diary produce

zlewnica *sf techn.* ingot mould

zlewny *adj* 1. *techn.* cast (steel) 2. *roln.* heavy (land)

zlewozmywak *sm* drainboard sink

zlezienie *sn* ↑ **zleźć**

zleźć *v perf* **zlezę, zlezie, zlazł, zleźli — złazić** *v imperf* **złażę** *pot.* [I] *vi* 1. (*zejść*) to get off (**z łóżka, stołu itd.** the bed, table etc.); to come <to climb> down (from a tree, ladder etc.) 2. (*odpaść*) to come off; (*o farbie, skórze itp.*) to peel off; **skóra mi złazi z nosa** my nose is peeling [II] *vr* **zleźć, złazić się** (*zgromadzić się*) to get together; to gather

zleżały *adj* stale; musty

zleż|eć się *vr perf* **~y się** to get stale <musty>

zlęknąć się *vr perf,* **zląc się** *vr perf* **zląkł się, zlękła się** to take fright; to be frightened <alarmed>; **zląkłem się** I took fright; I was frightened

zlękniony *adj* frightened; afraid

zlicytować *vt perf* to sell (sth) by auction <*am.* at auction>; to bring (sth) to the hammer; to put (sth) up for sale; **~ kogoś** to sell sb's property by auction

zlicz|ać *vt imperf rz.* — **zlicz|yć** *vt perf* (*obliczać*) to count; to reckon; (*podsumować*) to add up; to tot up; **nie umie ~yć do trzech** he doesn't know how many beans make five; **tyle, że trudno ~yć** uncountable

zlikwidować *v perf* [I] *vt* 1. (*znieść*) to suppress; to abolish; to do away (**coś** with sth) 2. (*zwinąć*) to wind up; to close down 3. (*zgładzić*) **to put** (sb) to death; to liquidate (a gang etc.) [II] *vr* **~ się** to be suppressed <abolished>; to get wound up <closed down>

zliliowie|ć *vi perf* **~je** to turn lilac; to assume a lilac hue

zlinczować *vt perf* to lynch

zliszajowacie|ć *vi perf* **~je** to become herpetic

zlitować się *vr perf* to take pity (**nad kimś** on sb); to feel pity (**nad kimś** for sb)

zlitowanie się *sn* 1. ↑ **zlitować się** 2. (*litość*) pity

zli|zać *vt perf* **~że — zli|zywać** *vt imperf* to lick (sth) up; **~zać, ~zywać coś z czegoś — z wąsów itd.** to lick sth off sth — off one's moustache etc.

zlodowacenie *sn* 1. ↑ **zlodowacić, zlodowacieć** 2. *geol.* glaciation

zlodowac|ić *vt perf* **~ę, ~ony** 1. (*zamienić w lód*) to freeze (a liquid etc.) 2. (*pokryć lodem*) to freeze (sth) over

zlodowacie|ć *vi perf* **~je** to freeze; to get frozen; (*o członkach ciała*) to be numb with cold

zlokalizować *vt perf* 1. (*umiejscowić*) to situate; to place; to fix the site (**coś gdzieś** for sth somewhere) 2. (*nie dopuścić do rozprzestrzenienia się*) to localize (a fire, an epidemic etc.)

zlokalizowanie *sn* 1. ↑ **zlokalizować** 2. (*ograniczenie pożaru itd.*) localization

zlokautować *vt perf* to lock out (workers)

zlot *sm G.* **~u** 1. (*zjazd*) rally; (*w harcerstwie*) jamboree 2. (*zlatywanie się ptactwa*) flight; flocking together of birds before migration

zlotkować *vt perf myśl.* to feather (a bird)

zlotny *adj* rally **—** (badge etc.)

zlustrować *vt perf* to inspect

zlutować *v perf* [I] *vt* to solder (sth) [II] *vr* **~ się** to solder (*vi*)

zluzow|ać *v perf* — **zluzow|ywać** *v imperf* [I] *vt* 1. (*zastąpić*) to replace; to relay; to relieve; to take over (**kogoś** from sb) 2. (*obluzować*) to loosen; to ease off (a cable etc.) [II] *vr* **~ać, ~ywać się** 1. (*zastąpić jeden drugiego*) to replace <to relay, to relieve> one another; to take turns 2. (*obluzować się*) to loosen (*vi*); to ease off <up> (*vi*)

zluźni|ać *v imperf* — **zluźni|ć** *v perf* [I] *vt* to slacken; to loosen; to ease off (a cable etc.) [II] *vr* **~ać, ~ć się** to slacken <to ease> off <up> (*vi*); to loosen (*vi*)

złachać *vt perf,* **złachmanić** *vt perf* to wear (a garment) to rags

zładować *vt perf* 1. (*wyładować*) to unload 2. (*zgromadzić*) to heap; to pile up

złagadzać *zob.* **złagodzić**

złagodnie|ć *vi perf* **~je** 1. (*stać się łagodniejszym*) to grow milder <more gentle, less severe, less stern, less strict> 2. (*stracić na intensywności*) to relent; to abate; to subside

złagodnienie *sn* (↑ **złagodnieć**) lessened <diminished> severity <sternness>

złagodzenie *sn* 1. ↑ **złagodzić** 2. (*zmniejszenie intensywności*) appeasement; assuagement; mitigation; *prawn.* **~ kary** commutation of a sentence

złag|odzić *vt perf* **~odzę, ~odzony, ~ódź — złag|adzać** *vt imperf* 1. (*uczynić mniej surowym*) to soften; to lessen <to diminish> the severity <sternness> (**coś** of sth) 2. (*uczynić mniej intensywnym*) to appease; to soothe; to assuage; to mitigate; to moderate; to tone down (colours); to subdue (light); to lighten <to commute> (a sentence); to alleviate (pains etc.); **ból niczym nie ~odzony** unmitigated pain <suffering>; *przen.* **~odzić coś** to take the edge off sth

zła|ja *sf G.* **~i** *pl G.* **~j** *myśl.* pack (of hounds)

złajać *vt perf* to scold; to rate

złajdacz|eć *vi perf* **~eje** to grow <to become> scoundrelly <rascally, roguish>; **~ał** he became a thorough scoundrel <rascal, rogue>

złakniony *adj* 1. (*zgłodniały*) hungry; starving 2. (*spragniony*) thirsty; *przen.* **~ dobrej muzyki <miłości itd.>** thirsting for good music <love etc.>

złakomi|ć *v perf* [I] *vt* to tempt; **~ony łatwym zyskiem** tempted by easy gains [II] *vr* **~ć się** to be tempted (**czymś** by sth); to yield to the temptation (**na coś** of sth)

złam|ać *v perf* **~ie** [I] *vt* 1. (*rozłamać*) to break; to smash; **~ać kark** to break one's neck 2. (*przezwyciężyć*) to overcome (sb's resistance, difficulties etc.); **~ać opór** to crush the opposition 3. (*także* **~ać kogoś na duchu**) (*przygnębić*) to break sb's spirit 4. (*naruszyć*) to break (one's oath, promise etc.); to transgress <to infringe, to violate> (the law etc.); **nie ~ać danego słowa** to keep one's word 5. *druk.* to make up (pages, columns) 6. (*zniweczyć, zwalczyć*) to break; to smash; **~ać komuś serce** to break sb's heart; **~ać strajk** to break a strike [II] *vr* **~ać się** 1. (*zostać złamanym*) to break (*vi*); to get broken; to snap 2. (*zostać pokonanym*) to collapse; to have a nervous breakdown; to go to pieces; (*cofnąć się przed przeciwnościami*) to give in; to yield; **nie dać się ~ać** to remain undaunted

złamani|e *sn* 1. ↑ **złamać; nie do ~a** unbreakable; **na ~e karku** at a breakneck <terrific> pace; headlong; **jechać na ~e karku** to tear along 2. (*miejsce złamania*) break; *med.* fracture 3. (*pognębienie*) prostration; nervous breakdown; collapse

złaman|y [I] *pp* ↑ **złamać; nie mieć ~ego grosza** to be penniless <stony-broke>; not to have a penny to bless oneself with [II] *adj* 1. (*wyrażający przygnębienie*) prostrate; in a state of prostration; woebegone; **ze ~ym sercem** broken-hearted 2. (*o kolorach*) toned down

złap|ać *v perf* **~ie** [I] *vt* 1. (*schwycić*) to catch; to seize; to grasp; to get <to catch> hold (**coś** of sth); **cieszy się, jakby Pana Boga ~ał za nogi** he is as pleased as Punch; *radio* **~ać falę** to pick up a station; *sport* **~ać gumę** to get a puncture; **~ać kogoś na błędzie** to catch sb napping; **~ać kogoś na kłamstwie** to catch sb out in a lie; **~ać kogoś na czymś** to catch sb doing sth; **~ać kogoś za rękę** to catch sb in the act <red-handed>; **~ać oddech** to catch one's breath; **~ać pociąg <samolot>** to catch one's train <plane>; **~ać taksówkę** to take <to get, to find> a taxi; **~ać trochę czasu** to find the time (to do sth); **~ał mnie kurcz** I was seized with cramp 2. *przen.* (*o uczuciach, doznaniach*) to come over (sb); **~ała go nostalgia** a feeling of homesickness came over him 3. *przen.* (*o burzy, nocy itd.*) to catch <to overtake> (travellers etc.); (*zostać dotkniętym*) to catch (a cold, an infectious disease etc.) [II] *vr* **~ać się** 1. (*chwycić*) to clutch (**za głowę, rękę itd.** at one's head, arm etc.); **~ać się za portfel** to grasp at one's pocket-book; **~ać się za brzuch** to grab one's stomach 2. (*uświadomić sobie*) to find oneself (**na czymś** doing sth) 3. (*dać się oszukać*) to get caught; to be deceived <taken in>; **~ała się na jego obietnice** she was taken in by his promises; **~ał się w pułapkę** he got caught in the trap

złasować *vt perf* to eat <to lick> (dainties etc.) on the sly

złazić *zob.* **zleźć**

złazisko *sn geol.* scree; talus; soil creep

złażenie *sn* ↑ **złazić**

złączać *zob.* **złączyć**

złącze *sn techn.* joint; junction; union; connection, connexion; connector; weld; splice

złączenie *sn* 1. ↑ **złączyć** 2. = **złącze** 3. *astr.* conjunction

złącz|ka *sf pl G.* **~ek, złącznik** *sm techn.* nipple; union; connector; connection, connexion

złączny *adj techn.* connecting; uniting

złącz|yć *v perf* — **złącz|ać** *v imperf* [I] *vt* 1. (*spoić*) to bind; to weld; to knit <to put, to fit> together 2. (*zjednoczyć*) to unite; to join; to connect; to link; to fuse 3. (*zjednoczyć związkiem małżeńskim*) to join (a couple) in wedlock [II] *vr* **~yć, ~ać się** 1. (*połączyć się*) to unite <to join> (*vi*); to merge 2. *przen.* (*zjednoczyć się*) to be connected (with sb, sth) 3. (*zawrzeć związek małżeński*) to become <to be> joined in wedlock

zło *sn DL.* **złu** evil; ill; harm; wrong; **dobro i ~** right and wrong; **najgorsze ~ na świecie** the greatest evil on earth; **~ konieczne** necessary evil; **czynić ~** to do ill; **naprawić wyrządzone ~** to redress a wrong; **wiele zła narobić** to cause great harm

złocenie *sn* 1. ↑ **złocić** 2. (*złocona ozdoba*) gilt 3. (*pozłota*) gilding; plating

złocica *sf zool.* (*Pleuronectus microcephalus*) a pleuronectid

złoc|ić *v imperf* **~ę, ~ony** [I] *vt dosł. i przen.* to gild; **~ić pigułkę** to gild <to sugar> the pill; **~ony** a) (*o przedmiotach metalowych*) gilded b) (*o ramach do obrazów, meblach*) gilt [II] *vr* **~ić się** to glitter; to show golden; to form a golden patch (against a background)

złocie|ć *vi imperf* **~je** to glitter

złocień *sm bot.* **~ właściwy** (*Chrysanthemum leucanthemum*) ox-eyed daisy; marguerite; **~ maruna** (*Chrysanthemum parthenium*) feverfew

złocisto *adv* in golden colour; **słońce zabłysło ~** the sun flashed golden beams
złocistomiodowy *adj* of golden honey hue
złocistoróżowy *adj* of golden pink (colour)
złocistość *sf singt* the glitter of gold
złocistozielony *adj* of golden green (colour)
złocistożółty *adj* of golden yellow (colour)
złocist|y *adj* 1. (*zrobiony ze złota*) gold <golden> (cup, plate, chain etc.); **tkanina ~a** cloth of gold 2. (*mający barwę złota*) golden-hued; golden (hair, honey etc.); (*błyszczący*) glittering; flashing beams of gold
złocisz *sm pot.* zloty
złociście *adv* = **złocisto**
złoczyńca *sm* (*decl* = *sf*) malefactor; criminal
złoć *sf bot.* (*Gagea*) a liliaceous bulbous herb
złodziej *sm* 1. (*ten, kto kradnie*) thief; **~ kieszonkowy** pickpocket; **~ na ~u i ~em pogania** a pack of thieves; *przysł.* **na ~u czapka gore** the cap fits 2. (*okienko w drzwiach*) peep-hole
złodziejasz|ek *sm G.* **~ka** pilferer; petty thief
złodziej|ka *sf pl G.* **~ek** 1. (*kobieta*) thief 2. *elektr.* (*rozgałęziacz*) adapter
złodziejsk|i *adj* thievish; **gwara ~a** thieves' Latin; flash language
złodziejstwo *sn* theft; thievery; **drobne ~** petty larceny
złoić *vt perf* **złoję, złój, złojony** *pot.* to tan (**komuś skórę** sb's hide)
złom *sm G.* **~u** 1. (*materiał przeznaczony na surowiec wtórny*) salvage; scrap-metal; waste stuff; **przeznaczyć coś na ~** to scrap sth; **zbierać ~** to salvage 2. (*blok skalny*) block (of stone, ice etc.)
złom|ek *sm G.* **~ka** piece; bit
złomisko *sn* brash; boulder field
złomować *vt perf* to scrap
złomowisko *sn* scrap-heap
złomowy *adj* scrap- (iron, metal)
złorzeczenie *sn* (↑ **złorzeczyć**) abuse; execrations; vituperations; curses
złorzeczyć *vi imperf* to abuse <to execrate, to vituperate, to curse> (**komuś** sb)
złoszczenie *sn* ↑ **złościć**
zło|ścić *v imperf* **~szczę, ~szczony** [I] *vt* to irritate; to vex; to exasperate; to get on (**kogoś** sb's) nerves [II] *vr* **~ścić się** to be irritated <sore, vexed, exasperated, incensed>; to chafe (**na coś** at sth); to fret and fume
złoś|ć *sf* (*irytacja*) irritation; vexation; exasperation; (*gniew*) anger; soreness; resentment; (*uczucie wrogości*) animosity (**do kogoś** against sb); **wybuch ~ci** a fit of temper; **jak na ~ć** as if out of spite; **na ~ć komuś** just to spite sb; **przez ~ć** out of spite; out of sheer wantonnes; out of pure cussedness; **ze ~cią** angrily; resentfully; **pienić się ze ~ci** to foam at the mouth; **wpaść w ~ć** to lose one's temper; to get angry; to get into a tantrum; **wyładować ~ć na kimś** to vent one's anger <one's spleen> on sb
złośliwie *adv* (*dla dokuczenia*) maliciously; mischievously; (*przez niechęć*) ill-naturedly; spitefully; rancorously; viciously; nastily; **~ spojrzeć na kogoś** to leer at sb
złośliw|iec *sm G.* **~ca** (a) tease; malicious <mischievous, spiteful> creature; cacodemon
złośliwost|ka *sf pl G.* **~ek** piece of mischief; prank
złośliwość *sf* 1. (*cecha*) malice; mischievousness; cussedness; nastiness; viciousness; spite; rancour 2. (*postępek*) piece of mischief; prank; monkey-trick; (*uszczypliwe słowo*) caustic <rancorous> remark 3. (*cecha choroby*) malignancy; virulence
złośliw|y *adj* 1. (*lubiący dokuczać*) malicious; mischievous; (*nacechowany niechęcią*) ill-natured; evil-minded; spiteful; squint-eyed; rancorous; vicious; **~a krytyka** carping <virulent> criticism; **~a uwaga** caustic remark; **~e języki** evil tongues; **~y kawał** nasty trick 2. *med.* malignant (tumour etc.); virulent (disease); pernicious (anaemia); peccant (humours)
złośnica *sf* vixen; shrew; grimalkin; catamaran
złośnik *sm* cross-patch; ill-natured person <fellow>; spitfire
złotaw|iec *sm G.* **~ca** *zool.* (*Cetonia aurata*) rose chafer
złotawo *adv* in golden hues
złotawobrązowy *adj* golden brown
złotawobrunatny *adj* golden tawny
złotawy *adj* 1. (*mający odcień złoty*) golden-hued 2. *chem.* aurous; auric (compounds etc.); **chlorek ~** auric chloride
złot|ka *sf pl G.* **~ek** 1. *ogr.* species of apple, bean etc. 2. *zool.* (*Galbula*) jacamar
złotko *sn* 1. *dim* ↑ **złoto** 2. (*pieszczotliwy wołacz*) ducky; darling; *am.* baby 3. *pot.* gold foil
złotlin *sm bot.* (*Kerria japonica*) Japan globeflower
złotnictwo *sn* goldsmithery; goldsmithing; gold-work
złotnicz|y *adj* goldsmith's (work etc.); **sztuka ~a** = **złotnictwo**
złotnik *sm* goldsmith; silversmith
złot|o *sn* 1. (*pierwiastek i metal*) gold; *herald.* or; **gorączka ~a** gold rush; **kopalnia ~a** gold-mine; **poszukiwanie ~a** prospecting for gold; **~o malarskie** <**listkowe**> gold leaf <foil>; **~o w sztabach** ingot gold; bullion; (*o człowieku*) **na wagę ~a** worth his weight in gold; **kupić coś na wagę ~a** to buy sth at any cost <at any price>; **ze ~a** gold __ (chain, plate etc.); **jak ~o!** tiptop; *przysł.* **nie wszystko ~o, co się świeci** all is not gold that glitters 2. (*wyroby*) gold-work; **kapiący od ~a** gorgeous in gold 3. (*pieniądze*) gold; **sypać ~em** to spend lavishly; to be lavish with one's money <gold>
złoto- gold-; golden-, golden __ (brown, red etc.)
złotobarwny *adj* golden-coloured; golden-hued
złotobrunatny *adj* golden-tawny
złotocha *sf bot.* (*Salix vitellina*) golden willow
złotochrust *sm G.* **~u** *bot.* (*Ulex europaeus*) furze
złotoczerwony *adj* golden red
złotodajny *adj* gold-bearing; auriferous; *przen.* **~ interes** gold-mine
złotodeszcz *sm G.* **~u** = **złotokap**
złotogł|ów *sm G.* **~owia** 1. (*tkanina*) cloth of gold 2. *bot.* (*Lilium martagon*) Turk's cap lily
złotogniady *adj* golden grey
złotokap *sm G.* **~u** *bot.* (*Cytisus laburnum*) laburnum
złotokwi|at *sm G.* **~atu** *L.* **~ecie** = **złocień**
złotolit|ka *sf pl G.* **~ek** *zool.* cuckoo fly; *pl* **~ki** (*Chrysidadidae*) (*rodzina*) the cuckoo fly family

złotolity *adj* 1. (*przetykany złotą nicią*) of gold cloth <tissue> 2. (*zrobiony ze złota*) gold <golden> (throne etc.)
złotonośny *adj* gold-bearing
złotook *sm zool.* (*Chrysopa*) golden-eyed fly
złotopióry *adj* gold-winged, golden-winged
złotopurpurowy *adj* golden purple
złotordzawy *adj* golden russet
złotorost *sm G.* **~u** *bot.* (*Xanthoria*) xanthoria
złotoróżowy *adj* golden rose
złotorudy *adj* golden russet
złotousty *adj* golden-mouthed
złotowłos *sm* 1. *bot.* (*Asphodelus*) asphodel 2. *zool.* golden mole; *pl* **~y** (*Chrysochloridae*) (*rodzina*) the family Chrysochloridae; the golden moles
złotowłos|y *adj* golden-haired; **~e dziecko** goldilocks
złotowy *adj* 1. *chem.* auric (chloride etc.) 2. (*dotyczący złotego — jednostki monetarnej*) zloty — (coin etc.)
złotozielony *adj* golden green
złotożółty *adj* golden yellow
złotówczyna *sf pot.* a paltry zloty
złotów|ka *sf pl G.* **~ek** zloty coin
złot|y [I] *adj* 1. (*zrobiony ze złota*) gold (coin, medal, filling, watch etc.); golden; (*taki, jak ze złota*) golden; *hist.* **Złota Orda** the Golden Horde; **~a młodzież** gilded youth; **~a nędza** shabby gentility; *rel.* **~a róża** golden rose; **~e gody** <**wesele**> golden wedding; **~e runo** golden fleece; **~y cielec** golden calf; **~y medalista** gold medallist; *dosł. i przen.* **zdobyć ~e ostrogi** to win one's spurs; *przen.* **~a żyłka** gold mine 2. (*mający barwę złota*) golden; golden-coloured; golden-hued; **~a jesień** sunny golden-hued autumn days; **~a rybka** gold-fish; **~a wierzba = złotocha**; **~y deszcz = złotokap** 3. (*najlepszy w swoim rodzaju*) golden (age, saying, words etc.); **~a wolność** privileges of the Polish nobility; **~e czasy** happy days; **~e serce** heart of gold; **~y środek** the golden mean [II] *sm* **~y** zloty; *hist.* **czerwony ~y** (gold) ducat
złowi|ć *vt perf* **złów** to catch (an animal, a thief etc.); to net (a fish etc.); to hook (a fish etc., *przen.* a husband); **uchem ~ł dźwięk** his ear caught a sound
złowieszczo *adv* ominously; portentously; sinisterly
złowieszczy *adj* ominous; portentous; sinister
złowrogi *adj* bodeful; ominous; portentous; sinister
złowrogo *adv* ominously; portentously; sinisterly
złowróżbnie *adv* ominously; inauspiciously; sinisterly
złowróżbność *sf singt* ill-omen; inauspiciousness
złowróżbny *adj* of ill omen; ill-boding; inauspicious; sinister
złoż|e *sn pl G.* **złóż** 1. (*pokład*) deposit; *górn.* ledge; lode; *geol.* **czapa ~a** overlay; **~e ropy** oil pool 2. (*warstwa*) layer
złożenie *sn* 1. (↑ **złożyć**) composition; assemblage (of the parts of a whole) 2. *jęz.* compound (word)
złożoność *sf singt* complexity; complicated <involved> character (of a phenomenon etc.)
złożon|y [I] *pp* ↑ **złożyć**; **~y chorobą** bed-ridden [II] *adj* 1. (*składający się z części, elementów*) composed <consisting> (of parts, elements etc.); multiple, multiplex; complex (sentence, quantity etc.); compound (word, subject, number, leaf etc.); composite (flower etc.); *biochem.* **białka ~e** conjugated proteins; *gram.* **czas ~y** periphrastic tense; *bot.* **owoc ~y** syconium; *chem.* **węglowodany ~e** complex carbohydrates; *bot. jęz.* **podwójnie ~y** decomposite 2. (*skomplikowany*) complicated; intricate; involved 3. *bot.* composite [III] *spl* **~e** *bot.* (*Compositae*) (*rodzina*) the family Compositae
złożyć *zob.* **składać**
złóg *sm G.* **złogu** 1. (*złoże*) deposit; lodgement 2. *med.* deposit; concretion; **~ artretyczny** calculous concretion
złuda *sf* delusion; illusion; deception; fallacy
złudnie *adv* delusively; illusorily; illusively; deceptively; fallaciously
złudność *sf* delusiveness; illusoriness; illusiveness; deceptiveness
złudny *adj* delusive; illusory; illusive; deceptive; fallacious
złudzeni|e *sn* 1. ↑ **złudzić** 2. (*mylne wrażenie*) illusion; delusion; hallucination; phantasm; **~e optyczne** optical illusion; **podobni do ~a** as like as two peas 3. (*mrzonka*) illusion; dream; **oddawać się ~om** to entertain <to indulge in> illusions; **rozwiać czyjeś ~a co do czegoś** to disabuse sb of sth; **stracić ~a co do kogoś, czegoś** to be disillusioned regarding sb, sth
złudzi|ć *vt perf* **~ę, ~ony** to delude; to deceive
złupić *vt perf* to plunder; to pillage; to loot; to sack; *przen. pot.* **~ z kogoś skórę** to fleece sb
złupienie *sn* (↑ **złupić**) plunder; pillage; sack (of a city); *przen.* **~ skóry z kogoś** extortion
złuszcz|ać *v imperf* — **złuszcz|yć** *v perf* [I] *vt* to shell (nuts, peas etc.); to husk (maize etc.); to hull (rice etc.) [II] *vr* **~ać, ~yć się** to peel <to shell, to flake> off; *geol.* to exfoliate
zły [I] *adj* 1. (*o człowieku — nieetyczny*) bad; wicked; ill-natured; **kobieta złego prowadzenia** woman of easy virtue; **złe towarzystwo** bad <low> company 2. (*o objawach czegoś złego*) evil; ill; bad; **zła wiara** bad faith; **zła wola** ill will; **złe języki** evil <ill> tongues; **złe oko** evil eye; *dosł. i przen.* **~ duch** evil spirit; *przysł.* **~ to ptak, co własne gniazdo kala** it's an evil bird that fouls its own nest 3. (*gniewny*) cross (**na kogoś** with sb); peevish; **~ humor** bad temper; **~ pies** snappish <vicious> dog; (*w napisach*) **uwaga, ~ pies** beware of the dog; **on jest ~ jak sto diabłów** he is as cross as two sticks <as a bear with a sore head>; **on złego słowa nigdy nikomu nie powie** one never hears a cross word from him; **patrzeć na coś ~m okiem** to disapprove of sth; **patrzeć na kogoś ~m okiem** to look disapprovingly upon sb; **~ jestem na ciebie** I am annoyed with you 4. (*źle wykonujący coś*) unsatisfactory; poor; indifferent; **obym był ~m prorokiem** may I be wrong 5. (*będący ujemną oceną*) bad; unfavourable; **mieć złą markę** to have a bad opinion <a bad name>; **przedstawić coś w ~m świetle** to put sth in an unfavourable light 6. (*niepomyślny*) bad; unfavourable; inauspicious; fatal; fateful; **zła godzina** fatal hour 7. (*nieodpowiedni, nieprzyjemny*) bad; unpleasant; nasty; *sl.* rotten; **zła droga** heavy road;

zła pogoda bad <nasty> weather; **zła strona** the weak side <the disadvantage> (of sth); **złe czasy** hard times; **w złej formie** out of form; **w ~m humorze** out of sorts 8. (*niewłaściwy*) wrong; *dosł. i przen.* **na złej drodze** on the wrong track; **sprowadzić kogoś na złą drogę** to lead sb astray; **w ~m miejscu** at the wrong place [III] *sn* **złe** 1. (*przeciwieństwo dobra*) evil; ill; wrong; **coś złego** something bad; a bad thing; **nic złego w tym nie ma** there is nothing wrong in that; **mieć coś za złe** to resent sth; **mieć komuś coś za złe** to bear sb ill will for sth; **nie mam ci tego za złe** I don't blame you for that; **nie ma tego złego, co by na dobre nie wyszło** misfortune has its uses; every cloud has its silver lining; **wziąć coś za złe** to take sth in bad part; **nie brać czegoś za złe** to take sth in good part 2. (*szkoda*) harm; wrong; **narobić dużo złego** to work mischief; **nic złego się nie stało!** no harm done!; **nie chciałem zrobić nic złego** I meant no harm; **to spowoduje więcej złego niż dobrego** it'll do more harm than good; **z dwojga złego (wybrać mniejsze)** of two evils (choose the less) 3. *gw.* (*diabeł*) the Evil One

złykowacieć *vi perf* to grow <to become> fibrous <tough, coriaceous>

zmacać *vt perf* to find (sth) by feeling; to feel (**coś palcami** sth under one's fingers)

zmacerować *v perf* [I] *vt* to macerate [II] *vr* **~ się** to macerate (*vi*); to get macerated

zmacha|ć *v perf* [I] *vt pot.* to fag (sb); to knock (sb) up [II] *vr* **~ć się** to fag oneself out; **~łem się** I'm dead beat <all in>

zmachany *adj* fagged out; dead beat; all in

zmaczać *vt perf* to soak; to wet; to moisten

zmagać *v imperf* — **zmóc** *v perf* **zmogę, zmoże, zmóż, zmógł, zmogła, zmożony** [I] *vt* to overcome; to vanquish; to defeat [II] *vr* **zmagać się** to struggle (**z kimś, czymś** with <against> sb, sth); to grapple <to wrestle> (**z kimś, czymś** with sb, sth)

zmagani|e *sn* (↑ **zmagać**) (*także* **~e się** *i pl* **~a**) struggle; strife

zmagazynować *vt perf* to store up

zmaglować *vt perf* 1. (*sprasować w maglu*) to mangle (clothes) 2. *przen.* (*wygnieść w tłoku*) to jostle; to squeeze; to crush

zmajoryzować *vt perf* to outvote; to outnumber

zmajstrować *vt perf pot.* 1. (*zrobić*) to engineer; to contrive; to knock <to tinker> up 2. (*przeskrobać*) to be up (**coś** to some mischief); **~ coś** to play a prank

zmakietować *vt perf* to make a model <a mock-up> (**coś** of sth)

zmale|ć *vi perf* **~je** 1. (*stać się mniejszym*) to grow smaller; to shrink 2. (*stracić intensywność*) to lessen; to diminish; to decrease

zmalować *vt perf* to be up (**coś** to some mischief); **~ coś** to play a prank

zmaltretować *vt perf* to ill-treat; to bully; to knock about; to batter about; to give rough treatment (**kogoś, coś** to sb, sth)

zmałpować *vt perf pot.* to ape

zmanierować *v perf* [I] *vt* to implant mannerisms <affectation> (**kogoś** in sb) [II] *vr* **~ się** to acquire mannerisms; to become affected; to give oneself airs (and graces)

zmanierowanie *sn* 1. ↑ **zmanierować** 2. (*nienaturalne zachowanie się*) airs and graces; affected <minikin, lackadaisical> behaviour 3. (*u artysty — maniera*) mannerism

zmanierowany *adj* affected; minikin; mimini-pimminy; lardy-dardy; lackadaisical; (*o artyście*) mannered

zmapować *vt perf* to map (a region etc.)

zmarglować *vt perf roln.* to marl (soil)

zmarkotnie|ć *vi perf* **~je** to become gloomy <sullen, moody, morose>

zmar|ły [I] *pp* (↑ **zemrzeć**) dead; deceased; defunct [II] *adj* **~ły** late; **mój ~ły mąż** my late husband [III] *sm* **~ły** the deceased <defunct>; *pl* **~li** the dead <departed>

zmarnie|ć *vi perf* **~je** to deteriorate; to waste; to get wasted; to decay; to go to the dogs

zmarnotrawić *vt perf* to waste (time etc.); to squander (one's money etc.)

zmarnować *v perf* [I] *vt* 1. (*nie wykorzystać należycie*) to waste; to trifle <to fritter, to frivol, to fool> away (one's time, money, energies etc.); (*strwonić*) to squander; to dissipate; to play ducks and drakes (**coś** with sth); **~ okazję <szansę>** to miss an opportunity [II] *vr* **~ się** 1. (*zaprzepaścić swe zdolności itd.*) to waste one's opportunities; to go to the dogs 2. (*pójść na marne*) to get wasted; to run to waste

zmarszczenie *sn* 1. ↑ **zmarszczyć** 2. (*fałdka skóry*) wrinkle; **~ brwi** frown 3. (*fałda*) crease; plait, pleat; fold

zmarszcz|ka *sf pl G.* **~ek** 1. (*fałda skóry*) wrinkle; pucker; **głębokie ~ki** furrows; **operacyjne usuwanie ~ek** face-lifting; **~ki w kącikach oczu** crow's foot; **pokryć się ~kami** to wrinkle; to become <to get> wrinkled; **pokryć twarz ~kami** to wrinkle the face 2. (*fałdka*) crease; fold; plait; crimp; *geol.* **~ki falowe** ripple marks; **~ki wydmuchowe** wind ripple marks

zmarszczyć *v perf* [I] *vt* 1. (*pokryć zmarszczkami*) to wrinkle; to line (sb's face); **~ brew** to knit one's brow; to frown 2. (*złożyć w fałdy*) to crease; to pleat; to gather into folds; (*o wietrze*) to ruffle (the surface of a lake etc.) [II] *vr* **~ się** 1. (*pokryć się zmarszczkami*) to wrinkle; to become wrinkled <covered with wrinkles> 2. (*ściągnąć brwi*) to knit one's brow; to frown 3. (*pofałdować się*) to crease (*vi*); (*o powierzchni wody*) to ripple

zmartwiałość *sf singt* necrobiosis

zmartwi|ć *v perf* [I] *vt* 1. (*spowodować zgryzotę*) to cause (sb) trouble; to depress; to distress; to worry 2. (*zasmucić*) to grieve; to sadden; **~ona mina** troubled countenance [II] *vr* **~ć się** to be sorry <unhappy, worried> (**czymś** about sth); **~łem się tym** I am sorry <unhappy, worried> about that; that troubles <worries> me

zmartwie|ć *vi perf* **~je** (*obumrzeć*) to necrotize; to undergo necrobiosis

zmartwie|nie *sn* 1. ↑ **zmartwić** 2. (*to, co martwi*) trouble; worry; distress; depression; **niewielkie ~nie** nothing to worry about; **~nia życiowe** tribulations; the rubs and worries of life; **mam dość innych ~ń** *przen.* I have other fish to fry; **mam masę ~ń** I have a lot to worry about; **nabawić się ~nia** to get into trouble; **to już jest jego ~nie** that's his look-out

zmartwychwsta|ć *vi perf* **~nę, ~nie, ~ł** — **zmartwychwsta|wać** *vi imperf* **~je** to rise from the dead; to resuscitate

zmartwychwstanie *sn* (↑ **zmartwychwstać**) resuscitation; revival; *rel.* Resurrection

zmartwychwsta|niec *sm G.* **~ńca** *rel.* member of the Community of the Resurrection

zmartwychwstan|ka *sf pl G.* **~ek** 1. *bot.* (*Anastatica hierochuntica*) rose of Jericho 2. *rel.* sister of the Order of the Resurrection

zmartwychwstawać *zob.* **zmartwychwstać**

zmarudz|ić *vt perf* **~ę, ~ony** *pot.* 1. (*stracić*) to waste (time) 2. (*opóźnić*) to delay (sth) by one's sluggishness

zmarzlak [r-z] *sm pot.* chilly fellow

zmarzlina [r-z] *sf* = **marzłoć**

zmarzluch [r-z] *sm* = **zmarzlak**

zmarzłoć [r-z] *sf* = **marzłoć**

zmarz|nąć [r-z] *vi perf* **~ł** 1. (*zamarznąć*) to freeze; (*pokryć się lodem*) to freeze over 2. (*zziębnąć*) to freeze; to be cold; **~łem** I am <was> frozen; **~nąć na kość** <**do szpiku kości**> to be <to get> frozen to the marrow 3. (*umrzeć wskutek mrozu*) to freeze to death

zmarznięci|e *sn* ↑ **zmarznąć**; **byłem bliski ~a** I almost got frozen to death

zmasakrować *vt perf* 1. (*urządzić masakrę*) to massacre; to slaughter; to butcher 2. (*zranić*) to mangle; to maul

zmasować *vt perf* — **zmasowywać** *vt imperf* to mass <to concentrate> (troops etc.)

zmatematyzować *vt perf* to mathematize

zmaterializować *v perf* [I] *vt* 1. (*uczynić konkretnym*) to materialize (a vision etc.) 2. *pot.* (*uczynić materialistycznym*) to occupy (sb) with material interests [II] *vr* **~ się** 1. (*stać się materialnym*) to become materialized 2. *pot.* (*stać się materialistą*) to grow <to become> materialistic <absorbed with material interests>

zmaterializowanie *sn* 1. (↑ **zmaterializować**) materialization 2. *pot.* (*zwracanie uwagi wyłącznie na korzyści materialne*) devotion to material interests

zmatować *v perf* [I] *vt* to mat (a painting, glass, metal) [II] *vr* **~ się** to become mat; to dull

zmatowie|ć *vi perf* **~je** to become mat; to dull

zmatrycować *vt perf druk.* to stencil

zmawiać *zob.* **zmówić**

zmaz|a *sf* 1. (*plama*) stain; blot; *med.* **~a nocna** pollution; *pot.* wet dream 2. (*skaza moralna*) blemish; stigma; slur; **bez ~y** spotless

zma|zać *v perf* **~że** — **zma|zywać** *v imperf* [I] *vt* 1. (*zetrzeć*) to wipe off; to efface (a stain etc.); to erase (a blot etc.) 2. *przen.* (*okupić coś czynem*) to wipe out (one's past etc.); to expiate (an offence etc.) [II] *vr* **~zać, ~zywać się** to be wiped off <erased, wiped out, expiated>

zmazani|e *sn* ↑ **zmazać**; **nie do ~a** uneffaceable

zmazywać *zob.* **zmazać**

zmącać *zob.* **zmącić**

zmącenie *sn* ↑ **zmącić**

zmąc|ić *v perf* **~ę, ~ony** — **zmąc|ać** *v imperf* [I] *vt* 1. (*uczynić mętnym*) to muddy <to stir> (a liquid); to make <to render> (a liquid) turbid; **~ona świadomość** clouded mind 2. (*zakłócić*) to disturb; to alloy (sb's happiness); to mar (sb's joy); to ruffle (sb's serenity) [II] *vr* **~ić, ~ać się** to become muddy <turbid>; **jej oczy ~iły się łzami** her eyes clouded over with tears

zmądrz|eć *vi perf* **~eje** to grow wise; **teraz już ~ał** now he is wiser

zmechac|ić się *vr perf* **~ą się, zmechac|ieć** *vi perf* **~ieje** 1. (*porosnąć mchem*) to become moss-grown 2. (*o tkaninie — skosmacieć*) to flannel

zmechaciały *adj*, **zmechacony** *adj* 1. (*porosły mchem*) moss-grown 2. (*skosmacony*) flannelled

zmechanizować *v perf* [I] *vt* 1. (*wprowadzić mechanizację*) to mechanize 2. (*zautomatyzować*) to automatize [II] *vr* **~ się** to become mechanized; to undergo mechanization

zmechowacie|ć *vi perf* **~je** = **zmechacieć**

zmegafonizować *vt perf* to provide (a room etc.) with megaphones <(streets etc.) with a public address system>

zmeliorować *vt perf* to drain <to reclaim> (soil)

zmendlować *vt perf roln.* to put (corn sheaves) into shocks

zmerkantylizować *vt perf* to introduce the mercantile system (**instytucję** in an institution)

zmetaforyzować *vt perf* to metaphorize

zmetamorfizowany *adj geol.* metamorphized

zmęczeni|e *sn* 1. ↑ **zmęczyć** 2. (*znużenie*) fatigue; tiredness; lassitude; weariness; *techn.* fatigue (of metals etc.); **~e oczu** eye-strain; **ledwo żywy ze ~a** dog-tired; **upadać ze ~a** to be tired out; **tańczyć** <**biegać, śpiewać itd.**> **do ~a** to dance <to run, to sing> oneself tired

zmęczeniowy *adj techn.* fatigue-testing (machines)

zmęczony [I] *pp* ↑ **zmęczyć** [II] *adj* tired; fagged; weary; **śmiertelnie ~** dead-tired; tired <fagged> out; **~ życiem** world-weary

zmęczy|ć *v perf* [I] *vt* 1. (*znużyć*) to tire; to fag; to make (sb) weary 2. *pot.* (*wyprodukować*) to sweat out (**książkę itd.** a book etc.); (*uporać się*) to wade through (a book, task etc.) [II] *vr* **~ć się** to tire (*vi*); to get tired; **~łem się tymi tańcami** <**tym gadaniem itd.**> I have danced <talked etc.> myself tired

zmętniać *vt imperf* — **zmętnić** *vt perf* to muddy (a liquid); to make (a liquid) turbid

zmętnie|ć *vi perf* **~je** to become <to grow> turbid <muddy, clouded, dim, hazy, blurred>

zmętnienie *sn* 1. ↑ **zmętnić, zmętnieć** 2. (*zawiesina*) turbidity; cloudiness

zmężniać *vt imperf* — **zmężnić** *vt perf* to develop virility (**kogoś** in sb); to make a man (**chłopca** of a boy)

zmężnie|ć *vi perf* **~je** 1. (*nabrać sił*) to grow manly <virile> 2. (*nabrać męstwa*) to grow courageous; to pluck up courage

zmężnienie *sn* 1. ↑ **zmężnić, zmężnieć** 2. (*męskość*) manliness; virility

zmian|a *sf* 1. (*odmiana*) change; alteration; modification; transition; variation; **bez większych ~** much the same; **dla ~y** for a change; (*o przepisach, zasadach itd.*) **nie podlegający żadnym ~om** cast-iron (rule etc.); **ulegać ~om** to vary 2. (*zamienianie*) change; exchange; replacement; **~a frontu** veer; **~a gabinetu** Cabinet crisis; **~y personalne** reshuffle of the staff <*polit.* of the Cabinet> 3. (*czas pracy, zastępowanie grup pracowników*) relay; shift; **pracować na ~y** to work in relays <in shifts>; **robić coś na ~y** to do sth by turns 4. (*komplet bielizny*) change (of clothes)

zmianowanie *sn roln.* rotation of crops

zmianowy *adj* shift — (foreman etc.)

zmiarkować *v perf* [I] *vt dial.* to take (sth) in; to notice; to realize; to become aware <conscious> (**coś** of sth) [III] *vr* **~ się** 1. = **~** *vt* 2. (*opanować się*) to control oneself

zmi|atać *v imperf* — **zmi|eść** *v perf* **~otę, ~ecie, ~eć, ~ótł, ~otła, ~etli, ~eciony, ~eceni** [I] *vt* 1. (*zgarniać*) to sweep up 2. *przen.* (*o śmierci itd.*) to carry (sb) away; **~eść coś z powierzchni ziemi** to wipe out sth 3. *pot.* (*jeść*) to polish off <to dispatch> (a meal) [II] *vi imperf pot.* (*uciekać*) to be off; to make tracks; to make oneself scarce

zmiażdż|yć *vt perf* to crush; to overwhelm (the enemy etc.); **byliśmy ~eni tą wiadomością** we were crushed by the news

zmi|ąć *vt perf* **zemnę, zemnie, zemnij, ~ął, ~ęła, ~ęty** to crumple; to crease; to wrinkle (a dress etc.); **~ęta twarz** wrinkled face

z miejsca *zob.* **miejsce**

zmielenie *sn* (↑ **zemleć**) (the) grind

zmieni|ać *v imperf* — **zmieni|ć** *v perf* [I] *vt* 1. (*odmieniać*) to change; to alter; to modify; *imperf* to vary; **nikt nie ~ swojej natury** one can't help one's nature; **to ~a postać rzeczy** that alters matters; **~ć front** to veer round; **~ć głos <pismo>** to disguise one's voice <one's handwriting>; **~ć nogę <ton>** to change step <one's tone> 2. (*zamieniać*) to (ex)change; to replace; (*rozmienić*) to change (a bank-note etc.); **~ć coś na <w> coś innego** to transform <to turn> sth into sth else; **~ć mieszkanie** to move [II] *vr* **~ć, ~ać się** 1. (*ulegać przemianom*) to change (*vi*); to be altered <modified, transformed>; *imperf* to vary; to fluctuate; **czekać, aż się coś ~** to wait for sth to turn up; **on się ~ł na korzyść <na niekorzyść>** he has changed for the better <for the worse>; **świat się ~ł** things aren't what they used to be; **~łeś się na twarzy** you don't look yourself 2. (*zastępować jeden drugiego*) to alternate; to take turns; to replace <to relieve> one another

zmien|ka *sf pl G.* **~ek** *bot.* (*Cryptogramma*) rock brake

zmiennicz|ka *sf pl G.* **~ek** *pot.* (an) alternate

zmiennik *sm* 1. *techn.* converter 2. *pot.* (*pracownik*) (an) alternate

zmiennocieplny *adj zool.* heterothermic

zmiennometryczny *adj*, **zmiennomiarowy** *adj prozod.* heterometric

zmiennopłat *sm G.* **~u** *lotn.* convertaplane; heliplane

zmienność *sf singt* 1. (*wykazywanie zmian*) variability; changeability; inconstancy; *chem. fiz.* lability 2. (*niestałość usposobienia*) inconstancy; unsteadfastness; fickleness; volatility 3. *biol.* mutability

zmienn|y [I] *adj* 1. (*niejednakowy*) variable; changeable; changing; inconstant; unstable; mutable; *chem. fiz.* labile; *mat.* variable <fluent> (quantity); *elektr.* **prąd ~y** alternating current; *fiz.* **ruch (jednostajnie) ~y** (uniformly) variable motion; **~a pogoda** variable <unsettled> weather; **~e koleje losu** vicissitudes of fortune; **~e szczęście** varying success; **~e wiatry** baffling winds 2. (*o ludziach, usposobieniu*) inconstant; unsteadfast; fickle; volatile; **to człowiek ~y** he is a weathercock [II] *sf* **~a** *mat.* (a) variable; **~a niezależna** independent variable; **być ~ą niezależną od** x to vary as x

zmieracz|ek *sm pl G.* **~ka** *zool.* (*Talitrus saltator*) an amphipod crustacean

zmierza|ć *vi imperf* 1. (*iść*) to bend one's steps <to make one's way> (**ku czemuś, do czegoś** towards a place); to make (**ku czemuś, do czegoś** for a place) 2. (*kierować ku czemuś myśl*) to aim (**do czegoś** at sth); (*być skierowanym*) to tend (**ku czemuś** towards sth; **w jakimś kierunku** in a certain direction); **do czego on ~?** what is his drift <his game>?; what is he driving at?; **już wiem, do czego on ~** I see his drift; **nasze wysiłki ~ją do tego, żeby pracę zakończyć pomyślnie** our efforts tend towards a successful ending of the work; **~ć do tego, żeby ktoś coś zrobił** to intend sb to do sth

zmierzch *sm G.* **~u** 1. (*pora dnia po zachodzie słońca*) twilight; dusk; dark; **o ~u** at dark 2. *przen.* (*chylenie się ku upadkowi*) decline; fall; **~ bogów** the Twilight of the Gods

zmierzchać się *vr imperf* — **zmierzchnąć się** *vr perf* to grow dusk

zmierzchnica *sf zool.* (*Acherontia atropos*) death's-head moth

zmierzchnikowiec *sm* = **zawisak**

zmierzchow|y *adj* crepuscular; *med.* **ślepota ~a** night blindness; nyctalopia

zmierzenie *sn* ↑ **zmierzyć**

zmier|zić [r-z] *vt perf* **~żę, ~żony** to disgust; to sicken; **~zić komuś coś** to disincline sb to <for> sth; to arouse aversion for sth in sb; **~zić komuś życie** to make sb's life unbearable; **~zić sobie coś** to come to loathe sth; **~ził sobie towarzystwo** he came to loathe those people; those people began to pall on him

zmierz|nąć [r-z] † *vi perf* **~ł** to pall (**komuś** on sb)

zmierzwi|ć *v perf* — **zmierzwi|ać** *v imperf* [I] *vt* 1. (*zwichrzyć*) to ruffle <to tousle, to dishevel, to rumple, to mat> (sb's hair etc.) 2. *roln.* (*użyźnić*) to manure (a field etc.) [II] *vr* **~ć, ~ać się** to get ruffled <tousled, matted>

zmierzyć *v perf* [I] *vt* to measure; to gauge; **~ coś — odległość itd. okiem** to estimate sth — a distance etc. by the eye; **~ kogoś wzrokiem** to eye sb up and down; **~ komuś temperaturę** to take sb's temperature [II] *vi* 1. (*wycelować*) to take one's aim 2. † (*ruszyć w jakimś kierunku*) to bend one's steps (**ku czemuś** towards a place); to make (**ku czemuś, do czegoś** for a place) [III] *vr* **~ się** 1. (*mierzyć się wzajemnie*) to take each other's measurements; **~ się wzrokiem** to eye each other up and down 2. (*stanąć do walki*) to measure one's strength <to pit oneself> (**z kimś** against sb); to try conclusions <a fall> (with sb); *dosł. i przen.* to measure swords (with sb) 3. (*wymierzyć z broni palnej*) to level (**do kogoś z karabinu <rewolweru itd.>** one's rifle <pistol etc.> at sb); (*wycelować*) to take aim

zmie|sić *vt perf* **~szę, ~szony** to knead

zmiesza|ć *v perf* [I] *vt* 1. (*pomieszać*) to mix; to mingle; to blend; *przen.* **~ć kogoś z błotem** to drag sb through the mud 2. (*pogmatwać*) to throw (sth) into confusion <into disorder>; **~ny** confused; disorderly (rabble etc.) 3. (*speszyć*) to confuse; to disconcert; to perturb; to perplex; to put (sb) out of countenance; **mieć ~ną minę** to look blank; **nie ~ny** unabashed; unperturbed [II] *vr* **~ć się** 1. (*pomieszać się*) to mix <to mingle, to blend> (*vi*); to be <to become> mixed <mingled, blended> 2. (*pogrążyć się w zamęcie*) to become confused; to be thrown into confusion <into disorder> 3. (*stropić się*) to be confused <disconcerted, perturbed, perplexed, put out of countenance>; to lose countenance

zmieszanie *sn* 1. ↑ **zmieszać** 2. (*zakłopotanie*) confusion; abashment; discomfiture; embarrassment; perplexity

zmieszczać *zob.* **zmieścić**

zmieszczanie|ć *vi perf* **~je** to conform to the middle-class way of life; to become Philistinized

zmie|ścić *v perf* **~szczę, ~szczony** — **zmie|szczać** *v imperf* [I] *vt* (*zawrzeć*) to contain; to admit; to receive; to have room (**coś, *x* ludzi** for sth, for *x* persons); to accommodate (***x* ludzi** *x* people); (*o pojemniku*) to hold; (*umieścić*) to put; to place; to introduce [II] *vr* **~ścić się** to go <to get> (**w czymś** into sth); to enter <to pass> (**w drzwiach** through the door); to be contained (somewhere); **fortepian się nie ~ścił** there was no room <not room enough> for the piano; *przen.* **ile się ~ści** like the deuce; for all one's worth; (to thrash sb etc.) soundly; **nagadam mu, ile się ~ści** I'll talk to him roundly; **to się w głowie nie ~ści** it's inconceivable

zmieść *zob.* **zmiatać**

zmiędlić *vt perf* 1. (*dokonać międlenia*) to swingle <to scutch> (flax, hemp) 2. *pot.* (*zgnieść*) to crease; to crumple

zmięk *sm G.* **~u** *gw.* thaw

zmiękczacz *sm* (water-)softener

zmiękcz|ać *v imperf* — **zmiękcz|yć** *v perf* [I] *vt* 1. (*czynić miększym*) to soften; to mollify; to attemper; *jęz.* to palatalize 2. *przen.* (*czynić łagodnym*) to appease; to induce (sb) to leniency <to forbearance> 3. *przen.* (*osłabiać charakter*) to soften; to weaken; to enfeeble 4. *przen.* (*skłonić do ustępstw, wzruszyć*) to conciliate; to propitiate [II] *vr* **~ać, ~yć się** 1. (*stawać się miękkim*) to soften (*vi*); to be mollified 2. *przen.* (*stawać się łagodnym*) to relax; to soften; to grow (more) lenient <forbearing> 3. *jęz.* to undergo palatalization; to be palatalized

zmiękczająco *adv* **wpływać ~** to have a softening effect

zmiękczający *adv* softening; **środek ~** softener; *med.* emollient

zmiękczenie *sn* (↑ **zmiękczać, zmiękczyć**) softening effect; mollification; relaxation

zmięk|nąć *vi perf* **~nął, ~ła** 1. (*stać się miękkim*) to soften (*vi*); *przen. pot.* **rura <trąba> mu ~ła** he has come down a peg 2. *przen.* (*stać się skłonnym do ustępstw*) to relax 3. *przen.* (*stać się łagodnym*) to soften; to relent

zmięszać † *vt perf* = **zmieszać**

zmięśniały *adj* pulpy

zmięto|sić *v perf* **~szę, ~szony** [I] *vt* to crumple; **~szona twarz** wrinkled face [II] *vr* **~sić się** to get crumpled

zmięty [I] *pp* ↑ **zmiąć** [II] *adj* crumpled; creased

zmijać się *zob.* **zminąć się**

zmikrofilmować *vt perf* to microfilm

zmilcz|eć *v perf* **~y** [I] *vt* (*znieść w milczeniu*) to pass (sth) over in silence; (*nie powiedzieć o czymś*) to say nothing (**coś** about sth) [II] *vi* 1. (*nie powiedzieć o czymś*) to say nothing (**o czymś** about sth); to make no mention (**o czymś** of sth) 2. (*zareagować milczeniem*) to say nothing; to keep quiet; (*zachować milczenie*) to be quiet; to keep silent; to hold one's peace

zmilitaryzować *vt perf* to militarize

zmilk|nąć *vi perf* **~ł** — **zmilkać** *vi imperf* 1. (*przestać mówić*) to subside into silence; to stop speaking; to say no more 2. (*o hałasach — ścichnąć*) to die down

zmilknięcie *sn* (↑ **zmilknąć**) (subsiding into) silence

zmił|ować się *vr perf* to have mercy <to take pity> (**nad kimś** on sb); **~uj(cie) się!** a) (*wołanie o litość*) have mercy on me <us etc.> b) (*daj(cie) spokój*) for goodness' sake!

zmiłowani|e (się) *sn* 1. ↑ **zmiłować się** 2. (*litość*) mercy; pity; **czekać boskiego ~a** to put one's hope in the future; **żebrać <błagać> ~a** to cry for mercy

zmi|nąć się *vr perf* — **zmi|jać się** *vr imperf* to cross each other; **~nąć, ~jać się z prawdą** to swerve from the truth

zmineralizować *v perf* [I] *vt* to mineralize [II] *vr* **~ się** to mineralize (*vi*); to become mineralized

zminiaturyzować *vt perf* to miniature

zminimalizować *vt perf* to minimize

zmiot|ka *sf pl G.* **~ek** (small) brush

zmiot|ki *spl G.* **~ek** sweepings

zmistyfikować *vt perf* to mystify; to hoax; to gull; to make a fool (**kogoś** of sb)

zmitologizować *vt perf* to mythologize

zmitrężać *zob.* **zmitrężyć**

zmitrężenie *sn* (↑ **zmitrężyć**) loss <waste> of time

zmitrężyć *vt perf* — **zmitrężać** *vt imperf* 1. (*zmarnować*) to lose <to waste> (time) 2. † (*utrudzić*) to tire; to weary

zmitygować *v perf* [I] *vt* 1. (*powściągać*) to moderate; to restrain; to check 2. (*uśmierzyć*) to appease; to mitigate [II] *vr* **~ się** to control <to restrain> oneself

zmizerni|eć *vi perf* **~eje** 1. (*stać się mizernym*) to grow pale <wan, haggard>; **on ~ał** he looks poorly 2. (*schudnąć*) to lose flesh; to grow lean <thin>

zmizernienie *sn* (↑ **zmizernieć**) paleness; wanness; leanness

zmizerowany *adj* wasted; emaciated; pale; wan

zmizerowanie *sn* wasted state; emaciation

zmłodnie|ć *vi perf* **~je** to grow young again

z młodu *zob.* **młody**

zmłóc|ić *vt perf* **~ę, ~ony** 1. (*wymłócić*) to thresh (one's corn) 2. *przen. pot.* (*wytłuc*) to whack 3. *przen. pot.* (*zjeść*) to dispatch (a meal)

zmniejsz|ać *v imperf* — **zmniejsz|yć** *v perf* [I] *vt* (*pod względem rozmiarów*) to diminish; to lessen; (*pod względem liczby, ilości*) to decrease; to lessen; to reduce; (*pod względem intensywności*) to abate; to reduce; to lighten; to relieve (a strain etc.); to extenuate (a guilt etc.); **nie ~ona siła** undiminished force; **nie ~one tempo** unreduced speed; **nie ~ony zapał** unabated zeal [II] *vr* **~ać, ~yć się** (*pod względem rozmiarów*) to grow less <smaller>; to lessen <to diminish> (*vi*); to shrink; (*pod względem ilości, liczby*) to decrease (*vi*); (*pod względem intensywności*) to grow less; to diminish; to dwindle; to abate; to wane; to slacken; *imperf* to be on the wane

zmniejszenie *sn* (↑ **zmniejszyć**) diminution; decrease; abatement; reduction; relief; extenuation; wane

zmobilizować *v perf* [I] *vt* 1. *wojsk.* to mobilize 2. (*uaktywnić*) to mobilize (one's resources etc.); to raise (funds etc.); to put forth (one's energies etc.) [II] *vr* **~ się** to muster; to come together; *pot.* to buck up

zmocować *vt perf* 1. (*złączyć*) to fasten (**coś z czymś** sth to sth) 2. (*umocnić*) to strengthen

zmoczyć *v perf* [I] *vt* 1. (*uczynić mokrym*) to wet; to moisten 2. (*nasycić płynem*) to drench; to soak [II] *vr* **~ się** to get wet <drenched>

zmodernizować *v perf* [I] *vt* to modernize [II] *vr* **~ się** to become modernized

zmodernizowanie *sn* (↑ **zmodernizować**) modernization

zmodulować *vt perf* to modulate

zmodyfikować *v perf* [I] *vt* to modify [II] *vr* **~ się** to be modified

zmok|nąć *vi perf* **~nął** <**zmókł**> to get wet; *pot.* **wyglądać jak ~ła kura** to look like a drowned rat; **~nąć do (suchej) nitki** to get drenched to the skin; to get soaking <dripping> wet

zmongolizować *vt perf* to Mongolize

zmonopolizować *vt perf* to monopolize

zmonopolizowanie *sn* (↑ **zmonopolizować**) monopolization

zmontować *vt perf* 1. (*montując zestawić*) to assemble <to set up, to fit up, to erect> (a machine, an apparatus etc.) 2. *przen.* (*zorganizować*) to organize; to set on foot; to get together (a company, team, crew etc.)

zmonumentalizować *vt perf* to monumentalize

zmora *sf pl G.* **zmór** 1. (*widziadło*) nightmare 2. (*upiór*) ghost; **wyglądać jak ~** to look ghastly 3. *przen.* (*udręka*) bane (of sb's life); (*widmo nieszczęścia*) curse (of war etc.)

zmordowa|ć *v perf* [I] *vt* 1. (*zmęczyć*) to tire (sb) out <to death>; to knock (sb) up 2. (*wykonać z trudem*) to toil through (a task); **~ny** tired <fagged> out; all in [II] *vr* **~ć się** to tire <to fag> oneself out <to death>; to exhaust oneself

zmordowanie *sn* ↑ **zmordować (się)** exhaustion

zmorfologizować *vt perf jęz.* to describe the morphology (**coś** of sth)

zmorowaty *adj* ghostly

zmorzy|ć † *vt perf* **zmórz** to overcome; *obecnie w zwrocie:* **sen go ~ł** he was overcome with sleep

zmotać *vt perf* 1. (*zwinąć w motek*) to reel (cotton etc.) into a hank 2. (*pogmatwać*) to tangle up

zmotoryzowa|ć *vt perf* to motorize; to mechanize; **~na armia** motorized army; **~ny batalion piechoty** motor battalion

zmotyczkować *vt perf*, **zmotyczyć** *vt perf* to hoe

zmow|a *sf pl G.* **zmów** plot; conspiracy; (secret) understanding; collusion (**kilku osób** between a number of persons); **~a milczenia** conspiracy of silence; **w ~ie z kimś** in collusion with sb

zmożenie *sn* ↑ **zmóc**

zmóc *v perf* **zmogę, zmoże, zmóż, zmógł, zmogła, zmożony** — **zmagać** *v imperf* [I] *vt* 1. (*pokonać*) to overcome; to overpower; to get the better (**coś, kogoś** of sth, sb) 2. (*wyczerpać*) to exhaust 3. *dial.* (*podołać*) to manage <to contrive> (**robotę** a piece of work, to do a piece of work) [II] *vr* **zmóc, zmagać się** to control oneself; to get the better of one's feelings

zmówić *v perf* — **zmawiać** *v imperf* [I] *vt* 1. (*odmówić*) to recite <to say> (a prayer) 2. (*namówić*) to incite; to instigate; **zmówić, zmawiać sobie towarzyszy, żeby coś zrobić** to agree <to arrange> with one's companions to do sth [II] *vr* **zmówić, zmawiać się** 1. (*umówić się*) to arrange <to agree> (with sb to do sth); **jakby się zmówili** as if by arrangement 2. (*wejść w zmowę*) to plot; to conspire; to collude; to enter into collusion

zmówienie *sn* 1. ↑ **zmówić** 2. (*namawianie*) incitement; instigation 3. **~ się** plot; conspiracy; collusion

zmrażać *zob.* **zmrozić**

zmroczki *spl med.* scotoma

zmrocznie|ć *vi perf* **~je** to darken; to grow dark <darker>

zmrocznik *sm zool.* (*Deilephila euphorbiae*) a hawk moth

zmrocznikow|iec *sm G.* **~ca** = **zawisak**

zmroczyć *v perf* [I] *vt* to darken (the sky etc.); to dim [II] *vr* **~ się** to darken (*vi*); to grow dark

zmrok *sm G.* **~u** 1. (*zmierzch*) dusk; twilight; nightfall; **od świtu do ~u** from dawn to dusk 2. *przen.* (*upadek, schyłek*) decline

zmrowić *vt perf* to make (**kogoś** sb's) flesh creep

zmr|ozić *vt perf* **~ożę, ~ożony** — **zmr|ażać** *vt imperf* to freeze; to chill; **~ozić czyjś zapał itd.** to damp sb's zeal etc.; **~ozić komuś krew w żyłach** to make sb's blood run cold; **~ozić towarzystwo** to cast a chill over the company

zmrozisko *sn*, **zmrozowisko** *sn geol.* area of cold air draining

zmrużać *zob.* **zmrużyć**

zmrużeni|e *sn* (↑ **zmrużyć**) (a) wink; **bez ~a oka** a) (*śmiało*) without a wink of the eyelid b) (*nie zdradzając cierpienia*) without a wince

zmruż|yć *v perf* — **zmruż|ać** *v imperf* [I] *vt* to squint (one's eyes); **~yć, ~ać oczy** to blink; **nie ~yłem oka** I haven't slept a wink; I didn't have a wink of sleep; † **~yć na coś oczy** to blink at sth [II] *vr* **~yć, ~ać się** to blink

zmulać *vt imperf* — **zmulić** *vt perf* to silt

zmumifikować *v perf* [I] *vt* to mummify [II] *vr* **~ się** to become mummified

zmurszałość *sf singt* mustiness

zmurszały [I] *pp* ↑ **zmurszeć** [II] *adj* mouldy; musty; decaying; rotten

zmursze|ć *vi perf* **~je** 1. (*zbutwieć*) to moulder; to rot 2. *przen.* (*chylić się ku upadkowi*) to decay; to crumble

zmurszenie *sn* 1. ↑ **zmurszeć** 2. *przen.* decay

zmu|sić *v perf* **~szę, ~szony** — **zmu|szać** *v imperf* [I] *vt* to force <to oblige, to compel, to constrain, to get> (**kogoś do zrobienia czegoś** sb to do sth); to make (**kogoś do zrobienia czegoś** sb do sth); **być ~szonym do robienia czegoś** to be obliged <forced, constrained, compelled, made> to do sth; to be under the necessity of doing sth; **~szony byłem sprzedać wóz** I was obliged <I had, I found it necessary> to sell my car; **~sić kogoś do ustępstw <do milczenia itd.>** to force sb into concessions <silence etc.>; **~szony niepomyślną pogodą <potrzebą itd.>** under the stress of the weather <of necessity etc.> [II] *vr* **~sić, ~szać się** to force <to constrain, to bring> oneself (to do sth)

zmuszenie *sn* (↑ **zmusić**) constraint; compulsion; obligation

zmutować *vi perf biol.* to mutate

zmuzułmanić się *vr perf* to turn Mussulman

zmuzułmanie|ć *vi perf* **~je** *sl.* (*o więźniach obozów koncentracyjnych*) to become a nervous wreck

zmy|ć *v perf* **~ję, ~ty** — **zmy|wać** *v imperf* [I] *vt* 1. (*oczyścić*) to wash off <out> (a stain etc.); to wash down (a wall etc.); **~ć, ~wać naczynia (po posiłku)** to wash up; to do the washing up; *pot.* **poszedł jak ~ty** he went away with a flea in his ear; **~ć komuś głowę** to give sb snuff <a dressing-down> 2. *przen.* (*zmazać*) to wash away (a sin etc.); to efface (one's disgrace etc.); **~ć krwią** to take bloody vengeance (**krzywdę itd.** for an injury etc.) 3. (*unieść*) to wash <to carry> away (a bridge etc.) 4. (*opłukać*) to drench [II] *vr* **~ć, ~wać się** 1. (*zostać usuniętym*) to wash off (*vi*); **to się ~je** it will wash off 2. *przen.* (*zostać zmazanym*) to be effaced <redeemed> 3. *przen. pot.* (*uciec*) to decamp 4. (*obmyć się z czegoś*) to wash oneself clean (**z kurzu, błota itd.** of dust, mud etc.)

zmydl|ać *v imperf* — **zmydl|ić** *v perf* [I] *vt* 1. (*zużyć*) to use up (a cake of soap) 2. *chem.* to saponify <to hydrolyze> (fats etc.) [II] *vi perf* (*skłamać*) to lie [III] *vr* **~ać, ~ić się** 1. (*o mydle*) to froth; to lather 2. *chem.* to hydrolyze (*vi*); to undergo hydrolysis; to saponify (*vi*)

zmydlanie *sn* (↑ **zmydlać**), **zmydlenie** *sn* (↑ **zmydlić**) saponification

zmykać *zob.* **zemknąć**

zmylać *zob.* **zmylić**

zmylenie *sn* ↑ **zmylić**

zmyl|ić *v perf* — **zmyl|ać** *v imperf* [I] *vt* 1. (*wprowadzić w błąd*) to lead (sb) into error; to mislead; to deceive 2. (*pomieszać*) to jumble up; **~ić, ~ać drogę** to lose one's way; to go astray; to go wrong; **~ić, ~ać trop <ślad, pogoń>** to baffle <to outwit> (one's pursuers); **~ić, ~ać pogoń** to cover up one's tracks; to foil the scent [II] *vr* **~ić, ~ać się** † to make a mistake

zmysł *sm G.* **~u** 1. (*zdolność reagowania na bodźce*) sense; **szósty ~** sixth sense 2. (*uzdolnienie, skłonność*) sense (of humour, locality, duty etc.); knack <aptitude> (**do czegoś** for sth) 3. *pl* **~y** (*popęd płciowy*) libido; sexuality 4. *pl* **~y** *pot.* (*świadomość*) consciousness; senses; **odchodzić od ~ów** to rave; to be beside oneself (**z radości, rozpaczy itd.** with joy, despair etc.); **upaść bez ~ów** to fall unconscious 5. *pl* **~y** † (*rozum*) reason; *obecnie w zwrotach:* **pomieszanie <utrata> ~ów** madness; insanity; **dostać pomieszania ~ów** to go mad; to take leave of one's senses; to become insane; **być przy zdrowych ~ach** to be sane <in possession of all one's faculties, in one's right mind>; **doprowadzić kogoś do utraty ~ów** to drive sb mad; to madden sb

zmysłow|iec *sm G.* **~ca** sensualist; voluptuary

zmysłowo *adv* 1. (*za pomocą zmysłów*) through <by means of> one's senses 2. (*cieleśnie*) carnally; sensually

zmysłowość *sf singt* sensualism; sensuality; lust; concupiscence; lewdness; lasciviousness; voluptuousness

zmysłowy *adj* 1. (*odnoszący się do zmysłów*) sensorial; sensory; sense — (impression, organ, perception) 2. (*erotycznie pobudliwy*) sensual; lustful; lewd; lascivious; voluptuous

zmyślać *v imperf* — **zmyślić** *v perf* [I] *vi* (*fantazjować*) to brag; to bluff; to give play to one's imagination; *przen.* to draw the long bow [II] *vt* to invent; to cook up; to trump up; to fabricate; to fake up (a story etc.)

zmyślenie *sn* 1. ↑ **zmyślić** 2. (*wymysł*) invention; fabrication; fiction

zmyślić *zob.* **zmyślać**

zmyślnie *adv* cleverly; ingeniously

zmyślność *sf singt* quick wits; resource; gumption

zmyślny *adj* 1. (*sprytny*) clever; sharp; quick-witted 2. (*pomysłowy*) ingenious; clever; inventive

zmyślony [I] *pp* ↑ **zmyślić** [II] *adj* (*fikcyjny*) imaginary; fictitious; unsubstantial; unreal; trumped-up

zmyw *sm G.* **~u** *geol.* rain-wash

zmywacz *sm* 1. (*przyrząd i płyn do zmywania farb*) paint remover 2. (*człowiek zajmujący się zmywaniem*) washer

zmywać *zob.* **zmyć**

zmywak *sm* 1. (*naczynie*) sink 2. (*szmata*) wash clout

zmywalnia *sf* scullery

zmywalny *adj* washable

zmywani|e *sn* 1. ↑ **zmywać** 2. *med.* wash; **płyn do ~a** lotion

znachodz|ić † *vt imperf* **~ę, ~ony** *dial.* = **znajdować**

znachor *sm*, **znachor|ka** *sf pl G.* **~ek** quack (doctor); charlatan; mountebank

znachorski *adj* quackish; quack — (remedy, powder)

znachorstwo *sn* quackery

znacjonalizować *vt perf* to nationalize

znacjonalizowanie *sn* (↑ **znacjonalizować**) nationalization

znaczar|ka *sf pl G.* **~ek** marker

znacząco *adv* significantly; meaningly; **popatrzeć na kogoś ~** to cock one's eye at sb

znaczący *adj* significant; (full of) meaning; telling (look); emphatic (gesture); **nic nie ~** insignificant; negligible; trivial

znacz|ek *sm G.* **~ka** 1. (*znak*) mark; tick 2. (*odznaka*) badge; **album na ~ki pocztowe** stamp album; **~ek do garderoby** cloak-room ticket; **~ek pocztowy** postage stamp; **~ek stemplowy** revenue stamp 3. *bot.* hilum; cicatrix

znaczeni|e *sn* 1. ↑ **znaczyć** 2. (*sens*) meaning; significance; sense; denotation (of a term, word); purport (of a document); **czasownik w ~u biernym** verb with passive force; **podstawowe <wtórne> ~e** primary <secondary> meaning; **ukryte ~e** implication; **jakie to ma ~e?** what does it mean?; **nadać czyimś słowom właściwe <niewłaściwe> ~e** to put the proper <a wrong> construction on sb's words; **bez ~a** meaningless; **w całym tego słowa ~u** in the full sense of the word; **to łotr w całym tego słowa ~u** he is an unmitigated scoundrel; **w ścisłym ~u** in the strict sense; **w ~u dosłownym i przenośnym** literally and figuratively 3. (*ważność, waga*) weight; weightiness; importance; value; magnitude; import (of a ceremony, an event etc.); **człowiek mający (pewne) ~e** a person of (some) account <consequence>; **mieć wielkie ~e** to have great weight; to be of great importance; **mieć ~e** to be of importance <of consequence>; to matter; **to nie ma ~a** that is of no importance; that does not matter; **mieć ~e dla kogoś <w czyichś oczach>** to weigh with sb; **dla mnie <w moich oczach> ten moment nie ma ~a** that point does not weigh with me; **nabierać ~a** to come into prominence; **pozbawić sprawę wszelkiego ~a** to put a matter out of court; **przywiązywać wielkie ~e do czegoś** to value sth greatly; to attach great importance to sth; **bez ~a** insignificant; unimporant; immaterial; negligible

znaczeniotwórczy *adj* semasiological

znaczeniowo *adv* significatively; semantically

znaczeniow|y *adj* significative; semantic; **odcienie ~e** shades of meaning

znaczkarz *sm techn. górn.* tallyman

znaczkownia *sf techn. górn.* control room

znacznie *adv* considerably; much <far> (better, more etc.); **~ lepszy <cenniejszy itd.>** better <more valuable etc.> by far <by a long chalk>

znacznik *sm* 1. *techn.* gauge; scribe; marking knife 2. *mat.* index 3. *stol.* marking gauge 4. *roln.* marker || **~ murarski** dividers

znaczn|y *adj* 1. (*spory*) considerable; goodly; appreciable; substantial; sensible; (*o cenie, majątku itd.*) handsome; **~a różnica** big <wide> difference 2. (*znakomity*) notable 3. *dial.* (*widoczny*) conspicuous; prominent

znaczy|ć *v imperf* [I] *vt* 1. (*robić znak*) to mark; to make a <one's> sign (**coś** on sth); to check <to tick> off (items in a list); to earmark (sheep etc.); to mark out (borders etc.); *rel.* to sign (sb) with the sign of the cross; **~ć tempo** to mark time 2. (*zawierać znaczenie*) to mean; to signify; to purport; to imply; (*o skrótach itd.*) to stand (**coś** for sth); **ABC ~ „alfabet"** ABC stands for "alphabet"; **co to ma ~ć?** what is this supposed to mean?; what is the meaning of this?; **nie ~ to, żeby ...** not that ...; (*to jest, t.zn.*) **to ~** that is to say; namely; *lit.* to wit; videlicet (viz.; i.e.); **to ~ tyle co „nie"** that is tantamount to a refusal <to saying "no">; **wiem, co to ~ być głodnym** I know what it is (like) to be hungry 3. (*mieć wagę, ważność*) to be of importance <of import, of consequence>; to matter; to weigh; to count; **każdy dzień <grosz itd.> wiele ~** every day <penny etc.> counts for much; **to nic nie ~** it does not matter a bit; **to wiele ~** it matters a great deal <a lot> 4. (*zostawiać ślad*) to leave a <one's> trace behind 5. (*wytyczać*) to trace out <to mark> (the way) [II] *vr* **~ć się** 1. (*być widocznym*) to be visible; to appear 2. *dial.* = **~ć** *vt* 2.

zna|ć *v imperf* [I] *vt* 1. (*mieć wiadomości*) to know (sb, sth); to be acquainted (**kogoś, coś — sprawę, okoliczności itd.** with sb, sth — a matter, the circumstances etc.); **dać komuś ~ć o czymś** to inform sb about sth; to let sb know of sth; to send word to sb about sth; **dać komuś ~ć o sobie** to let sb hear from one; **dać ~ć (o czymś na milicję itd.)** to report (sth to the militia etc.); **on nie daje ~ć o sobie** I <we> don't hear from him <have no news of him>; **nie chcę go ~ć** I'll have nothing to do with him; I'll have no truck with him; **nie ~ć czegoś, słabo coś ~ć** to be unacquainted <unfamiliar> with sth; **nie ~ć przepisów <zwyczajów itd.>** to be ignorant of the rules <customs etc.>; **nie ~ć strachu <litości itd.>** to know no fear <pity etc.>; to be a stranger to fear <pity etc.>; **nie ~m tych okolic** I am a stranger here; **~ć kogoś ze słyszenia** to have heard of sb; to know sb from hearsay; **~ć kogoś z widzenia** to know sb by sight; **niech cię nie ~m!** go on with you! 2. (*umieć*) to know (a language, craft etc.); **nie ~m ani jednego słowa chińskiego** I don't know a word of Chinese; **nie ~m ich języka** I don't know <I can't speak> their language; **~ć coś na pamięć** a) (*umieć*) to know sth by heart b) (*doskonale się orientować*) to know sth through and through; **~ć sprawę gruntownie** to be well-informed on a subject; **~ć swój fach** to understand one's business [II] *inf* 1. (*skrótowo — widać*) to show (*vi*); **tego nie będzie ~ć** that won't show; **to dobrze ~ć** that is obvious; **~ć, że ...** you <one> can see at once that ... 2. (*przysłówkowo — widocznie*) apparently; evidently; no doubt [III] *vr* **~ć się** 1. (*znać siebie*) to know one's nature 2. (*znać jeden drugiego*) to know each other; to be acquainted; to be friends 3. (*być biegłym w czymś*) to know (**na czymś** sth); to be conversant (**na czymś** with sth); to be experienced <versed> (**na czymś** in sth); to know all (**na czymś** about sth); to understand (**na czymś** sth); **nie ~m się na tym** I know nothing about that; that's not in my line; **~ć się na ludziach** to know human nature; **~ć się na rzeczy** to know a thing or two; **~ć się na żartach** to know how to take a joke

znad *praep* from above (the clouds etc.); **~ morza** from the seaside

znaglać *vt imperf* — **znaglić** *vt perf techn.* to harden

z nagła *zob.* **nagły**

znajd|a *sf sm* (*decl* = *sf*), **znajd|ek** *sm G.* **~ka** *pot.* foundling

zna|jdować *v imperf*, **zna|jdywać** *v imperf* — **zna|leźć** *v perf* **~jdę, ~jdzie, ~jdź, ~lazł, ~leźli, ~leziony** [I] *vt* 1. (*natrafiać*) to find; to discover; to uncover; **biuro rzeczy ~lezionych** lost-property office; **jeżeli ~jdę czas** if I find <can spare> the time; **musimy ~leźć miejsce na dodatkowe biurko** we must allow space for an additional desk; **nie móc ~leźć sobie miejsca** to be on pins and needles; **nie ~jduję słów, żeby ...** words fail me to ...; **~jdować przyjemność <zadowolenie> w czymś** to find pleasure <satisfac-

tion> in sth; to derive pleasure <satisfaction> from sth; **~jdować w sobie odwagę, żeby ...** to find <to muster> courage to ...; **~jdować zastosowanie** to be applicable; **~leziono broń w stodole pod słomą** arms were uncovered in the barn under the straw; *pot.* **jak ~lazł** pat; very handy; **to mi było jak ~lazł** it came pat to my purpose; it was very handy 2. (*stwierdzać*) to see; **nic dziwnego w tym nie ~jduję** I don't see anything strange in that 3. (*natrafić*) to come across; to meet (sb, sth); **~leźć śmierć** to meet one's death 4. (*zyskiwać*) to meet (**aprobatę itd.** with approval etc.); **nie ~jdę spokoju, dopóki nie ...** I shall have <know> no rest until ...; **~leźć wyraz w czymś** to be expressed <to find (its) expression> in sth 5. (*doświadczać*) to experience; to meet (**serdeczne przyjęcie itd.** with a warm reception <welcome> etc.) [II] *vr* **~jdować, ~jdywać, ~leźć się** 1. (*być odszukanym*) to be found; **~jdą się środki na to, żeby ...** means will be found to ... 2. (*trafiać się*) to occur; **ta roślina <to zwierzę> rzadko się ~jduje w tej okolicy** this plant <animal> seldom occurs in this region 3. (*być*) to be, to be present <in existence> (in sth); to find oneself (homeless, penniless, in the street etc.); **gdzie się ~jduje poczta?** where is the post office?; **miasto ~jduje się u stóp wysokich gór** the town is situated <lies> at the foot of high mountains; **wśród nich ~lazł się zdrajca** there was a traitor among them; **~jdować się w obfitości** to abound; **~jdziesz się w więzieniu** you will land in gaol; **~leźć się w kropce** a) (*być w trudnych warunkach*) to find oneself in difficulties b) † (*wybrnąć*) to do <to say> the proper thing at the right moment *zob.* **znaleźć się**

znajom|ek *sm G.* **~ka** *pot.* a good friend (of mine, his etc.)

znajomoś|ć *sf* 1. (*fakt, że się kogoś zna*) acquaintance (with sb); **mieć ~ci w pewnych sferach** to have connexions in certain circles; **nawiązać <zawrzeć> z kimś ~ć** to make sb's acquaintance; to become acquainted with sb; **załatwić coś po ~ci** to settle sth as between friends 2. *singt* (*wiedza*) knowledge; **fachowa ~ć** the know-how; **mieć gruntowną ~ć czegoś** to be conversant <familiar> with a subject; **mieć powierzchowną ~ć języka** to have a smattering of a language; **mieć teoretyczną ~ć czegoś** to know sth in the abstract; **mówię ze ~cią rzeczy** I speak knowingly <from my own knowledge>; **nabyć ~ci czegoś** to make oneself acquainted with sth 3. (*osoba znajoma*) a person of one's acquaintance; **przygodna ~ć, ~ć z pociągu <z podróży itd.>** (a) pick-up; a person with whom one has scraped acquaintance in a train <during a journey etc.>

znajom|y [I] *adj* familiar; well-known (to one, to us etc.) [II] *sm* **~y**, *sf* **~a** (an) acquaintance (of mine, of ours etc.); (my, our etc.) friend; **~i i krewni** kith and kin; **~y z widzenia** bowing <nodding> acquaintance

znak *sm G.* **~u** 1. (*to, co daje znać*) sign; mark; signal; denotation; (graphic) character; seal <stamp, indication> (of genius etc.); *chem.* symbol; (*poruszenie ręki, głowy*) motion; **~ drogowy** traffic-signal; **~ fabryczny <ochronny>** trade mark; *druk.* **~ firmowy** printer's mark; **~ kontrolny** tick; check; O.K.; (*w rysopisie*) **~ szczególny** peculiarity; **~ wodny** watermark; **~ zapytania** point of interrogation; question mark; **dać komuś ~, żeby ...** to sign <to motion, to make a sign> to sb to ...; **dawać ~ życia** a) (*wykazywać objawy życia*) to give signs of life b) (*przesyłać wiadomości*) to send news; **odkąd wyjechał, nie dał ~u życia** we have not heard from him since he left; **porozumiewać się ~ami** to speak in dumb show; **stawiać ~ równania między czymś a czymś** to identify sth with sth; **~i na niebie i na ziemi wskazują, że ...** there are strong indications that ...; *przen.* **dawać się we ~i** to be a nuisance; (*o dziecku, człowieku dokuczliwym*) to make a nuisance of oneself; (*o zjawisku*) to be hard on sb; to tell on sb; to make sb's life miserable; **to jest wielki ~ zapytania** it is very uncertain <doubtful>; **stać pod ~iem zapytania** to be doubtful; *sl.* **~iem tego ...** and so ... 2. (*dowód*) sign; token; **na ~ ...** as a sign of ...; in token of ...; by way of ... 3. (*omen*) augury; omen; presage; portent (of evil); **być dobrym <złym> ~iem** to omen <to presage> well <ill> 4. *hist. wojsk.* company 5. (*ślad*) trace; vestige; **ani ~u ...** no trace <no vestige> of ... 6. † (*herb*) arms; *obecnie w zwrocie*: **pod ~iem ...** under the banner of ...

znakomicie *adv* excellently; splendidly; brilliantly; exquisitely; remarkably well; outstandingly; superbly; (to feel, to do sth) first-rate

znakomitość *sf* 1. (*znakomita osoba*) celebrity; notoriety; lion 2. *singt* (*cecha*) excellence; brilliance; perfection

znakomit|y *adj* 1. (*sławny*) illustrious; famous; far-famed; **~a osobistość** celebrity; person of note <of mark>; elevated <eminent> personage 2. (*doskonały*) excellent; splendid; brilliant; remarkable; exquisite; superb; first-rate; signal (victory etc.); *pot.* grand; great; **~y ród** noble stock; **potomek ~ego rodu** scion of a noble house 3. (*znaczny*) considerable <major, best> (part of sth)

znakować *vt imperf* to mark; to stamp; to brand (sheep etc.); to make markings (**coś** on sth); *handl.* to stencil (cases, bales etc.)

znakowani|e *sn* 1. ↑ **znakować**; **~e jezdni** pavement markings 2. *pl* **~a** (*oznakowanie*) markings; notation

znakownictwo *sn* notation

znakowy *adj* (set etc.) of signs <marks, characters>

znalazca *sm* (*decl* = *sf*) finder; **~ otrzyma nagrodę** finder will be rewarded

znalazczyni *sf* finder

znalezienie *sn* 1. ↑ **znaleźć** 2. *rel.* **Znalezienie Krzyża Świętego** Feast of the Invention of the Cross

znalezisko *sn* (a) find; discovery; treasure trove

zna|leźć się *vr perf* **~jdę się, ~jdzie się, ~jdź się, ~lazł się, ~leźli się** 1. *zob.* **znajdować się** 2. (*postąpić*) to act; **umieć się ~leźć** to do the right thing at the right moment

znaleźne *sn* (*decl* = *adj*) finder's reward

znamienity *adj* 1. (*znakomity*) (person) of rank 2. (*sławny*) illustrious; celebrated

znamiennie *adv* characteristically; significantly; symptomatically

znamienn|y *adj* characteristic; significant; symptomatic; **to jest ~e** this tells a tale

znami|ę *sn pl N.* **~enia** <**~ona**> *G.* **~on** *D.* **~onom** *I.* **~onami** *L.* **~onach** 1. (*plama, wypukłość na skórze*) birth-mark; mole; *med.* n(a)evus 2. (*cecha charakterystyczna*) characteristic; trait; stigma; stamp; **~ę geniuszu** the hallmark of genius; **~ona władzy** the insignia of authority 3. *bot.* stigma

znamionować *vt imperf* to distinguish; to denote; to indicate; to characterize; to be characteristic (**coś** of sth)

znamionowy *adj techn.* nominal

znamionów|ka *sf pl G.* **~ek** *zool.* (*Orgyia antiqua*) a moth

znanie *sn* (↑ **znać**) knowledge

znan|y [I] *pp* ↑ **znać**; **być ~ym pod nazwiskiem ...** to go <to pass> by the name of ... [II] *adj* well-known; famed; notorious; familiar (surroundings etc.); **~e nazwisko** a household word; **~e opowiadanie** a twice told tale; **ten** <**ów**> **~y NN** the NN; **ten** <**ów**> **~y Olivier** the Olivier; **~y z dowcipu** <**z występów itd.**> famous for his wit <for his performances etc.>

znarkotyzować *vt perf* to drug

znar|owić *v perf* **~ów** [I] *vt* to make sb <a horse> restive <vicious> [II] *vr* **~owić się** (*o człowieku, koniu*) to become restive <vicious>; (*o koniu*) to ba(u)lk; to jib

znaturalizować *vt perf* to naturalize

znawc|a *sm* (*decl* = *sf*) connoisseur; expert (**czegoś** in sth); judge; **znakomity ~a nowoczesnego malarstwa** past master of modern painting; **nie jestem ~ą tych rzeczy** I am no judge of such things

znawczyni *sf* = **znawca**

znawo|zić *vt perf* **~żę, ~żony** to manure (a field etc.); to fertilize

znawstwo *sn* connoisseurship; expertness

zneutralizować *vt perf* to neutralize

zneutralizowanie *sn* (↑ **zneutralizować**) neutralization

znęcać *v imperf* [I] *vt zob.* **znęcić** [II] *vr* **~ się** to bully (**nad kimś** sb); to ill-treat <to persecute> (**nad kimś** sb); to torment <to torture> (**nad kimś, nad zwierzęciem** sb, an animal)

znęcanie się *sn* (↑ **znęcać się**) ill-treatment; persecution (**nad kimś** of sb)

znęc|ić *vt perf* **~ę, ~ony** — **znęcać** *vt imperf* to allure; to entice; to tempt

znękanie *sn* torment; life-weariness

znękany *adj* worn out; tormented; wasted (by disease); **~ życiem** life-weary

znicz *sm* ever-burning fire; *techn.* pilot light; **~ olimpijski** Olympic torch <flame>

znicz|ek *sm G.* **~ka** *zool.* (*Regulus ignicapillus*) firecrest

zniebieszcze|ć *vi perf* **~je** to become <to turn> blue

zniechęc|ać *v imperf* — **zniechęc|ić** *v perf* **~ę, ~ony** [I] *vt* to discourage <to dishearten, to dispirit, to unman> (sb); to indispose (**kogoś do czegoś** sb for sth); to sicken (**kogoś do czegoś** sb of sth) [II] *vr* **~ać, ~ić się** to become <to get> discouraged <disheartened, dispirited>; to lose heart; **~ać, ~ić się do czegoś** to become <to grow> disinclined to sth; to begin to sicken <to weary> of sth; **~ać, ~ić się do kogoś** to become <to grow> indisposed towards sb <estranged from sb>

zniechęcająco *adv* discouragingly; depressingly

zniechęcający *adj* discouraging; dispiriting; disheartening; depressing

zniechęcenie *sn* 1. ↑ **zniechęcić** 2. (*stan psychiczny*) discouragement; dejection; despondency

zniechęcić *zob.* **zniechęcać**

zniechęcony [I] *pp* ↑ **zniechęcić** [II] *adj* discouraged; disheartened; dispirited; sick at heart; down in the mouth; **nie ~** undaunted

zniecierpliwi|ć *v perf* — **zniecierpliwi|ać** *v imperf* [I] *vt* to put (sb) out of all patience; to provoke <to vex> (sb) [II] *vr* **~ć, ~ać się** to lose patience; to grow impatient

zniecierpliwienie *sn* 1. ↑ **zniecierpliwić** 2. (*niecierpliwość*) impatience; restlessness 3. (*rozdrażnienie*) vexation; irritation

zniecierpliwiony [I] *pp* ↑ **zniecierpliwić** [II] *adj* 1. (*niecierpliwy*) impatient; restless 2. (*rozdrażniony*) vexed; irritated

znieczulacz *sm fot.* desensitizer

znieczulać *vt imperf* — **znieczulić** *vt perf* 1. *med.* to anaesthetize; to insensibilize 2. (*czynić niewrażliwym*) to deaden <to harden> (**kogoś na coś** sb to sth)

znieczulająco *adv* **działać ~** to insensibilize

znieczulający *adj* insensibilizing; **środek ~** anaesthetic

znieczulenie *sn* 1. ↑ **znieczulić** 2. (*utrata czucia*) insensibilization; anaesthetization 3. (*brak wrażliwości*) callousness

znieczulica *sf lit.* callousness; induration

znieczulić *zob.* **znieczulać**

znieczulony [I] *pp* ↑ **znieczulić** [II] *adj* insensible; unfeeling; dead (**na coś** to sth); callous

zniedołężni|eć *vi perf* **~eje** to become decrepit; **~ał** he is decrepit

zniedołężnienie *sn* (↑ **zniedołężnieć**) decrepitude; disability

zniekształc|ać *v imperf* — **zniekształc|ić** *v perf* **~ę, ~ony** [I] *vt* 1. (*zdeformować*) to deform; to put (sth) out of shape; to disfigure; *elektr.* to distort; **~ony** mis-shapen; malformed; distorted 2. *przen.* to garble (a text, meaning) [II] *vr* **~ać, ~ić się** to become deformed <disfigured, *przen.* distorted>; to get out of shape

zniekształcenie *sn* 1. ↑ **zniekształcić** 2. (*stan*) deformation; disfigurement; malformation; malformity; **usunąć ~** to correct a malformity 3. *przen. elektr.* distortion

zniekształcić *zob.* **zniekształcać**

zniemczać *zob.* **zniemczyć**

zniemcze|ć *vi perf* **~je** to become Germanized

zniemczenie *sn* (↑ **zniemczeć, zniemczyć**) Germanization

zniemczyć *vt perf* — **zniemczać** *vt imperf* to Germanize

z niemiecka *zob.* **niemiecki**

znienacka *adv* unexpectedly; suddenly; unawares; without a moment's notice; **~ zaskoczyć kogoś** to catch sb off his guard

znienawidzenie *sn* (↑ **znienawidzić**) hatred; loathing; detestation; execration

znienawidz|ić *vt perf* **~ę, ~ony** to come to hate <to loathe, to detest, to execrate> (sb, sth); to conceive hatred <loathing, detestation, execration> (**kogoś, coś** for sb, sth)

znienawidzony [I] *pp* ↑ **znienawidzić** [II] *adj* hateful; execrable; odious

zniepprawiać † *vt imperf* — **znieprawić** † *vt perf* to deprave; to demoralize; to debauch

znieprawiająco † *adv* demoralizingly

znieprawić *zob.* **znieprawiać**

znieruchomiały [I] *pp* ↑ **znieruchomieć** [II] *adj* motionless; stock-still

znieruchomie|ć *vi perf* **~je** 1. (*stać się nieruchomym*) to cease moving; to come to a stop; to become motionless; (*o twarzy*) to set 2. (*stanąć jak wryty*) to stand stock-still <rooted to the spot>

znieruchomienie *sn* (↑ **znieruchomieć**) immobility

zniesieni|e *sn* 1. ↑ **znieść** 2. (*zniszczenie*) obliteration; annihilation; destruction; demolition 3. (*unieważnienie*) annulment; abolition; cancellation; suppression; repeal 4. (*ścierpienie*) tolerance; endurance; **możliwy do ~a** tolerable; endurable; sufferable; **nie do ~a** unbearable; insufferable; intolerable; beyond endurance

zniesławiać *vt imperf* — **zniesławić** *vt perf* to slander; to defame; to traduce; to cast aspersions (**kogoś** on sb)

zniesławiający *adj* slanderous

zniesławienie *sn* (↑ **zniesławić**) slander; defamation

znieść *v perf* **zniosę, zniesie, znieś, zniósł, zniosła, znieśli, zniesiony** — **znosić** *v imperf* **znoszę, znoszony** [I] *vt* 1. (*nieść w dół*) to take <to bring, to carry> (sth) down 2. (*przynieść*) to bring (things, news etc.); (*zgromadzić*) to gather; **znieść, znosić na kupę** to heap <to pile> up; (*o ptakach*) to lay (eggs) 3. (*porwać — o wietrze*) to carry <to tear, to blow> away; (*o wodzie*) to wash away 4. (*zepchnąć z właściwego kierunku*) to drive (sb, a boat, plane) out of (his, its) course 5. (*zniszczyć*) to annihilate; to obliterate; to demolish; to destroy; to raze (**z oblicza ziemi** to the ground) 6. (*unieważnić*) to suppress; to do away (**coś** with sth); to cancel out; to eliminate; to annul; to abolish; to repeal (a law etc.); to raise (a ban, an embargo etc.) 7. (*ścierpieć*) to bear; to endure; to put up (**coś** with sth); to tolerate; to withstand; to suffer (**ból itd.** pain etc.); to countenance <to submit to> (sb's insolence etc.); to stomach (an insult etc.); **dzielnie znosić przeciwieństwa losu** to grin and bear it; **nie zniosę takiego zachowania** I won't have <stand for, put up with> such conduct; **nie zniosę tego** I'll have none of this; **nie znosić kogoś, czegoś** to abominate <to loathe> sb, sth; **nie znoszę go <tego>** I can't stand him <it> [II] *vi* to suffer (**żeby coś robiono** sth to be done; **żeby ktoś coś robił** sb to do sth) [III] *vr* **znieść, znosić się** to communicate (with sb) *zob.* **znosić**

zniewaga *sf* insult; affront; outrage; indignity

zniew|alać *v imperf* — **zniew|olić** *v perf* **~ól** *lit.* [I] *vt* 1. (*zjednać, ująć sobie*) to captivate; to win (all hearts) 2. (*zmuszać*) to force; to constrain; to compel; to coerce (**kogoś do zrobienia czegoś** sb into doing sth); **być ~olonym do zrobienia czegoś** to do sth under constraint; **~olić kobietę** to violate <to rape> a woman 3. (*ujarzmić*) to subjugate; to conquer [II] *vi* to be captivating <prepossessing, fascinating>

zniewalająco *adv* captivatingly; **działać ~ na kogoś** to captivate sb

zniewalający *adj* 1. (*ujmujący*) captivating; fascinating; prepossessing; **~ uśmiech** winning smile 2. (*zmuszający*) compelling; coercive

znieważ|ać *vt imperf* — **znieważ|yć** *vt perf* 1. (*obrażać*) to insult; to outrage; to affront; **~yć kogoś czynnie** to assault sb 2. (*lżyć*) to abuse; to revile 3. (*profanować*) to desecrate; to profane

znieważający *adj* insulting; abusive; opprobrious

znieważenie *sn* 1. ↑ **znieważyć** 2. (*obrażenie*) insult; outrage; affront; **czynne ~** assault 3. (*lżenie*) abuse 4. (*sprofanowanie*) desecration; profanation

znieważyć *zob.* **znieważać**

zniewieściałość *sf singt* effeminacy

zniewieściały [I] *pp* ↑ **zniewieścieć** [II] *adj* effeminate; unmanly; womanish; **~ chłopiec <mężczyzna>** sissy; molly

zniewieście|ć *vi perf* **~je** to grow effeminate <unmanly>; to lose one's virility <manliness>

zniewolenie *sn* 1. ↑ **zniewolić** 2. (*zmuszenie*) constraint; coercion

zniewolić *zob.* **zniewalać**

znik|ać *vi imperf* — **znik|nąć** *vi perf* **~ł <~nął>** 1. (*ginąć z oczu*) to disappear; to vanish; to fade <to pass> out of sight; to be lost to view; (*o ciemnościach*) to disperse; (*o mgle*) to dissipate; to clear; to lift; (*o planach, nadziejach*) to melt <to vanish> into thin air; (*o pieniądzach*) to melt away; **~ać, ~nąć z pola widzenia** to recede from view 2. (*odchodzić*) to disappear; to slip away; to decamp 3. (*przeminąć*) to pass 4. (*przestawać być*) to disappear; to vanish; to fade away; to evanesce

znikanie *sn* (↑ **znikać**) disappearance

znikąd *adv* out of nowhere; from nowhere; from the void

znikczemniałość *sf* = **znikczemnienie**

znikczemnie|ć *vi perf* **~je** to debase oneself; to sink into degradation <into abjection>

znikczemnienie *sn* (↑ **znikczemnieć**) debasement; degradation; abjection; abjectness

zniknąć *zob.* **znikać**

zniknięcie *sn* (↑ **zniknąć**) disappearance

znikomo *adv* in a minimal degree; minutely; imperceptibly; indiscernibly; inappreciably; insignificantly; slightly; scantily

znikomość *sf* 1. (*nietrwałość*) transientness; evanescence; short duration 2. (*bezwartościowość*) minuteness; insignificance; triviality

znikomy *adj* 1. (*nieznaczny*) minimal; minute; slender; insignificant; trivial; inappreciable; imperceptible; indiscernible 2. (*przemijający*) transient; evanescent; of short duration; short-lived

zniszczalny *adj* destructible

zniszczalność *sf singt* destructibility

zniszcz|eć *vi perf* **~eje** to be destroyed; to fall into ruin <into decay>; to go to rack and ruin; to fall into disrepair; **on ~ał** (*o człowieku*) he is worn out; (*o organizmie*) it is wasted

zniszczeni|e *sn* 1. ↑ **zniszczeć, zniszczyć** 2. (*ruina*) destruction; devastation; ravage; ruin; havoc; annihilation; **stan ~a** disrepair; dilapidation; **~a wojenne** war damage; **siać ~e** to ravage; to play havoc

zniszczony [I] *pp* ↑ **zniszczyć** [II] *adj* (*o człowieku*) worn out; (*o organizmie*) wasted; (*o budynku*) dilapidated; ruinous; tumble-down; (*o ubraniu*) worn out; shabby; out at elbows; (*o okolicy*) devastated; ravaged

zniszczyć *v perf* [I] *vt* 1. (*zburzyć*) to devastate; to do away (**coś** with sth); to ravage; to play havoc (**coś** with sth); to wreck (sth, sb's nerves etc.); to annihilate; to ruin (**sobie zdrowie** one's health) 2. (*czynić niezdatnym do użytku*) to damage; to ruin; to dilapidate; to put (sth) out of order <in a state of disrepair>; (*podrzeć ubranie*) to wear out (one's clothes) 3. (*zrujnować materialnie*) to ruin; to bring (sb, an institution, a region) to ruin [II] *vr* ~ **się** (*zostać zniszczonym*) to be destroyed <devastated, ravaged, ruined>; (*zedrzeć się*) to get worn out; (*o maszynie, przyrządzie itd.*) to fall into disrepair; (*o budynku*) to become dilapidated

znitować *vt perf* to rivet

znitrować *vt perf chem.* to nitrate

zniweczać *zob.* **zniweczyć**

zniweczenie *sn* 1. ↑ **zniweczyć** 2. (*obrócenie w niwecz*) annihilation; frustration (of sb's plans etc.) 3. (*zniszczenie*) destruction; ruin; wreckage

zniweczyć *vt perf* 1. (*obrócić w niwecz*) to annihilate; to frustrate <to baffle> (sb's plans etc.); to wreck (an undertaking etc.) 2. (*zniszczyć*) to destroy; to lay waste; to wreck

zniwelować *vt perf* 1. (*zrównać*) to level 2. (*zrobić pomiary*) to survey (land)

zniwelowanie *sn* 1. ↑ **zniwelować** 2. (*pomiary*) survey (of land)

zniż|ać *v imperf* — **zniż|yć** *v perf* [I] *vt* 1. (*obniżać*) to lower (sth, a level, one's voice etc.); to let <to bring, to pull, to draw> (sth) down; **~ać, ~yć lot** to plane down; to descend 2. (*schylać*) to bend; to bow (sth, one's head etc.) 3. (*zmniejszać*) to lessen; to diminish; to depress; to lower <to reduce> (a price, rent, tax etc.); **po cenach ~onych** at reduced prices [II] *vr* **~ać, ~yć się** 1. (*opadać*) to drop; to sink; to descend; to come down; to fall 2. (*stawać się coraz niższym*) to slope downward; to dip; to subside 3. (*dostosować się do niższego poziomu*) to stoop; to condescend; **~ać, ~yć się do poziomu swego audytorium** to talk down to one's audience 4. (*poniżać się*) to demean <to abase, to degrade> oneself; (*upokarzać się*) to humble oneself

zniżenie *sn* 1. ↑ **zniżyć** 2. (*obniżka*) reduction (of a price etc.) 3. ~ **się** (*opadnięcie*) drop; fall 4. ~ **się** (*dostosowanie się do niższego poziomu*) condescension 5. ~ **się** (*poniżenie się*) self-abasement; degradation

zniż|ka *sf pl G.* **~ek** 1. (*zmniejszenie pod względem liczby, nasilenia*) lessening; drop; fall; decline; (*obniżenie wysokości*) lowering; drop; (*niższa cena*) reduction; reduced price; **bilet ze ~ką 50%** half-fare <half-price> ticket; **korzystać z 50% ~ki na kolei** to travel half-fare 2. *giełd.* drop; fall; slum; **grać na ~kę** to bear; to speculate for a fall 3. (*obniżenie*) fall (of temperature, pressure)

zniżkować *vi imperf* (*o cenach, kursach*) to be sinking; to run <to rule> low; (*ulegać zmniejszeniu wartości*) to be at a discount; to be on the down-grade

zniżkowy *adj* reduced (prices); sale (price); *kolej.* half-fare <excursion> — (tickets); *giełd.* downward (**tendencja** trend)

zniżyć *zob.* **zniżać**

zno|ić się *vr imperf* **~ję się, znój się** to drudge; to toil and moil

znojny *adj* 1. (*uciążliwy*) exhausting 2. † (*upalny*) sweltering

znokautować *vt perf sport* to knock out (one's adversary)

znormalizować *vt perf* to standardize

znormalizowanie *sn* (↑ **znormalizować**) standardization

znormalizowany [I] *pp* ↑ **znormalizować** [II] *adj* standardized; standard <stock> — (article etc.)

znormować *vt perf* to normalize

znos *sm G.* **~u** *mar.* drift

zno|sić *v imperf perf* **~szę, ~szony** [I] *vt* 1. *zob.* **znieść** 2. *perf* (*zniszczyć*) to wear out (one's clothes, shoes); to wear down (the heels of one's shoes); **~szony** worn out; shabby; dilapidated [II] *vr* **~sić się** 1. *zob.* **znieść się** 2. *imperf fiz.* (*neutralizować się*) to neutralize each other 3. *mat.* to cancel each other

znoszenie *sn* 1. ↑ **znieść, znosić** 2. = **zniesienie** 2., 3., 4. 3. (*zużywanie*) wear and tear 4. *mar. lotn.* drift

znośnie *adv* tolerably; passably; so-so; pretty <fairly> well

znośny *adj* (*możliwy do zniesienia*) bearable; passable; so-so; fair; pretty <fairly> good; not bad

znowelizować *vt perf prawn.* to amend

znowu *adv* 1. (*ponownie*) again; once again; once more; anew; afresh; **gdy go ~ spotkałem** next time I met him; **albo ~** or else; or again; **raz ... to ~ ...** once ... then again ...; **co to jest ~?** what is that now?; **cóż ~!** why, no!; nothing of the kind! 2. (*wyraz wtrącony — w zdaniu przeczącym*) not so very; **nie takie to ~ złe** it's not so very bad 3. (*natomiast*) while; whereas; on the other hand; **to jest dobre, to ~ okropne** that is good while this is awful

znowuż *adv emf.* = **znowu**

znój *sm G.* **znoju** *lit.* drudgery; toil; **w znoju** in the sweat of one's brow

znów *adv* = **znowu**

znudzeni|e *sn* 1. ↑ **znudzić** 2. (*nuda*) boredom; weariness; wearisomeness; tedium; ennui; **do ~a** to the point of weariness <boredom>; till one is sick and tired; **do ~a powtarzam ...** I am sick and tired of repeating ...; **ze ~em** with undisguised boredom

znudz|ić *v perf* **~ę, ~ony** [I] *vt* 1. (*znużyć*) to bore; to weary; to tire; to pall (**kogoś** on sb); **wszystko go ~iło** everything bored him <palled on him>; **~iło mnie to** I am sick and tired of <fed up with> (all) that 2. (*pobudzić do mdłości*) to sicken (sb); to make (sb) sick [II] *vr* **~ić się** 1. (*odczuć nudę*) to be <to feel> bored; **~ić się kimś** to get <to be> tired of sb 2. (*uprzykrzyć się*) to pall (**komuś** on sb); **ta zabawa wkrótce mu się ~iła** he soon tired of the game

znudzony [I] *pp* ↑ **znudzić** [II] *adj* bored (**czymś** with sth); weary <tired> (**czymś** of sth); fed up (**czymś** with sth)

znurkować *vi perf* 1. *sport* to dive 2. *lotn.* to (nose-)dive

znużeni|e *sn* 1. ↑ **znużyć** 2. (*zmęczenie*) fatigue; weariness; lassitude; oppression; *techn.* **~e metali** fatigue of metals; **padać ze ~a** to drop with fatigue

znużony [I] *pp* ↑ **znużyć** [II] *adj* tired <weary> (**czymś** of sth); *pot.* fed up (**czymś** with sth); **~ upałem** oppressed with the heat

znużyć *v perf* [I] *vt* to weary <to tire> (**kogoś czymś** sb with sth) [II] *vr* **~ się** to grow <to get> weary; to weary (**czymś** of sth)

zoarium *sn zool.* zoarium

zobaczeni|e *sn* ↑ **zobaczyć**; **coś do ~a** sth to be seen; **do ~a (się)** good-bye; **do miłego ~a** I'll be looking forward to seeing you again; **do rychłego ~a** hope to see you again soon

zobacz|yć *v perf* [I] *vt* 1. (*ujrzeć*) to see (sb, sth); to catch sight (**kogoś, coś** of sb, sth); to set eyes (**kogoś, coś** on sb, sth); **co on w niej ~ył?** what could he see in her? 2. (*przekonać się*) to see; **zaraz ~ę** I'll go and see; **~ę, co się da zrobić** I'll see what I can do; **~ sam** see for yourself [II] *vi* to see (*vi*); **~ę** I shall see; I'll think it over; **~ymy** that remains to be seen [III] *vr* **~yć się** 1. (*widzieć siebie*) to see oneself (in the looking-glass) 2. (*spotkać się*) to meet (**z kimś** sb); **~yć się znowu** to see each other again

zobaczysk|o *sn singt pot. w wyrażeniu*: **do ~a** ta-ta; so long!; cheerio!

zobiektywizować *v perf* [I] *vt* to objectify; to objectivize [II] *vr* **~ się** to become objectified <objectivized>

zobiektywizowanie *sn* (↑ **zobiektywizować**) objectivization

zobligować *vt perf lit.* 1. (*zobowiązać*) to lay (sb) under an obligation (**do czegoś** to do sth); to bind (sb) down (**do czegoś** to do sth) 2. (*wywołać chęć odwzajemnienia się*) to put (sb) under an obligation; to render (sb) a service

zobojętni|ać *v imperf* — **zobojętni|ć** *v perf* [I] *vt* 1. *chem. fiz.* to neutralize; to kill (an acid) 2. † (*czynić obojętnym*) to render (sb) indifferent (**na coś** to sth) [II] *vr* **~ać, ~ć się** to neutralize each other

zobojętniały [I] *pp* ↑ **zobojętnieć** [II] *adj* indifferent; listless; mopish; apathetic; vacant (stare etc.)

zobojętnianie *sn* (↑ **zobojętniać**) neutralization

zobojętnić *zob.* **zobojętniać**

zobojętnie|ć *vi perf* **~je** to become <to grow> indifferent (**na coś** to sth); to become <to grow> listless <apathetic>; to start moping

zobojętnienie *sn* 1. ↑ **zobojętnieć, zobojętnić** 2. *chem. fiz.* neutralization 3. (*stan psychiczny*) indifference; listlessness; apathy; the mopes

zobowią|zać *v perf* **~że** — **zobowią|zywać** *v imperf* [I] *vt* to bind <*prawn.* to obligate> (**kogoś do zrobienia czegoś** sb to do sth); to put (sb) under an obligation (**do czegoś, do zrobienia czegoś** to do sth); to pin (sb) down (to do sth); **~zać kogoś pod słowem honoru do zrobienia czegoś** to pledge sb to do sth [II] *vr* **~zać, ~zywać się** to oblige <to commit> oneself (to do sth); to undertake <to take it upon oneself> (to do sth)

zobowiąza|nie *sn* 1. ↑ **zobowiązać** 2. (*to, do czego ktoś się zobowiązał*) obligation; commitment; engagement; undertaking; **przyjąć na siebie ~nie** to undertake an obligation; **wywiązać się ze swych ~ń** to meet one's obligations; **złożyć ~nie, że ...** to undertake <to pledge oneself> to ...; **bez ~nia** without responsibility 3. *prawn.* recognizance

zobowiązany [I] *pp* ↑ **zobowiązać** [II] *adj* obliged <grateful, indebted> (**komuś za coś** to sb for sth)

zobowiązywać *zob.* **zobowiązać**

zobrazować *vt perf* to illustrate; to depict; to picture

zobrazowanie *sn* (↑ **zobrazować**) illustration; depiction; picture

zoczyć *vt perf* to see; to notice

z oddali *zob.* **oddal**

zodiak *sm G.* **~u** *astr.* zodiac

zodiakalny *adj*, **zodiakowy** *adj* zodiacal (light etc.)

zogniskować *v perf* [I] *vt* to concentrate; to focus [II] *vr* **~ się** to be concentrated <focus(s)ed>

zogniskowanie *sn* 1. (↑ **zogniskować**) concentration 2. (*miejsce, punkt*) focus

zohydz|ać *v imperf* — **zohydz|ić** *v perf* **~ę, ~ony** [I] *vt* to make <to render> (sb, sth) repugnant <hateful, odious> (**komuś** to sb); **~ać, ~ić kogoś, coś komuś** to fill sb with disgust at sb, sth; to rouse in sb a feeling of aversion <repugnance> to sb, sth; to sicken sb of sth [II] *vr* **~ać, ~ić się** to become <to grow> hateful <repugnant; odious> (**w czyichś oczach** to sb)

zoidiogamiczny *adj bot.* zoidogamous

zoil *sm* zoilean

zowie *zob.* **zwać**

zoizm *sm singt G.* **~u** zoism

zoizyt *sm G.* **~u** *miner.* zoisite

zokludować *vt perf meteor.* to occlude

zokulizować *vt perf ogr.* to bud (a rose, tree etc.)

zol *sm G.* **~u** *chem.* sol

zolbrzymie|ć *vi perf* **~je** to assume gigantic proportions

zołz|a *sf* 1. *pl* **~y** *med.* scrofula 2. *pl* **~y** *wet.* glanders 3. *pot.* (*jędza*) shrew

zołzowaty *adj* 1. *med.* scrofulous 2. *wet.* glandered

zona *sf* zone; belt

zondulować *vt perf* to wave (the hair)

zoo *sn indecl* zoo, zoological gardens

zoocenoza *sf singt zool.* zoocoenosis; animal community

zoochori|a *sf singt G.* **~i** *biol.* zoochory

zoofag *sm zool.* zoophagan

zoofit *sm G.* **~u** *zool.* zoophyte; *pl* **~y** phytozoa

zoogeniczny *adj miner.* zoogenous

zoogeografi|a *sf singt G.* **~i** zoogeography

zoogeograficzny *adj* zoogeographic

zoohigiena *sf singt* animal hygiene

zooid *sm zool.* zooid

zoolit *sm geol. paleont.* zoolite

zoolog *sm* zoologist

zoologi|a *sf G.* **~i** 1. *singt* (*nauka*) zoology 2. (*podręcznik*) manual of zoology

zoologiczny *adj* zoological; **ogród ~** zoological gardens; zoo

zoomorficzny *adj zool.* zoomorphic

zoomorfizm *sm G.* **~u** *zool.* zoomorphism

zoonoza *sf med. wet.* zoonosis

zoopatologi|a *sf singt G.* **~i** *wet.* zoopathology
zooplankton *sm G.* **~u** *zool.* zooplankton
zoopsycholog *sm* zoopsychologist
zoopsychologi|a *sf singt G.* **~i** zoopsychology
zoopsychologiczny *adj* zoopsychological
zoospora *sf bot.* zoospore; swarm spore
zootechniczny *adj* zootechnical
zootechnik *sm* zootechnician
zootechnika *sf singt* zootechnics, zootechny
zootomi|a *sf singt G.* **~i** *zool.* zootomy
zootomiczny *adj zool.* zootomic(al)
zoperować *vt perf* to operate (**kogoś** on sb)
zorać *vt perf* **zorze, zórz** — *rz.* **zorywać** *vt imperf* 1. (*zaorać*) to plough (a field) 2. *przen.* (*porobić bruzdy*) to furrow (sb's face etc.)
zorganizować *v perf* [I] *vt* 1. (*urządzić*) to organize; to arrange; to form; to set up (a committee etc.); to get up (a performance etc.) 2. (*zrzeszyć*) to unite; to organize (workers) into trade unions 3. *gw.* (*zdobyć*) to appropriate (sth from the occupant) [II] *vr* **~ się** to become organized; to unite
zorganizowanie *sn* (↑ **zorganizować**) organization
zorientowa|ć *v perf* [I] *vt* 1. (*poinformować*) to inform; to give (sb) a cue; to enlighten (**kogoś w czymś** sb on <as to> sth); to help (sb) orientate himself (**w czymś** in sth) <get the run (**w czymś** of sth)>; to give sb an idea (**w czymś** of sth) 2. (*skierować*) to direct <to point> (**instrument itd. na coś** an instrument etc. at sth); **~ć mapę** to orient a map; *przen.* **być ~nym ku czemuś** to be directed towards sth; to look to sth 3. *bud.* to orientate (a church) [II] *vr* **~ć się** to orientate oneself; to get one's bearings; to know how one stands; **być dobrze ~nym** to be well-informed; to know what's what; **~ć się w sytuacji** to reconnoitre; to take in the situation; to get the run of things; to find how the wind blows <lies>
zorkiestrować *vt perf muz.* to orchestrate
zorkiestrowanie *sn* (↑ **zorkiestrować**) orchestration
zorywać *zob.* **zorać**
zorza *sf pl G.* **zórz** dawn; daybreak; **~ północna** aurora borealis; northern lights; merry dancers; **~ wieczorna** afterglow; evening glow
zorzyn|ek *sm G.* **~ka** *zool.* **~ek rzeżuchowiec** (*Euchloe cardamines*) orange tip (butterfly)
z osobna *zob.* **osobny**
zosta|ć *v perf* **~nę, ~nie, ~ń** — **zosta|wać** *v imperf* **~je, ~waj** [I] *vi* 1. (*pozostać*) to remain; to stay; to keep; **niech to ~nie między nami** this is strictly between ourselves; **on ~ł w Paryżu** he stayed <stopped behind> in Paris; **to, co ~je** <**~ło**> what remains; **wiele ~je** <**~ło**> **do zrobienia** much remains to be done; **~ć na obiedzie** <**kolacji**> to stay to <for> dinner <supper>; **~ć w dobrym zdrowiu** to keep in good health 2. (*być zostawionym*) to be left; to remain; **to, co ~ło po ojcu** what was left after the father's death; **nic mi nie ~je, jak tylko ...** nothing remains <there is nothing else> for me to do but to ...; **ile ~ło?** how much is there left?; **kamień na kamieniu nie ~nie** not a stone will be left standing; **~ć na drugi rok** to repeat a course; **~ć w tyle** *perf* to drop <to fall, *imperf* to lag> behind; to hang back; **~ły z niego skóra i kości** he is now nothing but a bag of bones 3. (*znaleźć się w jakimś położeniu*) to be left (**bez grosza, bez dachu nad głową** penniless, homeless); to see oneself (**opuszczonym przez wszystkich** abandoned by all); *karc.* **~ć bez dwóch** <**trzech itd.**> to be two <three etc.> down; **~ć na bruku** to be turned out into the street; **~ć na lodzie** to be stranded; **~ć przy swoim** to stand by <to stick to> one's opinion; **~ć przy życiu** to stay alive; to survive 4. (*stać się*) to become (**sławnym, oficerem, ministrem itd.** famous, an officer, a cabinet minister etc.); to go (**anarchistą, liberałem, katolikiem itd.** anarchist, liberal, catholic etc.); to turn (**czerwonym, zielonym itd.** red, green etc.; **zdrajcą, żołnierzem itd.** traitor, soldier etc.) 5. (*ulec czemuś*) to get <to be> (broken, admitted, rewarded etc.) [II] *vr* **~ć, ~wać się** *pot.* = **~** *vi* 1., 3., 4.
zostaw|iać *vt imperf* — **zostaw|ić** *vt perf* 1. (*nie zabierać*) to leave (sb, sth somewhere); (*nie ruszać czegoś*) **~ić coś** to let sth be; **~ić coś komuś** to leave sth to sb; **~ić kogoś** a) (*opuścić*) to leave <to abandon> sb b) (*dać komuś spokój*) to leave sb alone; to let sb be; **~ić kogoś na pastwę losu** to leave sb to his fate; **~ić kogoś za sobą** a) (*nie troszczyć się o kogoś*) to leave sb behind b) (*wyprzedzić*) to overtake <to outstrip> sb; **~ić komuś spadek** to leave sb a legacy; **~ to mnie** leave that to me; **~!** don't meddle!; don't interfere!; *przen.* **nie ~ić kamienia na kamieniu** not to leave a stone standing 2. (*zarezerwować*) to leave <to keep, to put> (sth) aside (for sb)
zostera *sf bot.* (*Zostera*) eel-grass
zośka *sf pl G.* **zosiek** a boys' game
zowąd *zob.* **stąd**
z pańska *zob.* **pański**
z polska *zob.* **polski**
z powrotem *zob.* **powrót**
z pyszna *zob.* **pyszny**
zrabować *vt perf* to rob; to plunder; to loot
zracjonalizować *vt perf* to rationalize
zracjonalizowanie *sn* (↑ **zracjonalizować**) rationalization
zradiofonizować *vt perf* to provide (a region, train etc.) with radiophonic installation
zradlić *vt perf roln.* to till (the soil) with a grubber
zradykalizować *vt perf* to radicalize
zrakowacenie *sn* (↑ **zrakowacieć**) canceration
zrakowacie|ć *vi perf* **~je** to cancerate; to cancer
zramole|ć *vi perf* **~je** to fall into senile decay; to get soft-witted
zramolały *adj* soft-witted; *sl.* gaga
zranić *v perf* [I] *vt* 1. (*skaleczyć*) to wound; to injure; to hurt; to mangle 2. *przen.* to hurt <to wound> (sb's feelings) [II] *vr* **~ się** to injure <to hurt, to wound> oneself
zranienie *sn* 1. ↑ **zranić** 2. (*rana*) injury; wound
zrastać się *vr imperf* — **zrosnąć się** *vr perf* **zrośnie się, zrósł się, zrosła się, zrośli się** 1. (*łączyć się*) to fuse; to blend; (*o żywych organizmach*) to accrete; (*o kościach*) to knit; to set; (*o ranach*) to heal up; **zrośnięte brwi** meeting eyebrows 2. *przen.* (*tworzyć całość*) to grow together; to grow into one; to blend
zrastanie (się) *sn* ↑ **zrastać się**
zraszacz *sm techn.* drencher; distributor
zraszać *vt imperf* — **zrosić** *vt perf* to bedew; to sprinkle; to water (plants); **czoło zroszone potem** brow dewed with sweat

zraz *sm* 1. *kulin.* rasher; collop; chop; meat-olive 2. *anat.* lobe 3. *ogr.* graft; scion

zra|zić *v perf* **~żę, ~żony — zra|żać** *v imperf* [I] *vt* 1. (*wzbudzić niechęć*) to estrange <to alienate> (**kogoś do kogoś** sb from sb); to indispose (**kogoś do kogoś** sb towards sb); to set (**kogoś do kogoś** sb against sb); **~zić, ~żać sobie kogoś** to estrange <to alienate, to antagonize> sb; **~zić, ~żać sobie ludzi** to turn people against one 2. (*zniechęcić*) to discourage; to dishearten [II] *vr* **~zić, ~żać się** 1. (*zniechęcić się*) to become discouraged; to lose heart 2. (*stracić serce do kogoś, czegoś*) to take a dislike (**do kogoś** to sb); to be repelled (**do kogoś** from sb); to grow disgusted (**do czegoś** with sth) <sick (**do czegoś** of sth)>

zrazik *sm* 1. *dim* ↑ **zraz** 2. *anat.* lobule

zrazikow|y *adj anat.* lobular; **~e zapalenie płuc** lobular pneumonia

zrazów|ka *sf pl G.* **~ek** *kulin.* cushion; aitchbone

zrażać *zob.* **zrazić**

zrażenie *sn* (↑ **zrazić**) alienation; estrangement; indisposition (**do kogoś** towards sb)

zrąb *sm G.* **zrębu** 1. (*ściany budowli*) framework; (*zarys*) shell; hull; trunk; *górn.* **~ szybu** eye; outset 2. (*brzeg*) edge 3. *anat.* stroma 4. (*poręba*) clearing 5. *geol.* **~ tektoniczny** horst

zrąb|ać *vt perf* **~ie — zrąb|ywać** *vt imperf* 1. (*ściąć*) to fell <to cut down> (a tree) 2. (*porąbać*) to chop <to hew> (wood) 3. *perf* (*posiekać*) to hack 4. *perf pot.* (*zbić*) to give (sb) a hiding 5. *perf pot.* (*skrytykować*) to pick (sb) to pieces 6. *perf pot. lotn.* to prang (a target)

zrąb|ek *sm G.* **~ku** edge

zrąbywać *zob.* **zrąbać**

zrealizować *v perf* [I] *vt* 1. (*urzeczywistnić*) to realize; to carry into effect 2. (*spełnić*) to accomplish; to execute (an order etc.) 3. *ekon.* to realize <to cash, to negotiate> (a cheque, bonds etc.) [II] *vr* **~ się** to become realized <accomplished>; to take shape

zrealizowani|e *sn* 1. ↑ **zrealizować** 2. (*urzeczywistnienie*) realization 3. (*spełnienie*) accomplishment; execution 4. *ekon.* negotiation; **możliwy do ~a** negotiable

zreasumować *vt perf* to sum up; to recapitulate; to summarize

zreasumowanie *sn* (↑ **zreasumować**) recapitulation

zrecenzowa|ć *vt perf* to review (a book etc.); **książkę przychylnie ~no** the book had a good press

zrecenzowanie *sn* (↑ **zrecenzować**) (a) review

zredagować *vt perf* 1. (*ułożyć tekst*) to draw up <to draft, to formulate> (a document etc.) 2. (*opracować*) to edit (a book etc.)

zredagowanie *sn* (↑ **zredagować**) (a) draft; formulation

zredukować *v perf* [I] *vt* 1. (*uszczuplić*) to diminish; to reduce; to cut down <to retrench> (expenses etc.) 2. (*zwolnić z pracy*) to reduce (a staff of employees); to dismiss (an employee etc.); to axe (officials etc.) 3. *chem.* to reduce; to deoxidize [II] *vr* **~ się** to become <to get> reduced <diminished, cut down, retrenched>

zredukowanie *sn* 1. ↑ **zredukować** 2. (*uszczuplenie*) diminution; reduction; retrenchment (of expenses) 3. (*zwolnienie z pracy*) dismissal(s) 4. *chem.* reduction; deoxidization

zredukowan|y [I] *pp* ↑ **zredukować** [II] *adj* lesser; *jęz.* **samogłoska ~a** obscured vowel [III] *sm* **~y** (*człowiek zwolniony z pracy*) dismissed employee <workman>

zreduplikować *vt perf* to reduplicate

zreferować *vt perf* 1. (*złożyć sprawozdanie*) to report (sth to one's superior etc.) 2. (*przedstawić w postaci referatu*) to read a paper (before an assembly) (**coś** on sth)

zreflektować *v perf* [I] *vt* to bring (sb) to reason; to moderate; to restrain [II] *vr* **~ się** to listen to reason; to think better of it

zreflektowanie *sn* (↑ **zreflektować**) restraint

zreformować *v perf* [I] *vt* to reform; to reorganize; to improve [II] *vr* **~ się** to become reformed <reorganized, improved>

zreformowanie *sn* (↑ **zreformować**) reform(ation); reorganization; improvement

zrefować *vi perf mar.* to reef; to take in a reef <reefs>

zrefundować *vt perf* to refund

zregenerować *vt perf* to regenerate

zregenerowanie *sn* (↑ **zregenerować**) regeneration

z reguły *zob.* **reguła**

zrehabilitować *v perf* [I] *vt* to rehabilitate <to restore> (**kogoś** sb's good name <reputation>) [II] *vr* **~ się** to rehabilitate oneself; to right oneself; to re-establish <to vindicate> one's good name; to restore one's reputation

zrehabilitowanie *sn* (↑ **zrehabilitować**) rehabilitation

zreifikować *vt perf filoz.* to reify

zrejonizować *vt perf* to regionalize

zrejonizowanie *sn* (↑ **zrejonizować**) regionalization

zrejterować *vi perf* to retreat; *żart.* to climb down

zrejterowanie *sn* (↑ **zrejterować**) a climb-down

zrekapitulować *vt perf* to recapitulate; to summarize

zrekapitulowanie *sn* (↑ **zrekapitulować**) recapitulation

zrekompensować *vt perf* to compensate <to indemnify> (**komuś coś** sb for sth)

zrekompensowanie *sn* (↑ **zrekompensować**) compensation; indemnification

zrekonstruować *vt perf* to reconstruct; to restore (a historical monument etc.); to piece (sth) together (from fragments)

zrekonstruowanie *sn* (↑ **zrekonstruować**) reconstruction; restoration

zrekrystalizować *vt perf* to recrystallize

zrekrystalizowanie *sn* (↑ **zrekrystalizować**) recrystallization

zrektyfikować *vt perf techn.* to rectify <to adjust> (an instrument etc.); to purify <to rectify> (spirit etc.)

zrektyfikowanie *sn* (↑ **zrektyfikować**) rectification; adjustment

zrelacjonować *vt perf* to relate <to report> (sth); to give an account (**coś** of sth)

zrelacjonowanie *sn* (↑ **zrelacjonować**) (a) report; (an) account

zremisować *vi perf sport* to tie; to draw a game

zremontować *vt perf* to repair; to recondition; to overhaul

zreorganizować *vt perf* to reorganize

zreorganizowanie *sn* (↑ **zreorganizować**) reorganization

zreparować *vt perf*, **zreperować** *vt perf* to repair; to mend; to fix

zreperowanie *sn* (↑ **zreperować**) repairs

zrepolonizować *vt perf* to Polonize anew

zreprodukować *vt perf* to reproduce

zreprywatyzować *vt perf prawn.* to derequisition; to denationalize

zresorbować *v perf chem. biol.* [I] *vt* to resorb; to re-absorb [II] *vr* ~ **się** to become resorbed <re--absorbed>

zresztą *adv* anyway; besides; after all; **a ~ wszystko jedno** ah, well, no matter

zretuszować *vt perf* 1. *fot.* to retouch 2. *przen.* (*poprawić*) to touch up (a composition etc.)

zreumatyz(m)owany *adj* afflicted with rheumatism

zrewanż|ować się *vr perf* 1. (*odpłacić się*) to repay <to reciprocate, to requite> (**komuś za przysługę** sb's kindness); to do (sth) in return (for sb's kindness); (*po poczęstunku*) **teraz ja się ~uję** now it's my turn to stand treat 2. (*zapłacić komuś tą samą monetą*) to give (**komuś** sb) tit for tat; to pay (**komuś** sb) back in his own coin; to give as good as one gets; to get even (**komuś** with sb) 3. *sport* to play a return match; to get one's revenge

zrewanżowanie się *sn* (↑ **zrewanżować się**) reciprocation; requital; (*odwet*) revenge

zrewidować *vt perf* 1. (*dokonać rewizji*) to search (sb, a flat etc.); (*przejrzeć*) to examine 2. (*poddać rewizji poglądy itd.*) to revise; to reconsider; to reassess

zrewidowanie *sn* 1. ↑ **zrewidować** 2. (*rewizja*) search; (*przejrzenie*) examination 3. (*zrewidowanie poglądów itd.*) reconsideration; reassessment

zrewizytować *vt perf* to pay (sb) a return visit

zrewoltowany *adj* rebellious

zrewolucjonizować *vt perf dosł. i przen.* to revolutionize

zrezygnować *vi perf* 1. (*zrzec się*) to resign (**z czegoś** sth); to give up <to abandon, to waive, to relinquish> (**z pretensji itd.** a claim etc.); to quit <to renounce, to surrender, to vacate> (**ze stanowiska itd.** a post etc.) 2. (*dać za wygraną*) to give up (trying etc.); to back out (of a contest etc.); *przen.* to throw up the sponge

zrezygnowanie[1] *sn* 1. ↑ **zrezygnować** 2. (*zrzeczenie się*) resignation; abandonment <relinquishment> (**z pretensji** of a claim); renouncement (**ze stanowiska** of a post)

zrezygnowanie[2] *adv* with resignation; resignedly

zrezygnowany [I] *pp* ↑ **zrezygnować** [II] *adj* resigned (to one's fate)

zręb|ki *spl G.* **~ków** <**~ek**> *techn.* silvers

zrębnica *sf mar.* coaming

zręcznie *adv* 1. (*zdolnie*) deftly; nattily; neatly; adroitly; dexterously; slick 2. (*sprytnie*) cleverly; ably; skilfully; smartly; knowingly; politicly; tactically

zręcznościowy *adj* tending to develop dexterity

zręczność *sf singt* 1. (*sprawność fizyczna*) address; deftness; nattiness; neatness; dexterity; adroitness; handiness 2. (*spryt*) cleverness; ability; skill; cunning; policy

zręczny *adj* 1. (*zdolny*) deft; natty; neat; adroit; dexterous; nimble; slick; handy 2. (*sprytny*) clever; able; skilful; smart; cunning; knowing; tricky 3. (*o posunięciu itd.*) clever; politic; tactical

zrobaczywie|ć *vi perf* **~je** to become <to grow> maggoty

zrobi|ć *v perf* **zrób** [I] *vt* 1. (*wyprodukować*) to make; to do; to execute; to perform; **~ć sobie twarz** to make up (one's face); **~ony ze srebra <drewna itd.>** made of silver <wood etc.> 2. (*obrać*) to make; **~li go swym rzecznikiem** they made him their spokesman 3. (*przemienić*) to make (**coś z czegoś** sth out <from> sth); to turn (**coś z czegoś** sth into sth else); **ze stodoły ~li kino** they turned a barn into a cinema; **ze śmietany ~my masło** we'll make butter out of <from> the cream; **z kowala ~li śpiewaka** they turned a blacksmith into a singer 4. (*wykonać czynność wyrażoną w dopełnieniu*) to make; to do; **to ci dobrze ~** it will do you good; **to nie ~ różnicy** it will make no difference; **to ~ swoje** it will tell; **~ć interes na kimś** to take advantage of sb; **~ć interes z kimś** to do a deal with sb; **~ć karierę** to make a career; **~ć komuś miejsce** to make room for sb; **~ć komuś przyjemność <grzeczność>** to do sb a pleasure <a kindness, a service>; **~ć komuś wstyd** to bring shame on sb; to make sb blush; **~ć koniec z czymś** to bring sth to an end; to make an end with sth; **~ć lekcje** to do one's lessons; **~ć ogień** to light <to make> a fire; **~ć początek <postępy>** to make a beginning <progress>; **~ć sobie coś złego** to injure <to hurt> oneself; **~ć sobie nazwisko** to make a name for oneself; **~ć sprawunki** to do one's shopping; to make some purchases; **~ć swoje** to do what belongs to one <one's share, one's duty>; **~ć użytek z czegoś** to make use of sth; to use sth against sb; **~ć wrażenie** to make an impression; **~ć z kogoś wariata** to make a fool of sb 5. (*zdziałać*) to do; **~ć wszystko, co w czyjejś mocy** to do all (that) one can <everything in one's power>; *pot.* **~ć doktorat** to take one's degree; **~ć maturę** to complete one's secondary studies [II] *vi* (*postąpić*) to do (**dobrze** the right thing; **źle** the wrong thing); **dobrze ~łeś, żeś ...** you were right to ...; **najlepiej ~sz, jeżeli pójdziesz <napiszesz itd.>** you had better go <write etc.>; **źle ~łem, że ...** it was a mistake to ...; I ought not to have ...; I should not have ... [III] *vr* **~ć się** 1. *pot.* (*wystroić się*) to get oneself up (to the nines); **~ła się na bóstwo** she was done up to kill 2. (*stać się*) to become; to turn out; to grow (+ *adj*); **ręce ~ły się chropowate** his <her etc.> hands grew callous; **~ła się poważna** she has grown <become> serious; **~ł się z niego zdolny chłopak** he turned out a clever boy 3. (*doznać uczucia*) to feel; **głupio mi się ~ło** I felt a fool; **~ło mi się niedobrze** I felt sick; **~ło mi się smutno <wesoło, radośnie>** I felt sad <gay, joyful>; **~ło mi się żal** I felt sorry; **~ło się jej słabo** she felt faint 4. (*nastać*) to come; to grow (+ *adj*); to fall; **~ła się noc** night fell; it grew dark; **~ła się wiosna <zima itd.>** spring <winter etc.> came; **~ło się zimno <gorąco itd.>** it grew cold <hot etc.> 5. (*dojść do skutku*) to happen; to come about; **nie spodziewaj się, że się ~ cud** don't expect a miracle to come about

zrobisk|a *spl G.* ~ *górn.* gob
zrodzenie *sn* (↑ **zrodzić**) procreation
zrodzić *v perf* **zrodzę, zródź, zrodzony** [I] *vt* 1. (*przyczynić się do powstania*) to beget <to engender, to give rise to> (suspicions, difficulties etc.) 2. † (*wydać na świat*) to give birth (**dziecko** to a child) [II] *vr* ~ **się** 1. (*powstać*) to originate; to spring up 2. † (*urodzić się*) to be born
zrogowacenie *sn* (↑ **zrogowacieć**) horniness; callosity
zrogowaciały *adj* horny; corneous; callous
zrogowacie|ć *vi perf* **~je** to become <to grow> horny <corneous>
zrogować *vt perf* to horn; to gore
zrolować *v perf* [I] *vt* to roll (sth) up [II] *vi* to roll over [III] *vr* ~ **się** (*zwinąć się*) to roll (*vi*)
zromanizować *v perf* [I] *vt* to Romanize [II] *vr* ~ **się** to become Romanized
zromanizowanie *sn* (↑ **zromanizować**) Romanization
zropie|ć *vi perf* **~je** to suppurate; to fester
zropienie *sn* (↑ **zropieć**) suppuration
zrosić *zob.* **zraszać**
zroszony [I] *pp* ↑ **zrosić** [II] *adj* dewy
zrosłogłow|y *zool.* [I] *adj* holocephalous [II] *spl* **~e** (*Holocephali*) (*podgromada*) the chimaeras
zrosłopłatkow|y *bot.* [I] *adj* sympetalous [II] *spl* **~e** (*Sympetalae*) (*podklasa*) the Sympetalae
zrosłoszczęki *zool.* [I] *adj* plectognathous [II] *spl* **~e** (*Plectognathi*) (*podrząd*) the Plectognathi
zrosnąć się *zob.* **zrastać się**
zrost *sm G.* **~u** concrescence; concretion; *med.* adhesion
zrostogłowy *adj* = **zrosłogłowy**
zrostowy *adj* adhesional
zroszenie *sn* ↑ **zrosić**
zrośnięcie *sn*, **zrośnięcie się** *sn* (↑ **zrosnąć się**) fusion; accretion
zrozpaczony *adj* desperate; despairing; broken-hearted; **byłem** ~ I was in despair
zrozumiale *adv* intelligibly; comprehensibly; plainly; in plain terms; **mówić** ~ to make oneself understood; to make one's meaning plain
zrozumiałość *sf singt* intelligibility; clearness; perspicuity
zrozumiał|y *adj* 1. (*dający się zrozumieć*) intelligible; comprehensible; clear; plain; perspicuous; **to jest samo przez się ~e** it goes without saying; it stands to reason; it is a matter of course; **w sposób ~y** = **zrozumiale** 2. (*uzasadniony*) justifiable
zrozum|ieć *vt perf* **~iem, ~ie, ~ieją, ~iej** <~>, **~iał, ~ieli, ~iany** to understand; to comprehend; to grasp (mentally); to see (**kogoś** what sb means); to catch (**kogoś** what sb is saying); to make (out); **nie ~iał dowcipu** he has missed the joke <the point>; **nie ~iałem go** I didn't catch what he said; **nikt nic z tego nie ~ie** nobody will make anything of this; **~ieć kogoś** to get sb's meaning
zrozumieni|e *sn* 1. ↑ **zrozumieć** 2. (*uświadomienie sobie*) understanding; **fałszywe ~e** misunderstanding; misconception; misapprehension; **czytać coś ze ~em** to read sth understandingly; **dać do ~a, że ...** to hint <to insinuate> that ...; **dać komuś do ~a, że ...** to give sb to understand that ...; **dano mi do ~a, że ...** I was given to understand that ...; **to daje do ~a, że ...** it implies that ... 3. (*duch — przepisu itd.*) spirit; (*ujęcie*) sense; **w ~u prawniczym** in the legal sense 4. (*wyrozumiałość, życzliwe ustosunkowanie się*) sympathy; appreciation; **nie mieć ~a dla czegoś** to be unappreciative of sth; **okazywać ~e** to be sympathetic
zrób *sm górn.* (*zw. pl*) gob
zrówn|ać *v perf* — **zrówn|ywać** *v imperf* [I] *vt* 1. (*wyrównać*) to level; to even; **~ać, ~ywać coś z ziemią** to raze sth to the ground; to level sth to <with> the ground 2. (*ustawić w równy szereg*) to align; to bring (things, people) into line 3. (*potraktować jednakowo*) to equalize; to put (people) on the same footing [II] *vr* **~ać, ~ywać się** 1. (*zostać zniwelowanym*) to become <to get> levelled 2. (*dopędzić*) to overtake (**z kimś** sb); to catch up (**z kimś** with sb); to get even (**z kimś** with sb); to come abreast (**z kimś** of sb; **z samochodem itd.** of a car etc.) 3. (*dorównać*) to equal <to match> (**z kimś** sb); to rise to the level (**z kimś** of sb); **~ał się ze starszym kolegą** he proved to be equal to his older colleague
zrównanie *sn* 1. ↑ **zrównać** 2. (*ustawienie w równy szereg*) alignment 3. (*jednakowe traktowanie*) equalization; equal footing 4. *astr.* (vernal, autumnal) equinox 5. *geol.* (*proces*) planation 6. *geol.* (*powierzchnia zrównana*) planation surface
zrównoważać *zob.* **zrównoważyć**
zrównoważenie *sn* 1. ↑ **zrównoważyć** 2. (*stworzenie stanu równowagi*) equalization; equilibration 3. (*rekompensata*) compensation 4. *psych.* mental balance
zrównoważony [I] *pp* ↑ **zrównoważyć** [II] *adj* (*opanowany*) sedate; equable; staid; level-headed; even-tempered; sober-minded
zrównoważ|yć *v perf* — **zrównoważ|ać** *v imperf* [I] *vt* 1. (*stworzyć stan równowagi*) to equalize; to equilibrate; to equipoise; to (counter)balance 2. (*zrekompensować*) to compensate (**coś** for sth) 3. *księgow.* to balance (accounts) [II] *vr* **~yć, ~ać się** to become equalized
zrównywać *zob.* **zrównać**
zróżnicować *v perf* [I] *vt* to differentiate; to discriminate [II] *vr* ~ **się** to become differentiated
zróżnicowanie *sn* (↑ **zróżnicować**) differentiation
zróżniczkować *vt perf mat.* to differentiate (an equation etc.)
zróżowie|ć *vi perf* **~je** to become <to grow> rose-coloured; to turn pink
zrudzie|ć *vi perf* **~je** to turn russet; to assume a russet hue
zrugać *vt perf pot.* to blow (sb) up; to jaw (sb); to give (sb) a talking-to; to come down (**kogoś** upon sb)
zruganie *sn* (↑ **zrugać**) wigging; dressing-down; rating
zrujnować *v perf* [I] *vt* 1. (*zniszczyć*) to ruin; to destroy; to ravage; to demolish; to wreck <to undermine> (sb's health); to shatter (sb's nerves) 2. (*doprowadzić do ruiny majątkowej*) to ruin (sb, an institution etc.); to bring (sb) to ruin [II] *vr* ~ **się** *dosł. i przen.* to ruin oneself
zrujnowanie *sn* (↑ **zrujnować**) ruin; destruction; wreckage

zrumieni|ć *v perf* — **zrumieni|ać** *v imperf* [I] *vt* 1. (*przypiec*) to brown (meat etc.) 2. † (*zabarwić na czerwono*) to redden [II] *vr* **~ć, ~ać się** 1. (*stać się złocistobrązowym*) to become <to grow> brown 2. † (*zaczerwienić się*) to redden (*vi*); to blush

zrusyfikować *v perf* [I] *vt* to Russify [II] *vr* **~ się** to become Russified

zrusyfikowanie *sn* († **zrusyfikować**) Russification

zruszać *vt imperf* — **zruszyć** *vt perf roln.* to loosen (the soil)

zruszczyć (się) *vr perf* = **zrusyfikować (się)**

zruszyć *zob.* **zruszać**

zrutynizować *v perf* [I] *vt* to make <to render> (sb) groovy <routinish> [II] *vr* **~ się** to sink into a rut; to grow <to become> routinish

zrychlić *vt perf roln.* to loosen (the soil)

zrycie *sn* † **zryć**

zryczałtować *vt perf ekon.* to fix a flat rate of payment (**coś** for sth)

zry|ć *v perf* **~ję, ~ty** [I] *vt* to groove <to furrow, to plough> (a surface) [II] *vr* **~ć się** *sl. szk.* to get ploughed

zrykoszetować *vi perf* to glance aside <off>; to rebound

zrymować *vt perf* to versify; to put (sth) into rhyme

zrymowanie *sn* († **zrymować**) versification

zrytmizować *vt perf* to formulate (sth) in rhythm; to rhythmize

zryw *sm G.* **~u** 1. (*poderwanie się*) sudden effort; strain; impulse; spurt; dash; **~ami** by fits and starts; by snatches 2. (*zerwanie*) severance

zrywać *v imperf* [I] *vt zob.* **zerwać** [II] *vi zool.* to rut; to evince a sexual impulse

zrywar|ka *sf pl G.* **~ek** *techn.* ripper; scarifier

zryw|ka *sf pl G.* **~ek** *leśn.* skidding; logging; log-rolling; hauling

zrywkowy *adj* log-rolling <logging> __ (work etc.)

z rzadka *zob.* **rzadki**

zrządzać *zob.* **zrządzić**

zrządzenie *sn* 1. † **zrządzić** 2. (*decyzja sił wyższych*) decree (of fate); decree <dispensation> (of Providence)

zrządz|ić *vt perf* **~ę, ~ony** — **zrządz|ać** *vt imperf* to cause; to occasion; to bring about; **los ~ił, że ...** fate ordained <it was ordained> that ...

zrze|c się *vr perf* **~knę się, ~knie się, ~knij się, ~kł się** — **zrzekać się** *vr imperf* to relinquish <to resign, to renounce, to forgo> (**czegoś** sth); to abdicate (**tronu** the throne)

zrzeczenie (się) *sn* († **zrzec się**); relinquishment; resignation; renouncement; abdication

zrzed|nąć *vi perf* **~ł** (*o zaroślach itd.*) to thin; to grow thinner <less dense>; (*o tumanie, mgle itd.*) to disperse; *przen.* **~ła mu mina** his face fell; he lost countenance

zrzednie|ć *vt perf* **~je** = **zrzednąć**

zrzekać się *zob.* **zrzec się**

zrzesz|ać *v imperf* — **zrzesz|yć** *v perf* [I] *vt* to organize (people) into unions <associations>; to unite [II] *vr* **~ać, ~yć się** to unite (*vi*); to form unions <associations>; to band together

zrzeszenie *sn* 1. † **zrzeszyć** 2. (*związek*) union; association

zrzeszeniowy *adj* union __ (chairman etc.)

zrzeszony [I] *pp* † **zrzeszyć** [II] *sm* union member

zrzęda *sf sm* (*decl* = *sf*) grumbler; growler; crab; cross-patch

zrzędnie *adv* peevishly; querulously; grumpily

zrzędność *sf singt* peevishness; querulousness; grumpiness

zrzędny *adj* peevish; querulous; grumpy; disgruntled; cross-grained; bad-tempered; crabbed

zrzędzenie *sn* 1. † **zrzędzić** 2. (*narzekania*) peevishness; querulousness; grumpiness

zrzędz|ić *vi imperf* **~ę** to grumble; to growl; to be peevish <querulous, grumpy, disgruntled>; to nag (**na kogoś** at sb)

zrzuc|ać *v imperf* — **zrzuc|ić** *v perf* **~ę, ~ony** [I] *vt* 1. (*strącać*) to throw <to cast> (sth) down <off>; to bring (sth) down; *lotn.* to drop (paratroops etc.); **~ić kogoś w przepaść** to precipitate sb into an abyss; **~ać, ~ić jeźdźca** to spill <to throw off> a rider <a horseman>; *przen.* **~ić kogoś z urzędu** to dismiss <to remove> sb from office 2. (*zdejmować z siebie*) to throw <to take, to fling> off (one's clothes etc.); to shed (leaves, the skin, horns etc.); *przen.* **~ić coś z siebie** to free oneself from sth; **~ić habit** to unfrock oneself; **~ić jarzmo** to shake off the yoke; **~ić kajdany** to burst one's chains; **~ić maskę** to throw off <to drop> the mask; **~ić mundur** to go into civ(v)ies; to leave the army; **~ić obowiązek na kogoś** to devolve a duty on sb; **~ić odpowiedzialność za coś na kogoś** to devolve the responsibility for sth on sb; **~ić pychę z serca** to swallow one's pride; **~ić winę za coś na kogoś** to throw the blame for sth on sb; **~ić z kogoś ciężar** to disburden sb [II] *vi* 1. *pot.* (*zwymiotować*) to cat; to vomit 2. *karc.* to discard; to get rid of a card 3. (*o zwierzętach* — *poronić*) to slip <to cast> (young); **~ony płód** slink [III] *vr* **~ać, ~ić się** *karc.* to discard (**z kiera, trefla itd.** a heart, club etc.)

zrzucenie *sn* † **zrzucić**

zrzucić *zob.* **zrzucać**

zrzut *sm G.* **~u** 1. *lotn.* drop (of paratroops etc.) 2. *geol.* thrust

zrzut|ek *sm G.* **~ka** paratrooper

zrzut|ka *sf pl G.* **~ek** *karc.* (a) discard

zrzutnia *sf techn.* chute

zrzutować *vt perf mat.* to project

zrzutowanie *sn* († **zrzutować**) projection

zrzyn *sm G.* **~u, zrzyna** *sf* (*zw. pl*) edgings

zrzynacz *sm roln.* sod-knife

zrzynać *zob.* **zerznąć**

zrzyn|ek *sm G.* **~ka, zrzyn|ka** *sf pl G.* **~ek** (*zw. pl*) scraps; **~ki materiału** rags

zsadz|ać *vt imperf* — **zsadz|ić** *vt perf* **~ę, ~ony** to help (sb) down; to help (sb) to dismount (from a horse etc.); **~ać, ~ić kogoś z siodła** to unhorse sb

zsączać *vt imperf* — **zsączyć** *vt perf* to decant

zserowacenie *sn* († **zserowacieć**) *med.* caseation

zserowacie|ć *vi perf* **~je** *med.* caseate

zsi|adać *v imperf* — **zsi|ąść** *v perf* **~ądę, ~ądzie, ~ądź, ~adł, ~edli** to alight <to descend> (from a carriage, horse etc.); to get off; to dismount; to land [II] *vr* **~adać, ~ąść się** to set; to clot; (*o mleku*) to sour; to curdle

zsiadł|y *adj* clotted; **~e mleko** sour <curdled> milk

zsiąść *zob.* **zsiadać**

zsie|c *vt perf* **~kę, ~cze, ~cz, ~kł, ~czony** 1. (*porąbać*) to hack; to cut to pieces 2. (*wysmagać*) to lash; to flog 3. *dial. roln.* to mow

zsieczenie *sn* ↑ **zsiec**

zsiekać *vt perf* to hack; to cut to pieces

zsiniały *adj* livid; blue

zsinie|ć *vi perf* **~je** to become <to grow, to turn> livid <blue>

zsiusiać się *vr perf* to wet one's clothes; **~ się w łóżko** to wet one's bed

zsinie|ć *vi perf* **~je** to become <to grow, to turn> grey

zsobaczyć *v perf* [I] *vt wulg.* to bark (**kogoś** at sb) [II] *vr* **~ się** to make a swine of oneself

zsolaryzowany *adj fot.* solarized

zsolidaryzować *v perf* [I] *vt* to solidarize; to unite [II] *vr* **~ się** to solidarize (*vi*); to be solidary <to make common cause> (with ...)

zsolidaryzowanie *sn* (↑ **zsolidaryzować**) solidarity

zstąpić *vi perf* — **zstępować** *vi imperf* to descend; to step down

zstąpienie *sn* (↑ **zstąpić**) descent

zstępnica *sf anat.* descending colon

zstępn|y [I] *adj* descending; **linia ~a** descending line [II] *sm* **~y** descendant

zstępować *zob.* **zstąpić**

zstępując|y *adj* descending; **okrężnica ~a = zstępnica**; *gram.* **rodzaj ~y** completive aspect (of a verb); *astr.* **węzeł ~y** descending node; **źródło ~e** defluent spring

zstępowanie *sn* (↑ **zstępować**) descent

zsumować *vt perf* — **zsumowywać** *vt imperf* 1. (*dodać*) to add up; to cast; to reckon 2. *pot.* (*zliczyć*) to foot up (an account)

zsu|nąć *v perf* — **zsu|wać** *v imperf* [I] *vt* 1. (*zdjąć*) to push <to shove> (sth) away (from sth); to push <to shove> (sth) down; to slip (a chain etc.; sth off sth); **~nąć kapelusz z czoła** to push one's hat back; **~nąć na ucho** to cock (one's hat etc.) 2. (*połączyć*) to push <to shove> (things) together [II] *vr* **~nąć, ~wać się** 1. (*ześliznąć się*) to slip off <down> 2. (*zostać zbliżonym*) to come together; **jego brwi ~nęły się** his brows knit

zsuw *sm G.* **~u** *geol.* landslip

zsuwać *zob.* **zsunąć**

zsuwisko *sn* = **zsuw**

zsuwnia *sf techn.* chute; shoot

zsychanie *zob.* **zeschnąć**

zsyłać *zob.* **zesłać**

zsył|ka *sf pl G.* **~ek** exile; transportation; deportation

zsynchronizować *vt perf* to synchronize

zsynchronizowanie *sn* (↑ **zsynchronizować**) synchronization

zsyntetyzować *vt perf* to synthetize

zsyntetyzowanie *sn* (↑ **zsyntetyzować**) synthetization

zsyp *sm G.* **~u** 1. (*zsypywanie*) pouring (of granular substances etc.) 2. *techn.* chute; shoot

zsyp|ać *v perf* **~ie** — **zsyp|ywać** *v imperf* [I] *vt* to pour (grain, sand etc. into a container etc.); to shoot (coal into a cellar, nuts into a ship's hold etc.); to dump (refuse into the sea etc.) [II] *vr* **~ać, ~ywać się** to pour (*vi*)

zsypisko *sn* 1. (*osypisko*) (heap of) rubble; *geol.* talus; scree 2. (*miejsce, gdzie się coś zsypuje*) dump

zsyp|ka *sf pl G.* **~ek** = **zsyp** 1.

zsypnia *sf górn. techn.* chute; shoot

zsypow|y *adj techn.* **rynna ~a** chute; shoot

zsypywać *zob.* **zsypać**

zszargać *v perf* [I] *vt* to bedraggle [II] *vr* **~ się** to get bedraggled

zszarp|ać *v perf* **~ie** — **zszarp|ywać** *v imperf* [I] *vt* 1. (*nadwerężać*) to impair; to dilapidate; to tear to shreds; to maim; **~ać, ~ywać sobie nerwy** to shatter one's nerves 2. (*zerwać*) to tear (sth) away [II] *vr* **~ać, ~ywać się** *pot.* to shatter one's health; to wear oneself out

zszarze|ć *vi perf* **~je** to turn <to show> grey

zszeregować *vt perf* to form (people) in ranks

zszerszenie|ć *vi perf* **~je** to lose (its) lustre <gloss>

zszokować *vt perf* to shock

zszumować *vt perf* to scum; to skim

zszycie *sn* (↑ **zszyć**) seam

zszy|ć *vt perf* **~je, ~ty** — **zszy|wać** *vt imperf* 1. (*zeszyć*) to piece <to patch, to stitch> together; **~ć, ~wać niewidocznym ściegiem** to fine-draw 2. (*zaszyć*) to mend; to patch <to sew> up; to stitch 3. (*w chirurgii*) to put a stitch <stitches> (**ranę** in a wound); to suture <to sew up> (a wound) 4. (*uszyć*) to sew <to make> (**sukienkę itd. z kawałków materiału** a dress etc. of bits of cloth)

zszywacz *sm* (*przyrząd biurowy*) stapler

zszywać *zob.* **zszyć**

zszywar|ka *sf pl G.* **~ek** *techn.* stapling machine

zszyw|ka *sf pl G.* **~ek** 1. (*zszyte numery czasopisma itd.*) fascicle 2. *techn.* (*drucik do łączenia papierów*) staple

zubożać *zob.* **zubożyć**

zubożały *adj* impoverished; in straitened circumstances; poverty-stricken; paupered

zubože|ć *vi perf* **~je** to be reduced to poverty; to become impoverished; to grow poor

zubożenie *sn* 1. ↑ **zubożeć, zubożyć** 2. (*bieda*) impoverishment; indigence; want; neediness

zuboż|yć *v perf* — **zuboż|ać** *v imperf* [I] *vt* to impoverish (sb, the soil etc.); to reduce (sb) to poverty; to emasculate (a language etc.) [II] *vr* **~yć, ~ać się** = **zubożeć**

zuch *sm* 1. (*chwat*) brick; trump; Trojan; no slouch; **~ z ciebie!** well done!; *am.* attaboy! 2. (*w harcerstwie*) wolf

zuchostwo *sn singt* pluck; dash; mettle

zuchowato *adv* pluckily; with dash

zuchowatość *sf singt* pluck; dash; mettle

zuchowaty *adj* plucky; sprightly; mettlesome

zuchwale *adv* impudently; audaciously; saucily; cheekily; perkily; pertly

zuchwal|ec *sm G.* **~ca** impertinent person; pert fellow; saucebox; devil-may-care

zuchwa|lstwo *sn*, **zuchwa|łość** *sf singt* impudence; impertinence; audacity; sauce; cheek; perkiness; pertness; **dość tego ~lstwa** none of your impudence; **co za ~lstwo!** what nerve!

zuchwał|y *adj* 1. (*impertynencki*) impudent; impertinent; audacious; saucy; cheeky; perky; pert; **~a dziewczyna** hussy 2. (*o człowieku, czynie itd. — odważny*) bold

z ukosa *zob.* **ukos**

zukosować *vt perf* to chamfer; to bevel

Zulus *sm* Zulu

zunifikować *vt perf* 1. (*ujednolicić*) to standardize 2. (*zjednoczyć*) to unify

zunifikowanie *sn* 1. ↑ **zunifikować** 2. (*ujednolicenie*) standardization 3. (*zjednoczenie*) unification

zuniwersalizować *vt perf* to universalize

zupa *sf kulin.* soup; *wojsk. sl.* gippo; **~ w proszku** powdered soup

zupak *sm iron.* career NCO

zupełnie *adv* 1. (*całkowicie*) altogether; completely; quite; wholly; fully; utterly; **~ obcy człowiek** an utter stranger; **~ taki sam** just <exactly, every bit> the same; **był ~ nagi** he was stark naked; **mówię ~ poważnie** I am in dead earnest 2. (*z przeczeniem*) at all; what(so)ever; **~ nic** nothing at all <whatever>; absolutely nothing

zupełnoś|ć *sf singt* wholeness; entireness; completeness; **w ~ci = zupełnie**

zupełn|y *adj* 1. (*kompletny*) complete; total; absolute; utter; thorough; out and out; **~a aprobata** unreserved approbation; **~a ignorancja** crass ignorance; **~a obojętność** profound indifference; **w ~ej tajemnicy** in strict secrecy 2. (*nie mający braków*) whole; entire

zup|ka *sf pl G.* **~ek** a soup of sorts; **~ka dla kota <psa>** lap

zupny *adj*, **zupowy** *adj* soup — (stock etc.)

zurbanizować *vt perf* to urbanize

zutylizować *vt perf* to utilize

zużyci|e *sn* 1. ↑ **zużyć** 2. (*zmniejszenie zasobów*) consumption; expenditure (of time etc. on sth) 3. (*zniszczenie*) waste; wear (and tear); **być odpornym na ~e** to stand wear; **ulec ~u** to wear away; to get worn 4. (*zrobienie użytku*) use

zuży|ć *v perf* **~je, ~ty — zuży|wać** *v imperf* [I] *vt* 1. (*zmniejszyć zasób*) to use up; to consume; to spend <to expend> (**czas itd. na coś** time etc. on sth); (*zniszczyć*) to wear out 2. (*zrobić użytek*) to use (**coś na coś** sth for sth) 3. (*wyczerpać siły żywotne*) to wear (sb) out [II] *vr* **~ć, ~wać się** 1. (*zniszczyć się*) to wear away <off>; to get worn out 2. (*wyczerpać siły żywotne*) to wear out (*vi*); to spend oneself

zużytkow|ać *vt perf* — **zużytkow|ywać** *vt imperf* 1. (*zużyć*) to use up 2. (*wykorzystać*) to make use (**coś** of sth); to utilize; to exploit; **~ać, ~ywać siłę wodospadu** to harness a waterfall

zużytkowanie *sn* (↑ **zużytkować**) use; utilization

zużyt|y [I] *pp* ↑ **zużyć**; **~a para** waste steam [II] *adj* 1. (*wyczerpany życiem*) worn out; wasted; effete 2. (*szablonowy*) hackneyed; commonplace; trite 3. (*do wyrzucenia*) used (tea leaves etc.); waste (paper etc.)

zużywać *zob.* **zużyć**

zużywanie *sn* (↑ **zużywać**) wear; waste

zwabiać *vt imperf* — **zwabić** *vt perf* to lure; to entice; to inveigle; to trepan

zwabienie *sn* (↑ **zwabić**) enticement; inveiglement

zwać *v imperf* **zwę, zwie, zwij** [I] *vt* to call; **tak zwany** so-called; would-be; **być zwanym N** to go by the name of N [II] *vr* **~ się** to be called; to go by the name of ...; to answer to the name of ...; **co się zowie** real; proper; first-class; regular; something l i k e; **łajdak co się zowie** a regular scoundrel; **przyjęcie co się zowie** first-class party; something l i k e a party; **to artysta co się zowie** he is a real artist

zwad|a *sf* altercation; dispute; quarrel; **szukać ~y** to seek to pick up a quarrel (with sb); *przen.* to trail one's coat-tails

zwal|ać *v imperf* — **zwal|ić** *v perf* [I] *vt* 1. (*gromadzić*) to heap <to pile> (up, together); **~ić coś na kupę** to lumber sth up; to make a heap of sth 2. (*zrzucać*) to throw <to tumble> (sth) down; to shoot <to dump> (refuse into a pit etc.); *przen.* **~ić komuś ciężar z serca** to relieve sb's mind of a burden 3. (*obalać*) to knock (sb) down; to fell (sb) to the ground; to bring (sb, sth) down <to the ground>; to overthrow (a government etc.); (*o chorobie itd.*) **~ić kogoś z nóg** to bring sb low 4. *perf* (*zburzyć*) to demolish; to shatter 5. *pot.* (*obarczać*) to burden <to load> (**obowiązki itd. na kogoś** sb with duties etc.); to devolve (duties etc. on sb); **~ić odpowiedzialność na kogoś** to lay <to devolve> a responsibility on sb; *przen.* to pass the buck to sb; **~ić winę na kogoś** to lay the blame (for sth) on sb <at sb's door> [II] *vr* **~ać, ~ić się** 1. (*spadać*) to fall; to crash; to founder; to come tumbling down 2. *perf* (*spaść na coś*) to descend <to bear down, to sweep down> (on sb, sth); **~ić się komuś na kark** a) (*o ludziach*) to burst in upon sb; to drop down on sb b) (*o obowiązkach itd.*) to beset <to harass, to assail> sb; (*o suficie itd.*) **~ić się ludziom na głowę** to fall about people's ears 3. *perf pot.* (*kłaść się ciężko*) to sink down; to collapse; to thrust oneself (on one's bed etc.) 4. *perf pot.* (*gromadzić się tłumnie*) to crowd; to throng; to come in their dozens <hundreds etc.>

zwalcować *vt perf* — **zwalcowywać** *vt imperf techn.* to roll; to mill; to laminate

zwalczać *vt imperf* — **zwalczyć** *vt perf* 1. (*przeciwdziałać*) to fight <to strive, to combat, to stand out> (**kogoś, coś** against sb, sth); to cope (**trudności itd.** with difficulties etc.); to oppugn (a statement, theory etc.) 2. † (*pokonywać*) to overcome; to overpower

zwalczanie *sn* (↑ **zwalczać**) (the) fight (**kogoś, czegoś** against sb, sth)

zwalczyć *zob.* **zwalczać**

zwalenie *sn* 1. ↑ **zwalić** 2. (*obalenie*) overthrow 3. (*zburzenie*) demolition 4. **~ się** (*upadek*) fall; crash; descent

zwalisk|o *sn* (*także pl* **~a**) (*gruzy*) rubble; *geol.* brash; *górn.* goaf; (*ruiny*) ruins

zwalisty *adj pot.* thickset; stocky; bulky; lumpish

zwalniacz *sm lotn.* quick-release box press button; *techn.* retarder; decelerator

zwalniać *v imperf* — **zwolnić** *v perf* **zwolnij** [I] *vt* 1. (*czynić mniej szybkim*) to slow down; to retard; to decelerate; **film zwolniony, zdjęcia zwolnione** slow-motion picture; **zwolnić tempo** to slacken one's pace 2. (*obluzować*) to loosen; to unstretch; **zwolnić napięcie** to relax; to ease down 3. (*uwolnić od obowiązku itd.*) to relieve <to dispense, to exempt> (**kogoś z obowiązku itd.** sb from a duty etc.); to let (sb) off (**z czegoś** from sth); **zwolnić kogoś ze stanowiska** to relieve sb of his post;

zwolnić kogoś z pracy to dismiss <to discharge, *pot.* to sack, to fire> sb; **zwolnić kogoś z zobowiązania <z długu>** to release sb from an obligation <a debt>; **zwolnić robotników** to lay off hands 4. (*wypuścić na wolność*) to release (sb from prison etc.); to set (sb) at liberty 5. (*opuszczać*) to vacate (a hotel room etc.) [II] *vi* (*jechać wolniej*) to slow down; to slacken off; to slack up [III] *vr* **zwalniać, zwolnić się** 1. (*uwalniać się od obowiązku itd.*) to get released <exempted, dispensed> (**od czegoś** from sth); to obtain one's release <exemption> (**od czegoś** from sth) 2. (*wypowiadać pracę*) to resign <to give up, to vacate> (**ze stanowiska** a post) 3. (*zostać opuszczonym*) to become vacant; **kiedy <jeżeli> się zwolni miejsce** when <if> there is a vacancy

zwalnianie *sn* 1. ↑ **zwalniać** 2. (*czynienie mniej szybkim*) slowing down; retardation; deceleration 3. (*obluzowanie*) relaxation; easing down 4. (*uwalnianie od obowiązków itd.*) exemption; dispensation 5. (*zwalnianie z pracy*) dismissal 6. (*wypuszczanie na wolność*) release (of prisoners etc.)

zwaloryzować *vt perf* to valorize

zwał *sm G.* **~u** (*stos*) pile; heap; (*warstwa*) layer (of fat etc.); *górn.* dump; *geol.* talus

zwałkonić się *vr perf* to grow lazy

zwałkować *vt perf* to roll out (dough etc.)

zwałować *vt perf roln.* to roll (a field with a roller)

zwałow|y *adj geol.* **glina ~a** boulder-clay; **margiel ~y** marly till

zwanie *sn* 1. ↑ **zwać** 2. † (*nazwa*) name; designation

zwany *zob.* **zwać**

zwapnie|ć *vi perf* **~je** to calcify

zwapnienie *sn* (↑ **zwapnieć**) calcification

zwapnować *vt perf roln.* to lime; to manure with lime

zwarcica *sf bot.* kolenchyma

zwarcie[1] *sn* 1. ↑ **zewrzeć** 2. *jęz.* occlusion 3. *elektr.* short-circuit 4. *wojsk.* close order 5. *sport* infighting 6. *roln.* density

zwarcie[2] *adv* closely; densely

zwarciow|y *adj techn.* **zgrzewanie ~e** upset welding

zwariować *v perf* [I] *vi* 1. (*dostać obłędu*) to become insane; to go mad; **można ~** this is enough to drive one mad 2. (*zachować się nienormalnie*) to go crazy <daft> [II] *vt* to alter (a composition etc.)

zwariowanie *sn* (↑ **zwariować**) madness

zwariowany *adj* mad; crazy; crack-brained; crazed; daft; **zupełnie ~** stark mad; mad as a hatter <as a March hare>; **~ na punkcie czegoś** mad <crazy> about sth

zwarto *adv* = **zwarcie**[2]

zwartościować *vt perf* to valorize

zwartość *sf singt* 1. (*zbitość*) density; denseness; compactness; coherence; consistence; consistency 2. (*jednolitość*) uniformity; homogeneity 3. *przen.* (*solidarność*) fellowship; solidarity

zwart|y *adj* 1. (*zbity*) dense; close; compact; well-knit; serried; coherent; consistent; **w ~ym szyku** in close order; in serried ranks 2. (*jednolity*) uniform; homogeneous ‖ *jęz.* **spółgłoska ~a** stop (consonant)

zwarzenie *sn* 1. ↑ **zwarzyć** 2. *bot.* blight; brand

zwarzony [I] *pp* ↑ **zwarzyć** [II] *adj* cheerless; sullen; moping; in low spirits

zwarzyć *v perf* [I] *vt* 1. (*skwasić*) to turn (milk); to turn (milk) sour 2. (*spowodować zwiędnięcie roślin — o mrozie*) to nip; to pinch; to blight; (*o słońcu*) to sear; to wither 3. (*popsuć humor*) to put (sb) out of humour; to damp (**kogoś** sb's) spirits [II] *vr* **~ się** 1. (*o mleku*) to turn sour 2. (*o kwiatach, roślinach*) to wither; to get nipped <pinched, blighted, seared>

zwaśnić *vt perf* to set (people) at odds <at variance, by the ears>

zważ|ać *v imperf* — **zważ|yć** *v perf* [I] *vi* (*brać pod uwagę*) to consider (**na kogoś, coś** sb, sth); to take (**na kogoś, coś** sb, sth) into consideration; to have regard <to give heed> (**na kogoś, coś** to sb, sth); **na nic nie ~ać** to be reckless <ruthless>; to act recklessly <ruthlessly>; **nie ~ać na coś** to disregard <to ignore> sth; to take no heed <no notice> of sth; **nie ~ać na czyjeś prawa <pretensje, protesty itd.>** to override <to overrule> sb's rights <claims, protests etc.>; **nie ~ając na ...** notwithstanding <in the face of, in the teeth of, regardless of, in contempt of> ... (dangers, difficulties etc.); **nie ~ając na wszystkie jego wady, lubię go** with all his faults I like him; **nie ~aj na sąsiadów <na ludzkie gadanie>** never mind the neighbours <people's talk> [II] *vt* (*rozważać*) to weigh (**każde słowo itd.** every word etc.)

zważanie *sn* ↑ **zważać**

zważyć *v perf* [I] *vi zob.* **zważać** *vi* [II] *vt* 1. *zob.* **zważać** *vt* 2. (*mierzyć ciężar*) to weigh (sth); **~ coś w ręce** to feel the weight of sth in one's hand

zważywszy (*imiesłów uprzedni* ↑ **zważyć**) considering (**że** ... that ...); in consideration of (a fact etc.); in view of ...; seeing that ...; forasmuch as ...; *prawn.* whereas ...; **~ wszystkie okoliczności <wszystko razem>** taking it all in all; putting this that and the other together; what with one thing and another

zwącha|ć *v perf pot.* [I] *vt* to scent; to nose out; to sniff <to get wind of> (danger etc.); to smell out (a secret etc.); **~ć pismo nosem** to smell a rat [II] *vr* **~ć się** *pot.* to chum up (with sb); **oni się ~li** they are hand in glove together; **on się ~ł z tym złodziejem** he is hand in glove with that thief

zwątle|ć *vi perf* **~je** to weaken; to become enervated; to lose one's vigour; to grow frail <sickly>

zwątlenie *sn* (↑ **zwątleć**) weakness; enervation; frailty

zwątpić *vi perf* to despair <to lose hope> (**w coś, o czymś** of sth)

zwątpienie *sn* (↑ **zwątpić**) despair; hopelessness; despondency

zwątrobienie *sn med.* hepatization (of the lung)

zwekslować *vt perf* to switch off (a train etc.)

zwełniony *adj* woolly

zwerbalizować *vt perf* to verbalize

zwerbować *vt perf* 1. (*wziąć do wojska*) to recruit; to enlist; to canvass (supporters) 2. *pot.* (*pozyskać sobie, zwabić*) to rope (sb) in

zwerbowanie *sn* (↑ **zwerbować**) recruitment; enlistment

zweryfikować *vt perf* to verify; to inspect; to examine; to check

zweryfikowanie *sn* (↑ **zweryfikować**) verification; inspection; examination; (a) check

zwędrować *vt perf* to ramble (**kraj** over a country)

zwędz|ić *vt perf* **~ę, ~ony** *pot.* to pinch; to hook; to snaffle; to sneak; to pilfer

zwęgl|ać *v imperf* — **zwęgl|ić** *v perf* [I] *vt* 1. (*spalać*) to char 2. *chem. techn.* to carbonize [III] *vr* **~ać, ~ić się** 1. (*spalać się*) to char (*vi*); to get charred 2. *chem. techn.* to become carbonized; to carbonize (*vi*)

zwęglenie *sn* (↑ **zwęglić**) *chem. techn.* carbonization

zwęszyć *vt perf* to scent; to sniff; to nose out; to wind (game etc.); *pot.* **~ pismo nosem** to smell a rat

zwę|żać *v imperf* — **zwę|zić** *v perf* **~żę, ~żony** [I] *vt* 1. (*czynić węższym*) to narrow; to contract; to constrict; to reduce (a plank etc.); to take in (a dress etc.) 2. *przen.* (*ograniczać*) to restrict; to confine (a problem, meaning etc.) [III] *vr* **~żać, ~zić się** to narrow (*vi*); to grow <to become> narrower; **~żać się ku końcowi** to taper

zwężenie *sn* 1. ↑ **zwęzić** 2. (*miejsce zwężone*) narrowing; contraction; constriction; reduction 3. *przen.* (*ograniczenie*) restriction; confinement (of a problem, meaning etc.)

zwęż|ka *sf pl G.* **~ek** *techn.* reducer; orifice; taper pipe

zwi|ać *v perf* **~eje** — **zwi|ewać** *v imperf* [I] *vt* 1. (*usunąć*) to blow (sth) away 2. *roln.* to winnow [II] *vi pot.* (*uciec*) to make off; to sling one's hook; to bunk; **~ać, ~ewać komuś** to give sb the slip

zwiad *sm G.* **~u** 1. *wojsk.* reconnoitring detachment; reconnaissance party; scouts 2. *pl* **~y** (*zbieranie wiadomości*) reconnoitring; **iść na ~y** a) *wojsk.* to go reconnoitring b) (*iść zbierać informacje*) to go out to collect information

zwiadowca *sm* (*decl* = *sf*) *wojsk.* 1. (*człowiek zbierający informacje*) scout; sniper 2. (*samolot*) spotter

zwiadowczy *adj wojsk.* reconnoitring — (platoon etc.)

zwiast|ować *vt imperf* to herald; to presage; to forerun; to foreshadow; to announce <to proclaim> the approach (**coś** of sth); *lit.* to harbinger; **~ować coś złego** to portend evil

zwiastowanie *sn* 1. ↑ **zwiastować** 2. *rel.* **Zwiastowanie** Annunciation

zwiastujący *adj* precursory

zwiastun *sm* 1. (*człowiek zwiastujący*) herald; forerunner; precursor; harbinger 2. (*oznaka*) presage; omen 3. *med.* prodrome

zwiastun|ka *sf pl G.* **~ek** = **zwiastun** 1.

zwią|zać *v perf* **~że** — **zwią|zywać** *v imperf* [I] *vt* 1. (*łączyć sznurkiem itd.*) to tie; to bind; to lash (together); **~zać fragmenty całości** to piece fragments together; **~zani przyjaźnią** bound by friendship; *przen.* **~zać koniec z końcem** to make both ends meet 2. (*ściągnąć sznurkiem itd.*) to rope; to strap; to fasten 3. (*zrobić tobołek*) to tie (sth) up; **~zać coś w tobołek** to make a bundle of sth 4. (*skrępować*) to bind (sb) hand and foot; *przen.* **~zać komuś ręce** to tie sb's hands; **mam ~zane ręce** my hands are tied 5. (*powiązać*) to connect (one subject with another etc.); to relate (one matter to another); **te sprawy są z sobą ~zane** these matters are interrelated 6. (*połączyć elementy w całość*) to frame (a roof, ship etc.) 7. *chem.* to link (atoms); to fix (a gas etc.) [III] *vr* **~zać, ~zywać się** 1. (*okręcić się liną*) to bind oneself 2. *przen.* (*połączyć się*) to join (**z kimś** sb); to associate <to unite> (**z kimś** with sb); to enter into close contact (with sb)

związanie *sn* 1. ↑ **związać** 2. (*to, co wiąże*) bond; tie; ligature 3. (*powiązanie*) connection (with sth); relation (**z czymś** to sth)

związan|y [I] *pp* ↑ **związać**; **teraźniejszość jest ~a z przeszłością** the present is bound up with the past; (*o grupie wspinaczy wysokogórskich*) **~i** on the rope [III] *adj* 1. (*powiązany*) connected (with sb, sth); related (**z kimś, czymś** to sb, sth); relevant (**z omawianą sprawą** to the matter in hand); **to jest ~e z poważnym wydatkiem** <**z wielką odpowiedzialnością itd.**> it involves considerable expense <great responsibility etc.>; **to nie jest ~e z omawianą sprawą** it is irrelevant <extraneous> to the matter in hand 2. *chem.* (chemically) bounded; **nie ~y** loose; free

związ|ek *sm G.* **~ku** 1. (*stosunek*) connexion, connection; relationship; **brak ~ku z tematem** irrelevance; **~ek logiczny** coherence; **~ek przyczynowy** causal nexus; **~ek z omawianą sprawą** relevance to the matter in hand; bearing on the question; **w ~ku z ...** in connexion with ...; in consequence of ...; on account of ...; by reason of ...; **w ~ku z tym** in this connexion 2. (*zrzeszenie*) union; association; federation; **~ek zawodowy** trade union 3. (*także pl* **~ki**) (*małżeństwo*) union; marriage; **wstąpić w ~ki małżeńskie** to get married; to contract matrimony; **żyć z kimś w ~ku nieślubnym** to live together unmarried 4. (*także pl* **~ki**) (*to, co łączy ludzi*) relationship 5. (*kontakt*) contact; ties 6. *chem.* compound; combination 7. *wojsk.* union 8. † (*sens*) sense; *obecnie w zwrotach*: **słowa bez ~ku** incoherent <disconnected> words; **mówić bez ~ku** to speak incoherently <disconnectedly, disjointedly, desultorily>

związkowy *adj* union — (regulations, member, card etc.); federal

związywać *zob.* **związać**

zwichn|ąć *v perf* [I] *vt* 1. *med.* (*ulec zwichnięciu, spowodować zwichnięcie*) to dislocate; to luxate; to put (one's shoulder etc.) out of joint; to sprain (one's ankle, one's wrist etc.); **~ięta kończyna** limb out of joint 2. *przen.* (*wypaczyć, zniszczyć*) to warp (sb's mind); to ruin (sb's career, sb's <one's> life) [III] *vr* **~ąć się** 1. *med.* to get dislocated <sprained> 2. *przen.* (*wykoleić się*) to go astray; to ruin one's life

zwichnięcie *sf* 1. ↑ **zwichnąć** 2. *med.* dislocation; luxation; sprain

zwichrować *v perf* [I] *vt* to twist; to cast; to distort; to warp; to buckle <to dish> (a wheel) [III] *vr* **~ się** to get twisted <distorted>; to cast <to warp, to buckle> (*vi*)

zwichrowanie *sn* 1. ↑ **zwichrować** 2. (*skrzywienie*) twist; distortion; buckle; warp; cast 3. *techn.* warp; twist; skewing

zwichrzać *zob.* **zwichrzyć**

zwichrzenie *sn* ↑ **zwichrzyć**

zwichrz|yć *v perf* — **zwichrz|ać** *v imperf* [I] *vt* 1. (*potarmosić*) to dishevel <to tousle, to tumble>

(sb's hair) 2. † (*wzburzyć*) to agitate; to stir; to excite [II] *vr* **~yć, ~ać się** 1. (*zostać zwichrzonym*) to get dishevelled <tousled, tumbled> 2. (*zostać wzburzonym*) to become agitated <excited>
zwić *zob.* **zwijać**
zwid *sm G.* **~u** phantom
zwidłowanie *sn* forking
zwi|dywać *v imperf* — **zwi|dzieć** *v perf* **~dzi** [I] *vt* to have an illusion of seeing (sth) [II] *vr* **~dywać, ~dzieć się** 1. (*ukazywać się*) to appear (to sb); **~dział mi się ojciec** I had a vision of father; I thought I saw father 2. *gw.* (*spodobać się*) to take (sb's) fancy
zwidywanie *sn* (↑ **zwidywać**) vision; phantom
zwidzenie *sn* (↑ **zwidzieć**) vision; phantom
zwidzieć *zob.* **zwidywać**
zwiedzacz *sm* visitor; sightseer
zwiedz|ać *vt imperf* — **zwiedz|ić** *vt perf* **~ę, ~ony** 1. (*oglądać*) to tour (a country etc.); to visit (a town etc.); to see (a museum etc.); **~ać kraj** to go sightseeing; **~ać świat** to travel 2. (*dokonywać inspekcji*) to inspect
zwiedzający [I] *adj* sightseeing <visiting, touring> (group etc.) [II] *sm* sightseer; visitor; tourist
zwiedzanie *sn* (↑ **zwiedzać**) sightseeing
zwiedzić *zob.* **zwiedzać**
zwielokrotni|ać *v imperf* — **zwielokrotni|ć** *v perf* [I] *vt* to increase (sth) manifold; to multiply (difficulties etc.) [II] *vr* **~ać, ~ć się** to increase (*vi*) manifold; to become multiplied
zwielokrotnie|ć *vi perf* **~je** = **zwielokrotnić** *vr zob.* **zwielokrotniać**
zwielokrotnienie *sn* (↑ **zwielokrotnić, zwielokrotnieć**) manifold increase
zwieńczać *vt imperf* — **zwieńczyć** *vt perf* 1. (*zamykać szczyt*) to top <to surmount> (a column, building etc.) 2. † (*ozdabiać*) to crown
zwieńczenie *sn* 1. ↑ **zwieńczyć** 2. *bud.* finial; cap; coping
zwieńczyć *zob.* **zwieńczać**
zwieracz *sm anat.* sphincter
zwierać *zob.* **zewrzeć**
zwierciadlan|y *adj* 1. (*lustrzany*) mirror — (glass, frame etc.); **odbicie ~e** mirror image; **sala ~a** hall of mirrors; **teleskop ~y** reflecting telescope 2. *przen.* (*odbijający*) reflective <reflecting> (surface etc.)
zwierciad|ło *sn pl G.* **~eł** 1. (*lustro*) mirror; looking-glass; (*tremo*) pier-glass; (*wielkie, ruchome*) swing-glass 2. *przen.* (*odbicie*) reflection; **krzywe ~ło** distorting mirror; **~ło paraboliczne** parabolic reflector; **~ło wody** water-level
zwierciadłow|y *adj* mirror — (wardrobe etc.); **szkło ~e** plate-glass
zwiercin|y *spl G.* **~** *górn.* borings; drill cuttings; bore <drill> dust <meal>; spalls
zwierz *sm* beast; **drapieżny ~** beast of prey; **dziki ~** a) (*pojedyncze zwierzę*) wild beast b) *zbior.* (*zwierzyna*) game; **gruby ~** big game; **polowanie na grubego ~a** big-game shooting
zwierz|ać *v imperf* — **zwierz|yć** *v perf* [I] *vt* to confide <to unbosom, to disclose> (a secret etc. to sb) [II] *vr* **~ać, ~yć się** to confide (**komuś** in sb); to unbosom oneself; to open one's mind (to sb); **~ać, ~yć się komuś z czegoś** to tell sb, sth in confidence; **~yć się komuś ze swych zgryzot** to unfold one's troubles to sb; **~yć się komuś, że ...** to tell sb in confidence that ...
zwierzak *sm pot. żart.* beast
zwierzątko *sn* (*dim* ↑ **zwierzę**) tiny animal
zwierzchni *adj* superior; predominant; supreme (authority)
zwierzchnictwo *sn* superiority (of rank); predominance; sovereignty; supreme power <control, authority>; supremacy
zwierzchnicz|ka *sf pl G.* **~ek** superior; chief; *pot.* boss
zwierzchnik *sm* superior; chief; *pot.* boss; *hist.* feudal lord; suzerain; **nie mieć nad sobą ~a** to be one's own master
zwierzchność *sf* superior authority; *hist.* suzerainty; feudal lordship
zwierzenie *sn* 1. ↑ **zwierzyć** 2. (*wyznanie*) (a) confidence; imparted secret
zwierzę *sn* animal; *dosł. i przen.* (*o człowieku*) beast; brute; **~ domowe** domestic animal; **~ pociągowe** beast of draught; (*w gospodarstwie*) **~ta** (live-)stock
zwierzęcie|ć *vi imperf* **~je** to sink to the level of a brute
zwierzęco *adv* bestially
zwierzęcość *sf singt* animalism; animality; animal instincts; brutishness; bestiality
zwierzęcy *adj* animal (life, kingdom etc.); bestial; brutish
zwierzokrzew *sm G.* **~u** *zool.* zoophyte; phytozoon; *pl* **~y** (*Zoophyta*) the group Zoophyta
zwierzostan *sm G.* **~u** animal population
zwierzyć *zob.* **zwierzać**
zwierzyn|a *sf singt* game; **gruba ~a** big game; **płowa ~a** deer; **upolowana ~a** the take; **ustawy o ochronie ~y** game-laws
zwierzy|niec *sm G.* **~ńca** zoological gardens; zoo; *astr.* **~niec niebieski** zodiac
zwierzyniecki *adj* **konik ~** = **Lajkonik**
zwierzyńcowy *adj astr.* **pas ~** zodiacal belt
zwie|sić *v perf* **~szę, ~szony** — **zwie|szać** *v imperf* [I] *vt* to let (sth) hang <droop, dangle>; to hang down (one's head); to dangle (one's arms); **ze ~szonymi nogami** with one's legs dangling [II] *vr* **~sić, ~szać się** to hang (down) (*vi*); to droop
zwieść *v perf* **zwiodę, zwiedzie, zwiedź, zwiódł, zwiodła, zwiedli, zwiedziony, zwiedzeni** — **zwodzić** *v imperf* **zwodzę, zwódź, zwodzony** [I] *vt* 1. (*wprowadzić w błąd*) to deceive; to delude; to tantalize; to take (sb) in; **jeżeli mnie pamięć nie zwodzi** if my memory serves me right; **zwieść kogoś na manowce** to lead sb astray 2. (*zawieść*) to disappoint [II] *vr* **zwieść, zwodzić się** to be deceived; to delude oneself; to be disappointed
zwietrzały [I] *pp* ↑ **zwietrzeć** [II] *adj* (*o piwie itd.*) stale; vapid; flat; (*o perfumach*) spoiled (from exposure to the air); (*o skałach*) weathered; degraded
zwietrze|ć *vi perf* **~je** (*o piwie itd.*) to go stale <flat>; (*o perfumach*) to lose (its) fragrance; to spoil (from exposure to the air); (*o skałach*) to become <to grow> weathered <degraded>
zwietrzelina *sf geol.* waste
zwietrzelinowy *adj geol.* degraded; **materiał ~** waste

zwietrzenie *sn* 1. ↑ zwietrzeć 2. *geol.* weathering; degradation

zwietrzyć *vt perf* 1. (*o zwierzętach*) to scent; to wind; 2. *przen.* (*o ludziach*) to smell <to nose> out

zwiewać *zob.* **zwiać**

zwiewność *sf singt* aerialness; airiness; etherealness

zwiewn|y *adj* 1. (*powiewny*) aerial; airy; ethereal 2. (*lotny*) volatile

zwieźć *vt perf* **zwiozę, zwiezie, zwieź, zwiózł, zwiozła, zwieźli, zwieziony** — **zwozić** *vt imperf* **zwożę, zwóż, zwożony** 1. (*dostarczyć*) to convey <to transport, to carry, to cart> (goods etc.); **zwieźć zbiory do stodoły** to get the crops in 2. (*zebrać*) to bring together 3. (*sprowadzić z góry na dół*) to take <to drive> (sb) down <downhill>; to convey <to transport, to carry, to cart> (goods etc.) down <downhill>

zwiędłość *sf singt* fadedness; withered state

zwi|ędnąć *vi perf* **~ądł** 1. (*o roślinach*) to fade; to wither; to wilt 2. (*o twarzy, cerze*) to wither

zwiększ|ać *v imperf* — **zwiększ|yć** *v perf* [I] *vt* (*pod względem rozmiarów*) to enlarge; (*pod względem natężenia*) to increase; to heighten; to augment; **~yć szybkość** to put on speed; to accelerate [III] *vr* **~ać, ~yć się** (*pod względem rozmiarów*) to grow larger; to develop; to extend; (*pod względem natężenia itd.*) to grow; to increase (*vi*); to augment (*vi*)

zwiększenie *sn* 1. ↑ **zwiększyć** 2. (*większe rozmiary*) enlargement; extension 3. (*większe natężenie itd.*) increase; augmentation; **~ szybkości** acceleration

zwięzłość *sf singt* 1. (*treściwość*) conciseness; terseness; succinctness; briefness; brevity; pithiness; laconism 2. (*zwartość*) compactness; consistence, consistency

zwięzły *adj* 1. (*treściwy*) concise; terse; succinct; brief; pithy; laconic 2. (*zwarty*) compact; consistent

zwięźle *adv* 1. (*treściwie*) concisely; tersely; succinctly; briefly; pithily; laconically 2. (*zwarcie*) compactly

zwijacz *sm zool.* (*Rhynchites*) weevil

zwi|jać *v imperf* — **zwi|nąć** *v perf* [I] *vt* 1. (*skręcać*) to roll (sth) up; to furl; to take in (sails); to wind (sth) up; to coil (ropes, cables etc.); to roll (yarn etc.) into a ball; to screw <to twist up, to scroll> (a sheet of paper etc.); (*składać*) to fold (a blanket etc.); **~jać, ~nąć manatki** to pack up; **~jać, ~nąć skrzydła** to furl (its) wings; **~jać, ~nąć włosy w kok** to coil one's hair into a bun; *przen.* **~nąć chorągiewkę** to give up the struggle; to throw up the sponge 2. (*zlikwidować*) to dissolve (a society etc.); to wind up (a business etc.); **~nąć interes** to shut up shop; to put up the shutters; **~nąć oblężenie** to raise a siege; **~nąć obóz** to strike camp <tents> [III] *vr* **~jać, ~nąć się** 1. (*w kształt kuli*) to roll oneself <*o zwierzęciu:* itself> up; to curl up (*vi*); (*w kształt spirali*) to coil up; (*w kształt rulonu*) to scroll (*vi*) 2. *imperf* (*spieszyć się*) to hurry up; to make haste; to be quick; **~jać się z robotą** to rattle off one's work 3. (*tworzyć szyk*) to form up (into line etc.) 4. *gw.* (*wykręcać się*) to wriggle out 5. *gw.* (*pakować się*) to pack up

zwijar|ka *sf pl G.* **~ek** *techn.* sheet-rolling machine; winding machine

zwij|ka *sf pl G.* **~ek** cigarette wrapper

zwilg|nąć *vi perf* **~ł** <**~nął**>, **~ła** to grow <to become> moist; to moisten (*vi*); to dampen (*vi*); **~ły** moist; damp

zwilgocenie *sn* ↑ **zwilgocić**

zwilgoc|ić *vt perf* **~ę, ~ony** to moisten; to wet

zwilgotni|eć *vi perf* **~eje** to grow <to become> moist; to moisten <to dampen> (*vi*); to get wet; **~ałe oczy** eyes moist with tears

zwilżacz *sm* damper; humidifier; wetting agent

zwilżacz|ka *sf pl G.* **~ek** finger-moistener; damper

zwilż|ać *v imperf* — **zwilż|yć** *v perf* [I] *vt* to moisten; to damp; to wet [III] *vr* **~ać, ~yć się** to grow <to become> moist

zwilżalność *sf singt fiz.* wettability

zwilżyć *zob.* **zwilżać**

zwinąć *zob.* **zwijać**

zwinięcie *sn* 1. ↑ **zwinąć** 2. (*spirala*) convolution; twist; coil 3. (*zlikwidowanie*) dissolution (of a society etc.); winding up (of a business etc.)

zwin|ka *sf pl G.* **~ek** *zool.* 1. (*Lacerta agilis*) sand lizard 2. (*Rana agilis*) a species of frog

zwinnie *adv* nimbly; agilely; deftly; dextrously

zwinność *sf singt* nimbleness; agility; deftness; lissomeness; dexterity

zwinny *adj* nimble; agile; light (of foot); light-fingered; lissome; deft; dextrous

zwiotczałość *sf singt* flabbiness; flaccidity; floppiness; limpness

zwiotczały [I] *pp* ↑ **zwiotczeć** [III] *adj* flabby; flaccid; floppy; limp

zwiotcze|ć *vi perf* **~je** to become <to grow> flabby <flaccid, floppy, limp>

zwiotczenie *sn* 1. ↑ **zwiotczeć** 2. = **zwiotczałość**

zwis *sm G.* **~u** 1. (*nawis*) overhang; projection; *geol.* overlap 2. (*zwisanie u liny itd.*) sag; slack 3. (*w gimnastyce*) hang 4. *lotn.* bank; inclination

zwi|sać *vi imperf* — **zwi|snąć** *vi perf* **~śnie, ~sł, ~śli** to hang (down); to droop; to dangle; to sag; to overhang (**nad czymś** sth); to beetle; **nad oknem ~sały sople lodu** the window was overhung with icicles

zwisły [I] *pp* ↑ **zwisnąć** [III] *adj* pendent; flagging

zwisnąć *zob.* **zwisać**

zwiśnięcie *sn* (↑ **zwisnąć**) droop; sag

zwit *sm G.* **~u** scroll; roll

zwit|ek *sm G.* **~ka** <**~ku**> (*coś skręconego*) scroll; screw (of sweets, snuff etc.); wad (of bank-notes etc.); roll (of paper, cloth etc.); (*zwój*) coil (of a rope, cable etc.); *przen.* **~ek nerwów** bundle of nerves

zwit|ka *sf pl G.* **~ek** *lotn.* coil; loop

zwitne *spl bot.* (*Contortae*) (*rząd*) the order Contortae

zwizytować *vt perf* to inspect

zwl|ec *v perf* **~okę, ~ecze, ~ecz, ~ókł, ~okła, ~ekli, ~eczony** — **zwlekać** *v imperf* [I] *vt* 1. (*ściągnąć*) to pull off (a garment etc.); to pull (sb, sth) down (**z czegoś — z konia, szafy itd.** from sth — from a horse, a wardrobe etc.); **~ec, ~ekać skądś kości** to drag oneself from ... (a bed of suffering etc.) 2. (*zgromadzić razem*) to drag <to tug, to lug> (things) together <in a heap> 3. (*odwlec*) to put off; to postpone; to delay; to defer [II] *vi* to procrastinate; to hang back; to hang fire; **nie ~ekaj (zbytnio)** don't be (too) long; **nie ~ekając** without delay; **~ec, ~ekać z robieniem czegoś** to be slow to do <in doing> sth; to delay in doing sth [III] *vr* **~ec, ~ekać się** 1. (*zleźć*) to drag oneself (**z czegoś** from sth) 2. (*zgromadzić się*) to come together dragging (our, their etc.) feet 3. (*odwlec się*) to be put off <postponed, delayed, deferred>

zwleczenie *sn* 1. ↑ **zwlec** 2. (*zwłoka*) delay; deferment; postponement

zwlekać *zob.* **zwlec**

zwlekanie *sn* 1. ↑ **zwlekać** 2. (*odroczenie*) procrastination; dilatoriness

zwłaszcza *adv* chiefly; in particular, particularly; especially, specially; most of all; **~, że ...** all the more so as ...

zwłok|a *sf* 1. *singt* (*opóźnienie*) delay; deferment; postponement; **gra na ~ę** temporization; **grać na ~ę** to temporize; **sprawa nie cierpiąca ~i** matter of great urgency; **bez ~i** without delay; at once; immediately; straight away 2. *handl. bank.* respite; reprieve; **dni ~i** days of grace; **udzielić ~i dłużnikowi** to reprieve a debtor; **udzielić ~i w wykonaniu zobowiązania** to respite an obligation 3. *prawn.* laches 4. *pl* **~i** (*ciało zmarłego człowieka*) (dead) body; mortal remains; corpse; (*ciało padłego zwierzęcia*) carcass, carcase

zwłóczyć *vt perf imperf* 1. *perf roln.* to drag; to harrow 2. (*zgromadzić razem*) to drag <to tug, to lug> (things) together <in a heap> 3. (*odwlec*) to put off; to postpone; to delay

zwłóknienie *sn med.* fibrosis

zwodniczo *adv* delusively; illusively; deceptively; fallaciously; speciously; tantalizingly

zwodniczość *sf singt* delusiveness; illusiveness; deceptiveness; fallaciousness; speciousness

zwodniczy *adj* delusive; illusive; deceptive; fallacious; specious; tantalizing

zwodować *vt perf* to launch (a ship)

zwodzenie *sn* (↑ **zwodzić**) deception; tantalization

zwodzić *vt perf* **zwodzę, zwódź, zwodzony** 1. *zob.* **zwieść** 2. † (*spuścić*) to let (sth) down; to lower; *obecnie w zwrocie:* **zwodzony most** drawbridge

zwojar|ka *sf pl G.* **~ek** *techn. tekst.* fleece machine

zwojenie *sn techn.* winding; insulation

zwojnica *sf* 1. *techn.* reel; bobbin; spoon 2. *elektr.* coil

zwoj|ować *vt perf* 1. (*wskórać*) to obtain; **nic nie ~ujesz** you won't obtain anything; you won't get anywhere 2. *pot. żart.* (*spsocić*) to be up (**coś** to sth); **coś ty znowu ~ował?** what (mischief) have you been up to now?

zwojow|y *adj* convolute; spiral; coiling; *fot.* **film ~y** roll film; *anat.* **komórki ~e** ganglion cells

zwojów|ka *sf pl G.* **~ek** = **zwójka**

zwokalizować się *vr perf jęz.* to be vocalized

zwolennicz|ka *sf pl G.* **~ek** advocate; adherent; partisan; follower; **gorąca ~ka** votaress; devotee

zwolenni|k *sm* advocate; adherent; partisan; follower; **gorący ~k** votary; devotee; **zagorzali ~cy monarchizmu** die-hard royalists; **on jest ~kiem całkowitej abstynencji** he believes in <he is in favour of, he is for> total abstinence

z wolna *adv* 1. (*wolno*) slowly 2. (*stopniowo*) little by little; bit by bit; by degrees

zwolnić *zob.* **zwalniać**

zwolnie|ć *vi perf* **~je** *rz.* 1. (*zmniejszyć swą szybkość*) to slow down; to slacken; to reduce one's speed 2. (*złagodnieć*) to relax

zwolnienie *sn* 1. ↑ **zwolnić, zwolnieć** 2. (*zmniejszenie napięcia*) relaxation; *polit.* **~ napięcia** détente 3. (*uwolnienie od obowiązku*) exemption; dispensation; release (from an obligation etc.) 4. (*usunięcie ze stanowiska*) dismissal; discharge; clearance; *pot.* sack; **natychmiastowe ~** congé 5. (*wypuszczenie na wolność*) release 6. (*opuszczenie tego, co się zajmowało*) vacation (of a hotel room etc.) 7. (*wolniejsze tempo*) slower pace ‖ **~ lekarskie <chorobowe>** sick leave

zwoł|ać *v perf* — **zwoł|ywać** *v imperf* [I] *vt* 1. (*zgromadzić wołając*) to call together; to assemble; to collect 2. (*zarządzić zebranie grona*) to convene; to convoke; to summon (**członków itd.** the membership etc.); to muster (*wojsk.* the men, *mar.* the crew) [II] *vr* **~ać, ~ywać się** to hail one another

zwołanie *sn* 1. ↑ **zwołać** 2. (*zebranie grona*) convention; convocation

zwoływać *zob.* **zwołać**

zwora *sf pl G.* **zwór** 1. *fiz.* armature 2. *bud.* cramp; dowel; joggle

zwornik *sm* 1. *bud.* keystone 2. *górn.* nipple

zwozić *zob.* **zwieźć**

zwożenie *sn* 1. ↑ **zwozić** 2. (*dostarczenie*) conveyance; transportation; haulage 3. (*zbieranie*) collection

zwód *sm G.* **zwodu** *sport* (*finta*) feint

zwój *sm G.* **zwoju** 1. (*coś zwiniętego na kształt walca*) roll; reel; scroll; (*coś ułożonego w skręty*) coil 2. *anat.* ganglion 3. (*pojedynczy obwód*) twist; coil; spiral; turn; circumvolution

zwój|ka *sf pl G.* **~ek** tortricid; *zool. pl* **~ki** (*Tortricidae*) (*rodzina*) the family Tortricidae

zwójkowat|y *zool.* [I] *adj* tortricid [II] *spl* **~e** = **zwójki** *zob.* **zwójka**

zwójków|ka *sf pl G.* **~ek** = **zwójka**

zwóz|ka *sf pl G.* **~ek** transport; transportation; carting; haulage

zwr|acać *v imperf* — **zwr|ócić** *v perf* **~ócę, ~ócony** [I] *vt* 1. (*kierować w jakąś stronę*) to turn (**coś ku komuś, czemuś** sth towards sb, sth); (*o budynku itd.*) **być ~óconym** to face (**ku ulicy itd.** the street etc.; **na północ itd.** North etc.); to look (**na północ itd.** towards the North etc.); **nie ~ócić, ~acać uwagi na kogoś, coś** to pay no attention to <to take no heed of> sb, sth; to ignore sb, sth; **~acać uwagę na siebie** to attract (people's) attention; to be conspicuous; **~acać, ~ócić czyjąś uwagę na coś** to call sb's attention to sth; **~acać, ~ócić uwagę na kogoś, coś** a) (*dostrzec*) to notice sb, sth b) (*interesować się*) to pay attention to <to take heed of> sb, sth; **~ócić komuś uwagę** to make an observation to sb; **~ócić komuś uwagę na coś** <**że** ...> to point out (sth) to sb <that ...> 2. (*oddawać*) to return (sth to sb); to give (sth) back (to sb); to pay (money) back; to repay <to refund> (a sum); to reimburse (**komuś wydatek** sb for an expense); to restore (sb's property); to make restitution (**komuś jego własność** of sb's property); **~ócić komuś słowo** a) (*zwolnić z zobowiązania*) to relieve sb of an obligation b) (*zerwać zaręczyny*) to break the engagement with sb 3. *pot.* (*zwymiotować*) to cast up (one's food) 4. † (*skierowywać w odwrotną stronę*) to turn (sb) back [III] *vr* **~acać, ~ócić się** 1. (*kierować się*) to turn (*vi*) (in a given direction); **nie znam go na tyle, żeby się do niego ~ócić z czymś** I don't know him to speak to; **~acać, ~ócić się do czegoś** to direct one's attention to sth; to become interested in sth; **~acać, ~ócić się do kogoś** a) (*odezwać się*) to speak to sb; to address sb b) (*udać się z czymś*) to apply to sb (**z prośbą itd.** with a request etc.); to approach sb (**z czymś** for sth); to ask (**o przysługę** a favour) of sb; **~ócić się do kogoś o pożyczkę** to tap sb for a loan; **~ócić się przeciw komuś** to turn against sb; **~ócić się przeciw swym prześladowcom** to face round on one's pursuers 2. (*o drodze itd.* — *skręcać*) to bend (to the right, left) 3. (*stanowić zwrot poniesionych kosztów*) to be refunded; **koszt maszyny szybko się ~óci** the cost of the machine will soon be refunded; the machine will soon pay <have paid> for itself 4. † (*zawracać*) to turn back (*vi*)

zwrot *sm G.* **~u** 1. (*obrót*) turn; *mat.* **~ wektora** sense of a vector; **zrobić ~** to turn round; *wojsk.* **w prawo** <**w lewo**> **~!** right <left> turn!; **w tył ~!** about turn! 2. *przen.* (*obrót sprawy*) turn (**na lepsze** <**gorsze**> for the better <worse>) 3. *przen.* (*zmiana nastawienia do czegoś*) revulsion <tide> (of public feeling); **w opinii publicznej dokonał się ~ ku ...** public opinion veered round <swung back> towards ...; (*w dyskusji, polityce itd.*) **~ o 180°** volte-face 4. (*oddanie*) return; repayment; reimbursement; refund(ment); restoration <restitution> (of property); **otrzymać ~ czegoś** to recover sth 5. *handl.* (*to, czego nie sprzedano*) return (of unsold commodity) 6. *jęz.* expression; phrase; locution; (legal etc.) term 7. *muz.* phrase

zwrot|ka *sf pl G.* **~ek** 1. (*w poezji*) stanza; **~ka saficka** Sapphic stanza 2. (*w piosence*) verse

zwrotkowy *adj* (*o utworze poetyckim*) stanzaed

zwrotnic|a *sf* 1. *kolej.* switch; points; **sygnał na ~y** junction-signal; switch-signal; **~a tramwajowa** tramway switch 2. *bot.* (*Specularia*) Venus's looking-glass 3. *aut.* steering

zwrotnicowy *adj kolej.* switch — (rail, stand, tower etc.)

zwrotnicz|y *sm kolej.* switch-man; pointsman; **budka ~ego** signal-box; *am.* switch-tower

zwrotnie *adv* (*zwinnie*) nimbly

zwrotnik *sm geogr.* tropic (**Koziorożca** of Capricorn, **Raka** of Cancer)

zwrotnikowy *adj* tropical (climate, vegetation, year, zone etc.)

zwrotność *sf singt* 1. (*zdolność do szybkiej zmiany kierunku*) manageability 2. (*zwinność*) nimbleness; agility

zwrotny *adj* 1. *techn.* (*dotyczący zmiany kierunku*) manageable; reversible; **zawór ~** back-pressure <check> valve; non-return valve; *przen.* **punkt ~** turning-point; (*w historii*) landmark 2. (*zwinny*) nimble; agile 3. (*przeznaczony do zwrotu*) returnable; (*o pieniądzach*) repayable; (*w napisie*) **adres ~** if not delivered please return to ... 4. *gram.* (*o czasowniku, zaimku*) reflexive

zwrócenie *sn* 1. ↑ **zwrócić; ~ uwagi** remark; observation 2. = **zwrot** 4. 3. **~ się** (*udanie się do kogoś*) application

zwrócić *zob.* **zwracać**

zwulgarnie|ć *vi perf* **~je** to become <to grow> vulgar

zwulgaryzować *vt perf* to vulgarize

zwulkanizować *vt perf techn.* to vulcanize <to cure> (rubber)

zwycięski *adj* 1. *wojsk. i przen.* victorious; triumphant; triumphal 2. *sport.* winning (contest, team etc.)

zwycięsko *adv* victoriously; triumphantly

zwycięstwo *sn* 1. *wojsk. i przen.* victory; triumph; **łatwe ~** runaway victory; **Pyrrusowe ~** Cadmean <Pyrrhic> victory; **~ albo śmierć** do or die; **odnieść ~** to gain a victory; to gain the upper hand; to carry the day; **odnieść łatwe ~** to win hands down 2. *sport* (a) win; **przyznać przeciwnikowi ~** to throw up the sponge

zwycięzc|a *sm* (*decl* = *sf*) 1. *wojsk. i przen.* victor; vanquisher; *przen.* top dog 2. *sport* winner; champion; **zostać ~ą** to win

zwyciężać *v imperf* — **zwyciężyć** *v perf* [I] *vi* 1. *wojsk. i przen.* to conquer; to win the battle; to carry the day; to be <to come out> victorious; to triumph 2. *sport* to win [II] *vt* (*przezwyciężyć*) to overcome; to prevail (**coś** over sth); to get the upper hand (**kogoś, coś** of sb, sth)

zwyciężczyni *sf* 1. (*ta, która zwyciężyła*) victress 2. *sport* winner

zwycięż|ony [I] *pp* ↑ **zwyciężyć** [II] *sm* **~ony** loser; *pl* **~eni** the losing side

zwyciężyć *zob.* **zwyciężać**

zwyczaj *sm G.* **~u** 1. (*przyjęty sposób postępowania*) custom; fashion; practice; usage; **starodawny ~** time-honoured custom; **to wyszło ze ~u** it is no longer customary; the custom has died out; **weszło w ~, że ...** it has become customary to ...; **jak ~ każe** as is customary 2. (*właściwy komuś sposób postępowania*) custom; habit; manner; way; wont; **~e i obyczaje** customs and ways; **mieć ~ coś robić** to be accustomed to do sth; to be in the habit of doing sth; **on miał ~ mówić** <**chodzić itd.**> he used to say <to go etc.>; **on nie ma ~u opowiadać ...** it is unusual for him to tell ...; **swoim ~em poszedł ...** according to his wont <as was his wont> he went ...; **wbrew przyjętemu ~owi** contrary to the accepted custom

zwyczajnie *adv* 1. (*w sposób nie odbiegający od normy*) as usual; commonly; ordinarily 2. (*po prostu*) simply

zwyczajność *sf singt* ordinariness; commonness; commonplaceness

zwyczajny *adj* 1. (*zwykły*) ordinary; common; usual; regular; habitual; normal; simple 2. (*o człowieku — przeciętny*) ordinary; average; (*o rzeczy — powszedni*) every-day; common; (*o jedzeniu*) plain 3. (*podkreśla treść znaczeniową: po prostu, nic innego jak*) downright (swindle etc.); mere (chance, accident, coincidence etc.); simple <sheer> (robbery etc.); pure (nonsense, malice etc.) 4. † (*przyzwyczajony*) accustomed (**czegoś** to sth)

zwyczajowo *adv* according to custom

zwyczajowość *sf* every-day life

zwyczajow|y *adj* customary; regular; **prawo ~e** case-law

zwykle *adv* usually; generally; ordinarily; commonly; as a rule; **jak to ~ bywa w takich wypadkach** as is usual in such cases; **jak ~** as usual; **lepiej <więcej itd.> niż ~** better <more etc.> than usual; **~ mówi się <idzie się itd.>** it is usual <customary> to say <to go etc.>; **~ tego się nie robi** that is not customarily done

zwykł *zob.* **zwyknąć**

zwykły *adj* 1. (*zgodny z przeciętną normą*) common; ordinary; (*zgodny ze zwyczajem*) usual; habitual; accustomed; wonted 2. (*przeciętny*) common; simple; average; (*o potrawie*) plain; **~ dzień** week-day 3. = **zwyczajny** 3.

zwyk|nąć *vi imperf perf* **~ł** (*w formach*: **zwykł, zwykła, zwykło, zwykliśmy, zwykliście, zwykli**) used to; was <were> wont to; usually; **napisał, jak to ~ł był robić** he wrote as was his wont <as he used to do>; **~ł był przychodzić codziennie** he used <was wont> to come every day

zwymiotować *vt vi perf* to vomit

zwymyślać *vt perf* (*obrzucić obelgami*) to abuse; to revile; to rail (**kogoś** at <against> sb); (*skrzyczeć*) to upbraid; to rate; to thunder (**kogoś** at sb); to fly (**kogoś** at sb)

zwyradniać, zwyrodniać *zob.* **zwyrodnić**

zwyrodnial|ec *sm G.* **~ca** degenerate

zwyrodniałość *sf* degeneracy

zwyr|odnić *v perf* — **zwyr|adniać** *v imperf*, **zwyr|odniać** *v imperf* [I] *vt* to cause (people etc.) to degenerate; to degrade [II] *vr* **~odnić, ~adniać, ~odniać się** = **zwyrodnieć**

zwyrodnie|ć *vi perf* **~je** to degenerate; to dwindle

zwyrodnienie *sn* 1. ↑ **zwyrodnieć** 2. (*odchylenie od normalnego stanu*) degeneracy; degradation; *med.* degeneration

zwyrodnieniowy *adj* degenerative

z wysoka *zob.* **wysoki**

zwyż|ka *sf pl G.* **~ek** rise (**cen, temperatury itd.** of prices, in temperature etc.); advance (**cen** in prices); *giełd.* **grać na ~kę** to speculate on a rise

zwyżk|ować *vi imperf* to rise; to be on the up-grade; to rule <to run> high; **barometr ~uje** the barometer is on the rise

zwyżkowy *adj* upward (tendency)

zyd|el *sm G.* **~la, zyd|elek** *sm G.* **~elka** stool

zydwest|ka *sf pl G.* **~ek** southwester, sou'wester

zygota *sf biol.* zygote

zygzak *sm* zigzag (line)

zygzakować *vi imperf* to zigzag

zygzakowato *adv* in zigzags

zygzakowat|y *adj* zigzag — (line, course etc.); zigzaggy; **~a błyskawica** forked lightning

zymaza *sf chem.* zymase

zymogen *sm G.* **~u** *chem.* zymogen, zymogene; proenzyme

zymogeniczny *adj chem.* zymogenic

zys *sm G.* **~u** *zool.* (*Aquila chrysaestos*) golden eagle

zysk *sm G.* **~u** profit; gain; earnings; **chęć ~u** greed; cupidity; **czysty ~** net profit; *księgow.* balance in hand; **grube ~i** huge profits; **niegodziwy ~** filthy lucre; **nie obliczony na ~** profitless; **rachunek ~ów i strat** profit and loss account; **udział w ~ach** profit-sharing; share in the profits; **~ z kapitału** return on capital; unearned increment; **mieć** *x* **~u** to be *x* to the good; **mieć ~ z czegoś** to profit by sth; to make a profit on sth; **przynosić ~** to yield a profit; **sprzedać z ~iem** to sell at a profit

zysk|ać *v perf* — **zysk|iwać** *v imperf* [I] *vt* 1. (*zarobić*) to gain; to earn; to get (**coś na czymś** sth out of sth); **~ać** *x* **na transakcji** to make a profit od *x* on a deal; to make *x* <to be *x* in pocket> by a deal 2. (*zdobyć*) to gain (esteem, popularity etc.); to obtain (a reward etc.); to attain <to achieve> (fame etc.); to acquire (knowledge etc.); to win (sb's confidence etc.); **nic na tym nie ~ałem** I am none the better for it 3. (*zjednać sobie*) to win <to gain> (sb) over [II] *vi* 1. (*mieć korzyść*) to gain <to profit> (**na czymś** by sth); to find one's account (**na czymś** in sth); **ty ~asz <oni ~ają itd.> na tym** it will be to your <their etc.> advantage 2. (*zdobyć*) to gain (**na czasie** time); to save (**na czasie, robociźnie itd.** time, labour etc.); **~ać na wartości <na wadze>** to gain in value <in weight>; **~ać na wyglądzie** to improve in looks

zyskolubny *adj* avid for gain; profit-seeking

zyskownie *adv* profitably; with profit; to one's profit; remuneratively; lucratively

zyskowność *sf singt* remunerativeness; lucrativeness

zyskowny *adj* profitable; remunerative; lucrative; profit-yielding

zza *praep* 1. (*spoza*) from behind (sb, sth); from beyond (the sea, clouds etc.) 2. (*poprzez*) through (the smoke, the open window etc.)

zziaja|ć się *vr perf* 1. (*zasapać się*) to get out of breath 2. (*zmęczyć się*) to tire oneself out

zziajany *adj* 1. (*zasapany*) out of breath; breathless 2. (*zmęczony*) exhausted

zzielenie|ć *vi perf* **~je** to become <to grow, to turn, to go> green

zzi|ębnąć *vi perf* **~ąbł, ~ębła** to get frozen; **~ąbłem do szpiku** I am <was> chilled to the bone; **~ębnięci pasażerowie** the freezing passengers

zziębnięcie *sn* (↑ **zziębnąć**) the cold

zzucie *sn* ↑ **zzuć**

zzu|ć *v perf* **~ję, ~ty** — **zzu|wać** *v imperf* [I] *vt* to take off (one's shoes); **~ć, ~wać kogoś <komuś buty>** to take off sb's shoes [II] *vr* **~ć, ~wać się** to take off one's shoes

zżarcie *sn* ↑ **zeżreć**

zżąć *vt perf* **zeżnę, zeżnie, zeżnij, zżął, zżęła, zżęty** — **zżynać** *vt imperf* (*za pomocą sierpa*) to reap (corn) with a sickle; (*za pomocą kosy*) to mow

zżerać *zob.* **zeżreć**
zżęcie *sn* ↑ **zżąć**
zżółk|nąć *vi perf* ~**ł**, **zżółk|nieć** *vi perf* ~**nieje** to become <to grow, to turn> yellow
zżółknienie *sn* 1. ↑ **zżółknieć** 2. (*plama*) yellow spot <stain, patch>
zżu|ć *vt perf* ~**je**, ~**ty** — **zżu|wać** *vt imperf* to chew; *przen.* ~**ć**, ~**wać gniew** to restrain one's fury
zżycie (się) *sn* ↑ **zżyć się**
zży|ć się *vr perf* ~**je się** — **zży|wać się** *vr imperf* 1. (*przyzwyczaić się*) to grow accustomed to <to become familiar with> (one's surroundings etc.); to gain a footing (**z kolegami** among one's colleagues); **oni się** ~**li z sobą** they are <were> a good team 2. (*pogodzić się z czymś*) to reconcile oneself (**z czymś** to sth)
zżym|ać się *vr imperf* — **zżym|nąć się** *vr perf* 1. (*wzdrygać się*) to screw up one's face; to flinch; ~**ać**, ~**nąć się na zniewagę** <**ze wstydu**> to writhe under an insult <with shame> 2. (*okazywać gniew*) to bridle up; to flare up; to snarl
zżynać *zob.* **zżąć**
zżywać się *zob.* **zżyć się**

Ź

Ź, ź *sn* 1. (*litera*) the letter Ź, ź 2. (*głoska*) the sound ź
źdźiebełeczko [I] *sn dim* ↑ **źdźiebełko** [III] *adv* a tiny little bit
źdźiebełko [I] *sn* 1. (*małe źdźbło*) tiny stalk (of corn) <blade (of grass)> 2. (*odrobina*) speck; atom (of truth etc.) [III] *adv* just a little; somewhat
źdźieblarz *sm zool.* (*Cephus*) cephid; saw-fly
źdźieblarzowate *spl zool.* (*Cephidae*) (*rodzina*) the family Cephidae
źdźierca *sm* (*decl* = *sf*) = **zdzierca**
źdźb|ło *sn pl G.* ~**eł** 1. *bot.* stalk (of corn); blade (of grass) 2. (*odrobina*) trifle; a grain; a little; **ani** ~**ła** not a bit; not an atom; *bibl.* ~**ło w oku bliźniego** the mote in one's brother's eye
źdźbłow|y *adj* **rdza** ~**a** (*Puccinia graminium*) the fungus causing wheat rust
źle *adv* 1. (*nienależycie*) badly; wrong; ill; indifferently; improperly; imperfectly; mis- (+ *czasownik*); ill- (+ *imiesłów bierny*); **mieć** ~ **w głowie** to be crazy; ~ **czynić** to do ill <wrong>; ~ **obliczyć** to miscalculate; ~ **przetłumaczyć** to mistranslate; (*w jakiejś sytuacji*) ~ **się czuć** to feel ill at ease; ~ **się zachować** to misbehave; ~ **ukryta radość** ill-concealed joy; **to** ~! (that's) too bad! 2. (*fałszywie*) falsely; mistakenly; **on to** ~ **zrozumiał** a) (*wziął to ze złej strony*) he took it amiss <in bad part> b) (*fałszywie zrozumiał*) he misunderstood it 3. (*niezdrowo*) poorly; ill; ~ **się czuć** to feel ill; ~ **wyglądać** to look poorly; **z nim jest** ~ he is in a bad way 4. (*skąpo*) insufficiently; scantily 5. (*niepochlebnie*) unfavourably; ill; evil; ~ **kogoś sądzić** to have a poor <low> opinion of sb; ~ **o kimś mówić** to speak ill <evil> of sb 6. (*niepomyślnie*) unpropitiously; **tak** ~ **chyba nie będzie** I don't think it will be so bad as all that; **tak** ~ **jak jeszcze nie było** worse than ever; ~ **mu się powodzi** he is doing badly; he is up against it; ~ **na tym wyszedł** he lost by it; he is <was> the loser; ~ **się działo** things were in a bad way <looked bad, grim>; ~ **z tobą będzie** it will go ill <hard> with you 7. (*smutno*) sadly; ~ **mi jest bez ciebie** I am sad <unhappy> away from you 8. (*wrogo*) with ill will; in an unfriendly manner; **on mi** ~ **życzy** he is ill-disposed <unfriendly> towards me; ~ **mu patrzy z oczu** he does not inspire confidence 9. (*równoważnik zdania — jest źle*) bad job!; **tak** ~ **i tak niedobrze** we are in a cleft stick
źleb *sm G.* ~**u** = **żleb**
źrebaczek *sm dim* ↑ **źrebak**
źrebak *sm* 1. (*konik*) colt 2. *pl* ~**i** (*futro*) coltskins; pony-skins
źrebiątko *sn dim* ↑ **źrebię**
źrebica *sf* filly
źrebić się *vr imperf* to foal
źrebię *sn* foal; colt
źrebięcina *sf* colt's flesh
źrebięcy *adj* colt's
źrebna *adj* in <with> foal
źrenic|a *sf anat.* pupil; *przen.* **była mu** ~**ą oka** she was the apple of his eye; **strzec czegoś jak** ~**y oka** to cherish sth like the apple of one's eye
źrenicowy <**źreniczny**> *adj anat.* pupillary
źródełko *sn* (*dim* ↑ **źródło**) springlet
źródlany *adj* spring — (water)
źródlisko *sn* well-head
źród|ło *sn pl G.* ~**eł** 1. (*początek rzeki*) spring; source; well; fountain-head; **gorące** ~**ła** hot springs; thermae; **rzeka bierze** ~**ło w górach** the river takes its source <rise> in the mountains 2. *przen.* (*punkt wyjścia czegoś*) source (of income, power, heat etc.); origin <root> (of an evil etc.); **niewyczerpane** ~**ło wiadomości** <**anegdot itd.**> an inexhaustible source of information <anecdotes etc.>; *dosł. i przen.* **mieć swoje** ~**ło w czymś** to rise <to spring> from sth; **mieć wiadomość z dobrego** <**poważnego**> ~**ła** to have one's information on good authority <from a good source, from a reliable quarter> 3. (*materiały do badań*) source(s); authorities
źródłosł|ów † *sm G.* ~**owu** 1. (*część wyrazu*) root <radical> (of a word) 2. (*pochodzenie wyrazu*) etymology
źródłowo *adv* according to the best authorities <sources>
źródłowy *adj* 1. (*dotyczący źródła wody*) spring — (water) 2. (*oparty na źródłach*) based on authority
źródłoznawcz|y *adj* **publikacje** ~**e** source-books

Ż

Ż, ż *sn* 1. (*litera*) the letter Ż, ż 2. (*głoska*) the sound ż

żaba *sf zool.* (*Rana*) frog; **człowiek ~** frogman

żabi *adj* frog's; *zool.* batrachian; **~ skrzek** frog-spawn

żabienica *sf bot.* (*Echinodorus*) burhead

żabie|niec *sm G.* **~ńca** *bot.* (*Alisma*) water-plantain

żabieńcowat|y *bot.* [I] *adj* alismaceous [III] *spl* **~e** (*Alismataceae*) (*rodzina*) the family Alismataceae

żabiściek *sm G.* **~u** *bot.* (*Hydrocharis morus-ranae*) frogbit, frog's-bit

żabiściekowat|y *bot.* [I] *adj* hydrocharitaceous [III] *spl* **~e** (*Hydrocharitaceae*) (*rodzina*) the family Hydrocharitaceae

żab|ka *sf pl G.* **~ek** 1. *dim* ↑ **żaba**; *zool.* **~ka drzewna** <**zielona**> (*Hyla arborea*) tree-toad 2. *techn.* clip; tingle; latchet 3. *muz.* heel (of a violin bow) 4. *sport* breast stroke 5. (*klucz ślusarski*) pipe tongs 6. *wet.* frog 7. (*petarda*) jumping cracker

żabkar|ka *sf pl G.* **~ek, żabkarz** *sm sport* breast-stroke swimmer

żabnica *sf zool.* (*Lophius piscatorius*) angler, monkfish

żabnicowate *spl* (*decl* = *adj*) *zool.* (*Lophiidae*) (*rodzina*) the lophiids

żabocik *sm dim* ↑ **żabot**

żabojad *sm* frog-eater

żabot *sm G.* **~u** jabot; frill; ruffle

żabotowy *adj* frilled

żabsko *sn augment* ↑ **żaba**

żachnąć się *vr perf* — **żachać się** *vr imperf* to bridle up; to toss one's head; to miff <to shy> (**na kogoś, coś** at sb, sth)

żachnięcie (**się**) *sn* (↑ **żachnąć się**) flounce

żachw|a *sf zool.* ascidian, sea-squirt; *pl* **~y** (*Ascidiae*) (*gromada*) the ascidians

żaczek *sm dim* ↑ **żak**[1]

żad|en *m*, **żad|na** *f*, **żadne** *n*, *G.* **~nego** *m n*, **~nej** *f* [I] *pron* 1. (*ani jeden*) no; not any; *emf.* no ... whatever; **nie mam ~nych pretensji** I have no <I haven't any> complaints to make; **to nie ma ~nego znaczenia** it has no importance whatever; **w ~en sposób nie mogłem ...** try as I might, I couldn't ...; **pod ~nym pozorem, w ~nym wypadku** under no circumstances; in no case; **w ~en sposób, ~ną miarą** by no means; **za ~ne pieniądze** not for the world 2. (*w zastępstwie rzeczownika uprzednio wypowiedzianego*) none; not any; (*ani ten, ani tamten*) neither; **który z tych dwóch obrazów jest prawdziwy? — Żaden** which of these two pictures is genuine? — Neither; **oni żądali pieniędzy, a ja nie miałem ~nych** <**nie dałem im ~nych**> they wanted some money and I had none <did not give them any> 3. (*nic nie wart*) no (+ *rzeczownik*); **polityk ze mnie ~en** I am no politician; **to ~na pociecha** that is a poor consolation [III] *sm* **~en** nobody; no one; **~en się nie odwrócił** nobody <no one> looked round

żag|iel *sm G.* **~la** 1. *mar.* sail; **~iel gniezdny** top-sail; **~iel pomocniczy** studding-sail; **~iel rozprzowy** spritsail; **~iel styczny** sky-sail; **~iel sztormowy** storm-sail; **rozwinąć ~le** to get under sail; **skracać ~le** to take in sail; *dosł. i przen.* **zwinąć ~le** to haul in one's sails; **na pełnych ~lach, pod pełnymi ~lami** full sail; **z rozwiniętymi ~lami** under canvas 2. *arch.* = **żagielek** 2.

żagiel|ek *sm G.* **~ka** 1. (*dim* ↑ **żagiel**) *mar.* tiny sail 2. *arch.* scoinson <squinch> arch; pendentive; panache 3. *bot.* vexillum

żagielkow|y *adj arch.* **sklepienie ~e** scoinson <squinch> arch

żag|iew *sf G.* **~wi** 1. (*płonące polano*) fire-brand 2. *przen.* torch 3. *bot.* (*Polyporus*) bracket <shelf> fungus

żaglomistrz *sm mar.* sail-maker; sails

żaglować *vi imperf* to soar

żaglow|iec *sm G.* **~ca** 1. *mar.* sailing-ship; sailing-vessel; sail 2. *zool.* (*Histiophorus*) sail-fish

żaglownia *sf mar.* sail room

żaglowy *adj* sailing- (boat); sail- (cloth); **lot ~** soaring flight

żaglów|ka *sf pl G.* **~ek** sailing boat

żagnica *sf zool.* (*Aeschna*) a dragon-fly

żagwiowat|y *bot.* [I] *adj* polyporaceous [III] *spl* **~e** (*Polyporaceae*) (*rodzina*) the Polypores

żak[1] *sm hist.* schoolboy; student; abecedarian

żak[2] *sm ryb.* a type of fishing-net

żakard *sm G.* **~u** Jacquard loom

żakardowy *adj* Jacquard — (loom)

żakiecik *sm G.* **~a** <**~u**> *dim* ↑ **żakiet**

żakiet *sm G.* **~u** (*damski*) (costume) jacket; (*męski*) tail-coat; morning coat; cut-away (coat)

żakietowy *adj* **garnitur ~** tail-coat and striped trousers

żakowski *adj* schoolboy — (slang, pranks etc.)

żal *sm G.* **~u** 1. (*smutek*) sorrow; grief; **pogrążony w ~u** grief-stricken; **szczery** <**głęboki**> **~** heart-felt sorrow; **bardzo mi ~, że się tak stało** I am sorry about that; **nie wykazywał ~u** he was remorseless <impenitent>; **~ mi go** I am sorry for him; I pity him; **~ mi się go zrobiło** I felt sorry for him; my heart went out to him; **~ mu każdego grosza** he grudges every penny; **~ nam było odchodzić** we were sorry to leave 2. (*wyrzuty sumienia*) regret(s); compunction; remorse; *rel.* repentance; contrition; **okazywać ~ za grzechy** to repent one's sins 3. (*uraza*) rancour; ill-feeling; bitterness; grudge; soreness; **utajony ~** heart-burning; **czuć ~ do kogoś** to be full of rancour against sb; **mieć ~ do kogoś o coś** to bear sb a grudge <to have a grudge against sb> for sth; **nie ~ mi takich ludzi** I have no sympathy for such people 4. *pl* **~e** (*biadania*) lamentations; laments 5. (*tren*) threnody; *rel.* **gorzkie ~e** Lenten psalms

żalenie się *sn* (↑ **żalić się**) complaints; lamentations

żalić się *vr imperf* to complain; to lament

żalisko *sn* pagan burial-grounds

żalnik *sm* 1. (*cmentarz*) pagan burial-ground 2. (*popielnica*) cinerary urn

żaluzja *sf* (*okienna*) Venetian blind; persienne; jalousie; (*sklepowa*) shutter

żaluzjow|y *adj* ściany ~e louvre-boards

żałob|a *sf zw. singt* 1. (*smutek*) mourning; **dom ~y** house of mourning; **pokój ~y** death-chamber; **rodzina była pogrążona w ~ie** the family was plunged into mourning 2. (*ubiór*) mourning; **wdowia ~a** widow's weeds; **być w ~ie** to wear mourning; **okryć się ~ą z powodu czyjejś śmierci** to mourn for sb; **wdziać ~ę** to go into mourning 3. *żart. pot.* (*brud za paznokciami*) finger-nails in mourning

żałobliwie *adv* mournfully

żałobliwy *adj* mournful

żałobnica *sf* mourner

żałobnie *adv* 1. (*na znak żałoby*) as a sign of mourning 2. (*smutno*) plaintively; lugubriously

żałobnik *sm* 1. (*uczestnik pogrzebu*) mourner 2. (*karawaniarz*) undertaker's man 3. *zool.* (*Vanessa antiopa*) a nymphalid butterfly

żałobn|y *adj* mournful; plaintive; lugubrious; funeral (march etc.); requiem (mass); dead- (march, office); **opaska ~a** mourning-band; **pieśń ~a** threnody

żałosny *adj* 1. (*smutny*) plaintive; doleful; dismal 2. (*opłakany*) lamentable; piteous; pitiable; deplorable; wretched

żałość *sf singt* grief; sorrow

żałośliwie *adv* = **żałośnie**

żałośliwy *adj* = **żałosny**

żałośnie *adv* 1. (*smutno*) plaintively; dolefully; dismally 2. (*w sposób opłakany*) lamentably; piteously; pitiably; deplorably; wretchedly

żał|ować *v imperf* I *vt* 1. (*odczuwać żal*) to regret (**czegoś** sth); to be sorry (**czegoś** for sth); (*odczuwać smutek*) to moan <to mourn> (**kogoś, czyjegoś odejścia** for sb); (*współczuć*) to pity (**kogoś sb**); to be sorry (**kogoś for sb**) 2. (*odczuwać skruchę*) to regret (**czegoś** sth); to repent (**czegoś** sth <of sth>); to rue (**czegoś** sth) 3. (*skąpić*) to stint <to skimp, to scant> (**czegoś** sth); to grudge (**komuś czegoś** sb sth); **dawać coś nie ~ując** to give sth without stint <unstintingly>; **nie ~ować czegoś** to be unsparing <lavish, profuse> of sth; **nie ~ować trudu <wydatków>** to spare no pains <no expense>; **~ować sobie czegoś** to stint oneself of sth; **nie ~uj sobie jedzenia <picia>** make free with the food <the drinks>; eat <drink> away; **~ują mi każdego grosza** they grudge me every penny II *vi* 1. (*odczuwać żal*) to be sorry (**że się coś stało** that sth has happened); to regret (**że się coś zrobiło <czegoś nie zrobiło>** having done <not having done> sth); **~uj, żeś tego nie widział** it's a pity you didn't see that 2. (*odczuwać skruchę*) to repent (**że się coś zrobiło <czegoś nie zrobiło>** having done <not having done> sth) 3. (*skąpić*) to stint (**sobie dla dzieci** oneself for one's children)

żandarm *sm* gendarme; *wojsk.* military policeman

żandarmeri|a *sf pl G.* ~i gendarmerie; *wojsk.* military police

żank|iel *sm G.* ~la *bot.* (*Sanicula*) sanicle

żar *sm G.* ~u 1. (*rozpalony węgiel*) glowing embers 2. (*gorąco*) heat; swelter; (*gorączka*) fever; (*wypieki*) flush; glow 3. *przen.* (*ogień namiętności*) fervour; ardour; fire; flame (of passion); **z ~em** heatedly; spiritedly

żarcie *sn* 1. ↑ **żreć** 2. *singt pot.* grub; scram; scoff; *am.* dub

żarcik *sm* (*dim* ↑ **żart**) little joke

żardyniera *sf* jardinière; flower-stand

żargon *sm G.* ~u 1. (*język środowiska*) jargon; gibberish; cant; patter; lingo; slang 2. † Yiddish

żargonowy *adj* cant — (phrase etc.)

żarliwie *adv* fervently; ardently; earnestly; jealously

żarliw|iec *sm G.* ~ca zealot

żarliwość *sf singt* fervour; ardour; earnestness; zeal

żarliwy *adj* fervent; ardent; earnest; zealous

żarłacz *sm* shark; *zool.* (*Galeus*) tope

żarło *sn singt pot.* grub

żarłocznie *adv* voraciously; gluttonously; greedily; piggishly; **jeść ~** to wolf down one's food; *pot.* to slummock

żarłoczność *sf singt* voracity; gluttony; greediness; piggishness

żarłoczny *adj* voracious; gluttonous; greedy; piggish

żarłok *sm* glutton; gross feeder; greedy-guts

żar|na *spl G.* ~en quern; hand-mill; **kamień do ~en** quern-stone

żarnik *sm* 1. *elektr.* filament 2. *bot.* (*Phlomis*) phlomis

żarnow|iec *sm G.* ~ca *bot.* (*Sarothamnus scoparius*) broom

żarnowy *adj* quern- (stone etc.)

żarnów|ka *sf pl G.* ~ek *gw.* quern-ground meal

żaroodporny *adj* heat-proof; resistant to heat

żarów|ka *sf pl G.* ~ek (electric) bulb

żarówkowy *adj* electric-bulb — (manufacture etc.)

żart *sm G.* ~u joke; jest; quip; leg-pull; *pl* ~y banter; pleasantries; badinage; **gruby <tłusty> ~** coarse joke; **niewybredne ~y** horseplay; **wolne ~y** you're not serious; **mówił pół ~em, pół gniewnie** he was half joking half angry; **obrócić coś w ~** to make a jest of sth; to treat sth as a joke; **on się zna <nie zna> na ~ach** he knows <he doesn't know> how to take a joke; **stroić (sobie) ~y z czegoś** to trifle with sth; **stroić (sobie) ~y z kogoś** to poke fun at sb; to pull sb's leg; **to nie ~y** it's no joke <no laughing matter>; **trzymają się go ~y** he is wont to joke <to play tricks>; he *will* have his bit of fun; **ze mną <z nim itd.> nie ma ~ów** I'm not <he isn't etc.> to be trifled with; **~ ~em, ~y na bok** joking apart; **dla ~u** for fun; by way of a joke; **nie na ~y** in good earnest; with a vengeance; **~em** in jest; in play; in sport

żartobliwie *adv* jokingly; in jest; facetiously; jocosely; playfully; waggishly

żartobliwość *sf singt* facetiousness; jocoseness; jocularity; playfulness; waggishness

żartobliwy *adj* facetious; jocose; playful; waggish

żart|ować *vi imperf* to joke <to jest> (**z kogoś, czegoś** about sb, sth); to be given to joking <jesting>; to make fun <sport> (**z kogoś, czegoś** of sb, sth); to poke fun (**z kogoś** at sb); to trifle (**z kogoś, czegoś** with sb, sth); **nie trzeba ~ować z tych rzeczy** those things aren't to be trifled with; **nie ~ować** to be earnest <quite serious>; **~ujesz** you're pulling my leg

żartowanie *sn* 1. ↑ **żartować** 2. (*żarty*) jokes; jests; trifles

żartownisia *sf*, **żartowniś** *sm* jester; joker; wag

żarzarnia *sf*, **żarzelnia** *sf techn.* annealing furnace

żarzenie *sn* 1. ↑ **żarzyć** 2. **~ się** glow; incandescence

żarzeniowy *adj* incandescent

żarz|yć *v imperf* [I] *vt* to anneal [III] *vr* **~yć się** to glow; to incandesce; **~ące się węgle** glowing embers

żąć *vt vi imperf* **żnę, żnie, żnij, żął, żęła, żęty** (*sierpem*) to reap (corn) with a sickle; (*kosą*) to mow

żąda|ć *vt imperf* (*domagać się*) to demand (**czegoś — zapłaty itd. od kogoś** sth — payment etc. from sb); to claim (**czegoś — uznania itd.** sth — recognition etc.); (*wymagać*) to exact (**czegoś** sth); to require (**czegoś od kogoś** sth of sb; **od kogoś, żeby coś zrobił** sb to do sth); (*w umowie itd.*) to stipulate <to postulate> (**czegoś** for sth); **~ć od kogoś ceny <kwoty> za coś** to ask <to charge> sb a price <sum> for sth; **~ć wyjaśnień od kogoś** to call sb to account; **~m, żebyś mi powiedział ...** I insist that you tell me ...

żądanie *sn* 1. ↑ **żądać** 2. (*wymaganie*) demand; claim; requirement; stipulation; **weksel płatny na ~** bill payable on demand; demand bill; **~ odszkodowania** claim for damages; **na własne ~** at one's own request; **na ~** on demand; on application; (*napis na przystanku*) if required; by request

żądełko *sn dim* ↑ **żądło**

żądlić *vt imperf* to sting

żąd|ło *sn pl G.* **~eł** (*u owada*) sting; dart; (*u węża*) fang

żądłów|ki *spl G.* **~ek** *zool.* (*Aculeata*) (*podrząd*) the suborder Aculeata

żądny *adj* avid <greedy, emulous> (of fame, honours etc.); eager (**powodzenia itd.** for success etc.)

żądz|a *sf* 1. (*pożądanie zmysłowe*) lust; concupiscence; sexual appetite 2. (*pragnienie*) craving (**czegoś** for sth); greed (**władzy itd.** for power etc.; **bogactw itd.** of wealth etc.); hankering (**czegoś** after <for> sth); **pałać ~ą czegoś** to long for sth

żąp *sm G.* **~ia** *górn.* sump; diphole

żbiczy *adj* wildcat's (claws etc.)

żbik *sm zool.* (*Felis silvestris*) wildcat

że *conj* 1. (*łączy zdania podrzędne z nadrzędnymi*) that; **wiem <widzę itd.> że to jest niemożliwe** I know <I see etc.> (that) it is impossible 2. (*uzasadnienie*) as; **że był bardzo gruby** as he was very stout; **że nie miał potomstwa ...** having no offspring ...; **dlatego, że** because 3. (*w związkach wyrazowych*) **ledwo że ...** hardly; **mimo że** although; **omal że nie** almost; **tyle że** only; **tylko że** only; merely; **nie tylko że ...** not only ...; **że nie wspomnę o ...** not to mention ...; **że się tak wyrażę** if you will allow me the expression; **że tak powiem** so to say; as it were

-że, -ż *partykuła wzmacniająca*: do ...; (*wyraża zniecierpliwienie*) I wish ...; hurry up and ...; **powiedzże mi ...** do tell me ...; **przeprośże ją** hurry up and apologize; **przestańże** I wish you would stop that; **siadajże** do sit down

żeber|ko *sn pl G.* **~ek** 1. *dim* ↑ **żebro** 2. (*zw. pl*) *kulin.* ribs 3. *bot.* rib (of a leaf etc.) 4. *kolej.* side-track

żeberkowany *adj* ribbed

żeberkowaty *adj* ribbed (leaf etc.)

żeberkowy *adj techn.* finned (tube etc.); gilled (cylinder etc.)

żebractwo *sn* 1. (*żebranie*) begging; beggary; mendicity 2. (*żebracy*) beggars; mendicants

żebracz|ka *sf pl G.* **~ek** beggar-woman; pauper

żebraczy *adj* beggar's (staff etc.); *przen.* **kij ~** beggary; **chodzić o kiju ~m** to beg one's bread; *rel.* **Zakon ~** mendicant order

żeb|rać *vi imperf* **~rze** 1. (*uprawiać żebractwo*) to beg one's bread; to go (a-)begging 2. *przen.* (*usilnie prosić*) to beg (**o coś** for sth)

żebrak *sm* beggar; pauper; mendicant

żebranina *sf* 1. (*żebranie*) begging 2. (*jałmużna*) alms

żeb|ro *sn pl G.* **~er** 1. *anat. zool.* rib; **zajechać komuś pod piąte ~ro** a) (*dźgnąć*) to smite sb under the fifth rib b) (*dokuczyć*) to cut sb to the quick 2. *bud.* rib; fin; groin; fillet 3. *bot.* rib (of a leaf) 4. *techn.* rib; fin

żebropław *sm* ctenophoran; *zool. pl* **~y** (*Ctenophora*) the phylum Ctenophora

żebrować *vt imperf techn.* to rib

żebrowanie *sn* 1. ↑ **żebrować** 2. *bud. techn.* (the) ribbing

żebrowany [I] *pp* ↑ **żebrować** [III] *adj bud. techn.* ribbed

żebrowaty *adj* ribbed

żebrowy *adj bud. techn.* ribbed; finned

żebry *spl pot.* begging; **chodzić na ~** to go (a-)begging; to beg one's bread

żebrzyca *sf bot.* (*Seseli*) meadow saxifrage

żeby *conj* 1. (*cel*) in order to; to (+ *bezokolicznik*); in order that (one) may ...; **~ wyzdrowieć** in order to regain one's health; to regain one's health; in order that one may regain one's health 2. (*gdyby*) if; **~ nie ...** if it were not for ...; were it not for ...; **~ nie ten wypadek** if it were not <were it not> for that accident 3. (*choćby*) if; **chyba ~** unless; **przyjadę, chyba ~m zachorował** I shall come unless I fall ill; **~m miał trupem paść muszę ...** if I were to fall dead I must ... 4. (*oby*) may (he, they etc.); **~ go diabli wzięli** may he go to the devil; **~ (tak) już (wreszcie) skończył** I wish (to God) he would stop 5. (*rozkaz*) see <mind> that ...; **chciałbym ~ś poszedł** I would like you to go; **~ się to nie powtórzyło** see <mind> that this doesn't happen again || **~ choć ...** if only ...; **~ choć jedno słówko powiedział** if only he had said a single word; **~ nie wiem co** by hook or by crook; **~ tylko ...** if only; **~ to!** if that could only be!

żegad|ło *sn pl G.* **~eł** 1. (*narzędzie do kłucia*) pig-sticker 2. *med.* (*kauter*) cautery

żegaw|ka *sf pl G.* **~ek** *bot.* (*Urtica urens*) small nettle

żeglar|ek *sm G.* **~ka** *zool.* 1. (*Argonauta argo*) pearly nautilus 2. (*Papilio padalirius*) a papilionid

żeglar|ka *sf pl G.* **~ek** seawoman; yachtswoman

żeglarsk|i *adj* nautical; seaman's (life etc.); **sport ~i** yachting; **sztuka ~a** seamanship

żeglarstwo *sn* 1. (*sport*) sailoring; seafaring; yachting 2. (*wiedza*) seamanship

żeglarz *sm* 1. *mar.* sailor; seaman; seafarer; mariner 2. *zool.* = **żeglarek** 2.

żeglować *vi imperf* to sail; to navigate

żeglowanie *sn* (↑ **żeglować**) sailoring; navigation

żeglowność *sf singt* navigability
żeglowny *adj* navigable
żeglug|a *sf singt* navigation; seafaring; sailing; shipping; the shipping trade; **~a powietrzna** aerial navigation; (*o drogach wodnych*) **nadający się do ~i** navigable; (*o statku*) **zdatny do ~i morskiej** seaworthy
żeglugowy *adj* shipping _ (company etc.); navigation _ (laws etc.)
żegna|ć *v imperf* [I] *vt* 1. (*rozstawać się*) to bid (sb) good-bye <farewell>; (*na dworcu, lotnisku itd.*) **~ć odjeżdżającego** to see (sb) off; **~j(cie)!** good-bye!; farewell!; *iron.* **~m pana** I won't detain <keep> you (any longer) 2. (*błogosławić*) to bless (sb); to make the sign of the cross (**kogoś** on <over> sb) [II] *vr* **~ć się** 1. (*rozstawać się*) to take (one's) leave (**z kimś** of sb); to bid (**z kimś** sb) good-bye <farewell>; to take one's departure 2. (*kreślić znak krzyża*) to cross oneself; to make the sign of the cross
żego|tać *vi imperf* **~cze** <**~ce**> *gw.* to croak
żel[1] *sm G.* **~u** *chem.* gel
żel[2] *sm* (*zw. pl*) cymbal(s)
żelastwo *sn* scrap-iron; junk
żelatyna *sf* gelatin(e); isinglass; **~ wybuchowa** blasting gelatin
żelatynować *vi imperf chem.* to gelatinate; to gelatinize
żelatynowy *adj* gelatine _ (solution, paper etc.)
żelazawy *adj chem.* ferrous
żelaziak *sm miner.* iron ore
żelazian *sm G.* **~u** *chem.* ferrite
żelazica *sf med.* siderosis
żelazicowy *adj med.* siderotic
żelazisty *adj* irony; *chem.* ferruginous; chalybeate
żelaziwo *sn* scrap-iron; junk
żelaz|ko *sn pl G.* **~ek** 1. *techn.* jointer; edger; *stol.* cutting iron 2. (*do prasowania*) (flat-)iron
żelazn|y *adj* 1. (*zawierający żelazo, zrobiony z żelaza*) iron _ (ore, foundry, pipe, *med.* lung etc.); **bajka o ~ym wilku** cock-and-bull story; *geol.* **epoka ~a** iron age; **list ~y** safe conduct; *bot.* **liście ~e** (*Aspidistra lurida*) aspidistra, cast-iron plant; **sklep ~y** ironmonger's shop; **towary ~e** ironmongery; hardware (goods); **~a kurtyna** a) *dosł.* fire-proof curtain b) *przen.* iron curtain 2. *przen.* firm; iron _ (will, constitution, hand etc.); **~a racja** iron ration; **~e kleszcze** grip of steel; **~y kapitał** reserve fund; **~y repertuar** stock (of a theatre company); **~y student** perpetual student; **rządzić ~ą ręką** to rule with a rod of iron; **z ~ą konsekwencją** unswervingly 3. (*koloru żelaza*) iron-grey
żelaz|o *sn* 1. *singt chem. metalurg.* iron; *geol.* **epoka ~a** iron age; **kute ~o** wrought iron; **lane ~o** cast iron; *przen.* (*o człowieku*) **jak z ~a** (man) of iron; *przysł.* **kuj ~o, póki gorące** strike while the iron is hot; make hay while the sun shines 2. (*przedmiot żelazny*) (branding, cauterizing, smoothing etc.) iron; **~a włazowe** climbing-irons 3. (*łapka*) spring-trap 4. (*zbroja rycerska*) armour; steel; **rycerz (zakuty) w ~o** steel-clad knight
żelazobeton *sm G.* **~u** reinforced concrete; ferro-concrete
żelazobetonow|iec *sm G.* **~ca** *bud.* ferro-concrete construction
żelazobetonowy *adj* ferro-concrete _ (construction etc.)
żelazochrom *sm singt G.* **~u** *techn.* ferro-chromium
żelazocyjan|ek *sm singt G.* **~ku** *chem.* ferrocyanide
żelazodajny *adj* ferruginous
żelazofosfor *sm singt G.* **~u** *techn.* ferro-phosphorus
żelazokrzem *sm singt G.* **~u** *techn.* ferro-silicon
żelazomangan *sm singt G.* **~u** *techn.* ferro-manganese
żelazomolibden *sm singt G.* **~u** *techn.* ferro-molybdenum
żelazoryt *sm G.* **~u** (an) iron engraving
żelazorytnictwo *sn singt* iron engraving
żelazostop *sm G.* **~u** *techn.* ferro-alloy
żelazowanad *sm singt G.* **~u** *techn.* ferro-vanadium
żelazowce *spl chem.* iron group
żelazowolfram *sm singt G.* **~u** *techn.* ferro-tungsten
żelazowy *adj chem.* ferric
żelbeciarz *sm* specialist in reinforced-concrete constructions
żelbet *sm singt G.* **~u, żelbeton** *sm singt G.* **~u** *bud.* reinforced concrete
żelbetonowiec *sm* = **żelazobetonowiec**
żelbetowy *adj* (girder etc.) of reinforced concrete
żeleźniak *sm* 1. *gw.* (*garnek*) cast-iron kettle <pot> 2. (*wóz*) cart with iron-rimmed wheels 3. *bot.* (*Phlomis*) phlomis
żeliwiak *sm techn.* cupola (-furnace)
żeliwiakowy [I] *adj techn.* cupola _ (feeder etc.) [II] *sm* cupolaman
żeliwny *adj techn.* cast-iron _ (stove, pot etc.)
żeliwo *sn singt techn.* cast iron
żelować *vt imperf chem. techn.* to gelatinate
żelowanie *sn* (↑ **żelować**) gelation
żenad|a † *sf obecnie w zwrocie*: **bez ~y** unceremoniously; free and easy
żeniacz|ka *sf pl G.* **~ek** *pot.* marriage; matrimony
żenić *v imperf* [I] *vt* to marry (**kogoś z kimś** sb to sb) [II] *vr* **~ się** to marry (**z kimś** sb); **bogato się ~** to make a good match; to marry money
żeniec *sm G.* **żeńca** reaper; harvester
żenisz|ek *sm G.* **~ka** *bot.* (*Ageratum*) ageratum
żenować *v imperf* [I] *vt* to embarrass; to disconcert; to nonplus [II] *vr* **~ się** to be <to feel> embarrassed <disconcerted, ill at ease>
żenująco *adv* embarrassingly
żeński *adj* 1. (*dotyczący kobiet*) women's (club, choir etc.); female (sex, voice etc.); girls' (school etc.); *jęz.* feminine (gender) 2. (*dotyczący zwierząt*) female; *bot.* female <pistillate> (flower)
żeńskość *sf* femininity
żeń-sze|ń *sm G.* **~nia** *bot.* (*Panax ginseng*) ginseng
żer *sm G.* **~u** 1. (*czynność jedzenia*) feeding 2. *przen.* (*łup, pastwa*) prey; **być danym na ~ dla ...** to fall a prey to ...; to become the prey of ... 3. (*pożywienie zwierzęcia*) food; quarry
żerdka *sf* (*dim* ↑ **żerdź**) pole
żerdzian|ka *sf pl G.* **~ek** *zool.* (*Monochamus*) a cerambycid
żerdziany *adj* (fence etc.) of poles
żerdź *sf* 1. (*drąg*) pole; (*dla kur*) perch ‖ *techn.* **~ wiertnicza** (adjusting, bore, drill) rod

żeremie *sn* beaver lodge
żern|y *adj med.* **~a komórka** phagocyte
żerować *vi imperf* 1. (*o zwierzętach*) to feed; to raven 2. *przen.* (*o ludziach — wyzyskiwać*) to prey <to batten> (on sb, sth)
żerowisko *sn* feeding ground
żerowy *adj* feeding — (ground etc.)
żet *sn indecl* the letter ż
żeton *sm G.* **~u** 1. (*znaczek pamiątkowy*) badge 2. (*znaczek używany zamiast pieniędzy*) counter; fish
żęcie *sn* (↑ **żąć**) harvesting
żętyca *sf* whey of ewe's milk
żgać *vt imperf* — **żgnąć** *vt perf* to stab; to prod
żiga *sf muz.* jig
żigolak *sm* 1. (*płatny partner do tańca*) gigolo 2. (*płatny amant*) fancy-man
żleb *sm G.* **~u** gully; couloir
żłob|ek *sm G.* **~ka** 1. (*mały żłób*) small feeding trough 2. (*instytucja*) infants' <day> nursery; crèche 3. (*rowek*) slot; notch; flute (of a pillar)
żłobiar|ka *sf pl G.* **~ek** *techn.* trenching machine
żłobić *vt imperf* **żłób** to channel; to chamfer; to groove; to furrow
żłobienie *sn* (↑ **żłobić**) (a) channel; chamfer; groove; furrow
żłobik *sm* 1. *bot.* (*Corallorhiza*) coral root 2. (*narzędzie*) gouge
żłobina *sf arch.* flute (in a pillar)
żłobkar|ka *sf pl G.* **~ek** *techn.* groover; grooving machine
żłobkować *vt imperf* to gouge; to flute; to rabbet
żłobkowanie *sn* (↑ **żłobkować**) channeling; grooving
żłobkowaty *adj* grooved
żłobnik *sm techn.* gouge
żłop|ać *vt imperf* **~ie** — **żłop|nąć** *vt perf* (*o zwierzętach*) to lap; (*o ludziach*) to quaff; to guzzle
żłób *sm G.* **żłobu** 1. (*w stajni i oborze*) manger; feeding trough; crib 2. *przen. iron.* nice fat job; **być u żłobu** to have one's hand in the till 3. (*dolina, jar, żleb*) gully; trough 4. *górn.* trunk 5. *G.* **żłoba** *pot.* (*głupi człowiek*) blockhead
żłób|ek *sm G.* **~ka** *dial.* 1. = **żłobek** 1. 2. = **żłobek** 2.
żmii *adj* viper's (fang etc.); viperine
żmi|ja *sf pl G.* **~i** 1. *zool.* (*Vipera*) viper; adder 2. (*o człowieku*) viper; *przysł.* **wyhodować ~ję na własnym łonie** to nourish a viper in one's bosom
żmij|ka *sf pl G.* **~ek** 1. *dim* ↑ **żmija** 2. *zool.* (*Trachinus vipera*) lesser weever 3. *roln.* spiral gravity grain separator
żmijowaty *adj* viperish; colubrine; snake-like
żmijow|iec *sm G.* **~ca** 1. *bot.* (*Echium*) viper's-bugloss, blueweed 2. *miner.* serpentine
żmudnie *adv* arduously; laboriously; toilsomely; strenuously
żmudność *sf singt* arduousness; strenuousness
żmudn|y *adj* arduous; laborious; toilsome; strenuous; **~e zadanie** uphill task
Żmudzin *sm* (a) Samogitian
żmudzki *adj* Samogitian
żniwa *zob.* **żniwo**
żniwiar|ka *sf pl G.* **~ek** 1. (*kobieta*) harvester; reaper 2. (*maszyna*) harvester; reaper; reaping machine
żniwiarkowy *adj* (cutter etc.) of a reaping machine
żniwiarski *adj* reaper's <reapers'> (work etc.)
żniwny *adj* harvest — (time etc.); harvesting (brigade etc.)
żniw|o *sn* 1. *roln.* (*także pl* **~a**) harvest (*singt*) 2. *singt przen.* harvest (**nieszczęść itd.** of misery etc.); toll (**istnień ludzkich itd.** of human life etc.); **epidemia zebrała obfite ~o wśród ludności** the epidemic took a heavy toll of the inhabitants
żołąd|ek *sm G.* **~ka** *anat.* stomach; **ból ~ka** stomach-ache; **rozstrój ~ka** disordered stomach; **strusi ~ek** the digestion of an ostrich; **popsuć komuś ~ek** to spoil sb's digestion
żołądkować się *vr imperf pot.* to be ratty <snappish>; to fret; to fume
żołądkow|iec *sm G.* **~ca** *pot.* weak-stomached fellow
żołądkowy *adj* stomach- (pump, tube etc.); stomachic (vessels, action etc.); gastric (glands, juices, ulcer etc.)
żołądków|ka *sf pl G.* **~ek** bitter vodka relieving stomach trouble
żoł|ądź *sf G.* **~ędzi** *pl N.* **~ędzie** 1. *bot.* acorn; glans 2. *anat.* glans 3. † *karc.* club(s)
żołd *sm G.* **~u** pay; **być na czyimś ~dzie** to be in sb's pay <in sb's employ>
żołdack|i *adj* (lawlessness etc.) of the soldiery; ruffianly; barrack-room (expressions etc.); **po ~u** in barrack-room fashion
żołdactwo *sn pog.* the soldiery
żołdak *sm pog.* soldier; ruffian
żołędnica *sf zool.* (*Eliomys guercinus*) garden-dormouse
żołędzik *sm dim* ↑ **żołądź**
żołędziow|iec *sm G.* **~ca** *zool.* (*Curculip glandium*) a weevil
żołędziowy *adj* acorn — (cup etc.)
żołna *sf zool.* (*Merops*) bee-eater
żołnier|ka *sf pl G.* **~ek** 1. (*wojaczka*) soldiering 2. (*kobieta żołnierz*) woman soldier
żołniersk|i *adj* 1. (*dotyczący żołnierza*) soldier's (life etc.) 2. (*właściwy żołnierzowi*), soldierlike; soldierly; martial; **po ~u** in soldierly fashion; soldier-fashion
żołnierz *sm* 1. (*wojskowy*) soldier; warrior; **Grób Nieznanego Żołnierza** the Tomb of the Unknown Warrior; **ołowiani ~e** toy soldiers; **zginąć śmiercią ~a** to die a soldier's death 2. *pl* **~e** soldiers; (*w odróżnieniu od oficerów*) the men; the rank and file 3. *singt zbior.* (*wojsko*) the troops; the military
żołnierzyk *sm* (*dim* ↑ **żołnierz**) young soldier; **ołowiane ~i** toy soldiers
żołnierzysko *sm, sn augment* ↑ **żołnierz**
żon|a *sf* wife; **rodzina ~y** the in-laws; **pojąć <wziąć> za ~ę** to take sb to wife; **jak przystało na dobrą ~ę** in a wifely manner
żonaty [I] *adj* married; **ponownie ~** remarried [III] *sm* married <family> man
żongler *sm* 1. (*artysta cyrkowy*) juggler 2. *hist.* mediaeval entertainer
żongler|ka *sf pl G.* **~ek** 1. *singt* (*żonglowanie*) juggling; jugglery 2. (*kobieta żongler*) juggler-woman
żonglerski *adj* juggler's (feat etc.)
żonglerstwo *sn* juggling; jugglery
żonglować *vi imperf* to juggle

żonglowanie *sn* (↑ **żonglować**) jugglery
żoniny *adj*, **żonin** *adj* wife's
żonkil *sm bot.* 1. (*Narcissus jonquilla*) jonquil 2. (*Narcissus pseudonarcissus*) daffodil
żonkoś *sm* doting <uxorius> husband
żonobójca *sm* (*decl* = *sf*) murderer of one's wife; uxoricide
żonusia *sf* (*dim* ↑ **żona**) darling wife
żorżeta *sf tekst.* georgette
żółc|ić *v imperf* **~ę, ~ony** [I] *vt* to paint <to dye, to stain> yellow [II] *vr* **~ić się** = **żółcieć**
żółcie|ć *vi imperf* **~je** to become <to grow, to turn> yellow; to form a yellow patch <stain>; to show yellow
żółcień [I] *sf* yellow pigment <paint, dye> [II] *sm bot.* (*Curcuma*) curcuma
żółciopędny *adj med. farm.* cholagogue
żółciotwórczy *adj fizjol.* biligenic
żółciowo *adv* biliously; acrimoniously; harshly; bitingly; peevishly
żółciowy *adj* 1. *anat.* bile- (duct, stone etc.); gall- (bladder, stone etc.); biliary (colic, canal etc.) 2. *przen.* (*zgryźliwy*) bilious; acrimonious; harsh; biting; peevish
żółciuchny *adj*, **żółciutki** *adj* (*dim* ↑ **żółty**) perfectly <beautifully> yellow
żółcizna *sf* 1. (*barwa*) yellow colour 2. = **żółtaczka** 2.
żół|ć *sf* 1. *fizjol.* bile; gall 2. *przen.* (*złość*) gall; asperity; acrimony; harshness; peevishness; **bez ~ci** gall-less; **wylać swą ~ć na kogoś** to vent one's spleen on sb; **~ć burzyła się we mnie** my blood boiled
żółk|nąć *vi imperf* **~ł** to become <to grow, to turn> yellow
żółknięcie *sn* (↑ **żółknąć**) flavescence
żółtacz|ka *sf pl G.* **~ek** 1. *med.* jaundice; icterus; the yellows 2. *ogr.* icterus
żółtaczkowy *adj med.* icteric
żółtaw|iec *sm G.* **~ca** *zool.* (*Coliashyale*) a sulphur butterfly
żółtawo *adv* **odbijać się ~** to show yellowish
żółtawoblady *adj* yellowish pale
żółtawobrązowy *adj* yellowish-brown; filemot
żółtawobrunatny *adj* yellowish-tawny
żółtawobury *adj* yellowish-dun
żółtawoczerwony *adj* yellowish-red
żółtawosrebrzysty *adj* yellowish-silvery
żółtawoszary *adj* yellowish-grey
żółtawość *sf singt* yellowish colour
żółtawozielony *adj* yellowish-green
żółtawy *adj* yellowish; nankeen; (*o cerze*) sallow; **~ odcień** sallowness (of the complexion)
żółt|ek *sm G.* **~ka** *pog.* coloured chap <fellow>
żółt|ko *sf pl G.* **~ek** 1. (*substancja*) yolk; *biol.* vitellus 2. *pot.* (*kurtka*) yellow jacket
żółtkowy *adj* yolk- (bag, sac); *biol.* vitelline, vitellary
żółtlica *sf bot.* (*Galinsorga*) a plant of the genus Galinsorga
żółtnica *sf bot.* (*Maclura*) osage orange
żółto *adv* in yellow colour; **na łące było ~ od jaskrów** the meadow was yellow with buttercups; *przen.* **mieć ~ w dziobie** to be a callow youth
żółto- yellow-
żółtobiały *adj* yellow-white
żółtoblad|y *adj* yellow-pale; **~a twarz** sallow face
żółtobrody *adj* yellow-bearded
żółtobrunatny *adj* yellow-tawny
żółtobrzeg *sm*, **żółtobrzeż|ek** *sm G.* **~ka** *zool.* (*Dytiscus marginalis*) a water-beetle
żółtobury *adj* yellow-dun
żółtoczerwony *adj* yellow-red
żółtodzioby *adj* callow; unfledged
żółtodzi|ób *sm C.* **~oba** *pog.* callow youth; unlicked cub; fledgeling; *am.* sucker
żółtooki *adj* yellow-eyed
żółtopióry *adj* yellow-feathered
żółtoróżowy *adj* yellow-pink
żółtorudy *adj* yellow-red
żółtosiwy *adj* yellow-grey
żółtoskóry [I] *adj* yellow-skinned [II] *sm* yellow-skinned person
żółtoszary *adj* yellow-grey
żółtość *sf singt* yellow colour
żółtowłosy *adj* yellow-haired
żółtowoskowy *adj* yellow-waxy
żółtozielony *adj* (*kolor*) yellow-green
żółtoziem *sm G.* **~u** loess; loess-land
żółt|y *adj* yellow; *antrop.* xanthous; *anat.* **ciałko ~e** yellow body; **plamka ~a** yellow spot; **~a febra** yellow fever; **~a rasa** yellow race
żółw *sm G.* **~ia** *zool.* tortoise; turtle; **połów ~i** turtling; **~ morski** (sea) turtle
żółwi *adj* tortoise's <turtle's> (shield etc.); *przen.* **~e tempo** snail's pace
żółwiąt|ko *sn pl G.* **~ek** young tortoise <turtle>
żółwica *sf* female tortoise <turtle>
żółwio *adv* at a snail's pace
żółwiowy *adj* turtle- (soup etc.)
żrąco *adv* corrosively; **działać ~** to corrode
żrąc|y *adj* 1. (*o substancji, środku — gryzący*) corrosive; caustic; **~e działanie** corrosion 2. *przen.* (*zjadliwy*) mordant; caustic; biting (sarcasm etc.)
żreć *vi vt imperf* **żre, żryj, żarł, żarty** 1. (*o zwierzętach*) to eat; to feed; **koń żre więcej niż jest wart** the horse is eating its head off 2. *pot.* (*o ludziach*) to gobble; to devour (one's food) 3. (*trawić*) to corrode; to eat away (the cliffs etc.)
żreć się *vr imperf* 1. (*o psach itd.*) to bite each other 2. (*o ludziach*) to quarrel; to keep quarreling <squabbling, wrangling>; to be at feud
żron|ka *sf pl G.* **~ek** *zool.* (*Mutilla*) velvet ant
żuaw *sm* zouave
żuaw|ka † *sf pl G.* **~ek** (*staniczek damski*) zouave
żubr *sm* 1. *zool.* (*Bison bonasus*) aurochs 2. *przen.* die-hard Lithuanian conservatist
żubrowy *adj* aurochs's (hoofs etc.)
żubrów|ka *sf pl G.* **~ek** 1. *bot.* (*Hierchloe*) a sweet-scented grass 2. (*wódka*) a vodka flavoured with the sweet-scented grass Hierchloe
żubrząt|ko *sn pl G.* **~ek** aurochs's calf
żubrzy *adj* aurochs (population etc.)
żubrzyca *sf* aurochs cow
żuchwa *sf anat.* jaw; *zool.* mandible
żuchwowy *adj anat.* mandibular (nerve etc.)
żuci|e *sn* (↑ **żuć**) mastication; (the) chew; **guma do ~a** chewing-gum
żuczek *sm dim* ↑ **żuk**

żuć *vt vi imperf* **żuje, żuty** to chew; to masticate; to manducate

żuj|ka *sf pl G.* **~ek** *gw.* cud

żuk *sm zool.* (*Geotrupes*) dung beetle

żukowat|y [I] *adj* scarabaeid [II] *spl* **~e** (*Scarabaeidae*) (*rodzina*) the dung beetles

żukow|iec *sm G.* **~ca** gamasid; *spl* **~ce** *zool.* (*Gamasidae*) (*rodzina*) the family Gamasidae

żulik *sm pot.* rogue; swindler

żuław|a *sf geogr.* marshland; *pl* **~y** lowlands

żupa *sf* (*zw.* **~ solna**) salt-mine

żupan *sm* 1. (*ubiór*) Polish nobleman's national costume 2. *hist.* (*naczelnik*) district chief

żupani|a *sf G.* **~i** *hist.* district

żur *sm G.* **~u** *kulin.* a kind of sour soup

żuraw *sm G.* **~ia** 1. *zool.* (*Grus*) crane 2. (*przyrząd studzienny*) (well-) sweep 3. *techn.* crane; gantry; *kolej.* water-crane; *przen. żart.* **zapuszczać ~ia** to peep; to pry

żurawi *adj* crane's (nest, bill etc.)

żurawię *sn* young crane

żurawina *sf bot.* (*Oxycoccus*) cranberry

żurawinowy *adj* cranberry — (jam etc.)

żurawiowat|y [I] *adj* gruiform [II] *spl* **~e** *zool.* (*Gruiformes*) (*rząd*) the cranes

żur|ek *sm G.* **~ku** *dim* ↑ **żur**

żurfiks *sm G.* **~u** (an, sb's) at-home

żurnal *sm G.* **~u** fashion magazine; **jak z ~u** stylish; smart

żuż|el *sm G.* **~la** <**~lu**> 1. (*spieczony popiół*) slag; dross; clinker 2. *pl* **~le** (*węgle rozżarzone*) glowing embers 3. *sport* (*wyścigi*) cinder-track racing 4. *sport* (*tor*) cinder-track

żużlisty *adj* drossy; slaggy

żużlobeton *sm G.* **~u** *bud.* slag concrete

żużlotwórczy *adj* slag-forming

żużlować *v imperf* [I] *vt* to slag [II] *vr* **~ się** to slag (*vi*)

żużlowaty *adj* slaggy

żużlow|iec *sm G.* **~ca** *sport* cinder-track racer

żużlowy *adj* slag — (heap etc.); **sport ~** cinder-track racing; **tor ~** cinder-track

żużlów|ka *sf pl G.* **~ek** *sport* cinder-track racing motorcycle

żwacz *sm* 1. *anat.* (*mięsień*) masseter 2. *zool.* rumen; paunch

żwawo *adv* briskly; jauntily; apace

żwawość *sf singt* briskness; liveliness; sprightliness; jauntiness; chirpiness

żwawy *adj* brisk; lively; sprightly; spry; jaunty; chirpy

żwir *sm G.* **~u** gravel

żwir|ek *sm G.* **~ku** grit

żwirobeton *sm G.* **~u** *bud.* gravel concrete

żwirować *vt imperf* to gravel

żwirowaty *adj* gravelly; gritty

żwirow|iec *sm G.* **~ca** *zool.* (*Glareola pratincola*) pratincole

żwirowisko *sn* gravel heap

żwirownia *sf* gravel-pit

żwirowy *adj* gravelly (soil etc.)

życica *sf bot.* (*Lolium*) darnel

życi|e *sn singt* 1. (*bycie żywym*) life; **~e płodowe** uterine life; **~e utajone** dormant life; **budzić się do ~a** to come to life; **jego ~e zamiera** his life is ebbing away; **tchnąć ~e w kogoś, coś** to endow sb, sth with life; to vitalize sb, sth 2. (*istnienie*) existence; life; lifetime; **kwestia ~a i śmierci** a matter of life and death; a vital question; (*na dłoni*) **linia ~a** life line; **nowe ~e** revival; resurgence; **praca całego ~a** (sb's) life-work; **śmierć za ~a** a living death; **środki do ~a** livelihood; **twarda szkoła ~a** a stern school of life; **walka na śmierć i ~e** life-and-death struggle; **~e osobiste** private affairs; **~e pozagrobowe** after-life; **będący przy ~u** alive; living; in existence; **trwający całe ~e** lifelong; **wzięty z ~a** taken from life; **zdolny do ~a** viable; **dać ~e komuś** to give birth to sb; **darować ~e** a) (*komuś*) to spare (sb's) life b) (*pokonanym*) to give quarter (to the vanquished); **kochać ~e** to hold life dear; **kochał ją nad ~e** she was all in all to him; **leć <pędź>, jeśli ci ~e miłe** run for dear life; **powołać coś do ~a** to bring sth to life <into existence>; **pozbawić kogoś ~a** to take away sb's life; **prowadzić rozwiązłe <wygodne itd.> ~e** to lead a life of dissipation <of ease etc.>; **przyjść do ~a** to spring into being; **przywrócić komuś ~e** to bring sb back to life; to give sb a new lease of life; **ujść z ~em** to escape with one's life; **utrzymać kogoś, coś przy ~u** to keep sb, sth alive; **wejść w ~e** to come into force; to become effective; **wprowadzić coś w ~e** to carry sth into effect <into operation>; to implement (a treaty etc.); **wystarczy tego do końca naszego ~a** this will last our time; **zakończyć ~e** to end one's days; **złożyć ~e w ofierze** to lay down one's life (for a cause etc.); **zostać przy ~u** to survive; **nikt nie został przy ~u** there were no survivals; **na całe ~e** for life; **po najdłuższym ~u** please God; *żart.* please the pigs; **póki ~a** as long as I live; **za ~a** in (one's) lifetime; **za czyjegoś ~a** in sb's lifetime; **nigdy w życiu!** not on your life! 3. (*ożywienie*) life; animation; go; ginger; *am. pot.* pep; **bez ~a** lifeless; nerveless; spiritless; **pełen ~a** vivacious; lively; (*o dziewczynie*) bouncing; **tam ~e wre** the place is full of life <throbbing with activity>; **z ~em, panowie!** put a zip into it, my friends! 4. (*utrzymanie*) upkeep; living; **pracować na ~e** to earn one's living

życiodajny *adj* vivifying; enlivening; life-giving; **duch ~** animus; animating spirit

życiodawca *sm* (*decl* = *sf*), **życiodawczyni** *sf* begetter

życiorys *sm G.* **~u** (auto)biography; life-sketch; life-history; memoir

życiorysowy *adj* biographical

życiowo *adv* practically; with worldly wisdom

życiow|y *adj* 1. (*związany z życiem organicznym*) biological; vital; **procesy ~e** vital functions 2. (*dotyczący warunków istnienia*) (conditions, realities etc.) of life; living (standard etc.); **postawa ~a** outlook on life; **rozbitek ~y** human wreck 3. *pot.* (*praktyczny*) worldly-wise; practical; canny

życzący † *adj jęz.* (*o trybie*) optative

życzeni|e *sn* 1. ↑ **życzyć; pozostawiający wiele do ~a pod względem jakości <smaku itd.>** none too good <tasteful etc.>; **to pozostawia niemało do**

~a there is room for improvement; **to pozostawia wiele do ~a** it leaves much to be desired 2. (*pragnienie*) desire; wish; **jakie masz ~e?** what is your wish?; **liczyć się z czyimś ~em** to consult sb's pleasure; **na czyjeś ~e** at <by> sb's desire <request>; **na ~e** on application; **stosownie do ~a** as requested 3. *pl* **~a** (*formułka grzecznościowa*)' wishes; (New Year's, Christmas etc.) greetings <compliments>; the compliments of the season; **żona i dzieci dołączają się do moich życzeń** my wife and children unite with me in sending you our best wishes

życzliwie *adv* kindly; in a friendly manner; in a kindly spirit; warm-heartedly; good-naturedly; sympathetically; benevolently; with goodwill

życzliwoś|ć *sf* kindness; friendliness; warm-heartedness; goodwill; **cieszyć się czyjąś ~cią** to be in favour with sb

życzliwy [I] *adj* (*o czyimś usposobieniu*) friendly; well-wishing; kind-hearted; warm-hearted; kindly; (*o czyimś ustosunkowaniu się*) kindly <sympathetic, well-disposed> (**do kogoś, czegoś** to sb, sth) [III] *sm* well-wisher

życz|yć *v imperf* [I] *vt* 1. (*pragnąć*) (*w zwrocie:* **~yć sobie**) to wish (**czegoś** sth <for sth>; **coś zrobić** to do sth; **żeby ktoś coś zrobił** sb to do sth); to desire (**czegoś** sth; **czegoś od kogoś** sth of sb; **coś zrobić** to do sth; **żeby ktoś coś zrobił** sb to do sth); **czego pan sobie ~y?** a) (*w biurze, urzędzie*) what is your business?; what can I do for you? b) (*w sklepie*) can I help you?; **nie ~ę mu nic złego** I don't wish him ill; **nie ~ę sobie, żeby mi dzieci deptały grządki <żeby ktokolwiek ruszał te rzeczy itd.>** I won't have the children trample my flower-beds <anybody touch these objects etc.>; **ona ma wszystko, czego kobieta może sobie ~yć** she has everything a woman can wish for 2. (*winszować*) to wish (**komuś szczęścia <szczęśliwego Nowego Roku itd.>** sb luck <a happy New Year etc.>); **~ę ci wszystkiego najlepszego** I wish you the best of luck [III] *vi* to wish (**komuś dobrze** sb well); **ja ci źle nie ~ę** I don't wish you ill; **on nam źle nie ~y** he is not ill-disposed towards us

żyć *vi imperf* **żyje** 1. (*być żywym*) to live; to be alive; to exist; **jeszcze żyje** he <she> is still above ground; **ledwie żyję** I can hardly stand on my legs; **nie dawać komuś żyć** to plague sb; to lead sb a wretched life; **to mi nie daje żyć** it gives me no peace; nie żyć to be no longer alive; to be dead; **jak (długo) żyję** in all my born days; **jak pragnę żyć** upon my soul; *pot.* **żyć nie umierać** heaven on earth; **niech żyje <żyją> ...!** long live ...! 2. (*wieść życie*) to live (modestly, comfortably, in luxury etc.); to subsist (**rybami, jarzynami itd.** on fish, vegetables etc.); **mieć z czego żyć** to have means of subsistence; to have enough to live on; **żyć o chlebie i wodzie** to live on bread and water; **żyć ponad stan** to live beyond one's means; **żyć samotnie** to keep to oneself; **żyć z czegoś** to make a living of sth; **żyć z pracy rąk <z rozboju itd.>** to live by one's labour <by robbery etc.>; **żyć zgodnie z pewnymi zasadami <stosownie do pewnych zasad>** to live up to certain principles 3. (*być pochłoniętym*) to be engrossed <absorbed> (**czymś** in sth); **on tym żyje** it is the very breath of his life; **żyć nadzieją, jutrem** to live sustained by hope 4. (*obcować*) to maintain relations (**with** sb); to get along <to get on> (with sb); **oni nie żyją dobrze ze sobą** they don't get along together; **żyć dobrze <nie żyć dobrze> z kimś** to be on good <bad> terms with sb; **żyć z kimś** (*fizycznie*) to live with sb; **żyć z kimś na wiarę** to live together unmarried; to cohabit 5. (*przebywać*) to live (somewhere) 6. (*być aktualnym, trwać*) to be (still) alive; to last

Żyd[1] *sm* 1. *etn.* Hebrew 2. (*wyznawca religii Mojżeszowej*) Jew; *pl* **Żydzi** the Jews; Jewry; **Żyd wieczny tułacz** the wandering Jew

żyd[2] *sm szk.* blot

żydostwo *sm singt* 1. (*Żydzi*) the Jewry 2. (*cechy*) Jewish traits

żydowsk|i *adj* Hebrew; Judaic; Jewish; **język ~i** Yiddish; **po ~u** a) (*w języku żydowskim*) in Yiddish b) (*tak jak Żyd*) Jewish fashion

Żydów|ka *sf pl G.* **~ek** Jewess

żyjący [I] *adj* living [III] *spl* the living

żyjąt|ko *sn pl G.* **~ek** animalcule

żylak *sm* varix, varicose vein

żylastość *sf singt* stringiness

żylast|y *adj* 1. (*mający wydatne żyły*) sinewy; stringy; **~e mięso** tough <stringy> meat 2. (*o ręce itd.*) veinous

żylet|ka *sf pl G.* **~ek** (*przyrząd*) safety razor; (*ostrze*) safety-razor blade

żyletkow|y *adj* safety-razor blade — (steel); **temperówka ~a** safety-razor blade pencil sharpener

żylist|ek *sm G.* **~ka** *bot.* (*Deutzia*) deutzia

żyln|y *adj* venous; **krew ~a** venous blood

żył|a *sf* 1. *anat. bot.* vein; (*w mięsie*) string; *przen.* **wypruwać z kogoś <z siebie> ~y** to bleed sb <oneself> 2. *przen.* (*o człowieku*) (a) bore 3. *geol.* vein; lode; ledge; streak; lead 4. (*inkrustacja*) incrustation 5. *techn.* strand (of a cable); (*w kablu*) **~a przewodowa** conductor string

żył|ka *sf pl G.* **~ek** 1. (*naczynie krwionośne*) veinlet 2. (*nić z jelit zwierzęcych itd.*) gut; gimp 3. (*skłonność*) streak (of irony etc.); bent (**do czegoś** for sth) 4. *bot.* nerve; midrib (of a leaf) 5. *miner.* streak 6. *zool.* vein

żyłkowanie *sn bot. zool.* venation; *miner.* grain

żyłować *vt imperf* 1. (*oczyszczać z żył*) to remove the veins (**mięso** from meat) 2. (*wyzyskiwać*) to sweat <to exploit> (sb) 3. (*nalegać*) to press (**kogoś, żeby coś zrobił** sb to do sth)

żyłowanie *sn* 1. ↑ **żyłować** 2. (*deseń*) grain (in wood, stone)

żyłowaty *adj* veinous; veiny; (*o mięsie*) stringy

żyłow|y *adj anat.* vein — (walls etc.); *miner.* **skała ~a** vein rock

żyrafa *sf zool.* (*Giraffa*) giraffe

żyrandol *sm* 1. (*świecznik*) chandelier 2. (*rakieta świetlna*) flare

żyrant *sm* endorser

żyro *sn bank. handl.* endorsement

żyrokompas *sm G.* **~u** gyro-compass

żyrondysta *sm* (*decl = sf*) *hist.* Girondist

żyropilot *sm lotn.* gyro-pilot

żyroskop *sm G.* **~u** *lotn. mar.* gyroscope

żyroskopowy *adj* gyroscopic; gyroscope — (top etc.)

żyrować *vt imperf bank. handl.* to endorse
żyrowanie *sn* (↑ **żyrować**) endorsement
żytko *sn dim* ↑ **żyto**
żytni *adj* rye — (bread etc.)
żytniów|ka *sf pl G.* **~ek** vodka distilled from rye; gin
żytnisko *sn* rye field
żyto *sn bot.* (*Secale*) rye; **czarne ~** ergot
żyw † *adj praed obecnie w zwrotach:* **do ~a** to the quick; **kto ~** one and all; **póki ~** as long as I live
żywcem *zob.* **żywiec**
żywica *sf* resin; **~ syntetyczna** synthetic resin
żywiciel *sm* bread-winner; support (of a family); *biol.* host
żywiciel|ka *sf pl G.* **~ek** feeder; support (of a family)
żywicielsk|i *adj* **roślina ~a** host
żywicowaty *adj* resinous; resin-like
żywicowy *adj* resin — (oil, varnish etc.)
żywiczan *sm G.* **~u** *chem.* resinate
żywiczność *sf singt* resinousness
żywiczny *adj* resinous; resin — (acid, soap etc.)
żywić *v imperf* [I] *vt* 1. (*odżywiać*) to feed; to nourish; to keep <to maintain> (a family etc.) 2. (*odczuwać*) to feel (love, hatred etc.); to foster (a desire etc.); to cherish <to entertain> (hopes etc.); to nurse (feelings of revenge etc.) [II] *vr* **~ się** to feed <to live> (**czymś** on sth)
żyw|iec [I] *sm G.* **~ca** 1. (*zwierzę przeznaczone na rzeź*) cattle for slaughter 2. (*przynęta*) live-bait 3. *bot.* toothwort; coralwort 4. † (*żywa istota*) living creature; *obecnie w zwrotach:* **operować <krajać> na ~ca** to operate without anaesthetic; **transmitować <nadawać> na ~ca** to broadcast in a live programme [II] *adv* **~cem** 1. (*żywego*) (burnt, buried) alive 2. (*o tłumaczeniu*) (translated) word for word
żywienie *sn* (↑ **żywić**) nourishment
żywieniow|iec *sm G.* **~ca** caterer
żywieniowy *adj* feeding (instructions etc.)
żywik *sm zool.* (*Zoea*) zoea
żywio|ł *sm G.* **~łu** 1. (*siła przyrody*) element; *przen.* **obcy ~ł** foreign element 2. (*środowisko*) element; environment; **być <nie być> w swoim ~le** to be in <out of> one's element; **czuć się w swoim ~le** to be in one's element; to feel at home (in certain surroundings etc.)
żywiołowo *adv* 1. (*gwałtownie*) impulsively; impetuously; vehemently; passionately; unrestrainedly 2. (*samorzutnie*) spontaneously
żywiołowość *sf singt* 1. (*samorzutność*) spontaneity; spontaneousness 2. (*gwałtowność*) impulsiveness; impetuousity; vehemence; abandon
żywiołow|y *adj* 1. (*elementarny*) elemental; **klęska ~a** natural calamity 2. (*samorzutny*) spontaneous 3. (*gwałtowny*) impulsive; impetuous; vehement; unrestrained
żywnie † *adv obecnie w zwrotach:* **co ci <mi itd.> się ~ podoba** whatever you <I etc.> like <choose>; **jak ci się ~ podoba** just as you please <like>
żywnościow|y *adj* food — (stuffs, supplies etc.); provision — (business, dealer etc.); catering (department etc.); **karta ~a** ration card
żywność *sf* food; provisions; eatables; victuals; viands; (*dla zwierząt*) fodder
żyw|o *adv* 1. (*szybko*) quickly; briskly; **~o!** (*także* **~iej!**) quick!; look sharp!; make it snappy! 2. (*wyraziście*) vividly; (*intensywnie*) intensely; acutely || **co ~o** at once; immediately; **jako ~o** I swear
żywociarz *sm* biographer; hagiographer
żywokost *sm G.* **~u** *bot.* (*Symphytum*) comfrey
żywokostowy *adj* comfrey — (decoction etc.)
żywopłot *sm G.* **~u** hedge, hedgerow; quickset hedge
żyworod|ek *sm G.* **~ka** viviparous animal
żyworod|ka *sf pl G.* **~ek** = **żyworódka**
żyworodność *sf singt zool.* viviparousness; *bot.* vivipary
żyworodny *adj bot. zool.* viviparous
żyworód|ka *sf pl G.* **~ek** (*zw. pl*) *zool.* viviparous animal
żyworództwo *sn* = **żyworodność**
żywostan *sm G.* **~u** *biol.* biocoenosis, biocoenose
żywość *sf singt* 1. (*ruchliwość*) liveliness; vivacity; sprightliness; (*ożywienie*) animation 2. (*intensywność*) vividness; intenseness; intensity; keenness 3. (*wartkość*) vigour <liveliness, vitality> (of style etc.)
żywot *sm lit.* 1. (*życie*) life; **~y świętych** the lives of the saints; **dokonać ~a** to end one's days; to be gathered to one's fathers; **wlec nędzny ~** to linger out one's days <one's life> 2. † (*brzuch*) belly; (*łono*) womb
żywotnie *adv* 1. (*bujnie*) luxuriantly; exuberantly 2. (*aktywnie, czynnie*) vitally
żywotnik *sm bot.* (*Thuja*) thuja
żywotność *sf singt* 1. (*siły biologiczne*) vitality 2. (*aktywność*) liveliness; vivacity; sprightliness
żywotny *adj* 1. (*pełen energii*) lively; vivacious 2. (*przejawiający życie*) vital 3. *gram.* animate (substantives)
żyw|y [I] *adj* 1. (*żyjący*) living; live; *praed* alive; (*o zwierzętach*) living; on the hoof; **wszystko, co ~e** one and all; **~a mowa, ~e słowo** the spoken word; **~a waga** live weight; **~e mięso** living flesh; **~e srebro** a) (*rtęć*) mercury b) *przen.* (*człowiek*) live wire; **~y inwentarz** livestock; *jęz.* **~y język** living <modern> language; **~y obraz** tableau vivant; **~y portret** the very image (of one's father etc.); **jak ~y** lifelike; true to life; breathing (portrait); **ledwo ~y** all in; used up; more dead than alive; **w ~ej pamięci** present to the mind; *pot.* **ani ~ego ducha** not a living soul; **kłamać w ~e oczy** to tell a brazen lie; **mówić komuś coś w ~e oczy** to tell sb sth to his face; **do ~ego** to the quick; to the raw 2. (*ruchliwy*) lively; vivacious; sprightly; (*ożywiony*) animated 3. (*intensywny*) vivid; intense; acute; (*o zainteresowaniu, zadowoleniu itd.*) keen; (*o uczuciach*) deep; (*o kolorach*) bright; gay 4. (*wartki*) lively; brisk 5. (*prawdziwy*) pure (gold etc.) || *druk.* **~a pagina** running title <head-line> [II] *spl* **~i** the living
żyzność *sf singt* fecundity; fertility; fruitfulness; richness
żyzny *adj* fecund; fertile; fruitful; rich; fat; generous

NAZWY GEOGRAFICZNE
GEOGRAPHICAL NAMES

Abchazja Abkhazia, Abkhasia
Aberdeen Aberdeen
Abisynia Abyssinia
Addis Abeba Adis Ababa
Adelaida Adelaide
Aden Aden
Adriatyk Adriatic
Afganistan Afghanistan
Afryka Africa
Afryka Południowo-Zachodnia South-West Africa
Agadir Agadir
Agra Agra
Ajaccio Ajaccio
Akra Akkra, Accra
Akwizgran Aix-la-Chapelle; Aachen
Alabama Alabama
Alaska Alaska
Albania Albania
Albany Albany
Albert Lake Albert Lake
Alberta Alberta
Aleksandria Alexandria
Aleuty Aleutian Islands
Algier Algiers
Algieria Algeria
Allegheny Allegheny Mountains
Alpy Alps
Alpy Bawarskie Bavarian Alps
Alpy Berneńskie Bernese Alps
Alzacja Alsace
Altaj Altai
Ałma-Ata Alma-Ata
Amazonka Amazon
Ameryka America
Ameryka Południowa South America
Ameryka Północna North America
Ameryka Środkowa Central America
Amsterdam Amsterdam
Amur Amur
Anam = **Annam**
Anatolia Anatolia
Andaluzja Andalusia
Andora Andorra
Andy Andes
Anglia England
Angola Angola
Anguilla Anguilla
Ankara Ankara
Annam Annam
Antarktyda Antarctica; Antaretic Continent
Antarktyka Antarctic
Antigua i Barbuda Antigua and Barbuda
Antwerpia Antwerp
Antyle Antilles
Antyle Holenderskie Netherlands Antilles
Apeniny Appenines
Appalachy Appalachian Mountains
Arabia Arabia
Arabia Saudyjska Saudi Arabia
Archangielsk Archangel, Arkhangelsk
Archipelag Malajski Malay Archipelago
Argentyna Argentina; Argentine Republic
Arizona Arizona
Arkansas Arkansas
Armenia Armenia
Aruba Aruba
Askot Ascot
Astrachań Astrakhan
Asturia Asturias
Asuan Assouan, Assuan, Aswan
Asyria Assyria
Asyż Assissi
Aszchabad Ashkhabad
Ateny Athens
Atlanta Atlanta
Atlantic City Atlantic City
Atlantyk Atlantic
Atlas Atlas Mountains
Auckland Auckland Islands
Augsburg Augsburg
Austerlitz Austerlitz
Australia Australia
Austria Austria
Austro-Węgry Austria-Hungary
Avon Avon
Azerbejdżan Azerbaijan
Azincourt Agincourt
Azja Asia
Azja Mniejsza Asia Minor
Azory Azores

Babilon Babylon
Bagdad Bag(h)dad
Bahamy the Bahama Islands
Bahrajn Bahrain
Bajkał Baikal
Baku Baku
Balaklawa Balaclava
Baleary Balearic Islands
Balmoral Balmoral
Baltimore Baltimore
Bałkany Balkans
Bałtyk Baltic
Bandung Bandung
Bangkok Bangkok
Bangladesz Bangladesh
Barbados Barbados
Barcelona Barcelona
Basra Basra
Baszkiria Bashkiria
Batawia Batavia
Bath Bath
Battersea Battersea
Batumi Batum

Bawaria Bavaria
Bazyleja Basel, Basle
Beczuana Bechuanaland
Bedford Bedford
Bejrut Beirut, Beyrouth
Belau Palau
Belfast Belfast
Belgia Belgium
Belgrad Belgrade
Belize Belize
Belsen Belzen
Beludżystan Baluchistan
Benares Banaras, Benares
Beneluks Benelux
Bengalia Bengal
Benin Benin
Ben Nevis Ben Nevis
Berberia Barbary States
Berchtesgaden Berchtesgaden
Berlin Berlin
Bermudy Bermuda
Berno Bern, Berne
Besarabia Bessarabia
Betlejem Bethlehem
Bhutan Bhutan
Białoruś Belarus, White Russia, Belorussia, Byelorussia
Biarritz Biarritz
Bikini Bikini
Birma Burma
Birmingham Birmingham
Bizancjum Byzantium
Bizerta Bizerta, Bizerte
Blackpool Blackpool
Błota Pontyjskie Pontine Marshes
Bolivar Bolivar
Boliwia Bolivia
Bolonia Bologna
Bombaj Bombay
Bonn Bonn
Bordeaux Bordeaux
Bornemouth Bornemouth
Borneo Borneo
Bosfor Bosphorus, Bosporus
Boston Boston
Bośnia i Hercegowina Bosnia and Herzegovina
Botswana Botswana
Brahmaputra Brahmaputra
Brandenburgia Brandenburg
Bratysława Bratislava
Brazylia Brazil
Brema Bremen
Brighton Brighton
Brisbane Brisbane
Bristol Bristol
Brooklyn Brooklyn
Bruksela Brussels
Brunei Brunei
Brunszwik Brunswick
Buchenwald Buchenwald
Buckingham Buckingham
Budapeszt Budapest
Buenos Aires Buenos Aires
Buffalo Buffalo
Bukareszt Bucharest
Bukowina Bucovina, Bukovina
Bułgaria Bulgaria
Burkina Faso Burkina Faso
Burundi Burundi

Cader Idris (*szczyt*) Cader Idris
Calais Calais
Cambridge Cambridge
Camden Camden
Campeche Campeche
Canaveral Canaveral
Canberra Canberra
Canterbury Canterbury
Cape Breton Cape Breton Island
Capetown Capetown, Cape Town
Capri Capri
Caracas Caracas
Cardiff Cardiff
Carlisle Carlisle
Casablanca Casablanca
Cejlon Ceylon
Celebes Celebes
Ceuta Ceuta
Chaldeja Chaldea
Charków Kharkov
Chartum Khartoum
Chatham Strait Chatham Strait
Chelsea Chelsea
Chester Chester
Chicago Chicago
Chile Chile
Chiny China
Chińska Republika Ludowa Chinese People's Republic
Chorwacja Croatia
Cieszyn Teschen
Cieśnina Beringa Bering Strait
Cieśnina Cabota Cabot Strait
Cieśnina Davisa Davis Strait
Cieśnina Kaletańska Dover, Straits of Dover
Cieśnina Magellana Magellan, Strait of Magellan
Cincinnati Cincinnati
Cleveland Cleveland
Clyde Clyde
Columbia Columbia
Connecticut Connecticut
Coventry Coventry
Cyklady Cyclades
Cypr Cyprus
Cyrenajka Cyrenajca
Czad Chad
Czarnogóra Montenegro
Czarny Las Black Forest
Czechosłowacja Czechoslovakia (*do 1992*)
Czechy Bohemia
Czerkaski Obwód Autonomiczny Cherkess Autonomous Region
Czeska i Słowacka Republika Federacyjna Czech and Slovak Federative Republic (*1991–92*)
Czuwaska ASRR Chuvash ASSR

Dachau Dachau
Dagestan Dagestan
Dahomej Dahomey
Dakar Dakar
Dakota Dakota
Dakota Południowa South Dakota
Dakota Północna North Dakota
Dalmacja Dalmatia

Damaszek Damascus
Dania Denmark
Dardanele Dardanelles
Dartmoor Dartmoor
Delaware Delaware
Delhi Delhi
Demokratyczna Republika Wietnamu Democratic Republic of Viet-Nam
Derwent Derwent
Des Moines Des Moines
Detroit Detroit
Djakarta Djakarta
Dniepr Dnieper
Dniestr Dniester
Dobrudża Dobruja, Dobrudja
Dolina Śmierci Death Valley
Dolomity Dolomites
Dominika Dominica
Dominikana the Dominican Republic, Dominicana
Dover Dover
Drezno Dresden
Dublin Dublin
Dubrownik Dubrovnik
Dunaj Danube
Dunkierka Dunkirk
Duszanbe Dushanbe
Dziewicze Wyspy Brytyjskie British Virgin Islands
Dziewicze Wyspy Stanów Zjednoczonych United States Virgin Islands
Dystrykt Kolumbia District of Columbia
Dźwina Dvina
Dżibuti Jibuti, Djibouti

Edynburg Edinbourgh
Egipt Egypt
Ekwador Ecuador
El Alamein El Alamein
Elba Elba
Erewan Yerevan
Erie Erie, Lake Erie
Erytrea Eritrea
Estonia Estonia
Etiopia Ethiopia
Etna Etna
Eufrat Euphrates
Eurazja Eurasia
Europa Europe
Everest Everest

Falaise Falaise
Falklandy Falkland Islands
Fenicja Phoenicia
Fidżi Fiji
Filadelfia Philadelphia
Filipiny the Philippines
Finlandia Finland
Firth of Forth Firth of Forth
Flandria Flanders
Florencja Florence
Floryda Florida
Formoza Formosa
Francja France
Frygia Phrygia
Fudżijama Fujiyama

Gabon Gabon, Gaboon, Gabun
Galia Gaul
Galilea Galilee
Gallipoli Gallipoli
Gambia Gambia
Ganges Ganges
Gdańsk Danzig, Dantzig, Gdansk
Gdynia Gdynia
Genewa Geneva
Genua Genoa
Georgia Georgia
Ghana Ghana
Gibraltar Gibraltar
Glasgow Glasgow
Gloucester Gloucester
Goa Goa
Gobi Gobi
Góra Kościuszki Kosciuszko Mount
Górna Wolta *hist.* Upper Volta *zob.* **Burkina Faso**
Górny Karabach Upper Karabakh
Górny Śląsk Upper Silesia
Góry Atlasu Atlas Mountains
Góry Błękitne Blue Mountains
Góry Cumbrian Cumbrian Mountains
Góry Kambryjskie Cambrain Mountains
Góry Nadbrzeżne Coast Range Mountains
Góry Penińskie Pennine Chain
Góry Skaliste Rockies, Rocky Mountains
Granada Granada
Grecja Greece
Greenwich Greenwich
Grenada Grenada
Grenlandia Greenland
Gross Rosen Gross Rosen
Gruzja Georgia
Guam Guam
Guernsey Guernsey
Gujana Guiana
Gujana Brytyjska British Guiana
Gujana Francuska French Guiana
Gwadelupa Guadeloupe
Gwatemala Guatemala
Gwinea Bisau Guinea-Bissau
Gwinea Portugalska Portuguese Guinea
Gwinea Równikowa Equatorial Guinea

Haga Hague
Haiti Haiti
Hajderabad Hyderabad
Halfaya Halfaya
Halifax Halifax
Hamburg Hamburg
Hanoi Hanoi
Hanower Hanover, Hannover
Hastings Hastings
Hawaje Hawaii
Hawana Havana
Hebrydy Hebrides
Helsinki Helsinki
Hercegowina Herzegovina
Hertford Hertford
Hidżaz, Hejaz Hedjaz, Hejaz
Himalaje Himalayas
Hindustan Hindustan
Hiroszima Hiroshima
Hiszpania Spain
Holandia Holland
Hollywood Hollywood

Honduras Honduras
Honduras Brytyjski British Honduras
Hongkong Hong Kong
Honolulu Honolulu
Horn Horn
Humber Humber

Idaho Idaho
Illinois Illinois
Indiana Indiana
Indianapolis Indianapolis
India India
Indie Wschodnie Indies, East Indies, East India
Indie Zachodnie West Indies
Indochiny Indo-China, Indochina
Indonezja Indonesia
Indus Indus
Irak Irak, Iraq
Iran Iran
Irlandia (*Niezależna Republika Irlandzka*) Eire
Irlandia Ireland
Irlandia Północna Northern Ireland
Isfahan Isfahan, Ispahan
Islandia Iceland
Istambuł Istanbul, Stamboul
Istria Istrian Peninsula
Izrael Israel

Jaffa Jaffa
Jakarta Jakarta
Jalta Yalta
Jamajka Jamaica
Jangcy, Jangcy-Kiang Yangtse-Kiang
Japonia Japan
Jawa Java
Jemen Yeman
Jemen Południowy South Yemen
Jerozolima Jerusalem
Jersey Jersey
Jerycho Jericho
Jezioro Bodeńskie Lake Constance
Jezioro Genewskie Lake of Geneva
Jezioro Górne Lake Superior
Jezioro Lemańskie Lake of Geneva
Jezioro Maggiore Lake Maggiore
Johannesburg Johannesburg
Johnston Johnston Island
Jokohama Yokohama
Jordan Jordan
Jordania Jordan
Judea *hist.* Judea
Jugosławia Jugoslavia, Yugoslavia
Junan Yunan
Jura Jura
Jutlandia Jutland

Kabul Kabul
Kadyks Cadiz
Kair Cairo
Kajmany Cayman Islands
Kalifornia California
Kalkuta Calcutta
Kambodża Cambodia
Kamczatka Kamchatka
Kamerun Cameroon
Kanada Canada
Kanał Kaledoński Caledonian Canal
Kanał La Manche English Channel
Kanał Panamski Panama Canal
Kanał Sueski Suez Canal
Kansas Kansas
Kansas City Kansas City
Kanton Canton
Kaprea Capri
Kapsztad Cape Town, Capetown
Karaczi Karachi
Karelia Karelia
Karolina Południowa South Carolina
Karolina Północna North Carolina
Karpaty Carpathian, Carpathian Mountains
Kartagina Carthage
Kastylia Castile
Kaszgaria Kashgaria, Chinese Turkestan
Kaszmir Kashmir, Cashmere
Katalonia Catalonia
Katanga Katanga
Katar Quatar
Kaukaz Caucasus
Kazachstan Kazakhastan, Kazakstan
Kenia Kenya
Kentucky Kentucky
Kijów Kiev
Kilimandżaro Kilimanjaro
Kirgizja Kyrgyzstan
Kiribati Kiribati
Kiszyniów Kishinev
Klondike Klondike
Kłajpeda Memel
Kochinchina Cochin China
Kolombo Colombo
Kolorado Colorado
Kolumbia Colombia
Kolumbia Brytyjska British Columbia
Komory the Comoros
Kongo the Congo
Kongo (Brazzaville) Congo (Brazzaville)
Kongo (Kinszasa) Congo (Kinshasa)
Konstantynopol Constantinopole
Kopenhaga Copenhagen
Kordowa Cordova
Kordyliery Cordilleras
Korea Korea
Koreańska Republika Ludowo-Demokratyczna Korean People's Democratic Republic
Korea Południowa South Korea, Republic Korea
Korfu Corfu
Kornwalia Cornwall
Korsyka Corsica
Korynt Corinth
Kosowo Kosovo
Kostaryka Costa Rica
Kowno Kaunas
Kraj Altajski Altai Territory
Kraj Basków Basque Provinces
Kraj Nadmorski Maritime Territory
Kraj Przylądkowy Cape Province
Kraj Stawropolski Stavropol Territory
Kraków Cracow
Krasnodarski Kraj Krasnodar Territory
Krasnojarski Kraj Krasnoyarsk Territory
Kreta Crete
Krym Crimea

Kuantung Kwantung
Kuba Cuba
Kurdystan Kurdistan
Kuryle Kuril <Kurile> Islands
Kurytyba Curitiba
Kuwejt Kuwait
Kyrgystan Kyrgyzstan

Labrador Labrador
Lahaur Lahore
Laos Laos
Laponia Lapland
Las Czeski Bohemian Forest
Lena Lena
Leningrad Leningrad
Lesotho Lesotho
Lhasa Lhassa, Lhasa
Liban Lebanon
Liberia Liberia
Libia Libya
Lidia Lydia
Lichtenstein Liechtenstein
Lima Lima
Lincoln Lincoln
Lipsk Leipzig
Litwa Lithuania
Liverpool Liverpool
Lizbona Lisbon
Lokarno Locarno
Lombardia Lombardy
Londyn London
Los Angeles Los Angeles
Lotaryngia Lorraine
Louisiana Louisiana
Louisville Louisville
Lucerna Lucerne
Luksemburg Luxemburg
Luksor, Luxor
Lwów Lviv, Lvov

Łaba Elbe
Łotwa Latvia
Łódź Lodz

Macedonia Macedonia
Madagaskar Madagascar
Madera Madeira
Madras Madras
Madryt Madrid
Maine Maine
Majdanek Maidanek
Majorka Majorca
Majotta Mayotte
Makau Macau
Malaga Malaga
Malaje Malaya
Malakka Malacca
Malawi Malavi
Malediwy Maldives
Malezja Malaysia
Mali Mali
Malta Malta
Manchester Manchester
Mandżuria Manchuria
Manila Manila
Manitoba Manitoba
Maroko Marocco
Martynika Martinique
Maryland Maryland
Massachusetts Massachusetts
Mauretania Mauretania
Mauritius Mauritius
Mauthausen Mauthausen
Mazurskie Pojezierze Masurian Lakes
Mazury Masuria
Mediolan Milan
Mekka Mecca
Meksyk Mexico
Melanezja Melanesia
Melbourne Melbourne
Melilla Melilla
Memphis Memphis
Men Main
Mezopotamia Mesopotamia
Miami Miami
Michigan Michigan
Midway Midway Islands
Mikronezja Micronesia
Milwaukie Milwaukie
Minneapolis Minneapolis
Minnesota Minnesota
Mińsk Mensk
Mississipi Mississipi
Missouri Missouri
Moluki Moluccas
Mołdawia Moldava, Moldavia
Monachium Munich
Monako Monaco
Mongolia Mongolia
Montana Montana
Mont Blanc Mont Blanc
Montevideo Montevideo
Montreal Montreal
Montserrat Montserrat
Morawy Moravia
Morza Wschodniochińskie i Południowochińskie China Sea
Morze Adriatyckie Adriatic Sea
Morze Amundsena Amundsen Sea
Morze Arabskie Arabian Sea
Morze Arktyczne Arctic Ocean
Morze Azowskie Sea of Azov
Morze Baffina Baffina Bay
Morze Barentsa Barents Sea
Morze Beringa Bering Sea
Morze Białe White Sea
Morze Czarne Black Sea
Morze Czerwone Red Sea
Morze Czukockie Chukcha Sea
Morze Egejskie Aegean Sea
Morze Galilejskie Sea of Galilee
Morze Irlandzkie Irish Sea
Morze Jawajskie Java Sea
Morze Jońskie Ionian Sea
Morze Karaibskie Caribbean Sea
Morze Karskie Kara Sea
Morze Kaspijskie Caspian Sea
Morze Koralowe Coral Sea
Morze Marmara Marmara Sea
Morze Martwe Dead Sea
Morze Ochockie Okhotsk, Sea of Okhotsk
Morze Północne North Sea
Morze Śródziemne Mediterranean Sea

Morze Tyrreńskie Tyrrhenian Sea
Morze Żółte Yellow Sea
Moskwa Moscow
Mount Everest Mount Everest
Mozambik Mozambique
Myanmar Myanmar

Nagasaki Nagasaki
Namibia Namibia; South-West Africa
Narwik Narvik
Nauru Nauru
Nazaret Nazareth
Ndżamena Ndjamena
Neapol Naples
Nebraska Nebraska
Nepal Nepal
Nevada Nevada
Newcastle Newcastle
Ngwane Ngwane
Niagara Niagara
Niasa Nyasaland
Nicea Nice
Niderlandy Netherlands, Low Countries
Niemcy Germany
Niemiecka Republika Demokratyczna (*1949–1990*) German Democratic Republic
Niger Niger
Nigeria Nigeria
Nikaragua Nicaragua
Nikozja Nicosia
Nil Nil
Niniwa Nineveh
Niue Niue
Norfolk Norfolk
Normandia Normandy
Northampton Northampton
Northumbria Northumbria
Norwegia Norway
Norymberga Nurnberg
Nowa Anglia New England
Nowa Fundlandia Newfoundland
Nowa Gwinea New Guinea
Nowa Kaledonia New Caledonia
Nowa Południowa Walia New South Wales
Nowa Szkocja Nowa Scotia
Nowa Zelandia New Zealand
Nowe Delhi New Delhi
Nowe Hebrydy New Hebrides
Nowy Brunszwik New Brunswick
Nowy Jork New York City
Nowy Jork (*stan*) New York (State)
Nowy Meksyk New Mexico
Nowy Orlean New Orleans
Nubia Nubia
Nysa Neisse

Ocean Atlantycki Atlantic Ocean
Oceania Oceania; Australasia
Ocean Indyjski Indian Ocean
Ocean Lodowaty Południowy Southern Ocean
Ocean Lodowaty Północny Arctic Ocean
Ocean Spokojny Pacific Ocean
Odessa Odessa
Odra Oder
Ohio Ohio
Oklahoma Oklahoma
Okręg Jezior Lake District
Olimp Olympus
Oman Oman
Ontario (*prowincja*) Canada West, Ontario Province
Orania Orange Free State
Oregon Oregon
Orkady Orkneys
Oslo Oslo
Ostenda Ostend
Oświęcim Auschwitz
Ottawa Ottawa
Oxford Oxford

Pacyfik Pacific Ocean
Pakistan Pakistan
Palestyna Palestine
Palm Beach Palm Beach
Panama Panama
Papua-Nowa Gwinea Papua New Guinea
Paragwaj Paraguay
Parana Parana
Parnas Parnassus
Partia Parthia
Paryż Paris
Patagonia Patagonia
Pearl Harbour Pearl Harbour
Pekin Pekin, Beijing
Peloponez Peloponnesus, Peloponnese
Penang Penang
Pendżab Penjab
Pensylwania Pennsylvania
Persja Persia
Peru Peru
Peterborough Peterborough
Pireneje Pyrenees
Pitcairn Pitcairn
Pittsburg Pittsburg
Piza Pisa
Poczdam Potsdam
Podole Podolia
Polinezja Polynesia
Polinezja Francuska French Polynesia
Polska Poland
Polska Rzeczpospolita Ludowa (*1952–1990*) Polish People's Republic
Pomorze Pomerania
Port Artur Port Arthur
Port Said Port Said
Portsmouth Portsmouth
Portugalia Portugal, Portugalia
Potomac Potomac
Poznań Poznan
Północna i Południowa Karolina Carolinas
Północna Ossetia North Ossetia
Półwysep Iberyjski Iberian Peninsula
Półwysep Kalabryjski Calabria
Półwysep Malajski Malay Peninsula
Praga Prague
Pretoria Pretoria
Prowincja Ontario Ontario Province
Prusy Prussia
Prusy Wschodnie East Prussia
Przylądek Dobrej Nadziei Cape of Good Hope
Przylądek Horn Cape Horn
Przylądek Północny North Cape
Przylądek Św. Wawrzyńca Saint-Lawrence Cape
Puerto Rico Puerto Rico

Quebec (*miasto*) Quebec
Quebec (*prowincja*) Canada East, Quebec Province
Quito Quito

Rabat Rabat
Rangun Rangoon
Ren Rhine
Republika Dominikańska Dominican Republic
Republika Federalna Niemiec Federal Republic of Germany
Republika Irlandzka Irish Free State
Republika Malgaska Malagasy Republic
Republika Południowej Afryki Republic of South Africa
Republika Południowokoreańska South-Korean Republic
Republika Środkowoafrykańska the Central African Republic
Réunion Réunion
Reykjavik Reykjavik
Rhode Island Rhode Island
Rio de Janerio Rio de Janeiro
Rodezja Rhodesia
Rodos Rhodes
Rosja Russia
Rumunia R(o)umania, Romania
Rwanda Rwanda
Ryga Riga
Rzeczpospolita Polska the Republic od Poland, the Polish Republic
Rzeka Św. Wawrzyńca Saint-Lawrence River
Rzym Rzym

Saara Saar
Sabaudia Savoy
Sachalin Sakhalin
Sachsenhausen Sachsenhausen
Sahara Sahara
Sahara Hiszpańska Spanish Sahara
Sahara Zachodnia Western Sahara
Saint Christopher <Kitts> i Nevis Saint Christopher <Kitts> and Nevis
Saint Lucia Saint Lucia
Saint Pancras Saint Pancras
Saint Pierre i Miquelon Saint Pierre and Miquelon
Saint Vincent i Grenadyny Saint Vincent and the Grenadines
Sajgon Saigon
Saksonia Saxony
Saloniki Salonika
Salt Lake City Salt Lake City
Salwador El Salvador
Samoa Samoa
Samoa Amerykańskie American Samoa
Samoa Zachodnie Western Samoa
San Francisco San Francisco
Sankt Petersburg, St Petersburg St Petersburg
San Marino San Marino
Santiago Santiago
Sao Paulo Sao Paulo
Saragossa Saragossa
Sarawak Sarawak
Sardynia Sardina
Saskatchewan Saskatchewan
Savannah Savannah
Seattle Seattle
Sekwana Seine
Senegal Senegal
Serbia Serbia
Seszele Seychelles
Seul Seoul
Sheffield Sheffield
Siedmiogród Transylvania
Sierra Leone Sierra Leone
Sikkim Sikkim
Simla Simla
Singapur Singapore
Skandynawia Scandinavia
Slawonia Slavonia
Słowacja Slovakia
Słowenja Slovenia
Sofia Sofia
Somali Somaliland
Somalia Somalia
Somali Brytyjskie British Somali, British Somaliland
Southampton Southampthon
Sparta Sparta
Sri Lanka Sri Lanka
Stalingrad Stalingrad
Stany A.P. leżące nad Zatoką Meksykańską Gulf States
Stany Zjednoczone the United States
Stany Zjednoczone Ameryki (Północnej) United States of (North) America
Stębark Tannenberg
Stratford Stratford-on-Avon
Strefa Gazy Gaza Strip
Suazi Swaziland
Sudan Sudan
Sudety Sudeten, Sudetes
Suez Suez
Sumatra Sumatra
Surinam Suriname
Syberia Siberia
Sycylia Sicilia
Sydon Sidon
Syjam *hist.* Siam *zob.* **Tajlandia**
Synaj Sinai
Syria Syria
Szanghaj Shanghai
Szczecin Stettin
Szetlandy Shetland Islands
Szkocja Scotland
Sztokholm Stockholm
Szwabia Swabia
Szwajcaria Switzerland
Szwarcwald Black Forest
Szwecja Sweden

Śląsk Silesia
Święta Helena Saint Helena

Tadżykistan Tajikistan
Tag Tag
Tahiti Tahiti
Tajlandia Thailand
Tajwan Taiwan
Tallinn Tallin(n)
Tamiza Thames
Tanganika Tanganyika
Tanger Tangier
Tanzania Tanzania
Tasmania Tasmania
Taszkient Tashkent

Tataria Tatarstan
Tatry Tatra, Tatra Mountains
Taurus Taurus
Tbilisi Tbilisi, Tiflis
Teby Thebes
Teheran Teheran, Tehran
Teksas Texas
Tel Awiw Tel-Aviv
Tennessee Tennessee
Termopile Thermopylae
Terytorium Brytyjskie na Oceanie Indyjskim British Indian Ocean Territory
Terytorium Północno-Zachodnie (*Kanady*) North-West Territories
Tirana Tirana
Togo Togo, Togoland
Tokelau Tokelau Islands
Tokio Tokyo
Toledo Toledo
Tonga Tonga
Toronto Toronto
Toskania Toscany
Trafalgar Trafalgar
Transjordania Transjordan
Transwal Transvaal
Triest Trieste
Trydent Trent
Trynidad i Tobago Trindidad and Tobago
Trypolis Trypoli
Trypolitania Tripolitania
Tunezja Tunisia
Tunis Tunis
Turcja Turkey
Turkiestan Turkestan, Turkistan
Turkmenia Turkmenistan
Turks i Caicos Turks and Caicos Islands
Turyngia Thuringia
Tuvalu Tuvalu
Tyber Tiber
Tybet Tibet
Tygrys Tigris
Tyrol Tirol, Tyrol
Tyrreńskie Morze Tyrrhenian Sea

Uganda Uganda
Ukraina Ukraine
Ułan Bator Ulan Bator, Urga
Ur Ur
Ural Ural Mountains
Urugwaj Uruguay
Urundi Urundi
Utah Utah
Utrecht Utrecht
Uzbekistan Uzbekistan

Valladolid Valladolid
Valparaiso Valparaiso
Vancouver Vancouver
Vanuatu Vanuatu
Veracruz Veracruz
Vermont Vermont

Wake Wake Islands
Walencja Valencia
Walia Wales
Wallis i Futuna Wallis and Futuna Islands
Warna Varna
Warszawa Warsaw
Waszyngton Washington
Waterloo Waterloo
Watykan Vatycan State
Wenecja Venice
Wenezuela Venezuela
Wersal Versailles
Westminster Westminister
Wezera Weser
Wezuwiusz Vesuvius
Węgry Hungary
Wiedeń Vienna
Wielka Brytania (Great) Britain
Wielkie Jeziora Great Lakes
Wietnam Viet-Nam
Wietnam Południowy South Viet-Nam
Wiktoria Victoria
Wilno Vilna, Vilnius
Winnipeg Winnipeg
Wirginia Virginia
Wirginia Zachodnia West Virginia
Wisconsin Wisconsin
Wisła Vistula
Włochy Italy
Wodospady Niagara Niagara Falls
Wołga Volga
Wołoszczyzna Wal(l)achia
Wołyń Volhynia
Wrocław Wroclaw
Wspólnota Brytyjska British Commonwealth of Nations
Wspólnota Marianów Północnych Commonwealth of the North Mariana Islands
Wspólnota Państw Niepodległych Commonwealth of Independent States
Wybrzeże Kości Słoniowej the Ivory Coast
Wyoming Wyoming
Wyspa Bożego Narodzenia Christmas Island
Wyspa Księcia Edwarda Prince Edward Island
Wyspa Man Man, Isle of Man
Wyspa Św. Heleny Saint Helena
Wyspa Wielkanocna Easter Island
Wyspa Wniebowstąpienia Ascension Island
Wyspa Admiralicji Admiralty Islands
Wyspy Alandzkie Aland Islands
Wyspy Aleuckie Aleutian Islands
Wyspy Bahama Bahama Islands
Wyspy Brytyjskie British Isles
Wyspy Chatham Chatham Islands
Wyspy Cooka Cook Islands
Wyspy Falklandzkie Falkland Islands
Wyspu Gilberta i Lagunowe Gilbert and Ellis Islands
Wyspy Hawajskie Hawaiian Islands
Wyspy Jońskie Ionian Islands
Wyspy Kanaryjskie Canary Islands
Wyspy Karoliny Caroline Islands
Wyspy Kokosowe Cocos Keeling Islands
Wyspy Kurylskie Kuril(e) Islands
Wyspy Marshalla Marshall Islands
Wyspy Normandzkie Channel Islands
Wyspy Owcze Faeroe Islands
Wyspy Pacyfiku Pacific Islands
Wyspy Powietrzne Leeward Islands
Wyspy Salomona Solomon Islands
Wyspy Świętego Tomasza i Książęca São Tomé and Príncipe

Wyspy Zachodniofryzyjskie Frisian Islands
Wyspy Zielonego Przylądka Cape Verde
Wyżyny Cheviot Cheviot Hills
Wyżyny Cotswold Cotswold Hills
Wyżyny Grampian Grampian Hills
Wyżyny Malvern Malvern Hills
Wyżyny Mendip Mendip Hills

Yaounde Yaounda, Yaunde
Yellowstone Yellowstone
York York
Yukon Yukon

Zachodni Brzeg Jordanu West Bank of Jordan
Zagrzeb Zagreb
Zair Zaire
Zambezi Zambezi
Zambia Zambia
Zanzibar Zanzibar
Zatoka Amundsena Amundsen Gulf
Zatoka Bengalska Bengal, Bay of Bengal
Zatoka Biskajska Biscay, Bay of Biscay
Zatoka Botnicka Bothnia, Gulf of Bothnia
Zatoka Firth of Forth Firth of Forth
Zatoka Hudsona Hudson Bay
Zatoka Perska Persian Gulf
Zatoka Św. Wawrzyńca Saint-Lawrence Gulf
Zelandia Zealand
Ziemia Baffina Baffin Island
Zimbabwe Zimbabwe
Zjednoczona Republika Arabska United Arab Republic
Zjednoczone Emiraty Arabskie United Arab Emirates
Zjednoczone Królestwo Wielkiej Brytanii i Północnej Irlandii United Kingdom of Great Britain and Northern Ireland
Złote Wybrzeże Gold Coast
Zulu Zululand
Zurych Zurich
Związek Południowej Afryki Union of South Africa, South African Union
Związek Radziecki Soviet Union (*do 1991*)
Związek Socjalistycznych Republik Radzieckich Union of Soviet Socialist Republics (*do 1991*)

POWSZECHNIE STOSOWANE SKRÓTY POLSKIE
COMMON POLISH ABBREVIATIONS AND CONTRACTIONS

A 1. = **amper** *elektr.* ampere 2. = **argon** *chem.* argon 3. = **Austria** *aut.* Austria

Å = **angstrem** *opt. nukl.* angstrõm, Angstrõm unit

a = **albo** or

a.a.C. = **anno ante Christum** *łac.* **(w roku przed Chrystusem)** in the year before Christ

Ab = **alabam** *chem.* alabamine **(Ab = At)**

abp = **arcybiskup** archbishop

abs. = **absolutnyp** absolute

Ac = **aktyn** *chem.* actinium

a.c. = **a capite** *łac.* **(od początku, od ustępu, od wiersza)** ab initio

a.C. = **a.Chr.**

a.Chr. = **ante Christum** *łac.* **(przed Chrystusem)** before Christ

a.Chr.n. = **ante Christum natum** *łac.* **(przed narodzeniem Chrystusa)** before Christ

a.C.n = **a.Chr.n.**

A.D. = **Anno Domini** *łac.* **(roku Pańskiego)** in the year of our Lord

adapt. 1. = **adaptacja** adaptation 2. = **adaptował** adapted by

adj. = **adjunkt** adjunct

ad lib. = **ad libitum** *łac.* **(do woli, dowolnie)** without restriction

ad loc. = **ad locum** *łac.* **(w miejscu)** to <at> the place

adm. = **admirał** admiral

Adm., adm 1. = **Administracja** administration 2. = **administracyjny** administrative

Adr. tel., adr. telegr. = **Adres telegraficzny** telegraphic address

adw. = **adwokat** lawyer, barrister

Ag = **argentum** *chem.* **(srebro)** silver

AGH = **Akademia Górniczo-Hutnicza** Academy of Mining and Metallurgy

AGPol = **Agencja Reklamy Handlu Zagranicznego** Advertising Agency for Foreign Trade

Ah = **amperogodzina** *elektr.* ampere-hour

a.h.l. = **ad hunc locum** *łac.* **(w tym miejscu)** in this place

AK = **Armia Krajowa** *hist.* (*1942–1945*) Home Army (the Polish Underground Army of the Resistance Movement during the Nazi occupation in World War II with its commander-in-chief in England)

AKS = **Amatorski Klub Sportowy** Amateur Sports and Athletics Club

AL 1. = **Armia Ludowa** *hist.* (*1944*) People's Army (the Polish Underground Army of the Resistance Movement during the Nazi occupation in World War II, called to life by the National People's Council) 2. = **Albania** *aut.* Albania

Al., al. = **Aleja, Aleje** avenue

al = **aluminium, glin** *chem.* aluminium, *am.* aluminum

AM = **Akademia Medyczna** Medical Academy

Am = **ameryk** *chem.* americium

am. = **amer.**

amb. = **ambasador** ambassador

amer. = **amerykański** American

Amer. Płd. = **Am. Pd.**

Amer. Płn. = **Am. Pn.**

Am. Pd. = **Ameryka Południowa** South America

Am. Pn. = **Ameryka Północna** North America

AN = **Akademia Nauk** Academy of Science

ang. = **angielski** English

ANZUS = **Australia, Nowa Zelandia, Stany Zjednoczone** (*pakt wojskowy*) Australia-New Zealand-United States

AP = **Armia Polska** Polish Army

Apanc = **Armia Pancerna** armoured army

a.p.C. = **anno post Christum** *łac.* **(w roku po Chrystusie)** in the year after Christ

API = **Agencja Publicystyczno-Informacyjna** Publicity and Information Agency

APRL = **Aeroklub Polskiej Rzeczypospolitej Ludowej** Aero-Club of the Polish People's Republic

AR 1. = **Agencja Reutera** Reuter Agency 2. = **Agencja Robotnicza** Worker's Press Agency

Ar = **argon** *chem.* argon

ARC = **automatyczna regulacja częstotliwości** *radio* automatic frequency control

arch. = **architekt** architect

Archip., archip. = **archipelag** archipelago

arcybp = **arcybiskup** archbishop

arcyks. = **arcyksiążę** archduke

ARD-L = **Algierska Republika Demokratyczno-Ludowa** Algerian People's Democratic Republic

Arged = **Artykuły Gospodarstwa Domowego** Household Supplies

ARL = **Albańska Republika Ludowa** Albanian People's Republic

ARR = **Agencja Rynku Rolnego** Agricultural Market Agency

art. 1. = **artykuł** article 2. = **artysta** artist

art. mal. = **artysta malarz** painter

art. rzeź. = **artysta rzeźbiarz** sculptor

ARW = **automatyczna regulacja wzmocnienia** *radio* automatic gain control

As = **arsen** *chem.* arsenic

ASP = 1. **Akademia Sztuk Pięknych** (*1950–1957*) Academy of Fine Arts 2. **Akademia Sztuk Plastycznych** (*od 1957*) Academy of Plastic Arts

asyst. = **asystent** assistant

At = **astat** *chem.* astatine

ATK = **Akademia Teologii Katolickiej** Academy of Catholic Theology

atm = **atmosfera** *fiz.* (*jednostka*) atmosphere (*unit*)

Au = **aurum** *łac. chem.* **(złoto)** gold

aud. = **audycja** broadcast

AUS = **Australia** *aut.* Australia
aut. = **automatyczny** automatic
AWF = **Akademia Wychowania Fizycznego** Academy of Physical Education
Az 1. = **amperozwój** ampere turn 2. = **azot** *chem.* azote, nitrogen
Az. = **azymut** azimuth
AZS = **Akademicki Związek Sportowy** University Sports Association of Poland
Azw = **Az 1.**

B 1. = **bor** *chem.* boron 2. = **Belgia** *aut.* Belgium
°B = **stopień Baumé** *chem. fiz.* Baumé degree
b = **baria** *fiz.* barye
b. 1. = **bardzo** very 2. = **były** old, ex-
BA = **Burma** *aut.* Birma
Ba = **bar** *chem.* barium
b.a. = **bez autora** anonymous
bałk. = **bałkański** Balkan
bałt. = **bałtycki** Baltic
Baon, baon = **batalion** batalion
bar. 1. = **barometryczny** barometric(al) 2. = **baron** baron
bat. = **bateria** battery
BCh = **Bataliony Chłopskie** *hist.* (*1940–1944*) Peasants' Battalions
B-cia = **Bracia** brothers
B-czka, b-czka = **Biblioteczka** library
b.d. = bez daty undated
bda = **brygada** brigade
Be = **beryl** *chem.* beryllium
BENELUX, Bénélux = **Belgique-Néderlande-Luxembourg** *fr.* (*unia gospodarcza*) Belgia, Holandia, Luksemburg; Benelux
BHP, bhp = **bezpieczeństwo i higiena pracy** safety and hygiene of work
BI = **Bank Inwestycyjny** Investment Bank
Bi = **bizmut** *chem.* bismuth
biul. = **biuletyn** bulletin
BJ = **Biblioteka Jagiellońska** the Jagiellonian Library
Bk = **berkel** *chem.* berkelium
B-ka, b-ka = **Biblioteka** Library
Bl., bl. = **blok** block of houses
bł. = **błogosławiony** blessed
bm. = **bieżącego miesiąca** the current month; instant
b.m. = **bez miejsca** place of publication not given
b.m.r. = **bez miejsca i roku** place and year of publication not given
b.m.r.w. = **bez miejsca, roku wydania** place and year of publication not given
b.m.w. = **bez miejsca wydania** place of publication not given
BMWW = **Biuro Międzynarodowej Wymiany Wydawnictw** International Bureau for the Exchange of Publications
BN = **Biblioteka Narodowa** National Library
b.opr. = **bez oprawy** unbound
BOS = **Biuro Odbudowy Stolicy** *hist.* (*1945–1947*) Bureau for the Rebuilding of the Capital
bosm. = **bosman** boatswain
BOT = **Biuro Obsługi Turystycznej** Tourist Service Bureau
BOTiI = **Biuro Obsługi Turystycznej i Informacji** Tourist Service and Information Bureau
BP 1. = **Bank Polski** Bank of Poland 2. = **Biuro Polityczne** (*np. KC PZPR*) Political Bureau
bp = **biskup** bishop
bp. = **błogosławionej pamięci** of blessed memory
BR 1. = **Bank Rolny** Bank of Agriculture 2. = **Brazylia** *aut.* Brazil
Br = **brom** *chem.* bromine
br. = **bieżący rok, bieżącego roku** the current year
b.r. = **bez roku, brak roku** (*wydania*) undated
BRH = **Biuro radcy handlowego** Trade Adviser's bureau
BRL = **Bułgarska Republika Ludowa** Bulgarian People's Republic
BRT = **Bruttoregistertonne** *niem.* **tona rejestrowa brutto** (*jednostka pojemności ładownej statku*) gross ton
b.r.w. = **bez roku wydania** undated; year of publication not given
Bryg., bryg. = **Brygada** brigade
bryt. = **brytyjski** British
BSCh = **Bojowe Środki Chemiczne** chemical warfare substances
BSiP = **Biuro Studiów i Projektów** Bureau for Study and Designing
BSP = **BŚP**
BŚP = **Bojowe środki promieniotwórcze** Radioactive warfare substances
B-teczka, b-teczka = **Biblioteczka** Library
BTM = **Bydgoskie Towarzystwo Muzyczne** the Bydgoszcz Music Society
BTMot = **Biuro Turystyki Motorowej** Motor Touring Office
BTS = **Biuro Turystyki Sportowej „Sports Tourist"** Sports Touring Office "Sports Tourist"
BTZ = **Biuro Turystyki Zagranicznej** Foreign Tourist Office
BU = **Biblioteka Uniwersytecka** University Library
BUW = **Biblioteka Uniwersytetu Warszawskiego** the Warsaw University Library
b.w. = **bez wydawcy** name of publisher not given
BWKZ = **Biuro Współpracy Kulturalnej z Zagranicą** Office for Cultural Relations with Foreign Countries
b.z. = **bez zmian** unchanged
BZTM = **Biuro Zagranicznej Turystyki Młodzieżowej** International Youth Touring Office

C 1. = **carbonicum** *łac. chem,* **(węgiel)** 2. = **centum** *łac.* **(sto)** one hundred 3. = **Kulomb** *elekt.* coulomb 4. **Kuba** *aut.* Cuba
c = **centum milia** *łac.* **(sto tysięcy)** one hundred thousand
°C = **stopień Celsjusza** degree centigrade
c = **centy-** (*przedrostek w układzie dziesiętnym, krotność* 10^{-2}) centi- (*a decimal system prefix, number of units of* 10^{-2})
c. = **córka** daughter
CA = **Kanada** *aut.* Canada
Ca = **calcium** *łac. chem.* **(wapń)** calcium
ca = **circa** *łac.* **(około)** about
CAF = **Centralna Agencja Fotograficzna** Central Press Photo Agency
cal. = **kaloria** *fiz.* calorie
c.at. = **ciężar atomowy** atomic weight

CB = **Kongo Belgijskie** *aut.* Belgian Congo
Cb = **kolumb** *chem.* columbium (**Cb** = **Nb**)
c.b.d.o. = **co było do okazania** <**określenia**> quod erat demontrandum
CC = **ducenti** *łac.* (**dwieście**) two hundred
CCC = **trecenti** *łac.* (**trzysta**) three hundred
c.cz. = **ciężar cząsteczkowy** molecular mass
CD = **Corps Diplomatique** *fr.* (**Korpus Dyplomatyczny**) Diplomatic Corps
CD = **quadringenti** *łac.* (*w numeracji rzymskiej*) four hundred
Cd = **cadmium** *łac. chem.* (kadm) cadmium
cd = **kandela** *fiz.* candela, new candle
cd., c.d. = **ciąg dalszy** continued
cdn., c.d.c. = **ciąg dalszy nastąpi** to be continued
CDT = **Centralny Dom Towarowy** Central Department Store
Ce = **cer** *chem.* cerium
Cepelia = **Centrala Przemysłu Ludowego i Artystycznego** *zob.* CPLiA
CEZAS = **Centrala Zaopatrzenia Szkół** School Supplies Centre
cf. = **confer** *łac.* (**porównaj**) confer; compare
Cf = **californium** *łac. chem.* (**kaliforn**) californium
CGS = **centymetr-gram-sekunda** (*układ*) centimetre-gram-second (*system*)
CH = **Centrala Handlowa** Commercial Centre
chor. = **chorąży** ensign
CHPM = **Centrala Handlowa Przemysłu Muzycznego** Commercial Centre for Music Industry
ChRL = **Chińska Republika Ludowa** Chinese People's Republic
CHZ = **Centrala Handlu Zagranicznego** Commercial Centre for Foreign Trade
CIECH = **Centrala Importowo-Eksportowa Chemikaliów** Import-Exports Commercial Centre for Chemicals
cięż. = **ciężar** weight
CK 1. = **Centralna Komisja** Central Board 2. = **Centralny Komitet** Central Committee
ckm = **ciężki karabin maszynowy** medium machine-gun
CK SD = **Centralny Komitet Stronnictwa Demokratycznego** Central Committee of the Democratic Party
Cl = **chlor** *chem.* chlorine
cl = **centylitr** (*jednostka objętości*) centilitre (*unit of cubature*)
clg, clog = **kologarytm** *mat.* cologarithm
CM = **nongenti** *łac.* (**dziewięćset**) nine hundred
Cm = **curium** *łac. chem.* (**kiur**) curium
cm = **centymetr** centimetre
cm² = **centymetr kwadratowy** square centimetre
cm³ = **centymetr sześcienny** cubic centimetre
cm/s = **centymetr na sekundę** centimetre per second
CO = **Kolumbia** *aut.* Columbia
CO, C.O., c.o. = **centralne ogrzewanie** central heating
Co = **cobaltum** *łac. chem.* (**kobalt**) cobalt
COPIA = **Centrala Obsługi Przedsiębiorstw i Instytucji Artystycznych** Central Service for Artistic Enterprise and Institutions
COPO = **Centralny Ośrodek Przygotowań Olimpijskich** Olimpic Games Arrangements Centre
Cos = **cosinus** *mat.* cosine
cosec = **cosecans** *mat.* cosecant
Cp = **cassiopeium** *łac. chem.* (**kasjop**) lutecium (**Cp** = Lu)
c. par. = **ciepło parowania** *fiz.* heat of evaporation
CPLiA = **Centrala Przemysłu Ludowego i Artystycznego** Foreign Trades Co-operative Company for Folk Arts Articles
CPN = **Centrala Produktów Naftowych** Commercial Centre for Oil Industry
Cr 1. = **chrom** *chem.* chromium 2. = **curie** curie
CRS = **Centrala Rolnicza Spółdzielni „Samopomoc Chłopska"** Agricultural Centre of the Co-operative "Peasants' Self-Help"
CS, ČS = **Czechosłowacja** *aut.* Czechoslovakia
Cs = **cesium** *łac. chem.* (**cez**) caesium
c/sek = **cykl na sekundę** cycle per second
CSH = **Centralna Składnica Harcerska** Scouts' Central Store
CSI = **Centrala Spółdzielni Inwalidów** Invalids' Co-operative Centre
CSRF = **Czeska i Słowacka Republika Federacyjna** Czech and Slovak Federative Republic
Ct = **celt** *chem.* celtium (**Ct** = **Hf**)
ctg = **cotangens** *mat.* cotangent
CU = **Centralny Urząd** Central Office
Cu = **cuprum** *łac. chem.* (**miedź**) copper
CUGW = **Centralny Urząd Gospodarki Wodnej** Central Office for Water Control and Exploitation
CWF = **Centrala Wynajmu Filmów** Film Distribution Office
CWKS = **Centralny Wojskowy Klub Sportowy** Army Central Sports and Athletics Club
c. wł. = **ciężar właściwy** *fiz.* specific weight
CY = **Cypr** *aut.* Cyprus
cyt. 1. = **cytat** quotation 2. = **cytowany** quoted
CZ 1. = **Centralny Zarząd** Headquarters 2. = **Centralny Związek** Central Union
cz. 1. = **część** part 2. = **czyli** i.e.
CZKR = **Centralny Związek Kółek Rolniczych** Central Union of Agricultural Co-operatives
czł. = **członek** member
czyt. = **czytaj** read

D 1. = **kąt prosty** *mat.* (*jednostka gradusowa kąta*) right angle (*unit of angular measure*) 2. = **quingenti** *łac.* (**pięćset**) five hundred 3. = **Niemcy** *aut.* Germany
dag = **dekagram** (*jednostka masy*) decagram(me) (*unit of mass*)
DC = **sescenti** *łac.* (**sześćset**) six hundred
dc = **decy-** (*przedrostek w układzie dziesiętnym, krotność* 10^{-1}) *deci-* (*a decimal system prefix, number of units of* 10^{-1})
dca, d-ca = **dowódca** chief, commander
dcbel = **decybel** (*jednostka natężenia dźwięku*) decibel (*unit of intensity of sound*)
DCC = **septigenti** *łac.* (**siedemset**) seven hundred
DCCC = **octigenti** *łac.* (**osiemset**) eight hundred
DCCCC = nongenti *łac.* (**dziewięćset**) nine hundred
dcm = **decymetr** decimetre
dcn., d.c.n. = **dalszy ciąg nastąpi** to be continued
dctwo, d-ctwo = **dowództwo** command headquarters
del. = **delineat** *łac.* (**narysował, naszkicował**) drawn by
dew. = **dewizowy** foreign currency –

DK 1. = **Dom Książki** Book Store 2. = **Dom Kultury** Social and Recreation Club 3. = **Dania** *aut.* Denmark
dk = **deka-** (*przedrostek w układzie dziesiętnym, krotność 10*) deca- (*a decimal system prefix, number of units of 10*)
DKF = **Dyskusyjny Klub Filmowy** Film-Discussion Club
dkg = **dekagram** (*jednostka masy*) decagram(me) (*unit of mass*)
dkl = **dekalitr** (*jednostka objętości*) decalitre (*unit of cubature*)
dkm = **dekametr** (*jednostka długości*) decametre (*unit of length*)
dł. = **długość** length
dł. geogr. = **długość geograficzna** longitude
dn. = **dnia** this ... day of ...
d.n. = **dokończenie nastąpi** to be concluded
doc. = **docent** assistant professor
dod. = **dodatek** supplement; appendix; addendum
dok. = **dokończenie** conclusion
dok. nast. = **dokończenie nastąpi** to be concluded
DOKP = **Dyrekcja Okręgowa Kolei Państwowych** District Management of the State Railways
dol. = **dolar** dollar
DOM = **Republika Dominikańska** *aut.* Dominican Republic
dom. = **domyślnie** to be understood
DOP = **Dolnośląski Okręg Przemysłowy** Lower-Silesian Industrial District
dopł. = **dopływ** *geogr.* affluent
dosł. = **dosłownie** literally
dot. 1. = **dotyczy** refers to 2. = **dotyczący** concerning
DOW = **Dowództwo Okręgu Wojskowego** Supreme Command of the Military District
DPT = **Dom Pracy Twórczej** Rest House for Scientists and Artists
Dr, dr = **doktor** doctor
dr. = **druk** printed matter
dr h.c. = **doctor honoris causa** doctor honoris causa
dr med. = **doktor medycyny** doctor of medicine
druk. 1. = **drukarnia** printing house 2. = **drukarz** printer 3. **drukarski** printing 4. = **drukowany** printed 5. = **drukarstwo** printing
DS = **Dom Studencki** Student's Home <Hostel>
Ds = **Dy**
ds., d/s = **do spraw** for ... affairs <matters>
DSP = **Dom Słowa Polskiego** Polish Publication and Press Institute
Dw. = **Dworzec** Railway Station
DWD = **Dom Wczasów Dziecięcych** Children's Holiday Home
DWLot = **Dowództwo Wojsk Lotniczych** Air Force Command
dwumies. = **dwumiesięcznik** bimonthly publication
dwustr. = **dwustronny** two-sided
dwuszp. = **dwuszpaltowy** two-column
dwutyg. = **dwutygodnik** fortnightly publication
Dy = **dyzproz** *chem.* dysprosium
dyon = **dywizjon** *wojsk.* unit; *lotn.* wing
dypl. 1. = **dyplomacja** diplomacy 2. = **dyplomatyczny** diplomatic
dypl. = **dyplomowany** certified
Dyr., dyr. 1. = **dyrektor** director 2. = **dyrekcja** direction
dz. 1. = **dzień** the day 2. = **dziennie ...** a day 3. = **dziennik** day book
dziek. = **dziekan** dean
dzien. = **dz.** 3.
Dz. U. 1. = **Dziennik Urzędowy** Regulations Gazette 2. = **Dziennik Ustaw** Government Regulations and Laws Gazette
Dz. U. RP = **Dziennik Ustaw RP** Government Gazette of the Republic of Poland

E = **einstein, ajnsztajn** *chem.* einsteinium
°E = **stopień Englera** Engler degree
e. c. = **exempli causa** *łac.* (**na przykład**) for example
egz. = **egzemplarz(e)** copy, copies
EKD = **Elektryczna Kolej Dojazdowa** Electric Access Railway
EKG, ekg = **elektrokardiogram** electrocardiogram
ekw. = **ekwiwalent** equivalent
em. = **emerytowany** retired
Er = **erb** *chem.* erbium
err. = **errata** errata
ESW = **Europejski System Walutowy** European Monetary System, EMS
etc. = **et cetera** et cetera
europ = **europejski** European
eV = **elektronowolt** electronovolt
ew., ewent. = **ewentualnie** or; otherwise
EWG = **Europejska Wspólnota Gospodarcza** European Economic Community, EEC
EWWiS = **Europejska Wspólnota Węgla i Stali** European Coal and Steel Community, ECSC

F 1. = **farad** *elektr.* farad 2. = **fluor** *chem.* fluorine 3. = **Francja** *aut.* France
°F = **stopień Fahrenheita** Fahrenheit degree
f = **fecit** *łac.* (**wykonał**) made by
FAO = **Organizacja do Spraw Wyżywienia i Rolnictwa** Food and Agriculture Organization
FBS = **Fundusz Budowy Szkół** School-Building Fund
f.dł. = **fale długie** *radio* long waves
Fe = **ferrum** *łac. chem.* (**żelazo**) iron
fel. = **felieton** column
F-ka, f-ka = **fabryka** factory
f. kr. = **fale krótkie** *radio* short waves
fl., flor. = **floren(y)** florin(s)
Fm = **ferm** *chem.* fermium
FN = **Filharmonia Narodowa** National Philharmonic Society
form. = **format** format; size
fort. = **fortepian** piano
Fot., fot. = 1. **fotografował** photographed by 2. = **fotograf** photographer
fotom. = **fotomontaż** trick picture
fotorep. = **fotoreportaż** camera-report
FP = **Film Polski** Polish Cinema
FPK = **Francuska Partia Komunistyczna** French Communist Party
FPT = **Fundusz Postępu Technicznego** Fund for the Advancement of Technology
Fr = **francium** *łac. chem.* (**frans**) francium
Fr, Fr., fr, fr. = **frank(i)** franc(s)

fragm. = **fragment** fragment

FRF = **Fundusz Rozbudowy Floty** Fund of the Development of the Navy

FRR = **Fundusz Rozwoju Rolnictwa** Fund for the Development of Agriculture

FSC = **Fabryka Samochodów Ciężarowych** Lorry Factory

FSM = **Fabryka Samochodów Małolitrażowych** Low-capacity Motor-car Factory

FSO = **Fabryka Samochodów Osobowych** Motor-car Factory

f. szt. = **funt(y) szterling(i)** Pound Sterling

f. śr. = **fale średnie** *radio* medium waves

FWP = **Fundusz Wczasów Pracowniczych** Labourers' Holiday Fund

G 1. = **giga-** (*przedrostek w układzie dziesiętnym, krotność* 10^9) giga- (*a decimal system prefix, number of* 10^9) 2. = **Gwatemala** *aut.* Guatemala

G., g. = **góra, góry** Mountain(s)

g. 1. = **gram** gram(me) 2. = **godzina, godziny** hour(s)

Ga = **gal** *chem.* gallium

gal. = **galon** gallon

gat. = **gatunek** sort

g-atom = **gramoatom** gramme-atom

GATT = **General Agreement on Tariffs and Trade** *ang.* Układ Ogólny w sprawie Ceł i Handlu

GB = **Wielka Brytania** *aut.* Great Britain

Gd = **gadolin** *chem.* gadolinium

Ge = **german** *chem.* germanium

gen. 1. = **generał** General 2. = **generalny** head; chief; main; general

gen. bryg. = **generał brygady** Brigadier-General

gen. dyw. = **generał dywizji** Lieutenant-General

GH = **Ghana** *aut* Ghana

GIOP = **Główny Inspektorat Ochrony Pracy** Chief Inspectorate for the Protection of Labour

GIS = **Główny Inspektorat Sanitarny** Chief Sanitary Inspectorate

GK 1. = **Główna Kwatera** Headquarters 2. = **Główny Komitet** Chief Committee

GKKFiT = **Główny Komitet Kultury Fizycznej i Turystyki** Chief Committee for Physical Culture and Tourism

GKS = **Górniczy Klub Sportowy** Miners' Sports and Athletics Club

GK ZSL = **Gromadzki Komitet Zjednoczonego Stronnictwa Ludowego** Village Committee of the United Peasants's Party

GL = **Gwardia Ludowa** *hist.* (*1942–1943*) People's Guard

gł. 1. = **głębokość** depth 2. = **główny** chief

godz = **godzina, godziny** hour(s)

GON = **Górska Odznaka Narciarska** Mountain Skiing Badge

GOP = **Górnośląski Okręg Przemysłowy** Upper-Silesian Industrial Region

GOPR = **Górskie Ochotnicze Pogotowie Ratunkowe** Volunteer Mountain Rescue Service

gosp. 1. = **gospodarka** economy; economics 2. = **gospodarczy** economic

GOT = **Górska Odznaka Turystyczna** Mountain--Climbing Badge

GR = **Grecja** *aut.* Greece

gr = **grosz** grosz

GRN = **Gromadzka Rada Narodowa** Village People's Council

grub. = **grubość** thickness

GS = **Gminna Spółdzielnia** Rural Co-operative

Gs = **gaus** *elektr.* gauss

GUC = **Główny Urząd Ceł** Polish Board of Customs

GUGiK = **Główny Urząd Geodezji i Kartografii** Head Office of Land-Surveying and Cartography

GUKPPiW = **Główny Urząd Kontroli Prasy, Publikacji i Widowisk** (*1946–1990*) Main Press, Publications and Shows Control Office

GUM = **Główny Urząd Miar** Central Measure Bureau

GUS = **Główny Urząd Statystyczny** Central Bureau for Statistics

H 1. = **henr** *elektr.* henry 2. = **Hydrogenium** *łac. chem.* **(wodór)** hydrogen 3. = **Węgry** *aut.* Hungary

h = **hecto-** (*przedrostek w układzie dziesiętnym, krotność* 10^2) hecto- (*a decimal system prefix, number of units of* 10^2)

ha = **hektar** hectare

h.a. = **hoc anno** *łac.* (**w tym roku**) that year

h.c. = **honoris causa** honoris causa

He = **hel** *chem.* helium

Hf = **hafn** *chem.* hafnium

hg = **hektogram** hectogramme

Hg = **hydrargyrum** *łac. chem.* **(rtęć)** mercury

HKS = **Harcerski Klub Sportowy** Scouts' Sports and Athletics Club

hl = **hektolitr** hectolitre

hm = **hektometr** hectometre

Ho = **holm** *chem.* holmium

hon. = **honorowy** honorary

hr. = **hrabia** count

Hz = **herc** hertz

I = **Włochy** *aut.* Italy

ib., ibid. = **ibidem** *łac.* (**tamże**) ibidem; in the same place

IBJ = **Instytut Badań Jądrowych** Institute of Nuclear Research

IBL = **Instytut Badań Literackich** Institute of Literary Research

IBM = **Instytut Budownictwa Mieszkaniowego** Institute for Residential Architecture

IBW = **Instytut Budownictwa Wodnego** Institute of Hydrotechnics

IChF = **Instytut Chemii Fizycznej** Institute of Physical Chemistry

IChN = **Instytut Chemii Nieorganicznej** Institute of Inorganic Chemistry

IChO 1. = **Instytut Chemii Ogólnej** Institute of General Chemistry 2. = **Instytut Chemii Organicznej** Institute of Organic Chemistry

IChPW = **Instytut Chemicznej Przeróbki Węgla** Institute for Chemical Processing of Coal

id. = **idem** *łac.* (**ten sam, tenże**) id., also, likewise, as well

i.e. = **id est** *łac.* (**to jest**) i.e.; that is

IER = **Instytut Ekonomiki Rolnej** Institute of Agricultural Economy

IFJ = **Instytut Fizyki Jądrowej** Institute of Nuclear Physics

IG 1. = **Instytut Geografii** Institute of Geography 2. = **Instytut Geologiczny** Institute of Geology

IGiK = **Instytut Geodezji i Kartografii** Institute of Land-Surveying and Cartography

IGiO = **Instytut Głuchoniemych i Ociemniałych** Institute for the Deaf-Mute and the Blind

IGK = **Instytut Gospodarki Komunalnej** Institute of Municipal Economy

IGR = **Instytut Genetyki Roślin** Institute of Plant Genetics

IGS = **Instytut Gospodarstwa Społecznego** Institute of Communical Economy

IGW = **Instytut Gospodarki Wodnej** Institute for Water Control and Exploitation

IH = **Instytut Historii** Institute of History

IHAR = **Instytut Hodowli i Aklimatyzacji Roślin** Institute for Plant Breeding and Acclimatization

IHKM = **Instytut Historii Kultury Materialnej** Institute of the History of Material Culture

IHW = **Instytut Handlu Wewnętrznego** Institute of Home Trade

IL = **Izrael** *aut.* Israel

Il = **illinium** *chem.* illinium (**Il** = **Pm**)

ILek. = **Instytut Leków** Institute of Pharmacy

ILot. = **Instytut Lotnictwa** Institute of Aircraft

ilustr. 1 = **ilustracja** fig., figure, illustration 2. = **ilustrował** illustrated by 3. = ilustrator illustrator

IŁ = **Instytut Łączności** Institute of Telecommunication

im. = **imienia** memorial

i.m. = **in margine** *łac.* (**na marginesie**) on the margin

IMD = **Instytut Medycyny Doświadczalnej** Institute for Experimental Medicine

IMER = **Instytut Mechanizacji i Elektryfikacji Rolnictwa** Institute for the Mechanization and Electrification of Agriculture

IMiD = **Instytut Matki i Dziecka** Mother and Child Institute

IM(i)GW = **Instytut Meteorologii i Gospodarki Wodnej** Meteorological and Hydrological Institute

IMM = **Instytut Maszyn Matematycznych** Computer Institute

IMM = **Instytut Medycyny Morskiej** Institute for Marine Medicine

IMO = **Instytut Materiałów Ogniotrwałych** Institute of Fireproof Materials

IMP 1. = **Instytut Mechaniki Precyzyjnej** Institute of Precision Mechanics 2. = **Instytut Medycyny Pracy** Institute of the Medicine of Labour

IMPiHW = **Instytut Medycyny Pracy i Higieny Wsi** Institute of the Medicine of Labour and Rural Hygiene

im. wł. = **imię własne** proper name

IMŻ = **Instytut Metalurgii Żelaza** Institute for Metallurgy of the Ferrous Metals

IN = **Instytut Naftowy** Mineral Oil Institute

In = **ind** *chem.* indium

in. 1. = **inny, inni** other, others 2. = **inaczej** or; also

INB = **Instytut Naukowo-Badawczy** Institute for Scientific Research

Inst. = **Instytut** Institute

INSz. = **Instytut Nawozów Sztucznych** Institute of Artifical Fertilizers

inż. = **inżynier** engineer

inż. agr. = **inżynier agronomii** agricultural engineer

inż. arch. = **inżynier architektury** architectural engineer

inż. chem. = **inżynier chemii** chemical engineer

inż. elektr. = **inżynier elektrotechnik** electrical engineer

inż. gór. = **inżynier górnik** mining engineer

inż. hut. = **inżynier hutnik** metallurgic engineer

inż. inż. = **inżynierowie** engineers

inż. leśn. = **inżynier leśnik** forestry engineer

inż. mech. = **inżynier mechanik** mechanical engineer

IOnk = **Instytut Onkologii** Institute of Oncology

IP = **Instytut Pracy** Institute of Labour

IPC = **Instytut Przemysłu Cukrowniczego** Institute of Sugar Industry

IPDiR, IPDiRz = **Instytut Przemysłu Drobnego i Rzemiosła** Institute of Light Industries and Handicrafts

IPG, IPGum. = **Instytut Przemysłu Gumowego** Institute of Rubber Industry

IPM 1. = **Instytut Prawa Międzynarodowego** Institute of International Law 2. = **Instytut Przemysłu Mięsnego** Institute of Meat Industry 3. = **Instytut Przemysłu Mleczarskiego** Institute of Dairy Industry

IPRiS = **Instytut Przemysłu Rolnego i Spożywczego** Institute of Agriculture and Food Industry

IPZ = **Instytut Przemysłu Zielarskiego** Institute of Herbal Industry

IR = **Iran** *aut.* Iran

Ir = **iryd** *chem.* iridium

IRQ = **Irak** *aut.* Iraq

IS = **Islandia** *aut.* Iceland

IS, ISz = **Instytut Sztuki** Institute of Fine Arts

it = **informacja turystyczna** tourist information

ITB = **Instytut Techniki Budowlanej** Institute of Building Technics

ITC = **Instytut Techniki Cieplnej** Institute of Thermal Technics

itd. = **i tak dalej** etc.; and so on

ITJ = **Instytut Techniki Jądrowej** Institute of Nuclear Technics

itp. = **i tym podobne** and the like

ITR = **Instytut Tele- i Radiotechniczny** Institute of Telephone and Radio Engineering

ITS = **Instytut Tworzyw Sztucznych** Institute of Plastics

IUA = **Instytut Urbanistyki i Architektury** Institute of Town Planning and Architecture

IUNG = **Instytut Uprawy, Nawożenia i Gleboznawstwa** Institute of Soil-Cultivation, Fertilizing and Pedology

IV = **quatrum** *łac.* (**cztery**) four

IWP = **Instytut Wzornictwa Przemysłowego** Institute of Industrial Design

IWSS = **Instytut Włókien Sztucznych i Syntetycznych** Institute of Artificial and Synthetic Fibres

IX = **novem** *łac.* (**dziewięć**) nine

IŻiŻ = **Instytut Żywności i Żywienia** Institute of Food and Feeding

J 1. = **dżul** *fiz.* joule 2. = **jod** *chem.* iodine

J., j. = **jezioro** lake

JCM = **Jego Cesarska Mość** His Imperial Majesty

JCW = **Jego Cesarska Wysokość** His Imperial Highness

JE = **Jego Ekscelencja** His Excellency

jedn. = **jednostka** unit
j. em. = **jednostka elektromagnetyczna** electromagnetic unit
j. es. = **jednostka elektrostatyczna** electrostatic unit
Jez., jez. = **jezioro** lake
jęz. = **język** language
jęz. oryg. = **język oryginału** original language
JKM = **Jego Królewska Mość** His Royal Majesty
JKMci, JKMości = **Jego Królewskiej Mości** His Royal Majesty's
JKW = **Jego Królewska Wysokość** His Royal Highness
JM = **Jego Magnificencja** university rector's title
J. M. = **jednostka Macke'a** Macke unit
j.m. = **jednostka masy magnetycznej** magnetic unit
JMci, Jmci = **Jego Mości, Jegomości** the Honourable Gentleman's
j.n. = **jak niżej** as below
JO, J.O. = **Jaśnie Oświecony** His Highness; His Grace
J.O.Ks = **Jaśnie Oświecony Książę** His Highness Duke of ...
J.P. 1. = **Jaśnie Pan** His Lordship 2. = **Jaśnie Pani** Her Ladyship
JPK = **Jednolity Plan Kont** Unified Accountancy Scheme
J.PP. = **Jaśnie Panowie** The Honourables
jun. = **junior** jnr
JW = **Jaśnie Wielmożny** The Honourable
jw. = **jak wyżej** as above
JWP = **Jaśnie Wielmożny Pan** the Honourable Gentleman

K = 1. **kalium** *łac. chem.* (**potas**) potassium 2. = **karat** *jub.* carat
°K = **stopień Kelvina** Kelvin degrèe
k = **kilo-** (*przedrostek w układzie dziesiętnym, krotność* 10^3) kilo- (*a decimal system prefix, number of units* 10^3)
k. = **koło** near
kad. = **kadet** cadet
kadm. = **kontradmirał** rear-admiral
kal. = **kalendarz** calendar
Kan., kan. = **kanał** canal
kan. 1. = **kanonik** canon 2. = **kanonier** gunner; artilleryman
kanc. 1. = **kancelaria** office 2. = **kancelaryjny** office 3. = **kanclerz** chancellor
kand. = **kandydat** candidate
kand. n. = **kandydat nauk** candidate of science
kap. 1. = **kapelan** chaplain (to the Forces) 2. = **kapituła** chapter
kard. = **kardynał** cardinal
kart. = **karton** cartoon
kartogr. 1. = **kartografia** cartography 2. = **kartograficzny** cartographic(al)
kat. 1. = **katedra** chair; department 2. = **katedralny** cathedral 3. = **katolicki** catholic
kb = **karabin bojowy** rifle
KB = **Komitet Blokowy** Block Committee
KBWE = **Konferencja w sprawie Bezpieczeństwa i Współpracy w Europie** Conference on decurity and Co-operation in Europe, CSCE
KC, k.c. = **kodeks cywilny** civil code
KC = **Komitet Centralny** Central Committee
kcal = **kilokaloria** kilo-calorie
KD 1. = **klasyfikacja dziesiętna** decimal classification 2. = **Komitet Dzielnicowy** District Committee
KDL = **Kraje Demokracji Ludowej** People's Democracies
KERM = **Komitet Ekonomiczny Rady Ministrów** Economic Committee of the Cabinet
KeV = **kiloelektrovolt** kiloelectron-volt
KF = **fale krótkie** short waves
KG 1. = **kilogram siły** kilogram-force 2. = **Komenda Główna** Chief Headquarters
kg = **kilogram** (*jednostka masy*) kilogram(me) (*unit of mass*)
kHz = **kiloherc** kilo-cycle per second
Kier., kier. = **kierownik** Manager
KJ = **kilodżul** kilojoule
KK = **Komisja Krajowa** National Committee
KK, k.k. = **kodeks karny** Penal Code
KKF = **Komitet Kultury Fizycznej** Physical Culture Committee
KKS = **Kolejowy Klub Sportowy** Railway Workers' Sports and Athletics Club
kl. = **klasa** class
KLD = **Kongres Liberalno-Demokratyczny** Liberal-Democratic Congress
KM = **Komitet Miejski** Town Committee
KM = **koń mechaniczny** HP, horse power
km 1. = **karabin maszynowy** machine gun 2. = **kilometr** kilometre
km² = **kilometr kwadratowy** square kilometre
km³ = **kilometr sześcienny** cubic kilometre
kmdr = **komandor** commodore
kmdt = **komendant** commander
km/g = **kilometr(y) na godzinę** kilometres per hour
KMh = **koniogodzina** horse-power-hour
km/sek = **kilometr(y) na sekundę** kilometres per second
KMT = **Klub Miłośników Teatru** Theatre-lovers' Club
KMW = **Koło Młodzieży Wiejskiej** Country Youth Circle
KNiT = **Komitet Nauki i Techniki** Committee for Science and Technology
KO, ko = **kulturalno-oświatowa** (*praca*) culture and education (*activities*)
KO = **Komitet Obywatelski** Civic Committee
KOK = **Komitet Obrony Kraju** National Defence Committee
kol. = **kolega** colleague
kol. red. = **kolegium redakcyjne** Editorial Staff
kom. = **komendant** commander
koment. = **komentarz** commentary
kom. red. = **komitet redakcyjny** Editorial Committee
KOP 1. = **Komisja Ochrony Pracy** Labour Protection Board 2. = **Koniński Okręg Przemysłowy** Industrial Region of Konin 3. = **Krakowski Okręg Przemysłowy** Industrial Region of Cracow
kop. = **kopalnia** mine
KOR = **Komitet Obrony Robotników** (*1976–1981*) Workers' Defence Committee
koresp. 1. = **korespondent** correspondent 2. = **korespondencyjny** correspondence -
kośc. = **kościół** church
KOT = **Kolarska Odznaka Turystyczna** Cyclist Touring Badge

KP 1. = **Komitet Powiatowy** District Committee 2. = **Komunistyczna Partia** Communist Party
kp = **kilopond** kilogram-force
KPA, k.p.a. = **kodeks postępowania administracyjnego** Code of Administrative Procedure
KPC, k.p.c. = **kodeks postępowania cywilnego** Code of the Civil Procedure
KPCh = **Komunistyczna Partia Chin** Chinese Communist Party
KPK, k.p.k. = **kodeks postępowania karnego** Code of Penal Procedure
KP MO = **Komenda Powiatowa Milicji Obywatelskiej** District Headquarters of the Civic Militia
KPN = **Konfederacja Polski Niepodległej** Confederation for Independent Poland
KPP = **Komunistyczna Partia Polski** *hist.* (*1925–1938*) Communist Party of Poland
kpr. = **kapral** corporal
KPRP = **Komunistyczna Partia Robotnicza Polski** *hist.* (*1918–1925*) Communist Workers' Party of Poland
kpt. = **kapitan** captain
KPUD = **Klub Parlamentarny-Unia Demokratyczna** Parliamentary Club-Democratic Union
KPZR = **Komunistyczna Partia Związku Radzieckiego** *hist.* Communist Party of the Soviet Union
KR 1. = **Komisja Rewizyjna** Board of Control 2. = **Kółko Rolnicze** Agricultural Co-operative
Kr = **krypton** *chem.* krypton
kr = **karat** carat
KRLD = **Koreańska Republika Ludowo-Demokratyuczna** Korean People's Democratic Republic
KRN = **Krajowa Rada Narodowa** *hist.* (*1944–1947*) National People's Council
krypt. = **kryptonim** cryptonym
KS = **Klub Sportowy** Sports and Athletics Club
ks. = **ksiądz** the Reverend
ks. = **książę** Duke
księg. = **księgarnia** bookshop
KT = **Kontrola Techniczna** technological inspection
KTiR = **Klub Techniki i Racjonalizacji** Technology and Rationalization Club
k. tyt. = **karta tytułowa** title page
KU = **Komitet Uczelniany** College Committee
KUL = **Katolicki Uniwersytet Lubelski** the Catholic University of Lublin
kur. = **kurator** School Superintendent
KU ZSP = **Komitet Uczelniany Zrzeszenia Studentów Polskich** College Committee of the Polish Students' Association
kV = **kilowolt** kilovolt
kVa = **kilowoltoamper** kilovolt-ampere
kVAr = **kilowar** kilovar
kw. 1. = **kwadratowy** square 2. = **kwartał** three months, term
KW 1. = **Komenda Wojewódzka** Province Headquarters 2. = **Komitet Warszawski** Warsaw Committee 3. = **Komitet Wojewódzki** Province Committee 4. = **Komitet Wykonawczy** Executive Committee
kW = **kilowat** kilowatt
kwart. 1. = **kwartalnik** quarterly 2. = **kwartalny** quarterly
kWh = **kilowatogodzina** kilowatt-hour
KW MO = **Komenda Wojewódzka Milicji Obywatelskiej** Provincial Headquarters of the Civic Militia
kwn = **kwintal** quintal
KZG 1. = **Katowickie Zakłady Gastronomiczne** the Katowice Catering Establishments 2. = **Kieleckie Zakłady Gastronomiczne** the Kielce Catering Establishments 3. = **Krakowskie Zakłady Gastronomiczne** the Cracow Catering Establishments

L 1. = **Luksemburg** *aut.* Luxemburg 2. = **quinquaginta** *łac.* **pięćdziesiąt** fifty
l. 1. = **lewy** left 2. = **liczba** number 3. = **lata** years
l = **litr** litre
LA, la = **lekka atletyka** athletics; track and field events
La = **lantan** *chem,* lanthanum
l.a. = **lege artis** *łac.* (**według zasad sztuki**) according to the rules of the craft
lab. 1. = **laborant** laboratory assistant 2. = **laboratorium** laboratory
l. at. = **liczba atomowa** atomic number
l.c. = **loco citato** *łac.* (**w miejscu cytowanym**) loco citato; in the place cited
l. dz. = **liczba dziennika** registration number
lek. = **lekarz** physician
lg = **logarytm** logarithm
Li = **lit** *chem.* lithium
lim = **limes** *łac. mat* (**granica**) limit
litogr. = **litografia** litography
LK = **Liga Kobiet** Women's League
lkm = **lekki karabin maszynowy** LMG, light machine gun
LKS = **Ludowy Klub Sportowy** Popular Sports and Athletics Club
l.l. = **loco laudato** *łac.* (**w miejscu wskazanym**) in the place cited
lm = **lumen** lumen
lmh = **lumenogodzina** lumen hour
log = **logarytm** *mat.* logarithm
LOK = **Liga Obrony Kraju** National Defence League
LOP = **Liga Ochrony Przyrody** League for the Preservation of Nature
LOT, Lot = **PPl „Lot"** Polish Airlines "Lot"
lotn. 1. = **lotniczy** air - 2. = **lotnictwo** aircraft
LPA = **Liga Państw Arabskich** League of Arab States
Lu = **lutet** *chem.* lutecium (**Lu** = **Cp**)
l. ub. = **lata ubiegłe** the past years
ludn. = **ludność** the population
LWP = **Ludowe Wojsko Polskie** Polish People's Army
lx = **luks** (*jednostka jasności*) lux (*unit of luminosity*)
LZG = **Lubelskie Zakłady Gastronomiczne** the Lublin Catering Establishments
LZS = **Ludowe Zespoły Sportowe** Popular Sports and Athletics Clubs

Ł = **funt s(z)terling** Pound Sterling
łac. = **łaciński** Latin
ŁDK = **Łódzki Dom Kultury** The Łódź Social and Recreation Club
ŁKS = **Łódzki Klub Sportowy** the Łódź Sports and Athletics Club
ŁOP = **Łódzki Okręg Przemysłowy** the Łódź Industrial Region
ŁZG = **Łódzkie Zakłady Gastronomiczne** the Łódź Catering Establishments

M 1. = **mega-** (*przedrostek w układzie dziesiętnym, krotność* 10^6) mega- (*a decimal system prefix, number of units of* 10^6) 2. = **mille** *łac.* (**tysiąc**) one thousand

M., m. = **morze** sea

m 1. = **mili-** (*przedrostek w układzie dziesiętnym, krotność 10*) mili- (*a decimal system prefix, number of units of 10*) 2. = **metr** metre

$\mathbf{m^2}$ = **metr kwadratowy** square metre

$\mathbf{m^3}$ = **metr sześcienny** cubic metre

m. 1. = **miasto** town 2. = **miesiąc** month 3. = **mieszkanie** flat

MA = **Maroko** *aut.* Marocco

Ma = **masurium** *łac. chem.* (**mazur**) masurium (**Ma** = **Tc**)

MAEA = **Międzynarodowa Agencja Energii Atomowej** International Atomic Energy Agency, IAEA

maks. 1. = **maksimum** maximum 2. = **maksymalny** maximum -

mal. = **malował** painted by

mar. = **marynarz** sailor, mariner

margr. = **margrabia** margrave

marsz. = **marszałek** marshal

m. at. = **masa atomowa** atomic mass

m.b. = **metr bieżący** running metre

mbar = **milibar** milibar

MBOR = **Międzynarodowy Bank Odbudowy i Rozwoju** *pot.* **Bank Światowy** International Bank for Reconstruction Development, *pot.* World Bank, IBRD

MBP 1. = **Międzynarodowe Biuro Pracy** International Labour Office 2. = **Miejska Biblioteka Publiczna** Municipal Public Library

MBW = **Międzynarodowe Biuro Wychowania** International Education Bureau

MC = **Monako** *aut.* Monaco

m-c, mca = **miesiąc, miesiąca** month

Mcal = **megakaloria, termia** megacalorie, ton calorie, therm

MCK = **Międzynarodowy Czerwony Krzyż** International Red Cross

m.cz. = **mała częstotliwość** *elekt.* low frequency

Md = **mendelew** *chem.* mendelevium (**Md** = **Mv**)

MDD = **Międzynarodowy Dzień Dziecka** International Children's Day

MDK 1. = **Miejski Dom Kultury** Municipal Social and Recreation Club 2. = **Młodzieżowy Dom Kultury** Youth Social and Recreation Club

MDM 1. = **Marszałkowska Dzielnica Mieszkaniowa** Marszałkowska Residence District 2. = **Międzynarodowy Dzień Młodzieży** International Youth Day

MDS = **Międzynarodowy Dzień Spółdzielczości** International Co-operative Day

Mdyn = **megadyna** megadyne

med. 1. = **medycyna** medicine 2. = **medyczny** medical

MEN = **Ministerstwo Edukacji Narodowej** Ministry of National Education

MeV = **megaelektronowolt** mega-electron-volt

MEX = **Meksyk** *aut.* Mexico

MFBRO = **Międzynarodowa Federacja Bojowników Ruchu Oporu** International Federation of Combatants in the Resistance Movement

MFF = **Międzynarodowy Festiwal Filmowy** International Film Festival

MFSM = **Międzynarodowa Federacja Schronisk Młodzieżowych** International Youth Hostels Federation

MFW = **Międzynarodowy Fundusz Walutowy** International Monetary Fund, IMF

Mg = **magnez** *chem.* magnesium

mg = **miligram** milligram(me)

MGiE = **Ministerstwo Górnictwa i Energetyki** Ministry of Mining and Power

MGK = **Ministerstwo Gospodarki Komunalnej** Ministry of Municipal Economy

mgr = **magister** M.A.

MHD = **Miejski Handel Detaliczny** Municipal Retail Trade

MHM = **Miejski Handel Mięsem** Municipal Meat Trade

MHW = **Ministerstwo Handlu Wewnętrznego** Ministry of Internal Trade

MHZ = **Ministerstwo Handlu Zagranicznego** Ministry of Foreign Trade

miejsc. = **miejscowość** place; locality

mies. 1. = **miesiąc** month 2. = **miesięcznie** monthly

mieszk. = **mieszkaniec, mieszkańców** inhabitant(s)

Min. = **ministerstwo** Ministry

min. = **minister** minister

min = **minut(a), minuty** minute(s)

m.in. = **między innymi** among others

mjr = **major** major

MK = **Ministerstwo Komunikacji** Ministry of Transport

m-ka = **marka** mark

MKCK = **Międzynarodowy Komitet Czerwonego Krzyża** International Red Cross Committee

MKE = **Miejska Kolej Elektryczna** Urban Electric Railway

MKiS = **Ministerstwo Kultury i Sztuki** Ministry of Culture and Art

MKKFiT = **Miejski Komitet Kultury Fizycznej i Turystyki** Municipal Committee for Physical Culture and Tourism

MKL = Miejska Komisja Lokalowa Urban Housing Board

MKO = **MKOl**

MKOl = **Międzynarodowy Komitet Olimpijski** International Olympic Games Committee

MKPG = **Miejska Komisja Planowania Gospodarczego** Municipal Commission of Economic Planning

MKS 1. = **metr-kilogram-sekunda** (*układ*) metre-kilogram-second 2. = **Międzyszkolny Klub Sportowy** Inter-School Sports and Athletics Club 3. = **Międzyuczelniany Klub Studencki** Intercollogiate Students' Club

m kw. = **metr kwadratowy** square metre

MKWZZ = **Międzynarodowa Konferencja Wolnych Związków Zawodowych** International Confederation of Free Trade Unions, ICFTU

ml = **mililitr** mililitre

mld = **miliard** milliard; *am.* billion

MLiPD = **Ministerstwo Rolnictwa i Przemysłu Drzewnego** Ministry of Forestry and Timber Industry

mln = **milion** million

mł. = **młodszy** junior

MŁ = **Ministerstwo Łączności** Ministry of Communications

MM = **duo milia** *łac.* (**dwa tysiące**) two thousand

mm = **milimetr** millimetre
mm² = **milimetr kwadratowy** square millimetre
mm³ = **milimetr sześcienny** cubic millimetre
MMM = **tria milia** *łac.* (**trzy tysiące**) three thousand
MN = **Muzeum Narodowe** National Museum
m npm = **metrów nad poziomem morza** metres above sea level
MO = **Milicja Obywatelska** Civic Militia
Mo = **molibden** *chem.* molybdenum
MOD = **Międzynarodowa Organizja Dziennikarzy** International Journalists' Organization
MOM = **Międzynarodowa Organizacja Morska** International Maritime Organization, IMO
MON = **Ministerstwo Obrony Narodowej** Ministry of National Defence
MOP = **Międzynarodowa Organizacja Pracy** International Labour Organization, ILO
MOSTiW = **Miejski Ośrodek Sportu i Wypoczynku** Urban Centre of Sports, Tourism and Recreation
MOś i SW = **Ministerstwo Oświaty i Szkolnictwa Wyższego** Ministry of Education and Schools of Academic Rank
MPA =**Miejskie Przedsiębiorstwo Autobusowe** Municipal Bus Enterprise
MPC = **Ministerstwo Przemysłu Ciężkiego** Ministry of Heavy Industry
MPCh = **Ministerstwo Przemysłu Chemicznego** Ministry of Chemical Industry
MPGK = **Miejskie Przedsiębiorstwo Gospodarki Komunalnej** Municipal Enterprise for Communal Economy
MPIA = **Miejskie Przedsiębiorstwo Imprez Artystycznych** Municipal Show Business
MPiK = **(Klub) Międzynarodowej Prasy i Książki** International Press and Book Club
MPK = **Miejskie Przedsiębiorstwo Komunikacyjne** Municipal Transport Enterprise
MPL = **Ministerstwo Przemysłu Lekkiego** Ministry of Light Industry
MPO = **Miejskie Przedsiębiorstwo Oczyszczania** Municipal Cleaning Service
MPT = **Miejskie Przedsiębiorstwo Taksówkowe** Municipal Taxi Service
MR = **Ministerstwo Rolnictwa** Ministry of Agriculture
MRG = **Międzynarodowy Rok Geofizyczny** International Geophysical Year
MRL = **Mongolska Republika Ludowa** Mongolian People's Republic
MRN = **Miejska Rada Narodowa** People's Town Council
MRT = **Międzynarodowy Rajd Tatrzański** International Tatra Mountains Rally
MS = **Ministerstwo Sprawiedliwości** Ministry of Justice
MSR = **Międzynarodowe Stowarzyszenie Rozwoju** International Development Association, IDA
m. st. = **miasto stołeczne** capital city
MSW = **Ministerstwo Spraw Wewnętrznych** Ministry Home Affairs
MSZ = **Ministerstwo Spraw Zagranicznych** Ministry of Foreign Affairs
MTF = **Międzynarodowe Towarzystwo Finansowe** International Finance Corporation, IFC
MTK = **Międznarodowe Targi Książki** International Book Fair
MTP = **Międzynarodowe Targi Poznańskie** the Poznań International Fair
MTS = **Międzynarodowy Trybunał Sprawiedliwości** International Court of Justice
MV = **megawolt** megavolt
Mv = **mendelew** *chem.* mendelevium (**MV** = **Md**)
mV = **miliwolt** millivolt
MW = **megawat** megawatt
mW = **miliwat** milliwatt
MWG = **Międzynarodowa Współpraca Geofizyczna** International Geophysical Co-operation
MWGzZ = **Ministerstwo Współpracy Gospodarczej z Zagranicą** Ministry for Economic Cooperation with Abroad
MWh = **megawatogodzina** megawatthour
m. woj. = **miasto wojewódzkie** capital of province
MWP = **Muzeum Wojska Polskiego** Polish Army Museum
Mx = **makswell** maxwell
MZBM = **Miejski Zarząd Budynków Mieszkalnych** Municipal Housing Administration
MZG = **Mazowieckie Zakłady Gastronomiczne** Mazovian Catering Establishments
MZH = **Miejski Zarząd Handlu** Municipal Administration of Trade
MZiOS = **Ministerstwo Zdrowia i Opieki Społecznej** Ministry of Health and Social Welfare
MZK = **Miejskie Zakłady Komunikacyjne** Muncipal Transport Services
MZO = **Miejskie Zakłady Oczyszczania** Town Cleaning Department
MZS 1. = **Międzynarodowy Związek Spółdzielczy** International Co-operative Alliance 2. = **Międzynarodowy Związek Studentów** International Union of Students
MZT = **Międzynarodowy Związek Telekomunikacyjny** International Telecommunication, ITU
mμ = **milimikron, nanometr** millimicron; *am.* bicron
MΩ = **megaom** megohm

N = 1. **nitrogenium** *łac. chem.* (**azot**) nitrogen 2. = **niuton, newton** newton 3. = **Norwegia** *aut.* Norway
N. 1. = **nota** *łac.* (**zauważ**) note 2. = **Nowy** (*przed nazwami miejscowości*) New - (*in geographical names*)
N°, n° = **numer** numer
n = **nano-** (*przedrostek w układzie dziesiętnym, krotność* 10^{-9}) nano- (*a decimal system prefix, number of units of* 10^{-9})
n. = **nad** (*w złożonych nazwach miast*) -on- (*in geographical names*)
Na = **natrium** *łac. chem.* (**sód**) natrium
nakł. = **nakład** size of edition
nap. 1. = **napis** inscription 2. = **napisał** written by
NB., nb. = **Notabene** *łac.* (**zauważ dobrze**) nota bene
NBP = **Narodowy Bank Polski** The National Bank of Poland
Nd = **neodym** *chem.* neodymium
ne = **neon** *chem.* neon
n.e. = **naszej ery** A.D.
Ni = **nikiel** *chem.* nickel
NIK = **Naczelna Izba Kontroli** Chief Board of Supervision
Niz., niz. = **nizina** plain

NK = **Naczelny Komitet** Chief Committee
nkm = **najcięższy karabin maszynowy** heaviest machine gun
NKW = **Naczelny Komitet Wykonawczy** Chief Executive Committee
NL = **Holandia** *aut.* Holland
NO = **nobel** *chem.* nobelium
NOT = **Naczelna Organizacja Techniczna** Chief Technical Organization
NOWa = **Niezależna Oficyna Wydawnicza** Independent Publishing Office
Np = **neptun** *chem.* neptunium
Np., np. = **na przykład** for instance
np = **neper** neper, napier
NPG = **Narodowy Plan Gospodarczy** National Economic Plan
n.p.m. = **nad poziomem morza** above sea level
NR = **Rodezja Północna,** *aut.* North Rhodesia
Nr, nr = **numer** number
NRD = **Niemiecka Republika Demokratyczna** (*1949–1990*) German Democratic Republic
Nr rej. = **numer rejestracyjny** registration number
N–S = (*trasa*) **Północ-Południe** North–South (*thoroughfare*)
NSZZ „Solidarność" = **Niezależny Samorządny Związek Zawodowy „Solidarność"** Independent Self-governing Trade Union "Solidarity"
nt. = **na temat ...** on ...
NWP = **największy wspólny podzielnik** *mat.* highest common divisor
NWW = **najmniejsza wspólna wielokrotność** *mat.* smallest common multiple
NZ = **Narody Zjednoczone** United Nations
NZS = **Niezależny Związek Studentów** Independent Students' Union

O = **oxygenium** *łac. chem.* (**tlen**) oxygen
O. = **Ocean** Ocean
o. = **orto-** *chem.* (*przedrostek*) ortho- (*prefix*)
Ob., ob. = **obywatel** citizen
obj. = **objętość** volume
obr. = **obrót** revolution
obr./min = **obrotów na minutę** revolutions per minute
obwol. = **obwoluta** jacket (of the book)
Oc. = **O.**
odb. = **odbitka** copy
odc. = **odcinek** section, sector, segment
oddz, oddz. = **oddział** department
Oe = **ersted** oersted
OHP = **Ochotnicze Hufce Pracy** Voluntary Labour Corps
OIT = **Ośrodek Informacji Turystycznej** Tourist Information Centre
OJA = **Organizacja Jedności Afrykańskiej** Organization of African Unity, OAU
ok. = **około** about
OKP 1. = **Ogólnopolski Komitet Pokoju** All-Poland Peace Committe 2. = **Obywatelski Klub Parlamentarny** Civic Parliamentary Club, CPC
okr. = **okrąg** region
oma = **om akustyczny** acoustical ohm
ONZ = **Organizacja Narodów Zjednoczonych** United Nations Organization, UNO
op. = **opus** opus
OPA = **Organizacja Państw Amerykańskich** Organization of American States
OPLot = **obrona przeciwlotnicza** anti-aircraft defence
opr. = **oprawa** binding
ork. = **orkiestra** orchestra
ORMO = **Ochotnicza Rezerwa Milicji Obywatelskiej** Voluntary Reserve of the Civic Militia
ORP = **Okręt Rzeczypospolitej Polskiej** (*wojenny*) Polish Navy Ship
ORT = **Obsługa Ruchu Turystycznego** Tourist Traffic Service
oryg. 1. = **oryginał** original 2. **oryginalny** original, genuine
Os = **osm** *chem.* osmium
Os., os. = **osiedle** settlement
os. = **osoba, osób** person(s)
osk. = **oskarżony** the accused
OSP = **Ochotnicza Straż Pożarna** Voluntary Fire Brigade
OSTiW =**Ośrodek Sportu, Turystyki i Wypoczynku** Sports, Tourism and Recreation Centre
OSUS = **Okręgowy Sąd Ubezpieczeń Społecznych** District Court of Social Insurance
Ośr., ośr. = **ośrodek** centre
OUM = **Okręgowy Urząd Miar** District Office of Measures
OWKS = **Okręgowy Wojskowy Klub Sportowy** District Military Sports and Athletics Club
OWP = **Organizacja Wyzwolenia Palestyny** Palestine Liberation Organization, PLO
OZ = **Okręgowy Związek** District Union
OZG = **Okręgowe Zakłady Gastronomiczne** District Catering Establishment

P 1. = **phosphorum** *łac. chem.* (*fosfor*) phosphorus 2. = **poise, puaz** poise 3. = **Portugalia** *aut.* Portugal
P., p. = **pan, pani** Mr, Mrs, Miss
p = **pico-** (*przedrostek w układzie dziesiętnym, krotność* 10^{-12})pico- (*a decimal system prefix, number of units of* 10^{-12})
p. 1 = **patrz** see 2. = **piętro** floor 3. = **porównaj** compare 4. = **punkt** point
PA = **Panama** *aut.* Panama
Pa = **protaktyn** *chem.* protactinium
PAFAWAG, Pafawag = **Państwowa Fabryka Wagonów** State Railway-Carriage Factory
PAGART, PAGART = **Polska Agencja Artystyczna** Polish Artistic Agency
PAGED = **Polska Agencja Eksportu Drewna** Polish Agency for the Export of Timber
PAK = **Pakistan** *aut.* Pakistan
PAL = **Polska Armia Ludowa** *hist.* (*1943–1944*) Polish People's Army
PAN = **Polska Akademia Nauk** Polish Academy of Sciences
PAP = **Polska Agencja Prasowa** Polish Press Agency
PAR = **Powszechna Agencja Reklamy** General Advertizing Agency
par. = **paragraf** paragraph

Pb = **plumbum** *łac. chem.* (ołów) plumbum
PBM = **Przedsiębiorstwo Budownictwa Miejskiego** Town Building Enterprise
PBP „Orbis" = **Polskie Biuro Podróży „Orbis"** Polish Travel Office "Orbis"
PC = **Porozumienie Centrum** Centre Alliance
PCH = **Państwowa Centrala Handlowa** State Commerical Centre
pchor. = **podchorąży** ensign
p. Chr. n. = **post Christum natum** *łac.* **(po narodzeniu Chrystusa)** A.D.
PCK = **Polski Czerwony Krzyż** Polish Red Cross
PCW = **polichlorek winylu** polyvinyl chloride
p.cz. = **pośrednia częstotliwość** *elektr.* intermediate frequency
Pd = **pallad** *chem.* palladium
Pd., pd. 1. = **południe** south 2. = **południowy** South –; southern
PDD = **Państwowy Dom Dziecka** State Children's Home
PDK = **Powiatowy Dom Kultury** District Social and Recreation Club
PDMD = **Państwowy Dom Małego Dziecka** State Infants' Home
PDT = **Powszechny Dom Towarowy** Universal Department Store
pd.-wsch = **południowo-wschodni** south-east
pd.-zach. = **południowo-zachodni** south-west
PE = **Peru** *aut.* Peru
PeDeTe = **PDT**
Pegeer, pegeer = **PGR**
PeKaO = **PKO SA**
PEWEX = **Przedsiębiorstwo Eksportu Wewnętrznego** Internal Home Export Company
pF = **pikofarad** *elektr.* picofarad, micromicrofarad
PFZ = **Państwowy Fundusz Ziemi** State Land Fund
PG = **Politechnika Gdańska** Engineering College of Gdansk
PGI = **Politechnika Gliwicka** Engineering College of Gliwice
PGR = **Państwowe Gospodarstwo Rolne** State Farms
PG Ryb. = **Państwowe Gospodarstwo Rybne** State Fishing Farms
ph = **fot.** *fiz.* phot
PHZ = **Przedsiębiorstwo Handlu Zagranicznego** Foreign Trade Enterprise
PI = **Filipiny** *aut.* Philippines
PIG = **Państwowy Instytut Geologiczny** State Institute of Geology
PIH = **Państwowa Inspekcja Handlowa** State Supervision of Commerce
PIHM = **Państwowy Instytut Hydrologiczno-Meterologiczny** State Hydro-Meterological Institute
PIHZ = **Polska Izba Handlu Zagranicznego** Polish Foreign Trade Chamber
pil. = **pilot** pilot
PIS = **Państowa Inspekcja Sanitarna** State Sanitary Supervision
PISM = **Polski Instytut Spraw Międzynarodowych** Polish Institute of International Affairs
PIT = **Punkt Informacji Turystycznej** Tourist Information Centre
PIW = **Państowy Instytut Wydawniczy** State Publishing Institute
PK = **Politechnika Krakowska** the Technical University of Cracow
PKA = **Państwowa Komisja Arbitrażowa** State Mediatory Board
PKC = **Państowa Komisja Cen** State Board of Prices
PKF = **Polska Kronika Filmowa** Polish Newsreel
PKiN = **Pałac Kultury i Nauki** Palace of Culture and Science
PKKFiT = **Powiatowy Komitet Kultury Fizycznej i Turystyki** District Committee for Physical Culture and Tourism
PKL 1. = **Państwowa Komisja Lokalowa** State Board of Housing 2. = **Polskie Koleje Liniowe** Polish Cable Railways
PKLD = **Parlamentarny Klub Lewicy Demokratycznej** Parliamentary Club of the Democratic Left
PKN = **Polski Komitet Normalizacji** Polish Standardizing Committee
PKO = **Powszechna Kasa Oszczędności** National Savings Bank
PKO BP = **Polska Kasa Oszczędności Bank Państwowy** Polish Savings Institution State Bank
PKOl = **Polski Komitet Olimpijski** Polish Olympic Committee
PKO SA = **Polska Kasa Opieki Spółka Akcyjna** Polish Guardian Bank, Ltd.
PKP = **Polskie Koleje Państwowe** Polish State Railways
PKPS = **Polski Komitet Pomocy Społecznej** Polish Committee for Social Aid
PKP = **Powiatowa Komenda Rejonowa** District Army Command
PKr = **Politechnika Krakowska** the Technical University of Cracow
PKS = **Państwowa Komunikacja Samochodowa** Polish Motor Transport
pkt = **punkt** point; station
PKWN = **Polski Komitet Wyzwolenia Narodowego** *hist.* (*21 VII–31 XII 1944*) Polish Committee of National Liberation
PKZP = **Pracownicza Kasa Zapomogowo-Pożyczkowa** Workers' Slate Club
PKZSL = **Powiatowy Komitet Zjednoczonego Stronnictwa Ludowego** District Committee of the United Peasants' Party
PL = **Polska** *aut.* Poland
Pl., pl. = **plac** Square
PLL „Lot" = **Polskie Linie Lotnicze „Lot"** Polish Airlines "Lot"
PLO = **Polskie Linie Oceaniczne** Polish Ocean Lines
plut. = **plutonowy** Junior Sergeant
Pł = **Politechnika Łódzka** Engineering College of Łódź
pł. = **płt.**
płd. 1. = **południe** south 2. = **południowy** South –; southern
płk = **pułkownik** Colonel
płn. 1. = **północ** north 2. = **północny** North –; northern
płpłt. = **półpłótno** (*oprawa*) half-cloth binding
płt. = **płótno** (*oprawa*) cloth binding
Płw., płw. = **półwysep** peninsula
Pm = **promet** *chem.* promethium

pm = **pistolet maszynowy** machine-pistol
PMH = **Polska Marynarka Handlowa** Polish Merchant Marine
PMW = **Polska Marynarka Wojenna** Polish Navy
PN 1. = **Polska Norma** Polish Standard 2. = **Partia Narodowa** National Party
pn. = **płn.**
p.n. 1. = **patrz niżej** see below 2. = **pod nazwą** so-called
p.n.e. = **przed naszą erą** B.C.
p. niż. = **patrz niżej** see below
pn.-wsch. = **północno-wschodni** north-east
pn.-zach. = **północno-zachodni** north-west
Po = **polon** *chem.* polonium
po = **pełniący obowiązki** acting
POC = **Porozumienie Obywatelskie Centrum** Centre Civic Alliance
POD = **Pracownicze Ogrody Działkowe** Workers' Allotments
POIT = **Powiatowy Ośrodek Informacji Turystycznej** District Tourist Information Centre
pok. = **pokój** room
polit. = **polityczny** political
poł. = **połowa, pół** (a) half
połud. = **płd.**
POM = **Państwowy Ośrodek Maszynowy** State Centre of Agricultural Machines
PON = **Popularna Odznaka Narciarska** Popular Ski Badge
POP = **Podstawowa Organizacja Partyjna** *hist.* Basal Party Organization (*of the Polish United Workers' Party*)
por. 1. = **porównaj** compare 2. = **porucznik** lieutenant
pos. = **poseł** deputy
POSF, POSFiz. = **Państwowa Odznaka Sprawności Fizycznej** State Badge for Physical Fitness
POSTiW = **Powiatowy Ośrodek Sportu, Turystyki i Wypoczynku** District Centre of Sports, Tourism and Recreation
POT = **Punkt Obsługi Turystycznej** Tourist Service
pow. 1. = **powiat** district 2. = **powierzchnia** surface
poz. = **pozycja** item
półsk. = **półskórek** (*oprawa*) half-binding
Pół., półw. = **półwysep** peninsula
PP 1. = **Politechnika Poznańska** Engineering College of Poznań 2. = **Przedsiębiorstwo Państwowe** State Enterprise
PP., pp. = **panowie, panie, państwo** Messrs, Mesdames, Mr and Mrs
P-P, p-p = (*pocisk klasy*) **powietrze–powietrze** air-to-air (*missile*)
PPIE = **Państwowe Przedsiębiorstwo Imprez Estradowych** State Show Business
PPIS = **Państwowe Przedsiębiorstwo Imprez Sportowych** State Enterprise for Sporting Events
ppłk = **podpułkownik** Lieutenant-Colonel
ppor. = **podporucznik** Second Lieutenant
PPR = **Polska Partia Robotnicza** *hist.* (*1942–1948*) Polish Worker's Party
PPS = **Polska Partia Socjalistyczna** Polish Socialist Party
PPTiT = **Poczta Polska, Telegraf i Telefon** Polish Post, Telegraph and Telephone
PPTS = **Państwowe Przedsiębiorstwo „Totalizator Sportowy"** State Enterprise "Sporting Pool"
PPTT = **PPTiT**
PR = **Polskie Radio** Polish Radio
Pr = **prazeodym** *chem.* praseodymium
pr. = **prawy** right
prac. = **pracownik** worker, employee
Prez. = **Prezydium** presidium
prez. 1. = **prezes** chairman 2. = **prezydent** president
PRiTV = **Polskie Radio i Telewizja** Polish Radio and Television
PRL = **Polska Rzeczpospolita Ludowa** (*1952–1990*) Polish People's Republic
PRM = **Prezydium Rady Ministrów** Presidium of the Cabinet
PRO = **Polskie Ratownictwo Okrętowe** Polish Ship Life-Saving Service
prob. = **proboszcz** parish-priest
proc. = **procent** per cent
prof. = **profesor** professor
proj. = **projekt** project
prom. = **promotor** professor conferring a degree
PRON = **Patriotyczny Ruch Odrodzenia Narodowego** (*1982–1989*) Patriotic Movement for National Rebirth
PROP = **Państwowa Rada Ochrony Przyrody** State Council for the Preservation of Nature
prosp. = **prospekt** leaflet
PRS = **Polski Rejestr Statków** Polish Register of Ships
PRT = **Przedsiębiorstwo Robót Telekomunikacyjnych** Enterprise for Telecommunication Works
P Rz d/s = **Pełnomocnik Rządu do spraw ...** Government Plenipotentiary for ...
przedst. = **przedstawienie performance**
przeł. = **przełożył** translated by
przetł. = **przetłumaczył** translated by
przew. 1. = **przewodnik** guide 2. = **przewodniczący** chairman
przyg. = **przygotował** prepared by
przyw. = **przywódca** leader
PRZZ = **Powiatowa Rada Związków Zawodowych** District Council of Trade Unions
PS = **Politechnika Szczecińska** Engineering College of Szczecin
P.S. = **post scriptum** *łac.* (**dopisek**) postscript
ps., pseud. = **pseudonim** pseudonym
PSL = **Polskie Stronnictwo Ludowe** Polish Peasants's Party, PPP
PSM = **Państwowa Szkoła Morska** State Marine School
PSRM = **Państwowa Szkoła Rybołówstwa Morskiego** State School of Deep-Sea Fishing
PPS = **Powszechna Spółdzielnia Spożywców** General Consumers' Co-operative
PST = **Państwowa Szkoła Techniczna** State Technical School
PSz = **PS**
PŚl = **Politechnika Śląska** Engineering College of Silesia
Pt = **platyna** *chem.* platinum
pt. = **pod tytułem** under the title, entitled
P.T. = **pełnym tytułem** full-titled
P-ta, p-ta = **poczta** post office
PTA = **Polskie Towarzystwo Akustyczne** Polish Acoustical Society

PTA, PTAr. = **Polskie Towarzystwo Archeologiczne** Polish Archeological Society
PTC = **Polskie Towarzystwo Cybernetyczne** Polish Cybernetic Society
PTCh = **Polskie Towarzystwo Chemiczne** Polish Chemical Society
PTE = **Polskie Towarzystwo Ekonomiczne** Polish Economic Society
PTF 1. = **Polskie Towarzystwo Farmaceutyczne** Polish Pharmaceutic Society 2. = **Polskie Towarzystwo Fotograficzne** Polish Photographic Society
PTG 1. = **Polskie Towarzystwo Geograficzne** Polish Geographic Society 2. = **Polskie Towarzystwo Geologiczne** Polish Geologic Society
PTH = **Polskie Towarzystwo Historyczne** Polish Historical Society
PTHZ = **Polskie Towarzystwo Handlu Zagranicznego** Polish Society for Foreign Trade
PTJ = **Polskie Towarzystwo Językoznawcze** Polish Philological Society
PTL = **Polskie Towarzystwo Lekarskie** Polish Medical Society
PTM = **Polskie Towarzystwo Matematyczne** Polish Mathematical Society
PTP = **Polskie Towarzystwo Pediatryczne** Polish Paediatric Society
PTR 1. = **Polskie Towarzystwo Radiologiczne** Polish Radiological Society 2. = **Polskie Towarzystwo Reumatologiczne** Polish Rheumatological Society
PTTK = **Polskie Towarzystwo Turystyczno-Krajoznawcze** Polish Tourist Country-Lovers' Association
PTWK = **Polskie Towarzystwo Wydawców Książek** Polish Publishers' Association
Pu = **pluton** *chem.* plutonium
PUPiK = **Przedsiębiorstwo Upowszechniania Prasy i Książki „Ruch"** Enterprise for Book and Press Distribution "Ruch"
PUS = **Polska Unia Socjaldemokratyczna** Polish Social-Democratic Union
PW 1. = **Politechnika Warszawska** Engineering College of Warsaw 2. = **PWr**
PW, pw = **Przysposobienie Wojskowe** Military Training
PWiT = **Przedsiębiorstwo Wystaw i Targów** Exhibitions and Fairs Bureau
PWM = **Polskie Wydawnictwo Muzyczne** Polish Music Publishers
PWN = **Państwowe Wydawnictwo Naukowe** Polish Scientific Publishers
PWr = **Politechnika Wrocławska** Engineering College of Wrocław
PWRN = **Prezydium Wojewódzkiej Rady Narodowej** Presidium of the People's Province Council
PWSM = **Państwowa Wyższa Szkoła Muzyczna** State College of Music
PWSP = **Państwowa Wyższa Szkoła Pedagogiczna** State Pedagogical College
PWSSP = **Państwowa Wyższa Szkoła Sztuk Plastycznych** State College of Plastic Arts
PWST = **Państwowa Wyższa Szkoła Teatralna** State College of Theatrical Arts
PWSTiF = **Państwowa Wyższa Szkoła Teatralna i Filmowa** State Theatrical and Film College
p. wyż. = **patrz wyżej** see above
PY = **Paragwaj** *aut.* Paragway
PZA = **Polski Związek Atletyczny** Polish Athletic Union
PZB = **Polski Związek Bokserski** Polish Boxing Union
PZE = **Polski Związek Esperantystów** Polish Association of Esperantists
PZF = **Polski Związek Filatelistów** Polish Association of Philatelists
PZG 1. = **Polski Związek Gimnastyczny** Polish Gymnastic Union 2. = **Polski Związek Głuchych** Polish Association of the Deaf 3. = **Poznańskie Zakłady Gastronomiczne** the Poznań Catering Establishments
PZGS = **Powiatowy Związek Gminnych Spółdzielni „Samopomoc Chłopska"** District Association of Village Co-operatives "Peasants' Self-Help"
PZHK = **Polski Związek Hodowców Koni** Polish Union of Horse Breeders
PZHL = **Polski Związek Hokeja na Lodzie** Polish Ice Hockey Union
PZHT = **Polski Związek Hokeja na Trawie** Polish Field Hockey Union
PZJ = **Polski Związek Jeździecki** Polish Riding Union
PZK 1. = **Polski Związek Kajakowy** Polish Canoeing Union 2. = **PZKol** 3. = **Polski Związek Krótkofalowców** Polish Shortwave-Radio Association
PZKol = **Polski Związek Kolarski** Polish Cycling Association
PZKosz = **Polski Związek Koszykówki** Polish Basketball Union
PZKR = **Powiatowy Związek Kółek Rolniczych** District Union of Agricultural Co-operatives
PZLA = **Polski Związek Lekkiej Atletyki** Polish Athletic Union
PZŁ 1. = **Polski Związek Łowiecki** Polish Hunting Union 2. = **Polski Związek Łuczniczy** Polish Archery Union
PZM, PZMot = **Polski Związek Motorowy** Polish Automobile and Motor Cycle Federation
PZN = **Polski Związek Narciarski** Polish Skiing Union
PZP 1. = **Przedsiębiorstwo pod Zarządem Państwowym** *hist.* Enterprise under State Management 2. = **Powszechny Związek Pocztowy** Universal Postal Union, UPU
PZPiT = **Państwowy Zespół Pieśni i Tańca** State Song and Dance Ensemble
PZPN = **Polski Związek Piłki Nożnej** Polish Football Union
PZPR = **Polska Zjednoczona Partia Robotnicza** (*1948–1990*) Polish United Workers' Party
PZS, PZSz = **Polski Związek Szermierzy** Polish Fencing Union
PZTS = **Polski Związek Tenisa Stołowego** Polish Table-Tennis Union
PZTW = **Polski Związek Towarzystw Wioślarskich** Polish Union of Rowing Associations
PZU = **Państwowy Zakład Ubezpieczeń** Polish National Insurance
PZW = **Polski Związek Wędkarski** Polish Angling Union
PZZ = **Polski Związek Zapaśniczy** Polish Wrestling Union

PZŻ = **Polski Związek Żeglarski** Polish Sailing Union
PŻM = **Polska Żegluga Morska** Polish Steamship Co.

Q = **znak najwyższej jakości klasy światowej** mark of highest international quality standard
q = **kwintal** quintal
q/ha = **kwintal(e) na hektar** quintal(s) per hectare
q.v. = **quod vide** *łac.* (zobacz) see

R = **Rumunia** *aut.* Romania
°R = **stopień Réaumura** degree Réaumur
r = **rentgen** röntgen, Röntgen unit
r. 1. = rodzaj kind 2. = **rok(u)** year
Ra = **rad** *chem.* radium
radz. = **radziecki** Soviet -
Rb = **rubid** *chem.* rubidium
rb. 1. = **rok bieżący, roku bieżącego** this year 2. = **rubel** rouble(s)
RB = **Rada Bezpieczeństwa** Security Council
RC = **Chiny** *aut.* China
RCH = **Chile** *aut.* Chile
rd = **radian** (*jednostka miary łukowej*) radian (*unit of arc measure*)
RE = **Rada Europy** Council of Europe, CE
Re = **ren** *chem.* rhenium
rec. 1. = **recenzja** critique, review 2. = **recenzent** critic, reviewer
red. = **redaktor** editor
red. nacz. = **redaktor naczelny** chief editor
red. nauk. = **redaktor naukowy** scientific supervisor
ref. 1. = **referat** section 2. = **referat** section head
rep. 1. = **reportaż** report 2. = **reporter** reporter
reż. = **reżyser** director
RFN = **Republika Federalna Niemiec** Federal Republic of Germany, FRG
RG = **Rada Główna** Chief Council
RG NOT = **Rada Główna Naczelnej Organizacji Technicznej** High Council of the Chief Technical Organization
RG ZLZS = **Rada Główna Zrzeszenia Ludowych Zespołów Sportowych** Chief Council of Peasant Sports and Athletics Clubs Association
RH = **Haiti** *aut.* Haiti
Rh = **rhodium** *łac. chem.* (rod) rhodium
RI = **Indonezja** *aut.* Indonesia
rkm = **ręczny karabin maszynowy** light machine gun
RKS = **Robotniczy Klub Sportowy Workers'** Sports and Athletics Club
RL = **Liban** *aut.* Lebanon
RM 1. = **Rada Miejska** Town Council 2. = **Rada Ministrów** The Cabinet
RN = **Rada Naczelna** Main Council
Rn = **radon** *chem.* radon
RO = **Rada Okręgowa** District Council
ROIT = **Regionalny Ośrodek Informacji Turystycznej** Regional Tourist Information Centre
ros. = **rosyjski** Russian
ROW = **Rybnicki Okręg Węglowy** the Rybnik Coal Basin
rozdz. = **rozdział** (*np. książki*) chapter
RP 1. = Rzeczpospolita Polska Polish Republic, Republic of Poland 2. = **Rada Pracownicza** Employees' Council 3. *hist.* **Rada Państwa** State Council
RPA = **Republika Południowej Afryki** South-African Republic
RPK = **Rumuńska Partia Komunistyczna** Communist Party of Romania
RPR = **Ruch Polityki Realnej** Movement for Realpolitik
RR 1. = **Rada Robotnicza** Workers' Council 2. = **Turcja** *aut.* Turkey
r. szk. = **rok szkolny** school year
rtm. = **rotmistrz** Captain (of Horse)
Ru = **ruten** *chem.* ruthenium
r. ub. = **rok ubiegły, roku ubiegłego** last year
rubr. = **rubryka** column
RUT = **Rejonowy Urząd Telekomunikacyjny** District Office of Telecommunication
RUTT = **Rejonowy Urząd Telefoniczno-Telegraficzny** District Telephone and Telegraph Office
RU ZSP = **Rada Uczelniana Zrzeszenia Studentów Polskich** College Council of the Polish Students' Association
RWPG = **Rada Wzajemnej Pomocy Gospodarczej** Council for Mutual Economic Aid (*do 1991*)
ryc. = **rycina** illustration
rys. 1. = rysunek drawing 2. = **rysował** drawn by
RZ = **Rada Zakładowa** Works Committee
rz. = **rzeka** river
Rz. P. = **Rzeczpospolita Polska** Polish Republic
Rzpl., Rzplita = **Rzeczpospolita** Republic
RZPW = **Rybnickie Zjednoczenie Przemysłu Węglowego** the Rybnik Union of Coal Industry

S 1. = **siarka** *chem.* sulphur 2. = **siemens** *elektr.* mho 3. = **Szwecja** *aut.* Sweden
$ = **dolar(y)** dollar(s)
s 1. = **sekunda, sekundy** second(s) 2. = **ster** steer
s. 1. = **strona** page 2. = **syn** son
SA, sa = **Spółka Akcyjna** Company Ltd.
Sa = **samar** *chem.* samarium
sap. = **saper** combat engineer
SARP = **Stowarzyszenie Architektów Rzeczypospolitej Polskiej** Association of Architects of the Polish Republic
Sb = **stibium** *łac. chem.* (**Antymon**) stibium
sb = **stilb** (*jednostka jasności*) stilb (*unit of luminosity*)
Sc = **scandium** *łac. chem.* (**skand**) scandium
SCh = **Samopomoc Chłopska** Pesants' Self-Help
SD = **Stronnictwo Demokratyczne** Democratic Party
SDH = **Spółdzielczy Dom Handlowy** Co-operative Department Store
SDKP = **Socjaldemokracja Królestwa Polskiego** *hist.* (*1893–1900*) Social-Democratic Party of the Kingdom of Poland
SDKPiL = **Socjaldemokracja Królestwa Polskiego i Litwy** *hist.* (*1900–1918*) Social-Democratic Party of the Kingdom of Poland and Lithuania
SDP = **Stowarzyszenie Dziennikarzy Polskich** Polish Journalists' Association
SdRP = **Socjaldemokracja Rzeczypospolitej Polskiej** Social Democracy of the Republic of Poland, SDRP
SDT = **Spółdzielczy Dom Towarowy** Co-operative Store
Se = **selen** *chem.* selenium

sek = **sekunda, sekundy** second(s)
sekr. = **sekretarz** secretary
SEM, sem = **siła elektromotoryczna** electromotive force, emf
SEP = **Stowarzyszenie Elektryków Polskich** Association of Polish Electrical Engineers
SF = **Finlandia** *aut.* Finland
SFOKiS = **Społeczny Fundusz Odbudowy Kraju i Stolicy** (*1948–1956*) Social Fund for Rebuilding the Country and the Capital
SFRJ = **Socjalistyczna Federacyjna Republika Jugosławii** Socialist Federative Republic of Yugoslavia
SGGW = **Szkoła Główna Gospodarstwa Wiejskiego** Main School of Farming
SGP = **Stowarzyszenie Geodetów Polskich** Association of Polish Geodesists
SGPiS = **Szkoła Główna Planowania i Statystyki** Main School of Planning and Statistics
Si = **silicium** *łac. chem.* (**krzem**) silicium
sierż. = **sierżant** sergeant
sin = **sinus** *mat.* sinus
SIP = **Społeczna Inspekcja Pracy** Social Inspectorate of Labour
sk. = **skóra** (*oprawa*) leather (*binding*)
SK = **Składnica Księgarska** book store
Ska, S-ka, ska, s-ka = **spółka** Company
SKJ = **Statystyczna Kontrola Jakości** Statistical Quality Control
SKM = **Szybka Kolej Miejska** Metropolitan Railway
SKO = **Szkolna Kasa Oszczędności** School Savings Bank
SKP = **Stowarzyszenia Księgarzy Polskich** Association of Polish Booksellers
SKS 1. = **Szkolne Koło Sportowe** School Sports and Athletics 2. = **Szkolny Klub Sportowy** School Sports and Athletics Club
SLD = **Sojusz Lewicy Demokratycznej** Democratic Left Alliance
słuch. 1. = **słuchacz** student 2. = **słuchowisko** radio play <drama>
SM = **Sztandar Młodych** the Banner of the Young (*gazette*)
Sm = **samar** *chem.* samarium
SN = **Studium Nauczycielskie** Teachers' College
Sn = **stannum** *łac. chem.* (*cyna*) stannum
SNT = **Stowarzyszenie Naukowo-Techniczne** Scientific and Technical Association
SOK = **Służba Ochrony Kolei** Railway Guards
SOM = **Światowa Organizacja Meteorologiczna** World Meterological Organization
SOP 1. = **Spółdzielnia Oszczędnościowo-Pożyczkowa** Savings and Loan Co-operative 2. = **Staropolski Okręg Przemysłowy** Old Polish Industrial Region
SOP 1. = **Straż Ochrony Przyrody** Nature Preserving Guard 2. **Straż Oficerów Pożarnictwa** Fire-Fighting Officers' School
SOR = **Stacja Obsługi Radiotechnicznej** Radio-Engineering Service Station
SP = **Służba Polsce** *hist.* (*1948–1955*) Service to Poland
SPAM = **Stowarzyszenie Polskich Artystów Muzyków** Polish Musicians' Association
SPATiF = **Stowarzyszenie Polskich Artystów Teatru i Filmu** Polish Association of Theatre and Film Artists
społ. = **społeczny** social
SPR = **Szkoła Przysposobienia Rolniczego** School of Agricultural Training
SPZ = **Szkoła Przysposobienia Zawodowego** School for Training in Crafts and Trades
sp. z o.o. = **spółka z ograniczoną odpowiedzialnością** Limited Liability Company
sp. z o.p. = **spółka z ograniczoną poręką** company with limited liability
Sr = **stront** *chem.* strontium
srd = **steradian** steradian
SRM = **Szkoła Rybołówstwa Morskiego** School of Deep-Sea Fishing
ss. = **strony** pages
St., st. = **stacja** station
st. 1. = **starszy** older; senior 2. = **stopień, stopnie** degree(s)
st. mar. = **starszy marynarz** Able-Bodied Seaman
st. ogn. = **starszy ogniomistrz** Battery Sergeant Major
Stow., stow. = **stowarzyszenie** association
str. = **strona** page
strz. = **strzelec** rifleman; gunner
STS = **Studencki Teatr Satyryczny** Students' Satirical Theatre
st. sierż. = **starszy sierżant** Company Sergeant Major
st. strz. = **starszy strzelec** Lance-Corporal
st. szer. = **starszy szeregowy** *lotn.* Leading Aircraftman
St. Zjedn. = **Stany Zjednoczone** United States
SU = **ZSRR** *aut.* Soviet Union
SWP = **Stowarzyszenie Wynalazców Polskich** Polish Inventor's Association
sygn. = **sygnatura** classification number
szer. 1. = **szerokość** breadth 2. **szeroki** broad
szer. geogr. = **szerokość geograficzna** latitude
sześc. = **sześcienny** cubic
SZG = **Szczecińskie Zakłady Gastronomiczne** the Szczecin Catering Establishments
SZS = **Szkolny Związek Sportowy** School Athletics and Sports Association
szt. = **sztuka** (a) piece
Szt. Gł. = **Sztab Główny** General Staff

ś. = **święty** Saint
ŚAM = **Śląska Akademia Medyczna** Silesian Academy of Medicine
ŚDFK = **Światowa Demokratyczna Federacja Kobiet** World Democratic Federation of Women
ŚFMB = **Światowa Federacja Miast Bliźniaczych** World Federation of Twin Cities
ŚFMD = **Światowa Federacja Młodzieży Demokratycznej** World Federation of Democratic Youth
ŚFPN = **Światowa Federacja Pracowników Nauki** World Federation of Scientific Research Workers
ŚFZZ = **Światowa Federacja Związków Zawodowych** World Federation of Trade Unions
ŚKOP = **Śląsko-Krakowski Okręg Przemysłowy** Industrial Region of Cracow and Silesia
ŚKOP = **Światowy Komitet Obrońców Pokoju** World Committee of Partisans of Peace
ŚlOZA = **Śląski Okręgowy Związek Atletyczny** Silesian Regional Athletic Association

ŚlOZB= **Śląski Okręgowy Związek Bokserski** Silesian Regional Boxing Association
ŚOM = **Światowa Organizacja Meteorologiczna** World Meteorological Association, WMO
ŚOZ = **Światowa Organizacja Zdrowia** World Health Organization, WHO
śp. = **świętej pamięci** the late
śr. 1. = średni average 2. = **średnio** on the average 3. **średnica** diameter
ŚRK = **Światowa Rada Kościołów** World Council of Churches
środk. = **środkowy** middle
ŚRP = **Światowa Rada Pokoju** World Council of Peace
śś = **święci** the saints
Św., św. = **święty** Saint
św. = **świadek** witness

T = **tera-** (*przedrostek w układzie dziesiętnym, krotność* 10^{12}) tera- (*a decimal system prefix, number of units of* 10^{12})
t = **tona** ton
t. 1. = temperatura temperature 2. = **tom** volume
Ta = **tantal** *chem.* tantalum
tab. = **tabela** table
tabl. = **tablica** figure, fig.
TAP = **Turystyczna Agencja Prasowa** Tourist Press Agency
Tb = **terb** *chem.* terbium
Tc = **technet** *chem.* technetium
TChP = **Towarzystwo Chirurgów Polskich** Association of Polish Surgeons
Te = **tellur** *chem.* tellurium
techn. = **technik** technician
tel. = **telefon** telephone
telegr. = **telegram** telegram
Telpod = **Fabryka Podzespołów Telekomunikacyjnych** Factory of Telecommunication Equipment
Temp. = **temperatura** temperature
tg = **tangens** *mat.* tangent
Th = **thorium** *łac. chem.* (**tor**) thorium
Ti = **titanium** *łac. chem.* (**tytan**) titanium
TIFC = **Towarzystwo imienia Fryderyka Chopina** Frederic Chopin Society
TIP = **Techniczna Inspekcja Pracy** Technical Supervision of Work
tj. = **to jest** i.e.
TKK = **Tymczasowa Komisja Koordynacyjna** Provisionary Co-ordinating Commission
TKKF = **Towarzystwo Krzewienia Kultury Fizycznej** Society for the Propagation of Physical Culture
TKS = **Terenowy Klub Sportowy** Country Sports and Athletics Club
Tl = **thalium** *łac. chem.* (**tal**) thalium
tłum. = **tłumaczył(a)** translated by
Tm = **thulium** *łac. chem.* (**tul**) thulium
t.m. = **tego miesiąca** of that month
TMJP = **Towarzystwo Miłośników Języka Polskiego** Association of the Lovers of the Polish Language
TMM = **Towarzystwo Miłośników Muzyki** Association of Music Lovers
TN = **Towarzystwo Naukowe** Scientific Society
TOK = **Turystyczna Odznaka Kajakowa** Canoe-Touring Badge
TOS = **Techniczna Obsługa Samochodów** Automobile Technical Service
TOSWL = **Techniczna Oficerska Szkoła Wojsk Lotniczych** Air Force Engineering College
Tow. = **Towarzystwo** Society
tow. = **towarzysz** comrade
TOZ = **Towarzystwo Opieki nad Zwierzętami** Society for the Prevention of Cruelty to Animals
TPD = **Towarzystwo Przyjaciół Dzieci** Society of the Friends of Children
TPN 1. = **Tatrzański Park Narodowy** the Tatra National Park 2. = **Towarzystwo Przyjaciół Nauk** Society for the Friends of Sciences
TPPN = **Towarzystwo Przyjaźni Polsko-Norweskiej** Society for Polish-Norwegian Friendship
TPPR = **Towarzystwo Przyjaźni Polsko-Radzieckiej** *hist.* Society for Polish-Soviet Friendship
TPR = **Teatr Polskiego Radia** The Theatre of the Polish Radio
TRJN = **Tymczasowy Rząd Jedności Narodowej** *hist.* (*28 VI 1945–19 I 1947*) Provisional Government of National Unity
TRZZ = **Towarzystwo Rozwoju Ziem Zachodnich** Society for the Development of the Western Teritories
TSS, TSŚ = **Towarzystwo Szkoły Świeckiej** Society of Secular Schools
TSWL = **Techniczna Szkoła Wojsk Lotniczych** Air Force Engineering School
TŚM = **Towarzystwo Świadomego Macierzyństwa** Birth-Control Society
TU = **Tunezja** *aut.* Tunisia
Tu = **wolfram** *chem.* wolfram (**Tu** = **Wo**)
TUP = **Towarzystwo Urbanistów Polskich** Society of Polish Town-Planners
TUR = **Towarzystwo Uniwersytetów Robotniczych** (*1922–1948*) Workers' Universities Society
TURiL = **Towarzystwo Uniwersytetów Robotniczych i Ludowych** (*1948–1950*) Society for the Organization and Propagation of Workers' and Peasants' Universities
TV = **Telewizja** television
tw. = **twardość** hardness
TWP = **Towarzystwo Wiedzy Powszechnej** Society for the Popularization of Culture and Socience
tw. szt. = **tworzywo sztuczne** plastic
tys. = **tysiąc(e)** thousand
tyt. = **tytuł** title
tzn. = **to znaczy** i.e.
tzw. = **tak zwany** so-called

U 1. = **uran** *chem.* uranium 2. = **Urugwaj** *aut.* Uruguay
UAM 1. = **Unia Afrykańsko-Malgaska** African-Malgasy Union 2. = **Uniwersytet imienia Adama Mickiewicza** the Adam Mickiewicz University
ub. = **ubiegły** last
ucz. = **uczeń, uczennica** pupil
UD = **Unia Demokratyczna** Democratic Union
UJ = **Uniwersytet Jagielloński** the Jagiellonian University
UKF = **fale ultrakrótkie** ultra-short waves

ul. = **ulica** Street
UŁ = **Uniwersytet Łódzki** Lodz University
UMCS = **Uniwersytet Marii Curie Skłodowskiej** (*w Lublinie*) the Maria Curie-Skłodowska University (*in Lublin*)
UMK = **Uniwersytet imienia Mikołaja Kopernika** (*w Toruniu*) the Nicholas Copernicus University (*in Toruń*)
UNESCO = **Organizacja Narodów Zjednoczonych do spraw Oświaty, Nauki i Kultury** United Nations Educational, Scientific and Cultural Organization
uniw. = **uniwersytecki** university –; college –
UOP = **Urząd Ochrony Państwa** State Security Bureau
UP = **Uniwersytet Powszechny** Popular University
UPA = **Unia Południowoafrykańska** South African Union
UPT = **Urząd Pocztowo-Telekomunikacyjny** Post and Telecommunication Office
UR = **Uniwersytet Robotniczy** Workers' University
ur. = **urodzony** born
URM = **Urząd Rady Ministrów** Office of the Council of Ministers
USA = **Stany Zjednoczone** United States, US
USC = **Urząd Stanu Cywilnego** Registry
ust. = **ustawa** act
UW 1. = **Układ Warszawski** *hist.* Warsaw Treaty Organization 2. = **Uniwersytet Warszawski** Warsaw University 3. = **Uniwersytet Wrocławski** Wrocław University
UZE = **Unia Zachodnioeuropejska** West European Union

V = **quinque** *łac.* (**pięć**) five
V = **vanadium** *łac. chem.* (**wanad**) vanadium
V = **Watykan** *aut.* Vatican City
V = **wolt** *elektr.* volt
v. = **vide** *łac.* (**zobacz**) see
VA = **woltoamper** *elektr.* volt-ampere
VAh = **woltoamperogodzina** volt-amper-hour
VAr = **war** var
VArh = **warogodzina** varhour
Vi = **virginium** *łac. chem.* (**wirgin**) virginium (**Vi** = **Fr**)
VN = **Wietnam** *aut.* Viet-Nam
VI = **sex** *łac.* (**sześć**) six
VII = **septem** *łac.* (**siedem**) seven
VIII = **octo** *łac.* (**osiem**) eight

W = **wat** watt
W. = **Wielmożny** esq.
w. 1. = **wiek** century 2. = **wyspa** island 3. = **wielki** great; grand
wach. = **wachmistrz** (*cavalry*) Sergeant-Major
WAF = **Wojskowa Agencja Fotograficzna** Military Photographic Agency
WAM = **Wojskowa Akademia Medyczna** Military Medical Academy
WAN = **Nigeria** *aut.* Nigeria
WAP = **Wojskowa Akademia Polityczna** Military Political Academy
WAT = **Wojskowa Akademia Techniczna** Military Technical Academy
Wb = **weber** weber
WBP = **Wojewódzka Biblioteka Publiczna** Provincial Public Library
W. Bryt. = **Wielka Brytania** Great Britain
WCH = **Wojskowa Centrala Handlowa** the Army Commercial Centre
WDK = **Wojewódzki Dom Kultury** Provincial Social and Recreation Club
WDT = **Wiejski Dom Towarowy** Village Department Store
WDW = **Wojskowy Dom Wypoczynkowy** Military Rest-House
wewn. = **wewnętrzny** inside; (numer) extension
WF, wf = **Wychowanie Fizyczne** Physical Education
WFD = **Wytwórnia Filmów Dokumentalnych** Documentary Film Producers
WFF = **Wytwórnia Filmów Fabularnych** Feature Film Producers
WFM = **Warszawska Fabryka Motocykli** the Warsaw Motor-Cycle Factory
WFO = **Wytwórnia Filmów Oświatowych Educational Film Producers**
wg = **według** according to
Wh = **watogodzina** watt-hour
wicemin. = **wiceminister** vice-minister
WiP = **Wolność i Pokój** Freedom and Peace (Group)
WKD = **Warszawskie Koleje Dojazdowe** the Warsaw Access Railways
WKKFiT = **Wojewódzki Komitet Kultury Fizycznej i Turystyki** Provincial Committee for Physical Culture and Tourism
WKR = **Wojskowa Komenda Rejonowa** Regional Headquarters
WKS = **Wojskowy Klub Sportowy** Military Sports and Athletics Club
WKSD = **Wojewódzki Komitet Stronnictwa Demokratycznego** Provincial Committee of the Democratic Party
WłPK = **Włoska Partia Komunistyczna** Communist Party of Italy
WNT = **Wydawnictwa Naukowo-Techniczne** Scientific-Technical Publishers
Wo = **wolfram** *chem.* wolfram
Woj. woj. = **województwo** province
WOP = **Wojsko Ochrony Pogranicza** Frontier Guards
WOPR = **Wodne Ochotnicze Pogotowie Ratunkowe** Volunteer Life-Savers' Association
WP 1. = **Wojsko Polskie** Polish Army 2. = **Wiedza Powszechna** Popular Science (Publishers)
WPH = **Wojskowe Przedsiębiorstwo Handlowe** the Army Commercial Enterprise
WPK = **WłPK**
WPN = **Wspólnota Państw Niepodległych** Commonwealth of Independent States
WPS = **Włoska Partia Socjalistyczna** Italian Socialist Party
WRL = **Węgierska Republika Ludowa** Hungarian People's Republic (*do 1990*)
WRON = **Wojskowa Rada Ocalenia Narodowego** (*1981–1983*) Military Council of National Salvation
wsch. 1. = **wschód** east 2. = **wschodni** eastern
WSE = **Wyższa Szkoła Ekonomiczna** College of Economics
WSI = **Wyższa Szkoła Inżynierska** Engineering College

WSM 1. = **Warszawska Spółdzielnia Mieszkaniowa** the Warsaw Building Co-operative 2. = **Wyższa Szkoła Muzyczna** College of Music
WSMW = **Wyższa Szkoła Marynarki Wojennej** Naval College
WSP = **Wyższa Szkoła Pedagogiczna** Pedagogical College
WSR = **Wyższa Szkoła Rolnicza** Agricultural College
WSS = **Warszawska Spółdzielnia Spożywców** the Warsaw Consumers' Co-operative
WSW = **Wojskowa Służba Wewnętrzna** the Army Security Service
ww. = **wyżej wymieniony** above mentioned
Wwa, W-wa = **Warszawa** Warsaw
wym. 1. = **wymawiaj** pronounce 2. = **wymiar** dimension
wys. = **wysokość** height
Wyż., wyż. = **wyżyna** eminence
wz = **w zastępstwie** acting per proxy
W–Z = (*trasa*) **Wschód–Zachód** East–West (*throughfare*)
WZG 1. = **Warszawskie Zakłady Gastronomiczne** the Warsaw Catering Establishments 2. = **Wrocławskie Zakłady Gastronomiczne** the Wrocław Catering establishments

X 1. = **Xe** 2. = **promienie X** (*rentgenowskie*) *fiz.* X rays 3. = **decem** *łac.* (**dziesięć**) ten
X, x = **niewiadoma x** *mat.* unknown quantity x
XC = **nonaginta** *łac.* (**dziewięćdziesiąt**) ninety
Xe = **xenon** *łac. chem.* (**ksenon**) xenon
XI = **un-decim** *łac.* (**jedenaście**) eleven
XII = **duo-decim** *łac.* (**dwanaście**) twelve
XX = **viginti** *łac.* (**dwadzieścia**) twenty
XXX = **triginta** *łac.* (trzydzieści) thirty

Y = **Yt**
Y, y = **niewiadoma y** *mat.* unknown quantity y
Yb = **ytterbium** *łac. chem.* (**iterb**) ytterbium
Yt = **yttrium** *łac. chem.* (**itr**) yttrium
YU = **Jugosławia** *aut.* Yugoslavia
YV = **Wenezuela** *aut.* Venezuela

Z, z = **niewiadoma z** *mat.* unknown quantity z
z. = **zob.**
ZA = **Republika Południowej Afryki** *aut.* The Republic of South Africa
zach. 1. = **zachód** West 2. = **zachodni** western
ZAIKS = **Związek Autorów i Kompozytorów Scenicznych** Association of Authors and Composers
zał. = **załącznik** enclosure
zał. 1. = **założony founded 2.** = **założył** founded by
zam. = **zamiast** instead of
zarz. Gł. = **ZG**
Zat., zat. = zatoka bay
z-ca, z-ca = **zastępca** deputy
ZChN = **Zjednoczenie Chrześcijańsko-Narodowe** Christian-National Alliance
zewn. = **zewnętrzny** outside
ZG = **Zarząd Główny** Headquarters
zgrom. = **zgromadzenie** *a*) assembly *b*) order
ZHP = **Związek Harcerstwa Polskiego** Polish Pathfinders' Union
ZKiOR = **Związek Kółek i Organizacji Rolniczych** Union of Agricultural Co-operatives and Organizations
ZKP = **Związek Kompozytorów Polskich** Association of Polish Composers
ZLP = **Związek Literatów Polskich** Polish Writers' Association
zł = **złoty** zloty
zł dew. = **złoty dewizowy** exchange zloty
zm. = **zmarł(a)** died
ZMP = **Związek Młodzieży Polskiej** *hist.* (*1948–1956*) Polish Youth Union
ZMS = **Związek Młodzieży Socjalistycznej** *hist.* Socialist Youth Union
ZMW = **Związek Młodzieży Wiejskiej** Peasant Youth Union
Zn = **zincum** *łac. chem.* (**cynk**) zincum
ZNP = **Związek Nauczycielstwa Polskiego** Polish Teachers' Association
ZO = **Zgromadzenie Ogólne (ONZ)** General Assembly (of the UNO)
zob. = **zobacz** see
ZOM = **Zakład Oczyszczania Miasta** Town Cleaning Department
Z o.o. = **z ograniczoną odpowiedzialnością** Ltd.
ZOSP = **Związek Ochotniczych Straży Pożarnych** Union of Voluntary Fire-Brigades
ZOZ = **Zakład Opieki Zdrowotnej** Health Care Institution
ZPAF = **Związek Polskich Artystów Fotografików** Union of Polish Artists-Photographers
ZPAP = **Związek Polskich Artystów Plastyków** Union of Polish Artists and Designers
ZPC 1. = **Zakłady Przemysłu Cukierniczego** Confectionery Factory 2. = **Zjednoczenie Przemysłu Cukierniczego** Confectionery Factories Union
ZPD = **Zakłady Przemysłu Dziewiarskiego** Knitting Factory
ZPO = **Zakłady Przemysłu Odzieżowego** Clothing Factory
ZPP 1. = **Związek Patriotów Polskich** *hist.* (*1943–1946*) Association of Polish Patriots 2. = **Zrzeszenie Prawników Polskich** Association of Polish Lawyers
Zr = **zirconium** *łac. chem.* (**cyrkon**) zirconium
ZRA = **Zjednoczona Republika Arabska** United Arab Republic
ZS = **Zrzeszenie Sportowe** Sports and Athletics Organization
ZSCh = **Związek Samopomocy Chłopskiej** Peasants' Self-Help Association
ZSI = **Związek Spółdzielni Inwalidów** Association of Disabled Servicemen's Co-operatives
ZSL = **Zjednoczone Stronnictwo Ludowe** (*do 1989*) United Peasants' Party, UPP
ZSMP = **Związek Socjalistycznej Młodzieży Polskiej** (*do 1990*) Union of Polish Socialist Youth
ZSP = **Zrzeszenie Studentów Polskich** Polish Students' Association
ZSRR = **Związek Socjalistycznych Republik Radzieckich** (*do 1991*) Union of Soviet Socialist Republics
ZSS „Społem" = **Związek Spółdzielni Spożywców „Społem"** Union of Consumers' Co-operatives "Społem"

ZSZ = **Zasadnicza Szkoła Zawodowa** Elementary Technical School

ZTA = **Związek Teatrów Amatorskich** Union of Amateur Dramatic Societies

ZU = **Zarząd Uczelniany** College Administration

ZUS = **Zakład Ubezpieczeń Społecznych** Social Insurance Institution

Zw. = **Związek** Association; Union

zw. 1. = **zwany** called 2. = **zwykle** usually

ZW = **Zarząd Wojewódzki** Provincial Office

zwł. = **zwłaszcza** especially; particularly; in particular

ZWM = **Związek Walki Młodych** *hist.* (*1943–1948*) Fighting Youth Union

Zw. Radz. = **Związek Radziecki** Soviet Union (*do 1991*)

ZZ, zw. zaw. = **związek zawodowy** trade union

ŻOT = **Żeglarska Odznaka Turystyczna** Sailor's Touring Badge

ŻP = **Żegluga Polska** Polish Navigation

Jan Stanisławski
Małgorzata Szercha

Suplement

P-Ż

P

↑ **paciorkowaty** *adj* ... *bot. zool.* monilliform

↑ **paciorkowy** *adj* ... *arch.* **ornament ~** beadwork

↑ **paczkowani|e** *sn* ... **~e towarów** package of goods

↑ **padaczk|a** *sf* ... **napad ~i wielki** grand mal

↑ **padając|y** *adj* ... *nukl.* **wiązka ⟨cząstka⟩ ~a** incident beam ⟨particle⟩

↑ **padalec** *sm* ... (*Ophisaurus ventralis*) glass snake

↑ **padanie** *sn* ... *lotn.* **~ liściem** „falling leaf"

↑ **pagórkowaty** *adj* ... downy

↑ **pająk** *sm* 1. ... arancid

↑ **pająkowaty** *adj* ... arancid

pajęczynowaty *adj* arachnoid; webby

paka[2] *sf zool.* (*Agouti paca*) paca

Pakista|nka *sf pl G.* **~nek, Pakista|ńczyk** *sm* Pakistani

pakistański *adj* Pakistani — (authorities, army etc.)

↑ **pal** *sm* 2. *pl* **~e** (*palowanie*) piling

↑ **palczasty** *adj* 2. ... pedate

↑ **palec** *sm* 3. ... **~ szczątkowy** dewclaw

↑ **palenie** *sn* 8. ... *med.* cardialgia

↑ **paliwo** *sn* 1. ... **~ rakietowe** rocket propellant; *nukl.* **~ krążące** recycled fuel

↑ **paliwowy** *adj* ... *nukl.* **zestaw ⟨cykl⟩ ~** fuel assembly ⟨cycle⟩

↑ **palm|a** *sf* 1. ... **~a wachlarzowa** Washington palm

↑ **pałeczkowaty** [I] *adj* ... baculiform

↑ **pamię|ć** *sf* 3. ... **kochać (się) bez ~ci** to be desperately in love

↑ **pamięta|ć** [I] *vt* 1. ... **nie ~jąc** obliviously

↑ **panaceum** *sn* ... catholicon

panczenista *sm* (*decl = sf*), **panczenistka** *sf* speedskater

↑ **panew|ka** *sf* 3. ... *przen.* **spalić na ~ce** to backfire

panhellenizm *sm singt G.* **~u** *hist.* Panhellenism

↑ **panicznie** *adv* ... **bać się ~ kogoś, czegoś** ... to be desperately afraid of sb, sth

↑ **panna** *sf* 6. **Panna** *astr.* (*gwiazdozbiór oraz znak zodiaku*) Virgin

↑ **papier** *sm* 1. ... **~ rysunkowy** Bristol board; **~ mikowy** mica paper

↑ **papieros** *sm* ... **~ z filtrem** filter-tip

↑ **par|a**[2] *sf* 1. ... *fiz. nukl.* **~a sił** torque; **wytwarzanie ⟨powstawanie itd.⟩ ~** pair production ⟨formation etc.⟩

parabolicznie *adv* parabolically

↑ **paradnie** *adv* 2. ... showily; pompously 3. ... gaudily

↑ **paradny** *adj* 2. ... showy; **pompous**

paradygmatyczny *adj jęz.* paradigmatic

↑ **parafialny** *adj* 2. (*zaściankowy*) parochial

↑ **parafina** *sf* ... **~ twarda** paraffin(e) wax

paragrafi|a *sf singt GDL.* **~i** *psych.* paragraphia

↑ **paraliż** *sm* ... **~ dziecięcy** ... polio

paramagnetyk *sm G.* **~u** *fiz.* paramagnet

paranoicz|ka *sf pl G.* **~ek** *med. psych.* paranoiac

paranoiczny *adj psych.* paranoiac

parawspółczulny *adj fizj.* parasympathetic

↑ **pardwa** *sf* ... **~ szkocka** (*Lagopus scoticus*) (*samiec*) gorcock; (*samica*) gorhen

paria|s *sm* ... *pl* **~si** *przen.* the depressed classes

Par|ki *spr pl G.* **~ek** *mitol.* the Destinies

↑ **parkinsonizm** *sm* ... shaking palsy

paronim *sm G.* **~u** *jęz.* paronym, paronymous word

paronimiczny *adj jęz.* paronymous

↑ **parowozownia** *sf* ... *am.* running shed

↑ **parsk|ać** *imperf* — **parsk|nąć** *perf* [I] *vi* ... *powinno być*: **~nąć śmiechem** to snigger

↑ **parszywie** *adv* 2. *wet.* mangily

↑ **partack|i** *adj* ... fumbling; **po ~u** ... fumblingly

partnerstwo *sn singt* partnership

↑ **partyjny** [I] *adj* ... (*należący do partii*) card-carrying [III] *sm* ... cardholder

↑ **parzyst|y** *adj* 3. ... *bot.* didymous 4. *fiz.* paired; **siatki ~e** paired lattices

↑ **pas**[1] *sm* 1. ... (*szeroki, ozdobny*) ... cestus; **~ z podwiązkami** suspender belt; **elastyczny ~ z biustonoszem** corselette 3. ... *lotn.* **przenośny ⟨prowizoryczny⟩ ~ startowy** airstrip 4. ... waistline

↑ **pasaż** *sm* 1. ... *am.* areaway; **~ kryty między budynkami** breezeway

pasażero-mila *sf ekon.* seat-mile

↑ **pasja** *sf* 3. ... **szewska ~** gripe

↑ **paskudnie** *adv* 1. ... hideously; (*pod względem moralnym*) ... dirtily 4. ... *am. sl.* fiercely

paskudztwo *sn* 1. ... **lepkie** ~ *sl.* gook
↑ **pasm|o** *sn* 3. ... **~o ruchu drogowego** traffic lane 5. *fiz.* band; **szerokość ~a** band width; **~o widmowe** spectral band; **~o energetyczne** energy band; **~o oscylacyjne** vibrational band
↑ **pasmow|y** *adj* ... *fiz.* band —; **widmo ~e** band spectrum; **filtr ~y** band-pass; *bud.* **zabudowa ~a** string development
↑ **pasować**[1] [II] *vi* 2. ... **nie** ~ to disagree (**do czegoś** with sth)
↑ **pasożyt** *sm* 1. ... infectant; ~ **wewnętrzny** endoparasite; ~ **zewnętrzny** ectoparasite; **wolny od ~ów** axemic
pasożytnicz|y *adj* 1. parasitic(al) 2. *nukl.* parasitic (induction); spurious; **liczenie ~e** spurious count; **wychwyt ~y neutronów** parasitic neutron capture
↑ **pasożyt|ować** *vi* 1. ... **~ujący na zewnątrz ciała** epizoic
passiflora *sf bot.* granadilla
↑ **pasteryzować** *vt* ... to process
↑ **pastewn|y** *adj* ... **trawa ~a** herd's grass
↑ **pastorsk|i** *adj* ... vicarly
paternalistyczny *adj* paternalistic, paternalist
paternalizm *sm singt G.* **~u** paternalism
↑ **patetycznie** *adv* pathetically; ...
↑ **patetyczny** *adj* pathetic; ...
patogen *sm G.* **~u** *med.* pathogen
↑ **patyn|a**[1] *sf* 2. ... (*o budynku itd.*) **z nalotem ~y** mellow
↑ **październikowy** *adj* ... **Wielka Rewolucja Październikowa** ... the Russian Revolution
↑ **pączuszek** *sm* ... *bot. biol.* gemmule
↑ **pedał**[2] *sm* ... fairy; queer
↑ **pedanteria** *sf* ... donnishness
↑ **pedantycznie** *adv* ... primly
↑ **pedantyczny** *adj* ... donnish; prim; *sl.* prissy
pedikiurzy|sta *sm* (*decl* = *sf*) *pl N.* **~ści,** *G.* **~stów, pedikiurzy|stka** *sf pl G.* **~stek** pedicurist
pedogeneza *sf singt biol.* paedogenesis
pejoratywnie *adj* pejoratively
↑ **pejoratywny** *adj* ... *gram.* **przyrostek** ~ depreciatory suffix
pelargonia *sf* ... rose geranium
pelargonowy *adj chem.* pelargonic
↑ **penetracja** *sf* 3. *biol.* penetrance
penetrometr *sm G.* **~u** *nukl.* penetrometer
↑ **penicylin|a** *sf* ... **jednostka ~y** (= *0,6 mikrograma składnika krystalicznego*) Oxford unit
↑ **pensja** *sf* 1. ... ~ **netto** take-home pay
pentaploidalność *sf singt nukl.* pentaploidy
pentatlon *sm G.* **~u** *sport.* pentathlon
peon *sm G.* **~u** *prozod.* paeon
pepsynogen *sm G.* **~u** *biochem.* pepsinogen
percepcyjnie *adv* perceptively
↑ **perełka** *sf* 4. ... beading
perełkowy *adj arch.* **ornament** ~ beadwork
perfekcjoni|sta *sm* (*decl* = *sf*) *pl N.* **~ści,** *G.* **~stów, perfekcjoni|stka** *sf pl G.* **~stek** perfectionist
perfekcjonizm *sm singt G.* **~u** perfectionism
perihelium *sn astr.* perihelion
↑ **perfidnie** *adv powinno być*: traitorously; treacherously; with perfidy; perfidiously
↑ **pergaminow|y** *adj* 2. ... *med.* **skóra ~a** xerodermia
perigeum *sn astr.* perigee
perihelium *sn astr.* perihelion
↑ **periodyczny** *adj* ... *nukl.* batch (extraction)
↑ **periodyk** *sm* ... **współpracownik ~u** magazinist
↑ **perkusista** *sm* ... percussionist
peroni|sta *sm* (*decl* = *sf*) *pl N.* **~ści,** *G.* **~stów** *polit.* Peronist
Perseusz *spr mitol.* Perseus
↑ **perspektywiczn|y** *adj* ... **plan ~y** (**wydawnictwa**) long-range publishing programme
↑ **perswazj|a** *sf* ... **opierając się ~om** inconvincibly
perwersyjnie *adv* perversely
perycykl *sm G.* **~u** *bot.* pericycle
peryderma *sf bot.* periderm
↑ **peryferyczny** *adj* ... fringe — (estate etc.)
peryfrastyczny *adj lit.* periphrastic (form etc.)
Perykles *spr* Pericles
peryklesowski *adj* Periclean
perystaza *sf singt nukl.* peristasis
perystom *sm G.* **~u** *bot. zool.* peristome
perytecjum *sn bot.* perithecium
perytektyczny *adj* peritectic
↑ **perz** *sm* 2. ... quack grass
peseta *sf* peseta, *skr.* PTA (*jednostka monetarna w Hiszpanii*)
peso *sn indecl* peso, *skr.* $ (*jednostka monetarna w niektórych krajach Ameryki Południowej*)
↑ **pestka** *sf* 1. ... *am.* pit (of cherry, peach, plum)
↑ **pestkowy** *adj* ... *bot.* drupaceous
pestycyd *sm G.* **~u** pesticide
pet *sm pot.* fag(-end)
↑ **petarda** *sf* ... *techn.* squib
petrologi|a *sf singt GDL.* **~i** *geol.* petrology
↑ **pewnie** *adv* 1. ... steadfastly 4. (*w sposób niezawodny*) unfailingly; reliably 5. (*w sposób godny zaufania*) unfailingly
↑ **pewno** *adv*
na ~ ... unfailingly
↑ **pewnoś|ć** *sf* 1. ... **z ~cią siebie** ... assertively; self-confidently
↑ **pewny** *adj* 6. ... **zbyt** ~ **siebie** overconfident; assured; cockish
↑ **pęcherz** *sm* 1. ... **powodować powstawanie ~y** to vesicate 3. (*błoniasty narząd*) sac; ~ **płodowy** ... gestation sac
pęcherzowaty *adj* ampullaceous
↑ **pęcherzyk** *sm* 1. ... *med.* ~ **wodnisty**

water blister; ~ **po oparzeniu** phlyctene 2. (*narząd*) ... sac; **~i płucne** air sacs 5. *nukl.* bubble; **wydzielanie się ~ów** bubbling 6. *bot.* (*u roślin wodnych*) ~ **powietrzny** air space

pęcherzykow|y *adj* ... *nukl.* **komora ~a** bubble chamber

pęczniejący *adj* turgescent

† **pęd** *sm* 1. ... **ruszyć ⟨puścić się⟩ ~em** to break into a run 3. ... nisus 5. ... ~ **podziemny** rhizome; ~ **liściowy** (*mszaków i widłaków*) surculus

† **pędny** *adj* ... **materiał** ~ ... propellant; **materiał ~ jednoskładnikowy** monopropellant; **materiał ~ stały** solid propellant

† **pękato** *adv* ... rotundly

† **pęknięcie** *sn* 2. ... ~ **okrężne ⟨łukowe⟩** (*drewna*) wind shake

† **pętlica** *sf* 1. ... slipnoose

† **pian|a** *sf* ... **wydzielać ~ę** to despumate

† **pianka** *sf* 3. ... sepiolite

† **pias|ek** *sm* 1. ... **~ek słabogliniasty** sabulous łoam; *roln.* **uprawa roślin na ~ku** sandculture

† **piaskowiec** *sm* 1. ... ~ **ostroziarnisty** burstone; **glaukonitowy** ~ greensand

† **piaskow|y** *adj* 1. ... *techn.* **forma ~a** sand mould; **odlew wykonany w formie ~ej** sand cast

piaszczyście *adv* grittily

† **piąt|y** ☐ *num* ... *przen.* **~a kolumna** fifth column; **agent ~ej kolumny** fifth columnist

† **piec¹** *sm* 2. ... ~ **suszarniczy** dry kiln

† **piechot|a** *sf*
~**ą** *adv*, **na ~ę** *adv* ... **iść ~ą ⟨na ~ę⟩** ... to walk

† **piecowy** *adj* ... furnace — (**stapianie** fluxing)

† **pieczątka** *sf* 2. ... sigil

† **pieczeniarz** *sm* ... dead-beat

† **pieczenie** *sn* ... ~ **w żołądku** ... cardialgia

† **pieczęć** *sf* 2. ... sigil

† **piekielnl|y** *adj* 1. ... *sl.* all-fired; **moce ⟨siły⟩ ~e** ... the powers of dark

† **piekł|o** *sn* ... **baba z ~a rodem** the devil's dam

† **pieni|ądz** *sm* 1. ... **kult ~ądza** mammonism 2. ... **bez ~ędzy** impecunious; **siła nabywcza ~ądza** buying power of money

† **pienić** Ⅲ *vr* ~ **się** 1. (*wytwarzać pianę*) to despumate; ...

† **pieniężnie** *adv* ... monetarily; *pot.* moneywise

pieniście *adv* foamingly; frothily

† **pieprzyć** *vt* 4. ... to screw

† **pierożl|ek** *sm* ... *pl* **~ki** ravioli

† **pier|óg** *sm* 1. *powinno być: kulin.* (*ciasto pieczone z mięsem, kapustą itp.*) (meat) pie; *pl* **~ogi** ravioli

† **pier|ś** *sf* 1. ... *med.* **usunięcie ~si** mastectomy

† **pierścieniowaty** *adj* 1. ... ringed

† **pierścieniowy** *adj* 1. ... *geom.* ring — (geometry); **przelicznik** ~ ring scaler 3. (*składający się z pierścieni*) armillary

† **pierście|ń** *sm* 1. ... **zdobny w ~nie** ringed 2. ... **otoczony ~niem** ringed; **~ń łożyskowy** bearing ring; *nukl.* **~ń dławiący** retaining ring

† **pierwotnie** *adv* ... primevally; primitively; primordially

† **pierwotn|y** *adj* 1. ... **akumulacja ~a** primitive accumulation 4. *nukl.* virgin; **strumień ~y** virgin flux; **cząstka ~a** initial particle

† **pierwszeństwo** *sn* ... prime of place

† **pierwszorzędnie** *adv* ... *pot.* elegantly

† **pierwszorzędny** *adj* ... ace — (player, artist etc.); topflight

† **pierzastodzielny** *adj bot.* ... pinnatisect

pierzastosieczny *adj bot.* pinnatipartite

pierzastowrębny *adj bot.* pinnatifid

† **pieścić** ☐ *vt* 1. ... *am. sl.* to canoodle

pietrasznik *sm bot.* (*Conium maculatum*) conium

† **pięć** 1. ... **ni w ~, ni w dziewięć** b) ... irrelevantly; pointlessly

pięćsetzłotówka *sf pl G.* **~ek** five-hundred-zloty bank-note

† **pięknie** *adv* 1. ... finely

† **piętrzyć** ☐ *vt* ... to pyramid Ⅲ *vr* ~ **się** 1. ... to pyramid

† **pijaniusieńki** *adj*, **pijaniuteńki** *adj* ... wholeseas (over)

† **pijan|y** Ⅲ *adj* 1. ... **jazda po ~emu** drunken driving

pikrynian *sm G.* **~u** *chem.* picrate; ~ **amonowy** dunnite; explosive D

† **pilnie** *adv* 1. ... industriously; steadily; studiously

† **pilnik** *sm* ... ~ **do paznokci** nail file

pilocik *sm* 1. *dim* † **pilot** 2. *lotn.* pilot chute

pilon *sm G.* **~u** *arch.* pylon

† **pilot** *sm* 1. ... ~ **automatyczny** ... automatic ⟨robot⟩ pilot; autopilot 4. (*opiekun grupy turystów*) courier

pilśniak *sm pot.* felt hat

† **pilśniow|y** *adj* ... **płyta ~a** ... fibreboard, *am.* fiberboard

† **piła** *sf* 1. ... ~ **walcowa** drum saw

† **piłk|a¹** *sf* 1. ... **grać w ~ę** to play ball

piłokształtn|y *adj* saw-tooth — (graph etc.); *fiz.* **generator napięcia ~ego** saw-tooth oscilator

pion³ *sm G.* **~u** *nukl.* pion

† **pionowo** *adv* ... erectly; upright; uprightly

† **piorunochron** *sm* ... discharger

piorunowanie *sn* † **piorunować;** fulmination (**na kogoś, coś** against sb, sth)

† **piór|o** *sn* 1. ... **~a pokrywowe** wing coverts 2. ... **~o kreślarskie do cyrkla** bow pen

† **piramid|a** *sf* ... **wznosić się na kształt ~y**

to pyramid; *przen.* **~a społeczno-ekonomiczna** socioeconomic pyramid

† **pirat** *sm* 2. ... *sl.* spook

pirografi|a *sf singt GDL.* **~i** pyrography

pirogronowy *adj chem.* pyruvic (acid)

pirokatechina *sf chem.* catechol; pyrocathecol

piroman *sm,* **piroman|ka** *sf pl G.* **~ek** *psych.* pyromaniac

pirometalurgi|a *sf GDL.* **~i** pyrometallurgy

pirometr *sm G.* **~u** *techn.* pyrometer

pirosiarczyn *sm chem.* **~ sodowy** sodium metabisulphite

pirotron *sm G.* **~u** pyrotron

† **pisak** *sm* 3. (*flamaster*) marker; felt pen

† **pismo** *sn* 1. ... *druk.* **~ jasne** light-faced type

† **pistolet** *sm* 2. ... **~ natryskowy** airbrush

† **piszczałka** *sf* 2. ... **~ wargowa** windway

Pitagoras *spr* Pythagoras

pitolić *vi imperf pot.* to fiddle; to scrape the fiddle

† **piuska** *sf* ... skull-cap

† **piwnica** *sf* 1. ... **dolna ~** subcellar

† **piwo** *sn* 1. ... **~ lekkie** light beer; **~ słodowe** malt beer

plagiotropizm *sm singt G.* **~u** *bot.* plagiotropism

† **plakat** *sm* ... show bill

† **plamka** *sf* ... *anat.* **ślepa ~** blind spot; *zool.* **~ oczna** eyespot; ocellus; **~ barwna** ocellus

† **plan** *sm* 1. ... **~ perspektywiczny** ... long-range programme 2. ... **~ działania** blueprint

planacja *sf singt geogr.* planation

† **plankton** *sm* ... **~ powietrzny** aeroplankton; **~ głębinowy** bathyplankton

† **planować**[1] *vt* 1. ... to quarterback

† **planowo** *adv* 1. ... duly

plasterkow|y *adj med.* **próba ~a** (*alergii*) patch test

plastomer *sm G.* **~u** *techn.* plastomer

† **plastyczn|y** *adj* 4. ... *powinno być:* **chirurgia ~a** plastic ⟨anaplastic⟩ surgery

plastyd *sm* ... **gen przenoszony za pomocą ~ów** plastogene

† **plastyka** *sf* 4. ... anaplasty; **~ jamy ustnej** stomatoplasty

† **plateau** *sn* 2. *nukl.* plateau

platonizować *vi imperf filoz.* to Platonize

playback [*plejbek*] *sm G.* **~u** *techn.* playback

† **plazm|a** *sf* ... **~a jądrowa** nucleoplasm; **dynamika ⟨fizyka, promieniownie⟩ ~y** plasma dynamics ⟨physics, radiation⟩

plazminogen *sm G.* **~u** *biochem.* plasminogene

plazmoderma *sf biol.* plasmoderm

plazmogen *sm G.* **~u** *biol.* plasmogene

plazmowy *adj* plasmatic; plasma — (cell etc.)

pląsawiczy *adj med.* saltatory (**kurcz** spasm)

† **plątanina** *sf* ... ravelment

† **plecak** *sm* ... (*turystyczy*) ... packsack

† **plecionka** *sf* 1. ... torsade; **~ druciana** woven wire

† **plecy** *spl* 2. ... drag

plejotropi|a *sf singt GDL.* **~i** *biol.* pleiotropism

† **pleksiglas** *sm powinno być:* Plexiglass; lucite

† **plemienn|y** *adj* ... race — (problem etc.); **samowyniszczenie ~e** race suicide

plemniomiesz|ek *sm G.* **~ka** *bot.* spermatophore

pleochroiczny *adj miner.* pleochroic

pletwal *sm zool.* **~ błękitny** (*Balaenoptera musculus*) sulphur-bottom

† **plewa** *sf* 1. ... (*osłona*) tunic, tunica

† **plewki** *spl powinno być:* **plew|ka** *sf pl G.* **~ek** *bot.* glume; **~ka dolna** lemma

plewowaty *adj bot.* glumaceous

ploidia *sf nukl.* ploidy

plota *sf pot.* scuttlebut

† **plotkarka** *sf* ... gossipmonger

† **plotkarz** *sm* ... gossipmonger

plugawie *adv,* **plugawo** *adv* 1. (*ohydnie*) dirtily; squalidly; sordidly; filthily; grimely 2. (*sprośnie*) foully; obscenely; nastily

† **pluskwa** *sf* ... cimex

† **pluskwiak** *sm* 1. ... **~ kraskowaty** spittle bug

† **pluszcz** *sm* ... **~ wodny** (*Cinclus aquaticus*) water crake

plutonit|y *sp G.* **~ów** *geol.* plutons

† **pluwiometr** *sm* ... rain gauge

† **płac|a** *sf* ... **siatka ⟨skala⟩ ~** wage scale; **regulacja ~** wage adjustment

† **płac|ić** *vt vi* ... **ile ~ę?** *pot. żart.* what's the damage?

† **płaczliwie** *adv* ... dolefully; querulously; tearfully; wailfully

† **płaczliwość** *sf* ... querulousness

† **płaczliwy** *adj* 1. ... querulous; lachrymose

płaskorzyt|ka *sf pl G.* **~ek** *zool.* **~ka słonecznica** (*Eurypyga helios*) sun bittern

† **płaszcz** *sm* 1. ... (*o powieści itd.*) **~a i szpady** cloak-and-dagger (story) 7. *nukl.* envelope (of a reactor); **~ rozmnażający** blanket; **element ~a** blanket subassembly; **zestaw ~a** blanket assembly

† **płaszczka** *sf* ... manta ray; sea devil

† **płat** *sm* 4. ... *med.* **nacięcie ~a** lobotomy 5. ... **~ nośny** airfoil 6. **~ wodny** hydrofoil 7. *bot.* lobe; **mający ⟨podzielony na⟩ ~y** lobed

† **płat|ek** *sm* 2. ... **posiadający ~ki** petalous

płatkowanie *sn* † **płatkować**; *techn.* flaking; leafing

† **płatowaty** *adj* ... *anat.* **mięsień ~** splenius

† **płatowiec** *sm* 1. ... airframe

↑ **pławić** [I] *vt* ... *powinno być*: **~ konia ⟨bydło⟩** to bathe a horse ⟨cattle⟩

↑ **płciow|y** *adj* ... **hormon ~y** sex hormone; **higiena życia ~ego** sex hygiene; **okres aktywności ~ej** sexually active period; **życie ~e** sex life

↑ **płeć** *sf* 1. ... **zależność od płci** sex linkage; **zależny od płci** sex-linked; **mutacja zależna od płci** sex-linked mutation; (*zwierzę itd.*) **o wyróżnionej płci** sexuated

↑ **płetwa** *sf* 1. ... (*w stroju płetwonurka*) flipper

płetwiarstwo *sn singt sport* skin-diving; **uprawiać ~** to skin-dive

↑ **pełtwonurek** *sm* ... skin-diver

płetwonurkowanie *sn singt* = **płetwiarstwo** ↑

↑ **płocho** *adv* ... frivolously; lightsomely

↑ **płodnie** *adv* ... luxuriantly; copiously

płomienioodporny *adj* flame-proof

↑ **płomie|ń** *sm* 1. ... *lotn.* **tłumik ~ni** flame trap

płonicowaty *adj med.* scarlatinoid

↑ **płonn|y** *adj* 1. ... **warstwa skały ~ej** dirt band

↑ **płotka** *sf* 2. *przen.* (*o człowieku*) small change

płotkarski *adj sport* **bieg ~** hurdle-race

↑ **płożący się** *adj* ... trailing

↑ **płód** *sm* 1. ... conceptus

↑ **płótno** *sn* 1. ... **~ żaglowe** duck; **~ workowe** bagging; sacking

płótnowany *adj* (*o papierze*) linen — (paper)

↑ **płucn|y** *adj* ... *med.* **wycięcie tkanki ~ej** pneumonectomy

↑ **płuc|o** *sn* ... *med.* **oskrzelowe zapalenie ~** bronchopneumonia; **sztuczne ~o** pulmotor; **żelazne ~a** iron lung

↑ **płuczka** *sf* 1. ... wash bottle; **~ osadowa** jig

↑ **pług** *sm* 1. ... *roln.* **~ wieloskibowy** gang plough 2. *sport* (*w narciarstwie*) double stem

↑ **płynięcie** *sn* 1. ... **~ z prądem** drifting 2. ... **środki ułatwiające ~** flow promoters *nukl.* creep

↑ **płyt|a** *sf* 1. ... **~a miernicza ⟨traserska⟩** surface plate; *bud.* **~a fundamentowa** bottom plate 2. ... **kolekcjoner ⟨zbieracz⟩ ~ gramofonowych** discophile; **muzyka z ~ lub taśmy** canned music

↑ **płytko** *adv* 1. ... shallowly

↑ **płytkowy** *adj* ... leaf — (ornament etc.)

↑ **płytowy** *adj* ... **przemysł ~** record industry; *nukl.* **reaktor ~** slab reactor

pływ|ka *sf pl G.* **~ek** *zool.* zoospore; swarmer

pneumatologi|a *sf singt GDL.* **~i** *filoz.* pneumatology

↑ **pneumatyka** *sf* ... pneumodynamics

↑ **po** *praep* 10. ... following (the performance, lecture etc.)

↑ **pobicie** *sn* 3. ... bashing; shellacking

↑ **pobić** *perf* — **pobijać** *imperf* [I] *vt* 2. ... to shellac the enemy

pobladły *adj* paled

↑ **pobłażać** *vi* ... **zbytnio ~ komuś** to overindulge sb

↑ **pobłażani|e** *sn* 2. ... **z ~em** indulgently; **bez ~a** unforbearingly

↑ **pobłażliwy** *adj* ... sparing

↑ **poboczn|y** *adj* 1. ... *fiz.* secondary; **liczba kwantowa ~a** secondary quantum number

↑ **poborowy** [III] *sm* ... draftee

↑ **pobożnie** *adv* ... prayerfully

↑ **pob|ór** *sm* 7. ... **~ory netto ⟨na rękę⟩** take-home pay; **potrącenie z ~orów** pay-roll deductions

↑ **pobrzeże** *sn* 1. ... water front

↑ **pobudka** *sf* 2. ... animus

pobudliwie *adv* excitably

↑ **pobudzać** *vt* — **pobudzić** *vt* ... *chem. fiz.* to activate

↑ **pobudzająco** *adv* ... incentively

↑ **pocenie się** *sn* ... sudor

↑ **pochewka** *sf* 2. ... velamen

↑ **pochlebczo** *adv* ... sycophantically

↑ **pochlebnie** *adv* 2. ... finely

↑ **pochlebny** *adj* 2. ... **w ~ch słowach** flatteringly

↑ **pochłaniając|y** *adj* ... *nukl.* **substancja ~a** absorbing material; **środowisko ~e** absorbing medium

↑ **pochłaniani|e** *sn* ... **zdolność ~a** absorptivity; **~e gazu przez ciało stałe** persorption; *nukl.* **współczynnik ⟨krzywa, krawędź⟩ ~a** absorption coefficient ⟨curve, edge⟩; **przekrój czynny na ~e** absorption cross-section; **sterowanie przez ~e neutronów** absorption control

↑ **pochłonięcie** *sn* ... *nukl.* uptake; absorption

↑ **pochmurnie** *adv* 2. ... glumly

↑ **pochmurny** *adj* 1. ... nubilous 3. ... glum

↑ **pochodn|y** *adj* 1. ... derivational; *biol.* **hodowla ~a (bakterii)** subculture; *fiz.* **jednostka ~a** derived unit 2. *nukl.* secondary; **reaktor na paliwo ~e** secondary reactor

↑ **pochodzeni|e** *sn* 1. ... **nie ustalonego ~a** cryptogenic

↑ **pochopnie** *adv* 2. ... prematurely

pochutnikowaty *adj bot.* pandanaceous

↑ **pochw|a** *sf* 3. ... *med.* **zapalenie ~y** vaginitis

↑ **pochwał|a** *sf* 1. ... **w sposób godny ~y** praiseworthily; **rozpływać się w ~ach** to rave (**nad kimś, czymś** about sb, sth)

↑ **pociągająco** *adv* ... winsomely

↑ **pociąganie** *sn* ... drawing

↑ **pociągow|y** *adj* 1. ... **siła ~a** ... drawing force ⟨power⟩

↑ **pociech|a** *sf* 1. ... **nie znajdując ~y** inconsolably

↑ **pociesz|ać** *imperf* — **pociesz|yć** *perf* [III] *vr* **~ać, ~yć się** ... **nie dając się ~yć** inconsolably

↑ **pocisk** *sm* 2. ... ~ **zdalnie kierowany** guided missile; ~ **bez urządzeń sterowniczych** free missile; ~ **(klasy) powietrze-powietrze** air-to-air missile; ~ **(klasy) powietrze-ziemia** air-to-surface missile; ~ **(klasy) ziemia-powietrze** surface-to-air missile; ~ **(klasy) ziemia-ziemia** surface-to-surface missile; ~ **wybuchający na wysokości wierzchołków drzew** tree burst

↑ **pocukrować** *vt* — **pocukrzyć** *vt* ... to sugarcoat

↑ **pocz|ąć** *perf* — **pocz|ynać** *imperf* [III] *vi* ... ~**ąwszy od XV wieku** from the 15th century downward

↑ **początkowo** *adv* ... inceptively; incipiently; initiatorily; primitively; primordially

↑ **poczekani|e** *sn*
na ~**u** *adv* ... extemporaneously

↑ **poczet** *sm* 1. ... ~ **sztandarowy** ... colour guard

↑ **poczytność** *sf* ... readership

podagrycznie *adv* goutily

↑ **podatek** *sm* ... ~ **obrotowy** sales tax

podatnie *adv* receptively; susceptibly; docilely; tractably

↑ **podatność** *sf* 1. ... recipience

podazotyn *sm G.* ~**u** *chem.* hyponitrite

podbramkow|y *adj sport* **sytuacja** ~**a** clutch; last-ditch situation

↑ **podbrzusze** *sn* 1. ... underbelly

podburzająco *adv* incitingly; instigatorily

podburzający *adj* inciting; instigatory; inflammatory

podchrząstkowy *adj anat.* subcartillaginous

↑ **podcieniowanie** *sn* ... undertone

↑ **podczerwon|y** *adj* ... **wykrywacz promieniowania** ~**ego** infra-red detector

↑ **poddanie się** *sn* 1. ... self-surrender

poddańczo *adv* tributarily

↑ **poddańczy** *adj* ... tributary

↑ **podejrzanie** *adv* ... disreputably

↑ **podejrzany** [III] *adj* 2. ... disreputable

↑ **podejrzel|nie** *sn* 2. ... **nie budząc** ~**ń** unsuspectedly; **nie żywiący** ~**ń** unsuspecting

↑ **podejrzliwy** *adj* 1. ... suspicional

↑ **podest** *sm* 1. ... platform

podestylacyjn|y *adj fiz.* distillation —; **pozostałość** ~**a** bottoms

podfosforyn *sm G.* ~**u** *chem.* hypophosphite

podglądacz *sm* spier; Peeping Tom

podglądający *adj* prying; spying; peeping

↑ **podgórski** *adj* ... submontane

↑ **podgromada** *sf* ... subphylum

↑ **podgrzewacz** *sm* ... blazer; *nukl.* economizer; ~ **błyskawiczny** flashed heater

↑ **podkadzać** *imperf* — **podkadzić** *perf* [III] *vt med.* to suffumigate

podkadzanie *sn* ↑ **podkadzać**; *med.* suffumigation

podkalibrowy *adj wojsk.* subcaliber

podkategoria *sf* subcategory

podkliniczny *adj med.* subclinical

↑ **podkład** *sm* 6. *powinno być: kolej.* crosstie 12. ~ **pod lakier** undercoat

podkorze *sn anat.* subcortex

↑ **podkoszulek** *sm* ... singlet; ~ **z krótkimi rękawami** teeshirt

↑ **podkra|dać** *imperf* — **podkra|ść** *perf* [III] *vr* ~**dać**, ~**ść się** ... to prowl

podkrytyczny *adj fiz. chem.* subcritical

podkrzesać *vt perf* — **podkrzesywać** *vt imperf ogr.* to prune (trees)

↑ **podle**² *adv* 1. ... sordidly; abjectly; meanly; villainously; shabbily; vilely; dishonourably; infamously; despicably; cravenly; dirtily; foully; disreputably; ungenerously

podliścieniow|y *adj bot.* **kolanko** ~**e** epicotyl

↑ **podlizuch** *sm* ... stooge; *wulg.* arse-crawler

↑ **podlotek** *sm* ... bobby-soxer; subdeb

↑ **podłog|a** *sf* ... **metraż** ~**i** floorage

podłopatkowy *adj anat.* subscapular

↑ **podłość** *sf* 1. ... black-heartedness

↑ **podły** *adj* 1. ... infamous; black-hearted; *pot.* scummy

↑ **podmiejski** *adj* .... *am.* rurban

↑ **podmuch** *sm* 4. *nukl.* blast; **ciśnienie** ~**u** blast pressure; **osłona przed falą** ~**u** blast shield

↑ **podnieceni|e** *sn* ... **w** ~**u** elatedly; excitedly

↑ **podn|ieść** *perf* — **podn|osić** *imperf* [I] *vt* 3. ... ~**ieść żagle** to make sail 5. ... to upgrade (quality etc.)

↑ **podniośle** *adv* ... exaltedly

podniszczony [I] *pp* ↑ **podniszczyć** [III] *adj* worn for wear; rusty

podoceaniczny *adj* suboceanic

↑ **podomka** *sf* ... housecoat; dressing-sack

↑ **podpalacz** *sm* ... *am. sl.* firebug

↑ **podpałk|a** *sf* 2. ... **drzewo do** ~**i** ⟨**na** ~**ę**⟩ lightwood

podpierający *adj* prop —; *bot.* **korzeń** ~ prop root

podporządkowujący *adj* subordinating

podpoziom *sm G.* ~**u** *fiz.* sublevel

podregion *sm G.* ~**u** *ekon.* subregion

podregionalny *adj* subregional

↑ **podrzędny** *adj* 1. ... subordinal; utility — (clothing, housing etc.); *pot.* smalltime

↑ **podskoczyć** *vi* — **podskakiwać** *vi* 1. ... to upspring 2. ... ~ **zawrotnie** to rocket

↑ **podskórnia** *sf* ... hypodermis

↑ **podskórn|y** *adj* ... **tkanka** ~**a** hypodermis; *bot.* ~**a warstwa komórek** hypodermis

podsłowo *sn mat.* subword

↑ **podsłuch** *sm* 3. ... *pot.* bugging

↑ **podsłuchiwać** *vt vi* to bug

↑ **podsłuchow|y** *adj* ... **instalacja** ~**a** ... *pot.* bugging

↑ **podstaw|a** *sf* 2. ... ~**y** (*zagadnienia itd.*) grassroots (of a problem etc.)

↑ **podstawka** *sf* 7. *lotn.* ~ **pod koło** wheel chock

podstawowo *adv* 1. (*zasadniczo*) basically; fundamentally; essentially; primordially; privotally 2. (*elementarnie*) elementarily; rudimentarily

↑ **podstawow|y** *adj* 1. ... **wykształcenie ~e** primary education; **~e gałęzie przemysłu** key industries 4. *nukl.* ground — (state etc.); **energia rozpadu jądra w stanie ~ym** disintegration energy; **substancja ~a** key substance

↑ **podstępnie** *adv* ... wilily; trickily; trickishly

podstratosferyczn|y *adj*: **~e warstwy przestrzeni** substratosphere

↑ **podsypka** *sf* 2. ... subbase

podszczękowy *adj anat.* submaxillary

podsześcian *sm G.* **~u** *mat.* subcube; **~ prosty** prime subcube

↑ **podtrzym|ywać** *imperf* — **podtrzym|ać** *perf* [I] *vt* 5. ... to sustain; *nukl.* **reakcja ~ywana** sustained reaction

↑ **poduszka** *sf* 7. *bot.* **~ liścia** pulvinus

↑ **poduszkowiec** *sm* ... air-cushion vehicle

↑ **podważać** *vt* — **podważyć** *vt* 2. ... to discredit

podwielokrotność *sf mat.* aliquot

↑ **podwozie** *sn* ... **~ wolnonośne** cantilever undercarriage

↑ **podwójny** *adj* 1. ... duple; (*o pojeździe itd.*) **o ~m przeznaczeniu** dual-purpose 3. *bot.* didymous 4. *nukl.* back-to-back (fission pulse counter, ionization chamber)

podyplomowy *adj* post-graduate (studies etc.)

podzastępca *sm* (*decl* = *sf*) subagent

podzbi|ór *sm G.* **~oru** *mat.* subset

↑ **podział** *sm* 1. ... dismemberment; **~ pracy** dividing of work; **~ na drobne części (dla ułatwienia analizy itd.)** breakdown; **dokonać ~u** to dismember; **znieść ~** to desegregate 3. ... **rozmnażanie przez ~** schizogenesis

↑ **podziałow|y** *adj* 3. *techn.* **koło ~e** pitch circle line

↑ **podziemny** *adj* 1. ... *geol.* hypogeal

↑ **podzwrotnikow|y** *adj* ... **strefa ~a** subtropics

↑ **podźwignąć** [I] *vt* 3. ... **~ z nędzy** to depauperize

podżegająco *adv* incitingly; inflammatorily

↑ **pofałdowany** [III] *adj* ... *zool.* rugate; *bot.* (*o liściu*) conduplicate

↑ **pogański** *adj* 1. ... profane

pogańsko *adv* profanely

↑ **pogard|a** *sf* ... **z ~ą** contemptuously; disdainfully

↑ **poglądowy** *adj* ... **~ system nauczania** case system

↑ **pogmatwać** [I] *vt* ... to bedevil

↑ **pogmatwanie** *sn* ... bedevilment

↑ **pogod|a** *sf* 1. *meteor.* ... **prognoza ~y** weather forecast; **ludowa przepowiednia ~y** weather maxim

↑ **pogodnie** *adv* 2. ... jocundly; placidly

↑ **pogodny** *adj* 2. ... *pot.* cadgy

↑ **pogodzić** [I] *vt* 3. ... **nie dający się ~** incompatible; **nie dając się ~** incompatibly

↑ **pogotowie** *sn* 1. ... **~ lotnicze** air alert; **~ bojowe** ... alert

↑ **pogróżk|a** *sf* ... **z ~ą, z ~ami** menacingly; menaciously; minatorily

↑ **pogrzebowy** *adj* funerary; ...

↑ **pogwałcenie** *sn* ... infraction

↑ **pogwałcić** *vt* — **pogwałcać** *vt* ... to infract

↑ **pohańbić (się)** *vt vr* ... **~ się** to stand in disgrace

↑ **pointa** *sf* ... punch line

↑ **pojazd** *sm* ... **~-chłodnia** reefer; **~ drogowy** road vehicle

↑ **pojednawczo** *adv* ... peaceably; peacefully

↑ **pojednawczy** *adj* ... placatory

↑ **pojedynczy** *adj* ... *nukl.* **jon o ładunku ~m** singly-charged ion

↑ **pojedynek** *sm* 1. ... **~ powietrzny** dogfight

↑ **pojemność** *sf* 3. *roln.* **~ polowa gleby** (*względem wody*) field capacity (of the soil); **~ wodna** moisture capacity

↑ **pojętność** *sf* ... docility

↑ **pojnik** *sm* ... **~ dla drobiu** dew drop

↑ **pokarmowy** *adj* ... food — (cycle, chain)

↑ **pokaz** *sm* 1. ... **dawać ~** to display

↑ **pokaźnie** *adv* 1. ... respectably

↑ **pokaźny** *adj* 1. ... respectable

↑ **pokoleni|e** *sn* ... **czas życia ~a** generation time

↑ **pokonać** *vt* — **pokonywać** *vt* 1. ... to dispose (of an enemy)

↑ **pokonani|e** *sn* ... **~e trudności** disposal of a difficulty; **w sposób nie do ~a** invincibly; **(możliwy) do ~a** vincible

↑ **pokost** *sm* 1. (*płyn*) ... linoxyn

↑ **pokój** *sm* 3. ... **~ dzienny** living room; **~ kombinowany** bed-sitting room; *pot.* bed-sitter

↑ **pokrewieństw|o** *sn* 2. ... *zootechn.* **chów w ~ie** inbreeding

↑ **pokrewnie** *adv* ... congenially

↑ **pokrowiec** *sm* ... *wojsk.* **~ ochronny na sprzęt wojskowy** cocoon

↑ **pokryci|e** *sn* 2. ... cladding 7. ... **czek bez ~a** ... *sl.* bouncer

↑ **pokwitani|e** *sn* ... **(będący) w wieku przed ~em** preadolescent

↑ **polarn|y** *adj* ... arctic; *biol.* **ciałko ~e** polar body

polaroid *sm G.* **~u** polaroid

polaryskop *sm G.* **~u** *fiz.* polariscope

polaryzowalność *sf singt fiz.* polarizability

↑ **pol|e** *sn* 5. ... **~e dźwiękowe ⟨akustyczne⟩** sound field; *nukl.* **~e własne** self-field; **~e sił** field of force; **gradient ⟨kwant⟩ ~a** field gradient ⟨quantum⟩

↑ **polecić** *v perf* — **polecać** *v imperf* [I] *vt* 1. (*zlecić*) ... to detail **(komuś, żeby coś zrobił** sb to do sth)

↑ **polepszyć** *perf* — **polepszać** *imperf* [I]

vt ... to upgrade (quality, production etc.)
↑ **polewa** *sf* 1. ... glost
polibutan *sm G.* **~u** *chem.* polybutene
↑ **policjant** *sm* ... *pot.* bluecoat
policytemi|a *sf singt GDL.* **~i** *med.* polycyth(a)emia
polidaktyli|a *sf singt GDL.* **~i** *anat.* polydactyly
↑ **policz|ek** *sm* 1. ... *med.* **zgorzel ~ków** noma
poliembrioni|a [i-e] *sf singt GDL.* **~i** *biol.* polyembryony
polienergetyczny [i-e] *adj nukl.* polyenergetic (neutron radiation etc.)
poliest|er [i-e] *sm G.* **~ru** *chem.* polyester
poliestrowy [i-e] *adj chem.* polyester — (resin, plastic)
polietylen [i-e] *sm singt G.* **~u** *chem.* polyethylene; polythene
polietylenowy [i-e] *adj chem.* poliethylene — (glicol)
polifagi|a *sf singt GDL.* **~i** *med.* polyphagia
poligami|sta *sm* (*decl* = *sf*) *pl N.* **~ści,** *G.* **~stów** polygamist
poligeny *spl biol.* polygenes
poliglot|ka *sf pl G.* **~ek** (woman) polyglot
poliglukan *sm G.* **~u** *chem.* dextran
poligraf *sm pl N.* **~owie, poligraf|ik** *sm pl N.* **~icy** *druk.* typographer
poligyni|a *sf singt GDL.* **~i** *lit.* poligyny
Polihymnia *spr mitol.* Polyhymnia
polikondensacja *sf singt chem.* polycondensation
↑ **polimer** *sm* ... **~ mieszany** copolymer
polimeri|a *sf singt GDL.* **~i** *chem.* polymerism; polymery
polimeryczny *adj chem.* polymerous
polimiksyna *sf chem. farm.* polymyxin
polio *sn singt med.* polio, poliomyelitis; infantile paralysis
polioctan [i-o] *sm G.* **~u** *chem.* acetate; **~ winylu** polyvinyl acetate
polipnik *sm zool.* polypary
polisemi|a *sf singt GDL.* **~i** *jęz.* polysemy
polisemiczny *adj jęz.* polysemous
politonalizm *sm singt G.* **~u** *muz.* polytonality
politonalny *adj muz.* polytonal
↑ **politurować** *vt* ... to body in
↑ **politycznie** *adv* 1. ... **rehabilitować ~** to depurge; **człowiek zrehabilitowany ~** depurgee
↑ **polityk** *sm* 1. ... politico
poliuri|a [i-u] *sf singt GDL.* **~i** *med.* polyuria
poliwinyl *sm G.* **~u** *chem.* polyvinyl
poliwinyloacetal *sm G.* **~u** *chem.* polyvinyl acetal
polizanie *sn* ↑ **polizać;** licking
polow|iec *sm G* **~ca** *myśl.* hunter, hunting dog
↑ **połączenie** *sn* 2. ... *biol.* **~ dwóch osobników** parabiosis
↑ **połogow|y** *adj* ... **gorączka ~a** childbed fever; **odchody ~e** lochia
↑ **położenie** *sn* 1. ... **~ geograficzne** geographic position
↑ **położna** *sf* ... accoucheuse
położniczo *adv* obstetrically
↑ **położyć** ⅢⅠ *vr* **~ się** 3. ... (*pójść spać*) to take one's bed
↑ **połóg** *sm* ... accouchement
↑ **południk** *sm* ... **przecinający ~** transmeridional
↑ **południow|y** *adj* 1. ... **przerwa ~a** nooning
↑ **połysk** *sm* 1. ... **pozbawić ~u** to depolish
↑ **połyskliwie** *adv* ... glossily; lustrously
↑ **pomarańcz|a** *sf* 1. ... **olejek z kwiatów gorzkiej ~y** neroli oil
↑ **pomarszczony** ⅢⅠ *adj* ... rugate
↑ **pomiarow|y** *adj* ... mensurative; *nukl.* **cewka ~a** pick-up loop
↑ **pomieszać** Ⅰ *vt* 3. ... to bedevil
↑ **pomieszanie** *sn* 2. ... bedevilment
↑ **pomieszczenie** *sn* ... **~ gospodarcze** (*na pralkę, suszarkę itd.*) utility room; **~-chłodnia** walk-in cooler
↑ **pomoc** *sf* 2. ... adminicle 3. ... **~ drogowa** break-down service; **samochód ~y drogowej** wrecker; tow-car 5. ... **~ gospodarcza** economic aid
↑ **pomocniczo** *adv* ... subsidiarily
pomocnie *adv* helpfully
↑ **pomocnik** *sm* ... adminicle; *bot.* **~ baldaszkowy** (*Chimaphila umbellata*) pipsissewa
↑ **pomór** *sm* ... **~ drobiu** ... fowl pest ⟨plague⟩
↑ **pompa**[1] *sf* 1. ... **~ wirnikowa szczelna** canned rotor pump; **~ przenośna ręczna** stirrup pump; **~ szlamowa ⟨mułowa⟩** sump pump; **~ tarczowa** wobble pump
↑ **pompatycznie** *adv* ... flatulently
↑ **pomyleniec** *sm* ... crackbrain
↑ **pomysłowo** *adv* ... artfully; resourcefully
↑ **pomyślnie** *adv* ... prosperously
↑ **pomyśln|y** *adj* ... **~e wiatry** favonian winds
ponadprogowy *adj psych.* supraliminal
↑ **ponawiać** *imperf* — **ponowić** *perf* Ⅰ *vt* ... to do (sth) again
poncho [ponczo] *sn* ⟨*indecl*⟩ *etn.* poncho
pond *sm fiz.* gramme-force
ponik *sm geol.* sink-hole
↑ **poniż|ać** *imperf* — **poniż|yć** *perf* ⅢⅠ *vr* **~ać, ~yć się** ... to decline (**do rzeczy niegodziwych** to what is unworthy)
poniżająco *adv* humiliatingly; degradingly
↑ **poniżej** Ⅰ *adv* 1. ... inferiorly
↑ **ponuro** *adv* ... obscurely; mirthlessly; luridly; grimly; glumly; darkly; forbiddingly; gauntily; lugubriously

↑ **ponurość** *sf* ... dismalness
↑ **ponury** *adj* ... lowering; morbid; glum; mirthless
↑ **popęd** *sm* 1. ... nisus; drive 3. (*w rakietnictwie*) ~ **właściwy** specific impulse
↑ **popędliwie** *adv* 2. ... hotheadedly; fierily; headily
↑ **popielica** *sf* 1. ... dormouse
↑ **popielnica** *sf* 3. ... funerary urn
↑ **popiół** *sm* 1. ... ~ **lotny** fly ash
↑ **popisowo** *adv* ... spectacularly
↑ **poplon** *sm* ... adventitious plants
↑ **popłatny** *adj* ... pay-off
↑ **poprawczy** *adj* ... amendatory
↑ **popromienny** *adj* radio-induced; radiation — (injury, sickness); ...
↑ **poprzeczn|y** *adj* ... **wiatr** ~**y** cross wind; *anat.* **wyrostek** ~**y** transverse process; *fiz.* **drgania** ~**e** transverse vibration
↑ **poprzednio** *adv* ... anteriorly
↑ **populacja** *sf* ... **dzika** ~ wild type of population
↑ **popularnonaukow|y** *adj* ... **literatura** ~**a** popular science publications
↑ **popularyz|ować** ⓘ *vt* ... **kursy** ~**ujące** extension courses
↑ **por|a** *sf* 2. ... **w** ~**ę** opportunely; **nie w** ~**ę** inopportunely; (*nie w sezonie*) unseasonably
↑ **poranny|y** *adj* ... **gwiazda** ~**a** day-star
↑ **porażenie** *sn* 2. ... ~ **jednej kończyny** monoplegia; ~ **wszystkich kończyn** quadriplegia
↑ **poręcz** *sf* 1. ... **słupek** ~**y schodów** newel
↑ **poręczyciel** *sm* ... bailsman
porfiroid *sm G.* ~**u** *miner.* porphyroid
porfiryny *spl biochem.* porphyryns
porfirytyczny *adj*, **porfirytowy** *adj* porphyritic
poronny *adj med.* abortive
↑ **poród** *sm* ... ~ **martwego płodu** stillbirth
↑ **porównywalny** *adj* ... *nukl.* ~ **czas życia** comparative lifetime
↑ **poróżnić** Ⓘ *vr* ~ **się** ... to disagree
↑ **port** *sm* 1. ... **komenda** ~**u** port authority
↑ **portier** *sm* ... doorman
↑ **portulaka** *sf* ... ~ **ogrodowa** (*Portulaca grandiflora*) rose moss
↑ **porucznik** *sm powinno być: wojsk.* first lieutenant
↑ **por|wać** *perf* — **por|ywać** *imperf* ⓘ *vt* 5. ... *sl. teatr.* to panic (the audience) Ⓘ *vr* ~**wać**, ~**ywać się** 3. ... to make a bid (**na coś** for sth)
porywanie *sn* ↑ **porywać**; *nukl.* entrainment
↑ **porywczo** *adv* ... fierily; hastily; passionately; hotheadedly
↑ **porywisty** *adj* 1. ... smacking
porywiście *adv* gustily; impetuously; vehemently
↑ **porządek** *sm* 3. ... ~ **obrad** ... *am.* docket
↑ **porządnie** *adv* 1. ... tidily; neatly 3. (*przyzwoicie, uczciwie*) respectably; honestly
↑ **porządny** *adj* 1. ... tidy 3. ... ~ **gość** ⟨**facet**⟩ a decent chap
↑ **porzucony** Ⓘ *adj* ... (*o odzieży itd.*) cast-off
Posejdon *spr mitol.* Poseidon
↑ **poseł** *sm* 3. ... ~ **nadzwyczajny** ambassador-at-large
↑ **posępnie** *adv* ... darkly; forbiddingly; gauntly; sombrely, somberly; sulkily; sullenly
↑ **posępność** *sf* ... dismalness
↑ **posi|adać** *imperf* — **posi|ąść** *perf* Ⓘ *vr* ~**adać**, ~**ąść się** ... **nie** ~**adać się z radości** ... to be overwhelmed with joy
↑ **posiedze|nie** *sn* 2. ... ~**nie plenarne** plenary session; ~**nie sądu** session of the court; **sala** ~**ń** conference room
posłonkowaty *adj bot.* cistaceous
↑ **posłusznie** *adv* ... docilely; duteously; tractably
↑ **posłuszny** *adj* ... tractable
↑ **pospółka** *sf* 3. *kulin.* chopped pork with fat
↑ **postanowić** *vt vi* — **postanawiać** *vt vi* ... (*o ciele opiniodawczym*) to act
poste-restante [*post-restant*] *indecl* general delivery; poste restante
postępowo *adv* progressively
↑ **postępow|y** *adj* 3. *nukl.* translational; **ruch** ~**y** translation; translational motion; **energia ruchu** ~**ego** translational energy
↑ **postny** *adj* 1. ... meagre (dish) 2. ... meagre (dish)
↑ **postrach** *sm* 1. ... **siejący** ~ dreaded 2. ... object of dread
↑ **postrzępić** ⓘ *vt* 2. ... to ravel out
↑ **postrzępiony** Ⓘ *adj powinno być: (o ubraniu)* frayed; ravelled out; ...
↑ **posuch|a** *sf* 1. ... **wywołujący** ~**ę** xeric
↑ **poszufladkować** *vt* ... to compartmentalize
↑ **poszukiwawczy** *adj* research — (work etc.); ...
↑ **pościgowiec** *sm lotn.* ... pursuit plane
poślednio *adv* inferiorly; meanly
↑ **pośpiech** *sm* ... **bez** ~**u** ... deliberately; **w** ~**u** ... hastily
↑ **pośpiesznie** ⟨**pospiesznie**⟩ *adv* ... hastily; with dispatch; expeditiously
↑ **pośredni** *adj* 3. *nukl.* intermediate; **neutron** ~ ⟨**o energii** ~**ej**⟩ intermediate neutron; **produkt** ~ intermediate product; in-process material; **reaktor na neutronach** ~**ch** intermediate reactor
↑ **pośrednictwo** *sn* 1. ... mediacy; intermediacy
↑ **pośrednio** *adv* ... intermediately
↑ **poświata** *sf* ... airglow
↑ **poświęcenie** *sn* 2. ... devotedness
↑ **pot** *sm* 1. ... *fizj. med.* sudor; **wydzielający** ~ sudoriparous
↑ **potajemny** *adj* ... undercover

potamologi|a *sf singt GDL.* **~i** potamology
↑ **potencjał** *sm ... fiz.* **~ termodynamiczny Helmholtza** work function
potencjałowy *adj* potential
↑ **potencjometr** *sm ...* **~ spiralny** helipot
potencjometri|a *sf singt GDL.* **~i** *fiz. elektr.* potentiometry
↑ **potępiająco** *adv* ... reprobatively; damnatorily; disapprovingly
↑ **potępiający** *adj* ... damnatory; reprobative
↑ **potępienie** *sn* ... **z ~m** reprobatively; damningly
↑ **potężnie** *adv* 2. ... potently
↑ **potny** *adj* ... sudoral
↑ **potocznie** *adv* 2. ... popularly
↑ **potoczyście** *adv* 1. ... volubly
↑ **potowy** *adj* ... sudoral
↑ **potrawka** *sf* ... **~ z zająca** jugged hare
↑ **potrącać** *vt* — **potrącić** *vt* 3. ... to dock (**coś komuś z poborów** sb's wages)
↑ **potrącenie** *sn* 2. ... **~ z poborów** dockage; pay-roll deduction
↑ **potrojenie** *sn* ... trebling
↑ **potrójny** *adj* ... trinal
↑ **potrzask** *sm* ... *przen.* rat-trap
potrzebnie *adv rz.* necessarily; indispensably; needfully
↑ **potrzebny** *adj* ... needful
↑ **potulnie** *adv* ... docilely
potwarczo † *adv* calumniously; scandalously
↑ **potwarz** *sm* ... *pot.* smear
↑ **potworkowaty** *adj* ... teratoid
↑ **potwornie** *adv* 1. ... prodigiously
↑ **potworny** *adj* 1. ... prodigious 3. ... **w ~ch rozmiarach** prodigiously
↑ **pouczająco** *adv* 1. ... illuminatingly
↑ **poufnie** *adv* ... privately
poundal *sm fiz.* poundal
↑ **powabnie** *adv* ... enticingly
↑ **powabny** *adj* ... enticing
↑ **poważnie** *adv* 2. ... steadily; staidly; **mówić ~** ... to speak earnestly 3. ... substantially; weightily 4. ... nastily
↑ **powątpiewająco** *adv* ... doubtfully
↑ **powidok** *sm* ... photogene
↑ **powiedzenie** *sn* 2. ... logion
↑ **powie|dzieć** *vt vi* 1. ... **wszystko ci dokładnie ~m** I'll tell you all about it
↑ **powiek|a** *sf* ... *med.* **zapalenie ~** blepharitis
↑ **powielanie** *sn* ... manifold process; manifolding
↑ **powiernicz|y** *adj* ... *polit.* **obszar ~y, terytorium ~e** trust territory
↑ **powierzchni|a** *sf* 1. ... **unoszący się na ~** supernatant 2. ... **~a orna** arable area ⟨acreage⟩ 4. ... *fiz.* **element ~** areal element; **~a parowania** vaporization surface; **~a tarcia** friction face; **~a zetknięcia** surface of contact; *lotn.* **~a nośna** lifting surface
powierzchniowo-aktywn|y *adj chem.* surface-acting; **substancja ~a** surfactant
powierzchniowo-czynny *adj* = **powierzchniowo-aktywny**
↑ **powierzchniow|y** *adj* ... *fiz.* areal; **gęstość ~a** areal density; *nukl.* **gęstość ~a** surface density; **warstwa ~a** skin layer; **zjawisko ~e** surface effect; *techn.* **tarcie ~e** skin friction
↑ **powierzchownie** *adv* ... frivolously; rudely
↑ **powieść[2]** *sf* ... **~-rzeka** river novel; roman-fleuve
↑ **powietrz|e** *sn* ... *lotn. nukl.* **zawieszony w ~u** airborne; *nukl.* **cząsteczka zawieszona w ~u** airborne particle; **promieniotwórczość cząsteczek zawieszonych w ~u** airborne activity; *wojsk.* **~e-powietrze** air-to-air (missile); **~e-woda** air-to--underwater (missile); **~e-ziemia** air--ground ⟨air-to-ground, air-to-surface⟩ (missile); **łączność ~e-ziemia** air-ground communication; **operacja ~e-ziemia** air-ground operation; **szyfr łączności ~e-ziemia** air-ground liaison code; *meteor.* **górne warstwy ~a** upper air
powietrzno-desantowy *adj wojsk.* airborne (troops)
↑ **powietrzn|y** *adj* ... *nukl.* **komora jonizacyjna ~a** free-air ionization chamber
↑ **powiew** *sm* ... wafture
↑ **powiększać** *imperf* — **powiększyć** *perf* □ *vt* 1. ... *fot.* to blow up
↑ **powiększający** *adj* ... amplificatory
powiększanie *sn* 1. ↑ **powiększać** 2. *fot.* enlarging
↑ **powiększenie** *sn* 1. ... *fot.* blow-up
powlekanie *sn* 1. ↑ **powlekać** 2. *techn.* cladding 3. *nukl.* sheathing
↑ **powłoka** *sf* 1. ... *nukl.* shell; sheath 2. ... *bot.* ... tunic, tunica 5. *techn.* cladding
powłokowy *adj anat.* integumentary; *nukl.* **~ model jądra** shell model
↑ **powodować** □ *vt* ... **dający sobą ~** doughfaced
↑ **powodzenie** *sn* 2. ... **z ~m** prosperously
↑ **powojnik** *sm* ... **~ pnący** (*Clematis*) virgins'-bower
↑ **powoli** *adv* 1. ... sluggishly; languorously
↑ **powolnie** *adv* 3. (*ociągając się*) dilatorily; tardily
↑ **powolny** *adj* 1. ... *nukl.* slow; **~ neutron ⟨selektor⟩** slow neutron ⟨chopper⟩; **strumień neutronów ~ch** slow flux
↑ **powonieni|e** *sn* ... *med.* **brak ~a** anosmia
↑ **pow|ód** *sm* 1. ... **bez specjalnego ~odu** promiscuously; (*ubliżyć itd.*) **bez ~odu** (to abuse etc.) gratuitously
↑ **powój** *sm* ... **~ polny** (*Convolvulus arvensis*) bearbine, bearbind
↑ **powrotny** *adj* ... drive back — (journey etc.)
↑ **powr|ót** *sm* 3. ... *nukl.* **siła ~otu** restoring force

↑ **powstać** *vi* — **powstawać** *vi* 1. ... to upspring; to begin
↑ **powstały** ⊞ *adj* ... ~ **w skutek czegoś** due to sth
powstańczo *adv* rebelliously
↑ **powstawani|e** *sn* ... **stan ~a** nascent state
↑ **powstrzym|ać** *perf* — **powstrzym|ywać** *imperf* ⊡ *vt* 1. ... **nic go nie ~a** he is not to be deterred
↑ **powszechnie** *adv* 1. ... diffusedly; vulgarly
↑ **powszechny** *adj* 1. ... across-the-board
powszednio *adv* habitually
↑ **powściągliwie** *adv* ... stolidly
↑ **powtarzający się** *adj* ... repetitious
↑ **powtórzeni|e** *sn* ... **z licznymi ~ami** repetitiously
powyłączeniow|y *adj fiz.* **ciepło ~e** after-heat
pozajądrowy *adj nukl.* extranuclear
pozakomórkowy *adj biol.* extracellular
pozaksiężycowy *adj* superlunar, superlunary
pozastrefowy *adj* azonal
pozazmysłow|y *adj* extrasensory; **postrzeganie ~e** extrasensory perception
↑ **pozbawienie** *sn* ... dismantlement (**czegoś czegoś** sth of sth); debarment
↑ **poziom** *sm* 1. ... (*w czasie przypływu*) **najwyższy ~ wody** high-water mark; *roln.* **~ gleby** soil horizon 3. ... **~ techniki** state of technology
↑ **pozornie** *adv* ... formally
pozorowany ⊡ *pp* ↑ **pozorować** ⊞ *adj* simulated; feigned; *wojsk.* **przedmiot ⟨obiekt⟩ ~** decoy
pozorując *adv* feignedly
↑ **pozować** *vi* 2. ... to posturize
↑ **poz|ór** *sm* 1. ... *pl* **~ory** ... false pretences; **zachowywać ~ory** ... *przen.* to sail under false colours; **dla ~oru** ... formally; **ratujący ~ory** face-saving
pozytronium *sn fiz.* positronium
↑ **pożałowani|e** *sn* ... **godny ~a** a) ... piteous; pitiable; pitiful; **w sposób godny ~a** regrettably; pitifully
↑ **pożar|niczy** *adj*, **pożar|owy** *adj* ... **statek ~niczy** fireboat
↑ **pożyczka** *sf* 1. ... **~ zwrotna na żądanie** call loan
pożywnie *adv* substantially; nutritiously; nutritively
↑ **pożywny** *adj* ... alimentative; alible
↑ **półbucik** *sm*, **półbut** *sm* ... half-boot
↑ **półdiablę** *sn* ... devilkin
półdokumentalny *adj* semidocumentary
półeliptyczny *adj* semielliptical
półempiryczny *adj fiz.* semi-empirical; **~ wzór na masę** semi-empirical mass formula
półetatowy *adj* half-time — (employee etc.)
półgrupa *sf mat.* semigroup
↑ **pół|ka** *sf* 1. ... (*na książki*) ... bookrack 4. *nukl.* plate; **odstęp ~ek** plate spacing; **~ka dzwonowa** bubble plate
półkoronów|ka *sf pl G.* **~ek** (*dawna moneta angielska*) half-crown
półkow|y *adj nukl.* plate —; **kolumna ~a** plate column
półkulisto *adv* hemispherically
półletalny *adj* semi-lethal
↑ **półobr|ót** *sm* ... about-face; **dokonać ~otu** to about-face
półokres *sm G.* **~u** *nukl.* half-life
półpasożytniczy *adj biol.* semiparasitic
półplastyczny *adj* semiplastic
półprzejrzysty *adj* semitranslucent
półprzepuszczalny *adj* semipermeable
półprzeźroczyście *adv* semitranslucently
półrocznie *adv* semiyearly
półrocznik *sm* (a) semiyearly
półsumator *sm mat.* half adder
↑ **półświat|ek** *sm* ... **dama z ~ka** demimondaine
półwal|ec *sm G.* **~ca** *geom.* semicylinder
półwodny *adj bot. zool.* semiaquatic
półwolta *sf fiz.* demivolt
↑ **późniejszy** *adj* ... ulterior
↑ **praca** *sf* 1. ... **~ społeczna** social activities; *nukl.* **~ wyjścia (elektronu)** work function (of an electron) 2. ... **~ naukowa** ... project
↑ **pracowicie** *adv* ... elaborately
↑ **pracownik** *sm* 1. ... **stały ~** jobholder
↑ **praczka** *sf* ... laundrywoman
Praksyteles *spr* Praxiteles
↑ **praktycznie** *adv* 1. ... hard-headedly 2. ... handily
↑ **praktyczny** *adj* 2. ... handy
↑ **praktykujący** ⊞ *sm powinno być*: devout Catholic
pranercze *sn anat.* pronephros
↑ **prani|e** 1. ... *przen.* **~e mózgów** brain washing 2. ... washing
prapła|ziec *sm G.* **~źca**, *pl N.* **~źce**, *G.* **~źców** *zool.* (*Lepidosiren paradoxa*) lepidosiren
↑ **prasnąć** *perf* — **praskać** *imperf* ⊞ *vt* 2. ... to dash
↑ **prawd|a** *sf* ... **naga ⟨szczera⟩ ~a** ... score; **niezgodny z ~ą** ... untruthful; **niezgodnie z ~ą** untruthfully
prawdomównie *adv* truthfully; veridically; veraciously
↑ **prawdomówny** *adj* ... veridical
↑ **prawdopodobnie** *adv* 3. (*możliwie*) feasibly
prawdopodobny *adj* 1. (*mający cechy prawdopodobieństwa*) probable; likely; credible; believable 2. (*bliski prawdy*) verisimilar; plausible 3. (*możliwy*) feasible
↑ **prawdziwie** *adv* 1. ... honestly; veritably
↑ **prawdziwy** *adj* 1. ... simon-pure; finished (artist etc.)
↑ **prawidło** *sn* 2. ... *powinno być*: **~ do buta** shoe-tree; **~ do wysokiego buta** boot-tree
prawniczo *adv* juridically; legally

↑ **prawnie** *adv* ... lawfully; rightfully; juridically; juristically; judicially
↑ **prawo**[1] *sn* 1. ... ~ **handlowe** law merchant 2. ... *mat.* ~ **łączności ⟨przemienności, rozdzielności⟩** associative ⟨commutative, distributive⟩ law 4. ... **egzamin na** ~ **jazdy** driving test
↑ **prawo**[2] *sn* ... *wojsk.* **w** ~ **patrz!** ... *am.* right face!
↑ **praworządny** *adj* ... law-abiding
prawoskrętnie *adv* dextrally
↑ **prawoskrętny** *adj* ... dextral
↑ **prawosławny** ▯ *adj* ... **Kościół** ~ Russian Church
prawowicie *adv* legitimately
↑ **prawły** ▯ *adj* 1. ... ~**a strona materiału** ... the obverse; **po** ~**ej stronie** ... obversely
↑ **prąd** *sm* 2. ... *lotn.* **wstępujący** ~ **ciepłego powietrza** (a) thermal; *nukl.* ~ **wirowy** eddy current; ~ **użyteczny** net current 4. ... **przewód pod** ~**em** hot wire
↑ **prądnica** *sf* ... ~ **napędzana silnikiem wiatrowym** aerogenerator
↑ **precedensowły** *adj* ... *prawn.* **prawo** ~**e** case law
precypityna *sf chem.* precipitin
↑ **precyzyjnie** *adv* ... finely; unerringly; determinately
↑ **precyzyjny** *adj* ... pin-point
prekluzyjnie *adv* preclusively
prekluzyjny *adj* preclusive
↑ **premedytacjła** *sf* ... **z** ~**ą** ... wilfully
↑ **pretensjła** *sf* 4. ... **bez** ~**i** unassumingly
↑ **pretensjonalnie** *adv* 1. ... meretriciously 2. ... genteelly
↑ **pretensjonalny** *adj* 1. ... meretricious 2. ... genteel
↑ **prezencja** *sf* ... **świetna** ~ dash
prezenter *sm radio tv* disk ⟨disc⟩ jockey
↑ **prezentłować** ▯ *vt* 1. ... (*na rewii mody*) ~**ować stroje** to model (fashions) ▯ *vr* ~**ować się** 1. ... **człowiek znakomicie się** ~**ujący** dasher
↑ **pręcik** *sm* 3. ... **przekształcenie się** ~**ów w płatki** petalody
↑ **pręcikowy** *adj* ... staminate; staminiferous
↑ **prędki** *adj* 1. ... fast 3. ... hot-headed 4. *nukl.* fast ⟨high-speed⟩ (neutron etc.)
↑ **prędko** *adv* 1. ... nimbly
↑ **prędkośłć** *sf* 1. ... *lotn.* ~**ć lotu** air-speed; ~**ć względem Ziemi** ground speed 3. ... **przedział** ~**ci** velocity range; **składowa** ~**ci** velocity component; *elektr.* **modulacja** ~**ci** velocity modulation ⟨variation⟩
↑ **pręt** *sm* 1. ... *nukl.* ~ **bezpieczeństwa** safety rod; ~ **wypychający** push rod 2. ... **zrobiony z** ~**ów** twiggy
↑ **prętowły** *adj* ... rod — (drive etc.); *nukl.* **siatka** ~**a** rod lattice; **termistor** ~**y** rod-type thermistor
↑ **prężnie** *adv* ... resiliently

↑ **proca** *sf* 2. ... slingshot
↑ **proceder** *sm* ... ~ **spekulancki** spivery
↑ **procentowy** *adj* 1. ... percentage — (loss etc.)
↑ **proces** *sm* 1. ... *nukl.* ~ **suchy** dryway process; **rozwój** ~**u** process development
↑ **proch** *sm* 1. ... ~ **bezdymny** colloidal propellant 4. ... **metalurgia** ~**ów** powder metallurgy
↑ **produkcjła** *sf* 1. ... productivity; **środki** ~**i** ... producer's goods; **płace uzależnione od** ~**i** productivity wages; **nie związany z** ~**ą** unproductive
↑ **produkt** *sm* 2. ... ~ **reakcji** reaction product
prodziekan *sm uniw.* subdean
profaza *sf biol.* prophase
profesjonalizacja *sf singt* professionalization
↑ **profesorskłi** *adj* ... **po** ~**u** professorially
progesteron *sm G.* ~**u** *biochem.* progesterone
prognozować *vt imperf* to prognosticate
↑ **progowły** *adj* ... *nukl.* threshold — (dose etc.); **energia kinetyczna ⟨wartość⟩** ~**a** threshold kinetic energy ⟨value⟩
↑ **program** *sm* 1. ... *radio tv* **stały** ~ hour 2. (*w cybernetyce*) program(me)
programiłsta *sm (decl = sf) pl N.* ~**ści**, *G.* ~**stów** programmer
↑ **programować** *vt* 2. (*w cybernetyce*) to programme
programowanie *sn* ↑ **programować**; programming; ~ **całkowite** integer programming
↑ **prohibicja** *sf* ... dry law
prohibicyjnie *adv* prohibitively
↑ **projekcja** *sf* 1. ... ~ **wstępna** preview
↑ **projektant** *sm* ... drafter
prolaktyna *sf biochem.* prolactin
prolany *spl biochem.* prolans
proletariackość *sf singt* proletarianism; proletarianness
prolina *sf biochem.* proline
↑ **prom** *sm* ... ~ **powietrzny** air ferry
promieniejąc *adv* effulgently; glowingly
↑ **promieniotwórczły** *adj* ... radiation — (equilibrium); **chemia pierwiastków** ~**ych** radiochemistry; **koloid** ~**y** radiocoloid; **opad** ~**y** radioactive fall-out; **rozpad** ~**y** radioactive decay; **skażenie** ~**e** radiocontamination
↑ **promieniowaniłe** *sn* 1. ... *bud.* **centralne ogrzewanie przez** ~**e** panel heating; **nagrzewanie przez** ~**e** radiant heating 2. ... *fiz. chem. nukl.* ~**e kosmiczne** cosmic radiation; ~**e elektromagnetyczne** bremsstrahlung; ~**e jądrowe ⟨jonizujące⟩** atomic radiation; ~**e o wielkiej energii** high-level radiation; ~**e rozproszone wstecznie** back-scattered radiation; ~**e twarde** hard radiation; ~**e własne** self-radiation; ~**e wtórne** re-radiation; **czułość na** ~**e** radiosensitivity; **dawka** ~**a** exposure dose; **licznik** ~**a** survey

counter; **odporność na ~e** radioresistance; **silny strumień ~a** hard-radiation flux; **wiązka ⟨gęstość, niebezpieczeństwo⟩ ~a** radiation beam ⟨density, hazard⟩; **zdolność ~a** emissive power

↑ **promienisty** ⊡ *adj* 3. *nukl.* (*o energii*) radiant

↑ **promiennie** *adv* 1. ... effulgently

↑ **promie|ń** *sm* 1. ... **wysyłający ~nie świetlne** photoactinic 3. ... **~ń Van der Waalsa** Van der Waals radius; *nukl.* **~nie graniczne** grenz rays; **dyfuzja ⟨wymiar⟩ w kierunku ~nia** radial diffusion ⟨dimension⟩; **położenie na ~niu** radial position; **prędkość wzdłuż ~nia** radial velocity

↑ **propagand|a** *sf* ... **uprawiać ~ę** to propagandize

↑ **propagować** *vt* ... to propagandize; to disseminate

↑ **propagowanie** *sn* ... dissemination

propionowy *adj chem.* propionic

↑ **proporcjonalnie** *adv* ... commensurately (**do czegoś** with ⟨to⟩ sth)

↑ **proporcjonalnoś|ć** *sf* 1. ... *nukl.* **przedział ⟨zakres⟩ ~ci** proportional band ⟨region⟩

↑ **proporczyk** *sm* 1. (*chorągiewka*) banderole; ...

propulsywny *adj psych.* adient

propylenowy *adj* propylene — (glycol)

↑ **prorocki** *adj* ... oracular

↑ **proroczo** *adv* ... oracularly

↑ **proroczy** *adj* ... vatic

prosiaczk|ek *sm G.* **~ka** (*dim* ↑ **prosiak**) shoat

↑ **proso** *sn* ... panic; **~ perłowe** (*Pennisetum glaucum*) pearl millet

prospekt *sm* 1. ... leaflet; **~ reklamowy** throw-out

↑ **prostacko** *adv* ... ill-manneredly; loutishly; rustically

↑ **prostak** *sm* ... chuff

prostetyczny *adj chem.* prosthetic

↑ **prostnica** *sf* 2. *bot.* orthostichy

↑ **prosto** *adv* 1. ... **wiatr ~ ze wschodu** a due East wind 3. ... unsophisticatedly 4. *przen.* (*sztywno*) erectly

↑ **prostodusznie** *adv* 1. ... innocently

↑ **prostoliniowy** *adj* ... straight-line (movement)

prostowodowy *adj techn.* straight-line (mechanism)

↑ **prost|y** ⊡ *adj* 1. ... *anat.* **mięsień ~y** rectus; **po linii ~ej** in a straight line; rectilinearly

prostygmina *sf singt farm.* prostigmin

prostytuować *vt imperf* to prostitute

↑ **prosz|ek** *sm* 1. ... **mleko w ~ku** ... dessicated ⟨powdered, dried⟩ milk

↑ **proszkowy** *adj* ... powder —; *nukl.* **rentgenogram ~** powder pattern

↑ **protektor** *sm* 2. ... top cap

protektorować *vt imperf perf aut.* to recap ⟨to retop⟩ (a tyre)

protektorowanie *sn* ↑ **protektorować**; *aut.* recapping

↑ **protest** *sm* 2. *handl.* protest (of a bill)

↑ **protetyka** *sf* ... **~ dentystyczna** prosthodontia

protogin *sm G.* **~u** *geol.* protogine

protomęczennik *sm* protomartyr

↑ **proton** *sm* ... **~ odrzutu** recoil proton; **łańcuch reakcji ~ów z ~ami** proton-proton chain; **siła oddziaływania między ~em i neutronami** proton-neutron force; **siła oddziaływania między ~em i ~em** proton-proton force

↑ **prototypowy** *adj* ... prototype — (reactor)

protrombina *sf biochem.* prothrombin

prowadnikowy *adj techn.* drive — (pipe)

↑ **prowadząc|y** ⊡ *adj* ... *nukl.* **pole ~e** guide field

prowokująco *adv* provokingly; provocatively; defiantly; instigatorily; incitingly; lasciviously

↑ **prowokujący** *adj* ... instigatory; inciting; provoking

↑ **prób|a** *sf* 1. ... *handl.* **~a losowa** spot check ⟨test⟩ 3. ... **~a na światłotrwałość** exposure test; **~a szczelności** leak proof test; **~a szybkości** speed trial; **~a trwałości** life ⟨durability⟩ test; (*o alkoholu*) **wysokiej ~y** high-proof

↑ **prób|ka** *sf* 1. ... **~ka tkaniny** swatch; **pobieranie ~ek** sampling

↑ **próbn|y** *adj* pilot — (product etc.); *nukl.* **cząstka ~a** test particle; **odwiert ~y** test hole

próbobranie *sn* sampling

↑ **próchnica** *sf* 1. ... **~ kręgów** spondylitis

↑ **próg** *sm* 5. ... **(odnoszący się do) progu świadomości** liminal

↑ **próżniaczy** *adj* ... sluggardly

próżnioszczelność *sf singt fiz.* vacuum tightness

próżnioszczelny *adj fiz.* vacuum tight

↑ **próżniow|y** *adj* ... **komora ~a** vacuum chamber

↑ **próżno** *adv* 1. ... futilely 2. (*pusto*) emptily 3. (*bezsensownie*) inanely

↑ **próżnować** *vi* ... to dawdle

↑ **pruć** ⊞ *vr* **~ się** 1. ... to come ⟨to get⟩ unstitched

↑ **pruderyjny** *adj* ... demure

↑ **pruski** *adj* 1. ... **~ duch** Prussianism

↑ **prycza** *sf* ... plank bed

pryszczawkowate *spl zool.* (*Meloidae*) blister beetles

↑ **pryszczyca** *sf* ... vesicular exanthema; sore mouth

↑ **przaśny** *adj* ... azymous

przebarwić *vt perf* — **przebarwiać** *vt imperf* to discolour

↑ **przebarwieni|e** *sn* ... **ulec ~u** to discolour

↑ **przebicie** *sn* ... *elektr.* ... **wytrzymałość**

na ~ dielectric strength *nukl.* break-down
↑ **przebieg** *sm* 3. ... *nukl.* **długość ~u** path length; **rozrzut ~ów** range straggle ⟨straggling⟩
↑ **przebiegle** *adv* ... deviously; guilefully; wilily
↑ **przebranie** *sn* 2. ... disguisement
↑ **przebrnąć** *vi perf* 2. ... to sweat it out
↑ **przebudowa** *sf* ... *nukl.* **~ zewnętrznych powłok elektronowych atomu** rearrangement of the outer electronic structures of the atoms
↑ **przebycie** *sn* ... **uniemożliwiając ~** impracticably
↑ **przebywać** *vi* 2. ... to stay; to reside
↑ **przebywanie** *sn* ... *nukl.* (*w urządzeniu*) **czas ~a** hotel-up time
↑ **przeceniać** *imperf* — **przecenić** *perf* [I] *vt* 2. ... (*żądać zbyt wysokiej ceny*) to overprize
przechłodzenie *sn* 1. ↑ **przechłodzić** 2. *fiz.* superfusion
↑ **przechłodzić** *vt* — **przechładzać** *vt* ... *fiz. techn.* to superfuse
↑ **przechwy|cić** *vt* — **przechwy|tywać** *vt* ... **~cona wiadomość radiowa** intercept
↑ **przecięci|e** *sn* 3. ... **punkt ~a** ... cross-over
przeciwcząst|ka *sf pl G.* **~ek** *nukl.* antiparticle
↑ **przeciwczołgow|y** *adj* ... **działo ~e** ... tank-buster; **samosterujące się działo ~e** tank destroyer
↑ **przeciwdziałać** *vi* 2. (*w immunologii*) to abrogate
przeciwfaza *sf biol.* anaphase
↑ **przeciwieństwo** *sn* 2. ... countertype
przeciwiskrowy *adj techn.* antispark; **kołpak ~** spark arrester
przeciwkorozyjny *adj* anti-corrosive (point); **środek ~** corrosion inhibitor
↑ **przeciwlotnicz|y** *adj* ... antiaerial; **działo ~e** *pot.* flak; **ogień ~y** *pot.* flak; **członek cywilnej obrony ~ej** air-raid warden
przeciwmnący *adj tekst.* **proces ~** anti-crease process
przeciwmroźn|y *adj* **substancja ~a** anti-icer
↑ **przeciwpożarow|y** *adj* ... **ćwiczenia ~e** fire drill
przeciwprądowy *adj techn.* counter-current
przeciwrównoległy *adj* antiparallel
↑ **przeciwskurczowy** *adj* ... spasmolytic; **środek ~** (a) spasmolytic
↑ **przeciwstawi|ać** *imperf* — **przeciwstawi|ć** *perf* [III] *vr* **~ać, ~ć się** ... **~ać, ~ć się komuś w dyskusji itp.** to oppugn sb in a debate etc.
↑ **przeciwstawianie** *sn* ... **~ się** ... opponency
przeciwtłumienie *sn fiz.* anti-damping
przeciwutleniacz *sm chem.* antioxidant

przeciwwirusowy *adj farm.* antiviral
↑ **przeciwwybuchowy** *adj* ... *nukl.* **zbiornik ~** blow-up tank
↑ **przeczulica** *sf* ... hypersensitiveness
↑ **przeczyszczenie** *sn* ... catharsis
↑ **przeczytać** *vt* ... *mat.* **~ wyrażenie matematyczne** to numerate an expression
przedciążowy *adj med.* progestational
przedkliniczny *adj med.* preclinical
przedkryzysowy *adj med.* precritical
przedmieszka *sf techn.* premix
↑ **przedmieści|e** *sn* ... **mieszkaniec ~a** suburbanite
↑ **przedniojęzykowy** *adj* ... *jęz.* cacuminal
przedosiowy *adj* preaxial
↑ **przedpole** *sn* ... *lotn.* **~ hangaru** apron
↑ **przedprątność** *sf* ... dichogamy
↑ **przedprątny** *adj* ... dichogamous; dichogamic
przedsiębiorczo *adv* enterprisingly; venturesomely
↑ **przedsłupność** *sf* ... dichogamy
↑ **przedsłupny** *adj* ... dichogamous; dichogamic
↑ **przedstawiciel** *sm*, **przedstawiciel|ka** *sf* 1. ... **działając jako ~** representatively
↑ **przedstawienie** *sn* 1. ... **~ sceniczne** dramatics
↑ **przedtem** *adv* ... previously
↑ **przedwczesny** *adj* ... **wybuch ~** predetonation
↑ **przedwcześnie** *adv* ... precociously
↑ **przedwstępnie** *adv* ... initiatively; initiatorily
przedwzmacniacz *sm fiz. nukl.* preamplifier
przedyfundowany *adj fiz. nukl.* **gaz ~** diffusate
↑ **przedział** *sm* 5. ... *mat. fiz.* range
↑ **przefiltrować** *vt* — **przefiltrowywać** *vt* ... to distil
↑ **przeforsować** *vt* 1. ... to high-pressure (a scheme)
↑ **przegląd** *sm* 1. ... overview; rundown 2. ... aperçu
↑ **przegrod|a** *sf* 1. ... *bot.* **mający jedną ~ę** uniseptate; **mający trzy ~y** triseptate; *lotn.* **~a kadłubowa** bay; *nukl.* **~a odcinająca** baffle plate
przegródkowy *adj* faveolate
↑ **przegub** *sm* 4. ... **~ uniwersalny ⟨wychylny, Kardana⟩** universal joint
↑ **przejmujący|y** *adj* 4. ... **~a wilgoć** dankness
↑ **przejrzyście** *adv* ... filmily
↑ **przejściowy** *adj* 2. ... *miern.* **instrument ~** transit instrument
↑ **przekaźnik** *sm* ... **~ zegarowy** timer; **~ rzeczywisty** crummy relay
↑ **przekątny** *adj* ... cater-cornered
↑ **przekładaniec** *sm* ... **~ weselny** groom's cake
↑ **przekładnia** *sf* 2. ... train; **~ biegowa** epicyclic gear train; **~ przyspieszająca**

overdrive; ~ **zębata odchylna dla zmiany kierunku biegu** tumbler gear
↑ **przekomicznie** *adv* ... side-splittingly
↑ **przekomiczny** *adj* ... devastatingly funny
↑ **przekon|ać** *perf* — **przekon|ywać** *imperf* [I] *vt* ... **~ać opornego** to overpersuade [III] *vr* **~ać, ~ywać się** 1. ... **nie dając się ~ać** inconvincibly
↑ **przekonywająco** *adv* ... potently; weightily
↑ **przekór** *sm* ... **czynić na ~** to act disobligingly
↑ **przekreślać** *vt* — **przekreślić** *vt* 1. ... to overscore
↑ **przekrój** *sm* 1. ... **~ podłużny ⟨wzdłużny⟩** ... longisection; **zrobić ~** to transect 3. *nukl.* cross-section; **~ czynny całkowity** bulk cross-section; **~ czynny na reakcję jądrową** cross-section of a nuclear reaction; **~ czynny na rozpraszanie** scattering cross-section; **~ czynny na rozszczepienie jądra** cross-section for nuclear fission; **~ czynny na wytwarzanie** yield cross-section
↑ **przekrwienie** *sn* ... rubefaction; **usuwający ~** depletive
przekształtnik *sm elektr.* inverter
przekupnie *adv* venally; corruptibly; vendibly
↑ **przekupny** *adj* ... vendible
przeliczanie *sn* 1. ↑ **przeliczać** 2. *fiz.* scaling
↑ **przeliczeniowy** *adj* ... scaling; **układ ~** scaling circuit; **współczynnik ~** scaling factor; conversion factor
przelicznik *sm* computer; scaler; scaling circuit; **~ automatyczny** autoscaler; **~ cyfrowy** digital computer; *wojsk.* predictor
↑ **przelot** *sm* 3. ... **tor ~u** flight path
↑ **przelotnie** *adv* ... flittingly; fugitively
↑ **przelotny** *adj* 2. ... flitting
↑ **przełamanie** *sn* ... *wojsk.* **~frontu** breakthrough
↑ **przełącznik** *sm* ... key; **~ wciskowy** push-button
↑ **przeł|knąć** *vt* — **przeł|ykać** *vt* ... **~knąć gorzką pigułkę ⟨zniewagę⟩** ... to eat dirt
↑ **przełom** *sm* 1. ... water gap 6. *wojsk.* breakthrough
↑ **przełomowy** *adj* 2. ... **okres ~** hump
przemądrzale *adv* overwisely; smartly; pertly; sapiently
↑ **przemęczać** *imperf* — **przemęczyć** *perf* [I] *vt* 1. ... to overweary
↑ **przemiana** *sf* ... rearrangement; *fiz.* **~ ciepła w energię mechaniczną** conversion of heat into power
↑ **przemiennoś|ć** *sf* ... *mat.* **prawo ~ci** commutative law
↑ **przemieszczać** *imperf* — **przemieścić** *perf* [I] *vt* ... to relocate; to delocalize
przemieszczanie *sn* 1. ↑ **przemieszczać** 2. **~ się** moving about
↑ **przemieszczenie** *sn* ... relocation; delocalization
przemijająco *adv* fleetingly; flittingly; transitorily; transiently
↑ **przemijający** *adj* ... flitting
↑ **przemilczenie** *sn* ... dissembling
↑ **przemoczyć** *vt* — **przemaczać** *vt* 1. ... to douse
↑ **przemożny** [I] *adj* 1. ... **opanowany ~m uczuciem** overwhelmed
↑ **przemysłow|y** *adj* ... **grzejnictwo ~e** industrial heating; **wzornictwo ~e** industrial art; *nukl.* **reaktor ~y** industrial reactor
↑ **przemyślany** [III] *adj* ... **w sposób ~** studiedly
↑ **przemyśliwać** *vi* ... to deliberate (**nad czymś** over sth)
↑ **przenęt** *sm* ... rattlesnake root
↑ **przeniesienie** *sn* ... *księgow.* carry-over
↑ **przenikalność** *sf* ... penetrance
↑ **przenikliwie** *adv* 3. ... astutely; perspicaciously
↑ **przenikliwość** *sf* 4. ... *nukl.* penetrance
↑ **przenikliwy** *adj* 5. *nukl.* penetrating (component, shower, radiation)
↑ **przenoszeni|e** *sn* ... translocation; *nukl.* transport; **jądro (całkowite) ~a** transport kernel; **przekrój czynny na ~e** transport cross-section; **przybliżona teoria ~a** transport approximation
↑ **przenośni|a** *sf* ... **w ~** figuratively
↑ **przenośnik** *sm* 1. ... conveyor belt 3. *wojsk.* **~ ognia** squib
↑ **przenośny** *adj* 3. ... transmissible
↑ **przepaska** *sf* 3. ... **~ biodrowa** waistcloth; loincloth
przepiórnik *sm zool.* (*Turnix*) turnix
↑ **przepis** *sm* 1. ... **niezgodnie z ~ami, wbrew ~om** irregularly
przepisany [I] *pp* ↑ **przepisać** [III] *adj (o leku)* magistral
↑ **przepływ** *sm* ... *fiz.* ... transflux; *nukl.* **~ spokojny ⟨laminarny⟩** streamline flow; **~ przeważający** preferential flow
przepływający *adj* transfluent
przepływanie *sn* ↑ **przepływać;** *fiz.* transflux
↑ **przepływowy** *adj* 2. *fiz.* flux — (density etc.)
↑ **przepoławiać** *imperf* — **przepołowić** *perf* [I] *vt* ... to dimidiate
przepołowiony [I] *pp* ↑ **przepołowić** [III] *adj* dimidiate
↑ **przepr|aszać** *imperf* — **przepr|osić** *perf* [III] *vr* **~aszać, ~osić się** 2. ... to be reconciled
↑ **przeprzeć** *vt* — **przepierać** *vt* ... to high-pressure (a scheme etc.)
↑ **przepuklin|a** *sf* ... **~a brzuszna** laparocele; *chir.* **operowanie ~y** herniorrhaphy
↑ **przepustnic|a** *sf* 1. ... **dźwignia ~y** throttle lever
↑ **przepustowość** *sf* ... *techn. fiz.* capacity; *nukl.* **~ względna** net transport

↑ **przepuszczalność** *sf* ... *nukl.* penetrance
↑ **przepych** *sm* ... **z ~em** sumptuously
↑ **przeraźliwie** *adv* 1. ... (*przenikliwie*) ... keenly 2. ... fearfully; fearsomely
↑ **przerażony** [III] *adj* ... planet-struck
↑ **przerobić** *perf* — **przerabiać** *imperf* [I] *vt* 2. ... *techn.* to process
↑ **przerób** *sm* 2. ... processed product 3. *nukl.* reprocessing
↑ **przerw|a** *sf* 1. ... discontinuation; *sport.* time-out; **bez ~y** ... steadily; unintermittingly; **z ~ami** ... discontinuously; inconsecutively; intermittently; **~a w obradach** adjournment; **~a wakacyjna** recess 3. ... *mat.* cut
↑ **przerwanie** *sn* 1. ... discontinuation
↑ **przerywacz** *sm* ... *lotn.* spoiler
↑ **przerywanie²** *adv* ... discontinuously; inconsecutively
↑ **przerzuc|ać** *imperf* — **przerzuc|ić** *perf* [I] *vt* 5. ... **~ać, ~ić wojsko na nowy teren walk** to redeploy the troops
↑ **przerzut** *sm* 3. ... *pot.* secondary; **dawać ~y** to metastasize
przerzutnik *sm nukl.* flip-flop circuit
↑ **przesadnie** *adv* ... finically; steeply; exorbitantly; primly
↑ **przesadny** *adj* ... prim; overboard; outré
↑ **przesączalny** *adj* ... **wirus ~** ultravirus
↑ **przesi|adywać** *imperf* — **przesi|edzieć** *perf* [I] *vi* 2. ... **lokal ⟨miejsce⟩, gdzie ktoś stale ~aduje** (sb's) hang-out
↑ **przesiedlać** *imperf* — **przesiedlić** *perf* [I] *vt* ... to dishouse (an inhabitant)
↑ **przesiedle|niec** *sm* ... **obóz dla ~ńców** relocation camp
przesiewać *vt imperf* 1. *zob.* **przesiać** 2. *nukl.* to screen
przesiewanie *sn* 1. ↑ **przesiewać** 2. *nukl.* screening
↑ **przesilenie** *sn* 1. ... hump
przesileniowy *adj* solstitial; critical
↑ **przesłona** *sf* 2. ... baffle; *teatr* **~ reflektora** barn door
↑ **przesta|ć¹** *vi* — **przestawać** *vi* ... **~ń!** ... drop it!
przestarzałość *sf singt* desuetude
↑ **przestarzały** *adj* 1. ... **w sposób ~** obsoletely
↑ **przestęp** *sm* ... cowbind
przestępczo *adv* criminally; feloniously; *prawn.* dolosely
↑ **przestępczyni** *sf* ... **nieletnia ~** *sl.* cuddle-bunny
↑ **przest|ój** *sm* ... outage; **czas ~oju (fabryki, maszyny itd.)** down time
↑ **przestronnie** *adv* ... capaciously; roomily
↑ **przestrzenn|y** *adj* 3. *fiz.* space —; **kwantowanie ~e** space quantization; **ładunek ~y** space charge; **zależny ⟨niezależny⟩ od ładunku ~ego** space dependent ⟨independent⟩; **odbicie ~e** space reflection; **sieć ~a** spatial mesh; **wartość ~a średnia** spatial average 4. *opt.* steric; **widzenie ~e** stereopsis

↑ **przestrze|ń** *sf* 1. ... *mat.* **~ń Banacha** Polish space; *fiz.* **zmiana strumienia w ~ni** spatial variation of flux
↑ **przesunię|cie** *sn* 2. ... *nukl.* **reguła ~ć** displacement law
↑ **przesyc|ać** *imperf* — **przesyc|ić** *perf* [I] *vt* 1. ... **para ~ona** ... supersaturated vapour
↑ **przeszczep** *sm* 2. ... **~ skóry** skin-graft
↑ **przeszk|adzać** *vi* — **przeszk|odzić** *vi* 2. ... **proszę sobie nie ~adzać** ... don't disturb yourself
↑ **przeszkolić** *vt* — **przeszkalać** *vt* ... to re-educate
przeszukiwacz *sm elektr.* scanner
↑ **przeszywająco** *adv* ... keenly
↑ **przeszywający** *adj* ... fulgurating
↑ **prześcig|ać** *imperf* — **prześcig|nąć** *perf* [III] *vr* **~ać, ~nąć się** ... **~ając się wzajemnie** emulously
↑ **prześladować** *vt* 1. ... **~ za komunizm** to redbait 4. ... to dog
przeświecalność *sf singt* diaphaneity
↑ **prześwietlać** *vt* — **prześwietlić** *vt* 5. *ogr.* to prune (fruit trees)
↑ **prześwietlanie** *sn* 2. *ogr.* pruning
prześwietlony [I] *pp* ↑ **prześwietlić** [III] *adj fot.* light-struck
↑ **przetacznik** *sm* ... **~ bobowniczek** (*Veronica anagallis-aquatica*) water speedwell
przetapianie *sn* 1. ↑ **przetapiać** 2. *metalurg.* smelting
↑ **przetarty** [III] *adj* (*przejawiający skutki tarcia*) attrited
↑ **przetchlinka** *sf* 1. ... stoma; lenticel
przetchlinkowy *adj bot.* stomatal
przetłumiony *adj nukl.* overdamped
↑ **przetrwalnik** *sm* ... resting body; (*u grzybów*) sclerotium
przetrwalnikować *vi imperf bot. biol.* to sporulate
↑ **przetwornik** *sm* ... *elektr.* transducer
↑ **przeważający** *adj* ... **w ~m stopniu** ... prevailingly
↑ **przeważnie** *adv* ... principally
↑ **przeważny** *adj* ... principal
↑ **przewężenie** *sn* 4. ... baffle; *lotn.* throat
↑ **przewidująco** *adv* ... perspicaciously
↑ **przewodnicząca** *sf* ... chairwoman
↑ **przewodniczący** *sm* 2. ... **~ rady zakładowej** shop-steward; **być ~m** to chair
↑ **przewodzący** *adj* ... conducting
↑ **przewód** *sm* 1. ... **~ kominowy** stack 4. ... **~ pokarmowy** ... enteron
↑ **przewóz** *sm* 1. ... **opłata za ~ samochodem ciężarowym** truckage
przewrot|ka *sf pl G* **~ek** *gimn.* **~ka z oparciem na rękach** hand-spring
↑ **przewrotny** *adj* ... cussed; untoward
przewulkanizować *vt perf techn.* to overcure
↑ **przeznaczeni|e** *sn* 2. ... **o podwójnym ~u** dual purpose — (tool, device etc.)
↑ **przezornie** *adv* 2. ... circumspectly

† **przezrocze** *sn* 1. ... ~ **barwne** diapositive
† **przeżycil|e** *sn* 1. ... **zdolność do ~a** viability; **zdolny do ~a** viable
† **przodownik** *sm* 1. ... master workman
przodozgryz *sm G.* **~u** *dent.* anteroclusion; *pot.* wapperjaw
† **przybliżeni|e** *sn* 1. ... **w ~u** ... rudely
† **przybrzeżny** *adj* ... offshore; longshore; littoral; **ptak ~** shore bird
† **przyby|ć** *vi* — **przyby|wać** *vi* 2. ... **księżyca ~wa** ... the moon is increscent
przybyszowy *adj bot.* adventitious
† **przybywający** ☐ *adj* ... (*o księżycu*) increscent
† **przychylnie** *adv* ... propitiously
† **przyciągani|e** *sn* ... **siła ~a** attractivity; **energia ⟨siła⟩ ~a** attractive energy ⟨force⟩
† **przyczep|a** *sf* 3. ... **obozowisko dla ~ campingowych** trailer-park 4. (*ciężarówki*) truck trailer
† **przyczepność** *sf singt* ... tackiness
przyczerniony ☐ *pp* † **przyczernić** Ⅲ *adj* fumed
† **przyczółek** *sm* 3. ... beachhead; *lotn.* ~ **lotniczy** airhead
† **przyczyn|a** *sf* 1. ... **podać ~y** to give the reasons
przyćmienie *sn* † **przyćmić; ~ światła** dimming
† **przydatek** *sm* ... *zool.* proleg
† **przydawka** *sf* ... appositive
† **przydawkowy** *adj* ... appositive
† **przydział** *sm* 1. ... admeasurement
† **przydzielać** *vt* — **przydzielić** *vt* ... to admeasure
† **przydzielenie** *sn* ... admeasurement
przydźwiękowy *adj* (*o szybkości*) transonic, transsonic
przygaszony ☐ *pp* † **przygasić** Ⅲ *adj* (*o człowieku*) dull
† **przygnębiająco** *adv* ... dispiritingly; dishearteningly
† **przygnębieni|e** *sn* ... downheartedness; **w ~u** dispiritedly; downheartedly; dejectedly; despondently; sombrely; somberly
† **przygnębiony** Ⅲ *adj* ... **być ~m** ... to brown off
† **przygniatająco** *adv* ... weightily
† **przygotować** *perf* — **przygotowywać** *imperf* ☐ *vt* 3. ... to precondition
przygotowawczo *adv* preparatorily; initially; preliminarily
† **przyjacielski** *adj* ... *am.* folksy
† **przyjemnie** *adv* ... neatly (dressed); pleasingly; gratifyingly
† **przyjęci|e** *sn* 1. ... recipience; **w sposób nie do ~cia** inadmissibly 4. ... **godziny ~ć** ... calling hours 9. (*zaangażowanie pracownika*) accession (of an employee); taking-in
przyjmowanie *sn* († **przyjmować**) *zob.* **przyjęcie**; recipience
przykieliszek *sm G.* **~ka** *bot.* epicalyx

† **przykład** *sm* 1. ... paradigm; **ukarać dla ~u** ... to inflict an exemplary punishment
† **przykładać** *imperf* — **przyłożyć** *perf* ☐ *vt* ... to appose (**coś do czegoś** sth to sth)
† **przykładnie** *adv* .... exemplarily
† **przykraść** *vt* — **przykradać** *vt* ... to cabbage
† **przykro** *adv* ... irksomely; tryingly; disappointingly; distastefully
† **przykry** *adj* 1. ... **w ~ sposób** vexatiously; troublesomely; obnoxiously; (*boleśnie*) painfully
† **przykrywa** *sf* ... *lotn.* cowling
† **przyleganie** *sn* 4. *mat.* coface
przymilnie *adv* endearingly; ingratiatingly; insinuatingly
† **przymiotno** *sn* ... erigeron
† **przymrozek** *sm* 1. ... ~ **poranny** early frost
† **przymus** *sm* 1. ... **nie ulegający ~owi** incoercible
† **przynieść** *vt* — **przynosić** *vt* 1. ... to fetch
przyosiow|y *adj fiz.* axial; **strefa ~a** axial region
† **przypadkowo** *adv* 1. ... promiscuously; haphazardly; casually
† **przypadkowoś|ć** *sf* 2. ... *filoz.* **doktryna ~ci w przyrodzie** fortuitism
† **przypadkowy** *adj* 1. ... coincidental; snapshotty; ~ **wybór danych** randomization; ~ **zarobek ⟨dochód⟩** windfall income
† **przypis** *sm* ... ~ **u dołu strony** subscript
† **przypochlebnie** *adv* ... flatteringly
† **przypominać** *imperf* — **przypomnieć** *perf* ☐ *vt* 2. ... to reminisce
przyporządkować *vt perf mat.* to assign
przyporządkowanie *sn* † **przyporządkować**; *mat.* assignment
przypowierzchniow|y *adj nukl.* surface — (boiling); **wrzenie ~e** surface effect
† **przypuszczający** *adj* ... suppositive
† **przypuszczalny** *adj* ... assumed
† **przypuszczeni|e** *sn* 2. ... **oparty na ~ach** conjectural; **w oparciu o ~a** conjecturally
† **przyrost** *sm* ... *nukl.* ~ **energii użyteczny** net energy gain
† **przyrząd** *sm* ... (*w pracy reaktora*) **zakres ~ów** instrument range
przysadkowato *adv* dumpily
† **przysposabiać** *imperf* — **przysposobić** *perf* ☐ *vt* 1. ... to gear (**kogoś, coś do czegoś** sb, sth for sth); to precondition (**coś do czegoś** sth for sth)
† **przystawiać** *imperf* — **przystawić** *perf* ☐ *vt* ... to appose
† **przystępnie** *adv* ... popularly
† **przystojnie** *adv* ... handsomely
† **przystosow|ać** *perf* — **przystosow|ywać** *imperf* ☐ *vt* ... **~ać do warunków ⟨potrzeb⟩** *pot.* to tailor Ⅲ *vr* **~ać, ~ywać się** ... **łatwo się ~ujący** adaptive

↑ **przyswajać** *imperf* — **przyswoić** *perf* [I] *vt* ... **wyraz ~ojony** denizen
↑ **przyswajanie** *sn* ... *fizj.* assimilation; *med.* **wadliwe ~ pokarmów** malassimilation
↑ **przyswojenie** *sn* 3. *nukl.* uptake
↑ **przyszłość** *sf* ... **człowiek bez ~ci** ... futureless person
↑ **przyścienny** *adj* 3. *lotn.* **warstwa ~a** boundary layer
↑ **przyśpieszacz ⟨przyspieszacz⟩** *sm* ... *nukl.* **~ cząstek** accelerator
przyśpieszający ⟨przyspieszający⟩ *adj* accelerative
↑ **przyśpieszenie ⟨przyspieszenie⟩** *sn* ... speed-up
przyśpieszeniomierz ⟨przyspieszeniomierz⟩ *sm* accelerometer
↑ **przyśpieszony ⟨przyspieszony⟩** [III] *adj* 1. ... *nukl.* **cząstka ~a** accelerated particle
↑ **przytępienie** *sn* ... dulling; dullness
↑ **przytępiony** [III] *adj* ... **~ słuch** dullness of hearing; **mieć ~ wzrok ⟨umysł⟩** to be dull of sight ⟨of comprehension⟩
przytłaczająco *adv* oppressively; overpoweringly; overwhelmingly; weightily
przytłumienie *sn* ↑ **przytłumić**; dulling
↑ **przytomność** *sf* 1. ... **stracić ~ć** ... to blackout; **częściowa utrata ~ci** brownout; **całkowita utrata ~ci** blackout
↑ **przytulia** *sf* ... **~ pospolita** (*Galium mollugo*) wild madder
↑ **przyuważyć** *vt perf* ... to twig
↑ **przywiązany** [III] *adj* ... **~ do swych uprawnień** tenacious of one's rights
↑ **przywilej** *sm* ... **nadać ~** to grant a privilege; **korzystać z ~u** to enjoy ⟨to carry⟩ a privilege, to be privileged
↑ **przywodzący** [III] *adj* adducent; ...
↑ **przywra** *sf* ... schistosome
↑ **przyziemnie** *adv* ... meanly
↑ **przyzwalająco** *adv* ... permissively
↑ **przyzwoicie** *adv* 2. ... honestly; decorously
↑ **przyzwyczajenie** *sn* 2. ... **z ~a, siłą ~a** ... habitually
↑ **przyżeganie** *sn* ... thermocautery
pseudograwitacyjny *adj* pseudogravitational
↑ **pseudonaukowy** *adj* ... pseudolearned
pseudopodium *sn zool.* pseudopodium
pseudoskalarny *adj nukl.* pseudoscalar
pseudowektor *sm nukl.* pseudoscalar vector
↑ **psiakrew** [I] *interj* ... (*przy czasowniku*) damn well; bloody well
↑ **psiarnia** *sf* 1. ... doggery
↑ **psioczenie** *sn* ... squawk
↑ **psioczyć** *vi* ... to squawk
psotnie *adv* elfishly; impishly; trickishly; mischievously
↑ **psotnik** *sm* 2. *zool.* (*Troctes divinatoria*) booklouse
↑ **psotny** *adj* ... mischievous
↑ **pstrąg** *sm* ... **~ potokowy** (*Salmo trutta fario*) brook trout; brown trout
↑ **psuć** [III] *vr* **~ć się** 2. ... **łatwo ~jące się towary** ... damageable goods
↑ **psychiczny** *adj* ... **higiena ~a** mental hygiene; **leczenie chorób ~ych** mental healing
psychobiolog *sm pl N.* **~dzy ⟨~gowie⟩** psychobiologist
psychobiologia *sf singt GDL.* **~i** psychobiology
psychobiologiczny *adj* psychobiological
psychofizjolog *sm pl N.* **~gowie ⟨~dzy⟩** psychophysiologist
psychofizjologia *sf singt GDL.* **~i** psychophysiology, physiological psychology
psychofizjologiczny *adj* psychophysiologic(al)
psychofizyk *sm* psychophysicist
psychogeniczny *adj*, **psychogenny** *adj psych.* psychogenic
psychonerwica *sf singt* = **psychoneuroza**
psychonerwicowy *adj* = **psychoneurotyczny**
psychoneurotyczny *adj med. psych.* psychoneurotic
↑ **psychopatologia** *sf* ... abnormal psychology
psychopedagogiczny *adj* psychopedagogical
↑ **psychosomatyka** *sf* ... psychosomatic medicine
psychotropowy *adj med. psych.* psychotropic
↑ **pszczoła** *sf* ... **~ murarka** ... mason bee
↑ **pszenica** *sf* ... trigo; **~ twarda** (*Triticum durum*) durum wheat
↑ **pszeniczny** *adj* ... **pole ~e** trigo
↑ **ptak** *sm* ... *pl* **~i** Aves; **~ budujący gniazda wiszące** hangbird; **hodowla ~ów** aviculture; **obserwator życia ~ów** brider; bird-watcher; **zespół ~ów spotykanych na danym terenie** avifauna; ornis; **obserwować życie ~ów w naturalnym środowisku** to bird(-watch)
↑ **ptasi** *adj* ... *zool.* avian; **choroba ~a** ornithosis
ptasznictwo *sn singt* aviculture
↑ **publicysta** *sm*, **publicystka** *sf* ... **bojowy ~a** *pot.* hatchetman
publikatory *spl* publicators
↑ **puch** *sm* 1. ... **rozbić w ~** ... to smear
↑ **puchlina** *sf* ... **~ wodna skóry** anasarca
↑ **pularda** *sf* ... poulard
pulchnie *adv* plumply; rotundly
↑ **pulchny** *adj* 1. ... curvaceous; curvesome
pulsująco *adv* throbbingly
pulsujący *adj* throbbing
↑ **pułap** *sm* ... **przyrząd do mierzenia wysokości ~u chmur** ceilometer
↑ **pułapka** *sf* 3. *nukl.* **~ kropel** entrainment separator
↑ **punktowiec** *sm powinno być:* tower block

↑ **punktow|y** *adj* 2. *nukl.* point —; **cząstka ⟨właściwość, mutacja⟩ ~a** point particle ⟨singularity, mutation⟩
↑ **pustawy** *adj* ... half empty
↑ **pustelniczo** *adv* ... hermitically
↑ **pustelnicz|y** *adj* ... cloistered; **życie ~e** ... reclusion
↑ **pusto** *adv* 3. (*bezsensownie*) inanely
↑ **pustorogi** *adj* ... bovid
↑ **puszczalska** ◫ *adj* ... *am. sl.* floozy
↑ **puszczenie** *sn* ... *prawn.* **~ w obieg fałszywych pieniędzy** uttering
↑ **puszka** *sf* 6. *techn.* can
puszkowanie *sn* 1. ↑ **puszkować** 2. *techn.* canning
pyknidium *sn bot.* pycnidium
↑ **pylnik** *sm* ... **komora ~a** loculus
↑ **pył** *sm* ... **gromadzenie się ⟨zbieranie⟩ ~u** dust collection
↑ **pyłkow|y** *adj* ... *bot.* **analiza ~a** polynology
pyreks *sm G.* **~u** *chem.* pyrex
pyrogel *sm G.* **~u** *chem.* goop
↑ **pysk** *sm* 1. ... **choroba ~a i racic** foot-and-mouth disease
↑ **pyszałkowatość** *sf* ... *przen.* big head; swollen head
↑ **pysznie** *adv* 2. ... overbearingly; vaingloriously; flauntingly
↑ **pytająco** *adv* ... interrogatingly; interrogatively
↑ **pytlowy** *adj* ... *powinno być*: **chleb ~** white bread

R

↑ **rachunek** *sm* 1. ... **~ prawdopodobieństwa** ... probability theory
↑ **racja** *sf* 4. ... **żelazna ~ żywnościowa żołnierza** (*II Wojny Światowej*) C ration
↑ **rad²** *sm* 2. *nukl.* rad (unit of absorbed energy)
↑ **rada** *sf* 3. ... **~ zakładowa** ... works council
↑ **radar** *sm* ... **~ samolotowy do nawigacji przy braku widoczności** pathfinder
↑ **radarowy** *adj* ... **ekran ~** radarscope
↑ **radiacyjn|y** *adj* ... radiation — (chemistry, length, width); radiative; *nukl.* **odrzut ~y** radioactive recoil; **przejście ~e** radiative transition; **rekombinacja ~a** radiative recombination; **wychwyt ~y** radiative capture
↑ **radio** *sn* 2. ... **~ i telewizja** teleradio
radioaktyn *sm G.* **~u** *nukl.* radioactinium
↑ **radioaktywny** *adj* ... hot; **pył ~** ... death sand
radiobar *sm G.* **~u** *chem* radioactive barium
radiobiologi|a *sf singt GDL.* **~i** *biol. chem.* radiobiology
radiobiologiczny *adj* radiobiologic
radiochemiczny *adj* radiochemical
radioczuły *adj* radiation sensitive
radiogenetyka *sf singt* radiation genetics
radiogeniczny *adj* radiogenic
↑ **radiogoniometria** *sf* ... direction-finding
↑ **radiogram** *sm* 2. ... radiograph
radiojod *sm G.* **~u** *chem.* radioactive iodine, radio-iodine
radioliza *sf singt chem.* radiolysis
↑ **radiologiczny** *adj* ... radiological
↑ **radiolokacyjn|y** *adj* ... *lotn.* **latarnia ~a** racon
radioluminescencj|a *sf GDL.* **~i** *fiz.* radioluminescence
radiometri|a *sf singt GDL.* **~i** *fiz. techn.* radiometry
radiometryczny *adj* radiometric
radionadajnik *sm* radiobroadcaster
radiooperator *sm sl. wojsk.* lid
radiorezonans *sm G.* **~u** radioresonance
↑ **radiosonda** *sf* ... radiometeorograph; rason; **~ spadochronowa** dropsonde; **~ rakietowa** rocketsonde
↑ **radioterapia** *sf* ... radiation therapy
radiotor *sm G.* **~u** *chem.* radiothorium
radiowęgl|iel *sm G.* **~la** *chem.* radioactive carbon
↑ **radon** *sm* ... niton
↑ **radoś|ć** *sf* ... **z ~cią** ... joyfully
↑ **radośnie** *adv* ... mirthfully; delightedly; gladsomely; exhilaratingly; exhilaratively
↑ **rafa¹** *sf* ... **~ koralowa** ... barrier reef
↑ **rafinat** *sm* ... raffinate
↑ **rafinowanie** *sn* ... fining
rafinoza *sf chem.* raffinose
↑ **raj** *sm* 1. ... **stworzyć komuś ~** to imparadize sb
↑ **rak** *sm* 2. ... **~ wodny** noma; **powstawanie ~a** carcinogenesis 5. ... clampers
↑ **rakieta¹** *sf* 2. ... **~ bez urządzeń sterowniczych** free rocket; **~ kierowana** controlled rocket; **~ meteorologiczna** (*do badania górnych warstw atmosfery*) sounding rocket; **~ stabilizowana ruchem obrotowym** spinner; **~ wielostopniowa** step rocket
↑ **rakietnictwo** *sn* ... rocketry
↑ **rakietow|y¹** *adj* 1. ... rocket — (bomb, engine, power); **technika ~a** rocketry
↑ **rakotwórcz|y** *adj* ... cancerogenic; carcinogenic; **substancja ~a** carcinogen

↑ **ramiączk|o** *sn* 1. ... **bez ~ek** strapless
↑ **ramówka** *sf powinno być: radio* schedule programme
rancho [-czo] *sn*, **ranczo** *sn* ranch
rancze|r *sm pl N.* **~rzy** rancher
ranczo *zob.* **rancho**
↑ **ras|a** *sf* 3. ... **czystej ~y** ... pure-bred
↑ **rasista** *sm* ... racist
↑ **rasistowski** *adj* ... racist — (prejudices etc.)
↑ **rasowy** *adj* 1. ... **rozruchy na tle ~m** race riot 3. ... phyletic
↑ **rat|a** *sf* 1. ... **kupić na ~y** to buy on the instalment plan
↑ **ratownicz|y** *adj* ... *lotn.* **morska służba ~a RAF** air-sea rescue
↑ **ratunkow|y** *adj* ... **ekipa ~a** disaster unit
↑ **raźnie** *adv* 1. ... alertly
↑ **rażąco** *adv* 3. ... harshly; ruggedly
↑ **rdest** *sm* ... **~ ptasi** ... allseed
rdestowaty *adj bot.* polygonaceous
rdzawo *adv* rustily
↑ **rdze|ń** *sm* 7. ... **~ń bomby** bomb core & *nukl.* core (of a reactor); **zestaw ⟨materiał, zbiornik⟩ ~nia** core assembly ⟨material, tank⟩
↑ **reagent** *sm* ... *chem.* **~ gazowy** process ⟨working⟩ gas
↑ **reag|ować** *vi* 1. ... **żywo ~ując** responsively
↑ **reakcj|a** *sf* 2. ... **~a samoistna** self-propagating reaction; **energia ⟨moc, produkt⟩ ~i** reaction energy ⟨power, product⟩
↑ **reakcyjny** *adj* 2. ... reacting
↑ **reaktor** *sm* ... pile; **~ basenowy** swimming-pool-type reactor; **~ energetyczny przewoźny** package power reactor; **~ grafitowy** carbon pile; **doświadczalny ~ grafitowy** gleep; **~ o mocy malejącej** convergent reactor; **~ o mocy zerowej** zeep; **~ o wielkiej mocy** superpower reactor; **~ przewoźny** mobile reactor; **~ rozmnażający** breeder reactor; **~ prawie rozmnażający** near-breeder reactor; **~ wielostrumieniowy** high-flux reactor; **~ z ciężką wodą** heavy-water reactor; **~ z moderatorem** moderated reactor; **~ z moderatorem organicznym** organic-moderated reactor; **~ z paliwem fluidalnym** fluidized reactor; **~ z paliwem krążącym** circulating reactor; **okres zatrucia ~a** pile period ⟨poisoning⟩; **równanie ⟨kanał, synchronizacja⟩ ~a** reactor equation ⟨tube, synchronization⟩
reaktorow|y *adj* reactor —; **metalurgia ~a** reactor metallurgy
↑ **reaktywność** *sf* ... *nukl.* **~ wbudowana ⟨własna⟩** built-in reactivity
↑ **realn|y** *adj* 1. ... **~e płace** real wages
reanimacja *sf singt med.* reanimation
↑ **recesywn|y** *adj* ... **cecha ~a** (a) recessive
↑ **recytator** *sm*, **recytator|ka** *sf* ... **~ka** diseuse
↑ **redagować** *vt* 3. (*opracować do druku*) to edit (a book)
↑ **redakcja** *sf* 5. ... editorial ⟨editing⟩ board
↑ **redakcyjny** *adj* 2. ... **zespół ~** drafting committee; **stół ~** copy desk
↑ **redaktor** *sm* ... **~ prowadzący** copyreader; **~ merytoryczny** editor; **~ techniczny** typographer
↑ **redukcja** *sf* 1. ... cut-back; **~ personelu** *sl.* run-down
redukcjonizm *sm singt G.* **~u** reductionism
↑ **reduk|ować** ◻ *vt* 1. ... **czynnik ~ujący** reductant 2. ... to dismiss
reduktaza *sf biochem.* reductase
↑ **reduktor** *sm* ... reductor
redundancja *sf singt* redundancy
↑ **reflektor** *sm* 1. ... floodlight projector; *nukl.* tamper; **sterowanie ~em** reflector control; **zysk z ~a** reflector saving; *nukl.* **substancja ~a** tamper material; **zestaw bez ~a** unreflected assembly
↑ **regał** *sm* 1. ... bookrack
↑ **regeneracja** *sf* 2. ... *nukl.* **~ uranu** recovery of uranium
regeneracyjnie *adv* regeneratively
regionalnie *adv* regionally; locally
↑ **regulacja** *sf* 1. ... **~ płac** wage adjustment; **~ płac w zależności od kosztów utrzymania** cost of living escalator 3. ... **~ samoczynna** automatic control
↑ **regulator** *sm* 1. ... **~ wzmocnienia** gain checker; **na cały ~** b) ... at full blast
↑ **regulować** *vt* 2. ... **dający się ~** adjustable
rehabilitacyjny *adj* rehabilitative
↑ **rehabilitować** ◻ *vt* ... **~ politycznie** to depurge
↑ **rejestr** *sm* 1. ... **~ kar** defaulter sheet; **~ przywilejów** cartulary
rejonowo *adv* provincially; regionally
rekcja *sf singt jęz.* rection; government; regimen
↑ **rekin** *sm* ... *zool.* **wielki ~** (*Cetorhinus maximus*) basking shark
↑ **rekinek** *sm* ... dog-fish
↑ **reklam|a** *sf* ... **~a prasowa** press publicity; **spec od ~y** *am. sl.* huckster
↑ **reklamować** ◻ *vt* ... **~ towar** to advertise goods
↑ **reklamow|y** *adj* ... **kampania ~a** publicity ⟨advertising⟩ campaign
rekreacyjny *adj* recreation — (room etc.)
↑ **rekrut** *sm* ... *am.* draftee; inductee; selectee
↑ **relaks** *sm* ... **czas ⟨długość⟩ ~u** relaxative time ⟨length⟩
↑ **relatywizować** *vt* ... to relativize
rem *sm fiz.* rem
↑ **rentgen** *sm* 4. ... **nie przepuszczający promieni ~a** roentgenopaque; **przepuszczający promienie ~a** roentgenoparent
↑ **rentgenografia** *sf* ... **~ warstwowa** laminography

↑ **rentgenoterapia** *sf* ... roentgenotherapy

rentownie *adv* remuneratively; profitably; workably

↑ **reński** *adj* ... Rhine — (wine etc.)

reotaksj|a *sf GDL.* **~i** rheotaxis

rep[2] *sm fiz.* rep

↑ **reporterski** *adj* ... reportorial

↑ **represj|a** *sf* ... **drogą ~i** repressively

↑ **represyjnie** *adv* ... repressively

↑ **reprezentacj|a** *sf* 1. ... *polit.* **na zasadzie ~i** representatively; *sport.* **~a kraju** national ⟨selected⟩ team 2. ... **fundusz ⟨wydatki⟩ na ~ę** expense(s) account

reprezentacyjnie *adv* representatively

↑ **reprezentant** *sm*, **reprezentant|ka** *sf* ... *sport.* **być ~em swego kraju** to represent one's country

↑ **reprodukcj|a** *sf* 5. *nukl.* breeding; **typ ~i** breeding habits

reprodukcyjnie *adv* reproductively

↑ **reprodukcyjny** *adj* ... *nukl.* **wiek ~** parental age

↑ **reprywatyzować** *vt* ... to reprivatize

↑ **repulsywny** *adj* ... abient

↑ **reputacja** *sf* ... **zła ~** disreputableness

↑ **resor** *sm* ... leaf spring

↑ **respirator** *sm* ... **~ mechaniczny** pulmotor

↑ **restytucja** *sf* 2. ... redintegration

↑ **restytuowanie** *sn* ... redintegration

↑ **resztk|a** *sf* ... **~i jedzenia** ... orts; *roln.* **~i roślin uprawnych ⟨pożniwne⟩** crop residue

↑ **retencj|a** *sf* ... *nukl.* **współczynnik ~i** retention coefficient

↑ **retencyjny** *adj* ... *nukl.* **czas ~** retention time

retroaktywnie *adv* retroactively

retroaktywny *adj* retroactive

↑ **retrospekcj|a** *sf* ... **w ~i** retrospectively; in a flash-back

↑ **retrospektywny** *adj* ... **~ epizod** (*filmu itd.*) flash-back

↑ **rewalidacyjny** *adj* ... rehabilitative

↑ **rewers** *sm* 2. ... (*na wypożyczoną książkę*) library slip

↑ **rewindykacj|a** *sf* 1. ... **proces o ~ę** action of detinue

↑ **rewolucja** *sf* ... **Rewolucja Październikowa** ... Russian Revolution

rewolwerow|iec *sm G.* **~ca,** *pl N.* **~cy** *G.* **~ców** gunman; gunsel; *sl.* torpedo

↑ **rezerw|a** *sf* 1. ... **~y dewizowe** foreign exchange ⟨currency⟩ reserves; **~y ukryte** hidden reserve 2. ... **z ~ą** ... discreetly; distantly

↑ **rezerwat** *sm* 1. ... **~ leśny** forest reserve

↑ **rezerwować** *vt* 2. ... **~ pokój w hotelu** ... to book a room in a hotel

↑ **rezonan|s** *sm* ... **zakres ~su** resonance region

↑ **rezonansow|y** *adj* ... *nukl.* resonant —; **oscylacja ~a** resonant oscillation

↑ **rezonować**[2] *vi* ... *fiz.* to resonate

rezonując *adv* vibrantly

rezynoid *sm G.* **~u** resinoid

↑ **reżyserowani|e** *sn* ... **sztuka ~a** theatrics

↑ **ręk|a** *sf* 1. ... **z ~ą na sercu** ... honestly 2. c) ... **od ~i** extemporaneously

↑ **rękaw** *sm* 1. ... **~ lotniczy** ... air sleeve

Rh *w określeniu:* **czynnik ~** rhesus ⟨Rh⟩ factor

riketsia *spl biol.* rickettsia; **wywołany przez drobnoustroje ~** rickettsial

rizoid *sm G.* **~u** *bot.* rhizoid

rizosfera *sf roln.* rhizosphere

↑ **robactw|o** *sn* ... **rozmnożenie się ~a** vermination

robaczywie *adv* grubbily

↑ **robaczywy** *adj* ... verminous

↑ **robak** *sm* 1. ... **~ piaskowy** (*Arenicola marina*) lugworm 2. ... *pot. powinno być:* **zalewać ~a** to drown ⟨to drinkaway⟩ one's cares

↑ **robocz|y** *adj* ... operating (power, temperature); *nukl.* **gaz ~y** process gas; **gęstość ~a mocy** working power density

↑ **robotnica** *sf* 1. ... (*na roli*) ... farmerette

↑ **rocznik** 5. ... **starego ~a** of ancient vintage

rodinal *sm G.* **~u** *chem.* citronellal

↑ **rodn|y** *adj* 3. *nukl.* **substancja ~a** seed; **pierwiastek ~y** fertile element

↑ **rododendron** *sm* ... **~ kanadyjski** (*Rhododendron canadensis*) rhodora

↑ **rodowodowy** *adj* 2. (*o zwierzętach rasowych*) registered

↑ **rodow|ód** *sm* 2. ... **koń ⟨pies⟩ z ~odem** registered horse ⟨dog⟩

↑ **rodzący** □ *adj* 1. *biol.* procreant; ...

↑ **rodzeństw|o** *sn* ... sibs; **krzyżowanie między ~em** sib crossing

rodzicielsko *adv* parentally

↑ **rodzim|y** *adj* 1. ... **język ~y** mother tongue 2. ... country —; **skała ~a** country rock

↑ **rogaty** *adj* 1. ... (*o jeleniu*) antlered

↑ **rogowaty** *adj* ... ceratoid

↑ **rogowy** *adj* 1. ... ceratoid

↑ **rol|a**[1] *sf* ... **~a garncarzowa** potter's field; **uprawa ~i** soil cultivation

↑ **rolka** *sf* 1. ... **~ błony filmowej** roll film

↑ **rolnictwo** *sn* ... geoponics

↑ **rolnicz|y** *adj* ... geoponic; **spółdzielnia ~a** farmers co-operative

↑ **rolnik** *sm* 1. ... agriculturist; *am.* agriculturalist

↑ **rondo**[3] ... rotary

↑ **ropiasty** *adj* ... pyoid

↑ **ros|a** *sf* 1. ... **punkt ~y** ... saturation point

rosieni|e *sn* ↑ **rosić;** *fiz.* **temperatura ~a** saturation point

↑ **rosnąć ⟨róść⟩** *vi* 3. ... **rosnący całkowicie pod wodą** immersed

↑ **roszczenie** *sn* 2. ... arrogation

↑ **roślina** *sf* ... **~ wodna** hydrophyte

↑ **roślinnoś|ć** *sf* ... **wprowadzać ~ć ⟨pokrywać ~cią⟩** to vegetate
↑ **rotacja** *sf* 3. *nukl.* curl
↑ **rotacyjny** *adj* ... (*obrotowy*) rotating
↑ **rotograwiura** *sf* ... *pot.* roto
↑ **rotograwiurowy** *adj* ... *pot.* roto
↑ **rowek** *sm* ... *anat.* sulcus; (*na płycie gramofonowej*) **drobny ~** microgrove
↑ **rozanielony** III *adj* ... beatific
↑ **rozbicie** *sn* 10. **~ się** ... **~ się samolotu** crackup
↑ **rozbi|ć** *perf* — **rozbi|jać** *imperf* III *vr* **~ć, ~jać się** 5. ... (*o samolocie*) to crack-up; to crash-land *sl.* to auger in
↑ **rozbieg** *sm* 2. ... (*w narciarstwie*) in-run; (*w pływaniu*) push off; **skok w dal z ~iem** long jump; **skok wzwyż z ~iem** high jump
↑ **rozbieżnia** *sf* ... piste
↑ **rozbieżnie** *adv* ... discrepantly
↑ **rozbi|ór** *sm* 3. ... **dokonać ~oru** to dismember
↑ **rozbr|ajać** *imperf* — **rozbr|oić** *perf* I *vt* 1. ... **~oić bombę ⟨niewypał⟩** to defuse a bomb ⟨an unexploded shell⟩
↑ **rozbrojenie** *sn* 1. ... dismantlement (of a ship)
rozciągalny *adj* = **rozciągliwy**
↑ **rozciąganie** *sn* ... *fiz.* **wytrzymałość na ~** tensile strength
↑ **rozciągliwy** *adj* ... tensible
rozciągł|y *adj nukl.* extended; **~e źródło jonów** extended ion source
rozcieńczający *adj* diluent; attenuant
↑ **rozcieńczalnik** *sf* ... dissolvent
↑ **rozcieńczeni|e** *sn* 1. ... attenuation 2. ... **w ~u** ... tenuous
↑ **rozcięcie** *sn* 2. ... (*z tyłu płaszcza, marynarki*) vent
rozczochranie *sn* ↑ **rozczochrać**; dishevelment
↑ **rozczul|ać** *imperf* — **rozczul|ić** *perf* III *vr* **~ać, ~ić się** ... to sentimentalize
↑ **rozdarcie** *sn* 3. ... bisociation
rozdęty I *pp* ↑ **rozdąć** III *adj* inflated; distended; blown
rozdrabnianie *sn* ↑ **rozdrabniać**; crumbling; break-up; frittering down; granulation; *nukl.* grinding
↑ **rozdrażniać** *imperf* — **rozdrażnić** *perf* I *vt* 2. ... to exacerbate
↑ **rozdrażnieni|e** *sn* 2. ... **w ~u** ... petulantly; ill-humouredly; ill-temperedly; pettishly; tetchily
rozdrobnieni|e *sn* ↑ **rozdrobnić; stopień ~a** fineness of grinding
↑ **rozdwojon|y** III *adj* ... divided; **~a osobowość** dissociated ⟨split⟩ personality
↑ **rozdziel|ać** *imperf* — **rozdziel|ić** *perf* I *vt* 1. ... **~ać, ~ić na części składowe** to decompose
rozdzielający *adj* dividing; divisive; separative; *nukl.* **aparat ~** separation unit
rozdzielczo *adv* distributively
rozdzielczość *sf singt nukl.* resolution

↑ **rozdzielcz|y** *adj* ... separative; *nukl.* separation — (column); resolving; **czas ~y** resolving time; **zdolność ~a** resolving power
↑ **rozdzielnoś|ć** *sf* ... *mat.* **prawo ~ci** distributive law
↑ **rozdzierająco** *adv* ... excrutiatingly
↑ **rozerwanie** *sn* 1. ... *fiz. techn.* **wytrzymałość na ~** tensile strength
↑ **rozgałęzie|nie** *sn* 4. *nukl.* branching; **stosunek ~ń** branching ratio
↑ **rozgłos** *sm* 2. ... **z ~em** prominently
↑ **rozgoryczać** *imperf* — **rozgoryczyć** *perf* I *vt* ... to acerbate
↑ **rozgoryczenie** *sn* 2. ... **z ~m** discontentedly
↑ **rozgrz|ać** *perf* — **rozgrz|ewać** *imperf* III *vr* **~ać, ~ewać się** 1. ... **~ewający się** calescent
↑ **rozgrzewk|a** *sf* 2. ... **przeprowadzać ~ę** to warm up
↑ **rozhukany** III *adj* 2. ... hot rod
↑ **rozjątrzyć** *perf* — **rozjątrzać** *imperf* I *vt* 2. ... to acerbate
↑ **rozkład** *sm* 1. ... **przybyć według ~u** ... to arrive duly 2. ... ordonnance 3. ... **spowodować ~** decompose 4. ... **ulegać ~owi** ... to decompose
↑ **roz|kładać** *imperf* — **roz|łożyć** *perf* I *vt* 6. ... **~kładać, ~łożyć związek chemiczny** to break down a substance
↑ **rozkładająco** *adv* ... dissolvingly
↑ **rozkładow|y** *adj* 4. ... **destylacja ~a** destructive distillation
↑ **rozkosz** *sm* 1. ... **z ~ą** delightedly 2. ... **~e życia** ... *żart.* beer and skittles
↑ **rozkosznie** *adv* ... delectably
↑ **rozlegle** *adv* ... extensively; comprehensively
rozlewność *sn singt* extensiveness; (*o stylu*) prolixity; prolixness; *techn.* **~ farby** spreading power
↑ **rozluźni|ać** *imperf* — **rozluźni|ć** *perf* I *vt* ... *sport* **ćwiczenia ~ające** loosening-up exercises
↑ **rozładowanie** *sn* ... unloading
↑ **rozładowcz|y** *adj* ... unloading; **strona ~a** unloading face
↑ **rozłam** *sm* ... disruption; **powodujący ~** disruptive; **spowodować ~ w grupie** to divide a group
↑ **rozłącznie** *adv* ... disjunctively
↑ **rozłączność** *sf* ... separability
↑ **rozłogowy** *adj* ... flagellate
↑ **rozłożysto** *adv* ... patulously
↑ **rozłożystość** *sf* ... patulousness
↑ **rozłóg** *sm* 2. ... rhizoma; rootstalk, rootstock
↑ **rozmaicie** *adv* ... unequally; diversely; miscellaneously
↑ **rozmarzająco** *adv* ... dreamily
rozmarzony I *pp* ↑ **rozmarzyć** III *adj* dreamy; starry-eyed
↑ **rozmaz|ać** *perf* — **rozmaz|ywać** *imperf* III *vr* **~ać, ~ywać się** 1. ... to smear (*vi*)

↑ **rozmiar** *sm* 1. ... **wielkich ~ów** ... of large dimensions

↑ **rozmieszczenie** *sn* ... ordonnance; set-up

↑ **rozmieścić** *perf* — **rozmieszczać** *imperf* [I] *vt* ... to set up

↑ **rozminąć się** *vr* — **rozmijać się** *vr* 3. ... to miss each other

↑ **rozmn|ażać** *imperf* — **rozmn|ożyć** *perf* [I] *vt* 3. *nukl.* to breed; **płaszcz ~ażający** breeding blanket [III] *vr* **~ażać, ~ożyć się** 1. ... *biol.* **~ażający się płciowo** amphimictic

↑ **rozmnażani|e** *sn* 1. ... **~e bezpłciowe** ... monogenesis; **~e płciowe** gamogenesis; amphimixy 2. *nukl.* breeding; **cykl ⟨uzysk, współczynnik⟩ ~a** breeding cycle ⟨gain, ratio⟩

↑ **rozmównica** *sf* ... **~ telefoniczna** telephone box

↑ **rozmrażać** *vt* — **rozmrozić** *vt* ... to defreeze

↑ **rozmyślani|e** *sn* 1. ... **w ~ach** meditatively

↑ **rozmyślnie** *adv* ... purposively; intentionally; voluntarily; wilfully

↑ **rozmyśln|y** *adj* ... **~a zniewaga** deliberate insult

↑ **rozpacz** *sf* ... **doprowadzić kogoś do ~y** ... to distress sb; **z ~ą w sercu** despondently

↑ **rozpaczać** *vi* 2. ... to give way to despair

↑ **rozpaczliwie** *adv* 1. ... despairingly 2. ... distressingly; distressfully

↑ **rozpaczliwy** *adj* 3. ... **być w ~m położeniu** to be in distress; to be distressed

↑ **rozpad** *sm* 1. ... decomposition 3. ... *nukl.* decay; **czas ~u** (*ciała promieniotwórczego*) decay time 4. *biochem.* lysis

↑ **rozpadać się**[1] *vr* — **rozpaść się** *vr* 3. ... *nukl.* to decay

↑ **rozpatrzeni|e** *sn* ... **po bliższym ~u** after due consideration

↑ **rozpętać** *perf* — **rozpętywać** *imperf* [I] *vt* 2. ... to spark off (a war etc.)

↑ **rozpieprzyć** *vt* — **rozpieprzać** *vt* ... *sl. wojsk.* to clobber (a target)

↑ **rozporządzać** *imperf* — **rozporządzić** *perf* [I] *vt* 3. ... to have the disposal (**czymś** of sth)

rozporządzalność *sf singt* disposability

↑ **rozporządzenie** *sn* 2. ... **~ testamentowe** disposition by testament

↑ **rozpoznanie** *sn* 4. ... **~ lotnicze** air reconnaissance

rozpraszacz *sm* diffuser

↑ **rozpr|aszać** *imperf* — **rozpr|oszyć** *perf* [III] *vr* **~aszać, ~oszyć się** 1. ... (*o tłumie*) to dissolve

↑ **rozpraszanie** *sn* 4. ... *nukl.* scattering; **przekrój czynny na ~** scattering cross-section

↑ **rozprawa** *sf* 2. ... setting

↑ **rozpręż|ać** *imperf* — **rozpręż|yć** *perf* [III] *vr* **~ać, ~yć się** 2. ... to dilate

↑ **rozprężliwość** *sf* ... dilatability

↑ **rozproszeni|e** *sn* 1. ... **w wielkim ~u** diffusely 3. ... *nukl.* scattering; **jądro (całkowite) ~a** scattering kernel

rozproszeniowy *adj nukl.* stray (neutron)

↑ **rozproszony** [III] *adj* 1. ... *nukl.* stray (radiation)

↑ **rozpryskiwać** *imperf* — **rozprysnąć** *perf* **rozpryskać** *perf* [I] *vt* ... to sparge

↑ **rozpryskowy** *adj* ... spray; *nukl.* **skraplacz ~** spray condenser

↑ **rozpust|a** *sf* 2. ... libertinism; **uprawiać ~ę** ... to debauch

↑ **rozpustnie** *adv* ... lawlessly; dissipatedly; raffishly; riotously

↑ **rozpustnik** *sm* ... dissipated person

↑ **rozpu|szczać** *imperf* — **rozpu|ścić** *perf* [I] *vt* 2. ... **środek ~szczający** attenuant 3. ... **~ścić wojsko itd.** to disband ⟨to deactivate⟩ an army etc.

rozpuszczająco *adv* dissolvingly

rozpuszczający *adj* dissolving

↑ **rozpuszczalny** *adj* ... **~ w tłuszczach** fat-soluble; **~ w wodzie** water-soluble

↑ **rozpuszczenie** *sn* 1. ... dilution; attenuation; *biochem.* lysis 5. **~ się** *chem.* deliquescence (of salts)

↑ **rozpylacz** *sm* 1. ... bomb; nozzle

↑ **rozpylać** *imperf* — **rozpylić** *perf* [I] *vt* 1. ... to nebulize

↑ **rozregulować** *perf* — **rozregulowywać** *imperf* [I] *vt* ... to disarrange

↑ **rozregulowanie** *sn* 2. ... disarrangement

rozregulowany [I] *pp* ↑ **rozregulować** [III] *adj* out of tram

↑ **rozreklamować** *vt* ... to build up

rozrodczo *adv* reproductively

↑ **rozruch** *sm* 1. ... start-up; **czas ~u** start-up time 2. ... distemper

↑ **rozruchowy** *adj* ... start-up — (time etc.); starting (condenser, voltage)

rozrywkowo *adv* divertingly

↑ **rozrywkowy** *adj* ... diverting

↑ **rozrzedzeni|e** *sn* ... **w ~u** tenuously

rozrzucony [I] *pp* ↑ **rozrzucić** [III] *adj* (*o miejscowości*) sprawly

↑ **rozrzut** *sm* ... *nukl.* **~ przebiegów** range straggle

↑ **rozrzutnik** *sm* ... scattergood

↑ **rozsądnie** *adv* ... rationally; judicially; sagaciously; sanely

↑ **rozsądny** *adj* ... rational

rozsiewany [I] *pp* ↑ **rozsiewać** [III] *adj* sown; **~ za pośrednictwem wody** hydrochoric

↑ **rozstroić** *perf* — **rozstrajać** *imperf* [I] *vt* 1. ... to disarrange (a mechanism)

↑ **rozstrzygająco** *adv* ... determinately; determinatively

↑ **rozstrzygający** *adj* ... *sport* **bieg ~** decider

rozstrzygalność *sf singt* decidability

↑ **rozstrzygnięcie** *sn* 1. ... decider

↑ **rozszczep** *sm* 2. ... *med.* **operacja plastyczna ~u podniebienia** staphylorrhaphy

rozszczepialność *sf singt nukl.* fissibility; fissionability

↑ **rozszczepialny** *adj* ... fissionable

↑ **rozszczepieni|e** *sn* 4. ... *nukl.* **~e termiczne** thermofission; **~e trójfragmentowe** ternary fission; (*o pochłanianiu, wychwycie*) **bez ~a** non-fission (absorption, capture); **wychwyt bez ~a** nonproductive capture

rozszczepieniowy *adj nukl.* fissile; **reaktor ~** chain reactor

rozszerzani|e *sn* ↑ **rozszerzać; stopień ~a** expansion ratio

rozszyfrowanie *sn* ↑ **rozszyfrować;** decipherment

roztapiająco *adv* dissolvingly

roztapiający *adj* dissolving

↑ **roztargnieni|e** *sn* ... **w ~u** ... light-headedly; light-mindedly

↑ **roztropnie** *adv* ... discriminatingly; discerningly; discreetly; prudently; sagaciously

↑ **roztropny** *adj* ... clear-eyed

roztrzaskany ☐ *pp* **roztrzaskać** ☐ *adj* fragmented; in fragments

↑ **roztrzepany** ☐ *adj* ... headless

↑ **roztw|ór** *sm* ... **chemia ~orów** solution chemistry

↑ **rozumnie** *adv* ... judiciously; wisely; rationally

↑ **rozumowo** *adv* ... intellectively; intellectually

↑ **rozumowy** *adj* ... intellectual; intellective

↑ **rozwag|a** *sf* 2. ... **z ~ą** discreetly; thoughtfully

↑ **rozwarty** ☐ *adj* ... **szeroko ~** a) (*o otworze*) patulous b) *bot.* dehiscent

↑ **rozważnie** *adv* ... charily; prudently; sagaciously

rozweselająco *adv* exhilaratingly; genially

rozweselający *adj* exhilarating, exhilarative; genial

↑ **rozwianie** *sn* 2. ... **~ się złudzeń** dissolution of illusions

↑ **rozwiąz|ać** *perf* — **rozwiąz|ywać** *imperf* ☐ *vt* 2. ... **~ać umowę** to determine a contract 3. ... to deactivate (a class, an organization)

↑ **rozwiązani|e** *sn* 2. ... decipherment (of a puzzle); **sprawa nie do ~a** irresolvable matter

↑ **rozwiązłość** *sf* ... libertinism

↑ **rozwiązł|y** *adj* ... dissipated; **prowadzić ~e życie** to live dissolutely

rozwiązująco *adv* dissolvingly

rozwiązujący *adj* dissolving

rozwiąźle *adv* irregularly; lawlessly; dissipatedly; dissolutely

↑ **rozwi|jać** *imperf* — **rozwi|nąć** *perf* ☐ *vr* **~jać, ~nąć się** 4. ... **~jać, ~nąć się przedwcześnie** to develop ⟨to ripen⟩ precociously

rozwojowo *adv* developmentally

↑ **rozwolnienie** *sn* 2. ... laxation

↑ **rozwożenie** *sn* ... **~ samochodem ciężarowym** truckage

↑ **rozzłościć** ☐ *vr* **~ się** *powinno być*: to get angry (**na kogoś** with sb); ...

rozżalony ☐ *pp* ↑ **rozżalić** ☐ *adj* in high ⟨deep⟩ dudgeon

↑ **rożn|en** *sm* ... **z ~na** en brochette

rożen|ek *sm G.* **~ka** brochette

↑ **rów** *sm* 1. ... *geol.* **~ tektoniczny** graben; *sport* (*na torze wyścigowym*) **~ z wodą** water jump 2. ... **~ przeciwodłamkowy** slit trench

↑ **równa|nie** *sn* 2. ... **~nie pierwszego stopnia** first-order equation; **~nie drugiego stopnia** second-order equation; **~nie falowe** wave equation; **analizator ~ń różniczkowych** differential analyzer; *nukl.* **~nie reaktora** reactor equation

równikowo *adv* equatorially

równobocznie *adv* equilaterally

↑ **równocześnie** *adv* 1. ... concomitantly

↑ **równomiern|y** *adj* ... *fiz.* **prędkość ~a** uniform velocity

↑ **równonóg** *sm* ... **~ morski** (*Limnoria liquorum*) gribble

↑ **równość** *sf* 5. *sport* **~ punktów** dead heat

↑ **równowag|a** *sf* 1. ... *bot.* **punkt ~i** (*między fotosyntezą a oddychaniem rośliny*) compensation point; **brak ~i** imbalance 2. ... *fiz.* **~a stała** secular equilibrium; *nukl.* **stan niezachowania ~i** non-equilibrium state; **naruszenie ~i** imbalance 3. ... **z ~ą** staidly

równowagow|y *adj nukl.* **woda ~a** equilibrium water

równoważni|a *sf GDL.* **~** *sport* balance-board; balancing form

↑ **równoważn|y** *adj* ... *mat.* **równania ~e** simultaneous equations

↑ **równoważ|yć** ☐ *vt* ... *techn.* **siła ~ąca** equilibrant

↑ **równy** ☐ *adj* 8. *pot.* (*o człowieku*) sporty; **to ~ gość ⟨facet⟩** he's a sporty chap ⟨a square shooter⟩

rózgowy *adj* baculine

↑ **różdżk|a** *sf* 2. ... **poszukiwania ~ą (wody)** rhabdomancy

↑ **różdżkarstwo** *sn* ... rhabdomancy; water witching

↑ **różnic|a** *sf* 1. ... **bez ~y** ... indiscriminately; **robić ~e** (*w traktowaniu*) to discriminate

różniczkujący *adj mat.* differentiating; **układ ~** differentiating circuit; differentiator

↑ **różnić** ☐ *vr* **~ się** 1. ... to disagree (**od kogoś, czegoś** with sb, sth)

↑ **różnie** *adv* 2. ... miscellaneously; diversely

↑ **różnobarwny** *adj* ... heterochromous

różnolistność *sf singt bot.* heterophylly

różnopłciowy *adj biol.* heterosexual

↑ **różnopostaciowy** *adj* ... heteromorphic

↑ **różnorodnie** *adv* ... miscellaneously; heterogeneously
różnosłupkowy *adj bot.* heterostylous
różnozarodnikowość *sf singt bot.* heterospory
↑ **różny** ◻ *adj* 1. ... diverse
↑ **różowo** *adv* 1. ... rosily
↑ **rtęciow|y** *adj chem.* **chlorek ⟨piorunian⟩ ~y** mercury chloride ⟨fulminate⟩; **lampa ~a** mercury-vapour lamp
↑ **rubin** *sm* 1. ... **~ syntetyczny** boule
rubrykator *sm* list of classification headings
↑ **ruch** *sm* 3. ... **bez ~u** motionlessly
↑ **ruchliwy** *adj* 5. (*o dziecku*) wiggly
↑ **rud|a** *sf* ... **koncentrat ~y** mineral concentrate
↑ **rudera** *sf* ... dilapidated building
rudotwórczy *adj* ore-forming
↑ **rudzik** *sm* ... ruddock
↑ **rufowy** *adj* ... **pokład ~** poop deck
↑ **ruin|a** *sf* 1. ... blastment; **w ~ie** ... ruinous 4. ... shambles
↑ **ruja** *sf* ... *zool.* calling
rujotwórczy *adj biochem.* estrogenic; **środek ~** estrogen
rujowy *adj* estral; estrous; oestrous (cycle)
↑ **rupieciarnia** *sf* ... catch-all
↑ **rura** *sf* 5. *nukl.* pipe; **~ wyciągowa** pull-pipe
↑ **rurka** *sf* 1. ... **~ do picia płynu** sipper; *lotn.* **~ Pitota ⟨aerodynamiczna⟩** Pitot tube
↑ **rurkowaty** *adj*, **rurkowy** *adj* .... cannular
↑ **rurowy** *adj* ... tubate
↑ **ruszt** *sm* 2. ... broiler
rutherford *sm G.* **~u** *nukl.* rutherford
rutyna[2] *sf farm.* rutine
rwąco *adv* (*płynąć itd.*) impetuously; rapidly
↑ **rwetes** *sm* 2. ... *sl.* flop; hoopla; rat-race
↑ **ryba** *sf* ... **gruba ~** ... buzzwig
rybaczki *spl* (*spodnie damskie*) pedal pushers
↑ **rybi** *adj* 1. ... *zool.* ichtic
↑ **ryboflawina** *sf* ... lactoflavin; ovoflavin
rybonukleinowy *adj biochem.* ribonucleic (acid)
ryboza *sm chem.* ribose
rycynolowy *adj chem.* ricinoleic (acid)
ryglowanie *sn* ↑ **ryglować**; *nukl.* interlock

↑ **ryjek** *sm* 2. ... **~ przystosowany do ssania** haustellum
↑ **ryjkowiec** *sm* ... snout beetle
↑ **rylec** *sm* ... stylus
rynsztokowo *adv* scurrilously; thersitically
↑ **rynsztokowy** *adj* 2. ... thersitical
↑ **rysunek** *sm* 1. ... *techn.* **~ roboczy ⟨wykonawczy⟩** working drawing
↑ **rytm** *sm* ... *biol.* **~ alfa** alfa rhythm; **~ beta** beta rhythm
↑ **rytmiczny** *adj* ... cadent
↑ **rytmika** *sf* 2. ... rhythmics
rytowanie *sn* ↑ **rytować**; stylography
↑ **rywal** *sm* ... contender
↑ **rywalizowanie** *sn* ... vying
↑ **ryzykanctwo** *sn* ... dare-devil(t)ry
↑ **ryzykant** *sm*, **ryzykant|ka** *sf* ... reckless person
↑ **ryzykownie** *adv* ... precariously
↑ **ryzykowność** *sf* ... precariousness
↑ **ryzykowny** *adj* ... precarious
ryżojad *sm zool.* (*Munia oryzivora*) Java sparrow
↑ **rzadki** *adj* 2. ... tenuous 4. ... (*o ludziach, zjawiskach itd.*) ... unwonted
↑ **rzadko** *adv* 2. ... infrequently; **~ kiedy** rarely; uniquely
↑ **rząd**[2] *sm* 1. ... **~ tymczasowy** caretaker government; **~ koalicyjny** coalition government
rządowo *adv* governmentally
↑ **rządzenie** *sn* 5. **~ się** bossiness
↑ **rzecz** *sf* 1. ... *filoz.* **~ sama w sobie** thing-in-itself 2. ... **~y osobiste** dunnage
↑ **rzeczownikowo** *adv* ... substantively
↑ **rzeczowy** *adj* 1. ... **katalog ~** subject catalogue
↑ **rzeczywiście** *adv* 1. ... effectively; tangibly; substantively; substantially
↑ **rzekomo** *adv* ... imaginarily; spuriously
↑ **rzep** *sm* ... beggar's lice
↑ **rześko** *adv* vigorously; ...
↑ **rzetelnie** *adv* 1. ... reliably; justly
↑ **rzeźbić** *vt vi* 1. ... to chisel
↑ **rzęska** *sf* 2. ... (*u bakterii*) flagellum
↑ **rzężenie** *sn* ... *med.* rhonchus
↑ **rzuc|ać** *imperf* — **rzuc|ić** *perf* Ⅲ *vr* **~ać, ~ić się** 2. ... **nie ~ając się w oczy** inconspicuously
↑ **rzut** *sm* 2. ... **~ oka** b) (*zarys*) aperçu 6. ... **~ stożkowy** conic projection
rzut|ek *sm G* **~ka** *sport* clay pigeon; **strzelanie do ~ków** trap-shooting
↑ **rzutki** *adj* ... kinetic

S

Sabin *sm* **Sabin|ka** *sf hist.* Sabine; **porwanie ~ek** the rape of the Sabines
↑ **sadł|o** *sn* 2. *posp.* (*u otyłego człowieka*) beef (fat); **obrosnąć ~em** to beef up

Saduceusz *sm rel.* Sadducee
↑ **sadziec** *sm* ... boneset; eupatorium
sadzonkowanie *sn* ↑ **sadzonkować**; *roln.* cuttage

safizm *sm singt G.* **~u** sapphism
↑ **sakramencki** *adj* ... *(bardzo duży)* king-size
↑ **sakrament** *sm* ...; **udzielić komuś ~u** to give sb the sacrament
↑ **sakshorn** *sm* ... **~ tenorowy** althorn
↑ **salamandı a** *sf* ... **~ wodna** (*Cryptobranchus alleghanensis*) hellbender
↑ **saletra** *sf* ... **rodzima ~ chilijska** caliche
Salk *spr med.* **szczepionka ~a** (*przeciwko chorobie Heinego-Medina*) Salk vaccine
↑ **salonka** *sf* ... chair car
↑ **salwa**[1] *sm* ... **~ śmiechu** ... *am.* yuk
↑ **sałata** *sf* 1. ... **~ kompasowa** wild lettuce
samoański *adj* Samoan
↑ **samoch|ód** *sm* ... **~ód ciężarowy** ... *am.* autotruck; **~ód-wywrotka** ... dump-truck; **~ód do ściągania uszkodzonych samochodów** tow car; **~ód-furgon** motor van; **~ód inwalidzki** vetmobile; **~ód policyjny z krótkofalówką** squad car; **właściciel ⟨kierowca⟩ ~odu ciężarowego** truckman
samochwalczo *adv* boastfully; thrasonically
samodławiący *adj fiz.* self-constricting
samodławienie *sn fiz.* self-constriction
samogaszący *adj nukl.* self-quenching (counter)
↑ **samograj** *sm* ... pushover
↑ **samoistn|y** *adj* 3. *nukl.* self-propagating; **reakcja ~a** self-propagating reaction
samokierujący *adj (o torpedzie itd.)* homing
↑ **samolot** *sm* ... **~ niezidentyfikowany** bogie; **~ przekształcalny** convertiplane; **~ przystosowany do zaopatrywania w paliwo w powietrzu** tanker; **~ sanitarny** air ambulance; **załoga ~u** air crew; **członek załogi ~u** aircrewman; **podróżować ~em** to wing
samolubnie *adv* egoistically; selfishly; sordidly; piggishly
↑ **samolubny** *adj* ... piggish
samomnożący się *adj nukl.* self-multiplying
samonaprowadzający *adj techn. wojsk. (o układzie itd.)* homing
samoochronność *sf singt nukl.* self-screening
samoogrzewanie *sn fiz.* self-heating
samoosłanianie *sn nukl.* self-screening
samopochłanianie *sn nukl.* self-absorption
samopodtrzymujący *adj nukl.* self-maintaining
samopylność *sf singt bot.* autogamy
samoregulacyjny *adj* self-regulating
samorodnie *adv* naturally; genuinely; (*powstać itd.*) spontaneously; **~ powstały** abiogenetic
↑ **samorodny** *adj* 4. *biol.* autogenous 5. *bot.* autonomic
samorozpraszanie *sn nukl.* self-scattering
↑ **samorództwo** *sn* ... abiogenesis
samorządowo *adv* municipally
samoskurczliwy *adj nukl.* self-pinched
samostabilny *adj nukl.* self-stabilizing (reactor)
samosterowanie *sn* inherent control; self-regulation
samosterowność *sf singt* self-regulation
samosterowny *adj* self-regulating
↑ **samotnie** *adv* ... desolately; lonelily
↑ **samotność** *sf* ... reclusion
↑ **samotny** *adj* 2. ... (*o dziewczynie, kobiecie*) ... discovert
↑ **samoutlenianie** *sn* ... autoxidation
↑ **samowarek** *sm* 2. ... dolly
↑ **samowolnie** *adv* 1. ... waywardly 2. ... illegally
↑ **samozadowolenie** *sn* ... self-content
↑ **samozaparcie (się)** *sn* ... **z ~m** unselfishly
↑ **samozapłodnienie** *sn* ... *bot.* autogamy
samozderzenie *sn nukl.* self-collision
samozgodny *adj nukl.* self-congruent
↑ **sanie** *sn* ... **~ motorowe** autosled
↑ **sanitariusz** *sm* ... *(wojskowy)* ... *am.* corpsman
↑ **sanitarny** *adj* ... **wagon ~** ambulet; **samolot ~** air ambulance
sankcjonujący *adj* approbative
sansewieria *sf bot.* (*Sansevieria*) sansevieria
sapota *sf bot. (Sapota)* sapota
saprolit *sm G.* **~u** *miner.* saprolite
sardyński *adj* Sardinian
↑ **sarkastycznie** *adv* ... pointedly; pungently
↑ **sarkastyczny** *adj* ... pointed (comment etc.); pungent
↑ **sąd** *sm* 1. ... **~ objazdowy** circuit court
↑ **sądownie** *adv* ... judicially; juridically
↑ **sądowy** *adj* ... **dni sesji ~ch** juridical days
↑ **sąsiedztw|o** *sn* 1. ... **w bezpośrednim ~ie** proximately
scałkowany ⊡ *pp* ↑ **scałkować** Ⅲ *adj mat.* integrated; *nukl.* **~ strumień neutronów** integrated neutron flux
↑ **scen|a** *sf* 1. ... **na przodzie ~y** down-stage
↑ **scenariusz** *sm* ... kit
↑ **scenarzysta** *sm* ... *film* script writer; screen-writer; *radio tv* scripter
↑ **scenograf** *sm* ... stage designer; decoreographer
↑ **schemat** *sm* 1. ... **~ organizacyjny** organization chart; *mat.* **~ logiczny** logical diagram 3. ... **~ technologiczny** flow sheet; **~ blokowy** block diagram; **~ połączeń** connection diagram
schizofreniczny *adj psych.* schizophrenic
schizoi|d *sm pl N.* **~dzi** *psych.* schizoid
↑ **schowanko** *sn,* **schowek** *sm* ... *bank.* ... safe-deposit; safe-box
↑ **schron** *sm* ... **~ bojowy betonowy** bunker; **~ ziemny** cut-and-cover shelter
schwytan|y ⊡ *pp* ↑ **schwytać** Ⅲ *adj nukl.* trapped; **cząstka ~a** trapped particle

↑ **schyłek** *sm* ... declension; ~ **życia** the downhill of life
scynk *sm zool. (Eumeces)* skink
scyntylacyjny *adj fiz. nukl.* scintillation — (counter)
sebacynowy *adj chem.* sebatic (acid)
↑ **segregacj|a** *sf* 1. ... **zniesienie** ~**i** desegregation; **znieść** ~**ę** to desegregate
↑ **sekator** *sm* ... pruning hook
↑ **sekciarstwo** *sn* ... denominationalism
↑ **sekcj|a** *sf* 1. ... **podzielić na** ~**e** to sectionalize
↑ **sekre|t** *sm* 1. ... **powiedzieć coś komuś w** ~**cie** ... to tell sb sth privately
↑ **sekretariat** *sm* 2. ... registry
↑ **sekretny** *adj* ... undercover
↑ **seks** *sm* ... **pozbawiony** ⟨**bez**⟩ ~**u** sexless
seksowny *adj sl.* sexy
seksowy *adj sl.* sexy
↑ **seksualnie** *adv* ... ~ **podniecony** sexy
↑ **sektor** *sm* ... ~ **spółdzielczy** co-operative sector; **podzielić na** ~**y** to sectionalize
↑ **sektorow|y** *adj* ... *fiz.* **prędkość** ~**a** areal velocity
↑ **sekularny** *adj* 2. *mat.* secular
↑ **sekularyzacja** *sf* ... disendowment
sekwencyjny *adj* sequential (machine)
↑ **sekwoja** *sf* ... big tree
↑ **selektor** *sm* ... *nukl.* chopper; ~ **małej wiązki** small-beam chopper
↑ **selektywn|y** *adj* ... *aut.* ~**a skrzynka biegów** selective transmission
↑ **selen** *sm* ... *med.* **zatrucie** ~**em** selenosis; **chroniczne zatrucie** ~**em** alkali disease
selenawy *adj. chem.* selenious
selenolo|g *sm pl N.* ~**dzy** ⟨~**gowie**⟩ selenologist
selenologi|a *sf singt GDL.* ~**i** selenology
selenonau|ta *sm (decl = sf) pl N.* ~**ci**, *G.* ~**tów** selenonaut
selenonautyczny *adj* selenonautic
selenonautyka *sf singt* selenonautics
↑ **selskin|y** *spl* ... **imitacja** ~**ów** arctic seal
selsyn *sm techn.* selsyn
selsynowy *adj techn.* selsyn — (motor)
↑ **semafor** *sm* ... ~ **odstępowy** block signal
↑ **semestralny** *adj* ... mid-year (examinations etc.)
↑ **seminarium** *sn* 1. ... teach-in
↑ **sen** *sm* 1. ... **mówienie przez** ~ somniloquy
↑ **sennie** *adv* ... dreamily
↑ **senność** *sf* ... **chorobliwa** ~ sopor; **powodujący** ~ torporific; soporific
↑ **senny** *adj* 1. ... dozy; dreamy
sensacyjnie *adv* 1. (*zapowiadać się itd.*) luridly 2. (*brzmieć*) sensationally; excitingly; thrillingly
↑ **sensacyjn|y** *adj* ... ~**a prasa**, ~**e wydawnictwa** pulp
↑ **sentyment** *sm* 1. ... **nie bawiąc się w** ~**y** hard-headedly
sentymentalnie *adv* sentimentally; mawkishly; sloppily; softly
↑ **separacja** *sf* 1. ... legal separation
↑ **seplenienie** *sn* ... sigmatism
↑ **serc|e** *sn* 1. ... *boks* **cios w** ~**e** heart-point stroke; **w kształcie** ~**a** heart-shaped 3. ... **z dobrego** ~**a** ... good-heartedly 4. ... **bez** ~**a** b) (*postępować*) unfeelingly; **z ciężkim** ~**em** ... heart-stricken
↑ **serdecznie** *adv* 1. ... intimately; keenly
serial *sm G.* ~**u** *radio tv* script show
serigraf *sm G.* ~**u** *plast.* serigraph
serigrafi|a *sf singt GDL.* ~**i** *plast.* serigraphy; silkscreen (process)
↑ **serologia** *sf* ... *bot.* ~ **roślin** phytoserology
serotonina *sf biochem.* serotonin
serowacenie *sn* ↑ **serowacieć**; caseation
↑ **serowacieć** *vi* ... to caseate
↑ **serwantka** *sf* ... glass case
serwosterowanie *sn* power steering
serycyna *sf chem.* sericin
seryna *sf biochem.* serine
↑ **sezam** *sm* 2. ... benne
↑ **sezamowy** *adj* ... benne — (oil)
↑ **sezon** *sm* 2. ... **po** ~**ie** unseasonably; off season; **szczyt** ~**u** high season
↑ **sędziowsk|i** *adj* 1. ... **po** ~**u** judicially
sfagnowy *adj* sphagnum — (peat)
↑ **sfałdowanie** *sn* 2. ... ~ **piasku** (*przez wiatr, ruch wody*) ripple mark
sfen *sm G.* ~**u** *miner.* sphene
↑ **sfera** *sf* 4. ... *biol.* ~ **promienista** (*komórki*) centrosphere
↑ **sferyczny** *adj* ... spheral
sfigmometr *sm G.* ~**u** sphygmometer
↑ **sfinalizować** *vt* ... *sl.* to button up ⟨to caramelize⟩ (a deal)
sflaczale *adv* flabbily; floppily; flaccidly; limply
↑ **sfora** *sf* 1. ... doggery
↑ **siarczan** *sm* ... ~ **cynku** white vitriol
↑ **siatka** *sf* 1. ... ~ **druciana** ... hardware cloth; **gęsta** ~ **druciana** wire gauze; ~ **jednolita** expanded metal; **prąd siatki** grid current 3. ... *ekon.* ~ **płac** wage scale 7. *anat.* rete 8. *nukl.* ~ **jednolita** spacer; ~ **mokra** ⟨**zanurzona**⟩ wet lattice; ~ **podwójna** dual lattice; ~ **sucha** dry lattice
↑ **siatkowy** *adj* ... *nukl.* lattice — (reactor)
↑ **siatkówk|a** *sf* 1. ... **zapalenie** ~**i** retinitis
↑ **siąkać** *imperf* — **siąknąć** *perf* ⧈ *vi* ... to sniffle
sieciowanie *sn nukl.* cross-linking
↑ **sieciow|y** *adj* ... *nukl.* lattice —; **stała** ~**a** lattice parameter; **odstęp płaszczyzn** ~**ych** interface
↑ **sieć** *sf* 5. *fiz. nukl.* lattice
↑ **siedmiobok** *sm* ... heptahedron
↑ **siedmiokrotny** *adj* ... sevenfold
↑ **siekacz** *sm* 2. ... *zool.* (*u mięsożernych*)

carnassial 4. (*młot kamieniarski*) bush-hammer
sielsko *adv* 1. (*wiejsko*) rurally 2. (*sielankowo*) idyllically
siemens *sm fiz.* mho
↑ **sierpak** *sm* ... pruning knife ⟨hook⟩
↑ **sierpowat|y** *adj* ... *med.* **niedokrwistość ~a** sickl(a)emia
↑ **siewka** *sf* 2. ... **~ dżdżownik** (*Pluvialis apricaria*) golden plover
↑ **siewnik** *sm* ... **~ rzutowy ręczny** seed fiddle
↑ **sięg|ać** *imperf* — **sięg|nąć** *perf* Ⅲ *vi* 1. ... *przen.* **~nąć do portfela** to dip one's hand to one's purse
sigmatron *sm G.* **~u** *nukl.* sigmatron
↑ **silikon** *sm* ... silicone
↑ **silnie** *adv* 1. ... robustly; rudely; stalwartly; forcefully; vigorously; potently; lustily; huskily; nastily; (*o wietrze — wiać*) stiffly
↑ **silnik** *sm* ... **~ hamujący rakietowy** retro-rocket; **~ odrzutowy pulsacyjny** aeropulse; **~ strumieniowy ⟨naporowy⟩** ramjet; **prądnica napędzana ~iem wiatrowym** aerogenerator
↑ **sił|a** *sf* 1. ... **próba ~** ... test of force; **~a wyższa** ... force majeure 5. ... **~y Van der Waalsa** Van der Waals forces; **wektor ~y** force vector; *nukl.* **~a odpychania** repulsive force; **~a Coriolisa** Coriolis force 6. ... build-up
↑ **siłow|y** *adj* ... *fiz.* **stała ~a** force constant
singulet *sm nukl.* singlet
↑ **siodłowy** *adj* 2. *nukl.* saddle — (point, deformation)
↑ **sitow|y** *adj* 1. ... *bot.* **rurki ~e** sieve tubes 2. *nukl.* screen — (analysis, classifier); mesh — (method)
↑ **siwieć** *vi* 1. ... to grizzle
↑ **skacząc|y** *adj* ... (*o człowieku*) saltant; (*o ruchu*) saltatory; **zwierzę ~e** salientian
↑ **skafander** *sm* 1. ... windbreaker; windcheater
↑ **skakać** *vi* — **skoczyć** *vi* 1. ... to upspring
↑ **skal|a** *sf* 1. ... **~a płac** wage scale; *fiz.* **współczynnik zmiany ~i** scale factor 2. ... **~a przemysłowa** full-scale system; **projekty na wielką ~ę** large-scale projects ⟨schemes⟩; (*praca, produkcja itd.*) **na małą ~ę** smalltime (work, production etc.)
↑ **skalać** Ⅲ *vr* **~ się** ... to disgrace oneself
skaleniowy *adj miner.* feldspathic, feldspathous
↑ **skalisty** *adj* 1. ... rick-ribbed 3. *anat.* petrosal
↑ **skaln|y** *adj* 2. ... **roślina ~a** lithophyte
↑ **skał|a** *sf* 1. ... *górn.* veinstone; **~a pierwotna** host rock; **~a towarzysząca** wall rock; **przyrząd do badania struktury ~** cinematone
skałoznawstwo *sn singt* lithology
↑ **skamielin|a** *sf* ... *(o skałach itd.)* **zawierający ~y** fossiliferous
↑ **skandalicznie** *adv* ... flagrantly
skandowy *adj chem.* **tlenek ~** scandia
skaner *sm techn.* scanner
skaning *sm G.* **~u** *nukl.* scanning
↑ **skarłowaciały** *adj* ... dwarfed
↑ **skarpet|a** *sf*, **skarpet|ka** *sf* ... half-hose
↑ **skarżypyta** *sm sf* ... tattletale
↑ **skaz|a** *sf* 2. ... **bez ~y** b) ... fleckless
↑ **ska|zić** *perf* — **ska|żać** *imperf* Ⅰ *vt* 2. ... to denaturate, to denature; **substancja ~żająca** denaturant
↑ **skażeni|e** *sn* ... **ulegający ~u** vitiable; *nukl.* **~e promieniotwórcze** radiocontamination; **pozbawić (okolicę itd.) ~a radioaktywnego** to decontaminate (the region etc.)
↑ **skądkolwiek** *adv* ... from anywhere; from any place
↑ **skąpo** *adv* 1. ... scrimpily; illiberally; ungenerously 2. ... penuriously 3. ... meanly
↑ **skąpy** Ⅰ *adj* 1. ... scrimpy 2. ... sparing
skiaskop *sm G.* **~u** *med.* skiascope; retinoscope
skiaskopi|a *sf singt GDL.* **~i** *med.* skiascopy; retinoscopy
↑ **skierow|ać** *perf* — **skierow|ywać** *imperf* Ⅰ *vt* 1. ... **~ać czyjąś uwagę na coś** to direct sb's attention to sth; **~ać oczy ku czemuś ⟨na coś⟩** to direct one's gaze towards sth
sklepianie *sn* ↑ **sklepiać**; arching
sklepiony Ⅰ *pp* ↑ **sklepić** Ⅲ *adj* arched; vaulted; domed
sklerenchyma *sf bot.* sclerenchyma
sklerometr *sm G.* **~u** sclerometer
↑ **skła|d** *sm* 3. ... **w pełnym ~dzie** complete (team etc.); *sąd.* in banc; **~d pociągu** draft of cars 4. ... **~d chemiczny** chemical composition 6. *druk.* composition; typesetting; **~d ręczny ⟨maszynowy⟩** hand ⟨machine⟩ composition
↑ **składak** *sm* 1. ... foltboat; foldboat
↑ **składanie** *sn* 1. ... **~ śmieci** dumping; dumpage 3. ... composing
↑ **składka** *sf* 3. ... a due
składowa *sf* (*decl = adj*) component; *nukl.* **~ twarda** hard component (of radiation)
↑ **składowani|e** *sn* ... **okres bezpiecznego ~a** shelf-life
↑ **składowy** Ⅰ *adj* 1. ... **zbiornik ~** storage tank 2. ... *nukl.* structural (particle)
skłócony Ⅰ *pp* ↑ **skłócić** Ⅲ *adj* discordant
↑ **sknera** *sm* ... chuff
sknerowaty *adj* niggardly; scrimpy
↑ **sknoc|ić** *vt perf* ... **~ić coś** to make sad work of sth

↑ **skoczyć** *vi* 4. (*o cenach — wzrosnąć gwałtownie*) to rocket
↑ **skok** *sm* 1. ... **poruszający się ~ami** saltatory 6. ... **~ w dal** broad jump; **~ z miejsca** standing jump; **~ z rozbiegu** running jump; **~i do wody** water jumping 7. ... *nukl.* **~ mocy reaktora** excursion; **długość ~u** step length
↑ **skokow|y** *adj* 1. ... *mat.* **funkcja ~a** step function 3. *wet.* **choroba ~a** looping-ill
↑ **skolopendra** *sf* ... scolopendrid
skołtuniony ⊡ *pp* ↑ **skołtunić** ⊞ *adj* (*o włosach*) matted
↑ **skonany** *adj* ... outspent; pooped
skoncentrowany ⊡ *pp* ↑ **skoncentrować** ⊞ *adj wojsk.* **~ atak lotniczy** crash raid
↑ **skontrolować** *vt* ... **wielokrotnie ~** to cross-check
↑ **skończy|ć** ⊞ *vr* **~ć się** 1. ... **~ło się na tym, że** ... the pay-off was that ...
↑ **skopolamina** *sf* ... hyoscine
skopolina *sf farm.* scopoline
skorkowaciały ⊡ *pp* ↑ **skorkowacieć** ⊞ *adj bot.* suberized
skorpenowaty *adj zool.* scorpaenoid
↑ **skorupa** *sf* 3. ... clam-shell
↑ **skorupiak** *sm* ... **~ krótkoodwłokowy** brachyuran
↑ **skorupow|y** *adj* ... *techn.* **formowanie ~e** shell moulding
skoryl *sm G.* **~u** *miner.* schorl
↑ **skos** *sm* ... *lotn.* **~ (płata) dodatni ⟨do tyłu⟩** sweepback; **~ (płata) ujemny ⟨do przodu⟩** sweep-forward
skośnica[2] *sf bot.* parastichy
↑ **skóra** *sf* 1. ... **surowa ~ bydlęca** raw-hide 2. ... **sztuczna ~** leatheroid
↑ **skórn|y** *adj* ... *nukl. med.* **dawka ~a** skin dose
↑ **skr|acać** *imperf* — **skr|ócić** *perf* ⊡ *vt* 1. ... *pot. aut.* **~acać, ~ócić światła** to dip the headlights ⊞ *vr* **~acać, ~ócić się** 1. ... to draw in
↑ **skracanie** *sn* ... **~ mąk** mercy killing
↑ **skrajnie** *adv* ... utterly
↑ **skrajn|y** *adj* ... **ludzie (będący) w ~ej nędzy** the most destitute
↑ **skrapiać** *imperf* — **skropić** *perf* ⊡ *vt* 2. ... to dabble
↑ **skręcalność** *sf* ... torsibility
↑ **skręcenie** *sn* ... turbination
↑ **skrępowany** ⊞ *adj* 3. ... self-conscious
skrętność *sf singt* torsibility
↑ **skrobak** *sm* ... *techn.* doctor blade
↑ **skrobanka** *sf* ... *med.* curettage
↑ **skrobia** *sf* ... amylum
↑ **skrobiowy** *adj* ... **osad ~** fecula
↑ **skrofuliczny** *adj* ... strumous
↑ **skrofuły** *spl* ... struma
↑ **skromnie** *adv* 4. ... obscurely 6. ... meagrely 7. (*przyzwoicie*) decently
↑ **skromnisia** *sf, rz.* **skromniś** *sm* prude; ...
skrócony ⊡ *pp* ↑ **skrócić** ⊞ *adj* shortened; abridged; contracted
↑ **skrót** *sm* 1. ... **~ przemówienia ⟨wiadomości itd.⟩** capsule 2. ... (*o wydaniu książki*) **bez ~ów** unabridged
↑ **skruch|a** *sf* ... **ze ~ą** ... regretfully; remorsefully; repentantly; **bez ~y** unpenitently; remorselessly; regretlessly
↑ **skrupulatnie** *adv* ... punctiliously
↑ **skrupuł** *sm* 1. ... **bez ~ów** ... (*okolicznikowo*) ... unconscionably; remorselessly: **pozbawiony ~ów** conscienceless
↑ **skrycie**[2] *adv* ... cattily; cattishly
↑ **skrypt** *sm* 3. *pl* **~y** *zbior.* sub-literature
↑ **skrytopłciowy** *adj* ... flowerless
↑ **skrzat** *sm* 2. ... dobby
↑ **skrzelow|y** *adj* ... **sieć ~a** gill net
skrzemienieć *vi perf miner.* to silicify
↑ **skrzętnie** *adv* ... providently
↑ **skrzydełko** *sn* 2. ... ala
skrzydełkowaty *adj anat.* pterygoid
↑ **skrzydlaty** *adj* 1. ... wingy
↑ **skrzydło** *sn* 5. ... **~ okienne** window sash
skrzydłonogi *adj zool.* aliped
↑ **skrzydłowy** ⊞ *sn* 3. *lotn.* (*w formacji*) wingman
↑ **skrzynia** *sf* 5. ... **~ zaworowa** steam chest
↑ **skrzynka** *sf* 1. ... *aut.* **automatyczna ~ biegów** automatic ⟨selfchange⟩ gearbox
↑ **skrzyp** *sm* 2. ... **~ zimowy** (*Equisetum hiemale*) scouring rush
skrzypiąc *adv* creakily
skrzypiący *adj* creaky (shoes etc.)
↑ **skrzypłocz** *sm* ... horseshoe crab
↑ **skrzyżowanie** *sn* 2. ... **~ dwupoziomowe ⟨bezkolizyjne⟩** cloverleaf (of highways)
↑ **skuć** *vt* — **skuwać** *vt* 2. ... to manacle
skumanie się ↑ **skumać się**; hookup
↑ **skupi|ać** *imperf* — **skupi|ć**[1] *perf* ⊞ *vr* **~ać, ~ć się** 1. ... to draw together; **~ać, ~ć się wokół kogoś, czegoś** to draw round sb, sth
↑ **skupieni|e** *sn* 2. ... glomeration; **stan ~a** ... consistency
↑ **skurcz** *sm* 1. ... *nukl.* **niestabilność ~u** pinch instability
↑ **skurczow|y** *adj* 1. ... *zool.* **pęcherz ~y** shrinkage cavity 3. *nukl.* pinch —; **wyładowanie ~e** pinch discharge
↑ **skutecznie** *adv* ... forcefully; potently
↑ **skut|ek** *sm* 1. ... **bez ~ku** ... inefficaciously; **z pożądanym ~kiem** efficaciously
skwarny *adj* sweltering; scorching; torrid
slajd *sm G.* **~u** *fot.* slide
slang *sm G.* **~u** *jęz.* slang
↑ **slogan** *sm* 2. ... catch phrase; **~ propagandowy** propaganda slogan
↑ **słabo** *adv* 1. ... limply; infirmly; flabbily; flaccidly 2. ... flimsily; inferiorly; ineffectually
słabozasadowy *adj chem.* alkalescent
↑ **słaby** *adj* 1. ... **~ przeciwnik** *sl.* push-over
słaniając się *adv* groggily

słaniający się *adj* staggering; tottering; (*o człowieku*) groggy
↑ **sława** ☐ *sf* 3. ... big-name
↑ **sławnie** *adv* ... illustriously; famously; prominently
↑ **słodowy** *adj chem. farm. techn.* malty; ...
↑ **słom|a** *sf* ... **koloru ~y** straw-coloured
↑ **słomka** *sf* 1. ... **~ do picia** sipper
↑ **słoneczn|y** *adj* 1. ... sun — (disk etc.); **elektrownia ~a** solar battery
↑ **słono** *adv* ... **~ zapłacić** ... to pay stiffly
słowacki *adj* Slovak
Słowa|k *sm*, **Słowa|czka** *sf*, *pl G.* **~czek** (a) Slovak
słoweński *adj* Slovene
↑ **słowny** *adj* 1. ... word — (accent etc.)
↑ **słow|o** *sn* 1. ... **bez słów** dumbly; **piękne ~a** ... phraseology
↑ **słowotwórcz|y** *adj* ... **cząstka ~a** bound form
↑ **słuchawka** *sf* 1. ... handset
↑ **słuchowiec** *sm* ... ear-minded person
↑ **słuchowy** *adj* 2. ... **aparat ~** (*dla głuchych*) hearing aid
↑ **słup** *sm* 1. ... *bud.* **~ podtrzymujący** bed-post
↑ **słup|ek** *sm* 1. ... **konstrukcja ze ~ków** studwork
↑ **słupkowie** *sn* ... gynoeceum, gynoecium
słupkow|iec *sm G.* **~ca**, *pl N.* **~ce**, *G.* **~ców** *zool.* strongyle; stomach worm
↑ **słupołazy** *spl* ... cleats
↑ **słusznie** *adv* 1. ... honestly; meetly; righteously 3. ... lawfully; legitimately
↑ **słuszny** *adj* 2. ... righteous
↑ **służąc|y** ☐ *sf* **~a** ... **~a do wszystkiego** maid-of-all-work
↑ **służb|a** *sf* 1. ... (*o kobiecie*) **pójść do ~y ⟨na ~ę⟩** to go as maid 2. ... **~a dyplomatyczna** diplomatic service 3. ... (*o szkoleniu itd.*) **odbywający się w ramach ~y wojskowej** in-service (schooling etc.) 5. ... domestic staff
↑ **służbow|y** ☐ *adj* 1. ... *telef.* **rozmowa ~a** duty call
słynnie *adv* illustriously; famously
↑ **słyszalnoś|ć** *sf* ... **zakres ~ci** audiorange
↑ **słyszenie** *sn* ... **przyrząd ułatwiający ⟨polepszający⟩ ~** hearing aid
↑ **smak** *sm* 2. ... sapor; **bez ~u** ... unsavoury; insipid; **przyjemny w ~u** sipid 4. ... **jeść coś ze ~iem** ... to eat sth tastily
↑ **smakowicie** *adv* 1. ... daintily 3. ... tastily
↑ **smakowity** *adj* 1. ... dainty
↑ **smakowy** *adj* 1. ... taste — (centre etc.)
↑ **smarkaty** ☐ *adj* ... *am. sl.* pantywaist
↑ **smarkula** *sf* ... *am. sl.* pantywaist
↑ **smażyć** ☐ *vt* 1. ... **~ dżem ⟨marmoladę⟩** to make jam ⟨marmalade⟩
↑ **smętek** *sm* ... dismalness
↑ **smętnie** *adv* ... dolorously; dismally
↑ **smętny** *adj* ... dismal
smog *sm G.* **~u** smog
↑ **smoking** *sm* ... dinner-coat
↑ **smoln|y** *adj* ... **drewno ~e** torchwood
↑ **smoła** *sf* ... **~ ziemna** ... mineral tar; **czarny jak ~** ... piceous
↑ **smołowaty** *adj* ... piceous
↑ **smrodliwie** *adv* ... rankly; foully; malodorously
↑ **smrodliwy** *adj* ... malodorous
↑ **smrodzić** *vi* 1. ... to infest the air
↑ **smród** *sm* 1. ... reek
↑ **smut|ek** *sm* ... **ze ~kiem** ... gloomily; dolefully; joylessly; grievingly; ruefully
↑ **smutnie** *adv* 1.... dolefully; ruefully; grievously; sombrely; somberly
snopiąc|y *adj nukl.* **ostrze ~e** spray point
↑ **sobolowy** *adj* ... zibeline
↑ **soból** *sm* 2. ... zibeline
socjobiologiczny *adj* sociobiological
socjogram *sm G.* **~u** sociogram
↑ **socjologia** *sf* ... demotics
socjometri|a *sf singt GDL.* **~i** sociometry
socjometryczny *adj* sociometric
↑ **soczyście** *adv* 1. ... lushly
↑ **sodow|y**[1] *adj* ... **lampa ~a** sodium (vapour) lamp
sokowirów|ka *sf pl G.* **~ek** *techn.* juice extractor
↑ **solanka** *sf* 2. ... barilla
↑ **solidnie** *adv* 3. ... steadfastly; steadily; tidily
soło|niec *sm G.* **~ńca** *roln.* white alkali; saline soil
↑ **somatyczn|y** *adj* ... **komórka ~a** body ⟨somatic⟩ cell; **uszkodzenie ~e** somatic injury
sonar *sm techn.* sonar
sondolina *sf mar.* sounding line
sorbinowy *adj*, **sorbowy** *adj chem.* sorbic (acid)
sorboza *sf farm.* sorbose
↑ **sortowanie** *sn* ... grading
↑ **sos** *sm* ... (*o potrawie*) (*podany*) **we własnym ~ie** au jus
↑ **sosnow|y** *adj* 1. ... pine —; **igła ⟨szpilka⟩ ~a** pine needle
↑ **sowa** *sf* ... **~ biała** (*Nyctea nyctea*) snowy owl; **~ jarzębata** (*Surnia ulula*) day owl; hawk owl
↑ **sód** *sm* ... natrium; *nukl.* **reaktor chłodzony sodem** sodium-cooled reactor
↑ **sól** *sf* 1. ... **zawartość soli** salinity 2. ... sal; **sole trzeźwiące** sal volatile; **~ podwójna** double salt; **~ tlenowa** oxysalt; **sole nadtlenowe** persalts; **przemieniać w ~** to salify
↑ **spacerowy** *adj* ... **dziecinny wózek ~** push-chair
↑ **spać** *vi* 1. ... *sl.* to hit the sack; to sack in
↑ **spad|ek** *sm* 2. ... (*malenie*) ... **~ek ilości (zamówień, zgłoszeń itd.)** cut-back 4. ... decedent estate; **w ~ku** hereditarily
↑ **spadkow|y** *adj* 1. ... **masa ~a** decedent estate
↑ **spadochron** *sm* ... *pot.* chute

↑ **spadochronow|y** *adj* ... **wojska ⟨oddziały⟩ ~e** sky-troops; airborne troops

↑ **spajanie** *sn* 2. ... bonding

spalacja *sf singt geol.* spallation; spalling

spalacyjny *adj* spallation — (fragment, process etc.); spalling — (hammer)

↑ **spala|nie** *sn* 2. ... **komora ~nia** combustion chamber; (*w silniku turbo-spalinowym*) combustor 3. ... **łyżka do ~ń** deflagrating spoon

↑ **spalinowy** *adj* ... combustion —; **zespół przewodów ~ch** harness

↑ **spaliny** *adj* ... car exhaust

spartaczony [I] *pp* ↑ **spartaczyć** [III] *adj* botchy

↑ **spawanie** *sn* weldment; ...

↑ **specjalista** *sm*, **specjalistka** *sf* ... master hand

spektakularny *adj lit.* spectacular; scenic; splendid

↑ **spekulacyjnie** *adv* ... speculatively

spekulanctwo *sn singt* spivery; profiteering

↑ **speleolog** *sm* ... *sl.* spelunker

↑ **speleologia** *sf* ... *pot.* potholing

↑ **speleologiczny** *adj* ... spelaean

↑ **spelunka** *sf* ... honky-tonk; juke-joint

↑ **spełni|ać** *imperf* — **spełni|ć** *perf* [I] *vt* ... **~one marzenie** a dream come true

spermacetowy *adj* sperm — (oil)

spermatofor *sm zool.* spermatophore

spermogonium *sm bot.* spermogonium

speszenie *sn* ↑ **speszyć;** discomfiture

↑ **speszyć** [I] *vt* ... to discomfit

spęcherzenie *sn techn.* blistering

↑ **spichlerz** *sm*, **spichrz** *sm* 2. *przen.* (*okolica chlebodajna*) breadbasket

↑ **spiek** *sm* ... **~ ceramiczny** cermet; ceremal

spierniczały [I] *pp* ↑ **spierniczeć** [III] *adj sl.* old-foggish

spieszony [I] *pp* ↑ **spieszyć**[2] [III] *adj* dismounted

↑ **spiętrzeni|e** *sn* 4. *lotn.* (*także* **zjawisko ~a**) ram; ram effect

spiknięcie się ↑ **spiknąć się;** hookup

↑ **spin** *sm* ... *nukl.* **~ połówkowy** half-integral; **moment magnetyczny ~u wyższego rzędu** extra-spin magnetic moment; **wektor ~u** spin vector

spinor *sm nukl.* spinor

spinorowy *adj nukl.* spinor — (field)

spinowy *adj* spin — (vector, field)

spinter|oskop *sm G.* **~oskopu, spinter|yskop** *sm G.* **~yskopu** *techn.* spinthariscope

↑ **spiralny** [I] *adj* ... helicoid; turbinate

spirograf *sm G.* **~u** spirograph

↑ **spirytus** *sm* ... **~ stężony** spirit duplicating

↑ **spis** *sm* 1. ... **nie uwzględniony ⟨nie figurujący⟩ w ~ie** unlisted; **wykreślić ze ~u** to delist

↑ **splendor** *sm* ... **otaczać ~em** to glamourize

splisowani|e *sn* ↑ **splisować**[2]; *mar.* **szydło do ~a** marline-spike

↑ **spłaszczeni|e** *sn* ... **w ~u** oblately

spłaszczon|y [I] *pp* ↑ **spłaszczyć** [III] *adj* flattened; compressed

↑ **spławny** *adj* ... **kanał ~** ship canal

↑ **spływ** *sm* 1. ... *lotn.* **krawędź ~u** trailing edge

↑ **spły|wać** *vi* — **spły|nąć** *vi* ... *sl.* **~waj!**, **~ń!** blast off!

↑ **spoczyn|ek** *sm* 1. ... **roślina w stanie ~ku** ... resting plant; **~ek fizjologiczny nasion** seed dormancy

↑ **spoczynkow|y** *adj* 1. ... *biol. bot.* resting 2. ... *nukl.* **energia ⟨masa⟩ ~a** rest energy ⟨mass⟩

spodlony [I] *pp* ↑ **spodlić** [III] *adj* degraded; debased

spoganić *vt perf* to heathenize

spoganieć *vi perf* to heathenize

↑ **spoina** *sf* 2. ... **~ czołowa** butt weld

spoiście *adv* compactly; coherently; cohesively; densely; tenaciously; tightly

spojeniowy *adj anat.* symphyseal; symphysial

↑ **spokojnie** *adv* 1. ... imperturbably; placidly 3. ... reposefully 5. (*bez wydarzeń, incydentów*) uneventfully

↑ **spokojny** *adj* 2. ... reposeful

↑ **spok|ój** *sm* 1. ... **z największym ~ojem** ... imperturbably 2. ... **w ~oju** ... reposefully

spokrewniony [I] *pp* ↑ **spokrewnić** [III] *adj* related; connected; sib

spolimeryzowany [I] *pp* ↑ **spolimeryzować** [III] *adj chem.* polymeric

↑ **społeczn|y** *adj* 3. ... **medycyna ~a** social medicine; **opieka ~a** public assistance, social welfare

sporangium *sn bot.* sporangium

spor|ek *sm G.* **~ka** *bot.* (*Spergula*) spurr(e)y

spornie *adv* disputably; controversially; contestably; questionably

↑ **sporny** *adj* 1. ... **teren ~** debatable ground

sporocysta *sf bot.* sporocyst

sporogeneza *sf singt biol.* sporogenesis

sporozoit *sm G.* **~u** (*zw. pl.*) *zool.* sporozoite

↑ **sportow|iec** *sm* ... **godny prawdziwego ~ca** sporty

↑ **sportow|y** *adj* ... **obiekty ~e** sports facilities; **po ~emu** ... **ubrany po ~emu** ... in casual clothes

spostrzegawczo *adv* perceptively; observantly

↑ **spostrzeżeni|e** *sn* 1. ... **oparty na ~u** observational

spostrzeżeniowo *adv* perceptively

spowalniani|e *sn* ↑ **spowalniać;** *nukl.* slowing down; **współczynnik ~a** moderating ratio

↑ **spożycie** *sn* 2. ... **~ dzienne ⟨masowe⟩** daily ⟨mass⟩ consumption

↑ **spożywcz|y** *adj* ... **artykuły ~e** ... victuallage
↑ **spódnica** *sf* ... **~-spodnie** culottes
↑ **spójny** *adj* ... strongly connected
↑ **spółdzielczo** *adv* ... co-operatively
↑ **spracowany** Ⅲ *adj* ... toil-worn
↑ **spragniony** *adj* 1. ... dry
↑ **sprawdzian** *sm* ... *nukl.* template
↑ **sprawiedliwie** *adv* ... evenly; righteously; lawfully; uprightly
↑ **sprawiedliwoś|ć** *sf* 1. ... **po ~ci** ... equitably
↑ **sprawiedliwy** Ⅰ *adj* 1. ... (*o człowieku*) ... fair-minded
↑ **sprawnościowy** *adj* ... **test ~** aptitude test
↑ **sprawnoś|ć** 1. ... **próba ~ci** ... aptitude test; *lotn.* **~ć śmigła** propulsive efficiency
↑ **sprawny** *adj* 2. ... (*o samolocie*) airworthy; (*o statku*) seaworthy
↑ **sprawozdani|e** *sn* ... **~a prasowe** coverage
↑ **sprawozdawczy** *adj* ... reportorial
↑ **sprecyzowani|e** *sn* ... **oskarżyć kogoś bez ~a zarzutu** to charge sb unqualifiedly
↑ **sprężarka** *sf* ... **~ doładowująca** supercharger
sprężony Ⅰ *pp* ↑ **sprężyć** Ⅲ *adj* compressed (air etc.); *fiz.* pinched (gas); **wyładowanie w gazie ~m** pinched gas discharge
↑ **sprężyk** *sm* ... elaterid; snapping beetle
↑ **sprężyn|a** *sf* 1. ... **stała ~y** spring constant
sprężynowanie *sn* ↑ **sprężynować;** spring-back
↑ **sproszkow|ać** *perf* — **sproszkow|ywać** *imperf* Ⅰ *vt* ... **dający się ~ać** triturable
↑ **sproszkowani|e** *sn* ... (*możliwy*) **do ~a** triturable
↑ **sprośnie** *adv* ... scabrously; foully; filthily; dirtily; nastily; scurrilously; smuttily; salaciously
↑ **sprośnoś|ć** *sf* 2. ... **mówić ~ci** to talk dirt
↑ **sprośny** *adj* 1. ... ithyphallic; thersitical
↑ **spróchni|eć** *vi perf* 1. ... **~ała tkanka** decay
↑ **sprytnie** *adv* ... trickily
↑ **sprzeciw** *sm* ... **wysunąć ~** to demur
↑ **sprzecznie** *adv* ... inconsistently; contradictorily; discrepantly
sprzedajnie *adv* venally; vendibly; corruptibly
↑ **sprzedajny** *adj* ... vendible
↑ **sprzedani|e** *sn* ... **do ~a** ... for disposal
↑ **sprzedaż** *sf* ... **~ wiązana** ... *pot.* tie-in sale
sprzęgający *adj nukl.* coupling; **kondensator ~** coupling condenser
↑ **sprzęt** *sm* 2. ... **~ sportowy** sports implement ⟨gear, apparatus⟩
sprzężani|e *sn 1.* ↑ **sprzęgać** 2. *nukl.* coupling; **efekt ~a** coupled effect; **~e zupełne** coupling in the large; **stała ~a** coupling constant
↑ **sprzężenie** *sn* ... *radio* **~ zwrotne** feed-back; **~ zwrotne dodatnie ⟨ujemne⟩** positive ⟨negative⟩ feed-back
sprzężon|y Ⅰ *pp* ↑ **sprząc, sprzęgnąć** Ⅲ *adj* 1. *fiz.* paired; **siatki ~e** paired lattices 2. *nukl.* adjoint; **funkcja ~a** adjoint function
sprzyjająco *adv* propitiously
sprzyjający *adj* propitious; favonian; friendly
↑ **spust** *sm* 3. ... letoff
↑ **spustow|y** *adj* ... **rura ~a** ... downspout; (*w kanalizacji*) **przewód ⟨pion⟩ ~y** soil pipe; *elektr.* **układ ~y** trigger (circuit); *techn.* **zawór ~y** dump valve
↑ **spuścizna** *sf* 2. ... posthumous output
↑ **spycha|k** *sm*, **spycha|rka** *sf* ... **~rka skośna** angledozer; **usuwać (ziemię, żwir) ~rką** to blade
↑ **srogo** *adv* ... grimly; dourly
↑ **sromotnie** *adv* ... infamously; disreputably; flagrantly; ingloriously
↑ **ssanie** *sn* ... *meteor.* **~ cykloniczne** cyclonic indraught
↑ **stabilizacja** *sf* ... *wojsk. techn.* **~ (pocisku) ruchem obrotowym** spin stabilization
↑ **stabilizator** *sm* 3. ... · **giroskopowy** gyrostabilizer
stabilizowan|y Ⅰ *pp* ↑ **stabilizować** Ⅲ *adj* stabilized; *wojsk. techn.* **rakieta ~a ruchem obrotowym** spinner; spin-stabilized rocket
↑ **stacja** *sf* 2. ... **samoobsługow ~ benzynowa** gas-a-teria
stadnie *adv* gregariously; sociably; socially
↑ **stagnacj|a** *sf* ... **w ~i** stagnantly
↑ **stal** *sf* ... **~ zlewna** cast steel
↑ **stale** *adv* ... immutably; durably; steadily; endlessly; continually; enduringly; (ever)lastingly
stalinow|iec *sm G.* **~ca,** *pl N.* **~cy** Stalinist, Stalinist communist
↑ **stalinowski** *adj* ... Stalinist
↑ **stalówk|a** *sf* 1. ... **pióro ze złotą ~ą** gold-nibbed pen
↑ **stał|y** Ⅰ *adj* 1. ... **faza ~a** solid phase; **fizyka ciała ~ego** solid state physics; **pole magnetyczne ~e** static magnetic field; **równowaga ~a** secular equilibrium; *nukl.* **źródło o ~ym natężeniu** stable emitter 3. ... **armia ~a** standing army Ⅲ *sf* **~a** ... *mat.* **~a liczbowa** numerical constant; *mech.* **~a sprężyny** spring constant
na ~e ... **przytwierdzony ⟨zamocowany, wprawiony⟩ na ~e** ... undetachable
↑ **stan** *sm* 1. ... (*o budynku, sprzęcie*) **w złym ~ie** in disrepair 8. *powinno być:* (*część sukni*) waistline
↑ **stanowczo** *adv* 1. ... decisively; distinctly; conclusively; downrightly; resolutely

2. ... assertively 3. (*zdecydowanie*) sturdily

↑ **stanowczy** *adj* 1. ... **człowiek ~** a man of decision

↑ **stanowić** [III] *vt* 2. ... **~ przeszkodę** to stand in the way

↑ **stanowisko** *sn* 4. ... **zająć krańcowo odmienne ~** to about-face

stapeli|a *sf GDL.* **~i** *bot.* (*Stapelia*) stapelia

↑ **starannie** *adv* ... nattily; solicitously; regardfully; elaborately; tidily; neatly (written etc.); painstakingly

↑ **staranność|ć** *sf* ... **z wielką ~cią** painstakingly

↑ **staranny** *adj* ... tidy

↑ **starcz|y** *adj* ... anile; **renta ~a** old-age pension

starobabski *adj pot.* old-womanish

↑ **staromodnie** *adv* ... fustily

↑ **starożytnoś|ć** *sf* 1. ... **w ~ci** anciently

↑ **start** *sm* 3. ... **odliczać ~ rakiety** to count down

↑ **startować** *vi* 1. ... **~ w jakiejś dyscyplinie sportowej** to take part in a sport

↑ **startowy** *adj* ... *lotn.* **prowizoryczny ⟨przenośny⟩ pas ~** air-strip

starty [I] *pp* ↑ **zetrzeć** [III] *adj* (*noszący skutki tarcia*) attrited

↑ **starzec** *sm* 2. ... **~ jakubek** (*Helenium autumnale*) yellowweed

starzenie *sn* ↑ **starzeć się** 1. *fiz.* (*także* **utwardzanie przez ~**) age-hardening 2. **~ się** aging, ageing

starzędowy *adj farm.* **olejek ~** checkerberry oil

↑ **statecznie** *adv* ... steadily

↑ **stateczność** *sf* 1. ... demureness

↑ **stateczny** *adj* 1. ... demure

↑ **statek** *sm* 1. ... **~-chłodnia** reefer; (*pojazd księżycowy*) **~ wyprawowy** lunar module

↑ **statystyczny** *adj* ... **urząd ~** census bureau

↑ **statyw** *sm* ... **jednonożny ~ fotograficzny** unipod

↑ **staw** *sm* 2. ... **~ nieruchomy** synarthrosis; *med.* **zapalenie ~ów i kości** osteoarthritis

↑ **stawidło** *sn* 2. ... link motion

↑ **stchórzyć** *vi* ... **~ w ostatniej chwili** to chicken out

stellarator *sm nukl.* stellarator

↑ **stempel** *sm* 2. ... **~ pocztowy** ... date cancel

stemplowanie *sn* 1. ↑ **stemplować** 2. *bud.* shoring

↑ **stenogram** *sm* ... stenograph, *am.* stenograf

↑ **ster**[1] *sm* ... **trzon ~u** rudder post

↑ **sterczący** *adj* ... protrusive

↑ **stereofonia** *sf* ... stereophonic sound system; stereophony

↑ **stereofoniczn|y** *adj* ... **urządzenie ~e, zestaw ~y** stereo equipment

stereograf *sm G.* **~u** *fot.* stereograph

stereoizometri|a *sf singt GDL.* **~i** stereoisomerism

↑ **stereometria** *sf* ... solid geometry

stereomikroskop *sm G.* **~u** *techn.* stereomicroscope

stereoptyka *sf singt fot.* stereoptics

stereotype|r *sm pl N.* **~rzy** *druk.* stereotyper; stereotypist

steroid *sm G.* **~u** *chem.* steroid

sterol *sm G.* **~u** *biochem.* sterol

↑ **sterować** [I] *vt* 2. ... to gear; *lotn.* **~ przy bocznym wietrze** to crab

sterowani|e *sn* 1. ↑ **sterować** 2. *mar.* steering; *lotn.* piloting; control; **~e przy pomocy urządzeń naziemnych** ground control; **mechanizm napędu ~a** control drive mechanism; **parametr ~a** control variable; *fiz.* **~e samoczynne** automatic control; **przyrząd do ~a samoczynnego** automatic controller; **zdalne ~e** remote control, telecontrol

sterowany [I] *pp* ↑ **sterować** [III] *adj* controlled (rocket etc.); **lot ~ obserwacją ziemi** contact flight; **~ z ziemi** ground controlled

↑ **sterowniczy** *adj* ... control — (rod, desk, panel)

↑ **sterowność** *sf* ... dirigibility

↑ **sterta** *sf* 2. ... dump

sterylność *sf singt* sterility

↑ **sterylny** *adj* ... axenic

↑ **stęp** *sm* 2. ... **kości ~u** tarsal bones

stępowośródstopny *adj anat.* tarsometatarsal

stężały [I] *pp* ↑ **stężeć** [III] *adj* (*o rysach twarzy*) contracted

↑ **stężenie** *sn* 1. ... *bud.* **~ poprzeczne** bridging; *metalurg.* **~ graniczne** saturation point 2. ... **~ roztworu** dilution ratio

stilbestrol *sm G.* **~u** *biochem.* stilb(o)estrol

↑ **stłoczyć** *perf* — **stłaczać** *imperf* [I] *vt* ... to jampack

stocznictwo *sn singt* harbour industry

↑ **stoisko** *sn* 1. ... bar; **~ z kapeluszami ⟨z pantoflami itd.⟩** hat ⟨slipper etc.⟩ bar

↑ **stojąc|y** *adj* ... **słuchacz ⟨widz⟩ zajmujący miejsce ~e** standee; *fiz.* **fala ~a** standing wave

stokrotność *sf singt* centuple; centuplication

↑ **stokrotny** *adj* centuple; ...

stolarka *sf* 2. ... **~ artystyczna** cabinet-work

↑ **stolik** *sm* ... **~ na kółkach ⟨na rolkach⟩** ... dumb waiter

↑ **stołować** [III] *vr* **~ się** ... to dine out

↑ **stonować** *vt* 2. ... to reduce (colour)

stonowan|y [I] *pp* ↑ **stonować** [III] *adj* **barwa ~a** reduced shade

↑ **stop**[1] *sm* ... **składnik ~u** alloying element; **~ miedziowo-niklowy** cupronickel; **srebrny ~ monetowy** billon

stop[2] *sm G.* **~u** *aut.* stop-light
↑ **stopa** *sf* 1. ... *med.* **leczenie wad budowy i chorób stóp** podiatry 7. ... **~ kubiczna ⟨deskowa⟩** board foot
↑ **stoper** *sm* 1. ... *fiz.* **~ kosmiczny** cosmic stop-watch
↑ **stop|ień** *sm* 2. ... echelon 4. ... *nukl.* stage 5. ... **w niewielkim ~niu** inconsiderably 8. *mat.* power; order; **drugiego ~nia** quadratic; **trzeciego ~nia** cubic; **równanie drugiego ~nia** quadratic ⟨second-order⟩ equation
↑ **stopniować** *vt* 1. ... **~ napięcie** (*sztuki, powieści itd.*) to build up
↑ **stopniow|y** *adj* ... step — (potentiometer); (*w rakietnictwie*) **rakieta ~a** step rocket
↑ **storpedować** *vt* 2. ... to stymie
↑ **stosować** Ⅲ *vr* **~ się** 1. ... **nie ~ się do przepisów ⟨do rozkazów⟩** to disobey rules ⟨orders⟩
↑ **stosowanie** *sn* 6. ... **nie ~ się** non-conformance (**do czegoś** with sth)
↑ **stosownie** *adv* 2. (*należycie*) decorously; worthily 3. (*praktycznie*) expediently; (*odpowiednio*) appropriately; fitly; pertinently; proportionally
↑ **stosowność** *sf* 2. ... decorousness; worthiness
↑ **stosowny** *adj* 2. ... befitting
↑ **stosunek** *sm* 1. ... *fiz.* **~ naprężenia do odkształcenia** stress-strain ratio
↑ **stowarzyszon|y** Ⅲ *adj* 2. *fiz.* associated; **fala ~a** associated wave
↑ **strach** *sm* 1. ... **ze ~em** fearfully; fearsomely 3. ... dudman
↑ **straganiarz** *sm* ... *sl.* grifter
↑ **strajk** *sm* ... **dziki ~** wild-cat strike
↑ **strapieni|e** *sn* 2. ... **w ~u** dejectedly; grievingly
↑ **straszak** *sm* 1. ... dummy; toy pistol
↑ **straszliwie** *adv powinno być*: desperately; horribly; horridly; (*boleć*) excruciatingly
↑ **strasznie** *adv* 1. ... fearfully 2. ... direly 3. ... desperately; formidably
↑ **straszny** *adj* 3. ... *sl.* smacking
↑ **strat|a** *sf* ... **sprzedać ze ~ą** ... to sell at a disadvantage ⟨losingly⟩; **artykuł sprzedawany dla reklamy ze ~ą** loss leader; *handl.* **~a cieczy** (*w transporcie*) wastage
stratnie *adv* losingly; at a loss; at a disadvantage
stratowany Ⅰ *pp* ↑ **stratować** Ⅲ *adj* trodden
stratowizja *sf singt* stratovision
↑ **strąc|ać** *imperf* — **strąc|ić** *perf* Ⅰ *vt* 4. ... **~ać wspólnie** to coprecipitate
↑ **strączkowy** *adj* ... fabaceous
↑ **stref|a** *sf* ... **~a bezatomowa** atom-free zone; **podzielić na ~y** to sectionalize; **~a klimatyczna** climatic zone
↑ **strefow|y** *adj* ... *roln.* **gleba ~a** zonal soil
stremowany Ⅰ *pp* ↑ **stremować** Ⅲ *adj* jittery
streptotrycyna *sf singt farm.* streptothricin
↑ **streszczeni|e** *sn* 2. ... capsule; overview; **w ~u** in short
stripping *sm G.* **~u** *nukl.* stripping deuteron
strobila *sf zool.* strobila
↑ **strofantyna** *sf* ... **~ G** ouabain
↑ **stromo** *adv* ... rapidly
↑ **stromy** *adj* ... rapid
↑ **strój** *sm* 1. ... **~ domowy** housedress; casual clothes
strudzony *adj* toilworn; weary; tired out
↑ **struktura** *sf* 1. ... facture
↑ **strukturalnie** *adv* ... constructively
↑ **strukturalny** *adj* ... constructive
↑ **strumieniowy** *adj* ... *nukl.* flux (density etc.)
↑ **strumie|ń** *sm* 2. ... *nukl.* **gęstość ~nia** flux density; **~ń boczny** slip stream; *lotn.* **~ń gazów i ognia za samolotem odrzutowym** blowtorch
↑ **strużka**[1] *sf* ... trickle; dribble
↑ **strużyny** *spl* ... whittlings
↑ **strychnin|a** *sf* ... *med.* **zatrucie ~ą** strychninism
↑ **strzała** *sf* 5. *mat.* sagitta
↑ **strzałk|a** *sf* 9. *pl* **~i** *zool.* (*Chaetognata*) arrow-worms
↑ **strzałkowaty** *adj* arrowy; ...
↑ **strzałkowy** *adj* ... peroneal
↑ **strzęp** *sm* ... tagrag
↑ **strzykawka** *sf* ... *pot.* hypo
↑ **studnia** *sf* 1. ... **~ abisyńska** driven well
↑ **studzeni|e** *sn* ... *nukl.* **czas ~a** cooling time
studzony Ⅰ *pp* ↑ **studzić** Ⅲ *adj* cooled; **~ lodem** iced
↑ **stuknięty** Ⅲ *adj* ... screwy; crackpot; dippy; *am.* bean-fed
↑ **stulisz** *sm* ... *powinno być*: **~ lekarski** (*Sisymbrium officinale*) hedge garlic
↑ **stwardniały** Ⅲ *adj* ... *med.* ... sclerosed
↑ **stycznie** *adv* ... *geom.* tangentially
↑ **styk** *sm* 1. (*miejsce stykania się*) taction; ...
↑ **stykanie** *sn* 2. **~ się** ... *geom.* ... taction
↑ **stykow|y** *adj* ... **radioterapia ⟨radiografia⟩ ~a** contact radiation therapy ⟨radiography⟩; *stol.* **połączenie ~e** butt joint; *fot.* **odbitka ~a** contact print
subagent *sm* subagent
subatomowy *adj nukl.* subatomic (particle)
suberynowy *adj chem.* suberic (acid)
subsydencja *sf singt* subsidence
↑ **subtelnie** *adv* ... delicately; finely; exquisitely; tenuously
↑ **subtelny** *adj* 1. ... tenuous
↑ **sucharek** *sm* ... soda biscuit; soda cracker

sucholubny *adj bot.* xerophilous
† **suchość** *sf* ... *med.* ~ **spojówek** xerophthalmia
† **such|y** ◻ *adj* 1. ... (*o farbie itd.*) touch-dry; **przejść ~ą nogą** ... to get across dry-footed ⟨dry-shod⟩; *med.* **skóra ~a** xerodermia 8. (*o klimacie, strefie*) xeric; arid; **umiarkowanie ~y** subarid
† **suka**[1] *sf* 5. *pot.* (*samochód policyjny*) prowl car
† **suknia** *sf* ... ~ **zapinana z przodu** coat dress
sulfadiazyna *sf singt farm.* sulfadiazin(e); sulphadiazin(e)
sulfaguanidyna *sf singt farm.* sulfaguanidine, sulphaguanidine
sulfamerazyna *sf singt farm.* sulfamerazine, sulphamerazine
sulfanilamid *sm G.* **~u** *farm.* sulfanilamide, sulphanilamide
sulfapirydyna *sf farm.* sulfapyridine, sulphapyridine
sulfonal *sm G.* **~u** *chem.* sulphonmethane
† **sulfonamid** *sm* ... *pl* **~y** sulfa ⟨sulpha⟩ drugs
sulfonian *sm G.* **~u** *chem.* sulphonate
sulfonyl *sm G.* **~u** *chem.* sulphonyl
† **sumator** *sm* ... summation device
† **sumieni|e** *sn* ... **wyrzuty ~a** self-reproach; (*o człowieku*) **bez ~a** ... conscienceless; **z nieczystym ~em** guiltily
† **sumiennie** *adv* ... steadily; dutifully
sumując|y *adj* adding; **urządzenie ~e** adding unit; summation device; *księgow.* **mechanizm ~ wykazujący saldo na arkuszu księgowym** cross-foster
supermodny *adj* chi-chi
supranaturalizm *sm singt G.* **~u** *filoz.* supernaturalism
surfing *sm G.* **~u** *sport* surfing
surowiczo-ujemny *adj biochem.* seronegative
† **surowiec** *sm* 1. ... unprocessed ⟨unrefined⟩ material 3. *nukl.* source material
† **surowo** *adv* 1. ... (*sądzić*) stiffly; (*przestrzegać zasad*) rigidly; ruggedly; crudely; dourly; exactly; rigorously 3. (*o zarządzaniu — nakazywać*) astringently
† **surowy** *adj* 1. ... unprocessed; (*o płótnie*) greige
† **surówka** *sf* 1. ... ~ **z kapusty** coleslaw
† **suspensorium** *sm* ... jock; jock strap
† **suszarka** *sf* ... ~ **wirówkowa** spin dryer
suszarniczy *adj* drying —; **piec** ~ drying kiln ⟨oven⟩
† **suszenie** *sn* ... drying; *techn.* ~ **piecowe** stoving finish
† **suw** *sm* ... ~ **kukorbowy** outstroke
† **swad|a** *sf* 1. ... **ze ~ą** volubly
† **swarliwie** *adv* ... disputatiously
† **swarliwość** *sf* ... disputatiousness
† **swarliwy** *adj* ... disputatious
† **swastyka** *sf* ... fylfot
† **swawolnie** *adv* 1. ... frolicsomely; kittenishly; lightsomely; friskily
† **sweter** *sm* ... **obcisły** ~ *am.* hug-me-tight
swędzący *adj* itching; *med.* pruriginous
† **swędzenie** *sn* ... *med.* prurigo
† **swobod|a** *sf* 1. ... *chem. fiz.* **stopień ~y** degree of freedom
† **swoistość** *sf* ... distinction
† **swojski** *adj* 1. ... *pot.* homey
syczący|y *adj* hissing; *fonet.* **głoska ~a** hissing sound
† **syczenie** *sn* ... hissing (sound)
† **syfon** *sm* 3. ... drain-trap; **przelewanie ~em** siphonage
† **sygnalizator** *sm* 2. *techn.* annunciator
† **sygnał** *sm* ... ~ **programu radiowego** signature; *nukl.* **stosunek ~u do szumów** noise ratio
† **sygnet** *sm* 1. ... seal ring
† **syk** *sm* ... hissing (sound)
† **sykatywa** *sf* ... dryer; drying agent
† **symbol** *sm* ... *pl* **~e** characters
† **symbolicznie** *adv* ... emblematically; figuratively; nominally
† **symbolika** *sf* ... *log.* ~ **beznawiasowa Łukasiewicza** Polish symbolics ⟨notation⟩
symetryzacja *sf singt* symmetrization
† **sympatycznie** *adv* 1. ... prepossessingly 2. ... congenially
sympodium *sm bot.* sympodium
symptomatycznie *adv* symptomatically
† **symulator** *sm* ... *lotn.* ~ **lotu** link trainer
† **symulowanie** *sn* ... dissembling
symulując *adv* feigningly
† **syn** *sm* ... **niegodny ~a** unfilial
synchrocyklotron *sm G.* **~u** *nukl.* synchro-cyclotrone
synchrofazotron *sm G.* **~u** *nukl.* synchrophasotrone
† **synchronizator** *sm* ... *techn.* synchronizer
synchrotron *sm G.* **~u** *nukl.* synchrotrone
syndrom *sm G.* **~u** *fiz. med.* syndrome; *med.* **ostry ~ choroby popromiennej** acute radiation syndrome
† **synergista** *sm* ... synergist
syngami|a *sf GDL.* **~i** *bot.* syngamy
synoptycznie *adv* synoptically
synoptyk *sm* (weather) forecaster; **pomocnik ~a** assistant to forecaster
† **synowsk|i** *adj*
po ~u ... nie po ~u unfilially
syntaktyka *sf singt jęz.* syntactics
† **system** *sm* ... set-up
† **sytuacja** *sf* ... **trudna** ~ *przen.* rat-trap
† **sytuowanie** *sn* ... position plan
† **szabla** *sf* 4. *sport* (*konkurencja szermiercza*) sabre fencing
† **szablista** *sm powinno być:* sabre fencer
† **szablodziób** *sm zool.* ... sabrebill

szablozęby *adj zool.* sabretoothed
↑ **szacun|ek** *sm* 1. ... **z ∼kiem** regardfully; worthily; duteously; dutifully; **bez ∼ku** irreverently; inconsiderately
↑ **szacunkowy** *adj* valuational; ...
↑ **szafarka** *sf*, **szafarz** *sm* ... disposer
↑ **szafir** *sm* 1. ... **∼ wodny** cordierite
↑ **szaflik** *sm* ... *(naczynie kuchenne)* ... dishpan
↑ **szaleć** *vi* 1. ... **∼ z bólu** to be distracted with pain
↑ **szalenie**[2] *adv* ... frenetically
↑ **szaleńczo** *adv* ... fool-hardily; maddeningly; franticly
↑ **szaleńcz|y** *adj* ... dare-devil; **∼a odwaga** dare-devil(t)ry
↑ **szalony** ⊡ *adj* 3. ... frenetic
↑ **szał** *sm* 2. ... **doprowadzający do ∼u** madding; maddening; **w sposób doprowadzający do ∼u** maddeningly
↑ **szałas** *sm* 1. ... snowshed
↑ **szałowy** *adj* 1. ... gone; george
↑ **szansa** *sf* ... **minimalna ∼** off-chance
↑ **szargać** ⊡ *vt* 1. *(brudzić)* **∼ coś w błocie** to draggle ⟨to bedraggle⟩ sth in mud 2. *przen.* ...
szarogęsienie się *sn* ↑ **szarogęsić się;** bossiness
↑ **szaroniebieski** *adj* ... *meteor.* **warstwa chmur ∼ch** alto-stratus
↑ **szarpać** *imperf* — **szarpnąć** *perf* ⊡ *vt* 1. .. to vellicate
↑ **szarzyzna** *sf* 2. ... drabness; dull routine
↑ **szarża** *sf* 5. *techn.* master batch
↑ **szarżować** *vi* 2. ... to overplay
↑ **szata** *sf* ... *przen.* dress (of a book etc.)
↑ **szatański** *adj* ... fiendish; all-fired
↑ **szatańsko** *adv* ... fiendishly
↑ **szczaw** *sm* 1. ... **∼ polny** *(Rumex acetosella)* sheep sorrel; **∼ tępolistny** *(Rumex obtusifolia)* bitter sorrel
↑ **szczawian** *sm* ... **kryształki ∼u wapnia** raphides
↑ **szczątkowy** *adj* 2. *geol.* detrital
↑ **szczebel** *sm* 2. ... echelon
szczebiocząc *adv* prattingly
↑ **szczeciniasty** *adj* 1. ... setiform; barbellate 3. *(pokryty szczeciną)* echinate
↑ **szczecion|óg** *sm* ... **szczecinka ∼oga** chaeta
↑ **szczegół** *sm* 1. ... **wchodzić w ∼y** to go ⟨to enter⟩ into the details; **mniejsza o ⟨nie wchodząc w⟩ ∼y** disregarding the details
↑ **szczegółowo** *adv* ... circumstantially; minutely
↑ **szczegółowość** *sf* ... circumstantiality
↑ **szczekanie** *sn* 1. ... barking
↑ **szczeknąć** *vi* 2. *(o psie)* to give a bark
↑ **szczelinow|y** *adj* ... *nukl.* **źródło ∼e** *(jonów)* slit source (of ions)
↑ **szczeliwo** *sn* ... sealant; sealing; sealing medium
↑ **szczelny** *adj* ... **pojemnik ∼** seal tank
↑ **szczep** *sm* 2. ... strain
↑ **szczepienie** *sn* 2. ... graftage
↑ **szczepionka** *sf* ... inoculant; inoculum
szczepon|óg *sm pl N.* **∼ogi** *zool.* schizopod
↑ **szczery** *adj* 1. ... *sl.* level
↑ **szczerze** *adv* ... genuinely; explicitly; honestly; ingenuously; **mówić ∼** to speak earnestly
↑ **szczękow|y** *adj* 1. ... **chirurgia ∼a** dental surgery
↑ **szczęśliwie** *adv* 1. ... gladsomely 4. *(we właściwej porze)* opportunely
szczodrobliwie *adv* generously; munificently
↑ **szczodrze** *adv* 1. ... handsomely 2. ... liberally
↑ **szczupło** *adv* 3. *(skąpo)* meagrely
↑ **szczupły** *adj* 2. ... sparing; scrimpy
↑ **szczurz|y** *adj* ... murine; *med.* **gorączka ∼a** rat-bite fever
↑ **szczwany** *adj* ... *sl.* downy; **∼ lis** ... downy old bird
↑ **szczwół** *sm* ... conium
↑ **szczypać** *vt* — **szczypnąć** *vt* 1. ... to vellicate
↑ **szczyt** *sn* 1. ... (a) high 2. ... **∼ doskonałości itd.** high-water mark; **∼ głupoty** the veriest stupidity
↑ **szczytnie** *adv* 2. ... nobly
↑ **szczytowy** *adj* 1. ... topmost
↑ **szef** *sm* ... **∼ kompanii** ... top sergeant
szejkanat *sm G.* **∼u** sheikdom
↑ **szelak** *sm* ... *zool.* **pluskwiak wydzielający ∼** lac insect
↑ **szelf** *sm* ... **∼ kontynentalny** continental shelf
szelit *sm G.* **∼u** *miner.* scheelite; tungstite
↑ **szelmowsko** *adv* 2. ... impishly; saucily
szemrzący *adj* *(o strumyku)* babbling
szepcząc *adv* whisperingly
↑ **szept** *sm* 1. ... **∼em** ... whisperingly
↑ **szeregowiec** *sm* ... *lotn.* aircraftsman
↑ **szerokolistny** *adj* ... *(o tytoniu cygarowym)* broadleaf
szerokościowy *adj geogr.* latitudinal
↑ **szerokoś|ć** *sf* 1. ... *geogr.* **∼ci Rossa** Horse latitudes; *tv* **stosunek ∼ci do wysokości obrazu** aspect ratio
↑ **sześcienny** *adj* ... *powinno być: mat.* **pierwiastek ∼** cubic root
sześciodzielny *adj* sexpartite
sześcionóg *sm zool.* hexapod
↑ **szkatuła** *sf* 2. ... purse
↑ **szkic** *sm* 1. ... rough 2. ... profile
↑ **szkicować** *vt* ... to profile
↑ **szklany** *adj* ... vitric
↑ **szklist|y** *adj* ... **ciecz ∼a** vitreous humour
↑ **szkło** *sn* 1. ... **∼ szlifowane** ground glass; **∼ ognioodporne** pyrex 3. ... **∼ powiększające** ... sunglass
↑ **szkod|a** ⊡ *sf* 1. ... **ze ∼ą** *(czyjąś)* hurtfully; tortiously
↑ **szkodliwie** *adv* 1. ... tortiously; mischievously; disadvantageously; detrimental-

ly; (*szkodząc zdrowiu*) ... inimically (to health)
↑ **szkodliwy** *adj* 1. ... mischievous; inimical (**dla zdrowia** to health)
↑ **szkodnik** *sm* 2. ... infestant; **środek tępiący szkodniki** eradicant
↑ **szkolenie** *sn* 1. ... ~ **w godzinach pracy** in-plant training
↑ **szkoła** *sf* 1. ... ~ **podstawowa** ... common school; ~ **wieczorowa** night school; ~ **zbiorcza** comprehensive school
↑ **szlachcic** *sm* ... ~ **herbowy** armiger
↑ **szlachta** *sf* ... **drobna** ~ ... lesser nobility
↑ **szlafrok** *sm* housecoat; ...
↑ **szlakowy** III *sm* ... bowman
↑ **szlam** *sm* ... slurry; *techn.* **łapacz** ~**u** sump; **zbiornik** ~**u** sump tank
↑ **szlamow|y** *adj* ... **pompa** ~**a** ... sump pump
↑ **szmer** *sm* 2. ... susurrus
↑ **szmizjerka** *sf powinno być*: shirt dress
↑ **sznycel** *sm* ... ~ **po wiedeńsku** Wiener schnitzel
↑ **szorstko** *adv* 1. ... harshly; scabrously 2. ... ruggedly; harshly
↑ **szowinist|a** *sm*, **szowinist|ka** *sf* ... **zagorzały** ~**a** Colonel Blimp
↑ **szpada** *sf* 1. ... *sport* épée
↑ **szpadzista** *sm* ... épéeist
szpajza *sf techn.* speiss
↑ **szparagow|y** *adj* ... **fasola** ~**a** snap bean
szparka *sf* ... *bot.* ~ **oddechowa** ... stoma
szparkowy *adj bot.* stomatal
↑ **szpat**[2] ... **ciężki** ~ heavy spar; barite; **podobny do** ~**u** spathic
↑ **szpetnie** *adv* 2. ... *am. sl.* fiercely
↑ **szpetny** *adj* 1. ... **w** ~ **sposób** uglily
↑ **szpicel** *sm* 1. ... *sl.* ... dick 2. ... inside
↑ **szpieg** *sm* 1. ... spier
↑ **szpikulec** *sm* ... spindle; **nabijać na** ~ to spindle
↑ **szpilka** *sf* 1. ... **ozdobna** ~ bar pin
szpinel *sm G.* ~**u** *miner.* gahnite
↑ **szpital** *sm* ... **skierować do** ~**a, umieścić w** ~**u** to hospitalize
↑ **sztab** *sm* ... **członek** ~**u** staffer; **szef** ~**u** Chief of Staff
↑ **sztuczka** *sf* 1. ... gimmick
↑ **sztucznie** *adv* 2. ... meretriciously
↑ **sztuczny** *adj* 3. ... ~ **biust** falsies
↑ **sztukateria** *sf* ... parget(t)ing
↑ **sztywno** *adv* ... rigidly; erectly; starkly; primly; woodenly; inflexibly; formally
↑ **szum**[1] *sm* 1. ... ~ **w głowie** ⟨**w uszach**⟩ ... drumming; *fiz.* **biały** ⟨**szerokopasowy**⟩ ~ white noise
↑ **szumować** I *vt* ... to despumate
↑ **szumowin|a** *sf* 1. ... skimmings
↑ **szusować** *vi* ... to schuss
szwa *sn indecl jęz.* (protoindoeuropean) schwa, shwa
↑ **szwab** *sm* 1. ... Jerry
↑ **szwedzk|i** *adj* ... **gimnastyka** ~**a** ... Swedish movements
↑ **szwindel** *sm* ... fiddling; fiddle
↑ **szybik** *sm* ... ~ **między dwoma pokładami** winze
↑ **szybko**[1] I *adv* ... expeditiously; nimbly
↑ **szybkoś|ć** *sf* ... **zmniejszenie** ~**ci** deceleration; **przewyższający pięciokrotnie** ~**ć dźwięku** hypersonic; **równy** ~**ci dźwięku** trans(s)onic; *nukl.* ~**ć rozpadu** decay ⟨disintegration⟩ rate
↑ **szyjk|a** *sf* 1. ... *med.* **zapalenie** ~**i macicy** cervicitis
↑ **szykownie** *adv* ... tastily; *sl.* saucily
↑ **szykowny** *adj* ... dapper; *sl.* plush
↑ **szyna** *sf* 1. ... **trzecia** ~, ~ **prądowa** third rail
szypułkowaty *adj bot.* petiolate
↑ **szyszk|a** *sf* 2. ... big wheel; *wojsk.* ~**i** the brass
↑ **szyszynka** *sf* ... epiphysis

Ś

↑ **ściana** *sf* 1. ... ~ **szczytowa** gable end; gable wall 3. ... headwall
↑ **ściąć** *perf* — **ścinać** *imperf* I *vt* 3. ... to decollate
↑ **ściąg|ać** *imperf* — **ściąg|nąć** *perf* I *vt* 8. ... *med.* **działanie** ~**ające** stypsis; astringency; **lekko** ~**ający** subastringent
ściągająco *adv* astringently
ściągnięcie *sn* 1. ↑ **ściągnąć;** striction; contraction 2. *jęz.* contraction (of vowels)
ściągnięty I *pp* ↑ **ściągnąć** III *adj* (*o rysach twarzy*) contracted
↑ **ścieg** *sm* 1. ... ~ **obrzucony** ⟨**okrętkowy**⟩ whipstitch
↑ **ścieralność** *sf* ... abrasion-resistance
↑ **ścierka** *sf* 1. ... dishtowel
↑ **ścierny** *adj* ... **środek** ~ grinding medium
↑ **ścierwic|a** *sf* ... *pl* ~**e** Sarcophagidae
↑ **ścierwnik** *sm* ... ~ **czerwonogłowy** (*Cathartes aura*) turkey buzzard
↑ **ścięcie** *sn* 1. ... (*odcięcie głowy*) decollation; decapitation
↑ **ścięgn|o** *sn* 1. ... *med.* **zapalenie** ~**a** tenonitis; *chir.* **zeszycie** ~**a** tenorraphy
ścinanie *sn* ↑ **ścinać;** *fiz.* ~ **pola magnetycznego** shear of magnetic field
↑ **ściółka** *sf* ... ~ **leśna** duff
↑ **ścisk** *sm* 1. ... scrouge
↑ **ściskać** *imperf* — **ścisnąć** *perf* I *vt* 1. ... to be tight; to squeeze
↑ **ścisłość** *sf* 2. ... definitude

↑ **ściśle** *adv* 2. ... rigorously

↑ **ściśliwoś|ć** *sf* ... **współczynnik ~ci** compressibility factor

↑ **ściśliwy** *adj* 1. ... condensable

↑ **ściśnięcie** *sn* ... striction

ściśnięty [I] *pp* ↑ **ścisnąć** [II] *adj* compressed

↑ **ślad** *sm* 6. ... track

↑ **śladowy** *adj* ... *biol. chem.* **pierwiastek ~** trace element

↑ **śledzion|a** *sf* ... *chir.* **wycięcie ~y** splenectomy

↑ **śledziowaty** [I] *adj powinno być:* clupeoid

↑ **ślep|y** [I] *adj* 3. ... **~a próba** blank experiment 4. ... **~y koniec (rury itd.)** dead-end (of a pipe etc.)

↑ **ślicznie** *adv* ... choicely; deliciously

ślinopędny *adj fizj.* sialagogic

↑ **śliski** *adj* 2. ... (*o dowcipie itd.*) off-colour

↑ **śliwkowy** *adj* ... **kolor ~** damson

↑ **śliwowica** *sf* ... slivovitz

↑ **ślizg** *sm* 6. *techn.* (*ruch*) sliding motion

ślizganie się *sn* ↑ **ślizgać się;** slip; sliding motion

↑ **ślizgow|y** *adj* ... *geol.* **lustro ~e** slickenside

↑ **ślubnie** *adv* ... legitimately; **~ urodzony** lawfully born

↑ **ślusarz** *sm* ... **~ precyzyjny** die-sinker

↑ **śluza** *sf* ... **~ morska** sea lock

↑ **śluzowaty** *adj* ... mucoid

↑ **śluzowiec** *sm* ... mycetoza

↑ **śluzow|y**[1] *adj* ... **wydzielina ~a** rheum

↑ **śluzowy**[2] *adj* ... *chem.* (*o kwasie*) mucic

↑ **śmiałkostwo** *sn* ... dare-devil(t)ry

↑ **śmiało** *adv* 1. ... venturesomely 2. ... forwardly

↑ **śmiały** [I] *adj* 1. ... venturesome

↑ **śmiech** *sm* ... **powiedzieć coś ze ~em** to say sth laughingly

↑ **śmie|ć**[1] *sm* 1. ... **na swoich ⟨na własnych⟩ ~ciach** ... on one's own dunghill

↑ **śmi|eć**[2] *vi* 2. ... **nie ~em, nie ~ałem** I daren't; **jak ~esz!, jak ~ałeś!** how dare you!

śmiejąc się *adv* laughingly

śmiercionośnie *adv* lethally; murderously

↑ **śmier|ć** *sf* 1. ... **promienie ~ci** death-rays; **skazać na ~ć** to condemn to death; **znaleźć ~ć** to meet one's doom

↑ **śmiertelnie** *adv* 1. ... fatefully 2. ... **~ zmęczony** tired to death

↑ **śmiertelnik** *sm* ... earthling

↑ **śmiertelnoś|ć** *sf* 2. ... **współczynnik ~ci** lethal factor

↑ **śmiertelny|y** [I] *adj* 2. ... **~e działanie** deadliness

↑ **śmiesznie** *adv* 1. ... humorously; farcically; laughably; ludicrously

↑ **śmieszny** *adj* 2. ... derisible

↑ **śmigł|o**[1] *sn* 1. ... **~a przeciwbieżne** contraprop

↑ **śmigłow|iec** *sm* ... *pot.* whirligig; *am. sl.* eggbeater; **lądowisko dla ~ców** heliport

śniado *adv* duskily; swarthily

↑ **śni|ć** [III] *vr* **~ć się** ... **ani mu się nie ~ło, że** ... little did he dream that ...

śniegowskaz *sm G.* **~u** *meteor.* snow-gauge

↑ **śnieżysty** *adj* 1. ... (*o pogodzie*) snowy

↑ **śpiący** *adj* ... oscitant

↑ **śpiączka** *sf* 1. ... sopor

↑ **śpiewająco** *adv* ... swimmingly

↑ **śpiewający**[1] [I] *adj* ... (*o ptaku*) oscine

śpiewan|y [I] *pp* ↑ **śpiewać** [II] *adj muz.* **partia ~a** voice part

↑ **śpioszek** *sm* 2. ... sleeper

↑ **średni** [I] *adj* 2. ... median; *nukl.* **~a dawka letalna** median lethal dose [II] *sf* **~a** ... **~a ważona** weighted average

↑ **średniowiecze** *sn* ... **wczesne ~** the dark ages

↑ **środ|ek** *sm* 1. ... *fiz.* **~ek bezwładności** centre of inertia 3. ... **~ki masowego przekazu** mass media; **~ki bezpieczeństwa** safety measures 5. ... **bez ~ków** ... impecunious(ly); **~ki finansowe** financial means ⟨resources⟩; **~ki produkcji** means of production, capital equipment

śródstrefowy *adj roln.* intrazonal (soil)

↑ **śruba** *sf* 1. ... **~ dociskowa** setscrew; **~ z łbem do klucza** cap screw

↑ **śrubow|y** [I] *adj* 1. ... **powierzchnia ~a** helicoid

↑ **śrutow|y**[1] *adj.* ... *nukl.* **zjawisko ~e** shot

↑ **świadczeni|e** *sn* 4. ... **~a pracownicze** fringe benefits

↑ **świadectwo** *sn* 1. ... certification

↑ **świadek** *sm* 1. ... *powinno być:* **Świadkowie Jehowy** the Witnesses

↑ **świadomie** *adv* ... voluntarily; wilfully

↑ **świadomoś|ć** *sf* ... *psych.* **strumień ~ci** stream of consciousness

↑ **świat** [I] *sm* 1. ... **koniec ~a** c) *am. przen.* jumping-off place; **nie z tego ⟨należący do innego⟩ ~a** otherworldly

↑ **światł|o** *sn* 1. ... **~o łukowe** arc-light; **kwant ~a** light quantum; foton; **przenikalny dla ~a** photic

↑ **światłoczułość** *sf* ... *fot.* speed (of the film)

↑ **światłomierz** *sm* ... exposure meter

światłotrwałość *sf singt* light fastness; **próba na ~** exposure test

↑ **świat|ły** *adj* ... **ludzie ~li** ... the illuminati

↑ **świeca** *sf* 8. *lotn.* chandelle

świecąco *adv* lucidly; luminously; brilliantly; radiantly

↑ **świecący** *adj* ... photic

świecko *adv* secularly; profanely

↑ **świerczyna** *sf* 1. *powinno być:* (*drzewo*) spruce wood

↑ **świergotliwy** *adj* ... twittery

↑ **świetlny** *adj* ... photic
↑ **świetnie** ☐ *adv* ... gloriously; famously; finely; capitally ☐ *interj* **~!** dogs!
↑ **świetny** *adj* 1. ... *am. pot.* ... daisy; out of this world 3. ... showy
↑ **świętokradczo** *adv* ... impiously
↑ **świętoszkowat|y** *adj* ... **~a mina** demure look
↑ **świ|nia** *sf* 1. ... *wet.* **pomór ~ń** hog cholera 2. ... bastard
↑ **świńsk|i** *adj* 2. ... boarish; **postąpić po ~u** ... to be mean; **po ~u** nastily; dirtily; meanly; swinishly; piggishly
↑ **świsnąć** ☐ *vt* 1. ... to mooch; to snitch
świszczący *adj* whistling; whizzing; *med.* (*o oddechu*) stridulous

T

↑ **tachometr** *sm* ... **zapis ~u** tachogram
↑ **tacka** *sf* ... tray
Tahita|nka *sf, pl. G.* **~nek, Tahita|ńczyk** *sm* (a) Tahitian
tahitański *adj* Tahitian
↑ **tajemnic|a** *sf* 2. ... **~a rodzinna** family skeleton; **zwolnić z ~y wojskowej** to declassify 3. ... **powiedzieć coś w ~y** ... to say sth privately
↑ **tajemniczo** *adv* ... darkly; inscrutably; reconditely
↑ **tajemniczy** *adj* 1. ... **w ~ sposób** mysteriously
↑ **tajniak** *sm* ... plain-clothesman; *sl.* dick
↑ **tajn|y** *adj* 1. '... undercover; *wojsk.* **ściśle ~a informacja** *sl.* bigot
↑ **taksonomiczn|y** *adj* ... *biol.* **grupa ~a** taxon
↑ **taksówkarz** *sm* ... **kobieta ~** cabette
↑ **takt** *sm* 1. ... **z ~em** tactfully; delicately
↑ **taktownie** *adv* ... considerately
talasemi|a *sf singt GDL.* **~i** *med.* thalassemia
↑ **talkowy** *adj* talcose; talcous; ...
↑ **Talmud** *sm* ... **legendowa część ~u** Haggadah
talowy[2] *adj chem.* **olej ~** tall oil
↑ **tam** *adv* 1. ... **chodzić ⟨jeździć, żeglować, wędrować, latać⟩ ~ i z powrotem** (*między dwiema miejscowościami*) to shuttle
↑ **tamowanie** *sn* ... *med.* **~ krwi** stypsis
↑ **tandetnie** *adv* ... shoddily
↑ **taniec** *sm* 1. ... **~ wojenny** war dance
↑ **tankietka** *sf* ... *sl.* tankette
↑ **tańczeni|e** *sn* ... *med.* **chorobliwy pęd do ~a** tarantism
↑ **tape|ta** *sf* ... *przen.* **być na ~cie** to be on the docket
tapetum *sn biol.* tapetum
↑ **tarabanić** ☐ *vi* ... **~ do drzwi** to drum at the door
↑ **tarapat|y** *spl* ... **być w ~ach** ... *przen.* to feel the draught
↑ **tarcie** *sn* 2. ... **przez ~** frictionally
↑ **tarcza** *sf* 5. ... **~ zarodkowa** ... embryonic ⟨germinal⟩ disk
↑ **tarczowaty** *adj* discoidal; ...
↑ **tarczowy** *adj* 2. ... *anat.* tarsal
↑ **tarczyc|a** *sf* 1. ... *chir.* **wycięcie ~y** thyroidectomy; *med.* **działający na ~ę** thyrotropic
↑ **tartaczn|y** *adj* ... **drzewo ~e** saw log
tasiemcobójczy *adj* taeniacide
tasiemcopędny *adj* taeniafuge
tasiemczyca *sf singt med.* taeniasis
↑ **tautologia** *sf* ... **operować ~mi** to tautologize
↑ **tchawica** *sf* ... *med.* **wziernikowanie ~y** tracheoscopy; **zapalenie ~y** tracheitis
↑ **tchórz** *sm* 1. ... *am. sl.* chicken
↑ **tchórzliwie** *adv* ... cravenly; faint-heartedly; chicken-heartedly
↑ **teatralnie** *adv* 1. ... spectacularly
↑ **techniczn|y** *adj* 1. ... **warunki ~e** specification
↑ **technika** *sf* 1. ... **~ badań naukowych** technique of research
↑ **technologia** *sf* 2. ... **~ budowy maszyn** tool engineering
tefigram *sm G.* **~u** tephigram
↑ **teka** *sf* 1. ... **~ umów** commissioned work; **~ produkcyjna** work in process
↑ **tekstylny** *adj* ... **sklep ~** draper's shop
tektoniczny *adj geol.* tectonic
↑ **telefon** *sm* 3. ... *sl.* blast
telegoni|a *sf singt GDL.* **~i** *biol.* telegony
telegoniczny *adj* telegonic
↑ **telegraficzn|y** *adj* ... **język ~y** cabalese; **fotografia przekazana drogą ~ą** wirephoto
↑ **telekinezja** *sf* ... teleportation
↑ **teleologizm** *sm* ... teleological argument
↑ **telep|ać** ☐ *vt* **~ie ⟨~ało⟩ nim** he is ⟨was⟩ all of a dither
↑ **teleskopowo** *adv* ... telescopically
↑ **teleskopowy** *adj* ... telescopic — (joint)
telestereoskop *sm G.* **~u** telestereoscope
telestezja *sf singt* telesthesia, teleesthesia
teleterapi|a *sf singt GDL.* **~i** teletherapy
teletermometr *sm G.* **~u** telethermometer
↑ **teletransmisja** *sf powinno być*: telecast
teleutospor *sm bot.* teliospore; teleutospore; **stadium wytwarzania ~ów** telial stage
↑ **telewidz** *sm* ... looker
↑ **telewizj|a** *sf* ... *sl.* tellies; **~a kolorowa** colourcast; colour TV; **~a podwodna** underwater television; **entuzjasta ~i** videologist; *pot.* **nadawać w ~i** to telecast
↑ **telewizyjny** *adj* ... **film ~** telepic; vidfilm; vidpic
telluran *sm G.* **~u** *chem.* tellurate
tellurawy *adj chem.* tellurous

tellurow|y *adj chem.* telluric; **ochra ~a** tellurite
telluryt *sm G.* **~u** *chem. miner.* tellurite
telofaza *sf biol.* telophase
telugu *s indecl* (*język, człowiek*) Telugu
↑ **temat** *sm* 1. ... **zmieńmy ~** let's drop the subject; **przeskakując z ~u na ~** discursively; **nie na ~, bez związku z omawianym ~em** impertinently
↑ **tematowy** *adj* ... subject —
↑ **tematycznie** *adv* ... topically
↑ **tematyczny** *adj* ... (*w wydawnictwie*) **plan ~** publishing programme
↑ **temperatur|a** *sf* 1. ... **~a odniesienia** fiducial temperature; **~a przy powierzchni ziemi** surface ⟨grass⟩ temperature; **~a w cieniu** shade temperature; *fiz.* **spadek ~y z wysokością** temperature lapse; **~a rosienia** saturation point; **gradient ~y** temperature gradient; *nukl.* **okresowe zmiany ~y** thermal cycling; *techn.* **odporny na działanie wysokich ~** thermoduric; **uodpornić (materiał) na działanie wysokich ~** to thermostabilize
↑ **temperaturow|y** *adj* ... **sonda ~a** temperature scanner
↑ **tendencja** *sf* ... **~ zwyżkowa ⟨zniżkowa⟩** ... uptrend ⟨downtrend⟩; **~ przeciwna** countertendency
↑ **tendencyjnie** *adv* ... purposely; on purpose
↑ **tendencyjn|y** *adj* ... **pisma ~e** tendency writings
↑ **tenor** *sm* 2. ... **~ bohaterski** heldentenor
tensometryczny *adj* **czujnik ~** strain gauge
teologicznie *adv* theologically
↑ **teoretycznie** *adv* ... speculatively
↑ **teoretyczn|y** *adj* ... *fiz.* **krzywa ~a** calculated curve; **współczynnik ~y** ideal factor; *lotn.* **pułap ~y** absolute ceiling
terapeutycznie *adv* therapeutically
↑ **terapi|a** *sf* ... (*w szpitalu*) **oddział intensywnej ~i** intensive care unit
terbowy *adj chem.* **tlenek ~** terbia
terebinowy *adj chem.* terebic (acid)
↑ **terenow|y** *adj* ... **atletyka ~a** field events
teriomorficzny *adj* theriomorphic
term *sm nukl.* term; **~ mieszany** cross term
termalizować *vt imperf* to thermalize
↑ **termiczn|y** *adj* ... **krakowanie ~e** thermal cracking; *nukl.* **kolumna ~a** sigma pile; **rozszczepienie ~e** thermofission; **strumień neutronów ~ych** thermal flux; **synteza ⟨fuzja⟩ ~a** thermofusion
↑ **termin** *sm* 1. ... **~ składania podań itd.** cut-off date for applications etc.
terminalizacja *sf biol.* therminalization
termion *sm G.* **~u** thermion
termistor *sm techn.* thermistor
termit[3] *sm chem.* thermite
termobarograf *sm G.* **~u** *fiz.* thermobarograph
↑ **termodynamiczny** *adj* ... **potencjał ~ Helmholtza** work function
termoelektromotoryczny *adj* thermoelectromotive
termoelektron *sm G.* **~u** *nukl.* thermoelectron; thermion
termoelektronow|y *adj nukl.* thermionic; **emisja ~a** thermionic emission; **stos ~y** thermopile
↑ **termoelement** *sm* ... thermoelectric couple
↑ **termometr** *sm* ... **~ przy barometrze** attached thermometer; **~ suchy** dry-bulb thermometer; **~ zdalny** telethermometer; **~ zwilgocony** wet-bulb thermometer; **kapilara ~u** thermometer capillary tube
↑ **termonuklearn|y** *adj* ... **synteza ~a** fusion of light nuclei
termoodporność *sf singt fiz.* heat stability
↑ **termoplastyczn|y** *adj* ... **tworzywo ~e** thermoplastic
termoradiografi|a *sf singt GDL* **~i** thermoradiography
termostabilny *adj* thermostable
termotaksja *sf singt* thermotaxis
↑ **termoutwardzalny** *adj* ... **plastyk ~** thermoset
termoutwardzanie *sn* thermosetting
↑ **terpentyna** *sf* ... **~ posiarczanowa** sulphate turpentine
terpentynowy *adj chem.* terebinthic; terebinthine; ...
Terpsychora *spr mitol.* Terpsichore
↑ **terytorialn|y** *adj* ... **wody ~e** three-mile limit
↑ **test** *sm* ... **zestaw ~ów psychotechnicznych** battery
testosteron *sm G.* **~u** *biochem.* testosterone
↑ **testow|y** *adj* ... **metoda ~a** multiple ⟨test⟩ choice
tetartoedryczny *adj miner.* tetartohedral
tetracyklina *sf chem. farm.* tetracycline
tetraedryt *sm G.* **~u** *miner.* tetrahedrite
tetraploid *sm G.* **~u** *biol.* tetraploid
tetraploidalny *adj biol.* tetraploid
tetrycznie *adv* peevishly; acrimoniously
↑ **tęgi** *adj* 1. ... *pot.* chopping
↑ **tępić** ⓘ *vt* 2. ... to exterminate
↑ **tępo** *adv* 1. ... obtusely 2. ... densely
↑ **tępota** *sf* 1. ... doltishness; density; dullardness; dullardism
↑ **tęsknić** *vi* 1. ... to miss (**za kimś, czymś** sb, sth)
↑ **tęskno** *adv* ... languishingly; languorously; nostalgically; **~ spojrzeć** to give a languid look
↑ **tęskny** *adj* ... nostalgic
↑ **tętniący** *adj* 2. *nukl.* (*o polu magnetycznym*) pulsating
↑ **tętnieni|e** *sn* ... *nukl.* **okres ~a** pulsation period
↑ **tętn|o** *sn* ... *med.* **brak ~a, słabe ~o**

acrotism; **wykres ~a** sphygmogram; **podobny do ~a** sphygmoid
↑ **tężcow|y** *adj* ... **pobudzić (mięśnie) do skurczu ~ego** to tetanize (a muscle)
tiaminaza *sf biochem.* thiaminase
tigmotaksja *sf singt biol.* thigmotaxis
tigmotropizm *sm singt G.* **~u** *biol.* thigmotropism
tioaldehyd *sm G.* **~u** *chem.* thioaldehyde
tioalkohol *sm G.* **~u** *chem.* mercaptan
tiomocznik *sm chem.* thiourea
tiosiarkowy *adj chem.* thiosulphuric
tiotlen|ek *sm G.* **~ku** *chem.* oxysulphide
titoizm *sm singt G.* **~u** *polit.* Titoism
↑ **tkan|ka** *sf* ... **~ka twórcza** meristem; **hodowla ~ek** tissue culture; *nukl.* **dawka pochłonięta w ~ce** tissue dose; **substancja równoważna ~ce** tissue equivalent material; *med.* **wadliwy rozwój ~ek** dysplasia
tkankowy *adj* tissue — (fluid etc.)
↑ **tlenek** *sm* ... **~ iterbowy** ytterbia; **~ itrowy** yttria; **~ uranu** brown oxide; **~ uranu czarny** black oxide uranium
tlenkow|y *adj* oxide —; **błona ~a** oxide skin
tlenokwas *sm G.* **~u** *chem.* oxyacid
tlenowcowy *adj biol.* aerobic
↑ **tlenowy** *adj* 2. *biol.* aerobic
↑ **tłoczenie** *sn* 2. ... **~ płyt gramofonowych** pressing of records
tłoczon|y *pp* ↑ **tłoczyć;** (*w dziedzinie tworzyw sztucznych*) **wyroby ~e** presswork
↑ **tłoczyć** [I] *vt* 3. ... **~ płyty gramofonowe** to press records; **~ wzór** to emboss a pattern [II] *vr* **~ się** ... to scrouge
↑ **tłok** *sm* 1. ... scrouge 2. ... **~ jednostronnie otwarty ⟨nurnikowy⟩** trunk piston
↑ **tłokowy** *adj* ... **pierścień ~** piston ring; *aut.* **tłumik ~** dash-pot
tłumiący *adj nukl.* buffer (tank)
↑ **tłumić** *vt* 1. ... **~ w zarodku** to nip (sth) in the bud
↑ **tłumik** *sm* 2. ... *aut.* **~ tłokowy** dash-pot; **~ drgań skrętnych** harmonic balancer; *lotn.* **~ płomieni** flare trap
↑ **tłumnie** *adv* ... multitudinously
↑ **tłumny** *adj* ... multitudinous
↑ **tłusto** *adv* 1. ... greasily
↑ **tłusty** *adj* 1. ... **~ druk** ... blackface
↑ **tłuszcza** *sf* ... doggery; tagrag
↑ **tłuszczak**[1] *sm med.* ... **wycięcie ~a** lipectomy
tłuszczak[2] *sm zool.* (*Steatornis caripensis*) guacharo
tłuszczopot *sm G.* **~u** suint
tłuszczowc|e *spl G.* **~ów** *biochem.* lipids
↑ **toaletka** *sf* ... dressing-trolley; dresser
↑ **tobogan** *sm* ... **zawodnik startujący na ~ie** tobogganer; tobogganist
toboganowy *adj sport* toboggan — (slide etc.)
↑ **toczyć** [I] *vt* 1. ... to drive
tokoferol *sm G.* **~u** *biochem.* tocopherol
↑ **toksemia** *sf* ... **~ pochodzenia jelitowego** enterotox(a)emia
toksoplazmoza *sf singt wet.* toxoplasmosis
↑ **toksycznie** *adv* ... poisonously
↑ **tolerancja** *sf* 3. ... breadth
↑ **tolerancyjnie** *adv* ... liberally; broad-mindedly
tombola *sf muz.* bingo
tomograficzny *adj med. fiz.* tomographic
tomogram *sm G.* **~u** *med.* tomogram
↑ **ton**[1] *sm* 1. ... *muz.* **cały ~** whole step; **ćwierć ~u** quarter tone; **~ harmoniczny** harmonic tone 4. ... **wbrew nakazom dobrego ~u** indecorously
↑ **ton|ować** *vt* 1. ... **środek ~ujący barwę** toner
tonowanie *sn* ↑ **tonować;** toning; *fot.* **~ w kąpieli soli złota** gold toning
topograficznie *adv* topographically
↑ **tor**[1] *sm* 1. ... *wojsk.* **pocisk lecący ⟨rakieta lecąca⟩ po torze spiralnym** helicodromic rocket
↑ **tor**[2] *sm* ... **dwutlenek ~u** thoria
↑ **torb|a** *sf* 2. *zool.* marsupium; ... **zaopatrzony w ~ę** pouched
↑ **torebka** *sf* 4. ... **~ zarodnikowa** sporophore
↑ **torf** *sm* ... **~ sfagnowy** sphagnum peat
↑ **torfiasty** *adj* ... sphagnous
torii *spl rel.* torii
toroid *sm G.* **~u** *geom.* toroid
toroidalny *adj geom.* toroidal
↑ **torped|a** *sf* 1. ... **wyrzutnia ~** torpedo tube
torsada *sf* torsade
totalitaryzm *sm* = **totalizm**
↑ **totaln|y** *adj* ... **wojna ~a** ... all-out war; **zwolennik polityki ~ej** all-outer
↑ **towarzyski** *adj* 1. ... *am.* folksy
↑ **towarzysko** *adv* ... gregariously; informally; genially
↑ **towarzystw|o** *sn* 1. ... **w ~ie kogoś, czegoś** concomitantly with sb, sth
↑ **towarzysz** *sm* 2. ... tovarisch
towarzysząc *adv* concomitantly (**czemuś** with sth)
↑ **towarzyszący|y** *adj* ... *bot.* **komórka ~a** companion cell
↑ **trafnie** *adv* 2. ... neatly; fitly
↑ **traganek** *sm* ... **~ szerokolistny** (*Astragalus glycyphyllos*) milk vetch
↑ **tragicznie** *adv* ... calamitously
↑ **tragiczny** *adj* ... calamitous
↑ **traktorzysta** *sm,* **traktorzystka** *sf* ... *sl.* cat-skinner
↑ **tramwaj** *sm* ... **~ konny** horsecar
tramwajarz *sm pl N.* **~e,** *G.* **~y** tram-driver; tram-conductor; *am.* carman
transcendentalnie *adv,* **transcendentnie** *adv* transcendentally
transformata *sf* transform
transgresywn|y *adj* transgressive; **rozszczepienie ~e** transgressive segregation
↑ **translacja** *sf* ... translational motion

translacyjn|y *adj* translational; *fiz.* **symetria ~a** translation symmetry
↑ **translokacja** *sf* ... *biol.* **~ wzajemna** reciprocal translocation
transmetylaza *sf singt biochem.* transmethylase
transminaza *sf singt biochem.* transminase
transmontański *adj* transmontane
↑ **transport** *sm* 1. ... **powietrzny ~ towarowy** airfreight; **samolot do powietrznego ~u towarowego** airfreighter 6. *nukl.* = **przenoszenie** ↑ 7. *fot.* **~ filmu** film transport; **dźwignia ⟨gałka⟩ ~u filmu** shutter wind
transuranowy *adj nukl.* transuranic; transuranian; **pierwiastek ~** transuranic element
trapienie *sn* ↑ **trapić**; harassment
trapowy *adj geol.* trappean
↑ **trasa** *sf* 1. ... **~ lotnicza** air lane
↑ **traw|a** *sf* ... **kosiarka do ~y** grass-mower ⟨cutter⟩
↑ **trawiasty** *adj* 1. ... poaceous
↑ **trawienie** *sn* 2. ... **dobre ~** eupepsia; **~ przedwstępne** predigestion 3. *nukl.* pickling 4. *chem. techn.* corrosion
↑ **trąbka** *sf* 2. ... *anat.* **~ słuchowa** syrinx
↑ **trem|a** *sf* ... **mieć ~ę** *przen.* to have butterflies (in one's stomach)
tremolując|y *adj muz.* tremolant; **~a piszczałka organowa** tremolant
↑ **trener** *sm* ... *boks* handler
treponematoza *sf singt med.* treponematosis; pinta; spotted sickness
↑ **treściwie** *adv* ... pithily
tri *sn indecl* = **trójchloroetylen**
trierarcha *sm* (*decl* = *sf*) trierarch
triploid *sm G.* **~u** *biol.* triploid
trisomiczność *sf singt biol.* trisomy
trisomiczny *adj biol.* trisomic
triumfująco *adv* jubilantly
↑ **triumwirat** *sm* ... triarchy
trochofora *sf zool.* trochophore
trochotron *sm G.* **~u** *nukl.* trochotrone
trofoblast *sm biol.* trophoblast
trofoplazma *sf biol.* trophoplasm
↑ **trombocyt** *sm* ... platelet; **liczba ~ów** platelet count
tromboplastyna *sf biol.* tromboplastin
trona *sf miner.* trona
↑ **trop**[1] *sm* ... **zbity z ~u** disconcerted
↑ **tropi|ć** *vt* 2. ... **~ony przez policję** hot
↑ **tropikalny** *adj* ... **przystosować do warunków ~ch** to tropicalize
↑ **troskliwie** *adv* ... regardfully; mindfully; thoughtfully
trójbarwność *sf singt* trichromatism; trichroism
↑ **trójbarwny** *adj* ... trichroic
trójcylindrowy *adj* (*o maszynie parowej*) triple-expansion
trójcząsteczkowy *adj fiz. nukl.* termolecular
↑ **trójdzielność** *sf* ... tripartition
↑ **trójdzielny** *adj* ... trinary
trójfragmentowy *adj nukl.* ternary (fission)
↑ **trójka** *sf* 2. ... termion
↑ **trójkątny** *adj* 2. *bot.* (*o łodygach, nasionach*) trigonous
↑ **trójkowy** *adj* ... trinary
trójlistny *adj bot.* triphyllous
↑ **trójmiarowy** *adj* 2. *geom.* (*o rzucie, projekcji*) trimetric
↑ **trójmiasto** *sn* treble city; ...
trójnasienny *adj bot.* trispermous
↑ **trójnożny** *adj* ... tripedal
trójogniskow|y *adj* trifocal; **okulary ~e** trifocals
trójpalmityna *sf chem.* palmitin
trójpostaciowość *sf singt* trimorphism
trójpostaciow|y *adj* trimorphous; **substancja ~a** trimorph
trójrzędowy *adj* triserial
trójwalcówk|a *sf pl G.* **~ek** *techn.* triple-roller mill
trójwęzłowy *adj bot.* trimodal
↑ **trójwymiarowy** *adj* ... tridimensional; *pot.* 3-D
↑ **truchcik** *sm* ... dog-trot
↑ **truć** [I] *vt* ... *przen.* to gripe
↑ **trud** *sm* ... (*mozolnie*) **z ~em** painfully
↑ **trudno** *adv* ... stiffly; (*ciężko*) tryingly
↑ **trująco** *adv* ... venomously
↑ **trując|y** *adj* ... venomous; **właściwości ~e** toxicity
↑ **trup** *sm* ... cadaver
↑ **trust** *sm* ... **~ mózgów** brain trust
↑ **truteń** *sm* ... dead-beat
↑ **trutka** *sf* ... **~ na szczury** ... bait-raticide
↑ **trwale** *adv* ... steadily; perdurably; enduringly; everlastingly; imperishably; indissolubly; perennially; tenaciously; substantially
↑ **trwały** *adj* ... *psych.* **stan ~** plateau
↑ **trwożliwie** *adv* ... timorously
↑ **trwożliwy** *adj* ... timorous
↑ **tryb** *sm* 3. ... wheelwork
↑ **trybunał** *sm* ... *powinno być*: **Międzynarodowy Trybunał Sprawiedliwości (w Hadze)** World Court
↑ **trycykl** *sm* ... **~ z budką** pedicab
↑ **trykot** *sm* 2. ... maillot
trypanosomoza *sf singt wet.* surra
trypoflawina *sf chem.* acriflavine; *farm.* trypoflavine
tryskający *adj* gushy; **~ zdrowiem** exuberant health; glowing ⟨vibrant⟩ with health
↑ **tryt** *sm* ... triple-weight hydrogen
↑ **trzcinnik** *sm* ... reed bent
↑ **trzeciorzędowy** [III] *s zool.* tertial
trzewikodziób *sm zool.* (*Balaeniceps rex*) shoebill
↑ **trzeźwo** *adv* 3. ... hard-headedly
↑ **trzęsienie** *sn* 1. ... **~ ziemi** ... seism; **~ samolotu na dużej wysokości** judder
↑ **trzon** *sm* 1. ... *anat. zool.* **~ kręgu** centrum

↑ **trzpiotowato** *adv* ... giddily
↑ **trzydziest|y** *adj* ... *muz.* **~a druga** demisemiquaver
trzymilowy *adj* three-mile (limit etc.)
↑ **tse-tse** *indecl* ... *farm.* **środek przeciwko ukąszeniu muchy ~** antrycide
↑ **tuba** *sf* 5. ... *mar.* bull horn
↑ **tubus** *sm* 1. ... drawtube
Tucydydes *spr* Thucidides
↑ **tuczyć** 🄸 *vt* 1. ... to stallfeed
tularemi|a *sf singt GDL.* **~i** *med.* rabbit fever; tularemia
↑ **tuleja** *sf* 2. ... **~ wysuwana** drawtube
↑ **tuman** *sm* 3. ... dim-wit; lunkhead; dolty; *am. pot.* lummox; zombie
tumanowato *adv pot.* lumpishly; doltishly
↑ **tumanowaty** *adj* ... dim-witted; lumpish
↑ **tunel** *sm* ... **drążenie ~i** tunnelling
↑ **tunelow|y** *adj* ... *nukl.* **zjawisko ~e, efekt ~y** tunnel effect
tunguski *adj* Tungusic
Tunguzi *spl* Tunguses
↑ **tup|ać** *vi* — **tup|nąć** *vi* ... **~ać nogami w podłogę** to drum one's feet on the floor
tupeciarski *adj pot.* saucy; cheeky; swanky
tupelo *sn bot.* (*Nyssa sylvatica*) tupelo; water gum
↑ **tupet** *sm* ... **z ~em** forwardly; coolly
↑ **tur** *sm* ... **chłop jak ~** ... walloper
turbidymetr *sm G.* **~u** *techn.* turbidimeter
↑ **turbina** *sf* ... **~ śmigłowca** propeller turbine
↑ **turbosprężarka** *sf* ... *lotn.* **~ doładowująca** turbosupercharger
↑ **turbośmigłowy** *adj* ... **silnik ~** turboprop ⟨propjet⟩ engine
↑ **turbozespół** *sm* ... **~ ładujący** turbosupercharger
turbulentny *adj techn.* turbulent; *nukl.* **przepływ ~** vortex-type flow
↑ **turecczyzna** *sf* (*wszystko, co jest związane z Turcją*) Turkism
turkmeński *adj* (*o języku*) Turkmen
turkoczący *adj* rumbly
↑ **turystyczn|y** *adj* ... (*na statku*) **klasa ~a** tourist class
↑ **tusz**[1] *sm* ... **~ do długopisów** ball-pen ink
twardoskóry *adj zool.* sclerodermatous
↑ **twardościomierz** *sm* ... sclerometer; **~ Brinella** Brinell machine
↑ **twardoś|ć** *sf* 1. ... *metalurg.* **~ć według Brinella** Brinell hardening; **przyrząd elektronowy do mierzenia ~ci metali** cyclograph
↑ **twardówk|a** *sf* ... *med.* **zapalenie ~i** scleritis
↑ **tward|y** 🄸 *adj* 2. ... **polityka ~ej ręki** tough policy
↑ **twardziel** *sm* 1. ... sclerenchyma
↑ **twarz** *sf* ... *przen.* **zachować ~** to save one's face
↑ **tygrysi** *adj* ... tigerish
↑ **tylny** *adj* ... *bot.* posticous; (*na powozie, samochodzie*) tail (lamp etc.)
↑ **tyłomózgowie** *sn*, **tyłomóżdże** *sn* ... metencephalon; rhombocephalon
↑ **tymczasowy** *adj* ... caretaker (manager etc.)
↑ **tymiankowy** *adj* ... thymic
↑ **typować** *vt* 1. ... **~ aktora do roli** to typecast an actor
↑ **typowo** *adv* ... representatively
↑ **typowy** *adj* ... *bot. biol.* type (specimen, species)
↑ **tyran** *sm* 3. ... bee martin
↑ **tyrańsk|i** *adj* ... **po ~u** tyrannously
↑ **tyrańsko** *adv* ... tyrannously; tyrannizingly
↑ **tyrolsk|i** *adj* ... **sukienka ~a, strój ~i** dirndl
tytanawy *adj chem.* titanous
↑ **tytuł** *sm* 4. *sport* title; championship; **zdobywca ~u** titlist; titleholder

U

↑ **ubaw** *sm* ... doings; (*prywatka*) shinding; shindy
↑ **ubezpieczający** *sm* ... assurer
↑ **ubezpieczenie** *sn* 2. ... **~ na wypadek niezdolności do pracy** disability insurance; **~ od następstw nieszczęśliwych wypadków** catastrophe insurance; **~ emerytalne** old-age insurance
↑ **ubi|ć** *vt* — **ubi|jać** *vt* ... **~ć, ~jać interes** ... *sl.* to caramelize a deal
ubijanie *sn* ↑ **ubijać**
↑ **ubłocić** 🄸 *vt* ... to daggle
↑ **ubocznie** *adv* 2. ... extraneously
↑ **ubogo** *adv* 1. ... indigently; impecuniously; penuriously
↑ **ubolewanie** *sn* ... **z ~m** regretfully
↑ **ubóstwianie** *sn* 1. ... divinization
↑ **ubranie** *sn* 2. ... **wierzchnie ~ ochronne** overclothes
↑ **uch|o** *sn* 1. ... *med.* **zapalenie ~a** otitis; **zapalenie ~a środkowego u lotników** aero-otitis media; aviator's ear
↑ **uchodzić** 🄸 *vt* 3. (*o rzece*) to discharge ⟨to disembogue, to disgorge⟩ (**do czegoś** into sth)
↑ **uchwyt** *sm* 1. ... grappling; (*w tramwaju, autobusie itd.*) grab-rail
↑ **uchyl|ać** *imperf* — **uchyl|ić** *perf* 🄸🄸🄸 *vr* **~ać, ~ić się** 4. ... to dodge (**od służby wojskowej itd.** military service etc.); **człowiek ~ający się od odpowiedzialności ⟨od pracy⟩** *przen.* gold brick

↑ **uchyłek** *sm* ... ~ **odbytnicy** rectocele
↑ **uciążliwie** *adv* ... onerously; inconveniently; oppressively; weightily
↑ **uciecha** *sf* 2. ... creature comforts
↑ **ucieczk|a** *sf* 1. ... *psych.* escape 3. *nukl.* leak; **detektor ~i** leak detector; **wykluczający ~ę** leak-proof
uciemiężająco *adv* oppressingly
uciemiężający *adj* oppressive
↑ **uciemiężony** [III] *adj* downtrodden
↑ **uciułał|ć** *vt* ... **~ny grosz** scrapings
↑ **ucywilizować** [I] *vt* ... to humanize
↑ **uczciwie** *adv* 1. ... respectably
↑ **uczep** *sm* 2. ... Spanish needles
↑ **uczuciowy** *adj* 1. ... affective 2. ... *sl.* camp
↑ **uczuleni|e** *sn* 4. ... anaphilaxis; *nukl.* **czas ~a** sensitive time
↑ **uczyć** [III] *vr* ~ **się** 1. ... **za dużo się ~** to overstudy
↑ **uczynek** *sm* ... **zły ~** malefaction
↑ **udać** *perf* — **udawać** *imperf* [I] *vt* 2. ... *przen.* to sail under false colours
↑ **udarow|y** *adj* 2. *nukl.* acute; **napromienienie ~e** acute exposure
↑ **udawanie** *sn* 2. ... dissembling
↑ **udawany** [III] *adj* ... assumed; feigned
↑ **uderz|ać** *imperf* — **uderz|yć** *perf* [III] *vi* 2. ... **~ać, ~yć w bęben** to drum
↑ **uderzenie** *sn* 3. ... ~ **pioruna** lightning stroke; *lotn.* **~krwi do głowy podczas ewolucji** red-out 7. ... drive
↑ **uderzeniow|y** *adj* ... *fiz.* **fala ~a** shock wave
udogodniający *adj* accommodative
udoskonalająco *adv* improvingly; perfectively
udoskonalający *adj* improving; perfective
↑ **udow|adniać** *vt* — **udow|odnić** *vt* ... **nie dający się ~odnić** indemonstrable
↑ **udręka** *sf* ... gnawing
udziwniony *adj pot.* sophisticated
↑ **ufnie** *adv* ... sanguinely; trustingly
↑ **ugaszeni|e** *sn* 1. ... **nie do ~a** inextinguishable
ugłaskiwani|e *sn* ↑ **ugłaskiwać; polityka ~a przeciwnika** Munichism
↑ **ugni|atać** *vt* — **ugni|eść** *vt* 1. ... **~atać (śledzie itd.) w beczce** to daunt (herrings etc.)
↑ **ugniatani|e** *sn* ... *roln.* **wał do ~a** packer
↑ **ugoda** *sf* 1. ... paction
↑ **ugrzecznienie** *sn* ... **z ~m** sleekly
↑ **ujednostajnić** *perf* — **ujednostajniać** *imperf* [I] *vt* 1. ... to uniformalize
↑ **ujemnie** *adv* 1. ... **wyrażać się ~** to disparage (**o kimś** sb); to speak disparagingly
↑ **ujemn|y** *adj* 1. ... **liczba ~a** negative number
↑ **ujęcie** *sn* 3. ... ~ **wody** ... watershed area
↑ **ujm|a** *sf* ... **przynosić komuś ~ę** ... to cause sb damage; **z ~ą dla kogoś** ... prejudicially ⟨injuriously⟩ to sb; **przynoszący ~ę** disparaging; **przynosząc ~ę** damagingly; disparagingly; **nie przynoszący ~y** underogatory
↑ **ujmująco** *adv* ... ingratiatingly; insinuatingly; pleasingly
↑ **ukarać** *vt* ... **srogo kogoś ~** to crack down on sb
ukartowany [I] *pp* ↑ **ukartować** [III] *adj* collusive; put-up
↑ **układ** *sm* 1. ... ordonnance; design; set-up 3. ... ~ **dwójkowy** scale of two 6. ... *nukl.* ~ **przeskokowy** flip-flop circuit
↑ **układanka** *sf* ... ~ **chińska** tangram
↑ **układnie** *adv* ... urbanely
↑ **ukłucie** *sn* 3. ... stitch
ukrywanie *sn* ↑ **ukrywać;** dissembling
↑ **ukwiecony** [III] *adj* ... floriated
↑ **ulegle** *adv* ... tamely; supply; docilely; tractably
↑ **uległoś|ć** *sf* ... **z ~cią** tractably; docilely; tamely
↑ **uległy** *adj* ... tame
ulepszająco *adv* improvingly
↑ **ulew|a** *sf* 2. *nukl.* shower; **~a skupiona** narrow shower; **cząstka ~y** shower particle
ulewnie *adv* torrentially
↑ **ulewny** *adj* ... **pada ~ deszcz** it pours; it rains heavily
↑ **ulicznik** *sm* ... *am.* dead-end kid
Ulisses *spr* Ulysses
ulokowanie *sn* ↑ **ulokować;** placement; put-up
ultramikrochemi|a *sf singt GDL.* **~i** ultramicrochemistry
ultramikrochemiczny *adj* ultramicrochemical
↑ **ultranowoczesny** *adj* ... sophisticated
ultraprędki *adj nukl.* ultra-high-speed (particle)
ultrawysoki *adj* ultra high (temperature)
↑ **ułamek** *sm* 1. ... ~ **mieszany** mixed fraction
↑ **ułomność** *sf* 2. ... deficiency
↑ **ułożenie** *sn* 1. ... *med.* **nieprawidłowe ⟨wadliwe⟩ ~** malposition
↑ **ułożony** [I] ... **z góry ~** ... put-up; collusive
↑ **umiar** *sm* ... **bez ~u** immoderately; inordinately; intemperately
↑ **umiejscowienie** *sn* ... *anat.* situs (of an organ)
↑ **umieszczenie** *sn* ... (*ulokowanie*) placement
↑ **umowa** *sf* ... ~ **wydawnicza ⟨o dzieło⟩** publisher's agreement
↑ **umór** *sm* ... **pić na ~** ... to drink hard ⟨heavily⟩
↑ **umysłowo** *adv* ... **chory ~** ... mentally ill; certified
↑ **umysłow|y** *adj* ... **wiek rozwoju ~ego** mental age
↑ **umyślnie** *adv* ... intentionally; voluntarily; wilfully

† **uncja** *sf* ... ~ **objętości płynu** fluid ounce
† **unerwienie** *sn* 1. ... neuration
† **uniemożliwi|ać** *vt* — **uniemożliwi|ć** *vt* ... **~ć komuś zrobienie czegoś** ... to disenable sb from doing sth
† **uniesieni|e** *sn* 2. ... **w ~u, z ~em** rapturously; impassionedly; **w radosnym ~u** jubilantly
unieważniający *adj* dissolving
† **unieważnić** *vt* — **unieważniać** *vt* 1. ... to vitiate
† **unieważnieni|e** *sn* ... **podlegający ~u** vitiable
unieważniony *pp* † **unieważnić**; vitiated
uniewinniający *adj* acquitting; **wyrok ~** sentence ⟨verdict⟩ of acquittal
† **unik** *sm* ... *boks* **~ w bok** slipping; **~ w tył** snap-away
unikający *adj psych.* abient
† **uniknięci|e** *sn* ... **możliwy do ~a** evitable
† **uniżenie** *adv* ... supply
† **unosić** ⊞ *vr* **~ się** 1. *zob.* **unieść się** 2. (*utrzymywać się na powierzchni płynów, w powietrzu*) to float; **~ się na falach** to be adrift (at sea etc.)
† **unoszenie** *sn* 5. **~ się** (*utrzymywanie się na powierzchni płynów, w powietrzu*) floating; **~ się na wodzie** drifting
† **unowocześniać** *imperf* — **unowocześnić** *perf* ⊡ *vt* ... to update
uodparniający *zob.* **uodporniający**
uodp|orniający *adj*, **uodp|arniający** *adj med.* immunifacient; **środek ~orniający** ⟨**~arniający**⟩ immunizator
† **uodpornienie** *sn* ... **~ względne** premunition
† **upadek** *sm* 1. ... (*w zapaśnictwie*) **~ na plecy** backfall
upakowani|e *sn fiz. nukl.* packing; **gęstość** ⟨**efekt**⟩ **~a** packing density ⟨effect⟩
upakowany *adj nukl.* **gęsto ~** close-packed
† **upalnie** *adv* ... scorchingly
† **uparcie** *adv* ... mulishly; stiffly
† **upchać** *vt*, **upchnąć** *vt* — **upychać** *vt* 1. ... to jampack
† **upiorny** *adj* ... ghostly
† **upłaz** *sm powinno być*: mountain terrace
† **upłynniać** *vt* — **upłynnić** *vt* 2. ... to defrost (capitals etc.)
† **upływ** *sm* 1. ... drain 3. *nukl.* leak
† **upływow|y** *adj* 2. *nukl.* leakage; **promieniowanie ~e** leakage radiation
upodlająco *adv* degradingly; debasingly
upodobniający się *adj zool.* **~ się barwą** ⟨**kształtem**⟩ **do otoczenia** apatetic
† **uporczywie** *adv* ... insistently; inveterately
† **uposaże|nie** *sn* ... **grupa niskich ~ń** lower income bracket
uposażeniow|y *adj ekon.* **grupa ~a** bracket
† **upraw|a** *sf* 1. ... cropping; **~a wstęgowa** strip cropping; **nadający się do ~y** cultivable; **~a monokulturowa** one-crop culture, monoculture; **~a intensywna** intensive culture 2. ... **~a na piasku** sandculture; **~a roślin na terenach górzystych** hillculture; **~a wodna** hydroponics; aquiculture
† **uprawiać** *vt* — **uprawić** *vt* 3. ... to go in for (sports etc.)
† **uprawn|y** *adj* 1. ... **warstwa ~a (gleby)** topsoil
† **uprowadzać** *vt* — **uprowadzić** *vt* 2. ... to hijack (an aeroplane)
† **uprzednio** *adv* ... anteriorly
† **uprzejmie** *adv* ... obligingly
† **upust** *sm* 2. (*pofolgowanie*) letoff
† **uralo-ałtajski** *adj* ... **języki ~e** Turkic languages
uralski *adj* Uralian; **języki ~e** Uralian languages
Uran *spr astr.* Uranus
† **uran** *sm* ... **~ metaliczny** uranium metal; **~ wzbogacony** enriched uranium; **sześciofluorek ~u** hexafluoride; **zawartość ~u** uranium content; *med.* **zatrucie ~em** uranium poisoning
uranian *sm G.* **~u** *chem.* uranate; **~ sodowy** sodium uranate
† **uraninit** *sm* ... pitchblende; nasturan
uranit *sm G.* **~u** *miner.* uranite
uranonośn|y *adj* uranium-bearing (coal); **~e złoże żyłowe** uranium-bearing vein deposit
uranow|iec *sm G.* **~ca**, *pl N.* **~ce**, *G.* **~ców** *miner.* uranide
† **uranow|y**[1] *adj* ... **bogata ruda ~a** high-grade uranium ore; **rzadka ruda ~a** brennerite; **reaktor ~y** uranium furnace ⟨pile⟩
uranowy[2] *adj astr.* Uranian
† **uranyl** *sm* ... **azotan ~u** uranyl nitrate; **fosforan ~u** uranyl phosphate; **octan ~u** uranyl acetate
† **uraz|a** *sf* ... **z ~ą** resentfully
urazowość *sf singt med.* traumatism
† **urazow|y** *adj* ... **chirurgia ~a** arthrosteopedic surgery
uredo *sn indecl bot.* uredo; **stadium ~** uredo stage
uredospora *sf bot.* uredospore
ureidy *spl chem.* ureides
uretan *sm G.* **~u** *chem.* urethan(e)
† **urlop** *sm* ... **~ płatny** ... holiday with pay
† **uroczo** *adv* ... winsomely
† **uroczyście** *adv* 1. ... festively
† **urodzeni|e** *sn* 2. ... **od ~a** congenitally
† **uruchomienie** *sn* ... start-up
† **urwisto** *adv* ... ruggedly
† **urywkowo** *adv* ... discontinuously
† **urządzeni|e** *sn* 3. ... *pl* **~a** facilities
† **urządz|ić** *perf* — **urządz|ać** *imperf* ⊡ *vt* 3. ... **~ić wystawę sklepową** to dress a shop-window

↑ **urzec** *vt* — **urzekać** *vt* 1. ... to spellbind
↑ **urzeczenie** *sn* 3. ... bedevilment
↑ **urzędnik** *sm* ... jobholder
↑ **urzędowy** *adj* 1. ... (*o tytule, randze*) officiary
urzęsiony *adj biol.* flagellate
↑ **usankcjonować** *vt perf* ... to approbate; to authorize
↑ **usiedzieć** *vi* 3. (*wytrwać siedząc*) to sit out (**na wykładzie itd.** a lecture etc.)
↑ **usiłować** *vi* ... ~ **zdobyć (władzę itd.)** to make a bid (for power etc.)
↑ **uskok** *sm* 3. ... ~ **odwrócony** thrust fault; ~ **podłużny** strike fault
↑ **uskrzydlony** ☒ *adj* ... wingy
↑ **usłojenie** *sn* ... veining (of wood)
↑ **usługowiec** *sm* ... service man
↑ **uspokajająco** *adv* ... restfully; reposefully
↑ **uspokajający** *adj* ... **środek** ~ ... pacifier
↑ **uspołecznić** *perf* — **uspołeczniać** *imperf* ☐ *vt* 3. ... to communize
uspołeczniony ☐ *pp* ↑ **uspołecznić** ☒ *adj* socialized
↑ **usposobieni|e** *sn* 3. ... **zmiana** ~**a** mood swing
↑ **usprawiedliwi|ać** *imperf* — **usprawiedliwi|ć** *perf* ☐ *vt* 2. ... **dający się** ~**ć** defensible; justifiable; vindicable
↑ **usprawiedliwieni|e** *sn* 1. ... **(możliwy) do** ~**a** vindicable; justifiable; defensible
usprawniająco *adv* improvingly
↑ **ustalon|y** ☒ *adj* ... *nukl.* **orbita** ~**a** stable orbit; **punkt** ~**y** fix; **stan** ~**y** stationary state
↑ **ustan|ek** *sm* ... **bez** ~**ku coś robić** ... to do sth continually
↑ **ustawi|ać** *imperf* — **ustawi|ć** *perf* ☐ *vt* 4. ... *przen.* ~**ć odpowiednio sprawę** to angle the matter
ustawodawczo *adv* legislatively
↑ **ustawowo** *adv* ... legally
↑ **uster|ka** *sf* ... **wykrywacz** ~**ek** trouble-shooter
↑ **usterzenie** *sn* ... ~ **ogona** empennage
↑ **ustęp** *sm* 2. ... loo
↑ **ustępliwie** *adv* ... facilely
↑ **ustnie** *adv* ... vocally
↑ **ustnik** *sm* 1. ... **papieros z** ~**iem** filter-tip cigarette
↑ **ustnikowy** *adj* ... **papieros** ~ filter-tip cigarette
↑ **ustrojowy** *adj* 1. ... **płyn** ~ body fluid
↑ **ustrój** *sm* 5. ... establishment
↑ **ustrzec** ☒ *vr* ~ **się** ... to escape (**przed czymś, czegoś** sth)
↑ **usunąć** *perf* — **usuwać** *imperf* ☐ *vt* 2. ... (*pozbawić mieszkania*) to displace (a tenant)
↑ **usunięcie** *sn* 1. ... remotion 3. (*zdjęcie ze stanowiska*) supersession; *am.* supersedure
↑ **usuwanie** *sn* 1. ... *nukl.* ~ **do ziemi** ground disposal

↑ **usypianie** *sn* 2. ... ~ **zwierząt** mercy killing ⟨slaying⟩
uszczelniacz *sm* sealing; sealant, sealing medium
uszczelniając|y *adj* sealing; **płyta** ~**a** seal plate
↑ **uszczelnienie** *sn* 2. ... sealant; sealing
↑ **uszczęśliwiać** *vt* — **uszczęśliwić** *vt* ... to imparadize (sb)
↑ **uszczuplać** *imperf* — **uszczuplić** *perf* ☐ *vt* ... to detract (**coś** from sth)
↑ **uszczypliwie** *adv* ... pointedly
↑ **uszczypliwy** *adj* 2. ... pointed
↑ **uszkodzeni|e** *sn* 1. ... **łatwy do** ~**a** damageable
↑ **uszkodzić** *perf* — **uszkadzać** *imperf* ☐ *vt* ... to traumatize
↑ **uszkodzony** ☒ *adj* ... damaged; in a damaged condition
↑ **uszlachetniać** *imperf* — **uszlachetnić** *perf* ☐ *vt* 1. ... to humanize
uszykowanie *sn* ↑ **uszykować**; arrayal
↑ **uśmiercać** *vt* — **uśmiercić** *vt* 1. ... to deaden; to do sb to death
↑ **uśmierzający** *adj* ... abirritant; **środek** ~ abirritant
↑ **uśpieni|e** *sn* ... ~**e zwierzęcia** mercy killing ⟨slaying⟩; *biol.* **stan** ~**a** dormancy
uśpiony ☐ *pp* ↑ **uśpić** ☒ *adj* asleep; *bot.* (*o roślinie*) dormant
↑ **utleniacz** *sm* ... oxidizer
utlenieni|e *sn* ↑ **utlenić**; oxidation; *nukl.* **cykl** ~**a-redukcji** oxidation-reduction cycle
↑ **utrapienie** *sn* ... **mam z nim** ~ he is the despair of mine
utrudniająco *adv* impedingly
utrudzony ☐ *pp* ↑ **utrudzić** ☒ *adj* tired; weary; exhausted; toilworn; fagged out
↑ **utrwalacz** *sm* ... fixing agent; stabilizer; ~ **kwaśny ⟨obojętny⟩** acid ⟨plain⟩ fixer
↑ **utrwal|ać** *imperf* — **utrwal|ić** *perf* ☐ *vt* 6. ... **środek** ~**ający** fixing agent
↑ **utrzymani|e** *sn* 2. ... **koszty** ~**a** cost of living
↑ **utwardzanie** *sn* ... *metalurg.* ~ **dyspersyjne ⟨przez starzenie⟩** age hardening; ~ **przez odkształcanie** strain hardening
↑ **utylitarny** *adj* ... utility — (clothes etc.)
↑ **uwag|a** *sf* 1. ... **ściągnąć** ~**ę na coś** to highlight sth; **nie zwracając na siebie** ~**i** inconspicuously; **w sposób godny** ~**i** noticeably
↑ **uwarstwienie** *sn* 2. ... ~ **poprzeczne** cross-bedding
↑ **uwarstwiony** *adj* ... stratiform
↑ **uważający** *adj* ... advertent
↑ **uważnie** *adv* 1. ... mindfully; regardfully
↑ **uważny** *adj* 1. ... advertent
↑ **uwięzienie** *sn* ... **bezprawne** ~ false imprisonment

uwłaczająco *adv* offensively; insultingly; damagingly; detrimentally; disparagingly

† **uwłaczający** *adj* ... damaging; detractive

† **uwłaczanie** *sn* 2. ... detraction

† **uwodzenie** *sn* ... ~ **nieletnich** debauchery of youth

† **uwodziciel** *sn* ... debaucher

† **uwspółcześniać** *vt* — **uwspółcześnić** *vt* ... to update

† **uwydatniać** *imperf* — **uwydatnić** *perf* ☐ *vt* 1. ... *przen.* to highlight

† **uzasadni|ać** *vt* — **uzasadni|ć** *vt* ... **dający się** ~**ć** justifiable

† **uzasadnieni|e** *sn* ... **bez** ~**a** unfoundedly

uzupełniająco *adv* complementarily; supplementarily; by way of complement; by way of supplement; subsidiarily

† **uzupełniając|y** *adj* ... *nukl.* **woda** ~**a** make-up water

† **uzupełnieni|e** *sn* ... **w** ~**u, jako** ~**e** subsidiarily

† **uzysk** *sm* ... *nukl.* gain

† **uzyskani|e** *sn* ... **możliwy do** ~**a** procurable; available; **niemożność** ~**a** non-availability

† **użyłkowanie** *sn* ... neuration (of a leaf etc.)

użytecznie *adv* usefully; helpfully

† **użyt|ek** *sm* 1. ... **na dwojaki** ~**ek** dual-purpose 3. ... ~**ki zielone** greenland

† **użytkowca** *sm*, **użytkownik** *sm* ... appointee

† **użytkow(n)oś|ć** *sf* ... (*o bydle, drobiu itd.*) **o** ~**ci dwukierunkowej** dual-purpose

† **używanie** *sn* 2. ... beer and skittles

† **użyźnianie** *sn* 2. *roln.* amendment

V

Van de Graaff *spr fiz.* **generator** ~**a** Van de Graaf generator ⟨machine⟩; electrostatic generator

Van der Waals *spr fiz. chem.* **siły ⟨promień⟩** ~**a** Van der Waals forces ⟨radius⟩

viola da gamba *sf muz.* viola da gamba

W

† **wachlarzow|y** *adj* ... *arch.* ~**e sklepienie** fan vault

† **wad|a** *sf* 3. ... ~**y budowy i umysłu u człowieka** gargoylism

† **wadliwie** *adv* ... deficiently; incompletely

† **wadliwy** *adj* ... incomplete; deficient

† **waga** *sf* 1. ... ~ **aptekarska** dispensing balance; ~ **belkowa ⟨dźwigniowa⟩** beam scales

† **wagon** *sm* 1. ... ~ **bagażowy** ... fourgon; ~**-chłodnia** ... freezer; ~ **próżny** idler; ~ **osobowy** day coach; **zamknięty** ~ **towarowy** covered wagon; ~ **samowyładowczy** dumper; ~ **samozsypny** hopper car

wahabi|ta *sm pl N.* ~**ci**, *G.* ~**tów** *rel.* Wahabi

† **wahadłowy** *adj* ... **pociąg** ~ shuttle train

wahając się *adv* hesitantly

† **wahani|e** *sn* 2. ... **bez** ~**a** without demur; **z** ~**em** hesitantly

† **wajgelia** *sf* ... weigela

† **wakat** *sm* 2. ... blank (page)

† **walecznie** *adv* ... valiantly; valorously

† **waleczność** *sf* ... valiance

† **waleczny** ☐ *adj* ... valiant; valorous

† **walencyjn|y** *adj powinno być:* valence — (electron); **wiązanie** ~**e** valence bond

† **waleriana** *sf* 1. ... all-heal

† **wal|ić** *imperf* — **wal|nąć** *perf* ☐ *vt* 2. ... ~**nąć kogoś** to dot sb one 3. *pot.* (*grubo nakładać — farby itd.*) to daub on

† **walutowy** *adj* 1. ... **niedobór** ~ dollar gap

† **wał** *sm* 2. ... torus 4. ... ~ **wahadłowy** rockshaft

wałczyk *sm zool.* (*Magdalia barbicornis*) pear weevil

† **wałęsać się** *vr* ... to prowl

wałęsając się *adv* loiteringly

† **wanadowy** *adj* ... vanadium — (steel)

† **wapień** *sm* ... ~ **cuchnący** stinkstone

† **wapno** *sn* ... ~ **sodowe** soda lime; ~ **nawozowe** soil lime

warcholsko *adv* factiously

wargowotylnopodniebienny *adj fonet.* labiovelar

† **wargowozębowy** *adj* ... dentilabial

† **wariack|i** *adj* ... ~**a jazda** ... reckless driving

† **wariacko** *adv* ... recklessly

wariancja *sf singt* variance

† **wariat** *sm* ... *pot.* crackbrain; *sl.* looney

† **warkot** *sm* ... **z** ~**em** throbbingly

† **warstwa** *sf* ... *mat.* coset; *lotn.* ~ **przyścienna ⟨graniczna⟩** boundary layer

† **warstwowan|y** ☐III *adj* ... laminated; **tworzywo sztuczne** ~**e** laminated plastic

† **warstwow|y** *adj* 1. ... sandwich — (meth-

od); **drewno ~e** laminated wood; *nukl.* **płyta ~a** sandwich plate 2. *geogr.* stratal; stratiform; layer — (structure)

↑ **warto** ... (*odradzając*) **nie ~ pisać ⟨wspominać itd.⟩** don't bother to write ⟨to mention etc.⟩

↑ **wartościowoś|ć** *sf* ... atomicity; **elektron ~ci** valence electron

↑ **wartoś|ć** *sf* 1. ... **tracić na ~ci** ... to decrease in value 2. ... **~ć biologiczna** biological value

↑ **warzelny** *adj* ... **kocioł ~** kier boiler

↑ **warzywnictwo** *sn* ... trucking

Wassermann *spr med.* **test ⟨odczyn, próba⟩ ~a** Wassermann reaction

↑ **wata** *sf* ... **~ szklana** ... fiberglass

↑ **wawrzynek** *sm powinno być: bot.* **~ wilczełyko** (*Daphne mezereum*) daphne; mezereon

↑ **waza** *sf* 1. ... potiche

↑ **wazelina** *sf* 1. ... mineral jelly

↑ **wazon** *sm* 1. ... potiche 2. ... **uprawa w ~ach** pot culture

wazopresyna *sf biochem. farm.* vasopressin

↑ **ważenie** *sn* ... weighting

↑ **ważka** *sf* 2. ... damsel fly

↑ **ważniak** *sm* ... **odstawiać ⟨strugać⟩ ~a** ... to put on the dog

↑ **ważnie** *adv* ... importantly

↑ **ważnoś|ć** *sf* 3. ... **z ~cią** validly

ważon|y *pp* ↑ **ważyć; funkcja ~a** weighting function; **średnia ~a** weighted average

↑ **wąskolistny** *adj* ... stenophyllous

wąskopłatkowy *adj bot.* stenopetalous

↑ **wąskotorowy** *adj* ... narrow-gauge — (railway)

↑ **wąskotorówka** *sf* ... dolly

↑ **wątło** *adv* ... frailly; slimly

↑ **wątpieni|e** *sn*
bez ~a ... unmistakably

↑ **wątpliwie** *adv* ... questionably; disputably

↑ **wątpliwy** *adj* 1. ... iffy

↑ **wątrob|a** *sf* 1. ... *farm.* **wyciąg z ~y** liver extract

wbudowany [I] *pp* ↑ **wbudować** [III] *adj* built-in; fitted

↑ **wchłanianie** *sn* 2. *fizj.* intussusception

↑ **wciągnik** *sm* ... *lotn.* **~ klap** flapjack

↑ **wciąż** *adv* ... eternally; perpetually

↑ **wcieranie** *sn* 1. ... *med.* inunction

↑ **wcięty** [III] *adj* 1. ... incised

wciśnięcie *sn* ↑ **wcisnąć;** impaction

wciornast|ek *sm G.* **~ka** *zool.* **~ek owocowiec** (*Thaeniotrips inconsequens*) pear thrips

wciśnięty [I] *pp* ↑ **wcisnąć** [III] *adj* impacted

↑ **wczasy** *spl* ... **~ organizowane** package holiday

↑ **wczep** *sm* ... **połączenie na ~y** dovetail lap

↑ **wczesny** *adj* 1. ... **~m rankiem** ... matitutinally

↑ **wcześnie** *adv* 1. ... **~ rano** matitutinally 5. **~j** (*uprzednio*) anteriorly; ...

↑ **wdechowy** *adj* ... george; spoony

↑ **wdzięcznie** *adv* 1. ... neatly

↑ **wdzięcznoś|ć** *sf* ... **z ~cią** thankfully; gratefully; **z sercem przepełnionym ~cią** overwhelmed with gratefulness; **bez ~ci** unthankfully

↑ **wdzięk** *sm* 1. ... **bez ~u** ... ungraceful(ly)

↑ **wejście** *sn* 2. ... entryway; inlet; *elektr.* input

↑ **wejściowy** *adj* ... *nukl.* **filtr ~** inlet filter

↑ **weksel** *sm* ... note of hand

wektograf *sm G.* **~u ~ piszący** vectorial recorder

↑ **wektor** *sm* 2. ... **kierunek ~a** sense of a vector 3. *astr.* **~ przyłożony ⟨umiejscowiony⟩** radius vector

↑ **wektorow|y** *adj* ... **pole ~e** vector field

↑ **welinowy** *adj* ... **papier ~** wove ⟨woven⟩ paper

↑ **welur** *sm* 1. ... velure

↑ **wełna** *sf* 1. ... *techn.* **~ żużlowa ⟨mineralna⟩** rock wool

↑ **wełnisty** *adj* 1. ... lanate

↑ **wełnodajn|y** *adj* ... **zwierzę ~e** wooler

↑ **wentylacyjny** *adj* ... ventilative

↑ **wentylator** *sm* ... **~ ssący ⟨wyciągowy⟩** ... exhaust fan

↑ **weratryn|a** *sf* ... **zaprawiać ~ą** to veratrize

wernalizacja *sf singt roln.* venalization

↑ **weronal** *sm* ... barbital; **~ rozpuszczalny** sodium barbital

↑ **wersalik** *sm* ... upper-case letter; **wydrukować ~ami** to upper-case

↑ **wersalka** *sf* ... bed-settee; collapsible sofa

↑ **werw|a** *sf* ... animal spirits; élan; **z ~ą** zestfully

↑ **wesoło** *adv* 1. ... mirthfully; jocundly; lightsomely; playfully

↑ **wesoły** *adj* 1. ... cadgy

↑ **westchnienie** *sn* ... suspiration

↑ **wewnątrzatomowy** *adj powinno być: chem.* intra-atomic

wewnątrzjądrowy *adj nukl.* intranuclear

↑ **wewnątrzkomórkowy** *adj* ... intracell — (flux distribution)

wewnątrzustrojow|y *adj biol.* autosomal; **cecha dominująca ~a** autosomal dominant; **cecha recesywna ~a** autosomal recessive

wewnątrzwydzielniczy *adj fizj.* incretory; endocrine; internal secretion — (gland etc.)

wewnątrzzwrotny *adj bot.* introrse

↑ **wewnętrzn|y** *adj* 1. ... inherent; *nukl.* **energia ~a** intrinsic energy

↑ **wezuwian** *sm* ... idocrase

↑ **wezwanie** *sn* 2. ... bid

węchomózgowie *sn singt anat.* rhinocephalon
↑ **wędrowny** *adj* 3. *nukl.* (*o fali*) travelling
↑ **węglarka** *sf* ... coal car
węglarni|a *sf G.* ~ (*dół do wypalania węgla drzewnego*) coal pit
↑ **węglarz** *sm* 3. (*człowiek wypalający węgiel drzewny*) charcoal burner
↑ **węglik** *sm* ... ~ **krzemu** silundum
węglowo-azotowy *adj nukl.* **cykl** ~ carbon-nitrogen cycle
↑ **węglow|y** *adj* 1. ... coal — (gas etc.); **warstwy** ~**e** coal measures; *nukl.* **cykl** ~**y** carbon cycle
↑ **węszyć** [I] *vi* 2. ... to prowl
↑ **wężownica** *sf* ... *nukl.* ~ **chłodząca** cooling coil
wężówk|a *sf pl G* ~**ek** *zool.* (*Plotus anhinga*) darter; snakebird; water turkey
↑ **wgłębienie** *sn* 2. ... fovea
↑ **wgłębny** *adj* ... intratelluric
↑ **wgniecenie** *sn* ... dent
↑ **wia|ć** [I] *vi* 1. ... **w pokoju** ~**ło od okna** there was a draught from the window; the room was draughty
↑ **wiadomoś|ć** *sf* 1. ... **podać (coś) do ogólnej** ~**ci** to publicize (sth); to make (sth) public
↑ **wiadukt** *sm* ... overpass
↑ **wialnia** *sf* ... fanning-mill
↑ **wiarogodnie** ⟨**wiarygodnie**⟩ *adv* ... plausibly
↑ **wiarołomnie** *adv* ... unfaithfully
↑ **wiarołomny** *adj* ... unfaithful
↑ **wiatrakowiec** *sm* ... gyroplane
↑ **wiatropylność** *sf* ... wind-pollination; anaemogamy
↑ **wiatropylny** *adj* ... wind-pollinated
wiatroszczelny *adj* windtight
↑ **wiatrówka** *sf* 1. ... ~ **z kapturem** anorak, anarak; wind cheater
↑ **wiąd** *sm* ... ~ **rdzenia** locomotor ataxia
wiądowy *adj med.* tabeant
↑ **wiązani|e** *sn* 4. ... *nukl.* **efekt** ~**a** binding effect; **energia** ~**a jądra** binding energy of nucleus
wiązany [I] *pp* **wiązać** [III] *adj* (*o sprzedaży*) tie-in
↑ **wiązk|a** *sf* 1. ... **zebrany w** ~**i** fascicular; *fiz.* ~**a promieni równoległych** beam; ~**a radarowa** radar beam; ~**a radarowa kierująca samolotem podczas lądowania** landing beam; **pocisk kierowany** ~**ą radarową** beam rider; *nukl.* ~**a elektronów** electrone beam
↑ **wiązówka** *sf* ... ~ **bulwkowa** (*Filipendula hexapetala*) dropwort
wiążąco *adv* validly; bindingly
↑ **wibracyjny** *adj* ... vibratile; vibrating; **kondensator** ⟨**przerywacz, elektrometr**⟩ ~ vibrating condenser ⟨contactor, reed electrometer⟩
wibrując *adv* vibrantly
↑ **wiceprezydent** *sm* ... *pot.* veep
wichajst|er *sm G.* ~**ra** *pot.* doings; doodad
wichrzycielsko *adv* factiously
↑ **wichrzycielstwo** *sn* ... trouble-making
wiciowaty *adj zool.* flagelliform
wiciowy *adj zool.* flagellate; flagellated
↑ **widełki** *spl* 4. (*u ptaków*) furcula
↑ **widlasty** *adj* ... divided
↑ **widliszek** *sm powinno być: zool.* (*Anopheles*) anopheles
↑ **widocznie** *adv* ... noticeably
↑ **widocznoś|ć** *sf* 1. ... *lotn.* **lot** ⟨**lądowanie**⟩ **bez** ~**ci** instrument ⟨blind⟩ flight ⟨landing⟩
↑ **widoczny** *adj* 1. ... ~ **gołym okiem** gross
↑ **widokówk|a** *sf* ... **zbieranie** ⟨**kolekcjonowanie**⟩ ~**ek** deltiology
↑ **widowiskowo** *adv* ... spectacularly
↑ **widzeni|e** *sn* 2. ... **zasięg** ~**a** visual range
↑ **widzialnoś|ć** *sf* ... **stopień** ⟨**zasięg**⟩ ~**ci** visual range
↑ **wieczyście** *adv* ... everlastingly; imperishably
↑ **wiedz|a** *sf* 1. ... ~**a tajemna** gnosis; occult (science); ~**a praktyczna** know-how; ~**a techniczna** technical knowledge 3. ... **bez niczyjej** ~**y** ... unsuspectedly
wiejsko *adv* rurally; rustically; ~**-miejski** rurban
↑ **wiek** *sm* 7. *nukl.* age; **równanie dyfuzji w zależności od** ~**u** age-diffusion
wiekuiście *adv* eternally; everlastingly; perpetually
↑ **wielkodusznie** *adv* ... nobly
wielkokomórkowy *adj biol.* macrocytic
↑ **wielkoś|ć** *sf* 1. ... *handl.* size; ~**ci naturalnej** full-scale
↑ **wielobarwny** *adj* ... pleochroic
↑ **wielocząsteczkowy** *adj* ... polymeric
↑ **wielodzielny** *adj* 2. *biol. bot.* polymerous; *bot.* **kwiatostan** ~ polychasium
wielogrupowy *adj* multi-group (equation etc.)
↑ **wielojęzyczny** *adj* ... **słownik** ~ multi-lingual dictionary
↑ **wielokropek** *sm* ... suspension points
↑ **wielokrotnie** *adv* ... frequently
wielomównie *adv* loquaciously
↑ **wieloraki** *adj* ... multitudinous
↑ **wielorako** *adv* ... ~ **złożony** multitudinous
↑ **wieloródka** *sf* ... multipara
↑ **wielorybi** *adj* ... **olej** ~ train oil
wielosiarcz|ek *sm G.* ~**ku** *chem.* polysulphide
wielosłupkowość *sf singt bot.* polygamy
wielosłupkowy *adj bot.* polygamous
wielostożkowy *adj* polyconic (projection)
wielotłokowy *adj techn.* multicylinder(ed)
wielowłókienkowy *adj tk.* (*o przędzy*) multifilament
↑ **wielozakresowy** *adj* ... multi-range
wielozwojowy *adj* multicoil
↑ **wielożenny** *adj* ... polygynous

↑ **wielożeństwo** *adj* ... polygyny
↑ **wiernie** *adv* ... trustily; (*o pamięci*) tenaciously
↑ **wiertarka** *sf* 1. ... ~ **pionowa** drill press
↑ **wierutnie** *adv* ... egregiously
↑ **wierzchni** *adj* 1. ... ~**a warstwa** superstratum
↑ **wierzchotkowaty** *adj*, **wierzchotkowy** *adj bot.* cymose; ...
↑ **wieś** *sf* 3. ... **bawić na wsi** to ruralize
↑ **wietrzenie** *sn* 1. ... *geol.* weathering (of rocks)
↑ **wietrzno** *adv* gustily; ...
wiewiórecznik *sm zool.* (*Tupola*) tree shrew
↑ **wieża** *sf* 1. ... **strzelista** ~ fleche
↑ **wieżowiec** *sm* ... tower block
więdnący *adj med.* tabescent
więzozrost *sm G.* ~**u** *anat.* syndesmosis
↑ **wig** *sm* ... **polityka** ~**ów** Whiggism
↑ **wigor** *sm* ... **bez** ~**u** ... thewless; **z** ~**em** vigorously; lustily
wigowski *adj* whiggish
wijąc się *adv* flexuously
wijący się *adj* ... unfractuous; flexuous; flexuose
↑ **wiklina** *sf* 1. ... *bot.* (*Salis purpurea*) red osier
wilczełyk|o *sn pl N.* ~**a** = **wawrzynek**
↑ **wilgo|ć** *sf* ... **zawartość** ~**ci** moisture content; *roln.* **zawartość procentowa** ~**ci w glebie** moisture equivalent
↑ **wilgotno** *adv* humidly ...; **prasowanie na** ~ damp pressing
↑ **wilgotność** *sf* ... moisture content; dampnes; ~ **właściwa** specific humidity
↑ **winegret** *sm* ... vinaigrette sauce
winnie *adv* guiltily
↑ **winny**[1] *adj* 2. ... *chem.* vinic (ether etc.)
↑ **win|o** *sn* 1. ... **wytwórnia** ~ winery 2. ... *bot.* **dzikie** ~**o** (*Ampelopsis*) ampelopsis
↑ **winowaj|ca** *sf*, **winowaj|czyni** *sf* ... deliquent; **z miną** ~**cy** ... guiltily
wintergrynowy *adj farm.* **olejek** ~ gualtheria oil
↑ **winyl** *sm* ... **octan ⟨chlorek⟩** ~**u** vinyl acetate ⟨chloride⟩
↑ **wiotko** *adv* ... floppily; limply; tenuously
↑ **wir** *sm* 5. *nukl.* curl
↑ **wirek** *sm* ... planarian
↑ **wirnikowy** *adj* ... rotor — (blade, disc)
wirolo|g *sm pl N.* ~**dzy** ⟨~**gowie**⟩ *med.* virologist
wirologiczny *adj med.* virological
wirolot *sm G.* ~**u** *lotn.* convertiplane
↑ **wiropłat** *sm*, **wiropłatowiec** *sm* ... rotor plane; heliplane
wirowo *adv* vortically
↑ **wirowy** *adj* ... *nukl.* vortex — (ring)
↑ **wirówka** *sf* centrifuge; ~ **z probówkami** cup-type centrifuge
wirtualny *adj nukl.* image — (reactor, source)
↑ **wirus** *sm* ... *med.* **zakażenie krwi** ~**em** viremia; virus(a)emia; **zakażenie** ~**em** virosis
↑ **wirusowy** *adj* ... viral
↑ **witamina** *sf* ... ~ B_1 thiamin(e); ~ B_2 lactoflavin; riboflavin; ~ B_3 nicotinamide; ~ B_6 pyridoxine; ~ B_8 adenylic acid; ~ B_{12} cyanocobalamin; ~ **Bx** para-aminobenzoic acid; ~ **H** biotonin; ~ K_1 phytonadione; K_3 menadione; ~ **M** folic acid; ~ **P** citrin
↑ **witka** *sf* 2. ... (*u pierwotniaków*) flagellum
↑ **wizja** *sf* 3. ... *tv* video
↑ **wizytow|y** *adj* ... **bilet** ~**y** ... calling card: **karta** ~**a** carte de visite
↑ **wjazd** *sm* 2. ... entryway
wklinowany [I] *pp* ↑ **wklinować** [III] *adj* wedged; impacted (tooth); impaction —
↑ **wkładka** *sf* 1. ... **diamentowa** ~ **do ramienia adaptera** diamond stylus
wkołorzęse *spl zool.* Peritricha
↑ **wkrętka** *sf* ... (*w pocisku rakietowym*) **dodatkowa** ~ **pobudzająca** booster
wkurzać *vt imperf sl.* to gripe
wlany [I] *pp* ↑ **wlać** [III] *adj sl.* (*pijany*) sozzled
↑ **wlec** [I] *vt* ... ~ **w ⟨po⟩ błocie** to drabble
wlokący się *adj* trailing
↑ **władz|a** *sf* 1. ... **zwolennik posłuszeństwa dla** ~**y** authoritarian
↑ **włamani|e** *sn* 2. ... **usiłowanie** ~**a** burglarious attempt
↑ **własnościow|y** *adj* ... **mieszkanie** ~**e** private flat
↑ **własnoś|ć** *sf* 3. ... ~**ci przechodnie** transfer properties
↑ **własn|y** *adj* 4. ... *fiz.* inherent; **filtracja ⟨stabilność⟩** ~**a** inherent filtration ⟨stability⟩ 5. *nukl.* proper; intrinsic; eigen; **energia** ~**a** intrinsic ⟨proper⟩ energy; **wartość** ~**a** eigen value
↑ **właściciel** *sm* ... *prawn.* **nowy** ~ alienee
↑ **właścicielka** *sf* ... *prawn.* **nowa** ~ alienee
↑ **właściwie** *adv* 1. ... neatly; exactly; intrinsically 3. (*nieodłącznie*) inherently (**dla kogoś, czegoś** in sb, sth)
↑ **właściw|y** *adj* 1. ... befitting 3. ... *fiz.* **ciężar** ~**y** weight density; **ciepło** ~**e** specific heat; **popęd ⟨impuls⟩** ~**y** specific impulse
↑ **włos** *sm* 1. ... *med.* **choroba** ~**ów** trichosis; **specjalista chorób** ~**ów i skóry głowy** *pot.* trichologist
↑ **wło|sień** *sm* ... **zawierający** ~**śnie** trichinous; **zakazić** ~**śniami** to trichinize
↑ **włosowaty** *adj* ... piliform; *med.* **choroba naczyń** ~**ch** telangioma; **rozszerzenie naczyń** ~**ch** telangiectasia
włośnik *sm bot.* ~ **korzeniowy** root hair
↑ **włóczka** *sf* 1. *powinno być*: (*nić wełniana*) knitting wool
↑ **włóczkowy** *adj* ... knitted
włókienkowy *adj* fibrilliform

↑ **włóknisty** *adj* ... fibriform
↑ **włókno** *sn* 3. ... ~ **pojedyncze** monofilament
wnękow|y *adj* 1. *anat.* **gruczoły ~e** hilus lymph nodes 2. *nukl.* cavity —; **komora jonizacyjna ~a** cavity ionization chamber
↑ **wnikliwie** *adv* ... discriminatingly; acutely; discerningly
↑ **wnioskowani|e** *sn* ... **drogą ~a** constructively
↑ **wod|a** *sf* 1. ... *powinno być: biol.* **~y płodowe** the waters; *nukl.* **lekka ⟨zwykła⟩ ~a** light water 5. *pl* **~y** (*źródła mineralne*) waters; **jeździć do wód, bawić u wód** to take ⟨to drink⟩ the waters
↑ **wodniczi|ek** *sm*, **wodnicz|ka** *sf* ... **tworzenie się ~ków ⟨~ek⟩** vacuolation
wodniczkowy *adj* vacuolate
↑ **wodolecznictwo** *sn* ... hydrotherapy
↑ **wodolejstwo** *sn* ... padding
wodono|siec *sm G.* **~śca,** *pl N.* **~śce** *G.* **~śców** *geol.* aquifer
↑ **wodonośn|y** *adj* ... *geol.* **formacja ~a** aquifer
↑ **wodorosiarczek** *sm powinno być: chem.* hydrosulphide
↑ **wodorosiarczyn** *sm powinno być: chem.* hydrosulphite
↑ **wodorost** *sm* ... **~y słodkowodne** pond scum; ~ **skalny** rockweed
↑ **wodorowy** *adj chem.* hydric; ...
↑ **wodować** ☐ *vi* ... (*o statku kosmicznym*) to splash down
↑ **wodór** *sm* ... ~ **lekki** protium
↑ **wojenny** *adj* ... **okręt** ~ ... ship of the line
↑ **wojn|a** *sf* 1. ... **~a bakteriologiczna** germ warfare; **prowadzenie ~y** belligerence; **stan ~y** belligerency
↑ **wojowniczość** *sf* 1. ... belligerence
↑ **wokalny** *adj* ... voice — (part etc.)
↑ **wol|i** *adj* ... *arch.* **~e oczy** egg-and-dart ⟨egg-and-tongue, egg-and-anchor⟩ moulding
↑ **wolicjonalny** *adj* ... conative
↑ **wolitywny** *adj* ... conative
↑ **wolno** ☐ *adv* 1. ... sluggishly
↑ **wolnocłow|y** *adj* ... **strefa ~a** free zone
↑ **wolnoobrotowy** *adj* ... (*o płycie gramofonowej*) long-play
↑ **wolnoś|ć** *sf* 2. ... **nadanie ~ci niewolnikowi** disenthralment
↑ **woln|y** ☐ *adj* 1. ... **~e miasto** free city 4. ... (*o kobiecie*) **~a** discovert
↑ **wolotwórcz|y** *adj* ... **substancja ~a** goitrogen
woltamperomierz *sm fiz.* voltammeter
wolumetrycznie *adv* volumetrically
wolumetryczny *adj* volumetric
↑ **woluntarny** *adj* ... conative
↑ **wonnie** *adv* ... odoriferously
↑ **wonny** *adj* ... odoriferous
↑ **worek** *sm* 1. ... **suknia-~** sack dress 4. *boks* striking bag
↑ **wosk** *sm* ... ~ **karnauba** Carnauba wax
woskowatość *sf singt* waxiness
↑ **woskowaty** *adj* ... ceraceous; **wygląd** ~ waxiness
↑ **wotum** *sm* 1. ... **jako** ~ votively
wotywnie *adv* votively
↑ **wódz** *sm* 1. ... **naczelny** ~ ... supreme commander
↑ **wóz** *sm* 1. ... **kryty** ~ **konny** fourgon; ~ **strażacki** hook-and-ladder truck
↑ **wózek** *sm* 1. ... ~ **dziecinny dla bliźniąt** duostroller
↑ **wpływ** *sm* 3. ... **~y z wstępów** box-office
wpływowo *adv* influentially
↑ **wprowadzeni|e** *sn* 3. ... **w celu ~a** initiatorily
↑ **wrażeni|e** *sn* 2. ... **nie wywołując ~a** ineffectively
↑ **wrażliwie** *adv* ... responsively; receptively
↑ **wrażliwość** *sf* 1. ... recipience; esthesia; esthesis
↑ **wrębny** *adj* 2. *bot.* (*o liściu*) angulate; lobed
↑ **wręga** *sf* 1. ... carling
↑ **wrogi** *adj* 1. ... foe — (activities); oppugnant
↑ **wrogo** *adv* ... malevolently
↑ **wrogość** *sf* ... *pot.* bad blood; animosity; animus
↑ **wrona** *sf* ... ~ **siwa** dun crow
wrośnięty ☐ *pp* ↑ **wrosnąć** Ⅲ *adj* ingrown
↑ **wrota** *spl* ... **nieprzyjaciel u wrót** the enemy is at the door
↑ **wrotek** *sm* ... wheel animal(cule)
↑ **wróg** *sm* ... ~ **publiczny ⟨społeczny⟩** public enemy
↑ **wróżba** *sf* 2. ... **to jest dobra** ~ it auspicates well
↑ **wróżbiarski** *adj* ... mantic
↑ **wróży|ć** ☐ *vi* 2. ... **to dobrze** ~ it auspicates well
↑ **wrzaskliwy** *adj* 1. ... vociferant
↑ **wrząc|y** *adj* 1. ... *nukl.* **warstwa ~a** boiling bed; **reaktor ~y jednorodny** boiling homogenous reactor; **reaktor z ~ą wodą** boiling(-water) reactor
↑ **wrzeciono** *sn* 3. *bot.* spindle
↑ **wrzeni|e** *sn* 1. ... seething 3. *nukl.* **warstwa ~a** boiling bed
wrzeszczący *adj* vociferant
wrzodziejący *adj* ulcerative; ulcerous
↑ **wrzód** *sm* ... ulcus
↑ **wsad** *sm* ... charge; **główny** ~ master batch
↑ **wschodni** 1. ... eastwardly (direction)
wsiew|ka *sf pl G* **~ek** *roln.* companion crop
↑ **wskaz|ać** *perf* — **wskaz|ywać** *imperf* ☐ *vt* 1. ... **~ać komuś drogę na dworzec itd.** to direct sb to the station etc.
wskazująco *adv* indicatively
wskazujący *adj* indicant; **palec** ~ forefinger; index finger

↑ **wskaźnik** *sm* 1. ... ~ **przyzewowy** annunciator; *nukl.* tracer; indicant; *lotn.* ~ **kursu** indicator; **żyroskopowy** ~ **kursu** directional gyro 2. ... *mat.* ~ **dolny** subscript; subindex 4. ... *nukl.* tracer; **chemia** ~**ów izotopowych** tracer chemistry

↑ **wskaźnikow|y** *adj* ... *nukl.* tracer —; trace —; **atom** ~**y** tracer atom; **badania** ~**e** tracer studies; **pierwiastek** ~**y** trace element; **technika** ~**a** tracer technique; *biol.* **gen** ~**y** indicator gene

↑ **wsobny** *adj* ... in-and-in

↑ **wspaniale** *adv* 1. ... finely; terrifically; gloriously 2. ... glamorously; imposingly

↑ **wspinacz** *sm* ... cragsman; alpinist

↑ **wspinaczk|a** *sf* ... **uprawiać** ~**ę** to alp; to go climbing

↑ **wspomagać** *vt* — **wspomóc** *vt* ... to subvene

wspomaganie *sn* ↑ **wspomagać;** help; aid; assistance; succour; subvention; *wojsk.* ~ **z powietrza** air support

wspomnieniowo *adv* recollectively

↑ **wspora** *sf* ... skewback

↑ **wspólnie** *adv* ... promiscuously

↑ **współbieżny** *adj* ... *nukl.* concurrent (centrifuge)

współbrzmiący *adj* symphonious

↑ **współczucie** *sn* 2. ... **ze** ~**m** sympathetically; sympathizingly

↑ **współczująco** *adv* ... sympathizingly

↑ **współczynnik** *sm* ... *nukl.* ~ **dobroci** figure of merit; ~ **zmiany skali** scale factor

współdziałający *adj* synergistic; **narząd** ~ synergist

↑ **współdziałani|e** *sn* 4. ... **efekt** ~**a** synergism; synergistic effect

współkierunkowy *adj* collinear

współliniijny *adj* = **współliniowy**

współmiernie *adv* commensurately; proportionally

współogniskowy *adj* confocal

↑ **współpracować** *vi* 1. ... *przen.* to play ball

współrakowacenie *sn med.* cocarcinogenesis

↑ **współrzędn|y** III *sf* ~**a** ... *mat.* **układ** ~**ych** co-ordinate system

współstrącanie *sn chem.* co-precipitation

współubiegający się *sm* contender

współunoszenie *sn nukl.* entrainment

↑ **współzawodnictwo** *sn* ... vying; **zażarte** ~ stiff competition; *sl.* rat-race

współzawodniczący *sm* = **współzawodnik**

↑ **współzawodnik** *sm* ... contender

współzmienność *sf singt fiz.* covariance

↑ **współżyci|e** *sn* 1. ... **zdolny do** ~**a** compatible

↑ **wstawiennictwo** *sn* ... mediacy

↑ **wstawka** *sf* 1. ... *teatr.* ... cut-in; gag 3. *muz.* ~ **improwizowana** lick 4. *bot.* paraphysis

↑ **wstąpić** *vi* — **wstępować** *vi* 2. (*zajść*) to drop into; ...

↑ **wsteczny** *adj* 1. ... *ekon.* unreconstructed

↑ **wstęgow|y** *adj* ... *roln.* **uprawa** ~**a** strip cropping ⟨planting⟩

↑ **wstęp** *sm* 1. ... ~ **bezpłatny** free admission

↑ **wstępnie** *adv* 1. ... inchoately; prelusively; preliminarily

↑ **wstręt** *sm* 1. ... **robić coś ze** ~**em** to do sth repugnantly ⟨disgustedly⟩

↑ **wstrętnie** *adv* ... rankly; sordidly; repulsively; wretchedly; objectionably; miserably; execrably; obnoxiously; loathsomely; lousily; odiously; detestably; dirtily; distastefully; piggishly; vilely; nastily; foully; villainously

↑ **wstrętny** *adj* ... objectionable; piggish; repulsive

↑ **wstrząs** *sm* 1. ... ~ **elektryczny** electro-shock 4. ... *am.* temblor

↑ **wstrząsać** *imperf* — **wstrząsnąć** *perf* I *vt* 1. ... *med.* to succuss

↑ **wstrząsająco** *adv* ... impressively

wstrząsanie *sn* 1. ↑ **wstrząsać** 2. *med.* succussion

wstrząsow|y *adj med.* **terapia** ~**a** shock therapy; *techn.* **osadzarka** ~**a** gig table

↑ **wstrzel|ać** *perf* — **wstrzel|iwać** *imperf* III *vr* ~**ać,** ~**iwać się** ... to zero in

wstrzymująco *adv* 1. (*o leku — działać*) astringently 2. (*poruszać się*) impedingly

wstrzymując|y *adj* ↑ **wstrzymywać;** *med.* **lek** ~**y** astringent

↑ **wsuwka** *sf* ... bobby pin

wszczep *sm G.* ~**u** *med.* implant; graft

wszechamerykański *adj* all-American

↑ **wszechobejmujący** *adj* ... across-the-board

↑ **wszechstronnie** *adv* ... exhaustingly; versatilely

↑ **wszechwiedza** *sf* ... pansophy

wszetecznie † *adv* meretriciously

↑ **wszędzie** *adv* ... diffusedly

↑ **wszystko** *sn* ... *nukl.* **zasada „**~ **lub nic"** all-or-none basis

↑ **wścibsk|i** I *adj* ... prying III *sm* ~**i,** *sf* ~**a** ... prier

wścibsko *adv* inquisitively; meddlesomely; pryingly

wścibstwo *sn* ... inquisitiveness

↑ **wście|c** *perf* — **wście|kać** *imperf* III *vr* ~**c,** ~**kać się** 2. ... to burn up

↑ **wściekle** *adv* 1. ... (*patrzeć*) glaringly 4. (*doprowadzając do szału*) maddeningly 5. *med.* rabidly

↑ **wściekłoś|ć** *sf* ... **z** ~**ci** rabidly; **patrzeć z** ~**cią** to look glaringly

wślizg *sm G.* ~**u** *techn.* upslide motion

↑ **wtajemniczeni|e** *sn* ... **w celu** ⟨**dla**⟩ ~**a** initiatorily

↑ **wtł|aczać** *imperf* — **wtł|oczyć** *perf* I *vt* ... ~**aczać komuś coś do głowy** to ram sth into sb's head

↑ **wtrysk** *sm* ... *nukl.* **energia ~u** injection energy; *techn.* **ciśnienie ~u** injection pressure

wtryskiwany ☐ *pp* ↑ **wtryskiwać** ☐ *adj* injected

↑ **wtyczka** *sf* 2. *pot.* (*szpieg*) inside; ... *sl.* fink

↑ **wulgarnie** *adv* ... grossly; illiberally; **on się ~ wyraża** ... he talks dirt

↑ **wulgarny** *adj* 1. ... illiberal

wulkanolo|g *sm pl N.* **~dzy** ⟨**~gowie**⟩ volcanologist

wyabstrahowany *adj* abstractive

wybaczalnie *adv* pardonably; excusably

↑ **wybierać** *imperf* — **wybrać** *perf* ☐ *vt* 5. ... to hand-pick

wybieralnie *adv* electively

↑ **wybieralny** *adj* 2. elective

↑ **wyboczenie** *sn* ... *nukl.* **obciążenie wywołujące ~** buckling load

↑ **wyboisty** *adj* ... humpy

wyboiście *adv* unevenly; ruggedly; roughly; joltily; bumpily; humpily

↑ **wyborczy** *adj* ... elective ... **lista ~a** ... electoral roll

↑ **wybornie** *adv* ... (*smakować*) toothsomely

↑ **wyborny** *adj* ... (*o smaku*) ... toothsome

↑ **wyb|ór** *sm* 1. ... **bez ~oru** ... promiscuously; **staranny ~ór** choiceness; *nukl.* **reguła ~oru** exclusion principle; **przypadkowy ~ór danych** randomization

wybrakowany ☐ *pp* ↑ **wybrakować** ☐ *adj* defective; offcast; substandard

↑ **wybrednie** *adv* ... daintily

↑ **wybredność** *sf* ... choiceness

↑ **wybredny** *adj* ... choosey; dainty

↑ **wybrzeże** *sn* ... *am.* foreside

↑ **wybuch** *sm* 1. ... fulmination 3. ... **~ gniewu** ... flareback 5. *nukl.* burst

↑ **wybuchowo** *adv* 2. ... irascibly

↑ **wybuchow|y** *adj* 1. ... *nukl.* **reakcja rozszczepienia ~a** explosive fission reaction

↑ **wybujanie** *sn* ... *med. bot.* hyperplasia

↑ **wybyć** *vi* — **wybywać** *vi powinno być: pot.* to leave

↑ **wychować** *perf* — **wychowywać** *imperf* ☐ *vt* 1. ... to uprear (children, animals)

↑ **wychowani|e** *sn* 3. ... **wbrew nakazom dobrego ~a** indecorously

↑ **wychowawstwo** *sn* 1. ... tutorage

↑ **wychudnięcie** *sn* ... wasting

↑ **wychwyt** *sm* 2. *nukl.* lock-on; capture; absorption; **przekrój czynny na ~** capture cross-section; **promienie gamma ~u** capture gamma radiation; **reakcja ~u** capture reaction

wychwytany ☐ *pp* ↑ **wychwytać** ☐ *adj nukl.* trapped (particle)

↑ **wychwytow|y** *adj* ... **koło ~e** escape-wheel

↑ **wychylać** *imperf* — **wychylić** *perf* ☐ *vr* **~ać, ~ić się** 1. ... *przen.* to stand out; to depart (from a discipline)

wyciągnik *sm techn.* hoist; winck; windlass; **~ wielokrążkowy** block and tackle

↑ **wyciekanie** *sn* ... discharge; draining

↑ **wycierać** *imperf* — **wytrzeć** *perf* ☐ *vt* 1. ... **~ łzy** to dry away one's tears

↑ **wyciskanie** *sn* 2. *chem.* extrusion

↑ **wycof|ać** *perf* — **wycof|ywać** *imperf* ☐ *vt* 2. ... **~ać swoją kandydaturę** to desist from one's candidacy ☐ *vr* **~ać, ~ywać się** 3. ... to desist (**z czegoś** from sth)

↑ **wycofanie** *sn* 5. ... desistance

↑ **wycyganić** *perf* — **wycyganiać** *imperf* ☐ *vt* ... to mooch (**coś od kogoś** sth out of sb)

↑ **wyczerpać** *perf* — **wyczerpywać** *imperf* ☐ *vt* 5. (*wyjałowić*) to overcrop; to deplete (the soil)

↑ **wyczerpanie** *sn* 2. ... **~ gleby** soil depletion 3. ... *wojsk* **~ długotrwałym przebywaniem w akcji** battle fatigue

↑ **wyczerpany** ☐ *adj* ... outspent; *sl.* blown

↑ **wyczerpująco** *adv* 2. ... exhaustingly

↑ **wyczynowiec** *sm powinno być: sport* contestant

↑ **wyć** *vi* 2. ... **można było ~ ze śmiechu** it was excrutiatingly funny

↑ **wyda|ć** *perf* — **wyda|wać** *imperf* ☐ *vt* 1. ... **za dużo ~wać** to overspend

↑ **wydajnie** *adv* ... effectively

↑ **wydajność** *sf* 2. ... *nukl.* **~ cząstkowa** fractional yield

wydalanie *sn* 1. ↑ **wydalać** 2. *fizj.* egestion; voidance; excretion

↑ **wydanie** *sn* 4. ... **~ wspólników** State evidence 5. ... **~ poprawione** revised ⟨amended⟩ edition; **pełne ~** unabridged edition

↑ **wydatek** *sm* 1. ... damage

↑ **wydawniczy|y** *adj* ... **przemysł ~y** book industry

↑ **wyd|ąć** *perf* — **wyd|ymać** *imperf* ☐ *vr* **~ąć, ~ymać się** 1. ... to distend

↑ **wydedukować** *vt perf* ... **dający się ~** deducible

↑ **wydoby|ć** *perf* — **wydoby|wać** *imperf* ☐ *vt* 1. ... **~ć coś na jaw** ... to highlight sth

↑ **wydobywanie** *sn* 6. *nukl.* stripping

↑ **wydra** *sf* 3. ... *am. sl.* floozy

↑ **wydrzyk** *sm* ... **~ pasożytniczy** (*Stercorarius parasiticus*) dirty Allan

↑ **wydzielać** *imperf* — **wydzielić** *perf* ☐ *vt* 2. ... to distribute

↑ **wydzielani|e** *sn* 1. ... distribution 2. ... **~e wewnętrzne** incretion; **gruczoł ~a zewnętrznego** exocrine gland; **obfite ~e** defluxion

↑ **wydzielina** *sf* ... **~ śluzowa** rheum

wydzielony ☐ *pp* ↑ **wydzielić** ☐ *adj* **obszar ~** exclosure

↑ **wygadywanie** *sn* 2. ... disparagement; dispraise (**na coś** of sth)

↑ **wygarbować** *vt* ... to dress (the hide)

↑ **wygaśnięci|e** *sn* 1. ... **podlegający ~u** determinable

↑ **wygięcie** *sn* 4. *nukl.* kink

↑ **wygładz|ać**[1] *imperf* — **wygładz|ić** *perf* [III] *vr* **~ać, ~ić się** 1. ... to smoothen
↑ **wygnaniec** *sm*, **wygnanka** *sf* ... expellee
↑ **wyhodować** *perf* — **wyhodowywać** *imperf* [I] *vt* ... to uprear (an animal)
↑ **wyjaławiać** *vt* — **wyjałowić** *vt* 1. ... to overcrop ⟨to deplete⟩ (the soil)
wyjaśniająco *adv* illuminatingly; explanatorily
wyjaśniający *adj* explanatory; illuminating
↑ **wyjaśnienie** *sn* 2. ... **(list etc.) z ~m** explanatory (letter etc.)
wyjący *adj* ululant
↑ **wyjąt|ek** *sm* 1. ... **nie dopuszczający ~ków** unexceptional
↑ **wyjątkowo** *adv* ... uniquely; unusually
↑ **wyjści|e** *sn* 2. ... *nukl.* **praca ~a** (*elektronu*) work function (of an electron); *przen.* **~e z użycia** desuetude 4. ... (*w urządzeniu elektronowym*) output
↑ **wyjściow|y** *adj* 5. *nukl.* **materiał ~y** feed; source material; **dawka ~a** exit dose; **filtr ~y** outlet filter
wykazujący *adj* ↑ **wykazywać**; exhibitive (**coś** of sth); demonstrative
↑ **wyklucz|ać** *imperf* — **wyklucz|yć** *perf* [I] *vt* ... *sport* **~yć (zawodnika) z powodu kontuzji lub choroby** to sideline (a player)
wykluczająco *adv* preclusively
wykluczający *adj* preclusive
↑ **wykluczanie** *sn* ... debarment
↑ **wykładniczy** *adj* ... *nukl.* **rozpad ~y** exponential decay; **doświadczenie reaktorowe ~e** exponential pile experiment
↑ **wykładnik** *sm* 1. ... **~ zamożności** status symbol
↑ **wykładzina** *sf* ... **~ podłogowa** flooring
wykłócanie *sn* 1. ↑ **wykłócać** 2. *techn.* shaking
↑ **wykonani|e** *sn* 2. ... **możliwy do ~a** feasible
↑ **wykończenie** *sn* 1. ... **~ ozdobne ⟨marszczone, dwubarwne⟩** decorative ⟨wrinkle, two-tone⟩ finish
↑ **wykończony** [III] *adj* 2. ... dead-beat
↑ **wykorzenieni|e** *sn* ... deracination; **nie do ~a** ineradicable
↑ **wykręcać** *imperf* — **wykręcić** *perf* [I] *vt* 2. ... to finogle (sth)
wykrętnie *adv* tortuously
↑ **wykrusz|ać** *imperf* — **wykrusz|yć** *perf* [III] *vr* **~ać, ~yć się** 3. *geol.* to spall
wykruszanie *sn* 1. ↑ **wykruszać** 2. **~ się** ↑ **wykruszać się** 3. *geol.* spallation
↑ **wykrywacz** *sm* ... **~ kłamstw** lie detector
↑ **wykrzyknikowo** *adv* ... interjectionally
↑ **wykrzyknikowy** *adj* ... ejaculatory; interjectional
↑ **wykrzywion|y** [I] *pp* ... **twarz ~a bólem** face distorted with pain
↑ **wykwintnie** *adv* ... neatly; daintily
↑ **wykwit** *sm* 2. ... *chem.* bloom
↑ **wylec ⟨wylegnąć⟩** *vi* — **wylegać** *vi* 1. *powinno być:* (*wyjść tłumnie*) to crowd out
↑ **wylewnie** *adv* ... demonstratively; exuberantly
↑ **wylewny** *adj* 1. ... outgoing; gushy; *sl.* camp
↑ **wylot** *sm* 1. ... outage
wyładowanie *sn* 1. ... unloading
↑ **wyładowczy** *adj* ... *nukl. techn.* **schron ⟨zbiornik⟩ ~** dump tank
wyłaniający się *adj* emergent
↑ **wyłączeni|e** *sn* 1. ... *nukl.* **~e reaktora** shutdown; **punkt ~a** trip point; **~e zagrożeniowe** scram; **system ~a zagrożeniowego** emergency shut-down system 2. ... *nukl.* **reguła ~a** exclusion principle
↑ **wyłączeniowy** *adj* ... *techn.* **zawór ~** trip valve; *nukl.* **kanał ⟨amplifikator⟩ ~** shutdown canal ⟨amplificator⟩; **pręt ~** shut-off rod
↑ **wyłącznik** *sm* ... *el.* **~ powietrzny** air-switch
↑ **wyłoić** *vt* ... **~ komuś skórę** ... to give sb a tanning
↑ **wyłom** *sm* 1. ... *wojsk.* breakthrough
↑ **wyłudzać** *vt* — **wyłudzić** *vt* ... to defraud (**coś od kogoś** sb of sth)
↑ **wyłupiasty** *adj* ... **z ~mi oczami** goggle-eyed
wyłuszczanie *sn* ↑ **wyłuszczać**; **~ nasion** seed extraction
↑ **wyłyżeczkować** *vt* ... to curette
wyłyżeczkowanie *sn* ↑ **wyłyżeczkować**; *med.* abrasion; curettage
wymagająco *adv* exactingly; exigently
↑ **wymagający** *adj* ... exigent
↑ **wymagani|e** *sn* 2. ... (*o człowieku*) **z ~ami** fastidious
↑ **wymarzać** [r-z] *vi* — **wymarznąć** [r-z] *vi* 1. ... (*o roślinach*) ... to winterkill
↑ **wymaz|ać** *vt* — **wymaz|ywać** *vt* 2. ... **nie dając się ~ać** indelibly; **nie dający się ~ać** indelible
↑ **wymian|a** *sf* 1. ... **wolna ~a walutowa** convertibility
↑ **wymieni|ać** *imperf* — **wymieni|ć** *perf* [I] *vt* 3. ... **~ony w niniejszym piśmie** within-named
wymigiwanie się *sn* ↑ **wymigiwać się**; runaround
↑ **wymijająco** *adv* ... evadingly; elusively; casually
↑ **wymioty** *spl* ... *med.* emesis; **ranne ~ i nudności** (*ciążowe*) morning sickness
↑ **wymocz|ek** *sm* 1. ... **~ki orzęsione** (*Ciliata*) ciliata
↑ **wymoczyć** *vt* ... to wet out
↑ **wymow|a** *sf* 1. ... **poprawianie wad ~y** speech correction
↑ **wymrażać** *vt* — **wymrozić** *vt* ... to winterkill
wymrażar|ka *sf pl G* **~ek** *nukl.* cold trap

wymuskanie *adv* foppishly; nattily; primly
↑ **wymuskany** Ⅲ *adj* ... prim
wymuszający *adj* coercive; coactive
↑ **wymyć** *perf* — **wymywać** *imperf* Ⅰ *vt* 4. *roln.* to leach 5. *nukl.* to scrub
↑ **wymysł** *sm* 1. ... fangle
↑ **wymyślnie** *adv* ... fastidiously
wymywając|y *adj nukl.* **kolumna ~a** scrub column
↑ **wymywani|e** *sn* 2. ... *nukl.* **cykl ~a** elution cycle
↑ **wynagrodzenie** *sn* 3. ... **~ za pracę nadliczbową ⟨za godziny nadliczbowe⟩** call-back pay
wynalazczo *adv* inventively
↑ **wynicować** Ⅲ *vr* **~ się** *med.* to evaginate
↑ **wynicowanie** *sn* ... *med.* **~ pochwy** evagination
↑ **wyn|ieść** *perf* — **wyn|osić** *imperf* Ⅰ *vt* 5. ... **~osić łącznie** to total up; to make altogether; **cena ~osi ...** the price is ...
wyniszczający *adj* destructive; ruinous; wasting
↑ **wyniszczenie** *sn* 3. ... wasting
↑ **wyobraźni|a** *sf* ... mind's eye; **gra ~** ideation; **w ~** imaginarily; imaginatively
↑ **wyobra|żać** *imperf* — **wyobra|zić** *perf* Ⅰ *vt* 2. ... **~żać, ~zić sobie** ... to envision; *psych.* to ideate
wyobrażalnie *adv* imaginably; conceivably
↑ **wyobraże|nie** *sn* 3. ... **tworzenie ~ń** ideation
wyobrażeniowo *adv* notionally
↑ **wypad|ek** *sm* 1. ... **przeminąć bez ~ków** to pass uneventfully 3. ... **częstotliwość powstawania ~ków** accident frequency rate; (*o pracowniku itd.*) **szczególnie narażony na ~ki** accident-prone
↑ **wypal|ać** *imperf* — **wypal|ić** *perf* Ⅰ *vt* 3. ... **~ać drewno na węgiel drzewny** to chark Ⅲ *vi* ... to discharge (**z armaty** a gun)
wypalani|e *sn* 1. ↑ **wypalać; ~e wapna** lime-burning 2. *nukl.* burning down; burn-up; burn-down; **cykl ~a** burn-out cycle 3. **~e się (↑ wypalać się); ~e się paliwa w silniku rakietowym** brennschluss
↑ **wyparcie** *sn* 3. ... supersedure
wypasanie *sn* ↑ **wypasać;** pasturage
↑ **wypatroszyć** *vt* — **wypatroszać ⟨wypatraszać⟩** *vt* ... to viscerate
↑ **wypełniać** *imperf* — **wypełnić** *perf* Ⅰ *vt* 1. ... to body out
↑ **wypierdek** *sm* ... twirp
wypisanie *sn* ↑ **wypisać; ~ ze szpitala** discharge from hospital
↑ **wypłaszać** *vt* — **wypłoszyć** *vt* ... to dislodge (game)
↑ **wypłat|a** *sf* 1. ... pay-off 2. ... **dzień ~y** ... pay-off
wypłoszenie *sn* ↑ **wypłoszyć;** dislodgement
↑ **wypłukać** *vt* — **wypłukiwać** *vt* 4. *roln.* to leash
↑ **wypompow|ać** *perf* — **wypompowyw|ać** *imperf* Ⅰ *vt* 2. ... **~any** ... *sl.* dished; beat; dead-beat
↑ **wypowi|adać** *imperf* — **wypowi|edzieć** *perf* Ⅲ *vr* **~adać, ~edzieć się** 1. ... to decide (**za kimś, czymś** for ⟨in favour of⟩ sb, sth; **przeciw komuś, czemuś** against sb, sth)
↑ **wypowiedzenie** *sn* 3. ... uttering
↑ **wypowie|dź** *sf* ... *pl* **~dzi** speakings
↑ **wypożyczalnia** *sf* ... **~ książek** ... rental library; **objazdowa ~ książek** bookmobile
↑ **wyprawa** *sf* 8. ... dressing
↑ **wyprawiać** *imperf* — **wyprawić** *perf* Ⅰ *vt* 4. *garb.* ... to process
wyprężający *adj* erectile
↑ **wyprężenie** *sn* ... erectility
↑ **wypromieniowanie** *sn* 2. *meteor.* outgoing radiation
↑ **wyprysk** *sm* 2. ... **przewlekły ~ moknący** salt rheum
↑ **wyprzedaż** *sf* ... sell-out
↑ **wypuszczać** *imperf* — **wypuścić** *perf* Ⅰ *vt* 2. ... to unmew (a prisoner)
↑ **wyrachowanie** *sn* 2. ... **z ~m** deliberately
↑ **wyrafinowanie**[2] *adv* ... subtly
↑ **wyrastać** *vi* — **wyrosnąć ⟨wyróść⟩** *vi* 1. ... to vegetate
↑ **wyraz** *sm* 2. ... **bez ~u** ... (*o twarzy itd.*) wooden; (*o grze aktora itd.*) unexpressive; (*grać itd.*) unexpressively
↑ **wyraźnie** *adv* 1. ... perspicuously; **wypowiedzieć ~** to spell out 3. ... formally; tangibly; unmistakably
↑ **wyrażeniowy** *adj* phrasal; ...
↑ **wyro** *sn* ... *sl.* sack; **walnąć się na ~** to sack in
wyrodnie *adv* 1. (*zwyrodniale*) degenerately 2. (*nikczemnie*) degradedly
↑ **wyrostek** *sm* 2. ... *zool.* proleg; **~ paciorkowaty** rostellum
↑ **wyrozumiale** *adv* ... forgivingly; tolerantly; placably
↑ **wyrozumiałoś|ć** *sf* ... **z ~cią** tolerantly; forgivingly; placably
↑ **wyrozumiały** *adj* ... placable
↑ **wyrównać** *perf* — **wyrównywać** *imperf* Ⅰ *vt* 1. ... to dub (timber) 4. ... *sport* ... to deuce
↑ **wyrównawczy** *adj* ... **zbiornik ~** ... surge tank; *nukl.* ballast tank
↑ **wyróżniać** *imperf* — **wyróżnić** *perf* Ⅰ *vt* 2. ... to singularize
wyróżniający się *adj* supereminent; distinguished (**czymś** by sth)
↑ **wyrugowanie** *sn* ... supplantation
↑ **wyrzut** *sm* 1. ... reproval; **bez ~ów sumienia** remorselessly; **z ~em** reprovingly
↑ **wyrzutni|a** *sf* 4. ... **~a bezszynowa** zero length launcher; **podstawa ~** pad

↑ **wyrzygać** *vt*, **wyrzygnąć** *vt* — **wyrzygiwać** *vt* 1. ... to upchuck

↑ **wysadzać** *imperf* — **wysadzić** *perf* [I] *vt* 1. ... to disembark

↑ **wys|alać** *vt* — **wys|olić** *vt* ... **substancja ~alająca** salting agent

wysalanie *sn* ↑ **wysalać**; salting

wysączanie *sn* 1. ↑ **wysączać** 2. **~ się** (↑ **wysączać się**) draining

↑ **wysi|adać** *vi* — **wysi|ąść** *vi* 2. ... **maszyna ~adła** the machine is kaput; *przen.* (*o człowieku*) **~adł** ⟨**~adła**⟩ he ⟨she⟩ has got the clanks

wysiad|ka *sf pl G.* **~ek** *sl.* (*załamanie się*) crackup; clanks

↑ **wysiedlać** *imperf* — **wysiedlić** *perf* [I] *vt* ... to dishouse

↑ **wysiedlony** [III] *sm* ... **(człowiek) ~ z powrotem do kraju ojczystego** expellee

↑ **wysil|ać** *imperf* — **wysil|ić** *perf* [III] *vr* **~ać, ~ić się** ... **nie ~ając się** effortlessly

↑ **wysok|i** *adj* 4. ... *nukl.* **~a próżnia** high vacuum; *elektr.* **~ie napięcie** high voltage

↑ **wysoko** *adv* 1. ... *sl. lotn.* upstairs

↑ **wysokogórsk|i** *adj* ... alpestrine (plants etc.); **turystyka ~a** alpinism

wysokooktanowy *adj* high-octane (petrol)

↑ **wysokościowy** *adj* 1. ... **komora do badań ~ch** high-altitude test chamber

↑ **wysokoś|ć** *sf* 2. ... **~ć bezwzględna** absolute altitude; **~ć znamionowa** critical altitude; *sl. lotn.* **na dużej ~ci** upstairs

↑ **wyspany** [I] *pp* ↑ **wyspać się** [III] *adj* ... **nie jestem ~** ... I am short of sleep

↑ **wys|sać** *vt* — **wys|ysać** *vt* 2. ... *przen.* **~sać z kogoś krew** to drain sb dry

↑ **wystarczająco** *adv* ... amply

↑ **wystawiony** [III] *adj* 2. ... exposed

↑ **wystawnie** *adv* ... showily; gaudily

↑ **wystawowy** *adj* 3. (*przeznaczony do wystawiania*) exhibitory

↑ **występ** *sm* 1. ... *anat.* torus

↑ **występek** *sm* ... delinquency

↑ **występny** *adj* ... delinquent

↑ **występowani|e** *sn* 2. ... *nukl.* **częstość ~a (izotopu)** abundance

↑ **wystudiowa|ć** *vt* ... **w sposób ~ny** studiedly; sophisticatedly

↑ **wysusz|ać** *imperf* — **wysusz|yć** *perf* [I] *vt* ... **~ać, ~yć na powietrzu** to air dry

wysuszony *pp* ↑ **wysuszyć**; *techn.* **całkowicie ~** hard dry

↑ **wyswobadzać** ⟨**wyswabadzać**⟩ *imperf* — **wyswobodzić** *perf* [I] *vt* ... to disengage

↑ **wysyc|ać** *imperf* — **wysyc|ić** *perf* [I] *vt* ... **~ać, ~ić gazem** to aerate

↑ **wysycani|e** *sn* ... **aparat do ~a gazem** aerator

↑ **wyszczuplać** *vt* — **wyszczuplić** *vt* ... to slenderize

↑ **wyszczupleć** *vi* ... to slenderize

↑ **wyszukanie**[2] *adv* ... primly

↑ **wyszukany** *adj* ... prim; (*supermodny*) chi-chi

wyszukiwanie *sn* ↑ **wyszukiwać**; **~ informacji** information retrieval

↑ **wyszywanie** *sn* ... fancy-work

wyścielający|y *adj biol.* **warstwa ~a** tapetum

↑ **wyścigowy** *adj* ... **kierowca ~** racing driver

↑ **wyśmi|ać** *perf* — **wyśmi|ewać** *imperf* [I] *vt* ... *am. sl.* to razz [III] *vr* **~ać, ~ewać się** ... *am. sl.* to razz (**z kogoś** sb)

↑ **wyśmiewanie** *sn* ... *am. sl.* razz

↑ **wytapetować** *vt* 1. ... **~ na nowo** to redo ⟨to repaper⟩ (a room)

↑ **wytarty** [III] *adj* 2. (*noszący skutki tarcia*) attrited

wytłaczanie *sn* 1. ↑ **wytłaczać** 2. *techn. chem.* extrusion

↑ **wytłumaczyć** [I] *vt* 2. ... **dający się ~** defensible

wytopowy *adj techn. nukl.* **piec ~** melting-furnace

↑ **wytrwale** *adv* ... patiently; steadily; *sl.* ruggedly

↑ **wytrwałoś|ć** *sf* ... **wymagający ~ci** *sl.* rugged

↑ **wytrwały** *adj* ... *sl.* rugged

wytrząsanie *sn* 1. ↑ **wytrząsać** 2. *techn.* shaking

↑ **wytrzebienie** *sn* ... **~ lasów** disafforestation; disafforestment

↑ **wytrzeszcz** *sm* 2. ... ocular proptosis

↑ **wytrzeszcz|ać** *vt* — **wytrzeszcz|yć** *vt* ... **~one oczy** dilated eyes

↑ **wytrzymałoś|ć** *sf* 2. ... **granica ~ci** ultimate strength

↑ **wytwarzanie** *sn* 4. *nukl.* yield; **przekrój czynny na ~** yield cross-section

↑ **wytwornie** *adv* ... dapperly; elegantly; finely; genteelly

wytworzon|y [I] *pp* ↑ **wytworzyć** [III] *adj nukl.* **cząstka ~a** product particle; **jądro ~e** product nucleus

↑ **wytwórczy** *adj* ... *nukl.* product — (reactor)

↑ **wywiad** *sm* 3. ... scouting; **~ domowy** (*u absentującego się pracownika*) absentee interview

↑ **wywołać** *vt* — **wywoływać** *vt* 5. ... to spark off

↑ **wywód** *sm* 5. *mat.* derivation; generation

↑ **wywrotka** *sf* 1. ... dumper; dump-truck

↑ **wywrotnica** *sf powinno być: techn.* tippler

↑ **wywrotowiec** *sm* ... subversive

wywrotowo *adv* subversively; seditiously; treasonably; revolutionarily

↑ **wyznacz|ać** *vt* — **wyznacz|yć** *vt* 4. ... to design; **uprzednio ~yć** to preappoint; to predesignate

↑ **wyznacznik** *sm* ... **~ Wrońskiego** Wronskian

↑ **wyzw|alać** *imperf* — **wyzw|olić** *perf* [I]

vt 1. ... to disenslave; to disenthral (a slave) 3. ... *elektr. fiz.* **układ ~alający** trigger (circuit)

wyzwalanie *sn* 1. ↑ **wyzwalać** 2. *elektr. techn.* trigger action

↑ **wyzwanie** *sn* 2. ... dare; **przyjąć ~** ... to take the dare

↑ **wyzwoleni|e** *sn* 2. ... disenthralment 3. ... *elektr. techn.* **efekt ~a** trigger effect

↑ **wyzysk|ać** *vt* — **wyzysk|iwać** *vt* 1. ... **~ać kogoś do ostatka** to drain sb dry

↑ **wyż** *sm* 2. ... **~ syberyjski** Siberian anticyclone

↑ **wyż|ąć**[1] *vt* — **wyż|ymać** *vt* ... *fot.* **~ymać zdjęcia** to squeeze the photographs

↑ **wyżymaczka** *sf* ... **~ wirówkowa** spin drier

↑ **wzbogac|ać** *imperf* — **wzbogac|ić** *perf* [I] *vt* 2. ... **~ać artykuły żywnościowe** to fortify food 4. *nukl.* to concentrate (nucleus fuel); to enrich (uranium)

wzbogacani|e *sn* 1. ↑ **wzbogacać** 2. *nukl.* concentration (process); enrichment (of uranium); **stół do ~a** concentration table

↑ **wzbogacenie** *sn* 5. *nukl.* concentration; enrichment; *fiz.* **~ grawitacyjne** specific gravity concentration

wzbogacony [I] *pp* ↑ **wzbogacić** [III] *adj nukl.* concentrated (nucleus fuel); enriched (uranium)

↑ **wzbudzać** *imperf* — **wzbudzić** *perf* [I] *vt* 4. *fiz. chem.* to activate

↑ **wzbudzeni|e** *sn* 3. *fiz. nukl.* activation; excitation; **krzywa ⟨energia, funkcja, potencjał⟩ ~a** excitation curve ⟨energy, function, potential⟩; **poziom ⟨stan⟩ ~a** excited level ⟨state⟩

wzbudzon|y [I] *pp* ↑ **wzbudzać** [III] *adj nukl.* excited (atom, nucleus); induced; **~a reakcja jądrowa** induced reaction; **~a promieniotwórczość** induced radioactivity

↑ **wzburzenie** *sn* 2. ... **ze ~m** fretfully

↑ **wzburzony** [III] *adj* 2. ... surging

wzdychanie *sn* ↑ **wzdychać**; suspiration

↑ **wzgl|ąd** *sm* 1. ... **bez ~ędu na płeć i wiek** promiscuously 3. ... **okazując ~ędy** considerately

↑ **wzgórek** *sm* 1. ... **zaokrąglony ~** morro 2. *anat.* ... mons

↑ **wziernik** *sm* 2. ... **~ odbytniczy** proctoscope; **badanie ~iem okulistycznym** ophthalmoscopy

wziewani|e *sn* ↑ **wziewać**; inhalation; *farm.* (*o leku*) **do ~a przez nos** errhine

↑ **wzlot** *sm* 1. ... **~ aerologiczny** upper air ascent

↑ **wzmacniacz** *sm* 1. ... **~ elektromaszynowy** amplidyne; *nukl.* **~ wstępny** preamplifier; **szumy z ~a** amplifier noise

↑ **wzm|acniać** *imperf* — **wzm|ocnić** *perf* [I] *vt* 4. ... *elektr.* **układ ~acniający** amplifier circuit

wzmacniająco *adv* strengtheningly; invigoratingly; invigoratively; corroborantly; *jęz.* intensively

↑ **wzmacniający** *adj* ... invigorating; invigorative; genial; *elektr.* amplificatory; **układ ~** amplifier circuit

↑ **wzm|agać** *imperf* — **wzm|óc** *perf* [I] *vt* ... **~agać zainteresowanie** to needle interest

↑ **wzmiank|a** *sf* ... **~a w prasie** write-up; **zasługujący na ~ę w prasie** newsworthy

↑ **wzmocnienie** *sn* 5. ... *elektr.* **~ prądu** current gain

↑ **wzniesienie** *sn* 3. ... **drobne ~** hump

↑ **wzn|ieść** *perf* — **wzn|osić** *imperf* [III] *vr* **~ieść, ~osić się** 3. ... *sl. lotn.* to go upstairs; **~ieść, ~osić się na fali** to scend

↑ **wznowienie** *sn* 2. ... redintegration

↑ **wzorcowy** *adj* ... *chem.* **absorbent ~** calibrated absorbent

↑ **wzorowo** *adv* ... exemplarily

↑ **wzorzec** *sm* 3. ... gauge; *nukl.* template

↑ **wzór** *sm* 1. ... paradigm

wzrastająco *adv* increasingly; progressively

↑ **wzrok** *sm* 1. ... **pomiar ostrości ~u** optometry

↑ **wzrokow|y** *adj* ... **~e pomoce naukowe** visual aids

↑ **wzrost** *sm* 3. ... *nukl.* build-up; **krzywa ~u** growth curve

↑ **wzruszeni|e** *sn* 2. ... **bez ~a** stolidly

Y

↑ **Y, y** *sn* 1. ... **kształtu litery y** y-shaped

Yankes *sm żart.* Yankee; *sl.* Yank

ylang-ylang *indecl bot.* ylang-ylang; **olejek ~owy** ylang-ylang oil

Z

↑ **zaalpejski** *adj* ... transmontane

↑ **zaangażowa|ć** [I] *vt* 2. ... **nie ~ny** non-partisan

↑ **zaaranżowa|ć** *vt* 1. ... **~ny z góry** prearranged; collusive; put-up

↑ **zaawansować** [III] *vt perf* to upgrade (sb)

↑ **zaawansowany** ⊡ *adj* ... **kurs dla ~ch** advanced learners' course
↑ **zabałaganiać** *vt* — **zabałaganić** *vt* ... to bedevil
zabałaganienie *sn* ↑ **zabałaganić;** mess; muddle; bedevilment
↑ **zabawa** *sf* 1. ... (*bawienie się, używanie*) beer and scuttles
zabawkarstwo *sn singt* toy industry
↑ **zabawnie** *adv* ... humorously; comically; divertingly; entertainingly
↑ **zabawny** *adj* 1. ... diverting
↑ **zabezpiecz|ać** *imperf* — **zabezpiecz|yć** *perf* ⊡ *vt* 2. ... **~ać, ~yć dom ⟨sprzęt itd.⟩ na zimę** to winterize the house ⟨the implements etc.⟩; **urządzenie ~ające** safety device 4. ... **środki ~ające** preservatives
↑ **zabezpieczeni|e** *sn* 3. ... **bez należytego ~a** insecurely
zablokowanie *sn* ↑ **zablokować;** blockage
zabobonnie *adv* superstitionally; superstitiously
↑ **zabobonny** *adj* ... superstitional
zaborczo *adv* graspingly; rapaciously; predatorily; (*najeźdźczo*) invasively
↑ **zabójstwo** *sn* ... manslaying
↑ **zabudowa** *sf* 1. ... **~ pasmowa** string development
↑ **zaburzeni|e** *sn* ... *med.* **~a mowy** dysphaemia
↑ **zachęcająco** *adv* ... hortatively; incentively; engagingly; incitingly; gratifyingly
↑ **zachłannie** *adv* ... acquisitively; gainfully
↑ **zachłannoś|ć** *sf* ... **z ~cią** acquisitively
zachłystywani|e się *sn* ↑ **zachłystywać się;** *nukl.* **punkt ~a się** flooding point
↑ **zachodni** *adj* ... **na sposób ~** occidentally
↑ **zachwaszczenie** *sn* ... weediness
↑ **zachwycająco** *adv* ... fascinatingly
zachwycony ⊡ *pp* ↑ **zachwycić** ⊡ *adj* rapturous; enchanted; full of admiration
↑ **zachwyt** *sm* ... **z ~em** rapturously
↑ **zaci|ąć** *perf* — **zaci|nać** *imperf* ⊡ *vr* **~ąć, ~nać się** 4. ... to stutter; (*mówić*) **~nając się** stutteringly
↑ **zaciekawieni|e** *sn* 2. ... **bez ~a** incuriously
↑ **zaciekle** *adv* ... stiffly
↑ **zaciekł|y** *adj* ... **~e współzawodnictwo** stiff competition
↑ **zacieniać** *imperf* — **zacienić** *perf* ⊡ *vt* ... to dim out
↑ **zacięcie**[2] *adv* ... stiffly; sturdily
↑ **zaciosać** *vt* — **zaciosywać** *vt* 1. ... to bring to a point
↑ **zacnie** *adv* ... nobly
↑ **zacny** *adj* ... (*szlachetny*) ... noble
↑ **zacofany** *adj* ... *polit. ekon.* ... unreconstructed
↑ **zaczarować** *vt* ... *am. pot.* to hex
↑ **zaczepny** *adj* ... (*o człowieku*) scrappy
↑ **zaczernienie** *sn* 1. ... blackening
↑ **zaczerwienieni|e** *sn* 1. ... *med.* **wywołanie ~a skóry** rubefaction
↑ **zacz|ynać** *imperf* — **zacz|ąć** *perf* ⊡ *vt* 1. ... **szczęśliwie coś ~ąć** to auspicate sth
↑ **zaćmienie** *sn* 3. ... **~ świadomości** brownout
↑ **zadanie** *sn* 6. ... *wojsk.* **~ bojowe** mission
↑ **zadarty** ⊡ *adj* ... (*o nosie*) **lekko ~** snubby
↑ **zadecydować** ⊡ *vi* 2. ... (*o ciele opiniodawczym*) to act
↑ **zadowalający** *adj* ... **w sposób ~** satisfactorily
↑ **zadrzewić** *vt* — **zadrzewiać** *vt* ... to vegetate (an area)
↑ **zadufany** *adj* ... **~ w sobie** overconfident
↑ **zadum|a** *sf* ... **w ~ie** meditatively; musingly; pensively
zadziałani|e *sn* 1. ↑ **zadziałać** 2. *fiz. chem.* effect; *nukl.* response; **czas ~a** response time
↑ **zadzierzysty ⟨zadzierżysty⟩** *adj* ... rakish; cockish
↑ **zadzierzyście ⟨zadzierżyście⟩** *adv* ... rakishly
↑ **zadziorny** *adj* ... scrappy
↑ **zadziwiająco** *adv* ... astonishingly; surprisingly
↑ **zagaśnięcie** *sn* ... *lotn.* **~ silnika odrzutowego** flame-out
↑ **zagęszczać** *imperf* — **zagęścić** *perf* ⊡ *vt* 1. ... to incrassate
↑ **zagięcie** *sn* 2. ... *fiz.* **~ krzywej** shoulder of a curve
↑ **zaglądać** *vi* — **zajrzeć** *vi* 1. ... **zaglądać do kieliszka** ... to take a drop now and then 2. ... to drop (into a shop, a pub etc.)
↑ **zagłusz|ać** *imperf* — **zagłusz|yć** *perf* ⊡ *vt* 1. ... **~ać transmisję radiową** ... to black out a broadcast
zagmatwany ⊡ *pp* ↑ **zagmatwać** ⊡ *adj* tangled; muddled (up); embroiled; confused; afoul
↑ **zagnieździć się** *vr* — **zagnieżdżać się** *vr* 3. ... to infest
↑ **zagorzały** *adj* ... **~ indywidualista** rugged individualist
↑ **zagrażać** *vi* — **zagrozić** *vi* 1. ... to be a danger (to sb, sth)
↑ **zahamowani|e** *sn* 1. ... *biol.* **przejściowe ~e czynności życiowych** suspended animation; *ekon.* **okres ~a w niektórych gałęziach przemysłu** rolling adjustment
↑ **zaharow|ać się** *vr* — **zaharow|ywać się** *vr* ... **~any** ... toilworn
↑ **zainteresowani|e** *sn* 2. ... **bez ~a** disinterestedly; uninterestedly; **wzmóc ~e słuchaczy** to needle (a story, a speech etc.)
↑ **zainteresowany** ⊡ *pp* ... **nie ~ czymś** disinterested in sth

↑ **zainterweniować** *vi* ... to subvene
↑ **zajęci|e** *sn* 1. ... **~e czyjegoś miejsca ⟨stanowiska⟩** supplantation 3. .. **uboczne ~e** by-work 5. ... detainer; **~e (czyjegoś) mienia** supersedure; **podlegający ~u** distrainable
↑ **zajęcz|y** *adj* 1. ... *med.* **choroba ~a** rabbit fever
↑ **zajęty** III *adj* 4. *prawn.* (*o mieniu*) under distraint
↑ **zajmujący** *adj* ... diverting
zakapturzony I *pp* ↑ **zakapturzyć** III *adj* hooded; cowled
↑ **zakazać** *vt* — **zakazywać** *vt* ... *prawn.* to illegalize (sth)
↑ **zakaźnie** *adv* ... infectiously
zakażający *adj* contaminative; **czynnik ~** contaminator
↑ **zakład** *sm* 4. ... **(ułożony) w ~** imbricated; **ułożenie** (*dachówek, łusek, liści, części konstrukcyjnych*) **w ~** imbrication
↑ **zakładać** *imperf* — **założyć** *perf* III *vi* 2. ... to hypothesize
↑ **zakładka** *sf* 1. ... dart
zakładowo *adv* institutionally
↑ **zakładow|y** *adj* 1. ... **rada ~a** works council 2. *bud.* lap (joint etc.)
↑ **zakłamanie** III *adv* mendaciously; hypocritically; deceitfully; disingenuously
↑ **zakłopotani|e** *sn* 2. ... disconcertment; disconcertion 3. ... **wprawić kogoś w ~e** ... to discompose sb; **w ~u** disconcertedly; discomposedly
↑ **zakłopotany** III *adj* 2. ... discomposed; overwhelmed
↑ **zakłóceni|e** *sn* 3. ... sferics; **~a obrazu radarowego** clutter
↑ **zakochan|y** I *adj* ... **nie ~y** heart-free
↑ **zakonn|y** *adj* ... **życie ~e** monasticism
↑ **zakończenie** *sn* 2. ... (*faza czynności*) ... pay-off; **na ~** ... terminally
zakorkowany *pp* ↑ **zakorkować**; corked
↑ **zakraplać** *vt* — **zakroplić** *vt* ... **zakraplają mu oczy** he has drops in his eyes
↑ **zakres** *sm* 1. ... **w szerokim ~ie** comprehensively
↑ **zakulisowy** *adj* 1. ... off-stage
↑ **zal|ać** *perf* — **zal|ewać** *imperf* I *vt* 8. *fiz.* to superfuse III *vr* **~ać, ~ewać się** 3. ... to get sozzled
↑ **zalanie** *sn* ... *fiz.* superfusion
↑ **zalany** III *adj* ... potted; sozzled
↑ **zalążkowy** *adj* ... **woreczek ~** embryo sack; megagametophyte
↑ **zalesiać** *vt* — **zalesić** *vt* ... to vegetate
↑ **zalesienie** *sn* ... forestation
↑ **zaleta** *sf* ... amenity
↑ **zalew** *sm* 4. (*sztuczne jezioro*) artificial lake
↑ **zalewisko** *sn* ... flood land
↑ **zależny** *adj* 1. ... *fiz.* **~ od ładunku przestrzennego** space dependent
↑ **zalotnie** *adv* ... kittenishly
↑ **załadowcz|y** *adj* ... **strona ~a** inlet face; load face
↑ **załam|ać** *perf* — **załam|ywać** *imperf* III *vr* **~ać, ~ywać się** 5. ... **~ać się nerwowo** *sl.* to crack up
↑ **załamanie** *sn* 4. ... **~ nerwowe** *sl.* crackup
↑ **założyciel** *sm* ... establisher
↑ **zamaz|ać** *perf* — **zamaz|ywać** *imperf* III *vr* **~ać, ~ywać się** 2. ... to dim
zamazanie *adv* fuzzily; dimly
↑ **zamącić** *perf* — **zamącać** *imperf* I *vt* 1. ... to mud (water)
↑ **zam|ek** *sm* 1. ... *przen.* **~ki na lodzie** castles in the air; air castles
↑ **zamęt** *sm* 1. ... *sl.* rat-race
↑ **zamglenie** *sn* 3. ... nebulosity
↑ **zamglon|y** III *adj* 3. ... **oczy ~e łzami** eyes dim with tears
↑ **zamian|a** *sf* 1. ... trucking; **nie ulegając ⟨nie podlegając⟩ ~ie** incommutably
↑ **zamieszanie** *sn* 2. ... *sl.* rat-race; flap
↑ **zamiłowani|e** *sn* ... **odpowiadający czyimś ~om** congenial (task, company etc.)
↑ **zam|knąć** *perf* — **zam|ykać** *imperf* I *vt* 1. ... *przen.* **~knąć gębę na kłódkę** to button up
↑ **zamknięcie** *sn* 1. ... shut-off; **~ komuś drzwi przed nosem** shut-out
↑ **zamknięty** III *adj* 2. ... **~ w sobie** withdrawn 3. (*o przedstawieniu teatralnym*) closed-circuit 4. *techn.* **szczelnie ~** canned
↑ **zam|oczyć** *perf* — **zam|aczać** *imperf* III *vr* **~oczyć, ~aczać się** ... to drabble
↑ **zamożnie** *adv* ... substantially
↑ **zamówienie** *sn* 2. ... (*w bibliotece*) **~ na książkę** call slip
↑ **zamrażać** *vt* — **zamrozić** *vt* 2. ... to freeze (prices, wages etc.)
zamrażalnik *sm* (*w lodówce*) deep-freezing compartment
↑ **zamrażani|e** *sn* ... **szybkie ~e** quick-freezing; **poddawać szybkiemu ~u** to quick-freeze
↑ **zamroczeni|e** *sn* 2. ... **doznać ~a w czasie lotu nurkowego** to dim out
zamroczony I *pp* ↑ **zamroczyć** III *adj* woozy
↑ **zamrożenie** *sn* 2. ... **~ płac** wage fixing
↑ **zamyśleni|e** *sn* 2. ... **w ~u** pensively; thoughtfully
↑ **zamyślony** III *adj* ... musing
↑ **zanadto** *adv* ... overly
zanglizowany *adj* (*o koniu*) dock-tailed
↑ **zanieczyszczenie** *sn* 1. ... *roln.* **~ zboża** dockage
zanieczyszczający *adj* ↑ **zanieczyszczać**; contaminative; **czynnik ~** contaminator
↑ **zaniedbani|e**[1] *sn* 2. ... **~e w wyglądzie zewnętrznym** ... dishevelment; **w ~u** negligently; rustily; untidily
↑ **zaniedbanie**[2] *adv* ... (*niechlujnie*) dowdily
↑ **zaniedbany** III *adj* ... (*o kobiecie*) dowdy
↑ **zaniepokojenie** *sn* 2. ... **z ~m** solicitously; discomposedly; uneasily
↑ **zanik** *sm* ... **będący w ~u** obsolescent; *med.* **postępujący ~ mięśni** wasting pa-

ralysis; *nukl.* **okres połowicznego ~u** half-life period of a radio-active element
zanikający *adj* latescent; obsolescent
↑ **zanokcica** *sf* 1. ... **~ murowa** (*Asplenium rutamuraria*) wall rue 3. *wet.* fouls
↑ **zanurz|ać** *imperf* — **zanurz|yć** *perf* ▢III *vr* **~ać, ~yć się** ... to dip
↑ **zanurzalny** *adj* ... submergible
zanurzon|y ▢I *pp* ↑ **zanurzyć** ▢III *adj* immersed; *nukl.* **siatka ~a** wet lattice
↑ **zaoczny** *adj* 2. *uniw.* extension (courses etc.) ...
↑ **zaokrąglenie** *sn* 2. ... *przen.* (*w rachunku, liczbie*) rounding-off
zaokrąglon|y *adj* ↑ **zaokrąglić;** rounded; well-rounded; *fiz.* **~a jama potencjału** smooth potential well
↑ **zaopat|rywać** *imperf* — **zaopat|rzyć** *perf* ▢I *vt* 2. ... **~rywać, ~rzyć na zimę** to winterize
zaostrzony *adj* ↑ **zaostrzyć;** pointed; *bot.* cuspidate
↑ **zapadnięcie** *sn* 2. ... cave-in
↑ **zapalczywie** *adv* ... fierily; hotheadedly
↑ **zapalenie** *sn* 2. ... **~ zatok** sinusitis; **~ zatok u lotników** aerosinusitis; **~ błony maziowej** synovitis; **~ kręgów** spondylitis
↑ **zapalnie** *adv* ... inflammatorily
↑ **zapał** *sm* ... élan; **z ~em** zealously; zestfully; **bez ~u** tepidly
↑ **zapamiętale** *adv* ... franticly
↑ **zaparcie** *sn* ... **substancja wywołująca ~** obstipant
↑ **zaparcie się** *sn* 4. ... **~ się Piotra** Peter's denial
↑ **zapas** *sm* 1. ... **gromadzenie ~ów** stockpiling; **żelazny ~** (*surowców itd.*) stockpile
zapełniony ▢I *pp* ↑ **zapełnić** ▢III *adj* full; filled; chock-full
zapianowaty *adj bot.* sapindaceous
zapiekany ▢I *pp* ↑ **zapiekać** ▢III *adj kulin.* au gratin
↑ **zap|ierać²** *imperf* — **zap|rzeć** *perf* ▢III *vr* **~ierać, ~rzeć się** 1. ... to brace oneself (against sth); **~ierać się nogami** to dig in one's heels
zapijaczony *adj* drink-sodden
↑ **zapis** *sm* 1. ... **~ danych** information record; **~ dźwięku** sound record; **~ wielościeżkowy** multi-track recording
↑ **zapisobiorca** *sm* ... alienee
↑ **zapisodawca** *sm* ... alienor
↑ **zapłakany** *adj* ... lachrymose
↑ **zapłata** *sf* 1. ... **marna ~** *am. sl.* chicken feed
↑ **zapłodnieni|e** *sn* ... *fizj.* **~e dodatkowe ⟨drugiego jajka⟩** superfecundation; **~e ciężarnej** superfetation; **dziecko pochodzące ze sztucznego ~a** test-tube baby
↑ **zapłon** *sm* 1. ... *lotn.* **opóźniony ~** hangfire; *nukl.* **temperatura ~u** ignition temperature
↑ **zapłotki** *spl* ... (*miejsce między płotami*) lane
↑ **zapobie|c** *vi* — **zapobie|gać** *vi* ... **środek ~gający** countermeasure; **środek ~gający ciąży** contraceptive
↑ **zapobiegawczo** *adv* ... prophylactically
↑ **zapobiegliwie** *adv* ... thriftly
↑ **zapoczątkować** *vt* — **zapoczątkowywać** *vt* ... to trigger off; to spark off
zapoczątkowując *adv* inceptively; inchoately
↑ **zapomnienie** *sn* 1. ... **przez ~** ... obliviously
↑ **zapor|a** *sf* 3. ... **~a przeciwczołgowa** ... dragon's teeth; **odgrodzić ~ą** to barrage
↑ **zapozna|ć** *perf* — **zapozna|wać** *imperf* ▢I *vt* 1. ... **~ć kogoś z jakimś faktem** to put sb au fait
↑ **zapoznani|e** *sn* 3. ... **w ~u** obscurely; reconditely
zapożyczony ▢I *pp* ↑ **zapożyczyć** ▢III *adj jęz.* **wyraz ~ z obcego języka** borrowing
zapraszająco *adv* invitingly
↑ **zaprawa** *sf* 3. ... **sucha ~** cold-storage training
↑ **zaprawi|ać** *imperf* — **zaprawi|ć** *perf* ▢I *vt* 1. ... **~ać, ~ć potrawę czymś** to dash sth to a dish
zaprawianie *sn* ↑ **zaprawiać;** *roln.* **suche ~ ziarna** dry dressing
zaprzeczająco *adv* denyingly; contradictorily
zaprzeczający *adj* denying; contradictory
↑ **zar|abiać** *imperf* — **zar|obić** *perf* ▢I *vt* 2. ... **~obiłem 10 dolarów** *am.* I am $ 10 ahead
zaradnie *adv* resourcefully
↑ **zaraz|a** *sf* 1. ... *wet.* **~a stadnicza** (*koni*) dourine 2. ... **siedlisko ~y** pesthole
↑ **zaraźliwie** *adv* ... infectiously
↑ **zareagować** *vi* ... **ostro ~** to pick back
zarejestrowany ▢I *pp* ↑ **zarejestrować** ▢III *adj* registered
↑ **zarod|ek** *sm* 1. ... **komórka ~ka** germ cell
↑ **zarodkowy** *adj* ... foetal
↑ **zarodni|a** *sf* ... **komora ~** loculus
zarodnikować *vi imperf* to sporulate
zarodniowocnik *sm bot.* sporocarp
↑ **zarozumiale** *adv* ... vaingloriously
↑ **zarozumialstwo** *sn* ... big head
↑ **zarozumiały** *adj* ... cockish; vainglorious
↑ **zarys** *sm* 2. ... aperçu
↑ **zarzucać** *vt* — **zarzucić** *vt* 8. ... *pot.* to doff
↑ **zarzut** *sm* 1. ... **bez ~u** ... (*przymiotnikowo*) spotless; indefective; unexceptionable; (*przysłówkowo*) spotlessly; indefectively; unexceptionably 4. ... **wnieść ~ procesowy** to demur; **strona wnosząca ~ procesowy** demurrant
↑ **zasada** *sf* 2. ... **z ~mi** principled
↑ **zasadniczo** *adv* 1. ... elementarily
zasadochłonność *sf singt biol. med.* basophilia
zasadowica *sf singt med.* alkalosis

↑ **zasięg** *sm* ... *nukl.* path; *radio* ~ **stacji nadawczej** coverage; **o krótkim ~u** short-range

↑ **zasilając|y** *adj* ... **woda ~a** feedwater

↑ **zaskarżalny** *adj* ... impeachable; chargeable

↑ **zaskoczenie** *sn* 2. ... surprisal

↑ **zasługa** *sf* ... **to jego** ~ it's due to him

↑ **zasłużenie**[2] *adv* ... meritoriously

zasmucony [I] *pp* ↑ **zasmucić** [III] *adj* heart-sore

↑ **zasobnie** *adv* ... substantially; opulently

↑ **zasobnik** *sm* ... hopper

zasolon|y [I] *pp* ↑ **zasolić** [III] *adj roln.* saline; **gleba ~a** saline soil

↑ **zasób** *sm* 1. ... *nukl.* hold-up

↑ **zasrany** *adj* ... mucky

↑ **zastaw** *sm* 2. ... wadset

↑ **zastawk|a** *sf* 1. ... valvelet 3. ... *med.* **zapalenie ~i** valvulitis

↑ **zastąpienie** *sn* ... supersedure

↑ **zastępca** *sm* ... ~ **szefa** straw boss

↑ **zastępczy** *adj* ... caretaker; **środek** ~ ... succedaneum

↑ **zastosowanie** *sn* 2. ... **niewłaściwe** ~ (*wyrazu itd.*) misuse; misusage

↑ **zast|ój** *sm* 1. ... **w ~oju** stagnantly

↑ **zastraszająco** *adv* ... frighteningly

↑ **zastrzał** *sm* 1. ... accouplement

↑ **zastrzeże|nie** *sn* 2. ... **bez ~ń** ... unqualified(ly) 3. ... objection

zasysający *adj* suction — (fan etc.)

↑ **zaszachować** *vt* 2. ... to stymie

↑ **zaszczytnie** *adv* 1. ... reputably

↑ **zaszczytny** *adj* 2. ... reputable

zaściankowo *adv* provincially; fustily; parochially

zaślepienie *sn* 2. ... doting

zaśliniony [I] *pp* ↑ **zaślinić** [III] *adj* ~ **malec** ⟨**starzec**⟩ driveler

↑ **zaślubiny** *spl* ... spousal(s)

↑ **zaświadczenie** *sn* 2. ... certification

↑ **zaświatowy** *adj* ... transmundane

↑ **zat|aczać** *imperf* — **zat|oczyć** *perf* [III] *vr* **~aczać, ~oczyć się** 1. ... **~aczając się** groggily

↑ **zataić** *perf* — **zatajać** *imperf* [I] *vt* ... to dissemble

↑ **zatajenie** *sn* ... dissembling

zatarasowanie *sn* ↑ **zatarasować;** obstruction; blockage

↑ **zatłoczyć** *vt* 2. ... to jampack

↑ **zatok|a** *sf* 3. ... *med.* **zapalenie** ~ sinusitis; **zapalenie** ~ **u lotników** aerosinusitis 4. ... trough of low

↑ **zator** *sm* 1. ... blockage 3. ... ~ **powietrzny** aeroembolism

↑ **zatroskanie** *sn* ... **z ~m** desolately; solicitously

↑ **zatroskany** [III] *adj* ... desolate

↑ **zatrucie** *sn* 2. ... toxicosis; toxication; **lęk przed ~m** toxiphobia

↑ **zatruć** *perf* — **zatruwać** *imperf* [I] *vt* ... to drug (wine, food etc.)

zatrut|y [I] *pp* ↑ **zatruć** [III] *adj* envenomed; drugged; **wino było ~e** the wine was drugged; *nukl.* **reaktor nie ~y** clean reactor

zatruwanie *sn* ↑ **zatruwać;** toxication

↑ **zatrzask** *sm* 1. ... springlock

↑ **zatrzym|ać** *perf* — **zatrzym|ywać** *imperf* [I] *vt* 3. ... **~ać należne pieniądze** to detain money due 4. ... **~any** detainee

↑ **zatrzymanie** *sn* 5. (*wstrzymanie*) ~ **poborów** ⟨**należności**⟩ detention of wages ⟨money due⟩

↑ **zaufani|e** *sn* 2. ... **mąż ~a** shop-steward

zauważalnie *adv* perceptibly; distinguishably

↑ **zauważalny** *adj* ... distinguishable

↑ **zauważyć** *perf* — **zauważać** *imperf* [I] *vt* ... to spot; *sl.* to twig

↑ **zawadiacki** *adj* ... rakish; huffish; *sl.* two-fisted

↑ **zawadiacko** *adv* ... rakishly; huffishly

↑ **zawadiaka** *sm* ... fighting cock

↑ **zawadzać** *imperf* — **zawadzić** *perf* [I] *vt* 5. ... to be de trop

zawadzająco *adv* impedingly; obstructively

↑ **zawalenie** *sn* 3. ... cave-in; downcome

↑ **zawalić** *perf* — **zawalać** *imperf* [I] *vt* 5. ... to flub

↑ **zawartość** *sf* 1. ... *nukl.* hold-up (**paliwa** of fuel); abundance (of isotope)

zawiązanie *sn* ↑ **zawiązać;** fasciation

zawiązany [I] *pp* ↑ **zawiązać** [III] *adj* tied; bound; fasciate

↑ **zawiesin|a** *sf* ... *nukl.* **~a w cieczy** wet suspension; slurry; **reaktor z paliwem w ~ie** slurry reactor; suspension reactor

↑ **zawieszeni|e** *sn* 3. ... **w ~u** suspensively

↑ **zawile** *adv* ... reconditely; trickily; trickishly

↑ **zawini|ć** *vt* — **zawini|ać** *vt* ... **nic nie ~wszy** guiltlessly

zawodnie *adv* deceptively; disappointingly; fallaciously

↑ **zawodny** *adj* ... disappointing; fallacious

↑ **zawodow|y** *adj* 1. ... occupational; **poradnictwo ~e** vocational guidance; **przemęczenie pracą ~ą** occupational fatigue; **sprzeczny z etyką ~ą** unprofessional; *nukl.* **napromienienie ~e** occupational exposure ⟨irradiation⟩

↑ **zaw|ód** *sm* 2. ... **doznać ~odu miłosnego** ... to be disappointed in love

↑ **zawór** *sm* ... ~ **kulkowy** ball valve; ~ **powietrzny** air-valve; ~ **regulacyjny** control valve; ~ **zwrotny** check valve

↑ **zawr|acać** *imperf* — **zawr|ócić** *perf* [I] *vt* ... *nukl.* **~acać do obiegu** to recycle

↑ **zawracanie** *sn* ... *sl.* ~ **gitary** malarkey

↑ **zawszyć** *vt powinno być:* to infest with lice

↑ **zawziąć się** *vr* ... ~ **się na coś** ... to be determined on sth

↑ **zawzięcie** *adv* ... stiffly; grimly

↑ **zazdroś|ć** *sf powinno być:* 1. (*zawiść*) envy; jealousy; **z ~cią** enviously; jealously

↑ **zazdrośnie** *adv* ... tenderly
↑ **zaziemski** *adj* ... transmundane
↑ **zażalenie** *sn* 1. ... *sl.* bitch
↑ **zażarcie** *adv* ... tightly; **współzawodniczyć ~** to compete stiffly
↑ **zażenowani|e** *sn* 2. ... disconcertion; **w ~u** disconcertedly; uneasily
↑ **zażywnie** *adv* ... plumply
↑ **ząb** *sm* 1. ... *powinno być: bot.* **koński ~** (*Zea mays dentiformis*) horse-tooth; *przen.* **~ czasu** the ravages of time
↑ **ząbkowanie** *sn* 1. ... teething; denticulation
ząbkowaty *adj* denticular; dentiform
↑ **zbankrutować** *vi* 1. ... to fold
↑ **zbawiennie** *adv* ... salutarily
↑ **zbawienny** *adj* ... wholesome
↑ **zbesztać** *vt* ... to give (sb) a dressing-down; to drop (on sb) like a ton of bricks
zbędnie *adv* needlessly; unnecessarily; uselessly; redundantly
↑ **zbędny** *adj* ... unnecessary; de trop
↑ **zbiegostwo** *sn* ... defection
↑ **zbiorcz|y** *adj* ... *elektr.* collecting (electrode); *nukl.* collective (effect); **szkoła ~a** comprehensive school; *nukl.* **~y model jądra** collective nuclear model
↑ **zbiornik** *sm* ... *techn.* **~ składowy** storage tank; **~ szlamu ⟨mułu⟩** sump tank; **~ wyrównawczy** surge tank
↑ **zbiorowo** *adv* ... indiscriminately
↑ **zbiorowy** *adj* ... corporative; societal
↑ **zbit|y** Ⅲ *adj* ... matted; *roln.* **gleba ~a** compressed soil
zbliźniaczenie *sn nukl.* twinning
↑ **zbliż|ać** *imperf* — **zbliż|yć** *perf* Ⅲ *vr* **~ać, ~yć się** 2. ... **~ający się** upcoming
zbliżeniowy *adj* proximity —; **zapalnik ~** proximity fuse
↑ **zboczeni|e** *sn* 2. ... *lotn.* **aparat do mierzenia ~a samolotu z kursu** drift meter
zbrakowany Ⅰ *pp* ↑ **zbrakować** Ⅲ *adj* defective
↑ **zbro|ja** *sf* ... **~ja łuskowa** ... brigandine; **w ~i** armoured
zbrojony Ⅰ *pp* ↑ **zbroić**[1] Ⅲ *adj* (*o betonie, szkle*) reinforced
zbrukać *vt perf przen.* to defile
zbrukanie *sn* ↑ **zbrukać**; *przen.* defilement
zbrylać się *vr imperf* — **zbrylić się** *vr perf techn.* to cake
zbrylanie się *sn* ↑ **zbrylać się**; *techn.* caking
zbytecznie *adv* ... uselessly
↑ **zbytkownie** *adv* ... gaudily
↑ **zbytni** *adj* ... overboard
↑ **zbytnio** *adv* ... overly
↑ **zbzikowa|ć** *vi* ... **~ny** ... dotty; hipped; screwy
↑ **z daleka** *adv* ... distantly
↑ **zdawkowy** *adj* ... **~ pieniądz** fractional currency
↑ **zdecydowanie**[2] *adv* ... assertively; purposively; resolutely; sturdily
↑ **zdecydowany** Ⅲ *adj* 1. ... stout-hearted
↑ **zdejmować** *vt* — **zdjąć** *vt* 1. ... **zdjąć z kogoś ciężar ⟨brzemię⟩** to unburden sb; *przen. powinno być*: **zdjąć sztukę z afisza** to take a play off the repertoire
zdemontowanie *sn* ↑ **zdemontować;** dismantlement; dismantling; disassembly
zdemontowany Ⅰ *pp* ↑ **zdemontować** Ⅲ *adj* dismounted; dismantled
↑ **zdenerwowani|e** *sn* 2. ... **w ~u** nervously
↑ **zdenerwowany** Ⅲ *adj* ... *sl.* jittery
zdeprecjonowany Ⅰ *pp* ↑ **zdeprecjonować** Ⅲ *adj* (*o walucie*) cheap
↑ **zdeprymowany** Ⅲ *adj* ... dumpy; hipped
↑ **zderzak** *sm* ... *aut.* shock absorber
↑ **zderzeni|e** *sn* 3. *fiz.* **~e dwóch ciał** two-body collision; *nukl.* **~e bezwychwytowe** non-capture collision; **dyfuzja wywołana ~ami** collisional diffusion; **gęstość zderzeń** collision rate ⟨density⟩; **neutrony, które nie uległy ~u** uncollided neutrons; **przekazywanie energii w ~u** collisional energy transfer; **przekrój czynny na ~e** collision cross-section
zderzeniow|y *adj nukl.* collisional; impact —; **fluorescencja ⟨jonizacja⟩ ~a** impact fluorescence ⟨ionization⟩
↑ **zdjęcie** *sn* 3. ... **dokonywanie zdjęć** (*terenu itd.*) survey
zdobniczo *adv* ornamentally; decoratively
↑ **zdobyci|e** *sn* 3. ... **możliwy do ~a** procurable
↑ **zdobyczny** *adj* ... captured
↑ **zdolnie** *adv* ... capably; efficiently
↑ **zdrada** *sf* ... falsity
↑ **zdradliwie** *adj* ... speciously
↑ **zdradziecki** *adj* 1. ... telltale; disloyal
zdradziecko *adv* 1. (*z zastosowaniem zdrady*) treacherously; traitorously; perfidiously; insidiously; falsely; disloyally 2. (*podchwytliwie*) trickily; captiously 3. (*niepewnie*) unsafely
↑ **zdrajca** *sm* 1. ... betrayer
↑ **zdrowi|e** *sn* ... **szkodliwy dla ~a** unhealthy; insalubrious; *nukl.* **niebezpieczeństwo dla ~a** health hazards; *med.* **fizyka ochrony ~a** health physics
↑ **zdrowo** *adv* 2. ... sanely 3. ... healthfully; wholesomely 6. *med.* laudably
zdrowotnie *adv* wholesomely; salubriously; sanitarily; salutarily
↑ **zdruzgotać** *vt* 1. ... **~ nieprzyjaciela** to shellac the enemy
↑ **zdumiewająco** *adv* ... extraordinarily; stupendously; wonderfully
↑ **zdziecinniały** *adj* ... doited
↑ **zdziecinnienie** *sn* ... doting
zdzierczo *adv* extortionally
zeina *sf biochem.* zein
↑ **zepsuci|e** *sn* 2. ... bedevilment 3. ... vitiation; **ulegający ~u** vitiable
↑ **zepsuty** Ⅲ *adj* 3. ... vitiated
↑ **zerow|y** *adj* ... *sport* **wynik ~y** ... *przen.* duck-egg, duck's egg; *nukl.* **poziom mo-**

cy ~ej zero energy level; **reaktor termonuklearny o mocy** ~**ej** zero-energy thermal apparatus; ~**a masa spoczynkowa** zero rest-mass
↑ **zerwać** *perf* — **zrywać** *imperf* ☐ *vt* 3. ... **zerwać związki ⟨stosunki⟩ z kimś** to dissociate oneself from sb
↑ **zerwanie** *sn* 2. ... ~ **związków ⟨stosunków⟩ z kimś** dissociation from sb
zerwany ☐ *pp* ↑ **zerwać** ☐ *adj* (*o nogach konia*) kneesprung
↑ **zesłanie** *sn* 2. (*zsyłka*) deportation; ...
↑ **zesłany** ☐ *pp* ... **z nieba** ~ heaven-born; heaven-sent
↑ **zespół** *sm* 3. ... **kompletny** ~ (*maszynowy, instalacyjny itd.*) package
zestyk *sm G.* ~**u** *techn.* contact
↑ **zeszkleni|e** *sn* ... **ulegający** ~**u** vitrescent
↑ **ześlizg** *sm* 1. ... downslide motion; *meteor.* **powierzchnia** ~**u** katafront
↑ **zetknięcie** *sn* ... taction
↑ **zewnętrznie** *adv* 1. ... exteriorly; extraneously
↑ **zewnętrzność** *sf* 1. ... externalism
↑ **zez** *sm* ... *med.* **korygujący** ~**a** orthoptic; **operacyjne usuwanie** ~**a** strabotomy
zezwalająco *adv* permissively
zębatkowy *adj techn.* rack-and-pinion — (press etc.)
↑ **zębat|y** *adj* 1. ... **kolejka** ~**a** ... cog-railway; **koło** ~**e** ... rack; rack-and-pinion 4. (*kształtu zęba*) dentiform
zębinotwórcz|y *adj anat.* **komórka** ~**a** odontoblast
zębowaty *adj* odontoid
↑ **zganić** *vt* ... to discommend
↑ **zgasić** *vt* 4. ... ~ **kolor** to dull the colour
zgęszczony ☐ *pp* ↑ **zgęścić** ☐ *adj* condensed; thickened; compressed
zgiełkliwie *adv* rowdily; maddingly
↑ **zgięcie** *sn* 3. *nukl.* kink
zgięciow|y *adj nukl.* **niestabilność** ~**a** kink instability
zginanie *sn* ↑ **zginać; badanie odporności na wielokrotne** ~ flexography
↑ **zgładzić** *vt* — **zgładzać** *vt* 1. ... to coventrize
↑ **zgłodniały** ☐ *adj* ... famished
↑ **zgnilizna** *sf* 1. ... **sucha** ~ dry rot
↑ **zgodliwie** *adv* ... pliantly
↑ **zgodliwy** *adj* ... pliant
↑ **zgodnie** *adv* 1. ... facilely 3. ... agreeably (**z czymś** to sth) 4. (*harmonijnie*) concordantly
↑ **zgodzić** *perf* — **zgadzać** *imperf* ☐ *vr* **zgodzić, zgadzać się** 2. ... **nie zgodzić, nie zgadzać się z kimś** to disaccord with sb; **zgodzić się** *(na czyjś punkt widzenia) sl.* to buy (sb's idea)
↑ **zgrabnie** *adv* 2. ... handily
↑ **zgromadzenie** *sn* 2. ... *polit.* **Zgromadzenie Ogólne (ONZ)** (UNO) General Assembly
↑ **zgroza** *sf* ... dread
↑ **zgrubienie** *sn* 5. *bot.* struma
↑ **zgrywać** ☐ *vr* ~ **się** 2. ... to overplay (a role)
↑ **zgryz** *sm* 1. ... **nieprawidłowy** ~ malocclusion
↑ **zgryzota** *sf* ... gnawing
↑ **zgryźliwie** *adv* ... acidly; currishly; pointedly; pungently
↑ **zgryźliwy** *adj* ... acid; pungent; pointed
↑ **zgrzyt** *sm* 1. ... stridor; **ze** ~**em** gratingly; grindingly; creakily
↑ **zgrzytliwie** *adv* ... creakily; grindingly
↑ **zgubnie** *adv* ... noxiously; fatefully; destructively; ruinously
zhańbiony ☐ *pp* ↑ **zhańbić** ☐ *adj* degraded; disgraced
↑ **ziarnistość** *sf* 3. *biol.* ~ **Altmana** plasmosome
ziarniście *adv* granulously
↑ **ziarn|o** *sn* ... **zawiązywanie** ~**a** nucleation
↑ **zieleń** *sm* 1. ... ~ **szmaragdowa** viridian
↑ **zielonka** *sf* 1. ... soilage
↑ **ziemi|a** *sf* 1. ... **ku** ~ earthward; *przen.* **nie z tej** ~ out of this world; gone; *wojsk.* **(pocisk)** ~**a-powietrze** surface-to--air missile; **(pocisk)** ~**a**-~**a** surface-to--surface missile 4. ... *bot.* **rosnący ⟨dojrzewający⟩ pod** ~**ą** hypogeous
↑ **ziemskość** *sf* ... earthiness; earthliness
ziewający *adj* yawning; oscitant
zikkurat *sm G.* ~**u** *archeol.* ziggurat
↑ **zimnic|a** *sf* 2. ... ~**a z objawami duru brzusznego** typhomalaria; **posożyt** ~**y** vivax
↑ **zimno** ☐ *adv* 1. ... **na** ~ a) ... *techn.* **prasowanie na** ~ cold pressing; **praca na** ~ cold work
↑ **zimn|y** ☐ *adj* 1. ... ~**a krew** ... cold blood 4. *nukl.* **neutron ⟨elektron⟩** ~**y** cold neutron ⟨electron⟩; **obszar** ~**y** cold area; **laboratorium** ~**e** cold laboratory
↑ **zimowisko** *sn* 1. ... *zool.* ~ **grupy owadów** cache
↑ **zimowit** *sm* ... ~ **jesienny** (*Colchicum autumnale*) autumn crocus
↑ **zjadliwie** *adv* 2. ... waspishly; incisively; malignantly; mordantly
zjawiskowo *adv* 1. (*w związku z faktem*) factually 2. (*fenomenalnie*) phenomenally
↑ **zjazd** *sm* 1. ... (*na nartach*) run
zjednoczony ☐ *pp* ↑ **zjednoczyć** ☐ *adj* unified; merged; united
↑ **zlecenie** *sn* 4. ... ~ **kupna ⟨sprzedaży⟩ po cenie rynkowej** market order
↑ **zlekceważyć** *vt* 1. .. to disesteem
↑ **zlepek** *sm* ... conglutination; *roln.* aggregate
zlepienie się *sn* ↑ **zlepić się;** conglutination; agglomeration; conglomeration
↑ **zlewozmywak** *sm* ... sink unit
↑ **złagodnienie** *sn* ... attenuation
↑ **złagodzeni|e** *sn* 2. ... dulcification; **nie do** ~**a** immitigable

↑ **złącze** *sn* ... bond
↑ **złościć** [I] *vt* ... to gripe
↑ **złoś|ć** *sf* ... **ze ∼cią** ... peevishly; irately; wrathfully; wrathily
↑ **złośliwie** *adv* ... cattily; malignly; malignantly
↑ **złot|o** *sm* 1. ... *chem.* aurum; **standard ∼a** gold standard
↑ **złudnie** *adv* ... elusorily
↑ **złudzeni|e** *sn* 2. ... **szczęście, zadowolenie oparte na ∼ach** fool's paradise
↑ **zły** [I] *adj* 3. ... wrathy
↑ **zmachany** *adj* ... blown; pooped
↑ **zmarszczka** *sf* 1. ... *anat.* ruga
↑ **zmarzlina** [r-z] *sf* ... *geogr.* permafrost
zmatowienie *sn* ↑ **zmatowieć;** dulling
zmatowiony *adj* (*o szkle, farbie*) matted
↑ **zmaz|ać** *perf* — **zmaz|ywać** *imperf* [I] *vt* 1. ... **nie dający się ∼ać** indelible; **nie dając się ∼ać** indelibly
↑ **zmęczenie** *sn* 2. ... **ze ∼m** tiredly
↑ **zmiana** *sf* 1. *nukl.* **∼ względna** fractional change 3. ... **∼ dodatkowa** relief shift
↑ **zmiatać** *imperf* — **zmieść** *perf* [III] *vi* ... to high-tail
↑ **zmiażdżyć** *vt* ... **∼ nieprzyjaciela** to shellac the enemy
zmieniacz *sm* changer; **automatyczny ∼ płyt** automatic changer
↑ **zmieni|ać** *imperf* — **zmieni|ć** *perf* [I] *vt* 1. ... *ekon.* **∼ać, ∼ć kapitał** to recapitalize
zmiennie *adv* changeably; inconstanly; floatingly; mutably; variably; (*nierówno*) unevenly
↑ **zmienność** *sf* 1. ... *elektr.* **∼ prądu** alternation
↑ **zmienn|y** [I] *adj* 1. ... floating; unsteady; *meteor.* **wiatry ∼e ⟨z kierunków ∼ych⟩** shifting winds 2. ... inconsistent
zmieszany [I] *pp* ↑ **zmieszać** [III] *adj* disconcerted; confused; embarrassed; discomforted
zmieszczaniały [I] *pp* ↑ **zmieszczanieć** [III] *adj* citified; townified
↑ **zmiękczacz** *sm* ... plasticizer
↑ **zmiękczający** *adj* ... molescent
↑ **zmoczyć** [I] *vt* 1. ... to douse
↑ **zmodernizować** [I] *vt* ... to update
↑ **zmow|a** *sf* ... **w ∼ie** ... collusively
zmowny *adj* collusive
↑ **zmuszenie** *sn* ... astriction
↑ **zmysłowo** *adv* 2.. impurely; lasciviously; lewdly; lustfully; libidinously
↑ **zmyślony** [III] *adj* ... imaginative; made--up
↑ **zmywani|e** *sn* 1. ... **∼e naczyń** washing up; **maszyna do ∼a naczyń** dishwasher
↑ **znacząco** *adv* ... meaningfully; insinuatingly
↑ **znaczący** *adj* ... meaningful
↑ **znaczeni|e** *sn* 2. ... **bez ∼a** ... trivial; negligible; immaterial; inconsequential
↑ **znacznie** *adv* ... substantially
↑ **znacznik** *sm* 2. ... **∼ dolny** subindex; subscript
znaczony [I] *pp* ↑ **znaczyć** [III] *adj nukl.* labelled
↑ **znacz|yć** [I] *vt* 3. ... **to nic ⟨niewiele⟩ ∼y** it is inconsequential; **nic nie ⟨niewiele⟩ ∼ąc** inconsequentially
↑ **znać** [III] *vr* **∼ się** ... *sl.* to be hep **(na czymś** to sth)
↑ **znak** *sm* 1. ... *pl* **∼i** *zbior.* charactery
↑ **znakomicie** *adv* ... daintily; capitally; gloriously
↑ **znakomity** *adj* ... dainty; ace
↑ **znamionow|y** *adj* ... *fiz.* rated; *nukl.* **moc ∼a** rated capacity
↑ **zniechęcająco** *adv* ... disappointingly; disincentively
↑ **zniechęcając|y** *adj* ... disappointing; disheartening; **czynnik ∼y ⟨okoliczność ∼a⟩** disincentive
↑ **zniechęcenie** *sn* 2. ... disaffection; disaffectedness; downheartedness; **ze ∼m** downheartedly; dispiritedly; dejectedly; disappointedly; despondently
↑ **zniechęcony** [III] *adj* ... disaffected
↑ **zniecierpliwienie** *sn* 2. ... **ze ∼m** ill-temperedly; impatiently
↑ **zniekształceni|e** *sn* 2. *powinno być*: ... malformation; deformity; **ulegający ∼u** deformable; **∼e wydłużające** prolate distortion
zniekształcon|y [I] *pp* ↑ **zniekształcić** [III] *adj* deformed; **∼a ręka** club-hand
↑ **zniesieni|e** *sn* 4. ... **w sposób nie do ∼a** unbearably
↑ **zniesławiać** *vt* — **zniesławić** *vt* ... to denigrate
↑ **znieść** *perf* — **znosić** *imperf* [I] *vt* 3. ... to drift 8. *zool.* to lay (eggs); **zwierzę znoszące jaja** oviferous animal
↑ **zniewolenie** *sn* 2. ... astriction
znikczemniały [I] *pp* ↑ **znikczemnieć** [III] *adj* degraded; debased; abject
↑ **znikczemnieni|e** *sn* ... **w ∼u** degradedly
↑ **znikomo** *adv* ... indiscernibly
↑ **znikomy** *adj* 2. ... destroyable
↑ **zniszczenie** *sn* 2. ... blastment; shambles
↑ **zniszczony** [III] *adj* ... *sl.* beat-up
↑ **zniweczenie** *sn* 3. ... blastment
↑ **znos** *sm* ... driftage
↑ **znośny** *adj* ... fairish
↑ **znudzenie** *sn* ... **ze ∼m** wearily
↑ **znużenie** *sn* ... **ze ∼m** wearily
↑ **zołza** *sf* 2. ... distemper
zoometri|a *sf singt GDL.* **∼i** zoometry
zooplastyka *sf singt* zooplasty
↑ **zoospora** *sf* ... swarmer
zoroastryzm *sm singt G.* **∼u** *filoz.* Zoroastrianism
↑ **zramoleć** *vi* ... to fall into one's dotage
zramolenie *sn* ↑ **zramoleć;** dotage
↑ **zra|zić** *perf* — **zra|żać** *imperf* [I] *vt* ... **∼zić, ∼żać sobie kogoś** ... to incur sb's displeasure
↑ **zrażenie** *sn* ... disaffectedness; disaffection

↑ **zrąb|ać** *vt* — **zrąb|ywać** *vt* 7. ... **~ać z powietrza** to clobber
↑ **zredagowanie** *sn* ... drafting
↑ **zredukować** ⊡ *vt* 1. ... **nie dający się ~** irreducible
↑ **zredukowani|e** *sn* 2. ... **bez możności ~a** irreducibly
↑ **zręcznie** *adv* 1. ... handily 2. ... artfully; trickishly
↑ **zręczny** *adj* 1. ... habile
↑ **zrosłopłatkowy** ⊡ *adj* ... gamopetalous
↑ **zrozpaczony** *adj* ... distressed
↑ **zrozumiale** *adv* ... comprehensively; intelligibly; perspicuously
↑ **zrozumiały** *adj* 1. ... comprehensive; transpicuous; understandable
↑ **zrozumieni|e** *sn* 2. ... **fałszywe ⟨mylne⟩ ~e** ... misinterpretation; **trudny do ~a** deep 4. ... **ze ~em** sympathetically
↑ **zrówn|ać** *perf* — **zrówn|ywać** *imperf* ⊡ *vt* ... **~ać, ~ywać coś z ziemią** ... to coventrate ⟨to coventrize⟩ sth
↑ **zrównani|e** *sn* 7. (*doprowadzenie do jednakowego stanu*) matching; **punkt ~a** matching point
↑ **zrujnowanie** *sn* ... blastment
↑ **zrywać** ⊡ *vt* ... **ręcznie ~ (owoce itd.)** to hand-pick (fruit etc.)
↑ **zrzęda** *sf sm* ... curmudgeon; fuss-budget
zrzędnie *adv* biliously; crustily; grouchily
↑ **zrzędny** *adj* ... grouchy
↑ **zrzędzenie** *sn* 2. ... *am.* gripe
↑ **zrzędzić** *vi* ... to bellyache; *am.* to gripe
↑ **zrzuc|ać** *imperf* — **zrzuc|ić** *perf* ⊡ *vt* 2. ... *przen.* **~ić wagę** to reduce weight
↑ **zrzut** *sm* 1. ... airdrop
↑ **zstępujący** *adj* ... **ruch ~** downward ⟨descending⟩ motion
zubożający *adj nukl.* stripping (column)
zubożony ⊡ *pp* ↑ **zubożyć** ⊞ *adj nukl.* impoverished
↑ **zuchowato** *adv* ... recklessly
↑ **zuchwale** *adv* ... insolently; impertinently
↑ **zuchwały** *adj* 1. ... insolent
↑ **zunifikowa|ć** *vt* 2. ... *nukl.* **~ny model jądra** unified nuclear model
↑ **zupełnie** *adv* 1. ... starkly
↑ **zwalisty** *adj* ... blocky
↑ **zwalniacz** *sm* ... letoff
zwalony *pp* ↑ **zwalić**; downfallen
↑ **zwarci|e**[1] *sn* 5. ... clinch; **walka w ~u** fighting in clinch
↑ **zwarcie**[2] *adv* ... tightly; compactly; massively
↑ **zwariowany** *adj* ... *pot.* screwy; *am.* bean-fed
↑ **zwarty** *adj* 1. ... tight; massive
↑ **zwiać** *perf* — **zwiewać** *imperf* ⊞ *vi* ... to blast off; to high-tail; to lam
↑ **zwiad** *sm* 2. ... scouting
↑ **zwiadowczy** *adj* ... scout — (plane, car etc.)
zwianie *sn* ↑ **zwiać**; lam
↑ **związan|y** ⊡ *pp* ... bound; *chem.* **woda ~a** bound water
↑ **związ|ek** *sm* 1. ... **w ~ku z tematem ⟨z omawianą sprawą⟩** pertinently; **bez ~ku z tematem ⟨z omawianą sprawą⟩** inconsequently; inconsequentially; inconsistently; pointlessly; irrelatively; **brak ~ku** disjointment 3. ... **w ~ku małżeńskim** conjugally 8. ... **bez ~ku** pointless(ly); irrelatively (**z czymś** to sth); disjointedly; desultorily; incoherently
zwieranie *sn* ↑ **zwierać**; striction
↑ **zwierciadlan|y** *adj* 1. ... *nukl.* **nuklidy ~e** mirror nuclides
↑ **zwierz|ę** *sn* ... **życie ⟨królestwo⟩ ~ąt** animal life ⟨kingdom⟩; **hodowla ~ąt** husbandry; **choroby przenoszone przez ~ęta** zoonoses
zwiewanie *sn* ↑ **zwiewać**; *sl.* lam
zwiększacz *sm lotn.* **~ ciągu odrzutowego** augmentor
↑ **zwięzłość** *sf* 1. ... brachylogy
↑ **zwi|jać** *imperf* — **zwi|nąć** *perf* ⊡ *vt* 2. ... (*o przedsiębiorstwie, instytucji*) **zostać ~niętym** to fold (*vi*) ⊞ *vr* **~jać, ~nąć się** 6. (*zostać zlikwidowanym*) to fold
zwilżacz *sm chem.* wetting agent; moistener
↑ **zwilż|ać** *imperf* — **zwilż|yć** *perf* ⊡ *vt* ... to dabble; **czynnik ~ający** wetting agent
↑ **zwinnie** *adv* ... dapperly; lightsomely; limberly
↑ **zwinny** *adj* ... limber
↑ **zwlekanie** *sn* 2. ... cunctation; dilatory politics
↑ **zwłok|a** *sf* 1. ... detainment; *wojsk.* **zapalnik ze ~ą** delayed-action fuse
↑ **zwodniczo** *adv* ... elusorily
↑ **zwolennik** *sm* ... **entuzjastyczny ~** assiduate
↑ **zwolnienie** *sn* 1. ... slowing (down)
↑ **zwr|acać** *imperf* — **zwr|ócić** *perf* ⊡ *vt* 1. ... **~ócić oczy na coś ⟨ku czemuś⟩** to direct one's gaze towards sth 2. ... **dobrowolnie ~ócić skradzione rzeczy** to blow back stolen things
↑ **zwrot** *sm* 1. ... **~ samolotu do lotu nurkowego** pushover; **ilość miejsca potrzebna do wykonania ~u samochodem** turnaround 3. ... turnaround 4. ... **dobrowolny ~ skradzionych rzeczy** blowback
↑ **zwrotnie** *adv* ... *gram.* reflexively
↑ **zwrotn|y** *adj* 1. ... *fiz.* **napięcie ~e** inverse voltage
↑ **zwycięstw|o** *sn* 1. ... **chełpiący się ~em** triumphant
↑ **zwyczajowo** *adv* habitually
↑ **zwymiotować** *vt vi* ... *pot.* to upchuck
zwyrodniały ⊡ *pp* ↑ **zwyrodnieć** ⊞ *adj* 1. (*zdegenerowany*) degenerate 2. (*upodlony*) degraded
↑ **zwyrodnieni|e** *sn* 2. ... **nauka o czynnikach powodujących ~e** cacogenics; **w ~u** degradedly
zygospora *sf bot.* zygospore
↑ **zysk** *sm* ... **z ~iem** gainfully

Ź

↑ **źdźbło** *sm* 1. ... spear
↑ **źle** *adv* 2. ... wrongly
↑ **źródł|o** *sn* 3. ... original materials; **podanie ~a publikowanej wiadomości lub ilustracji** credit 4. *nukl.* source; **term ~a** source term; **zakres ~a** source range; **blokada ~a** source interlock; **rozszczepienie neutronami ze ~a** source fission
↑ **źródłowy** *adj* 2. .. source — (material)

Ż

↑ **żałobnie** *adv* 2. ... mournfully
↑ **żałośnie** *adv* 1. ... dolorously; sadly; woefully; spitefully 2. ... sadly; ruefully
↑ **żał|ować** ▯III *vi* 3. ... **nie ~ując** ungrudgingly
↑ **żar** *sm* 2. ... *fiz.* **biały ~** white heat
↑ **żargon** *sm* 1. ... argot; jive; **~ rozporządzeń urzędowych** gobbledygook; **~ urzędowy** officialese
↑ **żargonow|y** *adj* ... **wyrażenie ~e** vernacularism
↑ **żarliwie** *adv powinno być*: .... earnestly; zealously; glowingly, passionately
↑ **żarłocznie** *adv* ... ravenously; **jeść ~** ... to gluttonize
↑ **żarłoczność** *sf* ... *med.* sitomania
żarow|y *adj* incandescent; **koszulka ~a** incandescent mantle
↑ **żar|t** *sm* ... **~tem** sportively; **w ~cie** laughingly; triflingly
↑ **żartobliwie** *adv* ... sportively; laughingly
↑ **żart|ować** *vi* ... *am. sl.* to razz; **~ując** triflingly
↑ **żarz|yć** ▯III *vr* **~yć się** ... **~ąc się** glowingly
↑ **żądło** *sn* 2. *sl. lotn.* (*działo w ogonie bombowca*) stinger
↑ **żebr|o** *sn* 1. ... **wolne ~a** false ribs
↑ **żeglarski** *adj* ... **sklep z przyborami ~mi** dolly-shop
żelatynowaty *adj* gelatinoid
↑ **żelazn|y** *adj* 2. ... *wojsk.* **~a racja żywnościowa** C ration; **~y zapas** (*surowców itd.*) stockpile; **list ~y** safe-conduct
↑ **żłobek** *sm* 3. *powinno być*: (*rowek*) groove
↑ **żmudnie** *adv* ... painfully
↑ **żołądek** *sm* ... (*u owada*) ventriculus; **cios w ~** solar ⟨cardiac⟩ knock
żołądkowopłucny *adj* pneumogastric
↑ **żołędziow|y** *adj* ... *radio* **lampa ~a** acorn tube
↑ **żółcień** ▯I *sf* .... *chem.* **~ kwasowa** tartrazine
↑ **żółtko** *sn* 1. ... *biol.* ... parablast
↑ **żuchw|a** *sf* ... (*o owadzie*) **mający ⟨zaopatrzony w⟩ ~y** mandibulate
↑ **żuci|e** *sn* ... **służący do ~a** masticatory
żurawik *sm mar.* **~ (łodziowy, kotwiczny)** davit
↑ **żurnal** *sm* ... **plansza z ~u mód** fashion plate
↑ **żużel** *sm* 1. ... *hut.* **~ pudlarski** floss
↑ **żwawo** *adv* ... snappily; alertly; nimbly; spryly
↑ **żwawy** *adj* ... alert; nimble; spry; snappy
↑ **żwirowiec** *sm* ... **~ nilowy** (*Pluvianus aegypticus*) crocodile bird
↑ **życi|e** *sn* 1. ... **przeciętna długość ~a** life expectancy; **ubezpieczenie na ~e** whole-life insurance; **zdolność do ~a** viability; **niezdolny do ~a** unviable; *nukl.* **przewidywany czas ~a** life expectancy; **trwanie ~a** life span 3. ... **bez ~a** ... inanimately
↑ **życiorys** *sm* ... biographical sketch; curriculum vitae
↑ **życiowo** *adv* vitally; ...
↑ **życiowy** *adj* 1. ... life — (cycle etc.)
↑ **życze|nie** *sn* 2. ... **książka ~ń i zażaleń** suggestion book
↑ **życzliwie** *adv* ... good-heartedly; propitiously
żylakowatość *sf singt med.* varicosis
↑ **żył|a** *sf* 1. ... *med.* **zapalenie ~** phlebitis; **zapalenie ~y udowej** milk leg
↑ **żyłk|a** *sf* 4. ... *pl* **~i** veining
↑ **żyłkowanie** *sn* ... veining
↑ **żyłowanie** *sn* 2. ... veining
↑ **żyroskopowy** *adj* ... *lotn.* **~ wskaźnik kursu** directional gyro
↑ **żywic|a** *sf* ... **~a akrylowa** acrylic resin; **~a fenolowa** phenolic resin; **~a kumaronoindenowa** Coumarone-indine resin; **~a poliestrowa** polyester resin; **nauka o ~ach syntetycznych** resinography; **zaprawiać ⟨impregnować⟩ ~ą** to resinate
↑ **żywicowaty** *adj* ... resinoid
↑ **żywiczn|y** *adj* ... **drewno ~e** torchwood
↑ **żywiołowo** *adj* ... elementally
↑ **żywnoś|ć** *sf* ... victuallage; **konserwacja środków ~ci** food preservation
↑ **żywo** *adv* 2. ... keenly; vivaciously; succulently; **~ czegoś pragnąć** to desire sth eagerly || *tv* (*o programie*) **nadawany na ~** live
↑ **żywokost** *sm* ... boneset
żywopłotowy *adj* hedge — (shrubs etc.)
↑ **żyworodn|y** *adj* ... **zwierzęta ~e** vivipara
↑ **żywość** *sf* 2. ... **~ kolorów** brightness; **stracić ~ kolorów** to dull
↑ **żywotn|y** *adj* 2. ... **siły ~e** animal spirits
↑ **żyzność** *sf* ... feracity
żyźnie *adv* fruitfully